LE DICTIONNAIRE
MARABOUT
DES
MOTS CROISÉS

PAR LÉON ET MARYNEL NOËL

Pourquoi un dictionnaire des mots croisés ?

Il existe beaucoup de dictionnaires. Tous sont utiles, peu ou prou. Mais rares sont les ouvrages spécifiquement adaptés à la résolution des grilles de mots croisés.

La recherche dans les dictionnaires classiques est souvent longue et fastidieuse. Elle exige une dose peu commune de patience, mais fournit en revanche l'occasion d'enrichir ses connaissances.

Le dictionnaire que nous présentons ici permet de gagner un temps précieux là où, précédemment, le cruciverbiste — puisque c'est ainsi que l'on nomme les amateurs de mots croisés — se serait perdu dans d'épuisantes recherches. Il vise à faciliter le plus possible le jeu, à « démarrer » dans une grille difficile, à hâter la découverte de la solution ou, tout simplement, à découvrir le dernier mot, celui sans lequel le plaisir ne serait pas complet.

Loin de nous cependant l'idée de chercher à transformer le sport des mots en croix en une pure mécanique.

D'ailleurs, celui-là même qui dédaigne les dictionnaires n'en arrive-t-il pas, tôt ou tard, à se confectionner, à son usage personnel, des listes d'animaux, d'outils, de véhicules, de meubles, d'armes ? Et dès lors, à partir du moment où l'on se réfère à des listes, ne vaut-il pas mieux utiliser un ouvrage plus complet ? Tout répertoire conçu spécialement à l'intention des amateurs de mots croisés tire d'ailleurs son origine de pareilles listes, constituées peu à peu. Le présent ouvrage ne fait pas exception, mais il va bien au-delà.

Un dictionnaire spécialement conçu pour les cruciverbistes

A l'inverse des dictionnaires classiques *(Larousse, Littré, Robert)*, qui reprennent une série de mots suivis de leurs définitions, le présent dictionnaire part, lui, de la définition pour arriver au mot recherché.

Telle fut l'idée de départ de cet ouvrage. La plupart des grilles, étant construites sur base des mots du *Petit Larousse* (le *P.L.* des cruciverbistes), il semblait au premier abord suffisant d'inverser systématiquement ce dictionnaire. Ainsi, dans les définitions du *P.L.*, nous avons relevé les mots caractéristiques, les « mots-clés », qui allaient, dans notre *Dictionnaire Marabout des mots croisés*, devenir les mots vedettes.

Cet ouvrage permet donc de retrouver le mot qui se dérobe, chaque fois que l'auteur de la grille sera resté fidèle au *Petit Larousse.* A ce stade, il constituait ce que nous appellerions volontiers le *« Petit Larousse* à l'envers ».

Bien vite cependant, il est apparu que ce travail d'inversion, extrêmement long déjà puisqu'il devait s'appliquer aux milliers de mots du dictionnaire courant, allait se heurter à plusieurs difficultés.

Que lit-on, par exemple, dans le *P.L.*, pour le mot *abaca ?*

> **ABACA** [abaja] n.m. (esp. *abacá*). Bananier des Philippines, qui fournit une matière textile, le *chanvre de Manille.*

Les mots-clés relevés dans cette définition sont *bananier* et *chanvre*, de sorte que, dans notre *Dictionnaire Marabout des mots croisés*, aux rubriques *bananier* et *chanvre*, on trouvera :

BANANIER : 5 abaca ■ **6** banane ■ **10** bananeraie.

CHANVRE : 3 kif ■ **4** bang, kiff ■ **5** abaca, broie, corde, filin, rouet, tille, tissu, toile ■ **6** étoupe, macque, teille ■ **7** filasse ■ **8** affinoir, etc.

Il est cependant des mots-clés importants qui ne figurent pas dans la définition du *P.L.* Dans ce cas-ci, il était utile de mentionner l'*abaca* dans notre rubrique *arbre* par exemple.

En fait, l'inversion pure et simple conçue au départ eut été parfaite si chaque mot n'avait qu'une seule définition et si l'auteur d'une grille se bornait à reprendre toujours cette définition.

En réalité, un mot peut se définir de bien des façons et tout l'art du cruciverbisme réside précisément dans les définitions inattendues. On cherche le jeu de mot, le calembour, la devinette. Le jour où le célèbre humoriste Tristan Bernard lança des mots croisés qui étaient en même temps des mots d'esprit, un nouvel art est né. Les auteurs de grilles se réclamant de cette école française continuaient certes à utiliser les mots les plus courants du *P.L.*, mais présentés par des calembours et des bons mots du type « transformée en appareil d'éclairage pour des clients peu méfiants », qui définit *vessie* (prendre des vessies pour des lanternes), ou « n'avait rien d'un homme du monde » pour définir *manant.*

Ces définitions humoristiques échappent la plupart du temps à tout dictionnaire, y compris le nôtre. Nous n'avons pas la prétention d'apporter une aide, tout au moins directe, à ceux qui se passionnent exclusivement pour les grilles de maîtres tels que Tristan Bernard, Max Favalleli, Roger La Ferté et d'autres.

Pour revenir à notre « dictionnaire inversé » disons que le travail de base a dû être complété par une série de répertoires et de listes puisés dans différents ouvrages spécialisés de façon à permettre à l'amateur de mots croisés la recherche aisée et rapide du mot par la définition. Notre dictionnaire comporte dès lors tous les synonymes, les antonymes, un très grand nombre de mots analogiques et de mots suggérés par l'idée contenue dans le mot-vedette. Parfois, il fournira la solution à des définitions faites d'allusions. En outre, un système de renvois d'une notion à une autre permet d'approfondir les recherches qui n'auraient pas abouti du premier coup.

Notre but, par ce dictionnaire, est d'aider à se lancer plus facilement, à trouver d'emblée la méthode, à faire ses armes et à acquérir l'habitude du jeu. Avec la pratique, l'expérience viendra et vous pourrez franchir plus tôt le cap des définitions courantes. Vous aussi, vous goûterez alors aux joies plus profondes des grilles difficiles, savantes ou humoristiques. Vous retirerez de ce divertissement une érudition inattendue, sans grand effort et en vous amusant.

Léon et Marynel Noël

CE QUE CONTIENT CE DICTIONNAIRE

1. Les mots vedettes: Les mots imprimés en caractères gras représentent les définitions. Ces mots sont classés dans l'ordre alphabétique. On ne doit pas s'attendre à y trouver tous les noms communs de la langue française, mais uniquement ceux susceptibles de se trouver dans une définition de mots croisés. Les mots de même radical ont été fusionnés en une ou deux rubriques (substantifs et verbes par exemple).

2. Le groupe de mots qui accompagne chaque «définition» ou mot-vedette est classé lui-même en sous-groupes de mots comportant un même nombre de lettres (de 2 à 15). Les mots de plus de 15 lettres sont rares en mots croisés, la plupart des grilles ne dépassant pas 12 × 12 cases de côté. De plus, même dans des grilles de 15 cases et plus de côté, les mots de 15 lettres et plus sont exceptionnels.

A l'intérieur de chaque sous-groupe, les mots se trouvent classés dans l'ordre alphabétique.

3. Les renvois: On a prévu un système de renvoi, au moyen d'astérisques, à d'autres idées voisines, similaires, plus vastes ou au contraire plus étroites. Dans tous les cas, ces renvois constituent des suggestions, des pistes à suivre. En outre, ces renvois évitent de longues répétitions.

En principe, il n'est pas renvoyé à des mots de même souche, qui suivent ou qui précèdent à peu de distance dans l'ordre alphabétique (à *aliment*, on ne renvoie pas à *alimenter, alimentaire*, etc., mais bien à *nourriture*).

Par contre, on n'a pas hésité à inclure des renvois à double sens pour faciliter les recherches.

Pour les *animaux*, notre système renvoie des plus grandes subdivisions (embranchements) vers les plus petites (familles) pour arriver finalement aux espèces. Ceci a permis d'éviter les redites et de systématiser les recherches.

Nous avons voulu que la recherche soit aisée, rapide et efficace dans pratiquement tous les cas.

QUELQUES PARTICULARITÉS

Cherchez...	**Ne cherchez pas...**
1. Les singuliers *ex. :* voiture	**1. Les pluriels** *ex. :* voitures *sauf :* archives (qui n'a pas de singulier) *sauf :* yeux (pluriel différent du singulier)
2. Les masculins	**2. Les féminins** *sauf :* bru, ballerine, belle-fille, etc. (très différents du masculin)
3. Les noms communs *N.B.* Pour les noms de pays, cherchez l'adjectif. *ex. :* anglais	**3. Les noms propres** *ex. :* Angleterre
4. Les verbes à l'infinitif *ex. :* travailler	**4. Les verbes conjugués** *ex. :* travaillé, travaillant, travaillent...
5. Les verbes sans tenir compte du pronom éventuel *ex. :* résigner	**5. Les verbes pronominaux ou réfléchis** *ex. :* se résigner
6. Les noms composés *ex. :* abat-jour (avec les mots de 8 lettres)	

À TITRE D'EXEMPLE...

RÉSOLUTION DE DEUX GRILLES TYPES

Grille nº 1

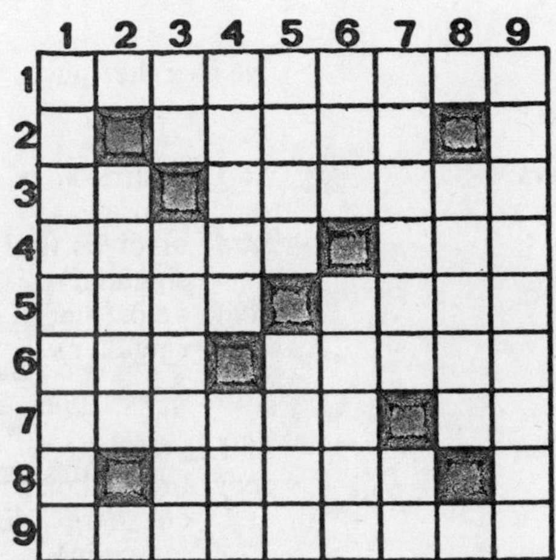

Horizontalement

1. **Fête de l'Eglise** (9 lettres) : à *fête*, je trouve plusieurs solutions en 9 lettres; aucun élément ne peut déterminer le choix pour l'instant. J'attends.
2. **Fruit** (5 lettres) : même remarque.
3. **Fille d'Inachos** (2 lettres) : nom propre non repris dans cet ouvrage.
   Effective (6 lettres) : au masculin *effectif*, je dois en principe trouver un mot de 5 lettres. Il n'y en a pas, mais je constate que *réel*, mis au féminin, me donne REELLE, que j'inscris sur la grille.
4. **Garnir un voilier** (5 lettres) : à *garnir*, six solutions se présentent, dont une avec renvoi.
   Ainsi fut dit (3 lettres) : à *ainsi*, deux solutions : *sic* et *tel.* Attendre.
5. **Prénom féminin** (4 lettres) : nom propre.
   Cheminent (4 lettres) : à *cheminer*, il n'y a pas de mots de 4 lettres, mais le verbe *aller*, conjugué à la 3e personne du pluriel, donne VONT, que j'inscris.

6. **Monnaie asiatique** (3 lettres) : seize solutions. Attendre.
   Chanteur (5 lettres) : quatre solutions. Attendre, d'autant plus que ce pourrait être un nom propre.
7. **Magot** (6 lettres) : deux solutions. Attendre.
   Lac africain (2 lettres) : nom propre.
8. **Sorcellerie** (5 lettres) : le mot *sorcellerie* ne figurant pas, je prends *sorcier*, où je vois deux solutions : *griot* et *magie*. Attendre.
   Point où le tremblement de terre est le plus intense (9 lettres) : à *tremblement*, quatre solutions; en complément d'information, je regarde à *point* et, dans les mots de 9 lettres, je ne trouve que EPICENTRE qui soit également repris à *tremblement*, donc la solution recherchée.

Verticalement

1. **Partie de l'abdomen** (9 lettres) : à *abdomen*, quatre solutions; à *partie*, seul, de ces quatre solutions possibles, EPIGASTRE est repris. C'est le mot recherché.
2. **Décorer** (5 lettres) : quatre solutions, dont un seul verbe, ORNER, que j'inscris.
3. **Arbre** (2 lettres) : une seule solution, IF.
   Antagoniste (6 lettres) : deux solutions : *ennemi* et *opposé*; je connais déjà la dernière lettre, *i*, ce qui me permet de retenir ENNEMI.
4. **Evitée** (5 lettres) : à *éviter*, trois solutions : *garer, parer, volte*, les deux verbes à retenir : au participe passé et au féminin, ils donnent *garée* et *parée*. J'attends pour trancher.
   Pillage (3 lettres) : une seule solution : SAC.
5. **Récent** (4 lettres) : deux solutions : *hier* et *neuf*; comme je connais la troisième lettre, *e*, je retiens HIER.
   Robe de magistrat (4 lettres) : à *robe*, quatre solutions : *poil, sari, toge* et *zain*; à *magistrat*, seul TOGE figure, mot recherché, d'autant plus que la dernière lettre, *e*, est déjà connue.
6. **Solipède** (3 lettres) : une seule solution, ANE, qui correspond d'ailleurs avec la troisième lettre, *e*, que je connaissais déjà.
   Voisin de la grue (5 lettres) : à *grue*, quatre solutions : *benne, gruau, vérin* et *volée*; connaissant déjà les première (*v*) et dernière (*n*) lettres, je puis trancher : VERIN.
7. **Vainqueur de Trafalgar** (6 lettres) : nom propre.
   Agent de liaison (2 lettres) : à *liaison*, une seule solution : ET.
8. **Batiste** (5 lettres) : une seule solution : LINON.
9. **Conducteur** (9 lettres) : treize solutions. Attendre.

Après ce premier tour de recherches, ma grille est déjà presque complètement remplie :

	1	2	3	4	5	6	7	8	9
1	E		I		H	A			
2	P	■	F		I	N		■	
3	I	O	■	R	E	E	L	L	E
4	G	R	E		R	■		I	
5	A	N	N		■	V	O	N	T
6	S	E	N	■	T	E		O	
7	T	R	E	S	O	R	■	N	
8	R	■	M	A	G	I	E	■	
9	E	P	I	C	E	N	T	R	E

Je reprends le problème par le début et, avec les données que je possède maintenant, je vais résoudre les autres définitions :

Horizontalement

1. Possédant les première, troisième, cinquième et sixième lettres, il ne reste plus qu'une solution possible : EPIPHANIE.
2. Possédant les première, troisième et cinquième lettres, je retiens FAINE.
4. Il ne manque plus qu'une lettre; ce ne peut être que GREER. Connaissant la deuxième lettre, *i*, j'inscris SIC.
6. Possédant les première, deuxième et quatrième lettres, une seule solution : TENOR.

Verticalement

4. Possédant les quatre premières lettres, j'élimine *garée* et je retiens PAREE.
9. Connaissant presque tous les lettres, une seule solution reste possible : ELECTRODE.

La grille est complète. Nous aurons donc :

	1	2	3	4	5	6	7	8	9
1	E	P	I	P	H	A	N	I	E
2	P	■	F	A	I	N	E	■	L
3	I	O	■	R	E	E	L	L	E
4	G	R	E	E	R	■	S	I	C
5	A	N	N	E	■	V	O	N	T
6	S	E	N	■	T	E	N	O	R
7	T	R	E	S	O	R	■	N	O
8	R	■	M	A	G	I	E	■	D
9	E	P	I	C	E	N	T	R	E

Grille n° 2

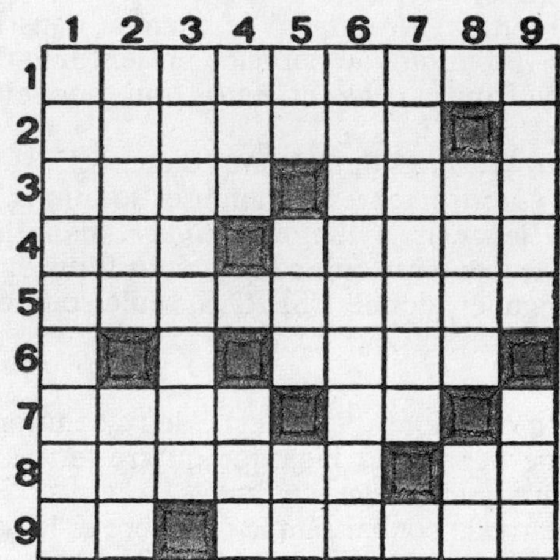

Horizontalement

1. **Sacrificateur romain** (9 lettres) : à *sacrificateur*, la seule solution en 9 lettres est HARUSPICE que j'inscris.

2. **Camaraderies** (7 lettres) : comme la définition est au pluriel, je cherche un mot de 6 lettres. Ne trouvant pas *camaraderie*, je cherche à *camarade* et j'y trouve *amitié* et *copain*. Attendre.
3. **Ville éternelle** (4 lettres) : nom propre, non repris dans cet ouvrage.
   Fleur (4 lettres) : de nombreuses solutions sont proposées. Attendre.
4. **Changea** (3 lettres) : à *changer*, je cherche un infinitif qui, conjugué, me donne la solution en 3 lettres. Je trouve *muer* qui, à la 3e personne du singulier et au passé, me donne MUA, solution acceptable.
   Perdre son pelage (5 lettres) : à *perdre*, cinq solutions : *gâter, pâtir, peler, ravir* et *reste*; à *pelage*, trois solutions : *hyène, peler* et *sable*. Le seul mot commun étant PELER, je le note comme seule solution possible.
5. **Inédite** (9 lettres) : la définition étant au féminin, je cherche à *inédit* un mot de 8 lettres et je trouve *original* qui, au féminin, donne ORIGINALE.
6. **Liés** (4 lettres) : à *lier*, trois solutions : *être, lien* et *unir*. La dernière solution, au participe passé et au pluriel, donne UNIS, solution valable.
7. **Infus** (4 lettres) : une seule solution : INNE.
   Sur la Tille (2 lettres) : nom propre.
8. **Estimant** (6 lettres) : à *estimer*, je cherche dans les mots de 5 lettres des verbes qui, au participe présent, me donnent une solution. J'y trouve *coter* et *noter*, qui donnent *cotant* et *notant*. En attente.
   Laize (2 lettres) : une solution immédiate : LE.
9. **Abréviation** (2 lettres) : très nombreuses solutions. En attente.
   Elimeras (6 lettres) : à l'infinitif *élimer*, dans les mots de 4 lettres, je trouve *user* qui, conjugué au futur et à la 2e personne du singulier, donne USERAS, seule solution.

Verticalement

1. **Instrument de musique** (9 lettres) : deux solutions, qu'il est impossible de départager bien que quatre lettres soient déjà connues : *harmonica* et *harmonium*.
2. **Passion** (5 lettres) : connaissant la première et les deux dernières lettres, une seule solution : AMOUR.
   Personnage (3 lettres) : avec *n* pour commencer, une seule solution : NOM.
3. **Faisaient des vers** (8 lettres) : en cherchant à *vers* un mot commençant par *r*, je trouve *rimer*, qui, conjugué, donne RIMAIENT.

4. **Vieil Indien** (3 lettres) : nom propre.
 Elément (3 lettres) : possédant la première et la troisième lettre, une solution : EAU.
5. **Condition** (2 lettres) : pas de solution en 2 lettres.
 Plus (3 lettres) : ayant déjà la solution, pas de recherche.
6. **Caractère de ce qui dure** (9 lettres) : *caractère* étant un terme général, le mot-clé à chercher est *dure*. A durée, nous trouvons, comme seule solution cadrant avec les lettres déjà connues : PERENNITE.
7. **Séparais** (7 lettres) : à *séparer*, le seul verbe qui, conjugué, coïncide avec les lettres connues, est *isoler*, sous la forme ISOLAIS.
8. **Assaisonnements** (4 lettres) : au singulier, une seule solution en 3 lettres, dont nous connaissons les deux dernières, *sel*; au pluriel : SELS.
 Note (2 lettres) : aucune recherche à faire.
9. **Aux portes de Bruxelles** (5 lettres) : nom propre, non repris dans cet ouvrage.
 Ville du Maroc (3 lettres) : idem.

Après ce premier tour de recherches, je puis établir un début de grille :

	1	2	3	4	5	6	7	8	9
1	H	A	R	U	S	P	I	C	E
2		M	I			E	S	■	
3		O	M		■	R	O	S	
4	M	U	A	■	P	E	L	E	R
5	O	R	I	G	I	N	A	L	E
6		■	E	■	U	N	I	S	■
7	I	N	N	E	■	I	S	■	
8		O	T	A		T	■	L	E
9		M	■	U	S	E	R	A	S

Je reprends les définitions restantes afin de trouver les mots qui me manquent.

Horizontalement

2. **Camaraderies** (7 lettres) : entre *amitiés* et *copains*, je puis à présent choisir AMITIES, qui seul coïncide avec les lettres connues.
3. **Ville éternelle** (4 lettres) : bien que les noms propres ne soient pas repris dans ce dictionnaire, il ne faut pas être grand clerc pour déduire, les deux lettres déjà connues, la ville de ROME.
   Fleur (4 lettres) : connaissant les trois premières lettres, la seule solution possible est : ROSE.
8. **Estimant** (6 lettres) : il ne m'est toujours pas possible de trancher entre *cotant* et *notant*, mots dont seule l'initiale varie. Or, pour le 1 vertical, j'hésite toujours entre *harmonicia* et *harmonium*. Je ne puis dès lors qu'inscrire COTANT au 8 horizontal et HARMONICA au 1 vertical.

Verticalement

Nous venons de résoudre le 1 avec le 8 horizontal. Pour que la grille soit complète, il reste à résoudre les deux définitions du 9 vertical. Ce sont des noms propres, que l'on découvrira assez facilement avec les données déjà réunies : EVERE et FES. Voici donc la grille complète :

	1	2	3	4	5	6	7	8	9
1	H	A	R	U	S	P	I	C	E
2	A	M	I	T	I	E	S	■	V
3	R	O	M	E	■	R	O	S	E
4	M	U	A	■	P	E	L	E	R
5	O	R	I	G	I	N	A	L	E
6	N	■	E	■	U	N	I	S	■
7	I	N	N	E	■	I	S	■	F
8	C	O	T	A	N	T	■	L	E
9	A	M	■	U	S	E	R	A	S

ABAISSEMENT : **3** bas*, ton ■ **5** chute, gelée ■ **6** accent, baisse, déclin ■ **7** flexion, plongée ■ **8** abattage, bassesse, descente, humilité, pression ■ **9** abjection, décadence, déchéance, ignominie, platitude, pronation, tassement ■ **10** diminution, écrasement ■ **11** compression, dégradation, ensellement, gravitation, humiliation, hypothermie, inclination ■ **12** affaissement, rabaissement ■ **13** déliquescence, fléchissement, prosternation, superfluidité ■ **14** dégénérescence ■ **15** abâtardissement, accroupissement, affaiblissement, refroidissement.

ABAISSER : **5** caler, céder*, herse ■ **6** amener, couler, enfuir, ployer, ramper, tasser, tomber, verser ■ **7** abattre, affoler, aplatir, baisser, coucher, courber, déchoir, déposer, déraser, dévaler, écraser, fléchir, pencher, plonger, presser, ravaler, sombrer, traîner ■ **8** abattant, atterrer, enterrer, humilier*, immerger, incliner, rabattre ■ **9** abaisseur, accroupir, affaisser, anglaiser, comprimer, déprécier, descendre, pont-levis, rabaisser, refroidir, renfoncer,renverser, terrasser ■ **10** abaissable, affouiller, précipiter, prosterner, réfrigérer, surbaisser ■ **11** agenouiller ■ **13** abaisse-langue, antithermique, manodétendeur.

ABANDON : **5** épave, fuite ■ **6** luxure, traîne ■ **7** cession, divorce, hérésie, parjure, pupille ■ **8** détresse, trahison* ■ **9** apostasie, confiance, défection, démission, désertion, désuétude, fataliste, transfuge, tromperie ■ **10** abdication, abjuration, abnégation, abstention, concession, émigration, évacuation, exposition, infidélité*, négligence, récusation, séparation* ■ **11** déréliction, désistement, enterrement, inconstance, renoncement, répudiation, résignation ■ **12** abandonnique, capitulation, délaissement, déménagement, incomplétude, laisser-aller, renonciation, voiture-balai ■ **13** désemparement ■ **14** postcommunisme ■ **15** déguerpissement.

ABANDONNE : **5** bayou.

ABANDONNER : **4** fuir* ■ **5** céder*, semer, vider ■ **6** broyer, droper, lâcher, livrer, partir*, renier, trahir ■ **7** abjurer, aliéner, confier, déloger, démunir, déposer, désoler, dropper, écarter, émigrer, évacuer, exposer, laisser*, plaquer, quitter*, rebuter, reculer*, récuser, séparer, tromper ■ **8** abdiquer, abstenir*, décamper, démordre, dénantir, départir, déserter, divorcer, éloigner, négliger, parjurer, renâcler, renoncer*, répudier, rêvasser ■ **9** capituler, débaucher, défroquer, déguerpir, délaisser, déménager, fantasmer, inhabiter, inoccuper, sacrifier ■ **10** aventureux, apostasier, dépouiller, désemparer ■ **11** débarrasser, inexploiter ■ **12** démissionner ■ **15** déchristianiser.

ABAQUE : 7 boulier ■ 8 tailloir ■ 9 corbeille.
ABASOURDIR : 4 baba ■ 6 ahurir, ébahir, épater ■ 7 altérer, étonner, méduser, sidérer ■ 8 éberluer ■ 9 pétrifier, stupéfier ■ 10 estomaquer ■ 11 interloquer ■ 14 abasourdissant.
ABAT : 8 abatteur.
ABATARDIR : 5 gâter ■ 6 vicier ■ 7 altérer, pourrir ■ 9 adultérer, dégénérer, dénaturer.
ABATARDISSEMENT : 11 abaissement ■ 12 dégénération ■ 14 dégénérescence.
ABATTAGE : 5 benne, chien ■ 6 havage ■ 7 fonçage ■ 8 bûcheron, enlevure, fagotier.
ABATTEMENT : 4 coma ■ 6 atonie, dégoût*, spleen ■ 7 chagrin*, fatigue*, inertie, lâcheté, sommeil*, stupeur, torpeur ■ 8 cachexie, langueur*, lourdeur, mollesse ■ 9 collapsus, désespoir, faiblesse, lassitude, léthargie, lypémanie, tristesse ■ 10 dépression, somnolence ■ 11 accablement, affaisement, déconfiture, protestation, relâchement ■ 12 affaissement, stupéfaction ■ 13 collabescence, consternation, découragement ■ 14 alanguissement, anéantissement, démoralisation ■ 15 affaiblissement, engourdissement*.
ABATTIS : 5 layer ■ 8 machette, volaille ■ 10 coupe-coupe.
ABATTOIR : 5 tueur ■ 7 bouvril, fondoir ■ 9 boucherie, échaudoir.
ABATTRE : 4 têtu, tuer* ■ 5 jeter*, miner, morve, raser, saper ■ 6 briser, casser, lasser, navrer, ruiner, tomber, tuage ■ 7 abatage, abrutir, aplatir, démater, démolir, dépiler, déroder, écraser, épuiser, faucher ■ 8 abattage, accabler, affaiser, anéantir, assommer, atterrer, culbuter, démonter, déprimer, détruire, ébranler, écuisser, fatiguer ■ 9 affaisser, affaiblir, déguiller, blanc-étoc, déconfire, déraciner, descendre, engourdir, renverser*, stupéfier, terrasser, trébuchet ■ 10 blanc-estoc, consterner, décourager, démaçonner, démanteler, désespérer ■ 11 déconcerter, démoraliser ■ 12 catastropher.
ABATTU : 3 las, mou ■ 5 caduc, flapi, morne, repos ■ 6 énervé, faible, inerte, morose ■ 7 accablé, alangui, atterré, torpide ■ 9 abattable, consterné, stupéfait ■ 11 languissant.
ABBASSIDES : 9 abbasside.
ABBAYE : 4 abbé ■ 5 doyen, oblat ■ 7 cloître, convent, couvent, prieuré ■ 8 abbatial, commende ■ 9 béguinage, monastère, oriflamme, terrasson.
ABBE : 4 curé ■ 6 prêtre ■ 7 abbesse ■ 8 abbatial ■ 10 coadjuteur.
ABCES : 3 pus ■ 5 dépôt, mûrir, plaie, poche ■ 6 tumeur*, ulcère ■ 7 abcéder, fluxion, panaris, pustule ■ 8 furoncle, lancette, phlegmon ■ 10 écrouelles ■ 14 septicopyoémie.
ABDIQUE : 11 abdicataire.
ABDIQUER : 7 laisser ■ 8 démettre, renoncer*, résigner ■ 9 destituer ■ 10 abandonner*, abdication ■ 11 abdicataire ■ 12 démissionner.
ABDOMEN : 4 aine, foie ■ 6 lombes, telson, ventre* ■ 7 ombilic ■ 8 poitrine ■ 9 abdominal, épigastre, oviscapte, péritoine ■ 10 abdominaux, diaphragme, hydropisie, tympanisme ■ 11 laparotomie ■ 12 laparoscopie.
ABDOMINAL : 5 ptôse ■ 7 uropode ■ 8 intestin, pancréas ■ 9 cœliaque ■ 11 éventration.
ABECEDAIRE : 6 lettre ■ 8 alphabet.
ABEILLE : 4 cire, miel* ■ 5 cadre, loque, rayon, reine, ruche ■ 6 avette, essaim, varria ■ 7 apicole, apifuge, apivore, couvain, miellat, sauveté ■ 8 nosémose, opercule, xylocope ■ 9 aiguillon, essaimage, mellifère, philanthe ■ 10 apiculteur, apiculture, ventileuse ■ 13 mellification.

ABERRATION : 5 bévue, écart, folie ■ **6** blague, erreur, étoile, turner ■ **7** absurde, méprise ■ **8** maldonne.
ABERRER : 7 tromper.
ABETIR : 7 abrutir, hébéter ■ **8** bêtifier ■ **10** abêtissant, crétiniser ■ **12** abêtissement.
ABHORRER : 4 haïr ■ **8** détester.
ABIETACEE : 3 pin ■ **4** cône ■ **5** sapin ■ **6** épicéa, mélèze, pignon ■ **8** aiguille, pinastre, pitchpin ■ **9** abiétinée, sapinette.
ABIME : 4 aven, igue ■ **5** cloup, grêle, perdu ■ **6** abysse ■ **7** gouffre ■ **9** précipice.
ABIMER : 4 user* ■ **5** gâter*, salir ■ **6** couler ■ **7** amocher, plonger, saboter, sombrer, vautrer ■ **8** absorber, dégrader, détruire*, ébrécher, enfoncer ■ **9** détraquer, engloutir, esquinter ■ **10** détériorer*, endommager.
ABJECT : 3 bas, vil ■ **4** sale ■ **5** fange ■ **6** infâme ■ **7** cloaque, fangeux, ignoble, sordide ■ **8** nauséeux ■ **9** misérable ■ **10** méprisable.
ABJECTION : 4 boue ■ **5** épave, îlote ■ **8** bassesse, îlotisme, opprobre ■ **9** platitude.
ABJURER : 6 renier* ■ **7** renégat ■ **10** abandonner, abjuration.
ABLATION : 6 tumeur ■ **7** ablatif ■ **8** éveinage, excision ■ **9** autotomie, chirurgie, résection, stripping, vasotomie ■ **10** abscission, amputation, castration, lobectomie, mutilation, rescission, vasectomie ■ **11** cystectomie, décorticage, mammectomie, mastectomie, myomectomie ■ **12** gastrectomie, néphrectomie, ovariectomie, pneumectomic, splénectomie ■ **13** artériectomie, décapsulation, décortication, laryngectomie ■ **14** adénoïdectomie amygdalectomie, pneumonectomie, prostatectomie, sympathectomie, thyroïdectomie ■ **15** appendicectomie, clitoridectomie.
ABLUTION : 3 tub ■ **4** bain ■ **5** bidet ■ **6** lavage ■ **7** piscine ■ **12** purification.
ABNEGATTION : 5 oubli ■ **8** abandon* ■ **9** sacrifice ■ **10** dévouement, générosité, holocauste ■ **11** renoncement.
ABOIEMENT : 3 cri ■ **4** aboi, voix ■ **9** jappement.
ABOLIR : 3 ôter ■ **5** titre ■ **7** abroger, annuler* ■ **8** abolitif, anéantir, détruire, extirper ■ **9** proscrire, supprimer*.
ABOLITION : 5 grâce ■ **6** pardon ■ **8** ankylose, antalgie ■ **9** rémission ■ **10** absolution, annulation ■ **11** suppression ■ **12** proscription ■ **14** abolitionnisme.
ABOMINABLE : 4 yeti ■ **5** damné ■ **6** maudit, odieux, satané ■ **7** mauvais ■ **9** exécrable ■ **10** détestable ■ **11** abomination ■ **14** abominablement.
ABOMINER : 4 haïr ■ **7** exécrer ■ **8** abhorrer, détester.
ABONDAMMENT : 4 bien, fort, prou ■ **5** besef, riche, verse ■ **8** beaucoup ■ **9** amplement, largement ■ **12** copieusement.
ABONDANCE : 4 flux, gogo, luxe ■ **5** à gogo, babil, pluie ■ **6** afflux, foison, parler ■ **7** ampleur, cocagne, faconde, fortune, satiété ■ **8** beaucoup, maigreur, opulence, pléthore, revendre, richesse*, ruisseau, superflu, verbiage, volubile ■ **9** affluence, appauvrir, plénitude, profusion, tchatcher ■ **10** exubérance, luxuriance, prospérité, répétition ■ **11** abondamment, superfluité ■ **12** abondanciste, foisonnement, surabondance ■ **14** hypersécrétion ■ **15** appauvrissement, plantureusement.
ABONDANT : 4 gras, gros, rare ■ **5** ample, filet, manne, plein, riche* ■ **6** diffus, étoffé, fécond, maigre, profus ■ **7** chiche, copieux, fertile*, opulent, verbeux ■ **8** giboyeux, nombreux, pluvieux, succinct ■

9 exubérant, luxuriant, ptyalisme, urochrome ■ 10 noctiluque, plantureux, prolifique, sialorrhée ■ 11 inépuisable, poissonneux, profusément, surabondant ■ 12 croustilleux, intarrissable, métaphorique.

ABONDER: 6 couler, verser ■ 7 affluer, combler, remplir, saturer ■ 8 enrichir, infester, pleuvoir, pulluler, regorger, répandre ■ 9 foisonner, grouiller, prodiguer, rassasier ■ 10 fourmiller, surabonder ■ 11 thésauriser ■ 14 approvisionner.

ABONNER: 5 prime ■ 7 journal ■ 9 réabonner, souscrire ■ 10 désabonner.

ABONNIR: 13 abonnissement.

ABORD: 5 accès ■ 7 accueil ■ 8 approche ■ 9 bienvenue, préalable, réception, rencontre ■ 10 auparavant ■ 11 réfrigérant.

ABORDER: 5 abord, gaffe ■ 6 cogner, entrer ■ 7 accéder, grappin, joindre, racoler, toucher ■ 8 abordage, accoster, attaquer ■ 9 abordable, approcher ■ 10 accessible ■ 11 inabordable.

ABORIGENE: 8 indigène ■ 10 autochtone.

ABOUCHEMENT: 4 anus ■ 10 anastomose, colostomie ■ 13 urétérostomie.

ABOUCHER: 7 joindre ■ 8 négocier ■ 11 abouchement.

ABOULIE: 3 mou ■ 9 aboulique, dysboulis.

ABOUT: 8 échiffré ■ 9 charpente*.

ABOUTER: 7 joindre ■ 10 aboutement.

ABOUTIR: 3 but ■ 5 finir*, issue ■ 6 tendre ■ 7 affluer, arriver, tourner ■ 8 inabouti, résultat, terminer ■ 9 déboucher ■ 13 aboutissement.

A BOUT PORTANT: 15 à brûle-pourpoint.

ABOYER: 4 cyon ■ 5 chien ■ 6 japper ■ 9 clabauder.

ABRACADABRANT: 7 bizarre.

ABRAQUER: 5 tirer ■ 6 raider.

ABRASER: 11 user.

ABRASIF: 5 émeri, usant ■ 7 grésoir, lapping ■ 8 corindon ■ 9 diatomite ■ 10 microbille ■ 11 carborundum, papier-émeri.

ABRASION: 10 étincelage ■ 11 abrasimètre.

ABREGE: 4 bref, plan, topo ■ 5 court, sigle, somme ■ 6 aperçu, concis, digest, manuel, notice, précis, résumé* ■ 7 analyse, épitomé, extrait, légende, lexique, paraphe ■ 8 condensé, diagnose, sommaire, succint ■ appendice, bordereau, bréviaire, raccourci ■ 10 abréviatif, compendium, microcosme, monogramme ■ 11 abréviation, aide-mémoire, compendieux, élémentaire, enchiridion, logographie, sténo graphie ■ 12 bradygraphie ■ 13 séméiographie ■ 15 abréviativement.

ABREGEMENT: 10 diminution, troncation ■ 14 récapitulation.

ABREGER: 7 exposer, réduire*, résumer ■ 8 analyser, diminuer*, écourter, extraire ■ 9 prolonger, resserrer ■ 10 abrègement, euthanasie, raccourcir ■ 11 récapituler.

ABREUVER: 5 boire ■ 7 arroser ■ 9 abreuvage, abreuvoir ■ 10 désaltérer ■ 11 abreuvement.

ABREVIATION[1]**:** 2 ah, am, be, ca, cg, cl, cm, cv, dg, d.j., dl, dm, ev, ha, hg, hl, hm, hw, kF, k.o., lx, mg, ml, mm, ns, ph, pi, pm, qg, t.v., wc ■ 3 aef, aof, bbc, bcg, cad, caf, car, cgr, cgs, cgt, cie, cif, cpz, csn, dag, dam, dca, ddt, dom, dsn, ene, fac, fem, fob, gmt, gym, hpz, hsn,

1. Seules les abréviations renseignées comme telles dans le dictionnaire sont mentionnées ici. Il est évident que l'on peut imaginer des abréviations à l'infini. Quant aux abréviations des corps chimiques simples, on en trouvera une liste complète à la rubrique *symbole chimique*.

ihs, lst, mie, mth, onu, pas, pcb, pcn, ptt, pub, raf, sus, syp, ten, tnt, toe, tsf, zoo ■ **4** accu, acth, algp, alvf, auto, b.c.b.g., cftc, chef, cqfd, fcem, folk, foot, info, jars, kilo, mail, maso, math, maxi, mélo, mono, mons, nazi, nsjc, para, pgcd, pneu, poly, ppcm, rata, sana, sape, sans, sarl, self, sgdg, taxi, télé, topo, tram, trax., typo, vélo, zani ■ **5** cabot, dinde, facho, ferro, hélio, igame, imper, insti, inter, intox, invar, litho, mamie, manif, météo, métro, micro, philo, phono, photo, porno, prépa, promo, radio, rasat, sensa, sigle, super, ultra, zanni ■ **6** cogito, folklo, instit, radsoc, sensas ■ **7** proprio, sensass, sousoff, transat, transfo, troquet ■ **8** logotype, mamselle, mamzelle ■ **13** cryptographie.

ABRI : **3** kan ■ **4** dais, fort, gare, gîte, khan, port, rade, trou ■ **5** antre, asile, digue, havre, hutte, jetée, niche, serre, tente*, voile ■ **6** abrité, auvent, bassin, cabane, crique, gabion, garage, grotte, hangar, maiçson, porche, refuge, remise ■ **7** abriter, ancrage, aubette, caverne, couvert, défense, galerie*, guérite, kiosque, planque, tanière, terrier ■ **8** abrivent, bouclier, cachette, casemate, feuillée, garantie, guitoune, inabrité, lanterne, mantelet, marquise, pavillon, resserre, retraite*, squatter, tourelle, vacciner, vélarium ■ **9** blockhaus, brise-vent, mouillage, parapluie* ■ **10** couverture, inviolable, pare-balles, protection* ■ **13** abri-sous-roche.

ABRICOT : **7** alberge ■ **8** abricoté ■ **10** abricotier.

ABRITER : **6** cacher, serrer ■ **7** assurer, couvrir*, encager ■ **8** défendre, empêcher, garantir, protéger* ■ hivernage, préserver ■ **11** chaperonner ■ **14** pare-étincelles.

ABROGER : **6** abolir ■ **7** annuler* ■ **9** abrogatif, rapporter, supprimer* ■ **10** abrogation ■ **12** inabrogeable.

ABRUPT : **5** raide, roide ■ **6** inégal ■ **7** escarpé, revêche, stupide ■ **8** corniche, gendarme ■ **11** abruptement.

ABRUTI : **5** vapes.

ABRUTIR : **6** abêtir ■ **7** abattre, hébéter ■ **8** bêtifier ■ **9** engourdir ■ **10** crétiniser, décerveler.

ABSCISSE : **9** birapport.

ABSCISSION : **10** amputation.

ABSENCE : **4** sans, vide, zéro ■ **5** alibi, calme, congé, crise, froid, fugue, oubli, repos ■ **6** anomie, atypie, défaut, lacune, manque* ■ **7** aboulie, acholie, anergie, apepsie, athymie, carence, idiotie, naturel, négligé, vacance ■ **8** agalaxie, agénésie, akinésie, anidrose, apyrexie, escapade, humilité, inaction, insommie, néantise, pénombre, présence, sérénité ■ **9** acéphalie, agalactie, albinisme, anaérobie, anhidrose, aréflexie, frigidité, incivisme, inintérêt, innocence, abscurité ■ **10** aménorrhée, anérection, anorgasmie, audimutité, déshérence, desiderata, désintérêt, hémophilie, opposition, sécheresse ■ **11** azoospermie, défaillance, disharmonie, disparition*, distraction, dysharmonie, éloignement, franc-parler, inémotivité, objectivité ■ **12** anaphrodisie, anencéphalie, dissemblance, inconscience, objectivisme ■ **13** discontinuité, inaffectivité ■ **14** analphabétisme, dépigmentation, incoordination, psychorigidité, vice-présidente ■ **15** afibrinogénémie.

ABSENT : **5** zombi ■ **6** envolé ■ **7** disparu, intérim ■ **8** manquant ■ **9** invisible ■ **11** introuvable.

ABSENTER : **7** manquer* ■ **8** décamper ■ **11** disparaître.

ABSIDE : **6** conque, église, tréflé ■ **12** architecture.

ABSINTHE : **4** amer ■ **10** absinthine ■ **11** absinthisme.

ABSOLU : **4** noir, kief, très ■ **5** idéal ■ **6** entier*, infini ■ **7** arbitre, cassant, intègre, parfait, relatif ■ **8** ataraxie, exclusif, potentat, seigneur ■ **9** absoluité, autocrate, dictature, impérieux, souverain ■

10 accidentel, despotique, despotisme, omnipotent ■ **11** autoritaire, dictatorial, omnipotence, totalitaire ■ **12** agnosticisme, autocratique, indifférence, métaphysique ■ **13** inconditionné ■ **14** inconditionnel.

ABSOLUMENT : 5 à fond ■ **9** top-secret, tout à fait ■ **10** pleinement, totalement ■ **11** entièrement ■ **12** complètement, foncièrement, parfaitement, radicalement ■ **13** littéralement ■ **14** diamétralement, nécessairement ■ **15** essentiellement.

ABSOLUTION : 5 péché, grâce ■ **6** pardon* ■ **7** absoute ■ **9** abolition, pénitence, rémission* ■ **12** condamnation.

ABSOLUTISME : 5 ukase ■ **8** tyrannie ■ **11** absolutiste.

ABSORBANTE : 11 protège-slip.

ABSORBE : 9 lipophobe.

ABSORBER : 5 boire, huile ■ **6** abîmer, avaler, manger, pomper ■ **7** envoyer, épuiser, imbiber, prendre, sniffer ■ **8** enfoncer, fumivore, pénétrer, recevoir, résorber, respirer ■ **9** absorbeur, athermane, détremper, diatomite, engloutir, monomanie, potomètre ■ **10** absorption, athermique, engouffrer, hydrophile, phagocyter, réabsorber ■ **11** phagocytose, toxicomanie ■ **12** absorptivité, délisquescent ■ **13** déliquescence, endothermique, hygroscopique.

ABSORPTION : 9 percutané ■ **10** aérophagie, désorption, inhalation, résorption ■ **11** dissolution ■ **12** délistescence, puvathérapie ■ **13** malabsorption ■ **15** hypervitaminose.

ABSOUDRE : 6 délier ■ **7** absoute, dégager ■ **9** pardonner* ■ **10** confession ■ **11** absolutoire.

ABSTENIR : 5 taire ■ **6** cesser*, éviter*, jeûner, passer, priver ■ **7** brosser, manquer, modérer, omettre, récuser, retenir, veillir ■ **8** empêcher, exempter, négliger, renoncer ■ **9** accrocher, dispenser ■ **10** abstention, abstinence ■ **14** non-comparution ■ **15** abstentionniste.

ABSTENTION : 5 diète, jeûne ■ **6** pureté, régime ■ **7** abandon ■ **8** chasteté, sobriété ■ **9** frugalité, privation, virginité ■ **10** continence, modération* ■ **11** restriction ■ **15** abstentionnisme, non-directivisme.

ABSTIENT : 7 abstème.

ABSTINENCE : 5 diète, jeûne ■ **6** pureté ■ **8** chasteté ■ **9** ascétisme, virginité ■ **10** continence, modération* ■ **11** quatre-temps.

ABSTRAIRE : 6 isoler ■ **11** abstracteur.

ABSTRAIT : 7 profond ■ **8** distinct, paradoxe, tachisme ■ **10** abstractif ■ **11** abstraction, concrétiser, connotation, spéculation ■ **12** métaphysique, non-figuratif ■ **13** abstraitement ■ **14** néoplasticisme.

ABSTRUS : 6 obscur ■ **7** profond.

ABSURDE : 3 fou, sot* ■ **4** faux ■ **5** niais* ■ **6** inepte ■ **7** balourd, insensé, non-sens, stupide* ■ **8** aberrant, ridicule*, saugrenu ■ **9** absurdité ■ **10** apagogique ■ **11** absurdement, extravagant ■ **13** déraisonnable.

ABSURDITE : 4 dada ■ **5** folie ■ **6** raison ■ **7** absurde, idiotie, inepsie ■ **8** apagogie.

ABUS : 3 mal ■ **5** agape, excès*, vexer ■ **7** théisme ■ **8** caféisme, croisade, opprimer, violence ■ **9** népotisme, nicotisme, œnilisme ■ **10** alcoolisme, cocaïnisme, gaspillage, oppression, redondance ■ **11** absinthisme, cocaïnomanie, conceptisme, exagération*, nicotinisme ■ **12** exploitation, surabondance ■ **13** fantasmagorie, ratiocination, superfétation ■ **14** antialcoolique.

ABUSER : 4 user, viol ■ **5** duper, tyran ■ **6** violer ■ **7** tromper* ■ **8** accroire ■ **9** exploiter, mystifier ■ **10** surprendre.

ABUSIF : 8 débauche, excessif, exploité ■ **11** abusivement ■ **13** pharmacomanie.

ABUSIVEMENT : 5 abîme ■ **12** psychiatrisé ■ **13** psychiatriser.

ABYSSE : 5 abîme.
ACABIT : 6 espèce ■ 7 qualité.
ACACIA : 5 scrub, gomme ■ 6 cachou, mimosa ■ 7 mimosée ■ 8 robinier.
ACADEMIE : 2 nu ■ 5 école, palme ■ 7 coupole, recteur ■ 8 immortel ■ 10 académique ■ 11 académicien ■ 14 académiquement.
ACADEMIQUE : 11 modern dance.
ACAJOU : 8 anacarde ■ 10 anacardier ■ 11 chippendale.
ACALEPHE : 8 cnidaire ■ 12 scyphozoaire*.
ACANTHACEE : 7 acanthe ■ 10 aphélandra.
ACANTHE : 10 corinthien ■ 11 architecture.
ACARE : 3 ver ■ 4 gale ■ 8 sarcopte.
ACARIATRE : 5 rogue ■ 6 acerbe, bougon, bourru, chipie, dragon, harpie, mégère ■ 7 bilieux, chameau, revêche ■ 8 gribiche, hargneux*, maussade, quinteux ■ 9 diablesse, grincheux ■ 10 pie-grièche, rébarbatif ■ 11 acariâtreté, acrimonieux, atrabilaire ■ 14 hypocondriaque.
ACARIEN : 4 gale ■ 5 acare, argas, galle, ixode, lepte, tique ■ 6 acarus, aoûtat, varroa ■ 7 démodex ■ 8 acariose, phytopte, sarcopte ■ 9 acaricide ■ 10 trombidion.
ACCABLE : 10 oppressant.
ACCABLEMENT : 5 ennui, rompu, somme ■ 9 surcharge ■ 10 abattement*, écrasement ■ 11 indigestion ■ 13 consternation, découragement.
ACCABLER : 6 agonir, grever, obérer, tondre ■ 7 abrutir, combler, couvrir, cribler, écraser ■ 8 abreuver, affliger, atterrer, dégrever, exonérer, opprimer* ■ 9 affaisser, bombarder, engueuler, incendier, succomber ■ 10 appesantir, surcharger.
ACCALMIE : 5 calme ■ 13 recrudescence.
ACCAPAREMENT : 8 énarchie.
ACCAPARER : 5 trust ■ 6 rafler ■ 7 acheter, emparer, prendre, truster ■ 9 attention ■ 10 accapareur, approprier ■ 11 monopoliser ■ 12 accaparement.
ACCEDE : 8 accédant.
ACCEDER : 5 venir ■ 6 entrer ■ 7 aborder, arriver ■ 8 admettre ■ 9 approuver, consentir.
ACCELERATEUR : 8 bétatron, bévatron ■ 9 cyclotron ■ 10 champignon, synchroton.
ACCELERATION : 3 gal ■ 5 masse, vroom, vroum ■ 6 prompt, sprint ■ 8 polypnée, utricule ■ 11 anticabreur, retardation ■ 12 décélération ■ 13 accéléromètre ■ 14 accélérographe.
ACCELERER : 5 hâter* ■ 6 courir*, magner ■ 7 activer, exciter, presser* ■ 8 démarrer, dépêcher, expédier ■ 9 empresser, grouiller ■ 10 extracteur, précipiter, véhiculeur ■ 11 tachycardie ■ 12 accélérateur.
ACCENT : 5 grave, lettre, prime, tilde ■ 7 langage, tonique ■ 8 plaintif ■ 9 accentuer, paroxyton ■ 10 angliciser ■ 11 circonflexe, proclitique ■ 13 prononciation.
ACCENTUE : 6 taluté ■ 12 proparoxyton.
ACCENTUER : 5 atone ■ 7 accuser, appuyer ■ 8 exagérer, ponctuer ■ 9 luminisme ■ 10 inaccentué ■ 11 accentuable, appogiature ■ 12 accentuation.
ACCEPTABLE : 7 honnête, valable ■ 8 passable ■ 11 irrecevable.
ACCEPTATION : 9 fatalisme ■ 10 néologisme, soumission ■ 11 renoncement, résignation ■ 14 reconnaissance.
ACCEPTE : 13 acceptabilité.
ACCEPTER : 6 agréer, avaler ■ 7 excuser, prendre, refuser, tolérer, vouloir ■ 8 admettre, consoler, recevoir, renoncer, renvoyer, résigner*, souffrir ■ 9 approuver, consentir, repousser, reprendre, sacrifer, sou-

mettre*, supporter ■ 10 abandonner, acceptable, accommoder, accueillir, participer ■ 11 acceptation, indésirable, irrecevable, reconnaître ■ 12 inacceptable ■ 13 inacceptation.

ACCEPTATION : 3 mot ■ 10 préférence ■ 11 lexicologie ■ 13 signification.

ACCES : 4 amok ■ 5 abord, crise, herse, larvé ■ 6 colère, fièvre, fureur, quinte ■ 7 arrivée, attaque, maladie ■ 8 approche, enceinte, recevoir ■ 9 approcher, barricade ■ 10 bourrasque, subintrant ■ 11 inaccessible.

ACCESSIBLE : 4 près ■ 6 facile ■ 8 cyclable ■ 9 abordable ■ 11 approchable ■ 14 compréhensible.

ACCESSOIRE : 4 dame ■ 5 à-côté, jante, sauce ■ 7 crépins, grappin, théâtre ■ 8 dégriffé, figurant, incident, sous-marin ■ 9 diffuseur, fioriture, garniture, muserolle ■ 10 automobile, épisodique, machiniste, parenthèse, proprement, secondaire, strapontin, vanity-case ■ 11 subsidiaire ■ 12 appareillage ■ 13 accessoiriser, accessoiriste ■ 14 accessoirement, secondairement.

ACCIDENT : 3 cap, cas ■ 4 aléa ■ 5 panne, perte, pépin, plomb, tuile, verse ■ 6 fraise ■ 7 coulure, fortune, malheur*, théisme, toxémie ■ 8 aventure, épaufrer, sinistre ■ 9 accidenté, découpure, événement, tétaniser, trafalgar ■ 10 accidentel, accidenter, chapechute, défilement, tamponnade, vanillisme ■ 11 entéro-rénal ■ 12 circonstance, millerandage ■ 14 accidentologie.

ACCIDENTE : 6 inégal ■ 7 bicross ■ 8 uniforme ■ 9 crapaüter ■ 10 crapahuter, mouvementé.

ACCIDENTEL : 5 extra ■ 7 fortuit, relatif ■ 8 survenir ■ 9 adventice, parhasard, perforage ■ 10 dépression, enraiement, enrayement ■ 11 chasmogamie ■ 12 étranglement, perforation.

ACCLAMATION : 3 cri ■ 4 joie ■ 5 vivat ■ 6 hourra, hurrah ■ 7 ovation ■ 9 gueulante ■ 11 acclamateur.

ACCLAMER : 6 bisser, saluer, vivent ■ 9 applaudir ■ 10 ovationner.

ACCLIMATATION : 4 pays ■ 6 animal ■ 14 naturalisation.

ACCLIMATE : 12 acclimatable.

ACCLIMATER : 7 réussir ■ 11 naturaliser ■ 12 acclimatabe* 13 acclimatation, acclimatement.

ACCOLADE : 7 caresse ■ 10 chevalerie ■ 12 contre-courbe.

ACCOLEMENT : 8 symphyse ■ 10 anastomose.

ACCOLER : 4 lier ■ 7 joindre ■ 9 embrasser.

ACCOMMODANT : 6 facile ■ 7 coulant ■ 9 indulgent ■ 10 conciliant ■ 11 trait d'union.

ACCOMMODATION : 9 presbytie ■ 13 accommodateur.

ACCOMMODEMENT : 6 accord ■ 9 arbitrage, compromis ■ 10 convention ■ 11 arrangement, composition, parlementer ■ 12 atermoiement, capitulation ■ 14 assaisonnement.

ACCOMMODER : 5 céder ■ 6 mettre ■ 8 apprêter, arranger, cuisiner, fricoter, gratiner, résigner ■ 9 conformer, fricasser, supporter ■ 11 assaisonner ■ 12 accommodable, complaisance ■ 13 accommodation.

ACCOMPAGNATEUR : 7 ripieno ■ 11 psychopompe.

ACCOMPAGNE : 6 arrosé ■ 7 suiveur ■ 11 contre-sujet.

ACCOMPAGNEMENT : 4 avec ■ 5 guide, sauce, souci, suite ■ 6 bagage, détail, incise ■ 7 appoint, cortège, épisode, escorte, surplus ■ 8 attirail, cavalier, modalité ■ 9 acappella ■ 10 accessoire, auxiliaire, complément, supplément ■ 11 concomitant, subsidiaire ■ 12 harnachement ■ 14 accompagnateur.

ACCOMPAGNER : 5 mener ■ 6 guider, suivre ■ 8 assortir, conduire, convoyer, escorter, flanquer ■ 9 compagnie ■ 10 reconduire ■ 11 cha-

peronner ■ **14** accompagnement.
ACCOMPLI : 4 fini ■ **5** délai, mieux, passé, sonné, venir ■ **6** achevé ■ **7** complet, gestuel, parfait ■ **8** consommé ■ **9** perpectif, précipité ■ **10** inaccompli ■ **11** imperfectif.
ACCOMPLIE : 10 ménopausée.
ACCOMPLIR : 5 faire*, finir, limer ■ **6** opérer, vaquer ■ **7** abattre, achever, remplir ■ **8** célébrer, exécuter, expédier, observer, parfaire, procéder, réaliser, terminer ■ **9** acquitter, conforme, consommer, couronner, effectuer, perpétrer, pratiquer ■ **10** parachever, satisfaire.
ACCOMPLISSEMENT : 5 dédit ■ **6** opéron ■ **8** synergie, vacation ■ **9** exécution, opération ■ **10** achèvement ■ **12** consommation, perpétration ■ **13** antimitotique.
ACCORD : 3 oui ■ **4** amen, faux, paix, soit, ■ **5** amour, juste, légal, ligue, mèche, pacte, toper, union*, unité ■ **6** amitié, chorus, clique, comité, licite, permis, rythme, traité ■ **7** assorti, avenant, concert, complot, contrat, coterie, entente, mariage, musique*, unanime, unisson ■ **8** accordée, adhésion, affinité, assortir, autorisé, clearing, concorde, conforme, convenir, ensemble, harmonie*, légitime, loisible, négocier, prestant, syllepse, symétrie, syntonie ■ **9** accession, accordeur, accordoir, admission, allouable, armistice, chiffrage, camarilla, compérage, concerter, concordat, consensus, cousinage, équilibre, maîtresse, médiateur, médiation, raccorder, règlement, sympathie, uninimité ■ **10** accordable, acquiescer, adaptation, ajustement, compassion, complicité, concession, conciliant, concordant, conformité, congruence, connivence, convenance, convention*, discordant, fraternité, harmoniser, permission, proportion* ■ **11** accord-cadre, approbation, assentiment, association*, camaraderie, composition, concordance, conjuration, désaccorder, réconcilier, remplissage, résiliation, transaction* ■ **12** accordailles, assortissant, autorisation*, conciliation, consentement, conspiration, coordination, intelligence, modusvivendi, multilatéral, parallélisme, raccordement ■ **13** accommodement, acquiescement, compatabilité, normalisation, participation, rapprochement ■ **14** correspondance, réconciliation ■ **15** incompatibilité, mésintelligence.
ACCORDE : 11 franchisseur.
ACCORDEON : 9 bandonéon ■ **10** concertina ■ **13** accordéoniste.
ACCORDER : 5 aimer, aller, céder, faire, piano ■ **6** avouer, cadre, dénier, donner, opiner, primer ■ **7** abonder, accéder, adapter, adhérer, ajuster, allouer, anoblir, confier, honorer, obtenir, refuser ■ **8** accordée, admettre, associer, attacher, breveter, compatir, concéder, convenir, cousiner, décerner, entendre, impartir, négocier, octroyer, patenter ■ **9** accordage, accordeur, accordoir, amnistier, approuver, attribuer, autoriser, concerter, coïncider, concilier, concorder, conformer, consentir, conspirer, gratifier, pardonner, permettre, raccorder, souscrire, transiger ■ **10** acquiescer, coordonner, équilibrer, harmoniser, instrument, marchander, ressembler ■ **11** accordement, dispensable, favoritisme, fraterniser, récompenser, réconcilier, sympathiser ■ **12** accordailles, correspondre, entraccorder, inaccordable, incompatible ■ **13** commissionner, subventionner.
ACCORER : 8 accorage, soutenir.
ACCORT : 4 doux ■ **17** aimable ■ **11** complaisant.
ACCOSTAGE : 10 passerelle.
ACCOSTER : 4 port ■ **5** gaffe, wharf ■ **6** rivage ■ **7** aborder ■ **9** barcasse ■ **9** accostage ■ **10** rencontrer.
ACCOTEMENT : 11 délinéateur.
ACCOTER : 7 appuyer ■ **8** accotoir ■ * **10** accotement.

ACCOUCHEMENT: **4** lace, mère ■ **5** terme ■ **6** enfant, gésine, jumeau ■ **7** couvade, eutocie, forceps, misebas ■ **8** dystocie ■ **9** gestation, grossesse, maternité, naissance*, ocytocine, sage-femme ■ **10** accoucheur, avortement, dégagement, délivrance, dystocique, engagement, génération, post-partum ■ **11** enfantement, obstétrical, obstétrique, parturition ■ **14** parthénogenèse.
ACCOUCHER: **5** créer ■ **7** avorter ■ **8** enfanter, produire ■ **9** accouchée, nullipare ■ **11** gémellipare, parturiente ■ **12** accouchement
ACCOUDER: **4** bras ■ **8** prie-dieu ■ **9** accoudoir.
ACCOUPLEMENT: **3** rut ■ **4** coït, deux, sexe ■ **5** monte, pénis ■ **6** clabot, crabot ■ **7** saillie ■ **8** coupleur ■ **10** copulation.
ACCOUPLER: **6** cocher, coïter, lutter, monter ■ **7** copuler, couvrir, joindre*, jumeler, saillir ■ **8** apparier, assortir, claboter, craboter ■ **10** dent-de-loup ■ **11** appareiller ■ **12** accouplement.
ACCOUTREMENT: **8** vêtement ■ **11** habillement ■ **12** harnachement.
ACCOUTRER: **5** vêtir ■ **7** fagoter ■ **9** harnacher.
ACCOUTUMANCE: **12** barbiturisme ■ **14** barbituromanie.
ACCOUTUMER: **5** plier ■ **6** commun, rompre ■ **8** aguerrir, endurcir, façonner, habituer* ■ **9** ordinaire ■ **10** acclimater ■ **11** apprivoiser ■ **12** accoutumance, familiariser, réaccoutumer ■ **13** mithridatiser.
ACCRETION: **7** accrété.
ACCROC: **9** déchirure ■ **12** complication.
ACCROCHAGE: **11** escarmouche.
ACCROCHE: **7** aguiche.
ACCROCHER: **4** croc, èche ■ **5** aiche, esche, gaffe ■ **6** gaffer, pendre* ■ **7** agrafer, atteler, crocher, heurter, obtenir, prendre, retenir ■ **8** agriffer, agripper, appendre, attacher, cheville, enferrer, pantoire ■ **9** harponner, suspendre* ■ **10** accrochage, cramponner, raccrocher ■ **12** accroche-plat ■ **13** accroche-coeur.
ACCROISSEMENT: **5** nouer ■ **8** surcroît, tropisme ■ **9** accrétion, extension, gradation, hétérosis ■ **10** croissance, renforçage, végétation ■ **11** surnatalité ■ **12** accélération, augmentation, hypertrophie, prolongement, redoublement, renforcement ■ **13** développement, productivisme, prolifération, redéploiement, stakhanovisme ■ **14** agrandissement, différentielle, renouvellement ■ **15** investissement, populationniste.
ACCROIT **12** esthésiogène.
ACCROITRE: **6** monter ■ **7** élargir, grossir, reculer ■ **8** allonger, arrondir, stimuler ■ **9** augmenter*, dynamiser, prolonger, redoubler, résonance, stimulant ■ **10** accrescent, compactage, développer, dynamogène, taylorisme ■ **11** servomoteur ■ **13** dynamogénique, vulcanisation.
ACCROUPIR: **7** blottir, posture ■ **8** baraquer ■ **10** croupetons ■ **15** accroupissement.
ACCRUE: **9** suractivité.
ACCU: **8** batterie ■ **3** accumulateur*.
ACCUEIL: **4** écho ■ **5** abord, grâce ■ **9** bienvenue, rébuffade, réception ■ **10** traitement ■ **11** accueillant, hospitalité ■ **12** repoussement.
ACCUEILLANT: **7** affable ■ **9** abordable ■ **10** accessible ■ **11** hospitalier ■ **13** inhospitalier.
ACCUEILLI: **9** bienvenir.
ACCUEILLIR: ■ **4** huer ■ **7** écouter, exaucer, prendre, traiter ■ **8** accorder, admettre, recevoir* ■ **9** bienvenir, recevable, repousser.
ACCUMULATEUR: **4** accu ■ **7** machine ■ **8** batterie ■ **10** automobile, séparateur ■ **11** sulfatation.

ACCUMULATION: 3 tas ■ 4 amas ■ 5 tanne ■ 7 glacier, monceau ■ 8 fécalome, illuvium, mélanose, trichoma, uricémie ■ 9 adiposité, ventosité ■ 10 congestion, flatulence, flatuosité, hydropisie, tympanisme ■ 11 engorgement, épanchement, hydarthrose, illuvation* 12 complication, pigmentation ■ 13 amoncellement ■ 14 cumulativement, encyclopédisme, hydropéricarde ■ 15 suraccumulation.

ACCUMULER: 5 avare, butin ■ 7 amasser, charger ■ 8 entasser ■ 9 arrérager, augmenter, néritique ■ 11 emmagasiner ■ 12 accumulation.

ACCUSATEUR: 6 espion ■ 8 délateur, mouchard ■ 9 plaignant ■ révélateur, sycophante ■ 12 dénonciateur.

ACCUSATION: 5 blâme, crime, grief ■ 7 attaque, plainte ■ 8 calomnie, diatribe, reproche* ■ 9 cafardise, médisance, poursuite, procédure ■ 10 catégorème, imputation, prévention ■ 11 accusatoire, dénigrement, diffamation, impeachment, inculpation ■ 12 dénociation.

ACCUSE: 4 juge, juré ■ 7 inculpé ■ 8 co-assuré, sellette ■ 9 contrasté, plaignant, vigoureux ■ 10 accusateur ■ 14 autoaccusateur, interrogatoire.

ACCUSER: 5 taxer ■ 6 arguer, avouer, médire, mouler, ternir, trahir, vendre ■ 7 déférer, imputer, noircir, révéler ■ 8 attaquer, dénigrer, dénoncer, diffamer, inculper, indiquer, insinuer, signaler ■ 9 attribuer*, calomnier, reprocher ■ 10 incriminer, poursuivre, vilipender ■ 11 entraccuser ■ 14 autoaccusation.

ACERACEE: 6 érable ■ 7 négondo, négundo ■ 8 sycomore.

ACERBE: 3 dur ■ 4 amer ■ 5 aigre ■ 7 méchant* ■ 8 acerbité ■ 9 acariâtre ■ 11 sarcastique ■ 12 désenvenimer.

ACEPHALE: 4 tête ■ 14 lamellibranche.

ACERE: 3 dur ■ 4 aigu*, dard ■ 6 pointu* ■ 7 mordant* ■ 9 tranchant.

ACETATE: 5 acide ■ 6 rhodia, verdet ■ 8 vinylite ■ 10 vert-de-gris ■ 14 acétocellulose.

ACETIFIER: 13 acétification.

ACETIQUE: 5 acide ■ 7 acéteux, acétyle ■ 8 vinaigre ■ 9 acétamide ■ 11 métaldéhyde ■ 15 acétycellulose.

ACETOCELLULOSE: 4 film.

ACETONE: 6 cétone ■ 10 acétonémie, acétonurie.

ACETYLENE: 3 gaz ■ 5 lampe ■ 8 allylène ■ 9 acétylure, vinylique ■ 12 acétylénique ■ 15 oxyacétylénique.

ACHALANDER: 5 fonds ■ 8 commerce ■ 11 achalandage.

ACHARNE: 4 têtu ■ 5 meute ■ 6 enragé ■ 7 forcené ■ 9 opiniâtre*.

ACHARNEMENT: 5 pâlir ■ 6 ardeur, fureur ■ 7 volonté ■ 10 poursuivre ■ 11 opiniâtreté.

ACHAT: 3 o.p.a. ■ 4 gros ■ 6 acquêt, course, marché, rachat*, raider ■ 7 conquêt, échange*, enchère, remploi ■ 8 cantiner, commande, commerce*, dépenser, emplette, préachat, surachat ■ 9 inflation, surremise, téléachat ■ 10 commission, corruption, préemption ■ 11 acquisition, revaloriser ■ 13 médiaplanning.

ACHE: 4 sium ■ 5 berle ■ 6 céleri.

ACHEMENIDE: 5 perse.

ACHEMINER: 5 aller ■ 6 chemin ■ 7 diriger, marcher ■ 8 préparer ■ 9 estafette, ferrouter.

ACHETER: 5 achat, payer, vénal ■ 6 chiner, offrir, vendre* ■ 7 enlever, prendre, railler, séduire ■ 8 acquérir, enréchir, importer, procurer, racheter, soudoyer, surpayer ■ 9 achetable, brocanter, corrompre, escompter, souscrire ■ 10 barguigner, marchander ■ 13 commissionner.

ACHETEUR : 5 prime, vente ■ 6 client*, payeur ■ 7 chaland, command, preneur ■ 8 boutique, débiteur, marchand, pratique ■ 9 acquéreur, clientèle ■ 10 bibeloteur, brocanteur, chalandise ■ 11 barguigneur, fournisseur, importateur ■ 12 concessionnaire, enchérisseur ■ 13 adjudicataire ■ 14 dessous-de-table ■ 15 commissionnaire.

ACHEVE : 4 clos, fini ■ 5 épuré, fatal, franc, pommé ■ 6 révolu* ■ 7 complet, parfait ■ 8 accompli, inachevé ■ 9 imparfait, incomplet ■ 12 parachevable.

ACHEVEMENT : 8 finition ■ 10 conclusion, confection, perfection* 12 couronnement, irréversible ■ 13 parachèvement ■ 15 accomplissement.

ACHEVER : 4 tuer ■ 5 finir*, mener, noyer ■ 6 bâcler, cesser*, poussé ■ 8 accabler, clôturer, conclure, parfaire, terminer* ■ 9 accomplir, compléter, couronner, finaliser, rengainer ■ 10 parachever, puntillero.

ACHOPPER : 4 choc ■ 6 butter ■ 8 obstacle ■ 11 achoppement.

ACHROMATIQUE : 7 optique ■ 8 achromat ■ 12 achromatiser ■ 15 achromatisation.

ACIDE : 3 cru, sûr ■ 4 âcre, base, vert, ■ 5 aigre*, amide, codon, ester, jusée, oléum, plomb, pregl, raide, sûret, urate ■ 6 chimie, citron, éventé, formol, lysine, sérine, urique, valine, verjus, zyklon ■ 7 acétate, acéteux, acidulé, aigreur, alanine, azoteux, borique, cystine, diacide, ferrate, iodique, leucine, malique, mordant, oléique, oseille, osmique, oxacide, surelle, verjuté, vitriol ■ 8 acescent, acétique, acidité, aciduler, adipique, aigrelet, azotique, basicite, bromique, caprique, chloreux, citrique, cystéine, eau-forte, érepsine, érucique, formique, lactique, mélinite, oxyacide, oxalique, phénique, picrique, pryoxyle, rétinite, sélénite, triacide, trypsine, tyrosine, verdagon, verdelet, vinaigre* ■ 9 acescence, acétifier, acidifière, acidifier, acrylique, alginique, aluminate; ampholyte, anhydrite, antiacide, arséniate, arsénique, benzoïque, bisulfite, butyrique, chlorique, chromique, fulminate, groseille, histidine, hydracide, linoléine, monoacide, mordacité, nucléique, oxymétrie, pèse-acide, phtalique, polyacide, prussique, sélénieux, sélénique, silicique, stannique, stéarique, tellurien, tellurure, térébique, thinoïque, thréonine, titanique, tourbière, valérique, vanadique, vitrioler, xanthique, xyloïdine ■ 10 acétomètre, acidifiant, acidiphile, acidimètre, asparagine, caprylique, carbamique, cinnamique, éthanoïque, fulminique, gluconique, glutamique, glycérique, glycocolie, glycolique, hippurique, isoleucine, linoléique, manganique, méthionine, palmitique, périodique, succinique, sulfurique, tellurique ■ 11 acidifiable, acidimétrie, antimoniate, bicarbonate, carbonisage, iodhydrique, méthanoïque, nicotinique, nitrosation, perchlorate, pyrimidique, salicylique, tryptophane, valérianate ■ 12 azothridique, bromhydrique, carboxylique, décarbonater, perchlorique, permanganate, phosphorique, sulfhydrique, sulfonvinique, valérianique ■ 13 fluorhydrique, pantothénique, phénylalanie, pyrophosphate, ribonucléique, sélénhydrique, téréphtalique, xanthogénique ■ 14 estérification, éthérification, pyrosulfurique, tellurhydrique ■ 15 hypochlorhydrie.

ACIDIFIER : 5 sûrir ■ 6 aigrir, piquer, ronger ■ 7 acidage, tourner ■ 13 acidification.

ACIDITE : 2 pH ■ 6 âcreté ■ 7 aigreur, verdeur ■ 9 acescence, mordacité ■ 10 acidimètre.

ACIDOSE : 11 acidocétose.

ACIDULE : 5 aigre, seltz ■ 8 limonade.

ACIDULEE : 5 kéfir.

ACIER: 3 fer* ■ 4 busc, coin, épée, faux, inox, lime, rail, scie, tôle ■ 5 acéré, ancre, bâche, bille, bloom, burin, damas, fonte, foret, fusil, invar, métal, rouet ■ 6 cornue, étoffe, rillon ■ 7 aciérie, calmage, carbure, creusot, élinvar, spiegel ■ 8 aciérage, billette, blindage, détrempe, fonderie, oerstite ■ 9 aciérisme, cémentite, détremper, hausse-col ■ 10 aciération, martensite, sidérurgie ■ 11 cémentation, nitruration ■ 13 convertissage, sidérographie ■ 14 aluminothermie ■ 15 déphosphoration.
ACIERER: ■ 8 aciérage ■ 10 aciération.
ACNE: ■ 4 peau ■ 7 peeling ■ 8 acnétique ■ 11 folliculite.
ACOLYTE: 4 aide ■ 5 ordre ■ 8 complice ■ 9 compagnon ■ 11 association.
ACOMPTE: 5 payer ■ 6 arrhes ■ 9 provision.
ACONAGE: 7 aconier ■ 8 acconier.
ACONIT: 5 napel ■ 6 poison ■ 9 aconitine.
ACOUMETRIE: 11 audiométrie.
ACOUSTIQUE: 3 bip, son* ■ 5 sonie ■ 6 bip-bip ■ 7 gravité, oreille ■ 8 entendre ■ 10 audiophone, signifiant, sonagramme ■ 11 acousticien ■ 12 stéréophonie.
ACQUEREUR: 13 sous-acquéreur.
ACQUERIR: 5 butin, infus, mûrir, payer ■ 6 gagner ■ 7 acheter*, étudier, obtenir ■ 8 afféager, cueillir, recycler, regagner ■ 9 acquéreur, apprendre, concilier, connaître, conquérir, faisander, prescrire ■ 10 contracter ■ 11 acquisition ■ 12 prescription ■ 15 collectionnisme.
ACQUET: 4 bien ■ 5 achat* ■ 7 conquêt, mariage ■ 10 possession.
ACQUIESCEMENT: 3 oui ■ 8 sanction, violence ■ 9 n'est-ce pas ■ 10 permission ■ 11 approbation, inclination ■ 12 ratification.
ACQUIESCER: 5 céder ■ 6 avouer ■ 7 accéder, adhérer ■ 9 consentir, permettre ■ 10 obtempérer.
ACQUIS: 5 connu, lancé ■ 6 dévolu ■ 7 conquis ■ 11 acquisition ■ 12 rétroscession.
ACQUISITION: 5 achat ■ 7 fiducie ■ 9 usucapion ■ 10 acquisitif ■ 11 devise-titre ■ 12 psychomoteur ■ 14 autonomisation ■ 15 différenciation, psychogénétique.
ACQUITTEMENT: 4 juge ■ 5 libre ■ 8 innocent ■ 10 libération ■ 12 condamnation.
ACQUITTER: 4 note, reçu ■ 5 payer* ■ 6 quitte, régler, rendre, solder ■ 7 exercer, libérer ■ 8 absoudre ■ 9 accomplir, desservir, pardonner, quittance, redevance, revancher ■ 12 acquittement.
ACRE: 4 amer, fort ■ 5 acide, aigre, rance ■ 6 âcreté ■ 8 âcrement ■ 9 empyreume ■ 13 dulcification.
ACRIDIEN: 6 cricri ■ 7 criquet, grillon, locuste, pèlerin ■ 10 orthoptère, sauterelle ■ 12 antiacridien
ACRIMONIEUX: 4 amer ■ 8 hargneux* ■ 9 acariâtre.
ACROBATE: 7 batoude ■ 8 bateleur ■ 9 acrobatie, cascadeur, funambule, monocycle ■ 11 antipodiste ■ 15 contorsionniste.
ACROBATIE: 4 pont ■ 7 icarien, looping, rondade, voltige ■ 9 chandelle, immelmann ■ 10 crapaudine ■ 11 acrobatique ■ 12 esquimautage.
ACROBATIQUE: 11 antipodisme.
ACROLEINE: 9 acrylique.
ACTE: 3 loi ■ 4 bill, faux, visa ■ 5 blanc, bulle, chyle, congé, droit, écrit, écrou, effet, excès, final, folie, levée, lever, noèse, offre, prime, prise, queue, sceau, scène, seing, sujet, texte, titre, union, venir, viser ■ 6 action, brevet, déport, effort, hadith, menace, projet, quitus,

stupre ■ 7 avenant, command, désaveu, exploit, gestion, partage, sodomie, théâtre ■ 8 activité, amnistie, archives, attentat, bienfait, caducité, conduite*, crânerie, décharge, dénommer, donation, exaction, greffier, habitude, iniquité, instance, minutier, neuvaine, réservat, réversal, sanction, scandale, trantran, vacherie, vocation, volition ■ 9 boomerang, boumerang, codicille, commettre, compromis, déloyauté, démission, duplicata, formalité, grossoyer, main-levée, passation, petitesse, rapinerie, rétorsion, sous-seing, spicilège, tabellion, testament, transfert ■ 10 actualiser, amplification, casus belli, contrainte, convention, délégation, déposition, engagement, étourderie, illégalité, influencer, intervenir, obligeance, opposition, ordonnance, pourcompte, réescompte, signataire, terrorisme ■ 11 acceptation, affirmation, argumentant, canaillerie, compulsoire, criminalité, déclaration, fraterniser, grossièreté, investiture, loufoquerie, muncupation, procuration, prorogation, résolutoire, transaction, vaillantise ■ 12 annulabilité, coéchangiste, commandement, complaisance, confirmation, contre-lettre, déclinatoire, délaissement, émancipation, francisation, gangstérisme, inconscience, instrumenter, intellection, notification, promulgation, ratification, renonciation, rétrocession, scélératesse ■ 14 défenestration, naturalisation, ordonnancement, pronunciamento, réconciliation ■ 15 donation-partage, sénatusconsulte.

ACTEE : 9 cimicaire.

ACTEUR : 4 exit, mime, rôle, star ■ 5 agent, basse, cabot, clown, grime, scène ■ 6 étoile ■ 7 artiste, baladin*, cabotin, casting, comique, danseur, théâtre, vedette ■ 8 chanteur, choriste, comédien, coryphée, doublure, histrion, travesti ■ 9 pantomime, tragédien ■ 10 impresario, interprète ■ 12 pensionnaire, protagoniste.

ACTIF : 3 vif ■ 4 zélé ■ 5 apiol, bilan, foyer, rouge, tanin, verbe ■ 6 ardent ■ 7 remuant, violent ■ 8 agissant, déponent, diligent, efficace, empressé, myrosine, pétulant ■ 9 activisme, dynamique, efficient, énergique, promoteur ■ 10 activement, digitaline ■ 11 intensifier, languissant ■ 12 enthousiaste, intervention.

ACTINIE : 6 polype ■ 7 anémone ■ 10 zoanthère.

ACTINIQUE : 9 actinisme.

ACTINIUM : 2 ac ■ 8 actinide ■ 9 émanation.

ACTION : 2 b.a., vu ■ 3 jeu ■ 4 acte, coup, fait, zèle* ■ 5 délit, drame, effet*, faute, geste, intox, squat, tâche, tacle, tuage ■ 6 actant, ardeur, combat, humage, lamage, métier, mutage, nervin, œuvre, pliage ■ 7 abatage, affaire, besogne, billage, bombage, bradage, cardage, énergie, errance, exploit, filmage, finance, foucade, frisage, fumage, gainage, glanage, grésage, listage, loupage, mazéage, nappage, ouvrage, plaquer, pouvoir, riblage, ssueeze, taquage, tassage, tramage, travail ■ 8 activité, assurage, braisage, chassage, chaumage, coiffage, conation, conduite, couvrure, débouché, dédorage, dégazage, démarche, dépicage, ébarbage, embouage, émoulage, empotage, encavage, encodage, feintise, fonction, fumaison, galetage, herchage, indexage, intrigue, lainerie, lobbying, lobbisme, luddisme, mégotage, patinage, pédalage, piratage, pratique, réaction, ridement, tapement, tararage, violence, vivacité ■ 9 acting-out, bidonnage, bocardage, bruissage, déblayage, déboisage, débrasage, décrêpage, déferlage, déferrure, déliement, délissage, démarrage, déméchage, déroctage, déroutage, désaérage, détourage, dévoltage, écorchage, égayement, égrainage, empalmage, empannage, encochage, engommage, étayement, enterrage, étirement, étuvement, façonnage, faufilage, foliotage, formatage, fouissage, herschage, idée-force, itération, jettature, lèchement, louvoyage, mâchement, manoeuvre, moulurage, mouvement*, musardise, pétulance, pitonnage, procédure, rempotage, ressayage, serfouage, sériation, sous-seing, turbinage ■ 10 agissement, bichonnage, catalogage, charcutage, côtoiement, débourbage, débrochage, décoinçage, découplage, décryptage, dédoublage, défrichage, dépliement, désembuage, dessablage, détraction, embrouille, émergement, empotement, encavement, entreprise, essangeage, épouillage, galvaudage, gigotement, grignotage, indexation, magasinage, mandrinage, maximation, minoration, occupation, plasticage, préréglage, profession, prométhéen, rebouchage, recentrage, réessayage, relogement, roulé-boulé, soulignage, tapotement, visionnage, vitriolage ■ 11 actionnaire, bidouillage, brillantage, collimation, décapsulage, décervelage, décorticage, dégazonnage, dépouillage, déroutement, désensimage, dessalaison, détalonnage, ébouriffage, endentement, enfermement, érotisation, fustigation, jacassement, maraboutage, performatif, plastiquage, poétisation, redémarrage, starisation, sous-titrage ■ 12 apragmatisme, boursicotage, chouchoutage, déboutonnage, décliquetage, décoincement, déconnection, décrochement, décryptement, dégarnissage, démaquillage, démodulation, démotivation, dénébulation, désencollage, disculpation, dynamisation, édulcoration, empressement, encastrement, enthousiasme, exfiltration, fanatisation, fidélisation, finalisation, focalisation, interfoliage, inventoriage, marmonnement, minimisation, néantisation, nébulisation, numérisation, optimisation, papillonnage, psychokinèse, réintégrande, renfermement, resurchauffe, robotisation, ronronnement, rougissement, sanglotement, scripophilie, sécurisation, sous-quartier ■ 13 annualisation, chamboulement, contournement, crétinisation, décongélation, déforestation, désabonnement, désactivation, désalignement, désindexation, désulfuration, euphorisation, globalisation, hydrofugation, opacification, précarisation, psychokinésie, randomisation, réaménagement, rééquilibrage, russification, saucissonnage, scotomisation, sintérisation, suréquipement, surprotection, vedettisation ■ 14 arrondissement, chaptalisation, concrétisation, contrebutement, dénazification, dénébulisation, dépénalisation, désencadrement, désétatisation, déshydratation, désincarnation, désinformation, dévirilisation, effarouchement, emmagasinement, équarrissement, fluidification, fraternisation, maximalisation, médicalisation, minimalisation, nominalisation, nucléarisation, optimalisation, paillassonnage, papillonnement, plastification, popularisation, relativisation, revitalisation, solubilisation, sous-estimation, sous-évaluation, spatialisation, télématisation ■ 15 ballet-pantomime, cannibalisation, criminalisation, culpabilisation, débroussaillage, débudgétisation, décloisonnement, dégauchissement, dégrossissement, démythification, déprogrammation, déqualification, déscolarisation, désectorisation, déshumanisation, européanisation, familiarisation, impatronisation, infantilisation, infériorisation, informatisation, intériorisation, réactualisation, resocialisation, ressaisissement, substantivation, surexploitation.

ACTIONNER: 7 cliquer, mouvoir*.

ACTIVER: **4** agir ■ **6** lutter, remuer ■ **7** démener, exciter ■ **8** débattre, emporter, évertuer, souffler, turbiner ■ **9** accélérer*, actionner, empresser ■ **10** multiplier, vibrionner.

ACTIVITE: **3** vie ■ **4** mort, sève, zèle ■ **5** force, remue ■ **6** action, ardeur ■ **7** énergie, entrain, inertie, kinésie, lenteur, marasme, sthénie ■ **8** agit-prop, conduite, économie, exerçant, fonction, rouiller, software, stimuler, suicider, violence, vivacité ■ **9** agitation, animation, ankyloser, diligence, dynamisme, dyscrasie, industrie, marketing, ménopause, modélisme, mouvement, pétulance, politique, quérulent, refroidir, richesse, sponsorat, stimulant, suractivé ■ 10 activateur, désactiver, dyskinésie, exaltation, excitation, foresterie, inactivité, inhibition, latéralisé, mémoration, multiplier, non-salarié, parachimie, somnolence, sponsoring, stagnation ■ 11 baby-sitting, cérébralité, impédimenta, suractivité, viniculture ■ 12 anhydrobiose, empressement, enthousiasme, proxénétisme, signalétique ■ 13 musicographie, occupationnel, parapétrolier, péristaltisme, redéploiement ■ 14 microglosaire, neurosécrétion, rebondissement ■ 15 affaiblissement, décontamination, neurodépresseur, péri-information, vitiviniculture.

ACTONIQUE : 9 actinisme.

ACTRICE : 4 diva ■ 6 étoile ■ 7 divette ■ 8 danseuse ■ 10 cantatrice, comédienne, théâtreuse ■ 11 tragédienne.

ACTUAIRE : 9 actuariat, actuariel, assurance.

ACTUALITE : 4 news ■ 9 stock-shot ■ 10 serventois ■ 12 newsmagazine ■ 13 téléaffichage.

ACTUEL : 5 temps ■ 7 courant, présent ■ 8 existant, inactuel, statuquo ■ 9 actualité, désormais ■ 10 actualiser, anthropien ■ 12 contemporain ■ 13 actualisation.

ACTUELLEMENT : 5 séant ■ 8 à présent ■ 10 aujourd'hui, de nos jours, maintenant ■ 12 de notre temps, présentement.

ACUITE : 4 aigu ■ 8 amblyope ■ 9 acoumètre, sidétisme ■ 11 audiométrie, hypoacousie ■ 12 clairvoyance, malentendant, perspicacité.

ACUPUNCTURE : 11 acuponcteur, acupuncteur ■ 14 digitopuncture.

ACYCLIQUE : 6 alcane, alcène, alcyne ■ 11 aliphatique.

ADAGE : 6 maxime*, pensée ■ 9 aphorisme.

ADANTUM : 13 cheveu-de-vénus.

ADAPTABLE : 12 adaptabilité.

ADAPTATION : 6 accord, praxie ■ 7 asocial ■ 9 adaptatif, désadapté, recyclage ■ 10 accommodat, adaptateur, adéquation, ajustement, ceinturage, intégrisme ■ 11 arrangement, engineering, prêt-à-porter ■ 12 inadaptation, malnutrition, reconversion, sclérophylie ■ 13 aggiornamento, désadaptation, massification ■ 14 intentionalité.

ADAPTE : 10 eupraxique.

ADAPTER : 5 aller, rôder ■ 6 cadrer, réunir ■ 7 ajuster, capoter, épouser ■ 8 arranger, inadapté ■ 9 adaptable, appliquer, réadapter, xérophile ■ 10 adaptateur, adaptation, désadapter, zootechnie ■ 11 inadaptable, saptialiser ■ 12 réadaptation.

ADDITIF : 7 bifidus ■ 8 additivé ■ 9 gélifiant.

ADDITION : 2 et ■ 4 plus ■ 5 alèse, erbue, régie, somme, total ■ 6 ajouté, béquet, calcul, compte ■ 7 additif, becquet, calmage, collège, gypsage ■ 8 annexion, cheville, griveler, prothèse, rallonge ■ 9 manchette, prosthèse ■ 10 adjonction ■ 11 allongement ■ 12 augmentation, prolongement ■ 13 alcoolisation, intercalation, verdunisation, vulcanisation ■ 15 parasynthétique.

ADDITIONNE : 6 résiné ■ 7 glucosé ■ 9 mauresque ■ 10 caramélisé, sacchariné.

ADDITIONNER : 5 ioder, rhune, tronc, viner ■ 6 rhumer ■ 7 ajouter, annexer, joindre, opiacer ■ 8 allonger ■ 9 adjoindre, augmenter, compléter, prolonger ■ 10 carbonater, emprésurer, surajouter ■ 11 additionnel.

ADENOSINE : 3 amp, atp.

ADEPTE : 4 sikh ■ 5 bahaï, béhaï, djaïn, école, secte ■ 6 rocker ■ 7 çivaïte, rockeur ■ 8 çivaïste, dadaïste, darbyste, néophyte, partisan*, piétiste, sivaïste, socinien ■ 9 clientèle, futuriste, muraliste ■ 10 bouddhiste, kharidjite, nicolaïste, shintoïste, symboliste ■ 11 mutaziliste, naturaliste ■ 12 millénariste ■ 13 créationniste, divisionnaire, réligionnaire.

ADEQUAT: 4 égal ■ 6 idoine, propre ■ 8 synonyme ■ 9 approprié, semblable ■ 10 adéquation ■ 12 adéquatement, inadéquation.

ADHERENCE: 8 adhésion, cohésion ■ 9 cohérence, collement, inhérence ■ 11 antiadhésif, aquaplanage, aquaplaning.

ADHERENT: 3 glu ■ 4 fixé ■ 5 colle, label ■ 6 membre, tenace ■ 7 affilié, attaché ■ 8 disciple, partisan ■ 9 adhériser, consentir, manichéen, rabatteur.

ADHERER: 5 joint, paire, tenir ■ 6 coller, croire, suivre ■ 7 adhésif, gripper, rallier ■ 8 affilier, épeautre ■ 9 approuver, consentir, incruster, souscrire, syndiquer ■ 10 adhésivité ■ 11 neutralisme ■ 12 européaniser.

ADHESIF: 5 patch ■ 6 scotch ■ 7 flocage.

ADHESION: 8 sanction ■ 9 accession, adhérence ■ 10 conviction ■ 11 approbation ■ 12 adhésivement, ratification ■ 13 acquiescement.

ADIEU: 3 bye ■ 5 congé, salut ■ 6 bye-bye ■ 7 abandon, bonjour, bonsoir ■ 8 au revoir ■ 9 bonne nuit.

ADIPEUSE: 11 liposuccion.

ADIPEUX: 10 adipopexie, lipoïdique.

ADIRER: 6 égarer.

ADJACENT: 4 côté ■ 6 proche.

ADJECTIF: 2 ce, ci, ma, ta, sa, un ■ 3 ces, cet, dix, mes, mil, mon, nos, nul, ses, six, son, tel, tes, ton, une, vos ■ 4 cinq, deux, huit, leur, même, mien, neuf, onze, sept, sien, tien, tous, tout ■ 5 aucun, autre, cette, douze, iceux, maint, mille, notre, nulle, seize, telle, toute, trois, vingt, votre ■ 6 aucune, chacun, chaque, divers, icelle, icelui, mainte, quatre, quinze, treize ■ 7 certain, chacune, dix-huit, dix-neuf, dix-sept, numéral, quelque ■ 8 attribut, certaine, épithète, prédicat, quatorze ■ 9 appositif, ethnonyme ■ 10 adjectiver, pronominal, quelconque ■ 11 distributif ■ 12 démonstratif, qualificatif ■ 13 adjectivement ■ 14 adjectiviser.

ADJOINDRE: 7 joindre ■ 8 associer ■ 10 adjonction.

ADJOINT: 4 aide, vice ■ 9 assesseur, sous-verge ■ 10 coadjuteur ■ 11 sous-économe.

ADJONCTION: 2 co ■ 3 coh, com, con ■ 8 jonction ■ 10 fluoration ■ 12 incrémentiel.

ADJUDANT: 6 juteux ■ 8 officier ■ 9 feldwebel.

ADJUDICATION: 5 achat, encan ■ 6 rabais ■ 7 caution, enchère ■ 10 cautionner, entreprise, soumission, surenchère ■ 11 moins-disant ■ 12 sous-traitant ■ 13 adjudicataire, cautionnement ■ 15 soumissionnaire.

ADJUGER: 6 priser ■ 7 liciter ■ 8 enchérir ■ 9 attribuer ■ 10 approprier, cautionner ■ 11 adjudicatif ■ 12 adjudicateur ■ 13 adjudicataire, soumissionner.

ADJURATION: 11 objurgation.

ADJURER: 5 ligue, prier* ■ 9 exorcisme ■ 10 adjuration.

ADJUVANT: 9 antigélif.

ADMETTONS: 4 soit.

ADMETTRE: 6 agréer, croire, mettre, passer ■ 7 adopter, anoblir, coopter, récuser, rejeter ■ 8 accepter, concéder, recevoir, répandre, souffrir, supposer ■ 9 admission, approuver, comporter, entériner, permettre* ■ 10 réadmettre ■ 11 présupposer, reconnaître* ■ 12 inadmissible, réceptionner.

ADMINISTRATEUR : 5 agent, doyen, talon ■ 6 préfet, tuteur ■ 7 économe, recteur, trustes ■ 8 curateur, receveur, tantième ■ 9 intendant, majordome, proviseur, régisseur ■ 11 ordonnateur, procurateur ■ 12 gestionnaire, surintendant.

ADMINISTRATIF : 7 sautier.

ADMINISTRATION : 4 dème, fisc, nome ■ 5 cadre, curie, junte, major, poste, régie, siège, tabac ■ 6 bureau, douane, mairie, marine, ménage, octroi, police, régime, voirie ■ 7 comitat, domaine, gérance, gestion, système ■ 8 autorité, centurie, quartier, voïvodie, triumvir ■ 9 cogestion, dicastère, direction, municipal, voïévodie ■ 10 administré, définiteur, sous-préfet, trésorerie ■ 11 département ■ 12 bureaucratie, gouvernement, organigramme ■ 13 administratif, verbalisateur ■ 14 irrecevabilité, self-government ■ 15 circonscription, déconcentration, technostructure.

ADMINISTRATIVE : 6 eyalet, wilaya ■ 7 borough, willaya ■ 8 voïvodie ■ 9 voïévodie.

ADMINISTRE : 14 sous-administré.

ADMINISTRER : 5 doper, gérer, mener, régir ■ 6 donner ■ 7 cogérer, diriger* ■ 8 étatiser, vacciner ■ 9 directeur, gouverner*, maniement, pilulaire, protuteur ■ 11 camerlingue, extemporané ■ 12 gestionnaire, gouvernement, médicamenter ■ 14 administrateur, administration, médicament.

ADMIRABLE : 4 beau* ■ 5 bijou ■ 7 épatant, sublime*, superbe ■ 8 étonnant, fabuleux ■ 9 mirifique, splendide ■ 10 magnifique, prodigieux* ■ 11 merveilleux ■ 13 admirablement ■ 14 extraordinaire.

ADMIRATION : 2 ah, eh, ho ■ 3 fan ■ 4 beau ■ 5 larme ■ 6 extase ■ 7 fichtre ■ 8 autorité, exclamer, snobisme ■ 9 admirable, admiratif, fanatique, merveille, triomphal ■ 10 engouement, étonnement ■ 11 chauvinisme, émerveiller, merveilleux, ravissement ■ 12 enthousiasme ■ 14 admirativement, émerveillement.

ADMIRE : 9 anglomane.

ADMIRER : 5 mirer, piger ■ 7 groupie ■ 8 emballer, extasier, regarder ■ 10 admirateur, contempler ■ 11 entr'admirer.

ADMIS : 4 reçu ■ 6 refusé ■ 7 reconnu.

ADMISSIBLE : 7 valable ■ 8 possible ■ 9 plausible, recevable ■ 12 inadmissible, plausibilité, recevabilité ■ 13 admissibilité ■ 15 inadmissibilité.

ADMISSION : 5 carte, stage ■ 8 adoption, agrément, audience, postulat ■ 9 réception ■ 10 agrégation, cooptation, initiation ■ 11 affiliation, réadmission ■ 12 accélérateur, installation ■ 15 hospitalisation.

ADMONESTER : 7 avertir, menacer ■ 9 morigéner ■ 11 réprimander*.

A.D.N. : 10 séquençage, transposon.

ADOLESCENCE : 3 âge* ■ 8 jeunesse ■ ■ 10 adolescent ■ 13 préadolescent.

ADOLESCENT : 3 fan ■ 5 hymen, jeune, scout ■ 6 éphèbe, novice ■ 7 béjaune ■ 8 blanc-bec, chérubin, teen-ager ■ 9 bachelier, damoiseau ■ 10 godelureau, jeune homme, jouvenceau ■ 15 pédopsychiatrie.

ADONNER : 6 donner, livrer ■ 7 plonger ■ 8 habituer ■ 9 appliquer, consacrer.

ADONQUES : 5 adonc.

ADOPTER : 7 adhérer, adoptif, choisir, prévoir, pallier ■ 8 admettre, adoption, attendre, composer, partager, présumer ■ 9 adoptable, approuver, consentir, embrasser, russifier ■ 10 désorienté, éclectique, introduire ■ 11 reconnaître, spécialiser.

ADOPTION : 13 transvestisme.
ADORATION : 5 amour*, culte, idole ■ 6 latrie ■ 8 çaktisme, religion, sabéisme ■ 9 idolâtrie, zoolâtrie ■ 11 iconolâtrie.
ADORER : 4 mage ■ 5 aimer* ■ 7 honorer, vénérer ■ 8 adorable ■ 9 adorateur, adoration, idolâtrer ■ 10 prosterner ■ 12 adorablement.
ADOS : 6 billon.
ADOSSEMENT : 5 accot.
ADOSSER : 3 dos ■ 7 appuyer ■ 8 affronté ■ 10 adossement.
ADOUBEMENT : 5 colée.
ADOUBER : 10 adoubement.
ADOUCIR : 4 doux ■ 5 dorer, gazer, limer, polir ■ ■ 6 calmer*, sucrer ■ 7 alléger, apaiser*, charmer, ménager, mitiger, modérer, policer, tolérer ■ 8 consoler, corriger, désarmer, diminuer, estomper, lénifier, radoucir, soulager, velouter ■ 9 affaiblir, assouplir, attendrir, bémoliser, civiliser, concilier, désaigrir, dulcifier, édulcorer ■ 11 adoucisseur, apprivoiser ■ 13 adoucissement.
ADOUCISSANT : 5 looch, mauve ■ 7 lénitif ■ 8 réglisse ■ 9 correctif, diminutif.
ADOUCISSANTE : 10 after-shave.
ADOUCISSEMENT : 5 congé ■ 7 dictame ■ 8 tamisage ■ 10 apaisement, euphémisme, mitigation ■ 11 atténuation.
ADRAGANT : 5 gomme ■ 9 astragale.
ADRENALINE : 8 dopamine ■ 12 adrénergique ■ 13 phénylalanine.
ADRESSE : 3 art ■ 4 chic, tour, truc ■ 5 bague, grâce, patte ■ 6 doigté, lettre ■ 7 agilité, aisance, demeure, mazette, tonneau ■ 8 acrobate, bateleur, capacité, discours, facilité, filouter, habileté*, insinuer, légèreté, maestria, maîtrise, soutirer, vivacité ■ 9 dextérité, entregent, industrie, insinuant, jonglerie, souplesse ■ 10 escamotage, maladresse, passe-passe, stratagème ■ 11 adroitement, délicatesse, expertement, ingéniosité, promptitude, savoir-faire, sorcellerie ■ 12 destinataire, équilibriste, intelligence, souscription.
ADRESSER : 5 poser, prier ■ 6 parler, poster ■ 7 envoyer ■ 8 échanger, recourir, renvoyer, vousoyer ■ 9 haranguer, voussoyer ■ 10 interroger ■ 11 apostropher, interpeller, pétionner, questionner ■ 12 complimenter.
ADRET : 4 ubac ■ 7 soulane.
ADRIATIQUE : 6 péotte.
ADROIT : 3 vif ■ 4 aisé, rusé, truc ■ 5 agile, filou, léger, leste, singe ■ 6 expert, habile, preste, prompt ■ 7 capable, émérite, entendu ■ 8 dégourdi, gaillard, gracieux ■ 9 diplomate, distingué, ingénieux, maladroit, maquignon, politique ■ 11 expérimenté, industrieux, intelligent ■ 12 diplomatique, échappatoire.
ADROITEMENT : 5 semer ■ 8 faufiler, insinuer ■ 13 politiquement.
ADSORBE : 9 adsorbant.
ADSORPTION : 8 adsorber ■ 9 adsorbant ■ 12 physiorption.
ADULER : 7 flatter ■ 8 louanger ■ 9 adulateur, adulation ■ 10 adulatoire.
ADULTE : 3 âge ■ 5 grand ■ 8 baptisme, personne ■ 10 puérilisme.
ADULTERATION : 13 falsification.
ADULTERE : 4 cocu ■ 5 amant ■ 7 cocuage, cornard, liaison ■ 8 cocufier, complice, concubin, débauche, infidèle, trahison ■ 9 adultérin, concubine, maîtresse, tromperie ■ 10 inconstant, infidélité, sganarelle ■ 11 concubinage, inconstance.
ADULTERER : 7 altérer, changer ■ 9 falsifier.
ADVERBE : (voir *locution adverbiale*) : 2 çà, ci, en go, ja là, ne, ou, qu,

si ■ **3** bas, ben, bis, bon, dru, dur, fin, ici, mal, mie, net, non oïl, onc, oui, out, pas, peu, pis, piu, que, ras, sec, sic, ter, tôt ■ **4** beau, bene, bien, bref, brut, cash, cher, deçà, déjà, demi, doux, envi, faux, fort, gras, gros, haut, hier, hors, idem, item, itou, loin, long, lors, mais, même, menu, noir, ores, pile, plus, près, prou, puis, quia, rond, soit, tant, tard, tout, très, trop, vite, vrac ■ **5** adonc, ainsi, alias, alors, après, assai, assez, aussi, avant, besef, bésef, bezef, bézef, céans, ci-gît, clair, comme, court, dolce, droit, enfin, épais, ferme, force, forte, frais, franc, grand, guère, jadis, jaune, juste, là-bas, largo, lento, marre, matin, mieux, moins, mollo, molto, moult, nenni, outre, piano, pieca, point, primo, quand, quasi, raide, recta, roide, rouge, serre, sexto, sitôt, supra, toute, voire, vulgo ■ **6** adagio, auprès, autant, autour, certes, contre, debout, decimo, dedans, dehors, demain, depuis, dessus, deusio, deuzio, devant, double, dûment, encore, exprès, franco, gratis, ibidem, ici-bas, illico, jamais, là-haut, largue, legato, lerche, moitié, nouvel, nûment, onques, optime, plutôt, quanto, quarto, quater, quinto, rubato, subito, tantôt, tenuto, tertio, ultimo ■ **7** agitato, allegro, amoroso, andante, animato, arrière, bientôt, ci-après, combien, comment, crûment, dessous, en effet, ensuite, environ, furioso, gaiment, macache, mauvais, naguère, nouveau, nuement, oncques, parfois, partout, pédibus, présent, presque, quelque, rasibus, scherzo, secundo, septimo, soudain, souvent, surtout, uniment ■ **8** ailleurs, aisément, alentour, âprement, aussitôt, beaucoup, bêtement, catimini, ci-contre, ci-dessus, comptant, derechef, derrière, durement, ensemble, est-ce que, fadement, finement, fixement, gaiement, gracioso, grazioso, guingois, indûment, joliment, maestoso, mêmement, moderato, mordicus, mûrement, négation, plan-plan, poliment posément, possible, pourquoi, purement, rarement, rudement, sagement, salement, staccato, sûrement, toujours, undecimo, vilement vivement, vraiment ■ **9** adoncques, agilement, adverbial, aigrement, amèrement, amplement, andantino, ardemment, attendant, autrefois, autrement, avidement, bassement, béatement, bellement, bigrement, bonnement, boucheton, bravement, calmement, carrément, censément, chèrement, ci-dessous, contrebas, contredit, crânement, crescendo, davantage, décemment, demeurant, densément, désormais, dextrorse, dignement, doucement, drôlement, duodecimo, également, fermement, fièrement, follement, forcément, fortement, galamment, gentiment, goulûment, gravement, hardiment, hautement, incognito, isolément, jeunement, justement, lâchement, laidement, largement, larghetto, lentement, librement, longtemps, mollement, naïvement, n'est-ce pas, nettement, noblement, nommément, notamment, nullement, oralement, pairement, pesamment, platement, quasiment, quinquies, récemment, richement, rondement, sacrément, sainement, savamment, sciemment, sèchement, sensément, seulement, sforzando, smorzando, sobrement, sostenuto, sottement, suavement, tellement, tièdement, toutefois, utilement, vachement, vaguement, vainement, vastement ■ **10** absolument, activement, alertement, allegretto, ambigument, approchant, assidûment, assurément, atrocement, aucunement, aujourd'hui, auparavant, banalement, bougrement, brièvement, bruyamment, chastement, chaudement, chichement, chiquement, civilement, clairement, congrûment, contrehaut, couramment, cupidement, débilement, décidément, dévôtement, dextrorsum, diablement, diminuendo, divinement, docilement, dolcissimo, dorénavant, doublement, droitement, élégamment, éminemment, énormément, épatamment, éperdument, espressivo, évidemment, exactement, facilement, faiblement, fatalement, faussement, férocement, fidèlement, figurément, finalement, forte-piano, fortissimo, foutrement, froidement, futilement, gauchement, grandement, grassement, grièvement, habilement, hâtivement, humblement, humidement, idéalement, idiotement, impoliment, impunément, impurement, infiniment, ingénument, iniquement, instamment, intimement, légalement, légèrement, licitement, localement, longuement, lourdement, loyalement, lucidement, maigrement, maintenant, méchamment, mesurément, mièvrement, modérément, moralement, nasalement, nativement, niaisement, nocivement, nonobstant, nuitamment, oisivement, opulemment, patiemment, pauvrement, pénalement, petitement, pianissimo, piètrement, pieusement, pleinement, prestement, proprement, prudemment, rapidement, réellement, résolument, rigidement, ritardando, royalement, saintement, scherzando, séparément, sévèrement, simplement, solidement, souplement, sourdement, subitement, tacitement, tenacement, tendrement, timidement, totalement, triplement, tristement, unièmement, uniquement, validement, vénalement, violemment, virilement, vocalement, volontiers, voracement ■ **11** abondamment, abruptement, absurdement, abusivement, accelerando, accortement, adroitement, affablement, agrestement, aimablement, allègrement, altièrement, amiablement, amicalement, anonymement, antiquement, apparemment, arrogamment, artistement, attiquement, austèrement, aveuglément, barbarement, bénignement, benoîtement, bizarrement,bonassement, brillamment, brusquement, brutalement, candidement, chétivement, comiquement, commodément, communément, confusément, constamment, continument, crédulement, cruellement, cyniquement, diantrement, diffusément, diligemment, directement, disertement, diversement, dixièmement, durablement, égoïstement, entièrement, espressione, étonnamment, étourdiment, étrangement, étroitement, évasivement, exagérément, expertement, exquisément, extrêmement, facticement, fameusement, fautivement, fébrilement, féodalement, fertilement, fichtrement, fictivement, filialement, fiscalement, fraîchement, franchement, fréquemment, frivolement, frugalement, funestement, furtivement, génialement, globalement, hideusement, honnêtement, humainement, ignoblement, immensément, impudemment, incidemment, incontinent, indécemment, indignement, indolemment, inégalement, ingratement, injustement, innocemment, inopinément, insciemment, insolemment, intègrement, intensément, inutilement, inversement, jalousement, jovialement, joyeusement, lascivement, lisiblement, logiquement, lugubrement, lyriquement, magiquement, malaisément, malignement, massivement, mentalement, minablement, modestement, modiquement, moindrement, moyennement, normalement, notablement, notoirement, obliquement, obscurément, obstinément, odieusement, onzièmement, ouvertement, particulier, passivement, péniblement, pensivement, perfidement, piteusement, placidement, plaisamment, précisément, précocement, prestissimo, profusément, prolixement, promptement, pudiquement, puérilement, puissamment, quelquefois, quelque part, rageusement, rêveusement, rinforzando, risiblement, robustement, sadiquement, salubrement, sauvagement, secondement, secrètement, sereinement, servilement, sincèrement, sixièmement, socialement, sordidement, stérilement, stoïquement, strictement, stupidement, sublimement, superbement, suprêmement, tardivement, typiquement, unanimement, usuellement, vaillamment, valablement, verbalement, vigilamment, vilainement, visiblement ■ **12** actuellement, adéquatement, adhésivement, adorablement, affreusement, agréablement, allusivement, anciennement, annuellement, anormalement, anxieusement, appassionato, bénévolement, bestialement, certainement, chimiquement, chouettement, cliniquement, complètement, confidemment, conformément, consciemment, copieusement, coquettement, cordialement, correctement, coûteusement, curieusement, cycliquement, décisivement, dégoûtamment, délibérément, délicatement, déloyalement, démesurément, dernièrement, deuxièmement, différemment, discrètement, doucettement, doutousement, douzièmement, efficacement, effrontément, envieusement, érotiquement, excellemment, expressément, fâcheusement, foncièrement, formellement, fortuitement, frileusement, fugitivement, furieusement, gauloisement, généralement, glacialement, gratuitement, haineusement, héroïquement, heureusement, honteusement, horriblement, huitièmement, illégalement, illicitement, imbécilement, immodérément, immoralement, immuablement, impatiemment, improprement, imprudemment, incessamment, incongrument, indéfiniment, indivisement, inélégamment, inexactement, infidèlement, inhabilement, initialement, invalidement, ironiquement, irrésolument, latéralement, légitimement, libéralement, linéairement, lubriquement, luxueusement, maladivement, manuellement, maritalement, martialement, matinalement, maussadement, médicalement, médiocrement, mesquinement, mondialement, moqueusement, mortellement, musicalement, mutuellement, mystiquement, négativement, négligemment, nerveusement, neuvièmement, nominalement, nouvellement, nuisiblement, obligeamment, onéreusement, orageusement, paisiblement, pareillement, parfaitement, partialement, passablement, pédestrement, peinardement, pertinemment, perversement, peureusement, physiquement, poétiquement, pompeusement, positivement, possiblement, poussivement, pratiquement, précairement, précédemment, premièrement, présentement, prétendument, probablement, profondément, publiquement, radicalement, relativement, ridiculement, ruineusement, rituellement, scéniquement, seizièmement, sensiblement, septièmement, sérieusement, sinistrement, sociablement, sommairement, soudainement, spécialement, spontanément, sportivement, statiquement, suffisamment, tangiblement, terriblement, tragiquement, trivialement, uniformément, usurairement, variablement, véniellement, verbeusement, vicieusement, visuellement, vulgairement ■ **13** abstraitement, adjectivement, admirablement, agressivement, aléatoirement, amoureusement, angéliquement, angulatrement, apathiquement, arbitralement, attentivement, bouffonnement, burlesquement, canoniquement, captieusement, cavalièrement, charnellement, chroniquement, cinquièmement, colossalement, concurremment, conjointement, conjugelement, conséquemment, contrairement, courtoisement, craintivement, défensivement, dérisoirement, désespérément, diagonalement, difficilement, distinctement, distraitement, doctoralement, dynamiquement, effectivement, élogieusement, empriquement, énergiquement, ennuyeusement, équitablement, éternellement, excessivement, exclusivement, exécrablement, explicitement, fabuleusement, familièrement, fanatiquement, fastueusement, fatidiquement, favorablement, fiévreusement, flatteusement, fougueusement, gaillardement, généreusement, génétiquement, glorieusement, gloutonnement, gracieusement, graduellement, graphiquement, grossièrement, hargneusement, honorablement, hypocritement, identiquement, illisiblement, illogiquement, illusoirement, immédiatement, immodestement, impérialement, implicitement, importunément, impudiquement, impulsivement, inclusivement, incommodément, incurablement, indiciblement, indirectement, ineffablement, infernalement, inhumainement, intégralement, intensivement, intrépidement, intuitivement, invisiblement, itérativement, journellement, juridiquement, laconiquement, languissamment, littéralement, lointainement, lucrativement, lumineusement, machinalement, magnanimement, malhabilement, malproprement, manifestement, marginalement, mécaniquement, mémorablement, mensuellement, méritoirement, mielleusement, militairement, mirifiquement, misérablement, moelleusement, momentanément, narquoisement, naturellement, nébuleusement, nonchalamment, numériquement, objectivement, offensivement, onctueusement, opiniâtrement, opportunément, ordinairement, organiquement, originalement, pacifiquement, parallèlement, partiellement, passagèrement, passionnément, pastoralement, pitoyablement, plaintivement, plausiblement, politiquement, populairement, préalablement, précieusement, prématurément, primitivement, princièrement, privativement, prochainement, prosaïquement, quatrièmement, quinzièmement, railleusement, régulièrement, rogatoirement, salutairement, satiriquement, sceptiquement, séculairement, sélectivement, semblablement, serviablement, simultanément, soigneusement, solidairement, solitairement, soucieusement, sournoisement, spacieusement, spécieusement, splendidement, studieusement, subséquemment, succinctement, tapageusement, techniquement, témérairement, textuellement, théâtralement, théoriquement, tortueusement, treizièmement, troisièmement, trompeusement, vaniteusement, vaporeusement, véhémentement, vénérablement, véridiquement, véritablement, verticalement, vertueusement, vingtièmement, virtuellement, viscéralement ■ **14** abominablement, académiquement, accessoirement, admirativement, adverbialement, algébriquement, ambitieusement, analogiquement, analytiquement, anarchiquement, anatomiquement, antérieurement, arbitrairement, artistiquement, astucieusement, audacieusement, auxiliairement, bilatéralement, bourgeoisement, catholiquement, charitablement, chrétiennement, circulairement, collectivement, collégialement, complaisamment, concomitamment, convenablement, convulsivement, corporellement, courageusement, crapuleusement, criminellement, culturellement, cumulativement, dangereusement, débonnairement, définitivement, délicieusement, déplorablement, désespéramment, déshonnêtement, despotiquement, détestablement, diaboliquement, diamétralement, diatoniquement, didactiquement, dogmatiquement, doucereusement, douillettement, dramatiquement, dubitativement, écologiquement, économiquement, effroyablement, électriquement, élliptiquement, emphatiquement, épisodiquement, esthétiquement, euphoniquement, éventuellement, exécutoirement, exemplairement, exhaustivement, expéditivement, expressivement, extérieurement, facétieusement, fiduciairement, financièrement, formidablement, frénétiquement, fructueusement, géologiquement, habituellement, harmoniquement, hermétiquement, hiératiquement, historiquement, hygiéniquement, illégitimement, immortellement, imparfaitement, impartialement, impassiblement, impeccablement, impérativement, impérieusement, impertinemment, impétueusement, implacablement, incomplètement, inconsciemment, incorrectement, incroyablement, indélicatement, indéniablement, indifféremment, indiscrètement, inefficacement, inévitablement, inexorablement, inférieurement, inflexiblement, ingénieusement, injurieusement, inlassablement, insatiablement, insensiblement, instantanément, insuffisamment, intelligemment, intérieurement, invariablement, invinciblement, inviolablement, jésuitiquement, judiciairement, judicieusement, laborieusement, lamentablement, languissamment, littérairement, magistralement, magnifiquement, maladroitement, malhonnêtement, malicieusement, malveillamment, matériellement, maternellement, mélodieusement, mensongèrement, méthodiquement, minutieusement, monastiquement, nécessairement, nominativement, officiellement, officieusement, orginairement, originellement, ostensiblement, outrageusement, paradoxalement, paresseusement, paternellement, pathétiquement, pécuniairement, péjorativement, périlleusement, périodiquement, persuasivement, phonétiquement, planétairement, platoniquement, ponctuellement, précipitamment, préférablement, préventivement, principalement, profitablement, provisoirement, quantativement, réciproquement, redoutablement, régressivement, religieusement, respectivement, rigoureusement, sardoniquement, savoureusement, secondairement, sémantiquement, sédentairement, séditieusement, singulièrement, solennellement, somptueusement, souverainement, spécifiquement, sporadiquement, statutairement, subjectivement, subrepticement, subversivement, successivement, supérieurement, surabondamment, symboliquement, temporairement, temporellement, ténébreusement, traîtreusement, tranquillement, transitivement, triomphalement, tyranniquement, ultérieurement, valeureusement, vigoureusement, volontairement, zoologiquement ■ **15** abréviativement, affectueusement, affirmativement, allégoriquement, alternativement, apostoliquement, approbativement, authentiquement, automatiquement, autoritairement, avantageusement, aventureusement, bienveillamment, calomnieusement, capitulairement, capricieusement, catégoriquement, chaleureusement, clandestinement, commercialement, comparativement, confortablement, congénitalement, consécutivement, continuellement, corrélativement, dédaigneusement, défavorablement, défectueusement, désagréablement, désastreusement, désobligeamment, dialectiquement, dix-huitièmement, dix-neuvièmement, dix-septièmement, douloureusement, essentiellement, évangéliquement, excentriquement, extemporanément, extrinsèquement, facultativement, fallacieusement, fantastiquement, fastidieusement, flegmatiquement, fraternellement, frauduleusement, géométriquement, harmonieusement, héréditairement, honorifiquement, horizontalement, immanquablement, impitoyablement, incestueusement, inconséquemment, inconsidérément, indistinctement, indubitablement, ineffaçablement, inéluctablement, inépuisablement, infailliblement, infatigablement, inoffensivement, inopportunément, inséparablement, instinctivement, intrinsèquement, irréfutablement, irrégulièrement, irrévocablement, langoureusement, législativement, licencieusement, majestueusement, majoritairement, malheureusement, méticuleusement, miraculeusement, monstrueusement, mystérieusement, obligatoirement, obséquieusement, ontologiquement, orthogonalement, paraboliquement, patriarcalement, patriotiquement, pédagogiquement, perceptiblement, péremptoirement, pernicieusement, perpétuellement, personnellement, phénoménalement, pittoresquement, plantureusement, postérieurement, potentiellement, prépositivement, prioritairement, prodigieusement, progressivement, pronominalement, prophétiquement, proverbialement, pusillanimement, quatorzièmement, quotidiennement, raisonnablement, rationnellement, remarquablement, rétroactivement, sarcastiquement, scandaleusement, schématiquement, scrupuleusement, silencieusement, souterrainement, spéculativement, spirituellement, statistiquement, stratégiquement, subsidiairement, substantivement, superlativement, sympathiquement, symphoniquement, synthétiquement, talentueusement, tempétueusement, théologiquement, tumultueusement, unilatéralement, universellement, victorieusement, vindicativement, voluptueusement.

ADVERSAIRE : 5 rival ■ 6 combat, ennemi ■ 7 tassage, tombeur ■ 10 simultanée ■ 11 antagoniste ■ 12 opposabilité.

ADVERSE : 6 opposé ■ 9 transfuge.

ADVERSITE : 7 malheur* ■ 9 infortune ■ 11 tribulation.

AEDE : 8 rhapsode.

AERAGE : 5 canar.

AERATION : 9 lanternon.

AERER : 3 air ■ 5 évent ■ 8 aérateur, aération, chatière, ventiler, ventouse ■ 10 aspirateur, dry-farming.

AERIEN : 3 air* ■ 4 elfe ■ 5 herbe ■ 8 aviation, torpille ■ 9 aérocable, aéonaute, chandelle ■ 10 aéromancie, aéropostal ■ 11 contre-alizé ■ 13 radiobalisage ■ 15 radio-alignement.

AERIENNE : 9 immelmann ■ 10 aiguilleur.

AERIFORME : 3 gaz.

AERIQUE : 7 aérisme.

AERIUM : 4 cure.

AEROBIE : 9 aérobiose.

AEROCOLIE : 10 aérophagie.

AERODROME : 4 port ■ 5 piste ■ 6 tarmac.

AERODYNAMIQUE : 8 carénage ■ 9 aérofrein ■ 13 aérodynamisme, aérothermique.

AERODYNAMISME : 7 spoiler.

AEROGASTRIE : 10 aérophagie.

AEROGLISSEUR : 9 naviplane.

AEROMETRE : 7 pèse-sel ■ 9 uréomètre ■ 10 alcoomètre, glucomètre, pèse-esprit.

AERONAUTIQUE : 3 air* ■ 5 avion* ■ 6 aérien, ballon*, biplan ■ 7 aéronef ■ 8 aéro-club, aérostat ■ 9 aérodrome, aéronaute, aérostier ■ 10 aéropostal, aéroscopie ■ 11 aérographie, aérospatial, aérostation ■ 13 aérodynamique, aérotechnique.

AERONAVALE : 8 embarqué ■ 9 flotille.

AERONEF : 2 cz ■ 7 birotor ■ 8 giravion, largeur ■ 10 dirigeable ■ 13 porte-aéronefs.

AEROPLANE : 5 avion*.

AEROPORT : 4 gare ■ 8 aérogare, héligare, héliport.

AEROSOL : 5 spray ■ 10 inhalation.

AEROSTAT : 5 agrès ■ 6 ballon* ■ 9 aérostier ■ 11 aérostation, ballon-sonde ■ 12 aérostatique, montgolfière.

AFFABILITE : 5 liant ■ 7 aménité ■ 8 civilité, urbanité ■ 9 amabilité*, honnêteté, politesse* ■ 10 courtoisie* ■ 11 affablement.

AFFABLE : 4 doux, poli* ■ 5 amène, liant ■ 6 facile ■ 7 aimable* ■ 8 arrogant, familier, sociable ■ 9 amabilité, engageant ■ 10 accessible ■ 11 complaisant.

AFFABULATION : 5 conte, trame ■ 9 affabuler.

AFFADIR : 8 émousser ■ 11 affadissant.

AFFAIBLI : 3 usé ■ 5 caduc, cassé ■ 6 abattu, anémié, énervé, épuisé, faible, sénile ■ 7 assoupi, cadavre, dégradé, délabré, diminué, émoussé, éreinté, exténué, fatigué, infirme ■ 8 anémique, appauvri, atrophié, décrépit, impotent, invalide ■ 10 défaillant, diminuendo ■ 12 convalescent.

AFFAIBLIR : 4 user ■ 5 mimer, pâlir ■ 6 diluer, forcer, lasser, mourir, ronger ■ 7 abattre, adoucir, affadir, altérer, amolir, aveulir, baisser, défaire, délaver, dépérir, effacer, énerver, épuiser, étioler, excéder ■ 8 alanguir, atténuer, décliner, déforcer, dégrader, déprimer, ébranler, effriter, émousser, exténuer, fatiguer, infirmer, sourdine, surmener ■ 9 débiliter, défaillir, efféminer ■ 11 neutraliser ■ 13 affaiblissant, affaiblisseur.

AFFAIBLISSANT : 9 smorzando.

AFFAIBLISSEMENT : 5 froid, ruine, usure ■ 6 déclin ■ 7 dégradé, démence ■ 8 cachexie, caducité, sénilité ■ 9 amblyopie, faiblesse ■ 10 abattement, diminution, effacement, épuisement, étiolement, extinction ■ 11 abaissement, décrépitude, défaillance, délabrement, exténuation, héméralopie ■ 12 hypoesthésie, neurasthénie ■ 13 amolissement, psychasthénie ■ 14 continentalité, dégénérescence ■ 15 amoindrissement, appauvrissement, obscurcissement.

AFFAIRE : 2 c.a. ■ 4 duel, jury ■ 5 agent, cause, civil, début, diète, faste, forum, juger, mêler ■ 6 action, bagage, combat, gâchis, procès* ■ 7 loterie, travail ■ 8 bourbier, business, carencer, commerce, consorts, consulte, déblayer, incident, mémorial, vêtement ■ 9 embourber, événement, immixtion, procédure, protuteur, publicain ■ 10 affairisme, débrouille, enrôlement, intéresser, occupation, prospectus, prospérité, rétroactes, tractation ■ 11 affairement, businessman, négociation, pourparlers, transaction ■ 12 débrouillard, introduction ■ 15 débrouilardise.

AFFAIRER : 7 activer ■ 9 animation, empresser.

AFFAISSEMENT : 4 faix ■ 6 fondis, fontis ■ 7 posture ■ 9 colpocèle, tassement ■ 10 abattement, subsidence ■ 11 épirogenèse ■ 12 effondrement, épirogénique, géosynclinal ■ 13 épeirogénique, transgression.

AFFAISSER : 5 plier ■ 6 aréner, tomber ■ 7 abattre ■ 8 enfoncer ■ 9 effondrer.

AFFAITER : 9 affaitage ■ 11 affaitement, apprivoiser.

AFFALER : 6 tomber ■ 8 écouler, trévirer ■ 10 affalement.

AFFAME : 4 faim ■ 7 crevard ■ 8 affameur ■ 9 famélique, misérable ■ 11 crève-la-faim, meurt-de-faim.

AFFECTATION : 4 cant, pose ■ 6 apprêt, chiqué, morgue, parade, vanité ■ 7 apparat, emphase*, fatuité, mômerie, naturel, orgueil*, purisme, raideur, tra-la-la ■ 8 attitude, cultisme, fausseté, pruderie, simagrée, singerie ■ 9 afféterie, cérémonie, déhancher, euphuisme, marinisme, mièvrerie, recherche, solennité ■ 10 gongorisme, hypocrisie, maniérisme, mignardise, minauderie, pédantisme, préciosité, prétention, rhétorique, tartuferie ■ 11 attachement, bégueulerie, délicatesse, ostentation, prétentieux, puritanisme, pyrrhonisme, singularité ■ 12 pudibonderie ■ 14 grandiloquence ■ 15 sentimentalisme.

AFFECTE : 3 fat ■ 4 fade, faux*, gêné ■ 5 girie, prude, sucré ■ 6 affêté, empesé, étudié, guindé, gourmé, malade, mièvre, pecque, pendant ■ 7 ampoulé, apprêté, composé, délicat, manière, mignard, tartufe ■ 8 bégueule, compassé, concetti, diathèse, emprunté, fanfaron*, mijaurée, nitouche, pimbêche, précieux, pudibond, puritain, vaniteux ■ 9 contourné, créoliser, doucereux, hypocrite, pharisien, recherché ■ 10 archaïsant, artificiel, chichiteux, insouciant, moraliseur, polymorphe, savantasse ■ 11 cérémonieux, orgueilleux, plurivalent, prétentieux, sentencieux, tarabiscoté ■ 13 grandiloquent, précieusement ■ 15 fransquillonner.

AFFECTER : 5 poser ■ 6 diéser, piquer ■ 7 bêtiser, empeser, feindre, frapper, guinder, toucher* ■ 8 afficher, assigner, cyanoser, détacher, fatiguer, grimacer, minauder ■ **9** attribuer*, attrister, embusquer ■ **10** constituer ■ **11** italianiser, méconnaître ■ **14** dédifférencier.

AFFECTIF : **13** immaturation.

AFFECTION : **3** ami, mal ■ **4** coco, gale, sida, zèle, zona ■ **5** amour, cœur, désir, ictus, imago, lupus, manie, minou, paget, pépin, petit, piété, psore, rhume, souci, venir ■ **6** amimie, amitié, angine, asthme, béguin, dartre, extase, gourme, goutte, grippe, kahler, mycose, picage, poulot ■ **7** athymie, attrait, caisson, caprice, caresse, cocotte, maladie, mycosis, panaris, passion, saburre, viroïde ■ **8** alcalose, amibiase, attacher, bichette, complexe, cultisme, diathèse, emplâtre, exutoire, impétigo, kératose, néphrose, pédicure, penchant, poulette, scrofule, solarium, syndrome, toxicose, uricémie ■ **9** amativité, argyrisme, attirance, byssinose, démériter, dermatite, dilection, éclampsie, faiblesse, korsakoff, méniscite, pyopathie, nystagmus, ophtalmie, populaire, priapisme, psoriasis, sénologie, sentiment*, sympathie, tendresse, verminose, virilisme ■ **10** aéropathie, affectueux, borderline, colopathie, érotomanie, idiopathie, myasthénie, phoniatrie, popularité, préférence, rémittence, rhinologie, stomatique, torticolis ■ **11** adénopathie, affectivité, attachement, biothérapie, captativité, discopathie, distomatose, évolutivité, fibromatose, hypocondrie, hypodermose, inclination, neuropathie, radiolésion, serpigineux ■ **12** arthropathie, blastomycose, cardiopathie, coup de foudre, désaffection, leishmaniose, leptospirose, onychomycose, ostéomalacie, otospongiose, piroplasmose, pneumopathie, prédilection, somatisation, spasmophilie, spinaventose, synoviortose ■ **13** achromatopsie, artériopathie, astéréognosie, chondromatose, colibacillose, cryptogamique, diverticulose, dysendocrinie, spiritualiser, sursimulation, trophonévrose ■ **14** coronaropathie, épidermomycose, hépatonéphrite, hypocoristique ■ **15** désaffectionner, encéphalopathie, refroidissement.

AFFECTIONNER : **5** aimer* ■ **7** désirer ■ **8** préférer ■ **11** sympathiser.

AFFECTIVE : **7** athymie ■ **11** athymhormie ■ **14** psychoaffectif.

AFFECTIVITE : **8** affectif, thymique.

AFFECTUEUX : **3** bon ■ **6** aimant, amical, gentil, tendre ■ **7** cordial ■ **8** amitieux ■ **10** compliment ■ **11** sollicitude ■ **15** affectueusement.

AFFERMER : **5** ferme, louer ■ **9** affermage.

AFFERMIR : **5** force, selle ■ **6** ancrer ■ **7** asseoir, assurer, fermeté, tremper ■ **8** cimenter, remonter ■ **9** conforter, fortifier, raffermir, renforcer ■ **10** consolider, corroborer ■ **14** affermissement.

AFFETERIE : **6** affété ■ **9** marinisme ■ **11** affectation, marivaudage.

AFFICHAGE : **6** visuel ■ **9** afficheur, télétexte ■ **10** pancartage ■ **13** téléaffichage.

AFFICHE : **4** avis ■ **5** mural ■ **7** placard ■ **8** papillon ■ **9** afficheur ■ **10** affichette, affichiste ■ **11** inscription ■ **13** avertissement, porte-affiches.

AFFICHER : **7** montrer ■ **8** affecter ■ **9** affichage, placarder ■ **15** exhibitionnisme.

AFFIDE : **5** agent ■ **6** espion ■ **8** noyauter, partisan ■ **9** confiance.

AFFILER : **7** affûter, émoudre ■ **8** affilage, affileur, affiloir, aiguiser, repasser, tranchet ■ **9** tranchant.

AFFILIATION : **11** désaffilier.

AFFILIE : **7** inféodé ■ **8** partisan ■ **9** carbonaro, compagnon.

AFFILIER : **7** enrôler ■ **8** inféoder ■ **9** admission ■ **11** affiliation.

AFFINAGE : **3** pur ■ **5** bloom, mazer ■ **7** calmage, mazéage ■ **8** perchage ■ **9** épuration ■ **12** sursoufflage ■ **13** décarburation.

AFFINE : **9** affinerie.

AFFINER : 4 sole ■ 5 fonte ■ 8 affinage, affineur, affinoir, frégater.
AFFINITE : 5 affin, suite, union ■ 6 accord ■ 7 liaison, parenté, rapport ■ 8 analogie ■ 9 attirance, lipophile ■ 11 neutrophile ■ 12 primitivisme.
AFFIRMATIF : 2 da ■ 3 oui ■ 5 exact*, franc, hardi ■ 6 exprès, formel ■ 7 certain, positif* ■ 8 assertif, prétendu ■ 9 explicite ■ 10 déclaratif, dogmatique, soutenable ■ 11 catégorique, péremptoire ■ 15 affirmativement.
AFFIRMATION : 2 da, là, oc, si ■ 3 oui ■ 4 pari, vrai ■ 5 dogme, modal, thèse ■ 6 preuve ■ 7 caution, serment ■ 8 garantie, théorème ■ 9 assertion, assurance, certitude, objection ■ 10 allégation, insistance, prétention, témoignage ■ 11 affirmative, attestation, déclaration, lapalissade, proposition ■ 12 certainement, confirmation, constatation, protestation ■ 13 démonstration.
AFFIRMER : 4 dire* ■ 5 jurer*, lever ■ 6 parier ■ 7 assurer, avancer, engager, prouver, vouloir ■ 8 alléguer, attester, déclarer, garantir, insister, préciser, répondre, soutenir, trancher ■ 9 certifier*, confirmer, constater, démontrer, maintenir, prétendre, promettre, prononcer, protester, témoigner ■ 10 affirmatif, cautionner, dogmatisme, réaffirmer ■ 11 affirmation.
AFFIXE : 7 affixal.
AFFLEURER : 6 niveau, sortir ■ 12 affleurement.
AFFLICTION : 3 mal ■ 5 croix, deuil, honte, peine, plaie ■ 6 misère ■ 7 chagrin*, douleur, malheur, navrant, pénible ■ 8 consoler ■ 9 désespoir, détention, navrement, réclusion, réconfort, tristesse ■ 10 affligeant, désolation, souffrance ■ 11 consolation, tribulation.
AFFLIGER : 6 navrer, peiner, percer ■ 7 blesser, désoler, frapper, pleurer ■ 8 affecter ■ 9 attrister, chagriner, mortifier ■ 10 contrister.
AFFLUENCE : 4 nuée ■ 5 vague ■ 9 abondance, multitude* ■ 11 pullulement ■ 12 encombrement, foisonnement, grouillement ■ 14 multiplication.
AFFLUER : 5 marée ■ 6 afflux, couler ■ 7 abonder ■ 8 affluent, pulluler ■ 9 encombrer, grouiller ■ 10 foisonner, multiplier.
AFFOLEMENT : 4 peur ■ 7 émotion, panique ■ 9 épouvante.
AFFOLER : 6 perdre ■ 7 alarmer ■ 10 affolement ■ 11 déraisonner ■ 12 tournebouler.
AFFOUAGE : 9 affouager ■ 11 affouagiste, afforestage.
AFFRANCHI : 4 cave, serf ■ 5 alleu, franc, libre ■ 7 esclave, exempté ■ 8 libertin ■ 10 franc-alleu ■ 12 libre-penseur ■ 15 affranchissable.
AFFRANCHIR : 6 sauver ■ 7 dégager, libérer, rédimer, timbrer ■ 8 délivrer, exempter, racheter ■ 9 émanciper ■ 11 déconsigner, manumission ■ 12 aéromobilité ■ 14 affranchisseur, individualisme.
AFFRES : 6 transe ■ 7 horreur ■ 8 angoisse.
AFFRETEMENT : 10 nolisement.
AFFRETER : 4 fret ■ 6 fréter, louage ■ 7 fréteur ■ 9 affréteur ■ 10 nolisement ■ 12 charte-partie.
AFFREUX : 4 beau, laid* ■ 6 atroce, hideux, vilain* ■ 8 terrible ■ 10 effroyable ■ 12 affreusement, épouvantable.
AFFRIANDANT : 5 appât ■ 11 appétisant.
AFFRIOLANT : 8 attirant, plaisant ■ 11 appétissant.
AFFRONT : 5 gifle, honte ■ 6 avanie, injure* ■ 7 démenti, offense* ■ 8 soufflet ■ 9 camouflet ■ 11 humiliation.
AFFRONTER : 6 braver, défier ■ 7 heurter, matcher ■ 12 affrontement.
AFFUBLER : 5 vêtir ■ 7 fagoter ■ 8 habiller.
AFFUSION : 6 douche, verser.

AFFUT : **4** guet ■ **5** canon, orgue ■ **6** chasse, crosse ■ **7** berceau, flasque ■ **8** biflèche, jumelage ■ **9** tourillon ■ **10** artillerie.
AFFUTER : **7** affiler ■ **8** affûtage, affûteuse, aiguiser.
AFFUTIAU : **7** babiole.
AFGHANISTAN : **4** dari ■ **7** afghani.
A FOND : **5** à bloc ■ **12** profondément, sérieusement.
AFRICAIN : **3** ben ■ **4** alfa, bled, doum, gnou, kola, lion, loge, naja, once, séné, tell, zébu ■ **5** aloès, amome, blanc, cèdre, datte, drill, éland, éléis, griot, hyène, kobus, loofa, luffa, pagne, ratel, rouge, veuve, zamie, zèbre ■ **6** bantou, laptot, libyen, malien, orange, safari, toubab. vaudou ■ **7** bambara, marimba ■ **8** algérien*, angolais, antilope, autruche, borassus, dahoméen, égyptien, éléphant, fromager, gabonais, gerbille, grenadin, kolatier, libérien, malgache, marabout, marocain, négrille, ombrette, pangolin, porc-épic, rwandais, somalien, togolais, tunisien, ugandais ■ **9** chimpanzé, congolais, crocodile, érythréen, éthiopien, hottentot, mangouste, méhariste, rhodésien, roussette, soudanais, souïmanga, springbok, tanzanien, vanillier, voltaïque ■ **10** afro-cubain, damalisque, dromadaire, phacochère, potoptère, sénégalais ■ **11** africaniste, cynécéphale, hippopotame, leptismagna, maurétanien, mauritanien, panafricain, potamochère, serpentaire ■ **12** macroscélide ■ **13** afro-asiatique, afro-brésilien, centrafricain, cercopithèque, crapaud-buffle, interafricain, proconculaire, transafricain ■ **14** africanisation, panafricanisme.
AFRICAIN DU NORD : **4** goum, more, sidi, silo, zama ■ **5** barbe, douar, harki, magot, maure, sabir, spahi, varan ■ **9** méhariste ■ **12** nord-africain.
AFRICAIN DU SUD : **4** gnou, veld ■ **5** veldt ■ **9** apartheid ■ **11** pélargonium, sud-africain.
AFRIQUE : **3** cob ■ **6** colobe, impala ■ **8** c.f.a. franc ■ **11** eurafricain.
AFRIQUE DU NORD : **6** djamaa, djemaa.
AFRIQUE DU SUD : **4** rand ■ **8** coloured.
AGACANT : **9** emmerdeur ■ **12** enquiquinant.
AGACE : **5** fâché.
AGACER : **6** fâcher ■ **7** crisper, énerver, exciter ■ **8** déplaire, harceler, taquiner ■ **9** agacement, exaspérer ■ **10** horripiler ■ **13** horripilation.
AGAPES : **5** repas.
AGAR-AGAR : **6** gélose.
AGARIC : **9** colimaçon.
AGARICACEE : **6** agaric, coprin, oronge ■ **7** amanite, golmote, lépiote, russule ■ **8** collybie, entolome, lactaire, phaliote, pleurote, volvaire ■ **9** clitocybe, hypholome, mousseron, phalloïde, psalliote, souchette ■ **10** coulemelle, tricholome ■ **11** coucoumelle.
AGATE : **4** onyx ■ **5** bille, jaspe, sisal ■ **7** agatisé ■ **8** sardoine, sardonyx.
AGAUNE : **7** séverin.
AGAVE : **4** pite ■ **5** ixtle, sisal ■ **6** pulque ■ **7** tampico.
AGE : **2** an ■ **4** aîné, bébé, mère, ride ■ **5** cadet, doyen, fille, homme, jeune, magie, pérot, prime, temps, vieil, vieux, viril ■ **6** adulte, agisme, barbon, enfant, garçon, gâteux, raison, sénile ■ **7** enfance, matrone, puberté, vétéran ■ **8** bonhomme, conservé, critique, jeunesse, majorité, moyen âge, ratatiné, vieillot ■ **9** antiquité, canonique, millenium, vieillard ■ **10** centenaire, helladique, nonantaine, nourrisson, vieillesse ■ **11** adolescence, arriération, nonagénaire, octogénaire, sexagénaire ■ **13** quadragénaire, septuagénaire ■ **14** géochronologie, quinquagénaire.
AGENCE : **4** desk ■ **5** agent ■ **6** office ■ **7** voucher ■ **8** comptoir ■

10 bloc-sièges ■ 13 renseignement.

AGENCEMENT: 5 ordre ■ 9 structure ■ 10 contexture ■ 11 arrangement*, combinaison, composition ■ 12 enchaînement.

AGENCER: 8 agenceur, arranger, ordonner ■ 13 architecturer.

AGENDA: 7 mémento ■ 8 registre ■ 10 calendrier.

AGENESIE: 6 turner.

AGENOUILLE: 6 priant.

AGENOUILLER: 5 orant ■ 10 prosterner ■ 12 agenouiller ■ 14 agenouillement.

AGENT: 3 âme, par ■ 4 bile, dont, flic, képi ■ 5 cause, clerc, cogne, fréon, pivot, poste, régie, sbire, séide, sonde ■ 6 actant, acteur, auteur, commis, hansen, meneur, moteur, payeur, schupo, sergot, stress, suppôt, syndic ■ 7 artisan, cautère, économe, employé, ergatif, facteur, fermant, gardien, îlotier, ressort, viroïde ■ 8 accisien, argousin, banquier, changeur, cheville, courtier, créateur, factotum, gendarme, policier, remisier ■ 9 ambassade, casernier, diplomate, émissaire, exfiltrer, garde-port, garde-voie, intendant, maquignon, nicolaier, opérateur, policeman, procureur, promoteur, régisseur, stockiste, trésorier ■ 10 aiguilleur, altéragène, back-office, chancelier, coulissier, dispatcher, inspecteur, interprète, mandataire ■ 11 antioxydant, cancérigène, commissaire, contractuel, entreposeur, escarotique, garde-chasse, inspirateur, instigateur, négociateur, pasteurella, prospecteur, provocateur ■ 12 antiseptique, boute-entrain, entremetteur, garde-rivière, hémostatique, missionnaire, représentant, surintendant ■ 13 consignataire, fonctionnaire, garde-barrière, verbalisateur ■ 15 commissionnaire, expéditionnaire, gardien de la paix.

AGGLOMERAT: 4 amas ■ 11 conglomérat.

AGGLOMERATION: 4 cité ■ 5 douar, écart, noyau, ruche, tribu, ville ■ 6 grappe ■ 7 castrum, village ■ 8 banlieue, mégapole, synderme ■ 9 aggloméré, bouletage ■ 10 bidonville, groupement, mégalopole ■ 11 cité-dortoir, conurbation, mégalopolis.

AGGLOMERE: 4 grès ■ 6 boulet, ciment ■ 7 charbon.

AGGLOMERER: 7 amasser, joindre, presser ■ 8 frittage ■ 10 agglutiner ■ 13 agglomération.

AGGLUTINANT: 4 poix ■ 5 cafre.

AGGLUTINER: 6 coller ■ 9 cokéfiant ■ 13 agglutination.

AGGRAVATION: 12 augmentation*, exaspération.

AGGRAVER: 7 empirer ■ 9 augmenter ■ 10 compliquer.

AGILE: 3 vif* ■ 5 léger*, leste, singe ■ 6 alerte, preste, souple, valide, véloce ■ 7 allègre, ingambe ■ 8 cabriole, fringant ■ 9 sémillant.

AGILITE: 4 tour ■ 5 clown ■ 8 légèreté*, vivacité* ■ 9 acrobatie, agilement, prestesse.

AGIOTAGE: 4 agio ■ 7 finance ■ 8 agioteur ■ 11 spéculation.

AGIR: 4 user ■ 5 actif, agent, aller, faire*, gêner, guise, hardi, lever, libre, mener, motif, payer, poste, toton, utile, venir, vivre, voler ■ 6 action*, opérer, régner, remuer, trahir ■ 7 activer, brouter, lésiner, militer, mouvoir, pousser, traiter, tromper ■ 8 activité, agissant, conduire, coopérer, déléguer, efforcer, exécuter, lambiner, latitude, mandater, procéder, renarder, sans-gêne, suborner, turbiner, vivacité, zélateur ■ 9 actionner, aiguillon, caractère, comprimer, corrompre, démériter, démotiver, errements, expectant, expéditif, mannequin, palanquer, paralyser, paralysie, paresseux, pateliner, pinailler, politesse, rétroagir, sans-façon, tolérance, violenter, zélotisme 10 attracteur, cafouiller, collutoire, initiative, intervenir, motivation, poursuivre, rétroactif, subtiliser, traitement, travailler ■ 11 agissements, antagoniste,

circonspect, contrevenir, effronterie, extravaguer, fonctionner, inconsidéré ■ 12 entreprendre, impertinence, inconséquent, opportuniste, primesautier ■ 13 charlatanisme.
AGISSANTE : 8 efficace.
AGISSEMENTS : 6 action*, menées, micmac ■ 7 combine, cuisine, manège ■ 8 intrigue*, pratique ■ 9 manigance, manœuvre, tripotage ■ 10 tractation ■ 11 machination.
AGIT : 11 gonadotrope.
AGITATION : 4 brio ■ 5 agité, calme, houle, orage ■ 6 délire, émeute, fièvre ■ 7 agilité, émotion, entrain, saccade, souffle, trouble*, tumulte ■ 8 accalmie, activité, agit-prop, clonique, sédition, sérénité, vivacité ■ 9 branle-bas, fébrilité, fermenter, impulsion, mouvement, nervosité, pétulance, prestesse, souplesse ■ 10 affolement, convulsion, ébullition, excitation*, inquiétude, révolution, turbulence ■ 11 clapotement, impétuosité, pondération, remueménage, soulèvement, tremblement ■ 12 frémissement, tranquillité ■ 13 effervescence, vrombissement ■ 14 benzodiazépine, bouillonnement, tressaillement ■ 15 délirium tremens.
AGITE : 3 ému, vif ■ 4 gros ■ 5 actif, agile, calme, écume, vague ■ 6 affolé, excité, preste, souple ■ 7 agitato, fouetté, houleux, inquiet, orageux, remuant, saccadé, turbide ■ 8 déchaîné, fiévreux, impulsif, paisible, pétulant, trembler, trépider ■ 9 accidenté, convulsif, impétueux, sémillant, trémulant, trépidant, turbulent ■ 10 mouvementé ■ 11 thixotropie.
AGITER : 3 van ■ 6 battre, bouger*, remuer* ■ 7 activer, bandir, brasser, démener, ébrouer, éventer, exciter, piaffer, secouer* ■ 8 affairer, baratter, débattre, ébranler, émouvoir, encenser, soulever, touiller, trémuler, troubler* ■ 9 ballotter, brimbaler, frétiller, grouiller, incendier, moutonner ■ 10 brandiller, fourmiller, frissonner, gesticuler, tourmenter, trémousser, vibrionner ■ 11 bouillonner, bouleverser, carillonner ■ 13 tourbillonner.
AGNATHE : 6 myxine ■ 10 cyclostome.
AGNATION : 9 cognation.
AGNEAU : 3 ris ■ 5 agnel, agnus, baron, gigot, pâque, selle ■ 6 mouton ■ 7 agnelet, agnelin, agnelle, caveçon ■ 8 agneline, agnus-dei, antenais, astracan, astrakan ■ 9 cheviotte, épigramme, vassiveau.
AGNELER : 8 agnelage ■ 9 mettre bas ■ 10 agnèlement.
AGONIE : 4 coma, glas, mort ■ 8 agoniser ■ 9 agonisant, extrémité.
AGONIR : 5 râler ■ 7 insulte ■ 8 moribond, souffrir.
AGOUTI : 4 paca.
AGRAFE : 4 clip, croc ■ 5 bijou, chape ■ 6 fibule ■ 7 fermail, fermoir ■ 8 affiquet, ardillon, dégrafer, goupille, trombone ■ 9 agrafeuse ■ 10 mousqueton ■ 15 porte-mousqueton.
AGRAFER : 6 fermer ■ 7 boucler, prendre ■ 8 agrafage ■ 9 accrocher, déboucher.
AGRAIRE : 4 acre ■ 5 verge ■ 6 arpent, perche, vergée ■ 8 agrarien, agricole ■ 9 agroville.
AGRANDIR : 6 élever ■ 7 croître, dilater, doubler, élargir, étendre, gonfler, grandir, grossir, hausser, mandrin, pousser, usurper ■ 8 allonger ■ 9 accroître, amplifier, augmenter, exhausser, expansion, mandriner, prolonger, renforcer, surélever ■ 10 développer, multiplier, progresser ■ 11 approfondir, pantographe, visionneuse.
AGRANDISSEMENT : 5 truca ■ 6 pousse ■ 9 élévation, extension ■ 10 croissance, gonflement, usurpation ■ 11 allongement, progression ■ 12 agrandisseur, augmentation, exhaussement, prolongation, surélėva-

tion ■ **13** accroissement, amplification, développement, élargissement, grossissement, recrudescence ■ **14** multiplication.

AGREABLE : **3** bon ■ **4** aisé, beau, bien, chic, doux, fade, joie, joli, rire ■ **5** amène, filon, frais, oasis, pin-up, plume, repos, riant, suave, sucre, veine ■ **6** élysée, exquis, friand, gentil ■ **7** aimable, délicat, sourire ■ **8** bien-être, charmant, chouette, fragance, harmonie, joliment, minauder, plaisant* ■ **9** caressant, climatisé, commodité, délicieux, épuricien, fragrance, fraîcheur, gouleyant, mélodieux, plaisant, ragoûtant, savoureux, succulent ■ **10** consonance, délectable, harmonieux, miriflore ■ **11** confortable, télégénique, titillation ■ **12** agréablement, chouettement.

AGREATION : **7** agréage.

AGREER : **6** plaire ■ **7** rejeter, vouloir ■ **8** accepter, convenir, recevoir ■ **9** agréation, approuver, repousser ■ **10** accueillir ■ **12** persona grata.

AGREGAT : **8** colcrete ■ **10** agglomérat ■ **13** ségrégabilité.

AGREGATION : **6** agrégé ■ **9** agréation, agrégatif ■ **10** concrétion, université ■ **11** solvatation.

AGREGER : **8** associer.

AGREMENT : **2** oc, ok ■ **3** sec ■ **4** miel ■ **5** agréé, folie, grâce, jeûne, jouir ■ **6** charme ■ **7** plaisir* ■ **8** broderie, gracieux, insipide, ornement, pinscher, tourisme ■ **9** excursion, fioriture, plaisance, séduction ■ **10** agrémenter ■ **11** approbation, assaisonner, confortable, gentillesse, touristique ■ **12** ratification.

AGREMENTER : **5** orner ■ **6** égayer ■ **9** enjoliver ■ **13** accessoiriser.

AGRES : **6** gréeur ■ **8** gréement, octogone, portique.

AGRESSIF : **4** skin ■ **5** élaps ■ **6** colère ■ **7** méchant ■ **8** combatif, skinhead ■ **11** récessivité, revanchisme ■ **13** agressivement.

AGRESSION : **6** stress ■ **7** attaque ■ **8** agresser, agressif, attentat.

AGRESTE : **9** champêtre ■ **11** agrestement.

AGRICOLE : **5** borde, ferme, rural ■ **6** bineur ■ **7** agraire, bineuse, jaciste ■ **8** borderie, cultural, kolkhoze ■ **9** ensileuse, planteuse ■ **10** campignien ■ **11** absentéisme, enfouisseur, extirpateur, motoculteur ■ **13** microtracteur, scarificateur ■ **15** agroalimentaire.

AGRICULTEUR : **5** areur ■ **6** labour, paysan ■ **7** fermier ■ **8** agronome ■ **9** laboureur, paysannat ■ **11** cultivateur.

AGRICULTURE : **5** herse, larve, prime, rayon, rejet, soupe ■ **6** rateau ■ **8** agricole, agronome, aratoire ■ **9** agronomie, campagnol ■ **11** motoculture ■ **12** agricultural, agropastoral, physiocratie ■ **13** agroindustrie, semi-nomadisme ■ **15** protectionnisme.

AGRIFFER : **8** attacher.

AGRIPAUME : **7** léonure.

AGRIPPEMENT : **14** graping-reflex.

AGRIPPER : **6** happer, saisir ■ **8** attacher, attraper ■ **11** agrippement.

ARGUME : **6** orange, pomelo ■ **9** diphénile, limettier.

AGUICHANTE : **9** nymphette.

AGUICHE : **6** teaser.

AGUICHER : **7** appâter, exciter ■ **8** allécher ■ **9** aguichant, aguicheur.

AHANER : **4** suer ■ **6** peiner ■ **8** fatiguer.

AHURI : **5** ébahi ■ **6** étonné, hébété ■ **7** troublé ■ **9** stupéfait* ■ **12** ahurissement.

AÏ : **4** unau ■ **7** bradype.

AICHE : **5** appât, echer.

AIDE : **3** c.a.t. ■ **4** avec, s.a.m.u., seul ■ **5** appui, grâce, hâler, moyen, point, rader, sonde, touer ■ **6** faveur, second ■ **7** acolyte, adjoint, adjuvat, appoint, secours*, service, soutien ■ **8** bienfait, complice, entraide, frappeur, invoquer, sous-aide ■ **9** assistant, rescousse, sous-verge ■ **10** assistance, auxiliaire, coadjuteur, protection, providence, solidarité, vice-consul ■ **11** association, coopération, soulagement ■ **12** bienfaisance, contribution ■ **13** collaboration, participation*, philanthropie ■ **14** sous-secrétaire.

AIDER : **6** guider, prêter, servir* ■ **7** épauler, obliger, pousser ■ **8** assister, associer, consoler, coopérer, défendre, protéger, seconder, secourir*, soulager, soutenir*, subvenir ■ **9** accoucher, concourir, entraider, faciliter, favoriser, renflouer ■ **10** collaborer, contribuer, intervenir*, participer.

AÏEUL : **4** père ■ **5** aïeux ■ **6** parent ■ **7** ancêtre ■ **8** atavisme, bisaïeul ■ **9** ascendant, devancier, grand-mère, grand-père, petit-fils, trisaïeul ■ **11** petite-fille ■ **12** prédécesseur, quadrisaïeul.

AIGLE : **2** ès ■ **4** aire ■ **5** airer, huard, morne, royal ■ **6** aétite, aiglat, aiglon, busard, glatir, harpie, phénix, saffre, serres, uraète ■ **7** alérion, aquilin, éployée, gypaète, orfraie ■ **8** aiglette, désairer, griffard, pygargue, virtuose ■ **9** aquilaire, bicéphale, envergure, trompeter.

AIGLEFIN : **4** gade ■ **7** haddock.

AIGRE : **3** sûr, vif ■ **4** âcre, âpre, rude, vert ■ **5** acide*, subir ■ **6** acerbe, criard, tourné ■ **7** acidité, acidulé, ginguet, revêche ■ **8** aigrelet, ginglard ■ **9** aigredoux ■ **11** acrimonieux.

AIGRE DOUX : **7** chutney.

AIGREFIN : **4** ruse ■ **6** escroc, voleur.

AIGRELET : **3** sûr ■ **5** alise ■ **10** reginglard.

AIGRETTE : **5** hibou, plume ■ **6** touffe ■ **8** coiffure.

AIGREUR : **4** goût ■ **5** pique ■ **6** aigrir ■ **7** ferment ■ **8** amertume, envenimé ■ **9** aigrement, enfieller, mordacité, reprocher ■ **10** cacochymie.

AIGRIR : **5** puron ■ **7** irriter, tourner ■ **9** envenimer, exaspérer ■ **12** aigrissement.

AIGU : **3** fin, vif* ■ **4** haut, scie ■ **5** acéré, aigre, cuire, épine, fifre, grave, grêle, perce, pique, trait ■ **6** acuité, affilé, criard, effilé, étroit, glapir, mousse, pointu*, subtil ■ **7** acuminé, cuisant, épineux, fausset, perçant, piquant*, stridor, sublime, suraigu, tweeter ■ **8** aiguiser, crissant, émousser, démanché, grinçant, piaillir, strident ■ **9** acutangle, déchirant, exacerber, hurlement, oxyphonie ■ **10** aciculaire, glapissant, sifflement, stridulant, striduleux, tamponnade ■ **11** aculéiforme, chanterelle, haute-contre ■ **12** glapissement, stridulation ■ **13** acutangulaire.

AIGUILLE : **3** pin ■ **4** chas, étui, œil, tête ■ **5** fusil, index, point, style, trace ■ **6** cadran, orphie, pelote, percer, pointe, sommet ■ **7** crochet, enfiler, piquoir, raphide ■ **8** boussole, carrelet, paumelle ■ **9** aclinique, aiguillée, aiguiller, cadrature, cannelure, dextrorse, languette, obélisque, rentrayer, trotteuse ■ **10** acidulaire, aiguilleur, aiguillier, dextrorsum, épinglette, passe-corde, passe-lacet ■ **11** acuponcture, acupuncture ■ **12** arrière-point ■ **13** porte-aiguille.

AIGUILLEE : **8** renvider.

AIGUILLETAGE : **10** aiguilleté ■ **11** aiguilleter.

AIGUILLETTE : **5** lacet ■ **6** épaule, ferret ■ **8** volaille ■ **11** aiguilleter.

AIGUILLON : **4** dard ■ **5** guêpe, sphex ■ **6** iberme, pointe* ■ **7** piquant* ■ **8** grateron ■ **11** aiguillette ■ **12** aiguillonner.

AIGUILLONNER : **8** stimuler* ■ **10** encourager ■ **15** aiguillonnement.

AIGUILLOT : **7** fémelot.

AIGUISAGE : **8** affilage, affûtage ■ **9** repassage ■ **10** appointage.

AIGUISER : **5** fusil, queue ■ **6** agacer, chever ■ **7** affiler, affûter, écacher, émoudre ■ 8 blanchir, émouleur, repasser ■ 9 affiloire, aiguisage, aiguiseur, aiguisoir, appointer, coutelier, dégrossir, émorfiler, rémouleur, repasseur, tranchant ■ 11 aiguisement.

AIL: 4 cive, moly ■ 6 ailler, allyle, oignon, pistou ■ 7 aillade, ailloli, alliacé, gaperon ■ 9 condiment, rocambole.

AILANTE: 6 vernis.

AILE: 3 vol ■ 4 pale, puce ■ 5 fouet, frein, penne, ptéro, vanne, voler ■ 6 alaire, éclamé, élytre, mahute, ocelle, rémige ■ 7 aileron, alifère, alipède, demi-vol, diptère, moignon, spoiler ■ 8 aliforme, cléragre, éjointer, extrados, fourreau, intrados, squamule, tectrice, vrillage ■ 9 balancine, envergure, libériste ■ 10 automobile, emplanture, macroptère, talonnière, tétraptère ■ 11 brachélytre ■ 13 supercritique.

AILERON: 4 aile ■ 6 dérive, élevon ■ 7 abattis.

AILETTE: 9 empennage.

AILIER: 5 inter.

AILLEURS: 5 alibi, autre, route ■ 8 reporter ■ 9 déplanter.

AIMABLE: 4 doux, joli, poli* ■ 5 amène, orner, riant ■ 6 accort, gentil ■ 7 affable*, avenant, délicat ■ 8 agréable, arrogant, charmant*, gracieux*, plaisant ■ 9 civiliser ■ 11 complaisant.

AIMANT: 4 féru ■ 5 câlin ■ 6 enivré, éperdu, fluide, tendre, touche ■ 8 aimanter, calamite, flatteur, œrstite, sidérite ■ 9 amphitane, astatique, caressant, inducteur, influence ■ 10 affectueux, attraction, magnétique, magnétisme, transporté.

AIMANTATION: 4 nord, pôle ■ 8 boussole*, polarité ■ 9 aclinique, rémanence, répulsion ■ 10 hystérésis, magnétisme* ■ 11 dédaimanter, inclinaison, magnétisant ■ 12 déclinomètre, démagnétiser, magnétomètre ■ 13 diamagnétique, diamagnétisme, électro-aimant ■ 14 paramagnétique ■ 15 démagnétisation.

AIMANTER: 7 attirer ■ 10 magnétiser ■ 11 aimantation ■ 13 électroaimant.

AIME: 6 doudou ■ 9 secoureur.

AIMER: 3 ami ■ 4 cher, féru ■ 5 amant, amour*, dévot, épris, gâter, gober, goulu, idole ■ 6 adorer, béguin, brûler, chérir, enivré, favori, goûter, mignon, plaire ■ 7 affoler, amateur*, engouer, espérer, séduire ■ 8 adorable, amoureux, attacher, chouchou, dulcinée, embraser, enticher, éprendre, gourmand, idolâtre, partisan, patriote, préférer, raffoler, zélateur ■ 9 adorateur, amativité, caressant, chevalier, embrasser, énamourer, enflammer, entraîner, fanatique, idolâtrer, soupirant ■ 10 amouracher, embéguiner, ensorceler, rechercher, tourtereau, transporté, voluptueux ■ 11 inclination ■ 12 affectionner.

AINE: 3 âge* ■ 7 aînesse ■ 8 inguinal ■ 10 érythrasma ■ 13 primogéniture.

AINSI: 3 sic, tel ■ 4 amen, donc, fiat ■ 5 aussi, comme ■ 7 partant ■ 9 ainsi donc ■ 13 par conséquent.

AÏOLI: 8 bourride.

AIR: 4 aéré, aria, azur, buse, cant, ciel, elfe, hâle, mime, mine, néon, oura, ranz, toux, vent* ■ 5 aérer, argon, bulle, chant, corde, danse, digne, étain, éther, étuve, évent, façon, frais, froid, fusée, gigue, loure, natal, niais, nouba, plomb, polka, tuyau, valse, vitre, voler, voûte ■ 6 aérage, agades, allure, aspect, boléro, espace, figure, sylphe, vapeur*, visage ■ 7 aérobie, aérobus, aéronef, aghades, bouffée, bourrée, empyrée, fanfare, haleine, mélodie, météore, placard, rigodon, sardane, tempête, trachée, ventail, venteau ■ 8 aération, aéricole, aérifère, aéroport, aérostat, amphibie, attitude, aviation, cavatine, désaérer, duchesse, entonner, esbroufe, fandango, filandre, froidure, gunitage, maintien, marquise, mélodica, pastille, respirer, rigaudon, scottish, semblant, sonnerie, souffler, tyrolien, ventiler ■ 9 aériforme, aérodrome, aérolithe, aérologie, aéromètre, aéroporté, aéroscope, aérostier, anaérobie, baromètre, baroscope, brise-bise, caractère, convexion, croisière, emphysème, pontifier, résurgent, soufflant, subaérien, tambourin ■ 10 aéraulique, aérométrie, aérophagie, aéroscopie, atmosphère, chattemite, convection, déflecteur, élasticité, eudiomètre, hygromètre, hygroscope, méphitisme, résurgence, sèche-mains, tarentelle, tyrolienne ■ 11 aérogastrie, aérographie, aérostation, contre-danse, contre-porte, crépitation, crépitement, désaération, inspiration, physionomie, pneumatique, respiration, turbomoteur, ventilateur ■ 12 aéronautique*, aérothérapie, stratosphère, sursoufflage ■ 13 aérodynamique, aérotechnique, aéroterrestre, pince-sans-rire, trachée-artère ■ 14 condescendance ■ 15 pneumopéritoine.

AIRAIN : 6 bronze, cuivre.

AIRE : 3 are, lys, nid ■ 4 four, pont ■ 5 airée, chape, rhumb, tronc ■ 6 grange ■ 7 biotope, sautoir, surface, temenos ■ 8 altiport, grand-pré ■ 9 dispersal, quarrable ■ 10 chalandise, quadriller, superficie.

AIRELLE : 5 ataca ■ 8 myrtille ■ 9 vaccinier.

AIRER : 8 nidifier.

AISANCE : 4 aise, chic ■ 5 cossu ■ 6 gogues, waters ■ 7 chiotte, confort ■ 8 aisément, élégance, latrines, richesse ■ 9 garde-robe, gaucherie, souplesse ■ 10 buen-retiro, simplicité ■ 11 affectation, water-closet ■ 12 désinvolture.

AISE : 4 gênc, joie* ■ 5 léger, ravir, relax, riche ■ 6 dégagé, facile*, relaxe, simple ■ 7 aisance, bonheur*, commode, confort, content, coulant, lisible, pliable, zeugite ■ 8 emprunté, euphorie, goberger, maniable, portatif, pratique, roulette ■ 9 bourgeois, commodité, contraint, difficile, indisposé ■ 10 entournure ■ 14 petit-bourgeois.

AISEMENT : 6 à l'aise, disert ■ 8 flexible, sensible ■ 10 couramment, facilement ■ 11 commodément.

AISSELLE : 9 axillaire ■ 10 entournure ■ 13 dessous-de-bras, hidrosadénite.

AIX-EN-PROVENCE : 6 aixois.

AJACCIO : 8 ajaccien.

AJOINTER : 7 joindre.

AJONC : 3 jan ■ 4 jonc ■ 5 lande ■ 7 landier.

AJOURNEMENT : 5 délai ■ 6 renvoi, retard, sursis.

AJOURNER : 7 reculer ■ 8 renvoyer, retarder* ■ 10 temporiser ■ 12 déprogrammer.

AJOUT : 6 ajoute.

AJOUTE : 7 boni, gain ■ 5 ajout, archi, pesée, talon ■ 6 affixe, hausse, profit ■ 7 addenda, appoint, préfixe ■ 8 addition, annexion, épithète, postiche ■ 9 admixtion, ampliatif, fioriture, péjoratif, plus-value ■ 10 adjonction, complément, différence, majoration, péjoration, supplément, surenchère, survolteur ■ 11 acquisition, additionnel, élargisseur ■ 12 épenthétique, inquartation, intercalaire, périscolaire, post-scriptum, prolongation ■ 13 superfétation.

AJOUTEE : 3 t.v.a.

AJOUTER : 5 aller ■ 7 annexer, étendre, greffer, inquart, joindre, majorer, taniser ■ 8 acquérir, allonger, enchérir, mouiller, nitrater, profiter, rajouter, rapporté, suppléer, surfaire, tanniser ■ 9 adjoindre, augmenter, compléter, dénaturer ■ 10 alcooliser, superposer, surajouter ■ 11 accompagner, additionner, chaptaliser, incrémenter ■ 12 épiphénomène.

AJUSTAGE : 10 assemblage.
AJUSTE : 4 flou.
AJUSTEMENT : 5 juste ■ 6 parure ■ 7 montage, raccord, soudure ■ 8 jonction, toilette ■ 9 affiquets, brasements ■ 10 coaptation ■ 12 articulation.
AJUSTER : 4 lime ■ 5 jauge, viser ■ 6 braser, monter, réunir, souder ■ 7 adapter, agencer, coucher, joindre ■ 8 accorder, entabler, rajuster ■ 9 appliquer, articuler, coïncider, imbriquer, réajuster ■ 10 ajustement, désajuster, embroncher ■ 12 enchevaucher.
AJUTAGE : 9 diffuseur.
AKENE : 4 anis ■ 5 gland ■ 6 samare ■ 8 noisette ■ 9 polyakène.
ALACRITE : 6 gaieté.
ALAISE : 5 alèse ■ 7 paillot ■ 11 décontracté.
ALAMBIC : 7 pélican ■ 9 cucurbite, serpentin ■ 11 distillerie ■ 13 rectificateur.
ALARME : 4 peur ■ 5 éveil ■ 6 alerte, danger, tocsin ■ 7 crainte, venette.
ALARMER : 7 affoler, alerter, apeurer, épeurer ■ 8 effrayer ■ 9 terrifier ■ 10 épouvanter, terroriser, tourmenter ■ 13 tranquilliser.
ALARMISTE : 9 alarmisme.
ALASKA : 7 aléoute.
ALBANAIS : 8 palicare, palikare ■ 9 pallicare, pallikare.
ALBANIE : 3 lek.
ALBERGE : 9 albergier.
ALBINOS : 5 blanc, furet ■ 9 albinisme.
ALBUMEN : 6 corozo, graine.
ALBUMINE : 4 œuf ■ 7 fibroïne ■ 8 néphrite, protéine ■ 9 éclampsie ■ 10 albumineux, ovalbumine ■ 11 albuminoïde, albuminurie, protéinurie ■ 12 lactalbumine ■ 13 albuminurique.
ALCALI : 4 base*, kali ■ 5 amide, savon, soude* ■ 6 baryte, cendre, dorême, natron ■ 7 alcalin, lithine, potasse* ■ 8 ammonium ■ 9 alcaloïde, ammoniure, tournesol ■ 10 alcalamide, alcalicité, ammoniaque, similisage, strontiane ■ 11 alcalimètre ■ 12 alcalescence, alcalimétrie ■ 14 sulfocarbonate.
ALCALIN : 4 bile ■ 6 baryum ■ 7 calcium, lessine, lithium ■ 8 francium, rubidium ■ 9 alcaliser, anionique, potassium, strontium ■ 10 alcaligène, alcalinité ■ 11 alcalescent, alcalifiant, alcaliniser ■ 14 alcalinisation.
ALCALOIDE : 4 coco ■ 5 cacao, tabac ■ 6 conine, théine ■ 7 brucine, caféine, cocaïne, codéine, ésérine, pipérin ■ 8 atropine, cicutine, conicine, ergotine, morphine, narcéine, nicotine, pipérine, ptomaïne, quassine, thébaïne ■ 9 aconitine, éphédrine, mescaline, muscarine, narcotine, raubasine, réserpine, vératrine, vincamine, yohinbine ■ 10 cinchonine, colchicine, papavérine, strychnine ■ 11 ergotamine, pilocarpine, psilocybine, scopolamine, théobromine, vinblastine, vincristine ■ 12 cantharidine, pelletiérine, strophantine, théophylline ■ 13 alcaloïmétrie, physostigmine.
ALCANE : 6 silane.
ALCANISER : 11 alcalifiant.
ALCENE : 7 ozonide.
ALCHIMIE : 6 driffe, élixir, régule ■ 9 magistère ■ 10 alchilique, alchimiste, hermétisme ■ 12 philosophale, transmutation.
ALCHIMISTE : 7 athanor.
ALCOOL : 3 gin ■ 4 maïs, marc, moût, raki, rhum ■ 5 aldol, amine, degré, ester, lampe, tafia, viner, vodka ■ 6 arrosé, cognac, élixir,

flegme, kirsch, kummel, menthe, whisky ■ 7 accises, cordial, éthanol, liqueur*, menthol, quetsch ■ 8 absinthe, alcoolat, ambréine, amylique, armagnac, calvados, dialcool, digestif, furfural, furfurol, genièvre, gentiane, méthanol, persicot, prunelle, rhodinol, teinture, trois-six ■ 9 alcoolisé, allylique, brandevin, butylique, distiller, éthylique, glucérine, iodoforme, mercaptan, méthylène, mirabelle, polyester ■ 10 alcoolique, alcooliser, alcoolisme, alcoomètre, aromatique, benzylique, champoreau, bootlegger, méthylique, œnométrie, polyalcool, pousse-café , propylique, spiritueux, vulnéraire ■ 11 acétobacter, aguardiente, alcoolature, alcoométrie, distillerie, disulfirame, esprit-de-vin, éthylénique ■ 12 alcoolisable, cherry-brandy, sulfovinique ■ 13 alcoolisation, saccharomyces ■ 14 anti-alcoolique, estérification, éthérification.

ALCOOLAT : 7 mélisse.

ALCOOLEMIE : 11 éthylomètre, éthyloteste.

ALCOOLISEE : 5 drink ■ 9 long-drink.

ALCOOLISME : 9 éthylisme, œnilisme ■ 10 alcoologie, alcoolique, ivrognerie ■ 14 anti-alcoolisme ■ 15 delirium tremens.

ALCOOLOGIE : 10 alcoologue.

ALCOOMETRE : 7 pèse-vin ■ 10 pèse-alcool.

ALCYONAIRE : 6 alcyon, corail.

ALDEHYDE : 5 aldol, imine ■ 6 aldose ■ 7 éthanal, glucose ■ 8 furfural, furfurol, méthanal ■ 9 galactose, pipéronal, vanilline ■ 10 cinnamique ■ 11 métaldéhyde, paraldéhyde.

ALDOSE : 6 ribose ■ 12 désoxyribose.

ALEATOIRE : 4 pari ■ 6 chance ■ 7 douteux ■ 8 chanceux ■ 9 hasardeux ■ 10 randomiser ■ 13 aléatoirement.

ALENE : 6 subulé.

ALENTOURS : 6 abords ■ 7 environs.

ALERTE : 3 vif* ■ 4 peur, suée ■ 5 agile ■ 6 alarme ■ 7 allègre, éveillé, géronte ■ 8 guetteur ■ 10 alertement ■ 11 émerillonné.

ALESE : 5 alézé ■ 6 alaisé.

ALESER : 6 percer ■ 7 alésoir ■ 8 aléseuse, réaléser.

ALESEUSE : 7 aléseur.

ALEVIN : 6 fretin ■ 8 aleviner, nourrain ■ 9 alevinier ■ 10 alevinière.

ALEXINE : 10 complément.

ALEZAN : 7 rubican.

ALFA : 5 spart ■ 8 alfatier ■ 9 sparterie.

ALGARADE : 6 sortie ■ 9 incartade.

ALGAZELLE : 4 oryx.

ALGEBRE : 4 nôme ■ 5 moins, prime ■ 6 binôme, monôme ■ 7 trinôme ■ 8 abscisse, fonction, polynôme ■ 10 algébrique, algébriste, inéquation ■ 14 algébriquement.

ALGERIE : 4 wali ■ 6 wilaya ■ 7 willaya.

ALGERIEN : 6 mechta ■ 7 maghzen, makhzen ■ 8 pied-noir.

ALGINIQUE : 8 alginate.

ALGUE : 4 ulve ■ 5 fucus, janie, sushi ■ 6 algine, fucale, goémon, némale, nostoc, oogone, padine, varech ■ 7 fucacée, zygnéma ■ 8 agar-agar, conferve, diatomée, floridée, isogamie, navicule, némalion, sargasse ■ 9 coralline, laminaire, rivulaire, spirogyre, spiruline, vaucherie, volvocale, zoogamète ■ 10 cryptogame*, macrocyste, oscillaire, phéophycée, protocoque ■ 11 cyanophycée, macrocystis, protococcus, rhodophycée ■ 12 chlorophycée, chrysophycée, xanthophycée ■ 13 chlamydomonas, lithothamnium ■ 14 chrysomonadale, phycoérythrine.

ALIAS : 3 dit.
ALIDADE : 7 pinnule ■ 10 théodolite.
ALIENATION : 5 folie, vente ■ 8 mutation ■ 9 monomanie ■ 10 désaliéner ■ 11 alinéataire, cyclothymie ■ 12 inaliénation ■ 13 désaliénation.
ALIENE : 3 fou ■ 5 agité ■ 6 débile ■ 8 monomane.
ALIENER : 6 vendre ■ 8 afféager, curateur ■ 9 aliénable ■ 10 aliénateur, aliénation.
ALIGNEMENT : 5 allée, guide, jalon, rampe ■ 7 aligner, capsage, pinnule ■ 10 désaligner, tabulateur ■ 12 décentrement, décentration.
ALIGNER : 5 ligne ■ 6 ranger ■ 10 alignement ■ 11 parangonner.
ALIGOTE : 5 vigne.
ALIMENT : 3 ris, riz, rôt, vie ■ 4 baba, brie, cake, flan, goût, hure, lait, lard, mets*, miel, moka, pain, pâte, pois, rata, rôti, salé, saur, veau ■ 5 abats, aspic, bacon, barde, bétel, chips, civet, crabe, crêpe, cuire, datte, diète, évent, farce, flûte, fripe, gesse, gigot, hydne, jabot, jeûne, kacha, kiche, manne, neige, oille, pilaf, pilau, pilaw, purée, rôtie, sauté, soupe, sucre, tarte, toast, tomme, tripe, vivre ■ 6 avoine, bêtise, bisque, bonbon, boudin, brille, brouet, casson, caviar, chapon, couque, éclair, fagoue, fondue, fouace, gâteau, gaufre, génois, gratin, hachis, jambon, kasher, lardon, lavure, muffin, nougat, oublie, panade, pâture, poison, quiche, ragoût, rognon, rosbif, salami, salmis, sauret, saurin, sorgho, souper, touron, tourte, vivres, yaourt ■ 7 abaisse, abajoue, ailloli, beignet, beurrée, bifteck, biscuit, bouilli, bretzel, brioche, cachère, caramel, chabrol, chabrot, compote, croquet, croûton, cuisine, dariole, dartois, échaude, fromage, galette, garbure, gnocchi, goupère, goulash, gressin, grignon, haricot, kouglof, lasagne, lavasse, liquide, macaron, miroton, moussot, navarin, nouille, pitance, polenta, pouding, praline, pudding, quignon, raisine, ravioli, risotto, rouelle, sabayon, savarin, semoule, tapioca, tartine, vitelot ■ 8 abat-faim, assation, bavarois, béchamel, bectance, biscotin, biscotte, bouillie, bouillon, boulette, calisson, cervelas, chausson, chocolat, consommé, cossette, cotignac, couscous, cuillère, fait-tout, godiveau, grenadin, grillade, hâtereau, hochepot, ice-cream, julienne, macaroni, matefaim, matelote, meringue, mirepoix, mousseau, nonnette, omelette, pastille, pistolet, plum-cake, poivrade, pot-au-feu, prunelée, quenelle, ramequin, ravigote, rollmops, roquille, salpicon, sandwich, saucisse, talmouse, tourteau, vacherin, zakouski ■ 9 ambroisie, andouille, barigoule, béarnaise, boutargue, brochette, carbonade, cassoulet, charlotte, chipolata, clafoutis, confiture, côtelette, coupe-faim, croquette, croustade, édulcorer, entremets, fricassée, galantine, gaufrette, gibelotte, gimblette, gougelhof, inanition, kougelhof, kugelhopf, macédoine, madeleine, massepain, milliasse, mont-blanc, nutrition, oignonade, paupiette, pot-pourri, poutargue, prédigéré, provision, rillettes, saucisson, saupiquet, spaghetti, tournedos, vol-au-vent ■ 10 ballotine, blanquette, cannelloni, chaud-froid, choucroute, confiserie, corned-beef, corn flakes, crépinette, frangipane, fricandeau, jambonneau, jardinière, mangeaille, minestrone, mortadelle, mouillette, moulinette, nourriture*, pastellage, persillade, pet-de-nonne, plombières, rissolette, rognonnade, stockfisch, tartelette ■ 11 accommodage, alimentaire, analeptique, antioxydant, auto-cuiseur, blanc-manger, bourguignon, croquignole, fausse-route, feuilletage, garde-manger, hors-d'œuvre, inappétence, olla-potrida, petit-beurre, plum-pudding, profiterole, provitamine, rahat-lokoum, ratatouille, saint-honoré, salmigondis, subsistance ■ 12 andouillette, boustifaille, cochonnaille, feuillantine, insalivation, millefeuille, quatre-quarts ■

13 bouillabaisse, chateaubriand, château-briant, court-bouillon, croquembouche, digestibilité, gastrotechnie ■ 14 barbe-de-capucin, croque-monsieur ■ 15 étouffe-chrétien.

ALIMENTAIRE : 4 fumé ■ 5 chyme, dolic, salep, tacca, zamia ■ 7 baselle, bifidus, raviole, vivrier ■ 8 conserve, farineux, racahout, salaison, sarrasin, tablette ■ 9 dominante, ergotisme, texturant ■ 11 cholestérol, érythrosine, kwashiorkor, tagliatelle ■ 12 cholestérine ■ 13 hypocalorique.

ALIMENTATION : 4 faim ■ 5 chyle, chyme, diète, jeûne, vanne ■ 6 stoker ■ 7 appétit, malacie ■ 8 faverole, nourrice ■ 9 injecteur ■ 10 diététique ■ 11 diététicien, super-marché, végétalisme, végétarisme ■ 12 malnutrition, sous-alimenté, sursoufflage.

ALIMENTER : 5 sonde ■ 7 nourrir* ■ 8 engrener ■ 9 engreneur, sustenter ■ 10 phréatique ■ 12 alimentation ■ 13 sous-alimenter.

ALINEA : 7 attendu.

ALIPATHIQUE : 3 oxo.

ALISIER : 5 alise.

ALISMACEE : 8 plantain ■ 10 sagittaire.

ALITER : 7 coucher.

ALIZARINE : 7 garance ■ 8 robiquet ■ 13 anthraquinone.

ALIZE : 4 vent ■ 11 contre-alizé.

ALKEKENGE : 8 coqueret, physalis ■ 11 amour-en-cage.

ALLACHE : 10 sardinelle.

ALLAITEMENT : 3 pis ■ 4 sein ■ 5 tétée, tétin, téton ■ 6 tétine ■ 7 biberon, mamelle ■ 8 allaiter, colostre, nourrice ■ 11 ablactation.

ALLAITER : 5 têter ■ 6 sevrer ■ 7 nourrir ■ 9 lactation ■ 11 allaitement.

ALLANT : 7 entrain.

ALLANTOIDE : 7 ouraque.

ALLANTOIDIEN : 7 amniote.

ALLECHANT : 4 miam ■ 8 miam-miam.

ALLECHER : 6 plaire, tenter ■ 7 appâter, séduire ■ 9 affrioler, alléchant ■ 11 allèchement, appétissant.

ALLEE : 4 mail ■ 5 drève ■ 6 avenue, chemin, voyage ■ 8 oullière, tortille ■ 9 charmille, voyageage ■ 10 courreries, labyrinthe, tortillère, voyagement ■ 11 contre-allée.

ALLEGATION : 4 dire ■ 10 réfutation ■ 11 affirmation, diffamation.

ALLEGER : 7 amincir ■ 8 consoler, délester, diminuer, soulager ■ 9 décharger ■ 11 exonération ■ 13 déréglementer.

ALLEGORIE : 5 conte, fable, folie, image, mythe ■ 6 figure ■ 7 fortune ■ 8 allusion, mystique, parabole, renommée ■ 9 métaphore ■ 11 allégorique, allégoriser, allégoriste ■ 13 apocalyptique ■ 15 allégoriquement.

ALLEGRE : 3 vif ■ 5 agile ■ 6 joyeux* ■ 11 allègrement.

ALLEGRESSE : 4 joie* ■ 8 alléluia ■ 10 exultation.

ALLEGRO : 10 allégretto.

ALLEGUER : 5 citer ■ 6 arguer ■ 7 exciper, fournir ■ 8 affirmer, apporter ■ 9 prétexter*, raisonner.

ALLELE : 12 allélomorphe, hétérozygote.

ALLEMAGNE : 4 mark.

ALLEMAND : 4 land, lied, nazi ■ 5 boche, saxon ■ 6 badois, chleuh, kaiser, mensur, reître, rhénan, schleu, teuton ■ 7 germain*, sarrois ■ 8 bavarois, burgrave, doberman, fridolin, lollards, margrave, ottonien, prussien, singpiel ■ 9 berlinois, landgrave, minnesang, rhingrave ■ 10 alémanique, poméranien ■ 11 est-allemand, kommandatur, minnesanger, westphalien ■ 12 hambourgeois ■ 13 ouest-allemand ■ 14 anthroposophie, néogrammairien, wurtembergeois ■ 15 brandebourgeois.

ALLENE : **10** propadiène.
ALLER : **4** être ■ **5** culer, errer, filer, gazer, luger, mener, place, poste, route, seoir, siège, tortu, toton, volée, voler ■ **6** allure*, bicher, botter, calter, coller, courir, monter, passer, rendre, sortir, suivre ■ **7** adapter, avancer, blesser, caleter, côtoyer, croiser, dépérir, diriger, galoper, marcher*, pédaler, trotter, visiter, voyager ■ **8** arranger, chausser, circuler, convenir, déborder, défouler, démentir, dépasser, éloigner, enchérir, endormir, enfoncer, filocher, marauder, obliquer, paresser, prévenir, ralentir, remonter, retarder ■ **9** accroître, acheminer, avantager, descendre, disperser, rejoindre, retourner, verticité ■ **10** abandonner, accommoder, chevaucher, fréquenter, péricliter, transhumer ■ **11** accompagner, emportement, outrepasser, patrouiller, tournailler, vadrouiller ■ **13** tourbillonner.
ALLERGENE : **14** pneumallergène.
ALLERGIE : **9** allergène, pollinose, urticaire ■ **10** allergique ■ **11** intolérance ■ **12** allergologie ■ **14** antiallergique, hypoallergique, pneumallergène ■ **15** percuti-réaction.
ALLERGIQUE : **10** sérotonine ■ **12** anallergique.
ALLERGOLOGIE : **14** allergologiste.
ALLEU : **8** allodial ■ **9** alleutier ■ **10** franc-alleu.
ALLIAGE : **4** aloi ■ **5** alpax, ferro, fonte, invar, monel, plomb, potin, titre ■ **6** airain, bronze, étoffe, laiton, régule, tombac, zicral ■ **7** almélec, brasure, élinvar, étamure, ferrite, fusible, inconel, mélange, pacfung ■ **8** alferium, amalgame, argentan, électrum, nichrome, nitrurer, packfung, stellite ■ **9** coalescer, duralumin, hastelloy, manganine, partinium, permalloy, platinite, ringarder ■ **10** almasilium, chrysocale, constantan, cuproplomb, orichalque ■ **11** coulabilité, cupronickel, ferrocérium, ferrochrome, ferronickel, maillechort ■ **12** antifriction, autotrempant, chrysocalque, coupe-circuit, cupro-alliage, ferro-alliage, microcristal, superalliage, trempabilité ■ **14** cupro-aluminium.
ALLIANCE : **3** axe ■ **5** allié, ligue, union* ■ **6** anneau ■ **7** mariage ■ **10** convention, tabernacle ■ **11** association* ■ **13** casus fœderis.
ALLIE : **3** ami ■ **6** fédéré, parent ■ **9** apparenté, confédéré ■ **10** interallié, partenaire.
ALLIER : **4** unir* ■ **6** marier ■ **7** joindre ■ **8** associer, conjurer ■ **10** apparenter, inalliable.
ALLITERATION : **10** répétition.
ALLOCATION : **3** don ■ **7** subside ■ **11** allocataire ■ **12** bonification.
ALLOCUTION : **5** laïus ■ **8** discours.
ALLODIAL : **5** alleu ■ **6** féodal ■ **9** franc-fief.
ALLONGE : **4** jule, loch ■ **5** akaba, barre, épine, hampe, loche, ovale, tapir, volve ■ **6** effilé, oblong ■ **7** ductile ■ **8** fibrille, filament, panatela, wienerli ■ **9** épididyme, leptosome, prognathe ■ **10** longiligne ■ **11** caryophylle ■ **12** cuisse-madame, inextensible ■ **13** extensibilité.
ALLONGEE : **7** acuminé.
ALLONGEMENT : **6** infini ■ **8** rallonge, traction ■ **9** appendice, extension ■ **12** dolichocôlon, prolongement ■ **15** rééchelonnement.
ALLONGER : **5** filer, rider, tirer ■ **6** bander, étirer, raidir, tendre ■ **7** aplatir, biaiser, coucher, détirer, effiler, égrener, étendre ■ **8** détendre, retendre ■ **9** augmenter, prolonger, rallonger.
ALLOPATHIE : **9** allopathe ■ **12** allopathique.
ALLOSTERIE : **12** allostérique.
ALLOTROPIE : **5** ozone ■ **12** allotropique.
ALLOTROPIQUE : **7** ferrite.
ALLOUER : **5** liste ■ **9** attribuer ■ **10** allocation.

ALLUMAGE: 4 raté ■ 5 delco, fusil, mèche ■ 6 amadou, cétane ■ 7 briquet ■ 8 bickford, pyrogène ■ 9 cognement, veilleuse ■ 10 automobile ■ 12 auto-allumage.
ALLUMER: 5 fumer, ligot ■ 6 brûler ■ 7 attiser ■ 8 allumage, allumeur, allumoir, rallumer, tisonner ■ 9 allume-feu, allume-gaz, clignoter ■ 10 lanterner.
ALLUMETTE: 5 tison ■ 8 soufrage ■ 11 allumettier ■ 15 porte-allumettes.
ALLURE: 3 air, pas* ■ 4 erre, look, port, trac, trot ■ 5 aller*, amble, aubin, galop, ligne, tenue, train ■ 6 alluré, amures, aspect, courir, largue, marche, mésair, mézair, touche ■ 7 carrure, dégaine, posture* ■ 8 attitude, démarche, entrepas, maintien*, tournutre, trantran ■ 9 berzingue, croisière, prestance ■ 10 désinvolte, silhouette ■ 11 balancement, habillement ■ 12 allusivement ■ 14 dégingandement.
ALLUSION: 7 allusif ■ 9 allégorie.
ALLUVIALE: 8 piedmont.
ALLUVION: 4 lais ■ 5 limon, palud, palus ■ 6 laisse, palude ■ 8 alluvial, diluvium ■ 11 alluvionner ■ 13 alluvionnaire ■ 14 alluvionnement, atterrissement.
ALLUVIONNAIRE: 5 grave.
ALMANACH: 4 bref ■ 6 épacte ■ 8 annuaire, équinoxe, lunaison, solstice ■ 9 millésime ■ 10 calendrier ■ 11 chronologie.
ALOES: 4 amer, pite ■ 5 agave ■ 6 aloïne, maguey, pulque, tambac ■ 7 aloïnée, manille ■ 8 aloétine, aloïnées, chicotin ■ aloétique, aquilaire, cabouille.
ALOI: 5 titre.
ALORS: 4 lors ■ 5 adonc, comme, quand ■ 9 andoncques.
ALOUETTE: 4 lulu ■ 5 lacet, ridée, sirli ■ 6 alaude, pulque ■ 7 tirasse ■ 8 alaudité, calandre, cochevis, moquette, tire-lire, turluter ■ 9 grisoller, mauviette, tirelirer.
ALOURDIR: 10 appensantir ■ 14 alourdissement.
ALOYAU: 6 rosbif ■ 7 bavette.
ALPAGE: 7 désalpe, inalper ■ 8 armailli, désalper, inalpage, montagne, pâturage.
ALPES: 8 cisalpin ■ 9 rhônalpin.
ALPHABET: 2 mu, nu, pi, rô, ts ■ 3 abc, êta, iou, khi, ksi, psi, rhô, tau, tch ■ 4 bêta, iota, zêta ■ 5 alpha, delta, dzêta, gamma, iatie, igrec, kappa, koppa, morse, oméga, runes, sigma, thêta, tsett ■ 6 lettre ■ 7 abécédé, braille, epsilon, omicron, upsilon ■ 10 abécédaire, cyrillique ■ 11 diacritique ■ 12 alphabétique, alphabétisme ■ 14 alphanumérique.
ALPHABETIQUE: 5 index, table ■ 9 oghamique.
ALPIN: 5 béret ■ tertiaire.
ALPINE: 6 mindel.
ALPINISME: 6 sherpa ■ 12 autobloqueur.
ALPINISTE: 8 dévisser, doudoune, encorder, montagne, tricouni ■ 9 varappeur ■ 13 marteau-piolet.
ALTAIQUE: 9 toungouse, toungouze.
ALTERATION: 4 faux, soif ■ 5 bémol, dièse, évent, tache ■ 6 tourne ■ 7 agnosie, bécarre, candida, entorse, fragile, gâtisme, graisse, maladie, torsion ■ 8 atrophie, échauffe, dyslogie, feutrage, inaltéré, luxation, sénilité ■ 9 frelatage ■ 10 accidentel, altéragène, changement, corruption, empirement, étiolement, perversion, vieillesse ■ 11 déformation, délabrement, flétrissure ■ 12 adultération ■ 13 décomposition, dépérissement, falsfication ■ 14 enlaidissement, sophistication ■ 15 abâtardissement, désarticulation.

ALTERCATION : 7 dispute ■ 8 querelle ■ 10 discussion, empoignade.
ALTERE : 3 pur ■ 5 avide, impur ■ 6 éventé, tourné ■ 7 frelaté ■ 8 assoiffé, déhanché, disloqué, renversé ■ 9 décomposé ■ 10 dégingandé ■ 11 inaltérable ■ 14 lyophilisation.
ALTERER : 4 tuer ■ 5 biser, gâter, geler, luxer, tarer ■ 6 abîmer, brouir, gourer, tacher, tordre, vicier ■ 7 avarier, changer, dépérir, empirer, étioler, éventer, fausser, pourrir, tourner ■ 8 déboîter, déflorer, déformer, défriser, délabrer, démettre, dépraver, déranger, détruire, émousser, enlaidir, frelater, graisser, rouiller, troubler, vieillir ■ 9 abâtardir, adultérer, assoiffer, atrophier, brouiller, corrompre, décolorer, défigurer, démancher, dénaturer, détraquer, disloquer, estropier, falsifier, maquiller, pervertir ■ 10 décomposer, détériorer, désajuster, indisposer, périssable ■ 11 désengrener ■ 12 démantibuler, désarticuler, désorganiser, sophistiquer.
ALTERNANCE : 4 flux ■ 6 reflux, retour ■ 9 vibration ■ 10 succession* ■ 11 corrélation, cyclothymie, oscillation ■ 12 distribution.
ALTERNATEUR : 15 cryoalternateur.
ALTERNATIF : 5 marée, rotor, valve ■ 8 kénotron, trudgeon ■ 9 battement, bicourant, impédance, monophasé, polyphasé, thyratron, va-et-vient ■ 10 alternance, excitateur, voltampère ■ 11 alternateur, fluctuation ■ 12 interruption, redressement ■ 14 fréquencemètre.
ALTERNATIVE : 2 ou ■ 4 soit ■ 6 aporie ■ 7 dilemme ■ 8 osciller.
ALTERNER : 6 enlier, réagir ■ 7 assoler, changer, flotter, plaider ■ 8 balancer, chatoyer, renvoyer, succéder, vaciller ■ 9 alternant, renverser, rétorquer, retourner ■ 10 alternance, récriminer, rétrocéder ■ 11 papillonner, tergiverser ■ 12 correspondre.
ALTHAEA : 8 guimauye.
ALTIER : 4 fier, haut ■ 11 altièrement, orgueilleux.
ALTIMETRE : 14 radioaltimètre.
ALTITUDE : 4 côte ■ 5 mayen ■ 6 niveau ■ 7 hauteur, plafond ■ 8 isophyse, montagne ■ 9 altimètre, dénivelée ■ 10 altimétrie, barographe, hypsomètre, rase-mottes ■ 11 nivellement ■ 12 cirro-stratus.
ALTO : 3 cor ■ 6 basset ■ 7 altiste.
ALTRUISME : 5 bonté ■ 7 charité ■ 9 altruiste ■ 12 égoaltruisme.
ALUMINATE : 4 mica ■ 5 laque ■ 11 chrysobéryl.
ALUMINE : 4 alun*, ocre ■ 5 lapis, rubis ■ 6 saphir, topaze ■ 8 corindon, latérite ■ 9 aluminage, aluminate, alumineux, améthyste, cryolithe ■ 13 feldspathoïde.
ALUMINIUM : 2 al ■ 4 alun* ■ 5 alpax, béryl, métal, zicral ■ 7 almélec, alumine, bauxite, épidote, leucite ■ 8 cryolite, disthène, émeraude, lazulite, saponite ■ 9 cryolithe, duralumin, kaolinite, partinium, turquoise ■ 10 almasilium, aluminerie, aluminiage, cordiérite ■ 11 lapis-lazuli ■ 12 calorisation ■ 13 aluminisation ■ 14 cupro-aluminium ■ 15 aluminosilicate, montmorillonite.
ALUMINOSILICATE : 9 almandine, néphéline.
ALUN : 4 ocre ■ 5 mégis ■ 6 aluner, étoffe ■ 7 alumine*, alunage, aluneux, alunite, chipage ■ 8 alunerie, alunière ■ 9 aluminage, aluminate, aluminium*, alunifère, hongroyer ■ 10 aluminaire, hongroyeur.
ALUNER : 7 alunage.
ALUNIR : 10 alunissage.
ALVEOLE : 4 miel ■ 7 capsule, cellule ■ 9 alvéolite, emphysème ■ 10 alvéolaire ■ 12 microalvéole.
AMABILITE : 5 bonté, grâce* ■ 8 froideur ■ 9 brutalité, politesse* ■ 10 affabilité, courtoisie*, galanterie, minauderie ■ 11 aimablement, délicatesse, gentillesse, gracieuseté.

AMADOUER : 7 appâter, attirer, flatter, séduire ■ 11 amadouement.
AMAIGRI : 4 tiré ■ 5 creux ■ 6 défait ■ 8 atrophié ■ 9 efflanqué.
AMAIGRIR : 6 fondre ■ 7 amincir, défaire, dépérir, émacier, maigrir ■ 8 diminuer, étriquer ■ 9 décharner, dessécher.
AMAIGRISSEMENT : 5 tabès ■ 6 étisie ■ 7 marasme ■ 8 atrophie, cachexie, maigreur ■ 9 athrepsie ■ 10 émaciation ■ 11 consomption ■ 12 amaigrissant, dessèchement ■ 13 dépérissement.
AMALGAME : 4 pâte, tain ■ 7 mélange* ■ 9 amalgamer, mot-valise ■ 12 amalgamation.
AMANDE : 4 brou, noix* ■ 5 cacao, copra, coque, noyau ■ 6 amandé, coprah, dragée, monder, nougat, pignon ■ 7 baklave, griller, praline ■ 8 amandier, amandine, arachide, badamier, échauder, émulsine, mandorle, persicot, pistache ■ 9 massepain ■ 10 frangipane, pithiviers, térébinthe ■ 11 amygdaloïde, blanc-manger, énucléation ■ 12 térébenthine, timbre-amende.
AMANITE : 5 volve ■ 6 oronge ■ 7 golmote ■ 8 golmotte, panthère, phalline ■ 9 phalloïde.
AMARANTE : 11 amarantacée ■ 12 passe-velours.
AMANT : 3 ami ■ 5 idole, jules ■ 6 adonis, amante, béguin, copain, galant*, gigolo ■ 7 céladon ■ 8 amoureux, bien-aimé, sigisbée ■ 9 greluchon, soupirant ■ 10 prétendant, tourtereau.
AMANTE : 4 amie, môme ■ 5 amant, gosse, poule ■ 6 copine ■ 8 dulcinée, favorite ■ 9 amoureuse, concubine, maîtresse ■ 12 connaissance.
AMARANTACEE : 8 amarante ■ 10 crête-de-coq ■ 12 passe-velours ■ 13 queue-de-renard.
AMARNA : 8 amarnien.
AMARRAGE : 5 lusin, luzin.
AMARRE : 5 bitte, câble, liure ■ 6 étrive ■ 8 aussière, cabillot, chaumard, démarrer, garcette, organeau, suspente ■ 9 embossure, garde-rats, haussière ■ 10 jarretière ■ 11 lance-amarre, porte-amarre.
AMARRER : 5 raban ■ 8 amarrage, attacher ■ 11 appontement.
AMARYLLIDACEE : 5 agate, agave, sisal ■ 7 nivéole, tampico ■ 8 narcisse ■ 9 amaryllis, jonquille, tubéreuse ■ 10 perce-neige.
AMAS : 3 cal, feu, jar, lot, mer, tas ■ 4 bloc, dune, jard, mare, moie, névé, nuée, pack, pile, tout, vrac ■ 5 abcès, barge, boule*, crête, foule, gerbe, globe, jetée, masse, meule, mulon, nebka, nœud, noyau, nuage, pilot, ramas, sérac, terri ■ 6 bourbe, caisse, fatras, flocon, paquet, plexus, terril, tertre, touffe, trésor ■ 7 abattis, congère, éboulis, empyème, filasse, javelle, monceau, recueil*, réunion, salorge, tumulus ■ 8 boulette, crassier, ensemble, faisceau*, montagne, quantité, ramassis, veillote ■ 9 branchage, bric-à-brac, glomérule, macédoine, mitraille, multitude*, nébuleuse, pacotille, pannicule, provision, sécrétion, superamas, tripaille ■ 10 assemblage, brouillard, cailloutis, collection, concrétion*, congestion, pierraille, taupinière, terre-plein ■ 11 échafaudage, ensablement, entassement ■ 12 accumulation, encombrement ■ 13 agglomération, amoncellement, rassemblement ■ 14 atterrissement.
AMASSER : 5 butin ■ 6 gerber, masser, réunir ■ 7 butiner, cumuler, empiler, encaver, ensiler ■ 8 amasseur, antoiser, colliger, compiler, emmeuler, enchaler, englober, entasser, épargner, ramasser ■ 9 accaparer, accumuler, amonceler, assembler, engranger, fourrager ■ 10 agglomérer, agglutiner, ameulonner, rassembler, recueillir ■ 11 capitaliser, emmagasiner, enveilloter, thésauriser ■ 13 collectionner.
AMATEUR : 4 open ■ 7 curieux ■ 8 canotier, gymnaste, mélomane, partisan, vélicole ■ 9 bédéphile, boulomane, cinéphile, fanatique,

japoniste, sportsman, théâtreux ■ **10** aficionado, dilettante, discophile ■ **11** amateurisme, balletomane, bibliophile, connaisseur, médailliste, sans-filiste ■ **12** ballettomane, radioamateur ■ **13** cruciverbiste, mots-croisiste ■ **14** gentleman-rider.

AMATIVITE : 9 affection*.

AMAUROSE : 9 amblyopie.

AMAZONE : 9 amazonien.

AMAZONIENNE : 5 selva, selve.

AMBAGE : 11 catégorique.

AMBASSADE : 7 attaché, drogman, mission, théorie ■ **8** légation.

AMBASSADEUR : 5 légat, nonce ■ **6** député, envoyé ■ **9** ambassade.

AMBIANCE : 3 air ■ **6** milieu ■ **7** sfumato ■ **11** ambiophonie.

AMBIANTE : 10 dysbarisme.

AMBIGU : 3 net ■ **6** louche, obscur ■ **7** douteux, indécis ■ **9** ambiguïté, équivoque ■ **10** ambigûment ■ **14** amphibologique.

AMBIGUITE : 13 désambiguiser.

AMBITIEUX : 6 yuppie ■ **8** grimpion.

AMBITION : 4 faim ■ **5** désir ■ **7** appétit, orgueil, passion ■ **8** cupidité ■ **9** ambitieux, arrivisme ■ **10** convoitise, prétention ■ **14** ambitieusement.

AMBITIONNER : 6 brûler ■ **7** aspirer, briguer ■ **9** convoiter, prétendre.

AMBLE : 7 ambleur ■ **8** haquencée.

AMBLYOPE : 9 malvoyant.

AMBLYSTOME : 7 axolotl ■ **10** salamandre.

AMBRE : 4 jais ■ **6** ambrer, ambrin, carabe, succin ■ **7** ambrine ■ **8** ambréine, ambrette, bakélite, électrum ■ **9** phosphore, succinite ■ **10** succinique ■ **11** liquidambar.

AMBRETTE : 8 hibiscus.

AMBULACRAIRE : 6 podion.

AMBULANT : 5 cabot, fléau, griot ■ **6** nomade ■ **7** cabotin ■ **8** mariachi ■ **9** baladeuse, carreleur, itinérant ■ **10** colporteur ■ **14** homme-orchestre.

AME : 3 ego ■ **4** joie, obit, paix, sein ■ **5** atman, calme, cœur, désir, infus, mânes, ombre, repli, tâche, vertu ■ **6** esprit*, moteur ■ **7** lémures ■ **8** ataraxie, churinga, revenant ■ **9** catharsis, choke-bore, magnanime, spirituel ■ **10** conscience, psycopompe ■ **11** magnanimité, psychopompe ■ **12** métempsycose, régénération ■ **13** pneumotologie, spiritualiser, spiritualisme.

AMELIORATION : 7 progrès, réforme ■ **8** guérison, ornement, retapage, retouche, révision ■ **9** éducation, épuration, mieux-être, plus-value, réfection ■ **10** amendement, changement, correction, enjolivure, relèvement, rénovation, réparation, replâtrage ■ **11** progression, rajustement, remaniement ■ **12** bonification, civilisation, raccommodage, régénération ■ **13** convalescence, productivisme, rectification ■ **14** embellissement, réorganisation.

AMELIORER : 5 doper, gâter, orner ■ **6** épurer, gagner, guérir, monter ■ **7** abonnir, amender, changer, éduquer, refaire, relever, réparer, retaper, reviser, soigner ■ **8** bonifier, corriger, cultiver, embellir, expurger, profiter, rabonnir, rajuster, refondre, réformer, remanier ■ **9** civiliser, densifier, enjoliver, raffermir, rectifier, régénérer, replâtrer, retoucher ■ **10** progresser, renouveler, surfaceuse ■ **11** améliorable, raccommoder, réorganiser, stabilisant, texturation, transformer ■ **12** améliorateur, pupinisation ■ **13** indécrottable, perfectionner ■ **13** sociothérapie.

AMENAGE : 10 technopôle.

AMENAGEMENT : 3 z.a.c., z.a.d. ■ 5 piste ■ 7 domisme ■ 8 high-tech ■ 9 aménageur, promenade, réservoir, urbaniste ■ 10 aménagiste, carrossier ■ 11 aménageable, hydraulique ■ 12 canalisation.

AMENAGER : 8 arranger* ■ 10 réaménager ■ 11 aménagement.

AMENDE : 5 délit ■ 6 excuse, pergée ■ 8 punition* ■ 9 indemnité, pénaliser ■ 10 collecteur, percepteur, réparation ■ 11 composition ■ 12 compensation ■ 13 dédommagement.

AMENDEMENT : 4 merl ■ 5 maërl, marne ■ 6 rature, tangue ■ 7 marnage, terreau ■ 8 chaulage, punition, retouche ■ 9 châtiment, épuration ■ 10 correction, réparation ■ 12 bonification, redressement, résipiscence ■ 13 rectification ■ 14 sous-amendement.

AMENDER : 5 erbue, fumer, gâter, limer, polir, punir ■ 6 épurer, guérir, herbue, marner ■ 7 changer, châtier, chauler, dompter, faluner, glaiser, plâtrer, policer, raboter, réparer ■ 8 bonifier, corriger, expurger, rajuster, ramender, ravauder, réformer, repasser ■ 9 améliorer, civiliser, composter, dégrossir, instruire, moraliser, morigéner, rectifier, redresser, retoucher ■ 11 pénitencier ■ 12 retravailler ■ 13 perfectionner.

AMENE : 7 aimable.

AMENER : 5 haler, mener, tirer, touer, venir ■ 6 causer, étirer, quérir, raidir, tendre ■ 7 attirer, détirer, emmener, enrôler, induire, ménager, ramener, remener, saturer, traîner, unifier ■ 8 abraquer, conduire, irriguer, préparer, remmener, retraite ■ 9 biscuiter, convertir, couronner, dessiller, dissoudre, distendre, médiateur, rabatteur, remorquer ■ 10 contracter, convaincre, fossiliser ■ 11 occasionner ■ 13 synchroniseur.

AMENITE : 9 brutalité, politesse ■ 10 affabilité.

AMENUISER : 7 amincir ■ 8 diminuer.

AMER : 3 dur ■ 4 âcre, âpre, bile*, fiel ■ 5 aloès ■ 6 acerbe, bitter, génépi, levain, levure, triste ■ 7 houblon, quinine ■ 8 absinthe, amertume*, chicorée, chicotin, diatribe, fielleux, gentiane, rhubarbe, sanglant, saumâtre ■ 9 centaurée, édulcorer, invective, quinquina ■ 10 absinthine, amarescent, manzanilla, strychnine ■ 11 acrimonieux, semen-contra ■ 13 dulcification.

AMERICAIN : 2 g.i., of ■ 3 boa, feu, saï ■ 4 case, cent, élan, eyra, jeep, maïs, maté, pipa, puma, saki, tupa, unau ■ 5 agate, agave, aloès, anona, banjo, bingo, coati, coton, émyde, gaiac, liane, lynch, orobe, pagne, ranch, raton, rodéo, sajou, sammy, tango, tapir, tatou, thuya, trust, tyran, urubu, vison, vomer, whisky, zamia ■ 6 agouti, amerlo, ricain, saloon ■ 7 amerlot, cheddar ■ 8 agératum, attorney, base-ball, bignonia, cake-walk, cariacou, goyavier, icaquier, magnolia, manguier, pauliste, potlatch, quassier, scrabble, spondias, trappeur, tuliper, verveine ■ 9 alligator, amérasien, amerloque, araucaria, avocatier, black jack, boucanier, glyptodon, hélianthe, magnolier, malpighie, mirabilis, moufette, myroxylon, oenothère, onagraire, paresseux, pentagone, perroquet, sassafras, troupiale, vanillier ■ 10 abricotier, amérindien, amphisbène, anacardier, charleston, eucalyptus, sarracénia, sarracénie, stégosaure, tillandsia, tillandsie, winchester, zygopétale ■ 11 calabassier, glyptodonte, liquidambar, phytéléphas, tricératops ■ 12 américanisme, conquistador, échinocactus, frangipanier, mancenillier, panaméricain, précolombien, tyrannosaure ■ 13 bougainvillée ■ 14 interaméricain, négro spiritual, trigonocéphale.

AMERICAIN DU CENTRE : 4 maya, rhum ■ 5 balsa, gaiac ■ 6 créole ■ 7 aztèque, cacique ■ 8 panamien ■ 9 antillais*, hondurien ■ 10 hondurègne ■ 11 costa-ricain, guatémalien ■ 12 nicaraguayen ■ 13 guatémaltèque.

AMERICAIN DU NORD : 4 jazz ■ 5 bison, phlox, poker, ranch, scalp, squaw, texan, totem ■ 6 apache, dollar, eskimo, mormon, quaker, yankee ■ 7 prairie, sudiste ■ 8 canadien, carcajou, géorgien, gerboise, hawaiien, mexicain, mocassin, new yorkais, nordiste, pitchpin, robinier ■ 9 rudbeckie, sapinette, virginien ■ 10 gaulthéria, gaulthérie, ichtyornis, quercitron ■ 11 californien, sanguinaire ■ 12 groenlandais, wellingtonia ■ 13 nord-américain, pennsylvanien.

AMERICAIN DU SUD : 3 ara ■ 4 eyra, inca, maté, péon, rios, tupi ■ 5 agami, andin*, atèle, cacao, chaco, coati, guano, guppy, hévéa, hocco, lasso, llano, pampa, tango, tatou, tupis ■ 6 gaucho, llanos ■ 7 chilien, eunecte, patagon, quichua ■ 8 anaconda, argentin, bolivien, cacaoyer, capucine, hacienda, kinkajou, ouistiti, péruvien, pourpier, ragondin, rocouyer, scalaire, tamanoir ■ 9 angusture, brésilien, cacaotier, colombien, loricaire, pilocarpe, uruguayen ■ 10 chinchilla, équatorien, lagotriche, paraguayen ■ 11 calcéolaire, lagothrichen, mégathérium, palissandre, vénézuélien ■ 12 sud-américain.

AMERICAINE : 11 full-contact ■ 14 rhytm and blues.

AMERICUM : 2 am.

AMERINDIEN : 5 nahua.

AMERIQUE : 8 hapalidé ■ 9 anthurium ■ 14 anglo-américain.

AMERIQUE DU NORD : 8 algonkin ■ 10 algonquien.

AMERIQUE DU SUD : 6 aymara.

AMERRIR : 11 amerrissage.

AMERTUME : 5 amer*, bile, fiel ■ 5 peine ■ 6 âcreté, âpreté ■ 7 aigreur, chagrin ■ 8 doux-amer, remâcher ■ 9 amèrement, dulcifier ■ 10 douce-amère ■ 11 empoisonner.

AMEUBLEMENT : 4 reps ■ 5 ganse ■ 6 chintz ■ 7 crêpine, liberty ■ 9 pompadour ■ 10 suspension, tapisserie.

AMEUBLIR : 4 houe ■ 8 serfouir ■ 13 scarificateur ■ 14 ameublissement.

AMEUTER : 7 exciter ■ 8 coaliser, rameuter, soulever ■ 9 attrouper ■ 10 ameutement.

AMI : 4 club, pote ■ 5 agape, amant, jules ■ 6 copain, fidèle, intime, poteau, proche ■ 8 camarade, collègue, confrère, familier, relation ■ 9 compagnon, confident, œnophile ■ 10 coéquipier, turcophile ■ 11 condisciple, philhellène ■ 12 connaissance.

AMIABLE : 7 command ■ 8 arranger ■ 11 amiablement ■ 13 accommodement.

AMIANTE : 7 asbeste, manchon ■ 9 asbestose ■ 11 amiantifère, fibrociment ■ 13 amiante-ciment.

AMIBE : 7 amibien ■ 8 amibiase, amiboïde ■ 9 rhizopode.

AMIBIEN : 10 endoplasme.

AMICAL : 9 fraternel ■ 11 amicalement.

AMIDE : 4 urée ■ 7 anilide, diamide, lactame ■ 9 acétamide, benzamide, formanide, polyamide ■ 11 acétanilide.

AMIDON : 4 maïs, pois ■ 5 amyle, colle, jaque, sagou ■ 6 empois, fécule, igname, poudre ■ 7 amidine, amylacé, empeser, inuline, tapioca ■ 8 dextrine, diastase, féculent, jacquier, ptyaline ■ 9 amidonner, amiduline, artocarpe, châtaigne, féculerie ■ 10 amidonnage, amidonnier, isoglucose, recoupette ■ 11 amidonnerie, amylobacter, marshmallow ■ 12 désamidonner, polyholoside, protéagineux ■ 14 polysaccharide.

AMIDOPYRINE : 14 noramidopyrine.

AMIENS : 8 amiénois.

AMIMIE : 8 amimique.

AMINCI : 6 buvant.

AMINCIR: 4 user ■ 5 doler ■ 6 élimer ■ 7 alléger ■ 8 amaigrir, délarder, diminuer ■ 9 amenuiser, dégrosser ■ 13 amincissement.
AMINCISSEMENT: 11 ostéoporose.
AMINCIT: 11 amincissant.
AMINE: 6 valine ■ 7 alanine, aniline, cystine, diamine ■ 8 cystéine, tyrosine, xylidine ■ 9 aminogène, arylamine, histidine, monoamine, toluidine, thréonine ■ 10 asparagine, éthylamine, glutamique, indophénol, isoleucine ■ 11 méthylamine, tryptophane ■ 12 naphtylamine ■ 13 catécholamine, diphénylamine, phénothiazine, phénylalanine.
AMINOACIDE: 9 polyamide.
AMITIE: 4 fils, paix*, toto, unir ■ 5 adieu, amour*, froid, union ■ 6 accord, chaîne, visite ■ 7 entente, liaison, société*, service ■ 8 alliance, commerce, concorde, inamical, intilité, relation ■ 9 affection, confiance, cousinage, sympathie, tendresse ■ 10 cordialité, fraternité ■ 11 accointance, association, attachement, camaraderie, familiarité, sympathiser ■ 12 francophilie, prédilection ■ 13 confraternité, fréquentation.
AMMONIAC: 5 amide, amine, azote, imide, imine ■ 10 ammoniacal, ammoniaque, éthylamine.
AMMONIAQUE: 6 alcali ■ 9 ammoniacé ■ 10 ammoniurie ■ 11 nitrosation ■ 12 alcalescence ■ 13 nitrification.
AMMONITE: 8 scaphite.
AMMONIUM: 8 roburite ■ 11 nitrate-fuel.
AMNESIE: 9 korsakoff.
AMNIOS: 7 amniote ■ 10 amniotique.
AMNIOTE: 12 allantoïdien.
AMNIOTIQUE: 10 hydramnios.
AMNISTIE: 5 grâce ■ 6 pardon ■ 8 punition ■ 9 amnistier ■ 10 amnistiant.
AMODIER: 10 amodiation.
AMOINDRIR: 7 réduire ■ 8 diminuer ■ 9 minimiser, rabaisser.
AMOINDRISSEMENT: 5 usure ■ 11 abaissement, hypothropie, inaltérable ■ 12 altérabilité ■ 15 amoindrissement.
AMOLLIR: 5 bruir ■ 7 aveulir, énerver ■ 8 ramollir ■ 9 affaiblir, attendrir, dissoudre, efféminer, émolliant ■ 11 amollissant ■ 13 amolissement.
AMOLLISSEMENT: 8 fanaison.
AMOME: 10 maniguette.
AMONCELER: 8 entasser ■ 9 accumuler ■ 10 agglomérer, échafauder ■ 13 amoncellement.
AMONCELLEMENT: 3 tas ■ 4 amas ■ 5 sérac ■ 7 embâcle ■ 8 montagne.
AMONT: 4 gril.
AMORAL: 9 amoralité.
AMORCAGE: 8 pulvérin ■ 12 auto-amorçage.
AMORCE: 5 appât, évent ■ 6 leurre ■ 9 avant-trou, percuteur ■ 10 désamorçer.
AMORCER: 7 entamer, pointer ■ 8 amorçage ■ 9 commencer, réamorcer.
AMORPHE: 3 mou ■ 5 zombi ■ 7 indécis ■ 9 énergique.
AMORTI: 7 amortie.
AMORTIR: 5 payer ■ 6 damper ■ 7 annuler, modérer ■ 8 antichoc, diminuer, étouffer ■ 10 roulé-boulé ■ 11 amortisseur ■ 12 amortissable.

AMOUR: 3 feu ■ 4 cour ■ 5 aimer*, amant*, baise, cœur, flirt, piété, putto ■ 6 amitié, ardeur, béguin, estime, extase, flamme, foudre, idylle, luxure, tendre, tomate, volcan ■ 7 caprice, chaleur, charité, intérêt, passade, passion*, purisme ■ 8 amoureux, chasteté, conquête, désamour, éprendre, érotique, érotisme, intimité, penchant* ■ 9 adoration, affection, altruisme, amativité, amourette, dilection, idolâtrie, mélomanie, quiétisme, séduction, sentiment, tendresse ■ 10 enivrement, érotologie, érotomanie, galanterie, passionnel, pieusement, préférence ■ 11 amour-propre, attachement, camaraderie, coquetterie, familiarité, inclination, narcissisme, patriotisme, sensualisme, sollicitude ■ 12 bibliophilie, enthousiasme*, passionnette ■ 13 amoureusement ■ 14 philotechnique.

AMOURACHER: 5 aimer ■ 6 toquer ■ 7 coiffer ■ 8 enticher ■ 9 énamourer ■ 10 embéguiner.

AMOURETTE: 5 aimer, brize ■ 7 caprice ■ 12 passionnette.

AMOUREUSE: 7 dugazon ■ 8 cavaleur.

AMOUREUX: 4 pris ■ 5 amant, épris, flirt ■ 8 galantin ■ 9 adorateur, énamourer ■ 10 crève-cœur, galanterie, langoureux.

AMOUR-PROPRE: 7 orgueil ■ 8 blessure, soufflet ■ 11 égratignure.

AMOVIBLE: 7 hard-top, prussik ■ 8 clavette, clayette, coquille ■ 9 pousse-toc ■ 10 détachable, praticable ■ 11 amovibilité, déhoussable.

AMPELIDACEE: 5 vigne ■ 6 hautin ■ 7 hautain, vitacée ■ 9 lambruche ■ 10 ampélopsis, lambrusque.

AMPERE: 2 ah ■ 4 volt.

AMPEREMETRE: 10 multimètre.

AMPHIBIE: 6 anabas ■ 10 paludarium.

AMPHIBIEN: 9 batracien* ■ 11 ichtyostéga ■ 12 stégocéphale.

AMPHIBOLE: 4 jade ■ 7 syénite ■ 8 actinote ■ 9 trémolite ■ 10 hornblende ■ 11 amphibolite.

AMPHIBOLOGIE: 8 ambiguïté ■ 9 janotisme.

AMPHICTYONIE: 10 amphictyon.

AMPHIGOURI: 6 obscur ■ 10 galimatias.

AMPHINEURE: 6 chiton ■ 9 oscabrion.

AMPHIPODE: 7 gammare, talitre ■ 9 puce de mer.

AMPHITHEATRE: 5 arène ■ 6 cirque, podium ■ 8 vélarium ■ 9 vomitoire ■ 10 vertugadin.

AMPHITRYON: 4 hôte.

AMPLE: 4 gros, toge ■ 5 grand*, large, largo, mante, petit, vaste* ■ 6 étendu, maigre ■ 7 étriqué ■ 8 beaucoup, chlamyde, flottant, peignoir, spacieux ■ 8 flottant ■ 9 redingote ■ 11 cache-misère, houppelande ■ 14 cache-poussière.

AMPLEUR: 6 volume ■ 7 largeur ■ 8 grosseur, juponner, largesse, maigreur ■ 9 amplement, amplitude, envergure ■ 11 atténuateur.

AMPLIATION: 5 copie ■ 10 ampliateur.

AMPLIFICATEUR: 8 push-pull, répéteur ■ 9 magnétron, mégaphone.

AMPLIFICATION: 5 lampe ■ 9 fluidique, sonoriser.

AMPLIFIE: 10 amplifiant.

AMPLIFIER: 6 broder, ouvrir ■ 7 assisté, dilater, élargir, étendre ■ 8 exagérer ■ 9 augmenter, enjoliver ■ 10 transistor ■ 11 paraphraser ■ 13 amplificateur.

AMPLITUDE: 6 chaîné ■ 8 clonique ■ 9 extension, résonance ■ 10 dilatation, modulation ■ 11 microséisme ■ 12 séismographe ■ 13 amortissement.

AMPOULE: 4 bube ■ 5 argon, culot, enflé, lampe ■ 6 cloche, cloque, guindé, phébus, sonore, voyant ■ **7** affecté, pompeux*, queusot ■ **8** calbombe, ronflant, sparklet, ventouse, vésicant ■ **9** calebombe, phlyctène ■ **10** boursouflé, emphatique, pindarique ■ **11** déclamateur ■ **12** autocassable, déclamatoire ■ **13** grandiloquent, stratigraphie.

AMPUTATION: **8** ablation, excision ■ **9** autotomie, rescision, résection ■ **10** abscission, mutilation ■ **11** glossotomie, transfixion ■ **14** auto-amputation.

AMUIR: **11** amuissement.

AMULETTE: **5** bague ■ **6** anneau, charme, gri-gri, sachet ■ **7** fétiche ■ **8** médaille, psellion, talisman ■ **9** caractère, palladium ■ **10** pendeloque, phylactère, porte-veine, scapulaire ■ **12** porte-bonheur.

AMURER: **5** minot ■ **6** mouton.

AMUSANT: **4** joli ■ **5** drôle ■ **6** rigolo ■ **7** comique*, marrant, roulant, tordant ■ **8** plaisant* ■ **9** bidonnant, spirituel ■ **12** divertissant.

AMUSEMENT: **3** jeu ■ **4** joie ■ **6** déduit, gaieté* ■ **7** entrain, plaisir* ■ **8** agrément, amusette, badinage ■ **10** batifolage, passe-temps, récréation ■ **11** délassement, délectation, distraction ■ **12** réjouissance ■ **14** divertissement.

AMUSER: **4** rire ■ **5** gaîté, jouer, muser ■ **6** bercer, égayer ■ **7** amusant, badiner, dérider, ébattre, ébaudir, jouette, niaiser, récréer, régaler, réjouir, rigoler, tromper ■ **8** amusable, délasser, délecter, détendre, divertir, esbaudir, folâtrer, musarder, nigauder, vétiller ■ **9** amusement, batifoler, désopiler, distraire, mystifier ■ **10** désennuyer, plaisanter ■ **11** baguenauder ■ **12** plaisanterie.

AMUSETTE: **9** bagatelle.

AMYGDALE: **10** amygdalite ■ **12** arrière-gorge ■ **14** amygdalectomie.

AMYLEÏNE: **8** stovaïne.

AMYLIQUE: **5** amyle ■ **7** amylène.

AMYLOIDE: **7** amylose.

AN: **4** pige ■ **5** annal, année*, rente ■ **8** annalité, décennal, décennie, triennal, yearling ■ **9** bisannuel, centennal, olympiade, printemps, septennal, tricennal, triennium ■ **11** roch ha-shana, rosh ha-shana ■ **12** annuellement, catherinette, monocyclique.

ANA: **10** anthologie.

ANABAPTISTE: **5** secte ■ **9** mennonite ■ **11** anabaptisme.

ANABOLISME: **9** anabolite.

ANACANTHINIEN: **4** gade.

ANACARDIACEE: **5** laque, sumac ■ **6** acajou, fustet, mombin, rutale ■ **8** manguier, spondias ■ **9** lentisque ■ **10** anacardier, pistachier, térébinthe ■ **13** térébinthacée.

ANACHORETE: **6** ermite ■ **9** solitaire ■ **13** anachorétique, anachorétisme.

ANACHRONISME: **12** anachronique, prochronisme ■ **13** métachronisme, parachronisme.

ANACONDA: **7** eunecte.

ANACREON: **13** anacréontique.

ANAEROBIE: **9** botulique ■ **11** amylobacter, anaérobiose, perfringens.

ANAGNOSTE: **7** lecteur.

ANAGOGIE: **7** exégèse ■ **10** anagogique.

ANAL: **9** castoréum.

ANALECTES: **7** recueil ■ **10** anthologie.

ANALGESIQUE: **5** opium ■ **7** eugénol ■ **8** aspirine, morphine, narcéine ■ **10** antipyrine, salicoside ■ **11** paracétamol ■ **14** dextromoramide, noramidopyrine, phénylbutazone.

ANALOGIE: **5** a pari, rébus ■ **7** parenté, rapport ■ **8** affinité, analo-

gon ■ 10 analogique, analogisme, conformité, similitude ■ 11 comparaison ■ 12 ressemblance* ■ 14 analogiquement, homéomorphisme.
ANALOGIQUE: 11 corrélateur ■ 12 additionneur, soustracteur.
ANALOGUE: 5 série ■ 8 isologue ■ 9 semblable*, similaire ■ 10 analogique ■ 12 assimilation.
ANALPHABETE: 8 ignorant.
ANALYSE: 5 essai, objet, prise, sujet ■ 6 abrégé, ex ante, ex post, lisage ■ 7 dialyse ■ 8 analyser, analyste, attribut, épithète, sommaire, vocodeur ■ 9 analyseur, bordereau, disséquer ■ 10 analytique, apposition, complément ■ 11 abstracteur, autoanalyse, proposition* ■ 12 micro-analyse ■ 13 confusionisme, eurocentrisme ■ 14 analytiquement.
ANALYSER: 7 étudier, résumer, séparer ■ 8 examiner, prélever ■ 9 analysant, disséquer, dissoudre ■ 10 analysable, décomposer ■ 12 inanalysable ■ 15 expert-comptable.
ANALYSEUR: 7 vidicon.
ANALYTIQUE: 9 analycité ■ 11 analyticité ■ 14 analytiquement.
ANAMITE: 11 coucoumelle.
ANARCHIE: 8 désordre* ■ 10 anarchique, anarchisme, libertaire ■ 11 anarchisant ■ 14 anarchiquement.
ANASTOMOSE: 8 palmaire ■ 9 réticulum ■ 11 abouchement, anastomoser ■ 12 incongruence.
ANATHEME: 7 aggrave ■ 8 interdit ■ 11 malédiction ■ 12 condamnation ■ 13 anathématiser ■ 15 excommunication.
ANATIDE: 4 cane ■ 5 eider, pilet ■ 6 bièvre, canard, mulard ■ 7 caneton, canette, colvert, halbran, milouin, souchet, tadorne ■ 8 fuligule, macreuse, morillon, sarcelle ■ 9 canardeau.
ANATIFE: 8 barnache, bernache, bernacle ■ 9 pouce-pied ■ 10 pousse-pied.
ANATOMIE: 5 derme, filet, fosse, jugal, paroi, raphe, sinus, sujet, tissu, voile ■ 8 autopsie, endogène, métamère, zootomie ■ 9 disséquer, hépatique ■ 10 anatomique, anatomiser, anatomiste, angiologie, corpuscule, dissecteur, nécrologie, ostéologie, prosecteur, viviséquer ■ 11 arthrologie, hépatologie, hypergenèse, somatologie, vivisection ■ 12 amphithéâtre ■ 13 anthropotomie, ophtalmologie ■ 14 anatomiquement, splanchnologie.
ANATOMIQUE: 5 caudé ■ 13 préadaptation.
ANCETRE: 4 mère, père ■ 5 aïeul*, azyme, totem, vieux ■ 6 parent ■ 8 atavisme ■ 9 ancestral ■ 10 célérifère, clavicorde, généalogie, shintoïsme.
ANCHE: 8 cromorne, hautbois ■ 10 clarinette.
ANCHIOLOGIE: 10 angiologue.
ANCHOIS: 5 pizza ■ 7 rissole ■ 9 anchoïade, anchoyade ■ 12 pissaladière.
ANCIEN: 3 âgé, ode ■ 4 hast, lyre, nome, robe, urne, uvée ■ 5 bible, démon, doyen, éther, faste, grain, hymne, lèpre, lutte, mitre, murex, mythe, ombre, païen, sacre, salut, sénat, style, tribu, velte, vieil vieux* ■ 6 désuet ■ 7 antique, vétéran, vétuste, vieilli ■ 8 aéropage, palestre, perruque, vieillot ■ 9 antiquité, archaïque, basilique, cyclopéen, scoliaste, séculaire, vertubleu, vertuchou, vertudieu ■ 10 ancienneté, immémorial, orichalque, primordial ■ 12 antédiluvien.
ANCIENNE: 9 tricotets.
ANCIENNEMENT: 5 antan, jadis ■ 7 naguère ■ 9 autrefois.
ANCIENNETE: 9 séniorité.
ANCOLIE: 8 gantelée ■ 9 ganteline.
ANCRE: 3 jas ■ 4 bras, orin, tige ■ 5 ancré, bosse, bouée, capon, carré,

croix, gatte, patte, touée, trabe, verge ■ 6 aisson, ancrer, cigale, collet, gomène, risson ■ 7 ancrage, bossoir, croisée, écubier, grappin, oreille, semelle, stangue ■ 8 aussière, dérapage, embosser, mouiller, organeau, surjaler ■ 9 désancrer, mouillage, mouilleur ■ 10 empennelle, étalingure, tournevire ■ 11 cantonnière, miséricorde, traversière.

ANDAIN : 4 orne.

ANDALOU : 5 solea ■ 8 flamenco ■ 10 séguidilla.

ANDANTE : 9 andantino.

ANDIN : 4 lama, péon, puna ■ 6 ulluco ■ 9 américain ■ 10 transandin.

ANDORRE : 8 andorran.

ANDOUILLE : 5 niais ■ 8 imbécile ■ 12 andouillette.

ANDOUILLER : 4 cerf ■ 5 corne, renne ■ 7 paumier, paumure ■ 8 trochure ■ 9 empaumure.

ANDROGYNE : 10 androgynie ■ 13 hermaphrodite.

ANDROLOGIE : 10 andrologue.

ANDROPAUSE : 9 climatère.

ANE : 3 bât ■ 4 ânée, ânon, mule, ruer ■ 5 ânier, asine, bâter, mulet, rudir ■ 6 ânerie, ânesse, bardot, baudet, bourri, braire, grison, jumart, mélide, onagre ■ 7 anonner, asinien, bardeau, bourrin, chauvir, hémione, hongrer, roussin ■ 8 aliboron, braiment, ignorant, strongle ■ 9 bourricot, bourrique, tussilage ■ 10 bourriquet.

ANEANTIR : 4 user ■ 6 ruiner* ■ 7 abattre, écraser, effacer, réduire, sombrer, vaincre ■ 8 consumer, détruire*, écrouler, extirper ■ 9 submerger ■ 10 péremption.

ANEANTISSEMENT : 5 ruine* ■ 7 nirvana ■ 9 néantiser ■ 10 abattement, extinction, sidération ■ 11 destruction, disparition, écroulement ■ 12 effondrement ■ 13 écrabouillage.

ANECDOTE : 4 écho ■ 5 conte ■ 7 facétie ■ 8 histoire, nouvelle ■ 10 anecdotier ■ 11 anecdotique, anecdotiser, historiette.

ANELASTICITE : 11 anélastique.

ANEMIE : 8 anémiant, anémique, chlorose, kala-azar, langueur* ■ 9 faiblesse* ■ 10 benzénisme, benzolisme ■ 11 thalassémie.

ANEMOMETRE : 11 anémographe.

ANEMONE : 6 adonis ■ 7 actinie ■ 8 sagartie ■ 11 coquelourde.

ANERIE : 6 bêtise.

ANESTHESIE : 4 coca ■ 5 rachi ■ 7 cocaïne ■ 8 endormir, stovaïne ■ 9 pentothal, péridural ■ 11 anesthésier, chloroforme ■ 12 anesthésique, anesthésiste, éthérisation ■ 13 cocaïnisation ■ 14 rachianalgésie ■ 15 anesthésiologie, penthiobarbital, rachianesthésie.

ANESTHESIER : 9 éthériser.

ANESTHESIOLOGIE : 7 lytique.

ANESTHESIQUE : 8 procaïne.

ANEVRYSME : 10 anévrysmal.

ANFRACTUOSITE : 5 creux ■ 6 cavité.

ANGE : 5 démon, djinn, pâque, trône, vertu ■ 6 oiseau ■ 7 angelet, angelot ■ 8 archange, chérubin, séraphin, squatina ■ 9 angélique, angéliser, puissance ■ 10 domination ■ 11 principauté.

ANGELIQUE : 8 vespétro ■ 9 valérique ■ 10 séraphique ■ 12 valérianique ■ 13 angéliquement.

ANGELOT : 5 putto.

ANGINE : 5 angor ■ 8 angineux ■ 10 amygdalite, trinitrine.

ANGIOME : 12 lymphangiome.

ANGIOPLASTIE : 12 transluminal.

ANGIOSPERME : 12 dicotylédone* ■ 14 monocotylédone*.

ANGKOR : 9 angkorien.

ANGLAIS : 3 ale, fox, may, out, raf, set, sir ■ 4 baby, boxe, cake, gang, goal, hall, lady, lord, maid, miss, once, pair, polo, pool, raid, rush, snob, star, stop, stud, test, tory, turf, vamp, vent, wash, whig, yard ■ 5 bacon, bluff, break, chips, clown, crack, crawl, croup, derby, drain, foote, groom, joule, links, livre, lunch, match, mille, nurse, opium, ounce, pence, penny, poker, pouse, punch, rugby, score, scout, short, shunt, skiff, sloop, smart, soddy, stand, stick, stock, stout, sulky, swift, swing, toast, tommy, tract, trust, tweed, wagon, wharf, whist ■ 7 bâtarde, cheddar, coroner, courcon, ketchup, lollard, speaker, stilton, whippet ■ 8 airedale, foxhound, shilling, springer, sterling, yeamanry ■ 9 anglomane, clergyman, commodore, constable, détective, gentleman, lord-maire, niveleurs, policeman, yorkshire ■ 10 angliciser, anglicisme, angliciste, anglomanie, anglophile, anglophobe, anglo-saxon* ■ 11 anglicisant, anglophilie, anglophobie, bull-terrier, suffragette ■ 12 anglo-normand ■ 15 airedale-terrier.

ANGLE : 2 rd ■ 3 cap ■ 4 base, coin, côté, gèze, gord, noue, plan, rive, site ■ 5 arête, bande, barre, biais, borne, carne, carré, corde, coude, degré, droit, entée, grade, joint, obtus, ogive, quart, redan, sinus ■ 6 airage, azimut, biseau, pointe, recoin, sommet ■ 7 alidade, alterné, brisure, chaussé, cosinus, équerre, évasure, externe, fish-eye, isogone, larmier, oxygone, trigone, vernier ■ 8 anguleux, arêtière, avant-bec, capitale, décagone, distance, écoinçon, écornure, hexagone, polygone, réglette ■ 9 acutangle, angulaire, belvédère, bouteroue, charnière, cosécante, dépouille, ennéagone, équerrage, équiangle, heptagone, longitude, orthogone, parallaxe, pentagone, poivrière, polygonal, rectangle, stéradian ■ 10 caponnière,commissure, dodécagone, empointure, encoignure, ennéagonal, feuilletis, goniologie, goniomètre, hypoténuse, micromètre, obtusangle, orthogonal, pantomètre, rapporteur, théodolite, trisecteur, trisection ■ 11 bissectrice, dodécagonal, enfoncement, goniométrie, graphomètre, hendécagone, inclinaison ■ 12 quadrilatère, quarderonner, triangulaire, trigonométrie, trirectangle ■ 13 acutangulaire, grossissement, rectangulaire, triangulation ■ 14 quadrangulaire, sitogoniomètre ■ 15 orthogonalement, perpendiculaire.

ANGLETERRE : 14 anglo-américain.

ANGLICAN : 8 révérend ■ 9 épiscopal, puseyisme ■ 10 protestant ■ 12 épiscopalien ■ 14 non-conformiste.

ANGLO-SAXON : 4 mile, pied, yard ■ 5 pinte, pound, thane ■ 6 yuppie ■ 8 bank-note ■ 10 esthétisme, horse power, trade-union ■ 11 avoir du pois.

ANGLO-SAXONNE : 8 pop music ■ 9 halloween ■ 12 habeas corpus.

ANGOISSE : 4 peur* ■ 5 serre ■ 6 affres, transe ■ 7 anxiété, crainte* ■ 8 angoissé, détresse, insomnie, tourment ■ 9 angoisser, anxiogène, épouvante ■ 10 angoissant, castrateur, inquiétude, pessimisme ■ 14 benzodiazépine, claustrophobie, tranquillisant.

ANGOLA : 8 angolais.

ANGUILLE : 6 pibale ■ 7 long-bec, lycoris, plat-bec, tronçon ■ 8 ammodyte, matelote, pantenne, sargasse ■ 9 lampresse ■ 10 anguillade, anguillère, anguillidé, anguillule, maniguière, pimperneau ■ 11 anguillette, gymnomurène ■ 12 leptocéphale ■ 13 anguilliforme.

ANGUILLIDE : 6 congre, pibale ■ 7 civelle ■ 8 anguille.

ANGUILLULE : 6 nielle ■ 8 anguille ■ 12 anguillulose.

ANGULAIRE : 4 rumb ■ 5 angle, rhumb ■ 7 sextant ■ 8 latitude ■ 10 élongation, tachymètre ■ 11 déclinaison.

ANGULEUX: 9 erratique.
ANHYDRIDE: 7 mofette ■ 8 sparklet ■ 9 amphotère, arsénieux, sulfiage ■ 10 bichromate, carbonique, désulfiter, manganique.
ANHYDRIE: 9 sélénique, titanique ■ 10 molybdique ■ 11 alcalimètre ■ 13 permanganique.
ANHYDROBIOSE: 11 cryptobiose.
ANICROCHE: 8 obstacle ■ 12 complication.
ANILINE: 8 anilisme, fuschine, induline, mauvéine ■ 9 toluidine ■ 11 phénylamine ■ 12 nitrobenzène.
ANIMADVERSION: 12 ressentiment.
ANIMAL: 3 mue, rut, vol ■ 4 bave, bête, cage, crin, cuir, dahu, lard, mère, muer, musc, œuf, peau, poil, rage, suif ■ 5 barbe, brute, chair, corne, cotte, crack, doigt, faune, fauve, fibre, flanc, gaver, halal, huile, laine, larve, litée, merde, métis, monte, morné, ongle, ordre*, paire, panne, pâtée, patte, peler, petit, piège, pince, plein, racer, règne, sabot, sérum, têter, totem, trace, tripe, tyran, venin, volée, vulve* ■ 6 allumé, bétail, chordé, classe*, culard, gibier, hostie, necton, pécore, témoin ■ 7 avorton, colosse, famille*, femelle, fossile, griffon, insight, microbe, monstre, néotène, ovipare, zoolite ■ 8 abattoir, bestiaux, bestiole, couveuse, débouler, écarteur, enzootie, filament, grégaire, individu, instinct, métamère, nuisible, parqueur, pédigrée, pédimane, portière, procordé, protiste, sifflage, tarasque, troupeau, tubicole, tunicier*, vertébré*, vivarium, vivipare, volatile, zoolithe, zoologie, zoonomie, zoophore, zoophyte, zootaxie ■ 9 animalier, animalité, biocénose, bissexuel, cabochard, cœlomate, épizootie, fouisseur, fourrière, frayement, gallicole, généticiste, géphyrien, habillaghe, hibernant, ménagerie, muselière, ptérygote, relaisser, rhéophile, tripaille, vulnérant, zoolâtrie, zoomorphe, zoopathie, zoophagie, zoophobie, zoothèque ■ 10 acœlomate, animalcule, animalerie, animaliser, bestialité, biocœnose, catoblépas, cœlentéré*, domestique, épineurien, éthogramme, invertébré*, métazoaire, microcosme,nécrophage, phylophage, protocordé, ptérygotus, saprophage, sonnailler, spongiaire*, sténohalin, stomocordé, trichineux, zootechnie ■ 11 animalesque, aquiculture, cavernicole, coquecigrue, échinoderme*, hippogriffe, hyponeurien, onguligrade, parturition, protozoaire*, spermophile, stabulation, sthénotherme, strongylose, troussepied, vétérinaire, vivisection, zoophorique, zoothérapie ■ 12 androcéphale, balanoglosse, gonochorisme, kamptozoaire, myrmécophile, ptérobranche, reproducteur, zoomorphique, zoomorphisme ■ 13 bioacoustique, électrocinèse, hermaphrodite, poecilotherme, zoogéographie■ 14 appareillement, diploblastique ■ 15 thermorécepteur.
ANIMALE: 10 spanandrie ■ 14 bioélectricité.
ANIMALCULE: 5 ciron.
ANIMATEUR: 11 disc-jockey ■ 12 protagoniste.
ANIMATION: 3 vie ■ 4 élan, mort ■ 5 animé, houle ■ 7 animato ■ 8 activité ■ 9 mouvement ■ 11 affairement, impétuosité, mouvementer ■ 13 surexcitation.
ANIMAUX: 5 clade.
ANIME: 3 vif ■ 5 chaud, corps, écran, verve ■ 6 vivace, vivant ■ 7 brûlant, cartoon, leucine, vengeur ■ 8 bouillir, gyrostat ■ 9 arylamine ■ 10 chaleureux, méthionine ■ 12 centre-ville, incandescent.
ANIMER: 5 mural ■ 7 mouvoir* ■ ■ 8 acharner, chauffer, stimuler, vivifier ■ 9 animateur, échauffer, enflammer ■ 10 encourager, papilloter, passionner.
ANIMOSITE: 4 anti ■ 5 haine ■ 6 colère ■ 7 aigreur, rancune ■

11 acharnement ■ 12 ressentiment.
ANION : 9 anionique.
ANIS : 4 ouzo ■ 5 anisé ■ 6 aniser ■ 8 anisette, vespétro.
ANKYLOSE : 5 raide ■ 7 perclus, rouillé ■ ■ 9 ankyloser ■ 12 otospongiose.
ANKYLOSTOME : 14 ankylostomiase.
ANNALES : 6 fastes ■ ■ 8 archives, histoire, mémoires ■ 9 annaliste, chronique ■ 10 éphéméride ■ 11 chronologie.
ANNAMITE : 6 congaï ■ 7 congaye.
ANNEAU : 3 ris ■ ■ 4 anel, erse, jonc, lice, mail, œil, rond ■ 5 ancre, bague, bijou, bride, furet, lacer, lasso, morne, piton, valet ■ 6 beigne, boucle, cercle, erseau, étrier, fibule, frette, maille, telson, virole ■ 7 annelet, bélière, chaînon, clavier, collier, coulant, daillot, écusson, maillon, manchon, œillet, tergite ■ 8 alliance, annélidé, annelure, bracelet, capucine, corselet, échaudis, organeau, sternite, tire-fond, tympanal, vervelle ■ 9 annulaire, bouclette, bourrelet, émerillon, gimblette, prothorax ■ 10 chevalière, collerette, cucurbitin, étalingure, mésothorax, porte-clefs, proglottis, verticille ■ 11 cucurbitain ■ 12 baguenaudier, infibulation ■ 14 porte-étrivière.
ANNEE : 2 an* ■ 3 âge, têt ■ 4 mois ■ 5 antan, derby, hiver, revue, scion ■ 6 annuel, saison ■ 8 annuaire, chaumage, équinoxe ■ 9 millésime, perennant, printemps, thermidor, quat'zarts ■ 10 annualiser, bissextile, sabbatique ■ 12 année-lumière, annuellement, climatérique, embolismique.
ANNELE : 5 bagué.
ANNELER : 5 élaps ■ 6 friser ■ 8 métamère ■ 9 moutonner.
ANNELET : 6 maille ■ 7 armille.
ANNELIDE : 7 tubifex ■ 8 parapode ■ 9 hirudinée*, polychète* ■ 10 oligochète* ■ 11 chizogamie, trochophore ■ 12 trochosphère.
ANNEXE : 5 prame ■ 6 ajoute ■ 7 laverie ■ 8 adventif, annexité ■ 10 allantoïde, dépendance, succursale ■ 11 casernement.
ANNEXER : 7 joindre ■ 8 annexion.
ANNEXION : 10 dépendance ■ 13 annexionnisme, annexionniste.
ANNIHILER : 7 annuler ■ 8 détruire* ■ 11 neutraliser ■ 12 annihilation.
ANNIVERSAIRE : 4 obit ■ 8 nativité ■ 10 centenaire ■ 14 cinquantenaire.
ANNONCE : 4 avis, pouf, puff ■ 5 signe ■ 6 augure ■ 7 présage ■ 8 boniment, nouvelle ■ 9 annonceur, annoncier, indicatif, pronostic ■ 10 intersigne, précurseur ■ 11 prémonition ■ 12 annonciateur, avant-coureur ■ 13 avertissement, préromantique ■ 14 prépsychotique.
ANNONCER : 5 citer ■ 6 sonner ■ 7 augurer, avertir, déceler, exhaler, exposer, prêcher, prédire, révéler ■ 8 afficher, apporter, déclarer, dénoncer, exprimer, huissier, présager, signaler ■ 9 apprendre, proclamer, promettre ■ 10 claironner, manifester, préfigurer ■ 11 carillonner, tambouriner ■ 12 pronostiquer.
ANNONCEUR : 9 afficheur.
ANNOTATION : 4 note* ■ 6 notule ■ 7 massore ■ 8 massorah ■ 9 apostille, scoliaste.
ANNOTER : 8 marginer ■ 10 annotateur, annotation.
ANNUAIRE : 6 bottin ■ 10 calendrier.
ANNUALISER : 13 annualisation.
ANNUEL : 4 taux ■ 5 année, pâque, recrû, rente ■ 7 annonce, anuité ■ 8 paulette ■ 9 annualité, bourrache, fumeterre, vergobret ■ 10 émigration, lupercales ■ 11 feuillaison.
ANNUELLE : 5 feria ■ 9 rouquette.

ANNULAIRE : 5 atoll ■ 9 sphincter ■ 13 péristaltique.
ANNULATION : 6 lésion, rature ■ 7 divorce, nullité, réforme ■ 8 caducité, dirimant, dispense, irritant ■ 9 abolition, annulable, annulatif, cassation, déchéance, main-levée, rescision, résoluble, ristourne ■ 10 abrogation, annulement, contrordre, dérogation, érémodicie, extinction, forclusion, péremption, rescission ■ 11 commissoire, destruction, disparition, dissolution, infirmation, liquidation, redhibition, résiliation, restitution, suppression* ■ 12 compensation, contremandant, dénonciation, prescription, redhibitoire, rétractation ■ 13 amortissement ■ 14 anéantissement ■ 15 contre-passation.
ANNULER : 4 ôter ■ 5 clore, néant, raser, rayer* ■ 6 abolir, barrer, biffer, brûler, casser, cesser, dédire, éluder, rompre*, vicier ■ 7 abroger, amortir, déjuger, déprier, déroger, effacer*, éventer, périmer, raturer ■ 8 anéantir, dénoncer, détruire, divorcer, éteindre, forclore, infirmer, liquider, réformer, résilier, résoudre, révoquer, terminer ■ 9 annihiler, compenser, décharger, dispenser, dissoudre, fenestron, invalider, oblitérer, rapporter, rescinder, restituer, rétracter, supprimer* ■ 10 annulation, désinviter, ristourner, sidérostat ■ 11 débalourder, décommander, dépromettre, neutraliser ■ 12 annulabilité, contremander, contrepasser ■ 13 entre-détruire.
ANOBLIR : 8 ennoblir.
ANODE : 8 anodique ■ 10 anaphorèse ■ 11 anodisation ■ 14 électronégatif.
ANODIN : 6 véniel ■ 8 innocent ■ 10 inoffensif.
ANODISATION : 8 anodiser.
ANODONTE : 5 moule.
ANOMALIE : 6 anomal, rareté ■ 7 achylie, ectopie, trouble ■ 8 trisomie ■ 9 albinisme, amétropie, dysplasie, exception, strabisme ■ 10 daltonisme, dysmorphie, hémophilie, irrégulier, nyctalopie ■ 11 dyskératose, dysmorphose, ■ 12 astigmatisme ■ 13 hypermétropie, microcéphalie, prolifération ■ 14 décompression.
ANOMALURIDE : 9 anomalure.
ANON : 10 bourriquet.
ANONA : 8 corossol.
ANONACEE : 5 anone ■ 10 ilang-ilang, ylang-ylang.
ANONNER : 10 ânonnement.
ANONYME : 2 on ■ 6 caché, secret ■ 8 anonymat ■ 11 anonymement.
ANOREXIE : 6 dégoût ■ 10 anorexique ■ 11 inappétence.
ANOREXIGENE : 9 coupe-faim.
ANORMAL : 5 galop, larvé ■ 6 anomal ■ 7 bizarre ■ 8 râlement ■ 9 anaplasie, coupe-faim, excitation, impulsion, mérycisme, phénomène, pilosisme ■ 10 anormalité, induration, irrégulier ■ 11 crépitation, crépitement, diverticule, emballement, hypergenèse, hypermnésie, klinefelter ■ 12 anormalement, exceptionnel, gynécomastie, hypertrophie ■ 13 pseudarthrose ■ 14 extraordinaire.
ANOURE : 4 pipa ■ 5 alyte, raine ■ 6 ranidé ■ 7 crapaud ■ 8 pélobate, rainette ■ 10 grenouille.
ANOXIE : 7 hypoxie.
ANSE : 4 broc ■ 5 buire, godet, manne, tasse ■ 7 portant ■ 8 serre-nez ■ 9 mésentère ■ 14 électrocautère.
ANSERIFORME : 3 oie ■ 5 cygne, oison ■ 7 anatidé*, kamichi ■ 8 bernache, bernacle ■ 13 lamellirostre.
ANSERINE : 9 chénopode.
ANTAGONISTE : 6 ennemi, opposé ■ 8 glucagon ■ 13 oppositionnel.
ANTALGIQUE : 10 endorphine ■ 12 endomorphine.
ANTAN : 12 anciennement.

ANTARCTIQUE : 7 chionis.
ANTECAMBRIEN : 11 précambrien.
ANTECEDENT : 9 antérieur, précédent, surjectif ■ 10 rétroactes.
ANTEDILUVIEN : 6 ancien, désuet ■ 7 fossile.
ANTEISLAMIQUE : 12 préislamique.
ANTENAIS : 6 vavice.
ANTENNATE : 11 mandibulate.
ANTENNE : 5 accré, gabie, penne ■ 6 radome ■ 10 antenniste ■ 11 directivité ■ 12 omnidirectif.
ANTEPENULTIEME : 12 proparoxyton.
ANTEPOSE : 12 antéposition.
ANTERIEUR : 4 tête ■ 5 avant*, coupe, écart, front, gorge, large, olive, passé, pince, pomme, pubis, serre, tibia ■ 7 pronaos ■ 8 antidate, prélatin ■ 9 devanture, incunable, précédent ■ 10 préadamite, précordial, préemption, prélogique, quadriceps, régression ■ 11 antépophyse ■ 12 préclassique, précolombien, préexistence, préglaciaire, prévisionnel ■ 13 antéislamique, céphalothorax, préhellénique, préindustriel ■ 14 antéprédicatif.
ANTERIEURE : 9 avant-main.
ANTERIEUREMENT : 5 avant*, psoas ■ 7 a priori.
ANTERIORITE : 4 ante ■ 5 autre ■ 8 priorité.
ANTHERE : 5 filet, fleur ■ 8 extorse, introrse ■ 9 connectif.
ANTHOLOGIE : 3 ana ■ 8 analecta, mélanges ■ 9 analectes, florilège, spicilège ■ 10 collection ■ 13 chrestomathie.
ANTHOZOAIRE : 6 corail ■ 7 actinie, anémone ■ 8 cnidaire ■ 9 madrépore, méandrine ■ 10 zoanthaire ■ 11 coralliaire ■ 15 octocoralliaire*.
ANTHRACENE : 12 pénanthrène ■ 13 anthraquinone.
ANTHRACITE : 7 houille ■ 12 anthraciteux.
ANTHRAX : 6 ulcère ■ 8 furoncle ■ 13 staphylocoque.
ANTHROPIEN : 12 néanthropien ■ 14 archanthropien.
ANTHROPODE : 9 antennate ■ 11 chélicérate.
ANTHROPODIEN : 14 paléanthropien.
ANTHROPOIDE : 5 singe ■ 6 gibbon ■ 7 gorille, pongidé ■ 9 chimpanzé ■ 10 orang-outan ■ 11 orang-outang.
ANTHROPOLOGIE : 11 monogénisme ■ 13 anthropologue ■ 15 anthropologique, anthropologiste.
ANTHROPOLOGIQUE : 14 diffusionnisme.
ANTHROPOMETRIE : 13 bertillonnage.
ANTHROPOPHAGE : 4 ogre ■ 9 cannibale ■ 12 cannibalisme ■ 14 anthropophagie.
ANTHROPOTOMIE : 8 anatomie.
ANTHYLLIS : 10 vulnéraire.
ANTI : 3 ant.
ANTIAERIEN : 8 black-out, saucisse ■ 9 auto-canon.
ANTIANEMIQUE : 7 folique.
ANTIBIOTIQUE : 3 p.a.s. ■ 9 colistine, néomycine, nystatine ■ 11 auréomycine, éthionamide, gentamicine, gramicidine, pénicilline, rifampicine ■ 12 clindamycine, terrafungine, tétracycline, tyrothricine ■ 13 antibiogramme, cléandomycine, streptomycine ■ 14 céphalosporine ■ 15 antibiothérapie, chloramphénicol.
ANTIBLOCAGE : 3 abs.
ANTICANCEREUX : 12 caryolytique.
ANTICHAMBRE : 5 toril ■ 9 vestibule ■ 13 porte-chapeaux.
ANTICIPATION : 6 avenir ■ 7 à-valoir ■ 9 prénotion, pronostic ■

10 avancement ■ 11 présomption.
ANTICIPE : 13 anticipatoire.
ANTICIPER : 6 sonder ■ 7 augurer, espérer, prédire, usurper ■ 8 annoncer, devancer*, dévoiler, préjuger, présager, présumer ■ 9 découvrir ■ 12 pronostiquer.
ANTICLINAL : 3 ruz ■ 5 cluse, combe ■ 11 boutonnière.
ANTICOAGULANT : 8 héparine.
ANTICONCEPTIONNEL : 10 spermicide.
ANTICORPS : 8 antigène, opsonine ■ 9 hybridome ■ 10 monoclonal ■ 12 auto-immunité ■ 14 gammaglobuline.
ANTICYCLONE : 12 anticyclonal ■ 14 anticyclonique.
ANTIDATE : 9 antidater ■ 10 fausse date.
ANTIDEPRESSIF : 10 imipramine.
ANTIDERAPANT : 8 tricouni.
ANTIDIABETIQUE : 11 tolbutamide.
ANTIDIPHTERIQUE : 5 sérum.
ANTIDOTE : 3 b.a.l. ■ 6 remède ■ 7 bézoard ■ 9 protamine, thériaque ■ 12 contrepoison.
ANTIENGIN : 11 antimissile.
ANTIENNE : 5 chant ■ 8 cantique ■ 9 communion ■ 10 répétition ■ 11 invitoire.
ANTIFONGIQUE : 13 antimycosique, griséofulvine.
ANTIFRICTION : 10 cuproplomb.
ANTIGENE : 3 hla ■ 14 immunotolérant.
ANTIHALLUCINATOIRE : 13 butyrophénone.
ANTIHISTAMINIQUE : 12 prométhazine.
ANTIINFLAMMATOIRE : 12 indométacine ■ 13 triamcinolone ■ 14 hydrocortisone, phénylbutazone.
ANTILLAIS : 4 rhum ■ 5 tabac ■ 6 cassie, cubain ■ 7 colombo, haïtien ■ 8 ambrette, sapotier, sphyrène ■ 9 érythrine, malpighie, savonnier, vanillier ■ 10 canéficier, dominicain, flamboyant, jamaïquain ■ 11 porto-ricain, sapotillier ■ 12 mancenillier, quatre-épices.
ANTILLES : 4 îlet ■ 11 cristophine.
ANTILOGIE : 13 contradiction.
ANTILOPE : 3 cob, kif, kob ■ 4 gnou, oryx ■ 5 addax, éland, kobus, okapi, saïga ■ 6 bubale, impala, ourébi ■ 7 gazelle, nilgaut ■ 9 algazelle, springbok, steinbock ■ 10 damalisque.
ANTIMATIERE : 9 antiatome.
ANTIMETABOLE : 13 transposition.
ANTIMISSILE : 9 antiengin.
ANTIMITOTIQUE : 11 vinblastine.
ANTIMOINE : 2 sb ■ 6 cosmet, stibié ■ 7 stibine, stibium ■ 8 algaroth ■ 9 antimonié ■ 11 antimoniate, antimonieux, antimoniure, valentinite ■ 12 antifriction.
ANTINEUTRON : 13 antiparticule.
ANTINEVRALGIQUE : 7 menthol.
ANTINOMIE : 10 opposition ■ 11 antinomique ■ 13 contradiction.
ANTIPARASITE : 8 chaulage.
ANTIPARLEMENTAIRE : 7 rexisme.
ANTIPARTICULE : 11 antimatière ■ 12 antineutrino ■ 14 anticorpuscule.
ANTIPATHIE : 5 haine ■ 6 grippe ■ 7 horreur ■ 8 détester, souffrir ■ 9 affection ■ 10 détestable, répugnance* ■ 11 éloignement.
ANTIPATHIQUE : 9 grognasse.
ANTIPATRIOTIQUE : 15 antipatriotisme.
ANTIPHRASE : 10 euphémisme.

ANTIPROTON : 13 antiparticule.
ANTIPSYCHIATRIE : 14 antipsychiatre.
ANTIPYRETIQUE : 11 paracétamol.
ANTIQUAIRE : 10 brocanteur.
ANTIQUE : 5 passé ■ 6 ancien, cérame ■ 7 serrate ■ 8 quadrige, serratus ■ 9 clepsydre ■ 10 heptacorde, massaliote ■ 11 antiquement, antiquisant.
ANTIQUITE : 4 none ■ 5 boule, édile, musée, palla, palme, pédum, pelte, plèbe ■ 7 scholie ■ 8 archonte, brocante, cerboise, cothurne, phalange ■ 9 classique, nécropole ■ 10 calcédoine, clérouchie, clérouquie, mythologie, troglodyte ■ 12 amphictyonie, assyriologie, assyriologue.
ANTIRACHITIQUE : 10 calciférol.
ANTISCORBUTIQUE : * 4 malt ■ 10 ascorbique, cochléaria.
ANTISEPSIE : 12 désinfection ■ 14 assainissement.
ANTISEPTIQUE : 4 iode ■ 7 benjoin, eugénol, naphtol ■ 8 créosote ■ 9 collargol, iodoforme ■ 10 hexamidine ■ 11 salicylique ■ 12 désodorisant ■ 13 mercurescéine, mercurochrome.
ANTISPASMODIQUE : 3 ase ■ 5 sauge ■ 7 mélisse ■ 9 valériane ■ 11 assa-foetida ■ 13 spasmolytique.
ANTISTROPHE : 5 épode.
ANTITHESE : 7 chiasme ■ 9 antonymie ■ 10 opposition ■ 11 antithétique.
ANTITUBERCULEUX : 10 isoniazide ■ 11 éthionamide, rifampicine.
ANTIVARIOLIQUE : 9 jennérien.
ANTIVIRAL : 3 azt.
ANTOMOSTACE : 8 copépode* ■ 9 cirripède* ■ 12 branchiopode*.
ANTONYMIE : 8 antonyme ■ 9 antithèse, contraire ■ 10 opposition.
ANTRE : 4 abri*, gîte, trou ■ 5 creux ■ 6 cavité, grotte, réduit ■ 7 caverne, repaire, tanière, terrier ■ 8 cachette, casemate, rocaille ■ 10 excavation, souterrain ■ 11 enfoncement.
ANURIE : 9 asystolie.
ANUS : 3 cul ■ 4 anal, trou ■ 5 crête, marge, siège, vesse ■ 6 rectum* ■ 7 périnée ■ 8 derrière, intestin, proctite ■ 9 auscopie, fondement ■ 10 hémorroïde, proctalgie, troufignon ■ 11 proctologie, troufignard.
ANVERS : 9 anversois.
ANXIETE : 4 peur* ■ 6 transe ■ 7 crainte* ■ 8 angoisse ■ 9 anxiogène ■ 10 inquiétude ■ 12 anxieusement, anxiolytique ■ 14 tranquillisant.
ANXIEUSEMENT : 13 craintivement.
ANXIOLYTIQUE : 8 diazépam ■ 11 méprobamate.
AORTE : 7 aortite ■ 8 aortique, sigmaoïde ■ 11 coarctation.
AOUT : 5 aoûté.
APACHE : 5 nervi ■ 6 bandit ■ 10 malfaiteur.
APAGOGIE : 10 apagogique.
APAISE : 12 anxiolytique.
APAISEMENT : 4 paix* ■ 5 baume, calme*, dégel ■ 6 bonace, décrue ■ 7 apathie ■ 9 agitation, béatitude, lénifiant, placidité, rémission, réserpine ■ 10 rémittence, répression ■ 11 pacificateur, pacification, tranquilité ■ 13 , adoucissement, impassibilité, implacabilité, insensibilité.
APAISER : 5 graver ■ 6 bercer, calmer*, dormir, guérir, tasser ■ 7 adoucir*, amortir, consoler, diminuer, étancher, éteindre, étouffer, lénifier, pacifier, radoucir, ralentir, rassurer, réprimer, soulager, tempérer ■ 9 assourdir, refroidir ■ 10 apaisement, cicatriser, désaltérer, rasséréner, satisfaire, sommeiller ■ 13 révolutionner ■ 15 antiasthmatique.
APANAGE : 7 sagesse ■ 8 apanager ■ 9 propriété ■ 10 apanagiste.

APARTE : 4 solo ■ 9 monologue.
APATHIE : 6 atonie ■ 7 endormi, énergie, inertie, marasme, paresse ■ 8 langueur, mollesse ■ 9 indolence ■ 10 nonchaloir ■ 11 infériorité, mollasserie, nonchalance* ■ 12 enthousiasme, indifférence ■ 13 insensibilité.
APATRIDE : 10 sans-patrie.
APERCEVOIR : 4 voir* ■ 5 juger ■ 6 aviser ■ 7 visible ■ 9 entrevoir ■ 11 apercevable ■ 13 abaisse-langue ■ 14 entr'apercevoir.
APERCU : 4 idée ■ 5 avisé ■ 8 esquisse ■ 11 échantillon.
APERITIF : 5 apéro ■ 7 colombo, quassia ■ 8 quassier, simaruba ■ 9 quinquina.
APESANTEUR : 11 impesanteur.
APETALE : 7 moracée*, ulmacée* ■ 9 bétulacée*, pipéracée*, salicacée*, urticacée* ■ 10 cupulifère, salsolacée, santalacée ■ 11 aristoloche, juglandacée*, loranthacée*, polygonacée* ■ 12 cannabinacée*, nyctaginacée* ■ 13 chénopoduacée*, cupuliféracée ■ 14 archichlamydée.
A PEU PRES : 4 vers ■ 5 comme, quasi ■ 7 presque ■ 8 autourde ■ 9 quasiment ■ 10 approchant ■ 12 pratiquement.
APEURE : 6 alarmé, épeuré, timoré.
APHASIE : 9 aphasique ■ 13 jargonaphasie.
APHELIE : 9 périhélie.
APHORISME : 6 maxime, pensée ■ 12 aphoristique.
APHTEUX : 7 cocotte.
API : 5 pomme ■ 10 mancenille.
APIDE : 7 abeille, andrène, bourdon ■ 11 hyménoptère*.
APIQUER : 6 hisser ■ 8 apiquage.
APITOIEMENT : 5 pitié ■ 10 comparaison ■ 15 attendrissement.
APITOYER : 7 toucher ■ 8 compatir, émouvoir, plaindre ■ 9 attendrir, attrister ■ 11 apitoiement.
APLANETIQUE : 11 aplanétisme.
APLANIR : 4 unir ■ 5 battre, doler, mater, matir, polir, rabot, xyste ■ 7 dresser, épanner, niveler, raboter, régaler ■ 8 cylindre, égaliser, repasser ■ 9 dégauchir, guimbarde, raboteuse ■ 11 compresseur ■ 13 aplanissement.
APLANISSEMENT : 8 rabotage, régalage ■ 10 régalement ■ 11 nivellement.
APLATI : 4 rame ■ 5 camus, dogue, galet, hotte, hoyau, nopal, pince ■ 6 écrasé ■ 7 paumure.
APLATIR : 5 river ■ 6 palmer ■ 7 écacher, écraser, presser ■ 8 rabattre, raplatir ■ 9 comprimer ■ 11 aplatissoir ■ 12 aplatissoire ■ 13 aplatissement.
APLATISSEMENT : 5 forge ■ 8 bassesse ■ 9 collapsus ■ 10 dépression, fasciation.
APLATIT : 11 aplatissage.
APLOMB : 4 cale ■ 5 culot ■ 6 fermeté ■ 7 boiteux ■ 8 aplomber ■ 9 assurance, équilibre, hardiesse ■ 10 surplomber.
APOCALYPSE : 5 bible ■ 8 bataille ■ 10 antéchrist ■ 13 apocalyptique.
APOCOPE : 7 apocopé.
APOCRYPHE : 4 faux ■ 5 bible ■ 7 supposé.
APOCYNACEE : 9 pervenche ■ 10 landolphia, landolphie, strophante ■ 11 laurier-rose ■ 12 frangipanier, strophanthus.
APODE : 4 lune, môle ■ 6 lançon, murène ■ 7 cécilie, équille ■ 9 syngnathe ■ 10 anguillidé*, hippocampe, lunguatule.
APOGEE : 4 acmé ■ 6 comble, sommet*.

APOLLON : **10** apollinien.
APOLOGIE : **5** plaid ■ **7** défense, louange ■ **8** discours ■ **9** plaidoyer ■ **10** apologique, apologiste, plaidoirie ■ **12** apologétique ■ **13** justification.
APOLOGUE : **5** conte, fable.
APONEVROSE : **5** raphé ■ **6** fascia ■ **13** aponévrotique.
APOPHTEGME : **6** pensée.
APOPHYSE : **8** acromion, cheville, malléole, olécrane, styloïde ■ **9** coracoïde ■ **10** épicondyle, ptérgyoïde ■ **11** apophysaire, zygomatique ■ **12** apoplectique.
APOPLEXIE : **10** congestion.
APORIE : **10** aporétique.
APOSTAT : **4** laps ■ **6** relaps, renier ■ **7** renégat ■ **8** infidèle ■ **9** apostasie, hérétique ■ **10** hétérodoxe ■ **11** hérésiarque ■ **12** schismatique.
A POSTERIORI : **13** apostériorité.
APOSTILLE : **4** note ■ **10** apostiller.
APOSTOLAT : **7** mission ■ **10** intégrise ■ **15** apostoliquement.
APOSTOLIQUE : **15** apostoliquement.
APOSTROPHER : **5** scène ■ **7** appeler, élision ■ **11** interpeller.
APOTHICAIRE : **10** pharmacien.
APOTRE : **5** bible, crédo ■ **9** apostolat ■ **11** apostolique, évangeliste ■ **12** apostolicité.
APPAIRAGE : **8** appairer.
APPARAISSEMENT : **5** lever ■ **9** apparence.
APPARAITRE : **5** lever, venir* ■ **6** avérer, éclore, éditer, percer, sortir, surgir, trahir ■ **7** émerger, exposer, montrer, poindre, pointer, pousser, révéler ■ **8** annoncer, apparoir, déclarer, dessiner, détacher, paraître*, produire ■ **9** affleurer, commencer, découvrir, évocation, présenter, ressortir ■ **10** apparition, développer, distinguer ■ **11** comparaître, échardonner ■ **12** réapparaître, transfigurer ■ **13** comptabiliser, fantasmagorie, transparaître.
APPARAT : **4** gala, luxe* ■ **5** dîner, pompe, yacht ■ **6** caftan ■ **7** tralala ■ **8** appareil, tonnelet ■ **10** cérémonial, couvre-pied ■ **11** couvre-pieds.
APPAREIL : **2** c.b. ■ **3** ber, bip ■ **4** cage, drop, dyke, grue, loch, œil, pile, pipe, skip, tour, yeux ■ **5** agrès, arroi, asdic, avion, balai, bombe, bouée, conge, cycle, engin*, étude, frein, frigo, gibet, goret, herse, hyphe, kodak, lampe, micro, mitre, mixer, modem, moule, palan, pelle, phare, poêle, pompe, poste, prise, radar, robot, sonar, sonde, tapis, valve, vérin ■ **6** bip-bip, bocard, bougie, caméra, casque, chèvre, cowper, crible, hausse, masque, moteur, pick-up, ridoir, signal, siphon, thalle, trieur, tungar ■ **7** alambic, apparat, batteur, blondin, briquet, chadouf, chariot, cireuse, civière, combiné, cyclone, dentier, étuveur, gabarit, gaveuse, gerbeur, hachoir, isodome, isotron, lecteur, machine*, margeur, minerve, moviola, orthèse, ozoneur, pèse-sel, pH-mètre, purgeur, robinet, sablier, scanner, sécheur, séchoir, serrure, sifflet, sondeur, stomate, tendeur, testeur, traceur, trapèze, travail, trommel, turbine, vêleuse, venturi, vibreur, vumètre ■ **8** abat-vent, aérateur, aérostat, allumoir, applique, armature, ball-trap, batteuse, bouclier, boussole, bretelle, chadburn, chargeur, cohéreur, compound, compteur, couronne, couveuse, éclateur, éjecteur, émulseur, éolipile, éolipyle, épulpeur, étambrai, étuveuse, fourneau, friteuse, gazogène, gerbeuse, glacière, gonfleur, grilloir, guide-fil, hématose, kénotron, limiteur, luxmètre, malaxeur, manostat, mesureur, mitigeur, mouchard, moulinet, mycélium, nosémosc, ohmmètre, pessaire, pissette, polarisé, ratelier, ronfleur, sécheuse, serre-nez, sourdine, standard,

télétype, titreuse, visseuse ■ **9** absorbeur, aéroscope, allume-gaz, altimètre, analyseur, ascenseur, atomiseur, autoclave, autofocus, basculeur, bilharzie, bitension, cafetière, catapulte, chalumeau, crocodile, décanteur, déclanche, dégivreur, déjecteur, démarreur, dessaleur, détecteur, détendeur, diffuseur, digesteur, dosimètre, échangeur, élévateur, embrayeur, endoscope, engreneur, éplucheur, épurateur, ergomètre, essoreuse, exploseur, extenseur, gouttière, gyromètre, gyroscope, homéostat, humecteur, injecteur, inverseur, lave-glace, lucimètre, mélangeur, minuterie, mire-œufs, monnayeur, monte-sacs, mouilleur, multiplex, myographe, oléomètre, ondemètre, opérateur, osmomètre, ozonateur, ozoniseur, parachute, parcmètre, partiteur, périscope, podomètre, posemètre, prompteur, raffineur, récepteur, reniflard, repasseur, retordoir, retorsoir, simulacre, soufreuse, téterelle, thytatron, trembleur, variateur, vibrateur, volumètre, wattmètre ■ **10** acétomètre, acidimètre, adaptateur, aérographe, aérotherme, aspirateur, audiophone, auto-alarme, automobile, bourriquet, brise-béton, calorifère, capte-suies, chauffe-eau, chauffe-lit, compositeur, concasseur, condenseur, connecteur, contacteur, contrôleur, controller, convecteur, cuisinière, déboucheur, débourbeur, déflecteur, déshuileur, détartreur, dictaphone, engreneuse, éplucheuse, ergographe, éthylotest, étrangloir, excavateur, exerciseur, exhausteur, extracteur, extrudeuse, fumigateur, générateur, gravimètre, grille-pain, gypsomètre, gyrocompoas, héliomètre, hétérodyne, horodateur, hydromètre, hygroscope, inhalateur, instrument*, lance-mines, microsonde, monte-pente, multimètre, nébuliseur, numéroteur, obturateur, parcomètre, pas-de-géant, pelleteuse, perce-carte, pèse-lettre, phasemètre, phtomaton, pièzomètre, plafonnier, polariseur, porte-copie, projecteur, pseudopode, pulsomètre, pytographe, radiomètre, radiosonde, raidisseur, redresseur, régulateur, résonateur, sauterelle, scaphandre, sèche-linge, séparrateur, sertisseur, sidérostat, silencieux, sonagraphe, souffleuse, tachymètre, télécinéma, télégraphe, téléviseur, thermostat, totaliseur, transistor, travelling, turbimètre, variomètre, vélocimane, vidéophone, visiophone, voltamètre ■ **11** abrasimètre, adoucisseur, alcalimètre, amblyoscope, ampèremètre, apériodique, aplatisseur, apparatchik, arrache-clou, autocuiseur, avertisseur, binoculaire, capacimètre, carburateur, chasse-neige, chauffe-bain, collimateur, climatiseur, colorimètre, combinateur, compresseur, compte-tours, conjoncture, crève-vessie, cultivateur, économiseur, épidiascope, éthylomètre, évaporateur, fluviomètre, génératrice, grisoumètre, hache-viande, haut-parleur, hélicoptère, héliographe, home-trainer, humidimètre, intégrateur, kinétoscope, lance-amarre, lance-bombes, lance-fusées, lymphatique, mégohmmètre, métalliseur, monte-charge, motoculteur, oscillateur, palettiseur, pantographe, phonographe, photo-finish, piézographe, plansichter, pluviomètre, polarimètre, porte-amarre, psophomètre, radioréveil, réchauffeur, réfrigérant, sectionneur, sélectivité, servo-moteur, spectomètre, stéréodonte, stroboscope, surgélateur, tensiomètre, triturateur, ventilateur, visionneuse ■ **12** accélérateur, accumulateur, agrandisseur, appareillage, appareilleur, assainisseur, autobloqueur, bélinogaphe, cache-flammes, cardiographe, centrifugeur, chauffe-mains, chauffe-pieds, cheval-arçons, chronographe, condensateur, conformateur, conservateur, crève-tonneau, déchiqueteur, déflagrateur, désinfecteur, dessiccateur, distributeur, ébullioscope, ébulliomètre, électrophone, enregistreur, épaississeur, explosimètre, filtre-presse, fluviographe, frigorifique, haut-fourneau, incinérateur, installation, interrupteur, lance-flammes, laryngoscope, liquéfacteur, lithotriteur, mache-bouchon, magnétophone, manipulateur, oscilloscope, paratonnerre, pervibrateur, phonocapteur, positionneur, préconscient, protège-dents, psychromètre, récupérateur, régénérateur, salarigraphe, sèche-cheveux, sensitomètre, shampouineur, spectromètre, spectroscope, stabilimètre, starting-gate, surchauffeur, synthétiseur, tachéographe, tachitoscope, telluromètre, torréfacteur, totaliseur, tourne-broche, transbordeur, transmetteur, transporteur, turbomachine, vibromasseur, vidéolecteur, viscosimètre, volucompteur ■ **13** accéléromètre, amplificateur, arithmographe, attendrisseur, chasse-pierres, collisionneur, concentrateur, conditionneur, convertisseur, daguerréotype, décompresseur, dépoussiéreur, électrolyseur, électromoteur, esthésiomètre, groutte-à-goutte, hydroclasseur, lance-grenades, lithotripteur, mâche-bouchons, oscillographe, phonocontrôle, potentiomètre, profilographe, programmateur, radiocassette, rectificateur, réfrigérateur, refroidisseur, scintillateur, shampouineuse, stérilisateur, télautographe, téléimprimeur, téléscripteur, temporisateur, tourne-feuille, transcripteur, transistorisé, varheurelètre, vulvanisateur ■ **14** accélérographe, batteur-broyeur, chauffe-biberon, cinématographe, cinéthéodolite, défribrillateur, désurchauffeur, électro-ménager, fréquencemètre, génito-urinaire, interféromètre, lance-roquettes, lance-torpilles, millivoltmètre, péritéléphonie, péritélévision, radiotélescope, ramasse-miettes, resurchauffeur, retransmetteur, sitogoniomètre, synchroniseuse, transformateur ■ **15** échantillonneur, lactodensimètre, phénakistoscope, radiogoniomètre, rétroprojecteur, superhétérodyne, unidirectionnel.

APPAREILLAGE : 11 chevalement, échafaudage.

APPAREILLER : 5 lever ■ **6** étayer ■ **8** assortir ■ **9** accoupler ■ **10** échafauder ■ **12** appareillage.

APPAREILLEUR : 9 souffleur.

APPARENCE : 3 air ■ **4** fond, idée, jour, maya, mine, port, tour ■ **5** décor, forme, frime, image, lueur, moire, nacre, ombre, phase, rayon, voile ■ **6** aspect, dehors, doucet, façade, feinte, figure, livrée, masque, teinte, vernis ■ **7** chagrin, couleur, greleux, grimace, opalisé, sembler, soupçon, surface ■ **8** apparoir, auspices, cuivreux, évidence, farinage, fausseté, illusion, paradoxe, paraître, physique, portrait, semblant, spécieux, tournure, truquage ■ **9** aigre-doux, caractère, censément, colloïdal, dénaturer, enveloppe, étiquette, extérieur, furfuracé, hypothèse, imposteur, imposture, simulacre ■ **10** briquetage, caulescent, conjecture, granitoïde, inapparent, métallique, réincarner, requinquer, schistoïde, simulation, symbolique ■ **11** apparemment, lithophanie, physionomie, présomption, probabilité, saccharoïde, trompe-l'œil ■ **12** cholériforme, parchemineux, pelliculaire, plausibilité ■ **13** vraisemblance ■ **14** anthropomorphe.

APPARENT : 5 chose, cours, façon, ligne ■ **6** latent, patent, secret ■ **7** visible* ■ **8** distinct, parement, prétexte, saillant, spécieux, spontané, trompeur ■ **9** essentiel, impédance, libration ■ **10** aberration, digression, ostensible, proéminent ■ **11** perceptible ■ **15** autocinétique.

APPARENTE : 6 acaule ■ **9** surpique ■ **10** parapublic.

APPARIEMENT : 12 appareillade.

APPARIER : 9 accoupler ■ **11** appariement.

APPARITEUR : 7 chaouch ■ **8** huissier.

APPARITION : 3 vue ■ **5** fondu, lueur ■ **6** vision ■ **7** fantôme, météore, spectre ■ **8** éclosion, parution ■ **9** biogenèse, éveilleur, phénomène, virilisme ■ **10** abiogenèse, allochtone, exposition, incubation, spéciation, vauclusien ■ **11** cancérigène, emménagogue, publication ■

12 complication, épiphénomène ■ 13 anthropogénie ■ 14 anthropogenèse, anthropozoïque, polygonisation, septicopyoémie ■ 15 cristallisation, transfiguration.

APPARTEMENT : 4 flat ■ 5 bauge, bouge, calla, harem, hypne, logis, niche, pièce, salle, salon ■ 6 meuble, studio, taudis, zénana ■ 7 gynécée, morbier, nursery ■ 8 adiantum, caladium, chausson, latanier, logement, monstera, plancher ■ 9 araucaria, asparagus, locataire, vestibule ■ 10 aphélandra, aspidistra, dégagement, living-room, pied-à-terre ■ 11 ameublement, antichambre, garçonnière ■ 12 philodendron.

APPARTENANCE : 7 domaine ■ 9 propriété ■ 10 dépendance, indivision, possession.

APPARTENIR : 4 être ■ 6 échoir ■ 7 revenir ■ 8 convenir ■ 9 retourner ■ 12 appartenance.

APPARTIENT : 3 rom ■ 4 jaïn ■ 5 djaïn, jaïna ■ 6 zoulou ■ 7 jaciste ■ 8 thymique ■ 9 confucéen, matutinal, sulpicien, triadique, uropygial, vitaliste ■ 10 garçonnier, monoclonal, non-croyant, ossianique, sandiniste ■ 11 caravagiste, indigéniste, néoréaliste, postmoderne ■ 12 caravagesque, millénariste, néoclassique ■ 13 hyperréaliste, transnational ■ 14 néocapitaliste ■ 15 constructiviste, fondamentaliste, néocolonialiste.

APPAS : 8 attraits.

APPAT : 3 blé, vif ■ 4 abet, èche ■ 5 abait, achée, aiche, boète, devon, esche, filet, manne, piège, rogue, vendu ■ 6 amorce, boette, boitte, grappe, leurre, mouche ■ 7 nouette, cuiller, lamparo, menuise, réclame, sourire ■ 8 boulette, œillade ■ 9 affrioler, arénicole ■ 10 affriander ■ 11 allèchement ■ 12 traîne-bôches.

APPATER : 5 gober ■ 6 avaler, escher, mordre ■ 7 amorcer, attirer*, séduire ■ 8 aguicher, allécher, amadouer, attraper, bouetter ■ 9 affrioler ■ 10 affriander.

APPAUVRIR : 7 épuiser ■ 15 appauvrissement.

APPAUVRISSEMENT : 10 étiolement ■ 13 paupérisation.

APPEAU : 11 courcaillet.

APPEL : 2 hé, ho ■ 3 cri, hem, hep, ohé, oup, pst ■ 4 allo, défi, gong, hoir, houp, oura, voix ■ 5 corne, levée, psitt, signe ■ 6 alarme, appeau, invite, leurre, maxima, rappel ■ 7 pourvoi, recours, réclame, vocatif ■ 8 appelant, appeleur, citation, sonnerie, vocation ■ 9 clin d'œil, évocation, sommation ■ 10 apostrophe, attraction, invitation*, invocation, rendez-vous, téléalarme ■ 11 assignation, contre-appel, convocation, désignation*, infirmation, provocation ■ 12 interjection, mobilisation ■ 13 avertissement, incorporation, signalisation ■ 14 souverainement.

APPELE : 5 ledit ■ 6 ladite ■ 8 milicien.

APPELER : 5 appel, bénir, caser, créer, élire, héler, hello ■ 6 élever, houper, hucher, mander, nommer*, placer, sonner ■ 7 attirer*, avertir, choisir, convier, évoquer, intimer, inviter, leurrer, maudire, siffler, traiter ■ 8 admettre, assigner, baptiser, conférer, dénommer, désigner*, glousser, grailler, invoquer, rappeler, recevoir, recruter, signaler, sonnette, traduire ■ 9 convoquer, destituer, mobiliser, présenter, provoquer, qualifier, surnommer ■ 10 introniser, préconiser, promouvoir, signaliser ■ 11 apostropher, appellation, interpeller ■ 12 contremander ■ 13 commissionner.

APPELLATIF : 7 chnoque, schnock ■ 8 schnoque.

APPELLATION : 3 feu, nom.

APPENDICE : 4 bras ■ 5 barbe, calao, cirre, doigt, palpe, patte, queue, uvule ■ 6 cirrhe, griffe, luette, membre ■ 7 stipule, uropode ■ 8 nageoire, typhlite, xiphoïde ■ 9 chélicère, didactyle, pédipalpe, tentacule ■ 10 fasciation, xiphoïdien ■ 11 appendicite, maxillipède ■ 12 macrodactyle ■ 13 patte-mâchoire, patte-nageoire ■ 14 appendiculaire ■ 15 appendicectomie.

APPENDRE : 6 pendre ■ 9 accrocher.

APPESANTIR : 8 alourdir, attarder.

APPETENCE : 4 goût ■ 7 appétit.

APETER : 7 désirer, lorgner, vouloir ■ 8 dégoûter, demander.

APPETISSANT : 4 miam ■ 8 miam-miam, plaisant ■ 9 alléchant, attrayant, ragoûtant ■ 10 affriolant ■ 11 affriandant.

APPETIT : 4 faim, goût, pica ■ 5 désir ■ 6 besoin, dégoût, morfal ■ 7 passion ■ 8 ambition, anorexie, apéritif, penchant ■ 9 appétence , dysorexie, pignoler, ravigoter ■ 10 mangeotter ■ 11 appétissant, inappétence ■ 13 concupiscence, insatiabilité.

APPLAUDIR : 5 bénir, louer ■ 6 battre, bisser, saluer ■ 7 claquer, exciter ■ 8 acclamer, célébrer, soutenir ■ 9 approuver, féliciter, glorifier, trépigner ■ 10 encourager ■ 11 congratuler ■ 12 complimenter ■ 13 applaudisseur.

APPLAUDISSEMENT : 3 ban, bis ■ 4 vive ■ 5 bravo, salve, vivat ■ 6 cabale, claque ■ 7 louange*, ovation ■ 8 tonnerre, triomphe ■ 10 compliment ■ 11 acclamation ■ 12 félicitation, trépignement ■ 13 applaudimètre, encouragement ■ 14 congratulation.

APPLAUDIT : 13 applaudisseur.

APPLICABLE : 13 applicabilité.

APPLICATION : 3 art ■ 4 soin, zèle ■ 5 étude, point, sceau, serre ■ 6 graphe, pascal ■ 7 flocage, travail ■ 8 actuaire, attentif, bijectif, dissiper, exercice, injectif, pratique ■ 9 assiduité, attention, avionique, bijection, casse-tête, désuétude, distraire, échaudage, néomycine, pansement, platinage, progiciel, surjectif, vigilance ■ 10 bilinéaire, contention, imputation, négligence, radiologie, surjection, tapisserie ■ 11 embrocation, motoculture ■ 12 biomécanique, sérieusement, stochastique ■ 13 aérotechnique, automorphisme, concentration, contreplacage, électrochimie, forcipressure, homomorphisme, inapplication, multilinéaire, studieusement, technoscience ■ 14 décimalisation ■ 15 contre-extension, électrobiologie, électrostatique, expérimentation, photogrammétrie, radiodiagnostic, spectrochimique.

APPLIQUE : 4 pose ■ 6 assidu ■ 8 diligent, studieux ■ 9 négligent ■ 10 inappliqué ■ 13 neuchâteloise.

APPLIQUER : 5 vouer ■ 6 baiser, donner, ficher, panser, vaquer ■ 7 adapter, adonner, apposer, appuyer, atteler, enduire, étudier, flairer, plaquer, plâtrer, plomber, sceller ■ 8 colorier, couvrure, efforcer, émailler, employer, encoller, entendre, escrimer, évertuer, exécuter, tapisser, ventouse ■ 9 applicage, étalonner, incruster, islamiser, marroufler, pratiquer, raisonner ■ 10 applicable, approprier, concentrer, développer, lambrisser, prédicable, promulguer, quantifier ■ 11 administrer, applicateur, généraliser, macadamiser ■ 12 inapplicable ■ 13 applicabilité, collectiviser.

APPOINTEMENT : 4 fixe, pair ■ 7 salaire* ■ 9 appointer, demi-solde ■ 10 pré-salaire ■ 11 rétribution.

APPONTEMENT : 5 wharf ■ 9 apponteur ■ 11 embarcadère.

APPORT : 3 dot ■ 5 lagan ■ 7 asepsie ■ 8 lucratif ■ 9 apporteur, léninisme ■ 10 sinisation ■ 11 chasse-marée, paraphernal ■ 13 calcification.

APPORTER : 4 inné ■ 5 venir ■ 6 porter, quérir ■ 7 envoyer, importer, soigner, toucher ■ 9 empêcher, entraver, importer, remédier, répondre, toiletter ■ **9** patronner, rapporter, redoubler ■ **10** congénital, précipiter, remédiable ■ **13** perfectionner.

APPOSER: **6** signer ■ **7** émarger, parafer, sceller ■ **8** parapher ■ **9** appliquer, tamponner ■ **10** apposition ■ **12** contresigner ■ **13** contremarquer.

APPOSITION: (voir *grammaire*): **5** label ■ **6** parafe ■ **7** paraphe ■ **8** adjectif.

APPRECIABLE: **14** appréciabilité.

APPRECIATION: **4** idée, note ■ **5** juste ■ **6** calcul, estime, examen, prisée ■ **7** méconnu ■ **8** critique, jugement ■ **9** incompris ■ **10** estimation, évaluation, gastronome, inapprécié ■ **11** appréciable, appréciatif ■ **12** appréciateur, délibération ■ **13** insaisissable, mésestimation ■ **14** appréciabilité.

APPRECIE: **12** appréciateur.

APPRECIER: **4** sens, voir ■ **5** aimer, coter, gober, juger, louer, noter, peser ■ **6** blâmer, goûter, jauger, priser, sentir, valoir ■ **7** dépriser, estimer, évaluer, méjuger ■ **8** calculer, déguster, examiner ■ **9** critiquer, délibérer, envisager, pèse-sirop, sentiment ■ **10** acétimètre, acétomètre, considérer, mésestimer, turbimètre ■ **11** incompétent, méconnaître, sous-estimer, sous-évaluer ■ **12** galactomètre, incalculable ■ **13** épistémologie ■ **15** psychotechnique.

APPREHENDER: **6** saisir ■ **7** arrêter, prendre ■ **8** alpaguer, arnaquer , craindre*, redouter, trembler ■ **12** appréhensif, appréhension ■ **13** insaisissable.

APPREHENSIF: **7** inquiet.

APPREHENSION: **4** peur* ■ **6** transe ■ **7** crainte* ■ **8** angoisse* ■ **9** intimider ■ **11** aperception.

APPRENDRE: **5** étude, leçon, thème ■ **6** savoir ■ **7** étudier, montrer ■ **8** apprenti, préparer ■ **9** découvrir, enseigner, instruire, professer ■ **10** rapprendre, récitation, renseigner, syllabaire ■ **11** grammatiste, réapprendre, rééducation ■ **12** désapprendre ■ **13** apprentissage.

APPRENTI: **5** élève ■ **6** arpète, novice, varlet ■ **7** arpette, galibot ■ **8** marmiton ■ **13** apprentissage.

APPRENTISSAGE: **5** stage ■ **8** noviciat ■ **10** dysgraphie ■ **11** dyscalculie, semi-globale.

APPRET: **4** cati ■ **7** glaçage, négligé ■ **8** apprêter, dextrine, dressage ■ **9** apprêtage, apprêteur, habillage, rapprêter ■ **10** préparatif, vaporisage ■ **11** accommodage, affectation, arrangement, disposition, manutention, préparatifs, préparation ■ **12** manipulation, pattemouille.

APPRETE: **3** cru ■ **7** affecté ■ **8** rugueux ■ **9** corroyeur ■ **10** emphatique.

APPRETER: **5** parer ■ **6** former ■ **7** dresser, éduquer, empeser, relever ■ **8** aménager, arranger*, composer, corroyer, disposer, habiller, préparer*, safraner ■ **9** défricher, manipuler, rapprêter ■ **10** accommoder, financière, maroquiner ■ **11** assaisonner ■ **14** manutentionner.

APPRIS: **8** sinisant ■ **10** illetrisme ■ **11** alphabétisé.

APPRIVOISE: **12** apprivoiseur, inapprivoisé ■ **13** apprivoisable.

APPRIVOISER: **6** priver ■ **7** charmer, dompter, dresser, sauvage ■ **8** affaiter, familier ■ **10** domestique ■ **11** domestiquer ■ **13** apprivoisable ■ **14** apprivoisement ■ **15** inapprivoisable.

APPROBATION: **3** bon, oui ■ **4** amen, aveu, bien, mais, soit ■ **5** bravo ■ **6** accord* ■ **7** parbleu ■ **8** adhésion, agrément, sanction, suffrage ■ **9** accession, applaudir, bénisseur, confiance ■ **10** approbatif, bravissimo, concession, permission ■ **11** assentiment, résignation ■ **12** confirmation, consentement, entérinement, homologation, ratifica-

tion ■ **13** acquiescement, félicitations ■ **14** condescendance ■ **15** approbativement.
APPROCHE : **5** abord, accès ■ **6** parage ■ **8** accessif, tranchée ■ **9** longue-vue, lorgnette ■ **12** approximatif.
APPROCHER : **7** aborder, arriver, avancer, côtoyer ■ **8** accoster ■ **9** avoisiner ■ **10** accessible, fréquenter, rapprocher ■ **11** approchable.
APPROFONDIR : **5** caver, fouir ■ **7** chiader, creuser, étudier ■ **8** examiner, fouiller ■ **9** érudition, réfléchir ■ **12** superficiel.
APPROFONDISSEMENT : **5** raval.
APPROPRIATION : **15** fonctionnatisme.
APPROPRIE : **6** congru, idoine, propre ■ **7** adéquat ■ **9** congruent, pertinent ■ **10** convenable.
APPROPRIER : **5** lagan, ravir, voler* ■ **6** rafler ■ **7** adapter, adjuger, arroger, dérober, emparer, enlever*, prendre*, usurper ■ **8** nettoyer, ratisser, souffler ■ **9** accaparer, appliquer, attribuer, détourner, emprunter ■ **10** grignotage, ratiboiser ■ **12** appropriable ■ **13** appropriation.
APPROUVANT : **10** béni oui-oui.
APPROUVE : **11** approbateur.
APPROUVER : **5** céder, louer ■ **6** agréer, goûter, opiner, signer ■ **7** abonder, accéder, adhérer, adopter ■ **8** accepter, accorder, admettre, associer, concéder, partager, ratifier ■ **9** applaudir*, confirmer, consentir, convertir, entériner, favoriser, féliciter, permettre, souscrire ■ **10** acquiescer, homologuer ■ **11** approbateur, approuvable, improbation, sanctionner ■ **12** condescendre, désapprouver, souscription ■ **13** approbativité.
APPROVISIONNEMENT : **5** stock, train ■ **7** aiguade, réserve ■ **8** munition ■ **9** provision ■ **10** avitailler, enfourneur ■ **12** alimentation ■ **14** approvisionner, ravitaillement ■ **15** approvisionneur.
APPROVISIONNER : **7** amasser, ensiler, fournir, nourrir, stocker ■ **8** assortir, procurer ■ **9** alimenter, amonceler, engranger ■ **10** entreposer ■ **11** emmagasiner, ravitailler ■ **12** cash and carry ■ **15** approvisionneur, rapprovisionner.
APPROXIMATION : **4** bien, dans, idée, jugé, vers ■ **5** juger ■ **8** à peu près, approche ■ **10** exhaustion ■ **12** approximatif.
APPUI : **4** aide, base, dame, étai ■ **5** barré, canne, culée, dosse, égide, grain, lisse, point, rampe, voûte ■ **6** embase, faveur, liteau, mitron ■ **7** auspice, colonne, parapet, secours, semelle, soutien*, support* ■ **8** accotoir, auspices, balustre, béquille, bienfait, bouclier, membrure, perchoir, réversal, traverse ■ **9** accoudoir, appui-bras, banquette, fondement, rescousse ■ **10** appuie-bras, appuie-main, assistance, balustrade, patronnage, porte-à-faux, protection, repose-pied ■ **11** majoritaire, minoritaire, repose-pieds, subsidiaire, tire-veilles ■ **12** documentaire ■ **13** contre-boutant, enseuillement ■ **14** recommandation.
APPUI-TETE : **10** repose-tête.
APPUYE : **9** documenté.
APPUYER : **5** baser, buter, peser, poser ■ **6** coller, étayer, fonder, sonner ■ **7** accoter, adosser, épauler, hancher ■ **8** accouder, flanquer, insister, protéger, puncheur, soutenir ■ **9** arc-bouter, autoriser, patronner ■ **10** documenter ■ **11** accoudement, contre-buter ■ **12** contrebouter ■ **13** documentation.
APPRAXIE : **9** apraxique ■ **13** persévération.
APRAGMATISME : **12** apragmatique.
APRE : **3** dur, vif ■ **4** amer, rude, vert ■ **5** avare, cuire, rèche ■ **7** cuisant ■ **9** rigoureux.

APRES: 3 dès ■ 4 méta, puis, tard ■ 5 délai, futur, passé, puîné, suite, tirer ■ 6 avenir, ex post ■ 7 ensuite, suivant ■ 8 postface, posthume, postiche, proactif, succéder, toujours ■ 9 digestif, lendemain, postposer ■ 10 postérieur, subséquent, survenance ■ 11 ajournement, relevailles ■ 12 postscolaire, surlendemain ■ 13 subséquemment ■ 15 postérieurement.

APRES-MIDI: 3 thé ■ 4 none, soir ■ 6 sieste, tantôt ■ 7 relevée ■ 10 five o'clock.

APRETE: 7 avarice, raucité, rigueur, verdeur ■ 8 amertume, âprement ■ 9 virulence.

A PRIORI: 9 apriorité ■ 10 apriorique, apriorisme, aprioriste ■ 12 aprioritique.

A-PROPOS: 8 opportun ■ 10 convenable, inopportun.

APTE: 2 né ■ 4 bien, doué, fait ■ 6 idoine, inapte, propre, viable ■ 7 capable ■ 8 éducable, habilité, qualifié ■ 9 compétent, incapable ■ 10 convenable, prédisposé.

APTERYGOTE: 10 thysanoure.

APTERYX: 4 kiwi.

APTITUDE: 2 né ■ 3 don ■ 4 test ■ 5 bosse, génie ■ 6 esprit, talent ■ 7 faculté, finesse, qualité ■ 8 capacité*, certifié, électeur, esthésie, facilité, habileté, penchant, promesse, tendance, vocation ■ 9 électorat, endurance, fécondité, viabilité ■ 10 compétence, inaptitude, médiumnité, mouillance, mutabilité, phonogénie, réactivité, spécialité ■ 11 coulabilité, délicatesse, disposition, éligibilité, entendement, inclination, réceptivité, sensibilité, sociabilité, testabilité, usinabilité ■ 12 aéromobilité, intelligence, trempabilité ■ 13 digestibilité, fécondabilité ■ 14 prédisposition, suggestibilité ■ 15 compressibilité.

AQUACULTURE: 5 ferme ■ 8 aquacole, aquicole ■ 9 écloserie ■ 11 aquaculteur, aquiculteur.

AQUARELLE: 7 torchon ■ 9 aquarellé ■ 12 aquarelliste, aquatintiste.

AQUARIUM: 5 guppy ■ 8 scalaire ■ 9 macropode, moricaire ■ 10 xiphophore ■ 11 hémigrammus ■ 13 aquariophilie.

AQUATINTE: 12 aquatintiste.

AQUATIQUE: 4 sium ■ 5 gyrin, macle, macre, marin*, naias, patte, pesse, poule, vélie ■ 6 myxine, naïade ■ 7 agnathe, cistude, jussiée, poisson ■ 8 aquatile, crustacé, jussieua, nénuphar ■ 9 alismacée, lariforme, mérostome, ptérygote ■ 10 argyronète, charophyte, cyclostome, ptérygotus ■ 11 aquiculture, trichoptère, utriculaire ■ 12 chrysophycée, colymbiforme, ptérobranche ■ 13 grenouillette ■ 14 chrysomonadale.

AQUEDUC: 8 conduite.

AQUEUX: 4 suer ■ 5 sueur ■ 6 humide, tisane ■ 7 liquide ■ 8 aquosité ■ 10 ammoniaque.

AQUICULTURE: 8 aquicole ■ 11 aquiculteur.

AQUIFOLIACEE: 4 houx ■ 9 illicinée.

AQUILON: 4 vent.

AQUITAINE: 8 aquitain.

ARABE: 3 abd, ain, bab, ben, bey, bir, bou, cid, dar, dey, ebn, erg, fes, fez, ibn, kef, raï, ras ■ 4 agar, bahr, cadi, caïd, émir, goum, haïk, kali, oued, raïs, sidi, souk, talc, zéro ■ 5 besef, bezef, bicot, cheik, coran, dinar, douar, fakir, hadji, harem, henné, islam, koran, maure, mufti, noria, pacha, perse, pilaf, rabab, roumi, sabir, sahel, satin, scheik, selle, spahi, turco, uléma, youdi ■ 6 calife, chérif, kabyle, kasbah, koheul, libyen, litham, médina, nomade, numide, qasida, scheik, sémite, smalah, syrien, targui, toubib, turban, youyou, zouave ■ 7 bédouin, berbère, burnous, califat, chéchia, fondouk, irakien, iranien, kufique, méchoui, minaret, mosquée, moukère, muezzin, seroual, touareg, yagatan ■ 8 algérien, arabique, arabiser, arabisme, couscous, égyptien, fantasia, iraquien, libanais, marabout, marocain, mosarabe, musulman*, tunisien, yéménite ■ 9 arabesque, arabisant, couffique, hachémite, hachimite, ismaélite, jordanien, mauresque, méhariste ■ 10 anglo-arabe, arabophone, dromadaire, interarabe ■ 11 arabisation, barbaresque, mauritanien, mauritanien, panarabisme ■ 14 arabo-islamique.

ARABIACEE: 6 lierre.

ARABIE: 5 riyal ■ 7 arabica ■ 10 wahhabisme.

ARABO-PERSANE: 4 péri.

ARACEE: 4 arum, taro ■ 5 acore, calla, gouet ■ 7 aroïdée ■ 8 colocase, monstera ■ 9 anthurium, aroïdacée ■ 10 pied-de-veau ■ 12 philodendron.

ARACHIDE: 4 mafé ■ 5 huile* ■ 9 cacahuète ■ 10 cacahouète.

ARACHNIDE: 7 acarien* ■ 8 aranéide*, scorpion, stigmate ■ 9 chélicère, pédipalpe ■ 10 arthropode, linguatule, tardigrade ■ 11 chélicérate.

ARAIGNEE: 4 maïa ■ 8 aranéide*, arantèle, orbitèle, tubitèle ■ 10 hydromètre, latrodecte.

ARALIACEE: 5 panax ■ 6 lierre, panace ■ 9 hédéracée.

ARAMEENNE: 6 targum.

ARAMIDE: 6 kelvar.

ARAMON: 5 pitot, vigne ■ 6 cépage.

ARANEIDE: 4 soie ■ 5 tissu, toile, vélie ■ 6 aragne, épeire, halabe, lycose, mygale ■ 7 arachné, araigne, filière, galéode, opilion, thomise ■ 8 araignée, arantèle, faucheur, faucheux, filandre ■ 9 arachnéen, arachnide, arantelle, tarentule, tégénaire, théridion ■ 10 arachnoïde, argyronète ■ 11 malmignatte ■ 15 arachnéographie.

ARATOIRE: 7 charrue.

ARBALETE: 4 arme ■ 5 jalet ■ 6 flèche, matras ■ 7 carreau, vireton ■ 8 archière, enrayoir ■ 11 arbalétrier ■ 12 arbalétrière.

ARBALETRIER: 5 gable ■ 7 blochet ■ 11 contre-fiche.

ARBITRAGE: 7 arbitre ■ 8 arbitrer, sentence ■ 9 compromis, entremise, expertise, médiation ■ 10 convention ■ 12 arbitragiste, conciliation ■ 13 accommodement ■ 14 compromissoire.

ARBITRAIRE: 4 pige ■ 7 caprice, injuste, volonté ■ 9 équitable ■ 10 despotique, despotisme ■ 11 inquisition ■ 13 inquisitorial ■ 14 arbitrairement.

ARBITRE: 4 juge, juré, jury, mère ■ 6 expert ■ 7 amiable ■ 8 arbitral, co-expert ■ 9 médiateur, molinisme, prud'homme ■ 10 arbitrable, surarbitre ■ 11 arbitrateur, départiteur ■ 13 arbitralement.

ARBITRER: 5 juger ■ 6 priser ■ 9 arbitrage ■ 10 expertiser, intervenir.

ARBORE: 8 arborisé.

ARBORER: 6 élever, porter ■ 7 montrer, planter.

ARBORESCENT: 10 dragonnier ■ 12 arborescence.

ARBORESCENTE: 8 méliacée.

ARBORICOLE: 2 aï ■ 4 unau ■ 5 indru, potto ■ 6 aye-aye ■ 7 dasyure, entelle, nasique ■ 8 caméléon, écureuil, ouistiti ■ 9 anomalure, chimpanzé ■ 10 orang-outan ■ 11 orang-outang.

ARBORICULTURE: 4 ente ■ 5 arbre*, coupe, fagot, franc, grume, plant ■ 6 greffe, provin, taille ■ 7 abattre, bouture, élagage, élaguer, plançon ■ 8 abattage, bûcheron, émondage, émondeur, marcotte, plantard, reboiser ■ 9 déplanter, déraciner, jardinier, pépinière, pomologie ■ 10 dessoucher, plantation, soucheteur, peuplement ■ 11 reboisement ■ 12 pépiniériste ■ 13 arboriculteur.

ARBORISATION : 8 arborisé, dendrite.

ARBOUSE : 9 arbousier.

ARBOVIRUS : 10 arbovirose.

ARBRE : 2 if ■ 3 axe, mai, pin, sal, tek ■ 4 arec, aune, bois, cade, cîme, cola, doum, écot, ente, kava, kawa, kola, maté, néré, nipa, œil, orme, orne, pied, raïs, sève, sipo, teck, tige, upas ■ 5 abaca, allée, anoma, anone, aulne, baume, bille, boisé, boldo, brout, butée, cèdre, cépée, cerne, chêne, copal, cours, cycas, dosse, drève, cleis, fibre, filao, forêt, frêne, gaïac, gélif, givre, gomme, hêtre, hévéa, larix, loupe, melia, nœud, noyer, osier, ouche, peler, pérot, plane, prise, rejet, sapin, saule, scion, serpe, sumac, surin, talle, thuya, tonka, tortu, tronc, verne, volis, vouge, yeuse, zamie ■ 6 acacia, acajou, aubier, baobab, bonsaï, brésil, broche, cassie, charme, chicot, croton, cyprès, doucin, écorce, élæis, épicéa, érable, févier, ginkgo, hautin, karité, kentia, kermès, ketmie, letchi, litchi, locher, lychée, mélèze, moelle, mûrier, okoumé, panace, pêcher, phénix, pignon, plante*, pomélo, pousse, prunus, putier, putiet, racine, raphia, rotang, rouvre, sappan, souche, tauzin, têtard, vélani, vergne, ypréau, zamier ■ 7 ailante, alisier, alizier, arbuste*, avodiré, baumier, borasse, bouleau, bouture, branche, camélia, cassier, catalpa, cernure, copaïer, copayer, cormier, courson, dattier, drageon, ébénier, feuille, figuier, gainier, gommier, grisard, hautain, hickory, jaquier, laurier, ligneux, mahaleb, meslier, néflier, negondo, negundo, olivier, oranger, palmier, papayer, phœnix, pinacée, platane, poirier, pommier, prunier, rondier, roulure, séquoia, sophora, sorbier, tamarin, tilleul, tremble, végétal*, verdure, zizyphe ■ 8 aleurite, amandier, amentale, aréquier, arganier, arrachis, badamier, baliveau, borassus, bourgeon, broussin, cacaoyer, calamite, campèche, cerisier, cocotier, déboiser, demi-tige, dendrite, espalier, fastigié, fromager, fumagine, gélivure, goyavier, guignier, hibiscus, houppier, jacquier, jujubier, kapokier, kolatier, languier, latanier, magnolia, manglier, manguier, marsault, merisier, myroxyle, pacanier, peuplier, palmette, pinastre, pitchpin, planteur, pleureur, rambures, ravenala, résineux, robinier, sagouier, sapotier, simaruba, spondias, sycomore, tallipot, tchitola, topiaire, tulipier ■ 9 albergier, araucaria, arboretum, arboriser, artocarpe, avelinier, avocatier, balsamier, boisement, brésillet, cacaotier, camphrier, cannelier, caroubier, casuarina, cédratier, chamerops, cotonnier, courbaril, coursonne, croissant, dendroïde, déraciner, érythrine, étêtement, filardeau, giroflier, grenadier, griottier, jambosier, limettier, magnolier, muscadier, myroxylon, paulownia, plein-vent, pourridié, quebracho, quinquina, sagoutier, sauvageon, savonnier, scionneux, séleucide, strychnos, variateur, vomiquier, yohimbehe ■ 10 abricotier, amentifère, arboricole, arbrisseau*, artocarpus, bancoulier, bigaradier, brugnonier, canéficier, chamærops, châtaignier, chêne-liège, cognassier, déligneuse, dénudation, eucalyptus, flamboyant, frutescent, ilang-ilang, marmottier, marronnier, palétuvier, pistachier, plantation, prunellier, quenouille, quercitron, rhizophone, sigillaire, souchetage, tamarinier, térébinthe, ylang-ylang ■ 11 arborescent, bergamotier, bignoniacée, calebassier, châtaignier, cornouiller, déchaussoir, dendrolithe, dendrologie, liquidambar, micocoulier, mirabellier, palissandre, phytéléphas, sapotillier, sidéroxylon, vilebrequin ■ 12 arborisation, mancenillier, plaqueminier, washingtonie, wellingtonia ■ 13 arboriculture, dendrographie, égravillonner, lépidodendron, mangoustanier ■ 14 contre-espalier, découronnement, pamplemoussier ■ 15 contre-coussinet.

ARBRISSEAU : 4 buis, café ■ 5 ajonc, anone, arbre*, ciste, épine, garou, genêt, ipéca, obier, osier, saule, semis, vigne ■ 6 aucuba, daphné, fragon, fusain, fustet, hysope, panace, plante*, redoul, rosier, styrax, théier, viorne ■ 7 airelle, arbuste*, bignone, caféier, camélia, éphédra, fuschsia, landier, mahonia, néflier, niaouli, paliure, romarin, tamaris, turbith ■ 8 ambrette, aubépine, bignonia, camellia, coudrier, icaquier, limonier, myrtille, polygala, sainbois ■ 9 arbousier, argousier, azérolier, busserole, charmille, coronille, corroyère, églantier, forsythia, gattilier, hippophae, hortensia, lambruche, lentisque, muscadier, noisetier, santoline ■ 10 ampélopsis, citronnier, gaulthéria, gaulthérie, ipécacuana, symphorine ■ 11 agnus-castus, framboisier, groseillier, mandarinier ■ 12 baguenaudier, clémentinier, épine-vinette, frangipanier, rhododendron ■ 14 sous-arbrisseau, sous-frutescent.

ARBUSTE : 3 qat ■ 4 cade, coca, houx, khat, ulex ■ 5 arbre*, butée, henné, lilas, yèble ■ 6 aralia, azalée, cassis, cirier, croton, cubèbe, cytise, hiébie, jasmin, kerria, plante*, sabine, sandal, santal, sureau, troène ■ 7 badiane, câprier, épinaie, épineux, kumquat, lantana, nerprun, quassia, seringa, vinette ■ 8 alaterne, arbustif, lauréole, oléandre, quassier, rocouyer, seringat, sesbania, sesbanie, topiaire ■ 9 angusture, bourdaine, cinnamome, cotonnier, fauchette, genévrier, hamamélis, lantanier, rauwolfia ■ 10 arbrisseau*, canneberge, staphylier ■ 11 bignoniacée, cotonéaster, laurier-rose, pittosporum ■ 12 frangipanier, plaqueminier ■ 13 buisson ardent.

ARC : 4 anse, arme, côte ■ 5 arche, arçon, arqué, brise, corde, degré, grade, kyudo, ogive, porte, sinus, spire, verse, voûte ■ 6 arcade, arceau, archée, cercle, cintre, courbe, lunule, torana ■ 7 chambre, claveau, cosinus, douelle, redenté, secteur, segment ■ 8 accolade, arbalète, arcature, archerie, archière, cambrure, courbure, décharge, décocher, doubleau, écoinçon, encocher, extrados, formeret, intrados, piédroit, quadrant, voussure ■ 9 arc-en-ciel, croissant, hémicycle, pied-droit, surbaisse ■ 10 arc-boutant, arc-rampant, chasse-roue, échancrure, outrepassé, tiers-point ■ 11 arc-doubleau, orthodromie ■ 12 amphithéâtre, contre-courbe, sous-tendante ■ 13 orthodromique, surbaissement.

ARCADE : 4 loge ■ 5 voûte ■ 7 imposte ■ 8 arcature, piédroit, pleurant, vousseau, voussoir ■ 9 décintrer, pied-droit, surhausse ■ 10 archivolte, trou-madame.

ARCADIE : 8 arcadien.

ARCANE : 6 secret.

ARCANSON : 9 colophane.

ARCASSE : 5 voûte.

ARCATURE : 9 triforium.

ARC-BOUTANT : 4 étai ■ 5 minot, voûte ■ 7 appuyer ■ 9 arc-bouter, étortille.

ARCEAU : 7 gabarit ■ 8 wishbone.

ARC-EN-CIEL : 5 irisé ■ 9 irisation.

ARCHAÏQUE : 5 vieux ■ 6 couros, désuet, kouros ■ 9 fusionnel ■ 10 archaïsant.

ARCHANGE : 4 ange ■ 13 archangélique.

ARCHANTHROPIEN : 10 antrophien.

ARCHE : 5 culée ■ 6 arceau ■ 10 tabernacle ■ 13 propitiatoire.

ARCHEEN : 9 algonkien ■ 10 algonquien.

ARCHEOLOGIE : 9 thesaurus ■ 11 archéologue.

ARCHER : 3 arc ■ 8 archerie, archerot ■ 10 sagittaire.
ARCHET : rebec, viole ■ 8 arcanson ■ 9 archetier ■ 10 archèterie, chevillier.
ARCHEVEQUE : 10 suffragant ■ 11 métropolite ■ 12 archidiocèse ■ 13 métropolitain ■ 14 archiépiscopal, archiépiscopat, révérendissime.
ARCHICHANCELIER : 12 protonotaire.
ARCHIDIACRE : 12 archidiaconé ■ 13 archidiaconat.
ARCHIDUC : 10 archiduché ■ 13 archiduchesse.
ARCHIEPISCOPAL : 13 métropolitain.
ARCHIPTERE : 6 agrion, psoque ■ 7 æschne, odonate, termite ■ 8 éphémère ■ 9 libellule ■ 10 demoiselle.
ARCHITECTE : 9 bâtisseur ■ 12 constructeur, entrepreneur.
ARCHITECTURALE : 7 modulor ■ 10 brutalisme.
ARCHITECTURE : 4 nerf, plan, tore ■ 5 arabe, bâtir, corne, coupe, devis, épure, filet, frise, galbe, lavis, limon, masse, olive, ordre*, perle, redan, roman, ruban, strie, style*, talon, toron ■ 6 façade*, dessin, métope, projet, pylône, patère, toscan, vimana ■ 7 acanthe, colonne*, dorique, échelle, fronton, grecque, hindoue, ionique, modulor, réparer ■ 8 acrotère, bâtiment*, colossal, corniche, gothique, lombarde, manuélin, matériau, monument, ornement*, ottonien, palmette, propylée ■ 9 baldaquin, composite, denticule, élévation, guirlande, mauresque, restaurer, rudenture ■ 10 architrave, corinthien, égyptienne ■ 11 cyclopéenne, entablement, mouluration, plateresque ■ 12 entrecolonne, historicisme ■ 13 architectural, palladianisme, quintefeuille ■ 14 quatre-feuilles ■ 15 architectonique, fonctionnalisme.
ARCHITRAVE : 5 frise ■ 8 épistyle, tailloir ■ 9 cariatide, caryatide ■ 11 architravée, phonothèque, photothèque.
ARCHIVES : 7 annales ■ 9 archivage ■ 10 archiviste, microfiche, sonothèque ■ 13 archivistique ■ 14 archivéconomie.
ARCHIVOLTE : 7 imposte ■ 9 triforium.
ARCHONTE : 7 éponyme ■ 8 éponymie ■ 9 archontat, magistrat.
ARÇON : 5 fonte, vider ■ 8 arçonner.
ARCTIQUE : 4 ours, pôle, skua ■ 5 huard, huart, morse, morue, ourse ■ 7 polaire ■ 8 macareux.
ARDECHE : 9 ardéchois.
ARDEMMENT : 8 soupirer, vivement ■ 9 avidement.
ARDENT : 4 faim, zélé ■ 5 avide, chaud*, froid, tiède ■ 6 rapace ■ 7 brûlant, cagnard, fervent, violent* ■ 8 endiablé, matineux, soigneux, véhément, vigilant ■ 9 bouillant, courageux, fournaise, intrépide, laborieux ■ 10 chaleureux, nonchalant, volcanique ■ 11 infatigable.
ARDEUR : 3 feu* ■ 4 élan, soin, zèle ■ 5 amour*, écran, force, furie ■ 6 allant, fièvre, flamme, fougue ■ 7 avidité, chaleur, courage, énergie, entrain, ferveur, tiédeur ■ 8 attiédir, froideur, rivalité, vivacité*, vivement ■ 9 ardemment, empresser, émulation, enflammer, refroidir, rondement, stimulant, vigilance ■ 10 chaudement ■ 11 acharnement, ambitionner, intrépidité, nonchalance, relâchement ■ 12 enthousiasme ■ 14 attiédissement.
ARDILLON : 9 déboucler.
ARDOISE : 3 pic ■ 5 biset, délit ■ 6 doleau, pureau, rondir, tenure, touche ■ 7 bardeau, boucage, fendeur, fonçage, shingle, schiste, truelle ■ 8 ardoiser, physalis ■ 9 ardoisier, ardoiseux, imbriquer, querriage, rabattoir, schisteux, verdillon ■ 10 alumineuse, ardoisière, embroncher, feuilletis ■ 11 exfoliation, quartelette.
ARDU : 9 difficile, laborieux.

ARE : 4 acre ■ 6 aréage ■ 8 centiare.
AREC : 6 cachou ■ 12 chou-palmiste.
ARENE : 5 sable, toril ■ 6 cirque, podium, torero ■ 8 toréador.
AREOMETRE : 5 baume ■ 8 pèse-lait, uromètre ■ 9 pèse-acide, pèse-sirop ■ 11 pèse-liqueur.
AREOPAGE : 9 compagnie ■ 10 aréopagite.
ARETE : 3 vif ■ 5 angle, avivé, ogive, voûte ■ 7 couteau, faîtage, grésoir, voûtain ■ 8 délarder, désosser ■ 9 coupe-vent ■ 10 troncature ■ 11 débillarder, délardement.
ARETIER : 8 arêtière.
ARGENT : 2 ag ■ 3 écu ■ 4 aloi, fric, gêne, lune, marc, mise, pèze, rond, sous, tael ■ 5 achat, aspre, avare, blanc, ducat, enjeu, essai, fonds, galon, group, laver, liard, loger, magot, masse, métal, panne, plomb, poche, radis, samit, saule, taper, thune, titre, vénal, vendu, verge ■ 6 arrhes, billet, bourse, braise, céruse, flouse, flouss, flouze, friqué, gangue, grisbi, lingot, pécune, pognon, pyrite, quibus, racket ■ 7 argenté, débours, douille, espèces, finance, galette, inquart, monnaie*, oseille, pépètes, recette, rochage, saignée, statère, vermeil ■ 8 argenter, argentin, argyrose, cagnotte, cassette, croupier, dépenser, déposant, ducation, électrum, embarras, encaisse, financer, liserage, monnayer, pépettes, quinaire, rallonge, redevoir, richesse, roselier, sesterce, soudoyer, viatique ■ 9 argenteur, argentier, argentite, argenture, argyrisme, aumônière, collargol, collecter, financier, grenaille, grosserie, nécessité, numéraire, picaillon, pourboire, sans-le-sou, versement ■ 10 affairisme, allocation, argenterie, argentique, cannetille, désargenté, écornifler, matérielle, pécuniaire, réargenter, rembourser ■ 11 argentifère, capitaliser, désargenter, distraction, impécunieux, maillechort, thésauriser ■ 12 encaissement, pattinsonage, porte-monnaie, rançonnement ■ 13 impécuniosité ■ 15 gélatino-bromure.
ARGENTER : 9 argentage.
ARGENTERIE : 5 écrin ■ 9 argentier, grosserie.
ARGENTIN : 4 tupi ■ 5 pampa.
ARGENTURE : 10 mirciterie.
ARGILE : 3 bol, sil ■ 4 ocre, pisé ■ 5 bauge, bille, erbue, gault, groie, marne, mulon, salse, terre, tuile ■ 6 brique, glaise, illite, kaolin ■ 7 alumine ■ 8 argilacé, argilage, argileux, braisine, calamite, chamotte, cheminée, colombin, pélogène, tuilette ■ 9 bentonite, kaolinite, terrefort ■ 10 argilifère, pastillage ■ 11 cailloutage.
ARGILLEUSE : 8 salbande.
ARGILLO-SABLEUX : 5 drift.
ARGON : 2 ar.
ARGOT : 3 jar, jus ■ 4 calo, fric, jars, moco, môme, pipo, vamp ■ 5 bahut, bizut, cagna, cagne, cogne, falot, gazer, gnole, laius, loupe, marre, pante, pègre, pékin, purée, singe, slang, smart, surin, thune, tuyau ■ 6 jargon, verlan ■ 7 jobelin ■ 8 argotier, javanais ■ 9 argotique, argotiste, marollien.
ARGOTIQUE : 9 argotisme.
ARGOUSIER : 9 hippophae.
ARGOUSIN : 13 agent de police.
ARGUER : 7 accuser ■ 8 conclure.
ARGUMENT : 5 lemme ■ 6 axiome, preuve, raison, sorite ■ 7 argutie, dilemme, majeure, matière, topique ■ 8 apagogie, diallèle, foncteur, postulat ■ 9 absurdité, déduction, enthymème, hypothèse, induction, invention, pertinent ■ 10 analogisme, argumenter, conclusion, corollaire, épichérème, syllogisme ■ 11 échafaudage, argumentant, supposi-

tion ■ 12 argumentaire, raisonnement* ■ 13 argumentateur.

ARGUMENTATION : 5 thèse ■ 6 preuve ■ 7 chicane ■ 8 argument, réplique ■ 9 objection, polémique ■ 10 conclusion, conférence, discussion, réfutation ■ 11 controverse, distinction ■ 12 argumentatif, dissertation, raisonnement ■ 13 démonstration.

ARGUMENTER : 6 arguer ■ 7 ergoter, prouver, réfuter ■ 8 conclure, discuter, objecter ■ 9 démontrer, disserter, raisonner*, redarguer, répliquer, rétorquer ■ 10 distinguer, ratiociner ■ 11 argumentant ■ 13 argumentateur, argumentation.

ARGUTIE : 7 chicane ■ 9 subtilité.

ARGYROSE : 9 argentite.

ARIA : 3 air ■ 5 souci ■ 7 mélodie ■ 8 embarras ■ 10 difficulté.

ARIDE : 3 air, sec* ■ 4 ulex ■ 5 ajonc ■ 7 aridité, inculte*, stérile* ■ 8 infécond ■ 9 inselberg, piloselle, pouilleux, squelette ■ 10 dry-farming, pédiplaine, sécheresse ■ 15 désertification.

ARIEGE : 9 ariégeois.

ARIETTE : 5 chant ■ 7 mélodie.

ARILLE : 5 macis.

ARISTARQUE : 8 critique.

ARISTOCRATE : 4 lord, pair ■ 5 noble, preux ■ 6 aristo, boyard, magnat ■ 7 hidalgo, nobliau, paladin ■ 8 burgrave, ci-devant, hobereau, hospodar, seigneur ■ 9 chevalier, eupatride, gentleman, patricien ■ 10 noblaillon ■ 11 gentilhomme, gentillâtre ■ 12 aristocratie.

ARISTOCRATIE : 6 bottin, pairie ■ 8 grandeur ■ 9 féodalité ■ 10 chevalerie, oligarchie ■ 11 aristocrate, bourgeoisie ■ 14 aristocratique.

ARISTOCRATIQUE : 7 hétérie.

ARISTOTE : 13 aristotélisme.

ARISTOTELISME : 5 lycée ■ 7 stagiaire ■ 13 aristotélique, péripatétisme ■ 14 aristotélicien, péripatéticien.

ARITHMANCIE : 13 arithmomancie.

ARITHMETIQUE : 5 règle, reste ■ 8 addition ■ 10 logarithme, ordinateur ■ 11 micromodule ■ 12 arithmomètre ■ 13 arithméticien, arithmographie.

ARLEQUIN : 4 plan ■ 5 batte, sabre ■ 11 arlequinade.

ARMATEUR : 9 affréteur, baraterie ■ 11 subrécargue.

ARMATURE : 3 gui, mât ■ 4 arme ■ 5 amure, arçon, armée, raban ■ 6 armure, châlit, drisse, écoute, fanton, fenton, vergue ■ 7 antenne, beaupré, bouline, cordage, muselet, portant, support*, tringle ■ 8 carcasse, chianage, formeret ■ 9 balancine, charpente*, tournisse ■ 10 bout-dehors, géotextile, marchepied.

ARME : 3 arc, fer, n.b.c. ■ 4 dard, épée*, faux, hast, pile, port, soie, tank ■ 5 acier, angon, bardé, bâton, canne, dague, engin, épieu, fléau, fusil, garde, hache, hampe, haste, kriss, lance, latte, lebel, masse, ongle, pilum, pique, sabre, séton, silex, thane, trait, vouge ■ 6 armure, bastos, blason*, framée, fronde, glaive, griffu, makila, massue, stylet, trique, zagaie ■ 7 arsenal, baliste, couteau, javelot, magasin ■ 8 arbalète, armement, armurier, bouclier, coutelas, décharge, esponton, estafier, faisceau, fauchard, guisarme, journade, munition, nunchaku, panoplie, peltaste, poignard, torpille ■ 9 anti-engin, armoiries*, boomerang, boumerang, casse-tête, catapulte, dépointer, falarique, haquebute, maillotin, satellite, sous-garde ■ 10 artillerie, baïonnette, coupe-coupe, francisque, hacquebute, hallebarde, inter-armes, obturateur, pourvoyeur, projectile, propulseur ■ 11 anti-missile, bandoulière, buffleterie, coup-de-poing, fourbisseur, mitrailleur, ribaudequin, soubreveste ■ 12 mitrailleuse, porte-respect ■ 13 anti-personnel, transmissions ■ 15 semi-automatique.

ARME A FEU : 4 colt, raté ■ 5 armer, canon, chien, fusil, plomb, rater, repos, salve, viser ■ 7 flingot ■ 8 carabine, éjecteur, mousquet, pistolet, pointage, pointeur, revolver ■ 9 arquebuse, dénivelée, escopette ■ 10 artillerie, entracteur, mousqueton, percussion ■ 11 mitraillade ■ 12 cache-flammes, mitrailleuse.

ARMEE : 3 ban, kun, ort, ost ■ 4 afat, camp, dard, host, jeep, parc, sape, scie, sort, tête ■ 5 appel, carré, corps, flanc, front, génie, grade, herse, levée, ligne, siège, train, turme, uhlan ■ 6 légion, milice, troupe* ■ 7 brigade, cohorte, haïdouk, peloton, section ■ 8 aviation, bandière, batterie, division, escadron, heiduque, munition, régiment* ■ 9 bataillon, casquette, centenier, cocardier, coloniale, compagnie, landsturm, militaire, multitude, officière, salutiste ■ 10 artillerie, connétable, inter-armes, polémarque, volontaire ■ 11 désarmement, recrutement, versaillais ■ 13 paramilitaire ■ 14 quartier-maître.

ARMEMENT : 4 arme, rang ■ 5 affût ■ 8 gréement, tramping ■ 11 surarmement ■ 14 préstratégique.

ARMENIUS : 12 arminianisme.

ARMINIANISME : 8 arminien.

ARMER : 5 gréer, tirer ■ 7 adouber, fourbir ■ 8 armement, désarmer.

ARMOIRE : 4 tour ■ 5 bahut*, patte, rayon ■ 6 buffet, casier, coffre*, montre, taquet ■ 7 cabinet, commode, fichier, placard, vitrine ■ 8 crédence, dressoir, écoinçon ■ 9 garde-robe, habitacle ■ 10 bonnetière, cartonnier, médaillier, secrétaire, tabernacle, vaisselier ■ 11 chiffonnier, garde-manger ■ 12 bibliothèque.

ARMOIRES : 3 lis, lys ■ 5 armes, litre, macle ■ 6 blason* ■ 8 armorial, armorier, pavillon ■ 9 blasonner, panonceau ■ 10 amphiptère, chevalière, héraldique.

ARMOISE : 6 génépi ■ 11 citronnelle, semen-contra.

ARMORICAIN : 5 penne.

ARMURE : 3 écu, vue ■ 4 arme, noir ■ 5 armet, bardé, crête, cotte, gonne, grève, plate, tabar, targe, tonne ■ 6 casque, faucre, heaume, maille, tabard, timbre ■ 7 armeuse, cuissot, ferrure, harnais, harnois, jambart, panache, soleret, tétière, ventail ■ 8 bouclier, brassard, colletin, cuirasse, cuissard, flançois, gantelet, gorgerin, halecret, jambière, panoplie, plastron, poulaine, solleret, tassette ■ 9 auferrant, chanfrein, cubitière, épaulière ■ 11 braconnière, couvre-nuque, genouillère, haubergerie ■ 12 bourdonnière.

ARMURERIE : 5 garde ■ 6 trempe ■ 9 heaumerie ■ 10 balistique.

ARMURIER : 9 armurerie ■ 11 arquebusier.

A.R.N. : 8 ribozyme ■ 10 rétrovirus.

AROIDACEE : 6 aracée*.

AROMATE : 5 arôme, épice, macis ■ 6 parfum* ■ 8 cannelle, embaumer ■ 14 assaisonnement.

AROMATIQUE : 3 ive, pcb ■ 4 anet, anis, thym ■ 5 acore, ambre, aneth, anisé, carvi, cumin, épice, momie, sauge, sirop ■ 6 céleri, hysope, menthe, origan, persil ■ 7 armoise, basilic, benjoin, camphre, cassier, essence, fenouil, lavande, marrube, mélisse, onguent, romarin ■ 8 absinthe, anthémis, cerfeuil, estragon, pyridine, sariette ■ 9 angélique, arylamine, camomille, cinnamome, coriandre, gingembre, patchouli, sarriette ■ 10 aromatiser, chartreuse, gaulthéria, manzanilla, marjolaine, matricaire ■ 13 aromatisation.

AROMATISE : 8 chaudeau ■ 9 milk-shake, soft-drink.

AROMATISER : 6 aniser ■ 8 safraner ■ 11 aromatisant, touraillage.

AROME : 4 goût ■ 5 fumet ■ 6 parfum*, saveur ■ 7 senteur.

ARPENT : 5 verge.
ARPENTAGE : 4 mire, plan ■ 6 niveau, voyant ■ 7 alidade, horizon, vernier ■ 9 agromètre, éclimètre ■ 10 pantomètre ■ 13 agrimentation.
ARPENTER : 5 mirer, viser ■ 7 marcher ■ 8 bornoyer, jalonner ■ 9 arpenteur ■ 10 stationner.
ARQUE : 6 cintré, ogival ■ 10 bourbonien, curviligne.
ARQUEBUSE : 4 arme ■ 9 haquebute, serpentin ■ 10 hacquebute ■ 11 arquebusade, arquebusier.
ARQUER : 4 pont ■ 7 busquer, courber.
ARRACHAGE : 8 arrachis, avulsion, sarclage ■ 9 arrachoir, délainage, divulsion ■ 10 arracheuse, extraction ■ 12 défrichement, déracinement.
ARRACHEMENT : 8 avulsion, sarclure ■ 9 divulsion ■ 10 extraction ■ 11 éradication, extirpateur, extirpation ■ 12 déracinement.
ARRACHE : 8 sarclure.
ARRACHER : 4 ôter* ■ 5 piler, tirer ■ 6 épiler, fouger, plumer, priver ■ 7 chaumer, dépiler, édenter, effaner, effiler, enlever*, étriper, obtenir, prendre*, retirer*, saigner, sarcler ■ 8 cueillir, déboiser, déchirer, démarier, détacher, déterrer, égrapper, emporter*, essarter, extirper, extraire* ■ 9 arrachage, arracheur, défricher, démembrer, déplanter, déraciner, éfaufiler, tirailler ■ 10 défaufiler, dépouiller, cffcuiller ■ 11 arrachement, débarrasser, échardonner.
ARRACHOIR : 8 sarcloir ■ 10 déplantoir.
ARRAISONNER : 14 arraisonnement.
ARRANGE : 7 disposé.
ARRANGEMENT : 6 accord, projet ■ 7 formule, texture ■ 8 coiffure, conduite, harmonie ■ 9 arrangeur, charpente, collusion, transiger ■ 10 adaptation, agencement, assemblage, classement, conciliant, conclusion, équipement, ordonnance*, replâtrage ■ 11 aménagement, assortiment, combinaison, composition, disposition, habillement, proposition ■ 12 accoutrement, affabulation, conciliation, constitution, construction, coordination, distribution, organisation*, raccommodage ■ 13 accommodement, appropriation, architectonie, établissement ■ 14 classification, réorganisation, rétablissement.
ARRANGER : 5 faire, orner, parer, poser, trier ■ 6 draper, monter, ourdir, placer, ranger*, régler, tramer ■ 7 adapter, agencer, ajuster, aplanir, attifer, classer, coiffer, équiper, établir, fagoter, ficeler, grouper, joindre, peigner, réparer*, rétamer, tresser ■ 8 accorder, aménager, apprêter*, assortir, composer, convenir, disposer, emboîter, formuler, habiller, ordonner*, préparer*, remanier, rétablir ■ 9 accoutrer,assembler, concilier, empailler, goupiller, harnacher, manipuler, organiser* ■ 10 accommoder, approprier, charpenter, classifier, constituer, construire, coordonner, harmoniser, manigancer, réarranger ■ 11 arrangeable, arrangement, raccommoder*, réglementer, réorganiser ■ 13 inarrangeable, réarrangement.
ARRENTER : 5 louer.
ARRERAGES : 2 dû ■ 7 intérêt.
ARRESTATION : 5 rafle ■ 9 empoigner.
ARRET : 4 cran, gare, lien, stop ■ 5 à-coup, apnée, borne, bride, butée, cesse, congé, coupe, crise, délai, étape, frein, halte, licou, ordre, panne, pause*, point, répit, repos*, stase, trêve, union ■ 6 accroc, anurie, arrêté, escale, limite, référé, relais, retard, séjour, taquet ■ 7 acholie, baillon, brisure, caveçon, cliquet, demeure, entrave, marasme, mi-temps, pointer, relâche, rupture, silence, station, torpeur, vacance ■ 8 asphyxie, bien-jugé, décision, diapause, enrayage, en-

tracte, épagneul, gâchette, jugement, roulette, solstice ■ 9 armistice, campement, cessation, éclaircie, fatidique, intermède, ménopause, mentonnet, mouillage, paralysie, rétention ■ 10 accrochage, enraiement, enrayement, intervalle, quiescence, sidération, stagnation, suspension ■ 11 aheurtement, arrestation, cessez-le-feu, compression, mentonnière, quarantaine ■ 12 arcboutement, infantilisme, interruption*, interception ■ 13 fatidiquement, stationnement.

ARRETE : 5 arrêt ■ 6 précis ■ 8 prononcé ■ 9 règlement.

ARRETE-BŒUF : 7 bugrane.

ARRETER : 4 duit, haro, holà, lier, stop ■ 5 ancre, arrêt, buter, caler, clore, débet, fixer, frein, jetée, otage, pouce, prise, tarir, tenir ■ 6 ancrer, borner, brider, briser, camper, cesser, couper, pincer, régler, rompre ■ 7 agrafer, assurer, compter, croupir, décider, échouer, enrayer, entêter, freiner, juguler, limiter, prendre, relayer, reposer, retenir, stagner, stopper, tourner ■ 8 aheurter, alpaguer, ardillon, arnaquer, attarder, attendre, auto-stop, contenir, demeurer, demi-tige, différer, enclouer, endiguer,entraver, épingler, étancher, étouffer, immobile, mouiller, obstacle,ordonner, prohiber, refréner, relâcher, réprimer, respirer, stagnant, suspense ■ 9 accrocher, combattre, comprimer, contre-feu, encalminé, enchaîner, harponner, hémostase, inhibitif, main-levée, paralyser, règlement, relaisser, reprendre, séjourner, suspendre, suspensif, touraille ■ 10 étrangloir, inhibiteur, stationner ■ 11 appréhender, crémaillère, immobiliser, intercepter, interrompre* ■ 12 anti-émétique, contre-vapeur, embouteiller, hémostatique, intermittent ■ 13 forcipressure, inextinguible.

ARRHES : 5 dédit ■ 6 clause ■ 7 acompte, caution.

ARRIERATION : 8 débilité ■ 12 oligophrénie.

ARRIERE : 3 cul, dos, sur ■ 4 fond, fuir ■ 5 dette, fesse, gorge, ketch, nuque, passé, poupe, quête, queue, recul, repli, rétro, talon, verso, voûte ■ 6 croupe, débile, envers, génois, récent, revers ■ 7 artimon, dernier, pataras ■ 8 derrière, grignard, reculons, retourné, retraite, spardeck, survirer, traînard ■ 9 antérieur, passavant, précédent, rebrousser, récession, récurrent, rétracter, trompette ■ 10 arrière-ban, brigantine, contrefort, gouvernail, rebrousser, rétrograder, réversible, souillarde ■ 11 arrière-cour, arrière-goût, arrière-main, arrière-pays, rétrograder ■ 12 arrière-garde, opisthotonos, rétroversion ■ 13 arrière-pensée, arrière-saison, contre-courant, hypermétropie, rétrogression, rétro-pédalage, rétrospection ■ 14 charrue-balance ■ 15 arrière-boutique, arrière-voussure.

ARRIERE-FAUX : 7 délivre.

ARRIERE-GORGE : 13 abaisse-langue.

ARRIERE-PAYS : 10 hinterland.

ARRIERE-PLAN : 8 lointain.

ARRIERE-TRAIN : 6 culard ■ 8 derrière.

ARRIMER : 4 vrac ■ 8 arrimage, arrimeur ■ 10 désarrimer.

ARRIVEE : 4 gare ■ 5 anode, subit, venue ■ 6 afflux ■ 8 abordage, approche, arrivage, débotter ■ 9 accession, avènement, bienvenue, événement, fréquence, vingt-deux ■ 10 nécessaire, survenance ■ 11 photo-finish ■ 12 débarquement.

ARRIVER : 3 but ■ 5 avenu, fatal, finir, mener, mûrir, sorte, venir*, voler ■ 6 amener, échoir, naître, sonner, terrir, tomber ■ 7 aborder, aboutir, accéder, advenir, affluer, joindre, radiner, réussir* ■ 8 parvenir, présager, retarder, survenir ■ 9 approcher, atteindre*, coïncider, débarquer, découvrir, événement ■ 10 surprendre ■ 11 inaccoutumé ■ 12 opportunisme ■ 13 accessibilité.

ARRIVISTE : 9 intrigant.
ARROCHE : 8 vulvaire ■ 9 belle-dame ■ 13 chénopodiacée.
ARROGANCE : 7 morguer.
ARROGANT : 4 fier, haut ■ 5 rogne, rogue, rugue ■ 6 altier ■ 7 hautain ■ 8 insolent ■ 9 arrogance ■ 11 arrogamment, orgueilleux*.
ARROGER : 7 usurper ■ 8 empiéter ■ 9 attribuer ■ 10 approprier.
ARRONDI : 4 lobe ■ 5 bosse, creux, fesse, gorge, grenu, obtus, panse, pivot, pomme, ronce ■ 6 capité, ventru ■ 7 mamelon, ronceux ■ 8 courbure ■ 9 erratique, tubercule ■ 11 norvégienne ■ 12 rondouillard.
ARRONDIR : 5 râper ■ 8 bigorner, rebrûler ■ 10 labialiser ■ 12 quarderonner ■ 14 arrondissement.
ARRONDISSEMENT : 5 maire ■ 9 chefferie ■ 12 bourdonnière.
ARRONDIT : 12 arrondissage.
ARROSAGE : 5 pomme ■ 6 douche ■ 9 aspersion, injection, seringage ■ 10 arrosement, inondation, irrigation, ondoiement.
ARROSEMENT : 8 affusion, arrosage ■ 9 injection ■ 10 irroration.
ARROSER : 6 verser ■ 7 baigner, dériver, doucher, imbiber, inonder, ondoyer, tremper* ■ 8 abreuver, arrosage, arroseur, arrosoir, asperger, baptiser, bassiner, humecter, injecter, irriger, mouiller*, répandre ■ 9 arrosable, arroseuse, compisser, seringuer, submerger ■ 10 arrosement ■ 12 ébouillanter.
ARROSEUR : 9 asperseur.
ARROW-ROOT : 7 curcuma, marenta, marente.
ARSENAL : 12 garde-magasin.
ARSENIC : 2 as ■ 5 plomb ■ 6 ahusal, magnès, rubine ■ 8 arsénite, orpiment, salsigne ■ 9 arséniate, arsénical, arsénieux, arsénique, arséniure, mispickel ■ 11 arsénicisme ■ 12 arsénobenzol.
ARSENIOSULFURE : 9 cobaltine, cobaltite.
ARSENIURE : 8 smaltine.
ART : 3 abc, tir ■ 4 boxe, bien, lyre, muse ■ 5 chant, copie, coupe, danse, faute, fonte, gaine, génie, genre, magie, mégie, musée, pêche, règle, rendu, roman, salon, scène, tenue, torse ■ 6 dessin, marine, phrasé, poésie ■ 7 adresse, artiste, couture, cubisme, cuisine, escrime, galerie, gravure, ikebana, land art, musique, origami, poterie, reliure, théâtre, vénerie ■ 8 académie, alchimie, broderie, ciselure, coiffure, critique, dadaïsme, diagnose, élégance, exercice, festival, fonderie, gainerie, gothique, ingrisme, lainerie, mantique, manuélin, mozarabe, natation, ottonien, peinture, tactique, teinture, topiaire, vannerie, verrerie, virtuose ■ 9 argenture, beaux-arts, céramique, cinétisme, contrepet, éloquence, émaillure, éristique, futurisme, glyptique, graphique, industrie, japonerie, jardinage, manœuvre, marbrerie, miniature, nickelure, pantomine, pédagogie, plastique, praticien, sculpture, statuaire, stratégie, taillerie, technique* ■ 10 aéromancie, apiculture, artificiel, artistique, astrologie, balistique, bijouterie, biotechnie, camouflage, craquelage, décoration, défilement, diagraphie, dialogisme, diplomatie, divination, émaillerie, enluminure, équitation, escamotage, giottesque, horométrie, imprimerie, joaillerie, logistique, lunetterie, machinisme, magnanerie, maïeutique, maniérisme, menuiserie, mnémonique, navigation, orfèvrerie, orthopédie, pelleterie, plaidoirie, polyphonie, professeur, profession, quadrivium, rhétorique, scénologie, serrurerie, tapisserie, taxidermie, théoricien, toreutique, zootechnie ■ 11 aérostation, aquiculture, artistement, cartomancie, cartonnerie, chasublerie, contrepoint, cynégétique, déclamation, dégustation, dialectique, dramaturgie, ébénisterie, écrivailler, fauconnerie, ferron-

nerie, gastronomie, gymnastique, hétéroclite, législateur, littérature, longimétrie, modernstyle, nécromancie, négociation, numérologie, obstétrique, parqueterie, perspective, ponctuation, stéréotypie, tauromachie, technologie, télégraphie, vétérinaire, xylographie, zymotechnie ■ **12** architecture, boissellerie, calligraphie, cartographie, charpenterie, chorégraphie, confiturerie, construction, conversation, damasquinage, encyclopédie, enseignement, hispano-arabe, horticulture, japonaiserie, mnémotechnie, nomenclature, parachutisme, photoglyptie, photographie, pisciculture, primitivisme, radiesthésie, registration, scénographie, sténographie, ventriloquie ■ **13** aéromodélisme, argumentation, céroplastique, chalcographie, fantasmagorie, fortification, herméneutique, hyperréalisme, illusionnisme, non-figuration, orchestration, ornementation, paléochrétien, poliorcétique, polytechnique, sidérographie, stéréographie, télémécanique, versification ■ **14** arithmographie, castramétation, dactylographie, métallochromie, naturalisation, philotechnique, physiognomonie ■ **15** anthropotechnie, architectonique, expressionnisme, hispano-mauresque, hispanomoresque, impressionnisme.

ARTERE : 4 sang, voie ■ **5** antre, pouls, sente, tâter ■ **6** avenue ■ **7** pontage, systole ■ **8** artériel, artérite, athérome, carotide, diastole, pédicule, sigmoïde, thrombus ■ **9** anévrisme, anévrysme, artérieux, artériolé, collapsus, hypotendu ■ **10** coronarite, tourniquet ■ **11** hypotension ■ **12** artériotomie, oscillomètre, ramification ■ **13** artériectomie, artériopathie, vasomotricité ■ **14** artériographie ■ **15** artériosclérose.

ARTERIELLE : 10 sérotonine.

ARTERIOSCLEROSE : 15 artérioscléreux.

ARTERITE : 13 anti-coagulant.

ARTESIEN : 5 puits.

ARTHRITE : 8 athérome, coxalgie ■ **10** herpétisme ■ **11** arthritique, arthritisme.

ARTHROPODE : 6 exuvie ■ **8** articulé*, péripate, sternite ■ **9** ommatidie ■ **13** pyconogonodie.

ARTHROSE : 12 discarthrose, lombarthrose.

ARTICHAUT : 4 foin, pied ■ **5** talon ■ **6** cardon ■ **7** acanthe, chardon, feuille ■ **8** patisson, strobile ■ **9** oeilleton ■ **11** cardonnette ■ **12** chardonnette ■ **13** artichaudière.

ARTICLE : 2 al, au, de, du, el, la, le, un ■ **3** aux, des, les, loi, une ■ **4** chef ■ **5** étude, poste ■ **6** défini, leader, mot-clé, papier, tourne ■ **7** journal, matière, réclame, tartine ■ **8** abstract, entroque, indéfini, partitif, retourne ■ **9** articulet, chronique, éditorial, nouveauté, reportage, téléachat ■ **10** convention, entrefilet, feuilleton, géotextile ■ **12** articulation, premier-paris, shipchandler ■ **13** rez-de-chaussée.

ARTICULAIRE : 12 synoviortose ■ **13** arthrogrypose.

ARTICULATION : 3 jeu ■ **5** coude, genou, glène, joint, noeud ■ **6** cardan, cotyle, épaule, hanche, jarret, nilles, rotule, suture, tophus ■ **7** article, attache, capsule, condyle, génoïde, poignet, synovie ■ **8** ankylose, aperture, arthrite, arthrose, articulé, cheville, déboîter, glénoïde, jointure, jonction, ligament, luxation, ménisque, symphyse, trochlée, vessigon ■ **9** acétabule, arthrodie, cartilage, charnière, clavicule, cotiloïde, engrenure, glénoïdal, synévrose ■ **10** anastomose, arthralgie, arthrodèse, énarthrose, phonétique, rhumatisme, salicylate ■ **11** arthritique, articulaire, déboîtement, emboîtement, genouillère, hémarthrose, hydarthrose, synarthrose ■ **12** arthropathie, désarticuler, lombarthrose, périarthrite, polyarthrite ■ **13** amphiarthrose, articula-

toire, arthroplastie, prononciation, pseudarthrose ■ 14 palatalisation, proprioception, psychobiologie.
ARTICULE: 5 palpe ■ 6 élinde, limule ■ 7 insecte* ■ 8 crustacé*, skeleton ■ 9 arachnide, *, bobsleigh, mérostome, myriapode, trilobite ■ 10 inarticulé, tardigrade ■ 11 mille-pattes*, pantographe.
ARTICULER: 6 parler ■ 7 bégayer ■ 8 proférer ■ 9 anarthrie, balbutier, mâchonner, prononcer.
ARTICULET 10 entrefilet.
ARTIFICE: 4 ruse ■ 5 fusée, lance, moins, piège ■ 6 leurre, pétard, soleil ■ 7 naïveté, naturel, ralenti, trucage ■ 8 accéléré, hérisson, truquage ■ 9 étoupille ■ 10 artificier, serpenteau ■ 11 embrasement, pyrotechnie, sous-entendre ■ 12 maquignonner ■ 15 fusée-détonateur.
ARTIFICIEL: 3 i.a.d. ■ 4 duit, rade ■ 5 canal, conte, devon, motte, nylon, serre, sérum, sonde ■ 6 rhodia ■ 7 convenu, factice, fermium, hahnium, papegai ■ 8 commande, coupe-feu, exutoire, fibranne, fumigène, graphite, papegeai, postiche, prégazon, spoutnik, téocalli ■ 10 élastomère ■ 11 embaumement ■ 12 feuillagiste, géosynchrome, insémination ■ 13 hallucinogène ■ 14 eutrophication ■ 15 géostationnaire, oxygénothérapie.
ARTIFICIELLE: 8 liposome ■ 11 phénoplaste.
ARTIFICIEUX: 5 menée ■ 6 matois, retors ■ 10 patelinage ■ 11 patelinerie.
ARTILLERIE: 3 âme ■ 4 arme ■ 5 aspic, bigor, canon, épart, espar, orgue, pièce, tâter, train, volée ■ 6 bélier, bureau, faucon, onagre ■ 7 basilic, bâtarde, crapaud, mortier ■ 8 batterie, bombarde, caronade, étendard, pierrier, prolonge, scorpion ■ 9 artilleur, bigorneau, catapulte, émerillon, espingole, serpentin, veuglaire ■ 10 fauconneau, jarretière, serpentine ■ 11 automouvant, couleuvrine ■ 14 contre-batterie.
ARTILLEUR: 5 furco ■ 12 sabre-briquet.
ARTIMON: 3 gui, mât, pic ■ 8 perruche ■ 10 brigantine.
ARTIODACTYLE: 5 suidé* ■ 6 porcin ■ 8 ruminant ■ 11 hippopotame.
ARTISAN: 5 façon ■ 7 artiste, ouvrier* ■ 8 layetier, marbreur, peignier ■ 9 artisanal, artisanat ■ 11 self-made-man ■ 15 prolétarisation.
ARTISANAL: 7 lirette.
ARTISTE: 4 raté, solo ■ 5 palme ■ 6 acteur, bohême, cuadro, étoile ■ 7 artisan, hasbeen, logiste, vedette ■ 8 académie, ciseleur, festival, informel, modeleur ■ 9 fusiniste, sculpteur ■ 10 affichiste, enlumineur, ensemblier, fusainiste, graffiteur, imprésario, paysagiste, plasticien, rentoileur ■ 11 concertiste, fantaisiste, pastelliste, pyrograveur ■ 12 autoportrait, illustrateur, miniaturiste, portraitiste ■ 14 peintre-graveur.
ARTISTIQUE: 4 flou, idée ■ 5 musée, navet, nègre, unité ■ 8 pastiche ■ 9 bestiaire, dravidien, futurisme, lettrisme, muralisme, œuvrette ■ 10 esthétisme, pastichage, romantisme ■ 11 classicisme, indigénisme, renaissance, surréalisme ■ 12 pornographie, rationalisme ■ 13 préromantisme ■ 14 artistiquement, préraphaélisme ■ 15 trans-avant-garde.
ARUM: 5 calla, gouet ■ 7 spadice ■ 10 pied-de-veau.
ARYLAMINE: 9 benzidine.
ARYLE: 9 arylamine.
ARYTHMIE: 13 tachyarythmie.
AS: 5 aigle, baste, besas, beset ■ 8 manillon, sesterce, spadille, virtuose.
ASARCIE: 14 amaigrissement.
ASBESTE: 9 asbestose.

ASCARIS : 8 ascaride, nématode ■ 11 ascaridiase, ascaridiose.
ASCENDANCE : 11 unilinéaire ■ 13 consanguinité, matrilinéaire, patrilinéaire.
ASCENDANT : 4 race ■ 5 aïeul, aïeux, gamme, titre ■ 7 emprise, pouvoir ■ 8 autorité ■ 9 influence, profectif, subjuguer.
ASCENSEUR : 7 liftier.
ASCENSION : 8 inalpage, première ■ 9 alpinisme, rogations* ■ 10 ascendance ■ 12 ascensionnel, ascensionner ■ 14 ascensionniste.
ASCETE : 4 yogi ■ 5 fakir, soufi ■ 6 ermite, santon ■ 7 mahatma ■ 8 marabout ■ 9 ascétique, ascétisme ■ 13 gymnosophiste.
ASCETISME : 4 yoga ■ 6 ascète ■ 8 piétisme, soufisme ■ 9 ascétique, austérité ■ 14 priscillanisme ■ 15 néopythagorisme.
ASCIDIE : 9 prochordé ■ 10 microcosme.
ASCLEPIADACEE : 9 asclépias ■ 10 asclépiade ■ 11 dompte-venin.
ASCOMYCETE : 5 ergot ■ 6 oïdium ■ 7 discale ■ 8 tubérale ■ 9 apothécie, aspergile, gyromitre, tubéracée ■ 10 aspergille ■ 11 aspergillus, penicillium, discomycète* ■ 12 blastomycète*, plectomycète, pyrénomycète*.
ASE : 10 asa-fœtida.
ASEPSIE : 9 aseptique, aseptiser ■ 12 aseptisation ■ 14 assainissement.
ASEXUE : 8 bourgon.
ASEXUEE : 6 agamie ■ 7 agamète.
ASIATIQUE : 3 tek, yak ■ 4 isba, lion, loge, naja, once, paon, polo, séné, soja, soya, teck, thaï, yack, zébu ■ 5 acore, aloès, arabe, cèdre, hêtre, hyène, loofa, luffa, orvet, sacre, tacca, tapir, thuya, tigre, varan, xérus ■ 6 afghan, asiate, birman, coolie, coréen, indien, malais, mongol, orient, parthe, persa, scythe, syrien ■ 7 chinois, irakien, iranien, karakul, laotien, muntjac, siamois ■ 8 amandier, antilope, arménien, bignonia, éléphant, eurasien, formosan, jacinthe, japonais, kapokier, libanais, magnolia, mandchou, manguier, marabout, népalais, opopanax, pangolin, panthère, porc-épic, roténone, sibérien, tibétain ■ 9 amérasien, chevreuil, concombre, ébionites, gélinotte, gingembre, israélien, jordanien, macropode, magnolier, mangouste, népenthès, patchouli, phénicien, philippin, porte-musc, roussette, salangane, thibétain, voliquier ■ 10 asiadollar, cambodgien, chevrotain, cinghalais, cognassier, indonésien, vietnamien ■ 11 cassitérite, liquidambar, palestinien, thaïlandais ■ 12 mésopotamien, pakistanais, plaqueminier, transcaspien ■ 13 afroasiatique, semnopithèque, transsibérien ■ 14 trigonocéphale ■ 15 reine-marguerite.
ASIE : 6 karbau ■ 7 kérabau, linsang ■ 13 sous-continent.
ASILE : 4 abri* ■ 5 salle ■ 6 refuge, zaouia ■ 8 enfermer, interner, retraite ■ 10 sanctuaire ■ 11 hospitalité ■ 13 madelonnettes.
ASOCIAL : 10 asocialité.
ASPECT : 3 vue ■ 4 côté, face, jour, look, mine, oeil, port, yeux ■ 5 amène, casse, décor, épair, forme, logos, phase ■ 6 dehors, faciès, gueule, touche ■ 7 chinure, gibbeux, habitus, laqueux, luisant, plucher ■ 8 caramélé, mosaïqué, paraître, semblant, tubéracé ■ 9 apparence, enveloppe, extérieur ■ 10 éruciforme ■ 11 ambivalence, imperfectif, perspective, physionomie, signalement ■ 13 gélatiniforme, vraisemblable.
ASPERGE : 6 griffe, pointe, turion ■ 8 criocère ■ 10 asparagine, aspergerie.
ASPERGER : 7 arroser ■ 8 répandre, sulfater ■ 9 aspersion.
ASPERGILLE : 12 aspergillose.
ASPERITE : 5 gazer, prise ■ 8 raboteux, rugosité ■ 9 inégalité.

ASPERME : 8 aspermie.
ASPERMIE 12 aspermatisme.
ASPERSEUR : 9 sprinkler.
ASPERSION : 8 affusion, arrosage, aspergès ■ 9 aspersoir, goupillon.
ASPHALTE : 6 bitume* ■ 9 asphalter ■ 10 asphaltage, asphalteur, asphaltier, asphaltite ■ 11 goudronneur.
ASPHYXIANT : 4 gazé ■ 5 gazer.
ASPHYXIE : 5 croup ■ 6 noyade ■ 7 cyanose ■ 8 asphyxié ■ 9 asphyxier, carbogène ■ 10 asphyxiant ■ 11 étouffement.
ASPIRANT : 4 aspi ■ 5 clerc, pompe ■ 7 midship ■ 9 ambitieux, bachelier, soupirant ■ 10 midshipman.
ASPIRATEUR : 13 aspiro-batteur.
ASPIRATION : 4 voeu, vote ■ 5 appel ■ 6 besoin, brigue ■ 7 attrait, souhait ■ 8 ambition, penchant, tendance, tire-lait ■ 9 émulation, intention, téterelle ■ 10 inhalation, prétention ■ 11 aspiratoire, candidature, inclination.
ASPIRER : 5 fumer, humer, idéal, pompe, sucer*, téter ■ 6 brûler, courir, pomper, tendre ■ 7 briguer, expirer, inhaler ■ 8 absorber, aspirant, inspirer, renâcler, renifler, soupirer ■ 9 insuffler, prétendre*, souhaiter, téterelle ■ 10 aspirateur, aspiration, pulsomètre ■ 11 ambitionner.
ASQUE : 9 ascopore.
ASSA-FŒTIDA : 6 férule.
ASSAGIR : 5 mûrir.
ASSAILLIR : 8 attaquer ■ 10 accueillir.
ASSAINISSEMENT : 7 asepsie ■ 10 antisepsie, chloration ■ 12 désinfection ■ 13 stérilisation.
ASSAISONNEMENT : 3 sel ■ 5 câpre, épice, oille, sauce ■ 6 apprêt, safran ■ 7 aromate ■ 8 moutarde, vinaigre ■ 9 condiment, sarriette ■ 10 persillade ■ 11 croque-au-sel ■ 13 accommodement.
ASSAISONNER : 5 saler ■ 6 épicer ■ 7 poivrer ■ 8 apprêter, pimenter ■ 9 vinaigrer ■ 14 assaisonnement.
ASSASSIN : 5 bravi, bravo, tueur* ■ 7 sicaire ■ 8 criminel*, régicide ■ 9 éventreur, meurtrier* ■ 10 chourineur ■ 11 coupe-jarret, tyrannicide.
ASSASSINER : 4 tuer* ■ 5 buter ■ 6 butter ■ 9 chouriner, guet-apens.
ASSAUT : 4 prix, tuée, rush ■ 5 poule, ruade, siège ■ 6 combat ■ 7 attaque*, reprise ■ 8 abordage, escalade ■ 9 offensive ■ 10 coup de main, engagement ■ 11 escarmouche ■ 12 inexpugnable ■ 13 échauffourrée.
ASSEAU : 7 assette.
ASSECHEMENT : 8 mâchefer ■ 10 wateringue.
ASSECHER : 3 sec ■ 5 tarir ■ 7 drainer, essorer ■ 11 assèchement.
ASSEMBLAGE : 4 amas, bâti, ente, pile, vers ■ 5 about, adent, botte, bride, bruit, cadre, coque, corde, ferme, gerbe, glane, hymen, joint, livre, mèche, mi-fer, moise, nœud, paire, ramas, ramée, toron, total, ville, voûte ■ 6 cahier, enture, grappe, greffe, liasse, suture, touffe, tortis, toupet, trémie ■ 7 agrégat, attache, capside, chignon, couture, dormant, ennéade, étançon, fascine, montage, panache, parquet, poignée, potence, poulain, réunion*, sifflet, soudure, trophée ■ 8 accolage, accouple, ajustage, appareil, armature, barrière, cheville, couplage, enlaçure, enrayure, faisceau, goupille, marsouin, mosaïque, poutrage, ramassis, râtelier, sonnerie, soupente ■ 9 bariolage, cadrature, carrelage, charpente, empatture, enlassure, fascicule, pincelier, quinconce, treillage, triquètre, trousseau ■ 10 aboutement, adapta-

tion, agglomérat, agrégation, armillaire, boulonnage, commettage, enlacement, grappillon, groupement, poutraison, prisonnier, remmoulage, scellement ■ **11** abouchement, agglutinage, application, association, assortiment, caillebotis, chevauchant, combinaison, composition, échafaudage, emboîtement, embrèvement, marqueterie, prêt-à-coudre ■ **12** accouplement, appareillage, articulation, chausse-trape, enchevêtrure, photomontage, phraséologie, queue-d'aronde ■ **13** agglomération, collationnure, enfourchement ■ **15** contreventement.

ASSEMBLE : **5** danse.

ASSEMBLEE : **3** bal ■ **4** clou, fête ■ **5** arène, diète, douma, levée, louée, plaid, sénat ■ **6** djamaa, djemaa, quorum, sabbat, synode ■ **7** comices, congrès, conseil, convent, landtag, réunion*, revival, session, zemstvo ■ **8** chapitre, conclave, consulte, ecclésia, harangue, scission ■ **9** assistant, compagnie, dissoudre, parlement, président, synagogue ■ **10** assistance, commission, composteur, pétaudière, secrétaire ■ **11** bicamérisme, consistoire, discrétoire, législature, manœuvrier ■ **12** amphictyonie, congrégation, contre-plaqué ■ **13** bicaméralisme, épiscopalisme, landsgemeinde, monocamérisme, trombinoscope ■ **15** monocaméralisme.

ASSEMBLER : **4** lier, lire, tissu, unir* ■ **5** bâtir, enter, nouer, river ■ **6** clouer, coller, coudre, monter, relier, réunir*, sertir, souder ■ **7** abouter, accoler, adapter, ajuster, ameuter, apposer, brocher, enlacer, épisser, greffer, grouper, joindre*, rallier, sceller ■ **8** aboucher, attacher, carreler, cimenter, claboter, combiner, composer, emboîter, endenter, englober, mortaise, rabouter, raboutir, ramasser ■ **9** accoupler, appliquer, articuler, cheviller, convoquer, emmancher, goujonner, goupiller, jointoyer, mastiquer, rapporter, rattacher ■ **10** agglomérer, agglutiner, assemblage, concentrer, embrancher, empaqueter, rassembler*, recueillir ■ **11** appareiller, assembleuse, parangonner ■ **13** contre-plaquer.

ASSENER : **6** battre ■ **8** allonger.

ASSENTIMENT : **6** accord ■ **7** parbleu ■ **8** sanction ■ **11** approbation ■ **12** ratification.

ASSEOIR : **5** pouce, siège ■ **7** reposer ■ **8** rasseoir, tailleur ■ **9** accroupir, fondation ■ **10** chauffeuse.

ASSERMENTE : **6** jureur.

ASSERTION : **4** dire ■ **10** allégation ■ **11** affirmation ■ **13** documentation.

ASSERVIR : **4** lier ■ **8** entraver, opprimer* ■ **9** enchaîner ■ **10** assujettir, tyranniser, vassaliser.

ASSERVISSEMENT : **4** joug ■ **5** sujet ■ **6** captif ■ **8** sujétion ■ **9** captivité, corvéable, esclavage*, servitude* ■ **10** contrainte ■ **12** asservisseur.

ASSERVIT : **12** asservissant.

ASSEZ : **5** basta, baste, besef, bezef, halte, marre ■ **6** congru ■ **7** adéquat, honnête, suffire ■ **8** faiblard, médiocre, passable, vieillot ■ **9** suffisant ■ **10** convenable ■ **11** raisonnable, respectable, supportable ■ **12** passablement, suffisamment.

ASSIDU : **7** obstiné ■ **8** toujours.

ASSIDUITE : **4** cour ■ **10** assidûment, exactitude*, fréquenter ■ **11** absentéisme, importunité.

ASSIEGEANT : **5** boyau, levée, siège.

ASSIEGER : **6** cerner ■ **10** tourmenter ■ **13** poliorcétique ■ **15** contre-approches.

ASSIETTE : **4** plat ■ **5** marli, suage, tenue ■ **7** écuelle ■ **8** position,

soucoupe ■ **9** assiettée, vaisselle ■ **10** imposition.
ASSIGNAT: 6 billet.
ASSIGNATION: 11 ajournement ■ **13** réassignation.
ASSIGNER: 5 doter, douer ■ **6** situer ■ **7** intimer, marquer ■ **8** affecter, attraire, destiner ■ **9** convoquer ■ **10** coordonner, domicilier, interpoler, réassigner.
ASSIMILATION: 8 parabole ■ **9** allégorie, athrepsie ■ **10** anabolisme, melting-pot ■ **11** comparaison, dénutrition, élaboration ■ **12** rassortiment.
ASSIMILE: 10 inassimilé.
ASSIMILER: 7 digérer ■ **8** comparer, élaborer ■ **9** angéliser, approcher, rapparier, rassortir ■ **11** appareiller, assimilable ■ **12** assimilateur ■ **13** inassimilable ■ **15** fonctionnariser.
ASSIS: 5 giron, levée, seoir, siège ■ **6** stable ■ **8** assiette ■ **10** sédentaire.
ASSISE: 4 base ■ **5** rouet ■ **7** bandeau, jambage, tambour ■ **8** cliquart, hérisson, margelle ■ **9** arasement, fondation, fondement ■ **10** orthostate ■ **11** enrochement, recoupement.
ASSISTANCE: 4 aide ■ **5** appui ■ **6** office ■ **7** charité, hospice, orthèse, secours, service ■ **8** secourir ■ **9** auditoire, déférence, gratitude, main-forte ■ **10** obligation, protection ■ **11** obsécration ■ **12** obséquiosité ■ **13** casus foederis, collaboration ■ **14** reconnaissance.
ASSISTANT: 4 aide ■ **6** second ■ **7** acolyte, adjoint, associé, commère, compère, complice, daubeur ■ **9** assesseur, gardienne ■ **10** coadjuteur, paranymphe, partenaire, secrétaire, spectateur, subalterne ■ **13** collaborateur ■ **14** accompagnateur.
ASSISTER: 5 aider, sénat ■ **7** inviter ■ **8** coopérer, entendre, greffier, seconder, secourir ■ **9** assistant, délaisser, état-major ■ **10** spectateur ■ **14** instrumentaire, télespectateur.
ASSOCIATION: 4 club, thug ■ **5** gavot, gilde, hanse, ligue, macle, mafia, ordre, pacte, parti*, scout, songe, union ■ **6** cercle, comité, fusion, ghilde, guilde, maffia, morave, troupe ■ **7** camorra, commune, coterie, entente, fan-club, gérance, hétérie, linkage, mélange, pariage, partage, patarin, réunion*, société*, tontine ■ **8** adhérent, adhésion, affilier, alliance, ciné-club, complexe, coupiage, covenant, jumelage, scission, symbiose, syndicat, synergie ■ **9** bienvenue, biocénose, bipartite, cheftaine, coalition, compagnie, confrérie, dissoudre, fruitière, mutualité, mycorhize, yachtclub ■ **10** biocœnose, blastodème, commandite, communauté, consortage, cooptation, coproduire, fédération, groupement*, sociétaire ■ **11** affiliation, camaraderie, composition, coopération, corporation, phalanstère, synesthésie ■ **12** acoquinement, congrégation, philharmonie ■ **13** compagnonnage, confédération ■ **14** archiconfrérie, internationale, intersyndicale, philharmonique, sadomasochisme ■ **15** franc-maçonnerie, fuso-spirillaire, phytosociologie.
ASSOCIE: 6 apport, gérant ■ **7** acolyte, adjoint, affilié, compère, inféodé ■ **8** camarade, collègue, complice, compound, confrère, symbiote, syndiqué ■ **9** co-associé, commensal, intéressé, solidaire ■ **10** commandité, partenaire ■ **11** coopérateur ■ **12** unipersonnel ■ **13** collaborateur.
ASSOCIER: 4 unir* ■ **6** allier, réunir* ■ **7** adhérer, agréger, joindre* ■ **8** affilier, attacher, partager ■ **9** adjoindre, fusionner ■ **10** constituer, participer ■ **12** souscription.
ASSOIFFER: 7 altérer.
ASSOLEMENT: 4 sole ■ **8** rotation.

ASSOMBRIR : 6 ternir ■ 8 embrumer ■ 10 enténébrer ■ 15 assombrissement.
ASSOMBRISSEMENT : 9 vignetage.
ASSOMME : 2 k.o. ■ 7 ensuqué ■ 9 assommeur.
ASSOMMER : 4 tuer ■ 6 battre, sonner ■ 7 abattre, ennuyer ■ 8 knock-out ■ 9 assommeur, assommoir, estourdir.
ASSONANCE : 4 rime ■ 8 assonant ■ 9 assonancé ■ 10 consonance.
ASSORTI : 10 désassorti.
ASSORTIMENT : 5 choix, fonte ■ 6 frappe ■ 7 service ■ 9 garniture, petit-four ■ ■ 10 collection ■ 11 désassortir.
ASSORTIR : 4 nuer ■ 5 faire ■ 6 marier ■ 8 accorder, apparier ■ 9 accoupler, rassortir ■ 11 appareiller, désassortir ■ ■ 12 rappareiller.
ASSOUPIR : 6 dormir ■ 9 engourdir ■ 11 ensommeillé ■ 12 assoupissant.
ASSOUPISSEMENT : 4 coma ■ 5 opium, sopor ■ 7 narcose, sommeil, torpeur ■ 9 léthargie ■ 10 dépression, narcotique, somnolence ■ 15 engourdissement.
ASSOUPLIR : 8 triballe ■ 9 triballer ■ 11 palissonner ■ 12 désarticuler ■ 13 assouplissage ■ 15 assouplissement.
ASSOUPLISSEMENT : 6 détiré ■ 7 narcose ■ 9 corroyage ■ 10 exerciseur ■ 12 dérégulation, médecine-ball.
ASSOURDI : 7 dévoisé.
ASSOURDIR : 6 casser, rompre ■ 7 étouffé ■ 8 étouffer ■ 9 casse-tête ■ 13 assourdissant ■ 15 assourdissement.
ASSOUVIR : 7 apaiser ■ 8 étancher ■ 9 rassasier* ■ 10 insatiable, satisfaire* ■ 14 assouvissement.
ASSUETUDE : 9 addiction.
ASSUJETISSEMENT : 14 auto-imposition.
ASSUJETTIR : 5 caler, pénal, plier, river ■ 6 régler, seller ■ 7 assurer, coincer, mandrin, trénail ■ 8 éclisser, opprimer ■ 9 conquérir, soumettre* ■ 10 astreindre, tyranniser ■ 11 mentonnière.
ASSUJETISSEMENT : 8 sujétion ■ 9 autonomie, esclavage, servitude, vassalité, vasselage ■ 13 subordination ■ 14 auto-imposition.
ASSUMER : 7 prendre ■ 8 endosser ■ 11 revendiquer.
ASSURANCE : 3 foi ■ 4 cran, gage ■ 5 calme, culot, prime ■ 6 aplomb, garant, parolc, police, sûreté, toupet ■ 7 fermeté ■ 8 assureur, autorité, crânerie, décision, démonter, garantie, promesse, rassurer, réversal, timidité, troubler ■ 9 apériteur, caractère, certitude*, confiance, hardiesse, protester, sang-froid, stabilité ■ 10 contenance, résolution ■ 11 co-assurance, réassurance ■ 12 confirmation, protestation, tranquillité ■ 13 certification, détermination ■ 14 affermissement ■ 15 assurance-crédit, contre-assurance.
ASSURE : 3 hoc, sûr ■ 5 crâne, ferme ■ 6 décidé, résolu, stable, timide ■ 7 certain, rassuré ■ 8 confiant, délibéré, hésitant, précaire ■ 9 déterminé ■ 11 infaillible, plastronner.
ASSUREMENT : 6 certes ■ 7 en effet ■ 8 à coup sûr, sûrement ■ 9 sans doute ■ 10 évidemment ■ 11 de certitude ■ 12 certainement, sans conteste ■ 13 manifestement, sans contredit ■ 15 immanquablement, indubitablement, infailliblement.
ASSURER : 5 fixer, tâter ■ 6 renter ■ 7 accorer, arrêter, retenir ■ 8 affermir, affirmer, assurage, attester, garantir, répondre, soudoyer, vérifier ■ 9 assurable, certifier, exfiltrer, fortifier, promettre ■ 10 assujettir, climatiser, consolider, martingale, processeur ■ 11 sous-assurer ■ 12 correspondre, provisionner.
ASSUREUR : 5 prime ■ 9 apériteur, baraterie.

ASSYRIEN : 10 cunéiforme ■ 12 assyriologie, assyriologue.
ASSYRO-BABYLONIEN : 13 cylindre-sceau.
ASTATE : 2 at.
ASTER : 11 vendangeuse.
ASTERIDE : 7 astérie, étoile ■ 10 stelléride.
ASTERISQUE : 6 étoile, renvoi ■ 12 trois-étoiles.
ASTEROIDE : 10 planétoïde.
ASTHENIE : 6 anémie ■ 9 faiblesse ■ 10 asthénique ■ 11 lymphatisme.
ASTHME : 11 arthritisme, asthmatique ■ 15 antiasthmatique.
ASTICOTER : 7 exciter ■ 10 tourmenter.
ASTIGMATISME : 9 astigmate ■ 11 anastigmate ■ 14 anastigmatique.
ASTIQUER : 7 frotter* ■ 8 patience ■ 9 astiquage.
ASTRAGALE : 9 corbeille.
ASTRE : 3 feu ■ 4 ciel, lune ■ 5 corps, cours, globe, lever, limbe, monde, route ■ 6 anneau, comète, disque, étoile*, soleil ■ 7 auréole, galaxie, périgée, planète, sidéral, univers ■ 8 apoastre, culminer, éclipser, émersion, épicycle, héliaque, nautation, zodiaque ■ 9 ascension, astérisme, astéroïde, astrolabe, firmament, immersion, nébuleuse, périastre, satellite ■ 10 armillaire, astrologie, astronomie, opposition, sidérostat ■ 11 astrolâtrie, astromancie, culmination, déclinaison, interastral, occultation ■ 12 astronomique, intersidéral ■ 13 astrophysique, constellation ■ 15 radarastronomie, radio-astronomie.
ASTREINDRE : 4 lier ■ 7 obliger ■ 9 condamner ■ 10 assujettir ■ 11 contraindre.
ASTREINT : 7 dialysé.
ASTRINGENT : 4 alun ■ 5 butée, orpin, tanin ■ 7 colombo, renouée ■ 9 styptique ■ 11 astringence, diascordium.
ASTROBIOLOGIE : 11 exobiologie.
ASTROLATRE : 6 sabéen.
ASTROLOGIE : 4 mage ■ 5 décan, devin, magie ■ 6 schème ■ 8 zodiaque* ■ 9 horoscope ■ 10 astrologue ■ 12 astrologique.
ASTROMETRIE : 13 astrométrique, astrométriste.
ASTRONAUTIQUE : 10 astronaute, rétro-fusée ■ 11 aérospatial, moteur-fusée ■ 14 astronauticien.
ASTRONOMIE : 4 lion ■ 5 décan, lacté, magie, ourse, signe, tache, temps ■ 9 astronome ■ 10 astrologie, cosmogonie, théodolite, uranologie ■ 11 astrométrie ■ 12 astronomique, cosmographie, météorologie, uranographie ■ 13 astrostatique.
ASTRONOMIQUE : 5 cycle ■ 6 azimut, parsec ■ 8 cyclique ■ 9 newtonien, télescope ■ 10 équatorial, sidérostat ■ 11 alphonsines ■ 12 cosmographie, géocentrisme.
ASTROPHYSIQUE : 14 astrophysicien.
ASTUCE : 3 dol ■ 4 ruse* ■ 7 cautèle, combine ■ 8 artifice, habileté* ■ 9 astucieux, fourberie ■ 10 escamotage, jésuitisme ■ 11 escroquerie, machination, roublardise ■ 13 dissimulation.
ASTUCIEUX : 3 fin ■ 4 grec, roué, rusé* ■ 5 filou, malin ■ 6 fouine, fourbe, matois, retors ■ 7 gimmick, normand ■ 8 aigrefin, fortiche, fraudeur, trompeur ■ 9 carottier, cauteleux, insidieux ■ 10 fallacieux, jésuitique ■ 11 artificieux ■ 14 astucieusement.
ASYMPTOTE : 10 équilatère ■ 12 asymptotique.
ATARAXIE : 10 ataraxique.
ATAVISME : 8 hérédité.
ATAXIE : 8 ataxique, désordre ■ 10 dysarthrie.
ATELIER : 5 forge, prote, usine ■ 6 garage, lavoir, pliure, studio ■ 7 couture, ouvroir, râperie ■ 8 boutique, brûlerie, chantier, lainerie,

voilerie ■ **9** armurerie, clicherie, marbrerie, taillerie ■ **10** corroierie, miroiterie, tréfilière ■ **11** appartement, coutellerie, pourrissoir, teinturerie, torpillerie ■ **12** lithographie, maréchalerie.
ATERMOYER: 5 délai ■ **8** attendre, retarder ■ **10** temporiser.
ATHEE: 5 impie ■ **8** athéisme ■ **11** irréligieux*.
ATHEROME: 11 angiomatose.
ATHETOSE: 11 athétosique.
ATHLETE: 5 miler ■ **8** gymnaste, gymnique, soigneur ■ **9** discobole, supporter ■ **10** athlétique, athlétisme, challenger, individuel, pentathlon ■ **11** performance ■ **12** décathlonien, pancratiaste, triathlonien.
ATHLETIQUE: 6 tarzan.
ATHLETISME: 10 heptathlon.
ATLANTIQUE: 4 midi, nord, plie, thon ■ **5** morse, scare, sprat ■ **6** sciène ■ **8** épaulard, marsouin, squatina ■ **10** calédonien ■ **12** leptocéphale ■ **13** transcanadien ■ **15** outre-atlantique, transatlantique.
ATMOSPHERE: 3 air, bar ■ **4** aura, ciel, lune, vent ■ **5** éther, nuage, pluie, temps, xénon ■ **6** climat, milieu ■ **8** aérostat ■ **9** aérologie, étouffoir, subaérien ■ **10** baromètre, ionosphère, isallobare ■ **11** aérosondage, anticyclone, ballon-sonde, étouffement, hygrométrie, hygroscopie, météogramme, ozonosphère, température, troposphère ■ **12** aérobiologie, chromosphère, explosimètre, météorologie, stratosphère ■ **13** atmosphérique, climatisation.
ATMOSPHERIQUE: 7 nuaison ■ **10** aéropathie ■ **11** crève-vessie ■ **15** dépressionnaire.
ATOCA: 10 atocatière.
ATOLL: 5 lagon ■ **6** corail.
ATOME: 3 ion ■ **5** anion, aryle, noyau, petit, redox, unité ■ **6** deuton, proton ■ **7** chélate, matière, neutron, nucléon, pentose, radical, valence ■ **8** atomique, atomisme, atomiste, deutéron, division, électron, monoxyde ■ **9** antiatome, atomicité, covalence, diazoïque, monoacide, nucléaire, particule ■ **10** bichlorure, chloration, diatomique, spallation ■ **11** atome-gramme, atomistique, semi-polaire, subatomique, triatomique ■ **12** homocyclique, monoatomique ■ **13** corpusculaire, désexcitation, intra-atomique, microphysique, réarrangement, valence-gramme.
ATOMIQUE: 5 poids ■ **7** nuclide ■ **8** nucléide, réacteur ■ **9** nucléaire, plutonium ■ **11** nucléonique ■ **12** anti-atomique ■ **13** valence-gramme.
ATOMISER: 11 atomisation.
ATOMISEUR: 11 brumisateur.
ATONIE: 7 apathie, paresse ■ **8** atonique ■ **9** faiblesse, paralysie ■ **10** abattement, inaccentué.
ATOUR: 6 parure*.
ATOUT: 8 quatorze, retourne ■ **9** surcouper.
ATRABILAIRE: 4 bile* ■ **9** acariâtre.
ATRE: 5 foyer ■ **6** trémie ■ **7** manteau ■ **8** cheminée.
ATRIUM: 9 impluvium ■ **10** compluvium.
ATROCE: 4 noir ■ **5** cruel ■ **6** brutal ■ **7** affreux, sadisme ■ **8** atrocité, terrible ■ **9** crucifier ■ **10** atrocement, effroyable ■ **12** épouvantable.
ATROPHIE: 7 surdité ■ **9** faiblesse, myopathie, paralysie ■ **11** amyotrophie, klinefelter ■ **14** amaigrissement.
ATROPINE: 9 belladone ■ **11** scopolamine.
ATTACHE: 4 calé, fixé, lacé, lien, noué, serf ■ **5** ancré, collé, fiché, nœud, soudé, tenir, valet, vissé ■ **6** affixe, amarre, arrêté, assuré, boucle, jaloux, racine, retenu, scellé ■ **7** cimenté, curieux, entiché, soudure, soutenu, tirette ■ **8** accouplé, accroché, adhérent, boutonné, cheville, crucifié, enraciné, lichette, ligature, maintenu, partisan ■

9 assujetti, cramponné, desmosome, insertion, intéressé, opiniâtre ■ 10 antrustion ■ 11 affectionné.

ATTACHEMENT : 3 moi ■ 5 amour, lares, nœud ■ 6 amitié ■ 7 avarice, intérêt, liaison ■ 8 dévotion, enticher, fidélité, ténacité, véracité ■ 9 affection, fanatisme, juridisme, passéisme, royalisme, tendresse ■ 10 entêtement, fétichisme, formalisme, scellement, sensualité ■ 11 entichement, opiniâtreté ■ 12 affectionner, bonapartisme, superstition ■ 15 désaffectionner.

ATTACHER : 4 lier* ■ 5 caler, fixer*, lacer, licol, longe, nouer, river ■ 6 ancrer, clouer, coller, coudre, ficher, harder, pendre, plaire, souder, visser ■ 7 accouer, adhérer, amarrer, agrafer, agréger, annexer, arrêter, assurer, atteler, attirer, boucler, coupler, épouser, ficeler, frapper, ligoter, plomber, retenir, rouette, sceller, toucher ■ 8 acharner, affecter, agriffer, agripper, aheurter, appendre, cimenter, cultiver, embosser, empilage, encorder, enjuguer, enticher, épingler, éprendre, menotter, obstiner, palisser, recorder, vervelle ■ 9 accrocher, attribuer, boutonner, cheviller, consacrer, enchaîner, embecquer, garrotter, ligaturer, maintenir, poucettes, rattacher, suspendre ■ 10 assujettir, cramponner ■ 11 aiguilleter ■ 12 indulgencier ■ 15 sous-mentonnière.

ATTAQUE : 4 aile, choc, défi, lèse, raid, ruée ■ 5 accès, appel, carié, crise, levée, mêlée, piqué, ruade, scène ■ 6 assaut*, charge, combat, griffe, hold-up, injure, presse, razzia, sortie ■ 7 clameur, cluster, forcing, morsure, riposte ■ 8 abordage, atteinte, attentat, braqueur, calomnie, critique, défendre, délétère, descente, estocade, invasion, querelle, sambuque ■ 9 agression, antiacide, apoplexie, attaquant, discrédit, embuscade, incursion, invective, irruption, offensive, polémique, rescousse ■ 10 accusation, apostrophe, coupe-gorge, infamation ■ 11 diffamation, malédiction, persécution, provocation, trois-quarts ■ 12 bombardement, interception, non-agression, proscription ■ 13 contre-attaque.

ATTAQUER : 4 arme, huer ■ 5 génie, jeter, salir, tâter, tirer ■ 6 agacer, bêcher, éroder, foncer, fondre, mordre, piquer, ternir, tonner ■ 7 aborder, accuser, bourrer, charger, flétrir, frotter, lapider, maudire, prendre, presser ■ 8 acharner, agresser, attenter, déclamer, dénigrer, diffamer, emporter, entâcher, fulminer, grenader, injurier, insulter, intenter, riposter ■ 9 actionner, affronter, assaillir, asticoter, atteindre, bousculer, calomnier, commencer, critiquer, déprécier, flageller, foudroyer, proscrire, provoquer, reprendre, torpiller ■ 10 attaquable, déshonorer, invectiver, persécuter, pourfendre, poursuivre, tourmenter ■ 11 agressivité, apostropher, discréditer ■ 12 déconsidérer, entreprendre, inattaquable.

ATTARDER : 8 demeurer.

ATTEINDRE : 5 nuire, rater, venir, viser ■ 6 avorté, égaler, gagner, porter ■ 7 aborder, accéder, arriver*, avorter, frapper, joindre, prendre, toucher* ■ 8 attraper, chercher, chiffrer, culminer, innerver, louvoyer, objectif, parvenir ■ 9 approcher, calomnier, déterrage, rejoindre ■ 10 poursuivre.

ATTEINT : 6 contus, vérolé ■ 7 autiste, éprouvé ■ 8 amimique, constipé, extrémal, myopathe, silicosé, zoophile ■ 9 dipsomane, phocomèle, sidatique ■ 10 corpophile, coxalgique, cyphotique, dyslexique, euphotique, hébéphrène, millerandé, nécrophile, paraphrène ■ 11 catatonique, éclamptique, oligophrène, scoliotique, spasmophile ■ 12 apragmatique, cellulitique, encopétrique, gérontophile, hypertélique, parkinsonien ■ 13 parathyphique, tétraplégique.

ATTEINTE : 4 coup, sauf, viol ■ 5 crise, salir ■ 7 entorse ■ 8 diffamer,

secousse ■ 10 contrainte, déshonorer ■ 11 flétrissure, froissement ■ 12 attentatoire ■ 13 transcendance ■ 14 primo-infection.
ATTELAGE: 7 daumont.
ATTELER: 4 joug ■ 6 bas-cul ■ 8 attelage.
ATTELLE: 4 lacs ■ 5 timon ■ 8 brancard, mancelle.
ATTENANCE: 6 pauser, proche, tintin ■ 10 dépendance.
ATTENDANT: 8 poiroter, toujours ■ 9 expectant ■ 10 provisoire ■ 12 provisionnel, satisfaction ■ 14 provisoirement.
ATTENDRE: 5 bayer, durer, épier, mûrir, poser, queue, rêver, venir ■ 6 amuser, minute, poster, tabler, tintin ■ 7 compter, croquer, droguer, espérer, griller, guetter, languir*, retenir, traîner, vouloir ■ 8 différer, poiroter, remettre, réserver, retarder, surseoir ■ 9 atermoyer, expectant, patienter, suspendre ■ 10 poireauter, stationner, temporiser ■ 11 impatienter, interrompre, tergiverser.
ATTENDRIR: 7 amollir, fléchir, toucher ■ 8 apitoyer, blanchir, émouvoir ■ 13 attendrisseur.
ATTENDRISSANT: 6 bellot.
ATTENDRISSEMENT: 5 pitié ■ 7 pécaïre.
ATTENDU: 5 vu que ■ 8 efficace, parce que ■ 11 considérant.
ATTENTAT: 5 crime ■ 7 attaque, forfait ■ 9 sacrilège ■ 10 dynamiteur ■ 11 lèse-majesté, plastiqueur.
ATTENTE: 5 affût, calme, délai, désir, enfin, harpe, pause ■ 6 espoir, remise, sursis ■ 7 faction ■ 8 madhisme, patience, quiétude, suspense ■ 9 espérance ■ 10 attentisme, attentiste, impatience, suspension ■ 11 expectation, expectative, messianisme ■ 12 atermoiement, désappointer, interruption ■ 14 tergiversation.
ATTENTER: 5 nuire ■ 6 violer ■ 8 attaquer ■ 12 attentatoire.
ATTENTIF: 7 curieux ■ 8 appliqué, distrait, vigilant ■ 9 prévenant ■ 11 complaisant, sollicitude ■ ■ 12 introversion ■ 13 investigation.
ATTENTION: 2 hé ■ 3 hem, pst ■ 4 gare, œil, soin, yeux, zèle ■ 5 égard, étude, garde, psitt ■ 6 esprit, examen, regard ■ 7 intérêt, tension ■ 8 accroche, agacerie, attentif, audience, captiver, obtusion, prudence, remarque, savourer, signaler ■ 9 appliquer, attachant, captivant, curiosité, polariser, réflexion, souligner, spectacle, vigilance ■ 10 accrocheur, binet-simon, centration, contention, étourderie, hypnotiser, méditation, surveiller ■ 11 application, attentionné, distraction, inattention, intéressant, observation, pittoresque ■ 12 complaisance, inadvertance, obséquiosité, surveillance, théâtralisme ■ 13 attentivement, avertissement, contemplation, imperceptible, inapplication, investigation ■ 14 sociocentrisme.
ATTENUATION: 8 antalgie ■ 9 rémission ■ 10 allègement, autovaccin, diminution, rémittence ■ 11 consolation, soulagement ■ 12 désinflation ■ 13 adoucissement.
ATTENUE: 7 assoupi.
ATTENUER: 6 calmer, diluer, voiler ■ 7 adoucir, alléger, amortir, apaiser, couvrir, modérer, pallier, peeling, tolérer ■ 8 assoupir, consoler, corriger, diminuer, émousser, endormir, lénifier, soulager, tempérer ■ 9 bémoliser, décharger, édulcorer ■ 10 atténuatif, innocenter ■ 11 atténuation.
ATTERRER: 7 abattre ■ 9 foudroyer.
ATTERRIR: 5 poser ■ 12 atterrissage.
ATTERRISSAGE: 4 stol ■ 5 crash, train ■ 8 altiport ■ 9 aérodrome, monotrace ■ 12 atterrisseur.
ATTERRISSEMENT: 6 laisse ■ 8 alluvion.
ATTESTATION: 3 par ■ 6 témoin ■ 7 vidimus ■ 9 quittance ■ 10 certifi-

cat, références, satisfecit ■ 12 capsule-congé, légalisation.
ATTESTER : 5 jurer, seing ■ 6 signer ■ 8 affirmer ■ 9 témoigner* ■ 12 contresigner.
ATTIEDIR : 8 diminuer ■ 9 refroidir ■ 14 attiédissement.
ATTIEDISSEMENT : 7 tiédeur ■ 8 tépidité.
ATTIFER : 5 parer ■ 8 arranger ■ 10 attifement.
ATTIQUE : 4 dème ■ 5 koinè, tribu ■ 8 marathon ■ 9 atticisme ■ 11 attiquement.
ATTIRAIL : 5 outil, train ■ 6 bagage ■ 8 bataclan.
ATTIRANCE : 4 élan ■ 5 appas ■ 7 attrait, intérêt ■ 8 agacerie, penchant* ■ 10 attraction, pédophilie ■ 11 attachement, fascination, ravissement ■ 12 entraînement.
ATTIRANT : 4 sexy ■ 5 appât ■ 7 attrait, piquant ■ 9 alléchant, attachant, attirable, attractif, attrayant, captivant, engageant, ravissant, séduisant, spectacle ■ 10 affriolant, gravitation ■ 11 appétissant, intéressant ■ 12 considérable.
ATTIRER : 5 boire, fixer, héler, humer, laper, piège, pipée, prime, ravir, sucer, tirer, venir ■ 6 agacer, amener, amuser, capter, escher, mordre, piquer, plaire, pomper, puiser, sonner, tenter ■ 7 amorcer, appâter, appeler, aspirer, cajoler, charmer, convier, drainer, éblouir, engager, engluer, flatter, imbiber, inviter, lamparo, leurrer, racoler, séduire ■ 8 aguicher, allécher, amadouer, attraire, attraper*, captiver, encourir, fasciner, humecter, imposant, inspirer, recruter, respirer, soutirer, suggérer ■ 9 accaparer, accrocher, adduction, affrioler, attractif, complaire, concilier, convoquer, débaucher, embaucher, enchanter, engueuser, entraîner, pharillon, souligner ■ 10 affriander, attraction, ensorceler, intéresser, solliciter ■ 11 attrape-tout, chanterelle, endoctriner, occasionner ■ 12 théâtralisme.
ATTISER : 7 exciter ■ 8 attisoir, tisonner ■ 9 tisonnier ■ 10 ringardage.
ATTITRE : 5 titre ■ 7 patenté.
ATTITUDE : 3 air ■ 4 port, pose ■ 5 effet, geste*, ligne, orant, tenue ■ 6 allure, frimer ■ 7 carrure, dégaine, passant, posture* ■ 8 beylisme, conduite, irénisme, maintien*, position*, tournure, utopisme ■ 9 altruisme, décubitus, droitisme, extrémité, misandrie, optimisme, pantomime, prélasser, prestance, quant-à-toi ■ 10 apriorisme, cataplexie, contorsion, demi-pointe, dogmatisme, extrémisme, hanchement, hiératisme, pessimisme, silhouette ■ 11 attitudinal, dégingander, donjuanisme, plastronner revanchisme ■ 12 capitulation, égocentrisme, glischroïdie, opportunisme, rengorgement ■ 13 allocentrisme, antisémitisme, confusionisme, distanciation, mercantilisme, non-alignement, non-engagement, proprioceptif, révisionnisme, théocentrisme, triomphalisme ■ 14 anticommunisme, déviationnisme, philhellénisme ■ 15 anticonformisme, antimilitarisme, antipatriotisme, donquichottisme, jusqu'au-boutisme, non-directivisme, non-intervention.
ATTOUCHEMENT : 4 coup, tact ■ 7 caresse, toucher ■ 8 pression ■ 11 chatouiller ■ 14 chatouillement.
ATTRACTION : 4 clou ■ 5 marée ■ 6 aimant ■ 7 gravité ■ 8 évection, tendance, toboggan ■ 9 attirance, pesanteur, répulsion, séduction ■ 10 attracteur, chalandise, dérivation, magnétisme ■ 11 électricité, fascination, gravitation ■ 15 inter-attraction.
ATTRAIT : 5 appas, appât, grâce ■ 6 aimant, charme ■ 7 aridité, vertige ■ 8 prestige ■ 9 attirance, cajolerie, captation, répulsion, séduction ■ 10 attraction, aspiration ■ 11 allèchement, fascination.
ATTRAPE : 4 tour ■ 5 farce, niche, piège* ■ 6 bateau, blague, bourde, leurre, marron ■ 9 tromperie ■ 10 fumisterie ■ 12 plaisanterie* ■

13 mystification.
ATTRAPE-MOUCHES : 6 dionée.
ATTRAPER : 5 piger ■ 6 blâmer, choper, happer, saisir* ■ 7 agrafer, appâter, gripper, obtenir, prendre, tromper ■ 8 agripper, injurier ■ 9 attrapade, attrapage, rattraper ■ 10 contracter ■ 11 réprimander.
ATTRAYANT : 4 plat ■ 5 beau ■ 8 attirant, charmant, plaisant* ■ 9 alléchant, attachant, nymphette, séducteur, séduisant ■ 11 appétissant, intéressant.
ATTREMPER : 10 attrempage.
ATTRIBUE : 12 attributaire.
ATTRIBUER : 5 jeter, taxer, vouer ■ 6 dédier, donner, ériger, lancer, livrer, nommer, porter, prêter, rendre ■ 7 accuser, adjuger, allouer, appeler, arroger, assener, confier, décorer, déférer, dévouer, émettre, envoyer, imposer, imputer, plagier, rejeter, traiter ■ 8 accorder, admettre, affecter, assigner, attacher, conférer, décerner, déléguer, dénommer, destiner, impartir, octroyer, procurer, rajeunir, remettre, réserver, supposer, trancher ■ 9 appliquer, consacrer, gratifier, intituler, qualifier, reprocher ■ 10 approprier, labelliser, millésimer, sacraliser ■ 11 administrer, attribution, captativité, contrefaire ■ 12 personnifier ■ 13 commissionner.
ATTRIBUT : 4 être ■ 5 pedum ■ 6 copule, guivré ■ 7 caducée, emblème, qualité, symbole ■ 8 adjectif, prédicat ■ 10 attributif, catégorème ■ 11 omniscience.
ATTRIBUTION : 3 don ■ 5 appel, datif ■ 6 emploi ■ 7 plagiat ■ 8 dédicace, fonction, présider, reproche ■ 9 fondation, imputable ■ 10 accusation, allocation, dévolution, imputation ■ 11 affectation, assignation, attribuable, contrefaçon, destination ■ 12 adjudication, assimilation, consécration, numérotation ■ 13 qualification.
ATTRISTER : 6 éploré, fâcher, navrer, peiner* ■ 7 désoler, frapper ■ 8 affecter, affliger, apitoyer, embrumer, émouvoir ■ 9 assombrir, chagriner, endolorir ■ 10 consterner, contrister.
ATTRITION : 6 regret ■ 7 chagrin, remords ■ 8 repentir ■ 9 pénitence ■ 10 attristant.
ATTROUPER : 6 troupe ■ 7 ameuter ■ 10 rassembler ■ 12 attroupement.
AUBADE : 7 concert.
AUBAIN : 8 étranger.
AUBAINE : 6 chance, hasard, profit ■ 7 bonheur ■ 10 chapechute.
AUBE : 4 pâle, roue ■ 5 matin ■ 6 aubois, aurore ■ 7 ailette, palette, surplis ■ 8 chasuble ■ 9 avant-jour ■ 10 crépuscule ■ 11 point du jour.
AUBEPINE : 5 épine ■ 7 cenelle ■ 9 azérolier, cenellier, rhynchite.
AUBERGE : 4 hôte ■ 5 hôtel ■ 6 ajiste, posada ■ 10 aubergiste.
AUBERGINE : 6 courge ■ 8 moussaka ■ 9 mélongène, mélongine.
AUBIER : 5 liber.
AUCUN : 3 nul ■ 4 zéro ■ 5 repic ■ 8 personne ■ 9 nullement.
AUDACE : 4 cran ■ 5 cœur, culot ■ 6 aplomb, fierté ■ 7 courage ■ 8 bravoure, témérité, timidité ■ 9 audacieux, hardiesse ■ 11 intrépidité ■ 14 audacieusement.
AUDACIEUX : 3 osé ■ 4 fier ■ 5 brave*, hardi* ■ 7 aguerri ■ 8 casse-cou ■ 9 hasardeux, intrépide, téméraire ■ 10 aventureux, risque-tout.
AUDE : 6 audois.
AU-DEÇA : 8 cisalpin.
AU-DEDANS : 9 intérieur ■ 14 intérieurement.
AU-DEHORS : 5 extra ■ 9 apparence, eidétique, extérieur.
AU-DELA : 3 par ■ 4 hors, para, tric ■ 5 ample, après, coyau, excès,

extra, outre, trans, ultra, usure ■ 6 schéol ■ 8 déborder, dépasser, derrière, enchérir, outre-mer, superflu ■ 9 franc-bord, outre-Rhin, ultérieur ■ 10 outre-monts, outre-tombe, surestimer, surexciter, transalpin, transjuran, transpadan ■ 11 outre-Manche, outrepasser, surabondant, transrhénan, ultraviolet ■ 12 surérogation, transcaspien, transtévérin, ultramontain ■ 13 extrapolation, fabuleusement, hyperstatique, surérogatoire, surhaussement, surproduction, transpyrénéen, transsibérien ■ 14 supraterrestre, trancaucasien, transocéanique ■ 15 outre-atlantique, transatlantique.

AU-DESSOUS : 4 deçà, hypo ■ 8 dépriser, limiteur, saborder ■ 9 inférieur ■ 9 subjacent ■ 10 mésestimer ■ 11 déqualifier, sous-estimer, sous-évaluer, vice-recteur ■ 12 sous-déclarer ■ 14 inférieurement.

AU-DESSUS : 3 par, sus ■ 4 para, sous ■ 5 super, usure ■ 6 là-haut ■ 7 suprême ■ 8 déjauger, surlouer, surrénal, survoler ■ 9 ascendant, franc-bord, préceinte, réversoir, supérieur, surcostal, surhumain, surpasser, survendre ■ 10 numérateur, suprématie ■ 11 chevalement, contre-écrou, culmination, hyposcénium, supériorité ■ 12 hétérosphère, sus-dominante, sus-hépatique ■ 13 enseuillement, superposition, supranational, suprasensible.

AU-DEVANT : 8 prévenir ■ 10 prévenance ■ 15 contre-approches.

AUDIENCE : 5 plaid, salle ■ 8 entrevue, prétoire ■ 9 audimètre, interview ■ 10 audiencier, audimétrie, enrôlement, rendez-vous.

AUDIMETRE : 7 audimat.

AUDIMETRIE : 7 audimat.

AUDIOGRAMME : 9 acoumètre ■ 10 audiomètre.

AUDIOMETRE : 9 acoumètre.

AUDIOMETRIE : 10 acoumétrie.

AUDION : 5 lampe.

AUDIOVISUEL : 11 vidéogramme.

AUDIOVISUELLE : 10 autoscopie.

AUDIT : 7 auditer.

AUDITEUR : 4 rote ■ 6 public ■ 9 auditorat.

AUDITIF : 6 tragus ■ 7 cérumen ■ 8 acousmie ■ 9 otoscope ■ 11 hypoacousie ■ 12 malentendant.

AUDITION : 4 ouïe ■ 5 corti ■ 6 fading ■ 7 biaural, cochlée, concert, oreille, récital ■ 8 binaural, entendre ■ 9 acoumètre ■ 10 acoustique, audiologie, auditorium, dysacousie ■ 11 auditionner ■ 14 musicothérapie, retransmission.

AUDITIVE : 8 otocyste ■ 9 acouphène.

AUDITOIRE : 5 salle ■ 6 public ■ 7 galerie ■ 10 assistance, spectateur ■ 12 conférencier.

AUGE : 3 bac ■ 4 laye, maye, ripe ■ 5 augée, auget, binée, fiord, fjord ■ 6 crèche, oiseau, trémie ■ 7 augeron, augette ■ 8 vaisseau ■ 9 abreuvoir, mangeoire.

AUGMENTATION : 4 crue ■ 5 risée ■ 6 accrue, cétose, goitre, hausse, tumeur, urémie ■ 7 crément, enchère, poussée, progrès ■ 8 addition, alluvion, baby-boom, catalyse, grandeur, hydrémie, quantité, rallonge, surcroît ■ 9 accession, appendice, crescendo, élévation, extension, inflation, plus-value, résonance, stimulant ■ 10 activation, croissance, dilatation, échauffanht, élongation, gonflement, hypertonie, majoration, martingale, relèvement, surenchère, sulvoltage, triplement ■ 11 adolescence, aggravation, allongement, anaphylaxie, exagération, grossissant, leucocytose, hypercapnie, progression, pullulation, pullulement, regrèvement ■ 12 cholérétique, échauffement, foisonnement, lymphocytose, prolongement, redoublement, renforcement ■ 13 accroissement, amplification, développement, élargissement, hépatomégalie, hyperazotémie, hypercalcémie, hyperkaliémie, macrocéphalie, recrudescence, splénomégalie ■ 14 agrandissement, boursouflement, multiplication, surcompression, vasodilatation ■ 15 cardiomyopathie, renchérissement, suralimentation.

AUGMENTE : 10 activateur ■ 13 sensibilisant.

AUGMENTER : 4 lift ■ 5 extra, gâter, lever ■ 6 aviver, élever, enfler, forcer, germer, monter ■ 7 ajouter, croître, dilater, doubler, étendre, gonfler, graduer, grandir, grossir, hausser, irriter, majorer, pousser, relever, renfler, tripler ■ 8 aggraver, agrandir, allonger, arrondir, chanteau, décupler, enforcer, enrichir, équarrir, exagérer, profiter, remonter, sprinter, stimuler, surfiler, surtaxer ■ 9 accélérer, accentuer, accroître, accumuler, amplifier, bouilleur, compléter, densifier, exhausser, foisonner, fortifier, porte-voix, prolonger, rallonger, redoubler, rehausser, renchérir, renforcer, survolter, valoriser ■ 10 concentrer, développer, dudgeonner, mouillance, multiplier, progresser, quadrupler, saturateur, surhausser ■ 11 additionner, augmentable, intensifier ■ 12 dilatabilité ■ 13 potentialiser ■ 14 francophoniser, post-combustion, pyrétothérapie ■ 15 recalcification.

AUGURE : 5 devin ■ 7 augural, auspice, obscène, présage ■ 8 sinistre.

AUGURER : 7 prédire ■ 8 présager, présumer, supposer ■ 11 conjecturer.

AUGUSTE : 5 clown ■ 8 imposant.

AU HASARD : 10 aveuglette.

AUJOURD'HUI : 3 hui ■ 7 présent ■ 12 actuellement.

AULNE : 6 aunaie ■ 7 aulnaie.

AU MILIEU DE : 5 entre, parmi.

AU MOMENT : 5 comme, quand.

AUMONE : 3 don ■ 5 obole, quête, tronc, zakat ■ 7 charité*, secours ■ 8 bienfait*, mendiant ■ 9 aumônière ■ 10 charitable, libéralité.

AUMONIER : 6 prêtre ■ 9 chapelain, aumônerie.

AUNE : 5 aulne, aunée, auner, verne ■ 6 aunaie, vergne ■ 7 aulnaie.

AU NOM DE : 3 sur ■ 5 de par.

AUPARAVANT : 4 déjà ■ 5 avant ■ 8 précéder ■ 9 préalable, redevenir ■ 10 rétrocéder ■ 12 précédemment ■ 14 antérieurement.

AUPRES : 3 par ■ 4 para ■ 5 à côté, raser ■ 6 proche ■ 9 approcher, entourage ■ 11 comparaison.

AURANTIEE : 6 citrus.

AUREOLE : 4 aura, halo ■ 5 nimbe ■ 6 gloire ■ 8 auréoler ■ 10 auréolaire.

AUREOLER : 9 glorifier.

AU REVOIR : 3 bye ■ 4 ciao ■ 5 tchao ■ 6 bye-bye.

AURIFERE : 2 or ■ 5 batée.

AURIFIER : 12 aurification.

AURIQUE : 6 houari.

AUROCHS : 3 ure ■ 4 urus.

AURORE : 4 aube ■ 5 matin ■ 7 auroral ■ 10 crépuscule ■ 12 commencement.

AUSCULTATION : 9 ausculter ■ 11 stéthoscope ■ 13 auscultatoire.

AUSPICES : 5 appui, devin, égide ■ 7 tutelle ■ 9 patronage ■ 10 protection, sauvegarde ■ 14 recommandation.

AUSSI : 2 si ■ 4 itou, même, tant ■ 5 ainsi, sitôt ■ 6 encore ■ 7 partant ■ 9 également ■ 12 pareillement ■ 13 semblablement.

AUSSIERE : 9 embossure.

AUSSITOT : 5 sitôt ■ 7 soudain ■ 10 subitement ■ 11 incontinent ■ 13 immédiatement.

AUSTENITE : 12 austénitique.
AUSTERE : 3 dur, pur ■ 4 rude, sage ■ 5 grave, prude, raide, rance ■ 6 ascète, chaste, décent, frugal, rigide, sévère* ■ 7 stoïque ■ 8 cénobite ■ 9 ascétique, rigoriste, rigoureux*, spartiate ■ 10 janséniste.
AUSTERITE : 5 vertu ■ 8 rigidité, sévérité* ■ 9 ascétisme, mortifier, stoïcisme ■ 10 jansénisme ■ 11 austèrement, puritanisme.
AUSTRAL : 3 sud ■ 4 midi, pôle ■ 5 chien, hydre ■ 7 verseau ■ 8 albatros ■ 10 sagittaire ■ 11 antarctique.
AUSTRALIE : 5 scrub ■ 9 casuarina.
AUSTRALIEN : 3 zée ■ 4 émeu, emou, eyre ■ 5 dingo, koala, perle, varan ■ 6 corail, moloch, uraète ■ 7 wallaby ■ 8 cacatoès, cacatois, kakatoès, squatter ■ 9 acchroïde, boomerang, boumerang, kangourou, phalanger, tétragone ■ 10 granadille, scléranthe ■ 13 ornithorynque.
AUSTRONESIENNE : 10 polynésien.
AUSTRALOPITHEQUE : 11 paranthrope ■ 12 zinjanthrope.
AUTANT : 5 aussi ■ 7 octuple ■ 8 centuple, sextuple ■ 9 quadruple.
AUTEL : 4 dais ■ 5 messe, nappe, pyrée ■ 6 putéal ■ 7 custode, laraire, lunette, retable ■ 8 chapelle, ciborium, crédence, diptyque, parement, reposoir ■ 9 baldaquin, ostensoir, sacrifice, triptyque ■ 10 sanctuaire, tabernacle ■ 11 maître-autel.
AUTEUR : 5 plume, poète ■ 6 actant ■ 7 artisan, bas-bleu, comique, conteur, copiste ■ 8 analecta, citation, co-auteur, créateur, diariste, écrivain, revuiste, tragique, variante ■ 9 analectes, annaliste, biographe, classique, copyright, essayiste, insulteur, moraliste, parodiste, plagiaire, préfacier, prosateur, psalmiste, romancier, satiriste ■ 10 autographe, dramaturge, glossateur, incorporel, libelliste, mimographe, nécrologue, polygraphe, scénariste, scholiaste ■ 11 allégoriste, billettiste, chansonnier, chroniqueur, dialoguiste, écrivassier, hérésiarque, librettiste, littérateur, réalisateur, sermonnaire ■ 12 commentateur, écrivailleur, imputabilité, lexicographe, madrigaliste, mémorialiste, musicographe, pamphlétaire, régionaliste ■ 13 gens de lettres, vaudevilliste, verbicruciste ■ 14 documentariste, encyclopédiste, feuilletoniste.
AUTHENTICITE : 5 seing ■ 6 vérité* ■ 8 greffier ■ 9 certitude, légaliser ■ 12 contresigner, légalisation ■ 14 inauthenticité.
AUTHENTIFIER : 12 authentiquer.
AUTHENTIQUE : 4 visa, vrai* ■ 5 bible, sceau, titre ■ 7 certain ■ 8 confirmé, officiel ■ 9 ampliatif, apocryphe, légitimer ■ 10 ampliation, expédition ■ 11 procuration ■ 12 authenticité, authentifier, authentiquer ■ 13 inauthentique ■ 15 authentiquement.
AUTISME : 7 autiste.
AUTO : 10 automobile*.
AUTOACCUSATION : 14 autoaccusateur.
AUTOBIOGRAPHIE : 8 mémoires.
AUTOBLOQUANT : 7 prussik.
AUTOBUS : 7 gyrobus ■ 9 impériale ■ 10 plate-forme.
AUTOCAR : 7 minicar.
AUTOCENSURE : 12 autocensurer.
AUTOCHTONE : 6 cipaye ■ 8 indigène ■ 9 aborigène, supplétif.
AUTOCHROME : 11 autochromie.
AUTOCOLLANT : 7 sticker ■ 11 autoadhésif, vitrophanie.
AUTOCOPIE : 11 autocopiant.
AUTOCORRECTION : 13 autocorrectif.
AUTOCRATIE : 6 absolu ■ 8 monarque ■ 12 autocratique.
AUTOCUISEUR : 13 cocotte-minute.
AUTOEROTISME : 12 autoérotique.

AUTOFECONDATION : **8** autogame.
AUTOFINANCEMENT : **12** autofinancer.
AUTOGIRE : **8** giravion, lacierva.
AUTOGRAPHIE : **12** autographier ■ **13** autographique.
AUTOGREFFE : **10** anaplastie.
AUTOGUIDAGE : **9** autoguidé.
AUTO IMMUNITE : **9** auto-immun ■ **15** auto-immunitaire.
AUTO-INDUCTION : **13** self-induction.
AUTOLYSE : **9** autolysat.
AUTOMATE : **5** robot ■ **6** pantin, poupée ■ **7** guignol, machine, pupazzo ■ **8** androïde, fantoche ■ **10** jacquemart ■ **11** marionnette ■ **12** polichinelle.
AUTOMATIQUE : **4** colt ■ **5** bande, luger, robot, valet ■ **7** copiage ■ **8** browning, lave-auto, machinal, pistolet ■ **9** autofocus, convoyeur, mécanique ■ **10** automation, gyropilote, parabellum, pressostat, stéréotypé ■ **11** automatiser, automatisme, bloc-système, block-system, disjoncteur, informatique, productique ■ **12** automaticien, automaticité, mitrailleuse, modélisation, transpondeur ■ **13** rétrocontrôle, somnambulisme, verbigération ■ **14** automatisation ■ **15** autocommutateur, automatiquement.
AUTOMATIQUEMENT : **13** autoréparable.
AUTOMATISATION; **11** bureautique ■ **12** automaticien.
AUTOMATISE : **12** presse-bouton.
AUTOMATISME : **10** séquenceur.
AUTOMEDON : **6** cocher.
AUTOMNE : **5** foehn, pomme ■ **8** automnal, filandre ■ **9** colchique, écourgeon ■ **10** demi-saison, escourgeon, mirlicoton ■ **11** raspoutitsa, roch ha-shana, rosh ha-shana ■ **13** arrière-saison.
AUTOMOBILE : **3** car ■ **4** aile, auto, kart, jeep, parc, taxi, tire ■ **5** boîte, break, buggy, capot, coach, fanal, gazer, panne, phare, piste, poids, prise, tacot ■ **6** camion, custom ■ **7** bagnole, berline, chassis*, chiotte, hard-top, torpédo, voiture* ■ **8** auto-stop, ciné-parc, cycle-bar, hors-bord, lave-auto, portière, roadster, roulotte, routière, runabout, stock-car, teuf-teuf, véhicule* ■ **9** autoberge, autodrome, auto-école, autoneige, auto-pompe, bibliobus, cabriolet, chauffeur, familiale, landaulet, limousine, monoplace, motor-home, motoriser, pare-brise, sous-virer, surbaisse, survireur, tombereau ■ **10** auto-camion, carrossage, chris-craft, porte-autos, voiturette ■ **11** auto-scooter, camionnette, caterpillar, commerciale, décapotable ■ **12** auto-chenille, moto-tracteur, quatre-quatre ■ **13** automobilisme, panaméricaine ■ **14** cache-poussière.
AUTOMOBILISTE : **5** motel ■ **8** autocoat ■ **9** chauffard ■ **10** autogramme, restoroute.
AUTOMOTEUR : **6** dumper.
AUTOMOTRICE : **8** autorail, torpille ■ **9** micheline.
AUTOMUTILATION : **14** autocastration.
AUTONOME : **5** libre* ■ **8** distinct, portière ■ **10** autotracté, hétéronome ■ **14** autonomisation.
AUTONOMIE : **10** succursale, wallingant ■ **11** autonomistte ■ **13** décentraliser.
AUTONYME : **9** autonymie.
AUTOPROPULSE : **6** rocket.
AUTOPROPULSION : **8** roquette ■ **9** propergol ■ **14** auto-propulseur.
AUTOPSIE : **8** anatomie ■ **9** autopsier, nécropsie.
AUTOPUNITION : **11** autopunitif.

AUTORAIL : 9 micheline ■ 10 automoteur ■ 11 automotrice.
AUTOREGULATION : 13 rétrocontrôle.
AUTORISATION : 5 congé ■ 6 permis* ■ 7 licence ■ 9 obédience, ouverture ■ 10 permission* ■ 11 approbation.
AUTORISE : 5 fondé ■ 10 démissoire ■ 12 hors-concours.
AUTORISER : 7 pouvoir ■ 8 prohiber ■ 9 approuver, consacrer, consentir, désavouer, permettre*, prévaloir ■ 10 accréditer, homologuer.
AUTORITAIRE : 6 absolu ■ 7 cassant, coupant, pète-sec ■ 8 gendarme ■ 9 impérieux ■ 10 castrateur ■ 11 caporaliser, caporalisme ■ 12 directivisme ■ 13 autoritarisme, paterfamilias.
AUTORITE : 3 for, loi ■ 4 chef, taxe ■ 5 appel, coran, criée, force, huile, index, jurer, lutte, ordre, otage, poids, règne, royal, sujet, tribu, tyran ■ 6 crédit, empire, férule ■ 7 fermeté, pasteur, pouvoir* ■ 8 autorisé, beylicat, celebret, décréter, dépendre, grandeur, investir, monarque, opprimer, patronat, pétition, pottentat, primauté, voïvodat, vrai-faux ■ 9 affidavit, ascendant, commander, confirmer, dictature, direction, hégémonie, influence, magistère, magistrat, ordinaire, préséance, puissance, référence, séditieux, soumettre, synarchie, voïévodat ■ 10 arbitraire, despotisme, domination, importance, imprimatur, oppression, prépotence, seigneurie, suprématie, surveiller, théocratie, tyranniser ■ 11 arrestation, autoritaire, précellence, prééminence, protectorat, subdéléguer ■ 12 capitainerie, commandement, impatronier, indépendance, paternalisme, souveraineté ■ 13 prépondérance ■ 14 toute-puissance ■ 15 autoritairement.
AUTOROUTE : 10 autostrade.
AUTOSOME : 11 autosomique.
AUTO-STOP : 7 routard ■ 12 auto-stoppeur.
AUTOSUFFISANT : 14 autosuffisance.
AUTOSUGGESTION : 4 coué.
AUTOTROPHE : 11 autotrophie.
AUTOUR : 4 péri ■ 5 rimer, rôder ■ 6 carter ■ 8 alentour, enrouler, entourer, graviter, gyrostat, rotation ■ 9 alentours, colonnade ■ 10 environner ■ 11 tournailler ■ 12 circonscrire ■ 13 circumduction, circumpolaire.
AUTRE : 5 émule, obéir, rival ■ 6 autrui, opposé, second ■ 7 par-delà ■ 8 allogène, altérité, épiphyte, étranger, objectal, subroger ■ 9 autrement, coinculpé, confusion, convendeur, dévolutif, différent ■ 10 codébiteur, cohéritier, cooccupant, copartager, formariage ■ 11 codirecteur, coopérateur, porteparole, procuration, transborder ■ 12 retournement ■ 13 pique-assiette ■ 14 copropriétaire, rétentionnaire.
AUTREFOIS : 4 olim ■ 5 antan, jadis ■ 7 naguère ■ 12 anciennement.
AUTREMENT : 2 ou ■ 3 mal ■ 5 alias, sinon.
AUTRICHE : 4 land ■ 7 kreuzer.
AUTRICHIEN : 8 allemand, archiduc, groschen ■ 9 anschluss, schilling ■ 10 cisleithan.
AUTRUCHE : 5 duvet, fagot ■ 6 casoar, nandou, plumet ■ 7 panache ■ 8 dinornis ■ 9 autruchon, bailloque, petit-gris ■ 10 autruchier ■ 11 autrucherie ■ 12 struthionide.
AUTRUI : 5 agent, envie, gérer, nègre, pitié, usage, voler ■ 6 autres ■ 7 oblatif ■ 8 empathie, prochain ■ 9 altruisme, employeur, immixtion, plagiare ■ 10 chapechute, écornifler, naufrager, précompter ■ 11 déprédation, malveillant ■ 13 allocentrisme.
AUVENT : 4 abri, toit ■ 7 abat-son ■ 8 marquise.
AUVERGNAT : 6 arkose ■ 7 tripous, tripoux ■ 8 fouchtra.
AUVERGNE : 5 bizet ■ 7 gaperon ■ 13 saint-nectaire.

AUXILIAIRE: 4 afat, aide, être ■ 5 ferré, nègre, verbe ■ 6 ripper, rooter ■ 7 secours ■ 8 copilote ■ 9 aiguillon, dévolteur, praticien ■ 10 adminicule, servofrein, survolteur ■ 11 orthoptiste ■ 12 anesthésiste, lingua franca ■ 13 servocommande ■ 14 auxiliairement, ergothérapeute, semi-auxiliaire.
AUXINE: 14 indole-acétique.
AVACHI: 7 déformé, ramollo.
AVAL: 3 ria ■ 5 amont ■ 8 avaliser, avaliste, estuaire ■ 9 avaliseur ■ 10 arrière-bec.
AVALANCHE: 8 raillerie.
AVALER: 5 boire, gober, humer, sucer ■ 6 croire, manger ■ 7 aspirer, avaleur, engamer, ingérer, ravaler, siffler ■ 8 absorber, déglutir ■ 9 dysphagie, enfourner, engloutir ■ 10 engouffler, ingurgiter ■ 15 étouffe-chrétien.
AVALOIRE: 10 reculement.
AVANCE: 4 prêt ■ 5 jeune, semer, tâter, thèse, vieil, vieux ■ 6 coulée ■ 7 débours, gringue, schlass ■ 8 approche, bout-rimé, préfixer, préjuger, prélever, prépayer, prévenir, saillant ■ 9 anticiper, avant-goût, barbacane, concluant, fatalisme, précompte, préformer, tentative, vieillard ■ 10 prédécoupé, préétablir, préméditer, progressif ■ 11 prédestiner, progression, prophétiser ■ 12 anticipation, préformation, préjudiciaux, présanctifié, présélecteur ■ 13 préconception, prédéterminer, préenregistré.
AVANCÉE: 9 péninsule.
AVANCEMENT: 5 cours, essor ■ 6 marche, procès, succès ■ 7 progrès, traînée ■ 9 évolution, processus, profilage ■ 11 déroulement, progression, propagation ■ 12 acheminement ■ 13 développement ■ 14 ordonnancement.
AVANCER: 4 dire ■ 5 aller, jouer, nager, passe, ramer, rétif, touer, virer, voile ■ 6 écrire, gagner, prêter, tendre ■ 7 évoluer, glisser, piaffer, pousser, saillir ■ 8 affirmer, contenir, enfoncer, escompté, godiller, pénétrer, refouler ■ 9 approcher, démancher, infiltrer, propulser, rengorger, sautiller, zigzaguer ■ 10 avancement, immobilité, progresser ■ 11 commanditer.
AVANÇON: 9 arondelle.
AVANIE: 6 injure ■ 7 malheur, offense.
AVANT: 3 bec, cap, nez ■ 4 aine, bégu, joue, pack ■ 5 antan, devin, front, gatte, guide, ketch, passe, proue, recto, rétro, toril, volée ■ 6 augure, étrave, obvers, susdit, tendre, teugue ■ 7 précité, préoral, progrès ■ 8 alléguer, avant-bec, demi-lune, devancer, enfoncer, gaillard, mi-chemin, parotide, poulaine, priorité, proclive, projeter, prologue, prophète, proposer, spardeck ■ 9 antérieur*, anticiper, avant-goût, avant-hier, coupe-vent, pare-brise, passavant, préalable, préambule, précédent, prématuré, prolapsus, propulser ■ 10 antécédent, auparavant, avant-garde, avant-poste, avant-scène, bénédicité, brise-lames, précurseur, préexister, propulsion, sexagésime, supinateur, tirailleur ■ 11 antérograde, antéversion, avant-projet, avant-veille, norvégienne, préjudiciel, protractile ■ 12 avant-coureur, avant-dernier, précédemment, prémenstruel, prémilitaire, préolympique, septuagésime ■ 13 chasse-pierres, préalablement, prématurément ■ 14 antérieurement, charrue-balance.
AVANTAGE: 3 don ■ 4 bien, gain, prix ■ 5 fruit, jouir, point, quine, rival ■ 6 compte, dessus, faveur*, profit*, succès ■ 7 aubaine, scratch ■ 8 bénéfice*, bienfait, handicap, intrigue, préciput, profiter, victoire ■ 9 avantager, commodité, favorable, prévaloir, privilège*,

profitant, trafiquer, vainqueur ■ **10** avantageux, profitable, recueillir, resquiller ■ **11** ostentation, prééminence, prérogative, supériorité ■ **12** bénéficiaire, bonification, préférentiel.

AVANTAGER: 5 douer ■ **6** primer ■ **7** briller, écraser, évincer, flatter ■ **8** bonifier, dépasser, éclipser, emporter, exceller, précéder ■ **9** décrocher, distancer, favoriser, prévaloir, remporter, ressortir, surminter, surpasser, triompher ■ **10** supplanter.

AVANTAGEUX: 3 bel, bon ■ **4** beau, bien, chic, joli ■ **5** jouir, mieux, utile* ■ **7** commode ■ **8** précieux, suroffre, vaniteux ■ **9** cxpédient, profitant ■ **11** intéressant, présomption ■ **12** heureusement, rémunérateur ■ **15** avantageusement.

AVANT-BRAS: 5 miton ■ **6** radius ■ **7** cubitus ■ **9** manchette, pronation ■ **10** supination.

AVANT-CENTRE: 5 inter.

AVANT-CORPS: 8 pavillon.

AVANT-DERNIER: paroxyton ■ **10** pénultième ■ **14** antépénultième.

AVANT-FOSSE: 8 bonnette.

AVANT-GARDE: 13 avant-gardisme, avant-gardiste.

AVANT GARDISME: 13 avant-gardiste.

AVANT-JOUR: 6 aurore.

AVANT-POSTE: 10 grand-garde.

AVANT-PROJET: 5 rough ■ **8** crayonné.

AVANT-PROPOS: 7 préface ■ **9** préambule.

AVANT-SCENE: 10 proscenium.

AVANT-TRAIN: 5 timon.

AVANT-VEILLE: 9 avant-hier.

AVARE: 3 rat, vil ■ **5** chien, ladre, liard, radin, serré ■ **6** chiche*, gredin, grigou, harpie, pingre, vilain ■ **7** pignouf, pouacre, tire-sou, vampire, vautour ■ **8** crasseux, grimelin, harpagon, lésineur, liardeur, mercanti, pantalon, prodigue ■ **9** grippe-sou, intéressé ■ **10** avaricieux, mercenaire, regrattier ■ **11** barguigneur, grappilleur, parcimonieux, pincemaille ■ **12** fesse-mathieu, pleure-misère, thésauriseur ■ **13** pissevinaigre.

AVARICE: 5 péché, usure ■ **6** âpreté, crasse, dureté, lésine ■ **7** intérêt, vilenie ■ **8** chicheté, économie*, ladrerie, rapacité, vénalité ■ **9** lésinerie, petitesse, pingrerie, radinerie, sorditité, turquerie ■ **10** gredinerie, chichement, parcimonie ■ **11** barguignage, grappillage ■ **13** mercantilisme.

AVARIE: 4 tare ■ **7** dommage, fortune, mouille ■ **8** sapiteur ■ **9** désemparé.

AVARIER: 5 gâter*, tarer ■ **7** altérer, pourrir* ■ **8** meurtrir ■ **10** endommager ■ **11** détériorer.

AVATAR: 11 mésaventure ■ **12** métamorphose.

AVEC: 2 de ■ **3** par ■ **8** partager.

AVEN: 5 abîme ■ **7** bétoire ■ **8** emposieu.

AVENANT: 4 laid ■ **6** accort ■ **7** affable, aimable.

AVENEMENT: 7 arrivée ■ **8** parousie ■ **12** commencement.

AVENIR: 3 lot ■ **4** sort ■ **5** devin, fakir, futur ■ **6** demain, destin, hasard, oracle ■ **7** horizon, sibylle ■ **8** aruspice, aventure, débouché, destinée, éternité, imminent, prophète, vocation ■ **9** désormais, haruspice, lendemain, postérité, vaticiner ■ **10** aéromancie, divination, dorénavant, par la suite, prédiction, prescience, pythonisse ■ **11** cartomancie, dans la suite, perspective, prophétique ■ **12** bibliomancie, vaticination ■ **14** intentionalité, pré-destination.

AVENTURE: 5 conte, errer, héros, roman ■ **6** revers ■ **7** affaire, épisode, odyssée ■ 8 accident, cavaleur, divaguer, histoire, incident ■ 9 événement, péripétie ■ 10 aventureux, aventurier, courailler, traînasser ■ 11 bourlinguer, couchailler, mésaventure ■ 15 aventureusement.

AVENTURER: 8 hasarder.

AVENTURIER: 8 corsaire ■ 9 boucanier, intrigant ■ 10 picaresque ■ 12 bourlingueur, conquistador.

AVENTURISME: 11 aventuriste.

AVENUE: 3 rue* ■ 4 voie* ■ 5 paver ■ 6 chemin* ■ 9 boulevard, promenade.

AVERER: 4 vrai ■ 7 notoire, prouver ■ 8 vérifier ■ 9 confirmer.

AVERROES: 10 averroïsme.

AVERS: 6 obvers ■ 7 obverse.

AVERSE: 4 abat ■ 5 grain, pluie* ■ 6 drache, saucée ■ 9 arc-en-ciel.

AVERSION: 5 haine ■ 6 dégoût ■ 7 horreur ■ 8 inimitié, souffrir ■ 9 misogynie, répulsion ■ 10 abominable, aliénation, antipathie, exécration, malheureux, misonéisme, réprobation, repoussant, répugnance* ■ 11 anglophobie, détestation.

AVERTIR: 4 dire ■ 6 aviser, sommer ■ 7 diriger, gronder, menacer ■ 8 informer*, insinuer, prévenir, rappeler, semoncer, signaler, suggérer ■ 9 enjoindre, expliquer, instruire, remonter ■ 10 admonester, catéchiser, conseiller ■ 11 recommander, représenter, réprimander ■ 13 avertissement.

AVERTISSEMENT: 4 avis, gare, voix ■ 5 blâme, leçon, signe* ■ 6 alerte, klaxon, lettre, marque, menace, signal*, tocsin, trompe ■ 7 affiche, conseil, dépêche, message, préavis, préface, semonce, sifflet ■ 8 monition, postface, sornette ■ 9 monitoire, préambule, sémaphore, ultimatum ■ 10 admonition, communiqué, injonction, réprimande, suggestion, télégramme ■ 11 avertisseur, information, insinuation, instruction, publication, remontrance ■ 12 introduction ■ 13 admonestation, communication ■ 14 recommandation, représentation.

AVETTE: 7 abeille.

AVEU: 4 gêne ■ 6 avouer ■ 7 candeur, naïveté, remords ■ 8 mea-culpa ■ 9 confesser, confiance, franchise, sincérité ■ 10 concession, confession*, confidence ■ 11 approbation, déclaration ■ 14 reconnaissance.

AVEUGLE: 4 clos, nuit ■ 7 braille, chauvin ■ 9 aveuglant, cataracte, malvoyant, non-voyant.

AVEUGLEMENT: 6 cécité, erreur ■ 7 bandeau, passion ■ 8 frénésie.

AVEUGLER: 6 bander, ciller, crever, priver, voiler ■ 7 boucher, éblouir, tromper ■ 9 dessiller, obscurcir.

AVEULIR: 9 affaiblir ■ 13 aveulissement.

AVEYRON: 11 aveyronnais.

AVIATION: 4 raid, tige ■ 5 perte, piqué ■ 7 aéronef ■ 8 aéroclub, aviateur, navigant ■ 9 avionique ■ 10 barographe ■ 11 aérostation, moteur-fusée ■ 12 aéromaritime, aéronautique*.

AVICULTURE: 7 abeille*, avicole.

AVIDE: 4 âpre ■ 5 avare, goulu ■ 6 affamé, altéré, cupide, friand, rapace, rapiat, vorace ■ 7 curieux, glouton*, sangsue, tire-sou ■ 8 assoiffé, désireux ■ 9 avidement, intéressé ■ 10 carnassier, mercantile, mercenaire.

AVIDITE: 5 avide, désir ■ 8 cupidité, rapacité, repaître, voracité ■ 10 convoitise, vampirisme.

AVILIR: 3 vil ■ 4 boue ■ 7 ravaler ■ 8 abaisser*, dégrader, ennoblir, humilier, profaner, souiller ■ 9 abâtardir, dégradant, déprécier, rabaisser ■ 10 avilissant, avilisseur, prostituer ■ 11 encanailler ■ 12 avilissement.

AVILISSEMENT: 3 bas, vil ■ 4 pelé, taré ■ 5 paria ■ 6 abject, galeux, infâme, vilain ■ 7 sordide ■ 8 bassesse ■ 9 platitude, pouilleux ■ 11 abaissement, dégradation, dépravation, profanation.

AVINE: 4 ivre.

AVION: 3 jet, nez, s.o.s., u.l.m., vol ■ 4 adac, adav, aile, taxi, stol, zinc ■ 5 balai, capot, drone, piper, stuka, train ■ 6 airbus, biplan, coucou, hélice, leader, pilote ■ 7 aérobus, biplace, clipper, crasher, escadre, planeur, triplan, voilure ■ 8 aérodyne, appareil, autogyre, aviateur, bimoteur, canadair, commandc, décoller, droppage, embarqué, équipage, fuselage, gouverne, jumbo-jet, kamikaze, kérosène, kérosine, monoplan, piper-club, portance ■ 9 aérodrome, aéronaval, aéroplane, appontage, avionneur, balancine, carlingue, catapulte, check-list, dispersal, empennage, envergure, flottille, gyroscope, habitacle, hydravion, multiplan, ressource, transport, trimoteur ■ 10 antiaérien, avion-cargo, avionnette, bloc-sièges, bombardier, escadrille, gouvernail, monomoteur, navigateur ■ 11 avitailleur, gros-porteur, hélicoptère, orthodromie ■ 12 aéronautique*, intercepteur, parachutisme, patrouilleur, quadrimoteur, ravitailleur, stratovision ■ 13 court-courrier, radionavigant, supercritique ■ 14 quadriréateur, radiogoniomètre, superforteresse.

AVIRON: 4 caïc, pale, rame ■ 5 canot, pelle, scull, tolet ■ 6 erseau, pagaie, rowing ■ 7 déramer. godille.

AVIS: 4 idée, sens, vote ■ 5 aviso, éveil, juger ■ 6 banvin, pensée ■ 7 affiche, annonce, conseil, dépêche, opinion*, préavis, préface ■ 8 démordre, différer, écriteau, pancarte ■ 9 consulter, contravis, convertir, préambule, sentiment ■ 10 communiqué, conclusion, consulteur, propagande, suggestion ■ 11 consultatif ■ 12 consultation ■ 13 avertissement, communication ■ 14 recommandation.

AVISE: 3 fin ■ 6 averti, gascon, habile ■ 7 prudent ■ 8 dégourdi.

AVISER: 4 voir ■ 6 opiner ■ 7 avertir, estimer ■ 8 déclarer ■ 9 inculquer ■ 10 conseiller.

AVITAILLER: 11 avitailleur.

AVITAMINOSE: 7 gerçure, scorbut ■ 8 béribéri.

AVIVER: 6 ouvrir ■ 7 attiser, exalter, exciter, irriter ■ 8 aiguiser, embraser, vivifier ■ 9 accélérer, déchaîner, enflammer, envenimer, exacerber, fanatiser ■ 10 précipiter, surexciter ■ 11 électrifier ■ 13 enthousiasmer.

AVOCAT: 4 gens, robe, toge ■ 5 agréé ■ 6 garçon ■ 7 barreau, messire, pro domo ■ 8 attorney ■ 9 bâtonnier, défenseur ■ 10 avocaillon, avocassier ■ 11 avocasserie.

AVOINE: 5 poche ■ 6 aveine, grumel, houque ■ 7 picoton ■ 8 avénéron, porridge, vannette ■ 9 bergelade, fromental.

AVOIR: 5 actif, jouir, marre, tenir, tirer ■ 6 compte, crédit, ovuler ■ 8 demander, partager, posséder*, présider, regorger, revendre, richesse ■ 9 fantasmer, prévaloir, propriété, prospérer ■ 10 courailler, possession ■ 11 couchailler.

AVOISINER: 6 proche ■ 10 alentours ■ 12 circonvoisin.

AVORTEMENT: 10 brucellose ■ 12 fausse couche, millerandage, salmonecelle.

AVORTER: 7 abortif, échouer.

AVORTON: 6 faible ■ 7 embryon ■ 9 homoncule, homuncule.

AVOUER: 4 aveu, dire ■ 6 parler, trahir ■ 7 accuser ■ 8 accepter, accorder, admettre, concéder, convenir, déclarer, dénoncer ■ 9 accoucher, confesser, consentir, décharger, démasquer ■ 10 acquiescer ■ 11 déboutonner, reconnaître*.

AVULSION: 12 déracinement.

AXE: 4 axer, axis, cyme, gond, pôle, tige*, tore ■ 5 arbre, axial, axile, biaxe, chape, cluse, fusée, hampe, mèche, noyau, pivot*, ronde, selle, tronc, vanne, volet ■ 6 abside, axoïde, boulon, broche, cardan, désaxé, essieu, goujon, milieu, rachis ■ 7 abattée, attache, névraxe, sessile ■ 8 cheville, giration, goupille, guindeau, gyrostat, méridien, nutation, rotation* ■ 9 brochette, composant, excentrer, fuserolle, girouette, libration, recentrer, réalésage ■ 10 dent-de-loup, méridienne, révolution ■ 11 excentrique, référentiel, sous-normale, triclinique, vilebrequin ■ 12 différentiel, sous-tangente, turbomachine ■ 13 circumduction.

AXENIQUE: 14 axénisation.

AXER: 7 pivoter, tourner ■ 8 orienter ■ 9 traverser.

AXIAL: 9 manubrium.

AXIOME: 6 pensée, vérité ■ 8 argument ■ 9 certitude ■ 11 archimédien, axiomatique, axiomatiser ■ 12 non-euclidien ■ 14 axiomatisation.

AXOLOTL: 10 amblystome.

AXONE: 10 cylindraxe ■ 11 cylindre-axe.

AZERBAIDJAN: 5 azéri ■ 14 azerbaïdjanais.

AZILIEN: 12 sauveterrien.

AZOTATE: 7 nitrate ■ 8 roburite.

AZOTE: 2 az ■ 4 soja, soya, urée ■ 5 guano, nitre, nylon ■ 6 urique ■ 7 azoïque, azoteux, azotite, azoteux, chitine, nitreux ■ 8 ammoniac, azotémie, azoturie, oréatine, nitrique, pryoxyle ■ 9 cyanamide, cyanogène, diazoïque, nitrogène, urochrome ■ 10 azotémique, rosaniline ■ 11 albuminoïde, dénitrifier, panclastite ■ 12 ammoniation ■ 14 ammonification.

AZOTEE: 7 adénine, guanine ■ 8 purique, thymine, cytosine ■ 11 pyrimidique.

AZOTHYDRIQUE: 7 azoture.

AZOTYLE: 7 nitryle.

AZTEQUE: 5 nahua ■ 7 nahuatl.

AZUR: 4 bleu ■ 5 azuré, lapis, voûte ■ 6 bleuté ■ 7 azurite ■ 8 lazulite.

AZURAGE: 7 azurant.

B

BAB : 7 babisme.
BABA : 5 ahuri ■ 6 sidéré ■ 7 savarin.
BABILLARD : 3 pie ■ 5 babil ■ 6 bavard, jaseur ■ 7 causeur, commère, jacasse ■ 8 éloquent, phraseur ■ 9 jaspineur, perroquet.
BABILLER : 5 jaser ■ 6 caquet ■ 8 bavarder*, caqueter ■ 9 babillage, cailleter.
BABINE : 5 lèvre.
BABIOLE : 4 rien* ■ 8 affiquet, affûtiau, breloque ■ 9 broutille ■ 10 brimborion, colifichet.
BABISME : 8 bahaïsme, béhaïsme.
BABORD : 6 gauche ■ 9 bâbordais.
BABOUCHE : 8 chausson.
BABYLONIEN : 8 colossal.
BABY-SITTER : 11 baby-sitting.
BAC : 4 cuve, pile, toue ■ 5 auget ■ 6 bachot ■ 7 passeur, traille ■ 9 ferry-boat, va-et-vient ■ 10 traversier ■ 12 transbordeur.
BACCALAUREAT : 6 bachot ■ 8 bachoter ■ 9 bachelier, terminale.
BACCARA : 5 banco, ponte ■ 11 chemin de fer.
BACHE : 4 abri ■ 5 banne ■ 7 prélart ■ 8 débâcher ■ 10 couverture.
BACHELIER : 5 grade.
BACHIQUE : 4 évoé ■ 5 évohé, orgie ■ 6 chahut, mégère, ménade ■ 7 thyiade ■ 8 débauche ■ 9 bacchante ■ 11 bacchanales.
BACHOT : 3 bac ■ 9 bachoter ■ 11 embarcation ■ 12 baccalauréat*.
BACILLE : 5 lèpre ■ 6 hansen, yersin ■ 7 microbe* ■ 9 bacillose, botulique, coliforme, diphtérie ■ 10 bacillaire, bacillurie ■ 11 pyocyanique, tuberculose ■ 12 bacilliforme, tyrothricine ■ 13 streptomycine.
BACLE : 8 débâcler.
BACLER : 5 finir, gâter ■ 6 fermer, gâcher.
BACON : 4 lard.
BACTERICIDE : 8 lysozyme ■ 10 hexamidine.
BACTERIE : 5 coque ■ 7 bacille, bifidus, microbe*, sarcine ■ 8 spirille ■ 9 bactérien, cellulase, chlamydia, collistine rhizobium ■ 10 listériose, mycoplasme, rickettsie, salmonelle ■ 11 bactéridie, bactériémie, endotoxine, gentamicine, microcoque, pasteurella, perfringens, spirochète ■ 12 acétobacter, actinomycète, bactéricide, clindamycine, colibacille, gramicidine, pneumocoque, reprogrammer, thallophyte ■ 13 bactériologie, bactériophage, biodégradable, parathyphique ■

14 chimiosynthèse, entérobactérie ■ 15 dénitrification.
BACTERIEN : 5 axène ■ 8 axénique.
BACTERIOLOGIE : 4 gram ■ 8 agar-agar ■ 13 bactériologue ■ 15 bactériologique, bactériologiste, homogénéisation.
BACTERIOLOGIQUE : 13 antibiogramme.
BACTERIOPHAGE : 5 phage.
BADAUD : 5 niais, oisif ■ 7 curieux, flâneur ■ 8 badauder ■ 10 badauderie.
BADERNE : 9 vieillard.
BADIANE : 4 anis.
BADIGEONNER : 7 peindre ■ 8 badigeon ■ 12 badigeonnage, badigeonneur.
BADIN : 3 fol, fou, gai ■ 5 léger ■ 7 bouffon, folâtre, scherzo ■ 8 badinage, espiègle, folichon ■ 9 badinerie ■ 10 scherzando.
BADINE : 8 baguette, cravache, houssine.
BADINER : 7 railler* ■ 8 badinage, folâtrer ■ 10 plaisanter.
BAFOUER : 4 cocu, huer ■ 6 moquer* ■ 7 railler*.
BAFOUILLER : 9 balbutier ■ 11 bafouilleur.
BAFREUR : 7 glouton.
BAGAGE : 5 arroi, bâche, bagot, barda, habit, linge, nippe, train ■ 6 effets, fourbi ■ 7 frusque ■ 8 affaires, attirail, équipage, vêtement ■ 9 bagagerie, bagagiste, chaussure, pacotille, paquetage, trousseau ■ 10 équipement ■ 11 impedimenta ■ 12 porte-bagages.
BAGARRE : 3 rif ■ 4 rixe ■ 5 rifle ■ 6 baston, combat, rififi, riffle ■ 8 barouf le, bataille, batterie, riflette ■ 12 échauffourée.
BAGATELLE : 4 rien* ■ 5 prune ■ 6 misère ■ 7 babiole, bricole, vétille ■ 8 affûtiau, amusette, bimbelot, sornette ■ 9 asticoter, baliverne, niaiserie ■ 10 colifichet ■ 12 plaisanterie.
BAGNE : 6 galère, prison ■ 7 préside ■ 8 chiourme ■ 11 pénitencier ■ 13 garde-chiourme, travaux forcés.
BAGOU : 6 bagout ■ 8 jactance, tchatche ■ 9 éloquence.
BAGUE : 4 jonc ■ 5 bagué ■ 6 anneau, châton ■ 7 baguage, baguier ■ 8 cricoïde, marquise ■ 9 triboulet ■ 10 chevalière, grenadière.
BAGUENAUDIER : 5 bague ■ 10 baguenaude.
BAGUETTE : 2 ra ■ 3 fla ■ 4 aine, gong, jonc ■ 5 bâton*, canne, fusil, jauge, perle, ruban, stick, verge* ■ 6 archet, badine, broche, crayon, listel, liston, liteau ■ 7 caducée, chicote, gressin, listeau, plectre ■ 8 antebois, antibois, chicotte, cravache, enrayoir, houssine, schlague, sourcier ■ 9 agitateur, appui-main, gratte-dos, mailloche, mouchette ■ 10 appuie-main, cordelière ■ 11 rabdomancie ■ 12 baguettisant, rhabdomancie.
BAHAISME : 5 bahaï, béhaï.
BAHREIN : 8 bahreïni.
BAHUT : 6 coffre* ■ 7 armoire*.
BAI : 7 miroité, rubican.
BAIE : 3 cap ■ 4 anse, lido, rose, vide ■ 5 golfe, table ■ 6 crique, sapote ■ 7 fenêtre, jambage, linteau, pimbina, tourane ■ 8 fronteau, myrtille, verrière ■ 9 baccifère, feuillure, sapotille ■ 10 bacciforme, canneberge, étrésillon ■ 11 brise-soleil, rapprochage ■ 12 pamplemousse.
BAIGNADE : 4 bain ■ 11 pataugeoire.
BAIGNER : 4 bain ■ 5 guéer, laver*, nager, tuber ■ 7 arroser*, tremper ■ 8 baignade, baigneur, œillère ■ 9 baignoire.
BAIGNOIRE : 5 sabot, salle.
BAIL : 5 renon ■ 6 acensé, accusé ■ 8 affermer, bailleur, colonage,

complant, métayage ■ 9 affermage, congéable, convenant ■ 10 emphytéose ■ 12 reconduction ■ 13 emphytéotique, commanditaire.

BAILLER: 5 bayer ■ 8 bailleur ■ 10 bâillement.

BAILLI: 7 baillie, quillon ■ 8 baillive, sénéchal ■ 9 bailliage, dividende, présidial.

BAILLON: 10 bâillonner ■ 12 débâillonner.

BAILLONNER: 13 bâillonnement, météorisation.

BAIN: 3 tub ■ 4 eaux, hall ■ 5 bagne, étuve, mégis, sauna, siège ■ 6 douche, hamman, lavage, râbler, therme, virage ■ 7 nymphée, piscine, thermes ■ 8 baignade, strigile ■ 9 bain-marie, balnéaire, caldarium, onctuaire, trempette ■ 10 balnéation, baptistère, deux-pièces, hypocauste, révélateur, sudatorium, tepidarium, vitriolage ■ 11 frigidarium ■ 12 galvanotypie, renforçateur ■ 14 balnéothérapie.

BAIONNETTE: 5 fusil ■ 7 escrime, quillon ■ 8 poignard ■ 15 porte-baïonnette.

BAISER: 4 bise, mimi, paix ■ 5 agape, baise, bécot, bisou, bizou ■ 6 lécher, patène ■ 7 bécoter ■ 8 baisoter ■ 9 baise-main, baisement, becqueter, dessalure, embrasser ■ 10 osculation.

BAISSE: 3 bas ■ 5 bémol ■ 8 baissier ■ 10 diminution, régression ■ 11 abaissement ■ 12 accaparement, rabaissement.

BAISSER: 5 caler ■ 7 courber, fléchir, pencher ■ 8 abaisser, décliner, incliner ■ 9 affaisser, bémoliser, déflation, descendre, rabaisser, re-baisser ■ 10 baissement, surbaisser.

BAKCHICH: 9 matabiche.

BAL: 4 loup ■ 5 danse* ■ 7 costume, dancing, guinche, musette, redoute ■ 9 quat'zarts ■ 10 bastringue, guinguette.

BALADER: 8 baladeur.

BALADEUR: 5 train ■ 9 promeneur.

BALADIN: 6 acteur* 7 bouffon ■ 8 bateleur* ■ 12 saltimbanque.

BALAFRE: 8 balafrer ■ 9 cicatrice.

BALAI: 4 coco ■ 5 goret, ramon ■ 6 brosse, écoupe, fauber, guipon ■ 7 faubert, plumard, plumeau, torchon ■ 8 balayeur, houssoir, lave-pont ■ 9 balayette, goupillon ■ 10 écouvillon, époussette, vadrouille ■ 11 porte-balais.

BALANÇANT: 9 chalouper.

BALANCE: 5 fléau, verge ■ 6 bassin ■ 7 bascule, crochet, pesette, romaine ■ 8 ajustoir, justesse, pèse-bébé ■ 9 baroscope, caudrette, languette, trébuchet ■ 10 équilibrer, trébuchant ■ 11 langoustier, pèse-lettres ■ 12 impondérable, micro-balance, pèse-personne.

BALANCEMENT: 4 saut ■ 6 roulis ■ 7 tangage ■ 8 nutation ■ 9 battement, bercement, libration, pulsation, vibration ■ 10 branlement, flottement, ondoiement, ondulation, titubation ■ 11 dandinement, oscillation*, palpitation, tremblement, vacillation ■ 12 ballottement, brimbalement, frémissement.

BALANCER: 5 jeter, swing ■ 6 battre, bercer, berner, frémir, rouler, sauter, vibrer ■ 7 brandir, branler, cahoter, dodiner, hésiter, indécis, ondoyer, onduler, secouer, tanguer, tituber, tromper ■ 8 basculer, dandiner, encenser, osciller, palpiter, trembler, vaciller, voltiger ■ 9 brimbaler, compenser, congédier, dodeliner, pendiller, remercier, sautiller ■ 10 brandiller, papilloter ■ 12 bringuebaler, brinquebaler, escarpolette.

BALANCIER: 4 prao ■ 5 ancre ■ 7 bascule, pendule ■ 9 catamaran ■ 11 contrepoids.

BALANÇOIRE: 7 bascule ■ 8 sornette ■ 12 escarpolette.

BALAYAGE: 8 brossage ■ 9 déflation ■ 11 époussetage.

BALAYER : **7** brosser*, essuyer, frotter, housser, ramoner ■ **8** nettoyer ■ **9** balayette ■ **10** bouchonner, épousseter, torchonner.
BALAYEUR : **10** ramassette, ramassoire.
BALAYURE : **5** rebut ■ **6** ordure.
BALBUTIE : **10** balbutiant.
BALBUTIER : **7** bégayer ■ **8** merdoyer ■ **10** bafouiller ■ **11** baragouiner, bredouiller ■ **12** balbutiement.
BALCON : **5** oriel ■ **7** galerie, saillie, véranda ■ **9** corbeille.
BALDAQUIN : **4** dais ■ **8** ciborium.
BALE : **6** bâlois.
BALEINE : **4** busc ■ **5** fanon, huile, orque, verge ■ **7** jubarte ■ **9** baleineau, baleinier, cold-cream, crinoline, mégaptère ■ **10** baleinière ■ **11** balénoptère.
BALENOPTERE : **7** rorqual.
BALINAIS : **7** gamelan.
BALISE : **4** amer ■ **5** bouée, vigie ■ **7** baliser ■ **8** balisage, baliseur ■ **11** délinéateur ■ **15** radio-alignement.
BALISIER : **5** canna.
BALISTE : **6** onagre.
BALISTIQUE : **4** slbm ■ **11** balisticien.
BALIVEAU : **4** laie, lais.
BALIVERNE : **8** sornette* ■ **9** bagatelle ■ **10** balançoire, baliverner ■ **11** coquecigrue.
BALKANIQUE : **4** grec, turc ■ **5** banat, serbe ■ **6** croate ■ **7** bosnien, bulgare, roumain, slovène, voïvode ■ **8** albanais, voïévode, voïvodie ■ **9** bosniaque, voïévodie ■ **10** macédonien, yougoslave ■ **11** monténégrin ■ **13** transylvanien.
BALKANISATION : **10** balkaniser.
BALLADE : **4** lied ■ **5** envoi ■ **7** refrain.
BALLAST : **8** traverse ■ **9** ballaster ■ **10** accotement, ballastage, plateforme ■ **11** ballastière ■ **12** déballastage.
BALLE : **3** ace, jeu*, let, out ■ **4** club, golf, polo ■ **5** auget, batte, boule, cible, colis, drive, éteuf, farde, filet, paume, pitch, plomb, séton, slice, smash, volée ■ **6** ballon, bastos, dum-dum, paquet ■ **7** amortie, fronton ■ **8** ballotte, biscaïen, déballer, emballer, empaumer, épeautre, shrapnel ■ **9** remballer, tambourin, tireballe ■ **10** chevrotine, projectile ■ **11** passing-shot.
BALLERINE : **8** danseuse.
BALLET : **8** coryphée, figurant ■ **11** balletomane ■ **12** ballettomane, chorégraphie ■ **15** ballet-pantomime.
BALLON : **3** gaz ■ **4** lest ■ **5** ancre, avant, balle, essai, filet, passe, sonde ■ **6** lester ■ **7** aéronef, défense, gonfler, nacelle ■ **8** aérostat, délester, saucisse, suspente, zeppelin ■ **9** ascension, ballonner, ballonnet, demi-volée, entre-deux, guiderope, talonnage, water-polo ■ **10** ballonnier, dirigeable, engagement, volley-ball ■ **11** aérosondage ■ **12** médecine-ball, montgolfière, punching-ball, radio-sondage.
BALLONNEMENT : **9** emphysème, tympanite ■ **10** aérophagie, flatulence, flatuosité, météorisme.
BALLONNER : **7** gonfler ■ **9** grouiller.
BALLOT : **6** paquet ■ **9** remballer.
BALLOTE : **7** marrube.
BALLOTTER : **7** secouer* ■ **8** balancer ■ **10** ballottage ■ **12** ballottement.
BALLOTTINE : **6** dodine.
BALOURD : **3** sot ■ **5** butor, lourd, niais, obtus ■ **6** ballot, cruche, fruste ■ **7** absurde, baluche, stupide ■ **8** baluchon, grossier, lourdaud ■ **10** balourdise ■ **11** débalourder.

BALOURDISE : 8 énormité.
BALSAMIER : 7 baumier ■ 10 impatiente.
BALSAMINE : 9 impatiens ■ 10 impatiente ■ 13 noli-me-tangere.
BALSAMIQUE : 5 baume, gaiac, momie ■ 7 benjoin ■ 12 désodorisant, millepertuis.
BALTE : 6 danois ■ 7 suédois ■ 8 allemand, estonien, polonais ■ 9 lettonien, lituanien ■ 10 finlandais, lithuanien.
BALUCHON : 6 paquet.
BALUSTRADE : 4 épis ■ 5 limon, rampe, socle ■ 6 balcon, grille, travée, vedika ■ 7 balustre, clôture, parapet, ridelle ■ 8 garde-fou, rambarde ■ 9 colonnade ■ 10 garde-corps.
BALUSTRE : 3 col ■ 4 tige, vase ■ 5 panse ■ 7 barreau, cathète ■ 8 dosseret ■ 9 chapiteau, piédouche ■ 10 balustrade, candélabre, colonnette.
BALZAC : 9 balzacien.
BAMBIN : 6 enfant*.
BAMBOCHE : 10 bambocheur.
BANAL : 3 usé ■ 5 battu, route ■ 6 commun*, déjà-vu, poncif ■ 7 pompier ■ 8 banalité, médiocre ■ 9 banaliser, ordinaire* ■ 10 banalement, capucinade, stéréotypé, vieillerie ■ 11 impersonnel ■ 13 conventionnel, prudhommesque.
BANALITE : 5 banal ■ 6 cliché, relief ■ 9 platitude.
BANANE : 6 foufou, foutou.
BANANIER : 5 abaca ■ 6 banane ■ 10 bananeraie.
BANC : 5 barre, batte, doris, selle, siège*, somme ■ 6 banque, baudet, établi, exèdre, gradin, travée ■ 7 montoir, tréteau ■ 8 bancelle, dressoir, escabeau, étapliau, étireuse, hautfond, prie-dieu, sellette, tabouret ■ 9 apprêtoir, banquette, chargeoir ■ 10 marchepied ■ 11 échafaudage ■ 12 agenouilloir.
BANCAIRE : 3 r.i.b. ■ 4 agio ■ 11 titrisation ■ 13 compte-chèques.
BANCAL : 7 boîteux ■ 9 bancroche.
BANCHE : 7 bancher ■ 8 banchage.
BANDAGE : 5 bande, crêpe, fanon, spica, toile ■ 6 glisse, strier, plâtre ■ 7 attelle, attente, bandeau, charité, écharpe, éclisse, frontal ■ 8 chevêtre, débander, embâtage, gantelet, ligature, surbande ■ 9 collodion, compresse, pansement*, sparadrap, tarlatane ■ 10 bandagiste, caoutchouc, déligation, oreillette, suspensoir, tétonnière ■ 11 mentonnière.
BANDE 2 b.d. ■ 4 film, gang, gîte, jeté, lien, loup, péri, raie, rail, zone ■ 5 arçon, bride, éphod, étole, fanon, fasce, frise, galon, garde, gîter, jaspe, liste, litre, panne, patte, pègre, pente, piste, repos, ruban, ruche, secte, spica, volée, zonal, zonée ■ 6 bilame, brayer, burèle, comice, cordon, cotice, côtier, flamme, légion, liston, manade, onglet, orfroi, rayure, rivage, sangle, surdos, troupe* ■ 7 bandage, bandeau, bricole, collure, coterie, diadème, écharpe, lanière, limande, lisière, pendant, penture, sautoir, surfaix, tranche ■ 8 bannière, baudrier, brassard, bretelle, ceinture, chenille, courroie, débander, dragonne, embrasse, manipule, quartier, rechaper, sous-pied, surbande, zodiaque ■ 9 bandereau, banderole, bédéphile, bringeure, cavaillon, ceinturon, compagnie, entre-deux, feuillard, garde-boue, girouette, hellequin, laticlave, manchette, oriflamme, panachure, passement, porte-épée, serpentin, serre-tête, sous-bande, thepillim, trépointe ■ 10 actualités, bandelette, bande-vidéo, bouillonné, brigandage, entrebande, jarretière, molletière ■ 11 bandothèque, bandoulière, buffleterie, ceinturette, citizen band, mentonnière, protège-slip ■ 12 augusticlave ■ 14 cassettothèque.

BANDEAU : 5 bande ■ 7 bâillon, diadème, verseau ■ 8 fronteau ■ 10 archivolte.
BANDE DE CUIR : 7 bricole, lanière ■ 8 baudrier, dragonne ■ 9 bourdalou, ceinturon ■ 11 bandoulière, buffleterie.
BANDELETTE : 5 momie, queue, sérum, séton ■ 6 infule ■ 9 bourrelet.
BANDER : 4 lier ■ 5 gîter ■ 6 panser*, raidir, rouler, tendre ■ 8 débander, dérouler, éclisser, enrayoir ■ 9 ligaturer.
BANDERILLE : 12 banderillero.
BANDEROLE : 6 flamme ■ 7 drapeau* ■ 10 phylactère.
BANDIT : 4 thug ■ 5 bravi, filou, nervi, séide ■ 6 apache, escroc*, forban, larron, outlaw, pirate*, taupin, truand, voleur* ■ 7 brigand*, écumeur, escarpe, pendard, pillard, routier, sicaire, terreur, vaurien* ■ 8 assassin, canaille, chenapan, criminel*, gangster, miquelet, scélérat, vagabond ■ 9 chauffeur, écorcheur, endormeur, malandrin, meurtrier*, sacripant, souteneur ■ 10 aventurier, banditisme, bandoulier, crocheteur, flibustier, malfaiteur* ■ 11 cambrioleur, coupe-jarret, incendiaire.
BANDOULIERE : 15 porte-mousqueton.
BANGLADESH : 10 bangladais ■ 12 bangladeschi.
BANJO : 9 banjoïste.
BANLIEUE : 7 vicinal ■ 8 environ ■ 10 guinguette, périphérie ■ 11 banlieusard ■ 13 rurbanisation.
BANNE : 5 bâche, benne ■ 6 rideau ■ 8 bannette.
BANNIERE : 5 tanka ■ 7 drapeau* ■ 8 banneret ■ 9 oriflamme ■ 13 porte-bannière.
BANNIR : 6 exiler ■ 7 chasser*, émigrer ■ 8 déporter, expulser, refouler, reléguer, renvoyer ■ 9 expatrier, interdire, proscrire, repousser ■ 10 ostraciser ■ 11 transporter ■ 12 bannissement.
BANNISSEMENT : 4 exil ■ 7 rupture ■ 8 émigrant, proscrit ■ 9 expulsion, migration, pétalisme ■ 10 ostracisme, relégation ■ 11 bannissable, déportation, refoulement ■ 12 expatriation, proscription ■ 14 cosmopolitisme, transportation.
BANQUE : 4 agio ■ 5 banco, place, ponte ■ 6 fafiot ■ 8 agiotage, bancable, bancaire, bank-note, banquier ■ 9 banquable ■ 10 eurobanque ■ 11 syndication ■ 13 interbancaire, papier-monnaie.
BANQUEROUTE : 5 ruine ■ 8 faillite* ■ 13 banqueroutier.
BANQUET : 5 repas ■ 6 épulon, festin ■ 9 banqueter ■ 11 lectisterne.
BANQUIER : 9 remettant.
BANQUISTE : 12 saltimbanque.
BANTOU : 8 souahéli.
BANTOUSTAN : 8 homeland.
BAPTEME : 5 fonts ■ 7 baptisé ■ 8 baptiser, baptisme, baptiste, chrémeau, chrétien, marraine, tavaïole, triomphe ■ 9 baptismal, exorcisme, tavaiolle ■ 10 baptistère, ondoiement ■ 11 baptistaire, rebaptisant, régénération.
BAPTISER : 5 bénir ■ 7 appeler, ondoyer ■ 8 chrétien, conférer, diaconat, néophyte ■ 9 exorciser ■ 10 baptistère, rebaptiser ■ 11 administrer, catéchumène.
BAQUET : 3 bac ■ 4 cuve, jale ■ 6 baille, sapine ■ 7 seillon, tonneau ■ 8 baqueter ■ 10 baquetures.
BAR : 6 saloon ■ 7 barmaid, buvette, milibar, wagon-bar ■ 8 piano-bar ■ 10 hectopièze, voiture-bar.
BARAGOUIN : 8 charabia ■ 9 balbutier ■ 10 galimatias ■ 12 baragouineur.
BARAQUE : 4 loge ■ 6 cabane, masure ■ 7 bicoque, cassine ■ 10 bidonville, habitation* ■ 11 baraquement.

BARATIN : 8 jactance.
BARATTAGE : 7 baratte ■ 8 babeure, baratter.
BARBARE : 4 clan ■ 5 avare, barbe, brute, cruel, horde, hutte, maure, tente, tribu ■ 6 chebec, chebek, mongol ■ 7 germain, sauvage ■ 8 barbarie, grossier, inhumain, sarrasin ■ 9 barbarisme ■ 11 barbarement, barbaresque.
BARBE : 4 bouc ■ 5 arête, barbu, penne, plume ■ 6 barbon, mouche, royale ■ 7 barbelé, collier, favoris, imberbe ■ 8 barbiche, barbichu, barbille, blaireau, touselle ■ 9 barbifier, impériale, moustache ■ 10 barbillons.
BARBEAU : 5 bluet ■ 6 bleuet ■ 9 barbillon.
BARBELE : 9 barbelure.
BARBER : 7 seriner.
BARBET : 7 caniche.
BARBICHE : 4 bouc ■ 8 barbichu ■ 9 impériale ■ 11 barbichette.
BARBIER : 6 figaro, merlan ■ 8 coiffeur ■ 10 perruquier.
BARBILLON : 4 gage ■ 5 loche.
BARBITURIQUE : 8 barbital ■ 9 pentothal ■ 12 barbiturisme ■ 13 phénobarbital ■ 14 barbituromanie ■ 15 penthiobarbital.
BARBON : 9 vieillard*.
BARBOTER : 8 patauger ■ 9 barbotage, barboteur.
BARBOUILLAGE : 8 graffito, grimoire ■ 11 gribouillis, griffonnage ■ 12 gribouillage.
BARBOUILLER : 5 gâter, salir* ■ 6 écrire ■ 7 maculer, peindre ■ 8 mâchure ■ 10 grisailler ■ 12 barbouilleur ■ 13 embarbouiller.
BARBU : 5 poilu ■ 6 barbon, grison, sapeur ■ 7 capucin, imberbe.
BARCAROLLE : 7 mélodie.
BARCELONE : 11 barcelonais.
BARD : 7 bardage.
BARDANE : 9 glouteron.
BARDE : 4 lard ■ 5 poète ■ 6 armure, barder.
BARDEAU : 7 aisseau, shingle.
BARDOT : 5 mulet.
BARIL : 5 gonne, liter, tonne ■ 6 barrel ■ 7 boucaut, tonneau ■ 8 baricaut, barillet ■ 10 barriquaut.
BARILLET : 8 révolver.
BARIOLER : 6 chiner, jasper, veiner ■ 7 marbrer ■ 8 bigarrer, panacher ■ 9 bariolage, chamarrer, marqueter.
BAROMETRE : 4 tube ■ 6 cadran ■ 7 cuvette, mercure ■ 8 flotteur, tablette ■ ■ 9 baroscope, manomètre ■ 11 contrepoids ■ 12 barométrique ■ 15 barométrographe.
BARON : 4 lady ■ 6 tortil ■ 7 baronet ■ 8 baronnie ■ 9 baronnage.
BAROQUE : 7 bizarre, bouffon ■ 10 baroquisme.
BAROQUISME : 15 churrigueresque.
BAROUD : 6 combat.
BARQUE : 5 cange ■ 6 bachot, esquif, nocher, ponton ■ 7 nacelle ■ 8 barcasse, dahabieh ■ 9 barquette, nautonier, toletière ■ 11 embarcation.
BARRACUDA : 8 sphyrène.
BARRAGE : 5 écran ■ 7 embâcle, ressaut, truyère ■ 8 fermette, obstacle* ■ 9 déversoir, réservoir, serrement ■ 10 barragiste, évacuateur ■ 12 barrage-poids, barrage-voûte.
BARRE : 3 jas ■ 4 épar, mors, obel, péri, tige ■ 5 ancre, bâton, bloom, bûche, chien, épart, fléau, gouge, obèle, pince, râble, timon, trait, verge ■ 6 bâtard, bielle, chaîne, chenet, cotice, côtier, fanton, enton, guidon, levier, loquet, roulon, tirant ■ 7 barreau, biffure, fourgon,

fleuret, gambier, profilé, résille, ringard, toqueux, tringle ■ **8** armature, barrette, cottière, débarrer, drop-goal, stoqueur, traverse ■ **9** axiomètre, bâtardise, timonerie, tisonnier, touchette ■ **10** code-barres, fonçailles, gouvernail ■ **12** porte-manteau.

BARREAU: 5 orgue ■ **6** aimant ■ **7** échelon, sommier ■ **8** balustre, pilastre ■ **13** électro-aimant.

BARRER: 5 rayer ■ **6** fermer*, radier ■ **7** boucher, effacer ■ **8** obstruer* ■ **9** barrement, condamner.

BARRETTE: **6** bonnet ■ **8** cardinal.

BARRICADE: **4** abri ■ **7** défense ■ **8** obstacle ■ **10** barricader.

BARRIERE: **4** haie ■ **5** barre, claie, douve, herse, ligne, palée, rampe, seuil ■ **6** grille ■ **7** barrage, clôture, ridelle ■ **8** échalier, garde-fou, grillage, obstacle ■ **9** banquette, barricade, charmille, palissade, ronceraie, treillage ■ **10** balustrade, claire-voie, clayonnage, séparation ■ **11** empêchement.

BARRIQUE: **5** caque, pièce ■ **6** flotte ■ **7** tonneau*.

BARRIR: **7** baréter.

BARROT: **3** bau ■ **9** épontille.

BARYTON: **4** alto, voix ■ **11** basse-taille.

BARYUM: **2** ba ■ **8** barytine ■ **9** lithopone.

BAS: **3** vil* ■ **4** base, cave, fond, nota, pied ■ **5** brute, canon, farce, gambe, garce, grave, hyène, là-bas, longe, mi-bas, petit, queue, râble, seuil, talon, vêler ■ **6** abject, couche, gisant, infime, rebras ■ **7** bas-bleu, cellier, déclive, demi-bas, entravé, faonner, ignoble, lapiner, pâturon, profond, servile, trivial, vilenie ■ **8** abaisser*, agnelage, biqueter, chienner, cryostat, démonter, descente, entresol, grisotte, louveter, médiocre, sacrifié, susurrer, vulgaire ■ **9** bassement, brise-bise, chevreter, ci-dessous, contrebas, cryogénie, déchaussé, descendre, entresolé, escabelle, fondement, inférieur, platitude, plongeant, rabaisser, surbaisse ■ **10** agnèlement, chaussette, chevretter, innommable, jarretelle, monogramme, rase-mottes, souterrain ■ **11** abaissement, redescendre ■ **12** battement.

BASALTE: **4** lave, skye ■ **5** orgue ■ **7** planèze ■ **9** demi-deuil ■ **10** basaltique.

BASALTIQUE: **10** pillow-lava.

BASANE: **6** bronzé ■ **7** kroumir ■ **10** escafignon.

BAS-COTE: **10** collatéral.

BASCULE: **5** fléau ■ **6** levier ■ **7** balance, chadouf, tablier ■ **8** basculer, martinet ■ **10** balançoire ■ **11** pont-bascule ■ **12** rocking-chair ■ **14** multivibrateur.

BASCULER: **5** benne ■ **8** balancer*, culbuter ■ **9** basculant, basculeur, renverser ■ **11** basculement.

BASE: **3** bas, clé, fût, roc, sol ■ **4** aire, clef, fond, pied, pile, sole, tore ■ **5** basal, baser, bétel, chaux, ergot, gaine, lemme, mètre, naffe, octal, ortie, patin, pivot, savon, socle, solde, spire, talon, tronc ■ **6** alcali*, assise, embase, pilier, platée, purine, racine, scotie ■ **7** adénine, basique, basiste, bractée, colonne, guanine, origine, plinthe, purique, radical, semelle, soutien*, support*, tablier, terrain, thymine, uracile ■ **8** assiette, basicité, cytosine, monobase, polybase, postulat, principe, quinaire, tesselle, thalamus, xanthine ■ **9** ampholyte, amphotère, basiliaire, bibasique, cerisette, condition, dispersal, engaînant, fondation, fondement, hydrobase, gouttière, involucre, naissance, piédestal, piédouche, principal, sinapisme, stylobate, substance ■ **10** cosmodrome, embasement, glyconique, palmiparti, palmisèque, plate-forme, pyrimidine, rosaniline, saccharole, saccharure, sous-œuvre, substratum ■

11 atomistique, empattement, fondamental, pyrimidique, sexagésimal, station-aval ■ 12 cellulosique, commencement, hypothalamus, soubassement, triangulaire ■ 13 hydroxylamine ■ 14 orthorhombique, saponification.
BASER : 6 fonder*, porter, rouler ■ 7 asseoir, établir*, reposer.
BAS-FOND : 7 cloaque.
BASIDIOMYCETE : 5 hydne ■ 7 girolle, inocybe ■ 8 clavaire, polypore*, trémelle ■ 9 souchette, trompette, urédinale* ■ 10 chantrelle, craterelle, hygrophore ■ 11 agaricacée*, chanterelle ■ 12 gastromycète, hyménomycète*, pied-de-mouton, ustilaginalc* ■ 13 gastéromycète*.
BASILIC : 6 pistou.
BASILIQUE : 4 jubé ■ 6 église* ■ 8 tribunal.
BASILLE : 15 fuso-spirillaire.
BASIQUE : 5 amine, métal ■ 9 ampholyte, anionique, basiphile, basophile ■ 10 éthylamine ■ 11 vert-de-gris.
BASKET-BALL : 9 entre-deux ■ 10 basketteur.
BASOCHE : 9 basochien.
BASQUE : 4 frac ■ 5 béret, fuero, habit, rebot, veste ■ 7 eskuara, euscara, euskera, labourd, pottock, spencer ■ 8 navarrin, pelotari ■ 9 eskuarien, euscarien, euskarien, euskerien.
BAS-RELIEF : 4 rude ■ 8 médaille ■ 9 anaglyphe, estampage, médaillon ■ 13 dessus-de-porte.
BASSE : 4 voix ■ 8 continuo ■ 9 cryogénie, cryologie ■ 11 basse-taille, chanterelle, moins-disant ■ 15 cryotempérature, politicaillerie.
BASSE-COUR : 5 hocco ■ 8 volaille ■ 12 basse-courier.
BASSEMENT : 9 adulateur, flagorner ■ 10 petitement ■ 11 ignoblement.
BASSESSE : 7 vilenie* ■ 9 abjection, courtisan, petitesse, platitude, saloperie, servilité ■ 11 abaissement ■ 12 avilissement ■ 13 aplatissement, courtisanerie.
BASSET : 5 bigle ■ 6 beagle ■ 15 scottish-terrier.
BASSIN : 4 dock, parc, port, rade, rond ■ 5 casse, darse, étier, évier, fonts, moere ■ 6 claire, pelvis, vasque, ventre ■ 7 cuvette, jacuzzi, œillet, pelvien, périnée, piscine ■ 8 aquarium, bassiner, bassinet, chaudron, crédence, demi-lune, fontaine, lagunage, populace, purgeoir ■ 9 impluvium, navicelle ■ 10 aquamanile, bassinoire ■ 11 avant-bassin, braconnière, déchargeoir, pataugeoire ■ 12 cressonnière, pelvigraphie.
BASSINE : bassinant.
BASSINER : 9 bassinage ■ 10 bassinoire ■ 11 bassinement.
BASSINET : 5 fusil ■ 6 calice, mézail ■ 7 pyélite ■ 8 cabasset ■ 13 hydronéphrose, pyélonéphrite.
BASSINOIRE : 8 bassiner.
BASTIA : 8 bastiais.
BASTIDE : 3 mas ■ 8 bastidon.
BASTILLE : 6 prison ■ 11 embastiller.
BASTION : 4 face, mine ■ 5 place, saper ■ 7 orillon ■ 8 courtine ■ 9 bastionné, poivrière ■ 10 bastionner ■ 13 fortification.
BASTONNADE : 5 bâton, volée.
BASTONNER : 6 battre.
BAS-VENTRE : 4 aine, îles ■ 5 alvin ■ 9 cache-sexe, gras-fondu.
BAT : 3 yak ■ 4 bâté, yack ■ 5 baste, bâter, hotte, licou ■ 6 bourre, bridon, sangle ■ 7 bateuil, cacolet, courbet, débâter ■ 8 bardelle, chevêtre, porte-bât, sommière ■ 9 contrebât, échelette.
BATAILLE : 4 gros ■ 6 combat*, guerre* ■ 7 bagarre, wargame ■ 8 agressif, bandière, coursier, destrier, phalange ■ 9 batailler, turbulent ■ 10 batailleur.

BATAILLON : 5 alpin, tabor ■ 6 troupe ■ 8 quartier ■ 9 taxiarque ■ 11 demi-brigade.

BATARD : 5 métis ■ 6 champi ■ 7 corniot ■ 9 adultérin, bâtardise ■ 10 illégitime.

BATARDEAU : 10 palplanche.

BATEAU : 3 bac, nef ■ 4 bord, gare, gong, port, prao, rame, sole, yole ■ 5 arche, avant, aviso, bâche, barge, barre, bette, bitte, canoé, canot*, coche, coque, cotre, dandy, doris, fuste, kajac, kayak, nolis, panse, poupe, prame, proue, skiff, smack, touée, touer, voile, yacht ■ 6 allège, bachot. baille, barque, boutre, cabane, cabine, caïque, carène, couffa, couple, courbe, dundee, éperon, esquif, étrave, flette, foncet, gabare, galère, jonque, kouffa, navire*, péotte, pointu, ponton, quille, radeau, rafiot, sampan, solive, tillac ■ 7 acculée, arrière, batelée, bateler, batelet, bordage, caneton, chaland, drakkar, driveur, étambot, gabarit, galiote, gondole, hourque, nacelle, patache, péniche, pirogue, polacre, steamer, tartane, thonier, vedette ■ 8 baliseur, barcasse, batelier, bâtiment*, chaloupe, curemole, dériveur, dragueur, felouque, frégater, glisseur, gréement, hors-bord, marinier, paquebot, pousseur, trémater, vaisseau*, varangue ■ 9 chalutier, gournabie, house-boat, monocoque, motor-ship, navigable, steam-boat ■ 10 balancelle, batellerie, crevettier, garde-pêche, gouvernail, harenguier, motoscaphe, multicoque, pyroscaphe, remorqueur, torpilleur ■ 11 bateau-phare, embarcation*, langoustier ■ 13 hydroglisseur ■ 15 transatlantique.

BATEAU A VOILE : 8 bélandre.

BATELEUR : 5 clown, corde, pitre ■ 6 forain ■ 7 athlète, baladin, bouffon, brioche, cabotin, hercule, lutteur, sauteur ■ 8 acrobate, bohémien, dompteur, gymnaste, jongleur, magicien ■ 9 banquiste, bilboquet, charlatan, empirique, funambule, ménestrel, paillasse, physicien ■ 10 escamoteur, somnambule ■ 11 circulateur, ventriloque ■ 12 équilibriste, saltimbanque.

BATELIER : 7 matelot, passeur ■ 8 batelage, marinier ■ 9 gondolier ■ 10 barcarolle.

BATI : 4 cage, sole ■ 5 campé ■ 6 cantre ■ 7 châssis, débâter, débâtir ■ 8 conforme ■ 9 huisserie ■ 11 carrosserie.

BATIFOLER : 8 folâtrer ■ 10 batifolage, batifoleur.

BATIMENT : 3 ras, tin ■ 4 cale, dôme, fret, gare, pont, réal, shed, toit, tour ■ 5 aviso, cotre, doris, ferme, flûte, fuste, gréer, ketch, kondo, liner, local, logis, mazot, nolis, panse, place, point, racer, ruine, rural, sloop, smack, toise, villa, yacht ■ 6 bateau*, chebec, chebek, donjon, église, étable, flèche, grange, lougre, maison*, navire*, palais, temple ■ 7 bâtisse, caserne, château, clocher, édifice*, frégate, galerie, guérite, hourque, narthex, négrier, pinasse, ressaut, rotonde, saillie, tartane, vedette, voilier ■ 8 aérogare, appentis, building, caboteur, chapelle, corvette, deux-mâts, felouque, goélette, immeuble, lanterne, métairie, monument, naufrage, pavillon, plâtrier, portique, prospect, sellette, tourelle, vaisseau* ■ 9 basilique, belvédère, campanile, clocheton, flottille, garde-côte, menuisier, monastère, mouilleur, orangerie, soupirail, sous-marin, trinquart ■ 10 avant-corps, bout-dehors, canonnière, cathédrale, gratte-ciel, magnanerie, métallerie, panoptique, poulailler, remorqueur, université ■ 11 arbalétrier, chasse-marée, columbarium, crématorium, gendarmerie, hors-d'œuvre, porte-avions, recoupement, rez-de-jardin, transborder ■ 12 architecture*, arrière-corps, construction, rempiètement, stationnaire, substruction, substructure ■ 13 amiante-ciment, porte-aéronefs ■ 15 toiture-terrasse.

BATIR : 5 faire ■ 6 élever*, ériger, fonder ■ 7 édifier, établir ■ 8 dé-

truire, faufiler ■ 9 bâtisseur ■ 10 construire*, échafauder ■ 12 construction, reconstruire ■ 13 architecturer.
BATISSE : 8 bâtiment ■ 9 bâtisseur.
BATISSEUR : 10 architecte.
BATISTE : 5 linon.
BATON : 3 fût ■ 4 bois, jonc, pieu*, tige ■ 5 barre, batte, bûche, canne*, canon, craie, épieu, gaule, gorge, hampe, jalon, jauge, lance, latte, masse, palis, règle, scion, stick, verge ■ 6 archet, badine, billot, cotret, crosse, férule, fichet, garrot, hochet, massue, perche*, piolet, piquet, rondin, thyrse, touche, trique, tuteur ■ 7 bacille, barreau, bourdon, branche, échalat, échasse, gourdin, juchoir, palette, pennbaz, sceptre, tordoir, tribart, tringle ■ 8 bactérie, baguette*, bâtonner, bâtonnet, béquille, boute-feu, cravache, fustiger, gaulette, houlette, houssine, matraque, moulinet, perchoir, schlague, serre-nez ■ 9 aiguillon, assommoir, balancier, bâtonnier, fustibale, refouloir, retordoir ■ 10 alpenstock, bactéridie, écouvillon, fustiballe, quenouille.
BATONNER : 5 ramer ■ 6 battre*, gauler, jauger, régler, rosser ■ 7 crosser ■ 8 corriger, fustiger, jalonner ■ 9 cravacher, houssiner ■ 10 palissader.
BATONNET : 6 crayon, surimi, témoin ■ 8 esquimau, jonchets ■ 9 coton-tige ■ 12 chondriosome ■ 13 bactériophage.
BATONNIER : 8 bâtonnat.
BATRACIEN : 4 frai ■ 5 apode*, larve ■ 6 anoure*, ranidé ■ 7 urodèle* ■ 8 amphiume, uroplate ■ 9 amphibien, ichtyoïde, terrarium, tétrapode ■ 10 rhacophore ■ 11 cératophrys, cœlacanthe, combinateur.
BATTAGE : 10 bactrioles.
BATTANT : 6 brayer ■ 7 bélière ■ 9 battement.
BATTE : 5 sabre ■ 7 hutinet, marteau ■ 8 raquette ■ 9 mailloche.
BATTELLEMENT : 7 doublis.
BATTEMENT : 5 crawl, pouls ■ 6 palmas ■ 8 carillon, palpiter ■ 9 batillage, clin d'œil, pulsation ■ 10 centrosome ■ 10 tachycardie ■ 13 sphygmographe ■ 15 applaudissement.
BATTERIE : 4 pont ■ 5 appel, delco, diane, drums ■ 6 charge, rappel, réveil, sabord ■ 7 bagarre ■ 8 chargeur, générale ■ 9 capitaine, entrepont, roulement ■ 10 artillerie ■ 11 colin-tampon.
BATTEUR : 7 drummer ■ 13 aspiro-batteur.
BATTEUSE : 8 engrener, secoueur ■ 9 engreneur ■ 10 engreneuse.
BATTOIR : 5 batte, fléau ■ 7 triquet.
BATTOLOGIE : 9 pléonasme.
BATTRE : 5 batte, boxer, damer, fléau, hourd, léser, mêler, piler, punir*, roucr, tabac, taper, venir ■ 6 broyer, bûcher, cogner, cosser, dauber, écoper, fesser, gauler, gifler, rosser, rouste, sonner, tanner, toquer, vanner ■ 7 asséner, attiger, chabler, charger, choquer, cingler, claquer, crosser, défaire, dénuder, échiner, écraser, écrouir, estrade, faseyer, frapper*, frotter, gourmer, retirer, sangler, secouer, tabacer, tailler, triquer, vaincre ■ 8 anéantir, arçonner, assommer, bagarrer, bâtonner, bigorner, bretteur, calotter, colleter, corriger, culbuter, détruire, éborgner, écharper, éreinter, étriller, fouetter, fustiger*, malmener, marteler, meurtrir, molester, pilonner, rebattre, sabouler, tabasser, tarauder ■ 9 applaudir, bastonner, batailler, combattre, confirmer, conquérir, cravacher, disperser, estourbir, faseiller, flageller, fouailler, houssiner, ralinguer, repousser, talmouser, tamponner, testonner, triompher ■ 10 chamailler, ferrailler, houspiller, imbattable, maltraiter, souffleter, tatouiller ■ 11 entrebattre, tambouriner ■ 12 contusionner.

BATTU : **5** cerne.
BATTUE : **4** huée, trot.
BAUDET : **3** âne, sot ■ **5** kiang ■ **6** grison.
BAUDRIER : **8** assurage.
BAUDROIE : **4** lote.
BAUGE : **4** gîte ■ **8** retraite, sanglier ■ **11** appartement.
BAUME : **3** suc ■ **4** tolu ■ **5** gomme, momie, sapin ■ **6** résine, styrax ■ **7** baumier, benjoin, benzine, copalme, dictame, onguent* ■ **8** laudanum, liniment, opoponax, teinture ■ **9** balsamite ■ **10** aliboufier, balsamique ■ **11** opobalsamun ■ **12** térébenthine.
BAVARD : **3** pie ■ **6** margot ■ **7** commère, gazette, loquace ■ **8** crécelle ■ **9** babillard, caillette, caqueteur, indiscret.
BAVARDAGE : **5** babil, bagou, potin, ragot ■ **6** cancan ■ **8** jactance, japotage, papotage, racontar ■ **10** cailletage, jacasserie ■ **11** jacassement ■ **12** patati-patata.
BAVARDER : **5** jaser ■ **6** jacter, parler* ■ **7** jaboter, papoter ■ **8** babiller, bagouler, bavasser, caqueter, dégoiser, jacasser, jaspiner, palabrer ■ **9** bavardage, cailleter, converser*, discourir, tchatcher ■ **10** déblatérer.
BAVE : **5** baver, écume ■ **6** baveux, couler, salive ■ **7** bavette ■ **8** bavocher.
BAVURE : **5** barbe, tache ■ **8** barbille, burineur, ébavurer ■ **9** bavochure.
BAZAR : **6** marché ■ **8** boutique, désordre.
BEANT : **3** bée ■ **6** béance, ouvert.
BEAT : **5** bigot ■ **7** content ■ **9** béatement.
BEATIFIE : **4** béat ■ **5** saint ■ **12** canonisation ■ **13** béatification.
BEATITUDE : **3** élu ■ **6** gloire ■ **7** bonheur* ■ **10** bienheureux.
BEATNIK : **4** beat.
BEAU : **3** bel, gai ■ **4** bath, joli ■ **5** divin, idole, riant ■ **6** beauté, coquet, gentil, girond, mignon, svelte ■ **7** aimable, élégant, esthète, luxueux, magique, pompeux, radieux, sublime, superbe ■ **8** agréable, bellâtre, brillant, charmant, chouette, embellir, étonnant, féerique, gracieux, plaisant ■ **9** admirable, beaux-arts, enjoliver, magistral, mirifique, rayonnant, séduisant, splendide ■ **10** esthétique, harmonieux, magnifique, mirobolant, monumental, stupéfiant, tartuferie ■ **11** éblouissant, merveilleux, pittoresque, plastronner, prestigieux ■ **12** amélioration, incomparable.
BEAUCOUP : **3** peu ■ **4** bien, fort, gros, mult, prou, tant, tout, très ■ **5** besef, bezef, ferme, force, foule*, gaver, guère, molto, moult, multi, série* ■ **6** affreux, lerche ■ **7** à foison, bosseur, chiader ■ **8** bourreau, centuple, joliment, nombreux*, puissant, pulluler, quantité, rudement ■ **9** amplement, bigrement, fécondité, laborieux, largement, multitude*, plusieurs*, polystyle, productif, succulent, vachement ■ **10** bougrement, énormément, foutrement, grand-chose, grandement ■ **11** abondamment, en abondance, moyennement, notablement, tire-larigot ■ **12** copieusement ■ **13** spacieusement, véhémentement ■ **14** singulièrement ■ **15** plantureusement.
BEAU-FRERE : **5** beauf.
BEAUJOLAIS : **6** morgon, régnié ■ **8** brouilly, juliénas ■ **10** chiroubles, saint-amour ■ **11** moulin-à-vent.
BEAU-PERE : **7** parâtre.
BEAUPRE : **9** sous-barbe ■ **10** balancelle.
BEAUTE : **4** chic, goût, miss, type ■ **5** astre, grâce*, idéal ■ **6** charme*, féerie ■ **7** apollon, glamour, vénusté ■ **8** élégance, joliesse, ornement.

toilette ■ 9 antirides, fraîcheur, lettrisme, plastique, splendeur, sveltesse, visagisme, visagiste ■ 10 esthétique, magnifique, pancalisme, perfection, préciosité ■ 11 coquetterie, délicatesse, gentillesse, raffinement ■ 12 enjolivement ■ 14 embellissement.
BEBE: 4 areu, baby, môme ■ 5 putto ■ 6 chiard, enfant, lardon, mioche, poupon, têtard ■ 7 enfance*, loupiot, moutard ■ 9 nouveau-né, petit salé, porte-bébé, poupard, tout-petit ■ 10 moutatchou, nourrisson ■ 14 cache-brassière.
BEC: 3 cap ■ 4 cire ■ 5 ancre, barbe, buire, calao, coque, héron, morne, plume, rouge ■ 6 bouche, onglet ■ 7 alérion, aquilin, becquée, verseur ■ 8 papillon ■ 9 barbillon, bec-de-cane, becqueter, bequillon, capistrum, caroncule, guignette, mandibule, veilleuse ■ 10 conirostre, lévirostre, ostéophyte ■ 11 bec-de-lièvre, ténuirostre ■ 15 lamellirostre.
BECASSE: 5 barge ■ 6 croule ■ 7 crouler ■ 9 bécassine, bécasseau.
BECASSEAU: 8 maubèche ■ 9 chevalier.
BECASSINE: 6 orphie.
BECHAMEL: 8 talmouse.
BECHE: 5 palot, pelle* ■ 7 louchet ■ 8 houlette ■ 11 taillandier.
BECOTER: 5 bécot ■ 9 embrasser*.
BECQUEE: 9 embecquer.
BECQUETER: 7 picoter ■ 10 becquetage.
BEDAINE: 6 ventre*.
BEDON: 4 gros ■ 6 ventre.
BEDOUIN: 7 keffieh.
BEFFROI: 7 clocher.
BEGAYE: 8 bégayant, bégayeur.
BEGAYER: 5 bègue ■ 8 bégayeur ■ 9 balbutier ■ 10 bégaiement.
BEGONIACEE: 7 bégonia.
BEGUEULE: 6 décent ■ 11 bégueulerie, bégueulisme.
BEGUIN: 10 embéguiner.
BEGUINE: 9 béguinage.
BEHAVIORISME: 12 béhavioriste.
BEIGE: 5 grège ■ 9 beigeasse, beigeâtre.
BEIGNE: 4 coup ■ 5 bigne.
BEIGNET: 4 birk ■ 5 pomme ■ 6 muffin ■ 10 pet-de-nonne.
BEJAUNE: 3 sot ■ 6 novice ■ 10 adolescent.
BELGE: 6 gueuse, geuze ■ 7 malines, rexisme ■ 8 piétrain ■ 11 belgeoisant.
BELIER: 6 brebis, mouton ■ 8 blatérer ■ 9 animelles.
BELINOGRAPHE: 12 bélinogramme.
BELLADONE: 8 atropine ■ 9 belle-dame.
BELLATRE: 4 beau.
BELLE: 5 reine.
BELLE-DE-JOUR: 7 liseron.
BELLE-DE-NUIT: 9 mirabilis ■ 10 prostituée.
BELLE-FILLE: 3 bru.
BELLE-MERE: 10 belle-doche.
BELLES-LETTRES: 11 littérature*.
BELLICISTE: 8 guerrier ■ 8 bellicisme ■ 11 va-t-en-guerre.
BELLIGERANT: 12 belligérance ■ 14 neutralisation.
BELLIQUEUX: 7 martial ■ 8 guerrier ■ 9 pacifique ■ 10 batailleur, bellicisme.
BELOTE: 3 der ■ 8 quatorze.
BELVEDERE: 7 mirador ■ 8 pavillon.

BEMOL : 9 bémoliser ■ 12 enharmonique.
BENEDICITE : 5 bénir ■ 11 sacramentel.
BENEDICTINE : 12 calvairienne.
BENEDICTION : 5 bénir, poêle, sacre ■ 7 absoute, baptême, eulogie, onction ■ 9 exorcisme, rogations, sacrement ■ 10 urbi et orbi ■ 12 confirmation, consécration ■ 14 réconciliation.
BENEFICE : 4 agio, boni, gain* ■ 5 bénef, poule ■ 6 casuel ■ 7 intérêt ■ 8 avantage*, réservat, survente ■ 9 collateur, collation, dividende, émolument, obédience, rapporter, récréance, ristourne ■ 10 bénéficier, copermuter, fructifier, martingale ■ 11 commanderie, impétration, obédiencier ■ 12 bénéficiaire, résignataire ■ 13 amortissement, intéressement, superbénéfice ■ 14 archimandritat.
BENEFICIAIRE : 7 gagnant ■ 9 franchisé ■ 12 cessionnaire ■ 13 adjudicataire.
BENEFICIE : 11 préretraité.
BENEFIQUE : 9 fructueux.
BENET : 5 bobet, niais* ■ 6 nigaud.
BENEVOLE : 9 bénévolat ■ 12 bénévolement ■ 14 volontairement.
BENGALI : 8 civaïsme.
BENIGNE : 7 ostéome ■ 9 chondrome, léiomyome ■ 10 fibromyome ■ 12 endométriose ■ 13 mégalérythène.
BENIGNITE : 5 bonté*.
BENIN : 4 doux ■ 5 calme, larvé ■ 8 béninois, sarcoïde, stéatome, xanthome ■ 9 cholérine, indulgent, papillome ■ 10 chancrelle, inoffensif, vaccinelle ■ 11 bénignement.
BENIR : 5 amict ■ 6 sacrer ■ 8 baptiser, corporal ■ 9 exorciser ■ 10 patafioler ■ 11 bénédiction.
BENITIER : 8 tridacne.
BENJAMIN : 5 cadet.
BENNE : 4 mine ■ 7 berline ■ 9 basculeur ■ 11 téléphérage ■ 12 téléphérique.
BENOIT : 9 doucereux ■ 11 benoîtement.
BENZENE : 6 phénol ■ 7 phényle, styrène, toluène ■ 8 roburite ■ 9 phtalique, résorcine, styrolène ■ 10 antipyrine, naphtalène, naphtaline, pyrogallol, résorcinol ■ 12 benzonaphtol, nitrobenzène.
BENZODIAZEPINE : 8 diazépam.
BENZOÏQUE : 8 benzoate.
BENZOL : 10 benzénisme, benzolisme, débenzoler ■ 11 débenzolage.
BEOTIEN : 8 béotisme.
BEQUILLE : 9 béquiller, béquillon ■ 10 béquillard.
BERBERE : 6 targui ■ 7 touareg.
BERBERIDACEE : 7 mahonia ■ 12 épine-vinette.
BERCAIL : 8 bergerie.
BERCEAU : 3 ber ■ 4 cité ■ 5 berce, voûte ■ 7 chariot, lunette, treille ■ 8 doubleau, tonnelle ■ 13 bercelonnette.
BERCER : 7 espérer ■ 8 balancer, endormir ■ 9 bercement.
BERET : 5 toque ■ 7 faluche.
BERGAMOTE : 5 poire ■ 7 agrumes ■ 11 bergamotier.
BERGE : 4 bord, port ■ 5 berme ■ 7 bajoyer ■ 9 autoberge, batillage.
BERGER : 5 baile, hocco, labri, pâtre ■ 6 cow-boy, gaucho, labrit, pâtour, vacher ■ 7 bobtail, bouvier, gardeur, pasteur, porcher, vaquero ■ 8 chevrier, guardian, houlette, malinois, marcaire, muletier, pastoral, toucheur ■ 9 bucolique, buronnier, limousine, pastorale ■ 10 pastoureaux ■ 11 groenendael, pastourelle.
BERGERIE : 4 parc ■ 5 buron, pâtis ■ 6 chalet, étable, pacage ■

7 bercail, herbage, parcage, prairie ■ 8 bouverie, doublier, pâturage ■ 9 pastorale, porcherie.
BERGERONNETTE : 10 hochequeue, lavandière.
BERKELIUM : 2 bk.
BERLIN : 9 berlinois.
BERLINE : 9 mail-coach.
BERNER : 5 avoir ■ 6 moquer ■ 7 tromper* ■ 8 jobarder ■ 9 dindonner.
BERNIQUE : 7 patelle.
BERRY : 8 valençay.
BERYL : 9 héliodore, morganite ■ 11 aigue-marine.
BERYLLIUM : 2 bé ■ 5 béryl ■ 8 émeraude ■ 9 glucinium ■ 11 chrysobéryl.
BESACE : 3 sac ■ 6 bissac ■ 8 besacier.
BESOGNE : 5 pièce ■ 6 pensum ■ 7 travail* ■ 8 besogner.
BESOGNEUX : 5 dénué, utile ■ 6 pauvre, urgent ■ 8 exigible, indigent, miséreux, pressant ■ 9 misérable* ■ 10 nécessaire.
BESOIN : 4 faim, soif ■ 5 désir, envie, jeûne, laver, poire, poste, prier ■ 6 manque*, misère* ■ 7 déficit, oblatif, sommeil, urgence, utilité ■ 8 demander, exigence, instance, pauvreté* ■ 9 besogneux, dénuement, indigence, nécessité, privation*, satiation ■ 10 nécessaire, obligation, polydipsie ■ 11 desideratum, frustration, narcolepsie, nymphomanie, surcapacité ■ 14 perspectivisme ■ 15 collectionnisme, recommandataire.
BESSON : 6 jumeau.
BESTIAL : 5 brute, groin ■ 6 animal ■ 8 grossier* ■ 10 bestialité ■ 12 bestialement.
BESTIOLE : 6 animal.
BETA : 3 sot ■ 7 bêtasse ■ 12 bétathérapie.
BETAIL : 4 loup ■ 5 brout, buvée, minot, remue, soupe, pâtis ■ 6 pécore, touche ■ 7 campène, cheptel, clarine ■ 8 bestiaux, embouche, faverole, fourrage, gazaille, pâturage, prémices, toucheur, troupeau ■ 9 abreuvoir, épizootie, fourrière, paissance, sonnaille ■ 10 touraillon ■ 11 aplatisseur, herbagement, nourricerie, nourrissage, nourrisseur.
BETATRON : 10 synchroton.
BETE : 3 sot* ■ 4 bêta, bois ■ 5 antre, bacul, baste, bâter, curée, fauve, horde, idiot, licol, morne, quête, selle, somme, suint, train ■ 6 animal, bêbête, bétail, passée ■ 7 monture, rabêtir, reposée ■ 8 attelage, bestiole, bêtifier, charogne, porte-bât, saignoir, venaison ■ 9 belluaire, bestiaire, forlancer, rembûcher, sauvagine, tondaille ■ 11 zoanthropie ■ 12 équarrissoir.
BETEMENT : 9 sottement.
BETIFIE : 9 bêtifiant.
BETIFIER : 7 abrutir ■ 8 gâtifier.
BETISE : 6 ânerie, bourde ■ 7 fadaise, sottise* ■ 8 énormité, sornette ■ 9 jobardise, niaiserie, stupidité ■ 10 jobarderie, maladresse ■ 11 imbécillité ■ 14 inintelligence.
BETOIRE : 8 chantoir.
BETON : 6 ciment ■ 8 banchage, bétonner, coffrage, colcrete ■ 9 antigélif, bétonnage, faïençage, vibrateur ■ 10 bétonnière, brise-béton, fluatation, pervibrage ■ 11 ouvrabilité ■ 12 barrage-voûte, pervibration.
BETONNIERE : 10 bétonneuse.
BETTE : 6 blette, poirée.
BETTERAVE : 5 bette, blète, sucre ■ 8 cossette ■ 10 saccharose ■ 11 betteravier.

BETULACEE: 4 aune ■ 5 aulne ■ 6 charme, vergne ■ 7 bouleau ■ 9 noisetier.
BEUGLER: 5 crier* ■ 7 meugler ■ 10 beuglement ■ 11 café-concert.
BEURRE: 4 coco ■ 5 batte, cacao, eleis, frire, motte, poire, potée, toast ■ 6 elæis ■ 7 baratte, beurrée, beurrer, tartine ■ 8 babeurre, beurrier, butyracé, butyreux, butyrine, caprique, crèmerie, laiterie, tartiner, waterzoi ■ 9 barattage, beurrerie, butyrique, papillotte ■ 10 caprylique ■ 11 butyromètre.
BEUVERIE: 6 festin* ■ 10 guindaille.
BEVUE: 6 bourde, erreur ■ 7 brioche ■ 8 boulette.
BEY: 8 beylical, beylicat.
BEZOARD: 10 égagropile ■ 11 ægagropile.
BHOUTAN: 10 bhoutanais.
BIAIS: 5 limon ■ 6 détour ■ 7 biaiser, frisant, oblique ■ 8 indirect ■ 9 embrasure, escaloper ■ 13 diagonalement.
BIAISER: 8 louvoyer ■ 9 tournoyer ■ 11 tergiverser.
BIARRITZ: 7 biarrot.
BIBELOT: 10 bibeloteur ■ 11 bimbelotier, chinoiserie ■ 12 bimbeloterie.
BIBERON: 14 chauffe-biberon.
BIBLE: 5 shéol ■ 6 verset ■ 7 exégèse, massore ■ 8 biblique, bibliste, massorah, psautier ■ 10 phylactère ■ 11 pentateuque ■ 12 bibliomancie.
BIBLIOGRAPHIE: 12 bibliographe ■ 15 bibliographique.
BIBLIOPHILE: 10 bibliomane ■ 11 bibliolâtre, bibliotaphe ■ 12 bibliophilie.
BIBLIOTHEQUE: 5 enfer, musée, rayon ■ 9 bibliobus ■ 10 logithèque ■ 11 didacthèque, iconothèque ■ 14 bibliothécaire.
BIBLIQUE: 6 targum.
BICAMERISME: 9 bicaméral.
BICARRE: 10 résolvante.
BICEPS: 9 bicipital.
BICHE: 4 cerf, faon ■ 7 faonner, harpail ■ 8 bichette ■ 9 harpaille.
BICHON: 9 bichonner.
BICHONNER: 10 bichonnage.
BICOQUE: 6 maison ■ 7 baraque, cassine.
BICROSS: 9 vélocross.
BICYCLETTE: 4 clou, vélo ■ 5 cadre, cycle, panne ■ 6 bécane, ski-bob, tandem ■ 7 bicycle, fourche ■ 8 cyclisme, pédalier, rickshaw ■ 9 triplette ■ 10 célérifère, dérailleur, vélocipède ■ 11 cyclomoteur, home-trainer, petite reine, porte-paquet ■ 13 cyclotourisme.
BIDE: 4 flop.
BIDON: 5 moque ■ 6 boille ■ 7 bouille, topette.
BIDONNER: 9 bidonnage.
BIDONVILLE: 6 favela.
BIDOUILLE: 11 bidouilleur.
BIDOUILLER: 11 bidouillage.
BIEF: 4 buse ■ 5 canal ■ 6 moulin.
BIELLE: 9 biellette.
BIELORUSSIE: 10 biélorusse.
BIEN: 3 ben, dot, mal, net ■ 4 béné, fief, serf, très, zest ■ 5 avoir, bonté, bravo, crise, désir, digne, droit, ferme, fonds, juste, légal, mieux, monté, moule, oblat, offre, régie, rente, riche, terre, venue, vertu, voler ■ 6 abouti, acquet, cédant, chance, licite, optime, utopie ■ 7 capital, conquêt, domaine, douaire, fiducie, fortune, intrant, offreur, parfait*, remploi ■ 8 beaucoup, curateur, festoyer, héritage,

immeuble, joliment, mobilier, richesse, usufruit ■ 9 bien-faire, cahincaha, demeurant, exécution, intendant, optimisme, possédant, propriété* ■ 10 admiration, avantageux, bien-disant, communauté, dévolution, immobilier, patrimoine, perversion, possession, réversible, succession ■ 11 bienfaisant, bienfaiteur, sous-assurer, télégénique ■ 12 assortissant, bienfaisance, bienveillant, chouettement, délaissement, nue-propriété ■ 14 désidérabilité.

BIEN-ETRE: 4 aise ■ 6 avenir, délice ■ 7 aisance, confort, douceur, bonheur, planant ■ 8 agrément, euphorie, richesse ■ 9 plaisance ■ 10 jouissance ■ 12 colonialisme, satisfaction.

BIENFAISANCE: 5 soupe ■ 7 charité*, ouvroir, secours ■ 8 bienfait, humanité ■ 10 fraternité, générosité*, solidarité ■ 11 miséricorde, patronnesse ■ 13 bienveillance, commisération, philanthropie.

BIENFAISANT: 4 alme, péri ■ 5 djinn ■ 6 humain ■ 8 épiphane, généreux* ■ 9 fraternel, obligeant, officieux, serviable, solidaire ■ 10 charitable, secourable ■ 12 bienveillant ■ 14 miséricordieux.

BIENFAIT: 3 don* ■ 4 aide ■ 5 appui, bonté*, grâce, obole, pitié, punir ■ 6 aumône, faveur ■ 7 aménité, charité*, service* ■ 8 bénéfice, civilité, largesse ■ 9 honnêteté, patronage, politesse ■ 10 affabilité, assistance, dévouement, générosité*, obligeance, protection ■ 11 bénédiction, miséricorde, munificence, sensibilité ■ 12 bienfaisance ■ 13 bienveillance, gratification.

BIENFAITEUR: 6 patron ■ 8 donateur ■ 10 protecteur ■ 12 dispensateur.

BIEN-FONDS: 9 propriété.

BIENHEUREUX: 4 ciel ■ 5 saint ■ 7 paradis ■ 9 béatifier.

BIEN-PENSANT: 9 bourgeois.

BIENSEANCE: 5 seoir ■ 7 décence*, malpoli ■ 9 politesse, respecter ■ 10 convenance ■ 11 incongruité ■ 12 incorrection.

BIENSEANT: 3 bel ■ 4 beau, laid ■ 5 prude ■ 6 décent, propre ■ 8 grossier, incongru, indécent, ostrogot ■ 9 ostrogoth ■ 10 déshonnête, malsonnant.

BIENTOT: 5 futur ■ 9 prochaine ■ 13 prochainement.

BIENVEILLANCE: 5 bonté*, grâce ■ 6 faveur ■ 7 caresse, douceur, intérêt ■ 8 camarade, humanité, patience ■ 9 démériter, honnêteté ■ 10 cordialité, intéresser, rapprocher ■ 11 recommander ■ 12 bienfaisance, bienveillant ■ 13 compréhension ■ 15 bienveillamment.

BIENVEILLANT: 3 bon* ■ 5 bénin ■ 7 aimable, clément, paterne, propice ■ 8 bénévole, exorable, paternel ■ 9 bon enfant, favorable, indulgent, longanime, tutélaire ■ 11 bienfaisant, complaisant ■ 12 compréhensif, fléchissable.

BIENVENUE: 7 accueil.

BIERE: 3 ale ■ 4 bock, demi, faro, malt, moss, orge, saki ■ 5 chope, piqué, tango ■ 6 amidon, bibine, blonde, gueuse, gueuze, lambic, porter, zython, zythum ■ 7 brassin, houblon, lambick, pale-ale ■ 8 brasseur, cannette, cercueil, cervoise, tchapalo ■ 9 brasserie, zythogala, zythogale ■ 10 blanquette, brassicole ■ 13 saccharomyces.

BIFFER: 6 sabrer ■ 7 effacer*.

BIFURCATION: 7 fourche ■ 9 carrefour, dichotome.

BIGAME: 7 bigamie.

BIGARRE: 4 rayé ■ 5 jaspé, madré, piolé, tigré, varié, veiné, zébré ■ 6 diapré, marbré, tavelé ■ 7 bariolé, émaillé, grivelé, pommelé, tacheté, vergeté ■ 8 bigarrer, marqueté, moucheté ■ 9 tricolore ■ 11 multicolore.

BIGARREAU: 6 burlat.

BIGARRURE : 7 mélange ■ 8 tavelure ■ 9 bariolage.
BIGLEUX : 5 bigle.
BIGNONIACEE : 7 catalpa ■ 8 bignonia ■ 9 jacaranda.
BIGORNE : 8 bigorner.
BIGORNEAU : 6 vignot ■ 9 littorine.
BIGORRE : 9 bigourdan.
BIGOT : 4 béat ■ 5 cagot ■ 6 cafard, mômier ■ 7 calotin, croyant, tartufe ■ 9 bigoterie ■ 11 bondieusard.
BIJECTIF : 9 bijection.
BIJECTION : 9 involutif.
BIJOU : 4 jonc ■ 5 bague, boîte, cœur, croix, écrin, joyau ■ 6 agrafe, anneau, boucle, broche, chaîne, parure ■ 7 bandeau, collier, crachat, diadème, épingle, jaseran, sautoir, similor ■ 8 affiquet, aigrette, alliance, barrette, breloque, cassette, couronne, dormeuse, fronteau, parurier ■ 9 bijoutier, esclavage, médaillon, pendentif ■ 10 bijouterie, chevalière, pendeloque ■ 11 ferronnière ■ 12 chiffonnière, porte-bonheur.
BIJOUTIER : 7 orfèvre ■ 9 joaillier, triboulet.
BIJOUTERIE : 5 jaspe, nacre ■ 9 chaîniste, marcasite, parurerie ■ 10 chaînetier, marcassite, pierreries.
BILATERAL : 10 réciproque ■ 12 bilatéralité ■ 14 bilatéralement.
BILE : 4 amer, fiel, foie ■ 5 bilié ■ 6 bileux, humeur ■ 7 acholie, bilieux, chagrin ■ 8 atrabile, biliaire, cholémie, cholurie ■ 9 urobiline ■ 10 biligenèse, bilirubine, canalicule, cholédoque, mélancolie ■ 11 biliverdine ■ 12 cholérétique, cholécystite ■ 14 mécontentement.
BILER : 10 tourmenter.
BILHARZIE : 7 platode ■ 9 hématurie, trématode ■ 11 bilharziose.
BILHARZIOSE : 14 schistosomiase.
BILIAIRE : 12 angiocholite.
BILIEUX : 9 acariâtre.
BILINGUISME : 9 diglossie.
BILIRUBINE : 11 biliverdine.
BILLARD : 4 truc ■ 5 bande, bille, corde, coulé, effet, match, masse, opéré, poule, queue, rétro, sabot, série, talon, table, tapis ■ 6 mouche, contre, royale ■ 7 chicane, procédé ■ 9 carambole ■ 10 caramboler.
BILLE : 3 bic ■ 4 auge, plot ■ 5 boule, calot, effet, queue ■ 7 gobille ■ 8 billette ■ 9 carambole.
BILLER : 7 billage.
BILLET : 3 bon ■ 4 bige, open ■ 5 aller, carte, endos, ordre ■ 6 argent, bifton, coupon, devise, fafiot, lettre, numéro, poulet, ticket, traite ■ 7 coupure, tessère ■ 8 assignat, bank-note, bulletin ■ 9 bagatelle, cornemuse ■ 10 supplément ■ 11 billettiste, convocation, porte-cartes, surémission ■ 12 porte-billets ■ 13 papier-monnaie ■ 14 reconnaissance.
BILLEVESEE : 8 sornette.
BILLON : 7 carotte, monéron ■ 10 billonnage.
BILLOT : 5 bitte, hache ■ 7 casseau, montoir, trochet ■ 8 tronchet.
BINAGE : 6 bineur ■ 7 bineuse.
BINAIRE : 5 binon.
BINIOU : 9 cornemuse.
BINOCLE : 7 lorgnon ■ 8 pince-nez ■ 9 face-à-main.
BINOCULAIRE : 9 orthoptie ■ 11 orthoptique ■ 13 hétéromorphie.
BINOME : 8 binomial.
BIOCHIMIE : 8 thiazole ■ 11 biochimique, catabolisme.

BIOCHIMIQUE : 6 in vivo ■ 10 inhibiteur ■ 11 neuro-chimie ■ 14 neurobiochimie.
BIOCLIMATOLOGIE : 13 bioclimatique.
BIOCONVERSION : 12 bio-industrie, biotechnique ■ 14 biotechnologie.
BIODEGRADABLE : 14 biodégradation.
BIOENERGIE : 14 bioénergétique.
BIOGRAPHIE : 3 vie ■ 8 histoire ■ 9 biographe ■ 12 biographique.
BIOLOGIE : 3 vie ■ 5 laser ■ 7 fixisme ■ 8 écologie ■ 9 biométtric, cytologie, pédologie, vitalisme ■ 10 activation, biologique, biologiste, biomédical, limnologie ■ 11 embryologie, exploration, immunologie, tératologie ■ 12 aérobiologie, biomécanique ■ 13 néphélémétrie, phytobiologie, transformisme ■ 14 endocrinologie.
BIOLOGIQUE : 8 lyophile ■ 9 circadien ■ 12 cryobiologie, cytobiologie ■ 13 neurobiologie, neurosciences, radiobiologie ■ 15 électrobiologie.
BIOLOGISTE : 9 sidologue ■ 10 bioéthique ■ 13 systématicien ■ 14 endocrinologue.
BIOMASSE : 10 bioénergie.
BIOMORPHIQUE : 12 biomorphisme.
BIOTHERAPIE : 11 isothérapie.
BIOTYPOLOGIE : 7 biotype.
BIOXYDE : 5 étain ■ 7 dioxyde ■ 8 oxylithe ■ 10 pyrolusite.
BIPEDE : 4 trot ■ 9 iguanodon.
BIPOLAIRE : 10 bipolarité.
BIPOLARISATION : 10 bipolarisé.
BIPOLARITE : 10 bipolarisé.
BIQUE : 6 chèvre.
BIREFRINGENT : 6 uniaxe ■ 13 biréfringence.
BIRIBI : 4 hoca.
BIRMANIE : 4 kyat ■ 6 birman.
BIS : 5 beige.
BISAÏEUL : 5 aïeul* ■ 8 atavisme.
BISANNUEL : 5 carvi, colza.
BISBILLE : 7 chicane, dispute* ■ 11 bisbrouille.
BISCORNU : 7 bizarre ■ 8 difforme ■ 10 irrégulier.
BISCOTTE : 7 tartine ■ 8 zwieback.
BISCUIT : 7 croquet, galette ■ 8 biscotin, spéculos ■ 9 biscuiter, craquelin, massepain, spéculaus, spéculoos ■ 11 biscuiterie.
BISCUITERIE : 10 biscuitier.
BISE : 5 biser.
BISEAU : 5 burin, écoté, hoyau ■ 7 oblique, sifflet ■ 8 ébiseler ■ 9 biseauter ■ 10 biseautage ■ 11 pied-de-biche.
BISEXUE : 9 ambisexué.
BISMUTH : 2 bi ■ 9 germanium ■ 10 bismuthine.
BISON : 3 ure ■ 4 urus.
BISQUER : 5 rager*.
BISSECTRICE : 5 ligne ■ 8 capitale.
BISSE : 6 guivre.
BISSER : 7 répéter ■ 8 acclamer.
BISSEXUE : 13 hermaphrodite.
BISTRE : 4 noir, suie ■ 7 bistrer ■ 9 aquatinte.
BISTRER : 7 basaner.
BISULFURE : 9 marcasite ■ 10 marcassite.
BIT : 9 multiplet.

BITUME : 4 jais, lave ■ 5 spalt ■ 6 enrobé, malthe, naphte ■ 7 bitumer, goudron*, guitran, shingle ■ 8 asphalte, bitumage, bitumeux, épandeur ■ 9 asphalter, élatérite ■ 10 asphaltage, asphaltite, bitumineux, goudronner ■ 11 goudronnage, goudronneur.
BITUMIER : 4 jais ■ 5 jayet ■ 9 boucharde.
BITURE : 5 cuite.
BIVALENT : 7 uranyle ■ 8 divalent ■ 9 bivalence, carbonyle, cuivrique.
BIVALVE : 4 clam ■ 7 rudiste ■ 8 acéphale, spondyle ■ 14 lamellibranche*.
BIVOUAC : 4 camp ■ 5 tente ■ 10 bivouaquer.
BIZARRE : 4 snob ■ 5 drôle, magie ■ 6 anomal, braque, inégal, unique, zigoto, zinzin ■ 7 anormal, baroque, bigarré, chinois, cocasse, comique, curieux, étrange*, farfelu, monstre, nouveau, odyssée, piquant ■ 8 affubler, amalgame, biscornu, charabia, difforme, étonnant, insolite, iroquois, maniaque, monomane, olibrius, original, pistolet, plaisant, précieux, ridicule, saugrenu ■ 9 fantasque, halluciné, impayable, lunatique, paradoxal, singulier ■ 10 bizarrerie, capricieux, contrefait, drôlatique, impossible, monstrueux, phénoménal, surprenant ■ 11 affublement, bizarrement, excentrique, extravagant, fantaisiste, fantastique, hétéroclite, particulier* ■ 12 accoutrement, exceptionnel, inexplicable, inimaginable, primesautier ■ 13 abracadabrant, funambulesque ■ 14 extraordinaire ■ 15 fantasmagorique, invraisemblable.
BIZARRERIE : 4 dada, lune, rêve ■ 5 folie, lubie, manie, songe ■ 6 tocade ■ 7 caprice, marotte, rêverie, travers ■ 8 drôlerie, paradoxe, ridicule ■ 9 curiosité, étrangeté, fantaisie, monomanie, phénomène ■ 10 cocasserie ■ 11 originalité, singularité ■ 12 bouffonnerie, excentricité, extravagance, monstruosité, plaisanterie ■ 13 hallucination, particularité.
BIZUT : 6 bizuth ■ 7 bizuter ■ 8 bizutage.
BLACKBOULER : 7 refuser ■ 12 blackboulage.
BLAFARD : 4 pâle ■ 5 blême, élavé.
BLAGUE : 4 char ■ 5 tabac ■ 6 charre, erreur, zwanze ■ 7 attrape ■ 8 blagueur ■ 12 plaisanterie* ■ 14 carabistouille.
BLAGUER : 7 farceur, railler*, zwanzer.
BLAIREAU : 5 rate ■ 6 brosse ■ 7 pinceau ■ 8 carcajou ■ 12 vermillonner.
BLAMABLE : 8 coupable ■ 9 errements, industrie ■ 11 agissements, condamnable ■ 13 répréhensible.
BLAME : 4 huée ■ 5 savon, tollé ■ 6 cabale, cancan, sermon, tirade ■ 7 brocard, censure, chicane, clameur, désaveu ■ 8 blâmable, calomnie, critique, démérite, diatribe, monition, moquerie, reproche*, scandale ■ 9 attrapage, discrédit, invective, malignité, raillerie ■ 10 accusation, apostrophe, détracteur, méchanceté, réprimande* ■ 11 criaillerie, dénigrement, éreintement, flétrissure, insinuation, malédiction, objurgation, remontrance, réprobation ■ 12 condamnation, répréhension ■ 13 admonestation, animadversion, avertissement ■ 14 désapprobation.
BLAMER : 4 huer ■ 5 nuire, saler, salir ■ 6 abîmer, dauber, draper, honnir, larder, médire, moquer, mordre, piquer, redire, ternir ■ 7 accuser, avertir, décrier, défiler, flétrir, fronder, gronder, maudire, noircir, ravaler, siffler ■ 8 adresser, aiguiser, attaquer, attraper, cancaner, censurer, chicaner, déchirer, dénigrer, diffamer, éplucher, éreinter, frondeur, fulminer, savonner ■ 9 accoutrer, blasonner, bougonner, brocarder, calomnier, condamner* critiquer*, déprécier, désavouer, desservir, distiller, épiloguer, flageller, foudroyer, improuver, rabaisser, remontrer, reprendre, reprocher*, réprouver, sermonner, vitu-

pérer ■ 10 accommoder, admonester, chansonner, déblatérer, déshonorer, houspiller, incriminer, invectiver, maltraiter, vilipender ■ 11 apostropher, discréditer, éclabousser, répréhender, réprimander*, stigmatiser ■ 12 désapprouver ■ 15 irrépréhensible.

BLANC : 3 api, net, uve ■ 4 aube, gris, ibis, lait, loup, noir, ours, pâle*, séré, sium, soie, taie, vair, zain, zinc ■ 5 blême, chenu, clair, craie, crown, cygne, étain, frêne, garde, genêt, grèbe, grisé, grive, hêtre, indol, lacté, laite, lilas, liste, lotos, lotus, marge, mégir, mégis, moine, myrte, neige, opium, paros, pavot, perle, rabat, rouan, sapin, sauge, saule, séton, sucre, terre, vélie ■ 6 céruse, chrome, dodine, glaire, lilial, maquée, parian, toubab ■ 7 albinos, argenté, blafard, chionis, crayeux, hermine, martini, neigeux, nickelé, picpoul, pouilly, vouvray ■ 8 blanchir, cadratin, caldoche, enlevage, filandre, mégisser, riesling, sancerre, sémillon, sylvaner ■ 9 aluminium, antimoine, aubergine, bigarreau, blancheur, chasselas, fromageon, grivelure, jonquille, molybdène, palladium, sauvignon ■ 10 blanchâtre, blanc-seing, bourbillon, crown-glass, grisonnant, lactescent, montrachet, spermaceti ■ 11 délinéateur, sclérotique ■ 12 blanchissant ■ 13 ventre-de-biche ■ 15 gewurtztraminer.

BLANC-BEC : 6 novice ■ 10 adolescent.

BLANC D'ŒUF : 10 ovalbumine.

BLANCHAILLE : 6 fretin.

BLANCHATRE : 4 nerf, pâle ■ 5 blanc, chyle, écume, olive ■ 6 smegma ■ 7 leucome ■ 8 albuginé, aleurode, saburral ■ 9 psoriasis ■ 10 leucorrhée ■ 11 leucoplasie ■ 12 cirro-stratus.

BLANCHE : 8 armeline.

BLANCHET : 8 carrelet.

BLANCHEUR : 5 neige ■ 6 ivoire, pâleur ■ 7 albâtre, canitie ■ 11 lymphatisme.

BLANCHIMENT : 7 azurage ■ 8 soufroir ■ 12 bouillissage.

BLANCHIR : 5 laver, pâlir, savon ■ 6 herber ■ 7 encuver ■ 8 bouillir, essanger, herberie, lessiver, nettoyer, savonner, soufroir ■ 9 justifier, moutonner ■ 10 enchausser, reblanchir ■ 11 blanchiment ■ 12 blanchissage, blanchissant, blanchisseur ■ 14 blanchissement.

BLANCHISSAGE : 5 javel ■ 6 cuvier, lavage, lavoir ■ 9 buanderie, lessivage, savonnage ■ 13 blanchisserie.

BLANCHISSEUR : 5 batte, selle ■ 6 laveur ■ 8 buandier ■ 9 lavandier ■ 10 lavandière.

BLANQUETTE : 9 clairette.

BLASE : 6 ennuyé ■ 7 dégoûté ■ 9 blasement ■ 11 indifférent.

BLASON : 3 écu, épi, foi, pal, vol ■ 4 azur, chef, clef, enté, hure, lion, onde, orle, palé, pile, sème, tire, tour, vair, vidé ■ 5 aigle, alèse, armes, bande, barre, chape, cœur, cousu, croix, écoté, émail, fasce, filet, flanc, giron, macle, métal, morne, ondée, parti, périé, pièce (honorable), plain, sable, vairé, vivré ■ 6 besant, cimier, devise, étoile, huchet, phénix, sirène, timbre, tortil ■ 7 alérion, aquilon, canette, château, collier, dauphin, écusson, filière, griffon, léopard, licorne, manteau, pourpre, sauvage, soutien, support ■ 8 aiglette, billette, couronne, cyclamor, merlette, terrasse, tourteau ■ 9 cartouche, couleuvre, crancelin, croissant, essonnier, panonceau, rencontre, resarcelé, trescheur ■ 10 héraldique*, héraldiste, lambrequin, salamandre ■ 11 dextrochère ■ 13 quintefeuille, tiercefeuille.

BLASPHEME : 5 jurer, juron ■ 6 sacrer ■ 8 jurement ■ 10 blasphémer ■ 11 malédiction ■ 13 blasphémateur ■ 14 blasphématoire.

BLASTODERME : 12 blastogenèse.

BLASTOMERE : 12 trophoblaste.
BLASTOMYCETE : 6 levure ■ 12 blastomycose ■ 13 saccharomyces.
BLASTULA : 12 gastrulation.
BLATTE : 6 cafard ■ 9 cancrelat.
BLE : 3 son, riz ■ 4 glui, maïs, orge, pain* ■ 5 carie, crêpe, fléau, gerbe, glume, grain, griot, gruau, lieur, minot, poche, tuyau, urédo ■ 6 avoine, brouis, cloque, cosson, écidie, ivraie, méteil, millet, nielle, seigle, sorgho, teigne ■ 7 blatier, brûlure, céréale, charbon, emblave, froment, gerbage, gerzeau, raccard, rouille, taboulé ■ 8 ægilops, couscous, emblaver, farinage, graminée, moucheté, sarrasin, touselle ■ 9 agrostide, aiguillon, beauvotte, charançon, dépiquage, emblavure, enjaveler, javeleuse, triticale ■ 10 amidonnier, brouissure, escourgeon, moucheture, rachitisme, urédospore ■ 11 échaudement, frumentaire, plansichter ■ 12 jarovisation, téleutospore.
BLED : 4 trou ■ 7 blédard.
BLEME : 4 pâle ■ 6 livide.
BLEMIR : 12 blémissement.
BLENDE : 4 zinc.
BLENNORRAGIE : 9 gonocoque ■ 11 chaude-pisse ■ 14 blennorragique.
BLESER : 7 zézayer ■ 9 blèsement.
BLESITE : 10 zézaiement.
BLESSANT : 7 cuisant ■ 8 choquant ■ 9 offensant ■ 10 déplaisant ■ 15 éclaircissement.
BLESSE : 4 sauf, vexé ■ 6 amputé, borgne, éclopé, écrasé, mutilé*, ulcéré ■ 7 froissé, infirme, offensé ■ 8 calomnié, estropié, invalide ■ 10 formaliser, vulnérable ■ 11 brancardier, susceptible ■ 12 chatouilleux, invulnérable ■ 14 polytraumatisé.
BLESSER : 5 geler, léser, luxer, tache, vexer* ■ 6 fouler, mordre, percer, piquer ■ 7 amocher, amputer, choquer, cingler, dénuder, écraser, frapper, heurter, mutiler*, ulcérer ■ 8 assommer, balafrer, brusquer, découdre, déplaire, éborgner, écharper, écorcher, encorner, éreinter, froisser*, humilier, meurtrir, molester, offenser*, taquiner ■ 9 atteindre, chagriner, couronner, estropier, fracturer, mortifier, provoquer ■ 10 égratigner ■ 11 scandaliser ■ 12 contusionner, désarticuler, entretailler ■ 13 irrespectueux.
BLESSURE : 4 bleu, coup ■ 5 bosse, casse, plaie*, trait ■ 6 fêlure, lésion, pinçon, piqûre, trauma ■ 7 balafre, coupure, escarre, morsure, offense ■ 8 entaille, estocade, gangrène, saignant, séquelle, vexation ■ 9 cicatrice, contusion, décousure, ecchymose, écorchure, enclouure, estropiat, infirmité, vulnérant ■ 10 amputation, dénudation, estafilade, hémorragie, mutilation, taquinerie ■ 11 égratignure, froissement, humiliation, traumatisme, vulnération ■ 12 enchevêtrure, meurtrissure ■ 13 mortification, traumatologie.
BLETTE : 5 bette ■ 9 poirée.
BLEU : 4 azur, cyan, iode, iris, pâle, pers, vair, vert, zinc ■ 5 acide, azuré, béril, béryl, bluet, bolet, cerne, cobéa, cobée, guède, lapis, lilas, melle, plomb, rabat, safre, sauge, smalt ■ 6 cendre, indigo, novice, soldat ■ 7 azurant, bleuter, glauque ■ 8 bleuâtre, céruléen, induline, lazulite, thionine ■ 9 antimoine, contusion, saphirine, turquoise ■ 10 bleusaille ■ 11 aigue-marine, lapis-lazuli, pyocyanique ■ 12 bleuissement.
BLEUE : 4 inde ■ 9 spiruline.
BLEUET : 5 bluet ■ 9 centaurée ■ 10 bleueterie.
BLINDAGE : 11 automouvant.
BLINDE : 4 abri, tank ■ 8 blindage, cuirassé, diascope ■ 9 half-track ■ 11 chenillette.

BLIZZARD : 4 vent.
BLOC : 4 amas, pavé ■ 5 bille, délit, igloo, inlay, moque ■ 7 culasse, enclume, nucleus ■ 8 barillet, compensé, épaufrer, parpaing ■ 9 coalition, épanneler, monolithe ■ 10 groupement, orthostate, silentbloc, stéréotype ■ 11 globalement ■ 12 mégalithique, monolithique, monolithisme, ordonnancier, stéréogramme.
BLOCAGE : 4 bloc ■ 8 remplage.
BLOCKHAUS : 4 abri ■ 10 forteresse.
BLOND : 7 platiné ■ 8 blondeur, platiner ■ 9 blondasse, blondinet.
BLONDIN : 6 galant.
BLOQUE : 10 coincement ■ 15 ganglioplégique.
BLOQUER : 5 caler, geler, tacle ■ 6 cerner, serrer ■ 7 coincer ■ 8 sécurité ■ 10 arthrodèse, inhibiteur.
BLOTTIR : 5 tapir ■ 6 clapir ■ 9 accroupir, rencogner ■ 10 pelotonner.
BLOUSE : 5 jabot ■ 6 blaude, caraco, sarrau ■ 7 casaque, corsage, vareuse ■ 8 camisole, djellaba, gandoura ■ 9 bourgeron, chemisier, marinière ■ 11 souquenille.
BLUES : 14 rhythm and blues.
BLUET : 6 bleuet ■ 7 barbeau ■ 9 centaurée.
BLUETTE : 7 saynète ■ 9 étincelle ■ 10 mot d'esprit.
BLUFF : 4 char ■ 6 charre.
BLUFFER : 6 chiqué, frimer ■ 7 tromper ■ 8 bluffeur.
BLUTER : 7 blutoir, tamiser ■ 8 bluterie.
BOA : 4 bave ■ 5 devin ■ 11 constrictor.
BOAT : 5 ferry.
BOBECHE : 5 binet ■ 9 brûle-tout, chandelle.
BOBINAGE : 8 bobinier ■ 15 cryoalternateur.
BOBINE : 4 self ■ 5 fusée, nille, noyau ■ 6 banque, broche, rochet ■ 7 bobiner, canette, diabolo, espolin, fusette, navette, rostein, rupteur ■ 8 bobinage, bobineau, bobineur, bobinoir, moulinet, roquetin, roquette, toulette ■ 9 boudinage, échignole, embobiner ■ 10 secondaire ■ 11 chanterelle, enroulement, marionnette.
BOBSLEIGH : 3 bob.
BOCAGE : 4 bois ■ 5 napée ■ 9 enclôture.
BOCARDAGE : 7 schlamm ■ 8 bocarder.
BOCARDER : 9 bocardage.
BŒUF : 4 gaur, gîte, joug, parc, urus, yack, zébu ■ 5 bison, bouse, bovin, fanon, filet, gayal, hampe, mufle, mugir, quasi, singe, tende, tique ■ 6 aloyau, buffle, collet, crosse, jumart, ovibos, rosbif, sakieh, varron ■ 7 aurochs, bavette, beugler, bifteck, bouvard, bouvier, bouvril, bucrâne, charbon, culotte, ferrage, meugler, paleron, taureau, tournis, tranche, trumeau ■ 8 bouverie, flanchet, goulache, goulasch, herbager, ladrerie, rumsteck, saladero, surlonge ■ 9 amourette, baudruche, bouvillon, carpaccio, fistuline, tournedos ■ 10 barbillons, beuglement, corned-beef, gras-double, meuglement, mortadelle, persillade, pique-bœuf ■ 11 bourguignon, contre-filet, mugissement ■ 12 échauboulure ■ 13 chateaubriand, châteaubriant.
BOGIE : 9 antilacet.
BOGUE : 3 bug.
BOHEMIEN : 5 gipsy, gitan ■ 6 bohême, gitano, romani ■ 7 tchèque, tsigane, tzigane, zingaro ■ 8 vagabond ■ 10 camp volant, romanichel.
BOIRE : 4 auge, coup, soif ■ 5 boîte, chope, coupe, cuver, godet, hanap, humer, laper, moque, pépie, sobre, tasse, toast, trait, verre, vider ■ 6 avaler, calmer, goûter, lamper, licher, lipper, pinter, pomper, rastel, rhyton, sabler ■ 7 apaiser, aspirer, boisson*, buvoter, enivrer, imbi-

ber, ingérer, picoler, prendre, reboire, saouler, siffler, siroter, soiffer ■ **8** abreuver, absorber, assouvir, beuverie, buffeter, chopiner, déguster, échanson, entonner, étancher, libation, lichoter, sobriété, soiffard, trinquer ■ **9** abreuvoir, absorbant, bambocher, carnotset, carnotzet, consommer, dipsomane, gobeloter, imbuvable, trinqueur, vidrecome ■ **10** biberonner, désaltérer, dipsomanie, gargariser, gobelotter, ingurgiter, polydipsie, rafraîchir ■ **12** consommateur, intempérance ■ **13** vide-bouteille.

BOIS : 3 âge, ais, âme, bac, cor, jas, fût, mât, pot, sal, tek, tin, vis ■ **4** ante, auge, brin, broc, buis, came, coin, dame, dard, doré, épar, époi, étai, flot, fumé, gale, hart, isba, joug, lais, lice, lien, limé, mail, œuf, orée, pieu, plot, rame, scie, seau, sens, tape, teck, veau ■ **5** adent, arçon, arsin, aulne, avivé, bâcle, bahut, barre, baste, batée, bâton, batte, bidon, bigue, bille, boîte, bonde, bûche, cadre, calot, carie, cépée, chêne, claie, coche, corde, corne, croix, dague, débit, drave, durer, ébène, écart, éclat, écope, écore, écrou, enter, épéos, épeus, épite, ergot, espar, fagot, fesse, fibre, fifre, filao, fléau, forêt, forme, frêne, fusil, futée, gaiac, gibet, gland, grume, hache, hampe, happe, hêtre, huche, humus, jante, latte, layer, limon, lisse, liure, loupe, madré, malle, momie, moque, moule, mulot, noyer, panne, patin, pelte, pérot, picot, pièce, pilon, pison, pomme, pueil, queue, râble, rabot, rance, recru, renne, rogne, ronce, rouet, roule, sabot, sabre, sapan, sapin, saule, selle, serpe, seuil, sonde, stère, sylve, table, taret, tasse, tempe, tenon, timon, tison, tolet, torii, tortu, train, tuile, valet, veine, volée, volet, vouge, wharf ■ **6** bocage, boiser, braise, cadran, cérusé, châlit, cotret, flache, fourré, futaie, gaulis, nymphe, perche, rabine, ramure, rondin, sciage, xylène ■ **7** æthusa, boisage, bosquet, bouquet, brousse, buisson, cambium, chevron, douvain, draveur, éclisse, essence, fichoir, fumeron, gruerie, ligneux, madrure, paumure, perchis, planche, pointal, réserve, revenue, ségrais, taillis, taquoir, tasseau ■ **8** affouage, alumelle, baliveau, boiserie, calambac, calambar, campêche, chevêche, clavaire, cyprière, débûcher, flottage, futaille, garderie, gazogène, glissage, glissoir, haut-bois, maillure, malandre, monoxyle, mortbois, palanche, palançon, pancarte, schlitte, sous-bois, vermoulu, violette ■ **9** balsamine, boqueteau, bostryche, bourdaine, bouvreuil, cadranure, calambour, débardage, débusquer, éfourceau, empaumure, gournable, lignicole, lignifier, mannequin, menuisier, moulinure, noisetier, parisette, primevère, raboteuse, rossignol, ségrairie, sylvestre, tenthrède, trancheur, véronique ■ **10** aigremoine, boisselier, bourdillon, clarinette, craterelle, emplanture, étrésillon, hamadryade, labyrinthe, lycoperdon, marmanteau, menuiserie, moulurière, perce-neige, pie-grièche, pulmonaire, schlittage, schlitteur, staphylier, toreutique, toupilleur, tricholome, xylographe ■ **11** broussaille, caillebotis, chanterelle, cornouiller, dompte-venin, pyroligneux, sidéroxylon, tormentille, xylographie ■ **12** charbonnette, contre-plaqué, lamellé-collé, sylviculture ■ **13** chèvrefeuille, libéro-ligneux ■ **14** sceau-de-salomon.

BOISAGE : 8 raucheur ■ **10** palplanche.

BOISE : 4 parc ■ **7** bocager, couvert, garenne ■ **9** découvert.

BOISER : 6 latter.

BOISERIE : 7 fenêtre ■ **12** carton-pierre.

BOISSEAU : 6 litron ■ **9** boisselée.

BOISSELIER : 12 boissellerie.

BOISSON : 2 ai, ay ■ **3** ale, eau, gin, jus, thé, vin* ■ **4** café, coca, coco, dive, fine, grog, kava, kawa, kvas, kwas, lait, maté, mout, râpé, rhum, saké, saki, soda ■ **5** bière, boire*, boîte, caoua, cidre, drink, évent, glass, gruau, halbi, jerez, julep, kéfir, looch, mâcon, médoc, piqué, poire, porto, prune, punch, sirop, tokai, tokay, vodka ■ **6** babine, bichof, cognac, coomys, élixir, gloria, képhir, kirsch, koumis, koumys, menthe, nectar, orgeat, oxymel, potion, pulque, poison, sorbet, tisane, whisky ■ **7** abricot, abstème, bischof, cordial, koumiss, liqueur*, liquide, oxycrat, philtre, sabayon, tilleul, tournée, vinasse ■ **8** absinthe, anisette, apéritif, armagnac, breuvage, chaudeau, coca-cola, cocktail, dilution, eau de riz, eau-de-vie*, émulsion, genièvre, gentiane, hydromel, infusion, limonade, piquette, prunelle, souchong, vermouth, verseuse, verveine ■ **9** alcoolier, camomille, cerisette, consommer, décoction, long-drink, milk-shake, mycoderme, orangeade, remontant, softdrink, vivandier, zythogala, zythogale ■ **10** alcoolisme, champoreau, citronnade, genévrette, limonadier, spiritueux, vulnéraire ■ **11** dégustation, irish-coffee, wagon-foudre ■ **12** consommation, facture-congé ■ **13** fine-champagne ■ **14** rafraîchisseur, rafraîchissoir.

BOIT : **12** boit-sans-soif.

BOITE : **4** case, étui, laie, taie, tine, urne ■ **5** casse, crâne, écrin, gaine, levée, singe, tronc, voûte ■ **6** caisse*, casier, châsse, coffre*, sixain, tiroir ■ **7** baguier, boîtier, capsule, coffret, crépine, custode, empoise, fichier, giberne, onglier, plumier, trousse ■ **8** barillet, boutique, drageoir, droguier, fourreau, marmotte, pochette, poivrier, poubelle, poudrier, tirelire ■ **9** emballage, encéphale, enveloppe, grosserie, habitacle, pillulier, roudoudou, serinette, tabatière ■ **10** bloc-moteur, cassolette, coutelière, nécessaire, reliquaire ■ **11** bonbonnière, ouvre-boîtes, porte-montre ■ **12** chaufferette ■ **15** porte-allumettes.

BOITEMENT : **12** boitillement.

BOITER : **6** cloper ■ **7** clocher, feindre ■ **8** boiterie, clopiner ■ **9** boitement, boitiller, clampiner ■ **10** claudiquer.

BOITERIE : **10** clochement ■ **12** boitillement, claudication.

BOITEUX : **6** banban, bancal, éclopé ■ **7** clampin ■ **8** difforme ■ **9** bancroche.

BOL : **4** vase ■ **5** bolée, tasse* ■ **11** rince-doigts.

BOLCHEVISME : **11** bolcheviser, bolcheviste ■ **13** collectiviste ■ **14** bolchevisation.

BOLET : **4** cêpe.

BOLIVIE : **9** boliviano.

BOLOGNE : **8** bolonais.

BOMBACACEE : **6** baobab.

BOMBANCE : **5** bombe, nocer ■ **6** festin* ■ **7** bringue ■ **11** gobichonner ■ **12** boustifaille.

BOMBARDEMENT : **9** marmitage, pilonnage ■ **10** bombardier, spallation.

BOMBARDER : **8** canonner, marmiter.

BOMBARDIER : **5** stuka ■ **10** forteresse ■ **15** superforteresse.

BOMBE : **4** œil, obus ■ **5** bahut, creux, culot, fusée, melon, voûte ■ **7** grenade ■ **8** bombarde, parabole, torpille ■ **9** bombarder, bombement ■ **10** chapelière, superbombe ■ **11** boutonnière, lance-bombes ■ **12** bombardement.

BOMBEMENT : **4** rift.

BOMBER : **5** goder ■ **7** enfler ■ **8** gondoler.

BOMBYX : **6** graine.

BOME : **4** bômé.

BON : **4** apte, bête, doux, poli, pour, sain, vrai ■ **5** amène, bonté, brave, démon, digne, divin, juste, large, moral, niais, tenir ■ **6** dévoué, exquis, humain, modèle ■ **7** affable, aimable, auguste, bonasse, candide, clément, cordial, louable, parfait, paterne, propice, voucher ■ **8** adorable, agréable, bénévole, bonhomme, édifiant, exorable, familier, généreux*, innocent*, méritant, sensible, sociable, tolérant, vertueux ■ **9** altruiste, approuver, constitué, dispenser, estimable, excellent, favorable, fraternel, indulgent*, judicieux, longanime, obligeant, serviable, traitable, tutélaire, viabilité ■ **10** charitable*, conciliant, débonnaire, exemplaire, inoffensif, secourable ■ **11** accommodant, accueillant, bienfaisant, complaisant, immangeable ■ **12** bienveillant*, compatissant, confraternel, fléchissable, philanthrope ■ **13** irréprochable.

BONACE : **5** calme ■ **10** tranquille.

BONASSE : **3** bon, mou ■ **5** niais ■ **7** modeste ■ **10** bonasserie ■ **11** bonassement.

BONBON : **5** tamar ■ **6** crotte, pralin ■ **7** bouchée, caramel, fondant, sucette ■ **8** pastille ■ **9** berlingot, papillote ■ **11** bonbonnière.

BONBONNE : **6** tourie.

BOND : **4** saut* ■ **5** furet ■ **6** assaut ■ **7** gambade ■ **8** rebondir, ricochet ■ **9** saltation.

BONDE : **5** plein* ■ **6** bondon ■ **7** tâte-vin ■ **8** débonder ■ **9** tire-bonde.

BONDER : **6** emplir.

BONDERISATION : **9** bondériser.

BONDIR : **12** bondissement.

BONHEUR : **4** aise, gain, heur, joie* ■ **5** calme, envie, veine ■ **6** chance, délice, extase, faveur, profit, succès ■ **7** aubaine, confort, douceur, fortune, plaisir ■ **8** agrément, avantage, bénéfice, euphorie, euthymie, félicité*, gardénia, rayonner, sérénité ■ **9** béatitude, optimisme, plaisance ■ **10** enivrement, épicurisme, exaltation, jouissance, porte-veine, prospérité, providence ■ **11** bienheureux, eudémonisme, ravissement, rayonnement ■ **12** contentement, égo-altruisme, enchantement, porte-bonheur, satisfaction.

BONHOMME : **3** bon ■ **4** noël, papa ■ **6** simple ■ **7** modeste ■ **8** bonhomie.

BONI : **4** gain ■ **8** bonifier.

BONIFICATION : **6** remise ■ **9** ristourne ■ **10** diminution ■ **12** amélioration.

BONIFIER : **9** améliorer.

BONIMENT : **6** propos ■ **7** baratin ■ **8** barattin, discours ■ **10** barattiner ■ **11** bonimenteur.

BONITE : **8** pélamide, pélamyde.

BONJOUR : **4** ciao ■ **5** adieu, salut, tchao.

BON MARCHE : **3** bas ■ **6** modéré, unique ■ **7** modique ■ **10** avantageux, économique, gâte-métier.

BON MATIN : **8** matineux.

BON MOT : **3** ana.

BONNE : **5** nurse, sœur ■ **6** orvale ■ **7** boniche ■ **8** bonniche, nourrice, servante ■ **10** domestique ■ **11** gouvernante.

BONNE CHERE : **8** goberger, gourmand ■ **9** banqueter ■ **10** gastronome ■ **11** gastronomie.

BONNE FOI : **9** bonnement ■ **10** loyalement.

BONNET : **4** apex, cosy, képi ■ **5** béret, calot, toque, tuque ■ **6** béguin, casque, chapka ■ **7** attifet, bavolet, calotte, colback, mortier ■ **8** barette, bonichon, capuchon, chrémeau, coiffure, phrygien, tarbouch ■ **9** colinette, serre-tête ■ **10** bonneterie ■ **13** passe-montagne.

BONNETEAU : **9** bonneteur.

BONNETERIE : **5** blanc.

BON PLAISIR : 10 arbitraire.
BON SENS : 8 insanité ■ 9 absurdité ■ 11 entendement.
BONSOIR : 5 adieu.
BONTE : 3 bon, fée ■ 5 gâter, pitié, vertu ■ 6 bêtise, douceur, estime ■ 7 aménité, candeur, charité*, dignité, douceur, justice ■ 8 bienfait*, bonhomie, clémence, humanité, meilleur, moralité, patience ■ 9 altruisme, amabilité, bénignité, faiblesse, niaiserie, politesse, sentiment ■ 10 affabilité, bonasserie, compassion, cordialité, dévouement, fraternité, générosité*, mansuétude, perfection, providence ■ 11 familiarité, sensibilité, sociabilité ■ 12 bienfaisance, complaisance, débonnaireté, serviabilité ■ 13 bienveillance, commisération, philanthropie ■ 14 paternellement.
BONZE : 8 bonzerie, bonzesse.
BOUQUETEAU : 4 bois ■ 7 bosquet.
BORASSE : 7 rondier.
BORASSUS : 7 rondier.
BORATE : 5 borax ■ 6 tincal ■ 12 borosilicate.
BORD : 4 côte*, côté, haie, lise, orée, rive, tour, zone ■ 5 alèse, arête, bande*, berge, berme, fanal, flanc, fuste, galet, gambe, grève, labié, lèvre, limbe, marge, marli, périé, picot, piste, plage, puits, quart, rader, suage, toque, virer ■ 6 biseau, border, buvant, cercle, cordon, issant, limité*, liséré, liteau, ourlet, parois, rebord, rivage*, souage ■ 7 bordage, bordure*, bossoir, carnelé, châssis, cimaise, contour, engrelé, labelle, lisière, panneau, tranche ■ 8 barrière, batayole, coquerie, égueuler, élinguée, garde-fou, guindeau, lacustre, littoral, margelle, marginal, pourtour, ralingue ■ 9 avivement, cartouche, crénelage, dentelure, embarquer, engrelure, entourage, extra-fort, extrémité, filotière, franc-bord, milliaire, moraillon, passepoil, péristome, rabattoir, resarcelé, rouleauté, watergang ■ 10 chambranle, déchiqueté, franco-bord, périphérie, retroussis ■ 11 bourlinguer, encadrement* ■ 12 bateau-lavoir, passe-partout ■ 13 circonférence.
BORDAGE : 4 dame ■ 5 bordé ■ 6 fargue, ribord, virure ■ 7 fargues ■ 8 plat-bord ■ 9 gournable, préceinte ■ 12 portemanteau.
BORDE : 9 resarcelé.
BORDEAUX : 7 pomerol ■ 12 saint-émilion.
BORDEE : 4 bord ■ 9 babordais ■ 12 contre-escarpe.
BORDELAIS : 6 merlot.
BORDER : 6 longer, marger, ourler, rogner ■ 7 ébarber, limiter*, liserer ■ 8 déborder, encadrer, entourer*, reborder ■ 9 festonner ■ 10 embordurer ■ 11 chantourner.
BORDIER : 9 semi-aride.
BORDURE : 4 bord, lice, orée, orle ■ 5 cadre*, filet, galon, marge, nille, ruban ■ 6 cordon, effilé, feston, frange, liseré, rebord, revers, volant ■ 7 bordier, carnelé, composé, crépine, filière, hiloire, lisière, moulure, plateau ■ 8 chenille, cyclamor, déborder, subalpin ■ 9 alentours, avant-mont, engrelure, essonier, feuillure, passepoil, resarcelé, trescheur, vigneture ■ 10 boulingrin, retroussis ■ 11 marie-louise, rapprochage ■ 12 recouvrement.
BORE : 6 borane, borure ■ 7 borique.
BOREAL : 4 élan, lion, lyre, pôle ■ 5 chien, cygne, hydre, marte, ombre, ourse, renne ■ 6 bélier, cocher, dragon ■ 7 bouvier, dauphin, gémeaux, serpent, taureau ■ 8 couronne, macreuse, poissons.
BORGNE : 8 éborgner.
BORIN : 6 borain.
BORNE : 3 sot ■ 4 fini, méta, orée, pôle ■ 5 court, excès, frein, obtus,

oison, terme ■ **6** bouché, étroit, limite, mesuré ■ **7** hydrant, rétréci ■ **8** barrière, finitude, hydrante, nicodème, outrance ■ **9** bouteroue, milliaire ■ **10** chasse-roue, intolérant, koudourrou, quadripôle ■ **13** borne-fontaine.

BORNER : **9** cantonner, localiser.

BORRAGINACEE : **6** grémil ■ **7** alkanna ■ **8** buglosse, consoude, myosotis, vipérine ■ **9** bourrache, orcanette ■ **10** cynoglosse, héliotrope, pulmonaire ■ **13** ne-m'oubliez-pas ■ **14** herbe aux perles ■ **15** oreille-de-souris.

BOSNIEN : **9** bosniaque.

BOSQUET : **4** bois ■ **5** massif ■ **7** bouquet ■ **8** tonnelle ■ **9** boqueteau.

BOSSE : **4** zébu ■ **5** bigne, bison, bossu, boule ■ **6** verrou, tumeur ■ **7** bossuer, drumlin, enflure, gibbeux, rondeur, saillie* ■ **8** cabosser, scoliose ■ **9** bosselage, bosselure, gibbosité ■ **10** débosseler, tubérosité ■ **11** proéminence ■ **12** bossellement, protubérance.

BOSSELER : **7** bossuer ■ **9** bosselage ■ **12** bossellement.

BOSSU : **4** noué ■ **5** gobin, saïga ■ **6** boscot ■ **7** gibbeux ■ **8** difforme.

BOSTON : **9** bostonner.

BOTANIQUE : **5** filet, folié, gomme, grain, hampe, hasté, palmé, penné, pivot, rumex, style, valve, volve ■ **9** botaniser, botaniste, mycologie ■ **10** arboretum ■ **11** monographie, morphologie ■ **12** phytogénésie, phytographie ■ **13** organographie.

BOTRYTIS : **10** muscardine.

BOTSWANA : **10** botswanais.

BOTTE : **3** tas ■ **4** tige ■ **5** boots, gerbe, heuse, lieur, ligot, meule, talon ■ **6** botter, gerbée, revers, tirant ■ **7** bottier, bottine, bouquet, collier, jambart, javelle, manoque, moyette, santiag, semelle, trousse ■ **8** botteler, charnier, débotter, faisceau, veillote ■ **9** bottelage, bottillon, chaussure, demi-botte, écossette ■ **10** bottelette, broqueline, contrefort, embauchoir, flanconade, retroussis ■ **12** genouillière.

BOTTELER : **4** lier ■ **9** bottelage, botteleur.

BOTTER : **6** plaire.

BOTTIER : **10** cordonnier.

BOTTINE : **9** chaussure*.

BOUC : **5** barbe, menon, outre ■ **6** chèvre, crotte, hircin ■ **7** bouquin ■ **8** barbiche ■ **9** émissaire.

BOUCAN : **5** bruit* ■ **6** tapage.

BOUCANER : **5** fumer ■ **6** boucan ■ **9** boucanage, boucanier.

BOUCHARDE : **10** boucharder.

BOUCHE : **3** bec, rot, sot ■ **4** bave, béer, mors, oral, rire, voix ■ **5** apthe, bayer, borné, étuve, fanon, frein, goule, groin, labre, lèvre, moche, mufle, on-dit, oral, oraux, palpe, per os, pièce, sucer, valet, volée, vomir, voûte ■ **6** babine, buccal, glotte, goulée, goulot, gueule, langue, lippée, luette, museau, palais, rictus, salive, suçoir, trompe ■ **7** bâillon, bouchée, palatin, préoral, serdeau ■ **8** mâchoire, mélodica, panetier ■ **9** déboucher, emboucher, languette, mandibule, paneterie, péristome ■ **10** bouche-trou, embouchure, gargariser, hermétique, maxillaire, régurgiter, rhizostome, stomatique ■ **11** égueulement, margoulette, rince-bouche, victuailles ■ **12** bucco-génital, entéro-vaccin, stomatologie ■ **13** arrière-bouche, bucco-dentaire, régurgitation ■ **14** stomatoplastie.

BOUCHE A FEU : **8** bombarde, pierrier ■ **10** épaulement ■ **11** couleuvrine.

BOUCHEE : **6** goulée, lippée ■ **8** salpicon ■ **9** béatilles, petit-four.

BOUCHER: 3 lut ■ 5 clore, écran, fusil, futée, luter, murer, taper, temps ■ 6 barrer, fermer*, garnir, opiler ■ 7 coiffer, combler, étouper, obturer ■ 8 aveugler, bouchage, bouchère, cacheter, calfater, capsuler, cheville, colmater, enclouer, obstruer* ■ 9 boucherie, jointoyer, mastiquer, reboucher, remblayer, revercher, tamponner ■ 10 bourdonner, calfeutrer, capitonner, chevillard.
BOUCHERIE: 4 étal, tuer ■ 5 filet, hampe ■ 7 carnage ■ 8 couperet ■ 9 shorthorn ■ 11 nourrisseur ■ 12 équarrissoir ■ 13 attendrisseur.
BOUCHON: 4 tape ■ 5 bonde, tapon, valet ■ 6 bondon, tampon, torche ■ 7 museret ■ 8 capuchon, taponner ■ 9 bouchonné, cul-de-porc, déboucher ■ 10 bouchonner ■ 11 bouchonnier, tire-bouchon ■ 12 mâche-bouchon ■ 13 mâche-bouchons.
BOUCHONNER: 7 flatter ■ 10 chiffonner ■ 13 bouchonnement.
BOUCHOT: 10 boucholeur, bouchoteur.
BOUCLE: 4 lobe, œil ■ 5 chape ■ 6 agrafe, anneau, crolle, fibule, éfrison ■ 7 fermail, fermoir, spirale ■ 8 ardillon, capelage, dormeuse, frisette, goupille, repentir ■ 9 bouclette, bourdalou, déboucler, émerillon, frisottis ■ 10 mousqueton, ondulation ■ 13 accroche-cœur.
BOUCLER: 6 fermer, friser* ■ 7 agrafer, onduler ■ 9 bichonner, déboucler ■ 10 bouclement.
BOUCLIER: 3 écu ■ 4 anse, arme, orle ■ 5 champ, égide, guige, parme, pelta, pelte, targe ■ 6 ancile, boucle, guiche, pavois, scutum, target ■ 7 clypeus, ombilic, rempart ■ 8 rondache, rondelle ■ 10 enguichure, pare-éclats, scutiforme.
BOUDDHA: 6 jataka.
BOUDDHIQUE: 5 kondo ■ 6 vihara.
BOUDDHISME: 4 lama ■ 5 bonze, stupa ■ 6 charma, mantra, satori, stoupa ■ 7 bouddha, mandala ■ 8 hinayana, lamaïsme, mahayana, talapoin ■ 9 caodaïsme ■ 10 bouddhique, bouddhiste ■ 11 bodhisattva, panchen-lama.
BOUDDHISTE: 6 caitya.
BOUDER: 4 moue ■ 8 bouderie ■ 9 rechigner.
BOUDERIE: 6 humeur ■ 7 boudeur ■ 8 fâcherie ■ 9 tracassin ■ 15 mésintelligence.
BOUE: 3 lut ■ 4 vase ■ 5 bogue, fange, limon, patin, salse ■ 6 argile, bourbe, bousin, crotte, gadoue, tourbe ■ 7 embouer, ornière ■ 8 bourbier, limoneux, poto-poto, souiller ■ 9 décrotter, embourber, fondrière, gadouille, garde-boue, terrigène ■ 10 bouillasse, débourbeur, décrottoir ■ 11 désembourbe, éclabousser, gratte-pieds, patrouiller ■ 12 désembourber, éclaboussure.9
BOUEE: 4 orin ■ 6 balise, flotte.
BOUEUR: 7 éboueur.
BOUEUX: 6 crotte, vaseux ■ 7 éboueur ■ 8 bourbeux, limoneux ■ 11 caillebotis.
BOUFFANT: 4 tutu ■ 6 gonflé ■ 8 bouillon, tournure ■ 9 crinoline ■ 11 bouillonner.
BOUFFANTE: 7 bloomer.
BOUFFE: 7 comique ■ 8 bouffant.
BOUFFER: 4 pouf ■ 10 vertugadin.
BOUFFETTE: 4 chou.
BOUFFI: 4 gros ■ 6 gonflé, mafflé, mafflu ■ 7 jouffu ■ 10 boursouflé.
BOUFFISSURE: 7 enflure.
BOUFFON: 3 bas, fol, fou*, gai, vil ■ 4 bain, bête, gras, plat, zani ■ 5 clown*, drôle, froid, gille, grime, lazzi, pitre, zanni ■ 6 joyeux, pantin* ■ 7 baladin, baroque, bizarre, bobèche, comique, farceur,

folâtre, fumiste, loustic, pierrot, risible, trivial ■ 8 arlequin, bateleur, folichon, grossier, histrion, insipide, jocrisse, matassin, pantalon, plaisant, ridicule ■ 9 burlesque, facétieux, grotesque, paillasse, parodique, parodiste, spirituel ■ 10 bouffonner, drolatique, pasquinade, plaisantin ■ 11 macaronique, rabelaisien ■ 12 polichinelle, saltimbanque ■ 13 bouffonnement, amphigourique.

BOUFFONNER: 6 gaudir, moquer*, singer ■ 7 badiner, charger, ébaudir, parader ■ 8 déguiser, divertir, folâtrer, grimacer, parodier ■ 9 babouiner, batifoler, gouailler, pasquiner ■ 10 baliverner, matassiner, plaisanter, turlupiner ■ 11 folichonner, ridiculiser ■ 13 caricaturiser.

BOUFFONNERIE: 4 mime ■ 5 farce*, lazzi, sotie ■ 6 charge, parade ■ 7 facétie, mimique, parodie ■ 8 boniment, drôlerie, pitrerie, quolibet, singerie, sornette ■ 9 atellanes, baliverne, calembour, clownerie, gaudriole, joyeuseté, mascarade, pantomime ■ 10 bambochade, bouffonner, caricature, pasquinade, tabarinade, vaudeville ■ 11 arlequinade, turlupinade ■ 12 pantalonnade, plaisanterie.

BOUGE: 7 cabaret.

BOUGER: 5 place ■ 6 ciller, remuer* ■ 7 mouvoir* ■ 9 bougeotte, mouvement.

BOUGIE: 4 cire ■ 5 binet, mèche ■ 6 cierge ■ 7 rouloir ■ 8 bougeoir, lumignon, parafine, stéarine ■ 9 brûle-tout, chandelle*, éteignoir, stéarique ■ 10 chandelier*, mouchettes ■ 12 cathétérisme.

BOUGON: 6 bourru ■ 7 grognon, ronchon ■ 8 grognard, grogneur, grondeur, groumeur, hargneux ■ 9 acariâtre ■ 11 ronchonneur.

BOUGONNER: 8 murmurer* ■ 9 rognonner ■ 10 bougonneur ■ 12 bougonnement.

BOUGRE: 5 bigre, luron ■ 8 personne.

BOUI-BOUI: 7 théâtre ■ 11 café-concert.

BOUILLABAISSE: 8 bourride ■ 10 uranoscope.

BOUILLANT: 3 vif ■ 4 écru ■ 5 brome, calme, chaud ■ 8 échauder, fougueux.

BOUILLE: 8 racahout.

BOUILLIE: 5 atole, chyme, fonio, gaude, kacha, magma, papet, papin, pilaf, pulpe, purée, soupe ■ 6 brouet, empois ■ 7 compote, polenta, pudding, pultacé ■ 8 couscous, emplâtre, millasse, porridge ■ 9 marmelade ■ 10 cataplasme.

BOUILLIR: 4 marc ■ 5 cuire, frire ■ 6 écumer, fondre, frémir ■ 7 mijoter ■ 8 blanchir, mitonner ■ 9 décoction, ébouillir ■ 10 bouilloter, bouilloire, bouillotte, débouillir, lessiveuse ■ 11 bouillonner ■ 12 ébouillanter.

BOUILLOIRE: 7 samovar ■ 8 coquemar, marabout ■ 10 bouillotte, détartrage.

BOUILLON: 4 aisy, œil, yeux ■ 5 soupe ■ 6 molène, potage* ■ 7 chabrol, chabrot ■ 8 chaudeau, consommé, godiveau, ramequin, waterzoi ■ 11 bouillonner ■ 13 court-bouillon.

BOUILLONNER: 6 colère ■ 12 bouillonnant, effervescent ■ 14 bouillonnement.

BOULANGER: 9 coupe-pâte ■ 10 boulangère.

BOULANGERIE: 4 oura, pain* ■ 6 gindre, mitron ■ 7 fournil, geindre, rouable ■ 8 boulange, fournier ■ 9 coupe-pâte, ténébrion ■ 10 tire-braise ■ 12 viennoiserie.

BOULE: 4 mail, pois ■ 5 balle, bille, bombe, bosse, bulle, globe, obier, perle, pomme ■ 6 boulet, foufou, grelot, oignon, pelote, pilule, pompon, sphère* ■ 7 globule, muscade, peloton, pommeau ■ 8 boulette, bouliste, éolipile, éolipyle, hollande, roulette ■ 9 bilboquet, boulomane, cochonnet ■ 10 roulé-boulé, trou-madame ■ 12 échinocactus.

BOULEAU : 6 diogot ■ 7 boulaie, dioggot ■ 10 tétras lyre.

BOULEDOGUE : 7 bulldog.

BOULETAGE : 13 pelletisation.

BOULETTE : 4 acra ■ 5 bévue, faute, sushi ■ 6 erreur, foutou, pellet ■ 8 godiveau, hâtereau, quenelle, vitoulet ■ 9 bouletage, croquette ■ 10 fricadelle.

BOULEVARD : 4 ring ■ 5 périf ■ 6 avenue, périph ■ 11 caleçonnade ■ 12 boulevardier.

BOULEVERSE : 10 confondant.

BOULEVERSEMENT : 4 émoi ■ 7 émotion, malheur ■ 8 chambard, désordre ■ 10 cataclysme, convulsion ■ 11 bouleverser, dérangement, ébranlement ■ 12 bouleversant ■ 13 conflagration.

BOULEVERSER : 7 toucher ■ 8 chavirer, émouvoir*, révulser, saccager, troubler* ■ 9 brouiller, renverser ■ 10 chambarder, chambouler, fourgonner ■ 11 trifouiller ■ 13 révolutionner ■ 14 bouleversement.

BOULIMIE : 4 faim ■ 9 faim-valle ■ 10 boulimique, sitiomanie.

BOULIN : 3 ope ■ 9 boulinier.

BOULINE : 9 boulinier.

BOULOCHER : 10 boulochage.

BOULON : 5 moise ■ 8 visserie ■ 9 boulonner ■ 10 boulonnage ■ 11 boulonnerie ■ 12 cisaillement, décolleteuse.

BOULOT : 4 gros ■ 5 court ■ 6 emploi ■ 7 travail*.

BOUQUET : 5 botte, mèche, queue ■ 6 parfum, plumet, royale, touffe ■ 7 bosquet, palémon, senteur, trochet ■ 8 aigrette ■ 9 toupillon.

BOUQUETIN : 5 ovine ■ 6 chèvre.

BOUQUINER : 4 lire ■ 7 bouquin ■ 10 bouquineur.

BOURBE : 5 fange, limon ■ 7 souillé ■ 8 bourbeux, marécage, patauger ■ 9 débourber ■ 12 désembourber.

BOURBIER : 7 cloaque ■ 9 embourber.

BOURDAINE : 7 nerprun.

BOURDE : 5 conte ■ 6 bêtise, erreur ■ 8 faribole, mensonge.

BOURDON : 6 cloche ■ 9 volucelle.

BOURDONNEMENT : 7 oreille ■ 9 acouphène, cornement, tintement ■ 10 bourdonner.

BOURDONNER : 6 corner, sonner, tinter ■ 7 ronfler, vrombir ■ 8 susurrer ■ 11 bourdonnant.

BOURG : 4 trou ■ 5 écart, ville ■ 6 hameau ■ 7 village* ■ 8 bourgade.

BOURGEOIS : 4 gogo ■ 5 avare, bourg, pékin ■ 11 bourgeoisie ■ 13 antibourgeois, embourgeoiser ■ 14 bourgeoisement, petit-bourgeois.

BOURGEOISIE : 9 bourgeois ■ 12 bourgeoisial.

BOURGEON : 3 jet ■ 4 œil ■ 5 brout, bulbe, caïeu, cayeu, coton, gemme, jeter, scion ■ 6 bourre, bouton, greffe, maille, pousse*, spathe, turion ■ 7 agassin, drageon, écaille, embryon, gemmule, greffon, rejeton, stipule ■ 8 bulbille, populéum, propolis ■ 9 axillaire, broutille, foliation, gemmation, gemmifère, mailleton, œilleton, pincement ■ 10 ébouqueter, surfeuille ■ 11 bourgeonner, germination, boutonnement ■ 12 chou-palmiste, ébourgeonner, préfoliation ■ 13 gemmothérapie ■ 14 bourgeonnement.

BOURGEONNER : 5 jet ■ 6 germer ■ 7 pousser ■ 9 boutonner ■ 10 drageonner.

BOURGES : 8 berruyer.

BOURGMESTRE : 5 maire ■ 6 maïeur, mayeur ■ 7 maïoral, maïorat, mayoral, mayorat.

BOURGOGNE: 6 volnay ■ 8 époisses, mercurey ■ 9 chardonay, meursault ■ 10 chardonnay ■ 13 bourguignonne ■ 14 passe-tout-grain.
BOURRADE: 4 choc ■ 7 poussée.
BOURRAGE: 7 ouatage ■ 9 garniture ■ 10 embourrure ■ 11 capitonnage, rembourrage, remplissage.
BOURRASQUE: 4 vent ■ 5 grain, orage, risée ■ 6 rafale, simoun, trombe, typhon ■ 7 cyclone, ouragan, tempête, tornade ■ 8 embellie ■ 9 tourmente ■ 10 tourbillon.
BOURRE: 4 coco, ploc, soie ■ 5 balle, fagot, fibre, kapok, laine, maton, ouate, plein*, pongé ■ 6 étoupe, feutre, lanice, lassie, paille ■ 7 bourrée, bourron, capiton, laveton, schappe, strasse ■ 8 ébourrer, éplucher, retirons, tontisse ■ 9 bourrette, débourrer, embourrer, filoselle ■ 10 bourrelier, débourrage, embourrure ■ 12 débourrement.
BOURREAU: 4 aide ■ 5 cruel, valet ■ 8 supplice ■ 9 capeluche, coupetête, exécuteur ■ 10 béquillard, béquilleur ■ 11 tourmenteur, tranchetête ■ 12 tortionnaire ■ 13 questionnaire.
BOURRELET: 6 tortil ■ 9 brise-bise, tortillon ■ 10 vertugadin ■ 12 casse-vitesse, protubérance.
BOURRELIER: 7 manicle, manique ■ 8 carrelet, tire-pied ■ 9 trépointe ■ 12 bourrellerie.
BOURRER: 5 gaver ■ 6 barder, emplir, farcir, garnir, ouater ■ 7 boucher, étoffer, étouper, feutrer, fourrer, remplir*, truffer ■ 8 bourrage, calfater ■ 9 débourrer, embourrer, empailler, empiffrer, tamponner ■ 10 capitonner, matelasser, rembourrer ■ 11 plastronner.
BOURRIQUE: 3 âne, sot.
BOURRU: 6 bougon ■ 7 brusque, hirsute ■ 8 hargneux, maussade, rechigné ■ 9 acariâtre, renfrogné ■ 11 misanthrope.
BOURSE: 3 sac* ■ 4 tenu ■ 5 fermé, poche, prime ■ 6 broker, coteur, tirant ■ 7 cotable, gousset, hygroma, sacoche, scrotium, volvace ■ 8 baissier, bougette, boursier, capselle, ceinture, desserre, haussier, pochette, reporter, réticule, stellage ■ 9 arbitrage, aumônière, boursicot, corbeille, débourser, gibecière, marsupial, reporteur ■ 10 boursicaut, escarcelle ■ 11 boursicoter, liquidation, transaction ■ 12 arbitragiste, boursicoteur, boursicotier, porte-feuille, porte-monnaie.
BOURSICOTER: 8 spéculer ■ 12 boursicotage.
BOURSIER: 8 dow jones ■ 12 arbitragiste.
BOURSOUFLE: 6 bouffi, gonflé ■ 7 ampoulé, turgide ■ 10 emphatique.
BOURSOUFLER: 7 cloquer ■ 9 coquiller ■ 12 boursouflure ■ 14 boursouflement.
BOUSCULADE: 4 ruée ■ 7 corrida ■ 8 désordre.
BOUSCULER: 7 pousser* ■ 8 chahuter, sabouler.
BOUSE: 9 excrément.
BOUSIER: 8 géotrupe.
BOUSILLER: 4 tuer ■ 5 gâter ■ 6 gâcher ■ 10 bousillage, bousilleur.
BOUSSOLE: 4 lest, pôle, rumb ■ 5 chape, pivot, rhumb ■ 6 aimant*, azimut, compas ■ 8 aiguille, polarité ■ 9 balancier ■ 11 déclinaison ■ 12 déclinatoire.
BOUT: 3 fin* ■ 4 bord, brin, pieu, rame ■ 5 balai, borne, bosse, carré, clope, digon, happe, lance, ligne, masse, mèche, mégot, ongle, patte, pépie, pince, plomb, raban, suage, tenon, terme, tétin, tette, tuyau ■ 6 limite, pointe ■ 7 bordure, chopine, confins, extrême, lisière, mamelon, moignon, morceau ■ 8 auricule, demi-clef, lumignon, moissine, rabouter, raboutir, serre-nez, terminus ■ 9 affronter, bouillant, brûletout, extrémité, mentonnet, moucheron, téterelle ■ 10 acrostiche, ébullition, embouchure, fustiballe ■ 11 terminaison ■ 12 coupe-

cigares ■ 13 aboutissement, enfourchement.
BOUT A BOUT : 8 ajointer, appondre.
BOUTADE : 7 facétie ■ 8 quolibet ■ 9 fantaisie ■ 12 plaisanterie.
BOUTEFEU : 8 guerrier.
BOUTEILLE : 2 if ■ 3 col, cul ■ 4 dive, fond ■ 5 bocal, buire, demie, fiole, litre, panse, quart, verre ■ 6 anneau, carafe, collet, cruche, flacon, goulot, gourde, magnum, matras, pichet, siphon, tourie, ventre ■ 7 ampoule, biberon, burette, canette, carafon, chopine, cruchon, fiasque, huilier, paillon, rouleau ■ 8 bombonne, bonbonne, boujaron, cannette, fillette, glou-glou, jaquelin, jéroboam, réhoboam ■ 9 archégone, balthazar, goupillon, jaqueline ■ 10 bordelaise, dame-jeanne, mathusalem, salmanazar, vinaigrier ■ 11 champenoise ■ 12 bouteillerie, embouteiller ■ 13 bourguignonne, demi-bouteille ■ 14 nabuchodonosor.
BOUTER : 7 pousser ■ 10 boute-selle.
BOUTIQUE : 4 étal, loge, souk ■ 5 bazar, débit, fonds, store ■ 6 agence, maison ■ 7 baraque, échoppe, étalage, galerie, magasin*, vitrine ■ 8 ciné-shop, commerce*, comptoir, épicerie, free-shop, mercerie, officine, pressing ■ 9 déballage, devanture, éventaire, fruiterie, vidéoclub ■ 10 boutiquier, factorerie, pâtisserie, peausserie, rôtisserie, succursale ■ 11 chapellerie, charcuterie ■ 12 ferblanterie, poissonnerie ■ 13 établissement, herboristerie ■ 14 décrochez-moi-ça ■ 15 arrière-boutique.
BOUTOIR : 6 museau.
BOUTON : 4 acné, bube, œil ■ 5 bride, câpre, moule, olive, patte, porte ■ 6 agrafe, boucle, mouche ■ 7 fermail, girofle, œillet ■ 8 bassinet, bourgeon, freluche, patience, populace, poussoir ■ 9 lève-glace, lève-vitre ■ 10 boutonnier, boutonneux, boutonnier ■ 11 aiguillette, bourbouille, boutonnière, brandebourg, déboutonner ■ 12 préfloraison ■ 14 bouton-pression.
BOUTONNEMENT : 7 pustule ■ 8 vésicule.
BOUTONNER : 5 lacer ■ 6 fermer ■ 7 agrafer, boucler ■ 8 attacher ■ 9 accrocher ■ 10 boutonnage, tire-bouchon ■ 11 bourgeonner, déboutonner, reboutonner.
BOUTONNIERE : 5 bride, patte, ruban ■ 7 rosette ■ 11 brandebourg.
BOUTURE : 5 oïdie ■ 7 greffon, rejeton ■ 8 marcotte, plantard ■ 9 crossette, mailleton.
BOUVERIE : 6 étable.
BOUVET : 5 rabot.
BOVIDE : 4 ovin ■ 5 bison, bœuf, bovin, éland, mugir ■ 6 buffle, caprin ■ 7 capriné, taureau ■ 10 brucellose.
BOVIN : 6 culard, nubuck ■ 8 baby-beef, embouche, herd-book, hereford ■ 9 bringeure, shorthorn ■ 10 charentais ■ 12 montbéliarde ■ 13 aberdeen-angus.
BOX : 4 calf.
BOXE : 4 gong, ring ■ 5 boxer, garde, round, swing ■ 6 boxeur, combat ■ 7 mi-lourd, mi-moyen, reprise ■ 8 puncheur, uppercut ■ 9 knock-down, pugiliste ■ 11 full-contact ■ 12 pugilistique, punching-ball ■ 15 sparring-partner.
BOYAU : 3 mou ■ 4 noué ■ 6 canal, corde, curée, issue, tripe ■ 6 boudin, fraise, rognon ■ 7 passage ■ 8 fressure, intestin, saucisse, tranchée, tripette ■ 9 andouille, boyaudier, brouaille, tripaille ■ 10 boyauderie, entrailles.
BOYAUDERIE : 9 boyaudier.
BOYCOTTER : 10 boycottage, boycotteur.

BRACELET : 7 armille ■ 8 breloque ■ 9 gourmette ■ 10 armillaire, puntarelle, verroterie ■ 14 bracelet-montre.
BRACHIOPODE : 8 spirifer ■ 11 térébratule ■ 12 rhynchonelle.
BRACONNER : 7 chasser, fileter ■ 10 braconnage, braconnier.
BRACONNIER : 9 collecteur.
BRACTEE : 5 glume ■ 6 spathe ■ 8 bractéal, calicule, glumelle ■ 9 artichaut, bractéole, involucre.
BRADER : 7 bradage.
BRADERIE : 6 marché.
BRADYPE : 2 aï.
BRAHMANISME : 5 paria ■ 6 banian ■ 8 brahmane, civaïsme, devadasi, sanscrit, sanskrit ■ 9 indouisme ■ 10 hindouisme ■ 11 brahmanique.
BRAI : 7 goudron ■ 9 aggloméré, briquette.
BRAIE : 6 couche ■ 7 culotte.
BRAILLER : 4 paon ■ 5 crier ■ 9 braillard, brailleur, tonitruer, vociférer.
BRAIRE : 5 crier* ■ 7 ricaner ■ 8 braiment.
BRAISE : 5 tison ■ 7 rouable ■ 9 braisette, braisière, brasiller, étouffoir ■ 10 fourgonner, tire-braise ■ 12 chaufferette.
BRAISER : 8 braisage ■ 9 braisière.
BRAISIERE : 5 daube ■ 8 daubière.
BRAMER : 4 cerf, daim, réer ■ 5 crier*, dorat, raire ■ 7 chanter.
BRANCARD : 6 comète ■ 7 civière ■ 8 avaloire, dossière 9 limonière ■ 10 reculement ■ 11 brancardier ■ 13 porte-brancard.
BRANCHAGE : 4 haie ■ 5 fagot ■ 7 branche ■ 8 houssoir ■ 9 broutille.
BRANCHE : 2 in ■ 3 jet ■ 4 anel, auge, bois, rame, tige* ■ 5 arbre, argot, câblé, cépée, corne, école, ergot, gaule, glane, gluau, laque, limon, loupe, palme, ramée, rotin, scion, tronc, vinée ■ 6 brisée, éperon, greffe, pampre, pousse, ramage, rameau*, ramure, têteau, volard, vrille ■ 7 bouchon, branchu, chablis, comparé, courçon, courson, crochet, émondes, moignon, plançon, ramille, rejeton, rouette, sarment, sommité ■ 8 baguette, fauchard, feuillée, marcotte, palisser, palmette, pentacle, plantard, toucheau, triumvir, zoologie ■ 9 branchage, brindille, broutille, charpente, chiffonne, coursonne, crossette, ébrancher, feuillage, feuillard, lambourde, marchéage, orthoptie, topologie ■ 10 branchette, électrifié, ethnologie, hypnologie, serrurerie, spécialité ■ 11 branchement, département, orthoptique, statistique, technologie ■ 12 arborisation, combinatoire, floriculture, victimologie ■ 13 contactologie, géotectonique, infectiologie, macro-économie, trigonométrie ■ 14 géochronolie ■ 15 cristallochimie.
BRANCHER : 11 branchement.
BRANCHETTE : 5 gluau.
BRANCHIES : 5 ouïes ■ 9 branchial.
BRANCHIOPODE : 7 daphnie ■ 8 puce d'eau.
BRANDILLER : 7 flotter ■ 8 balancer.
BRANDON : 6 torche ■ 8 flambeau.
BRANLE : 5 volée ■ 8 branlant ■ 9 brimbaler ■ 11 dérangement.
BRANLER : 7 secouer ■ 8 balancer*, trembler.
BRAQUE : 7 étourdi.
BRAQUER : 7 pointer ■ 8 braquage ■ 10 braquement ■ 13 contrebraquer.
BRAS : 5 à bras, bayou, coude, crawl, crête, fanon, geste, nager, patte, poing, pompe, swing, touer ■ 6 biceps, déroute, élinde, épaule, radius ■ 7 abattis, brassée, cubitus, détroit, gousset, huméral, humérus, maneton, marigot, poignet, saignée, triceps ■ 8 aisselle, bracelet,

brachial, brassard, défluent, deltoïde, octopode ■ 9 avant-bras, barattage, basilique, ceinturer, développé, embrasser, mancheron ■ 10 appuie-bras, croisillon ■ 11 branchialgie, cyclorameur, dextrochère ■ 13 pandiculation, sénestrochère.

BRASER : 5 souder.

BRASILLER : 5 rôtir ■ 9 étinceler.

BRASSAGE : 9 barattage ■ 10 melting-pot, ringardage, turbulence ■ 13 verdunisation.

BRASSARD : 5 crêpe.

BRASSE : 5 nager, touée ■ 9 arondelle, encâblure.

BRASSER : 6 agiter, ourdir ■ 8 brassage, orienter ■ 11 ventilateur.

BRASSERIE : 4 café ■ 8 brasseur, démêlage ■ 9 reverdoir ■ 10 brassicole, restaurant.

BRASSIERE : 14 cache-brassière.

BRAVACHE : 5 sabre ■ 7 bravade, capitan, vantard ■ 8 fanfaron, matamore, olibrius, rodomont ■ 9 fier-à-bras ■ 15 tranche-montagne.

BRAVADE : 5 éclat ■ 6 mépris ■ 7 exploit ■ 8 prouesse ■ 12 fanfaronnade*.

BRAVE : 4 lion, mâle ■ 5 crâne, ferme, hardi*, héros, lapin, luron, poilu, preux ■ 6 ardent, assuré, décidé ■ 7 aguerri, éprouvé, martial, sabreur, stoïque ■ 8 bravache, fanfaron*, fougueux, gavroche, généreux, grognard, guerrier, héroïque, matamore, stoïcien, vaillant ■ 9 bouillant, bravement, courageux, fier-à-bras, intrépide, résistant, téméraire, valeureux ■ 10 belliqueux, invincible ■ 11 indomptable ■ 12 inébranlable ■ 13 chevaleresque.

BRAVER : 6 crâner, défier, moquer* ■ 7 exposer, menacer, narguer ■ 8 aguerrir, attaquer*, enhardir, insulter, mépriser, rassurer, résister ■ 9 affronter, provoquer, retremper ■ 10 encourager.

BRAVO : 9 meurtrier ■ 10 bravissimo.

BRAVOURE : 4 cran, nerf ■ 5 coeur, front, furie ■ 6 ardeur, audace, fougue, valeur ■ 7 chaleur, courage*, exploit, fermeté ■ 8 crânerie, décision, héroïsme, prouesse, témérité ■ 9 assurance, hardiesse*, sang-froid, stoïcisme, vaillance ■ 10 générosité, résolution ■ 11 intrépidité ■ 12 fanfaronnade ■ 13 invincibilité.

BREANT : 4 zizi.

BREBIS : 3 pis ■ 4 feta, ovin ■ 5 niolo, oviné ■ 6 vacive ■ 8 agnelage, bêlement, ouailles ■ 9 fromageon ■ 10 agnèlement.

BRECHE : 3 col ■ 4 trou ■ 8 ébrécher, entaille ■ 9 cargneule ■ 10 brèchedent.

BRECHET : 8 carinate.

BREDOUILLER : 9 balbutier ■ 10 bafouiller ■ 11 baragouiner, bredouillis ■ 12 bredouillage, bredouilleur ■ 14 brédouillement.

BREF : 3 bip, sec, top ■ 4 topo ■ 5 brief, bulle, court*, enfin ■ 6 bip-bip, cursif, concis, jingle ■ 7 brévité, coupant, rescrit ■ 8 sommaire, stimulus, succinct, synopsis ■ 9 laconique, mandement ■ 11 compendieux ■ 12 constitution.

BRELAN : 4 full.

BRELOQUE : 7 babiole.

BRESIL : 6 favela ■ 8 cruzeiro ■ 9 brésiller ■ 13 afro-brésilien.

BRESILIEN : 5 cacao, ipéca, samba ■ 6 iguane ■ 7 fazenda ■ 8 arachide ■ 9 brésillet.

BRESILIENNE : 9 matchiche.

BRESILLET : 9 brésiller.

BREST : 8 brestois.

BRETAGNE : 6 gallec, gallot.

BRETECHE : **8** bretessé.
BRETELLE : **5** hotte ■ **6** brayer ■ **7** bricole ■ **8** courroie.
BRETONNE : **6** gouren.
BRETTE : **7** bretter ■ **9** bretteler.
BRETTEUR : **6** brette ■ **8** estafier ■ **9** duelliste, spadassin ■ **11** ferrailleur.
BREUVAGE : **5** buvée ■ **6** nectar, oxymel ■ **7** boisson*, philtre.
BREVE : **5** iambe, mètre ■ **6** clonie ■ **9** tribraque.
BREVET : **3** b.e.p., b.t.s. ■ **4** s.g.d.g. ■ **5** titre ■ **7** breveté, diplôme, licence, patente ■ **8** breveter ■ **9** obédience, parchemin, royalties ■ **10** brevetable, certificat ■ **12** baccalauréat.
BREVIAIRE : **7** diurnal.
BRIBE : **6** partie ■ **7** morceau* ■ **8** fragment.
BRICK : **5** senau ■ **8** corvette.
BRICOLE : **4** rien ■ **9** bagatelle.
BRICOLER : **9** bricolage ■ **11** bidouiller.
BRIDE : **4** mors, rêne ■ **5** frein, guide ■ **6** bridon ■ **7** chapeau, harnais, montant, têtière ■ **8** débrider, œillère ■ **9** muserolle, porte-mors, sous-gorge ■ **15** sous-mentonnière.
BRIDER : **6** serrer.
BRIDGE : **3** rob ■ **4** mort, tric ■ **5** robre, trick ■ **6** chelem ■ **7** schelem, squeeze ■ **8** bridgeur, squeezer ■ **9** singleton ■ **10** surcontrer.
BRIEVETE : **4** bref ■ **5** court* ■ **9** laconisme ■ **12** sommairement ■ **13** succinctement.
BRIGADE : **8** escouade ■ **9** brigadier ■ **10** embrigader ■ **13** sous-brigadier.
BRIGAND : **6** bandit*, voleur* ■ **7** pilleur ■ **9** brigander, maraudeur ■ **11** coupe-jarret.
BRIGANDAGE : **6** rapine* ■ **8** pillerie ■ **9** maraudage ■ **10** concussion ■ **11** déprédation.
BRIGANDER : **7** picorer ■ **8** marauder ■ **10** dépouiller.
BRIGANTINE : **3** gui.
BRIGUER : **5** mirer ■ **6** brigue ■ **9** intriguer ■ **11** ambitionner.
BRILLANCE : **8** luisance ■ **9** luminance.
BRILLANT : **3** net, vif ■ **4** brio, coda, fard, mica ■ **5** chien, clair, éclat*, matir, nacre, perle, terne ■ **6** clarté, lustre, montre, parade, reflet, relief, réussi, satiné, strass, vanité ■ **7** apparat, couleur, diamant, étalage, limpide, luisant, lumière, oripeau, radieux, vermeil ■ **8** concetti, éclatant, illustre, rutilant, saillant, styliste, triomphe, vernissé ■ **9** apparence, brillanté, chatoyant, clinquant, constellé, coruscant, distingué, éclairage, étincelle, fraîcheur, fulgurant, miroitant, pétillant, reluisant, spirituel, splendeur ■ **10** étincelant, flamboyant, lamellaire ■ **11** affectation, brillamment, brillantine, éblouissant, papillotage, scintillant, transparent ■ **12** brasillement, illumination ■ **13** réverbération, superchampion.
BRILLANTE : **7** granule, lasting ■ **8** ottonien.
BRILLANTER : **11** brillantage, brillanteur.
BRILLE : **9** coruscant.
BRILLER : **5** cirer, dorer, luire ■ **6** farder, glacer, moirer, vernir ■ **7** attirer, diaprer, éblouir*, éclater, flamber, lustrer, reluire, rupiner, rutiler, satiner ■ **8** apprêter, blinquer, chatoyer, éclairer, émailler, éteindre, fulgurer, irradier, miroiter, paraître, pétiller, refléter ■ **9** brasiller, enluminer, étinceler, flamboyer, illuminer, rehausser ■ **10** mirliflore, papilloter, rafraîchir, resplendir, réverbérer, scintiller ■ **11** encaustique ■ **12** vermillonner.

BRIMADE : 5 berné ■ 7 bizuter, offense ■ 8 bahutage.
BRIMBALER : 8 balancer*.
BRIMBORION : 7 babiole.
BRIN : 3 fil ■ 4 fétu ■ 5 natte, plion ■ 6 tortis ■ 9 allumette, quillette.
BRINDILLE : 4 fétu ■ 5 verge ■ 8 margotin.
BRINGEURE : 6 bringé.
BRINGUE : 6 maigre ■ 8 débauche.
BRIO : 7 entrain, panache, verveux.
BRIOCHE : 10 mousseline.
BRIQUE : 4 cuit ■ 5 adobe, cuire, vagon, wagon ■ 7 catelle ■ 8 planelle, remplage, tommette ■ 9 aggloméré, blocaille, briqueter, briquette, galandage ■ 10 briquetage, briqueteur, briquetier, panneresse ■ 11 briqueterie, chantignole, ferrocérium.
BRIQUER : 7 frotter.
BRIQUET : 5 fusil.
BRIQUETTE : 9 aggloméré.
BRIS : 11 ostéoclasie.
BRISCARD : 6 soldat.
BRISE : 3 las ■ 4 vent ■ 5 moulu, risée ■ 7 risette ■ 9 matinière.
BRISE-BISE : 8 brise-vue.
BRISE-MOTTES : 8 croskill ■ 11 pulvériseur.
BRISER : 4 bris ■ 5 éclat, pêter, stèle ■ 6 broyer*, casser*, épater, forcer, gruger, rompre* ■ 7 éclater, écorner, écraser, émotter, énuquer, fragile ■ 8 brise-fer, déferler, égueuler, enfoncer, éreinter ■ 9 brisement, brise-tout, casilleux, déroctage, effondrer, fracasser, fracturer ■ 10 enfreindre, pulvériser ■ 11 fractionner, infrangible.
BRISE-TOUT : 8 brise-fer.
BRISURE : 5 classe ■ 6 brèche, lambel ■ 7 cassure*.
BROC : 5 bidon ■ 6 chaume, pichet.
BROCANTER : 6 vendre ■ 7 acheter ■ 8 brocante.
BROCANTEUR : 5 chine ■ 7 fripier ■ 8 brocante ■ 10 antiquaire, regrattier.
BROCARDER : 7 railler* ■ 9 raillerie.
BROCART : 10 brocatelle.
BROCHE : 4 clip, obel, saie, saye ■ 5 obèle, rivet, rôtir ■ 6 agrafe, fuseau ■ 7 brochée, hâtelet ■ 8 brocheur, brochure, goupille, plumetis, tire-nerf ■ 9 brochette, débrocher, embrocher ■ 10 lèche-frite ■ 11 multibroche ■ 12 tournebroche.
BROCHER : 5 livre ■ 6 relier ■ 8 brochage ■ 9 brocheuse.
BROCHET : 3 vif ■ 4 hure ■ 9 brocheton.
BROCHETTE : 8 chachlik, lardoire, souvlaki ■ 11 chiche-kebah.
BROCHEUR : 8 brochure, couseuse.
BROCHURE : 5 livre*, thèse, tract ■ 8 opuscule, pamphlet ■ 9 débrocher ■ 10 indicateur, prospectus.
BROCOLI : 6 broque.
BRODEQUIN : 9 chaussure*.
BRODER : 6 chiner, glacer, guiper, piquer, racher ■ 7 brocher, lisérer, remplir ■ 8 chiffrer, damasser, entoiler, galonner, inventer, ombrager, parement ■ 9 chamarrer, festonner, soutacher ■ 10 rembourrer.
BRODERIE : 4 jeté, nuer ■ 5 damas, filet, point ■ 6 feston, glacis, orfroi ■ 7 brocart, guipure, lisière, oripeau ■ 8 liserage, plumetis, rebroder ■ 9 cartisane, clinquant, entre-deux ■ 10 cannetière, cannetille, jardinière, tapisserie ■ 11 application, fanfreluche.
BROME : 2 br ■ 5 bromé ■ 7 bromure ■ 8 bromique ■ 10 bromoforme ■ 12 bromhydrique.

BROMELIACEE: **6** ananas ■ **10** tillandsia, tillandsie.
BRONCHE: **4** toux ■ **9** bronchite ■ **10** bronchique, expectorer ■ **11** bronchioles ■ **13** bronchectasie, bronchoscopie, trachée-artère ■ **14** bronchiectasie ■ **15** pneumogastrique.
BRONCHER: **5** buter.
BRONCHITE: **11** bronchiteux, bronchorrée ■ **12** bronchitique.
BRONCHOSCOPE: **13** bronchoscopie.
BRONZAGE: **8** bronzant, bronzeur.
BRONZE: **4** halé ■ **5** boule, cadre, étain, penny, torii, tuile ■ **6** airain, basané, boulle ■ **7** rifloir ■ **8** bronzeur, bronzier ■ **10** helladique ■ **14** chalcolithique.
BRONZER: **7** patiner ■ **8** bronzage ■ **9** bronzette.
BROSSAGE: **10** décrottage.
BROSSE: **4** coco, porc, saie, saye ■ **5** balai, carde, goret, tapis ■ **7** étrille, lave-dos, pinceau, spalter ■ **8** blaireau, bressant, brossier, frottoir, hérisson, veinette, vergette ■ **9** brosserie, chiendent, frotteuse, goupillon, vergetier ■ **10** décrassoir, écouvillon, polissoire ■ **11** balai-brosse, décrottoire.
BROSSER: **5** cirer ■ **7** balayer*, frotter*, peindre, vaincre ■ **8** brossage, étriller ■ **9** décroter ■ **10** épousseter.
BROSSERIE: **5** agave.
BROUET: **8** bouillie.
BROUETTE: **9** brouettée, brouetter ■ **10** brouettage.
BROUHAHA: **5** bruit* ■ **6** tapage* ■ **7** tumulte*.
BROUILLAMINI: **8** désordre* ■ **14** embrouillamini.
BROUILLAGE: **10** brouilleur.
BROUILLARD: **4** halo, nuée, smog ■ **5** brume, givre, nuage, pluie ■ **6** brouée, bruine, embrun, frimas, nielle, vapeur ■ **7** crachin ■ **8** embrumer ■ **9** brumaille, fumerolle ■ **10** exhalaison ■ **11** brouillasse ■ **12** brouillasser ■ **14** antibrouillard.
BROUILLE: **5** haine, nuage, pique ■ **6** confus ■ **7** dispute*, ombrage, rancune, zizanie ■ **8** désordre, désunion, fâcherie*, froideur, inimitié, querelle ■ **9** désaccord ■ **11** gribouillis ■ **12** brouillement, gribouillage ■ **14** raccommodement ■ **15** mésintelligence, refroidissement.
BROUILLER: **5** mêler* ■ **6** fâcher ■ **7** désunir, emmêler ■ **8** troubler ■ **9** confondre ■ **10** brouillage, brouilleur, maculature ■ **11** embrouiller ■ **12** brouillement.
BROUILLERIE: **5** pique ■ **15** mésintelligence.
BROUILLON: **8** mêle-tout ■ **10** gribouille ■ **12** brouillonner.
BROUSSAILLE: **7** buisson ■ **8** essarter ■ **9** abattures, essartage, fardoches ■ **11** essartement ■ **13** broussailleux, embroussaillé ■ **14** débroussailler, embroussailler.
BROUSSE: **5** forêt, scrub ■ **9** broussard.
BROUTE: **8** broutard, broutart.
BROUTER: **6** paître.
BROUTILLE: **4** rien*.
BROWNIEN: **6** pedèse.
BROYAGE: **4** pâte ■ **6** bocard, broyat ■ **8** mylonite ■ **9** broiement ■ **12** lithotriteur ■ **13** lithotripteur.
BROYE: **6** écrasé.
BROYER: **4** noix ■ **5** émier, mixer, piler, pilon, râper ■ **6** briser*, casser*, fouler, gruger, hacher, mâcher, moudre, tiller ■ **7** aplatir, broyeur, croquer, écacher, écraser, égruger, macquer, presser, teiller ■ **8** bocarder, détriter, écanguer, émietter, marteler, piétiner, porphyre, triturer ■ **9** broiement, concasser, mâchonner, mastiquer ■

10 moulinette, pulvériser ■ **11** lithotritie ■ **12** écrabouiller ■ **14** batteur-broyeur.
BROYEUR : **10** orthoptère.
BRUANT : **4** zizi ■ **6** proyer ■ **7** ortolan.
BRUCELLOSE : **5** malte ■ **8** brucella ■ **12** mélitococcie.
BRUINE : **5** pluie ■ **8** bruineux, embruiné ■ **10** brouillard.
BRUINER : **8** pluviner ■ **9** pleuvoter.
BRUIR : **9** bruissage.
BRUIRE : **8** bruisser.
BRUISSEMENT : **6** bruire ■ **11** susurrement ■ **12** stridulation.
BRUIT : **3** bas, cri, paf, pan, pet, pif, rot, son*, tac, toc, zon ■ **4** bing, boom, boum, brrr, coup, crac, cric, écho, émoi, flac, floc, huée, ploc, pouf, râle, rire, snif, voix ■ **5** broum, cohue, dit-on, dolby, dring, éclat, galop, léger, noise, on-dit, péter, plouf, sniff, sourd, train, vesse ■ **6** boucan, chahut, déclic, drelin, fracas, pétard, pin-pon, ronron, rumeur, sabbat, soupir, tapage, tocsin ■ **7** bruyant, clameur, cornage, friture, grabuge, hiement, murmure, plainte, raclage, souffle, stridor, tumulte*, vacarme ■ **8** badaboum, brouhaha, bruitage, carillon, clapotis, consonne, croquant, flic-flac, froufrou, géophone, glouglou, hourvari, infernal, insonore, patatras, râlement, renâcler, schproum, tempêter, teuf-teuf, tohu-bohu, tonnerre ■ **9** charivari, casse-tête, cliqueter, cliquetis, cognement, cornement, esclandre, explosion, frôlement, hurlement, margaille, pépiement, résonance, roulement, tintement, turbulent ■ **10** borborygme, bruyamment, cacophonie, clappement, claquement, craquement, crissement, détonation, ébrouement, gazouillis, geignement, grincement, grognement, grondement, halètement, ronflement, sifflement, silencieux, silentbloc, sonothèque, stridulant, succussion, tapotement, tintamarre, triquetrac ■ **11** bruissement, carillonner, clapotement, crépitation, crépitement, froufrouter, gargouillis, gémissement, glouglouter, mugissement, pétillement ■ **12** auscultation, criaillement, glapissement, grouillement, hyperacousie, marmonnement, patati-patata, ronronnement, roucoulement, stridulation ■ **13** bourdonnement, gazouillement ■ **14** froufroutement, gargouillement, retentissement.
BRUITAGE : **8** bruiteur.
BRULANT : **5** chaud* ■ **6** ardent* ■ **7** torride ■ **9** caustique.
BRULEMENT : **8** incendie.
BRULER : **4** sati ■ **5** arder, ardre, arsin, bidon, colza, cuire, foyer, fumer, fusée, fuser, gazer, hâler, havir, lampe, mèche, rêver, rôtir, tison ■ **6** brouir, brûlot, cramer, fondre, mécher, oxyder ■ **7** brûleur, brûloir, brûlure, désirer, flamber, griller, marquer, roussir ■ **8** adustion, calciner, cinéfier, consumer, échauder, essarter, éteindre, graillon, incendie ■ **9** brûle-tout, cigalière, consommer, convoiter, encensoir, enflammer, flamboyer, incendier, incinérer, moucheron, torréfier, ventouser ■ **10** carboniser, cautériser, combustion, énervation, imbrûlable ■ **11** ambitionner, brûle-parfum, combustible ■ **12** incinérateur ■ **13** incombustible.
BRULIS : **3** ray ■ **6** ladang ■ **9** essartage ■ **11** essartement.
BRULURE : **4** hâle ■ **5** plaie ■ **6** cloche, cloque ■ **7** ampoule, cautère ■ **8** adustion, ventouse, vésicule ■ **9** causalgie, oxydation ■ **10** brouissure, causticité, urtication.
BRUMAILLE : **10** brouillard.
BRUME : **6** brumal, brumer ■ **7** brumeux ■ **8** embrumer ■ **9** brumasser, éclaircie ■ **10** brouillard.
BRUN : **3** bai, bis ■ **4** brou, bure, café, kaki, ocre, ours ■ **5** alios, grive,

humus, hyène, khaki, laque, maure, momie, ombre, saure, tabac, tanné, zèbre ■ 6 auburn, châtain, kodiak ■ 7 mordoré, noiraud ■ 8 brunâtre, chocolat, embrunir, moricaud, sargasse ■ 9 amphibole, carmélite, laminaire, rembrunir ■ 10 phéophycée ■ 11 antracnose, palissandre.

BRUNATRE : 12 mélanodermie.

BRUNE : 10 brunissure, crépuscule.

BRUNEAU : 4 rêve.

BRUNIR : 5 hâler, matir ■ 6 bouësse ■ 7 bronzer ■ 10 brunissage, brunisseur, brunissoir, brunissure ■ 12 brunissement.

BRUNISSAGE : 10 brunissure.

BRUSQUE : 3 cru, dur, sec, vif, zou ■ 4 boom, bref, brut, doux, élan, rude, rush, saut, toux ■ 5 à-coup, crise, éclat, ruade, saute, subit* ■ 6 bourru, prompt, rapide* ■ 7 cassant, imprévu, saccadé, sauvage, soudain*, sursaut, violent ■ 8 bourrade, cavalier, descente, embardée, fougueux, grossier, hargneux, véhément ■ 9 acariâtre, courroucé, impatient, irritable, irruption, pirouette, supernova ■ 10 anacoluthe, apostrophe, bousculade, brusquerie, hurluberlu, revirement, révolution, soubresaut, tête-à-queue ■ 11 brusquement, spasmodique.

BRUSQUEMENT : 4 pile ■ 5 caler, court ■ 7 soudain ■ 9 ex abrupto, tout à coup ■ 14 brûle-pourpoint.

BRUSQUER : 7 bourrer, heurter, rudoyer ■ 8 rabrouer ■ 9 rembarrer, repousser ■ 10 brutaliser.

BRUSQUERIE : 6 colère, dureté ■ 7 boutade, crudité, rudesse, saccade, saillie ■ 8 bourrade, rapidité, vivacité ■ 9 brutalité, incartade ■ 10 sécheresse ■ 11 grossièreté, promptitude.

BRUT : 2 nu ■ 3 cru, mât ■ 4 écru ■ 5 beige, grège, lourd, sucre, terne ■ 6 abrupt, dépoli, flegme, fruste, inégal, simple, vierge ■ 7 agreste, barbare, inculte, informe, naturel, rouille, sauvage, stupide ■ 8 ignorant, illettré, médiocre, primitif, raboteux, rustique ■ 9 inapprêté, rustiquer ■ 10 primordial ■ 12 rudimentaire.

BRUTAL : 3 cru ■ 4 rond, rude ■ 5 brute, mufle ■ 7 barbare, pandour, soudard, violent* ■ 8 grossier*, hussarde, vulgaire ■ 9 agression, brutalité, imparfait ■ 10 élancement, raz de marée ■ 12 déflagration.

BRUTALEMENT : 5 piler.

BRUTALISER : 5 tabac ■ 7 rudoyer ■ 8 malmener*, tabasser ■ 9 déflagrer.

BRUTALITE : 7 cruauté, rondeur, rudesse, sadisme ■ 8 atrocité, barbarie, férocité, violence* ■ 9 ratonnade, vulgarité ■ 10 bestialité, inhumanité, sauvagerie ■ 11 brutalement, grossièreté*.

BRUTE : 6 animal, brutal ■ 7 bestial, sauvage ■ 8 grossier.

BRUYAMMENT : 10 valdinguer.

BRUYANT : 6 sonore ■ 8 ronflant, tapageur ■ 9 esclaffer, sarabande ■ 10 éructation, fracassant, patriotard, tonitruant, tympaniser ■ 13 assourdissant.

BRUYERE : 5 balai, bruse, lande ■ 6 tétras ■ 7 buxinée ■ 8 camarine, éricinée, urcéolée ■ 10 encabanage.

BRYOPHYTE : 6 mousse* ■ 9 hépatique.

BUANDERIE : 10 souillarde.

BUBALE : 10 damalisque.

BUBON : 5 peste ■ 9 bubonique.

BUCCAL : 4 oral ■ 5 aphte ■ 6 trompe ■ 7 maxille ■ 8 mâchoire ■ 9 mandibule, stomatite ■ 10 collutoire.

BUCCALE : 9 fellation ■ 11 cunnilingus ■ 12 cunnilinctus.

BUCCIN : 5 bulot ■ 10 trompeteur ■ 11 buccinateur.

BUCHE : 5 roulé ■ 6 chenêt ■ 8 bûcheron, bûchette.

BUCHER : 4 sati.
BUCHERON : 4 loge ■ 5 gouet.
BUCHETTE : 5 ligot.
BUCOLIQUE : 9 champêtre.
BUDGET : 5 poste ■ 10 budgétaire, budgétiser ■ 13 budgétisation ■ 15 extrabudgétaire.
BUDGETISER : 8 budgéter.
BUEE : 9 désembuer.
BUFFET : 5 bahut ■ 7 armoire* ■ 8 crédence ■ 9 buffetier ■ 10 restaurant.
BUFFLE : 3 yak ■ 4 gaur, yack ■ 5 gayal ■ 6 karbau ■ 7 buffler, bufflon, karabau, kérabau ■ 8 kérabeau, souffler ■ 9 bufflesse, buffletin, bufflonne ■ 11 buffleterie.
BUGLE : 3 ive ■ 4 alto ■ 6 ivette ■ 7 baryton.
BUGRANE : 11 arrête-bœuf.
BUILDING : 8 immeuble*.
BUIS : 5 nille ■ 6 pyxide ■ 8 buissaie ■ 9 buissière.
BUISSON : 4 bois ■ 5 scrub ■ 6 fourré ■ 7 hallier, taillis* ■ 8 fauvette ■ 9 églantier, théridion ■ 11 broussaille, buissonneux, buissonnier.
BUISSONNIERE : 6 gatter.
BULBE : 4 bulb ■ 5 caïeu, cayeu, ognon, olive ■ 6 oignon ■ 7 bulbeux, tunique ■ 8 bulbaire, bulb-keel, cervelet, endymion ■ 10 hypoglosse ■ 12 bulbiculture, tubérisation ■ 15 pneumogastrique.
BULBEUX : 4 ixia ■ 6 scille ■ 7 pivoine ■ 8 jacinthe, narcisse, tigridie ■ 9 amaryllis, asphodèle ■ 11 hémérocalle, ornithogale.
BULGARE : 8 bogomile.
BULLDOZER : 4 bull, trax ■ 10 angledozer.
BULLE : 4 bref ■ 5 boule ■ 6 buller ■ 7 bulleux ■ 8 bouillon, bullaire ■ 9 pemphigus, phlyctène, scripteur.
BULLETIN : 4 urne ■ 7 warrant ■ 10 mercuriale ■ 11 météogramme.
BUNGALOW : 5 villa.
BUPRESTE : 6 agrile ■ 7 agrilus ■ 10 coléoptère.
BUREAU : 5 étude, poste, régie ■ 6 caisse, octroi, office ■ 7 paierie, recette ■ 8 consigne, économat, questeur, sous-main ■ 9 buraliste, burlingue, direction, rédaction ■ 10 factorerie, perception, préfecture, présidence, secrétaire, trésorerie ■ 11 bureaucrate, contentieux, secrétariat ■ 12 bureaucratie, capitainerie, chancellerie, commissariat ■ 13 bonheur-du-jour, surintendance ■ 14 sous-préfecture ■ 15 sous-secrétariat.
BUREAUCRATE : 6 scribe ■ 7 employé ■ 8 plumitif ■ 10 rond-de-cuir ■ 12 bureaucratie, gratte-papier ■ 13 scribouillard ■ 14 bureaucratique, bureaucratiser.
BURELLE : 6 burèle ■ 8 jumelles.
BURETTE : 8 crédence.
BURGAU : 5 burgo ■ 10 burgaudine.
BURGRAVE : 10 burgraviat.
BURIN : 6 bédane, buriné, ciseau ■ 7 bec-d'âne, buriner, échoppe ■ 8 burinage, burineur, onglette ■ 9 guilloche ■ 10 gravettien ■ 11 taille-douce.
BURKINA : 9 burkinabé, burkinais.
BURLESQUE : 5 farce ■ 6 parade ■ 7 bouffon, comique, risible ■ 8 limerick, ridicule ■ 9 bigophone, parodique ■ 11 coquecigrue, macaronique ■ 12 prêchi-prêcha ■ 13 burlesquement, contrepèterie.
BURNOUS : 8 gandoura.
BUSE : 3 sot ■ 5 canar ■ 6 tuyère ■ 7 bondrée.

BUSSEROLE : 7 uva-ursi.
BUSTE : 5 socle, terme, torse ■ 7 bustier, corsage, protomé, sphinge ■ 9 piédouche ■ 11 cache-corset ■ 14 photosculpture.
BUSTIER : 8 guêpière.
BUT : 2 en, ou ■ 3 fin, tir, vue ■ 4 goal, idée, joue, mire, pour, rêve, vues ■ 5 buter, butte, cause, cible, en-but, essai, étape, final, ligue, objet*, palet, unité, usage, venir, visée, vivre ■ 6 buteur, panier, pensée, projet*, propos ■ 7 dessein*, utilité, volonté ■ 8 combiner, finalité, indirect, louvoyer, objectif*, tendance ■ 9 acheminer, ascétisme, cochonnet, concourir, converger, déambuler, eupraxique, hédonisme, intention*, répressif ■ 10 captatoire, concourant, concurrent, convergent, coopératif, égalitaire, eupraxique, prétention, utilitaire ■ 11 convergence, destination, goal-average, prétentaire, tournailler ■ 13 conservatoire ■ 14 industrialisme.
BUTADIENE : 4 buna ■ 13 polybutadiène.
BUTANE : 6 butyle ■ 10 camping-gaz.
BUTE : 4 têtu ■ 6 entêté.
BUTEE : 6 butoir, taquet ■ 8 arrêtoir.
BUTER : 7 chopper, heurter ■ 8 achopper, broncher ■ 9 trébucher.
BUTIN : 5 proie ■ 7 pillage ■ 9 dépouille.
BUTINER : 8 butineur.
BUTOIR : 8 cale-pied.
BUTOR : 8 grossier*.
BUTTE : 4 dune, gour, mont ■ 5 motte, talus ■ 6 témoin, tertre ■ 7 colline, mamelon ■ 8 capitale, montagne, taupinée ■ 9 monticule, persécuté ■ 10 taupinière ■ 11 malchanceux.
BUTYRIQUE : 8 butyrate ■ 11 amylobacter.
BUVARD : 8 parafeur ■ 9 parapheur ■ 10 brouillard.
BUVETTE : 3 bar ■ 4 café ■ 7 cabaret, cantine ■ 8 buvetier.
BUXACEE : 4 buis.
BYZANTIN : 6 romain ■ 7 despotat, exarchat, malkite ■ 8 eucologe, melchite ■ 10 autocrator ■ 12 apocrisiaire, byzantinisme, byzantiniste.

C

CABALE : 5 gnome ■ 6 magie ■ 7 cabaler, complot, kabbale ■ 8 intrigue*, talisman ■ 9 cabaliste ■ 12 cabalistique.
CABAN : 7 manteau.
CABANE : 4 case, loge ■ 5 buron, hutte, niche ■ 6 cahute, carbet, chaume, gourbi, maison*, muette ■ 7 baraque, cabanon, clapier ■ 8 chaumine, paillote ■ 9 chaumière.
CABANON : 4 loge ■ 5 folie ■ 6 prison ■ 7 cellule.
CABARET : 4 café*, cave, hôte ■ 5 boîte, bouge, cueva ■ 6 tripot ■ 7 bistrot, bouchon, buvette, cardère, tabagie, taverne ■ 8 caboulot, taxi-girl ■ 9 assommoir, estaminet ■ 10 cabaretier, guinguctte, restaurant ■ 11 café-concert.
CABAS : 6 couffe, panier* ■ 7 couffin, couffle ■ 8 scouffin.
CABERNET : 5 vigne.
CABESTAN : 5 arbre, câble, mèche, touée, touer ■ 6 cloche, taquet ■ 7 chapeau, linguet ■ 8 amolette, guindeau ■ 9 carlingue ■ 10 tournevire.
CABILLAUD : 5 morue.
CABINE : 7 isoloir ■ 8 coursive ■ 9 taxiphone ■ 10 publiphone ■ 11 téléphérage ■ 12 téléphérique ■ 13 confessionnal.
CABINET : 4 loge ■ 5 agréé, bouge, musée, salle, serre ■ 6 bureau ■ 7 attache, chiotte ■ 8 latrines, lavatory, toilette ■ 9 douchière, garde-robe, gloriette ■ 10 fourre-tout.
CABLE : 4 crin ■ 5 bouée, corde*, liure, ronce, touée ■ 6 amarre, câbler, câblot, hauban, sandow ■ 7 almélec, câbleau, câblier, cordage*, élingue, rudenté, torsade ■ 8 câblerie, organeau, paumoyer, remorque ■ 9 caténaire, monocâble, rudenture ■ 10 étalinguer, multicâble, télégraphe, toronneuse ■ 11 câblogramme, funiculaire ■ 12 téléphérique ■ 14 atterrissement.
CABOCHE : 4 tête, têtu ■ 6 entêté ■ 9 cabochard, opiniâtre.
CABOT : 4 muge.
CABOTEUR : 5 sloop ■ 6 lougre ■ 7 caboter, galiote, mahonne ■ 8 cabotage, sacoléva, sacolève.
CABOTIN : 5 cabot ■ 6 acteur* ■ 9 cabotiner ■ 10 cabotinage ■ 13 charlatanisme.
CABOULOT : 9 estaminet.
CABRAGE : 11 anticabreur.
CABRER : 9 courbette.
CABRETTE : 9 cornemuse.

CABRIOLE : **4** saut* ■ **7** culbute, gambade ■ **9** cabrioler, caracoler, entrechat, galipette, pirouette.
CABRIOLET : **3** cab ■ **5** wiski ■ **6** boghei, boguet, tandem ■ **7** tilbury.
CACADE : **5** échec.
CACA D'OIE : **5** merde.
CACAO : **7** cabosse, cacaoté ■ **8** cacaoyer, chocolat, racahout ■ **9** alexandra, cacaotier, cacaoyère ■ **10** cacaotière.
CACATOES : **9** rosalbine.
CACATOIS : **5** brick ■ **8** cacatoès, rosalbin.
CACHE : **4** cave, coin, fond ■ **5** niche, repli ■ **6** recoin, secret* ■ **8** cachette ■ **9** cryptique ■ **10** cache-cache.
CACHEMIRE : **8** cashmere.
CACHE-MOUCHOIR : **11** cache-tampon.
CACHER : **4** faux ■ **5** cache, celer, devin, fable, gazer, lever, magot, muser, sourd, taire, tapir ■ **6** clapir, ermite, feinte, garder, latent, mentir, motter, mucher, musser, obscur, perdre, secret, serrer, terrer, tramer, voiler ■ **7** abriter, anonyme, blottir, couvrir*, dérober, discret, enfuir, feindre, fourrer, latence, masquer, occulte, omettre, receler, réservé, retirer ■ **8** cachette, déguiser, détecter, détourné, éclipser, empaumer, enfermer, enserrer, enterrer, étouffer, inaperçu, occulter, planquer, prétexte, sibyllin, sournois ■ **9** camoufler, découvrir, ensevelir, hypocrite, incognito, invisible, obscurcir, recouvrir, solitaire ■ **10** clandestin, concentrer, cryptogame, dissimuler, envelopper, ésotérique, mystérieux, pseudonyme, soustraire ■ **11** cache-misère, disparaître, enfoncément, extra-lucide ■ **12** maquignonner, sous-entendre ■ **13** arrière-pensée.
CACHE-SEXE : **4** slip ■ **6** string.
CACHET : **4** faux, scel, visa ■ **5** sceau ■ **6** marque, tampon ■ **8** aspirine, cacheter ■ **9** cachetier, tamponner ■ **11** rétribution ■ **13** cylindre-sceau.
CACHE-TAMPON : **13** cache-mouchoir.
CACHETE : **5** group.
CACHETER : **4** cire ■ **5** group ■ **7** sceller* ■ **9** cachetage ■ **10** recacheter.
CACHETTE : **4** abri*, cave ■ **5** cache, niche ■ **6** recoin ■ **7** couvert ■ **8** catimini, muchepot, mussepot, tapinois ■ **9** enveloppe ■ **10** clandestin ■ **11** enfoncement, secrètement.
CACHEXIE : **8** langueur* ■ **10** abattement* ■ **11** cachectique, kwashiorkor ■ **14** amaigrissement.
CACHOT : **6** in-pace, prison ■ **7** cellule ■ **9** oubliette ■ **10** basse-fosse ■ **15** cul-de-basse-fosse.
CACHOU : **4** arec ■ **8** aréquier.
CACOCHYME : **7** maladif ■ **10** cacochymie.
CACODYLIQUE : **10** cacodylate.
CACOPHONIE : **6** chahut, tapage ■ **7** tumulte ■ **8** sérénade ■ **9** charivari ■ **10** dissonance, tintamarre ■ **11** discordance ■ **13** cacophonique.
CACTACEE : **5** nopal ■ **6** cactée, cactus, cierge, oponce, peyotl ■ **7** cactier, figuier, opuntia ■ **9** épiphylle ■ **10** mamillaire ■ **12** échinocactus.
CACTUS : **5** figue ■ **8** cactacée.
CADASTRE : **8** parcelle ■ **9** cadastral, cadastrer.
CADAVRE : **4** mort*, noyé ■ **5** corps, goule, hyène, momie, pendu, sujet ■ **7** suicidé, vampire ■ **8** autopsie, carcasse, charnier, charogne, lividité, ossuaire, rigidité ■ **9** dépouille, macchabée, nécromant, nécropsie, supplicié ■ **10** cadavéreux, inhumation, nécrophage, pourriture, taxidermie ■ **11** cadavérique, embaumement, nécrophilie ■ **13** ensevelisseur.

CADDIE : 5 cadet.
CADEAU : 3 don* ■ 5 offre, prime ■ 7 diamant, étrenne ■ 8 keepsake, pot-de-vin, surprise.
CADENAS : 9 moraillon ■ 10 cadenasser ■ 12 décadenasser.
CADENCE : 5 danse* ■ 6 rythme* ■ 8 cadencer ■ 9 mouvement*.
CADET : 5 jeune, puîné ■ 6 caddie, junior ■ 7 sororat ■ 8 benjamin.
CADMIUM : 2 cd ■ 6 cadmie ■ 7 cadmier ■ 8 cadmiage.
CADRAGE : 9 décadrage.
CADRAN : 4 plan ■ 5 heure, index, style ■ 6 gnomon ■ 7 rosette, surface ■ 8 aiguille, boussole, sciatère ■ 10 horométrie, méridienne ■ 11 horographie, sciographie*.
CADRAT : 8 cadratin.
CADRE : 5 chant, décor, ruche ■ 6 blinde, yuppie ■ 7 adapter, châssis, fourche, sommier ■ 8 bordure*, décadrer, encadrer, pêle-mêle ■ 9 encadreur, mestrance, porte-menu ■ 10 background, garde-place, reliquaire ■ 11 désencadrer, encadrement, marie-louise ■ 12 passe-partout ■ 13 châssis-presse, porte-affiches ■ 14 presse-raquette.
CADUC : 7 dépassé.
CADUCITE : 5 caduc ■ 8 sénilité ■ 10 vieillesse ■ 15 imprescriptible.
CADUQUE : 9 déciduale.
CAECUM : 5 côlon ■ 6 cæcal ■ 8 typhlite ■ 10 iléo-cæcal ■ 11 appendicite ■ 12 pérityphlite.
CAEN : 8 caennais.
ÇA ET LA : 5 épars, errer, rôder, semer ■ 8 parsemer, vagabond, voltiger ■ 9 discourir, disperser, rodailler ■ 10 disséminer, éparpiller, saupoudrer, sporadique, vagabonder.
CAFARD : 5 bigot ■ 8 cafarder ■ 9 cafardage, cafardeux ■ 10 rapporteur.
CAFE : 3 bar, jus, pub ■ 4 coca, déca, déci, moka, noix, sana ■ 5 caoua, farde ■ 7 arabica, brûloir, buvette, cabaret*, caféier, caféine, loufiat, milk-bar, robusta, serveur, taverne ■ 8 beuglant, boui-boui, brûlerie, caboulot, caféière, caféisme, cafetier, campinas, comptoir, isabelle, mazagran, serveuse, terrasse ■ 9 brasserie, cafétéria, cafetière, décaféiné, demi-tasse, estaminet, pause-café, ristrette, ristretto ■ 10 bistouille, cappuccino, champoreau, décaféiner, pousse-café, sommelière ■ 11 café-concert, irish-coffee, percolateur ■ 12 boulevardier, café-chantant.
CAFEIER : 7 arabica, robusta.
CAFEINE : 4 cola, kola ■ 5 cacao ■ 6 théine ■ 8 kolatier, xanthine ■ 9 décaféiné ■ 10 décaféiner.
CAFOUILLE : 11 cafouilleur, cafouilleux.
CAGE : 3 mue ■ 4 aire, minc ■ 5 auget, benne, cagée ■ 6 cabane ■ 7 cagette, encager, harasse, juchoir, nichoir, volière ■ 8 échiffre, épinette, escalier ■ 9 colombier, égrenoire, lanternon, tournette, trébuchet ■ 10 archipompe, mésangette, pigeonnier ■ 11 faisanderie, poussinière ■ 14 thoracoplastie.
CAGEOT : 8 clayette.
CAGEROTTE : 5 caget, cajet.
CAGET : 7 caseret ■ 9 caserette.
CAGIBI : 6 réduit.
CAGNEUX : 4 vara ■ 5 tordu, varus.
CAGNOTTE : 7 tontine ■ 8 tirelire.
CAGOT : 5 bigot, cagou ■ 9 cagoterie.
CAGOULE : 9 encagoulé.
CAHIER : 4 rôle ■ 5 album ■ 6 carnet, livret ■ 7 calepin ■ 9 doléances ■ 13 collationnure.

CAHORS : **6** cahors.
CAHORSIN : **9** cadurcien.
CAHOT : **5** heurt ■ **7** cahoter, tape-cul ■ **8** cahotant, cahoteux, secousse ■ **10** cahotement.
CAHUTE : **6** cabane*.
CAIEU : **6** gousse.
CAILLE : **4** tome ■ **5** puron ■ **7** cacaber, tirasse, yogourt ■ **8** margoter, pituiter, yoghourt ■ **9** margauder ■ **10** caillement, cailleteau, carcailler ■ **11** courcailler, courcaillet ■ **13** fontainebleau.
CAILLEBOTIS : **5** gabie.
CAILLEBOTTE : **6** maquée.
CAILLER : **7** gaillet, prendre, yogourt ■ **8** caillage, coaguler, présurer ■ **10** caille-lait ■ **11** cardonnette ■ **12** chardonnette.
CAILLETER : **8** bavarder.
CAILLOT : **5** sérum ■ **8** phlébite, thrombus ■ **9** thrombose, urokinase ■ **11** fribinolyse, thrombolyse ■ **12** caillebotter ■ **14** bifrinolytique ■ **15** thrombophlébite.
CAILLOU : **4** duit ■ **5** aspre, fusil, galet, jalet, œsar, palet, silex ■ **6** pierre* ■ **8** rocaille ■ **9** caillasse, poudingue ■ **10** caillouter, cailloutis, rocailleux, rudération ■ **11** cailloutage, caillouteux ■ **12** lance-pierres.
CAILLOUTIS : **7** boulder.
CAÏQUE : **4** caïc.
CAISSE : **4** cave, koto, maie, tare ■ **5** bâche, banjo, benne, boîte*, cadre, colis, masse, momie, sanza, sulky ■ **6** casing, coffre*, tiroir ■ **7** basquet, caisson, germoir, tambour ■ **8** cagnotte, caissier, captieux, déballer, débiteur, emballer, encaisse, layetier ■ **9** caisserie, caissette, container, décaisser, encaisser ■ **10** carrossier, encaissage, rencaisser, suspension, triporteur ■ **12** conventionné, encaissement, tiroir-caisse.
CAJOLER : **4** geai, poli ■ **5** gâter ■ **6** capter, choyer, conter, gagner, galant, souple ■ **7** attirer, câliner, délicat, enjôler, flatter, patelin, peloter, séduire ■ **8** amadouer, cajoleur, caresser*, dorloter, empressé, endormir, enjôleur, galantin, insinuer, mignoter, minauder ■ **9** bichonner, cajolerie, courtisan, courtiser, embobiner, endormeur, entraîner, flagorner, mignarder, prévenant ■ **10** obséquieux ■ **11** circonvenir, complaisant, embobeliner ■ **12** complimenter.
CAJOLERIE : **4** zèle ■ **7** caresse, douceur, gâterie ■ **8** blandice, sornette ■ **9** câlinerie, flatterie, politesse ■ **10** galanterie, mignardise, minauderie, prévenance ■ **11** affectation, amadouement, délicatesse, flagornerie, gentillesse ■ **12** complaisance, empressement.
CAKE : **8** plum-cake.
CAL : **5** calus ■ **7** calleux ■ **13** ostéosynthèse.
CALAIS : **9** calaisien.
CALAMINE : **4** zinc ■ **9** calaminer ■ **11** décalaminer.
CALAMINER : **10** calaminage.
CALAMISTRER : **6** friser.
CALAMITE : **3** mal ■ **5** deuil, fléau, orage ■ **7** malheur* ■ **10** calamiteux ■ **11** catastrophe.
CALANDRE : **5** moire ■ **9** calandrer ■ **10** calandrage, calandreur.
CALANQUE : **5** golfe.
CALCAIRE : **4** merl, test ■ **5** chaux, craie, groie, liais, maërl, marne, sotch, trias ■ **6** causse, marbre ■ **7** castine, dolomie, molasse, oolithe, spicule, surcuit ■ **8** calanque, cliquart, mollasse, pisolite, polypier, rendzine, sardoine, urgonien ■ **9** calcareux, calcicole, calcifuge, cargneule, coccolite, coralline, lambourde, pisolithe, travertin ■ **10** calciphobe,

coquillart, fluatation, lumachelle ■ **11** calcschiste, coralligène ■ **12** anticalcaire ■ **13** calcification ■ **15** phosphorisation.

CALCANEUM : 7 achille.

CALCEDOINE : 5 agate, jaspe, silex ■ **9** cornaline, saphirine ■ **11** chrysoprase.

CALCIFICATION : 13 chondromatose.

CALCIFIE : 11 lithopédion.

CALCIFUGE : 10 calciphobe.

CALCINER : 3 têt ■ **5** chaux, cuire, potée ■ **6** brûler* ■ **8** puddlage ■ **10** carboniser, décrépiter ■ **11** calcination.

CALCIQUE : 9 cyanamide.

CALCITE : 5 spath ■ **8** fluorite.

CALCIUM : 2 ca ■ **4** jade ■ **5** chaux, gypse ■ **7** apatite, calcite, épidote ■ **8** actinote, autunite, calcaire, calcémie, calcique, dolomite, fluorite, pyroxène ■ **9** amphibole, anhydrite, aragonite, calciurie, strontium ■ **10** hydrolithe, rachitisme, séléniteux ■ **11** calcitonine, parathyrine, phosphorite, recalcifier, tricalcique ■ **12** hypocalcémie, parathormone ■ **13** hypercalcémie ■ **15** alcalino-terreux, décalcification, phosphocalcique, recalcification.

CALCITE : 8 fluorite.

CALCOSODIQUE : 12 plagioclase.

CALCUL : 5 point, reste ■ **6** barème, compte*, comput, pierre, preuve, somme ■ **7** algèbre, colonne, formule, fortran, montant, traceur ■ **8** calculer, concerté, lithiase, urolithe ■ **9** actuariel, biométrie, calculeux, opération* ■ **10** concrétion, coprolithe, dérivation, exhaustion, gnomonique, nomogramme, randomiser ■ **11** combinaison, corrélateur, dyscalculie, horographie, lithotritie, nomographie ■ **12** additionner, antilithique, arithmétique, lithotriteur, prévisionnel, soustracteur, stochastique ■ **13** lithotripteur ■ **15** différentiateur.

CALCULATEUR : 5 algol, cobol ■ **7** fortran ■ **8** décodeur, hardware, software ■ **9** dérouleur ■ **10** imprimante, ordinateur ■ **11** micromodule, multiplieur, programmeur, transcodage ■ **12** calculatrice ■ **13** sous-programme.

CALCULATRICE : 10 calculette.

CALCULER : 5 moyen, poser ■ **7** compter, estimer, étudier, évaluer, retenir ■ **8** chiffrer, sommable, supputer ■ **9** apprécier, dénombrer ■ **10** calculable, temporiser ■ **11** calculateur ■ **12** différencier, différentier, incalculable.

CALCULOT : 8 macareux.

CALE : 2 vé ■ **3** ber ■ **4** dock ■ **5** caler, soute ■ **6** érudit, lettré, ponton ■ **7** sentine, tringle ■ **8** clavette, instruit ■ **9** avant-cale, écoutille ■ **13** starting-block.

CALEBASSE : 6 gourde ■ **11** calebassier.

CALECHE : 6 briska ■ **7** voiture*.

CALEÇON : 4 slip, tutu ■ **6** calcif ■ **7** calecif.

CALEMBOUR : 8 à peu près ■ **9** jeu de mots.

CALEMBREDAINE : 8 sornette.

CALENDRIER : 4 bref, ides, ordo ■ **5** duodi, tridi ■ **6** agenda, nivôse ■ **7** floréal ■ **8** almanach, annuaire, brumaire, frimaire, germinal, ménologe, messidor, pluviôse, prairial ■ **9** embolisme, fructidor ■ **10** calendaire, éphéméride ■ **11** vendémiaire ■ **13** sans-culottide.

CALER : 8 aplomber.

CALFATAGE : 6 guipon.

CALFATER : 4 coin ■ **5** délot ■ **6** calfat, clavet, florer, guipon, suiver ■ **7** calfait, caréner ■ **8** détouper, espalmer, radouber ■ **9** calfatage,

guignette, patarasse.
CALFEUTRER : **6** fermer ■ **7** boucher ■ **11** calfeutrage ■ **13** calfeutrement.
CALIBRE : **5** bille, cerce, culot, sabot ■ **6** mesure ■ **7** gicleur ■ **8** calibrer ■ **9** calibrage ■ **10** cale-étalon, dilatation, passe-balle, triboulet ■ **11** sous-calibre ■ **13** vasomotricité ■ **14** vaso-dilatateur, vasodilatation.
CALIBRER : **9** calibreur ■ **10** calibreuse.
CALICE : **4** pale, tube, vase ■ **5** fleur* ■ **6** patène ■ **7** pyélite ■ **8** calicule ■ **9** crinoïdes, sépaloïde ■ **10** monosépale ■ **13** hydronéphrose, purificatoire.
CALICOT : **5** blanc, coton ■ **9** madapolam.
CALIFE : **6** kalife ■ **7** califat, khalife ■ **8** khalifat.
CALIFORNIEN : **9** avocatier ■ **14** pamplemoussier.
CALIFORNIUM : **2** cf.
CALIFOURCHON : **7** fumeuse ■ **10** chevaucher, enfourcher.
CALIN : **6** aimant ■ **7** câliner ■ **9** câlinerie, chatterie, paresseux.
CALLA : **4** arum.
CALLEUX : **3** dur ■ **5** jarde.
CALLIGRAPHIE : **7** kufique ■ **8** coufique, écriture* ■ **11** calligraphe ■ **14** calligraphique.
CALLOSITE : **8** durillon.
CALMANT : **5** baume, mauve, opium ■ **7** diacode, dictame, lénitif, sédatif ■ **8** apaisant, aubépine, laudanum, morphine, populéum, thridace ■ **9** cratægus, lénifiant ■ **10** antipyrine ■ **11** chloroforme, valérianate.
CALMANTE : **8** populéum ■ **14** psycholeptique.
CALMAR : **8** encornet ■ **9** belemnite.
CALME : **3** coi ■ **4** béat, cool, paix, posé, sage* ■ **5** baume, bénin, étale, ferme, froid, grave, quiet, relax, repos ■ **6** bonace, flegme, modéré, rassis, relaxe, serein ■ **7** apathie, détendu, égalité, fermeté, lénitif, patient, peinard, placide, prudent, résigné, sagesse, sédatif ■ **8** accalmie, ataraxie, embellie, euthymie, froideur, maîtrise, pacifier, paisible, patience, prudence, quiétude, réfléchi, sécurité, sérénité ■ **9** agitation, apathique, béatitude, calmement, équilibre, impartial, irascible, pacifique, placidité, sang-froid ■ **10** antitussif, apaisement, exaltation, impassible, insensible, modération, tranquille* ■ **11** flegmatique, pondération, résignation ■ **12** impartialité, insensibilité, tranquillité ■ **13** impassibilité ■ **15** antiprurigineux.
CALMER : **6** cesser, guérir ■ **7** adoucir*, alléger, amortir, apaiser*, assagir, dompter, modérer, pallier, relever, reposer, retenir ■ **8** amadouer, assoupir, asssouvir, atténuer, consoler, endormir, étancher, éteindre, étouffer, lénifier, modérer*, pacifier, picrique, ralentir, remonter, réprimer, retenir, soulager, tempérer ■ **9** assourdir, coupe-faim, refroidir, rémission ■ **10** antalgique, cicatriser, rafraîchir, rasséréner, réchauffer, rémittence, sommeiller ■ **13** révolutionner, tranquilliser.
CALOMNIE : **3** mal ■ **5** baver ■ **6** médire*, ternir ■ **8** déchirer ■ **9** calomnier, médisance ■ **10** accusation, calomnieux, sycophante ■ **12** calomniateur ■ **15** calomnieusement.
CALORIE : **5** joule ■ **10** acalorique ■ **12** microthermie ■ **13** hypocalorique ■ **14** électrothermie.
CALORIFIQUE : **8** frigorie ■ **9** athermane ■ **10** infrarouge ■ **11** thermopompe ■ **12** calorescence ■ **15** thermodynamique.
CALORIFUGE : **13** calorifugeage.

CALOTIN : 5 bigot.
CALOTTE : 3 fez ■ 4 coup ■ 5 kippa, ruche ■ 6 bonnet, cornée ■ 8 ventouse ■ 9 inlandsis ■ 10 décalotter.
CALQUE : 5 copie ■ 6 poncer ■ 7 calquer ■ 8 calquage, calquoir ■ 9 décalquer ■ 11 photocalque.
CALUMET : 4 pipe.
CALVADOS : 11 calvadosien.
CALVAIRE : 10 hosannière.
CALVINISME : 5 ligue ■ 8 camisard, huguenot ■ 10 calviniste, parpaillot ■ 14 protestantisme.
CALVITIE : 8 alopécie.
CAMAÏEU : 8 racinage ■ 9 grisaille ■ 11 clair-obscur.
CAMAIL : 7 mosette, mozette ■ 8 vervelle.
CAMARADE : 3 ami ■ 4 pote ■ 5 allié, copin ■ 6 amitié, copain ■ 8 labadens ■ 9 compagnon.
CAMARILLA : 7 coterie.
CAMBODGE : 4 riel ■ 5 khmer.
CAMBRAI : 10 cambrésien.
CAMBRER : 8 cambrage ■ 10 cambrement.
CAMBRESIS : 10 cambrésien.
CAMBRIEN : 8 silurien ■ 10 ordovicien.
CAMBRIOLER : 5 casse, pince, voler* ■ 7 casseur ■ 8 fric-frac, ouistiti ■ 9 dévaliser ■ 11 cambriolage, cambrioleur.
CAMBRIOLEUR : 11 monte-en-l'air.
CAMBUSE : 9 cambusier ■ 10 habitation, réfectoire.
CAMEE : 4 onyx ■ 7 strombe.
CAMELEON : 13 caméléonesque.
CAMELIDE : 4 lama ■ 6 alpaga ■ 7 chameau, guanaco, vigogne ■ 10 dromadaire.
CAMELOT : 8 boniment ■ 9 charlatan.
CAMERA : 4 grue ■ 5 champ, fondu ■ 9 autofocus, banc-titre, caméraman, caméscope, kinéscope ■ 10 praticable, travelling ■ 11 panoramique.
CAMERISTE : 8 servante ■ 9 camérière.
CAMION : 5 benne, cadre, poids ■ 7 routier ■ 9 autopompe, basculeur, camionner, tombereau ■ 10 camionnage, camionneur ■ 11 camionnette, déménageuse ■ 13 camion-citerne.
CAMIONNETTE : 5 hayon ■ 6 bâchée ■ 11 commerciale.
CAMISOLE : 5 gilet ■ 7 chemise.
CAMOMILLE : 7 maroute ■ 8 anthémis ■ 9 marouette ■ 10 matricaire.
CAMOUFLER : 6 cacher* ■ 8 déguiser.
CAMOUFLET : 7 nasarde, offense.
CAMP : 3 ost ■ 5 oflag ■ 6 stalag ■ 7 bivouac, camping ■ 8 décamper, quartier ■ 9 campement ■ 11 déportation ■ 12 cantonnement ■ 14 castramétation.
CAMPAGNE : 3 bar, cru, mas, moy ■ 4 clos, kaki, pays ■ 5 brune, folie, front, goton, junot, khaki, lande, parti, rural, villa ■ 6 champs, datcha, friche, guerre, novale, paysan*, ruraux, squire ■ 7 agreste, bastide, brousse, cottage, estrada, garenne, jachère, ségalas, varenne ■ 8 croisade, ermitage, hobereau, rustique ■ 9 cambrouse, champêtre, ménétrier, proconsul, ruralisme ■ 10 cambrousse, campagnard, chartreuse ■ 12 villégiature ■ 13 médiaplanning ■ 14 gentilhommière.
CAMPANILE : 7 clocher.
CAMPANULACEE : 5 cobéa, cobée ■ 7 lobélie ■ 8 raiponce ■ 9 campanule ■ 10 spéculaire.

CAMPANULE : **8** gantelée, raiponce ■ **9** ganteline.
CAMPER : **4** camp ■ **5** tabor ■ **7** bivouac, campeur, camping ■ **8** caravane ■ **9** campement, cantonner ■ **10** bivouaquer, bouteillon, caravaning ■ **11** caravanning.
CAMPEUR : **8** doudone.
CAMPING : **10** camping-car, camping-gaz ■ **12** auto-caravane.
CAMPHRE : **7** camphol ■ **8** camphène ■ **9** camphrier, celluloïd ■ **10** camphorate.
CAMUS : **5** épaté ■ **6** aplati, camard, écrasé.
CANADA : **13** transcanadien ■ **14** franco-canadien.
CANADIEN : **3** rye ■ **4** élan, ours ■ **5** renne, sapin, thuya, tuque ■ **7** laurier, orignal ■ **8** huronien ■ **15** débarbouillette.
CANADIENNE : **9** muscadine.
CANAILLE : **5** birbe ■ **6** peuple ■ **7** crapule, vaurien*, vermine ■ **8** populace ■ **10** fripouille ■ **11** canaillerie, encanailler.
CANAL : **2** ru ■ **3** lit, sas ■ **4** abée, bief, buse, gare, gèze, grau, méat, noue, raie, tube, voie ■ **5** berge, boyau, chyle, clamp, côlon, cours, dalot, drain, égout, étier, évent, évier, fosse, gorge, gouge, passe, purge, sonde, tuyau, vagin, vater, veine ■ **6** arroyo, cassis, chenal, daleau, écluse, glyphe, rigole, sillon, tuyère ■ **7** aqueduc, cheneau, cloaque, conduit*, coupure, détroit, griffon, ornière, passage, pertuis, rainure, saignée, wirsung ■ **8** aperture, caniveau, cathéter, chatière, cornière, coursier, écheneau, énostose, épendyme, phlegmon, ruisseau, vaisseau, volvulus ■ **9** banquette, batillage, canaliser, cannelure, cours d'eau, débouquer, embouquer, émissaire, entremise, épididyme, franc-bord, gouttière, héversien, partiteur, pont-canal, vasotomie, watergang ■ **10** canalicule, cholédoque, fistulaire, gargouille, vasectomie ■ **12** canalisation, cathétérisme, débouquement, embouquement.
CANALISATION : **4** tube ■ **5** égout, riser ■ **6** feeder, tunnel ■ **7** galerie, gazoduc, sea-line ■ **8** conduite, pipe-line ■ **10** fontainier, souterrain, tuyauterie ■ **12** anticalcaire ■ **14** gargouillement.
CANALISER : **5** vanne, vider ■ **6** capter, ouvrir ■ **7** creuser, dériver ■ **9** pare-fumée ■ **11** canalisable.
CANANEEN : **9** chananéen.
CANAPE : **4** cosy, sofa ■ **5** divan ■ **7** vis-à-vis ■ **8** causeuse, ottomane ■ **9** canapé-lit ■ **10** cosy-corner, méridienne.
CANARD : **4** cane ■ **5** eider, harle, palme, pilet ■ **6** casoar, garrot, magret, malard, malart ■ **7** cacaoui, caneton, canette, carolin, colvert, halbran, maillon, milouin, souchet, tadorne ■ **8** bernacle, cancaner, coin-coin, fuligule, macreuse, mandarin, mensonge, morillon, nasiller, sarcelle, siffleur ■ **9** canardeau, palmipède ■ **10** barbotière, canardière ■ **11** ansériforme ■ **13** lamellirostre.
CANARDER : **5** tirer.
CANCAN : **5** potin, ragot ■ **8** cancaner, racontar ■ **9** cancanier, médisance.
CANCANNER : **8** bavasser.
CANCER : **6** ronger, tumeur* ■ **7** squirre ■ **8** squirrhe ■ **9** cancéreux, cancérisé, carcinome ■ **10** carcinoïde ■ **11** cancérigène, cancérogène ■ **12** cancérologie, carcinologie, précancéreux ■ **13** anticancéreux, cancérisation, cancérogenèse, cancérophobie, cocarcinogène ■ **14** cancérologique, darmatomyosite.
CANCEREUSE : **5** paget.
CANCERISATION : **10** cancériser.
CANCEROGENE : **8** oncogène ■ **11** carcinogène.
CANCEROGENESE : **8** oncogène ■ **13** carcinogenèse.

CANCEROLOGIE : 9 oncologie.
CANCEROLOGUE : 9 oncologue ■ 11 oncologiste.
CANCRE : 3 âne ■ 8 ignorant ■ 9 paresseux.
CANDELABRE : 8 torchère ■ 9 girandole ■ 10 chandelier.
CANDEUR : 3 oie ■ 6 pureté* ■ 7 candide, naïveté ■ 9 crédulité, ingénuité, innocence*, niaiserie, simplesse, virginité ■ 10 simplicité* ■ 11 candidement.
CANDI : 5 sucre ■ 6 candir ■ 11 candisation.
CANDIDA : 9 candidose.
CANDIDAT : 5 stage ■ 6 taupin ■ 7 ajourné ■ 9 postulant ■ 10 paranymphe ■ 11 candidature, examinateur ■ 13 pacta conventa.
CANEFICIER : 6 cassis ■ 7 cassier.
CANETTE : 9 canetière ■ 10 cannetière.
CANEVAS : 6 crayon, modèle*, schéma ■ 7 croquis, ébauche, tableau ■ 8 carcasse, esquisse, maquette, scénario ■ 9 squelette.
CANICULE : 3 été ■ 11 caniculaire.
CANIDE : 4 cyon, loup ■ 5 chien, dingo, dogue, hyène, louve, mâtin ■ 6 chacal, fennec, renard ■ 7 coyotte.
CANIF : 4 lame ■ 7 couteau* ■ 8 grattoir, lancette.
CANINE : 4 croc, dent ■ 10 prémolaire.
CANIVEAU : 5 canal* ■ 6 rigole ■ 9 déversoir.
CANNABIS : 10 cannabique, cannabisme.
CANNACEE : 5 canna ■ 8 balisier.
CANNABINACEE : 7 chanvre, houblon.
CANNE : 4 club, fêle, jonc*, rhum ■ 5 bâton*, felle, gaule, pêche, rotin, scion, sucre, stick, verre, vesou ■ 6 badine, bambou, embout, makila, roseau ■ 7 cannaie, canneur, cannier, mayotte ■ 8 moulinet ■ 9 béquillon, canne-épée, cueillage ■ 10 saccharose ■ 13 canne-béquille.
CANNEBERGE : 5 ataca.
CANNELE : 4 noix ■ 5 fusée, moque.
CANNELEE : 5 maque.
CANNELLE : 5 anone, épice, garus ■ 8 alkermès, hypocras ■ 9 cannelier ■ 12 quatre-épices.
CANNELURE : 4 raie ■ 5 canal, congé, creux, gorge, strie ■ 7 cannelé, colonne ■ 8 canneler ■ 9 rudenture.
CANNIBALE : 7 sauvage ■ 13 anthropophage, cannibalesque.
CANNIBALISER : 15 cannibalisation.
CANNIBALISME : 12 cannibalique.
CANNISSE : 9 canissier ■ 10 cannissier.
CANOE : 9 canoéisme.
CANON : 3 âme, col, fût ■ 4 site, tube ■ 5 affût, auget, bêche, frein, galet, mèche, nitre, orgue, pièce, rayer, règle, rifle, siège, train, volée, vomir ■ 6 airain, bouche, crosse, hausse, modèle, rayure ■ 7 caisson, calibre, culasse, mortier, obusier, renfort, semelle, semonce, tranche ■ 8 batterie, biflèche, bouclier, canonial, canonner, caronade, pulvérin, tonnerre ■ 9 archétype, auto-canon, canonnade, canoniste, canonnier, chokebore, refouloir, règlement, tourillon ■ 10 avant-train, bombardier, bouche-à-feu, écouvillon, embouchoir, grenadière ■ 11 automouvant, égueulement ■ 12 cache-flammes.
CANONIAL : 4 none ■ 5 prime, sexte ■ 6 tierce.
CANONICAT : 8 canonial, chanoine.
CANONIERE : 7 pétoire.
CANONIQUE : 4 rois ■ 5 juges ■ 6 charia ■ 10 canonicité ■ 13 canoniquement.
CANONISE : 8 canonisé.

CANONISER : 9 vénérable ■ **11** canonisable ■ **12** canonisation ■ **13** béatification.
CANOT : 4 yole ■ **5** kayak, nable, skiff ■ **6** aviron, dinghy, zodiac ■ **7** berthon ■ **8** canotage, canotier, chaloupe, hors-bord, runabout ■ **9** aquaplane ■ **10** canadienne, chris-craft, pétrolette ■ **11** embarcation*.
CANTAL : 4 tome ■ **6** salers ■ **8** cantalou, laguiole ■ **9** cantalien.
CANTATE : 7 mélodie ■ **8** récitant ■ **10** cantatille.
CANTATRICE : 4 diva ■ **9** chanteuse.
CANTILENE : 5 chant* ■ **7** mélodie.
CANTINE : 4 mess ■ **5** malle ■ **6** bagage ■ **7** buvette ■ **8** cantiner ■ **9** cantinier ■ **10** cantinière, restaurant.
CANTIQUE : 4 noël ■ **5** hymne*, motet, prose ■ **6** psaume, répons, tedeum ■ **8** antienne ■ **10** magnificat.
CANTON : 9 cantonais ■ **10** demi-canton.
CANTONNER : 4 camp ■ **8** confiner ■ **10** précurseur ■ **12** cantonnement.
CANTONNIER : 5 racle ■ **8** massette.
CANULE : 8 lavement.
CAOUTCHOUC : 3 tub ■ **4** buna ■ **5** boyau, crêpe, drain, gomme, hévéa, latex, liane ■ **6** zodiac ■ **7** ébonite, manihot, rustine, semelle ■ **8** courroie, maniçoba, matraque, néoprène, snow-boot, ventouse ■ **9** bourrelet, butadiène, élastique, euphorbia, hancornia, vulcanite ■ **10** chatterton, élastomère, jarretelle, landolphia, vulcaniser ■ **11** dissolution, india-rubber ■ **12** caoutchouter ■ **13** caoutchouteux, caoutchoutier, polybutadiène, vulcanisation.
CAP : 3 bec, nez ■ **4** tête ■ **6** pointe ■ **7** évitage ■ **9** croisette ■ **11** promontoire.
CAPABLE : 4 apte ■ **5** fichu ■ **6** adroit, habile*, inapte, propre ■ **7** diplômé, entendu, patenté ■ **8** autogame, autorisé, qualifié, tracteur ■ **9** compétent ■ **10** tricourant ■ **11** intelligent, minus habens, propre-à-rien, responsable, spécialiste, susceptible ■ **12** déshydratant ■ **13** anticipatoire, autocinétique.
CAPACIMETRE : 10 multimètre.
CAPACITE : 2 yu ■ **4** mine, moss, muid, pipe, test ■ **5** arobe, farad, fonds, force, génie, grade, jauge, litre, minot, pinte, plomb, titre, vertu ■ **6** arrobe, barrel, bichet, foudre, gallon, glisse, hémine, litron, mérite, quarte, savoir, setier, talent ■ **7** dignité, diplôme, faculté, patente, pouvoir, qualité, tonnage, tonneau ■ **8** aptitude*, autorité, boisseau, habileté*, jaugeage, légalité, majorité, penchant, quartaut ■ **9** capacitif, cylindrée, décalitre, faiblesse, malhabile, obédience, puissance, trop-plein ■ **10** compétence, contenance, efficience, inaptitude, incapacité, micro-farad, spécialité, spiromètre, suffisance, virtualité ■ **11** capacimètre, disposition, gros-porteur, schibboleth, surcapacité ■ **12** convivialité, habilitation ■ **14** responsabilité.
CAPE : 6 capéer ■ **7** capeyer, manteau ■ **11** sortie-de-bal.
CAPELAGE : 3 foc ■ **9** décapeler.
CAPELAN : 6 prêtre.
CAPET : 8 capétien.
CAPHARNAÜM : 8 désordre*.
CAPILLAIRE : 7 adiante ■ **9** diapédèse ■ **10** cosmétique ■ **11** capillarité ■ **14** télangiectasie.
CAPITAINE : 4 chef* ■ **8** capiston, corsaire ■ **12** capitainerie.
CAPITAL : 3 clé ■ **4** chef ■ **5** fonds, péché, sicav, usure ■ **6** revenu ■ **8** financer, mort-gage, tournant ■ **9** essentiel*, important*, placement,

principal ■ **10** commandite, primordial, production ■ **11** capitaliser, capitaliste, subsidiaire ■ **15** suraccumulation.

CAPITALE: 5 ville ■ **8** chef-lieu ■ **9** majuscule, métropole ■ **13** métropolitain.

CAPITALISER: 5 riche ■ **10** anatocisme ■ **11** capitalisme, capitaliste ■ **13** capitalisable ■ **14** capitalisation.

CAPITALISME: **14** néocapitalisme.

CAPITAN: **8** bravache.

CAPITOLE: 5 forum ■ **9** capitolin.

CAPITONNER: 4 pouf ■ **6** garnir ■ **11** capitonnage.

CAPITULATION: 4 paix ■ **5** céder ■ **7** chamade ■ **9** capituler, reddition ■ **13** accommodement.

CAPITULE: 7 fleuron ■ **9** involucre ■ **11** semen-contra ■ **12** chardonnette.

CAPON: 5 lâche ■ **7** poltron ■ **8** caponner ■ **10** rapporteur.

CAPORAL: 5 cabot, tabac ■ **8** escouade, gauloise.

CAPOTE: 7 capoter, manteau ■ **11** décapotable.

CAPOTER: **8** capotage, culbuter ■ **9** renverser.

CAPRICE: 3 gré ■ **4** dada, idée, lune, mode ■ **5** accès, envie, flirt, folie, lubie, manie, pépin ■ **6** béguin, humeur, quinte, tocade ■ **7** bouffée, boutade, fortune, foucade, frasque, marotte, passade, saillie, toquade, travers ■ **8** escapade, fredaine, légèreté ■ **9** amourette, capriccio, fantaisie, incartade, monomanie ■ **10** arbitraire, capricieux, entêtement, étourderie ■ **11** singularité ■ **12** enfantillage, excentricité, extravagance ■ **13** inconséquence ■ **15** capricieusement.

CAPRICIEUX: 7 bizarre ■ **8** maniaque, monomane, quinteux ■ **9** fantasque, lunatique, versatile ■ **11** fantaisiste ■ **14** hypocondriaque.

CAPRICORNE: **8** ægosome, cérambyx ■ **10** coléoptère, longicorne ■ **11** cérambycidé.

CAPRIER: 5 câpre.

CAPRIFOLIACEE: 4 obier ■ **5** yèble ■ **6** hyèble, sureau, viorne ■ **10** laurier-tin ■ **12** boule-de-neige ■ **13** chèvrefeuille.

CAPSELLE: **14** bourse-à-pasteur.

CAPSULAIRE: **8** univalve.

CAPSULE: 3 têt ■ **5** chien, drège, macis ■ **6** pyxide ■ **8** capsuler, couronne ■ **9** capsulage, enveloppe ■ **10** capsulaire, décapsuler ■ **11** décapsuleur ■ **12** capsule-congé ■ **13** décapsulation.

CAPTAGE: 7 cyclone ■ **10** captatoire ■ **13** hydrogéologie.

CAPTER: 7 attirer, obtenir, séduire ■ **9** conquérir ■ **14** phycoérythrine.

CAPTEUR: 7 senseur.

CAPTIEUX: **8** trompeur ■ **13** captieusement.

CAPTIF: 3 glu ■ **7** esclave ■ **8** appelant, persique, saucisse ■ **10** entraînant, prisonnier* ■ **11** enveloppant.

CAPTIVER: 5 fixer ■ **6** plaire* ■ **7** charmer*, séduire* ■ **8** attacher, fasciner ■ **9** captivant, conquérir, enchanter ■ **10** ensorceler, intéresser.

CAPTIVITE: 3 fer ■ **5** lapin ■ **6** chaîne, prison* ■ **7** liberté.

CAPTURE: 5 butin, prise ■ **6** rapine ■ **7** accrété ■ **8** capturer, conquête, ratisser.

CAPTURER: **8** tenderie.

CAPUCHON: 4 cape ■ **5** caban, capot, coule, kabic, kabig ■ **6** capuce, coiffe ■ **7** cagoule, capuche, capulet, cuculle ■ **8** chaperon ■ **10** capuchonné ■ **13** décapuchonner, encapuchonner.

CAPUCIN: 3 saï ■ **5** barbe, cajou, moine ■ **7** sapajou.

CAP VERT: **10** capverdien.

CAQUE: 3 pec ■ 5 liter ■ 6 hareng ■ 7 tonneau ■ 8 encaquer ■ 11 encaquement.
CAQUETER: 5 poule ■ 8 bavarder* ■ 9 caquetage, caqueteux.
CAQUETTE: 9 caquetant.
CAR: 5 ferry ■ 8 parce que.
CARABE: 9 cicindèle ■ 10 jardinière.
CARABIN: 7 médecin.
CARABINE: 5 rifle ■ 10 carabinier.
CARACOLE: 9 caracoler.
CARACTERE: 3 âme, mot, ton ■ 4 bref, état, flan, gale, note, œil, pâte, tête, type, voie, voix ■ 5 aldin, casse, corps, digit, éthos, ferme, fonte, forme, génie, juste, lutin, moine, motif, moule, perle, plomb, point, ronde, runes, sacré, sampi, sceau, tabou, texte, thème, titan, trait, vivre ■ 6 acabit, allèle, humeur, lettre, nature, relief, sinité ■ 7 calibre, chiffre, couleur, elzévir, fatuité, fermeté, gravité, grécité, invasif, innéité, judaïté, judéité, naturel, nocuité, oralité, recence ■ 8 acerbité, altérité, arabiser, aspermie, auto-test, banalité, béotisme, cadratin, casanier, digramme, dotalité, enfantin, énormité, érotisme, évidence, exigence, exotisme, fatalité, fausseté, félinité, féminité, férocité, finalité, firitude, fluidité, francité, fugacité, gratuité, idéalité, imparité, incarner, intimité, isomérie, italique, joliesse, labilité, lourdeur, modicité, morosité, nasalité, néoténie, nocivité, phobique, planéité, portrait, prêtrise, pudicité, rapidité, récessif, rétiveté, rétivité, romancer, salacité, sibilant, slaviser, soliveau, spectral, timidité, toxicité, vinosité, virilité ■ 9 aberrance, abjection, absoluité, absurdité, amoralité, animalité, antiquité, assurance, bénignité, bitension, bivalence, certitude, chétiveté, chétivité, cinétisme, diversité, dominance, empreinte, étrangeté, exoréisme, exquisité, fébrilité, féminiser, flagrance, franciser, fréquence, frivolité, génialité, globalité, gracilité, grincheux, gueuserie, hébraïser, hémiédrie, hybridité, idéaliser, illogisme, impératif, indécence, indignité, inégalité, innocuité, irréalité, isotropie, latiniser, linéarité, malignité, malséance, mannequin, massivité, métamérie, mièvrerie, modernité, morbidité, mouillure, mysticité, nécessité, négritude, nervosité, niaiserie, nordicité, pédologie, perennité, phénotype, placidité, politiser, précarité, primarité, promiscue, psychisme, puérilité, rénitence, satanisme, sémitisme, septicité, sexualité, socialité, sordidité, taciturne, télénomie, triandrie, typologie, univocité, vexatoire, viriliser ■ 10 androgynie, anormalité, apagogique, apolitisme, asocialité, badauderie, balourdise, baroquisme, bestialité, bizarrerie, bonasserie, cacochymie, causticité, cocasserie, complétude, composeuse, continuité, créativité, curabilité, décimalié, diachronie, didactisme, différence, difficulté, effacement, égyptienne, endémicité, endoréisme, ethnologie, étourderie, étroitesse, exactitude, féodalisme, finauderie, folâtrerie, fulgurance, goinfrerie, goujaterie, gredinerie, helléniser, héréticité, hiératisme, homophonie, hybridisme, importance, imprimerie, indécision, indocilité, inhumanité, juvénilité, négativité, notabilité, oblativité, pathétisme, pédanterie, pédantisme, popularité, positivité, relativité, rémittence, rythmicité, sauvagerie, sectarisme, sérialisme, similarité, similitude, soudaineté, spatialité, spécialité, spéciosité, sportivité, symbolique, taquinerie, technicité, téléonomie, triploïdie, trivialité, turbulence, tyrannique, véridicité, visibilité ■ 11 ambivalence, anisotropie, arborescent, automatisme, autotrophie, bégueulerie, bégueulisme, bisexualité, canaillerie, caractériel, circularité, classicisme, dépolitiser, diacritique, discordance, donjuanisme, effectivité, épidémicité, équipotence,

eurythermie, évangélisme, éventualité, exemplarité, expansivité, faisabilité, fongibilité, graphologie, grivoiserie, grossièreté, hétérodoxie, hétéronomie, hiéroglyphe, historicité, homothermie, immédiateté, impétuosité, importunité, impulsivité, inactualité, inscription, insouciance, intériorité, lésionnaire, littéralité, marginalité, mesquinerie, métonymique, miscibilité, mollasserie, monochromie, moutonnerie, nationalité, naturalisme, originalité, pharisaïque, pharisaïsme, phrénologie, physionomie, polyvalence, pondération, pornographe, prodigalité, psychologie, rationalité, récessivité, réciprocité, rentabilité, roublardise, somptuosité, spontanéité, sporadicité, stéatopygie, tempérament*, temporalité, totipotence, usurpatoire ■ **12** allélomorphe, américaniser, anti-national, apostolicité, authenticité, automaticité, bilatéralité, biomorphisme, cacophonique, caractériser, civilisation, débonnaireté, décidabilité, dégressivité, désacraliser, déshonnêteté, directivisme, documentaire, emblématique, érythémateux, européanisme, euryhalinité, exclusivisme, exhaussiveté, extravagance, extraversion, gastralgique, homéothermie, humoristique, illisibilité, immutabilité, imputabilité, inadéquation, indélibilité, inexactitude, infantilisme, infusibilité, insécabilité, intermission, isomorphisme, méticulosité, misanthropie, monolithisme, monstruosité, obséquiosité, œcuménicité, paternaliste, perniciosité, personnalité, pestilentiel, potentialité, poudroiement, prédominance, préformation, prolétariser, prudhommerie, répétitivité, sanctuariser, scintificité, séroposivité, subjectivité, suggestivité, transitivité ■ **13** aérodynamisme, applicabilité, autoritarisme, caoutchouteux, chevaleresque, clandestinité, coagulabilité, commutativité, comparabilité, confiscatoire, déductibilité, détermination, dilettantisme, emphysémateux, explosibilité, hellénisation, hétérogénéité, hétéromorphie, homosexualité, horizontalité, impassibilité, implacabilité, impossibilité, improbabilité, inexigibilité, inexorabilité, inflexibilité, inopportunité, insociabilité, intangibilité, intemporalité, intermittence, invariabilité, invincibilité, irrationalité, irréligiosité, métamorphoser, monographique, monumentalité, orthogonalité, particularité, permutabilité, philistinisme, physionomiste, prévisibilité, progressivité, quotidienneté, réductibilité, remilitariser, rétroactivité, téléscripteur, transcendance, translucidité, vulnérabilité ■ **14** alexandrinisme, anagrammatique, autosuffisance, caractérologie, catastrophique, continentalité, contrôlabilité, dénationaliser, distributivité, exploitibilité, fonctionnalité, grammaticalité, hypertrophique, impersonnalité, improductivité, inaliénabilité, incoercibilité, indivisibilité, inflammabilité, intentionalité, intransigeance, irrecevabilité, irréfutabilité, misanthropique, monosyllabique, non-directivité, perceptibilité, perfectibilité, pornographique, prédictibilité, psychorigidité, putrescibilité, satisfiabilité, substantialité, transactionnel ■ **15** agrammaticalité, compressibilité, complémentarité, confidentialité, contemporanéité, donquichottisme, extensionnalité, extéroceptivité, hétéromorphisme, impénétrabilité, impraticabilité, imprévisibilité, inaccessibilité, indéfectibilité, indéformabilité, indétermination, intelligibilité, intéroceptivité, irréductibilité, irréversibilité, lettre-transfert, viscoélasticité, viscoplasticité.

CARACTERISE: **5** modal ■ **6** décidé, marqué ■ **7** spécial, tranché ■ **10** bipolarisé, stéatopyge ■ **14** anthropozoïque, ethnocentrique ■ **15** caractéristique.

CARACTERISER: **8** désigner ■ **9** qualifier, spécifier ■ **10** déterminer ■ **11** spécialiser ■ **14** circonstancier ■ **15** caractérisation.

CARACTERISTIQUE: **4** type ■ **6** propre* ■ **7** oralité, typique ■

8 distinct, syntonie ■ 9 constante, dominante ■ 10 époxydique, quérulence, spécifique ■ 11 illustratif, némorologie, résistivité ■ 12 navire-jumeau ■ 13 autoréférence ■ 14 autosuffisance.
CARACUL: 8 astracan, astrakan.
CARAFE: 6 siphon ■ 7 carafon ■ 9 alcarazas.
CARAIBE: 8 caribéen.
CARAMBOLER: 5 série ■ 11 carambolage.
CARAMEL: 8 caramélé ■ 9 roudoudou ■ 10 caramélisé ■ 11 caraméliser ■ 14 caramélisation.
CARAPACE: 4 test ■ 6 rostre ■ 7 écaille ■ 8 dossière ■ 12 exosquelette.
CARAVAGISME: 11 caravagiste ■ 12 caravagesque.
CARAVANE: 6 troupe ■ 10 caravanier, caravaning ■ 11 caravanning ■ 13 caravansérail.
CARAVANING: 10 caravanage.
CARAVANSERAIL: 3 kan ■ 4 khan.
CARBAMIQUE: 8 uréthane ■ 9 carbamate, uréthanne.
CARBONARISME: 9 carbonaro ■ 12 charbonnerie.
CARBONATE: 4 zinc ■ 5 craie, plomb, soude, verre ■ 6 cendre, céruse, natron, natrum ■ 7 azurite, calcite, charbon, dolomie ■ 8 calcaire, calcifié, cérusite, dolomite, graphite, sidérite, sidérose ■ 9 argonite, carbonaté, malachite ■ 10 carbonater, giobertite ■ 11 smithsonite ■ 13 carbonisation ■ 14 hydrocarbonate.
CARBONE: 4 bore, jais ■ 5 acier, fonte ■ 7 carbure, charbon*, pentose ■ 9 austénite, bicarbure, carbonate, cyanogène, sulforage, tréhalose, xanthique ■ 10 anthracite, carbonique, décarburer, oxycarbone ■ 11 bicarbonate, carburation, décarburant, hétérocycle ■ 12 hydrocarboné, hydrocarbure ■ 13 décarburation, thiocarbonate, xanthogénique ■ 15 organomagnésien.
CARBONIFERE: 8 calamite ■ 9 hercynien ■ 10 pécoptéris, sigillaire, sténoneure ■ 12 sphénoptéris.
CARBONIQUE: 4 soda ■ 7 perlant ■ 9 carbonate, carbogène ■ 11 bicarbonate, hypercapnie ■ 12 décarbonater.
CARBONISER: 6 brûler* ■ 7 fumeron.
CARBONITRURATION: 13 carbonitruer.
CARBONYLE: 9 carbonylé ■ 11 dicarbonylé ■ 15 décarboxylation.
CARBURANT: 8 additivé, carburol ■ 9 tétraline ■ 11 bicarburant.
CARBURATEUR: 4 buse ■ 7 starter, venturi ■ 8 papillon ■ 9 diffuseur.
CARBURE: 6 cétane, éthane ■ 8 limonène ■ 9 austénite, carburant, cémentite, paraffine ■ 10 anthracène ■ 11 carborundum.
CARBURER: 6 benzol, brûler ■ 9 carburant ■ 11 carburateur, carburation, ravitailler ■ 13 camion-citerne.
CARCAN: 6 cangue.
CARCASSE: 3 ber, fût ■ 5 coque ■ 7 canevas ■ 8 ossature, plombure ■ 9 charpente, squelette ■ 10 semi-rigide.
CARCINOGENE: 11 cancerigène, cancérogène.
CARDAGE: 10 boudineuse.
CARDAMINE: 8 dentaire ■ 12 cressonnette.
CARDE: 5 bette, blète ■ 6 peigne ■ 7 cardère, chardon, drousse ■ 8 carrelet, flanelle ■ 10 débourrage, repassette ■ 11 matelassier.
CARDER: 6 pluser ■ 7 cardage, peigner ■ 8 cardeuse, drousser, recarder, scribler ■ 9 brifauder, chiqueter ■ 10 chardonner.
CARDIA: 7 cardial ■ 9 œsophage ■ 10 cardialgie.
CARDIAQUE: 10 adrénaline ■ 11 bradycardie, cardiotomie ■ 12 anticalcique, embryocardie, fibrillation ■ 14 cardiothyréose.
CARDIGAN: 7 twinset.

CARDINAL: 3 est, sud ■ 4 midi, nord ■ 5 aleph, légat, ouest, sacre ■ 8 barrette, conclave, occident ■ 9 principal ■ 10 cardinalat ■ 11 camerlingue, cardinalice, conclaviste, consistoire ■ 13 éminentissime.
CARDIOGRAPHIE: 12 cardiogramme.
CAREME: 5 jeûne, oculi ■ 6 baïram, bayram, maigre ■ 7 ramadan ■ 8 dispense, mi-carême ■ 10 abstinence, sexagésime ■ 12 quadragésime, septuagésime ■ 13 quadragésimal, quinquagésime.
CARENCE: 6 défaut, manque*, protêt ■ 8 béribéri, carencer ■ 9 carentiel ■ 11 avitaminose ■ 12 insuffisance, xérophtalmie ■ 14 hypovitaminose.
CARENE: 3 ras ■ 4 gril ■ 5 goret ■ 6 virure ■ 7 caréner ■ 8 bouchain, carénage ■ 9 soufflage, ventrière ■ 10 flottaison.
CARESSE: 4 mimi ■ 5 câlin ■ 7 mamours ■ 8 accolade, caresser, étreinte, pression ■ 9 caressant ■ 10 embrassade, enlacement, tendresses.
CARESSER: 6 aimant, frôler ■ 7 accoler, cajoler*, câliner, enlacer, flatter, frotter, peloter, tapoter, toucher ■ 8 mignoter, rebaudir, tripoter ■ 9 becqueter, effleurer, embrasser, étreindre ■ 10 amignarder, chiffonner ■ 11 chatouiller.
CARET: 5 lusin, toron ■ 6 couane, fauber ■ 8 caouane.
CAREX: 9 tourbière.
CARGAISON: 4 frêt, lège ■ 5 nolis ■ 8 chargeur ■ 9 manifeste ■ 11 subrécargue, transborder.
CARGO: 5 tramp ■ 8 bananier ■ 10 minéralier ■ 11 charbonnier.
CARI: 7 curcuma.
CARIBOU: 5 renne.
CARICATURE: 6 charge ■ 8 portrait ■ 11 caricatural, caricaturer ■ 13 caricaturiste.
CARIE: 5 carié ■ 7 cariant, carieux ■ 9 cariogène.
CARILLON: 6 tapage ■ 7 vacarme ■ 8 sonnerie* ■ 10 carillonné ■ 11 carillonner ■ 12 carillonneur, glockenspiel ■ 14 carillonnement.
CARLINGUE: 11 carlinguier.
CARLISTE: 7 requête.
CARME: 7 déchaux ■ 9 déchaussé.
CARMIN: 7 carmine ■ 10 cochenille.
CARMINATIVE: 8 vespétro.
CARNAGE: 6 tuerie ■ 8 massacre ■ 9 boucherie, hécatombe.
CARNASSIER: 6 galago ■ 9 carnivore* ■ 10 tupinambis.
CARNASSIERE: 9 gibecière.
CARNATION: 5 teint* ■ 6 teinte ■ 7 couleur*.
CARNAVAL: 8 charnage, chienlit ■ 9 cavalcade, mascarade, pierrette ■ 11 déguisement.
CARNET: 6 agenda, cahier, livret ■ 7 calepin ■ 8 chéquier, manifold ■ 10 mémorandum.
CARNIER: 9 gibecière ■ 12 porte-carnier.
CARNIVORE: 5 coati, proie, ratel, raton, varan, vison, zabre ■ 6 canidé*, félidé*, lycaon, ocelot, rapace, ursidé* ■ 7 dasyure, dytique, linsang, mofette, naucore, otocyon ■ 8 cachalot, kinkajou, lithobie, moufette ■ 9 ichneumon, mouffette, mustélidé*, pinnipède*, staphylin, viverridé* ■ 10 carnassier, delphinidé ■ 11 échinocoque ■ 12 tyrannosaure.
CARONIQUE: 6 talibé.
CAROTIDE: 10 carotidien.
CAROTTE: 4 ruse ■ 5 tabac ■ 8 carotter, mirepoix ■ 9 carottage, carotteur, carottier.

CAROUBE : 9 caroubier.
CARPATES : 11 karapatique.
CARPE : 5 brème, carpé ■ 6 cyprin ■ 7 carpeau, carpien ■ 8 carassin, carpette ■ 9 carpillon, pisiforme, scaphoïde, sésamoïde ■ 10 trapézoïde ■ 12 carpiculture.
CARPELLE : 9 follicule ■ 12 bicapsulaire, polycarpique.
CARPETTE : 5 tapis* ■ 10 carpettier.
CARPIEN : 5 genou.
CARRE : 4 ante, case, haïk ■ 5 barge, franc, pièze, socle, suage, tréou, tronc ■ 6 palier ■ 7 bandana, carreau, marelle, raviole ■ 8 équarrir, équipolé, œillard, piédroit, quillier, variance ■ 9 carrément, denticule, diagonale, échiquier, équipollé, newtonien, perroquet, pied-droit, quadrillé, rectangle ■ 10 plate-bande, quadrature, quadriller ■ 11 allongement, quadratique, quadrillage ■ 13 franc-quartier ■ 15 débarbouillette.
CARREAU : 5 dalle, ouvré, plaid, polka, vitre ■ 6 lindor, matras ■ 7 azulejo, catelle, tomette ■ 8 carreler, planelle ■ 9 carrelage, carreleur ■ 10 décarreler, graticuler.
CARREFOUR : 6 étoile ■ 7 croisée ■ 9 patte-d'oie, rond-point ■ 10 croisement ■ 11 bifurcation.
CARRELAGE : 8 planelle.
CARRELER : 7 bardeau ■ 8 tommette ■ 9 carrelage ■ 10 recarreler.
CARRELET : 4 plie ■ 6 ablier ■ 7 ableret ■ 12 colichemarde.
CARREMENT : 7 nuement.
CARRIER : 4 têtu.
CARRIERE : 4 mine ■ 5 arène, cadet, cours, début, délit, filon, fruit, masse, picot, puits, stade ■ 6 chemin, fondis, pilier ■ 7 carrier, fortage, galerie, latomie, sautage, souchet ■ 8 débouché, débutant, foretage, gravière, grésière, marnière, meulière, perrière, sablière ■ 9 devancier, falunière, glaisière, marbrière, plâtrière ■ 10 ardoisière, décauville, diplomatie, profession ■ 11 ballastière, littérature.
CARROSSABLE : 5 drève ■ 6 viable.
CARROSSERIE : 5 capot, coach, derby, phare ■ 6 auvent, caisse ■ 7 berline, custode, spoiler, torpédo, voiture* ■ 8 carénage, conduite ■ 9 cabriolet, carrosser, familiale, limousine, pare-brise, profilage, surbaissé ■ 10 automobile*, carrossage, carrossier, marchepied ■ 11 débattement, décapotable.
CARROUSEL : 7 tournoi ■ 8 fantasia, fontaine ■ 9 quadrille.
CARROYAGE : 8 carroyer.
CARRURE : 5 râble.
CARTABLE : 7 sacoche.
CARTE : 2 as ■ 3 bog, hoc, jeu, roi, six ■ 4 bleu, côté, dame, écot, jass, neuf, pont, rami, truc, vole, yass ■ 5 atlas, atout, belle, carré, cœur, cordé, coupe, donne, écart, globe, joker, levée, lever, pique, point, poker, talon, tarot, valet, whist ■ 6 brelan, carter, carton, coupon, hombre, invite, oudler, quinte, tierce ■ 7 cartoon, géorama, gin-rami, lambert, mariage, matador ■ 8 carterie, carte-vue, crapette, dépliant, encarter, gin-rummy, maldonne, papillon, patience, portulan, retourne, réussite, séquence ■ 9 black jack, biseauter, christmas, coupe-file, défausser, singleton, télécarte ■ 10 facturette, mappemonde ■ 11 carte-lettre, cartogramme, cartographe, cartomancie, cartothèque, mandat-carte, planisphère, porte-cartes, topographie ■ 12 carte-réponse, cartographie, mandat-lettre, tachéographe ■ 13 cartographier, cartophiliste, photogéologie.
CARTEL : 7 société ■ 8 comptoir ■ 11 cartelliser ■ 13 neuchâteloise ■ 14 cartellisation.

CARTER : 4 bâti, cage.
CARTILAGE : 2 os ■ 5 pomme ■ 6 disque ■ 7 tendron ■ 8 cricoïde, fracture, ménisque, pavillon, thyroïde ■ 9 chondrome, épiglotte ■ 10 aryténoïde ■ 11 périchondre ■ 13 cartilagineux, chondroblaste, chondrocostal ■ 14 chondrosarcome, ostéochondrose.
CARTOGRAPHIE : 10 projection ■ 14 cartographique.
CARTOMANCIE : 5 devin ■ 12 cartomancien.
CARTON : 4 flan, loto, pâle ■ 5 boîte, carte, pilon, quine ■ 6 encart, patron ■ 7 bristol, pochoir, rognoir ■ 8 lisseuse, pancarte ■ 9 cartisane, cartonner, coucheuse ■ 10 cartonnage, cartonneux, cartonnier, carton-pâte, termitière ■ 11 cartonnerie ■ 12 carton-feutre, carton-paille, carton-pierre.
CARTONNEE : 11 marie-louise.
CARTOON : 11 cartooniste.
CARTOUCHE : 5 balle, bande, culot, fusil ■ 7 chambre, écusson, giberne ■ 8 barillet, chargeur ■ 11 encartouché ■ 12 cartoucherie, cartouchière.
CARY : 5 carry, curry.
CARYOCENESE : 6 mitose.
CARYOPHYLLACEE : 6 mouron, nielle, sagine, silène ■ 7 gerzeau, lychnis, œillet, tagetes ■ 8 grenadin, spergule, vaccaire ■ 9 herniaire, morgeline, paronyque, saponaire, spargoute, stellaire, turquette ■ 10 espargoute, gysophile, scléranthe ■ 11 coquelourde, mignonnette.
CAS : 2 si ■ 5 alors, datif, repic ■ 6 estime ■ 7 ergatif ■ 8 occasion ■ 9 apprécier, événement, grammaire ■ 10 considérer, occurrence ■ 11 casuistique, conjoncture ■ 12 circonstance*, instrumental.
CASANIER : 10 sédentaire ■ 11 pantouflard.
CASAQUE : 5 sayon ■ 8 casaquin ■ 9 san-benito ■ 11 soubreveste.
CASCADE : 3 jet ■ 4 gave, saut ■ 5 chute, nappe ■ 6 perron, rapide ■ 8 cascader, fontaine ■ 9 catadoupe, cataracte, déversoir ■ 10 cascatelle.
CASE : 5 caser ■ 6 cabane, carbet, damier ■ 8 logement ■ 12 compartiment.
CASEIFIER : 9 caséation ■ 13 caséification.
CASEINE : 6 caillé, caséum ■ 9 galalithe.
CASEMATE : 4 abri ■ 6 bunker ■ 9 casemater ■ 13 fortification.
CASER : 5 loger ■ 6 placer ■ 7 recaser.
CASERNE : 5 salle ■ 8 caserner ■ 9 casernier ■ 10 encaserner ■ 11 casernement.
CASIER : 10 cartonnier.
CASQUE : 3 vue ■ 4 apex, arme ■ 5 armet, crête, morne, nasal, volet ■ 6 camail, cimier, heaume, mézail, morion, plumet, salade, timbre ■ 7 ajuster, bavière, bucrane, casquer, écusson, heaumer, panache, plumail, ventail, visière ■ 8 aigrette, bassinet, cabasset, capeline, chenille, crinière, gorgerin, schapska, vervelle ■ 9 déheaumer, jugulaire, oreillons, ventaille ■ 10 cervelière, lambrequin ■ 11 couvre-nuque, mentonnière ■ 13 bourguignotte.
CASQUETTE : 5 toque ■ 7 gâpette, visière ■ 9 oreillons ■ 10 couvre-chef ■ 11 casquettier.
CASSANT : 3 dur ■ 4 doux ■ 5 verre ■ 8 insolent, rouverin ■ 9 antimoine, manganèse, molybdène.
CASSATION : 7 rupture.
CASSAVE : 6 manioc.
CASSE : 4 bris, nase, naze ■ 5 caduc ■ 6 faible ■ 7 casseau, cassier, dommage ■ 8 cassable, cassetin, décrépit, fraction, fragment ■ 10 canéficier.

CASSE-COU : 5 hardi ■ 9 cascadeur.
CASSE-CROUTE : 11 casse-graine.
CASSER : 5 fêler, pêter, piler ■ 6 abolir, briser*, broyer*, crever, étêter, fendre, rompre*, sauter ■ 7 annuler, craquer, désunir, diviser, éclater, écorner, écraser, édenter, entamer, étoiler, mutiler, scinder, séparer ■ 8 casse-cou, déboîter, déchirer*, défoncer, démettre, détruire*, ébrécher, écrouler, écuisser, égueuler, émietter, épointer, éventrer, massette, morceler, pétiller ■ 9 brésiller, cassement, casse-noix, casse-tête, concasser, craqueler, démembrer, destituer, disloquer, échancrer, effondrer, entailler, fendiller, fracasser, fracturer, fragilité, rescinder ■ 10 désagréger, disjoindre, fragmenter, incassable ■ 11 fractionner ■ 12 autocassable ■ 14 casse-noisettes.
CASSEROLE : 5 étain ■ 6 poêlon ■ 8 sauteuse ■ 9 chevrette ■ 10 casserolée.
CASSE-TETE : 4 arme ■ 8 tomahawk.
CASSETTE : 12 minicassette ■ 13 livre-cassette, microcassette, radiocassette ■ 14 cassettothèque ■ 15 magnétocassette.
CASSIER : 4 séné ■ 5 casse ■ 10 canéficier.
CASSIS : 6 rigole ■ 8 mêlé-cass ■ 10 mêlé-cassis.
CASSITERITE : 5 étain.
CASSOLLETTE : 9 encensoir.
CASSURE : 5 coupe, fente, joint ■ 6 brêche, faille, fêlure ■ 7 brisure, coupure, rupture* ■ 8 division, écornure, entaille, fracture*, scission ■ 9 déchirure, étêtement ■ 10 craquement, échancrure, effraction, lamellaire, mutilation, réfraction, séparation*, tectonique ■ 11 défoncement, disjonction, dislocation, éventration ■ 12 décrochement, démembrement, effondrement ■ 13 désagrégation.
CASTAGNETTE : 7 crotale ■ 9 cliquette.
CASTANEACEE : 4 aune ■ 5 aulne, verne.
CASTE : 4 mage, rang ■ 5 brame, griot, paria ■ 6 classe, vaiçya ■ 7 bramine ■ 8 brahmane ■ 9 kchatriya.
CASTEL : 7 château*.
CASTILLAN : 6 ladino.
CASTOR : 6 bicore, bièvre ■ 9 castoréum.
CASTRATION : 10 castrateur.
CASTRER : 7 castrat, châtrer, eunuque, mutiler ■ 9 chaponner ■ 10 sopraniste ■ 11 bistournage ■ 12 émasculation.
CASTRISME : 9 castriste.
CASUARINALE : 9 casuarine.
CASUISTE : 7 escobar.
CATABOLISME : 10 catabolite ■ 11 catabolique.
CATABOLYSME : 11 cataclysmal ■ 13 cataclysmique.
CATACLYSME : 6 séisme ■ 10 dénouement, inondation ■ 11 catastrophe.
CATACOMBES : 9 cimetière ■ 10 souterrain.
CATADIOPTRE : 9 cataphote.
CATAIRE : 6 népéta, népète ■ 13 herbe-aux-chats.
CATALAN : 2 oc ■ 9 verdaguer.
CATALEPSIE : 9 paralysie ■ 12 cataleptique ■ 13 insensibilité ■ 15 engourdissement.
CATALOGUE : 4 rôle ■ 5 index, liste, rôlet ■ 8 rubrique ■ 10 catalogage, cataloguer, éthogramme, nobillaire, répertoire ■ 11 martyrologe ■ 12 expurgatoire.
CATALYSANT : 9 hydrolage.
CATALYSE : 8 activeur ■ 9 catalyser, desmolase, promoteur ■ 10 catalyseur ■ 11 catalytique, transférase ■ 12 régénérateur, transaminase.

CATALYSEUR : **8** catergol ■ **13** hydrocraquage.
CATAPLASME : **8** rigollot.
CATAPLEXIE : **13** cataplectique.
CATAPULTE : **10** catapulter.
CATARACTE : **5** chute.
CATARE : **6** népéta.
CATARRHE : **5** rhume ■ **9** catarrhal ■ **10** catarrheux, monfondure.
CATARRHINIEN : **11** anthropoïde ■ **13** cercopithèque*.
CATASTROPHE : **5** dramc, flćau, ruine ■ **7** malheur* ■ **8** calamité, désastre ■ **9** précipice ■ **10** apocalypse, cataclysme, dénouement ■ **13** consternation ■ **14** catastrophique.
CATASTROPHISME : **14** catastrophique.
CATATONIE : **11** catatonique.
CATCH : **5** lutte ■ **7** catcher ■ **8** catcheur.
CATECHISER : **7** prêcher ■ **10** catéchisme, catéchiste ■ **11** endoctriner ■ **13** catéchisation, catéchistique.
CATECHOLAMIE : **8** dopamine ■ **10** sérotonine.
CATECHUMENE : **12** catéchuménat.
CATEGORIE : **4** race, rang ■ **5** autre, étage, genre, ordre, série ■ **6** classe, couche, espèce ■ **7** branche, mi-lourd, mi-moyen, section, variété ■ **8** division, engeance ■ **9** générique, sous-genre, sous-ordre, taxologie ■ **10** classement, classifier ■ **11** bourgeoisie, catégoriser, subdivision ■ **14** catégorisation, classification, compartimenter, numerus clausus.
CATEGORIQUE : **3** net ■ **5** clair ■ **6** entier, précis ■ **7** évident, positif* ■ **9** équivoque, explicite ■ **10** dogmatique, réaffirmer ■ **15** catégoriquement.
CATHARE : **7** patarin ■ **8** bogomile ■ **10** catharisme.
CATHEDRALE : **6** église* ■ **10** baptistère.
CATHETERISME : **7** sondage.
CATHODE : **4** bêta ■ **5** rayon ■ **10** cathodique ■ **12** photocathode ■ **14** électro-positif.
CATHOLIQUE : **4** aube, laps, pape, tala ■ **5** bible, lapsi, latin, ligue ■ **7** conopée, melkite, papiste ■ **8** acolytat, maronite, melchite, pauliste ■ **9** puséyisme ■ **10** hyperdulie, mariologie ■ **11** catholicité ■ **14** catholiquement ■ **15** néo-catholicisme, vieux-catholique.
CATI : **5** catir.
CATIN : **7** roulure ■ **10** prostituée.
CATION : **10** cationique.
CATIR : **9** catissage.
CAUCASE : **14** transcaucasien.
CAUCASIEN : **6** képhir, ossète ■ **8** arménien, géorgien ■ **10** caucasique ■ **14** transcaucasien.
CAUCHEMAR : **4** rêve ■ **12** cauchemarder ■ **13** cauchemardeux ■ **15** cauchemardesque.
CAUSALITE : **12** déterminisme.
CAUSE : **2** de, vu ■ **3** car, fin, par, sur ■ **4** dont, idée, lieu, mana, mère, pour, rôle, sous ■ **5** aussi, comme, effet, germe, motif*, objet, sujet ■ **6** exposé, mobile, propos, raison*, source ■ **7** artisan, matière, origine, pour que, pro domo, puisque, semence ■ **8** occasion, parce que, pourquoi, prétexte, principe, procurer ■ **9** causalité, déduction, docimasie, étiologie, filiation, fondement, iatrogène, induction, intention, métonymie, mortifère, procédure ■ **10** téléologie ■ **11** explication, présomption, pluricausal, prospective ■ **12** métaphysique, psychogenèse, raisonnement, thanatologie ■ **13** détermination, étant donné que ■ **15** occasionnalisme.

CAUSER : 5 cause, cuire, faire, geler, gêner, jaser, mener, péril, peser ■ 6 amener, brûler, coûter, donner, navrer, parler*, peiner, porter ■ 7 alarmer, attirer, blesser, charmer, causeur, décider, étioler, influer, irriter, picoter, réjouir, ulcérer ■ 8 affliger, apporter, conduire, déchirer, dégoûter, démanger, dépasser, déplaire, emporter, enrhumer, exténuer, fatiguer, jaspiner, produire*, proposer, recauser, soulever, suggérer, susciter, troubler, tuméfier ■ 9 angoisser, asphyxier, commander, confondre, constiper, distendre, entraîner*, expliquer, gangréner, impliquer, polariser, provoquer*, renverser, stupéfier, surpasser, tenailler ■ 10 accidenter, contrarier, contribuer, contrister, désobliger, déterminer, émotionner, endommager, entretenir, estomaquer, horripiler, incommoder, influencer, poignarder, satisfaire, tourmenter ■ 11 bouleverser, chatouiller, courbaturer, embarrasser, occasionner*, prédisposer ■ 13 déséquilibrer, révolutionner.

CAUSERIE : 8 causette ■ 10 conférence ■ 12 conversation.

CAUSETTE : 12 conversation.

CAUSEUR : 5 verve ■ 9 babillard.

CAUSSES : 10 caussenard.

CAUSTIQUE : 5 acéré, soude ■ 7 adurent, moqueur, mordant, potasse, sublimé ■ 8 corrosif, créosote, décapant ■ 9 corrosion, mordacité, mordicant ■ 10 causticité, cautériser, diurétique ■ 11 escarotique ■ 12 phagédénique.

CAUTELEUX : 7 cautèle, méfiant ■ 9 hypocrite.

CAUTERE : 4 moxa ■ 8 exutoire ■ 10 ulcération ■ 13 thermocautère ■ 14 électrocautère, galvanocautère.

CAUTERISER : 6 brûler ■ 7 adurent, brûlant, brûlure ■ 8 adustion, consumer ■ 10 consomptif ■ 12 ignipuncture ■ 13 cautérisation.

CAUTION : 6 sûreté ■ 8 garantie* ■ 9 répondant ■ 11 fidéjusseur, fidéjussion ■ 13 cautionnement, cofidéjusseur.

CAVALCADE : 6 défilé ■ 10 chevauchée.

CAVALE : 6 cheval, jument ■ 8 cavaleur.

CAVALERIE : 4 arme ■ 5 armet, carré, latte ■ 6 dragon, fanion, guidon ■ 7 brigade, carabin, cosaque, hussard, lancier, maghzen, makhzen, peloton ■ 8 carabine, cornette, escadron, étendard, fantasia, régiment, stradiot ■ 9 chabraque, estradiot, hipparque ■ 10 bouteselle, cuirassier, hipparchie, horseguard ■ 11 chevau-léger.

CAVALIER : 3 osé ■ 4 rêne ■ 5 guide, piste, selle, spahi, uhlan ■ 6 croate, dragon, reître ■ 7 amazone, carabin, cosaque, coureur, cravate, goumier, hussard, lancier, polaque, picador, reprise, vedette ■ 8 argoulet, chasseur, gendarme, insolent, mameluk, mirliton, parcours, sigisbée, stradiot ■ 9 chevalier, éclaireur, estafette, estradiot, fourrager, quadrille, sous-verge ■ 10 carabinier, cuirassier, fourrageur, sabretache ■ 11 arquebusier, cataphracte, chevau-léger, garde-manège, mitrailleur ■ 12 maréchaussée, mousquetaire ■ 13 cavalièrement, couleuvrinier.

CAVE : 3 rat, tin ■ 4 chai, silo ■ 5 craie, creux, cueva, vinée ■ 6 cavage, caveau, cuvier, rentré, trappe ■ 7 caviste, cellier, cuverie, décaver, encaver, sous-sol ■ 8 descente, échappée, escalier, glacière ■ 9 carnotset, carnotzet, soupirail ■ 10 souterrain* ■ 11 vendangeoir.

CAVEAU : 4 cave ■ 5 tombe ■ 10 souterrain.

CAVER : 11 approfondir.

CAVERNE : 3 abri ■ 5 antre, baume ■ 6 grotte ■ 9 caverneux, cavitaire ■ 10 troglodyte ■ 11 spéléologie ■ 14 biospéléologie.

CAVET : 5 congé.

CAVIARDER : 7 effacer ■ 10 caviardage.

CAVICORNE : 5 ovidé.
CAVITE : 3 sac ■ 4 abri, loge, méat, mine, trou*, vide ■ 5 abcès, antre, auget, boîte, crâne, creux*, fosse, fossé, glène, larme, paroi, plein, poche, ravin, sinus, voûte ■ 6 anglet, caisse, côtier, grotte, orbite, réduit, septum, spider, thorax, tympan ■ 7 alvéole, caverne, chambre, cœlome, flegmon, gouffre, magasin, nombril, saccule, tanière, terrier, vacuole ■ 8 aisselle, barillet, bassinet, cachette, caldeira, casemate, creusure, fossette, glénoïde, phlegmon, rocaille, tranchée, turcique, utricule ■ 9 acétabule, concavité, cotyloïde, endocarde, endoscope, enfonçure, entonnoir, glénoïdal, lacunaire, péritoine, réservoir, retassure, soufflure, vestibule* ■ 10 cavitation, dilatateur, endoscopie, excavation, flatulence, linguatule, obturation, oreillette, préchambre, souterrain, tarabiscot, trembleuse ■ 11 biloculaire, cardiotomie, conceptacle, diverticule ■ 12 amniocentèse, arthroscopie ■ 13 anfractuosité.
CEANS : 3 ici.
CEBIDE : 4 saki ■ 5 atèle, sajou ■ 7 alouate, hurleur, sagoui, saïmiri, sapajou, tamarin ■ 8 ouistiti ■ 13 nyctipithèque.
CECIDIE : 5 galle.
CECITE : 8 amaurose ■ 9 cataracte ■ 11 aveuglement.
CEDE : 9 paniquard.
CEDER : 4 fuir ■ 5 caler, caner, filer, obéir*, plier, pouce ■ 6 cédant, lâcher, livrer, mollir, prêter, rendre, rompre*, vendre ■ 7 accéder, baisser, changer, courber, déférer, déposer, écouter, exaucer, faiblir, faillir, fléchir*, laisser, reculer*, traiter ■ 8 abaisser, abdiquer, accepter, accorder, arbitrer, caponner, cessible, composer, concéder, désarmer, fourguer, humilier, incliner, octroyer, pactiser, relâcher, renoncer*, résigner, résister ■ 9 accrocher, capituler, chanceler, consentir, déchanter, défaillir, dessaisir, permettre, sacrifier, soumettre, succomber, transiger ■ 10 abandonner*, accommoder, acquiescer, incessible, obtempérer, rétrocéder ■ 11 cessibilité, sous-traiter, transmettre, transporter ■ 12 compromettre, condescendre ■ 13 incessibilité ■ 14 condescendance.
CEDRAT : 9 cédratier.
CEDRE : 7 cédraie ■ 8 cédrière.
CEDULE : 5 fiche ■ 9 cédulaire.
CEGEP : 8 cégépien.
CEINDRE : 7 boucler ■ 8 entourer ■ 9 embrasser.
CEINTURE : 3 dan, obi ■ 4 zona, zone ■ 5 bande, ceste, congé, gaine, giron, pagne, ruban, train ■ 6 cercle, cilice, pochon, sangle, taille ■ 7 bandage, écharpe, fermail ■ 8 baudrier, parurier, pantalon, taillole, taillote ■ 9 aumônière, bauquière, ceinturer, ceinturon, clavicule, porte-épée, pourpoint ■ 10 ceinturage, cordelière, escarcelle, martingale ■ 11 buffleterie ■ 12 cartouchière.
CENTURION : 7 bélière ■ 8 ceinture ■ 10 sabretache ■ 15 porte-baïonnette.
CELADON : 4 vert ■ 5 amant.
CELASTRACEE : 3 qat ■ 4 khat.
CELEBRATION : 4 noce ■ 7 mariage, service ■ 9 cérémonie*, programme ■ 11 épousailles, stationnale ■ 12 illumination ■ 14 concélébration, sanctification.
CELEBRE : 5 amour, éclat, renom ■ 6 réputé* ■ 7 inconnu, renommé ■ 8 dynastie, éclatant, glorieux, illustre, laudatif, renommée* ■ 9 célébrité, superstar ■ 10 réputation.
CELEBRER : 4 dire ■ 5 faire, fêter, louer ■ 6 amuser, chômer, vanter* ■

7 chanter, fiancer, prêcher ■ 8 entonner, officier, pavoiser ■ 9 glorifier, illuminer, illustrer ■ 10 distinguer, sanctifier, solenniser, tympaniser ■ 11 célébration, concélébrer.
CELEBRITE : 5 lancé.
CELER : 5 taire ■ 6 cacher*.
CELERI : 4 ache.
CELERIFERE : 10 vélocifère.
CELERITE : 4 vite ■ 7 lenteur, vitesse* ■ 8 rapidité, vélocité* ■ 11 promptitude*.
CELESTE : 4 noël, nova, pôle ■ 5 astre, divin, éther, manne, nadir, voûte ■ 7 planète ■ 8 méridien, séraphin, zodiaque ■ 9 ascension ■ 10 navisphère.
CELIBATAIRE : 6 garçon ■ 7 célibat ■ 11 garçonnière.
CELLA : 6 tholos.
CELLIER : 4 cave ■ 9 cellerier.
CELLOPHANE : 7 viscose.
CELLULAIRE : 7 amitose, pycnose ■ 8 cytolyse ■ 9 porophore ■ 12 cytostatique.
CELLULE : 4 bloc, crib, glie, méat, œuf, soma, tôle ■ 5 asque, celle, fibre, geôle, noyau, oïdie, ovule, spore, taule ■ 6 baside, cachot, gamète, germen, in-pace, méiose, mitose, nucléé, oocyte, prison*, thèque, violon, zygote ■ 7 agamète, cabanon, clonage, flegmon, globule, logette, microbe, neurone, ovocyte, stratum, synapse, vacuole, vacuome ■ 8 anaphase, apogamie, dendrite, dicaryon, diploïde, feuillet, gonocyte, haploïde, opercule, organite, ovogonie, phlegmon, plasmode, prophase ■ 9 anaplasie, archégone, avionneur, cellulite, cytologie, hybridome, kalicytie, mélaocyte, métaphase, myélocyte, néoblaste, nucléique, organelle, oubliette, pannicule, phagocyte, propagule, synergide, triploïde, vibratile ■ 10 anthéridie, basse-fosse, blastomère, canalicule, cellulaire, chromatine, chromosome, cytochrome, cytolytique, cytoplasme, épithélium, gamétocyte, hépatocyte, histiocyte, interphase, microphage, pinocytose, plasmocyte, totipotent ■ 11 blastoderme, caryocinèse, fibroblaste, hémoglobine, myéloblasme, myélogramme, neuroblaste, neutrophile, ostéoblaste, ostéoclaste, polyploïdie, totipotence ■ 12 achromatique, cholestérine, cytobiologie, cytostatique, embryonnaire, irritabilité, isochronisme, lymphoblaste, photocathode, promyélocyte, spermatocyte ■ 13 chondroblaste, érythroblaste, érythropoïèse, mégacaryocyte, métamyélocyte, polynucléaire, prolifération, spermatogonie, unicellulaire ■ 14 cytodiagnostic, kératinisation, nucléoprotéine, photorécepteur, spermatogenèse ■ 15 acétylcellulose, immunocompétent, intercellulaire, intracellulaire, multicellulaire, oligodendroglie, pluricellulaire.
CELLULITE : 12 cellulitique.
CELLULOID : 7 camphre, rhodoïd.
CELLULOSE : 3 cal ■ 4 soie ■ 6 rhodia ■ 7 kleenex, viscose ■ 8 pyroxyde ■ 9 pellicule, presspahn ■ 10 cellophane ■ 11 collenchyme ■ 12 cellulosique, polyholoside ■ 14 acétocellulose, nitrocellulose, polysaccharide ■ 15 acétylcellulose.
CELTE : 4 ogam ■ 5 barde, ogham, rogue, vouge ■ 6 eubage, sylphe ■ 7 gallois, gaulois ■ 8 celtique, cornique, gaélique ■ 9 celtisant, irlandais ■ 11 brittonique, néo-celtique.
CELTIQUE : 8 triskèle.
CELTIUM : 7 hafnium.
CEMBRO : 4 arol ■ 5 arole ■ 6 arolle.
CEMENTATION : 9 cémenteux ■ 12 calorisation, chromisation ■ 13 sul-

finisation ■ 14 shérardisation.
CENACLE : 4 club ■ 6 cercle.
CENDRE : 4 iode, urne ■ 5 arcot, mégis, soude ■ 7 cendrer, charrée, fraisil, spodite, védasse ■ 8 cendreux, cendrier, cendrure, cinérite, gravelée, mâchefer, reliques ■ 9 cinéraire, incinérer ■ 10 escarbille ■ 11 columbarium ■ 12 incinération ■ 13 carême-prenant.
CENDRILLON : 8 servante.
CENE : 5 agape.
CENESTHESIE : 14 cénesthopathie.
CENOBITE : 5 moine ■ 9 religieux ■ 11 cénobitique, cénobitisme.
CENOTAPHE : 5 tombe.
CENS : 5 impôt, sortie ■ 7 acenser, censier, censuel ■ 10 censitaire ■ 12 dénombrement.
CENSURE : 5 blâme ■ 7 censeur ■ 8 censorat, censurer, contrôle, critique, monition, punition ■ 9 caviarder, censorial ■ 10 censurable, suspension ■ 11 fulmination ■ 12 interdiction ■ 13 animadversion ■ 15 excommunication.
CENT : 4 hect ■ 5 centi, hecto ■ 6 arpent ■ 7 hectare ■ 8 centaine, centième, centuple ■ 9 centenier, centennal, centupler, quarteron ■ 10 centenaire, centésimal, centigrade, centilitre, centimètre ■ 11 hectogramme, hectolitre, hectomètre, hectopièze.
CENTAURE : 10 bucentaure.
CENTAUREE : 5 bluet, jacée.
CENTENAIRE : 12 bicentenaire ■ 13 tricentenaire.
CENTIEME : 7 centille ■ 8 centiare, groschen ■ 10 centenaire, centilitre, centimètre ■ 11 centigramme.
CENTIGRAMME : 2 cg ■ 5 obole.
CENTILITRE : 2 cl ■ 5 pinte.
CENTILE : 9 centilage.
CENTIME : 9 picaillon.
CENTIMETRE : 2 cm ■ 5 gauss, poids ■ 8 klystron.
CENT MILLE : 4 lack, lakh.
CENTRAGE : 8 centreur.
CENTRAL : 3 âme, axe ■ 4 cité ■ 5 cœur, flanc, noyau, ronde ■ 7 faîtier, ombilic ■ 8 graviter, pivotant ■ 9 centriole, intérieur, piétement ■ 10 barysphère, permanence ■ 13 circumduction.
CENTRALE : 5 kreml ■ 7 kremlin.
CENTRALISER : 5 levée ■ 9 palonnier ■ 14 centralisateur.
CENTRALISME : 11 centraliste.
CENTRE : 3 âme, axe, c.a.t., c.h.s., c.h.u. ■ 4 base, nife, roue, sein, show, tore ■ 5 appui, arène, berre, cœur, écart, entée, foyer, giron, lagon, mèche, mitan, nœud, noyau, ogive, point, rayon, siège ■ 6 milieu* ■ 7 centrer, cerveau, cyclone ■ 8 aéroclub, apothème, banlieue, centrage, centreur, cervelet, échiffre, excentré, œillard ■ 9 centriste, citadelle, encéphale, excentrer, lactarium, recentrer ■ 10 avant-centre, barycentre, bourbillon, centrifuge, centripède, concentrer, homocentre, polyarchie, technopole ■ 11 anticyclone, centraliser, déchetterie, excentrique ■ 12 concentrique, décentration, décentrement, égocentrique, excentration, excentricité, géocentrique ■ 13 homocentrique, polycentrique, polycentrisme, théocentrisme ■ 14 archiconfrérie, ville-satellite.
CENTRIFUGE : 7 turbine ■ 10 turbopompe ■ 11 centrifuger ■ 12 centrifugeur ■ 14 centrifugation.
CENTROSOME : 8 organite ■ 9 centriole.
CENTURION : 8 centurie ■ 9 primipile ■ 12 primipilaire.

CEP : 4 orne ■ 5 vigne ■ 7 treille ■ 8 ouillère, oullière ■ 9 ouillière.

CEPAGE : 3 cep ■ 4 foxé ■ 5 cépée, gamay, gamet, gouet, strah ■ 6 malbec, merlot, provin ■ 7 aligoté, picpoul ■ 8 cabernet, grenache, picardan, picpoule, riesling, sémillon, sylvaner ■ 9 chardonay, grosplant, sauvignon ■ 10 chardonnay, picpouille ■ 14 lacryma christi ■ 15 gewurtztraminer.

CEPENDANT : 8 pourtant ■ 9 néanmoins, toutefois ■ 10 nonobstant.

CEPHALIQUE : 9 chélicère.

CEPHALOPODE : 7 nautile ■ 8 décapode*, octopode* ■ 9 argonaute, bélemnite.

CEPHALO-RACHIDIEN : 10 ventricule.

CERAMBYCIDE : 8 ægosome, cérambyx ■ 10 capricorne, coléoptère.

CERAMIQUE : 4 grès ■ 5 terre ■ 6 cermet, jacket ■ 7 ferrite, zellige ■ 8 engobage, tesselle ■ 9 céramiste, faïençage ■ 10 varistance ■ 11 pourrissage ■ 13 céramographie ■ 14 vitrocéramique.

CERAMISTE : 8 alandier.

CERCEAU : 6 cercle ■ 9 épuisette, troubleau.

CERCLE : 3 arc, fer ■ 4 club, halo, jonc, lobe, lune, orbe, rond*, tore, zone ■ 5 cavet, cerne, jante, limbe, mille, nimbe, rayon, rouet, sinus ■ 6 anneau, aréole, boucle, courbe*, frette, listel, liston, octant, orbite, sphère, tortil, virole ■ 7 auréole, bandage, cénacle, cerceau, cercler, clubman, collier, contour, horizon, listeau, sécante, secteur ■ 8 cerclage, cerclier, chapelle, couronne, diallèle, diamètre, épicycle, équateur, méridien, quadrant, sommager, tropique ■ 9 décercler, encercler, entourage, exinscrit, feuillard, parallèle, recercler ■ 10 armillaire, circulaire, demi-cercle, écliptique, embouchoir ■ 11 association, contorniate, excentrique ■ 12 almicantarat ■ 13 circonférence, homocentrique ■ 14 circulairement.

CERCOPITHECIDE : 6 colobe, guenon, papion ■ 7 babouin, macaque ■ 8 mandrill ■ 9 hamadryas ■ 11 cynocéphale ■ 13 cercopithèque, semnopithèque.

CERCOPITHEQUE : 6 guenon, vervet ■ 7 babouin, macaque.

CERCUEIL : 5 bière, poêle, sapin ■ 10 catafalque, sarcophage.

CEREALE : 3 blé, riz ■ 4 bale, maïs, orge ■ 5 biser, fonio, gerbe, grêle, gruau, panic ■ 6 avoine, millet, muesli, nielle, playon, pleyon, seigle, sorgho ■ 7 alpiste, cuscute, engrain, froment, javelle, rouille ■ 8 batteuse, épeautre, sarrasin ■ 9 céréalier, engreneur, ventaison ■ 14 céréaliculture.

CEREBRAL : 3 i.m.c. ■ 7 cerveau* ■ 10 décortiqué, hémiplégie ■ 11 amphétamine, stéréotaxie ■ 13 cérébrospinal, craniosténose, rhinencéphale.

CEREBRO SPINAL : 7 névraxe.

CEREMONIAL : 4 rite ■ 5 règle ■ 7 apparat ■ 9 étiquette*, protocole* ■ 13 récipiendaire.

CEREMONIE : 3 ban ■ 4 cène, fête*, frac, gala, rite ■ 5 canon, culte, éphod, masse, messe, pompe, prise, revue, sacre, tiare, trône ■ 6 défilé, jubilé, rituel, trabée, vêture, youyou ■ 7 apparat, baptême, cortège, mariage, onction, service, tonsure ■ 8 ablution, dédicace, festival, judaïser, libation, liturgie, obsèque, offrande, solennel, triomphe ■ 9 aspersion, baisemain, bar-mitsva, caparaçon, étiquette, exorcisme, expiation, politesse, protocole, réception, solennité ■ 10 centenaire, cérémonial, cérémoniel, exécration, initiation, lustration, ordination, pèlerinage, queue-de-pie ■ 11 bénédiction, célébration, cérémonieux, conjuration, enterrement, funérailles, investiture, lectisterne, relevailles ■ 12 anniversaire, circoncision, consécration,

couronnement, inauguration, installation, purification, queue-de-morue ■ 13 commémoration, intronisation.
CEREMONIEUX : 10 formaliste ■ 12 révérencieux.
CERF : 3 cor ■ 4 axis, daim, élan, époi, faon, hère, réer, sika ■ 5 abois, alcès, biche, dague, hampe, harde, larme, menée, raire, renne ■ 6 bramer, daguet, raller, ramure, wapiti ■ 7 dix-cors, fanfare, harpail, muntjac, orignal, paumure, troches ■ 8 broquart, cariacou, trochure ■ 9 abattures, bramement, cervaison, décousure, empaumure, harpaille, randonnée ■ 10 andouiller.
CERF-VOLANT : 6 lucane.
CERISE : 5 gobet ■ 6 cherry, guigne, merise ■ 7 azerole, coulard, griotte, marasca ■ 8 cerisaie, cerisier, clafouti, guignier, marasque, merisier ■ 9 anthonome, bigarreau, cerisette, clafoutis, griottier, malphigie, reverchon ■ 10 bigaudelle ■ 11 courte-queue, gros-cœuret, montmorency ■ 13 cœur-de-pigeon.
CERIUM : 2 ce ■ 6 cérite ■ 8 monazite ■ 11 ferrocérium.
CERNE : 4 rond.
CERNER : 7 bloquer ■ 8 assiéger, entourer, investir ■ 9 encercler.
CERTAIN : 2 un ■ 3 sûr*, tel ■ 4 réel*, vrai* ■ 5 clair, connu, couru, dogme, exact* ■ 6 assuré, formel, patent ■ 7 décisif, évident, notoire, parfait, positif*, visible ■ 8 fabuleux, officiel ■ 9 certifier, certitude*, confirmer, contredit, manifeste, rationnel ■ 10 dogmatique, historique, incontesté, indéniable, nécessaire, temporaire ■ 11 authentique, indubitable, infaillible, péremptoire ■ 12 certainement ■ 15 pathognomonique.
CERTES : 10 assurément ■ 12 certainement.
CERTIFICAT : 3 c.a.p., p.c.b. ■ 5 c.a.p.e.s., c.a.p.e.t., titre ■ 6 brevet, parère, preuve ■ 7 licence, verdict ■ 8 certifié ■ 9 passeport ■ 10 enrôlement ■ 11 attestation, capacitaire.
CERTIFIER : 7 assurer, prouver, vidimer ■ 8 admettre, affirmer*, attester ■ 9 confirmer, constater, démontrer, légaliser, persuader ■ 10 acertainer, convaincre ■ 11 reconnaître ■ 12 authentifier, authentiquer.
CERTITUDE : 3 fois ■ 5 dogme, doute ■ 6 absolu, axiome, oracle, preuve, sûreté, vérité ■ 7 réalité, système ■ 8 croyance, doctrine, évidence, mystique, théorème ■ 9 assurance*, bien-fondé, nécessité, prophétie ■ 10 conviction, dogmatisme, exactitude ■ 11 affirmation, attestation, incertitude ■ 12 authenticité, confirmation, constatation ■ 13 démonstration.
CERUMEN : 4 cire ■ 10 cérumineux.
CERUSE : 9 lithopone.
CERVEAU : 4 case, ivre, lobe, tête* ■ 5 bulbe, crâne, rhume, siège, toque ■ 6 écorce ■ 7 pie-mère ■ 8 atrophie, cérébral, cervelas, cervelet, cervelle, dure-mère, pallidum, scissure, thalamus ■ 9 encéphale*, lobotomie, nystagmus, occipital, vincamine ■ 10 décérébrer, épisphérie, hémisphère ■ 11 cérébralité, encéphaline, enképhaline ■ 12 anencéphalie, hypothalamus, intelligence ■ 13 encéphalalgie.
CERVELET : 6 écorce, vermis ■ 8 purkinje ■ 11 cérébelleux ■ 12 métencéphale ■ 13 équilibration.
CERVELLE : 7 caisson ■ 10 décerveler.
CERVICALE : 9 odontoïde.
CERVIDE : 4 axis, cerf, daim, élan, faon, sika ■ 5 alcès, biche, renne ■ 7 caribou, cervule, orignal ■ 9 chevrette, chevreuil, harpaille, porte-musc ■ 10 andouiller, chevrotain, tragélaphe.
CESALPINIACEE : 5 copal ■ 6 févier, cassie ■ 7 cassier, copaïer, copayer, gainier, tamarin, tamaris ■ 8 campêche, tchitola ■ 9 brésillet,

caroubier, courbaril ■ **10** canéficier, tamarinier ■ **11** césalpiniée, légumineuse ■ **12** hœmatoxylon.

CESARIENNE : **9** césariser.

CESSATION : **3** fin ■ **4** mort, plus ■ **5** arrêt, chute, délai, férié, grève, répit, repos, trève ■ **6** relais ■ **7** chômage, intérim, relâche, silence, vacance ■ **8** apyrexie, désamour, entracte, faillite, non-usage ■ **9** armistice, rémission ■ **10** annulation, boycottage, extinction, inactivité, péremption, rémittence, suspension ■ **11** ablactation, suppression ■ **12** dégonflement, intermission, interruption, prescription ■ **13** désaliénation, désenchantement, discontinuité, intermittence.

CESSE : **5** repos ■ **8** retraite ■ **9** incessant, perpétuel ■ **10** turlutaine ■ **11** sempiternel.

CESSER : **4** ôter ■ **5** finir*, lever, tarir ■ **6** briser, chômer, clamer, lâcher, mourir, passer, sortir, tomber, vaquer ■ **7** aboutir, apaiser, arrêter, dégeler, expirer, laisser, limiter, manquer, périmer, quitter, refuser, relayer, reposer*, retirer ■ **8** abstenir, débrayer, démentir, demeurer, désarmer, détendre, détruire, dissiper, éclipser, éteindre, évanouir, négliger, relâcher, renoncer, terminer ■ **9** continuer, décolérer, démutiser, désemplir, désenfler, dessouler, réveiller, supprimer, suspendre ■ **10** complainte, départager, désabonner, désaliéner, dessaouler ■ **11** décomprimer, déconnecter, désengrener, déshabituer, désinvestir, disparaître, interrompre ■ **12** décontracter, désectoriser, désenflammer, discontinuer, indéfectible ■ **13** dépressuriser, désaccoutumer, désolidariser ■ **15** décongestionner, désaffectionner.

CESSION : **5** fuite, vente ■ **7** chamade ■ **10** concession ■ **11** renoncement ■ **12** capitulation, cessionnaire ■ **15** dessaisissement.

C'EST-A-DIRE : **5** id est.

CESTODE : **5** ténia ■ **6** cénure, taenia ■ **7** cœnure ■ **10** proglottis ■ **11** échinocoque.

CESURE : **5** repos ■ **7** coupure ■ **10** hémistiche.

CETACE : **5** évent, orque ■ **6** béluga, narval, requin, squale ■ **7** baleine, bélouga, dauphin, jubarte, physale, rorqual ■ **8** cachalot, épaulard, marsouin ■ **9** mégaptère, mysticète, physétère, souffleur ■ **10** delphinidé ■ **11** balénoptère ■ **13** élasmothérium, métaxythérium.

CETONE : **5** imine ■ **6** cétose ■ **8** dicétone ■ **9** cétonique.

CETONIQUE : **9** cétonémie, cétonurie ■ **11** acidocétose.

CEUX : **5** iceux.

CEVENNES : **6** gardon.

CEYLANAIS : **9** cannelier ■ **10** cinghalais, sri lankais.

C.G.S. : **4** dyne ■ **5** barye, gauss ■ **9** cégésimal.

CHABOT : **5** cotte.

CHACAL : **7** coyotte, crabier.

CHACONNE : **11** passacaille.

CHACUN : **6** chaque.

CHAFOUIN : **8** sournois.

CHAGRIN : **3** mal ■ **4** fiel, mort, sort ■ **5** dépit, deuil, ennui, nuage, peine*, serré, souci ■ **6** cafard, dégoût, piteux, regret, spleen, transi, triste ■ **7** anxiété, anxieux, déboire, douleur*, émotion, épreuve, fardeau, inquiet, lugubre, pénible, sanglot, trouble ■ **8** amertume, angoisse, chagriné, déplaire, embarras, jalousie, langueur, maussade, plaintif, secousse, tourment* ■ **9** chagriner, déplaisir, désespoir, larmoyant, nostalgie, regretter, tristesse* ■ **10** abattement, affliction, chagrinant, crève-cœur, désolation, inquiétude, mélancolie, souffrance* ■ **11** accablement, atrabilaire, contretemps, désespérant, froissement, humiliation, lamentation, misanthrope, tribulation ■ **12** misanthropie ■

13 consternation, préoccupation.
CHAGRINER: 5 gémir, vexer ■ 6 navrer, peiner* ■ 7 abattre, blesser, dépiter, désoler, ennuyer, languir, pleurer, secouer ■ 8 accabler, affliger, décevoir, dégoûter, déplorer, émouvoir, froisser, humilier, lamenter, plaindre, souffrir, troubler ■ 9 angoisser, attrister, mortifier, regretter, sangloter ■ 10 chiffonner, contrarier, désespérer, tourmenter ■ 12 désappointer, désenchanter ■ 14 désillusionner.
CHAHUT: 5 bruit ■ 6 sabbat, tapage* ■ 7 tumulte* ■ 8 chambard ■ 9 bacchanal, chahuteur ■ 10 cacophonie.
CHAINE: 3 paf ■ 4 fers, lice, licn* ■ 5 basin, fusée, gatte, godet, jambe, jouet, lisse, liure, nabot, noria, récif, tissu, touée, touer, trame, ■ 6 anneau, boucle, carcan, maille ■ 7 acatène, alganon, chaîner, chaînon, clavier, collier, jaseran, maillon, manille, paillon, rosaire, sautoir, zapping ■ 8 brancade, chaînage, chaîneur, chaînier, chapelet, cyclique, ensouple, léontine, mancelle, organsin, surjaler ■ 9 avant-mont, caténaire, chaînette, chaîniste, déchaîner, desmolase, enchaîner, giletière, gourmette, réticuler, tectogène ■ 10 chaînetier, châtelaine, contrefort, entrebande, étalinguer, étalingure, minichaîne, renchaîner, sauvegarde ■ 11 ferronnière, rentraiture ■ 12 cyclisation, désenchaîner, homocyclique ■ 13 transtraîncur.
CHAIR: 3 vif ■ 4 carné, dodu, lama, muge, plie, porc, salé, sole, veau ■ 5 bœuf, carne, corps, fibre, gobie, héron, lande, melon, morue, mulet, omble, pagel, pagre, pavie, plaie, pulpe, renne, vache, verbe ■ 6 charnu, fraise, viande* ■ 7 bidoche, cerneau, charnel ■ 8 acharner, barbaque, boulette, cervelas, charnage, charnier, charogne, écharner, incarnat, incarner, taillade, venaison, zoophage ■ 9 carnation, carnivore, carnosité, caroncule, créophage, décharner, omophagie, zoophagie ■ 10 anaplérose, carnassier, morbidesse ■ 11 aiguillette ■ 12 phagédénique ■ 13 anthropophage, carnification ■ 14 anthropophagie.
CHAIRE: 6 minbar ■ 7 estrade ■ 8 abat-voix, cathèdre ■ 10 homilétique.
CHAISE: 4 agui ■ 5 siège ■ 7 litière, transat ■ 8 chaisier, duchesse ■ 9 filanzane, palanquin, pelle-à-cul ■ 10 chauffeuse, méridienne ■ 11 vinaigrette ■ 15 sedia gestatoria, transatlantique.
CHALAND: 4 acon ■ 5 accon, coche, haler, navée ■ 6 client, flette ■ 7 mahonne, péniche ■ 8 acheteur, poussage ■ 10 chalandise ■ 11 marie-salope.
CHALAZE: 4 œuf ■ 8 anatrope.
CHALCOLITHIQUE: 12 énéolithique.
CHALE: 5 fichu, taled, tweed ■ 6 taleth, talith, tartan ■ 7 talleth, tallith ■ 9 cachemire.
CHALET: 5 buron, villa.
CHALEUR: 2 th ■ 3 feu*, vie ■ 4 brio, cosy, zèle ■ 5 aoûté, chaud, crier, degré, étuve, force, froid, fuser, invar, joule, métal, rôtir, sauna, suage, verve ■ 6 ardeur, cowper, fièvre, téflon, tiaffe ■ 7 aramide, calorie, ferveur, isolant, passion, thermie ■ 8 canicule, cracking, déclamer, échauffé, frigorie, thermite ■ 9 animation, athermane, calorique, chauffage, dégourdir, digesteur, échangeur, échauffer, enthalpie, thermidor, thermique ■ 10 athermique, calorifère, calorifuge, chaleureux, chauffe-lit, conducteur, conduction, diathermie, dilatation, échauffant, géothermie, oxhydrique, réflecteur, résistance, réverbérer, thermicité, thermogène, thermolyse ■ 11 adiabatique, adiabatisme, caléfaction, caloporteur, calorifique, calorifuger, calorimètre, diathermane, kilocalorie, laboratoire, rebouilleur, réverbérant, température, thermogénie ■ 12 calorimétrie, coupellation, échauffement, enthousiasme, exothermique, géothermique, pyrogénation, récupéra-

teur, thermochimie, thermogenèse ■ 13 appertisation, caloriporteur, effervescence, endothermique, réfléchissant, réverbération, thermoformage ■ 14 calorification, conductibilité, thermothérapie ■ 15 géothermométrie, thermoplastique, thermorésistant.

CHALEUREUX: 4 zélé ■ 5 animé, chaud ■ 6 ardent ■ 7 fervent ■ 9 passionné ■ 12 effervescent, enthousiaste ■ 15 chaleureusement.

CHALLENGE: 10 challenger ■ 11 compétition.

CHALOIR: 10 intéresser.

CHALOUPE: 5 berge ■ 10 sardinière ■ 11 embarcation*.

CHALUMEAU: 4 tige ■ 5 flûte ■ 6 roseau, souder ■ 8 autogène ■ 10 oxycoupage, oxycoupeur ■ 15 oxyacétylénique.

CHALUT: 7 traille ■ 9 chalutage, chalutier.

CHALUTIER: 7 senneur.

CHAMAILLER: 8 dispute* ■ 10 chamaillis* ■ 11 chamailleur ■ 12 chamaillerie, échauffourée.

CHAMARRER: 5 orner ■ 8 barioler ■ 10 chamarrure ■ 11 passementer.

CHAMBARD: 6 chahut.

CHAMBARDER: 8 déranger ■ 9 renverser ■ 10 chambouler ■ 13 chambardement.

CHAMBOULER: 9 renverser ■ 13 chamboulement.

CHAMBRANLE: 5 gâche ■ 8 ébrasure ■ 13 dessus-de-porte.

CHAMBRE: 3 kot ■ 4 loge, lord, œuf, pair, pneu ■ 5 bouge, boyau, carré, étuve, garni, local*, pièce*, pompe, salon, salle*, sénat, turne ■ 6 alcôve, bureau, cabine, cachot, carrée, fumoir, office, piaule, ruelle, taudis ■ 7 boudoir, cabinet, cellule, cénacle, dépense, dortoir, galerie, galetas, locatif, parloir, placard ■ 8 camérier, chambrée, chambrer, logement, mansarde, oratoire, soufroir ■ 9 belvédère, chambrier, garde-robe, gloriette, pare-chocs, soubrette, vestiaire, vestibule ■ 10 chambrette, chambrière, chaufferie, hypocauste, réfectoire ■ 11 antichambre, appartement, monocaméral ■ 12 grand-chambre.

CHAMBRE A GAZ: 6 zyklon.

CHAMBRER: 8 enfermer.

CHAMBRIERE: 8 servante.

CHAMEAU: 5 amble ■ 6 méhari ■ 8 baraquer, blatérer, camélidé, chamelle, chamelon, vaisseau ■ 9 chamelier, méhariste ■ 10 dromadaire.

CHAMELON: 7 méchoui.

CHAMITO-SEMITIQUE: 11 couchitique.

CHAMOIS: 5 isard.

CHAMOISER: 8 palisson ■ 10 chamoisage, chamoiseur.

CHAMP: 4 raie, turf ■ 5 bande, barre, borne, fasce, fonds, fossé, gauss, mulot, palée, repos, rural, sanve, terme, terre ■ 6 champi, foiral ■ 7 champis, foirail, linière, rizière, roulage, sylvain ■ 8 campagne*, cavalier, échalier, épierrer, fumaison, pastoral, platière, rougeole, spergule ■ 9 bookmaker, champêtre, épierrage, fumeterre, mouillère, openfield, rogations, sélénoïde, stramoine, tréflière ■ 10 chènevière, coquelicot, garancière, hippodrome, luzernière ■ 11 dessolement, épierrement ■ 12 houblonnière.

CHAMPAGNE: 5 flûte, soyer ■ 8 chaource, extra dry, réhoboam ■ 9 chardonay, balthazar ■ 10 chardonnay, mathusalem, salmanazar ■ 11 champenoise ■ 12 champagniser ■ 14 nabuchodonosor ■ 15 champagnisation.

CHAMPETRE: 5 faune, pedum, rural ■ 7 agreste, flûtiau, musette ■ 8 arcadien, galoubet, pastoral, rustique ■ 9 bucolique, chalumeau, cornemuse, courtille ■ **10** delphinium.

CHAMPIGNON: **5** asque, favus, galle, hyphe, meule, oïdie, volve ■ **7** chapeau, discale, monilia ■ **8** dartrose, dicaryon, eumycète, fongoïde, hyménium, mycélium, oomycète*, parasite, pédicule, sclérote, tubérale ■ **9** apothécie, fongicide, fusariose, mucoracée, mycologie, mycologue, mycorhize, paraphyse, pédoncule, périthèce, psilocybe, souchette, spermatie, tréhalose, trompette, tubéracée, zoogamète ■ **10** armillaire, ascomycète*, fongiforme, hygrophore, moisissure, myxomycète*, rhizoctone ■ **11** actimomyces, foie-de-bœuf, phycomycète, rhizoctonie, siphomycète*, thallophyte ■ **12** actinomycose, antifongique, gibbérelline, pied-de-mouton ■ **13** basidiomycète*, champignonner, cryptogamique, gastéromycète, griséofulvine ■ **14** épidermomycose ■ **15** champignonnière, champignonniste.

CHAMPION: **9** critérium, défenseur, vainqueur ■ **11** championnat, compétition ■ **13** superchampion.

CHANCE: **4** aléa, coup, heur, raté, sort ■ **5** atout, filon, luire, veine, verni ■ **6** faveur, favori, guigne, hasard*, succès ■ **7** aubaine, bonheur, déveine, fortune, guignon, heureux, raccroc, veinard ■ **8** chançard, chanceux, favorisé, occasion ■ **9** aléatoire, malchance ■ **10** improbable, providence ■ **11** malchanceux, opportunité, probabilité.

CHANCELANT: **8** pécloter.

CHANCELER: **6** faible ■ **7** branler, tituber ■ **8** balancer*, chavirer, vaciller* ■ **9** flageoler ■ **10** chancelant ■ **13** valétudinaire.

CHANCELIER: **7** daterie ■ **9** scripteur ■ **11** chancelière ■ **12** chancellerie ■ **14** vice-chancelier.

CHANCIR: **6** moisir.

CHANCRE: **6** ronger ■ **8** syphilis ■ **10** chancrelle, ulcération.

CHANDAIL: **7** maillot, sweater, twinset ■ **8** cardigan, pull-over.

CHANDELIER: **4** bras ■ **6** lustre, menora ■ **7** bobèche ■ **8** applique, bougeoir, flambeau, martinet, torchère ■ **9** girandole ■ **10** candélabre.

CHANDELLE: **4** suif ■ **5** caque, mèche, moule, sabot ■ **6** bougie*, broche, cierge, oribus ■ **7** rognoir ■ **8** calbombe, flambeau, lumignon ■ **9** calebombe ■ **10** chandelier, mouchettes.

CHANFREIN: **8** délarder ■ **9** muserolle ■ **11** chanfreiner.

CHANGE: **4** pair, troc ■ **5** banco ■ **6** retour, soulte ■ **7** cambial, échange ■ **8** agiotage, cambiste, changeur, rechange, remisier, retraite ■ **9** réflexion ■ **10** couverture ■ **11** devise-titre, permutation ■ **12** réalignement.

CHANGEANT: **3** nué ■ **4** flou, mêlé ■ **5** léger, moire, opale ■ **6** divers, inégal, mâtiné, volage ■ **7** mélangé, panaché, variant ■ **8** caméléon, ellébore, ondoyant, uniforme, variable* ■ **9** accidenté, girouette, lunatique, permanent, versatile ■ **10** capricieux, hétérogène, inconstant, invariable, multiforme, tête-à-queue ■ **11** chatoiement, hétéroclite ■ **13** caméléonesque, gorge-de-pigeon.

CHANGEMENT: **3** mue ■ **5** crise, phase, saute, tiret, trope, volte ■ **6** avatar, espèce, labile, nuance, relais, retour, virage ■ **7** aulofée, évasion, évitage, débâcle, mélange, passage, réforme, variété ■ **8** baladeur, mutation, nutation, virement ■ **9** déflexion, désertion, déviation, diversité, évolution*, gyromètre, inégalité, inflexion, métastase, palinodie, péripétie, pirouette, réflexion, variation*, volte-face ■ **10** accommodat, altération, anacoluthe, appétition, clignotant, clignoteur, conversion, innovation, misonéisme, perversion, réfraction, rénovation, revirement, révolution ■ **11** dégradation, fluctuation, remaniement, remue-ménage, vicissitude ■ **12** amélioration, défluviation, métamorphose, modification*, présélecteur, régénération, vocalisation ■ **13** accommodation, rebroussement, transmutation, transposition ■ **14** délocalisation, transformation* ■ **15** mutatis mutandis, transfiguration.

CHANGER : **4** muer ■ **5** luire, virer, muter ■ **6** dévier, moirer, passer, remuer, rouler, varier* ■ **7** aliéner, altérer, amender, commuer, déliter, dépoter, émigrer, évoluer, flotter, innover, marcher, nuancer, raviser, réduire, relayer, revenir, tourner*, troquer, zapping ■ **8** chatoyer, déguiser, dépayser, déplacer*, déranger, dérouter, différer, échanger, fluctuer, immuable, inchangé, inverser, mélanger, mobilité, modifier*, momifier, ossifier, permuter, remanier, résoudre ■ **9** convertir, déclasser, dégénérer, déménager, détourner, escamoter, falsifier, inverseur, lignifier, palanquer, pervertir, pétrifier, rechanger, remplacer, renverser, retourner, rétracter, transmuer, travestir ■ **10** alternatif, changeable, changement, copermuter, débaptiser, déflecteur, inconstant, invariable, locomobile, mutabilité, pirouetter, redresseur, transmuter, transposer ■ **11** bouleverser, contrefaire, désaffecter, diversifier, inconstance, papillonner, protéiforme, tergiverser, transformer ■ **12** cristalliser, inchangeable, incommutable, saccharifier, transfigurer ■ **13** métamorphoser.

CHANGEUR : **7** lombard ■ **9** thyratron.

CHANOINE : **5** doyen ■ **6** forain, laïque, majeur, mineur, pléban, prévôt ■ **7** aumusse, plébain ■ **8** chapitre, prébende, princier, régulier, séculier ■ **9** canonicat, chapitral, chevecier, expectant, honoraire, jubilaire, prémontré, primicier, semainier, théologal, trésorier ■ **10** chancelier, prébendier, préchantre, succenteur ■ **11** capitulaire, obédientier ■ **12** mansionnaire.

CHANSON : **3** fan, gué ■ **4** clip, lied ■ **5** chant*, geste, motet, ronde ■ **6** aubade ■ **7** couplet, refrain, romance, rondeau ■ **8** berceuse, comptine, estampie, flonflon, guilleri, parolier, sornette ■ **9** beuglante, fier-à-bras, goualante, pot-pourri, vaudevire ■ **10** barcarolle, carmagnole, chansonner, complainte, mazarinade, séguedille, vaudeville, villanelle ■ **11** chansonnier, ritournelle ■ **12** chansonnette.

CHANSONNIER : **8** chanteur.

CHANT : **3** air, duo, ode ■ **4** lied, noël, pays, péan ■ **5** babil, épode, gamme, hymne, linot, loure, motet, motif, opéra, pæan, prose, ronde, solea, thème ■ **6** aubade, bardit, byline, centon, chœur, choral, élégie, gospel, lampon, lutrin, mesure, nénies, palmas, phrase, poésie, psaume, ramage, rappel, répons, scolie, stance, syrinx, thrène ■ **7** ariette, ballade, cadence, canevas, cantate, chanson*, couplet, hosanna, langage, mélodie*, mélopée, monodie, passage, priapée, réclame, refrain, reprise, romance, rondeau, roulade, solfège, strophe, unisson ■ **8** antienne, bel canto, brunette, cantique, cavatine, chaconne, chorégie, cocorico, diapason, dies irae, entonner, harmonie, hérisson, hymnaire, liturgie, maîtrise, miserere, opérette, oratorio, pont-neuf, parlando, rapsodie, sérénade, vocalise ■ **9** cantabile, cantilène, goualante, inflexion, leitmotiv, monodique, psallette, récitatif, rhapsodie, variation, vocaliser ■ **10** barcarolle, bucoliasme, cacophonie, complainte, dithyrambe, épithalame, gazouiller, homophonie, intonation, plain-chant, séguedille, vaudeville ■ **11** accompagner, antistrophe, contrepoint, faux-bourdon, ritournelle ■ **12** antiphonaire, cantionnaire, chansonnette, fredonnement, manécanterie, opéra-comique ■ **13** conservatoire, ornithomancie ■ **14** negro spiritual.

CHANTEE : **5** lyric.

CHANTER : **6** amusie, bramer, couler, hurler, iodler, iouler, jodler, lourer ■ **7** beugler, goualer, jaboter, miauler, moduler, ramager, solfier ■ **8** attaquer, brailler, canarder, dégoiser, détonner, entonner ■

9 chevroter, déchanter, fredonner, grisoller, rechanter, roucouler, ténoriser, vocaliser ■ 10 bourdonner, chantonner, gazouiller, psalmodier, zinzinuler ■ 11 coqueriquer.
CHANTERELLE: 7 girolle.
CHANTEUR: 4 aède, alto, diva ■ 5 almée, barde, basse, shama, ténor ■ 6 chœur, geisha, rocker ■ 7 castrat, chantre, comique, divette, fan-club, groupie, rapsode, rockeur, soliste, soprano, vedette ■ 8 choriste, coryphée, jongleur, trouvère, virtuose ■ 9 chanteuse, citharède, duettiste, ménestrel, rossignol, troupiale ■ 10 cantatrice, concertant, croque-note, prima donna, troubadour ■ 11 chansonnier, minnesinger, orphéoniste, vocératrice ■ 12 chardonneret.
CHANTIER: 3 tin ■ 4 bard, gril ■ 7 atelier, ouvrier ■ 8 chassage, chassant ■ 9 aérocâble ■ 10 décauville.
CHANTIGNOLE: 12 échantignole ■ 13 échantignolle.
CHANTONNER: 7 chanter ■ 13 chantonnement.
CHANTOURNER: 14 chantournement.
CHANTRE: 5 poète ■ 7 aumusse ■ 8 chanteur, choriste, maîtrise ■ 10 chantrerie.
CHANVRE: 3 kif ■ 4 bang, kiff ■ 5 abaca, broie, corde, filin, maque, rouet, tille, tissu, toile ■ 6 étoupe, macque, teille ■ 7 filassc ■ 8 affinoir, chènevis, cretonne, écanguer, hachisch, haschich, regayoir, treillis ■ 9 chanvrier, eupatoire, haschisch, marihuana, marijuana, rouissoir ■ 10 chanvrière, chenevière, chènevotte.
CHAOS: 5 sérac ■ 8 désordre* ■ 9 chaotique, confusion.
CHAPARDER: 5 voler* ■ 7 dérober ■ 10 chapardage, chapardeur.
CHAPE: 8 embrasse, roulette.
CHAPEAU: 3 bob ■ 4 bibi, cape, képi, tube ■ 5 bérêt, bitos, calot, carré, forme, gibus, melon, mitre, passe, shako, toque, volve ■ 6 boléro, bonnet, capote, castor, claque, cloche, coiffe, coltin, feutre, galure, panama, suroît, turban ■ 7 bangkok, bavolet, bicorne, bolivar, chéchia, fanchon, galurin, lampion, manille, marquis, panache ■ 8 barrette, canotier, capeline, caudebec, chaperon, coiffure*, cornette, marmotte, mélusine, sombrero, tricorne, tromblon ■ 9 bourdalou, bousingot, casquette, chapeauté, chapelier, charlotte, découvrir, frontière ■ 10 chapeauter, chapelière, couvre-chef, retroussis ■ 11 haut-de-forme, huit-reflets ■ 12 conformateur ■ 13 porte-chapeaux.
CHAPELAIN: 8 aumônier ■ 11 chapellenie.
CHAPELET: 3 ave ■ 5 pater ■ 7 dizaine, rosaire ■ 8 ave maria, psautier.
CHAPELIER: 8 gantelet ■ 11 chapellerie.
CHAPELLE: 6 crypte, église*, pagode, serdah ■ 7 coterie, laraire, station ■ 8 oratoire ■ 9 absidiole, chapelain, desservir ■ 10 baptistère, sacristain.
CHAPELURE: 5 paner ■ 6 panure.
CHAPERON: 5 bahut, crête ■ 6 suivre ■ 7 veiller ■ 8 protéger ■ 11 chaperonner, gouvernante ■ 13 déchaperonner.
CHAPITEAU: 3 fût, ove ■ 4 orle ■ 5 cippe, échine, tente ■ 7 annelet, armille, campane, tigette ■ 8 tailloir ■ 9 astragale, corbeille ■ 10 architrave ■ 12 campaniforme.
CHAPITRE: 5 doyen, livre*, poste, titre ■ 6 méreau ■ 7 article, matière ■ 8 division, intitulé ■ 9 chapitral, collégial ■ 10 cul-de-lampe, définiteur, paragraphe ■ 11 capitulaire ■ 15 capitulairement.
CHAPITRER: 11 réprimander.
CHAPLIN: 12 chaplinesque.
CHAPSKA: 7 shapska ■ 8 schapska.

CHAPTALISER : **14** chaptalisation.
CHAQUE : **4** tous, tout ■ **9** respectif.
CHAR : **3** l.s.t. ■ **4** bige, raid, tank ■ **5** engin ■ **6** aurige, panzer ■ **8** antichar, basterne, épiscope, équipage, quadrige, tankiste ■ **10** américaine, corbillard.
CHARABIA : **9** baragouin ■ **10** galimatias.
CHARADE : **6** énigme ■ **8** question ■ **9** devinette.
CHARADRIIDE : **14** charadriiforme*.
CHARADRIIFORME : **7** chionis, pluvier, vanneau ■ **8** avocette ■ **11** charadriidé.
CHARANÇON : **5** apion ■ **8** calandre ■ **9** anthonome, rhynchite ■ **11** charançonné ■ **12** curculionidé.
CHARBON : **4** coke, gril ■ **5** balai, banne, benne, étain, fonte, fuser, ponce, râble, rasse, tison ■ **6** durain, fusain, lavoir, stoker, tourbe ■ **7** berline, boghead, bougnat, clarain, crochon, fraisil, fumeron, houille*, lignite, vitrain ■ **8** bélandre, gazogène, poussier ■ **9** allumelle, braisette, cokéfiant, gaillette, gailletin, grésillon ■ **10** anthracite, bactéridie, carboniser, charbonner, débenzoler, tout-venant ■ **11** carbonifère, charbonnage, charbonneux, charbonnier, débenzolage, gailleterie ■ **12** charbonnette, charbonnière ■ **13** carbonisation, streptomycine, ustilaginales.
CHARCUTER : **10** charcutage.
CHARCUTERIE : **4** hure, lard, salé ■ **5** bacon, bande, barde, coppa ■ **6** boudin, jambon, lardon ■ **8** cervelas, pancette, saucisse ■ **9** andouille, attignole, chipolata, galantine, saucisson ■ **10** charcutier, crépinette, jambonneau, mortadelle ■ **12** cochonnaille.
CHARCUTIER : **7** cuisiné.
CHARDON : **5** bosse, carde, cirse ■ **6** pédane ■ **7** acanthe, cardère, carline, piquant ■ **8** capitule, panicaut ■ **9** belle-dame ■ **10** chardonner ■ **11** échardonner ■ **12** chardonnière, kentrophylle.
CHARDONNAY : **10** montrachet.
CHARDONNERET : **5** tarin.
CHARGE : **3** ion, net ■ **4** ânée, faix, mine, mirv, port, soin ■ **5** avoué, bigue, bombe, dette, étude, excès, farda, franco, impôt, kanat, lourd, mufti, mulet, navée, peser, place, plomb, poids, régie, somme, titre, valet, vigie ■ **6** amorce, bourre, devoir, dragée, emploi, porter, vidamé ■ **7** attaque, batelée, capsule, couvert, dépense, dignité, édilité, épaulée, éphorat, éphorie, fardeau, fatigue, hourque, jurande, mission, plombée, prêture, vacance, vidamie ■ **8** capacité, carrière, chargeur, cogérant, complant, consulat, économat, exécutif, exonérer, fonction, fourneau, légation, munition, neutrino, notariat, officier, paulette, questure, rectorat, tonnerre, tribunat ■ **9** aumônerie, bowstring, cargaison, cartouche, charrette, débardeur, décharger, destituer, échevinat, étoupille, gargousse, grenaille, impétrant, ministère, recharger, redevance, servitude, supporter, surcharge ■ **10** affranchir, allégement, caricature, chargement, chevrotine, enbasement, judicature, mutualiser, porte-barge, procuratie, repourvoir, surcharger, treuillage ■ **11** inspectorat, liquidateur, péréquation, répétitorat, sous-traiter ■ **12** condensateur, contribution, électromètre, électroscope, kilotonnique, magistrature, malversation, marguillerie, mégatonnique, palettisable, provincialat, renonciation, sous-traitant ■ **13** prévarication, surintendance ■ **14** réceptionnaire ■ **15** fusée-détonateur, subkilotonnique.
CHARGEMENT : **4** lège, lest, port, tare ■ **5** benne, wharf ■ **7** batelée, estarie ■ **9** cargaison, portelone ■ **10** pelleteuse ■ **13** connaissement ■ **14** transbordement.

CHARGER : 5 garer ■ 6 encrer, lancer ■ 7 arrimer, assumer, engager, estiver, imposer ■ 8 déballer, endetter, engrener ■ 9 chamarrer, embarquer, recharger ■ 10 chargement ■ 11 transborder ■ 13 soumissionner.

CHARGEUR : 5 fusil ■ 7 magasin ■ 8 chargeur ■ 9 baraterie ■ 11 subrecargue ■ 14 approvisionner.

CHARGEUSE : 8 chouleur.

CHARIOT : 5 jumbo, wagon ■ 6 binard, boggie, briska, camion, diable ■ 7 trolley ■ 8 prolonge ■ 9 charioter, charroyer, éfourceau ■ 10 chariotage ■ 11 téléférique ■ 12 transpalette.

CHARITABLE : 3 bon* ■ 5 large ■ 6 humain ■ 8 généreux, sensible ■ 9 altruiste, fraternel, obligeant ■ 10 secourable ■ 12 compatissant, philanthrope, providentiel ■ 14 charitablement ■ 15 philanthropique.

CHARITE : 3 don* ■ 5 bonté*, fakir, pitié*, quête, vertu ■ 6 aumône ■ 7 secours ■ 8 bienfait*, clémence, humanité, irénisme, kermesse, largesse ■ 9 altruisme, caritatif, fondation, sentiment, tolérance ■ 10 assistance, charitable, compassion, dévouement, diaconesse, fraternité, générosité*, indulgence*, mansuétude, obligeance, providence ■ 11 hospitalité, miséricorde, sensibilité ■ 12 bienfaisance*, complaisance ■ 13 bienveillance, commisération, philanthropie ■ 14 condescendance.

CHARIVARI : 5 bruit* ■ 6 tapage*.

CHARLATAN : 7 camelot, médecin, menteur, parleur, tabarin ■ 8 boniment, trompeur ■ 9 arracheur, banquiste, empirique, empirisme, imposteur, jonglerie ■ 10 cabotinage, médicastre ■ 13 charlatanerie, charlatanisme ■ 14 charlatanesque.

CHARMANT : 3 gai ■ 4 joli ■ 5 riant ■ 6 coquet, exquis, gentil, mignon, svelte ■ 7 aimable*, élégant, trognon ■ 8 agréable, charmeur, chérubin, eldorado, gracieux, plaisant* ■ 9 attrayant, captivant, envoûteur, fascinant, ravissant, séduisant ■ 10 enchanteur ■ 11 ensorcelant, ensorceleur, enveloppant.

CHARME : 4 chic, goût, sexy, sort ■ 5 appas, appât, chien, grâce ■ 6 beauté*, poésie ■ 7 attrait, glamour, vénusté ■ 8 amulette, blandice, charmant, élégance, joliesse, maléfice, prestige, toilette, tournure ■ 9 attirance, bellement, blandices, charmille, fraîcheur, politesse, séduction*, sex-appeal, sortilège, sveltesse ■ 10 attraction, préciosité, sécheresse ■ 11 coquetterie, délicatesse, envoûtement, fascination, gentillesse, incantation, raffinement ■ 12 enchantement ■ 14 ensorcellement.

CHARMER : 5 ravir ■ 6 plaire* ■ 7 flatter, séduire* ■ 8 captiver*, charmeur, fasciner ■ 9 conquérir, enchanter ■ 10 ensorceler ■ 11 apprivoiser.

CHARMILLE : 5 vigne ■ 6 chemin.

CHARNEL : 6 luxure ■ 13 charnellement.

CHARNIER : 9 cimetière.

CHARNIERE : 5 combe ■ 12 articulation.

CHARNU : 4 zébu ■ 5 bolet, corne, crête, drupe, fesse, filet, nopal, pulpe ■ 8 tubéreux ■ 9 caroncule, condylome.

CHARNUE : 6 fongus.

CHAROGNE : 4 mort ■ 5 chair, hyène, urubu ■ 7 cadavre, carogne.

CHARPENTE : 2 if, os ■ 3 pan, tin ■ 4 bâti, cage, dent, sole ■ 5 about, cadre, coyau, faîte, ferme, herse, hourd, moise, ordon, panne, patin, pièce, sapin ■ 6 chaise, coitte, comble, couche, croupe, guette, pilier, poteau, poutre, solive, stroma, tronce ■ 7 aretier, berceau, bossage, chapeau, châssis, chevron, colombe, corbeau, couette, derrick, entrait, faîtage, filière, gousset, houlice, limande, linçoir, linteau, montant, planche, poinçon, pointal, potence, racinal, semelle, sommier, soutien*, tronche ■ **8** armature, carcasse, chantier, chevêtre, coffrage, décharge, doubleau, empannon, enrayure, esselier, jambette, longrine, membrure, ossature, poitrail, sablière, soliveau, soutenir, voussoir ■ **9** chanlatte, étayement, lambourde, platelage, poutrelle, sous-faîte, squelette, ventrière ■ **10** boulonnage, brise-glace, charpenter, chevêtrier, chien-assis, contrevent, croisillon, épaulement, étrésillon, faux-comble, faux-tirant, ravalement ■ **11** arbalétrier, chantignole, charpentier, chevalement, contre-fiche, échafaudage, empoutrerie ■ **12** chantignolle, enchevêtrure ■ **13** contre-boutant.

CHARPENTERIE: **4** orme ■ **7** arcanne.

CHARPENTIER: **7** équerre, tarière ■ **8** besaiguë, bisaiguë, simbleau ■ **9** ébauchoir, erminette, oviscapte ■ **10** herminette ■ **11** charpentage ■ **12** charpenterie.

CHARPIE: **7** bandage ■ **8** défilage ■ **9** défileuse.

CHARRETIER: **3** dia, hue ■ **4** haie ■ **5** huhau.

CHARRETTE: **5** hayon, liure ■ **6** haquet ■ **7** ridelle ■ **8** carriole, charrier, gerbière ■ **9** charretée, charretin, charreton, charroyer, haussière, tombereau ■ **10** charretier.

CHARRIAGE: **7** charrié.

CHARRIER: **7** traîner ■ **8** emporter ■ **9** charriage, charroyer ■ **10** charriable ■ **11** transporter*.

CHARROI: **9** charroyer ■ **10** charroyeur ■ **11** impedimenta.

CHARRON: **5** train ■ **7** tarière ■ **9** oviscapte ■ **10** brouettier ■ **11** charronnage.

CHARRUE: **3** âge, cep, sep, soc ■ **4** épar, épée, houe, rets ■ **5** binet, binot, bisoc, motte, timon ■ **6** araire, bissoc, coutre, flèche, labour, trisoc ■ **7** bineuse, brabant, butteur, étançon, fossoir, polysoc, rasette, soupeau, versoir ■ **8** chaintre, enrayure, gendarme, laboureur, traînoir ■ **9** cavaillon, charruage, déchaumer, diviseuse, mancheron, paumillon, piocheuse, rigoleuse ■ **10** arracheuse, avant-train, caquetoire, défonceuse, entretoise, fouilleuse, râtissoire, régulateur, vigneronne ■ **11** court-bouton, déchaumeuse, défricheuse, extirpateur, sous-soleuse ■ **12** brandilloire, déchausseuse ■ **14** cavaillonneuse, charrue-balance ■ **15** décavaillonneur.

CHARTE: **3** loi ■ **8** archives, chartier ■ **9** chartiste, chartrain, règlement ■ **10** cartulaire ■ **12** charte-partie, diplomatique, diplomatiste.

CHARTISME: **9** chartiste.

CHARTREUX: **3** dom.

CHASSE: **4** drag, lice, parc, tiré ■ **5** affût, curée, fouée, furet, nappe, longe, meute, morse, passe, pipée, plomb, poire, quête, rabat, stuka ■ **6** battue, cocker, coffre, croule, limier, muette, safari ■ **7** bourrée, clabaud, hallier, hallali, relique, vénerie, volerie, whippet ■ **8** chasseur, fouaille, fureteur, piégeage, springer, tenderie, vautrait, verrière ■ **9** absidiole, enchâsser, poursuite, rabatteur, randonnée, retriever ■ **10** chevrotine, fauconnier, hammerless, louveterie, reliquaire ■ **11** bull-terrier, cynégétique, fauconnerie, menuisaille, panneautage, panneauteur ■ **12** chassé-croisé, chasse-mouche, chasse-neige, intercepteur ■ **13** chasse-pointe.

CHASSELAS: **5** vigne.

CHASSEPOT: **5** fusil.

CHASSER: **4** ôter, oust ■ **5** épieu, ouste, poche, porte, vider, voler ■ **6** bannir*, exiler, saquer, trolle ■ **7** adjurer, balayer, dégoter, déloger, écarter*, élaguer, enlever, exclure*, fureter, piégeur, pousser, rebuter, rejeter*, sacquer, séparer, vénerie ■ **8** boucaner, chassage, chercher, conjurer, dénicher, déporter, détrôner, dissiper, divorcer, éliminer, éloigner, étranger, expulser, extirper, forclore, ratisser, refouler, renvoyer*, répudier ■ **9** annihiler, braconner, cervaison, congédier, débusquer, disperser, dissoudre, éconduire, émouchoir, exorciser, licencier, proscrire, rechasser, remercier, remplacer, renverser, repousser*, supprimer ■ **10** déposséder, disgrâcier, expiration, exterminer, poursuivre* ■ **11** déboulonner, effaroucher, excommunier, pourchasser ■ **13** suffumigation.

CHASSEUR: **4** fans, huée, loup ■ **5** alpin, béret, fusil, groom, haret, hutte, layon ■ **6** apache, huchet, nemrod, veneur ■ **7** piégeur, talpack ■ **8** fureteur, giboyeur, hourvari, trappeur ■ **9** boucanier, déterreur, gibecière, salopette, serviteur ■ **10** braconnier ■ **12** porte-carnier.

CHASSIE: **4** cire ■ **9** chassieux.

CHASSIS: **3** jet, lit ■ **4** voie ■ **5** bâche, bogie, cadre, delco, ferme, forme, fusée, glace ■ **6** battée, bielle, carter, essieu, grille, moteur, piston, tympan ■ **7** culasse, fenêtre, magnéto, poussée, tableau, vantail ■ **8** allumage, carrelet, cylindre, paravent ■ **9** loqueteau, radiateur, réservoir ■ **10** barlotière, gouvernail, suspension, survitrage ■ **11** empattement, vilebrequin ■ **12** distribution, espagnolette ■ **13** contre-châssis ■ **15** porte-bouteilles.

CHASTE: **3** pur* ■ **4** sage ■ **5** prude ■ **6** décent, puceau, sévère, vierge ■ **7** austère, honnête, pucelle, pudique, rosière, vestale ■ **8** bégueule, immaculé, innocent, pudibond, vertueux* ■ **9** continent, immodeste, impudique, tempérant ■ **11** incontinent ■ **14** sainte-nitouche.

CHASTETE: **4** vœu ■ **5** vertu ■ **6** pudeur*, pureté ■ **7** décence, honneur, retenue, sagesse* ■ **8** moralité, pruderie, pudicité, sévérité ■ **9** austérité, honnêteté, innocence, virginité ■ **10** abstinence, continence, impudicité ■ **12** incontinence, pudibonderie.

CHASUBLE: **9** tunicelle ■ **10** chasublier ■ **11** chasublerie.

CHAT: **4** lion, lynx, mimi, once ■ **5** félin, haret, matou, miaou, minet, minon, minou, misti, mitis, patte, raton, tigre ■ **6** angora, chaton, feuler, margay, persan, serval ■ **7** abyssin, civette, guépard, miauler, minette, siamois ■ **8** chatière, greffier, mistigri, moumoute ■ **9** chartreux, chatonner, chatterie, roussette ■ **10** chattemité, miaulement ■ **12** grippeminaud, raminagrobis.

CHATAIGNE: **3** tan ■ **4** porc ■ **5** bogue, macle, macre ■ **6** marron ■ **8** hérisson ■ **9** feuillard, fistuline ■ **11** châtaignier ■ **13** châtaigneraie.

CHATEAU: **6** castel, manoir, palais* ■ **8** sambuque ■ **9** châtelain ■ **14** gentilhommière.

CHATELAIN: **4** page ■ **5** laird ■ **11** chatellénie.

CHAT-HUANT: **7** hulotte.

CHATIER: **5** polir, punir* ■ **6** venger ■ **8** corriger, fouetter, fustiger, parfaire.

CHATIMENT: **4** prix ■ **5** peine* ■ **7** exemple, salaire ■ **8** punition*, sanction* ■ **9** afflictif, expiation, pénitence*, vengeance ■ **10** correction ■ **13** répréhensible ■ **14** responsabilité.

CHATOIEMENT: **6** reflet.

CHATON: **4** jonc ■ **5** minou ■ **9** amentacée, chatonner ■ **10** amentifère, chevalière, sertissure ■ **11** enchatonner.

CHATOUILLEMENT: **9** papouille ■ **11** chatouillis.

CHATOUILLER: **8** démanger, titiller ■ **10** chatouille ■ **11** susceptible, titillation ■ **12** chatouilleux ■ **14** chatouillement.

CHATOUILLIS: **10** guili-guili.

CHATOYANT : **11** œil-de-tigre.
CHATOYER : **5** moire ■ **7** briller*.
CHATRER : (voir *castrer*) : ■ **5** bœuf ■ **6** hongre ■ **7** castrat, eunuque, hongrer.
CHATTEMITTE : **9** doucereux.
CHATTERIE : **9** friandise.
CHAUD : **3** mol, mou, rut ■ **4** hâlé, pian ■ **5** étuve, fœhn, froid, ouate, panca, panka, punka, savon, tiède, vigne ■ **6** ardent* ■ **7** brûlant, chaleur, thermos, torride ■ **8** chaudeau, chaudron, chauffer, embatage, ressuage, touffeur ■ **9** bain-marie, bouillant, chaudière, croustade, étouffant, étouffoir, extrusion, fournaise, martelage, propergol, soufflant ■ **10** chaleureux, chaudement ■ **11** survêtement ■ **12** chauffe-plats, croque-madame, enthousiaste.
CHAUDE : **11** charentaise.
CHAUDIERE : **4** dôme ■ **5** barne, catin, foyer ■ **7** campane, cuiseur, payelle, primage ■ **8** chaudron, nourrice, pistolet ■ **9** bouilleur, chauffeur, déjecteur, tubulaire ■ **10** détartrage, générateur, régulateur ■ **11** réchauffeur ■ **13** aquatubulaire ■ **14** multitubulaire.
CHAUDRON : **5** casse, poêle ■ **6** bassin, poêlon ■ **7** bassine, marmite ■ **8** batterie, pot-au-feu ■ **9** tourtière ■ **10** turbotière ■ **11** chaudronnée ■ **12** crémaillère, poissonnière ■ **13** chaudronnerie.
CHAUDRONNIER : **4** turc ■ **6** tôlier ■ **7** dudgeon, étameur, poêlier ■ dinandier, drouineur ■ **11** ferblantier.
CHAUFFAGE : **3** feu ■ **4** four, gril ■ **5** bûche, chêne, étuve, foyer, poêle, stère ■ **6** bûcher, grille, recuit ■ **7** braséro, brasier, cuisson ■ **8** billette, cheminée, pyrolyse ■ **9** biénergie, chaudière, chauffoir, échaudoir, fournaise, réformeur ■ **10** aérotherme, bassinoire, calorifère, convecteur, ébullition, rôtissoire ■ **11** chauffe-bain ■ **12** chauffagiste, chaufferette, installateur, préchauffage ■ **13** incandescence ■ **14** calorification.
CHAUFFE : **5** étuve ■ **9** bouilleur, chauffant ■ **10** chaufferie ■ **11** réchauffeur ■ **14** multitubulaire.
CHAUFFER : **5** conge, cuire*, fouée, moine, rôtir ■ **6** braser, étuver, souder ■ **7** griller ■ **8** attiédir, bassiner, échauder ■ **9** attremper, bain-marie, chaudière, chauffage, chauffoir, chauffure, dégourdir, échauffer ■ **10** bassinoire, bouillotte, calorifère, chaufferie, hypocauste, réchauffer ■ **11** chauffe-bain, surchauffer ■ **12** chauffe-mains, chauffe-pieds, chaufferette, inchauffable, solarisation ■ **14** chauffe-biberon, pyrosulfurique.
CHAUFFEUR : **9** maraudeur.
CHAUFFERETTE : **6** couvet.
CHAULER : **8** chaulage ■ **9** chauleuse.
CHAUME : **4** tige ■ **6** cabane, éteule ■ **7** chaumer ■ **9** chaumière, déchaumer ■ **10** bousillage.
CHAUMER : **8** chaumage.
CHAUMIERE : **6** cabane, chaume, wigwam ■ **8** chaumine.
CHAUSSE : **3** bas ■ **6** guêtre ■ **7** housseau ■ **8** chausson ■ **9** chaussant ■ **10** chaussette.
CHAUSSEE : **3** rue* ■ **4** aile, duit, pavé, voie* ■ **5** butée, digue, jetée, levée, route* ■ **6** cassis, frayée, milieu, voirie ■ **7** bordure ■ **8** asphalte, platière, ruisseau, trottoir ■ **9** autoroute, nivelette ■ **10** accotement.
CHAUSSER : **9** chaussure ■ **10** rechausser ■ **11** chausse-pied.
CHAUSSETTE : **8** grisotte ■ **9** socquette.
CHAUSSEUR : **10** cordonnier.
CHAUSSON : **4** mule ■ **6** savate ■ **7** gosette, kroumir ■ **8** babouche ■ **9** pantoufle ■ **10** escafignon, espadrille.

CHAUSSURE : 4 mule, tige, tong ■ 5 botte*, derby, grole, patin, sabot, talon ■ 6 basket, claque, grolle, jogger, savate, socque, tatane ■ 7 bottine, galoche, godasse, nu-pieds, péniche, ribouis, sandale, semelle, soulier* ■ 8 babouche, chausser, chausson, cothurne, escarpin, godillot, mocassin, pataugas, pointure, semelage, snow-boot, tricouni ■ 9 bottillon, brodequin, chausseur, croquenot, pantoufle ■ 10 contrefort, cordonnier, déchausser, espadrille ■ 11 chausse-pied, cordonnerie ■ 12 conformateur.

CHAUVE : 4 pelé ■ 5 genou ■ 6 pelade ■ 7 xérasie ■ 8 alopécie, calvitie, décalvant ■ 9 madarosis.

CHAUVE-SOURIS : 6 harpie ■ 7 noctule, vampire ■ 8 myoptère ■ 9 céphalote, oreillard, roussette ■ 10 époomophore, fer-à-cheval, rhinolophe ■ 11 barbastelle, chéiroptère, pipistrelle ■ 12 vespertillon.

CHAUVIN : 8 patriote.

CHAUVINISME : 14 franchouillard.

CHAUX : 4 stuc ■ 5 craie, gypse, lapis, verre ■ 6 ciment, incuit, plâtre ■ 7 bouloir ■ 8 badigeon, calcaire, calcifié, calciner, calcique, chaufour, chaulage ■ 9 chauleuse ■ 11 décalcifier ■ 12 chaufournier.

CHAVIRER : 6 abîmer, couler ■ 7 cabaner, sombrer ■ 8 culbuter ■ 9 renverser ■ 11 chavirement ■ 12 inchavirable.

CHEF : 3 aga, ban, bey, cid, dey, duc, kan, ras, roi ■ 4 caïd, doge, duce, émir, khan, lare, pape, père, raïs, shah, sofi, tête* ■ 5 amman, baile, bande, brenn, cheik, édile, laird, légat, leude, mahdi, nabab, négus, pacha, tribu, union, vizir ■ 6 ataman, barine, calife, chérif, consul, éphore, hetman, magnat, maître*, mikado, patron, préfet, radjah, scheik, soudan, sultan, tribun ■ 7 cacique, diriger, khédive, lucumon, mahatma, mandrin, manitou, matière, pharaon, préteur, recteur, satrape, taicoun, voïvode ■ 8 aga-khan, burgrave, caïmacan, chef-lieu, clinicat, empereur, harmoste, hospodar, mandarin, margrave, ministre, monarque, podestat, questeur, sénéchal, sous-chef, staroste, stratège ■ 9 bâtonnier, brigadier, capitaine, centenier, centurion, chévetain, cuisinier, ethnarque, état-major, hipparque, landgrave, majordome, monarchie, padischah, président, principal, proconsul, séraskier, souffleur, sous-verge, souverain*, supérieur*, taxiarque, tétrarque, vénérable ■ 10 catholicos, chancelier, commandant, industriel, interrègne, lieutenant, maharadjah, patriarche, pentarchie, propréteur, stadhouder, stathouder ■ 11 chef-d'œuvre, condottière, gonfalonier, hérésiarque, provéditeur, reis-effendi, vice-recteur ■ 12 entrepreneur, gymnasiarque, protonotaire, surintendant, tambour-major ■ 13 cinquantenier, paterfamilias.

CHEF RELIGIEUX : 9 ayatollah.

CHEIROPTERE : 9 roussette ■ 10 chiroptère, rhinolophe ■ 11 pipistrelle ■ 12 chauve-souris.

CHELICERE : 11 chélicérate.

CHELIDOINE : 7 éclaire.

CHELONIEN : 6 tortue*.

CHEMIN : 2 lé ■ 3 rue*, vie ■ 4 boue, duit, laie, mail, voie ■ 5 allée, battu, berge, berme, boyau, cahot, cause, cavée, coude, écart, guide, layon, levée, péage, piste*, place, ravin, route*, sente ■ 6 avenue, détour, montée, ruelle, traite, trajet, tunnel ■ 7 circuit, couloir, draille, galerie, passage, sentier, venelle, vicinal ■ 8 chaussée*, cheminer, corridor, cul-de-sac, descente, mi-chemin, mi-course, odomètre, parcours, tournant ■ 9 banquette, charmille, chemineau, promenade, raccourci, raidillon, renoncule ■ 10 accotement, contre-pied, détrousser, faux-fuyant, itinéraire ■ 11 désorienter ■ 13 embranchement.

CHEMIN DE FER: **4** gare, rail, truc ■ **5** cadre, lorry, métro, rampe, truck, vagon, wagon ■ **6** réseau ■ **7** ballast ■ **8** cheminot, wagon-lit ■ **9** micheline ■ **10** aiguilleur, décauville, garde-frein, tortillard, voiture-bar, voiture-lit, wagon-salon ■ **11** funiculaire, voiture-salon ■ **12** transcaspien ■ **13** métropolitain, transsaharien.
CHEMINEAU: **8** vagabond.
CHEMINEE: **3** feu ■ **4** âtre, neck, suie ■ **5** écran, foyer*, fumée, hotte, mitre, poêle, socle, taque, vagon, wagon ■ **6** chenet, grille, hâtier, plaque ■ **7** manteau ■ **8** capuchon, garde-feu, papillon, rétrécis, tranchée ■ **9** languette ■ **10** capte-suies, chambranle, dévoiement, tourne-vent ■ **11** chantignole, contrecœur, crémaillère ■ **12** cumulo-volcan.
CHEMINER: **5** aller, route ■ **7** marcher ■ **11** cheminement.
CHEMISE: **3** col ■ **4** polo ■ **5** farde, gilet, haire, jabot ■ **6** cilice, limace, manche ■ **7** dossier ■ **8** bannière, camisole, cellular, jaquette, liquette, nuisette, plastron ■ **9** brassière, chemisier ■ **10** chemiserie, chemisette, enchemiser ■ **11** combinaison, empiècement ■ **12** sous-vêtement.
CHEMISER: **9** chemisage.
CHEMISETTE: **6** guimpe.
CHENAL: **3** lit ■ **4** grau ■ **5** canal*, passe ■ **8** malstrom ■ **9** maelström.
CHENAPAN: **6** bandit ■ **7** vaurien ■ **9** dépendeur.
CHENE: **3** gui, tan ■ **4** loir ■ **5** calle, gland, liège, yeuse ■ **6** dryade, kermès, rouvre, tauzin, vélani ■ **7** chênaie, chêneau, douvain, garigue, merrain ■ **8** aleurode ■ **9** bostryche, fistuline, rhynchite ■ **10** bourdillon, chêne-liège, quercitron.
CHENET: **6** hâtier ■ **7** landier ■ **9** marmouset.
CHENEVOTTE: **8** sérancer ■ **9** échanvrer.
CHENILLE: **3** mue, ver ■ **5** cocon, coque, crabe, larve, patin ■ **6** bombyx, magnan, nymphe ■ **7** bedaude, dameuse, fileuse, filière ■ **8** barbotin, papillon, rouleuse, tordeuse ■ **9** annulaire, half-track, motoneige, pubescente, vercoquin ■ **10** arpenteuse, chrysalide, écheniller, éruciforme ■ **11** automouvant, caterpillar, chenillette ■ **12** allongeresse, auto-chenille, métamorphose ■ **13** passementerie ■ **15** processionnaire.
CHENOPODACEE: **7** ulluque.
CHENOPODE: **8** ansérine, vulvaire.
CHENOPODIACEE: **4** kali ■ **5** bette, blète, soude ■ **6** blette, quinoa ■ **7** arroche, épinard, salicor ■ **8** ansérine, vulvaire ■ **9** betterave, chénopode, salicorne, tétragone ■ **10** salsolacée,
CHEQUE: **8** chéquable, chéquier ■ **9** barrement ■ **15** traveller's check.
CHER: **4** aimé, chéri, manne, poids, saler ■ **6** cherté ■ **7** coûteux, onéreux ■ **8** bien-aimé, écorcher, enchérir, estamper, étriller, précieux, surpayer ■ **9** bon marché, renchérir.
CHERCHER: **5** épier, faire, viser ■ **6** battre, courir, foncer, forcer, quérir, quêter, sonder, tâcher, tenter ■ **7** briguer, creuser, essayer, étudier, flairer, fureter, gringue, lapider, picoter, scruter, traquer ■ **8** chicaner, défendre, demander, éclairer, efforcer, employer, enquérir, éplucher, examiner, explorer, fouiller, harasser, informer, ingénier, raffiner, recourir, réfugier, requérir, requêter, tâtonner ■ **9** accrocher, bouquiner, conquérir, consulter, fourrager, instruire, intriguer, réfléchir, rejoindre, reprendre, rivaliser, tortiller ■ **10** interroger, fourgonner, poursuivre*, précipiter, rechercher, retrancher, travailler ■ **11** ambitionner, circonvenir, débrouiller, farfouiller, patrouiller, pourchasser, questionner ■ **12** entreprendre, maquignonner.
CHERCHEUR: **7** curieux ■ **10** scientiste.
CHERE: **3** lie ■ **6** manger ■ **8** bombance, festoyer, ripaille.

CHERIF : 7 schérif ■ 8 chérifat ■ 9 chérifien.
CHERUBIN : 4 ange ■ 6 enfant.
CHERVIS : 4 sium.
CHETIF : 4 fort ■ 6 faible* ■ 7 fragile*, mauvais ■ 8 malingre ■ 9 chétiveté, chétivité, gringalet, mauviette, misérable ■ 10 vermisseau ■ 11 chétivement, demi-portion, souffreteux.
CHEVAL : 3 ars, bai, box, cob, dia, fic, hue, lad, pie, van, yak ■ 4 abot, auge, bégu, bras, buté, dada, féru, gail, haie, mors, mule, polo, rêne, roux, ruer, stud, taie, trot, turf, vert, yack, zain ■ 5 amble, arabe, arqué, arzel, aubin, bague, barbe, bidet, bique, bride, canon, carne, coche, coude, crack, derby, doper, écart, écume, équin, fanon, forme, frein, galop, genêt, genou, gigot, haras, huhau, jarde, joute, ladre, large, liste, longe, loupe, match, miler, monte, morve, mulet, pince, poney, poste, racer, revue, rivet, rogne, rosse, rouan, russe, sabot, seime, selle, serre, suros, talon, tigre, timon, train, trait, vider, volée, volte, wiski, zèbre ■ 6 albugo, alezan, aubère, balzan, bleime, breton, canard, carcan, cavale, étalon, étoile, gourme, hongre, hunter, javart, jument, lampas, louvet, mésair, mézair, monaut, moreau, pesade, pousse, poutre, tarpan, tocard, vapeur ■ 7 baillet, balzane, bouleté, bourrin, cagneux, chauvir, feindre, ferreur, flamand, klepper, locatis, mallier, mazette, monture, mustang, passade, paturon, piaffer, pinçard, piqueur, porteur, postier, poulain, protomé, pur-sang, roussin, sommier, stepper, tarbais, vertigo ■ 8 canasson, caracole, cavalier, chevalin, courbatu, coursier, cravache, crinière, croupade, demi-sang, dérobade, destrier, encolure, entrepas, fortrait, fourbure, goussaut, haquenée, hippique, hongreur, houseaux, isabelle, jodhpurs, jumentés, limonier, muraille, palefroi, pétarade, piaffeur, pinchard, poitrail, pouliche, ramingue, rouvieux, steppeur, strongle, studbook, trottade, trotteur, trotting, turfiste, vessigon, yearling ■ 9 anglaiser, auferrant, avant-main, bas-jointé, bricolier, bucéphale, caparaçon, cavalcade, cavalerie, cavalière, chabraque, chanfrein, courbette, croupière, distancer, émouchoir, faimvalle, gras-fondu, haridelle, maquignon, mulassier, percheron, postillon, sous-barbe, sous-gorge, sous-verge ■ 10 anglo-arabe, barbillons, boulonnais, carrossier, cavalcader, chevauchée, chevaucher, courbature, ébrouement, émouchette, encasteler, équitation, hippiatrie, hippocampe, hippodrome, hippologie, hippophage, long-jointé, martingale, morfondure, plate-longe, poulinière, rossinante, sweepstake, vélocimane ■ 11 arrière-main, court-jointé, encastelure, estrapasser, hippogriffe, hippomobile, hippophagie, palefrenier, tournebride ■ 12 anglo-normand, califourchon, distancement, échauboulure, hennissement, hippotechnie, starting-gate, trousse-queue ■ 13 demi-pirouette, sous-ventrière ■ 15 maréchal-ferrant.
CHEVALET : 8 démanché, râtelier, sourdine.
CHEVALIER : 4 mère, page ■ 5 baron, colée, noble, omble, preux, titre ■ 6 écuyer, errant, mécène, tenant, varlet ■ 7 crachat, paladin ■ 8 accolade, cavalier, cul-blanc, gambette, panoplie, templier ■ 9 bachelier, chevalière, damoiseau, féodalité ■ 10 chevalerie, combattant, commandeur, grand-croix, jarretière, redresseur ■ 13 chevaleresque.
CHEVAL-VAPEUR : 2 cv ■ 5 joule.
CHEVAUCHER : 6 défilé ■ 7 couvrir ■ 10 cavalcade ■ 13 chevauchement.
CHEVELU : 5 poilu.
CHEVELURE : 5 crêpé, scalp ■ 6 cheveu*, toison ■ 7 bédégar ■ 8 crinière, perruque, tignasse ■ 9 déchevelé ■ 10 décheveler, shampooing ■ 12 cosmétologie.

CHEVESNE : 4 able ■ 5 cabot ■ 7 meunier.
CHEVETRE : 11 enchevêtrer.
CHEVEU : 3 épi, tif ■ 4 pelé, poil, raie, roux ■ 5 coque, crêpe, crins, filet, front, henné, laine, lente, mèche, natte, neige, plume, rouge, tondu ■ 6 auburn, gomina, pointe, racine, toison, tondre ■ 7 bigoudi, canitie, chevelu, chignon, gominer, guiches, nigelle, résille ■ 8 alopécie, barrette, calvitie, coiffeur, coiffure, couronne, crinière, démêloir, démêlure, dénatter, lave-tête, perruque, réticule, rousseau, tignasse ■ 9 chevelure*, crêpelure, décalvant, démêlures, écheveler, frisottis, papillote, peignures, recoiffer ■ 10 capillaire, ébouriffer, hirsutisme ■ 11 brillantine, tire-bouchon ■ 12 hippiatrique, rouflaquette, sèche-cheveux ■ 13 accroche-cœur.
CHEVEU DE VENUS : 7 adiante.
CHEVEUX : 4 afro ■ 6 crolle, sixtus ■ 8 brushing, décrêper ■ 14 capilliculture.
CHEVILLE : 3 axe, tee ■ 4 clou, esse ■ 5 épite, nable ■ 6 broche, ranche, tampon ■ 7 trenail ■ 8 cabillot, échelier, enlaçure, maléolle ■ 9 attelloir, cheviller, gournable ■ 10 attelloire, repoussoir ■ 11 chevillette.
CHEVRE : 4 bouc, grue ■ 5 bêler, bigue, bique, cabri, faune, haire, isard, menon, niolo, ovine, patin ■ 6 biquet, caprin, déclic ■ 7 bouquin, rigotte, tiraude ■ 8 bégueter, biqueter, cabriole, chevreau, chevrier, cordouan, guindeau, maroquin, mongolie, sonnette ■ 9 bouquetin, cachemire, chabichou, chabraque, chevreter, chevrette, chevroter, chevrotin ■ 10 chèvre-pied, chevretter, coulisseau ■ 11 béguètement, chèvre-pieds, sainte-maure ■ 13 chèvrefeuille.
CHEVREAU : 4 faon ■ 5 bicot, cabri ■ 8 biquette ■ 9 chevrette, chevroter, chevrotin.
CHEVREUIL : 4 daim, faon, musc, réer ■ 5 civet, filet, gigot, gigue, longe, raire, selle ■ 7 brocart ■ 8 broquart ■ 9 chevrette, randonnée ■ 11 chevrillard.
CHEVRON : 4 tige ■ 5 coyau, ferme, panne ■ 7 brisque, faîtage ■ 8 briscard, chanlate ■ 9 brisquart, chanlatte, chevronné ■ 10 chevronner.
CHEVROTAIN : 9 porte-musc.
CHEVROTER : 8 trembler ■ 9 chèvreter ■ 10 chevretter, tremblotter ■ 11 tremblotant.
CHEWING-GUM : 6 chicle.
CHEZ SOI : 4 home ■ 6 maison ■ 8 casanier, héberger ■ 9 couvre-feu ■ 10 sédentaire ■ 11 claquemurer, hospitalité ■ 12 villégiature.
CHIADE : 8 chiadeur.
CHIASSE : 9 excrément.
CHIC : 4 b.c.b.g. ■ 5 smart, swing ■ 6 charme, classe ■ 7 adresse, élégant ■ 8 chouette, élégance ■ 10 chiquement, petitement.
CHICANE : 6 détour ■ 7 argutie, dispute*, minutie, purisme ■ 8 bisbille, ergotage ■ 9 distinguo, équivoque, ergoterie, subtilité* ■ 10 chicanerie, chipoterie, discussion, logomachie, subterfuge, taquinerie ■ 11 avocasserie, procédurier, tracasserie ■ 12 contestation, échappatoire.
CHICANER : 7 ergoter ■ 8 chipoter, débattre, disputer*, taquiner, vétiller ■ 9 avocasser, chicaneur, chicanier, chinoiser, critiquer, épiloguer, raisonner ■ 10 contredire, incidenter, pointiller, tourmenter.
CHICANEUR : 6 subtil, taquin ■ 7 puriste ■ 8 ergoteur ■ 9 argutieux, chicaneau, chicanier, disputeur, minutieux ■ 10 raisonneur ■ 11 pointilleux.

CHICHE : 3 rat ■ 5 avare*, chien, ladre, radin, serré ■ 6 pingre, rapiat, taquin, vilain ■ 7 mesquin, sordide ■ 8 crasseux, lésineur, liardeur ■ 9 regardant ■ 10 regrattier ■ 12 parcimonieux.
CHICHI : 5 façon ■ 10 chichiteux,
CHICOREE : 6 chicon, endive, frisée ■ 7 scarole, trévise, witloof ■ 8 cossette, escarole ■ 11 mignonnette ■ 14 barbe-de-capucin.
CHICOT : 4 dent.
CHIEN : 3 fox, mue ■ 4 aboi, cyon, gale, lice, loge, loup, zain ■ 5 balai, bigle, boxer, cabot, cagne, canin, chiot, clebs, curée, dingo, dogue, ergot, flair, fusil, harde, hocco, husky, ixode, labri, lamie, laper, lares, mâtin, meute, niche, quête, queue, repos, tique ■ 6 barbet, barzoï, basset, bâtard, beagle, berger, bichon, braque, briard, carlin, chenil, cocker, colley, danois, dentée, doguin, gredin, houret, labrit, limier, loulou, pataud, ratier, roquet, setter, teckel, toutou ■ 7 aboyeur, bobtail, bouvier, briquet, caniche, chienne, clabaud, clébard, cœnure, corneau, corniot, griffon, halener, lévrier, mastiff, molosse, normand, piqueur, pointer, sloughi, terrier, turquet, whippet ■ 8 attitrer, blenheim, chienner, chow-chow, corniaud, doberman, écossais, émissole, épagneul, esquimau, fox-hound, havanais, hourvari, levrette, malinois, papillon, pékinois, pinscher, rouvieux, springer, vautrait ■ 9 aboiement, accoupler, aiguillat, beauceron, bringeure, chien-loup, choupille, colchique, cométique, cynophile, dalmatien, découpler, décousure, forlonger, hurlement, mantelure, requêter, retriever, roussette, schnauzer, serpentin, yorkshire ■ 10 babiroussa, bouledogue, chiennerie, clabaudage, fox-terrier, terre-neuve ■ 11 bull-terrier, groenendael, king-charles, maître-chien ■ 12 glapissement, irish-terrier, laissé-courre, saint-bernard, tourne-broche ■ 13 laisser-courre ■ 15 scottish-terrier.
CHIEN DE CHASSE : 8 airedale ■ 15 airedale-terrier.
CHIFFON : 5 fripe, loque, pilot ■ 6 biffin, chiffre, étoffe, peille ■ 7 haillon, lambeau, oripeau, peilles, strasse ■ 8 défilage, délisser, effileur, guenille ■ 9 délissage ■ 11 chiffonnier ■ 12 chiffonnière.
CHIFFONNER : 6 friper ■ 7 plisser ■ 8 froisser ■ 10 bouchonner, tourmenter ■ 11 chiffonnage ■ 12 infroissable ■ 13 chiffonnement.
CHIFFONNIER : 5 hotte ■ 6 biffin ■ 7 chineur, commode, crochet ■ 8 triqueur.
CHIFFRAGE : 11 réalisation.
CHIFFRE : 2 c.a., un ■ 3 six, dix ■ 4 cinq, cote, date, deux, huit, neuf, note, sept, zéro ■ 5 arabe, coter, digit, prime, tomer, trois ■ 6 calcul, nombre*, numéro, quatre ■ 7 compter, tranche ■ 8 exposant, pointage, quantité ■ 9 acalculie, chiffrage, chiffreur, entrelacs ■ 10 monogramme, numération ■ 11 chiffrement, pourcentage ■ 12 inchiffrable ■ 14 alphanumérique.
CHIGNON : 7 cadogan, catogan ■ 11 cache-peigne.
CHIITE : 9 ayatollah ■ 11 duodécimain ■ 13 hodjatoleslam.
CHIMERE : 4 idée, rêve*, vain ■ 5 roman ■ 7 monstre ■ 8 eldorado, fabuleux, illusion ■ 10 chimérique, imaginaire, songe-creux ■ 11 coquecigrus, fantastique, imagination.
CHIMIE (voir *symbole chimique)* **:** 4 hypo ■ 5 amide, amyle, ester, fluor, folié, indol, magma, phase, suite, titre, tutie, urane, xylol ■ 6 matras, tuthie ■ 7 réactif ■ 8 alchimie, chimique, chimiste ■ 9 acyclique, biochimie, organique ■ 10 agrochimie, gazochimie, halochimie, organicien ■ 11 carbochimie, halotechnie, microchimie, photochimie ■ 12 alcalimétrie, chimiquement, micro-analyse, palingénésie, stéréochimie, thermochimie ■ 13 électrochimie, physicochimie ■ 14 phar-

macochimie, stœchiométrie ■ 15 cristallochimie, physicochimique.

CHIMIQUE : 4 pile ■ 5 amine, argon, deuto, génol, suite, urate ■ 6 ionone, kinase ■ 7 additif, aniline, bromate, cautère, fermium, hahnium, solvate, thulium ■ 8 défanant, halogène ■ 9 actinides, américium, berkélium, biguanide, covalence, géochimie, iodoforme, mercaptan, neptunium, nitration, pédologie, phéromone, photolyse, phytotron, porophore, tautomère ■ 10 activation, cobalamine, halogénure, inhibiteur, lawrencium, phérormone, technétium, transmuter ■ 11 atomistique, californium, coordinance, électrolyse, électrolyte, einsteinium, inactinique, nitrosation, passivation, radicalaire ■ 12 barbiturique, caprolactame, incapacitant, photogénique, pyrogénation, retraitement, substitution, transuranien ■ 13 butyrophénone, photochimique, transmutation ■ 14 benzodiazépine, chimiotactisme, chimiothérapie, neuromédiateur, oxydoréduction.

CHINCHILLA : 8 viscache.

CHINAGE : 7 chinure.

CHINE : 4 yuan ■ 7 chinure.

CHINER : 7 acheter, chinure, railler ■ 8 barioler ■ 9 critiquer.

CHINOIS : 2 li, wu ■ 3 dao, gan, min, tao, thé ■ 4 gong, jade, soie, taël ■ 5 bonze, encre, hakka, houpe, jaune, laque, lœss, opium, taiji, t'ai-ki, xiang ■ 6 coolie, jingxi, jonque, mongol, sampan, sinité, taichi ■ 7 céleste, dazibao, siniser ■ 8 bonzerie, gardénia, mandarin, mandchou, sinisant ■ 9 camphrier, cannelier, cantonais, chop suey, putenghus, sinologie, sinologue, trigramme ■ 10 abricotier, bouddhisme, shintoïsme, sinisation ■ 11 acuponcture, acupuncture, chinoiserie, sinanthrope, tai-chi-chuan ■ 12 sino-tibétain.

CHIPER : 5 voler ■ 7 dérober.

CHIPOTER : 6 manger ■ 8 chicaner ■ 9 chipoteur ■ 10 chipoterie.

CHIQUENAUDE : 7 nasarde ■ 10 pichenette ■ 11 croquignole.

CHIQUER : 6 chique, mâcher ■ 7 carotte, cracher ■ 8 chiqueur ■ 10 chewing-gum ■ 11 chiquelette.

CHIROMANCIE : 5 devin ■ 8 rascette ■ 12 chiromancien.

CHIROPRACTEUR : 14 chiropraticien.

CHIROPRACTIE : 13 chiropratique.

CHIRURGICAL : 5 opéré ■ 7 diérèse ■ 8 ponction ■ 9 occlusion, opération*, stripping ■ 10 anaplastie, césarienne, colostomie, énervation, lobectomie ■ 11 autoplastie, laparotomie, lithotritie, néphropexie, ostéoclasie, paracenthèse, tarsectomie ■ 12 artériotomie, circoncision, implantation, néphrectomie, ovariectomie, pneumectomie, rhinoplastie, splénectomie, thoracotomie, trachéotomie ■ 13 laryngectomie, ostéosynthèse ■ 14 amygdalectomie, périnéographie, pneumomectomie, prostatectomie, stomatoplastie, tympanoplastie.

CHIRURGIE : 4 lacs, scie ■ 5 bande, érine, froid, fusée, pince, sonde ■ 6 broche, canule, catgut, davier, érigne, ex vivo, rugine, stylet, trépan ■ 7 adjuvat, couteau, curette, forceps, médecin, modiole, pyulque, scalpel, spatule, trocart, trousse ■ 8 bistouri, déridage, écarteur, eugénate, lancette, médecine*, seringue, tire-fond ■ 9 bec-de-cane, flammette ■ 10 chirurgien, dilatateur, pédodontrie ■ 11 bec-de-corbin, chirurgical ■ 13 abaisse-langue, cyrochirurgie, scarificateur, traumatologie ■ 14 microchirurgie, neurochirurgie ■ 15 psychochirurgie.

CHITINE : 4 pupe ■ 8 cuticule, sternite ■ 9 chitineux.

CHITON : 10 amphineure.

CHIURE : 9 excrément.

CHLAMYDIA : 12 nicolas-favre.

CHLORATE : 8 cheddite.

CHLORE : 2 cl ■ 8 chlorage, chlorure, halogène ■ 9 chlorique ■ 10 bichlorure, chloration ■ 11 chloroforme, oxychlorure ■ 12 chlorométrie, hexachlorure, hypochloreux, organochloré, perchlorique ■ 13 chlorhydrique, tétrachlorure.

CHLOREUX : 8 chlorite.

CHLORHYDRATE : 8 stovaïne.

CHLORHYDRIQUE : 7 achylie ■ 10 muriatique ■ 12 chlorhydrate ■ 15 hypochlorhydrie.

CHLOROFLUOROCARBONE : 3 c.f.c.

CHLOROFORME : 10 bromoforme ■ 12 chloroformer ■ 13 chloropicrine.

CHLOROPHYLLE : 4 vert ■ 7 euglène ■ 8 carothène, lacuneux ■ 9 monotrope, spirogyre ■ 10 porphyrine ■ 11 zooflagellé ■ 12 palissadique ■ 13 phytoflagellé ■ 14 chlorophyllien.

CHLOROPLASTE : 12 chlorophylle.

CHLOROVANADATE : 10 vanadinite.

CHLORURE : 3 sel ■ 5 javel, soude ■ 6 beurre, halite ■ 7 calomel, muriate, potasse, sublimé ■ 8 vinylite ■ 9 chlorure, sylvinite ■ 10 bichlorure ■ 11 déchlorurer, perchlorure ■ 12 chlorométrie, hexachlorure, polychlorure.

CHOC : 3 toc ■ 4 coup*, flac ■ 5 bâton, cahot, capot, chute, heurt*, ictus, lutte, rayon ■ 6 combat, fêlure, makila, massue, penbas, ressac, séisme, trique ■ 7 attaque, boutoir, conflit, poussée, vibrage ■ 8 abordage, antichoc, blessure, bourrade, commando, secousse* ■ 9 avalanche, battement, bronchade, casse-tête, collision, commotion, contusion, explosion, impulsion, rencontre, résilient ■ 10 choppement, contre-choc, contre-coup, écrasement, percussion, résilience ■ 11 achoppement, aheurtement, amortisseur, carambolage, ébranlement, fouettement, traumatisme ■ 12 meurtrissure, traumatisant ■ 13 échauffourée ■ 14 défibrillation ■ 15 entrechoquement.

CHOCOLAT : 5 cacao ■ 6 amande ■ 7 caraque ■ 8 esquimau, moussoir ■ 9 bavaroise, chocolatée, croquette ■ 11 chocolatier ■ 12 chocolaterie, chocolatière.

CHŒUR : 4 alto, jubé ■ 5 ambon, chant*, épode ■ 6 choral, lutrin, tréflé, trônes ■ 7 chancel, chorège ■ 8 choriste, clergeon, coryphée, pourtour, transept ■ 9 absidiole ■ 13 arrière-chœur, déambulatoire.

CHOIR : 6 tomber* ■ 7 abattre, chopper, dévaler, ébouler, étendre, glisser, tituber ■ 8 broncher, écrouler, graviter, vaciller ■ 9 affaisser, chanceler, descendre, effondrer, renverser, trébucher ■ 11 dégringoler.

CHOISIR : 3 élu ■ 5 atout, choix, élire*, jeter, opter, trier, voler ■ 6 choisi, choyer, favori, nommer, sélect ■ 7 adopter, coopter, décider, électif ■ 8 affilier, chouchou, désigner, élégance, éliminer, éplucher, exogamie, préférer ■ 9 discerner, embrasser, prononcer ■ 10 distinguer, électique, tout-venant ■ 12 sélectionner ■ 14 castramétation ■ 15 présélectionner.

CHOISIS : 8 analecte ■ 9 analectes.

CHOIX : 3 q.c.m. ■ 5 crème, élite, fleur, guise ■ 6 choisi, examen, option, triage ■ 7 dilemme, électif, mélodie, volonté ■ 8 balivage, élection, euphonie, proposer, revision, suffrage ■ 9 ad libitum, analectes, promotion, sélection ■ 10 anthologie, arbitraire, éclectisme, nomination, préférence, séparateur ■ 11 alternative, assortiment ■ 12 prédilection, prescripteur, présélection ■ 13 médiaplanning ■ 14 appareillement.

CHOLEDOQUE : 5 vater ■ 12 angiocholite.

CHOLERA : 6 morbus ■ 7 nostras, virgule ■ 9 cholérine ■ 10 cholérique ■ 12 cholériforme ■ 13 chrestomathie.

CHOLERETIQUE : **5** boldo ■ **8** sorbitol.
CHOLESTEROL : **8** xanthome ■ **10** clofibrate ■ **15** cholestérolémie.
CHOMAGE : **8** inemploi ■ **9** demandeur.
CHOMER : **5** fêter, oisif ■ **7** chômage ■ **8** chômable ■ **11** plein-emploi.
CHOMEUR : **10** sans-emploi.
CHONDRIOME : **10** cytoplasme ■ **12** mitochondrie.
CHONDROSTEEN : **7** ganoïde*.
CHOQUANT : **3** cru ■ **4** fort ■ **7** fâcheux ■ **8** shocking ■ **9** offensant, révoltant ■ **11** promiscuité.
CHOQUANTE : **5** verte.
CHOQUER : **5** boxer, cotir, fêler, taper ■ **6** agacer, battre, briser, cogner ■ **7** aborder, chopper, ennuyer, frapper, frotter, heurter*, pousser, rebuter, secouer, toucher, ulcérer ■ **8** achopper, aheurter, broncher, coudoyer, dégoûter, déplaire, détonner, ébranler, estoquer, fouetter, froisser, meurtrir, offenser, révolter, trinquer ■ **9** cliqueter, démériter, offusquer, tamponner ■ **10** contrarier ■ **11** discréditer, scandaliser ■ **12** désenchanter, entrechoquer, entreheurter, entretailler.
CHORALE : **5** chant* ■ **7** orphéon ■ **9** a cappella ■ **11** orphéoniste.
CHOREE : **5** danse ■ **8** saint-guy ■ **9** choréique.
CHOREGRAPHIE : **5** danse*, liant ■ **6** chaîné ■ **11** chorégraphe ■ **14** chorégraphique.
CHOREGRAPHIQUE : **8** notateur ■ **12** labanotation.
CHORION : **4** œuf.
CHORISTE : **4** girl ■ **7** chantre ■ **8** choreute, figurant.
CHOROIDE : **4** uvée ■ **10** choroïdien.
CHOSE : **2** ce, ou, su ■ **3** que, uni, vol ■ **4** aloi, bien, fait, fétu, fond, gala, insu, mère, prêt, prix, rang, rien, scie, sens, soin, sous, usus, visa, vomi ■ **5** amant, armer, bijou, botte, cause, cours, créer, crème, dépôt, désir, devin, droit, écrit, envoi, épave, essai, façon, flanc, fléau, fosse, foule, frime, fumée, futur, génie, juger, lever, libre, marge, masse, mêler, mixte, motif, moyen, mythe, nanan, oasis, objet*, offre, opter, ordre, oubli, paire, perle, piété, place, point, poire, prime, prise, proie, rayon, rebut, recul, rêver, salut, série, sœur, sujet, tabac, tabou, talon, tapis, tâter, terme, thèse, trace, union, usage, vache, varia, vénal, vente, volet, zeste ■ **6** déjà-vu, diktat, quidam ■ **7** babiole, élément, loterie, mégoter, mocheté, noumène ■ **8** banalité, écraseur, effaçure, énormité, fifrelin, foutaise, gnognote, nouvelle, pis-aller, portrait, quiddité, rengaine, revenez-y, riquiqui ■ **9** accusatif, bagatelle, bavardage, dévolutif, étrangeté, incomplet, menuaille, merveille, niaiserie, provision, vomissure, zététique ■ **10** balourdise, billevesée, possesseur, vulgarisme ■ **11** antiquaille, cachotterie, dégoûtation, dépareiller, pince-maille, réification, tutti quanti ■ **12** commencement, contre-vérité, enchantement, hagiographie, je-ne-sais-quoi, philosophale, plaisanterie, quelque chose, superfluités ■ **13** mystification, superfétation.
CHOSIFICATION : **9** chosifier.
CHOU : **4** rave ■ **5** cabus, colza, lapin ■ **6** crambe, turnep ■ **7** brocoli, turneps ■ **8** aleurode, chou-rave, rutabaga ■ **9** chou-fleur, chou-navet, koulibiac ■ **10** choucroute, religieuse ■ **11** profiterole ■ **12** chou-palmiste ■ **13** croquembouche.
CHOUCHOUTER : **6** favori ■ **7** soigner ■ **12** chouchoutage.
CHOUETTE : **3** duc ■ **5** pipée, strix ■ **6** frouer ■ **7** effraie, harfang ■ **8** chevêche, chuinter ■ **12** chouettement.
CHOUX : **10** paris-brest.
CHOYER : **5** gâter ■ **6** aduler ■ **7** cajoler, cocoler, soigner ■ **8** mignoter.

CHRESTOMATHIE : 5 choix ■ 7 recueil ■ 10 anthologie.
CHRETIEN : 5 agape, copte, croix, lapsi, logos, païen, papas, roumi ■ 6 pâques, uniate ■ 7 ouaille ■ 8 ébionite, galiléen, infidèle, mathurin, mozarabe, nazaréen ■ 9 apostasie, épiphanie, johannite, quiétisme, traditeur ■ 10 catéchiser, catholicos, chrétienté, confesseur ■ 11 œcuménisme, rebaptisant ■ 12 antichrétien, catholicisme, millénarisme ■ 13 christianiser, christianisme, paléochrétien ■ 14 chrétiennement ■ 15 rechristianiser.
CHRETIENNE : 12 kimbanguisme.
CHRIST : 4 cène, noël ■ 5 Jésus ■ 6 ichtus ■ 7 chrisme ■ 8 calvaire, chrétien, mandorle, nazaréen, parousie ■ 10 christique, martinisme.
CHRISTIANISME : 9 caodaïsme.
CHROMAGE : 8 chromeur.
CHROMATINE : 7 pycnose.
CHROMATIQUE : 5 grave ■ 11 chromatisme ■ 12 achromatiser.
CHROMATOGRAPHIE : 14 chromatogramme.
CHROME : 2 cr ■ 7 box-calf, inconel ■ 8 chromage, chromate, chromeux, nichrome, stellite ■ 9 chromique ■ 11 ferrochrome ■ 12 chromatisation.
CHROMOSOME : 4 gène ■ 5 locus ■ 6 génome, opéron ■ 8 autosome, délétion, diploïde, trisomie ■ 10 centromère, mendélisme, polypoïde, transposon ■ 11 chromatique.
CHROMOSOMIQUE : 6 turner ■ 9 triploïde.
CHROMOSPHERE : 12 protubérance.
CHRONAXIE : 12 isochronisme.
CHRONIQUE : 5 lèpre, ozène, sprue ■ 7 annales, article, journal* ■ 8 arthrose, courrier, histoire, néphrose, nouvelle ■ 9 infirmité, thébaïsme ■ 10 chronicité, saturnisme, sigmoïdite ■ 11 chroniciser, chroniqueur, épididymite, morphinisme, paraphrénie, strongylose ■ 12 courriériste, polyarthrite ■ 13 chroniquement, hippocratisme.
CHRONOLOGIE : 3 ère ■ 6 agenda, timing ■ 7 annales ■ 8 almanach ■ 13 chronologique, parachronisme.
CHRONOMETRE : 6 chrono ■ 12 chronographe ■ 14 chronométrique.
CHRONOMETRER : 6 montre ■ 13 chronométrage.
CHRONOMETRIE : 14 chronométrique.
CHRYSALIDE : 5 cocon, coque.
CHRYSOMELIDE : 7 donacie ■ 8 criocère ■ 9 doryphore ■ 10 chrysomèle, coléoptère.
CHUCHOTER : 8 murmurer*, sussurer ■ 9 marmotter ■ 10 chuchoteur ■ 11 chuchoterie ■ 12 chuchotement.
CHUINTER : 5 strix ■ 11 chuintement.
CHUTE : 3 paf ■ 4 floc, ploc, pouf, saut ■ 5 blanc, crise, orage, ptôse, ruine, sénat ■ 6 agonie, déchet, ptôsis, tomber ■ 7 cascade, culbute, retombé ■ 8 alopécie, batayole, caducité, glissade, némalion ■ 9 avalanche, cataracte, décadence, incidence, parachute, paragrêle, prolapsus ■ 10 cascatelle, éboulement, empreindre ■ 11 abaissement, coïncidence, décorticage, défloraison, défoliation, écroulement, exfoliation, gravitation ■ 12 affaissement, desquantation, effondrement, renversement ■ 13 décortication, défeuillaison, effeuillaison, effeuillement.
CHYLE : 5 lacté ■ 9 chylifère.
CHYME : 9 chymifère, sécrétine.
CIBLE : 3 but ■ 4 noir ■ 5 stand ■ 6 carton, cibler, mouche ■ 7 papegai ■ 8 ball-trap, papegeai.
CIBOIRE : 8 pavillon.
CIBOULE : 4 cive ■ 7 oignon.

CICATRICE : **3** cal ■ **4** œuf ■ **5** calus, trace ■ **6** marque* ■ **7** balafre, couture, nombril, peeling ■ **8** chéloïde, couturer, entaille, stigmate ■ **9** avivement ■ **11** cicatriciel.
CICATRISER : **6** guérir ■ **11** cicatrisant ■ **12** cicatrisable.
CICERO : **4** œil.
CICERONE : **5** guide.
CICONIIDE : **7** cigogne ■ **8** craqueter, marabout, ombrette ■ **9** cigogneau.
CICUTINE : **5** ciguë ■ **6** conine ■ **8** conicine.
CI-DESSUS : **4** dito ■ **5** supra ■ **7** susvisé.
CI-DEVANT : **11** aristocrate.
CIDRE : **4** auge ■ **5** calva, halbi, moque, piqué, poire, pomme ■ **7** cidrier ■ **8** cidrerie, eau-de-vie, piquette ■ **9** baissière ■ **13** saccharomyces.
CIEL : **3** air, lit ■ **4** azur, dieu, exil, octa ■ **5** astre, bénir, chien, cieux, décan, éther, frise, globe, manne, pente, plage, reine, saint, voûte ■ **6** au-delà, embrun, houris, là-haut, nectar, olympe, sphère ■ **7** calotte, céleste, empyrée, paradis, radiant, souarga ■ **8** fastigié, pommeler, sérénité ■ **9** ambroisie, apothéose, baldaquin, béatitude, calcarone, éclaircie, firmament, horoscope ■ **10** armillaire, assomption, brahmaloca, lambrequin ■ **11** radio-source ■ **12** uranographie.
CIERGE : **3** pic ■ **4** cire ■ **5** fiche ■ **6** pointe, souche ■ **7** poignée, rouloir ■ **8** ciergier, flambeau ■ **9** chapiteau, chevecier, luminaire ■ **10** candélabre ■ **11** céroféraire.
CIGALE : **6** psylle ■ **9** cigalière, craqueter ■ **12** stridulation.
CIGARE : **4** cape, robe ■ **5** mégot, ninas, rober, tripe ■ **6** havane ■ **7** londres, manille, robeuse ■ **8** panatela, senorita ■ **9** cigarière ■ **10** fume-cigare ■ **12** coupe-cigare, porte-cigares.
CIGARETTE : **5** clope, mégot, sèche ■ **6** blonde, gitane ■ **7** cibiche ■ **8** gauloise ■ **9** cartouche ■ **13** fume-cigarette ■ **15** porte-cigarettes.
CIGOGNE : **7** tantale ■ **9** cigogneau, claqueter, craqueter ■ **12** craquètement.
CIGUË : **6** conine, éthuse ■ **7** æthusa, æthuse ■ **8** cicutine, conicine.
CIL : **4** khôl ■ **5** cilié, cirre, kohol ■ **6** rimmel ■ **7** mascara ■ **8** ciliaire, ensille ■ **9** ciliature ■ **10** centrosome ■ **11** protozoaire.
CILIE : **9** infusoire* ■ **11** protozoaire.
CILLER : **9** cillement.
CIME : **4** dôme ■ **5** crête, faîte, volis ■ **6** sommet* ■ **7** pinacle ■ **8** houppier.
CIMENT : **3** lut ■ **4** pisé, stuc ■ **5** bauge, béton, chaux, crépi, dalle, futée, staff ■ **6** incuit, mastic ■ **7** clinker, surcuit, torchis ■ **8** calcaire, cimenter, lastrico, parpaing ■ **9** cimentier, jointoyer ■ **10** cimenterie, obturation, plate-forme ■ **11** couvre-joint ■ **13** amiante-ciment.
CIMENTER : **5** luter, piser ■ **6** crépir ■ **7** joindre, plaquer, sceller ■ **8** affermir, maçonner ■ **9** dispersal, raffermir ■ **11** cimentation.
CIMENTIER : **4** auge ■ **9** boucharde ■ **10** rocailleur.
CIMETERRE : **4** épée ■ **5** sabre ■ **7** alfange, porpfan.
CIMETIERE : **5** repos, terre ■ **6** crypte ■ **8** charnier, ossuaire ■ **9** nécropole ■ **10** catacombes ■ **11** columbarium.
CIMICAIRE : **5** actée.
CINEMA : **3** gag, set ■ **4** star, vamp ■ **5** copie, décor, écran, fondu, short, truca ■ **6** caméra ■ **7** cinoche, drive-in ■ **8** accéléré, bruitage, ciné-parc, ciné-shop, figurant, ouvreuse, récitant ■ **9** starlette ■ **10** filmologie ■ **11** multisalles ■ **12** hollywoodien.
CINEMATIQUE : **6** stokes.

CINEMATOGRAPHE: 4 film ■ 5 bande, écran, oscar, piste, prise, scène ■ 6 filmer ■ 7 tourner ■ 8 ciné-club, sunlight, truquage ■ 9 kinéscope ■ 11 cinémascope, néo-réalisme ■ 13 contre-plongée.
CINEMATOGRAPHIQUE: 3 hit ■ 4 clip ■ 5 césar ■ 7 collure ■ 9 flash-back ■ 11 kammerspiel.
CINETIQUE: 4 spin ■ 5 op art ■ 9 cinétisme.
CINGLER: 6 battre, couper ■ 8 fouetter ■ 9 fouailler.
CINQ: 4 pent ■ 5 flush, penta, quine ■ 7 pentose ■ 8 pentacle, penthode, quinaire ■ 9 cinquième, composite, pentaèdre, pentagone, pentamère, pentapole, quinconce, quintette, quintolet, quintuple ■ 10 five o'clock, pentamètre, pentarchie, quintupler ■ 11 pentapétale, quinquennal, quinquennat ■ 12 pentadactyle, pentatonique.
CINQUANTE: 10 kondratiev ■ 12 cinquantaine ■ 13 cinquantenier ■ 14 cinquantenaire, quinquagénaire.
CINQUANTENAIRE: 6 jubilé ■ 9 jubilaire.
CINQUIEME: 4 cinq, none ■ 5 jeudi ■ 8 quintidi ■ 9 dominante, septembre ■ 10 spondaïque ■ 13 cinquièmement.
CINTRAGE: 7 bombage.
CINTRE: 3 cau ■ 4 gril, veau ■ 5 frise, sabot, voûte ■ 7 cintrer ■ 8 cintrage, courbure, voussoir ■ 9 décintrer ■ 10 boisselier ■ 13 surhaussement.
CINTRER: 9 cintreuse.
CIPPE: 5 stèle.
CIPRE: 7 boscoyo ■ 8 ciprière.
CIGARE: 5 cirer.
CIRCADIEN: 14 chronobiologie.
CIRCASSIE: 10 circassien.
CIRCONCISION: 9 circoncis ■ 10 circoncire ■ 11 incirconcis ■ 14 incirconcision.
CIRCONFERENCE: 4 aube, auge, rond*, tour ■ 5 degré, gorge, rayon, ronde, voûte ■ 6 cercle* ■ 8 simbleau ■ 10 gyromancie ■ 11 contorniate, orbiculaire.
CIRCONLOCUTION: 6 diffus ■ 7 ambages ■ 10 périphrase.
CIRCONSCRIPTION: 4 cité ■ 5 doyen, pagus ■ 6 cercle, finage, igamie, région ■ 7 borough, doyenné, secteur ■ 9 chefferie ■ 10 généralité, préfecture ■ 11 subdivision ■ 12 capitainerie ■ 14 arrondissement.
CIRCONSCRIRE: 4 orbe ■ 5 paroi ■ 7 limiter*, mesurer ■ 9 délimiter, localiser ■ 15 circonscription.
CIRCONSPECTION: 5 avisé, peser, prude ■ 7 réserve, retenue, sagesse ■ 8 prudence ■ 9 quant-à-moi, quant-à-soi, réticence, sobrement ■ 10 discrétion, ménagement, précaution.
CIRCONSTANCE: 3 cas, par ■ 4 face, jour, lieu ■ 5 cause, en-cas, selon, temps, veine ■ 6 chance, détail, hasard, moment, speech ■ 7 bonheur, épisode, manière, miracle, urgence ■ 8 accident, contexte, éventuel, identité, incident, occasion, position ■ 9 casualité, condition, engrenage, événement*, péripétie, rencontre, situation ■ 10 entrefaite, occurrence ■ 11 coïncidence, conjoncture, contingence, éventualité, opportunité ■ 12 impondérable, opportuniste ■ 13 circonstancié, particularité ■ 14 circonstanciel, circonstancier.
CIRCONSTANCIE: 8 détaillé ■ 11 particulier.
CIRCONVENIR: 9 corrompre.
CIRCUIT: 3 mos ■ 4 tour ■ 5 shunt ■ 6 boucle, by-pass, voyage* ■ 7 bipasse ■ 8 bouclage, pourtour, primaire, rhéostat ■ 9 randonnée, strip-line, wattmètre ■ 10 disruption ■ 11 branchement, conjoncteur,

micromodule ■ **12** coupe-circuit ■ **13** auto-induction ■ **14** interconnexion ■ **15** microprocesseur.

CIRCULAIRE : **4** aven, iris, ring, rose, roue, tore, tour ■ **5** jante, sotch, tuyau, venet ■ **6** tholos ■ **8** caldeira, couronne, panorama, tourteau, zodiaque ■ **9** corbeille, élastique, enclenche, giratoire, médaillon, monoptère, œilleton, rond-point, rotatoire ■ **11** circularité, orbiculaire ■ **12** circulariser, constriction, constringent ■ **14** demi-circulaire.

CIRCULATION : **3** rue ■ **4** jeep ■ **5** barré, chyle, cœur, cours, passe ■ **6** tarmac, viable ■ **7** pontage ■ **8** émission, ischémie, tranchée, trottoir, vaisseau ■ **9** apoplexie, mouvement, passavant ■ **10** angiologie, extracteur, obturateur ■ **11** acrocyanose, commutateur, lymphatique, passe-debout ■ **12** banalisation, circulatoire, embouteiller, thermosiphon ■ **13** embouteillage, forcipressure, hémodynamique.

CIRCULER : **4** sève ■ **5** stase ■ **6** courir, passer, pulser ■ **7** marcher, tourner ■ **8** rayonner ■ **9** bibliobus ■ **11** circulation ■ **13** laissez-passer ■ **14** acquit-à-caution.

CIRE : **5** agnus, ambre, batik, cérat, cirée, cirer, polir, rayon, ruche, style, tissu ■ **6** cireur ■ **8** agnus-dei, cérifère, flambeau, herberie, maquette ■ **9** acchroïde, démieller, marquette, ozocérite, ozokérite, rat-de-cave ■ **10** incération ■ **11** encaustique ■ **13** céroplastique, griffonnement.

CIREUX : **6** pruine ■ **8** lanoline.

CIRIER : **7** rouloir.

CIRQUE : **4** méta ■ **5** arène, clown, piste, spina, vélum ■ **6** gradin, podium ■ **7** batoude, carcère ■ **8** acrobate, carrière, montagne ■ **9** cascadeur, naumachie, promenoir ■ **10** gladiateur, hippodrome ■ **12** amphithéâtre.

CIRRHOSE : **11** cirrhotique.

CIRRIPEDE : **6** balane ■ **7** anatife ■ **8** bernacle ■ **9** pouce-pied, sacculine.

CIRRUS : **5** nuage.

CISAILLE : **6** couper ■ **8** cisoires, tailloir ■ **9** cisailler ■ **10** bourriquet ■ **12** cisaillement, coupe-boutons.

CISEAU : **5** burin, gouge, ovoir, plane ■ **6** biseau, cisoir, clouet, matoir, onglet ■ **7** bec-d'âne, ciselet, gradine, molette, planoir, poinçon, riflard, rifloir ■ **8** carrelet, ébarboir, écartoir, gougette, grattoir, rondelle, sculpter, sécateur ■ **9** ébauchoir, hougnette ■ **10** godronnier, repoussoir ■ **11** bec-de-corbin, pied-de-biche.

CISEAUX : **6** forces ■ **8** cisaille, ongliers, sécateur ■ **9** cisailles, entablure, forcettes ■ **10** mouchettes ■ **11** coupe-ongles.

CISELER : **6** graver, orner ■ **8** ciseleur, ciselure, parfaire ■ **9** anaglyphe ■ **10** cisèlement, toreutique.

CISELURE : **7** défoncé.

CISTE : **11** hélianthème.

CITADELLE : **6** casbah ■ **8** acropole ■ **10** forteresse* ■ **13** fortification*.

CITADIN : **6** urbain ■ **9** urbaniser.

CITATION : **6** cédule ■ **8** citateur ■ **9** épigraphe, guillemet ■ **10** allégation.

CITE : **5** ville*.

CITE-DORTOIR : **12** ville-dortoir.

CITER : **5** viser ■ **7** appeler, intimer, précité ■ **8** alléguer, attraire, indiquer, invoquer, produire, traduire ■ **9** consigner, rapporter ■ **10** mentionner, proverbial.

CITERNE : **4** tank ■ **9** pinardier, réservoir.

CITHARE : **4** vina ■ **9** citharède ■ **10** cithariste.

CITIZEN : **2** c.b.

CITIZEN BAND : 7 cibiste.
CITOYEN : 4 cens, juré, jury ■ 5 civil, impôt, plèbe, sénat, thète ■ 7 chorège, civique, notable, quirite ■ 8 pérégrin, refuznik ■ 9 bourgeois, chevalier, clérouque, docimasie, indigénat, patricien ■ 10 prolétaire, triérarque ■ 11 citoyenneté, cosmopolite, réfractaire ■ 13 landsgemeinde.
CITRON : 4 grog, lime ■ 5 limon, punch, zeste ■ 6 bichof, bishop, cédrat, citrin ■ 7 agrumes, bischof, citrine, gin-fizz, limette, poncire ■ 8 citrique, citronné, limonade, limonier ■ 9 cédratier, limettier ■ 10 citronnade, citronnier ■ 11 citronnelle.
CITRUS : 9 limettier.
CIVELLE : 6 pibale.
CIVETTE : 4 cive ■ 7 ciboule ■ 10 ciboulette.
CIVIERE : 4 bard ■ 6 bayart ■ 8 brancard.
CIVIL : 3 c.i.c. ■ 4 cadi, cité, kadi, poli* ■ 5 crime, férié, liste, pékin ■ 6 péquin, policé, requis ■ 7 affable*, civique, voïvode ■ 8 civilisé, libéral, voïévode ■ 9 civiliste ■ 10 civilement.
CIVILISATION : 5 islam, magie ■ 6 police ■ 7 culture, oralité, progrès, société ■ 8 barbarie, civilisé, prélatin, romanité ■ 9 antiquité, nuragique ■ 10 hellénisme, indianisme, sinisation ■ 11 africaniste ■ 12 byzantinisme, byzantiniste, civilisateur, hispano-arabe, orientaliste ■ 13 hellénistique ■ 14 alexandrinisme, byzantinologie ■ 15 hispano-moresque.
CIVILISER : 7 policer ■ 8 civilisé ■ 9 humaniser ■ 10 incivilisé ■ 11 civilisable ■ 12 civilisation.
CIVILITE : 5 adieu, salut ■ 8 monsieur, servante ■ 9 formalité, hommages, politesse*, serviteur ■ 10 affabilité, compliment, incivilité, reconduire ■ 12 complimenter.
CIVISME : 5 civil ■ 7 civique ■ 9 incivique, incivisme ■ 11 patriotisme.
CLABAUDER : 6 médire ■ 10 clabaudeur.
CLABOT : 6 crabot ■ 8 claboter ■ 9 clabotage.
CLAIE : 3 sas ■ 4 jonc, parc ■ 5 auvel, douve, natte, osier ■ 6 clayer, clayon, clisse, grille, lattis, trolle ■ 7 éclisse, écrille, frisage ■ 8 barrière, bordigue, grillage, lasserie ■ 9 bourdigue, treillage ■ 10 clairevoie, clayonnage, encabanage, paillasson.
CLAIR : 3 net ■ 4 aigu, pelé ■ 5 blanc, blond, campé, connu, crêpe, roche ■ 6 fluide, précis, séparé, serein, tendre ■ 7 chamois, déchiré, éraillé, évident, liquide, nacarat, raréfié ■ 8 apparent, argentin, cryptage, distinct, lumineux* ■ 9 clairsemé, clarifier, éclaircie, éclaircir, équivoque, explicite, feldspath, manifeste ■ 10 déchiffrer, demiteinte ■ 11 catégorique, clair-obscur, clairvoyant, transparent ■ 12 clairvoyance ■ 14 compréhensible.
CLAIRANCE : 9 clearance.
CLAIRE-VOIE : 4 bard, gril ■ 5 claie, filet ■ 6 clédar ■ 8 clayette, râtelier ■ 9 mannequin, panetière, triforium.
CLAIRON : 5 diane ■ 8 sonnerie ■ 9 trompette ■ 10 claironner ■ 11 claironnant.
CLAIRSEME : 4 rare.
CLAIRVOYANCE : 3 nez ■ 5 argus, flair ■ 6 acuité ■ 7 finesse ■ 8 lucidité, sagacité ■ 11 pénétration ■ 12 intelligence, perspicacité.
CLAMER : 4 haro ■ 5 crier ■ 7 clameur, vacarme.
CLAMPIN : 7 boîteux ■ 9 paresseux.
CLAN : 5 parti ■ 7 coterie, famille ■ 8 chapelle, clanique, clanisme, partisan ■ 9 matriclan, patriclan.
CLANDESTIN : 5 caché ■ 6 clandé ■ 7 repenti ■ 9 trafiquer ■ 11 contrebande ■ 13 clandestinité ■ 15 clandestinement.

CLAPOTEMENT : **8** flic flac.
CLAPOTER : **9** clapotant, clapoteux ■ **11** clapotement.
CLAQUAGE : **10** disruption.
CLAQUE : **5** gifle ■ **10** claquement.
CLAQUEMENT : **4** clac, clic.
CLAQUEMURER : **8** enfermer.
CLAQUETER : **9** craqueter.
CLAQUETTE : **4** clap ■ **8** claquoir.
CLARIFIER : **4** alun ■ **7** plâtrer ■ **8** purifier ■ **10** clarifiant, défécation ■ **13** clarification.
CLARINE : **9** clochette.
CLARINETTE : **3** bec ■ **5** anche ■ **6** basset ■ **13** clarinettiste.
CLARTE : **4** jour ■ **5** clair, fouée, lueur ■ **7** lumière ■ **8** troubler ■ **9** brouillon, obscurité ■ **10** nébulosité ■ **13** lumineusement.
CLASSE[1] : **4** état, gent, race, rang ■ **5** amide, cagne, caste, degré, école, fiche, gomme, haute, monde, ordre*, ovate, pègre, plèbe, prépa, sorte, taupe ■ **6** couche, espèce, milieu, régule, vaisya ■ **7** amibien, famille*, société ■ **8** agnathes, cestodes, corniche, déclassé, doubleur, noblesse, péripate, position, première, reptiles, samouraï ■ **9** acalèphes, astérides, bourgeois, catégorie, classable, classique, condition, crinoïdes, crustacés, déclasser, division, filicinée, floridées, grandesse, hépatique, hypotaupe, lazzarone, muscinées, nématodes, patriciat, quatrième, rotifères, terminale, troisième, tuniciers, vinylique ■ **10** arachnides, batraciens, charophyte, classifier, extraction, filicinées, hirudinées, hypokhâgne, mérostomes, phosphines, polychètes, rhétorique, scaphopode, sous-classe, stomocordé, trématodes, trilobites ■ **11** amphineures, ascomycètes, bourgeoisie, bryozoaires, équisétinée, gastéropode, gastropodes, inclassable, interclasse, mille-pattes, myxomycètes, oligochètes, phéophycées, philosophie, polyoléfine, prolétariat, radiolaires, stellérides ■ **12** anthozoaires, aristocratie, céphalopodes, coralliaires, cyanophycées, équisétinées, gastéropodes, hydrozoaires, lycopodinées, ploutocratie, ptérobranche, rhodophycées, siphomycètes, turbellaires ■ **13** chlorophycées, chondrichtyen, dicotylédones, entéropneuste, foraminifères ■ **14** basidiomycètes, intelligentsia, polyplacophore ■ **15** lamellibranches, monocotylédones.
CLASSEMENT : **5** ordre ■ **6** rating ■ **7** méthode ■ **8** criblage, dead-heat, méjanage ■ **9** thesaurus ■ **10** départager ■ **11** arrangement, collocation, composition ■ **12** numérotation ■ **13** granulométrie ■ **14** alphanumérique, catégorisation, classification, documentaliste.
CLASSER : **5** ordre, trier ■ **6** ranger*, sérier ■ **7** séparer, trommel ■ **8** archiver, calibrer ■ **9** numéroter, reclasser ■ **10** cataloguer, classement ■ **11** catégoriser ■ **12** interclasser.
CLASSEUR : **8** parafeur ■ **9** parapheur.
CLASSIFICATION : **3** s.a.e. ■ **4** rang ■ **5** ordre, taxon, taxum, tribu ■ **6** classe ■ **8** zootaxie ■ **9** posologie, sous-genre, taxinomie, taxonomie ■ **10** classement, hiérarchie, sous-espèce ■ **11** sous-famille ■ **12** superfamille, systématique ■ **14** classificateur.
CLASSIQUE : **5** unité ■ **9** confident, variorium ■ **11** classicisme ■ **12** préclassique ■ **13** postclassique.
CLAUDIQUER : **6** boîter ■ **10** claudicant.

---

1. Les diverses classes des règnes végétaux et animaux s'utilisent le plus souvent au pluriel. C'est la raison qui nous a fait opter pour le pluriel dans le classement par nombre de lettres.

CLAUSE : 2 or ■ 6 réméré ■ 9 condition ■ 10 convention, franco-bord ■ 11 commissoire, stipulation ■ 14 compromissoire, non-concurrence.
CLAUSTRATION : 13 claustromanie.
CLAUSTRER : 8 enfermer ■ 9 claustral ■ 12 claustration.
CLAVEAU : 6 claver ■ 7 douelle ■ 10 contreclef.
CLAVECIN : 5 piano ■ 7 toccata ■ 8 épinette, virginal ■ 9 sauterau ■ 12 claveciniste, registration.
CLAVELEE : 7 claveau ■ 9 claveleux.
CLAVETTE : 8 claveter, goupille ■ 9 clavetage ■ 10 déclaveter.
CLAVICULE : 6 épaule ■ 7 salière ■ 9 manubrium ■ 10 fourchette ■ 11 sous-clavier.
CLAVIER : 5 orgue, piano, récit, tiper ■ 6 tipper ■ 7 célesta, cluster ■ 8 clavecin, pédalier ■ 10 pianoforte ■ 11 linotypiste ■ 12 synthétiseur.
CLAYONNAGE : 5 claie ■ 9 clayonner ■ 10 ramassette.
CLEF : 2 fa ■ 4 pène, tige ■ 5 canon, dièse, flûte, pompe, voûte ■ 6 anneau, claver, fermer, museau, secret ■ 7 branche, manette, robinet, serrure ■ 8 balustre, panneton ■ 9 décrypter ■ 10 bouterolle, contre-clef ■ 12 passe-partout.
CLEMENT : 8 clémence ■ 9 indulgent.
CLEPTOMANIE : 10 cleptomane, kleptomane ■ 11 kleptomanie.
CLERC : 5 étude ■ 6 diacre ■ 7 acolyte, basoche, lecteur, portier, suspens ■ 8 suspense ■ 9 barnabite, principal, religieux ■ 11 cléricature ■ 12 gratte-papier, thuriféraire ■ 13 saute-ruisseau.
CLERGE : 4 dîme ■ 5 tiers ■ 7 muezzin, patarin ■ 8 clérical, séculier ■ 10 encyclique, sécularité ■ 11 cléricature ■ 12 anticlérical, cléricalisme ■ 14 ecclésiastique*.
CLERMONT-FERRAND : 11 clermontois.
CLEROUQUE : 10 clérouquie.
CLICHE : 4 alun, flan ■ 5 cache ■ 6 poncif, simili ■ 7 échoppe, épreuve, galvano, négatif ■ 8 clichage, clicheur ■ 9 clicherie ■ 10 contretype, photocopie, stéréotype ■ 11 galvanotype, visionneuse ■ 12 renforcement ■ 13 photopolymère, similigravure ■ 14 agrandissement, photomécanique.
CLIENT : 5 étude ■ 7 habitué ■ 8 acheteur*, micheton, prospect, touriste, voyageur ■ 9 achalandé, clientèle, rabatteur ■ 10 achalander, démarchage ■ 11 achalandage ■ 12 consommateur, pensionnaire.
CLIENTELE : 6 cibler ■ 12 clientélisme, fidélisation.
CLIGNER : 10 clignement.
CLIGNOTEMENT : 9 nictation ■ 11 nictitation.
CLIMAT : 4 ciel, pays ■ 5 temps ■ 6 milieu, patrie ■ 7 azuréen ■ 8 latitude ■ 9 océanique, semi-aride, xérophile ■ 10 acclimater, climatique, climatisme, phénologie ■ 11 paléoclimat, température ■ 12 climatologie ■ 13 subéquatorial ■ 14 continentalité ■ 15 bioclimatologie, climatothérapie, tropicalisation.
CLIMATIQUE : 9 bioclimat.
CLIMATISATION : 10 climatiser ■ 11 climatiseur.
CLIMATOLOGIE : 12 climatologue ■ 14 climatologique.
CLINICIEN : 7 médecin.
CLINIQUE : 7 hôpital ■ 8 clinicat ■ 10 percussion ■ 12 cliniquement, policlinique, polyclinique ■ 13 beurosciences ■ 15 percuti-réaction.
CLINKER : 7 gypsage.
CLINOMETRE : 12 inclinomètre.
CLINORHOMBIQUE : 12 monoclinique.
CLINQUANT : 7 oripeau ■ 8 brillant.
CLIP : 9 vidéo-clip.

CLIQUE : **7** coterie ■ **12** tambour-major.
CLIQUET : **5** doigt ■ **11** décliqueter.
CLIQUETIS : **10** cliquetant.
CLISSE : **7** clisser ■ **8** clissage ■ **10** dame-jeanne.
CLITORIS : **11** clitoridien ■ **15** clitoridectomie.
CLIVAGE : **8** fibrillé.
CLIVER : **7** clivage ■ **8** clivable.
CLOAQUE : **4** sale ■ **5** égout ■ **7** cloacal, sentine ■ **8** bourbier.
CLOCHE : **3** bob ■ **4** ding, glas, gong ■ **5** volée ■ **6** airain, brayer, grelot, renvoi, sonner, timbre, tocsin ■ **7** beffroi, bourdon, campane, campène, chapeau, clarine, grillet ■ **8** carillon, ombrelle, sonnette ■ **9** campanule, clochette, sonnaille ■ **10** cloche-pied, jacquemart ■ **12** campaniforme.
CLOCHER : **6** boiter, flèche ■ **7** beffroi, sommier ■ **8** aiguille ■ **9** campanile, clocheton, imparfait.
CLOCHETTE : **6** cloche, drelin, grelot, timbre ■ **7** campane, clarine ■ **8** sonnette ■ **9** sonnaille.
CLOISON : **3** mur ■ **5** émail, jouée, judas, paroi, voile, vomer, voûte, zeste ■ **6** bardis, septum ■ **7** clôture, étanche, tablier ■ **8** plâtrier ■ **9** charpente, entrevous, galandage, passe-plat, tournisse ■ **10** cloisonner, diaphragme, iconostase, séparateur, séparation ■ **11** cloisonnage ■ **13** cloisonnement, semi-perméable.
CLOISONNER : **9** voligeage ■ **11** cloisonnage ■ **13** cloisonnement.
CLOITRE : **5** préau ■ **6** abbaye, monial ■ **7** convent, couvent*, moutier, prieuré ■ **8** cloîtrer, enfermer ■ **9** béguinage, claustral, claustrer, monastère* ■ **12** contemplatif.
CLONAGE : **6** cloner.
CLONE : **10** monoclonal.
CLOPORTE : **5** ligie ■ **6** aselle, cloqué.
CLORE : **5** lever, morne ■ **6** fermer* ■ **7** boucher, limiter ■ **8** entourer ■ **9** claustrer ■ **11** herméticité.
CLOS : **4** cour ■ **5** stand, vigne ■ **7** closeau, terrain ■ **8** closerie, enceinte.
CLOTURE : **3** mur ■ **4** clie, haie, parc ■ **5** claie, finir, herse, palée, palis, rampe, ronce ■ **6** clayon, enclos, grille, limite ■ **7** barrage, bornage, chancel, déclore, rempart, ridelle, vitrage ■ **8** balustre, barrière*, clôturer, échalier, enceinte*, entourer, escalade, grillage, muraille, treillis ■ **9** banquette, barricade, charmille, clôturier, enclosure, entourage, palissade, ronceraie, treillage ■ **10** balustrade, boussillage, claire-voie, clayonnage, effraction, séparation ■ **13** arrière-chœur, contre-fenêtre, fortification, retranchement.
CLOU : **3** vis ■ **4** croc, dent ■ **5** bulle, fiche, patte, piton, river, rivet, tenon ■ **6** boulon, broche, goujon, patère, pointe, tampon, touret, tumeur ■ **7** caboche, crampon, crochet, fausset, rosette, semence ■ **8** cabochon, carvelle, cavalier, clavette, cloutier, enclouer, étampure, furoncle, goupille, lasseret, tire-clou, tricouni ■ **9** avant-clou, bec-de-cane, broquette, clouterie ■ **10** chasse-clou, crampillon, dent-de-loup ■ **11** arrache-clou, chevillette.
CLOUAGE : **8** cloutage ■ **10** mailletage.
CLOUER : **5** river ■ **6** araser, étêter, ficher, visser ■ **7** clouter ■ **8** déclouer, enfoncer, engraver, rabattre, reclouer ■ **9** boulonner, cheviller, clouement, mailleter ■ **10** cramponner.
CLOUP : **4** igue.
CLOUTER : **4** clou ■ **8** cloutage ■ **9** clouterie.
CLOVISSE : **8** palourde.

CLOWN : 5 pitre ■ 7 auguste, bouffon*, gugusse ■ 9 clownerie, clownesse, paillasse ■ 10 clownesque.
CLUB : 4 grip ■ 5 caddy ■ 6 driver, putter ■ 7 cénacle, clubman, jacobin ■ 8 clubiste ■ 9 cordelier.
CLUPEIDE : 5 alose, sprat ■ 6 hareng ■ 7 allache, menuise, sardine ■ 9 haranguet, harenguet ■ 11 isospondyle.
CLUSE : 6 vallée.
CLYSTERF : 8 lavement.
CNIDAIRE : 6 polype, tabulé ■ 10 cœlentéré, zoanthaire ■ 11 anthozoaire*, hydrozoaire* ■ 12 madréporaire, scyphozoaire*.
COAGULABLE : 13 coagulabilité.
COAGULATION : 5 prise, sérum ■ 7 caillot, grumeau, présure ■ 8 globulin ■ 9 caillette, coagulant, thrombine ■ 10 caillement, hémophilie ■ 11 coagulation, congélation, fibrinogène, floculation ■ 12 chardonnette, prothrombine ■ 13 anticoagulant, thrombokinase ■ 15 cristallisation, thromboplastine.
COAGULER : 5 cruor, figer, latex ■ 7 cailler, crémeux, présure ■ 8 coagulum, congeler, fixateur, grumeler ■ 9 grumeleux ■ 10 coagulable ■ 12 caillebotter, cristalliser, incoagulable.
COAGULUM : 6 cæsum.
COALESCENCE : 6 ouvala ■ 9 coalescer.
COALISER : 4 unir ■ 5 grève ■ 6 allier ■ 7 joindre ■ 8 associer.
COALITION : 4 bloc ■ 5 front, ligue, union ■ 7 complot, société ■ 8 faisceau, phalange ■ 10 fédération, tripartite ■ 11 association, tripartisme ■ 12 bipolarisation.
COALTAR : 7 goudron.
COBALT : 2 co ■ 4 azur ■ 5 safre, smalt ■ 8 œrstite, smaltine, stellite ■ 9 cabaltine, cabaltite ■ 11 radiocobalt ■ 15 ferro-magnétisme.
COBRA : 4 naja.
COCAIER : 4 coca ■ 7 cocaïne.
COCAÏNE : 4 came, coca, coco, coke ■ 5 crack, neige ■ 10 cocaïnisme ■ 11 cocaïnomane ■ 12 cocaïnomanie ■ 13 cocaïnisation.
COCARDEAU : 9 matthiole.
COCARDIER : 8 patriote.
COCASSE : 7 comique*, risible ■ 10 cocasserie.
COCCOLITOPHORE : 9 coccolite.
COCHE : 6 marque ■ 7 chaland, voiture* ■ 8 entaille ■ 9 enclenche.
COCHENILLE : 5 nopal ■ 6 kermès.
COCHER : 3 hue ■ 9 accoupler, automédon, collignon.
COCHON : 4 porc* ■ 5 coche, goret, groin, panne ■ 6 pécari ■ 8 nourrain ■ 9 cochonner, cochonnet, malpropre, vermiller ■ 11 cochonnerie ■ 12 cochonnaille.
COCHONNERIE : 10 cochonceté.
COCHYLIS : 9 vercoquin.
COCKTAIL : 6 shaker ■ 7 gin-fizz, martini, mélange ■ 8 coquetel ■ 9 alexandra.
COCO : 4 coir ■ 5 copra ■ 6 coprah ■ 8 macassar ■ 9 congolais ■ 10 personnage.
COCON : 4 aspe ■ 5 asple, coque ■ 8 coconner.
COCONTRACTANT : 15 intuitu personae.
COCOTIER : 4 coco ■ 7 palmier ■ 10 cocoteraie ■ 12 chou-palmiste.
COCOTTE : 9 mijoteuse.
COCTION : 3 jus ■ 5 cuire ■ 8 assation.
COCU : 7 cocuage ■ 8 cocufier.
CODAGE : 10 compactage.

CODE : 3 loi ■ **5** coder, règle, titre ■ **6** codeur, verlan ■ **7** bushido ■ **8** chapitre, cryptage ■ **9** règlement ■ **10** code-barres ■ **11** transcodage.
CODEINE : **10** pholcodine.
CODER : **7** encoder.
CODIFIER : **10** ritualiser ■ **12** codificateur, codification.
COEFFICIENT : **2** cz, ph ■ **5** aleph, masse ■ **6** module ■ **7** polaire ■ **10** pycnomètre ■ **12** discriminant ■ **14** self-inductance.
CŒLENTERE : **8** cnidaire*, cténaire* ■ **11** nématocyste.
CŒLIOSCOPIE : **11** culdoscopie.
CŒLOME : **10** cœlomique.
COENZYME : **14** acétocoenzymea.
COERCIBLE : **12** coercibilité.
COERCITION : **8** punition ■ **9** coercitif ■ **10** contrainte.
CŒUR : **4** bile, café, cave, doux, fond, kola, sang, sein ■ **5** amour, aorte, corde, droit, école, fibre, leçon, orage, roche, veine ■ **6** bronze, milieu, rollot ■ **7** cardite, duramen, énergie, méchant, systole, trognon, valvule ■ **8** arythmie, auricule, bonhomie, carotide, diastole, écœurer, fressure, isocarde, myocarpe, poitrine* ■ **9** anévrisme, anévrysme, asystolie, cardiaque, cardioïde, coronaire, délicieux, écœurant, endocarde, greluchon, intérieur, lâchement, palpitant, péricarde, pulsation, spartéine, vide-pomme ■ **10** cardialgie, congestion, cordialité, cordiforme, digitaline, entrailles, impression, oreillette, précordial, sacré-cœur, tamponnade, ventricule ■ **11** affectionné, cardiologie, cardio-rénal, palpitation, tachycardie ■ **12** cardiographe, cardiopathie, dextrocardie, extrasystole ■ **13** aminophylline, cardiographie, cardiotonique, tonicardiaque ■ **14** intracardiaque ■ **15** cardiomyopathie, pneumogastrique.
COEXISTE : **11** multiracial.
COEXISTENCE : **7** dualité ■ **10** pluralisme ■ **11** bilinguisme, bisexualité ■ **12** concomitance, coordination.
COEXISTER : **13** multiethnique.
COFFRAGE : **8** coffreur ■ **12** pervibrateur.
COFFRE : **3** fût ■ **4** cage, case, maie ■ **5** arche, bâche, bahut*, bière, boîte*, bouge, écrin, huche, malle ■ **6** banche, bêtuse, caisse*, carton, châsse, montre, pétrin, trémie, valise ■ **7** armoire, boîtier, caisson, cantine, coffret, commode, layette, portant, pupitre, sommier, tambour ■ **8** banneton, canastre, cassette, cercueil, layetier, saunière ■ **9** berniquet, encoffrer, farinière, grosserie, habitacle ■ **10** frigidaire, nécessaire, réceptacle, reliquaire, tabernacle ■ **11** coffre-fort, garde-manger.
COFFRER : **9** décoffrer ■ **11** emprisonner.
COFFRET : **5** boîte, botte, écrin ■ **7** baguier ■ **9** écritoire ■ **10** reliquaire.
COGNAC : **9** alexandra.
COGNASSIER : **5** coing.
COGNAT : **5** agnat.
COGNEE : **5** hache.
COGNER : **6** battre, cognée ■ **7** frapper, heurter ■ **9** cognement.
COHERENCE : **8** adhésion, cohérent ■ **9** adhérent, marchéage ■ **11** systématisé ■ **15** radioconducteur.
COHORTE : **5** armée ■ **6** troupe ■ **8** manipule ■ **9** primipile ■ **12** primipilaire.
COIFFE : **6** béguin ■ **7** capsule, halette ■ **8** bigouden, coiffant ■ **9** chapeauté, colinette, serre-tête ■ **10** bonnetière, enturbanné, kichenotte ■ **11** quichenotte.

COIFFER : 6 figaro, merlan ■ 7 barbier, peigner* ■ 8 coiffage, coiffeur, lave-tête, toilette ■ 9 appui-tête, coiffeuse, recoiffer ■ 10 appuie-tête, chapeauter, embéguiner, festonneur, perruquier.
COIFFEUR : 14 capilliculteur.
COIFFURE : 3 épi, fez, pli ■ 4 afro, bibi, cape, képi, pouf ■ 5 armet, béret, bitos, bride, calot, gibus, melon, mitre, shako, tiare, toque ■ 6 béguin, bonnet, capuce, casque, cloche, coiffe, comète, galure, hennin, madras, schako, toquet, turban ■ 7 aumusse, bavolet, calotte, capuche, chapeau*, chapska, chéchia, colback, diadème, fanchon, frontal, galurin, keffieh, mortier, talpack ■ 8 barrette, bressant, capeline, capuchon, chaperon, cornette, fontange, mantille, marmotte, perruque, pointure, schapska, tarbouch, toilette ■ 9 cabriolet, casquette, décoiffer, dépeigner, serre-tête, tarbouche ■ 10 couvre-chef, dreadlocke ■ 11 coqueluchon, mentonnière ■ 12 shampouineur ■ 13 bourguignotte, queue-de-cheval.
COIN : 4 cale, pile ■ 5 amure, angle, berne, corne, picot ■ 6 recoin ■ 7 angrois, bondieu, claveau, fendoir ■ 8 esquarre, tournant, vousseau, voussoir ■ 9 patarasse, rencogner, rossignol, trésillon ■ 10 coincement, encoignure, refenderet ■ 11 moellonnier.
COINCE : 10 coincement.
COINCER : 8 squeezer.
COÏNCIDENCE : 8 concours, symptôme ■ 9 rencontre ■ 12 circonstance, simultanéité, synchronisme.
COÏNCIDER : 4 égal ■ 10 coïncidant.
COING : 8 cotignac ■ 10 cognassier.
COÏT : 6 coïter ■ 7 sodomie.
COKE : 7 cokerie, houille ■ 8 cokéfier, délutage ■ 10 cokéfiable ■ 11 cokéfaction ■ 12 haut-fourneau.
COL : 3 pas ■ 4 port ■ 5 blame, bocal, cañon, châle, fémur, gorge, vagin ■ 6 brèche, défilé, goulot ■ 7 passage, perthus ■ 8 encolure, prostate ■ 9 cervicité ■ 11 colposcopie.
COLCHIQUE : 6 safran ■ 7 vératre ■ 8 tue-chien ■ 10 colchicine.
COLEE : 6 paumée.
COLEOPTERE : 5 blaps, crabe, gyrin, méloé, zabre ■ 6 bruche, carabe, lucane, silphe ■ 7 agriote, anomala, bousier, cétoine, dytique, haliple, lampyre, lepture, luciole ■ 8 anthrène, attagène, bupreste*, calosome, carabidé, escarbot, géotrupe, nécrobie ■ 9 bostryche, cicindèle, élatéridé*, galérique, halticidé*, loméchuse, staphylin, vrillette ■ 10 bombardier, cantharide, capricorne, cerf-volant, coccinelle, hydrophile, jardinière, longicorne*, nécrophore, scarabéidé*, vinaigrier ■ 11 cérambycidé ■ 12 chrysomélidé*, curculionidé*, lamellicorne.
COLERE : 3 ire ■ 4 bile, émoi, rage ■ 5 accès, bigre, crise, dépit, écume, fâché, fumer, furie, péché, rogne, rouge, soupe, tollé ■ 6 fureur*, monter, morgué, quinte ■ 7 bilieux, indigné, passion ■ 8 coléreux, courroux, emballer, fâcherie, remâcher, violence, vivacité ■ 9 animosité, colérique, décolérer, échauffer, explosion, gendarmer, hurlement, irascible, morguenne, transport, vociférer ■ 10 bourrasque, énervement, excitation, irritation*, morguienne ■ 11 emportement, indignation ■ 12 déchaînement, exaspération, irascibilité, ressentiment ■ 13 surexcitation, vociférations ■ 14 mécontentement*.
COLEREUX : 6 rageur ■ 7 colère, irrité ■ 9 colérique, irascible ■ 11 susceptible.
COLIBACILLE : 7 nostras ■ 9 coliforme, colistine ■ 12 tyrothricine ■ 13 colibacillose.
COLIBRI : 8 trochile ■ 10 trochilidé ■ 12 oiseau-mouche.

COLIFICHET : 7 babiole.
COLIMAÇON : 5 hélix ■ 8 escargot.
COLIN : 4 lieu ■ 7 colinot ■ 8 colineau ■ 13 colin-maillard.
COLIQUE : 5 iléus, plomb ■ 8 miserere, saturnin ■ 9 tranchées.
COLIS : 6 bagage*, paquet* ■ 7 carasse ■ 8 élinguer ■ 9 palanquée, paqueteur ■ 11 marchandise.
COLLABORATEUR : 7 associé, collabo, lecteur ■ 8 cinéaste ■ 11 préparateur.
COLLABORER : 4 part ■ 8 associer, coopérer, seconder ■ 10 contribuer, participer ■ 13 collaboration.
COLLAGE : 7 collure ■ 12 contre-plaqué, lamellé-collé ■ 13 contreplaquer.
COLLAGENE : 11 collagénose.
COLLAGENOSE : 12 connectivité.
COLLANT : 6 étroit ■ 8 blue-jean.
COLLATERAL : 6 parent.
COLLATION : 3 thé ■ 5 en-cas, lunch, repas* ■ 6 goûter ■ 11 comparaison ■ 12 collationner, vérification.
COLLATIONNER : 6 relire ■ 7 vidimer ■ 8 comparer ■ 15 collationnement.
COLLE : 3 glu ■ 4 chas, poix ■ 5 futée, gomme ■ 6 empois, gluten, mastic, résine ■ 7 adhésif, goudron ■ 8 adhérent, bouillie, colloïde, détrempe, encoller, gélatine, maroufle ■ 9 acchroïde, adragante, colloïdal, endossure ■ 10 carton-pâte ■ 11 contrecollé, ichtyocolle, timbre-poste ■ 12 rouflaquette.
COLLECTE : 5 levée, quête ■ 6 aumône ■ 10 collectage.
COLLECTEUR : 5 cadre, égout, impôt ■ 9 ramasseur, reverdoir ■ 12 commutatrice.
COLLECTIF : 6 public ■ 7 autobus ■ 9 collégial ■ 11 taxi-brousse ■ 13 collectivisme, stakhanovisme ■ 14 collectivement.
COLLECTION : 5 corps, genre, musée, pièce, varia ■ 6 muséum, nombre ■ 7 fichier, galerie, herbier, recueil ■ 8 ensemble, grainier, mélanges, panoplie ■ 9 collectif, diathèque, ménagerie, orchestre, pharmacie, ramasseur, zoothèque ■ 10 anthologie, bibeloteur, coquillier, médaillier, patrologie, philatélie ■ 11 assortiment, bandothèque, compilation, discothèque, filmothèque, iconothèque, médiathèque, vidéothèque ■ 12 bibliothèque, philatéliste, scripophilie ■ 13 collectionner ■ 14 cassettothèque, collectionneur.
COLLECTIONNEUR : 13 cartophiliste.
COLLECTIVE : 3 t.u.c.
COLLECTIVISATION : 10 communisme.
COLLECTIVISME : 10 communisme, socialisme ■ 11 bolchevisme ■ 13 collectiviste.
COLLECTIVITE : 4 cire ■ 8 kibboutz ■ 9 trésorier ■ 10 mutualiser, profession, socialiser ■ 12 indépendance, nationaliser ■ 13 collectiviser, collectivisme ■ 15 nationalisation.
COLLEGE : 3 c.e.s. ■ 4 pari, p.e.g.c. ■ 5 bahut, cégep, école, élève, rugby, sacré ■ 7 cuistre, éphébie, madrasa, medersa, potache ■ 8 cardinal, décemvir, labadens ■ 9 collégien, compagnie, principal, troisième ■ 10 intendance, université ■ 11 corporation.
COLLEGIALE : 6 église* ■ 14 collégialement.
COLLEGUE : 8 confrère.
COLLER : 5 garde, tenir ■ 6 gommer ■ 7 adhérer, poisser ■ 8 attacher, colleuse, encoller, recoller, scotcher ■ 9 collement, maroufler, mastiquer ■ 10 agglutiner ■ 11 agglutinant.

COLLERETTE : 6 fraise ■ 10 gorgerette.
COLLET : 8 colleter, palatine, tendelle ■ 9 colleteur, œilleton ■ 10 collecteur, collerette ■ 12 décolleteuse.
COLLETER : 7 prendre ■ 9 renverser.
COLLIER : 5 barbe ■ 6 carcan, racage, torque ■ 7 attelle, rivière ■ 8 mancelle, surlonge ■ 9 érythrine ■ 10 puntarelle, verroterie.
COLLIGNON : 6 cocher.
COLLINE : 4 côte, haut, mont* ■ 5 aspre, butte ■ 6 coteau, croupe ■ 7 hauteur ■ 8 éminence ■ 9 capitolin.
COLLISION : 4 choc ■ 5 block, heurt* ■ 6 impact ■ 8 abordage ■ 11 bloc-système, block-system, inélastique, télescopage ■ 12 échauffourée, tamponnement ■ 13 collisionneur.
COLLODION : 14 nitrocellulose.
COLLOÏDAL : 3 gel, sol ■ 5 humus ■ 6 empois ■ 8 hydrogel, hydrosol ■ 9 bentonite, collargol ■ 10 anaphorèse ■ 11 floculation.
COLLOQUE : 9 colloquer ■ 12 conversation.
COLLUSION : 6 accord ■ 10 collusoire, complicité.
COLMATER : 7 boucher ■ 9 colmatage.
COLOMBE : 4 fuie ■ 5 gémir ■ 6 pigeon* ■ 9 colombier, colombine ■ 10 pigeonnier ■ 12 colombophile.
COLOMBIE : 9 colombien.
COLOMBIER : 4 fuie.
COLOMBIN : 5 biset, ganga, goura ■ 6 pigeon, ramier ■ 7 colombe, palombe ■ 10 pigeonneau, tourtereau ■ 11 tourterelle.
COLOMBIUM : 2 cb ■ 7 niobium.
COLON : 4 boer ■ 7 colonat, colonie, fermier*, métayer ■ 9 clérouque, coloniser ■ 10 colopathie, colostomie, sigmoïdite ■ 12 colonoscopie, entérocolite.
COLONEL : 8 régiment.
COLONIAL : 8 marsouin ■ 9 bigorneau, vérétille ■ 11 anthozoaire ■ 12 colonialisme, colonialiste ■ 15 néo-colonialisme.
COLONIE : 5 ruche ■ 8 colonial, comptoir, planteur ■ 10 clérouchie, clérouquie, concession, plantation, possession ■ 11 protectorat ■ 12 exploitation ■ 13 établissement.
COLONISATION : 8 colonisé.
COLONISER : 11 colonisable ■ 12 colonisateur, colonisation ■ 14 décolonisation.
COLONNADE : 4 lave ■ 5 frise, porte, orgue ■ 6 entrée, parvis, perron, porche, pylone ■ 7 fronton, portail ■ 8 balustre, corniche ■ 9 monoptère, péristyle ■ 10 architrave ■ 11 frontispice.
COLONNE : 2 dé ■ 3 fût ■ 4 ante, base, ciel, dais, file, tête, tige, tore, tors ■ 5 bague, bosel, bossu, canal, cippe, congé, épine, galbe, ordre, socle, stèle, stipe, strie, tronc ■ 6 abaque, chorde, échine, escape, hermès, module, pilier*, poteau, pylone, rachis, scotie, trombe ■ 7 atlante, calibre, cathèle, distyle, méhalla, montant, plinthe, rostral, rudenté, synopse, systyle, tambour, télamon, tronçon, tronqué ■ 8 aiguille, balustre, croupion, dosseret, épistyle, pilastre, prostyle, scoliose, soutenir, tailloir, vertébré ■ 9 astragale, cannelure, cariatide, caryatide, chapiteau, colonnade, columelle, fascicule, hexastyle, hypostyle, lombostat, monolithe, monostyle, obélisque, octastyle, octostyle, périptère, péristyle, pied-droit, piédestal, polystyle, rudenture, stylobate ■ 10 candélabre, colonnette, contrefort, stalactite, stalagmite, tabulateur, tétrastyle ■ 11 contracture, demi-colonne, dodécastyle ■ 12 entrecolonne ■ 13 cyphoscoliose ■ 15 spondylarthrite.
COLONNETTE : 13 statue-colonne.

COLONIAL : 10 zoanthaire.
COLOPHANE : 8 arcanson.
COLOQUINTE : 8 chicotin.
COLORANT : 4 brou, noir ■ 5 gaude, guède, henné, rocou ■ 6 éosine, indigo, safran, sandix, sandyx, santal ■ 7 aniline, azurant, garance, nerprun, pourpre ■ 8 carthame, couvrant, fuchsine, induline, maurelle, mauvéine, murexide, orcanète, orseille, outremer, sarrette, teinture, thionine, xylidine ■ 9 albinisme, alizarine, benzidine, diazoïque, méthylène, phtaléine, purpurine, rhodamine, santaline, tournesol, urobiline ■ 10 chromatine, cochenille, indigotine, lipochrome, naphtalène, naphtaline, quercitrin, quercitron ■ 11 érythrosine, neutrophile, quercitrine ■ 12 achromatique, phénanthrène ■ 13 fluorescine, mercurescéine.
COLORATION : 4 bure ■ 5 écran, jaspe, ladre, laque, smalt ■ 6 patine, teinte ■ 7 couleur*, cyanose ■ 8 colorant, jaunisse, navicule ■ 9 carnation, coupe-rose ■ 10 dichroïsme ■ 11 acrocyanose, chromatisme, colorimètre, homochronie ■ 12 achromatisme, mélanodermie.
COLORE : 9 roudoudou.
COLOREE : 8 colorant.
COLORER : 4 gram ■ 5 encre ■ 8 colorant, colorier, incolore, panacher, safraner ■ 9 enluminer, pigmenter ■ 10 empourprer, virescence ■ 11 coloration, hélianthine ■ 14 métallochromie.
COLORIER : 5 lavis ■ 7 colorer, teindre ■ 9 coloriage, coloriste.
COLORIS : 5 guide, teint ■ 6 teinte ■ 7 couleur.
COLORISATION : 9 coloriser.
COLOSSAL : 7 colosse, immense, monstre ■ 8 démesuré ■ 9 titanique ■ 10 babylonien, monumental, titanesque ■ 11 gigantesque* ■ 13 colossalement.
COLPORTER : 8 propager ■ 10 colportage, colporteur.
COLTINER : 6 coltin, porter ■ 9 coltinage, coltineur.
COLUMBARIUM : 9 cimetière.
COLZA : 5 huile ■ 7 navette ■ 8 érucique ■ 9 colzatier.
COMA : 8 comateux ■ 9 épilepsie, léthargie ■ 14 assoupissement.
COMBAT : 3 rif ■ 4 aman, boxe, char, choc, défi, duel, ring, tank ■ 5 arène, ceste, front, joute, lutte*, mêlée, palme, riffle, salve, stuka, toril, train ■ 6 action, assaut, baroud, guerre*, karaté, riffle, torero ■ 7 affaire, pugilat, ypérite ■ 8 bataille, chausson, commando, écarteur, équipier, militant, plastron, toréador ■ 9 accrocher, branle-bas, collision, combattre, coqueleux, flotille, ganaderia, naumachie, opération, rencontre, sulvinite, taekwondo ■ 10 accrochage, combattant, engagement ■ 11 antisudoral, close-combat ■ 12 antivénérien, échauffourée, exploitation ■ 13 chloropicrine, gigantomachie, non-combattant ■ 14 antialcoolique, antirachitique, antithyroïdien, antivariolique.
COMBATIF : 7 pugnace ■ 8 agressif ■ 10 batailleur ■ 11 combativité.
COMBATTANT : 6 soldat ■ 7 vétéran ■ 8 bretteur, champion, guerrier, guetteur, partisan ■ 9 fourrager, moudjahid ■ 10 gladiateur, guérillero ■ 11 belligérant.
COMBATTRE : 5 ligne, poste ■ 6 battre*, donner, lutter, toréer ■ 7 aborder, réfuter ■ 8 bagarrer, remédier ■ 9 assaillir, opération ■ 10 traitement ■ 11 anticyclique, neutraliser, tauromachie ■ 15 antiasthmatique.
COMBE : 4 crêt ■ 6 vallée.
COMBIEN : 5 comme.
COMBINAISON : 4 coup, vert ■ 5 acier, atome, cotte, ester, métal, oxyde, tissu, union ■ 6 calcul, fusion, projet, taquin, touret ■ 7 bromure, carbure, étayage, hydrate, hydrure, jackpot, mélange, nitrure,

osmiure, ozonide, phénate, solvate, sulfure, système ■ 8 chlorure, combiner, fleurage, hématine, oxygéner, patience, quaterne, réussite ■ 9 arséniure, casse-tête, comburant, équilibre, étaiement, eurythmie, hydroxyde, immixtion, mécanique, mécanisme, oxydation, phosphure, polyester, séléniure, solitaire, tellureux ■ 10 agencement, complexité, croisement, halogénure, machination, machinisme, oxysulfure, saccharate ■ 11 atimoniure, composition, oxychlorure, syntactique ■ 12 amalgamation, borosilicate, bromhydrique, combinatoire, complication, hydrocarbure, introduction, lipoprotéine, multiplexage, surmultiplié ■ 13 chlorhydrique, incorporation, orchestration, participation ■ 14 freudo-marxisme, oxyhémoglobine, tellurhydrique.

COMBINE : 9 auburnien ■ 10 combinable.

COMBINER : 4 unir ■ 5 mêler, mixte ■ 6 allier, mettre, ourdir, varier ■ 7 joindre ■ 8 affinité, calculer, composer, hydrater, mélanger*, préparer*, sulfurer, tactique ■ 9 fusionner, impliquer, organiser*, stratégie ■ 10 compliquer, coordonner, échafauder, hydrogéner, incorporer, introduire, orchestrer.

COMBLE : 4 dôme, noue, rive ■ 5 brise, empli, faîte, ferme, gable, herse, panne, plein* ■ 6 apogée, bourré, brisis, sommet, sommum, zénith ■ 7 arétier, complet, faîtage, grenier, membron, pinacle ■ 8 chatière, enrayure, fermette, mansarde ■ 9 lanternon ■ 10 chien-assis ■ 11 contrefiche, œil-de-bœuf.

COMBLER : 5 gâter, solin ■ 6 emplir, gorger ■ 7 couvrir, remplir* ■ 8 accabler, entourer ■ 9 remblayer ■ 10 bouche-trou, comblement, obturation, satisfaire*.

COMBURANT : 5 ergol ■ 8 hypergol.

COMBUSTIBLE : 4 bois, coke, fuel, méta ■ 5 ergol, fioul, foyer, motte ■ 6 gasoil, mazout, tourbe ■ 7 benzène, benzine, boghead, charbon, fuel-oil, laverie, lignite, propane ■ 8 gazogène, hypergol, kérosène, kérosine, mâchefer, noisette, semi-coke ■ 9 aggloméré, briquette, carburant ■ 10 escarbille, ringardage ■ 11 métaldéhyde, panclastite ■ 12 retraitement ■ 13 berginisation ■ 14 combustibilité.

COMBUSTION : 3 feu ■ 4 urée ■ 5 fumée ■ 8 calamine, ignition, incendie, soufroir ■ 9 comburant ■ 12 déflagration, phlogistique.

COMEDIE : 4 legs, mime, zani ■ 5 avare, drame, gille, pièce, valet, zanni ■ 6 sitcom, socque ■ 7 capitan, comique, frontin, saynète ■ 8 arlequin, comédien, matamore, parabase, proverbe ■ 9 brodequin, soubrette ■ 10 vaudeville ■ 12 pensionnaire ■ 13 dissimulation, vaudevilliste.

COMEDIEN : 5 cabot ■ 6 acteur ■ 7 artiste, cabotin ■ 9 théâtreux ■ 12 contre-emploi.

COMESTIBLE : 3 mye, sar ■ 4 cèpe, chou, clam, fève, flet, kaki, lama, maïa, maïs, miel, pois, taro, vive ■ 5 bolet, carde, caret, coque, crabe, donax, figue, hydne, labre, lamie, lotte, moule, navet, nèfle, radis, sorbe ■ 6 denrée, homard, huître, lingue, pezize, praire, truffe, ulluco ■ 7 carotte, caroube, cresson, crithme, étrille, houille, limande, longane, morille, oseille, palmite, patelle, sépiole, trépang, tripang, ulluque, ximénia ■ 8 baudroie, clavaire, clovisse, corossol, crevette, émissole, escargot, helvelle, myrtille, pétoncle, physalis, pistache, pleurote, rascasse, rousseau, rutabaga, salsifis, volvaire ■ 9 albarelle, arbousier, artichaut, aubergine, bigorneau, busserole, châtaigne, clitocybe, écrevisse, fistuline, framboise, margarine, mousseron, psalliote, souchette, spiruline ■ 10 canneberge, coulemelle, craterelle, cynorhodon, gras-double, tamarinier ■ 11 cardonnette, coucoumelle, cristophine, rosé-des-prés, saint-pierre, vesse-de-loup ■ 12 chardonnette, chou-palmiste, pamplemousse, pied-de-cheval.

COMETE: 5 noyau, queue ■ 7 réunion ■ 9 chevelure, cométaire.

COMICE: 7 réunion, tribute ■ 8 comitial, comicial.

COMIQUE: 3 gag, gai* ■ 4 rire ■ 5 drame, drôle, falot, farce, lazzi, punch, revue ■ 6 bouffe, rigolo ■ 7 amusant, bouffon, comédie, cocasse, crevant, guignol, marrant, poilant, risible, roulant, tordant ■ 8 fouchtra, gonflant, hilarant, plaisant, ridicule*, rigolard, singerie ■ 9 bidonnant, burlesque, cascadeur, gondolant, humoriste, impayable ■ 10 désopilant, vaudeville ■ 11 comiquement, inénarrable ■ 12 chaplinesque, héroï-comique, polichinelle, tragi-comique.

COMITE: 7 censure ■ 10 sous-comité ■ 13 trombinoscope.

COMMANDANT: 3 kan ■ 4 caïd, chef, khan ■ 5 arrêt, comte, légat, mener, ordre, pacha ■ 6 sirdar ■ 7 meistre ■ 8 navarque, sénéchal ■ 9 blochkaus, capitaine, président ■ 10 connétable, gouverneur, triérarque ■ 11 ordonnateur ■ 13 généralissime.

COMMANDE: 5 achat, barre ■ 6 pédale, volant ■ 7 demande, manette ■ 8 courroie, tactique ■ 9 commander, culbuteur, télévente ■ 10 séquenceur, servofrein ■ 11 déclencheur, décommander ■ 12 télécommande ■ 13 radiocommande, sous-brigadier ■ 14 ordonnancement, servomécanisme.

COMMANDEMENT: 2 p.c. ■ 3 feu, loi, que ■ 4 bref, édit, fixe, joue, stop ■ 5 arrêt, halte, ordre*, repos, ukase ■ 6 arrêté, décret, empire, statut ■ 7 défense, jussion, régence, rescrit, sceptre ■ 8 amirauté, conduite, consigne, décision, précepte, tactique ■ 9 décalogue, demi-pique, direction, impératif, sommation, stratégie, ultimatum ■ 10 commission, injonction, leadership, ordonnance*, présidence ■ 11 kommandatur, procuration, rescription ■ 12 gouvernement, prescription.

COMMANDER: 5 mener, prier, venir ■ 6 exiger, forcer, manier, parler, régner, sommer ■ 7 adjurer, diriger*, dominer, inviter ■ 8 autorité, conduire, défendre, demander, notifier, ordonner*, présider, prohiber, régenter, requérir ■ 9 enjoindre, gouverner, maîtriser, prescrire, puissance, signifier ■ 11 contraindre ■ 12 commandement ■ 13 télécommander, télémécanique.

COMMANDERIE: 10 commandeur.

COMMANDITAIRE: 7 sponsor.

COMME: 3 tel ■ 4 pour ■ 5 quand ■ 7 puisque ■ 8 ainsi que.

COMMEMORATION: 4 cène, fête ■ 5 agape ■ 7 mémoire ■ 8 mémorial ■ 10 commémorer ■ 12 anniversaire, bicentenaire ■ 13 commémoration.

COMMENCE: 12 blanchissant.

COMMENCEMENT: 2 de ■ 4 aube, blet, bout, tête ■ 5 alpha, début, garde, germe, kyrie, lever, matin, natif, point, scion, vieil, seuil ■ 6 amorce, aurore, départ, entrée, limite, novice, racine, source ■ 7 attaque, berceau, ébauche, embryon, enfance, initial, origine* ■ 8 acescent, bourgeon, création, esquisse, éternité, inachevé, prémices, primitif, principe ■ 9 aborigène, avènement, commencer, échauffer, fondement, formation, grossesse, guillemet, inchoatif, morguenne, naissance*, ouverture, printemps, tentative ■ 10 adminicule, conception, entreprise, incubation, originaire, prégnation, primordial ■ 11 élémentaire, institution, introductif, intumescent, préparation ■ 12 kyrie eleison, rudimentaire ■ 13 aboutissement, intronisation.

COMMENCER: 4 agir ■ 5 créer, dater, faire, lever, tâter ■ 6 éclore, entrer, fonder, former, mettre, naître*, ouvrir, percer, tenter ■ 7 aborder, adonner, amorcer, débuter, devenir, émerger, engager, entamer, établir, innover, poindre, pousser, prendre, sourdre ■ 8 apprenti, attaquer, démarrer, ébaucher, engrener, entonner, exécuter, intenter, néophyte, préparer, primaire ■ 9 concevoir, effleurir, embrasser, emmancher, esquisser, installer, instituer, provoquer, vermouler ■ 10 apercevoir, apparaître, gazouiller, transpirer ■ 11 recommencer ■ 12 entreprendre*.

COMMENDE : 13 commendataire.

COMMENSAL : 7 convive ■ 8 parasite ■ 13 commensalisme.

COMMENTAIRE : 4 note* ■ 5 glose, texte ■ 6 gloser ■ 8 mémoires ■ 9 arrêtiste, cartouche ■ 11 explication ■ 12 commentateur ■ 14 interprétation.

COMMERAGE : 5 potin ■ 8 cancaner, commérer.

COMMERÇANT : 5 livre ■ 6 dioula ■ 7 camelot, épicier, fripier, laitier, tripier ■ 8 cloutier, débitant, faillite, libraire, marchand*, mareyeur, mercanti ■ 9 ferratier, stockiste ■ 10 antiquaire, grainetier, pas-de-porte ■ 11 ferrailleur.

COMMERCE : 3 v.r.p. ■ 4 aval, gros, port, tiré, troc ■ 5 criée, étape, firme, fonds, place, prime, sieur, vente* ■ 6 négoce, trafic, traite, usance ■ 7 article, dumping, édition, magasin*, placier, sablier, société ■ 8 boulange, boutique*, brocante, clearing, comptoir, corderie, demi-gros, emporium, enseigne, épicerie, friperie, fruitier, gainerie, ganterie, glacerie, imagerie, lingerie, marchand, mareyage, mercerie, meunerie, sellerie, théurgie, toilerie, triperie, tullerie, vitrerie ■ 9 boucherie, brosserie, chaussure, clouteric, commercer, droguerie, droguiste, fruiterie, librairie, marketing, minoterie, négociant, nouveauté, papeterie, peaussier, rubanerie ■ 10 archèterie, bijouterie, bonneterie, bordelaise, brouillard, commandite, commerçant, commercial, confiserie, échangiste, factorerie, faïencerie, fumisterie, hongroyage, horlogerie, joaillerie, lunetterie, oisellerie, orfèvrerie, parfumerie, peausserie, pelleterie, succursale ■ 11 biscuiterie, boulangerie, bouquinerie, carrosserie, chapellerie, charcutèrie, chasublerie, concurrence, cordonnerie, coutellerie, dentellerie, désassortir, gobeleterie, graineterie, hongroierie, importateur, lampisterie, marchandise, plumasserie, tabletterie, teinturerie, transaction, viniculture ■ 12 alimentation, bimbeloterie, boissellerie, bourrellerie, bouteillerie, ferblanterie, import-export, libre-échange, maroquinerie, taillanderie ■ 13 comptabiliser, établissement, herboristerie, parapharmacie, passementerie ■ 15 concessionnaire, protectionnisme.

COMMERCIAL : 3 caf ■ 5 foire, hanse, liste ■ 6 arcade ■ 7 asiento, fardage ■ 8 institut ■ 10 consulaire, jardinerie ■ 12 fourgonnette, téléboutique ■ 13 commercialité ■ 14 commercialiser ■ 15 commercialement.

COMMERCIALE : 10 chalandise ■ 13 marchandisage.

COMMERCIALISATION : 10 parachimie ■ 11 développeur.

COMMERE : 6 médire ■ 8 commérer, marraine ■ 9 babillard, commérage.

COMMETTRE : 5 faire ■ 6 gaffer, pécher ■ 7 chopper, frauder, méfaire ■ 8 agresser, attenter, broncher, coupable, hasarder, marauder, monition, préposer ■ 9 chaparder, consommer, forniquer, perpétrer, récidiver ■ 11 provocation.

COMMINATOIRE : 8 menaçant ■ 10 inquiétant.

COMMIS : 7 employé, violeur ■ 8 douanier, marmotte ■ 9 rat-de-cave ■ 12 représentant, vérificateur ■ 14 commis-voyageur.

COMMISERATION : 2 ah ■ 5 pitié ■ 7 pécaire* ■ 10 compassion.

COMMISSAIRE : 5 légat ■ 6 zétète ■ 7 ablégat ■ 11 handicapeur ■

12 commissariat.
COMMISSARIAT : 6 police ■ 10 permanence.
COMMISSION : 4 jury ■ 5 douze, garde ■ 6 course, déport, remise ■ 7 message, mission ■ 8 chasseur, courtage, pour-cent ■ 9 nomothète ■ 10 délégation ■ 11 commissaire, rétribution ■ 13 commissionner, subdélégation ■ 14 sous-commission ■ 15 commissionnaire.
COMMISSIONNAIRE : 7 porteur ■ 8 ducroire, messager ■ 11 transitaire ■ 13 intermédiaire.
COMMISSURE : 5 angle, lèvre ■ 8 perlèche ■ 9 pourlèche ■ 11 commissural.
COMMODE : 3 sur ■ 4 aisé, bien, chic, doux ■ 5 calme, léger, usuel, utile ■ 6 coffre, docile, facile*, simple, souple ■ 7 armoire*, malaisé, patient ■ 8 agréable, aisément, empressé, maniable, portable, sociable ■ 9 commodité, prélasser ■ 10 avantageux, praticable, tranquille ■ 11 appréciable, chiffonnier, commodément, complaisant, confortable, raisonnable ■ 12 chiffonnière, pratiquement.
COMMODITE : 4 aise, trou ■ 5 selle ■ 7 aisance, confort ■ 8 agrément, bien-être ■ 10 convenance ■ 11 ébranlement.
COMMOTION : 4 choc ■ 7 trouble ■ 8 psychose ■ 9 explosion ■ 11 ébranlement ■ 12 commotionner.
COMMUN : 4 rare ■ 5 agape, aorte, balai, banal, connu, éthos, foule, masse, monde, penné, rayon, usuel ■ 6 cliché, public ■ 7 autobus, cogérer, épicène, général, indivis, rebattu, trivial, unanime ■ 8 abondant, conjugué, consorts, ensemble, jumelage, médiocre, partager, populace, vulgaire* ■ 9 bourgeois, cogérance, concerter, ordinaire*, patronyme, populaire, prosaïque, prosaïsme, recherche, universel ■ 10 collaborer, communauté, exemplaire, homocentre, interallié, interarabe, interarmes, réfectoire, trolleybus, vulgum pecus ■ 11 coacquéreur, coéducation, communément, condominium, copropriété, extravagant, gréco-romain, interarmées, terre-à-terre ■ 12 cohabitation, convivialité, copossession, coproduction, patronymique, vulgairement ■ 13 cobelligérant, collectivisme, socialisation ■ 14 anglo-américain, interaméricain.
COMMUNAUTE : 3 c.f.a., mir ■ 5 doter, fille, mense, moine, oblat, ordre ■ 6 église, groupe, ménage, nation ■ 7 prieuré, société* ■ 8 associer, cénobite, homogène, sionisme ■ 9 allophone, compagnie, confrérie, dépensier, ecclésial, émolument, paneterie, promiscue ■ 10 consortium, observance ■ 11 association ■ 12 congrégation, vieux-croyant.
COMMUNE : 8 communal ■ 9 communard, municipal ■ 10 pétroleuse ■ 11 versaillais ■ 12 communaliser ■ 13 commensurable.
COMMUNICATIF : 7 causant ■ 8 expansif, renfermé ■ 9 concentré, exubérant.
COMMUNICATION : 4 note, part, sape, trou ■ 5 boyau, gaine, ligne, mener ■ 6 rocade, lettre ■ 7 dépêche, galerie, message ■ 8 effusion, embrayer, soufflet ■ 9 compulser, contagion, desservir, extension, tradition ■ 10 confidence, dérivation, interactif, révélation, spiritisme, télégramme, télépathie, terre-plein, typtologie ■ 11 compulsoire, inoculation, paralangage, publication ■ 12 correspondre, notification, transmission ■ 13 communicateur, sociothérapie ■ 14 correspondance.
COMMUNION : 4 cène, pale, rite ■ 5 canon, coupe, secte, volet ■ 6 calice, hostie, pâques, patène ■ 7 ciboire, custode ■ 9 communier, élévation ■ 10 communiant, tabernacle ■ 11 eucharistie, excommunier, renouvelant ■ 12 consécration, schismatique ■ 13 post-communion.

COMMUNIQUE : 4 avis.
COMMUNIQUER : 4 pont ■ 5 gâter ■ 6 donner, écrire, relier ■ 7 étendre, publier, révéler ■ 8 aimanter, imprimer, infecter, inoculer, notifier, propager, véhicule ■ 9 commander, déteindre, presqu'île, véhiculer ■ 10 contagieux, contaminer, magnétiser, téléphoner ■ 11 adiabatisme, héréditaire, transmettre ■ 12 communicable, communicatif, communiquant, télégraphier ■ 13 communication ■ 14 incommuniable, soit-communiqué.
COMMUNISME : 10 babouvisme, communiste ■ 11 bolchevisme ■ 13 collectivisme ■ 14 anticommunisme, eurocommunisme.
COMMUNISTE : 2 p.c. ■ 11 apparatchik ■ 14 postcommunisme.
COMMUTATEUR : 4 jack.
COMMUTATIF : 7 abélien ■ 13 commutativité.
COMMUTATION : 9 fluidique ■ 12 remplacement* ■ 13 concentrateur.
COMMUTE : 10 commutable.
COMORES : 8 comorien.
COMPACT : 3 mat ■ 4 bois ■ 5 dense, épais, ferme, masse, motte, plein, sérac, sucre ■ 6 cd-rom ■ 9 compacité.
COMPACTAGE : 9 compacter.
COMPACT DISC : 2 cd ■ 3 cdv.
COMPACTE : 9 cornéenne ■ 10 minichaîne.
COMPAGNIE : 3 cie, c.r.s. ■ 4 avec, seul ■ 5 appui, bande, corps, doyen, ferme, mixte, opium, ordre ■ 6 biribi, omnium, troupe ■ 7 bandera, collège, conseil, société* ■ 8 aréopage ■ 9 assemblée, bataillon, capitaine, entourage, gentleman, primipile, radio-taxi, yorkshire ■ 10 conseiller, factorerie ■ 11 accompagner, réassurance ■ 12 primipilaire ■ 13 récipiendaire.
COMPAGNON : 3 ami ■ 4 mari, mair, roué ■ 5 colon, copin, femme, zigue ■ 6 camaro, copain, drille, invité, mouton, satyre, zigoto ■ 7 acolyte, compère, convive, coterie, ouvrier ■ 8 camarade, collègue, compagne, compaing, confrère, labadens ■ 11 condisciple ■ 13 compagnonnage.
COMPAGNONNAGE : 6 truste ■ 7 trustis ■ 8 syndicat.
COMPARABLE : 8 analogue ■ 13 comparabilité.
COMPARAISON : 5 aussi, comme, entre, image, mieux, moins, peser, toise ■ 6 examen, figure, modèle, parité ■ 7 rapport ■ 8 parabole, parangon, relation ■ 9 allégorie, assimiler, collation, métaphore, parallèle, récension ■ 10 comparable, comparatif, proportion, récolement, similitude ■ 11 échantillon ■ 12 géocentrique, relativement, ressemblance, surmortalité ■ 13 confrontation, rapprochement ■ 15 comparativement.
COMPARAITRE : 5 citer, venir ■ 8 citation, contumax ■ 9 comparant, comparoir, contumace, présenter ■ 11 ajournement, comparution ■ 13 recomparaître ■ 14 non-comparution.
COMPARER : 5 degré ■ 7 vidimer ■ 8 conférer, gabarier ■ 9 assimiler, disparate, inégalité, sonomètre ■ 10 comparatif, confronter, rapprocher* ■ 11 comparaison ■ 12 collationner, comparatiste, différencier, incomparable, magnétomètre ■ 13 confrontation ■ 14 échantillonner.
COMPARSE : 8 figurant.
COMPARTIMENT : 3 box ■ 4 case, loge, rose ■ 5 carré, casse, coupe, lèvre, rumen ■ 6 coffre, réduit, graben ■ 7 ballast, caisson, freezer, rotonde ■ 8 cassetin, coqueron, prédelle ■ 9 banquette ■ 10 garde-place ■ 11 water-ballast ■ 14 compartimenter ■ 15 compartimentage.
COMPAS : 4 clef, tête ■ 5 rivet ■ 7 rouanne ■ 8 balustre, pochette ■ 9 compasser, compenser, habitacle ■ 10 gyropilote, rouannette ■

13 maître-à-danser.
COMPASSE : 4 lent ■ 5 grave ■ 7 affecté.
COMPASSION : 5 pitié* ■ 8 compatir, humanité ■ 10 déplorable, intéresser ■ 11 sensibilité ■ 12 compatissant ■ 13 commisération ■ 15 attendrissement.
COMPATIBLE : 13 biocompatible ■ 14 hémocompatible.
COMPATIR : 8 admettre, apitoyer, plaindre, sensible ■ 12 compatissant, incompatible.
COMPATRIOTE : 4 pays ■ 10 concitoyen.
COMPENDIEUX : 5 court ■ 6 diffus.
COMPENDIUM : 6 abrégé.
COMPENSATION : 6 amende ■ 7 caution, dommage ■ 8 clearing, revanche ■ 9 également, expiation, indemnité ■ 10 imputation, prestation, récompense, réparation ■ 11 composition, consolation, contrepoids, liquidation ■ 12 bonification, compensateur, recouvrement, récupération ■ 13 dédommagement, indemnisation, remboursement.
COMPENSER : 6 égaler, expier ■ 7 couvrir, imputer, niveler, relever, réparer ■ 8 bonifier, corriger, défrayer, égaliser, liquider, racheter, remédier, revaloir ■ 9 recouvrer, récupérer, redresser, remplacer ■ 10 cautionner, dédommager, équilibrer, indemniser, rembourser, satisfaire ■ 11 compensable, contrepeser, neutraliser ■ 12 compensation ■ 13 compensatoire, désintéresser ■ 14 contrebalancer.
COMPERE : 5 pitre ■ 7 parrain ■ 8 complice ■ 9 compagnon, compérage.
COMPERE-LORIOT : 7 orgelet.
COMPETENCE : 14 homme-orchestre ■ 15 régionalisation.
COMPETENT : 7 capable, nullard ■ 9 connaître, efficient ■ 10 compétence, polyvalent, qualifiant ■ 12 déclinatoire, incompétence, pertinemment.
COMPETITEUR : 5 rival ■ 10 concurrent.
COMPETITION : 4 open ■ 5 coupe, match, rival ■ 6 enduro, indoor, omnium, rallye ■ 7 épreuve, sponsor, tournoi ■ 8 concours, parcours ■ 9 challenge, critérium, décathlon, émulation, match-play, medal play, monoplace, triathlon ■ 10 interclubs, rencontrer ■ 11 championnat ■ 12 entraînement ■ 15 course-croisière.
COMPILER : 7 plagier ■ 11 compilateur, compilation ■ 13 collectionner.
COMPLAINTE : 5 chant ■ 6 thrène ■ 7 lamento, mélodie ■ 9 goualante.
COMPLAIRE : 5 gâter, mirer ■ 6 choyer, plaire ■ 8 accorder ■ 10 satisfaire ■ 12 condescendre.
COMPLAISANCE : 5 valet ■ 6 faveur ■ 7 charité, gâterie ■ 8 caresser ■ 9 amabilité, cajolerie, cavalerie, déférence, flatterie, politesse* ■ 10 affabilité, complaisant, délectation, galanterie, obligeance, prévenance ■ 12 empressement, obséquiosité, serviabilité ■ 14 complaisamment, condescendance.
COMPLAISANT : 3 bon ■ 4 poli ■ 5 liant ■ 6 accort, facile, galant, gentil, souple ■ 7 affable, aimable, commode ■ 8 ardélion, attentif, bénévole, cajoleur, déférent, empressé, flatteur ■ 9 obligeant, officieux, prévenant, serviable ■ 10 arrangeant, conciliant, obséquieux ■ 11 accommodant, attentionné ■ 12 bienveillant ■ 13 condescendant.
COMPLEMENT : 5 à fond, objet ■ 7 alexine, rection ■ 9 complétif ■ 10 supplément.
COMPLEMENTAIRE : 8 surtitre ■ 9 recyclage ■ 13 sans-culottide ■ 15 complémentarité.
COMPLET : 3 mûr, ras ■ 4 fini, soul, tout* ■ 5 à quia, bondé, exact, franc, gorgé, imago, pièce, plein*, total ■ 6 absolu, achevé, comblé,

costar, entier*, intact, rempli*, révolu ■ **7** adéquat, costard, indivis, parfait, plénier, positif, terminé, unanime ■ **8** accompli, consommé, intégral, rassasié ■ **9** compléter, dénuement, explicite, incomplet, satiation ■ **10** complément, revirement ■ **12** complètement, décidabilité, métamorphose, renversement ■ **14** post-combustion.

COMPLETEMENT : 3 fin ■ **10** absolument ■ **11** entièrement.

COMPLETER : 6 solder ■ **7** combler, meubler, peupler, remplir, saturer ■ **8** parfaire*, rapporté, suppléer ■ **9** augmenter, garniture, rapporter ■ **10** parfournir ■ **12** périscolaire ■ **14** complémentaire.

COMPLEXE : 7 mélange ■ **8** œdipien, protéide ■ **9** complexer, compliqué, difficile, glycogène, intriquer, réactance ■ **10** castrateur, complexité ■ **11** agressivité, décomplexer, défoulement, préœdipien ■ **12** complexifier ■ **13** extrapolation.

COMPLEXION : 4 pâte ■ **6** nature ■ **11** tempérament ■ **12** constitution.

COMPLICATION : 5 nœud ■ **6** accroc ■ **9** anicroche ■ **10** difficulté*, labyrinthe, résistance ■ **11** contretemps, empêchement ■ **13** pneumocystose.

COMPLICE : 7 acolyte, compère.

COMPLICITE : 5 recel, union ■ **9** collusion ■ **10** connivence.

COMPLIES : 6 vêpres.

COMPLIMENT : 5 éloge* ■ **7** louange* ■ **8** adresser, reproche ■ **9** civilités, politesse, souhaiter ■ **10** paranymphe ■ **12** complimenter, félicitation ■ **13** complimenteur, félicitations ■ **14** congratulation.

COMPLIQUE : 3 net ■ **4** café ■ **7** chinois, composé, implexe ■ **8** business, complexe, écheveau, enfantin ■ **9** alambiqué, difficile* ■ **10** simplifier ■ **11** chinoiserie, embrouiller, tarabiscoté ■ **12** complexifier, complication.

COMPLOT : 5 ligue, mèche, trame ■ **6** brigue, cabale, projet ■ **7** conjuré ■ **8** attentat, intrigue*, sédition ■ **9** coalition, comploter, manigance, tentative ■ **10** propagande ■ **11** conjuration, machination* ■ **12** conciliabule, conspiration.

COMPLOTER : 6 ourdir, tramer ■ **7** briguer, cabaler ■ **8** coaliser, machiner ■ **9** concerter, conspirer ■ **10** comploteur.

COMPONCTION : 7 gravité ■ **8** repentir.

COMPORTE : 5 biaxe ■ **8** trivalve ■ **11** monocaméral.

COMPORTEMENT : 6 raptus ■ **7** ludisme, procédé, quanton ■ **9** dinguerie, dyssocial, frilosité, sociatrie ■ **10** éthogramme, eupraxique, stéréotype ■ **11** arithomanie, flemmardise, maniaquerie ■ **12** béhaviorisme, psychomoteur ■ **13** béhaviourisme, claustromanie ■ **14** autonomisation, comportemental, opérationnisme, technocratisme ■ **15** valse-hésitation.

COMPORTER : 4 agir ■ **5** aller ■ **8** admettre, conduire, contenir, enfermer, naviguer ■ **9** pateliner ■ **12** comportement.

COMPOSACEE : 5 aster, aunée, bluet, cirse, inule, jacée, souci ■ **6** arnica, aulnée, bleuet, cardon, dahlia, endive, génépi, laitue, radiée, safran, soleil, tagète, zinnia ■ **7** agérate, armoise, barbeau, bardane, batavia, carline, chardon, jacobée, maroute, œillet, pas-d'âne, picride, romaine, scarole, séneçon, witloof ■ **8** absinthe, achillée, ageratum, anthémis, centaure, chicorée, érigeron, escarole, laiteron, pyrèthre, salsifis, sarrette, solidago, tanaisie ■ **9** artichaut, camomille, centaurée, cinéraire, coréopsis, edelweiss, épervière, eupatoire, gaillarde, glouteron, hélianthe, lampourde, marouette, paripenné, pulicaire, rudbeckia, rudbeckie, santoline, scorsonère, serratule, tournesol, tussilage ■ **10** gaillardie, marguerite, matricaire, pâquerette, pied-de-lion, xéranthème ■ **11** citronnelle, liguliforme, mignonnette, synanthérée, topinambour, tubuliflore, vendangeuse ■ 12 chrysanthème, mille-feuille ■ 13 étoile d'argent ■ 14 barbe-de-capucin ■ 15 reine-marguerite.

COMPOSANT : 7 testeur ■ 10 globalisme, sonagramme ■ 15 aluminosilicate, péri-information.

COMPOSE : 3 h.c.h., p.c.b., sel ■ 5 acide, amide, amine, amyle, époxy, imine, indol, oxime, oxyde, sulfo, triol, valvé ■ 6 borane, borure, cétone, indole, purine, pyrrol, scatol, silane, uréide ■ 7 affecté, chélate, chloral, furanne, haloïde, mélangé, nitrosé, phénols, pyranne, scatole ■ 8 fluorure, labilité, monomère, nitrique, pyralène, pyridine, terpinol, terraqué, thiazole, thio-urée, uréthane, xylidine, yttrique ■ 9 bisulfure, compliqué, cyanogène, globuleux, glucoside, glyconien, iodoforme, mercaptan, monomètre, multitube, paripenné, porophore, siliciure, spartéine, sulfacide, sulfamide, terpinéol, trialcool, trilitère, uréthanne ■ 10 argentique, bichlorure, cobalamine, copolymère, diholoside, globalisme, granulaire, idempotent, méthylique, oxysulfure, persulfure, phénylique, phosphines, pyrimidine, surcomposé, trilittère ■ 11 compositeur, dicarbonylé, électrolyte, hétérocycle, madréporien, polysulfure, tutti frutti ■ 12 acétylénique, bimétallique, caprolactame, ferricyanure, ferrocyanure, généthliaque, homocyclique, hypochloreux, madréporique, stéréochimie, suburbicaire ■ 13 acrylonitrile, anthraquinone, hyposulfureux, isomérisation, libéroligneux, mercurochrome, méthacrylique, quadripartite, stéréo-isomère, tétrachlorure, thiocarbonate ■ 14 hétérocyclique, sulfocarbonate ■ 15 hypophosphoreux, organomagnésien.

COMPOSEE : 6 picris ■ 7 gerbera ■ 9 picridium ■ 10 composacée*, xéranthème.

COMPOSER : 5 céder, faire, lever ■ 6 écrire, former, narrer ■ 7 décrire, exposer, rédiger ■ 8 compiler, discuter, entendre, imaginer, imprimer, linotype, lumitype, monotype ■ 9 composant, élucubrer, harmonier, produire, raconter, transiger ■ 10 collaborer, constituer, construire, harmoniser, improviser, intéresser, métromanie, recomposer, typographe ■ 11 composition, contrepoint, linotypiste ■ 12 chorégraphie, vers-libriste ■ 13 orchestrateur, photocomposer ■ 14 épigrammatiste.

COMPOSITE : 6 cermet ■ 7 campane.

COMPOSITEUR : 7 arbitre ■ 8 écrivain, musicien ■ 9 composeur, mélodiste ■ 11 symphoniste ■ 12 polyphoniste ■ 14 contrapontiste, contrapuntiste ■ 15 contrepointiste.

COMPOSITION : 2 ré ■ 3 pan, par, pré, tri ■ 4 béni, cire, fard, lied, méso, pant, para, plan, ploc, trio ■ 5 acide, chant, crase, encre, galée, image, inter, intra, motet, motif, opéra, ortho, paléo, panto, photo, pièce, place, plomb, potée, prose, sérum, style, suite, sujet, tétra, thème, tissu, trait, trans, ultra ■ 6 octuor, sonate, teneur ■ 7 chanson, collage, épreuve, fresque, ikebana, mélange, mélodie, pommade, quatuor, septuor, sextuor, soudure ■ 8 argument, cémenter, concerto, création, isologue, logotype, madrigal, nouvelle, oratorio, ramequin, rapsodie, sommaire, terzetto, xanthine ■ 9 annoncier, azéotrope, catéchèse, dyscrasie, hydrogène, invention, linotypie, magistère, matériaux, ouverture, partition, polonaise, rédaction, sarabande, structure, symphonie, variation ■ 10 concertant, conception, conférence, contexture, discussion, homophonie, ingrédient, orchestre, transsudat ■ 11 arlequinade, compilation, contrepoint, dramaturgie, élaboration, eudiométrie, inspiration, pianistique ■ 12 azéotropique, constitution, construction, élucubration, superalliage ■ 13 associativité, lexicographie ■ 15 gélatino-bromure.

COMPOSTER : 7 compost ■ 10 compostage, composteur.
COMPOTE : 5 poire, pomme, prune ■ 9 compotier, confiture.
COMPREHENSIBLE : 5 clair ■ 7 abscons, abstrus, adéquat ■ 8 abstrait, éclairer ■ 9 compliqué ■ 10 accessible, hermétique, pénétrable ■ 11 inaccessible ■ 12 baragouinage, inconcevable, intelligible ■ 13 insaisissable ■ 14 inintelligible.
COMPREHENSION : 6 insert ■ 8 irénisme, vivacité ■ 10 conception, malentendu ■ 11 entendement, pénétration ■ 12 intelligence ■ 14 inintelligence ■ 15 impénétrabilité, incompréhension.
COMPREND : 11 métamérique.
COMPRENDRE : 4 sens, voir ■ 5 clair, mêler, nager, piger ■ 6 saisir*, sentir ■ 7 compter, inclure, sorcier ■ 8 contenir, dyslexie, englober, entendre, entraver, excepter, exprimer, pénétrer, réaliser ■ 9 asymbolie, comporter, concevoir, entendeur, expliquer, renfermer, signifier ■ 10 bizarroïde, compliquer, déchiffrer ■ 11 comprenette, explication, intelligent ■ 12 compréhensif ■ 13 compréhension ■ 14 compréhensible, incompréhensif.
COMPRESSER : 6 tasser ■ 7 laminer ■ 8 fenêtrer.
COMPRESSIBILITE : 10 piézomètre ■ 11 piézographe.
COMPRESSION : 5 froid ■ 6 dameur, estive ■ 8 flambage, frittage ■ 9 concision, phosphène ■ 10 agglomérat, compactage, décomprimer, tamponnade ■ 11 entassement ■ 12 condensation ■ 13 concentration, précontrainte ■ 14 digitopuncture, surcompression.
COMPRIME : 6 pellet ■ 8 sucrette ■ 11 comprimable.
COMPRIMER : 5 dense, épais, pompe, verre ■ 6 masser, pétrir, tasser ■ 7 compact, malaxer, presser* ■ 8 emboutir, encaquer, enserrer, entasser, épaissir, refouler ■ 9 coercible, condenser, esquicher, étrangler ■ 10 agglomérer, compressif, concentrer, tourniquet ■ 11 compresseur, compression, incoercible ■ 12 compressible ■ 15 compressibilité.
COMPRIS : 8 subsumer.
COMPRISE : 3 t.t.c.
COMPROMETTRE : 8 ébranler, hasarder ■ 9 commettre ■ 13 compromettant, compromission.
COMPROMIS : 4 cote ■ 6 marqué ■ 9 arbitrage, chanceler ■ 10 convention ■ 11 composition, intraitable ■ 13 accommodement.
COMPTABILITE : 5 tenue ■ 9 comptable, digraphie, trésorier ■ 12 référendaire ■ 15 contre-passation, expert-comptable.
COMPTABLE : 6 garant ■ 11 responsable, ventilation ■ 13 aide-comptable.
COMPTANT : 4 cash ■ 5 roque.
COMPTE : 3 c.c.p. ■ 4 boni, cash, cote, doit, état, faux, item, note, prix, redu, taux, taxe ■ 5 actif, avoir, bilan, débet, débit, devis, folio, gérer, index, liste, point, poste, régie, rejet, solde, somme, total, virer ■ 6 calcul*, nombre, relevé ■ 7 facture, mémoire, quotité, rapport ■ 8 addition, comptant, compteur, créditer, croupier, effectif, mécompte, quantité, réaliser, relation, résultat, soiriste, virement ■ 9 apurement, catalogue, chéquable, comptable, dénombrer, kilofranc, manifeste, précompte, règlement, surnombre ■ 10 commettant, contingent, dépouiller, duodécimal, grand-livre ■ 11 compte-rendu, douloureuse, énumération, explication, liquidation, recensement, supputation ■ 12 comptabilité, dénombrement, provisionner ■ 13 compte chèques ■ 14 incontournable.
COMPTER : 5 dater, repic ■ 6 tabler ■ 7 espérer, estimer, exister, nombrer, paginer ■ 8 attendre, calculer, chiffrer, comptage, computer, énumérer, négliger, recenser, spéculer, supputer ■ 9 dénombrer, es-

compter, nombrable, recompter, totaliser ■ **10** compte-fils, jean-foutre ■ **11** innombrable, inventorier ■ **13** compte-gouttes.
COMPTEUR : 9 taximètre ■ **10** tachymètre ■ **14** péritéléphonie.
COMPTOIR : 4 loge, zinc ■ **6** caisse ■ **7** colonie, guichet, magasin ■ **8** emporium ■ **10** factorerie ■ **12** sous-comptoir ■ **13** établissement.
COMPULSER : 4 lire ■ **10** feuilleter.
COMPULSION : 13 compulsionnel.
COMPUT : 5 pâque ■ **8** métonien.
COMTOISE : 7 morbier.
CONATION : 7 conatif.
CONCASSER : 6 broyer* ■ **10** concassage, concasseur.
CONCAVE : 5 cavet, creux*, gorge, talon ■ **8** intrados, palanche ■ **9** biconcave, concavité ■ **11** plan-concave ■ **12** contre-courbe.
CONCEDER : 5 céder*, point ■ **6** avouer ■ **7** amodier ■ **8** accorder*, octroyer ■ **9** permettre.
CONCENTRATION : 5 cuite ■ **7** pèse-sel ■ **8** molalité, molarité, salinage ■ **9** clearance, concentré, normalité ■ **10** acétimètre, acétomètre, ionogramme, isotonique ■ **11** acidimétrie, alcalimètre, coalescence ■ **12** déconcentrer ■ **13** contemplation, néphélémétrie.
CONCENTRATIONNAIRE : 6 goulag.
CONCENTRE : 5 épais*, point, sirop ■ **6** réduit ■ **7** essence, extrait ■ **8** condensé ■ **9** perhydrol, recueilli.
CONCENTRER : 7 rallier ■ **8** ramasser ■ **9** appliquer, assembler, polariser, renfermer ■ **10** hypnotiser, rassembler ■ **12** épaississeur ■ **13** concentration ■ **14** sociocentrisme.
CONCENTRIQUE : 4 onyx, zoné ■ **5** cerne.
CONCEPT : 4 idée* ■ **9** catégorie ■ **10** coextensif, conceptuel ■ **11** implication, nominalisme ■ **12** sémasiologie ■ **13** chosification, onomasiologie ■ **14** conceptualiser, généralisation, pictographique.
CONCEPTION : 3 c.a.o., u.l.m. ■ **4** idée*, sein, sens ■ **5** désir ■ **6** savoir, utopie ■ **7** attente, théorie* ■ **8** brutisme, software ■ **9** intellect, prévision, robotique ■ **10** affichiste, conviction, globalisme, mendélisme, mentalisme, paramétrer, prétention ■ **11** engineering, entendement, évhémérisme, expectative, giraviation, libre-pensée, perspective, probabilité ■ **12** connaissance, intelligence ■ **14** conceptualisme, héliocentrisme, microtechnique, weltanschauung.
CONCERNE : 7 aviaire, fagnard, sororal ■ **8** golfique, mensural, myéloïde, oléicole, thymique ■ **9** atemporel, hylétique, réflectif ■ **10** christique, multimédia, procédural, pyrrolique, vassalique ■ **11** cardiorénal, eurafricain, floristique ■ **12** bucco-génital, leucocytaire, monophonique, psychosocial, tonométrique ■ **13** holographique, hypnopompique, interbancaire, interculturel, interrégional, onomatopéique, planimétrique, sous-glaciaire, transculturel ■ **14** corrélationnel, gravitionnel, informationnel, interpersonnel, intracardiaque, tricontinental ■ **15** dictionnairique, identificatoire, interindustriel, transfrontalier.
CONCERNER : 6 azonal **7** toucher ■ **8** regarder ■ **10** intéresser.
CONCERT : 5 union ■ **6** aubade ■ **7** fanfare, récital ■ **8** audition, sérénade ■ **11** concertiste ■ **12** philharmonie ■ **14** philharmonique.
CONCERTE : 3 z.a.c.
CONCERTER : 8 coaliser, entendre, machiner, préparer ■ **9** comploter, réfléchir ■ **12** conspiration.
CONCERTO : 7 ripieno ■ **10** concertino.
CONCESSION : 5 claim ■ **6** octroi ■ **7** cession, quoique ■ **8** bailleur, bénéfice, noblesse ■ **9** transiger ■ **11** renoncement, transaction ■ **13** intransigeant ■ **15** concessionnaire.

CONCEVOIR : 5 idéer ■ 6 croire, former, penser, sentir ■ 7 compter, désirer, prévoir ■ 8 attendre, éprendre, facilité, imaginer*, préconçu, réaliser, vivacité ■ 9 pensable, prétendre ■ 10 architecte, comprendre, conception, concevable ■ 11 imagination, promptitude ■ 12 intellection ■ 14 compréhension.

CONCHYLICULTURE : 15 conchyliculteur.

CONCIERGE : 4 loge ■ 6 suisse ■ 7 cerbère, gardien, geôlier, pipelet, portier ■ 8 porterie ■ 12 conciergerie.

CONCILE : 5 canon ■ 6 synode ■ 7 réunion ■ 9 indiction ■ 11 conciliaire, consistoire ■ 12 conciliabule.

CONCILIABULE : 7 complot, concile, réunion ■ 8 entrevue ■ 12 conversation.

CONCILIANT : 6 facile, souple ■ 7 coulant ■ 8 radoucir ■ 9 indulgent ■ 10 arrangeant ■ 11 accommodant, complaisant ■ 12 conciliateur.

CONCILIATEUR : 9 médiateur.

CONCILIATION : 4 voie ■ 7 amiable, laxisme ■ 9 arbitrage ■ 10 conciliant ■ 11 arrangement ■ 12 intervention ■ 15 non-conciliation.

CONCILIER : 6 allier ■ 8 accorder ■ 10 accommoder, conciliant ■ 11 conciliable ■ 12 conciliateur, conciliation, égo-altruisme ■ 13 conciliatoire, inconciliable.

CONCIS : 4 bref*, note ■ 5 court*, dense, serré ■ 6 précis ■ 7 nerveux ■ 8 condensé, sommaire, succinct ■ 9 concision, laconique, lapidaire ■ 11 compendieux ■ 12 interjection.

CONCITOYEN : 11 compatriote.

CONCLAVE : 4 pape ■ 11 conclaviste.

CONCLURE : 5 finir* ■ 6 arguer, passer ■ 7 décider, déduire, induire, inférer ■ 9 passation, transiger ■ 10 renouveler ■ 11 généraliser.

CONCLUSION : 4 donc ■ 5 enfin, issue ■ 6 morale ■ 8 épilogue, moralité, résultat, solution ■ 9 déduction ■ 10 dénouement, péroraison ■ 11 conséquence ■ 12 bibliomancie.

CONCLUT : 9 conclusif.

CONCOMBRE : 5 melon ■ 6 courge ■ 8 zuchette ■ 9 aubergine, cornichon, zucchette ■ 10 holothurie.

CONCOMITANT : 10 secondaire ■ 14 concomitamment.

CONCORDANCE : 4 onde ■ 6 accord ■ 8 symétrie ■ 9 embolisme ■ 12 embolismique ■ 14 correspondance ■ 15 synchronisation.

CONCORDE : 4 paix* ■ 6 amitié ■ 8 harmonie.

CONCORDER : 5 rimer ■ 6 cadrer ■ 8 accorder, répondre ■ 12 correspondre*.

CONCOURIR : 5 aider ■ 9 conspirer ■ 10 contribuer, participer ■ 12 hors-concours.

CONCOURS : 4 aide*, loge, oxer, quiz, reçu ■ 5 culot, écrit ■ 6 examen*, refusé ■ 7 appoint, jumping, lauréat ■ 8 externat, flottard, palmarès, soudoyer ■ 9 agrégatif, engrenage, ministère, multitude ■ 10 agrégation, auxiliaire ■ 11 coïncidence, concuriste, conjoncture, docimologie, scrutateur ■ 15 bulletin-réponse.

CONCRET : 4 réel* ■ 5 épais, manne ■ 7 positif* ■ 8 abstrait ■ 9 chosifier, concréter ■ 11 concrétiser ■ 14 concrétisation.

CONCRETION : 6 calcul, nodule, tophus ■ 7 bézoard ■ 8 gravelle, illuvium, otolithe ■ 10 égagropile ■ 11 ægagrophile, congélation ■ 12 ossification ■ 13 pétrification ■ 15 cristallisation.

CONCRETISER : 14 concrétisation.

CONÇU : 9 empilable ■ 12 antisismique.

CONCUBINAGE : 5 amant ■ 8 concubin ■ 14 régularisation.

CONCUPISCENCE : 10 convoitise* ■ 12 concupiscent.

CONCURRENCE: 8 concours, fluidité, rivalité ■ 9 concourir, émulation ■ 10 compétitif ■ 12 adjudication, concurrencer ■ 13 concurremment, concurrentiel.
CONCURRENCER: 12 cannibaliser.
CONCURRENT: 4 loge ■ 5 émule, match, rival*, stand ■ 6 favori, leader ■ 7 péculat, scratch ■ 8 dead-heat, outsider, walkover ■ 10 barragiste, handicaper ■ 11 compétiteur, photo-finish ■ 13 demi-finaliste.
CONCUSSION: 6 rapine ■ 7 péculat ■ 8 exaction ■ 9 extorsion ■ 10 brigandage, forfaiture ■ 11 déprédation ■ 12 malversation ■ 13 prévarication ■ 15 concussionnaire.
CONDAMNATION: 4 exil ■ 5 blâme, hache, lacet ■ 6 forçat ■ 7 convict ■ 8 condamné, échafaud, galérien, récidive ■ 9 damnation, vergobret ■ 10 ostracisme, relégation ■ 11 déportation, internement, pénitencier, refoulement ■ 14 transportation.
CONDAMNE: 11 semi-liberté ■ 14 probationnaire.
CONDAMNER: 5 punir ■ 6 bannir, blâmer*, damner, fermer ■ 7 boucher, flétrir, maudire ■ 8 coupable, déporter, fulminer, interner, refouler, reléguer ■ 9 critiquer, désavouer, interdire*, pardonner, proscrire, réprouver ■ 11 condamnable, recondamner, réprimander*, stigmatiser, transporter ■ 12 désapprouver ■ 13 anathématiser, condamnatoire.
CONDENSATEUR: 5 farad ■ 8 armature, batterie, capacité ■ 10 excitateur, microfarad ■ 11 capacitance.
CONDENSATION: 5 rosée, givre ■ 7 pycnose ■ 10 diholoside.
CONDENSER: 5 figer ■ 7 abréger, compact, concret, résumer ■ 9 distiller ■ 10 concentrer ■ 11 condensable ■ 12 condensation.
CONDESCENDRE: 7 daigner ■ 11 complaisant ■ 13 condescendant.
CONDIMENT: 3 ail, sel ■ 5 câpre, épice ■ 6 poivre ■ 7 achards, chutney, ciboule, ketchup, laurier, muscade, nuoc-mâm, paprika, pickles ■ 8 cerfeuil, moutarde, pilipili, tapenade ■ 9 cornichon, gingembre, sassafras ■ 10 ciboulette ■ 14 assaisonnement.
CONDITION: 3 loi ■ 4 état, rang, sort sous ■ 5 fange, sceau, sorte ■ 6 clause, crasse, milieu ■ 7 qualité ■ 8 fluidité, ilotisme, modalité, quiddité, salariat ■ 9 artisanat, bovarysme, esclavage, eugénisme, gueuserie, hybridité, moyennant, négritude, paysannat, phytotron, pourvu que, préalable, situation, ultimatum, vassalité, vasselage ■ 10 banditisme, défectueux, formariage, hétaïrisme, hybridisme, soumission, stretching, superforme, vassaliser ■ 11 cléricature, conditionné, domesticité, micro-climat, multiparité, paysannerie, proposition, restriction, spatialiser ■ 12 conditionnel, conditionner, déterminisme, sous-entendre, sous-humanité, thanatologie ■ 13 hydrostatique, inconditionné, inéligibilité ■ 14 territorialité.
CONDITIONNEL: 5 doute ■ 9 potentiel ■ 10 restrictif.
CONDITIONNEMENT: 9 packaging ■ 11 biofeedback ■ 13 conditionneur ■ 15 agroalimentaire.
CONDITIONNER: 13 conditionneur ■ 15 conditionnement.
CONDUCTANCE: 10 perditance.
CONDUCTEUR: 3 bus ■ 4 chef, jack, nerf, volt ■ 5 ânier, guide, isolé, joule, métal, prise, siège ■ 6 aurige, berger, cocher, cornac, meneur, pilote ■ 7 antenne, circuit, grutier, isolant, pasteur, phaéton, pontier, routier ■ 8 chaperon, cicérone, faisceau, filament, fournier, gabarier, muletier, musagète, patachon, toucheur ■ 9 automédon, chamelier, chauffeur, directeur, électrode, gabarrier, haquetier, isolateur, leitmotiv, nautonier, piroguier, porte-vent, postillon, voiturier ■ 10 camionneur, caravanier, charretier, dérivation, gouvernant, machiniste,

mécanicien, résistance ■ **11** conductible, psychopompe, scotériste ■ **12** motocycliste ■ **14** conductibilité, cryoconducteur, semi-conducteur ■ **15** photo-conducteur.

CONDUCTION : 15 photoconduction.

CONDUCTRICE : 8 frotteur.

CONDUIRE : 4 agir, user ■ **5** aller, bride, forme, fouet, guide, longe, mener, rétif, vivre ■ **6** amener, driver, guider, manier, porter ■ **7** aiguage, conduit, démener, diriger*, échouer, montrer, pagayer, piloter, réussir ■ **8** cartayer, conduite, enquêter, indiquer, indocile, promener ■ **9** comporter, cornaquer, embarquer, entraîner, entregent, gouverner ■ **10** manœuvrer, méconduire.

CONDUIT : 4 méat, pipe, tube* ■ **5** boyau, canal*, drain, égout, étier, tuyau* ■ **6** tragus, trompe ■ **7** atrésie, bronche, cérumen, draveur, pierrée, sténose ■ **8** aérifère, cheminée, débiteur, otoscope, oviducte, pédicule, reillère, tubulure ■ **8** adducteur, lactifère, occlusion ■ **10** anastomose, col-de-cygne, conducteur, séminifère ■ **11** capillarité, déchargeoir, engorgement, vide-ordures ■ **12** canalisation, cathétérisme, galactophore, lacrymonasal ■ **13** laissez-passer.

CONDUITE : 3 ton ■ **4** buse, note, tube, voie ■ **5** credo, égout, excès, farce, fille, folie, juste, leçon, marié, orgue, plomb, puant, rangé, vertu ■ **6** allure, manège, ménage, métier, négoce, virage ■ **7** démence, frasque, procédé ■ **8** activité, attitude, bulletin, cascader, déviance, économie, fredaine, gouverne, habitude, libertin, maintien, marinier, moralité, pilotage, pipe-line, principe, sainteté, tactique ■ **9** amoralité, auto-école, cascadeur, direction, directive, égarement, honnêteté, incartade, maniement, manifeste, manœuvre, politique, stratégie, tuyautage ■ **10** collecteur, conducteur, conversion, désorienté, hétéronome, méconduite, profession, tuyauterie ■ **11** déportement, inconscient, inconstance, juste-milieu ■ **12** autocritique, autopunition, canalisation, comportement, dévergondage, gangstérisme, gouvernement ■ **13** machiavélisme ■ **14** autosuggestion.

CONDYLE : 9 condylien.

CONE : 3 axe, pin ■ **4** base, pive ■ **5** cœur, fusée, pilot, tronc ■ **6** sommet ■ **7** conique, conoïde, oblique ■ **8** adventif, barranco, conoïdal, couchoir, piedmont, strobile ■ **9** acutangle, entonnoir, éteignoir, porte-voix, rectangle ■ **10** circulaire, kératocône, obtusangle, trochisque ■ **11** génératrice, tronconique ■ **15** cylindroconique.

CONFECTION : 5 typon ■ **6** rôlage ■ **13** photopolymère.

CONFECTIONNER : 5 picot ■ **6** broder, coudre, liséré, ourler, ouvrer, piquer, rayure ■ **7** bordure, froncer, marquer, tailler ■ **8** colombin, façonner, layetier ■ **9** culottier, outilleur, paqueteur ■ **10** confection, couturière, décorateur ■ **11** composition, macadamiser, matelassier ■ **14** manutentionner.

CONFEDERATION : 3 c.g.t. ■ **5** allié, ligue, union ■ **8** centrale, conférer ■ **9** cégétiste, confédéré ■ **10** confédéral, confédérer, demi-canton, fédération.

CONFERENCE : 6 séance, sermon ■ **7** orateur, palabre ■ **8** causerie, colloque, dialogue, discours* ■ **9** protocole ■ **11** pourparlers ■ **12** conférencier, conversation ■ **14** téléconférence.

CONFERER : 5 datif, ordre ■ **6** parler, sacrer ■ **7** déférer ■ **8** anavenin, baptiser, collatif, comparer, ordonner, préciput ■ **9** attribuer, collation, confirmer, légitimer ■ **10** ordination ■ **11** administrer ■ **12** habilitation ■ **13** anoblissement.

CONFESSION : 4 aveu* ■ **7** remords ■ **8** pénitent, repentir ■ **9** attrition, confesser, confiteor, expiation, pénitence ■ **10** accusation, confesseur, contrition, non-croyant, réparation ■ **11** déclaration ■ **12** résipiscence ■ **13** confessionnal ■ **14** reconnaissance.

CONFIANCE: **3** foi ■ **4** fier ■ **5** hardi ■ **6** aplomb, audace, crédit, toupet ■ **7** déposer, laisser, mission ■ **8** autorité, confiant, croyance, défiance, effusion, épancher, rassurer, sécurité ■ **9** assurance, certitude, crédulité, espérance, expansion, hardiesse ■ **10** commission, confidence, défaitisme, rapprocher, scientisme ■ **11** démoraliser, épanchement ■ **12** démoralisant, rationalisme ■ **13** outrecuidance, triomphalisme ■ **14** responsabilité.

CONFIANT: **3** sûr ■ **4** féal ■ **5** liant ■ **6** assuré, fidèle, solide ■ **7** certain, crédule, éprouvé ■ **8** effronté, expansif ■ **9** audacieux ■ **10** défaitiste, tranquille ■ **11** infaillible ■ **12** communicatif, indéfectible ■ **13** imperturbable.

CONFIDENCE: **5** tuyau ■ **6** secret ■ **9** intimiste ■ **12** confidemment, confidentiel.

CONFIDENTIEL: **15** confidentialité.

CONFIER: **4** fier ■ **6** croire, livrer, ouvrir, prêter ■ **7** acheter, assurer, compter, déposer, estimer, laisser, reposer ■ **8** créditer, déléguer, épancher, investir, remettre ■ **9** commettre, confesser, confident, dédouaner ■ **10** abandonner, accréditer, confesseur, repourvoir ■ **11** subdéléguer.

CONFIGURATION: **4** site ■ **5** forme ■ **8** épistémé ■ **11** nucléophile.

CONFINE: **5** dédié.

CONFINEMENT: **7** tokamak.

CONFINER: **7** limiter ■ **8** reléguer, retraite ■ **11** confinement.

CONFINS: **5** terme ■ **6** limite ■ **9** frontière.

CONFIRMATION: **4** visa ■ **5** appui ■ **7** renfort ■ **8** sanction ■ **9** confirmer ■ **10** confirmand, validation ■ **11** approbation ■ **12** autorisation, consécration, entérinement, homologation, légalisation, ratification ■ **13** consolidation ■ **14** affermissement.

CONFIRME: **7** éprouvé.

CONFIRMER: **5** viser ■ **6** avérer ■ **7** appuyer, assurer, plaider, prouver, sceller, valider ■ **8** affermir, affirmer, attester, cimenter, garantir, insister, ratifier, soutenir, vérifier ■ **9** autoriser, certifier, enraciner, entériner, fortifier, légaliser, maintenir, raffermir, renforcer, témoigner* ■ **10** consolider, corroborer, homologuer ■ **11** confirmable, intensifier, sanctionner ■ **12** authentifier, confirmation.

CONFISCATION: **6** saisie* ■ **7** embargo ■ **13** confiscatoire.

CONFISERIE: **4** pâté ■ **5** halva, lisse, moyeu ■ **6** cédrat, nougat ■ **7** praline, videlle ■ **8** abricoté, ballotin, bigarade, pistache ■ **9** confiseur, orangette ■ **10** pastillage.

CONFISQUER: **4** ôter* ■ **7** prendre* ■ **10** dévolution ■ **11** confiscable ■ **12** confiscation.

CONFITE: **8** orangeat.

CONFITEOR: **8** mea-culpa.

CONFITURE: **5** gelée, poire, pomme, prune, tarte ■ **7** compote, raisinée ■ **8** orangeat, prunelée, roquille, tartiner ■ **9** marmelade ■ **10** aspergille, cynorhodon ■ **11** aspergillus, confiturier ■ **12** confiturerie.

CONFLAGRATION: **6** guerre ■ **8** incendie.

CONFLIT: **4** choc ■ **5** clash, crise, lutte*, mêlée ■ **7** dispute* ■ **9** dyssocial, guéguerre ■ **11** crépitation, crépitement ■ **12** contestation, somatisation, tiraillement ■ **13** mentalisation, tiraillements ■ **14** nonbelligérant ■ **15** non-belligérance.

CONFLUER: **9** confluent ■ **10** confluence.

CONFONDRE: **4** unir ■ **5** mêler ■ **6** confus, perdre, pétrir ■ **7** emmêler, étonner, réfuter ■ 8 accabler, distinct, humilier, mélanger, tripoter ■ 9 brouiller, confusion, intriquer, méprendre ■ 10 distinguer, entrelacer, entremêler ■ 11 déconcerter, désarçonner, embrouiller, enchevêtrer, entortiller.

CONFORMATION : 5 forme ■ 8 anatomie ■ 10 épispadias, monstrueux ■ 11 phrénologie ■ 12 malformation.

CONFORME : 4 bien, vrai ■ 5 exact, juste, légal, moral, saint, sensé ■ 6 chaste, fidèle, kasher, rituel ■ 7 cachère, correct, honnête, naturel ■ 8 bien-jugé, canonial, régulier ■ 9 canonique, classique, contraire, disparate, équitable, futuriste, illogique, luthérien, olympique, ordinaire, orthodoxe, rationnel, semblable, véridique, véritable ■ 10 catholique, conformité, irrégulier, statuaire ■ 11 apostolique, bien-pensant, bolcheviser, conformiste, évangélique, grammatical, impopulaire, normativité, raisonnable, régulariser ■ 12 apostolicité, conformation, démocratique, hiérarchique, protocolaire ■ 13 machiavélique, parlementaire, réglementaire ■ 14 aristotélicien, non-conformiste ■ 15 architectonique.

CONFORMEMENT : 4 vrai ■ 5 selon ■ 10 fidèlement ■ 12 légitimement ■ 13 textuellement ■ 14 catholiquement.

CONFORMER : 7 adapter, modeler ■ 8 observer ■ 9 complaire, déférence, soumettre ■ 10 approprier, moderniser ■ 11 conformiste, contrevenir ■ 14 non-conformisme.

CONFORMISME : 6 bohême.

CONFORMITE : 5 digne, union ■ 6 accord, atypie ■ 7 parenté, rapport, unisson ■ 8 affinité, analogie, isonomie, légalité ■ 9 bien-fondé, rectitude ■ 10 bienséance, convenance, régularité ■ 11 catholicité, comparaison, concordance, théâtralité ■ 12 conformément, ressemblance ■ 13 non-conformité ■ 14 correspondance, déviationnisme.

CONFORT : 5 aises ■ 8 aménager, standing ■ 9 commodité, conforter, inconfort, mieux-être ■ 11 confortable ■ 13 inconfortable ■ 15 confortablement.

CONFORTABLE : 9 bourgeois ■ 11 charentaise.

CONFRERE : 4 pair ■ 8 collègue ■ 12 confraternel ■ 13 confraternité.

CONFRERIE : 8 bannière, luperque, pénitent ■ 9 bâtonnier ■ 10 communauté ■ 11 corporation.

CONFRONTER : 6 témoin ■ 8 comparer ■ 13 confrontation.

CONFUCIANISME : 9 caodaïsme, confucéen.

CONFUS : 3 net, sot ■ 5 clair, ramas ■ 6 obscur, piteux ■ 7 honteux, indécis, quinaud ■ 8 brouhaha, confondu, humilier, méli-mélo, pêle-mêle ■ 9 bigarrure, incertain, indigeste, marmotter ■ 10 billebande, cafouillis, capharnaüm, compliquer, désordonné, embarrassé, filandreux, galimatias, gazouiller, indistinct*, pétaudière, savantasse, tortillage, triquetrac ■ 11 bruissement, confusément, gribouiller, promiscuité ■ 12 inextricable ■ 14 indéterminable.

CONFUSION : 5 chaos, cohue, enfer, foire, mêlée, ramas ■ 6 fatras, gâchis, mic-mac, pagaye ■ 7 confus, trouble* ■ 8 amalgame, anarchie, désarroi, désordre*, fouillis, pêle-mêle, ramassis, tohu-bohu ■ 9 babélisme, brouiller, imbroglio ■ 10 billebaude, malentendu ■ 11 dérangement, promiscuité, remue-ménage, tempérament ■ 12 brouillamini, confusionnel, encombrement ■ 13 confusionisme ■ 14 bouleversement, enchevêtrement.

CONGE : 5 repos* ■ 6 campos, lendit, renvoi, revoir ■ 7 absence, vacance, week-end ■ 8 vacances ■ 10 permission ■ 12 congédiement ■ 13 convalescence.

CONGEABLE : 9 convenant.

CONGEDIER : 7 chasser, envoyer, lourder, pousser, sacquer ■ 8 balancer, éloigner, expédier, renvoyer ■ 9 débarquer, destituer, éconduire, licencier, remercier ■ 11 congédiable ■ 12 congédiement.
CONGELATION : 5 gelée, gélif, glace, grêle, neige, regel ■ 7 freezer ■ 10 cryométrie, cryoscopie ■ 13 cryochirurgie, quick-freezing.
CONGELER : 5 figer, geler ■ 6 glacer ■ 7 frapper, prendre ■ 8 coaguler, surgeler ■ 10 congelable, décongeler ■ 11 congélation, frigorifier ■ 12 incongelable.
CONGENITALE : 8 délétion ■ 10 phocomélie ■ 11 tératogénie ■ 12 tératogenèse ■ 13 craniosténose, mucoviscidose ■ 15 congénitalement.
CONGESTION : 8 érythème, fourbure ■ 9 apoplexie, congestif, hyperémie, révulsion ■ 10 hémorragie ■ 12 cantharidine, décongestion ■ 13 congestionner ■ 15 décongestionner.
CONGLOMERAT : 4 amas ■ 6 brèche ■ 9 poudingue ■ 10 agglomérat ■ 14 conglomération.
CONGLUTINER : 12 conglutinant ■ 13 conglutinatif ■ 14 conglutination.
CONGRATULATION : 13 félicitations.
CONGRATULER : 5 éloge ■ 6 saluer ■ 9 applaudir, féliciter.
CONGREGATION : 5 index ■ 8 pauliste ■ 9 lazariste, olivétain, oratorien, religieux ■ 10 communauté ■ 11 saint-office ■ 12 calvairienne ■ 13 congréganiste, rédemptoriste ■ 15 assomptionniste.
CONGRES : 6 assise ■ 7 réunion* ■ 8 entrevue ■ 9 symposion, symposium ■ 10 convention ■ 12 congressiste.
CONGRU : 4 nain ■ 9 approprié, congruent ■ 10 congrument.
CONGRUENCE : 9 congruent.
CONIFERE : 4 pive ■ 5 cèdre, copal, pesse, taïga ■ 6 cyprès, pignon ■ 7 séquoia ■ 8 aiguille, taxodier, taxodium ■ 9 abiétacée*, abiétinée, araucaria, sapinette, taxaudier ■ 11 cupressacée*, cupressinée ■ 12 wellingtonia.
CONIQUE : 5 corne, épite, ogive, sucre ■ 6 trullo ■ 7 hypoïde ■ 8 conicité, épervier, marabout, panicule, pastille, pointeau, vésicule ■ 9 homofocal, triboulet ■ 10 conirostre, planétaire.
CONIROSTRE : 4 geai, zizi ■ 5 linot.
CONJECTURE : 6 augure ■ 7 présage, soupçon ■ 9 hypothèse, prévision, prophétie ■ 10 soupçonner ■ 11 conjectural, conjecturer, supposition.
CONJOINT : 5 époux ■ 7 mariage ■ 8 beau-père, exogamie ■ 9 belle-mère ■ 12 beaux-parents, belle-famille.
CONJOINTEMENT : 11 codemandeur, codétenteur ■ 13 concurremment.
CONJONCTIF : 6 stroma ■ 10 mésenchyme ■ 11 fibroblaste.
CONJONCTION : 2 et, ni, or, ou, si ■ 3 car, que ■ 4 donc, mais, soit ■ 5 ainsi, aussi, comme, final, quand, sinon ■ 6 causal ■ 7 because, lorsque, partant, puisque, quoique, syzygie ■ 8 négation, parce que, pourquoi, pourtant, temporel ■ 9 cependant, c'est-à-dire, concessif, coordonné, copulatif, néanmoins, pourvu que, synodique, toutefois ■ 10 adversatif, comparatif, consécutif, hiérogamie, restrictif ■ 12 conditionnel, interférence, subordonnant.
CONJONCTIVE : 7 collyre, flegmon ■ 8 lamineux, périoste, phlegmon, trachome ■ 9 carcinome, collagène, lymphoïde, mésentère, névralgie ■ 10 aponévrose, conjonctif ■ 13 conjonctivite.
CONJONCTIVITE : 12 conjonctival.
CONJONCTURE : 3 cas ■ 8 concours, occasion, préjuger, présager, présumer, probable, prophète ■ 9 événement ■ 12 circonstance, conjoncturer ■ 14 conjoncturiste.

CONJUGAISON : 7 aoriste ■ 10 conjugable.
CONJUGAL : 4 mari ■ 8 adultère, conjungo, légitime ■ 11 matrimonial ■ 13 conjugalement, extra-conjugal.
CONJUGUEE : 7 zygnéma ■ 9 spirogyre.
CONJURER : 5 prier* ■ 7 complot, conjuré ■ 9 exorcisme, exorciste ■ 11 conjurateur, conjuration, incantation.
CONNAISSANCE : 2 su, vu ■ 3 ami, vue ■ 4 b.a.-ba, éjet, idée, sens ■ 5 amant, école, éject, étude, infus, lueur, usage, voile ■ 6 notion, savoir* ■ 7 lumière, ontique, science*, théorie ■ 8 évanouir, évidence, fidéisme, histoire, lucidité, ontique, pratique, teinture ■ 9 agrologie, apprendre, cabaliste, éducation, empirisme, érudition, humanisme, ignorance, instruire, intuition, mondanité, ontologie, prénotion, prévision, publicité, savamment, sensation, sentiment, substance, tradition ■ 10 compétence, conception, conscience, diagnostic, ethnologie, expérience, initiation, lipothymie, lithologie, matelotage, occultisme, patrologie, perception, prescience, prévoyance, répertoire, superficie ■ 11 communiquer, gnoséologie, gnosticisme, hydrocution, imagination, instruction, lexicologie, omniscience, ontologisme, philosophie, publication, relativisme, savoir-vivre ■ 12 bibliographe, byzantinisme, clairvoyance, constatation, dictionnaire, incompétence, intelligence, métaphysique, orientalisme, perspicacité ■ 13 communication, compréhension, renseignement, vulgarisateur ■ 14 axiomatisation, caractérologie, encyclopédisme, évanouissement, perspectivisme.
CONNAISSEUR : 5 docte ■ 6 expert, savant ■ 7 amateur ■ 8 aliboron, instruit ■ 9 numismate ■ 10 technicien ■ 11 expérimenté, spécialiste.
CONNAIT : 8 argotier.
CONNAITRE : 4 lire, voir ■ 5 sujet, tâter, viser, vivre ■ 6 aviser, lancer, savoir*, sentir, sonder ■ 7 démêler, ignorer, initier, prévoir, publier ■ 8 cognitif, déclarer, demander, éprouver, familier, informer, logicien, posséder, produire, répandre ■ 9 apprendre, cognition, compétent, concevoir, constater, curiosité, démasquer, entrevoir, expliquer, lancement, percevoir, publicité, raisonner, remarquer, signifier ■ 10 algébriste, apercevoir, diagnostic, exposition, fréquenter, harmoniste, indicateur, manifester, perfection, renseigner, révélateur, surveiller, télémesure, théoricien ■ 11 communiquer, connaisseur, débrouiller, inaccessible, positivisme, procédurier, reconnaître ■ 13 diagnostiquer, renseignement ■ 13 mathématicien, particulariser, physiognomonie.
CONNECTE : 11 connectable.
CONNECTEUR : 11 connectique.
CONNEXION : 4 jack ■ 7 connexe, liaison, rapport ■ 9 cohérence, connecter, connexité ■ 10 connecteur, débrancher ■ 11 déconnecter ■ 15 autocommutateur.
CONNIVENCE : 9 clin d'œil.
CONNU : 5 donné, sujet, titre ■ 6 public, réputé*, secret ■ 7 attesté, célèbre, inconnu, notoire ■ 8 étranger ■ 9 documenté, glossaire, incognito, réchauffé ■ 10 transpirer ■ 12 connaissable, personnalité ■ 15 cryptogénétique.
CONQUERIR : 6 capter, gagner, plaire ■ 7 charmer, enlever, obtenir*, séduire ■ 8 captiver, conquête, empaumer, envoûter ■ 9 soumettre, subjuguer ■ 10 conquérant ■ 11 emberloquer, entortiller, reconquérir ■ 12 conquistador ■ 13 emberlucoquer.
CONQUETE : 10 courailler ■ 11 donjuanisme.
CONQUISTADOR : 10 encomienda.
CONSACRE : 4 oint.
CONSACRER : 5 autel, bénir, fanum, myrte, usage, sacré, vouer ■

6 dédier, donner, livrer, oindre, sacrer ■ 7 dévouer, occuper ■ 8 vacation ■ 9 sacrifier ■ 12 consécrateur, présanctifié.

CONSANGUINITE: 4 race ■ 7 famille, parenté ■ 9 cognation, parentage, parentèle.

CONSCIENCE: 3 âme, cri, for ■ 4 sens, voix ■ 5 cœur, sacré, vénal ■ 6 esprit, pensée, raison* ■ 7 dignité, honneur, lumière, remords ■ 8 casuiste, réflexif, scrupule, thétique ■ 9 apoplexie*, conscient, éthériser ■ 10 apercevoir, mentalisme, scotomiser, subliminal ■ 11 casuistique, inconscient ■ 12 psychanalyse, revivescence, subconscient ■ 13 consciencieux, introspection, subconscience ■ 14 étourdissement, rédintégration ■ 15 épiphénoménisme.

CONSCIENCIEUX: 5 exact ■ 7 honnête ■ 8 tâtillon ■ 9 minutieux ■ 10 méticuleux, scrupuleux.

CONSCIENT: 8 délibéré ■ 11 inconscient ■ 12 consciemment, intentionnel.

CONSCRIT: 4 bleu ■ 5 appel ■ 6 novice, soldat ■ 7 ajourné ■ 12 conscription.

CONSECRATION: 5 sacre ■ 6 chrême ■ 7 onction ■ 8 consacré, dédicace ■ 12 confirmation, inauguration.

CONSECUTIF: 5 quant, volée ■ 9 ultérieur.

CONSECUTIVE: 5 codon.

CONSEIL: 4 avis, cour, voix ■ 5 divan, falot, junte, leçon, sénat ■ 6 motion, sachem, soviet, synode ■ 7 opinion ■ 8 chanoine, consulte ■ 9 collégial, compagnie, défenseur, influence, prud'homal ■ 10 admonition, conseiller, directoire, présidium, suggestion ■ 11 consultatif, discrétoire, inspiration, marguillier, proposition, saint-synode, sovnarkhoze ■ 12 nosseigneurs ■ 13 avertissement ■ 14 recommandation*.

CONSEILLER: 4 sage ■ 5 griot, guide ■ 6 aviser, égérie, mentor, opiner ■ 7 adjoint, avertir, écouter, diriger, légiste ■ 8 éminence, insinuer, inspirer, orienter, proposer, suggérer ■ 9 consulter, inculquer, persuader ■ 10 influencer ■ 11 conseilleur, inspirateur, recommander* ■ 12 déconseiller.

CONSENSUS: 8 sunnisme.

CONSENTEMENT: 4 amen, aveu, bien ■ 6 billet ■ 7 charité ■ 8 adhésion, adoption, agrément, bénévole, penchant, sanction, vocation ■ 9 acceptant ■ 10 consensuel, contrition, permission, propension ■ 11 acceptation, approbation, assentiment, inclination, récognition, résignation, spontanéité ■ 12 involontaire ■ 13 acquiescement, bienveillance, universalisme ■ 14 condescendance ■ 15 intuitu personae.

CONSENTIR: 4 amen ■ 5 céder, toper ■ 6 opiner, prêter ■ 7 accéder, adhérer, adopter, laisser, vouloir ■ 8 accepter, accorder, admettre, convenir, demander, résigner ■ 9 approuver, permettre*, souscrire ■ 10 acquiescer, consentant ■ 11 reconnaître ■ 12 condescendre, consentement.

CONSEQUENCE: 2 et ■ 4 donc ■ 5 effet*, mener, suite ■ 6 raptus ■ 7 générer, partant, relatif ■ 8 dépendre, ensuivre, pourquoi, résultat*, sanction ■ 9 déduction, solidaire ■ 10 argumenter, conclusion, consécutif, contrecoup, corrélatif, corollaire, importance, impunément ■ 11 corrélation ■ 12 conséquemment, éclaboussure, inconvénient, prolongement, répercussion.

CONSEQUENT: 9 important.

CONSERVATEUR: 5 avare, sénat ■ 6 modéré, tuteur ■ 7 gardien ■ 9 bourgeois ■ 12 conservation.

CONSERVATION: 5 dotal, froid, garde, mulon, vital ■ 6 fumage, salage ■ 7 amphore, tutelle ■ 8 écomusée, maintien, médecine, sècherie, vivarium ■ 9 diphénile, entretien, œnologie, palladium, sanitaire, sitologue ■ 10 assolement, invariance, ménagement ■ 11 congélation, embaumement, médiathèque, pourrissage, vidéogramme, viniculture ■ 12 dessiccation, muséographie, préservation, prolongation ■ 13 appertisation, consolidation, quick-freezing, thanatopraxie.

CONSERVATOIRE : 5 école, musée.

CONSERVATRICE : 15 fondamentalisme.

CONSERVE : 9 paneterie ■ 11 inélastique.

CONSERVER : 4 alun, cave, étui, silo ■ 5 durer, gâter, jarre, momie, saler, scalp, tenir, vital ■ 6 garder, natron, sauver ■ 7 confire, détenir, ensiler, mariner, marquer, ménager, nourrir, retenir, soigner, stocker ■ 8 banneton, congeler, cultiver, garantir, glacière, marinade, marinage, moissine, protéger, réserver, salaison, univoque ■ 9 empailler, éterniser, étouffoir, fruiterie, honoraire, maintenir, perpétuer, préserver, projectif, prolonger, rentoiler, réservoir, salutaire ■ 10 consolider, corned-beef, embauchoir, entretenir ■ 11 conserverie, frigorifier, garde-manger, insectarium, radio-compas ■ 12 cinémathèque, conservateur, conservation, frigorifique, immortaliser ■ 13 conservatoire, vulcanisation.

CONSIDERABLE : 3 bel ■ 4 aisé, beau, bloc, fort, gros, haut, joli, menu ■ 5 ample, grand, large, loupe, mille, petit, ponte ■ 6 coquet, infini, majeur, sévère ■ 7 immense, intense, modique, notable ■ 8 beaucoup, décupler, imposant, puissant, solennel, survente ■ 9 amplitude, augmenter, important ■ 10 conséquent, épuisement, prodigieux ■ 11 servomoteur ■ 12 multiplicité ■ 13 superfluidité.

CONSIDERATION : 3 vue ■ 4 hère, pour, sire ■ 5 égard, mince, pègre, poids ■ 6 estime*, pensée ■ 7 honneur, respect* ■ 9 acception, discrédit, honorable ■ 10 admiration, cosmodicée, historisme, réputation ■ 11 honorifique, mondialisme ■ 12 considérable, égocentrique ■ 13 pas-grand-chose ■ 15 déconsidération.

CONSIDERER : 4 voir* ■ 6 isoler, toiser ■ 7 admirer, estimer*, réputer, séparer, take-off ■ 8 observer, présumer, regarder* ■ 9 assimiler, connaître, envisager ■ 10 diaboliser, identifier, point de vue ■ 11 hypostasier ■ 12 déconsidérer, européaniser, matérialiser ■ 14 individualiser.

CONSIGNE : 5 écrit.

CONSIGNER : 5 citer, dépôt, noter ■ 8 consigne ■ 9 constater ■ 11 déconsigner, enregistrer, instruction ■ 13 consignation.

CONSISTANCE : 3 lie, tuf ■ 4 boue, nuée, pâte, vase ■ 5 ambre, corps, corsé, dépôt, fange, masse ■ 6 résidu ■ 7 densité, liquide, pultacé ■ 8 bouillie, coaguler, éburnéen, sédiment, sirupeux, subéreux ■ 9 épaisseur, oléiforme ■ 10 cartonneux, concrétion, consistant, immatériel, parcheminé ■ 12 hépatisation, inconsistant, mucilagineux ■ 13 inconsistance ■ 14 solidification ■ 15 cristallisation.

CONSISTANT : 5 clair, dense, épais, étron ■ 6 gluant, massif, solide* ■ 7 pultacé ■ 8 sirupeux ■ 11 substantiel ■ 12 concrescible ■ 13 autosuffisant.

CONSISTER : 5 gésir ■ 6 mettre ■ 7 résider ■ 8 épaissir ■ 10 concréfier, constituer, solidifier ■ 12 cristalliser.

CONSISTOIRE : 7 concile, majoral, réunion ■ 12 consistorial.

CONSOLATION : 5 baume ■ 6 origan ■ 7 dictame ■ 9 diversion, réconfort ■ 10 allègement ■ 11 atténuation, consolateur, soulagement ■ 12 compensation.

CONSOLE : 6 visuel ■ 7 gousset ■ 8 modillon ■ 9 cannelure ■ 14 encorbellement.

CONSOLER: 6 calmer, égayer, sécher ■ 7 alléger, apaiser, dérider, essuyer, flatter, modérer, ranimer ■ 8 assoupir, atténuer, diminuer, endormir, rassurer, remédier, résigner, soulager ■ 9 conforter, consolant, distraire, inconsolé ■ 10 cicatriser, consolable, encourager ■ 11 consolateur, consolation, réconforter ■ 12 inconsolable.
CONSOLIDATION: 9 consolidé.
CONSOLIDER: 4 neck ■ 7 assurer, boisage ■ 8 affermir, cimenter, soutenir ■ 9 confirmer, contremur, épontille, moulinage, raffermir ■ 10 barlotière ■ 11 contre-digue, recoupement, stéréodonte ■ 12 empierrement, reconsolider ■ 13 consolidation, ostéosynthèse.
CONSOMMATEUR: 12 consumérisme.
CONSOMMATION: 6 denrée, excise ■ 8 économie, épicerie ■ 9 suréquipé ■ 10 suréquiper ■ 14 autolimitation ■ 15 surconsommation.
CONSOMME: 6 potage ■ 8 bouillon ■ 10 énergivore.
CONSOMMER: 5 finir ■ 7 épuiser ■ 8 absorber, consumer, dépenser, fongible, griveler ■ 9 accomplir, commettre ■ 10 grivèlerie, voiturebar ■ 11 consommable, impuissance ■ 12 consommation ■ 13 inconsommable.
CONSOMPTION: 8 langueur ■ 14 amaigrissement.
CONSONANCE: 3 son ■ 4 rime ■ 9 assonance, consonnant.
CONSONNE: 4 clic ■ 5 tenue ■ 6 médial ■ 7 géminée ■ 8 implosif, uvulaire ■ 9 affriquée, bilabiale, chuintant, épenthèse, laryngale, métathèse, mouillure, pharyngal ■ 10 rétroflexe ■ 12 constrictive, labiodentale, vocalisation ■ 13 consonantisme, consonantique.
CONSORTIUM: 10 consortial.
CONSPIRATION: 7 complot* ■ 9 conspirer ■ 10 décabriste ■ 11 conjuration, décembriste ■ 12 conspirateur.
CONSTAMMENT: 8 toujours ■ 9 endémique ■ 10 assidûment ■ 15 continuellement.
CONSTANCE: 7 fermeté* ■ 8 fidélité*, patience*, ténacité ■ 9 placidité ■ 10 entêtement, régulation, résistance ■ 11 opiniâtreté, permanence, persistance ■ 12 graphométrie, persévérance.
CONSTANT: 4 fixe ■ 5 ferme, genre, masse, pacte, suite, vertu ■ 6 assidu, fidèle, tenace, vérité ■ 7 durable, évident, obstiné, placide, positif ■ 8 circuler, habituel, régulier* ■ 9 permanent, perpétuel, résistant ■ 10 inflexible, persistant, temporaire, thermostat ■ 11 homéostasie, homéotherme, persévérant ■ 12 inébranlable.
CONSTANTE: 2 pk ■ 7 linkage ■ 12 permittivité.
CONSTANTIN: 13 constantinien.
CONSTATER: 4 voir ■ 7 trouver ■ 8 carencer, vérifier ■ 9 acquitter ■ 10 absolution, climatisme ■ 11 constatable, enregistrer, information ■ 12 baptistaire, constatation ■ 13 inconstatable.
CONSTELLATION: 7 verseau.
CONSTERNE: 11 consternant.
CONSTERNER: 7 abattre ■ 8 atterrer ■ 9 attrister ■ 10 terrasser ■ 11 déconcerter ■ 13 consternation.
CONSTIPATION: 5 libre ■ 9 constiper ■ 10 échauffant ■ 11 constipable.
CONSTIPE: 11 constipable.
CONSTITUANT: 6 durain, mucine, parton ■ 7 clarain, eugénol, perlite, vitrain ■ 8 quassine.
CONSTITUE: 9 évaluatif ■ 10 tripartite ■ 14 programmatique.
CONSTITUER: 5 bâtir, créer, faire, fixer ■ 6 élever, fonder, former*, monter ■ 7 asseoir, édifier, élément, essence, établir, rebâtir, stocker, taquage, texture ■ 8 arranger, composer, élaborer, rétablir ■ 9 assem-

blée, conformer, instaurer, néantiser, organiser, structure ■ **10** charpenter, construire, préétablir, recomposer ■ **11** constitutif, fédéraliser ■ **12** conditionner, reconstituer ■ **13** individualité, subventionnel.

CONSTITUTIF : 10 bioélément.

CONSTITUTION : 4 état, pâte, sain ■ **5** forme, pacte, sénat ■ **6** chétif, nature ■ **7** montage, novelle ■ **8** altérant, fibroïne, fixation, malingre, physique, pycnique ■ **9** fondation, formation, leptosome, nomothète, règlement ■ **10** assermenté, complexion, herpétisme ■ **11** arrangement, composition, constituant, élaboration, histochimie ■ **12** gouvernement, instauration ■ **13** établissement, révisionniste ■ **15** constitutionnel.

CONSTITUTIVE : 11 subatomique.

CONSTRICTION : 6 trisme ■ **7** trismus ■ **9** affriquée, striction, vaginisme ■ **10** centromère ■ **11** constrictif ■ **13** péristaltique.

CONSTRICTIVE : 8 spirante ■ **9** fricative ■ **12** assibilation.

CONSTRUCTEUR : 6 tabulé.

CONSTRUCTION : 3 ber, nid, tin ■ **4** étai, jubé, lego, pisé, pont, quai, rouf ■ **5** banco, béton, borie, chêne, douve, fruit, herse, murer, serre, talus, vigie ■ **6** assise, caveau, guibre, maison, massif, porque, poutre, pylone, sciage, trullo, zeugma ■ **7** aisseau, bâtisse, ellipse, étambot, hypogée, jambage, meccano, péperin, pergola, tumulus ■ **8** bâtiment, carrière, chaînage, chantier, cliquart, cornière, érection, fontaine, fourneau, marsouin, matériau, plâtrier, surplomb, syllepse, tauxbord ■ **9** avionneur, cacologie, chandelle, charpente, colombage, élévation, étaiement, fondation, gournable, gravillon, hyperbate, imitation, inversion, janotisme, plâtrerie, pléonasme, robotique, structure ■ **10** anacoluthe, anglicisme, attraction, brise-glace, étamperche, gallicisme, opposition, pontonnier, porte-à-faux, répétition, serrurerie, termitière ■ **11** baraquement, cailloutage, chantignole, conjonction, disjonction, élaboration, enrochement, ferraillage, giraviation, horographie, lotissement, placoplâtre, soudabilité ■ **12** aéronautique, agrammatisme, architecture, constructeur, mégalithique, phraséologie, soubassement, tachéographe ■ **13** aéromodélisme, chaudronnerie, rez-de-chaussée ■ **14** encorbellement, superstructure ■ **15** architectonique.

CONSTRUCTIVISME : 15 constructiviste.

CONSTRUIRE : 5 bâtir ■ **6** claver, élever, enlier, ériger ■ **7** dresser, édifier, staffer, taluter ■ **8** bétonner, détruire, nidifier, poto-poto, produire ■ **10** charpenter, limousiner ■ **11** constructif ■ **13** architecturer, constructible ■ **15** inconstructible.

CONSTRUIT : 9 charpenté.

CONSUBSTANTIALITE : 9 arianisme.

CONSUL : 8 consulat ■ **9** proconsul ■ **10** consulaire, vice-consul.

CONSULTATION : 7 serveur.

CONSULTE : 11 consultable.

CONSULTER : 4 avis, voir ■ **5** pouls ■ **8** demander ■ **10** consultant, interroger, référendum ■ **11** consultatif ■ **12** consultation.

CONSUMER : 5 miner ■ **6** brûler*, ronger ■ **7** dévorer, épuiser ■ **8** corroder, détruire ■ **9** consommer, fricasser, incendier ■ **10** consumable.

CONSUMERISME : 12 consumériale.

CONTACT : 4 plot, tact ■ **5** balai, borne, isolé, joint, paria, prise, tabou ■ **5** tombé ■ **6** tomber ■ **7** rapport, scléral, synapse, toucher ■ **8** antebois, antibois, coudoyer, recevoir ■ **9** appontage, argyrisme, contagion, cornéenne, décrocher, joignable, minuterie, rencontre, subaérien ■ **10** contacteur, contagieux, osculation ■ **11** télékinésie ■ **13** contactologie, interculturel.

CONTACTER : 9 rejoindre ■ **11** injoignable.

CONTAGION : 4 gale, pian ■ **5** morve, peste, virus ■ **7** choléra, contage, rubéole, typhose, variole ■ **8** clavelée, épidémie, impétigo, inoculer, pandémie, rougeole, syphilis ■ **9** diphtérie, épizootie, grasserie, infection, oreillons, paludisme, pullorose, varicelle ■ **10** bacillaire, contagieux, contracter, coqueluche, épidémique, rickettsie, scarlatine ■ **11** inoculation ■ **12** contagionner, contagiosité, poliomyélite ■ **13** contamination.

CONTAMINATION : 10 pédiculose.

CONTAMINER : 8 infecter ■ **12** contagionner ■ **13** contamination.

CONTE : 5 colle, fable*, ragot, récit*, roman* ■ **6** bateau, bobard, bourde, canard, cancan, craque ■ **7** fabliau ■ **8** histoire, mensonge, nouvelle, racontar ■ **9** narration ■ **10** billevesée, feuilleton.

CONTEMPLATIF : 9 chartreux.

CONTEMPLATION : 4 yoga ■ **7** nirvana ■ **8** regarder ■ **9** méprisant ■ **10** hésychasme, mysticisme ■ **11** théorétique ■ **12** contemplatif ■ **13** contemplateur, gymnosophiste ■ **15** cristallomancie.

CONTEMPORAIN : 6 actuel ■ **7** land art, moderne, présent ■ **15** contemporanéité.

CONTEMPORAINE : 10 brutalisme ■ **11** modern dance ■ **14** néocapitalisme.

CONTENANCE : 3 are ■ **4** aire, mine, tour, vase ■ **5** botte, cadre, canon, effet, fonds, marge, plein, quart, tarer, varié ■ **6** figure, format, limite, mesure, région, teneur, volume ■ **7** circuit, enclave, étendue, hectare, surface, tonnage ■ **8** capacité, enceinte, interdit, intimité, maintien, résultat ■ **9** bouteille, déduction, enveloppe, hypothèse, intérieur, récipient ■ **10** conclusion, profondeur, superficie ■ **11** juridiction, remplissage ■ **13** circonférence, compréhension, décontenancer ■ **15** circonscription.

CONTENEUR : 13 containériser, conteneuriser ■ **14** transconteneur.

CONTENIR : 5 avide, avoir, cuber, digue, tenir ■ **6** brider, jauger ■ **7** compter, enclore, inclure, mesurer, modérer, receler, retenir ■ **8** abstenir, déborder, enclaver, endiguer, enfermer*, englober, enserrer, entourer, indompté, inscrire, pétulant, posséder ■ **9** comporter, embrasser, enceindre, enchâsser, entraîner, impliquer, maîtriser, pétulance, renfermer* ■ **10** comprendre, concentrer, coquetière, envelopper, sous-tendre ■ **11** contraindre, emprisonner, incoercible ■ **12** intérioriser.

CONTENT : 3 gai* ■ **4** aise, béat, ravi ■ **5** joice ■ **7** heureux*, infatué, jouasse ■ **8** enchanté, exigeant, infatuer ■ **9** contenter, difficile, satisfait* ■ **12** satisfaisant.

CONTENTEMENT : 4 aise, joie ■ **5** veine ■ **6** eurêka ■ **7** plaisir ■ **12** satisfaction* ■ **14** assouvissement, insatisfaction.

CONTENTER : 8 assouvir ■ **10** satisfaire ■ **12** contentement.

CONTENTIEUX : 9 litigieux.

CONTENTION : 9 attention ■ **10** discussion.

CONTENU : 3 bol ■ **4** bock, dans, plat ■ **5** augée, boîte, bolée, céans, chope, coupe, cuvée, jatte, kyste, litre, pinte, tasse, vagon, verre, vider, wagon ■ **6** dedans, hottée, inclus, jattée, sachée, teneur ■ **7** brassin, clôture, couffin, cruchée, grangée, panerée ■ **8** aliquote, boisseau, ci-inclus, déballer, écuellée, marmitée, pochetée, saladier, terrinée, voiturée, wagonnée ■ **9** aliquante, assiettée, boisselée, bourriche, bouteille, brouettée, calebasse, charretée, corbeille, cuillerée, demi-tasse, enveloppe, étiquette, implicité, périmètre, tombereau ■ 10 casserolée, eaux-vannes, sémantisme ■ 12 codicillaire, sous-multiple ■ 13 intra-atomique.

CONTER: 6 narrer ■ 7 peindre ■ 8 raconter*, retracer ■ 9 fleureter ■ 11 anecdotiser.

CONTESTATAIRE: 5 provo ■ 14 situationnisme.

CONTESTATION: 4 juge ■ 5 débat ■ 6 démêlé, litige ■ 7 bétonné, chicane, conflit, dispute ■ 8 incident, querelle ■ 9 différend ■ 10 difficulté, discussion ■ 11 agonistique, controverse ■ 12 contestateur.

CONTESTE: 9 discuteur ■ 11 controversé ■ 12 contestateur.

CONTESTER: 4 nier ■ 5 avéré ■ 7 ergoter, plaider ■ 8 chicaner*, conteste, discuter, objecter, réclamer, résister ■ 9 batailler, litigieux ■ 10 incontesté, pointiller ■ 11 authentique, contentieux, contestable, pointilleux ■ 12 controverser, déclinatoire ■ 13 incontestable.

CONTEXTE: 10 background, contextuel.

CONTEXTURE: 5 tissu ■ 7 texture, tissure.

CONTIENT: 5 bromé ■ 6 rhodié ■ 8 goménolé ■ 9 carbonylé, évaluatif, graniteux, thébaïque ■ 10 iodo-ioduré, minéralisé ■ 11 équimolaire ■ 12 hydrocarboné.

CONTIGU: 5 joint ■ 6 proche ■ 8 attenant ■ 10 contiguïté ■ 13 juxtalinéaire.

CONTINENT: 3 pur ■ 5 ferme, monde ■ 6 chaste, puceau, vierge ■ 8 immaculé, innocent, pandémie ■ 9 abstinent, mobilisme, presqu'île, virginité ■ 10 continence ■ 11 continental, incontinent ■ 12 incontinence ■ 13 transgression ■ 14 tricontinental.

CONTINENTALE: 14 épicontinental.

CONTINGENT: 4 goum, part, pool ■ 5 quota ■ 6 casuel ■ 7 relatif ■ 11 répartition ■ 12 contingenter, présélection ■ 13 incorporation ■ 15 contingentement.

CONTINU: 3 lié ■ 5 frise, ligne, pompe ■ 6 assidu, lister ■ 7 durable ■ 8 hectique, régulier, touaille ■ 9 bicourant, continuel, permanent*, perpétuel ■ 10 continuité, embasement, persistant, salamandre ■ 11 constamment, continûment, dégradation, intégrateur ■ 13 journellement.

CONTINUATION: 5 série, suite, trame ■ 6 chaîne ■ 7 reprise ■ 8 éternité, habitude, statu quo ■ 9 extension, longévité ■ 10 ancienneté, continuité, permanence, perpétuité, vieillesse ■ 11 immortalité ■ 12 enchaînement, prolongation, prolongement, reconduction.

CONTINUE: 8 continuo.

CONTINUEL: 5 plein ■ 6 direct, infini, viable, vivace ■ 7 continu, éternel ■ 8 constant, indéfini, toujours ■ 9 incessant, incurable, perpétuel ■ 10 assidûment, consécutif ■ 11 inépuisable, papillotage, sempiternel ■ 12 clignotement, intarissable, interminable ■ 13 bourdonnement, inguérissable ■ 15 continuellement.

CONTINUER: 5 durer*, fixer ■ 6 régner, rester ■ 7 entêter, étendre ■ 8 affermir, demeurer, habituer, insister, obstiner, perdurer, résister, retourne, soutenir, ■ 9 maintenir, perpétuer, persister, reprendre, séjourner, subsister, supprimer ■ 10 consolider, persévérer, poursuivre*, reconduire ■ 11 continuateur, interrompre ■ 12 continuation, discontinuer.

CONTINUITE: 7 égalité ■ 8 fracture ■ 11 éventration, interrompre, sectionner ■ 12 continuation ■ 13 discontinuité.

CONTORSION: 7 grimace, torsion ■ 13 contorsionner ■ 15 contorsionniste.

CONTOUR: 4 bord, côté, tour ■ 5 cerne, forme, galbe, trace ■ 6 limite ■ **8** coquille, délinéer ■ **9** découpure, périmètre, rechampir ■ **10** contourner ■ **11** délinéamant, délinéament, serpigineux.

CONTOURNE : **4** tors ■ **5** frisé ■ **5** alambiqué, spiroïdal.

CONTOURNEMENT : **6** by-pass ■ **7** bipasse.

CONTOURNER : **6** détour ■ **7** gauchir ■ **8** déborder ■ **13** contournement ■ **14** incontournable.

CONTRACEPTION : **8** stérilet.

CONTRACEPTIVE : **11** micropilule.

CONTRACTER : **4** lier ■ **5** clore, piger, rider ■ **6** friser, gagner, gercer, raidir*, rigide ■ **7** crisper, engager, froncer, plisser, prendre, replier ■ **8** attraper, enrhumer, fibrille, garantie, grimacer, racornir, ramasser, réceptif, rengager, rétrécir ■ **9** apprendre, grésiller, ratatiner, réengager, resserrer, rétracter, styptique ■ **10** musculaire, potestatif, raccourcir, renfrogner ■ **11** contractant, réceptivité ■ **12** décontracter ■ **13** contractilité ■ **14** recroqueviller, régularisation.

CONTRACTILE : **11** myofibrille.

CONTRACTION : **2** au, du ■ **3** aux, des, pli, tic ■ **4** ride ■ **5** crase, tonus ■ **6** clonie, clonus, crampe, effort, hoquet, rictus, spasme, trisme ■ **7** entorse, frisure, gerçure, grimace, myosine, sanglot, systole, tétanos, torsion, trismus ■ **8** anaspase, clonique, dystonie, ergotine ■ **9** asystolie, contracté, myographe, ocytocine, retassure, vaginisme ■ **10** convulsion, crispation, froncement, myographie, retirement, rétraction, stretching, strychnine, vaso-moteur ■ **11** coalescence, contractile, contracture, éternuement, trémulation ■ **12** extrasystole, fibrillation, grésillement, resserrement*, tiraillement, vermiculaire ■ **13** tonicardiaque ■ **14** défibrillation, racornissement, rétrécissement.

CONTRACTURE : **12** opisthotonos.

CONTRADICTION : **7** démenti, hérésie ■ **8** paradoxe ■ **9** antilogie, antinomie, désaccord, reniement ■ **10** discussion, opposition* ■ **12** contestation, décidabilité, protestation, rétractation ■ **13** autosuffisant, illusionnisme ■ **14** contradictoire.

CONTRAINDRE : **4** lier ■ **5** gêner ■ **6** brider, exiger, forcer, sommer, visser ■ **7** obliger, réduire ■ **8** asservir, entraver, opprimer, ordonner, requérir ■ **9** comprimer, enchaîner, maîtriser, violenter ■ **10** assujettir, astreindre, embarrasser, tyranniser ■ **11** autoritaire, nécessitant ■ **12** contraignant ■ **13** contraignable.

CONTRAINTE : **4** gêne, joug ■ **5** barye, délit, force, ordre ■ **6** carcan ■ **7** liberté, requête, torsion ■ **8** embarras, exigence, fatalité, pression, sujétion, tyrannie, violence ■ **9** astreinte, captivité, esclavage, librement, mandement, nécessité, servitude, sommation ■ **10** coercition, despotisme, discipline, élasticité, obligation, oppression, volontaire ■ **11** compression, franc-parler, intolérance, tensiomètre ■ **12** contribution, extensomètre ■ **14** asservissement, élasticimétrie.

CONTRAIRE : **3** fol, fou, mal ■ **4** faux, pari ■ **5** impie ■ **6** envers, opposé* ■ **7** adverse, extrême, illégal, inverse* ■ **8** alogique, antipode, antonyme, apagogie, criminel, dénaturé, expurger, indécent, insolite, mensonge, paradoxe, renversé ■ **9** absurdité, anaclinal, antimoral, autrement, contravis, contre-fil, malpropre, paradoxal ■ **10** adversaire, antiphrase, antisocial, contredire, contre-pied, contre-poil, contresens, déshonnête, encontre de, hétérodoxe, licencieux, malsonnant ■ **11** antagonique, antilogique, antisportif, contre-alizé, contrevenir, incongruité, irrationnel ■ **12** antiparasite, antipatriote, antipoétique, antisyndical, contre-mesure, contrepartie, contre-vérité ■ **13** antirationnel, antireligieux, contrarotatif ■ **14** antihygiénique, contre-indiquer ■ **15** antipatriotique, contre-productif, contre-publicité.

CONTRALTO : 4 alto, voix ■ 12 mezzo-soprano.
CONTRARIANT : 6 râlant, vexant ■ 7 agaçant, fâcheux, fichant ■ 8 embêtant, ennuyeux, importun ■ 9 acariâtre ■ 10 déplaisant, fastidieux ■ 11 désespérant, intolérable, pointilleux ■ 12 empoisonnant ■ 13 insupportable.
CONTRARIE : 5 fâché.
CONTRARIER : 5 gêner, scier, vexer ■ 6 agacer, fâcher*, tanner ■ 7 dépiter, désoler, embêter, ennuyer, heurter ■ 8 défriser, déplaire*, empêcher ■ 9 asticoter, offusquer ■ 10 chiffonner, contredire, désobliger ■ 11 contrariant ■ 12 contrecarrer.
CONTRARIETE : 5 dépit, ennui, heurt, souci ■ 6 tracas ■ 9 agacement, déplaisir, regretter ■ 10 déconvenue, embêtement, impatience ■ 11 désagrément, tribulation.
CONTRASTE : 9 contrasté ■ 11 caravagisme, contastrant.
CONTRASTER : 3 cru ■ 5 jurer ■ 7 heurter ■ 8 détonner, trancher ■ 9 antithèse, contraste, luminisme, opposition ■ 11 contrastant.
CONTRAT : 2 or ■ 4 bail, gage, pari, prêt ■ 5 dédit, ferme, objet ■ 6 léonin, louage, police ■ 7 asiento, cheptel, forfait, rédiger ■ 8 adhésion, agrément, donation, embauche ■ 9 agréation, stipulant ■ 10 antichrèse, consensuel, contracter, convention*, délai-congé, dérogation, embauchage, franchiser, pignoratif, résolution ■ 11 affrètement, contractant, contractuel, contredanse, fidéjussion, marchandage, résiliation, stipulation ■ 12 charte-partie, instrumenter, nantissement, procès-verbal ■ 13 cautionnement, cocontractant, pollicitation ■ 14 non-concurrence ■ 15 sous-affrètement, synallagmatique.
CONTRAVENTION : 2 p.v. ■ 11 contredanse ■ 12 procès-verbal.
CONTRE : 3 par, rez, sur ■ 4 anti, indu, para, pour, tort ■ 5 après ■ 6 malgré, opposé ■ 8 forfaire ■ 9 protester ■ 10 clandestin, déblatérer, faussement ■ 11 actionnable ■ 14 contre-attaquer.
CONTRE-AVIS : 10 contrordre ■ 14 décommandement ■ 15 contremandement.
CONTREBALANCER : 6 égaler ■ 7 couvrir ■ 10 équilibrer.
CONTREBANDE : 5 sonde ■ 6 fraude ■ 9 baraterie, tromperie ■ 10 bandoulier, bootlegger, braconnage, marronnage ■ 11 contrefaçon ■ 13 contrebandier.
CONTREBASSE : 9 bombardon ■ 14 contrebassiste.
CONTREBUTER : 14 contrebutement.
CONTRECARRER : 5 aider, nuire ■ 8 démentir ■ 10 contrarier.
CONTRECŒUR : 5 taque.
CONTREDANSE : 11 pastourelle.
CONTREDIRE : 4 nier ■ 6 couper, dédire, renier ■ 7 refuser, réfuter* ■ 8 démentir, frondeur, répondre ■ 9 contester, contredit, protester, rétracter ■ 10 contrarier ■ 12 contredisant, contremander, irréfragable ■ 13 contradicteur, contradiction.
CONTREDIT : 13 contre-exemple.
CONTREE : 4 pays ■ 5 payse, tribu ■ 6 climat, patrie, région ■ 14 provincialisme.
CONTREFAÇON : 4 faux, mime ■ 5 copie ■ 7 parodie, plagiat ■ 8 pastiche, singerie ■ 9 grisaille, imitation*, mimétisme ■ 10 caricature, contrefait, difformité ■ 12 claudication, monstruosité ■ 13 contrefacteur, disproportion, falsification.
CONTREFAIRE : 5 faire, mimer ■ 6 imiter*, moquer, singer ■ 7 charger, plagier, truquer ■ 8 parodier ■ 9 falsifier, pasticher, travestir ■ 11 caricaturer.
CONTREFAIT : 4 faux ■ 5 bossu, gnome, nabot, singe, tortu ■ 6 bancal,

éclopé, pygmée ■ 7 avorton, boiteux, infirme, malbâti, malfait, manchot, monstre ■ 8 difforme*, estropié ■ 10 crapoussin, cul-de-jatte ■ 11 caricatural.

CONTREFICHER: 12 contrefoutre.

CONTRE-FILET: 9 faux-filet.

CONTREFORT: 7 aileron, pinacle ■ 10 arc-boutant ■ 13 amortissement.

CONTREMAITRE: 6 porion ■ 8 maîtrise.

CONTREPARTIE: 8 échanger ■ 14 contrepartiste ■ 15 synallagmatique.

CONTREPETERIE: 9 contrepet.

CONTREPOIDS: 5 valet ■ 8 perrière ■ 11 contrepeser ■ 12 compensation.

CONTRE-POIL (A): 7 rebours ■ 10 contre-pied ■ 13 rebrousse-poil.

CONTREPOINT: 5 thème ■ 7 déchant ■ 10 partimento ■ 14 contrapontiste, contrapuntiste ■ 15 contrepointiste.

CONTREPOISON: 8 antidote ■ 14 alexipharmaque.

CONTRER: 10 surcontrer.

CONTRESCARPE: 5 braie ■ 10 avant-fossé.

CONTRE-SCEAU: 13 contre-sceller.

CONTRESEING: 9 signature.

CONTRESENS: 6 erreur* ■ 7 non-sens, rebours, travers ■ 8 paradoxe ■ 11 contre-fugue.

CONTRESIGNE: 11 contreseing.

CONTRETEMPS: 8 obstacle ■ 10 mal à propos ■ 12 complication.

CONTRETYPE: 11 contretyper.

CONTRE-VALEUR: 7 certain.

CONTREVENIR: 6 violer ■ 8 désobéir ■ 11 transaction ■ 12 transgresser.

CONTREVENT: 5 volet ■ 9 persienne.

CONTREVERITE: 5 colle ■ 6 canard, cancan, craque ■ 7 fiction ■ 8 mensonge, menterie ■ 10 euphémisme ■ 13 contradiction.

CONTRIBUER: 5 aider ■ 8 afférent, seconder ■ 9 concourir, favoriser, intégrant ■ 10 collaborer, participer.

CONTRIBUTION: 5 impôt* ■ 7 appoint, matrice ■ 8 paulette ■ 9 quote-part, rat-de-cave ■ 10 imposition ■ 11 contributif, prestataire ■ 12 contribuable.

CONTRISTER: 9 attrister.

CONTRITION: 6 regret ■ 7 remords ■ 8 repentir* ■ 9 attrition.

CONTROLABLE: 14 contrôlabilité.

CONTROLE: 2 vé ■ 3 top ■ 4 code ■ 5 jauge, titre ■ 6 raider, tâteur ■ 7 testage, vumètre ■ 8 feedback, mouchard, planning, pointeau ■ 9 contrôler, souverain ■ 10 cale-étalon, contrôleur, inspection ■ 11 biofeedback, contre-essai, devise-titre, dictatorial, self-control, supervision ■ 12 contre-visite, cybernétique, vérification ■ 13 phonocontrôle ■ 14 ordonnancement ■ 15 contre-expertise.

CONTROLER: 5 taxer ■ 7 pointer ■ 8 arbitrer, examiner, vérifier* ■ 9 critiquer, inspecter ■ 10 incontrôler, superviser ■ 11 antiblocage, flegmatique ■ 13 incontrôlable ■ 15 expert-comptable.

CONTROLEUR: 9 chef-garde.

CONTROUVER: 8 inventer.

CONTROVERSE: 5 avéré ■ 9 éristique, polémique ■ 10 discussion ■ 14 controversité.

CONTUSION: 4 bleu ■ 5 bigne, bosse, plaie ■ 6 arnica, contus, lésion, pinçon ■ 7 escarre ■ 8 blessure ■ 9 ecchymose ■ 12 contusionner, meurtrissure.

CONVAINCRE : 3 sûr ■ 7 certain, pénétré, toucher ■ 8 boniment, chambrer, éloquent, pénétrer ■ 9 certitude, confondre, convaincu, incrédule, persuader* ■ 11 convaincant ■ 12 entreprendre.

CONVALESCENCE : 8 guérison ■ 9 analepsie ■ 12 convalescent ■ 13 défervescence ■ 14 rétablissement.

CONVENABLE : 3 bon, net ■ 4 beau, bien, vrai ■ 5 digne, doser, poser, séant ■ 6 décent, idoine, propre, requis ■ 8 agréable, conforme, impropre, malséant, opportun, sortable ■ 9 actualité, approprié, bienséant, canonique, honorable, pertinent, tessiture ■ 10 congrûment, proprement ■ 11 professoral, raisonnable ■ 14 convenablement, vaudevillesque ■ 15 disproportionné.

CONVENANCE : 4 bien, cant, tact ■ 7 décence, décorum, dignité, rapport ■ 8 civilité ■ 9 formalité, honnêteté ■ 10 accommoder, bienséance, conformité, congruence, euphémisme, pertinence, proportion ■ 11 assortiment, inconvénient, opportunité, savoir-vivre ■ 12 inconvenance ■ 13 disproportion.

CONVENIR : 4 dire ■ 5 ad hoc, aller, faire, noter, seoir ■ 6 avouer, botter, plaire ■ 7 entendu, sourire ■ 8 messeoir, stipuler ■ 10 appartenir, convention ■ 11 disconvenir, reconnaître*.

CONVENTION : 4 bail, taux ■ 5 écrit, pacte ■ 6 accord, clause, fictif, louage, mandat, marché, régime, traité* ■ 7 contrat*, entente, gestion, paréage, pariage ■ 8 alliance, collante, covenant, ducroire, écriture, girondin ■ 9 acceptant, assurance, condition, formalité, mobiliser, protocole, sans-façon, stipulant ■ 10 abonnement, engagement, obligation, rendez-vous ■ 11 disposition, jacobinisme, sans-culotte, stipulation, transaction, tricoteuses ■ 12 accordailles, avant-contrat, capitulation, consentement, immutabilité, quasi-contrat ■ 13 conventionnel, conventionner, pacta conventa, parlementaire ■ 15 déconventionner.

CONVENTIONNEL : 6 prieur ■ 7 convenu, symbole ■ 8 primitif ■ 11 extrinsèque.

CONVERGENCE : 5 foyer, fuite, loupe ■ 8 dioptrie ■ 10 concourant, convergent ■ 13 hypermétropie ■ 14 semi-convergent.

CONVERS : 3 lai ■ 7 servant.

CONVERSATION : 3 sel ■ 5 bribe, devis, tapis ■ 6 cancan, exèdre ■ 7 palabre, parlote ■ 8 badinage, caristys, causerie, causette, colloque, dialogue*, discours, entrevue, talk-show ■ 9 babillage, bavardage, caquetage, commérage, entretien, épigramme, interview, tête-à-tête ■ 10 cailletage, conférence, digression ■ 11 clabauderie, pourparlers ■ 12 chuchotement, conciliabule, dactylologie, sténodactylo ■ 13 communication, confabulation.

CONVERSATIONNEL : 10 interactif.

CONVERSER : 4 lier ■ 5 jaser, nouer ■ 6 causer, parler* ■ 7 deviser, engager, entamer, jaboter ■ 8 aboucher, babiller, bavarder, caqueter, conférer, jacasser, jaspiner ■ 9 clabauder, dialoguer ■ 10 déblatérer, entretenir ■ 12 conversation ■ 13 interlocuteur.

CONVERSION : 7 maltage ■ 8 caracole ■ 10 changement* ■ 12 islamisation, ossification, panification ■ 14 transformation.

CONVERTIBLE : 9 canapé-lit.

CONVERTIR : 6 carrer ■ 7 aciérer, changer* ■ 8 monnayer, néophyte, tréfiler ■ 9 acétifier, acidifier, assimiler, civiliser, islamiser, prosélyte ■ 10 lapidifier ■ 11 diphtonguer, transformer ■ 12 missionnaire ■ 13 christianiser, convertissage, convertisseur ■ 14 convertibilité, convertissable ■ 15 convertissement.

CONVERTISSEUR : 8 mutateur, onduleur.

CONVEXE : 3 dos ■ 5 bombé, bouge, creux, galbé, talon ■ 6 busqué ■

7 trapèze ■ **9** biconvexe, bombement, convexité ■ **10** anticlinal, ellipsoïde ■ **11** plan-convexe, quart-de-rond ■ **15** parallélogramme.
CONVICTION : 8 croyance, religion ■ **9** certitude ■ **10** irréligion, persuasion.
CONVIENT : 4 rêvé ■ **7** habillé ■ **8** messeoir ■ **9** hominem.
CONVIER : 5 prier ■ **6** réunir ■ **7** appeler, convive, inviter*.
CONVIVE : 4 écot, hôte ■ **5** banco ■ **6** convié, invité ■ **8** parasite ■ **9** commensal ■ **11** écornifleur ■ **13** pique-assiette.
CONVIVIALITE : 9 convivial.
CONVOCATION : 3 ban ■ **5** appel ■ **9** indication ■ **10** rendez-vous ■ **12** insoumission.
CONVOI : 4 rame ■ **7** charroi ■ **9** convoyage, convoyeur, escorteur ■ **11** convoiement, enterrement.
CONVOITER : 5 mirer ■ **6** brûler, envier ■ **7** désirer*, dévorer, guetter, guigner, lorgner, vouloir ■ **8** chercher, reluquer, soupirer ■ **9** souhaiter ■ **10** convoiteur, rechercher ■ **11** ambitionner, convoitable.
CONVOITISE : 4 rage ■ **5** désir*, envie ■ **7** avidité, caprice ■ **8** ambition, cupidité, rapacité ■ **9** fantaisie, tentation ■ **10** vampirisme ■ **12** démangeaison ■ **13** concupiscence.
CONVOLVULACEE : 5 jalap ■ **6** ipomée, patate ■ **7** cuscute, liseron ■ **9** vitelotte, volubilis ■ **11** convolvulus ■ **12** belle-de-jour, pomme de terre.
CONVOQUER : 6 mander ■ **7** appeler, inviter ■ **8** assigner, rappeler ■ **9** assembler ■ **10** convocable ■ **11** convocation.
CONVOYER : 6 suivre ■ **9** convoyage ■ **11** convoiement.
CONVOYEUR : 9 stéréodic.
CONVULSION : 3 tic ■ **4** toux ■ **6** chorée, crampe, goutte, hélose, hiatus, hoquet, spasme ■ **7** attaque, grimace*, pyrosis, raideur, saccade, sanglot, sursaut, syncope, tétanos, torsion ■ **8** clonique, ergotine, hystérie, pâmoison ■ **9** convulser, convulsif, éclampsie, épilepsie, érétisme, mâchement ■ **10** bâillement, coqueluche, crispation, distention, distorsion, oscitation ■ **11** carphologie, contraction, éternuement, haut-le-corps, parastremme, prosopalgie, tremblement, vellication, vomissement ■ **12** convulsivant, craquètement ■ **13** convulsionner, gesticulation, pandiculation ■ **14** tressaillement ■ **15** convulsionnaire.
CONVULSIONNER : 5 vomir ■ **6** raidir, tiquer ■ **7** bâiller, crisper, tousser ■ **8** éternuer, grimacer, trembler ■ **9** sangloter, sursauter ■ **10** contracter, gesticuler ■ **11** tressaillir.
COOLIE : 7 porteur.
COOPERATION : 3 v.s.n.
COOPERATIVE : 8 kolkhoze ■ **11** commandite ■ **11** coopérateur, familistère.
COOPERER : 8 concours ■ **10** collaborer, coopératif, participer ■ **11** coopération, coopérative ■ **12** coopératisme.
COOPTER : 7 choisir ■ **8** élection ■ **10** cooptation.
COORDINATION : 6 praxie, zeugme ■ **9** achalasie, asynergie, marchéage ■ **11** coordonnant.
COORDONNE : 12 coordinateur ■ **13** coordonnateur.
COORDONNEE : 5 norme ■ **8** abscisse, ordonnée ■ **9** ascension ■ **10** orthonormé ■ **11** référentiel.
COORDONNER : 5 tabès ■ **7** ho hisse, joindre ■ **8** intégrer ■ **9** copulatif, enchaîner ■ **10** automation, juxtaposer ■ **12** coordination ■ **13** coordonnateur ■ **14** incoordination.
COPAHU : 7 copaïer, copayer.
COPAIN : 3 ami ■ **5** amant ■ **9** compagnon, copinerie.

COPAYER : 6 copahu.
COPEAU : 4 râpe ■ 5 chips ■ 9 contre-fer ■ 12 brise-copeaux.
COPEPODE : 7 cyclope ■ 12 monstrillidé.
COPERMUTER : 7 changer.
COPERNIC : 11 copernicien.
COPIE : 5 sosie, texte ■ 6 double, grosse, minute, placet ■ 7 épreuve, extrait, plagiat ■ 8 manifold, original ■ ■ 9 ampliatif, collation, copyright, duplicata, fac-similé, imitation*, polycopie, réduction ■ 10 ampliation, autographe, contretype, exemplaire, expédition, graticuler, triplicata ■ 11 contrefaçon, polygraphie ■ 12 interpositif, reproduction* ■ 13 transcription.
COPIER : 6 imiter* ■ 7 copiage, minuter, plagier*, récrire, relever, simuler ■ 8 recopier ■ 9 démarquer, dupliquer, grossoyer ■ 10 reproduire*, transcrire ■ 11 contrefaire ■ 12 collationner.
COPISTE : 6 scribe ■ 11 calligraphe ■ 12 gratte-papier.
COPIEUX : 8 abondant*, beaucoup ■ 9 gueuleton ■ 10 plantureux ■ 12 copieusement.
COPOLYMERE : 6 vinyle.
COPROPHILIE : 10 coprophile.
COPROPRIETAIRE : 10 consortage.
COPROPRIETE : 10 indivision ■ 14 multipropriété.
COPULATIVE : 2 et ■ 11 coordonnant.
COPURCHIC : 7 élégant.
COQ : 5 ergot, poule ■ 6 camail, cochet, tétras ■ 8 cochelet, cocorico, coq-à-l'âne, coquelet, rupicole ■ 9 coqueleux, coquerico ■ 10 tétraslyre.
COQUASSIER : 9 coquetier.
COQUE : 3 bau, cap ■ 4 cale, œuf ■ 5 brion, copra, flanc, herpe, jauge, livet, nœud, panse, poupe, proue, voûte ■ 6 babord, barrot, bateau*, cadène, carène, couple, éperon, étrave, in-bord, pavois, quille, radoub ■ 7 arrière, étambot, sentine, tonnage, travers, tribord ■ 8 carcasse, coquille, cothèque, doublage, muraille, runabout, trimaran ■ 9 charpente, contre-arc, coquetier, enveloppe, frégatage, isocarène, monocoque ■ 10 coquetière, diplocoque, pinnothère ■ 12 streptocoque ■ 13 staphylocoque.
COQUEBIN : 5 niais.
COQUELICOT : 5 pavot, rouge ■ 7 ponceau.
COQUELUCHE : 12 coquelucheux ■ 15 chloramphénicol.
COQUERET : 8 physalis ■ 9 alkékenge ■ 11 amour-en-cage.
COQUET : 8 coqueter.
COQUETIERE : 8 œufrier.
COQUETTE : 8 grisette, coqueter ■ 9 allumeuse, bichonner, flirteuse ■ 12 coquettement.
COQUILLAGE : 4 cône, lime, unio ■ 5 bulot, coque, moule, murex, perle, pilaf, pilau, pilaw, taret, vénus ■ 6 clovis, conque, fuseau, huître, limnée, rocher, triton, troche, vignot, volute ■ 7 bucarde, cardium, couteau, labelle, nautile, patelle, trialle, vigneau ■ 8 ammonite, bénitier, bernicle, cératite, clovisse, coquille, palourde, paludine, pétoncle, spondyle, tridacne ■ 9 belemnite, bigorneau, littorine ■ 10 colombelle, jambonneau, lamellaire, porcelaine ■ 11 calliostoma, truncatelle ■ 14 conchyliologie.
COQUILLE : 3 van ■ 4 œuf, test ■ 5 burgo, camée, falun, faute, murex, nacre, noyau, perle, ruban, sépia, spire, valve, vénus ■ 6 burgau, cauris, conque, disque, seiche, vannet ■ 7 battant, cloison, écaille, manteau, nervure, ombilic, ostrace, valvule ■ 8 bénitier, carapace,

épiderme, fourreau, opercule, ostracée, ostracon ■ **9** acétabule, columelle, péristme, roudoudou, tortillon ■ **10** conchoïdal, conchylien, coquillage, coquillart, coquillier, lumachelle ■ **11** recoquiller ■ **12** exosquelette ■ **14** conchyliologie.
COQUILLIER : 5 trias.
COQUIN : 5 drôle, gueux ■ **6** faquin, fripon, gredin, maraud ■ **7** bélître, pendard, vaurien ■ **8** espiègle, maroufle ■ **10** coquinerie.
COR : 4 époi, ranz ■ **6** agacin, huchet, oignon ■ **7** hallali, olifant ■ **8** coricide, corniste, durillon, grailler ■ **10** enguichure ■ **13** œil-de-perdrix.
CORAIL : 5 atoll ■ **7** salabre ■ **8** corallin, toraille ■ **9** corallien, coralline, corallite, purpurine ■ **10** corailleur, puntarelle ■ **11** corallifère ■ **12** coraliforme.
CORALLIAIRE : 11 anthozoaire*.
CORAN : 7 alcoran.
CORANIQUE : 5 houri, islam ■ **6** surate ■ **7** kufique, sourate ■ **8** coufique, sabéisme.
CORBEAU : 5 freux ■ **6** corbin ■ **7** chocard, choucas ■ **8** croasser ■ **9** corbillat, corneille ■ **11** croassement ■ **13** blanche-coiffe.
CORBEILLE : 5 ciste, flein, moïse, osier ■ **6** panier* ■ **7** campane ■ **9** corbillon, porte-plat ■ **10** vide-poches.
CORBIERES : 9 corbières.
CORBILLARD : 7 fourgon.
CORBIN : 8 guignette.
CORCHORUS : 4 jute.
CORDAGE : 3 réa ■ **4** ajut, alfa, coir, erse, étai, orin, ride, usne ■ **5** agrès, ajust, amure, bosse, câble, caret, corde, filin, funin, gambe, glène, gréer, hâler, herse, liure, moque, palan, passe, raban, torde ■ **6** amarre, bastin, bitord, brague, brayer, câblot, cargue, chable, drague, drisse, drosse, écoute, garant, genope, gléner, gomène, grelin, hauban, laguis, tresse, vavain ■ **7** baderne, bouline, cartahu, civière, cravate, draille, élingue, estrope, filoche, gerseau, limande, manoque, retenue, saisine, trévire, trousse, ureteau ■ **8** aussière, cabillot, caliorne, combleau, congréer, corderie, couchoir, demi-clef, épissure, garcette, gréement, pantoire, prolonge, ralingue, surliure, suspente ■ **9** balancine, carguette, ceintrage, croupière, cul-de-porc, embraquer, galhauban, haussière, manœuvre, minahouet, sous-barbe, va-et-vient, verboquet ■ **10** chambrière, commettage, garde-corps, jarretière, marguerite, tire-veille, tournevire ■ **11** décommettre, guinderesse, tire-veilles.
CORDE : 3 zon ■ **4** brin, hart, lacs, loch, luth, lyre, rote ■ **5** basse, boyau, câble, fouet, guzla, harpe, jauge, lacer, lacet, lasso, licol, licou, lisse, nœud, palot, panca, panka, piano, punka, râper, séton, touer, trait, viole ■ **6** astroc, behêne, câblot, cordon, grelin, laisse, tortis, traîne ■ **7** chablot, cordeau, cordier, cravate, écharpe, ficelle, fichoir, pendoir, tendoir, tord-nez, traille, voltige ■ **8** assurage, aussière, assurage, chevalet, commende, cordeler, corderie, décorder, encocher, encorder, estroffe, étendoir, garcette, goupille, marticle, palangre, prolonge, recorder, seizaine, simbleau, singleau, suspense ■ **9** funambule, guiderope, jonquille, monocorde, octocorde, pizzicato, rétendoir, sparterie, tourtouse, verboquet ■ **10** aryténoïde, cincenelle, clavicorde, cordelette, cordelière, heptacorde, pianoforte, queue-de-rat, sauvegarde ■ **11** archigrelin, chanterelle ■ **12** passe-rivière.
CORDEAU : 5 ligne ■ **8** bickfort, simbleau.
CORDELETTE : 4 brin ■ **6** quipo, quipu ■ **8** serre-nez ■ **10** émouchette, tire-veille.

CORDELIERE: 8 ceinture ■ 10 fourragère.
CORDERIE: 4 coir ■ 5 agave ■ 11 polypropène ■ 13 polypropylène.
CORDIALITE: 5 bonté ■ 8 froideur ■ 9 franchise ■ 11 fraîchement.
CORDON: 3 fil ■ 4 lacs, lido, lien, nerf, tors ■ 5 bride, câble, ganse, lacet, poêle, ruban*, séton ■ 6 liséré, tirant ■ 7 carnele, ouraque, tirette, tombolo ■ 8 coulisse, embrasse, funicule, lichette, soutache ■ 9 cordonner, cordonnet, crénelage, guirlande, passe-poil, pédon-cule ■ 10 enguichure, névrotomie, varicocèle ■ 11 aiguillette, bistournage, funiculaire ■ 13 queue-de-cheval.
CORDONNER: 5 lacer ■ 6 ganser ■ 7 tresser ■ 9 coulisser, soutacher ■ 10 enrubaner ■ 11 aiguilleter.
CORDONNET: 5 ganse.
CORDONNIER: 4 buis, gnaf ■ 5 alêne, astic, bouif, gniaf, point ■ 6 buisse ■ 7 bottier, chégros, crépins, gniaffe, ligneul, manicle, manique, régloir ■ 8 bisaiguë, gantelet, savetier, tire-pied, tranchet ■ 9 chausseur, trépointe ■ 11 cordonnerie, saint-crépin.
CORDOUE: 8 cordouan.
COREE: 3 wan.
COREGONE: 4 féra ■ 7 lavaret ■ 8 bondelle.
CORETTE: 4 jute.
CORIACE: 3 dur* ■ 5 écale ■ 8 racornir ■ 9 tendineux.
CORIANDRE: 8 vespétro.
CORINDON: 5 émeri ■ 6 saphir.
CORINTHIEN: 5 ordre ■ 7 campane, tigette ■ 9 composite.
CORME: 5 sorbe ■ 7 cormier.
CORMORAN: 6 nigaud.
CORNAC: 5 guide ■ 8 éléphant.
CORNACEE: 6 aucuba ■ 11 cornouiller.
CORNAGE: 8 sifflage.
CORNE: 3 cor, pic ■ 4 bois, sole ■ 5 acéré, cornu, dirce, ergot, fanon, faune, glome, kobus, sabot ■ 6 éperon, onglon, rhyton ■ 7 baleine, cornier, écaille, encorné ■ 8 aumaille, décorner, encorner, kératine, racornir, tricorne, unicorne ■ 9 cornillon, rogne-pied ■ 10 andouiller, brigantine ■ 14 scléroprotéine.
CORNEE: 3 bec ■ 4 iris, taie ■ 5 fanon, glome, ongle ■ 6 albugo ■ 7 cornéen, leucome ■ 8 kératite, kératose, opercule ■ 9 néphélion ■ 10 kératocône, staphylome ■ 11 dyskératose, kératotomie ■ 12 astigmatique, xérophtalmie ■ 13 kératoplastie, ophtalmomètre.
CORNEILLE: 5 freux ■ 6 grolle ■ 7 corbeau ■ 8 babiller, crailler, croasser, grailler ■ 9 cornillon ■ 11 croassement, graillement.
CORNEMUSE: 6 biniou ■ 7 musette, pibrock ■ 8 cabrette, dondaine ■ 9 chabrette ■ 11 cornemuseur.
CORNET: 4 bégu ■ 5 bugle ■ 6 éperon, huchet ■ 8 zanzibar ■ 9 convoluté ■ 11 cornettiste.
CORNICHE: 3 ove ■ 5 frise ■ 7 atlante, cimaise, cymaise, larmier, saillie, télamon ■ 8 billette, modillon ■ 9 piédestal ■ 10 architrave, modénature.
CORNOUILLER: 10 cornouille ■ 11 sanguinelle.
CORNU: 5 faune ■ 7 encorné.
CORNUE: 13 convertisseur.
COROLLE: 4 tube ■ 5 fleur, labié ■ 6 pétale ■ 7 labelle ■ 8 étendard, limbaire ■ 11 papilionacée, pentapétale.
CORONAIRE: 10 coranarien ■ 14 coronaropathie ■ 15 coronarographie.
COROSSOL: 5 anone.
COROZO: 11 phytelephas.

CORPORATION : **5** corps, gilde, ordre ■ **7** collège ■ **9** confrérie ■ **10** fédération, profession ■ **12** corporatisme.

CORPORATISME : **8** fascisme ■ **12** corporatiste.

CORPOREL : **8** physique ■ **13** asomatognosie ■ **14** corporellement.

CORPS : **2** nu ■ **3** col, cou, cul, dos, écu, ton ■ **4** aine, bain, base, bond, bore, bras, choc, cité, cube, face, fart, floc, iode, joue, lieu, main, mort, moxa, œuf, pâle, peau, poil, pore, puce, sein, sens, sikh, test, tête, tour, trou, vent, zinc ■ **5** abcès, adnée, aorte, astre, atome, balle, bande, bouée, boule, brome, buste, cadre, canal, canon, chair, corsé, dense, deuto, duvet, essai, ester, fémur, filer, forme, forte, fosse, front, fumée, galbe, garde, gêner, génie, genou, geste, giron, globle, grain, guide, isolé, lampe, ligne, lisse, logis, lutte, masse, mêlée, messe, métal, meule, momie, morin, nœud, ombre, ordre, parti, peler, perle, pièce, pietà, pivot, plume, poids, point, pompe, poste, pulpe, queue, rance, râper, rayon, règne, revue, savon, sport, suint, suite, tabor, tique, tissu, titre, torse, train, tronc, verre, veste ■ **6** allure, arsine, bourre, caisse, échine, embole, étoile, figure, glycol, légion, ludion, menton, pierre, rubine, sphère, soluté, troupe, visage, zaptie ■ **7** basoche, bézoard, brandon, cadavre, campane, choline, cohorte, combiné, diacide, diamide, diamine, embolus, globule, habitus, maghzen, makhzen, mercure, minéral, planète, retombé, shiatsu, sublimé, travers, vélites ■ **8** académie, activeur, aldéhyde, amirauté, argoulet, attitude, basicité, cachexie, carcasse, ceinture, cercueil, codifier, complexe, corporel, curetage, cylindre, derrière, dialcool, dicétone, diphenol, électret, émersion, époutier, encolure, explosif, figement, flotteur, fuselage, gémonies, gymnique, halecret, incarner, isologue, isotrope, maintien, matériel, membrure, miquelet, molécule, nucléole, palestre, personne, phalange, physique, poitrail, polybase, prostate, sénilité, tégument, tournure, triester, vêtement ■ **9** adsorbant, afflictif, ampholyte, anasarque, anhydride, assemblée, athermane, attrition, baronnage, colloïdal, comburant, compagnie, décubitus, dépouille, déviation, diazoïque, disséquer, électrode, épididyme, équilibre, excrément, gazéifier, homologue, mouillant, mouvement, parlement, périsprit, perméable, phosphure, pipéronal, polyacide, révérence, somatique, squelette, substance, taxiarque ■ **10** allotropie, artillerie, bromoforme, bucentaure, catabolite, collection, complexion, conducteur, corpulence, corpuscule, échevinage, embonpoint, émergement, gigantisme, hémiplégie, incorporel, métacentre, morphogène, orthopédie, polyalcool, porphyrine, projectile, silhouette, surfaceuse ■ **11** abaissement, adiabatique, aliphatique, antiferment, apomorphine, bras-le-corps, cent-suisses, cinématique, corporalité, corporation, corporifier, dimorphisme, enfourchure, gymnastique, haut-le-corps, homothermie, législature ■ **12** antibiotique, ayuntamiento, biréfreingent, commissariat, cosmétologie, cristalloïde, délitescence, dodelinement, extensomètre, hydrosoluble, hypochloreux, intromission, magistrature, maréchaussée ■ **13** aérodynamique, céphalothorax, désincorporer, échansonnerie, extracorporel, fossilisation, isoélectrique, micronisation, récipiendaire, thanatopraxie, vernix caseosa ■ **14** anthropométrie, oxydoréduction, représentation, solidification ■ **15** circonscription, phosphorescence, psychosomatique.

CORPS A CORPS : **5** break.

CORPS SIMPLE : **2** or ■ **3** fer ■ **4** bore, iode, néon, zinc ■ **5** argon, azote, brome, étain, fluor, métal, niton, plomb, radon, verre, xénon ■ **6** argent, astate, baryum, borure, cérium, chlore, chrome, cobalt, cuivre, curium, erbium, hélium, indium, kalium, nickel, osmium, radium, sodium, soufre, titane ■ **7** arsenic, bismuth, cadmium, cæsium, calcium, carbone, celtium, fermium, gallium, hafnium, holmium, iridium, krypton, lithium, mercure, néodyme, niobium, oxygène, platine, rhénium, rhodium, stibium, tantale, tellure, terbium, thorium, thulium, uranium, wolfram, yttrium ■ **8** actinium, europium, francium, lanthane, lutécium, nobelium, non-métal, polonium, rubidium, samarium, scandium, sélénium, silicium, thallium, vanadium ■ **9** aluminium, américium, berkélium, béryllium, colombium, dyprosium, émanation, germanium, glucinium, hydrogène, magnésium, manganèse, molybdène, neptunium, nitrogène, palladium, phosphore, plutonium, potassium, ruthénium, strontium, tungstène, ytterbium, zirconium ■ **10** dysprosium, gadolinium, hydrargyre, métalloïde, praséodyme, prométhéum, technétium ■ **11** californium, einsteinium, mendélévium ■ **12** protactinium.

CORPULENCE: **8** grosseur ■ **9** corpulent.

CORPUS: **4** apax.

CORPUSCULE: **7** spicule ■ **8** électron ■ **9** centriole, déflexion, particule ■ **10** chondriome ■ **12** chloroplaste, mitochondrie ■ **13** corpusculaire.

CORRECT: **3** pur ■ **4** poli ■ **5** exact, réglo ■ **6** décent ■ **8** bien dire ■ **10** congrûment ■ **11** asémantique, orthographe, orthophonie ■ **12** correctement.

CORRECTION: **5** danse, fouet, guide, verge, volée ■ **6** brûlée, fessée, pureté, rature, saucée, trempe ■ **8** abattage, anottage, deleatur, punition, retouche ■ **9** châtiment, corrigeur, épuration, politesse, réfection, surcharge, stop-and-go ■ **10** académique, amendement, changement, conversion, rénovation ■ **11** réformation, remaniement, savoir-vivre ■ **12** bonification, incorrection, malhonnêteté, redressement ■ **13** rectification ■ **14** autocorrection, réorganisation.

CORRECTIONNELLE: **5** délit.

CORRELATIF: **15** corrélativement.

CORRELATION: **2** ou ■ **3** que ■ **7** rapport ■ **8** corrélat ■ **10** corrélatif, dépendance ■ **14** corrélationnel.

CORRESPOND: **12** contre-emploi, participatif.

CORRESPONDANCE: **3** pli ■ **5** poste ■ **6** accord, lettre* ■ **7** dépêche, échange, missive, rapport ■ **8** analogie, courrier, relation, symétrie ■ **10** adaptation, biunivoque, conformité, couponnage, secrétaire, télégramme ■ **11** concordance, pneumatique ■ **12** correspondre.

CORRESPONDRE: **5** rimer ■ **6** écrire ■ **7** envoyer, rédiger ■ **8** adresser, répondre ■ **9** coïncider, concorder ■ **13** signalisation.

CORREZE: **9** corrézien.

CORRIDA: **4** ollé ■ **5** faena ■ **7** picador.

CORRIDOR: **7** passage ■ **9** vestibule.

CORRIGER: **5** gâter, limer, polir, punir*, vivre ■ **6** battre*, épurer, fesser, guérir, relire, revoir ■ **7** amender, changer, châtier, dompter, raboter, refaire, relever, réparer, retaper, revenir, reviser ■ **8** bonifier, expurger, rajuster, refondre, réformer, remanier, repasser ■ **9** améliorer, civiliser, compenser, convertir, correctif, corrigeur, dégaucher, dégrossir, morigéner, rattraper, rectifier, redresser, régénérer, reprendre, restaurer, retoucher ■ **10** correcteur, correction, corrigible, orthopédie, recorriger, renouveler ■ **11** raccommoder, réorganiser ■ **12** incorrigible ■ **13** perfectionner, phono-contrôle, rectification.

CORROBORER: **8** affermir, vérifier ■ **9** confirmer, fortifier ■ **13** corroboration.

CORRODER: **6** ronger ■ **8** corrosif, démanger, rubéfier ■ **9** corrodant.

CORROI: **5** braye.

CORROMPRE: 5 gâter*, rouir ■ 6 aigrir, perdre, piquer, rancir, vicier* ■ 7 acheter, croupir, pourrir, séduire*, tourner ■ 8 corrompu, délétère, dépraver, graisser, infecter, rouiller, soudoyer, suborner ■ 9 débaucher, faisander, falsifier, fermenter, gangrener, mortifier, pervertir, putréfier ■ 10 corrupteur, décomposer, emmitonner, périssable, stipendier ■ 11 circonvenir, démoraliser, empoisonner.
CORROMPU: 4 mité, roui, taré ■ 5 aigre, mangé, piqué, rance, ripou ■ 6 éventé, jargon, pidgin, pourri, séduit ■ 7 dissolu, remugle, vicieux* ■ 8 aigrelet, faisandé, vermoulu ■ 9 baragouin, cancéreux ■ 13 incorruptible, pidgin-english.
CORROSIF: 4 âcre ■ 7 érosion, potasse, sublimé ■ 8 ammoniac, chlorure ■ 9 caustique, corrosion, mordacité.
CORROSION: 5 monel ■ 6 kevlar, téflon ■ 10 anodisation ■ 13 anticorrosion.
CORROYER: 4 cuir, écru ■ 5 vache ■ 7 boutoir, cingler ■ 9 corroyage, corroyeur ■ 10 corroierie, marguerite.
CORRUPTION: 4 vice* ■ 5 égout ■ 7 remugle ■ 8 débauche*, embaumer ■ 9 rancidité, rouissage ■ 10 dissolvant, méphitisme, perversion, pourriture ■ 11 dépravation, pandémonium ■ 12 fermentation ■ 13 décomposition, déliquescence, falsification, mortification ■ 14 corruptibilité.
CORSAGE: 6 blouse, jersey ■ 7 canezou ■ 8 jaquette ■ 9 chemisier ■ 11 empiècement, gourgandine ■ 14 cache-brassière.
CORSAIRE: 6 forban, pirate ■ 7 brigand*, écumeur, négrier ■ 10 flibustier ■ 13 contrebandier.
CORSE: 5 niolo.
CORSELET: 6 hanche ■ 9 prothorax.
CORSER: 7 étoffer.
CORSET: 4 busc ■ 5 gaine, lacet ■ 8 ceinture, corseter ■ 9 lombostat ■ 10 corsetière.
CORTEGE: 4 cour, file ■ 9 deuil, poêle, suite* ■ 6 convoi ■ 7 escorte.
CORTEX: 4 a.c.t.h. ■ 8 cortical, limbique ■ 10 décortiqué ■ 13 corticostéroïde.
CORTICAL: 5 gruau ■ 6 écorce ■ 9 cortisone.
CORTICOIDE: 12 cortisonique ■ 15 corticothérapie, glucocorticoïde.
CORTICOSTEROIDE: 13 triamcinolone.
CORTISONE: 12 cortisonique.
CORVEE: 7 travail ■ 9 corvéable, tire-au-cul ■ 10 manœuvrier.
CORVIDE: 4 geai ■ 5 crave, freux ■ 7 choucas, corbeau ■ 9 casse-noix, corbillat, corneille.
CORYLACEE: 8 coudrier ■ 9 avelinier, noisetier.
CORYZA: 5 rhume* ■ 7 rhinite.
COSAQUE: 6 ataman, hetman ■ 7 nagaïka, nahaïka.
COSMETIQUE: 7 mascara ■ 11 après-soleil ■ 12 autobronzant.
COSMETOLOGIE: 9 hydratant ■ 10 cosmétique ■ 12 cosmétologue.
COSMIQUE: 5 méson, rayon ■ 13 cosmobiologie.
COSMOGONIE: 12 cosmogonique.
COSMOGONIQUE: 5 taiji, t'ai-ki ■ 14 héliocentrisme.
COSMOGRAPHIE: 11 cosmographe ■ 14 cosmographique.
COSMOLOGIE: 12 cosmologique, cosmologiste.
COSMOLOGIQUE: 3 yin ■ 4 yang.
COSMOS: 3 dao.
COSSU: 5 riche.
COSSUS: 8 gâte-bois.
COSTA RICA: 5 colon ■ 11 costaricien.

COSTAUD : **7** mastard, robuste.
COSTUME : **4** bull, loup ■ **5** ganse, pièce, vêtir ■ **6** costar, domino, livrée ■ **7** costard, négligé, netsuke, smoking ■ **8** appareil, corselet, déguiser, toilette, travesti, uniforme, vêtement* ■ **9** costumier ■ **10** deux-pièces, fustanelle.
COTE : **3** lit, lof ■ **4** aile, aval, base, bord*, épée, face, jade, page, pile, plie, pour, prix, raté, ring, rive, robe, sein, sens, vert ■ **5** amble, amont, avers, biais, bénin, borne, caïeu, cayeu, carde, chant, coter, délit, droit, écore, étang, fanal, flanc, fruit, gorge, herpe, hotte, impôt, ogive, ouest, pagel, paroi, pemba, penne, pente*, perle, phare, point, psoas, recto, river, sabre, selle, talon, tempe, timon, verso, virer, volée ■ **6** aspect, costal, côtelé, côtier, dextre, möbius, montée, profil, revers, rivage*, thorax ■ **7** adextre, adscrit, betting, bordure, colline, cotable, isocèle, latéral, lisière, oblique, par-delà, ridelle, sternum, tablier, tribord, versant ■ **8** cotation, décagone, droitier, empanner, flanquer, fracture, grimpeur, littoral, luxation, rétrécis ■ **9** apparence, box-office, cartilage, concavité, costalgie, côtelette, délaisser, détourner, entrecôte, envergure, garde-côte, hauturier, non-valeur, surcostal, tranchant, triquètre ■ **10** ambidextre, angledozer, courailler, digression, dodécagone, épaulement, hypoténuse, juxtaposer, naufrageur, sous-tendre, tramontane, tribordais, trilatéral, unilatéral ■ **11** déversement, dextrochère, équilatéral, hendécagone, intercostal, pleurodynie, rabattement ■ **12** califourchon, latéralement, quadrilatère ■ **13** chondrocostal, controlatéral, juxtaposition, pentédécagone, quadrilatéral, septentrional ■ **14** atterrissement.
COTEAU : **7** colline ■ **8** ermitage.
COTE-D'AZUR : **7** azuréen.
COTELETTE : **4** chop, pané ■ **9** épigramme.
COTER : **3** caf ■ **8** cotation ■ **9** numéroter.
COTERIE : **4** clan, gang ■ **5** bande, mafia, secte ■ **6** clique, maffia ■ **8** chapelle, partisan ■ **9** camarilla.
COTICE : **5** filet.
COTIER : **4** loup ■ **5** douve ■ **8** surmulet ■ **9** mouillage, serranidé ■ **11** chasse-marée.
COTISATION : **4** rôle ■ **7** cotiser, massier ■ **8** cotisant ■ **9** quote-part, ristourne ■ **10** collecteur ■ **13** parafiscalité.
COTON : **3** wax ■ **4** java ■ **5** arcon, denim, duvet, gilet, jenny, lacet, linge, mèche, ouate, pilou, piqué, satin, tissu, toile, voile ■ **6** fileté, t-shirt, velvet ■ **7** bandana, calicot, chevron, damassé, finette, futaine, granité, jaconas, liberty, nansouk, nanzouk ■ **8** cellular, flanelle, lisérage, longotte, lustrine, molleton, moquette, popeline ■ **9** cotonnade, cotonneux, cotonnier, égreneuse, mule-jenny, percaline, satinette, tarlatane, veloutine ■ **10** cotonnerie, débouillir, hydrophile, seersucker, similisage, sweat-short, tissu-éponge ■ **11** fulmicoton, mignonnette.
COTONNADE : **5** basin, perse, pilou, piqué ■ **6** coutil, oxford ■ **7** calicot, finette, futaine, guingan, jaconas, nanzouk, organdi, percale ■ **8** cretonne, indienne, shirting ■ **9** madapolam, percaline, satinette, tarlatane ■ **10** rouennerie.
COTONNEUX : **9** édelweiss, tomenteux.
COTOYER : **10** côtoiement.
COTRE : **5** dandy, ketch, sloop.
COTTE : **4** arme, bleu ■ **7** haubert, jaseran ■ **9** salopette ■ **11** combinaison.
COTYLEDON : **5** épigé ■ **6** aracée, hypogé ■ **9** cotylédone ■ **13** monocotylédone.

COU : 3 col ■ 4 axis, crin, sein ■ 5 amict, fanon, fichu, gorge, héron, jabot, licol, licou, nuque, pomme, rabat ■ 6 collet, goitre, gosier, guimpe, larynx ■ 7 abattis, minerve, occiput, pharynx, tribart ■ 8 barbette, cache-col, cache-nez, cervical, colletin, crinière, encolure, engoncer, gorgerin, poitrine, splénius ■ 9 décolleté, hausse-col, jeannette, jugulaire, pourpoint, sonnaille ■ 10 col-de-cygne, décolleter, torticolis ■ 11 cervicalgie, couvre-nuque ■ 13 passe-montagne.

COUARD : 5 brave, lâche ■ 7 poltron ■ 9 couardise ■ 11 pusillanime.

COUCHAGE : 9 coucheuse.

COUCHANT : 5 ouest ■ 8 occident ■ 10 crépuscule.

COUCHE : 3 lit* ■ 4 banc, fond, gîte, lame, lias, moie, moye, uvée ■ 5 bande, braie, cerne, crépi, délit, derme, dorer, étage, feuil, filon, givre, lange, ligne, niche, sauce, terre, tilde, veine, verse ■ 6 écorce, enduit, gisant, pelure, plaque, rangée, région, strate ■ 7 beurrée, caduque, couchis, crochon, drapeau, étamure, feuille, hourdis, jonchée, lamelle, litière, paillis, pendage, stratum, tartine, tranche, verglas ■ 8 badigeon, couvrant, diaclase, dressant, épiderme, fer-blanc, feuillet, gisement, hourdage, hyménium, pagnotée, plateure, salbande, sensible ■ 9 argenture, couchette, enrobeuse, exosphère, formation, pellicule, postérité, puerpéral ■ 10 épithélium, homosphère, impression, ionosphère, laitonnage, mésosphère, stratifier, sous-couche, subjectile, supination ■ 11 enfantement, multicouche, ozonosphère, pelliculage, sulfatation, thermocline, troposphère ■ 12 accouchement, chromosphère, empierrement, hétérosphère, thermosphère, trophoblaste ■ 13 parkérisation, stratigraphie ■ 15 champignonnière.

COUCHER : 5 gésir, gîter, loger, pager, tapir ■ 6 aliter, couver, étaler, ramper, verser ■ 7 abattre, déposer, échouer, étendre, pieuter, vautrer, veillée, vituler ■ 8 allonger, couchage, héliaque, pagnoter ■ 9 appliquer, béquiller, coucherie, découcher, recoucher, renverser ■ 10 après-souper, relevailles ■ 11 couchailler ■ 12 ventrouiller.

COUCHIS : 4 tune ■ 6 tunage.

COUCHITIQUE : 6 somali.

COUCOU : 9 primevère.

COUD : 7 couseur.

COUDE : 4 bras, busc, gond, main ■ 5 angle, atémi, valet ■ 6 coudée ■ 7 cubital ■ 8 accouder, coudière, coudoyer, olécrane ■ 9 avant-bras, cubitiète ■ 10 tourne-vent ■ 11 accoudement, vilebrequin.

COUP-DE-PIED : 8 empeigne.

COUDOYER : 11 coudoiement.

COUDRE : 4 nerf ■ 5 boyau, outre, poche ■ 6 piquer ■ 7 brocher, suturer, tailler ■ 8 couseuse, couturer, découdre, faufiler, ralingue, recoudre, surjeter ■ 9 ralinguer.

COUDRIER : 8 baguette, coudraie ■ 9 noisetier.

COUETTE : 5 natte ■ 6 tresse.

COULANT : 4 lacs ■ 5 lasso ■ 8 fluidité.

COULE : 7 liquide ■ 9 roudoudou.

COULEE : 4 lave, mésa ■ 5 sucre ■ 6 chaire ■ 7 calmage ■ 10 étoilement.

COULER : 4 flux, fuir, suer ■ 5 baume, coule, dalle, filer, fluer, larme, savon, sucre, venir, verre ■ 6 courir, gicler, passer, pisser, verser ■ 7 affluer, arroser, bancher, dépoter, écouler, exsuder, filtrer, glisser, jaillir, pleurer, refluer, sombrer, sourdre, suinter ■ 8 charrier, circuler, confluer, débonder, découler, dégorger, déverser, égoutter, enfoncer, épancher, exprimer, naufrage, répandre, ruisseau, saborder, soutirer, stagnant, suppurer ■ 9 barbotine, chandelle, dégoutter, distiller, infiltrer, instiller, rejaillir, ruisseler ■ **10** dégouliner, extravaser, stéréotype, transfuger, transpirer, transvaser ■ **11** hydrocution.

COULEUR : **2** or ■ **3** bai, bis, feu, pal, pie, roi, ton*, uni ■ **4** azur, bleu, brou, brun, café, doré, embu, gris, inde, jade, kaki, lavé, noir, nuer, ocre, pâle, pers, poil, puce, raie, robe, roux, sale, saur, vair, vert ■ **5** agate, alios, ambre, atout, azuré, beige, blanc, blond, bulle, camée, carne, cassé, chair, clair, cœur, ébène, écran, élavé, émail, fauve, fleur, foncé, garde, godet, grège, guède, irisé, jaspé, jaune, khaki, lilas, maure, mauve, merde, olive, ombre, opale, parme, pique, plein, prune, rayon, riche, rouan, rouge, sable, saucé, tabac, tango, tanné, teint ■ **6** alezan, aurore, balais, basané, bistre, brique, carmin, chiner, citrin, citron, cuivre, glacis, indigo, livide, louvet, marron, nævus, nuance, orange, pastel, plombé, rosacé, roseur, teinte*, vairon, vineux, violet ■ **7** ardoise, argenté, céladon, cendrer, chamois, châtain, cinabre, colorer, coloris, drapeau, fonçage, frottis, glauque, grivelé, magenta, merdoie, mordoré, nacarat, pigment, pourpre, rosâtre, rougeur, rubican, verdure, violacé, violine ■ **8** amarante, bicolore, bleuâtre, capucine, caramélé, chocolat, colorier, cromalin, décoloré, diaprure, éburnéen, écarlate, embrunir, incarnat, isabelle, jaunâtre, manillon, mordorer, noirâtre, noisette, olivâtre, peinture, pourprin, purpurin, refléter, rougeaud, sanglant, teinture, tonalité, véraison, verdâtre, violâtre, zinzolin ■ **9** amassette, bariolage, bariolure, basophile, bigarrure, blancheur, carnation, décolorer, déteindre, dichromie, jonquille, mordorure, parfondre, peinturer, plomberie, roussâtre, tourdille, tricolore, truculent, unicolore, vermillon, zéphyrine ■ **10** anthracite, autochrome, blanchâtre, chromogène, coloration*, craquelure, enluminure, fuligineux, impression, incarnadin, iridescent, monochrome, monocolore, omnicolore, polychrome, rosaniline, rubigineux ■ **11** autochromie, blanchiment, chromatique, chrominance, chromotypie, multicolore, pittoresque, polychromie, technicolor, tête-de-nègre, versicolore ■ **12** bleuissement, chromatopsie, décoloration, feuille-morte, térébenthine ■ **13** achromatopsie, dichromatique, gorge-de-pigeon, stéréochromie ■ **14** dyschromatopie, panchromatique.

COULEUVRE : **9** coronelle ■ **11** couleuvreau.

COULIS : **7** ailloli.

COULISSE : **4** plan ■ **5** vanne ■ **9** cantonade, coulisser ■ **10** coulisseau, coulissier ■ **12** coulissement.

COULISSIER : **8** remisier.

COULOIR : **5** seuil ■ **6** rameau ■ **7** galerie, passage ■ **8** glissoir, raillerie, soufflet ■ **9** vestibule.

COULURE : **12** millerandage.

COUP : **2** ra ■ **3** fla, lob, paf, par ■ **4** bing, bleu, boum, boxe, choc*, féru, fois, gnon, pain, putt, raté, tape, tête, vlan, vole ■ **5** atemi, atout, besas, beset, botte, boxer, capot, casse, colée, coulé, début, drive, gifle, grain, heurt*, houle, ictus, monté, palée, passe, poule, quine, rafle, roide, roque, shoot, smash, swing, table, taper, terne, trait, viser, volée, volte ■ **6** beigne, claque, dentée, direct, feinte, gambit, horion, marron, rafale, touche ■ **7** ambesas, branché, brossée, calotte, coquard, crochet, fendant, frottée, putting, raccroc, rampeau, semonce, taloche ■ **8** accolade, blessure, bourrade, drop-goal, estocade, gourmade, griffade, griffure, œillade, percuter, puncheur, retourné, schlague, soufflet, tabassée, talmouse, torgnole, tripotée, uppercut ■ **9** châtaigne, encaisser, foudroyer, manchette, talonnade, téléphoné, torgniole, trépignée ■ **10** anguillade, bastonnade, chourineur, dérouillée, ramponneau, survenance, typtologie ■ **11** arquebusade, chiquenaude, mousquetade.

COUPABLE: 6 fautif ■ 7 inculpé ■ 8 criminel, dénoncer, hooligan, houligan, innocent ■ 9 acquitter, disculper, meurtrier ■ 10 délinquant, incestueux ■ 11 culpabilité ■ 14 stellionataire ■ 15 concussionnaire.
COUPANT: 3 net ■ 9 dépouille, tranchant*.
COUP D'ETAT: 6 émeute, putsch ■ 7 révolte ■ 11 coup de force ■ 14 pronunciamento.
COUPE: 3 ras ■ 4 afro ■ 5 carré, chute, gerbe, godet, grume, hache, pérot, picot, point, talon, tondu, trait, virée ■ 6 playon, pleyon, profil, vasque ■ 7 baguier, réserve, revenue, sécable, voiture* ■ 8 apothèce, baliveau, coupelle, électrum, montueux, œillère, recouper, varangue ■ 9 affouager, apothécie, blanc-étoc, coquetier, géométral, insécable, javeleuse, landaulet, limousine, miroitier ■ 10 blanc-estoc, coquassier, intersecte, orthogonal, vide-poches ■ 11 délardement, expurgation, stéréotomie ■ 12 appareilleur, brise-copeaux, orthographie ■ 13 bloc-diagramme.
COUPELLATION: 3 têt ■ 4 test ■ 7 rochage ■ 8 coupelle ■ 9 coupeller ■ 12 inquartation.
COUPER: 4 lame, ôter, pont ■ 5 burin, coupe, doler, hache, lever, raser, saper, scier, serpe, vouge ■ 6 aviver, cutter, écouer, étêter, fendre, hacher, mâcher, ouvrir, planer, rogner, sabrer, tondre ■ 7 abattre, amputer, bouter, châtrer, débiter, déliter, dépecer, découper*, ébouter, écrêter, égorger, émarger, émincer, émonder, enlever, entamer, exciser, faucher, inciser, moucher, mutiler, raboter, recéper, scalper, scinder, tailler*, videlle ■ 8 balafrer, chapeler, découper, délarder, excision, expurger, fauchard, faucheur, faucille, habiller, recouper, rénetter, reséquer, tonsurer, trancher, tronquer ■ 9 autopsier, bretauder, charcuter, cisailler, décapiter, détailler, disséquer, ébranler, échancrer, entailler*, faucarder, fauchette, fourrager, lardonner, rhizotome, sacrifier, segmenter, surcouper, taillader*, tranchage ■ 10 circoncire, coupailler, décolleter, dégorgeoir, ébouqueter, essoriller, loxodromie, massicoter, moissonner, pourfendre, raccourcir, rafraîchir, sectionner, tronçonner ■ 11 coupe-jarret, coupe-papier, déchiqueter, décollation, décolletage, entrecouper, fractionner, guillotiner, interrompre, transversal ■ 12 bec-de-corbeau, coupe-cigares, coupe-légumes, décolleteuse, hache-légumes ■ 14 échantillonner.
COUPERET: 5 hache ■ 7 hachoir, hansart.
COUPEROSE: 7 rosacée.
COUPE-VENT: 4 k-way ■ 7 canisse ■ 8 cannisse.
COUPLE: 5 lisse, paire, scull ■ 6 graphe ■ 7 bipoint, élément, pariade ■ 8 apparier ■ 9 bauquière ■ 10 matrilocal ■ 12 appareillade, désaccoupler.
COUPLET: 5 chant*, épode ■ 6 stance.
COUPOLE: 4 dôme ■ 5 voûte ■ 6 tholos ■ 7 tambour ■ 9 cul-de-four, lanternon, pendentif ■ 10 cumulo-dôme, lanterneau.
COUPON: 6 billet, ticket ■ 11 recouponner.
COUPON-REPONSE: 10 couponnage.
COUPURE: 5 coupe ■ 6 césure, entame ■ 7 balafre, encoche ■ 8 division, entaille, excision, incision, scission, taillade ■ 9 dentelure ■ 10 abscission, échancrure, estafilade ■ 11 vivisection ■ 12 interruption ■ 13 scarification, sectionnement ■ 14 fractionnement.
COUR: 4 cène, isba, iwan, note, page ■ 5 loges, noble, patio, paver, porte, préau, siège, talon ■ 6 atrium, courée, favori, gagaku, prince ■ 7 aulique, cloître, cortège, courtil, pailler ■ 8 consulte, coqueter, courette, épouseur, seigneur, tribunal ■ 9 assemblée, audiencia, avant-cour, basse-cour, bâtonnier, camarilla, courtisan, courtiser, étiquette,

euphuisme, protocole ■ 10 chambellan ■ 11 arrière-cour ■ 12 rhétoriqueur.

COURAGE: 4 cran, lion, oser ■ 5 cœur, force*, furie, géant ■ 6 gaieté, gonflé, valeur ■ 7 énergie, fermeté, lâcheté ■ 8 bravoure*, crânerie, héroïsme, prouesse, virilité ■ 9 couardise, courageux, dégonfler, hardiesse*, stoïcisme, terrasser, vaillance, valeureux ■ 10 abandonner, décourager, encourager, fortifiant, pleutrerie, résolution ■ 11 démoraliser, intrépidité ■ 12 démoralisant ■ 13 découragement, pusillanimité ■ 14 courageusement.

COURANT: 3 c.c.p., fil, ohm, ras, raz, top ■ 4 pile, plot, pôle, rare, saut ■ 5 amont, anode, bigle, câblé, cours, guéer, joule, meute, shunt, suite, usité, usuel*, valve ■ 6 actuel, chenal, commun, tungar ■ 7 branché, briefer, vau-l'eau ■ 8 aisément, ampérage, çivaïsme, exosmose, fox-hound, habituel*, kénotron, paravent, primaire, rambarde, refouler, renversé, rhéobase, rhéostat, sivaïsme, sunnisme, vautrait ■ 9 bicourant, classique, endosmose, faradique, impédance, induction, inverseur, jet-stream, kémalisme, monophasé, muralisme, ordinaire*, phanatron, polyphasé, thyratron, trembleur ■ 10 alternance, déflecteur, écologisme, eurodroite, galvanisme, hassidisme, inductance, mercuriale, phasemètre, photodiode, redresseur, spécialisé, tricourant, ventileuse, voltampère ■ 11 alternateur, ampèremètre, caravagisme, commutateur, contre-alizé, disjoncteur, indigénisme, micro-ampère, milliampère, monétarisme, oscillateur ■ 12 commutatrice, extracourant, interrupteur, oscilloscope, redressement, surintensité ■ 13 aristotélisme, convertisseur, électro-aimant, hyperréalisme, oscillographe, pictorialisme, self-induction ■ 14 autoconduction, autoexcitateur, eurocommunisme, fréquencemètre ■ 15 arsonvalisation.

COURBE: 3 arc, axe ■ 4 anse, pôle, tors, veau ■ 5 arqué, bogie, bombe, bossu, coude, douve, droit, entée, gouge, herpe, nappe, ovale, spire, tortu, voile, voûte ■ 6 boucle, cercle*, cintre, crochu, déjeté, gauche, hélice, orbite ■ 7 aquilin, arrondi, bosselé, cagneux, concave, contour, convexe, cotidal, ellipse, incurvé, oblique, polaire, racorni, sinueux, spirale*, torsion ■ 8 abscisse, anguleux, biscornu, bouchain, cintrage, cissoïde, complexe, cycloïde, faîtière, flexueux, infléchi, isosiste, onduleux, parabole, recourbé, réfracté, survirer, tortueux ■ 9 casse-tête, caustique, chaînette, conchoïde, contourné, hyperbole, isoséiste, myogramme, paramètre, sinusoïde, sphéroïde ■ 10 arc-rampant, barographe, chantourné, curviligne, curvimètre, développée, directoire, directrice, enveloppée, hodographe, inflexible, lemniscate, loxodromie, mixtiligne, sous-vireur ■ 11 audiogramme, biflecnodal, curvigraphe, débillarder, épicycloïde, quadratrice, réfractaire, sous-normale, trajectoire ■ 12 concentrique, contre-courbe, développante, hypocycloïde, raccordement, sous-tangente, transversale ■ 13 circonférence, fléchissement, recroquevillé, sphygmogramme, tourne-à-gauche.

COURBER: 5 jouer, plier*, river ■ 6 arquer, bomber, chever, ployer, rouler, tordre, voiler, voûter ■ 7 baisser, cambrer, cintrer, coucher, fausser, fléchir, gauchir, onduler, plisser, replier, tituber, tourner ■ 8 arrondir, bigorner, bosseler, emboutir, envoiler, incliner, incurver, opprimer, rabattre ■ 9 affaisser, chanceler, infléchir, recourber, serpenter ■ 10 contourner, courbement, rétreindre, retrousser ■ 11 chantourner.

COURBETTE: 5 salut ■ 9 révérence, salamalec.

COURBURE: 3 arc ■ 4 dôme ■ 5 arche, bosse, galbe, lacis, livet, voûte ■ 6 arcade, arceau, arcure, cintre, feston, méplat ■ 7 coupole, doucine, douelle, flexion, lordose, ressaut, saillie, torture, torsion ■

8 ankylose, arcature, cabochon, cambrure ■ **9** contre-arc, convexité, croissant, ensellure, inflexion ■ **10** archivolte, céphalique, kératocône, retroussis ■ **11** inclinaison, sphéromètre ■ **12** astigmatisme ■ **13** accommodation, entrelacement, ophtalmomètre.

COUR DE JUSTICE: 8 consulte.

COUREUR: 6 ratite*, stayer ■ **7** hurdleur, paladin, pistard, rouleur ■ **8** crossman, débauché, dinornis, épyornis, grimpeur, sprinter ■ **11** marathonien ■ **12** pousse-pousse, voiture-balai ■ **13** starting-block.

COUREUSE: 10 crosswoman.

COURGE: 6 couche ■ **7** potiron ■ **8** giraumon, melonnée, pâtisson ■ **9** courgette, giraumont, zucchetti ■ **10** citrouille, melonnière, potimarron.

COURIR: 5 filer, gazer ■ **6** tracer ■ **7** cavaler, charger, détaler, estrade, galoper, pédaler, trotter ■ **8** accourir, devancer, dribbler, recourir ■ **9** accélérer*, aventurer, discourir, distancer ■ **10** cavalcader, courailler, fréquenter, poursuivre, précipiter.

COURONNE: 4 émir ■ **5** émail, nimbe, règne, tiare ■ **6** gloire, timbre ■ **7** auréole, bandeau, coronal, diadème, kouglof ■ **8** barbotin, trirègne, messager ■ **9** couronner, gougelhof, kugelhopf, kronprinz, loyalisme ■ **10** paris-brest, rond-de-cuir ■ **11** découronner ■ **12** chromosphère, coronographe.

COURONNEMENT: 4 rive ■ **7** pinacle ■ **8** chaperon, corniche ■ **9** baldaquin, couronner ■ **10** lambrequin ■ **11** entablement ■ **13** amortissement.

COURRIER: 5 cedex, poste ■ **8** messager, parafeur ■ **9** estafette, parapheur ■ **10** dictaphone ■ **13** courriériste ■ **14** correspondance.

COURROIE: 4 brin, lien, rêne ■ **5** bande, bride, fléau, fouet, guide, licol, licou, longe, tirait ■ **6** couple, laisse, sangle, tirant ■ **7** attache, bandage, bricole, collier, étrière, lanière*, sanglon ■ **8** ardillon, baudrier, bretelle, ceinture, dragonne, mancelle, soupente, sous-pied ■ **9** brassière, ceinturon, étrivière, jugulaire ■ **10** escourgeon, fourniment, martingale, plate-longe, porte-trait ■ **11** buffleterie ■ **13** sous-ventrière.

COURROUX: 3 ire ■ **6** colère*.

COURS: 3 fil ■ **4** poly ■ **5** crise, école, leçon, lycée, trust, union, vanne ■ **6** coteur, fleuve, marche, rapide, rythme, traité ■ **7** courant, dépassé, rivière ■ **8** agiotage, carrière, étudiant ■ **9** chartiste, descendre, numéraire, polycopie, promenade, serpenter ■ **10** avancement, mercuriale ■ **11** antécédence, philosophie.

COURS D'EAU: 2 ru ■ **3** épi, ruz ■ **4** aval, crue, gare, gave, mère, noue, oued, quai ■ **5** amont, canal, canon, cloup, route ■ **6** fleuve, ravine ■ **7** fluvial, rivière, torrent ■ **8** affluent, alluvion, confluer, défluent, dérocher, flottage, paludine, parcours, platière, ruisseau ■ **9** anaclinal, confluent, émissaire ■ **10** diffluence, divagation, tributaire ■ **11** nivopluvial ■ **12** bateau-lavoir, canalisation, défluviation ■ **13** nivoglaciaire.

COURSE: 3 lad ■ **4** drag, haie, prix, ring, rush, stud, tour, turf ■ **5** crack, derby, galop, piste, racer, stade, stand, sulky ■ **6** cheval, omnium, régate ■ **7** corrida, courser, jogging, karting, passade, suiveur, transat, trottin, whippet ■ **8** carrière, coursier, demi-fond, écarteur, galopade, marathon, mi-course, obstacle, relayeur, runabout, stock-car, trottade, turfiste, walk-over ■ **9** autodrome, classique, cynodrome, moto-cross, mouvement, outrigger, poursuite, promenade, randonnée, taximètre, tuyauteur ■ **10** aficionado, américaine, chevauchée, commission, courreries, étrangloir, hippodrome ■ **11** tauromachie ■ **12** cross-country, steeple-chase ■ **13** panaméricaine, saute-ruisseau.

COURT : 3 let, ras ■ 4 bref*, clip, kilt, mini, plat, rond, saie, saye, stol, tutu ■ 5 bocal, camus, conte, crépu, dague, épaté, flash, gazon, gilet, juste, nabot, mi-bas, patte, petit, pince, ronde, short, somme, tassé, trapu ■ 6 abrégé, aplati, boulot, concis, cotret, écrasé, mignon, moment, précis, viager ■ 7 acculée, brévité, central, étriqué, filibeg, instant, knicker, ramassé ■ 8 brièveté, carabine, cavatine, couperet, courtaud, échappée, éphémère, goussaut, herbette, knickers, mandile, mantelet, nageoire, nouvelle, passager, philibeg, poignard, précaire, rabougri, rondelet, sentence, sommaire, succinct, tom-pouce, tromblon ■ 9 bas-jointé, brise-bise, chipolata, court-vêtu, encâblure, espingole, laconique, lapidaire, lendemain, momentané, pet-en-l'air, raccourci, raidillon, trousseur ■ 10 bréviligne, carmagnole, cordelette, coupe-choux, elliptique, engagement, fustanelle, géodésique, hyperfocal, instantané, intonation, provisoire, raccourcir, rapetisser, temporaire ■ 11 brûle-gueule, compendieux, court-circuit, court-jointé, transitoire ■ 12 court-métrage, quasi-monnaie, sabre-briquet ■ 13 court-bouillon ■ 15 sabre-baïonnette.

COURT-BOUILLON : 5 blaff.

COURT-CIRCUIT : 8 court-jus.

COURT-CIRCUITER : 7 shunter.

COURTE : 5 boote ■ 6 camion ■ 7 jupette ■ 8 herbette, nuisette ■ 13 court-courrier.

COURTIER : 5 agent ■ 8 courtage, remisier ■ 10 commission, coulissier ■ 12 représentant ■ 13 intermédiaire.

COURTILIERE : 12 taupe-grillon.

COURTINE : 8 demi-lune, tenaille.

COURTISER : 7 hétaïre ■ 8 coqueter, flatteur ■ 9 camarilla, courtisan ■ 10 prostituée ■ 13 courtisanerie.

COURTOISIE : 5 joute ■ 7 aménité ■ 8 courtois ■ 9 amabilité*, arrogance, politesse* ■ 10 affabilité, galanterie ■ 11 discourtois, distinction ■ 13 courtoisement, discourtoisie.

COUSCOUS : 5 fonio.

COUSETTE : 9 midinette ■ 10 couturière.

COUSIN : 5 culex ■ 8 cousiner ■ 9 cousinage ■ 13 arrière-cousin.

COUSSIN : 3 sac ■ 4 crin, sofa ■ 5 capoc, coton, duvet, laine, plume ■ 6 boudin, bourre, paille, pelote, sachet, varech ■ 7 carreau, édredon, matelas, paillot, semelle ■ 8 oreiller ■ 9 bourrelet, coussinet, paillasse, traversin ■ 10 matelasser, rond-de-cuir.

COUSSINET : 4 rail ■ 5 godet ■ 6 bichon, pelote ■ 7 empoise ■ 8 tire-fond ■ 10 porte-montre ■ 12 antifriction.

COUT : 3 vie ■ 4 prix* ■ 5 tarif ■ 6 coûter ■ 7 revient, surcoût ■ 8 rechange ■ 10 commission ■ 15 internalisation.

COUTEAU : 4 arme, lame, soie ■ 5 canif, fusil, gaine, plane, solen, surin ■ 6 entoir, flamme, navaja, opinel, paroir, plioir, rasoir ■ 7 hachoir, scalpel, suriner ■ 8 bistouri, clochard, couperet, coutelas, coutille, drayoire, eustache, grattoir, greffoir, jambette, laguiole, lancette, poignard*, saignoir, serpette, tranchet ■ 9 amassette, chouriner, coupe-cors, coupe-pâte, coutelier, écharnoir, épluchoir, étiquette, tranchoir ■ 10 chourineur, scramasaxe, zigouiller ■ 11 coupe-jambon, coupe-papier, couteau-scie, écussonnoir, ouvre-boîtes, tranche-lard ■ 12 ouvre-huîtres.

COUTELIER : 11 coutellerie.

COUTEUX : 4 cher ■ 7 onéreux, ruineux ■ 11 dispendieux ■ 12 coûteusement.

COUTUME : 5 règle*, turbe, usage* ■ 7 couvade, lévirat ■ 8 habitude*, pratique ■ 9 coutumier, féodalité, ordinaire, tradition ■ 10 accoutumer, matriarcat ■ 11 inaccoutumé ■ 12 mégalithisme.

COUTURE: 4 bâti, flou, mode ■ 5 cousu, raphé ■ 6 coudre, surjet, suture ■ 7 couseur, jupière, videlle ■ 8 cousette, couturer, droit-fil, mercerie, toilette ■ 9 couturier, faufilure, midinette, passe-poil ■ 10 confection, couturière ■ 11 rentraiture ■ 12 cache-couture, mécanicienne, passe-carreau ■ 14 confectionneur.

COUTURIER: 6 jupier.

COUVE: 5 couvi ■ 6 nichée ■ 8 couveuse ■ 9 couvaison.

COUVENT: 3 lai ■ 4 cène, laie, mère ■ 5 ribat ■ 6 in-pace, prieur ■ 7 cloître, tourier ■ 8 porterie ■ 9 béguinage, lamaserie, monastère* ■ 10 chartreuse, conventuel, couventine, vade-in-pace ■ 11 visitatrice.

COUVERCLE: 5 bahut, ciste ■ 6 cloche ■ 7 couvrir ■ 8 opercule ■ 9 moraillon ■ 10 couvre-plat.

COUVERT: 4 abri, lame, pané, pelu, ridé, velu ■ 5 bardé, bazar, boisé, chenu, gazon, grenu, haché, halle, herbu, morne, pétré, place, poilu, préau, ramée, sablé, salle, vasée, voile, xyste ■ 7 brumeux, villeux ■ 8 alfénide, charnier, crasseux, dartreux, embruiné, enfariné, farineux, ménagère, moutonné, pailleté, planquer, poudreux, raboteux, tonnelle, ulcéreux, verglacé ■ 9 brumasser, constellé, découvert, openfield, promenoir, tomenteux, vermineux ■ 10 lanugineux, salpêtreux ■ 11 buissonneux, enneigement, haillonneux, pelliculeux, poussiéreux, vert-de-grisé ■ 13 broussailleux.

COUVERTURE: 3 lit ■ 4 dôme, glui, toit ■ 5 bâche, banne, berne, capot, cours, jaspe, livre, mante, plaid, tapis ■ 6 capote, centon, garant, housse, pavage ■ 7 caution, édredon, faîtage, membron, pontage, prélart, reliure, shingle, surfaix, toiture ■ 8 bagnolet, couverte, couvrure, toilette ■ 9 chabraque, couvre-lit, cover-girl, emboîtage, monoptère, provision, terrasson, voligeage ■ 10 couvre-pied, schabraque ■ 11 arbalétrier, couvre-livre, couvre-pieds, dessus-de-lit ■ 12 courte-pointe ■ 13 protège-cahier ■ 15 toiture-terrasse.

COUVEUSE: 9 accouvage ■ 10 incubateur.

COUVRE: 8 couvrant.

COUVREUR: 6 asseau ■ 7 assette ■ 8 tire-clou.

COUVRIR: 5 armer, dorer, gazer, ioder, nappe, paner, paver, semer, taled, tuile, veste, vêtir ■ 6 bâcher, bander, barder, cacher*, cocher, draper, embuer, farder, honnir, napper, taleth, tendre, terrer, voiler, voûter ■ 7 abriter, beurrer, charger, coiffer, cribler, duveter, enduire*, enfouir, engluer, excuser, housser, joncher, liseuse, masquer, pallier, peindre, plaquer, plâtrer, poudrer, ramager, revêtir*, soufrer, teinter ■ 8 argenter, capeline, coiffure, cotonner, couturer, émeriser, emperler, endosser, enfaîter, enneiger, ennuager, ensabler, enterrer, estomper, limonage, obombrer, ombrager, parsemer, pelucher, pommeler, protéger, retraite, rouiller, savonner, souiller, surprime, tapisser, tégument, vêtement, violacer ■ 9 accoupler, appliquer, asphalter, calaminer, cartonner, couronner, couvercle, couvre-feu, cuirasser, empierrer, enfaîteau, fendiller, imbriquer, incruster, oblitérer, parqueter, recouvrir*, sablonner, salpêtrer, submerger ■ 10 chevaucher, complanter, consteller, couverture, couvre-chef, couvre-pied, déshonorer, dépouiller, enchausser, enrubanner, envelopper, graticuler, incrustant, lambrisser, métalliser ■ 12 arrière-garde, caparaçonner, empoussiérer, gravillonner ■ 13 encapuchonner ■ 14 embroussailler.

COVALENTE: 11 semi-polaire.

COXAL: 7 ischion.

COXALGIE: 10 coxalgique.

CRABE : 4 maïa ■ 6 cancre, limule, surimi ■ 7 étrille, portune, poupart ■ 8 tourteau ■ 9 sacculine ■ 10 brachyoure, pinnothère ■ 11 macrochaire.
CRABOT : 8 claboter, craboter.
CRACHAT : 6 molard ■ 7 glaviot, mollard, pituite ■ 8 catharre, purulent ■ 9 expuition, sputation ■ 10 crachement, hémoptysie ■ 11 bronchorrée, vomissement ■ 12 crachotement ■ 13 expectoration.
CRACHER : 5 vomir ■ 7 crachat ■ 8 conspuer, molarder, cracheur, crachoir ■ 9 crachoter, recracher ■ 10 crachement, expectorer, glaviotter ■ 11 crachailler, graillonner ■ 12 crachouiller.
CRACHIN : 5 pluie ■ 9 crachiner ■ 10 brouillard.
CRACHOTE : 10 crachotant.
CRACKING : 8 craquage.
CRAIE : 4 stuc ■ 5 blanc, chaux, marne ■ 6 agaric, argile, tufeau ■ 7 arcanne, crayeux, tuffeau ■ 8 turonien ■ 9 coccolite.
CRAINDRE : 7 menacer ■ 8 redouter ■ 10 formidable, redoutable, tressauter ■ 11 appréhender, appréhensif.
CRAINTE : 4 brrr, peur*, trac ■ 5 doute, souci*, vesse ■ 6 alarme, phobie ■ 7 chiasse, frousse, pétasse, pétoche, terreur, venette ■ 8 angoisse*, craintif, défiance, jalousie, malepeur, timidité, trouille, vergogne ■ 9 épouvante, pourvu que, suspicion, zoophobie ■ 10 inquiétude* ■ 11 perspective ■ 12 appréhension, éreutophobie, superstition ■ 13 cancérophobie, craintivement, érythrophobie ■ 14 claustrophobie.
CRAINTIF : 6 apeuré, timoré ■ 7 inquiet*, peureux*, poltron* ■ 9 trembleur ■ 10 embarrassé ■ 11 pusillanime.
CRAMOISI : 5 rouge.
CRAMPE : 12 spasmophilie.
CRAMPON : 5 happe.
CRAMPONNER : 6 happer ■ 7 agrafer, crampon ■ 9 accrocher ■ 10 raccrocher ■ 13 cramponnement.
CRAN : 7 courage, fermeté ■ 8 entaille ■ 9 assurance, œilleton.
CRANE : 3 têt ■ 4 raie, test, tête ■ 5 bosse, brave, crête, front, genou, hardi, poser, scalp, voûte ■ 6 crâner, spinal, rocher, vertex ■ 7 caillou, caisson, calotte, crâneur, crânien ■ 8 apophyse, crânerie, ethmoïde, pariétal, temporal, vaniteux ■ 9 cornillon, courageux, crânement, embarrure, encéphale, occipital, pericrâne, sphénoïde, trijumeau ■ 10 diachalase, épicrânien ■ 11 acrocéphale, craniologie, phrénologie ■ 12 acrocéphalie, intracrânien ■ 13 brachycéphale, hydrocéphale, macrocéphalie, microcéphalie ■ 14 dolichocéphale.
CRAPAUD : 4 agua, bave, frai, pipa ■ 5 alyte, loche, piano ■ 6 anoure, têtard ■ 8 crapelet, pélobate, pélodyte ■ 9 batracien ■ 11 crapaudière ■ 13 crapaud-buffle.
CRAPAUDINE : 6 coitte ■ 7 couette ■ 9 sidéritis.
CRAPULE : 3 vil ■ 5 voyou ■ 7 vaurien ■ 8 débauché ■ 9 crapuleux ■ 14 crapuleusement.
CRAQUAGE : 12 vapocraquage ■ 13 hydrocraquage ■ 14 viscoréduction.
CRAQUE : 8 craqueur, fanfaron, hâblerie, mensonge, menterie.
CRAQUELER : 12 craquèlement.
CRAQUELURE : 9 faïençage.
CRAQUER : 4 grue ■ 6 casser*, rompre ■ 9 claqueter, craqueler, craquelin, craqueter ■ 10 craquement ■ 12 craquètement.
CRASSANE : 5 poire.
CRASSE : 4 noir ■ 6 chiche, saleté* ■ 7 rouille ■ 8 crasseux, propreté ■ 9 décrasser, encrasser, malpropre ■ 12 désencrasser.

CRASSEUX: 5 crado ■ 6 cracra, cradot ■ 7 craspec ■ 9 cradingue.
CRASSULACEE: 5 orpin, sedum ■ 7 ombilic ■ 8 crassula, joubarbe ■ 11 sempervivum.
CRATERE: 6 volcan ■ 7 égueule ■ 9 cratérisé.
CRAVACHE: 9 cravacher.
CRAVATE: 6 régate ■ 8 cravater ■ 10 commandeur, lavallière.
CRAWL: 7 crawler ■ 8 crawleur.
CRAYON: 4 ocre, raie ■ 5 gomme, saucé, trait ■ 6 fusain, pastel ■ 7 ardoise, charbon, repique, rosette ■ 8 dessiner, estomper, graphite, sanguine ■ 9 crayonner ■ 10 crayonnage, plombagine, photostyle ■ 11 porte-crayon ■ 12 taille-crayon.
CREANCE: 4 gage ■ 5 dette ■ 6 traite ■ 7 warrant ■ 8 croyance, débiteur, garantie, mort-gage, novation, quérable ■ 9 créancier, mobiliser ■ 10 antichrèse, déléguation, grand-livre, hypothèque, requérable ■ 11 affacturage, cocréancier, collocation, saisie-arrêt, subrogation ■ 12 nantissement, recouvrement ■ 13 crédirentier, négociabilité ■ 14 chirographaire, reconnaissance.
CREANCIER: 7 fiducie ■ 15 assurance-crédit.
CREATION: 4 dieu, père ■ 5 cause, opéra ■ 6 auteur, genèse ■ 7 créatif, fiction, pontage ■ 8 créateur, lagunage ■ 9 fantaisie, fondation, gabariage, invention, paternité ■ 10 créativité, gémination, génération, production, synectique ■ 11 constructif, édification, enfantement, imagination, inspiration ■ 12 atermoiement, fenestration, morphogenèse ■ 13 cinégraphique, improvisation.
CREATIONNISME: 13 créationniste.
CREATIVITE: 9 créatique.
CREATURE: 4 ange ■ 7 protégé ■ 8 personne.
CRECERELLE: 8 émouchet.
CRECHE: 4 auge ■ 11 pouponnière.
CREDIBILITE: 14 décrédibiliser.
CREDIBLE: 12 crédibiliser.
CREDIT: 4 prêt ■ 5 avoir, bilan, brûlé, coche, cours, débet, débit, décri, dette, pâlir, solde, vogue ■ 6 chèque, estime, faveur, passif, rating ■ 7 capital, créance, pouvoir ■ 8 prestige, secousse, virement ■ 9 confiance, créditeur, découvert, évaluatif, influence, népotisme ■ 10 accréditer, accréditif, différence, facturette, importance ■ 11 mont-de-piété ■ 12 disqualifier ■ 14 préfinancement.
CREDITER: 12 provisionner.
CREDULE: 3 bon, fou ■ 4 dahu, gogo, naïf ■ 5 jeune ■ 6 gobeur, jobard ■ 7 candide, canular, simplet ■ 8 bonhomme, boniface, confiant, innocent, jocrisse ■ 9 crédulité, mystifier ■ 11 crédulement ■ 13 charlatanisme, superstitieux.
CREE: 9 ludologue.
CREER: 5 aigle, faire, néant ■ 6 causer, élever, ériger, fonder, former, naître ■ 7 édifier, établir, innover, recréer ■ 8 créateur, création, composer, enfanter, imaginer, inventer, procréer, produire* ■ 9 accoucher, concevoir, effectuer, engendrer, formateur, performer ■ 10 improviser ■ 11 occasionner.
CREMAILLERE: 4 cric ■ 11 funiculaire.
CREME: 4 flan, moka ■ 5 élite, glace, tarte ■ 6 mousse ■ 7 baratte, crémeux, crémier, sabayon ■ 8 crémerie, esquimau, ice-cream, waterzoi ■ 9 barattage, chantilly, écrémeuse, fleurette, pâtissier ■ 10 frangipane ■ 11 petit-suisse ■ 13 fontainebleau, vernix caseosa.
CREME FRAICHE: 9 alexandra.
CRENEAU: 4 tour ■ 8 créneler ■ 9 crénelure ■ 11 mâchicoulis.

CRENELE : **5** écoté.
CREOLE : **4** acra, béké ■ **5** métis, tafia ■ **9** antillais ■ **11** créolophone ■ **12** créolisation.
CREOLISATION : **9** créoliser.
CREOSOTE : **5** taret ■ **7** créosol, gaïacol ■ **9** créosoter ■ **10** créosotage.
CREPE : **3** nem ■ **5** blini ■ **6** crêpon ■ **7** galette, crêpage ■ **8** brassard, crêperie, crêpière, matefaim ■ **10** caoutchouc.
CREPER : **6** friser* ■ **9** crêpelure.
CREPI : **8** décrépir ■ **9** mouchetis ■ **10** ravalement.
CREPINE : **10** crépinette.
CREPINETTE : **6** atriau.
CREPIR : **7** cavaler ■ **8** récrépir ■ **9** renformir, renformis, rusticage ■ **10** crépissage, marguerite.
CREPISSAGE : **7** bretter ■ **9** bretteler.
CREPITATION : **5** fuser.
CREPITEMENT : **10** crachement.
CREPITER : **8** pétiller ■ **9** grésiller.
CREPON : **5** crêpe.
CREPU : **5** frisé, laine.
CREPUSCULAIRE : **6** pyrale ■ **8** géomètre.
CREPUSCULE : **4** aubc, soir ■ **5** brune ■ **6** déclin, ombre, tombée ■ **9** rabat-jour ■ **13** crépusculaire.
CRESSON : **7** alénois ■ **8** nasiller, nasitort ■ **9** cardamine, véronique ■ **12** cressonnette, cressonnière.
CRET : **5** neige.
CRETACE : **8** scaphite, turonien, urgonien ■ **9** ananchyte, belemnite, iguanodon, mosasaure, néocomien ■ **10** ichtyornis, jurassique, stégosaure ■ **11** tricératops ■ **12** acanthocéras, atlantosaure, tyrannosaure.
CRETE : **3** col ■ **5** barre, serre ■ **6** sommet ■ **7** accrêté, bréchet, saillie ■ **10** labyrinthe ■ **11** contre-pente.
CRETE-DE-COQ : **8** sainfoin ■ **9** rhinanthe ■ **12** passe-velours.
CRETIN : **3** sot ■ **7** stupide ■ **9** andouille.
CRETINISE : **11** crétinisant.
CRETINISER : **13** crétinisation.
CRETINISME : **9** myxœdème ■ **13** hypothyroïdie.
CREUSEMENT : **6** forage ■ **9** fossoyage ■ **10** excavation ■ **11** exfoliation.
CREUSE : **8** creusois, échancré.
CREUSER : **5** canal, caver, forer, foret, fouir, miner, puits, rejet, rider, saper, sotch, strie, vider ■ **6** bêcher, crever, évider, foncer, graver, ouvrir, percer ■ **7** ciseler, écrêter, enfouir, excaver, piocher, plisser ■ **8** canneler, creusage, déblayer, emboutir, enfoncer, escarper, fossoyer, fouiller, labourer, pénétrer, rainurer, rigolage, tarauder ■ **9** crevasser, échancrer, recreuser, sillonner ■ **10** affouiller, champlever, creusement, excavateur, excavation, fossoyeur, fouisseur, refouiller, souterrain, tarabiscot ■ **11** approfondir ■ **12** terrassement.
CREUSET : **5** culot, varme, verre ■ **7** brasque, cubilot ■ **8** coupelle ■ **12** avant-creuset.
CREUX : **3** pli, val ■ **4** anse, baie, cave, gour, miné, obus, rayé, ridé, sapé, silo, trou*, vide* ■ **5** abîme, angle, antre, cavée, cœur, enrue, fendu, flûte, fossé, godet, golfe, gorge, moule, paume, ravin, sinus, tuyau ■ **6** cavité*, cotyle, crique, flache, fondis, fundus, glyphe, liston, ouvert, plissé, ravine, sillon, vallée, vallon, vannet ■ **7** caverne, cellule, concave, déblais, douille, évidure, fouille, galerie, gouffre, imprimé, ornière, profond, salière, thalweg ■ **8** ciselure, coulisse, échan-

cré, effondré, entaille, estamper, fourreau, intaille, intrados, légumier, mortaise, onglette, sillonné, tranchée ■ 9 concavité, empreinte, enfonçure, estampage, fondrière, intailler, précipice, remblayer, synclinal ■ 10 coulisseau, crapaudine, dépression, queue-de-rat, ventricule ■ 11 enfoncement, guillochure ■ 12 emboutissage, invagination, renfoncement ■ 13 affouillement, anfractuosité, retranchement.

CREVARD : 5 crevé.

CREVASSE : 5 fente, gercé ■ 6 rimaye ■ 7 fissure, gerçure, lézarde ■ 8 engelure, fenestre ■ 9 crevasser, fondrière, gercement.

CREVE : 7 crevard.

CREVER : 6 mourir, percer*, rompre ■ 8 éreinter ■ 10 crève-cœur, increvable.

CREVETTE : 5 gamba, puche ■ 6 boucot, scampi ■ 7 boucaut, bouquet, gammare, havenet, palemon ■ 8 haveneau ■ 9 crevrette, salicoque ■ 10 crevettier.

CRI : 3 aie, ban, bis, dia, han, hue ■ 4 abas, aboi, ahan, aman, évoé, haie, haro, héla, huée, noël, ouïe ■ 5 couic, crier, évohé, gémir, grâce, huhau, miaou, mugir, pipée, pouce, rugir, tollé ■ 6 alarme, barrit, caquet, cui-cui, hourra, ouille, taïaut, tayaut, youyou ■ 7 clameur, hallali, hosanna, langage, plainte, qui vive, sanglot ■ 8 bêlement, braiement, coin-coin, glou-glou, hourvari ■ 9 aboiement, bramement, coquerico, gueulante, hurlement, ululation, ululement ■ 10 beuglement, bravissimo, clabaudage, coassement, couinement, grognement, miaulement, piaulement, rauquement, roucoulade ■ 11 acclamation, béguètement, braillement, courcaillet, criaillerie, croassement, exclamation, gémissement, gloussement, graillement, lamentation, mugissement, rugissement, vagissement ■ 12 barrissement, craquètement, criaillement, glapissement, grésillement, hennissement, protestation, roucoulement, vocifération.

CRIAILLER : 4 paon ■ 5 crier ■ 7 piauler ■ 8 piailler ■ 9 clabauder ■ 10 criailleur ■ 11 criaillerie.

CRIARD : 4 aigu ■ 5 aigre ■ 7 perçant ■ 8 strident ■ 10 glapissant ■ 12 peinturlurer.

CRIBLE : 8 secoueur.

CRIBLER : 3 sas ■ 5 liber, tamis, trier ■ 6 crible, filtre, passer, percer, vanner ■ 7 couvrir, filtrer, tamiser ■ 8 criblage, cribleur.

CRIC : 5 chape, vérin ■ 6 pignon ■ 7 cliquet ■ 9 croissant, manivelle ■ 11 crémaillère.

CRICKET : 3 bat ■ 8 base-ball.

CRIEE : 4 vente ■ 6 crieur ■ 7 aboyeur, camelot, enchère ■ 12 adjudication.

CRIER : 4 huer, huir, réer, voix ■ 5 bêler, butir, gémir, jaser, mugir, raire, râler, rugir, vagir ■ 6 aboyer, barrir, braire, bramer, clamer, clapir, corner, feuler, flûter, frouer, glapir, hennir, hucher, hurler, japper, pépier, raller, tonner, ululer ■ 7 baréter, beugler, bubuler, cacaber, cajoler, chanter, coasser, couiner, crouler, ébrouer, geindre, grogner, gueuler, meugler, miauler, piauler, pupuler, ramager, rauquer, siffler, trisser, tutuber ■ 8 acclamer, babiller, blatérer, brailler, cacarder, cancaner, caqueter, chicoter, chuinter, crailler, crételer, croasser, dodeldir, exclamer, glousser, grailler, jacasser, lamenter, margoter, nasiller, piailler, pituiter, plaindre, réclamer, souffler, tempêter, turluter ■ 9 acariâtre, boubouler, chevroter, chucheter, cladauder, claqueter, coucouler, craqueter, criailler, égosiller, époumoner, fredonner, grilloter, jargonner, margotter, piaillard, piailleur, proclamer, protester, ronronner, roucouler, sangloter, striduler, tirelirer,

tonitruer, trompeter, vociférer ■ **10** carcailler, déblatérer, époumonner, gazouiller, invectiver ■ **11** courcailler, glouglouter, rossignoler.
CRIME: **4** faux, vice, viol ■ **5** délit*, excès, pièce, punir ■ **7** forfait, meurtre ■ **8** atrocité, attentat, coupable, criminel, génocide, incendie, inculper, infliger, scélérat, trahison, vindicte ■ **9** guet-apens, matricide, parricide, piraterie, sacrilège ■ **10** assassinat, banditisme, brigandage, complicité, corruption, forfaiture, fratricide, incriminer ■ **11** délinquance, inculpation ■ **12** criminologie ■ **13** qualificateur ■ **14** empoisonnement.
CRIMINALISER: **15** criminalisation.
CRIMINALITE: **8** antigang.
CRIMINALOGIE: **12** victimologie.
CRIMINEL: **4** hart ■ **5** croix, grève, impur, larvé, lynch ■ **6** apache, bandit*, forban, forçat, pirate ■ **7** brigand ■ **8** assassin*, attenter, homicide, scélérat ■ **9** meurtrier*, parricide ■ **10** accusateur, fratricide, malfaiteur* ■ **11** criminalité, criminogène, extradition ■ **12** criminaliser, criminaliste ■ **13** bertillonnage ■ **14** anthropométrie, criminellement.
CRIN: **3** sas ■ **4** poil ■ **5** balai, corde, fanon, haire, ligne, rouan ■ **6** cilice, empile, racine ■ **7** tampico ■ **8** arcanson, crinière, florence ■ **9** sparterie.
CRINIERE: **4** apex ■ **5** hyène.
CRINOÏDE: **7** encrine.
CRIQUE: **5** golfe.
CRIQUET: **8** acridien ■ **10** sauterelle ■ **12** stridulation.
CRISE: **4** aura ■ **5** accès ■ **7** antiroi, attaque, poussée, syncope ■ **8** atteinte, hystérie, pâmoison, planisme, schizose ■ **9** éclampsie, épilepsie, éréthisme, névralgie, tétanisme ■ **10** dépression ■ **12** contraction ■ **15** suraccumulation.
CRISPER: **7** énerver ■ **8** grimacer ■ **9** convulser, exaspérer ■ **11** contracter.
CRISSEMENT: **7** crisser ■ **12** stridulation.
CRISTAL: **4** base, face, lame ■ **5** druse, géode, macle, nicol, noyau, verre ■ **6** craqué, quartz, strass, trémie, uniaxe ■ **7** facette, lamelle, raphide, véricle ■ **8** baccarat, cristaux, glacerie, trichite, tuilette ■ **9** hémiédrie, microlite ■ **10** cristallin, hémitropie, pendeloque, troncature ■ **11** cristallisé, cristallité, triclinique ■ **12** cristallerie, cristalliser, cristalloïde, cristobalite, microcristal, microlitique, phénocristal ■ **13** microlithique ■ **14** cristallogénie ■ **15** cristallisation, cristallomancie.
CRISTALLIN: **4** iris ■ **7** vitreux ■ **9** aragonite, cataracte, presbytie, trigéminé ■ **10** polymorphe ■ **11** monocristal, transparent ■ **13** accommodation, cristallinien, cristallisant, hypermétropie.
CRISTALLISATION: **8** isonomie ■ **13** cristallisant ■ **14** polygonisation.
CRISTALLISE: **15** cristallochimie.
CRISTALLISER: **4** lave ■ **5** macle, rubis, sucre ■ **6** candir ■ **7** amorphe ■ **8** graphite, isonomie ■ **10** acidulaire, microgrenu ■ **13** cristallisant, cristallisoir ■ **14** cristallisable, holocristallin ■ **15** cristallisation.
CRISTALLOÏDE: **8** colloïde.
CRISTAUX: **8** épitaxine ■ **15** cristallogenèse.
CRISTE MARINE: **7** crithme ■ **8** crithmum.
CRITERE: **9** critérium ■ **11** pragmatisme ■ **14** classification.
CRITERIUM: **7** critère ■ **11** compétition.
CRITICISME: **10** criticiste ■ **13** néo-criticisme.
CRITIQUE: **5** abcès, blanc, glose, pater, patte, revue, zoïle ■ **6** examen,

griffe, satire, scolie ■ 7 attaque, bétonné, censeur, censure, comédie, discuté, libellé, massore, planche, scholie ■ 8 contrôle, explosif, pamphlet, préconçu ■ 9 anastasie, chronique, épigramme, polariser ■ 10 aristarque, commentaire, considérer, dramatique, feuilleton ■ 11 critiquable, démolissage, éreintement, immoralisme, remontrance ■ 12 folliculaire ■ 13 cinégraphique, récrimination ■ 14 néo-positivisme, psychocritique.

CRITIQUER : 4 dire ■ 5 jaser ■ 6 bêcher, blâmer*, chiner, gloser, redire, sabrer ■ 7 décrier, fronder ■ 8 attaquer, censurer, chicaner, dénigrer, discuter, éplucher, éreinter, examiner, vétiller ■ 9 commenter, condamner, contrôler, épiloguer, esquinter, reprendre ■ 10 critiqueur, récriminer ■ 11 discréditer, réprimander* ■ 12 criticailler, désapprouver.

CROATE : 3 ban.

CROC : 4 dent ■ 5 angon, gaffe, harpe ■ 6 crochu, vérine ■ 7 crochet, verrine ■ 10 croche-pied.

CROC-EN-JAMBE : 10 croche-pied ■ 11 croche-patte.

CROCHE : 5 noire ■ 9 deux-seize, trois-huit ■ 10 demi-soupir.

CROCHET : 4 esse, main ■ 5 fléau, piton ■ 6 agrafe, harpon, unciné ■ 7 allonge, barbule, crampon, grappin, hameçon, pendoir ■ 8 araignée, archelle, dentelle, grateron, guisarme ■ 9 crocheter, émerillon, guillemet, rossignol, tire-botte, unciforme ■ 10 mousqueton, pique-notes, tire-bouton.

CROCHETER : 7 porteur ■ 10 crochetage ■ ■ 11 crochetable ■ 13 incrochetable.

CROCLASIE : 12 gélifraction.

CROCODILE : 5 croco, patte, vagir ■ 8 lamenter ■ 10 téléosaure ■ 11 crocodilien, sténéosaure, vagissement ■ 12 hydrosaurien.

CROCODILIEN : 6 caïman, gavial ■ 9 alligator, crocodile ■ 12 hydrosaurien.

CROCUS : 6 safran.

CROIRE : 4 fier ■ 5 gober, juger ■ 6 avaler, cuider, penser*, parier ■ 7 adhérer, deviner, espérer, estimer, figurer, marcher, prévoir, rallier ■ 8 accroire, admettre, croyable, croyance, imaginer, présumer, supposer* ■ 9 convertir, crédulité, embrasser, incrédule, persuader ■ 10 accréditer, conversion, dogmatisme, incroyable ■ 11 conjecturer, incrédulité, reconnaître, visionnaire ■ 12 catholicisme ■ 13 incrédibilité.

CROISE : 4 crac, krak ■ 5 basin, châle, croix, escot, serge, spica, surah ■ 6 mâtiné ■ 8 bombasin, croisade ■ 10 guillochis ■ 11 chasmogamie.

CROISEE : 6 meneau ■ 7 crémone, fenêtre, vantail ■ 9 carrefour ■ 10 croisillon ■ 12 intersection.

CROISEMENT : 5 métis, nœud ■ 7 chiasme, hybride ■ 9 carrefour, métissage ■ 10 anglo-arabe ■ 11 contrecœur, hybridation ■ 12 saut-demouton.

CROISER : 8 mélanger, métisser ■ 9 décroiser, enverjure, traverser ■ 10 entrelacer, rencontrer, envergeure ■ 12 entrecroiser.

CROISEUR : 9 destroyer.

CROISIERE : 6 voyage ■ 10 fifty-fifty ■ 12 cabin-cruiser, croisiériste.

CROISILLON : 9 piètement.

CROISSANCE : 4 crue, s.m.i.c. ■ 5 élevé, flore, revif ■ 6 lysine ■ 7 amensal ■ 8 demi-tige, périoste ■ 9 histidine, nutrition, rabougrir, tardivité ■ 10 coléoptile, methionime, morphogène, rachitisme ■ 11 géotropisme ■ 12 gibbérelline ■ 13 développement, phototropisme ■ 14 indole-acétique.

CROISSANT : 3 gui ■ 4 lune, luth ■ 5 corne, pelta, pelte, vouge ■ 6 lunule ■ 8 ménisque ■ 9 crescendo, échancrer.

CROISURE : 8 anacoste.
CROIT : 9 basiphile, épiphylle.
CROITRE : 5 venir ■ 6 gagner, germer, tasser ■ 7 grandir, pousser, prendre, végéter ■ 8 renaître ■ 9 augmenter, invaginer ■ 10 développer* ■ 13 accroissement.
CROIX : 4 bras, inri ■ 5 gamme, gibet, pietà, signe ■ 7 branche, crucial, quillon ■ 8 crucifié, crucifix ■ 9 croisette, crucifère, crucifier, jeannette, resarcelé ■ 10 croisement, croisillon, cruciforme, porte-croix, tourniquet.
CROQUE-MONSIEUR : 12 croque-madame.
CROQUER : 6 broyer, gruger, manger, mordre ■ 8 croquant, dessiner ■ 9 croustade ■ 10 croque-mort ■ 11 croustiller ■ 12 croustillant ■ 13 croque-mitaine.
CROQUIS : 4 topo ■ 5 épure, étude ■ 6 projet ■ 7 canevas, charbon.
CROSNE : 7 apiaire.
CROSS : 8 crossman ■ 10 crosswoman.
CROSSE : 4 busc, club ■ 5 bêche, pédum, stick ■ 11 porte-crosse.
CROTALE : 8 sonnette ■ 14 trigonocéphale.
CROTON : 8 maurelle.
CROTTE : 4 boue ■ 7 crottin ■ 9 excrément.
CROULER : 6 tomber* ■ 7 ébouler, échouer ■ 8 croulant, écrouler ■ 9 effondrer.
CROUPE : 6 sommet ■ 8 derrière, enrayure, romsteck ■ 9 accroupir, croupière.
CROUPIERE : 5 bacul ■ 7 culeron.
CROUPION : 9 uropygial ■ 11 sot-l'y-laisse, uropygienne.
CROUPIR : 7 pourrir, végéter ■ 9 encroûter, séjourner ■ 11 croupissant ■ 13 croupissement.
CROUTE : 4 peau ■ 5 favus, polka ■ 6 bousin, calein, chapon, craton, dartre, tartre ■ 7 escarre, eschare ■ 8 banquise, croûteux, écroûter, illuvium, lécanore ■ 9 coquiller, croustade, encroûter ■ 10 incrustant, plutonisme ■ 11 hydrosphère.
CROUTON : 5 talon ■ 8 meurette.
CROYANCE : 3 foi ■ 5 credo, dogme ■ 6 crédit, pensée ■ 7 créance, opinion* ■ 8 animisme, dévotion, innéisme, mystique, religion ■ 9 démonisme, nihilisme, totémisme ■ 10 confession, conversion, conviction, incroyance, mysticisme, orthodoxie, persuasion, symbolisme, vampirisme ■ 11 crédibilité, messianisme ■ 12 libre-penseur, objectivisme ■ 15 traditionalisme.
CROYANT : 4 père ■ 5 dévôt, pieux ■ 8 mystique ■ 9 religieux.
CRU : 3 vin* ■ 4 salé, vert ■ 7 crudité, verdeur ■ 8 brouilly ■ 9 omophagie ■ 10 chiroubles, licencieux.
CRUAUTE : 5 cruel, excès, furie, tyran ■ 7 carnage, meurtre, sadisme, torture ■ 8 atrocité, barbarie, férocité ■ 9 brutalité ■ 10 sauvagerie.
CRUCHE : 3 sol ■ 5 buire ■ 7 cruchée, cruchon ■ 9 jaqueline.
CRUCIAL : 7 décisif.
CRUCIFERACEE : 4 chou, rave ■ 5 cabus, colza, guède, navet, radis, sanve, vélar ■ 6 alysse, crambe, ibéris, isatis, pastel, sénevé, turnep ■ 7 alénois, alysson, brocoli, cresson, lunaire, navette, raifort, thlaspi, turneps, violier ■ 8 alliaire, caméline, capselle, giroflée, julienne, moutarde, roquette, rutabaga, sisymbre, téraspic ■ 9 cardamine, crucifère, matthiole, passerage, ravenelle ■ 10 cochléaria ■ 11 quarantaine ■ 12 cressonnette, herbe aux écus ■ 13 monnaie-du-pape ■ 14 bourse-à-pasteur.
CRUCIFERE : 5 drave ■ 7 sénevol ■ 8 cameline, dentaire ■ 9 rouquette.

CRUCIFIER: **11** crucifixion ■ **12** crucifiement.
CRUEL: **3** dur* ■ **4** ogre, rude ■ **5** brute, fatal, proie, tigre, tyran ■ **6** atroce, brutal, féroce, odieux, rigide, sévère ■ **7** barbare, boucher, despote, forcené, furieux, méchant, néronien, pénible, sadique, sauvage*, violent ■ **8** bourreau, dénaturé, farouche, furibond, horrible, inhumain*, sensible, terrible ■ **9** cicatrice, déchirant, draconien, fanatique, inclément, meurtrier ■ **10** implacable, inexorable, inflexible, insensible*, intolérant ■ **11** cruellement, impitoyable, persécuteur, sanguinaire* ■ **12** bourrèlement, tortionnaire.
CRUSTACE: **3** zoé ■ **4** apus, test ■ **5** larve ■ **6** bopyre, carcin, cypris ■ **7** écaille, portune, poupart, squille ■ **8** barnache, carapace, corselet, cuirasse, ecdysone, eucaride, mysidacé, nauplius, plastron ■ **9** antennate, cladocère, languette, ostracode ■ **10** arthropode, brachyoure, ptérygotus ■ **11** euphausiacé, hémocyanine, maxillipède ■ **12** entomostracé*, malacostracé*, monstrillidé ■ **13** patte-mâchoire, patte-nageoire.
CRYOTEMPERATURE: **12** cryophysique ■ **13** cryotechnique.
CRYOTURBATION: **13** géliturbation.
CRYPTAGE: **7** crypter.
CRYPTE: **9** cimetière.
CRYPTOGAME: **4** soie, sore, urne ■ **5** algue, barbe, carie, ergot, fucus, mucor, spore, stipe ■ **6** coiffe, élytre, fronde, goémon, isoète, lichen, mousse, muguet, oïdium, piétin, thèque ■ **7** capsule, charbon, cistule, conidie, gainule, mildiou, rouille, sporule ■ **8** apophyse, bactérie, filicale*, fumagine, lycopode, opercule, scutelle, sporange, tavelure ■ **9** archégone, columelle, filicinée, follicule, péristome, pourridié ■ **10** champignon, équisétale*, microspore, oscillaire, pourriture ■ **11** anthracnose, conceptacle, cryptogamie, équisétinée, lycopodiale, lycopodinée, moisissure, sélaginelle, thallophyte ■ **12** actinomycose, aspergillose, ptéridophyte ■ **13** cryptogamique, lépidodendron.
CRYPTOGAMIQUE: **9** graphiose.
CRYPTOGRAMME: **11** chiffrement ■ **15** cryptographique.
CRYPTONYME: **10** pseudonyme.
CRYTOBIOSE: **12** anhydrobiose.
CTENAIRE: **5** ceste ■ **10** cœlentéré, cténophore.
CUBA: **10** afro-cubain.
CUBAINE: **5** conga, mambo.
CUBE: **2** dé ■ **5** cuber, litre, poids, stère ■ **7** cubique, cubisme, cubiste, cuboïde ■ **8** cubature, mosaïque.
CUBILOT: **12** avant-creuset.
CUBITUS: **7** cubital, ulnaire ■ **8** olécrane.
CUCURBITACEE: **5** loofa, luffa, melon, pépon ■ **6** bryone, courge, éponge, gourde, loofah, louffa, sucrin ■ **9** potiron, torchon ■ **8** pastèque, pâtisson ■ **9** aubergine, bénincase, calebasse, cantaloup, concombre, cornichon, courgette, ecballium ■ **10** citrouille, coloquinte, momordique, potimarron ■ **11** cristophine ■ **14** bonnet-de-prêtre.
CUEILLETTE: **11** cueillaison.
CUEILLIR: **7** picoter ■ **8** récolter ■ **9** cueilleur, cueilloir ■ **10** cueillette, grappiller ■ **11** cueillaison.
CUILLER: **5** casse, poche ■ **6** louche, pochon ■ **7** couvert, pucheux, truelle ■ **8** écumoire, houlette ■ **9** cuillerée, cuilleron.
CUIR: **3** tan ■ **4** daim, peau, skaï, veau ■ **5** alène, bâche, botte, boyau, délot, fonte, fouet, grain, knout, lasso, morse, patte, pelte, renne, sabot, selle, trait, vache, vélin ■ **6** basane, billot, buffle, cheval, drayer, leurre, mouton, nubuck, sangle, vachin ■ **7** agnelin, bisquin, box-calf, canepin, chamois, drayage, dérayer, poucier, reptile, se-

melle ■ **8** baudrier, cartelle, chevreau, cordouan, corroyer, courroie, dérayage, gantelet, hoqueton, lisseuse, maroquin, plastron, quartier, saladero, sous-pied, synderme, tannerie, vachette ■ **9** affaîtage, carbatine, corroyage, corroyeur, foulonner, hongroyer, parchemin, roussette, sauvagine, trépointe ■ **10** bourrelier, courroierie, marguerite, maroquiner, mégisserie, mollèterie, talonnière ■ **11** affaîtement ■ **12** maroquinerie.

CUIRASSE: **4** arme ■ **5** cotte, gonne, jaque ■ **6** réduit ■ **7** haubert, jaseran, monitor ■ **8** blindage, carapace, corselet, dossière, gambison, halecret, plastron ■ **9** cuirasser, sarrasine, subarmale ■ **10** brigandage, haubergeon ■ **11** dreadnought, soubreveste ■ **12** cuirassement.

CUIRE: **3** cru ■ **4** four, gril ■ **5** daube, frire, havir, lissé, parer, rôtir ■ **6** brûler, crever, étuver, farcir, sauter ■ **7** braiser, coction, cuisson, friture, griller, mijoter, mordant, recuire, roussir ■ **8** cuisiner, échauder, étouffée, fait-tout, fourneau, habiller, mitonner, œufrier, rissoler ■ **9** autoclave, brasiller, catillard, chaudière, chiqueter, étouffade, fricasser, torréfier ■ **10** coquetière, rôtisserie, turbotière ■ **11** autocuiseur ■ **12** poissonnière ■ **14** arrière-cuisine.

CUISINE: **3** pot ■ **4** gril, menu, mets, roui ■ **5** évier, farce, gelée, pilon, poêle, sauce ■ **6** carême, popote, tagine, taline ■ **7** aliment, gourmet, taboulé ■ **8** barbecue, coquerie, couperet, cuisiner, graillon, œufrier, pocheuse, tandoori, toasteur ■ **9** bloc-évier, confiture, cuisinier, cuistance, culinaire, fricassée, tourtière, ustensile ■ **10** cuisinière, cuisiniste, lèchefrite, rôtisserie, tambouille ■ **11** crémaillère, gastronomie, presse-purée, tranche-lard ■ **12** laurier-cerise, poissonnière ■ **14** arrière-cuisine.

CUISINIER: **3** coq ■ **4** chef ■ **5** queux ■ **6** mitron ■ **7** cuistot, saucier ■ **8** cuisteau, marmiton, popotier ■ **9** gâte-sauce ■ **10** cordon-bleu, fricasseur ■ **11** cuistancier.

CUISINIERE: **9** gazinière.

CUISSE: **4** aine ■ **5** bacul, coxal, fémur, genou, gigot, gigue, hampe, pilon, quasi ■ **6** jambon, sampot ■ **7** rouelle, tranche, cuissot ■ **8** cuissage, cuissard, cuisseau, quartier, tassette ■ **9** couturier ■ **10** cul-de-jatte, quadriceps, trochanter ■ **11** braconnière, entrecuisse ■ **12** fémoro-cutané.

CUISSON: **6** incuit ■ **7** coction, surcuit ■ **9** mijoteuse ■ **11** antiadhésif.

CUISTRE: **6** pédant ■ **8** grossier.

CUIT: **8** basquais.

CUIVRE: **2** cu ■ **3** bor ■ **4** alto, fumé, hâlé, tuba ■ **5** basse, boule, canne, casse, étain, liard, métal, monel, potin, sabot, saucé ■ **6** airain, bronze, cendre, laiton, tombac, verdet ■ **7** azurite, courser, cuprite, oripeau, pacfung, platine, polosse, rifloir, similor ■ **8** argentan, cuivrage, cuivreux, cuprique, mordache, packfung, sulfater, ténorite ■ **9** clinquant, couperose, cuivrerie, cuivrique, cuprifère, décuivrer, duralumin, malachite, manganine, paillette ■ **10** bournonite, cannetille, chalcosine, chrysocale, constantan, euproplomb, vert-de-gris ■ **11** chrysocolle, cupronickel, hémocyanine, maillechort ■ **12** chalcopyrite, chrysocalque, cupro-alliage ■ **14** cupro-aluminium.

CUL: **6** cæcum ■ **8** cul-blanc, cul-de-sac, derrière ■ **10** cul-de-jatte, cul-de-lampe.

CULASSE: **10** déculasser.

CULBUTE: **7** cumulet, tonneau ■ **8** cabriole, capotage ■ **9** galipette.

CULBUTER: **6** tomber*, verser ■ **7** capoter, crouler, vaincre ■ **8** basculer, chavirer ■ **9** culbutage, culbuteur, renverser* ■ **10** culbuterie ■ **11** culbutement.

CUL-DE-SAC: **11** culdoscopie.

CULEE : 5 butée ■ 12 enracinement.
CULINAIRE : 4 pain ■ 7 timbale ■ 8 ramequin ■ 9 médaillon ■ 11 chiffonnade ■ 13 gastrotechnie.
CULMINANT : 4 dôme ■ 6 culmen ■ 11 culmination.
CULOT : 6 aplomb ■ 9 hardiesse.
CULOTTE : 4 froc ■ 5 canon, short ■ 6 bénard, braies, falzar ■ 7 bloomer, grègues ■ 8 chausses, culotter, grimpant, pantalon*, romsteck ■ 9 culbutant, culottage, culottier, salopette ■ 10 barboteuse, déculotter, entrejambe, reculotter ■ 11 jupe-culotte ■ 12 gaine-culotte ■ 13 knickerbocker ■ 14 haut-de-chausses.
CULPABILISER : 13 culpabilisant ■ 15 culpabilisation.
CULPABILITE : 4 juré ■ 5 faute ■ 6 délire ■ 9 innocence ■ 12 autopunition.
CULTE : 3 goi, goy ■ 4 aube, goim, goye ■ 5 bénit, dulie, fanum, idole, sacré ■ 6 lévite, menora, prêtre, temple, vaudou ■ 7 flamine, honorer, macumba, pasteur ■ 8 culturel, gurdwara, liturgie, phrygien, religion ■ 9 adoration, cérémonie, pomœrium, prêtresse, sacerdoce ■ 10 chamanisme, fétichisme, hyperdulie, mithriaque, ritualisme, romanisant, sacré-cœur ■ 11 astrolâtrie, ophiolâtrie ■ 12 mithriacisme.
CULTIVATEUR : 9 colzatier.
CULTIVE : 11 riziculteur.
CULTIVER : 5 colon, ferme, polir, semer, terre ■ 7 culture, inculte ■ 8 jardiner, labourer, légumier, serfouir, vigneron ■ 9 agrologie, arboriser, exploiter, fleuriste ■ 10 incultiver, vanillerie, vanillière ■ 11 agriculteur, cultivateur, oléiculteur, pomiculteur, viticulteur ■ 12 horticulteur, incultivable, pépiniériste ■ 15 champignonniste.
CULTURALE : 9 fouillage.
CULTURALISME : 12 culturaliste.
CULTURE : 3 m.j.c., ray ■ 4 ados, aisy, brut, lais, pelé, sole ■ 5 façon, glèbe, herse, moere, nazca, regur ■ 6 ethnie, ladang, saison, savoir, semoir ■ 7 assoler, clonage, fazenda, messier, sauvage, verdage ■ 8 abrivent, agar-agar, agricole, alterner, ciné-club, cultural, culturel, dessoler, écobuage, gélatine, grossier, parterre, primaire, tréphone, vinicole, viticole ■ 9 chénopode, chiendent, défricher, essartage, horticole, inculture, jardinage, mass media, palmarium, pesticide ■ 10 autovaccin, biculturel, cotonnerie, cultivable, maraîchage, melonnière, rosiériste ■ 11 agriculture, cultivateur, dessolement, essartement, home-trainer, instruction, oléiculture, riziculture, viniculture, viticulture ■ 12 bulbiculture, civilisation, coproculture, hydroponique ■ 13 arboriculture, interculturel, osiériculture, plasticulture, socio-culturel, spongiculture, transculturel ■ 14 céréaliculture, diffusionnisme, philotechnique.
CULTUREL : 4 punk ■ 5 rasta ■ 7 atérien, capsien ■ 8 chasséen ■ 9 rastafari ■ 10 gravettien ■ 12 sauveterrien, tardenoisien ■ 14 culturellement ■ 15 châtelperronien.
CULTURELLE : 6 tantra.
CULTURISME : 12 body-building.
CULTURISTE : 9 gonflette.
CUMIN DES PRES : 5 carvi.
CUMUL : 8 non-cumul.
CUMULER : 9 cumulable.
CUPIDE : 6 rapace ■ 12 curarisation.
CUPIDITE : 6 cupide, rapiat ■ 7 avidité ■ 8 ambition, rapacité ■ 10 convoitise, cupidement.
CUPRESSACEE : 4 cade ■ 5 thuya ■ 6 sabine ■ 9 genévrier ■ 11 cupressinée.

CUPULE: 3 têt.
CUPULIFERACEE: 6 fagale ■ 7 fagacée* ■ 9 avelanède ■ 10 cupulifère.
CURATEUR: 9 curatelle.
CURCULIONIDE: 5 apion ■ 8 calandre, rynchite ■ 9 anthonome, charançon ■ 10 coléoptère.
CURCUMA: 4 cari, cary ■ 5 carry, curry.
CURE: 4 soin* ■ 6 curial, prêtre ■ 7 analysé, curable, curatif, cureton, curiste, recteur ■ 8 guérison, paroisse ■ 9 curaillon ■ 10 presbytère ■ 11 archiprêtre, curabilité ■ 12 sérothérapie.
CUREE: 8 fouaille.
CURER: 6 écurer ■ 7 curette, draguer ■ 8 cure-dent, nettoyer.
CURIE: 9 dicastère.
CURIETHERAPIE: 13 gammathérapie.
CURIEUX: 4 rare ■ 5 avide, furet, géant ■ 6 badaud, rareté, raseur ■ 7 amateur, bibelot, bizarre*, commère, piquant ■ 8 anecdote, attentif, fouinard, importun, plaisant ■ 9 chercheur, indiscret* ■ 12 curieusement.
CURIOSITE: 6 examen ■ 7 avidité, intérêt ■ 8 reluquer ■ 9 attention, intriguer, japonerie, recherche ■ 11 incuriosité ■ 12 japonaiserie.
CURIUM: 2 cm ■ 9 berkélium ■ 11 californium.
CURSEUR: 9 fermcture.
CURSIF: 5 court ■ 8 anglaise, courante.
CURVILIGNE: 5 ogive, ondée ■ 10 périphrase.
CUSTODE: 9 ostensoir.
CUTANE: 4 peau ■ 5 lupus ■ 6 herpès ■ 7 bavette ■ 8 sarcoïde, xanthome ■ 9 exanthème, psoriasis, urticaire ■ 10 serpigineux, sporotriche.
CUTANEE: 6 lucite ■ 8 craw-craw, crow-crow ■ 9 allergide, syphilide, vaccinide ■ 10 pyodermite, toxidermie ■ 11 transcutané.
CUTICULE: 6 cutine ■ 7 chitine.
CUTI-REACTION: 4 cuti ■ 7 luétine ■ 10 tuberculine.
CUVE: 3 bac ■ 4 jale ■ 5 abîme, cuvée, cuver, hotte, jatte ■ 6 baille, baquet, benaut, cuveau, cuvier, gerlon, pétrin ■ 7 brassin, cuvelée, cuveler, cuvette, encuver, lauriot, minette, tinette, tonneau ■ 8 bachotte, cagnotte, cannelle, cannette, charnier, chaudron, comporte, cuvelage, décuvage ■ 9 baignoire, guilloire, réservoir ■ 10 décuvaison, imprimerie ■ 12 avant-creuset, haut fourneau.
CUVETTE: 3 tub ■ 5 bidet, évier, plomb, sotch ■ 6 doline, lavabo ■ 8 bassinet, verrière.
CYANAMIDE: 5 azote.
CYANHYDRIQUE: 6 zyklon.
CYANOGENE: 12 ferricyanure, ferrocyanure.
CYANOPHYCEE: 9 rivulaire, spiruline ■ 10 oscillaire, procaryote.
CYANOSE: 8 cyanoser, engelure.
CYANURATION: 8 cyanurer.
CYANURE: 9 prussiate ■ 11 cyanuration.
CYBERNETIQUE: 8 feed-back ■ 11 information ■ 13 cybernéticien.
CYCAS: 5 zamia, zamie ■ 6 zamier.
CYCLADE: 10 cyladique.
CYCLANE: 11 cyclohexane ■ 12 cyclopentane, cyclopropane.
CYCLE: 3 ère* ■ 5 boyau, jante, piste ■ 6 pédale ■ 7 graduat ■ 8 calepied, cyclable, cyclique, cyclisme, cycliste, cycloïde, métonien, régendat ■ 9 acyclique, cinquième, motocycle, vélociste ■ 10 bicyclette*, kondratiev ■ 11 anticyclique ■ 12 anovulatoire.
CYCLIQUE: 7 lactame, lactone ■ 11 hétérocycle ■ 12 cycliquement, phénanthrène.

CYCLISATION : **8** cycliser.
CYCLISME : **5** piste ■ **7** pistard, rouleur, routier ■ **8** cycliste, grimpeur, pédaleur ■ **9** classique ■ **10** américaine ■ **11** poursuiteur.
CYCLISTE : **11** cyclo-pousse ■ **14** contre-la-montre.
CYCLOMOTEUR : **5** solex ■ **6** boguet ■ **9** mobylette.
CYCLONE : **7** ouragan, tempête ■ **8** cyclonal ■ **9** hurricane ■ **10** bourrasque, cyclonique.
CYCLOSTOME : **7** agnathe ■ **8** lamproie ■ **9** lamproïde ■ **10** chatouille, lamprillon.
CYCLOTHYMIE : **10** cyclothyme.
CYGNE : **6** cycnus ■ **7** caystre ■ **8** cycnoïde ■ **10** col-de-cygne ■ **11** ansériforme.
CYLINDRAXE : **5** axone.
CYLINDRE : **5** pompe, roule, sucre, train, voûte ■ **6** bobine, treuil ■ **7** canette, comédon, crampon, culasse, mandrin, rouleau, tambour ■ **8** calandre, cannette, ensouple, matraque, moussoir, tromblon ■ **9** admission, bouilleur, cartouche, cylindrée, cylindrer, délivreur, hélicoïde, péricycle, réalésage, refouloir ■ **10** cannelloni, cylindrage, préchambre ■ **11** cylindrique, cylindroïde, ovalisation, sainte-maure ■ **12** kaléidoscope, monocylindre ■ **15** cylindro-conique, monocylindrique.
CYLINDRIQUE : **4** étui, iule, mail, silo, tube ■ **5** bâton, tuyau ■ **7** rigotte, wehnelt ■ **9** coussinet, goupillon, tourillon ■ **10** écouvillon, septmoncel ■ **15** demi-cylindrique.
CYMBALAIRE : **11** ruine-de-Rome.
CYMBALE : **10** charleston.
CYNIPIDE : **8** xylocope ■ **11** hyménoptère*.
CYNIQUE : **6** éhonté, satyre ■ **7** cynisme ■ **8** impudent, lovelace ■ **11** cyniquement.
CYNOCEPHALE : **5** drill ■ **7** babouin ■ **9** hamadryas.
CYPERACEE : **5** carex ■ **6** laîche, scirpe ■ **7** papyrus, souchet ■ **11** linaigrette.
CYPHOSE : **10** cyphotique.
CYPRES : **5** cipre ■ **8** cyprière ■ **13** pneumatophore.
CYPRINIDE : **3** ide ■ **4** amble, doré, hotu, nase ■ **5** brème, carpe, loche, rouge ■ **6** cyprin, gardon, goujon, tanche ■ **7** ablette, barbeau, barbote, meunier ■ **8** barbotte, bouvière, carassin, chevaine, chevenne, chevesne, rotangle, rotengle, vandoise ■ **9** barbillon.
CYPRINODONTIDE : **8** anableps.
CYSTIQUE : **12** angiocholite.
CYSTOSCOPIE : **10** cystoscope.
CYTOLOGIE : **8** fuchsine ■ **11** cytologiste.
CYTOPLASME : **7** vacuole ■ **8** dendrite, synctium ■ **10** chondriome, ectoplasme, endoplasme ■ **11** éosinophile ■ **13** cytoplasmique.
CYTOPLASMIQUE : **11** microtubule.

DACTYLE : **9** glyconien ■ **10** dactylique, glyconique, spondaïque.
DACTYLOGRAPHIE : **9** tapuscrit ■ **13** dactylogramme.
DACTYLOGRAPHIER : **5** taper, télex ■ **11** stenciliste ■ **12** sténodactylo.
DADAISME : **8** dadaïste.
DADAIS : **3** sot ■ **5** niais*.
DAIGNER : **9** dédaigner ■ **12** condescendre.
DAIM : **4** faon, hère ■ **5** brame ■ **6** nubuck, ramure ■ **7** paumier ■ **9** bramement, mégacéros.
DAIS : **4** abri, ciel ■ **5** poêle, tente ■ **6** conope ■ **8** abat-voix, aigrette ■ **9** baldaquin, ciel de lit.
DALLAGE : **7** tomette.
DALLE : **4** pavé ■ **5** foyer, lause, lauze, patio ■ **6** daleau ■ **7** carreau, dallage ■ **8** pleurant ■ **9** phonolite, souillard ■ **10** labyrinthe.
DALMATICELLE : **9** tunicelle.
DAM : **9** préjudice.
DAMAS : **5** ronce ■ **8** damasser ■ **9** damassure.
DAMASQUINER : **11** marqueterie ■ **12** damasquinage, damasquineur.
DAMASSE : **9** damassure.
DAME : **3** hie ■ **4** drag ■ **5** crêpe, damer, femme, jabot ■ **6** épouse, milady, señora ■ **7** matrone ■ **8** haquenée, ombrelle, sigisbée ■ **9** camériste ■ **10** demoiselle, diaconesse, douairière ■ **11** patronnesse ■ **13** surintendante.
DAMER : **9** dameuse.
DAMERET : **6** galant ■ **7** blondin.
DAMIER : **4** case, dame, pion ■ **7** tablier ■ **9** échiquier, tabletier ■ **11** pied-de-poule.
DAMNATION : **3** dam ■ **5** damné, enfer, peine, perte ■ **8** damnable, réprouvé.
DAMOISEAU : **5** noble ■ **6** galant ■ **10** adolescent.
DANDIN : **4** cane ■ **5** niais* ■ **8** déhanché ■ **9** petit-jean ■ **10** dandinement.
DANDINER : **8** balancer*.
DANDY : **6** sapeur ■ **7** élégant.
DANGER : **3** s.o.s. ■ **4** abri, peur ■ **5** abcès, crise, enjeu, fléau, grief, index, péril*, piège, récit, salut, tabac ■ **6** alarme, alerte, écueil, hasard, menacé, risque, volcan ■ **7** affaire, embûche, guêpier, impasse ■ **8** amulette, angoisse, atteinte, désastre, détresse, embarras, haut-fond, viatique, vide-vite ■ **9** autotomie, banquette, dangereux,

embusquer, malchance, palliatif, perdition, traîtrise, vingt-deux ■ 10 coupe-gorge, imprudence ■ 14 extrême-onction.

DANGEREUX: 5 grave, payer ■ 6 risqué ■ 7 malsain, mauvais*, méchant, nocuité ■ 8 critique, héroïque, menaçant, nuisible*, scabreux ■ 9 difficile*, hasardeux, imprudent, périlleux, téméraire ■ 10 dramatique, pernicieux ■ 11 bateau-phrare, casse-gueule ■ 14 contre-indiquer, dangereusement.

DANOIS: 3 öre.

DANS: 2 en ■ 4 chez ■ 5 entre, intra.

DANSE: 3 bal* ■ 4 blue, java, jazz, jerk, jeté, jota, plié, slow ■ 5 blues, conga, coulé, coupé, écart, galop, gigue, gopak, hopak, loure, mambo, opéra, polka, ronde, rumba, samba, smurf, solea, tango, twist, valse, volte ■ 6 ballet, boléro, boston, branle, cancan, chahut, chaîne, chassé, chorée, dérobé, figure, glissé, menuet, palmas, pavane, rédowa, reggae, shimmy, thiase ■ 7 balance, berline, bibasis, biguine, bourrée, cadence*, calypso, chacone, chorège, cordace, csardas, czardas, dancing, dérobée, emmélie, forlane, fox-trot, gambade, gavotte, guinche, mazurka, milonga, musette, one-step, partita, redoute, rigodon, sardane, sirtaki, tamouré, tordion, two-step ■ 8 anglaise, assemblé, bamboula, cabriole, cachucha, cake-walk, chaconne, chaloupé, chausson, cotillon, courante, déchassé, en-dehors, estampie, fandango, habanera, hussarde, moulinet, rigaudon, sauterie, scottish, sicinnis, taconéos, tyrolien ■ 9 allemande, avant-deux, bossa-nova, cha-cha-cha, entrechat, farandole, fricassée, gaillarde, guimbarde, kathakali, matchiche, olivettes, paso-doble, passe-pied, polonaise, pyrrhique, quadrille, sabotière, sarabande, tambourin, tricotets, zapatéado ■ 10 aragonaise, bacchanale, carmagnole, charleston, chorédrame, dégagement, gymnopédie, saltarelle, schottisch, séguedille, tarentelle, tyrolienne, villanelle ■ 11 bergamasque, contre-danse, cracovienne, entraîneuse, montferrine, mordendance, passacaille, rock and roll, terre-à-terre, varsovienne ■ 12 boogie-woogie, chassé-croisé, chorégraphie, french cancan, sautillement ■ 13 surprise-party, trémoussement ■ 14 surprise-partie.

DANSER: 5 danse ■ 6 baller, jerker, valser ■ 7 dansant, gigoter, twister ■ 8 dansable, dansoter, estampie, fringuer, guincher, tricoter ■ 9 bostonner, chalouper, dansotter, gambiller, ménétrier ■ 10 demi-pointe, farandoler.

DANSEUR: 3 boy, rat ■ 4 girl, mime, tutu ■ 5 almée ■ 6 ballet, étoile, geisha ■ 7 valseur ■ 8 acrobate, bayadère, cavalier, coryphée, danseuse, dévadasi, matassin ■ 9 balancier, ballerine, cavalière, funambule, quadrille ■ 10 partenaire.

DANTESQUE: 10 effroyable.

DAPHNE: 8 lauréole.

D'APRES: 3 sûr ■ 5 selon ■ 10 exemplaire.

DARBYSME: 8 darbyste.

DARD: 4 gèse ■ 5 angon, digon, dolon, pilum, pique, trait ■ 6 darder, flèche, framée, harpon, lancer, pointe, thyrse, zagaie ■ 7 carreau, javelot, plombée, tragule, trident, vireton ■ 8 courroie, dardille, javeline ■ 9 aiguillon, barbillon, falarique, quintaine ■ 10 banderille.

DARTRE: 8 dartreux.

DARWIN: 10 darwiniste.

DATE: 3 ère ■ 4 hier, jour ■ 5 dater, temps ■ 6 datage, époque ■ 7 attesté, datable, exergue, période ■ 8 antidate, datation, horodaté, postdate ■ 9 millésime, postdater ■ 10 composteur, horodateur ■ 11 ajournement, antériorité, chronologie ■ 12 anachronisme, synchronisme.

DATER : **9** indatable ■ **14** géochronologie.
DATISME : **9** pléonasme.
DATTIER : **5** datte ■ **7** palmier ■ **9** lithodome ■ **12** chou-palmiste.
DATURA : **9** stramoine.
DAUBE : **7** daubeur.
DAUBER : **6** battre ■ **7** railler* ■ **8** endauber ■ **11** discréditer.
DAUPHIN : **5** orque ■ **6** béluga, prince ■ **7** bélouge ■ **8** marsouin ■ **9** souffleur ■ **11** monseigneur ■ **12** globicéphale ■ **13** delphinologie.
DAUPHINE : **14** saint-marcellin.
DAUPHINELLE : **12** staphisaigre ■ **13** pied-d'alouette.
DAURADE : **8** rousseau.
DAVANTAGE : **4** plus, prou ■ **6** encore ■ **9** seulement.
DAVID : **8** davidien.
DAX : **8** dacquois.
DE : **2** as ■ **3** six ■ **4** tope ■ **5** besas, beset, krabs, quine, rafle, terne, toton ■ **6** cornet ■ **7** ambesas, doublet, farinet ■ **8** trictrac, zanzibar ■ **9** cabriolet, cochonnet ■ **11** quinquenove.
DEAMBULER : **7** marcher ■ **8** promener ■ **12** déambulation.
DEBACLE : **5** dégel, krach, ruine ■ **7** défaite.
DEBALLER : **8** emballer ■ **9** déballage, déballeur.
DEBANDADE : **5** fuite ■ **7** débâcle, défaite ■ **8** débandeur, désordre ■ **9** disperser.
DEBARBOUILLER : **5** laver* ■ **14** débarbouillage.
DEBARDEUR : **6** laptot.
DEBARQUE : **15** héliotransporté.
DEBARQUER : **3** l.s.t. ■ **5** barge, venir ■ **6** sortir ■ **8** barcasse ■ **9** congédier, décharger, embarquer ■ **11** débarcadère ■ **12** débarquement.
DEBARRAS : **3** kot.
DEBARRASSE : **6** allégé.
DEBARRASSER : **3** net ■ **5** jeter, libre, semer ■ **6** écurer, énouer, épucer, purger, quitte, sécher ■ **7** défaire, dégager, dégluer, sabrage ■ **8** balancer, ciselage, déblayer, dégorger, dégraver, délivrer*, dépêcher, dépêtrer, égoutter, expédier, exutoire, grillage, liquider, nettoyer, purifier, soulager ■ **9** débarquer, déboucher, décharger, décrasser, décrotter, défausser, dératiser, épinceter, épouiller ■ **10** abandonner, cisèlement, débenzoler, décaféiner, dégraveler, dégrillage, désenlacer, dessuinter, désulfiter, fourre-tout, stériliser ■ **11** assermenter, décalaminer, déchlorurer, déharnacher, désencoller, désobstruer, égouttement, vide-ordures ■ **12** débaîllonner, dégoudronner, désencombrer, désencrasser, dépigeonnage ■ **13** dénicotiniser, égravillonner ■ **14** débroussailler.
DEBAT : **8** huis clos.
DEBATTRE : **5** débat ■ **6** agiter, procès ■ **7** affaire, démener, traiter ■ **8** discuter, disputer, examiner ■ **9** contester, délibérer ■ **11** controverse, parlementer, réouverture ■ **12** contestation.
DEBAUCHE : **4** grue, noce, porc, roué, vice* ■ **5** bombe, excès*, fange, foire, nouba, orgie, poule ■ **6** bohême, buveur, cochon, drille, festin, luxure*, noceur, ribaud, ribote, rufian, satyre, stupre, viveur ■ **7** bringue, cocotte, coquine, crapule, cynisme, dépravé, déréglé, dissolu, farceur, infamie, ivresse, ivrogne, licence, ribaude, ruffian, vaurien, volupté ■ **8** bamboche, coureuse, désordre, drôlesse, libertin, lovelace, paillard, polisson, soulerie, sybarite, vagabond ■ **9** arsouille, bambocher, crapuleux, débaucher, godailler, ignominie, indécence, indignité, perdition, séducteur, trousseur, turpitude ■ **10** bacchanale,

bambochard, bambocheur, corruption, courtisane, débaucheur, galanterie, immoralité, impudicité, inconduite, ivrognesse, méconduite, perversité, prostituée ■ **11** débordement, déportement, dépravation, dérèglement, dissipateur, dissipation, gourmandise, libertinage, relâchement ■ **12** dévergondage, gloutonnerie, incontinence, intempérance, irrégularité, proxénétisme, ribouldingue ■ **13** polissonnerie ■ **14** démoralisation.

DEBAUCHEE: **5** godon.

DEBAUCHER: **6** souler ■ **7** attirer, enivrer, séduire* ■ **8** dépraver ■ **9** bambocher, corrompre ■ **10** courailler, prostituer ■ **11** démoraliser, polissonner.

DEBENZOLER: **11** débenzolage.

DEBILE: **4** fort ■ **6** faible* ■ **7** fragile*, délicat ■ **8** débilité ■ **9** affaiblir, débiliter ■ **10** débilement, débilitant.

DEBINER: **8** débinage, débineur.

DEBIT: **3** bar ■ **5** solde, tabac, vente ■ **6** étiage ■ **7** ajutage, bistrot, buvette, gicleur, outrage, venturi ■ **8** boutique, jaugeage, pointeau, registre ■ **9** assommoir, débitable, déroulage ■ **10** débitmètre ■ **11** tachyphémie ■ **12** charbonnette, électrovanne, volucompteur ■ **13** goutte-à-goutte.

DEBITAGE: **9** levallois, trancheur.

DEBITER: **5** débit, faire, scier ■ **6** vendre ■ **7** réciter ■ **8** débitage, déclamer, découper ■ **9** débitable, prononcer ■ **10** psalmodier.

DEBITEUR: **4** paie, paye ■ **5** dette, saisi, terme ■ **8** coobligé, escompte, quérable ■ **9** astreinte, débitable ■ **10** différence ■ **12** atermoiement, expromission ■ **13** cofidéjusseur ■ **15** saisie-exécution.

DEBLATERER: **6** médire*.

DEBLAYER: **5** terri ■ **6** déblai ■ **8** dragline, marinage, préparer ■ **9** bulldozer, déblayage ■ **11** débarrasser, déblaiement.

DEBLOQUER: **9** déblocage, dégripper, déménager.

DEBOISEMENT: **13** déforestation.

DEBOISER: **8** essarter ■ **9** déboisage ■ **11** déboisement.

DEBOITER: **8** luxation ■ **9** disloquer.

DEBONNAIRE: **4** bête, doux ■ **5** niais* ■ **6** docile, faible, soumis ■ **7** bonasse, candide, paterne, patient ■ **8** bonhomme, innocent ■ **10** inoffensif ■ **12** débonnaireté.

DEBORDEMENT: **4** quai ■ **5** excès, pétri ■ **6** déluge ■ **8** embarras ■ **9** irruption, pléonasme, trop-plein ■ **10** inondation, redondance ■ **11** engorgement ■ **12** encombrement, surabondance.

DEBORDER: **6** couler, sortir ■ **7** inonder, saillir ■ **8** bavocher, défouler, dégorger, dépasser, engorger, regorger ■ **9** encombrer ■ **11** embarrasser.

DEBOUCHER: **5** clore ■ **6** marche, sortie ■ **8** débouché, dégorger ■ **10** accrochage, débouchage, déboucheur, débouchoir, écoulement, épinglette ■ **11** désengorger, prospection ■ **12** débouchement.

DEBOUILLI: **10** débouillir.

DEBOULONNER: **12** déboulonnage ■ **14** déboulonnement.

DEBOUQUER: **12** débouquement.

DEBOURBER: **10** débourbage.

DEBOURSER: **5** frais, payer* ■ **6** fendre ■ **7** débours, dépense ■ **10** rembourser ■ **12** déboursement.

DEBOUSSOLE: **7** azimuté.

DEBOUT: **5** lunch, stèle ■ **9** aquaplane, orthopnée, redresser ■ **13** débranchement, orthostatique.

DEBOUTONNER: **12** déboutonnage.

DEBRASER: 9 débrasage.
DEBRAYER: 9 débrayage, embrayage.
DEBRIDER: 6 panser ■ 11 débridement.
DEBRIS: 5 chute, épave, gaize, guano, rebut ■ 6 calein, laisse, ruines, tesson ■ 7 moraine, morceau, plâtras ■ 8 gratture, poussier, ravageur, régolite ■ 9 aérolithe, avalanche, broquelin, décombres, ferraille, terrigène ■ 10 bactrioles, égagropile ■ 11 ægagropile.
DEBROCHER: 10 débrochage.
DEBROUILLER: 5 malin* ■ 7 dégager, démêler ■ 8 éclairer ■ 9 défricher, éclaircir, ressource ■ 10 distinguer ■ 12 débrouillard, dépatouiller ■ 14 désentortiller ■ 15 indébrouillable.
DEBROUSSAILLER: 15 débroussaillage.
DEBUDGETISER: 15 débudgétisation.
DEBUSQUER: 7 chasser* ■ 12 débusquement.
DEBUT: 3 âge ■ 4 aura, gong, tête ■ 5 fondu, seuil ■ 6 entête, entrée, éogène, exorde ■ 7 puberté ■ 8 nouaison ■ 9 inaugurer, liminaire, préalable ■ 11 hors-d'œuvre ■ 12 commencement, initialement, nummulitique, préformation ■ 15 cristallisation.
DEBUTANTE: 3 deb.
DEBUTER: 5 bâton, stage ■ 6 novice ■ 8 débutant ■ 9 commencer, stagiaire, starlette.
DECACHETER: 5 sceau ■ 11 décachetage ■ 14 indécachetable.
DECADE: 5 duodi, tridi ■ 6 nonidi, octidi ■ 7 primidi, septidi, sextidi ■ 8 quartidi, quintidi ■ 9 décadaire.
DECADENCE: 3 bas ■ 5 périr, ruine* ■ 6 déclin, tomber ■ 8 décadent ■ 11 abaissement, décrépitude ■ 12 dégringolade ■ 13 déliquescence ■ 14 alexandrinisme.
DECADENT: 8 corrompu.
DEÇA ET DELA: 14 de bric et de broc.
DECAFEINE: 4 déca.
DECAISSER: 5 payer ■ 12 décaissement.
DECALAGE: 3 gap.
DECALAMINER: 12 décalaminage.
DECALER: 7 déramer ■ 8 décalage.
DECALQUER: 10 décalquage.
DECAMPER: 4 fuir* ■ 5 plier ■ 6 partir* ■ 7 détaler.
DECANAL: 7 décanat.
DECANTER: 9 décantage ■ 11 décantement.
DECAPAGE: 12 découverture.
DECAPER: 6 sabler ■ 7 scraper ■ 8 décapant ■ 9 nettoyer ■ 10 décapement ■ 13 chlorhydrique.
DECAPITER: 4 tête, tuer ■ 6 écimer ■ 10 guillotine ■ 12 décapitation.
DECAPODE: 5 crabe, sépia ■ 6 boucot, calmar, cancre, enragé, homard, pagure, seiche ■ 7 boucaud, bouquet, calamar, crabure, étrille, palémon ■ 8 araignée, crevette, encornet, eucaride, tourteau ■ 9 belemnite, chevrette, écrevisse, langouste, salicoque ■ 10 brachyoure, pinnothère ■ 11 langoustine ■ 14 bernard-l'ermite ■ 15 bernard-l'hermite.
DECAPSULER: 11 décapsulage.
DECATIR: 4 fané ■ 9 délustrer ■ 10 délustrage ■ 11 décatissage, décatisseur.
DECEDE: 3 feu, tué ■ 4 mort* ■ 6 défunt ■ 7 étouffé ■ 8 trépassé ■ 9 mortuaire.
DECELE: 9 décelable.
DECELER: 8 détecter ■ 9 découvrir ■ 10 décèlement ■ 12 cuti-réaction, galvanomètre ■ 15 ultramicroscope.

DECEMBRE : 8 hanoukka.
DECEMVIR : 10 décemviral, décemvirat.
DECENCE : 5 séant ■ 6 décent, pudeur* ■ 7 décorum, douceur, respect*, réserve, retenue ■ 8 chasteté, expurger, indécent, modestie*, propreté, pruderie, pudicité, sortable, timidité ■ 9 austérité, honnêteté, indécence ■ 10 bienséance*, convenable, convenance, correction, immodestie, licencieux ■ 12 malhonnêteté.
DECENTRALISEE : 11 télétravail.
DECENTREMENT : 9 décentrer ■ 10 décentrage.
DECEPTION : 4 déçu, lala ■ 5 dépit, flûte ■ 7 chagrin, déboire, tromper ■ 8 bernique, décevoir, décompte, mécompte, rancœur ■ 9 attrister, dégoûtant ■ 11 défrisement, désillusion, frustration ■ 12 désabusement ■ 14 mécontentement ■ 15 désappointement, désenchantement.
DECERNER : 5 louer ■ 7 adjuger ■ 8 diplômer, louanger ■ 9 attribuer*, couronner.
DECERVELER : 11 décervelage.
DECES : 3 fin ■ 4 mort* ■ 5 perte ■ 6 trépas ■ 8 posthume ■ 9 faire-part, mortalité.
DECHAINER : 3 ire ■ 5 calme, furie ■ 6 colère, fureur ■ 7 exciter ■ 8 soulever ■ 11 occasionner ■ 12 déchaînement.
DECHARGE : 3 feu ■ 4 coup, reçu ■ 5 salve, volée ■ 6 acquit, bordée, éclair, foudre, raptus ■ 7 effluve ■ 9 commotion, fusillade, quittance, tournisse ■ 10 détonation ■ 11 arquebusade, bactériémie, mitraillade, mousquetade ■ 12 électrocuter, mousqueterie.
DECHARGER : 4 port, quai ■ 7 alléger, estarie, libérer, porteur, poulain ■ 8 débarder, dégrever, gabarier, renvoyer ■ 9 débardage, dispenser, justifier ■ 10 débardeur, déchargeur, excitateur ■ 12 déchargement.
DECHARGEUR : 9 gabarrier.
DECHARNE : 3 sec ■ 4 gras ■ 6 étique, maigre ■ 9 efflanqué, ossements, squelette.
DECHAUMER : 10 déchaumage ■ 11 déchaumeuse.
DECHAUSSER : 10 dégravoyer ■ 11 déchaussage, déchaussoir ■ 13 déchaussement.
DECHEANCE : 5 honte, ruine ■ 7 déchoir ■ 10 déposition ■ 11 abaissement.
DECHET : 4 sang, urée ■ 5 chute, perte, rebut* ■ 6 râpure, résidu*, riblon, sciure, scorie ■ 7 alésure, blousse, freinte, rognure, schlamm ■ 8 détritus, tournure ■ 9 émonction, épluchure, excrétion, vergeoise ■ 10 créatinine, carton-pâte ■ 11 déchetterie ■ 12 incinérateur ■ 13 hyperazotémie.
DECHIFFRER : 8 traduire ■ 9 décrypter ■ 11 déchiffreur, hiéroglyphe ■ 12 déchiffrable, paléographie ■ 13 déchiffrement ■ 14 indéchiffrable.
DECHIQUETER : 6 hacher ■ 8 déchirer ■ 10 effilocher ■ 12 déchiquetage.
DECHIRER : 4 user ■ 6 casser*, couper, râcler ■ 7 brisser, craquer, dépecer, diviser, entamer, érafler, étriper, gratter, griffer, lacérer, séparer ■ 8 arracher, découdre, découper, délabrer, écorcher, érailler, étriller, excorier, mâchurer, morceler, ratisser, souffrir, trancher ■ 9 démembrer, dévisager, dilacérer, taillader, tenailler, tirailler ■ 10 égratigner ■ 11 déchiqueter, déchirement, dégueniller ■ 12 indéchirable ■ 13 entre-déchirer.
DECHIRURE : 5 plaie ■ 6 accroc ■ 7 entorse, morsure ■ 8 abrasion, crevasse, éraflure, fragment, griffade, stoppage ■ 9 écorchure, éraillure ■ 10 lacération, dépècement ■ 11 égratignure.

DECHU: 5 démon ■ 8 déclassé, réprouvé ■ 9 cassation, déchéance, misérable.
DECIDE: 4 prêt ■ 5 brave, crâne, hardi, leste ■ 7 entendu ■ 9 audacieux, déterminé ■ 10 embarrassé ■ 11 aventurisme, incompétent.
DECIDER: 4 sort ■ 5 buter, fixer, juger, parti, pouls, voter ■ 6 nommer, régler ■ 7 arrêter, choisir, entêter, hésiter, statuer ■ 8 aheurter, arbitrer, conjurer, décision, décréter, destiner, exécuter, ordonner, projeter*, résoudre, trancher ■ 9 accomplir, commander*, délibérer, persuader, prononcer ■ 10 compétence, déterminer, préméditer ■ 12 entreprendre ■ 13 ultra-petita.
DECILITRE: 4 déci ■ 11 décimaliser.
DECIMAL: 8 mantisse ■ 10 décimalité.
DECIMALISATION: 11 décimaliser.
DECIMER: 4 tuer ■ 8 détruire* ■ 10 décimation.
DECIMETRE: 5 litre ■ 12 décimétrique.
DECINTRER: 10 décintrage ■ 12 décintrement.
DECISIF: 5 belle, crise, ippon ■ 7 crucial, probant ■ 8 tie-break ■ 9 important, principal, tranchant ■ 10 dogmatique, triomphant, victorieux ■ 11 péremptoire ■ 13 décisivement.
DECISION: 4 acte, fiat, rond, vote ■ 5 arrêt, choix, guise, ordre, sport, ukase ■ 6 arrêté, décret, faveur, oracle, projet*, sursis ■ 7 arbitre, caprice, volonté ■ 8 décideur, jugement, prononcé, tribunal ■ 9 arrêtiste, cassation, compromis, dirigisme, extrémité, moratoire, pandectes, prononcer, rondement, sans-grade, ultimatum ■ 10 entêtement, nomination, ordonnance, polyarchie, résolution* ■ 11 aheurtement, compulsoire, considérant, décisionnel, infirmation, responsable ■ 12 bradypsychie, condamnation, reconsidérer ■ 13 détermination, jurisprudence, macrodécision, microdécision, polycentrique ■ 14 interlocutoire, responsabilité ■ 15 déconcentration, indétermination, sénatus-consulte, valse-hésitation.
DECLAMER: 4 dire ■ 7 ampoulé, chanter, débiter, emphase, orateur, réciter* ■ 8 ronflant ■ 10 rhétorique ■ 11 déclamateur, déclamation ■ 12 déclamatoire ■ 13 conservatoire.
DECLARATION: 4 aveu, dire ■ 6 amour, guerre ■ 7 annonce, message ■ 8 messager ■ 9 affidavit, déclarant, déposition, manifeste, profession, soumission ■ 11 énonciation ■ 12 légalisation, protestation.
DECLARER: 4 nier ■ 5 clore, union ■ 6 ouvert, saluer ■ 7 intimer, valider ■ 8 absoudre, affirmer, annoncer, autorisé, décréter, infirmer, révoquer ■ 9 acquitter, condamner, confesser, désavouer, invalider, proclamer, professer, prononcer, sectateur ■ 10 identifier, innocenter, vilipender ■ 11 déclaration, neutraliser ■ 12 déclaratoire, sous-déclarer.
DECLASSEMENT: 9 déclasser, demi-monde ■ 12 obsolescence.
DECLENCHER: 6 déclic ■ 8 susciter ■ 9 commander, décliquer ■ 13 déclenchement ■ 14 ordonnancement.
DECLENCHEUR: 9 évocateur.
DECLIN: 4 soir ■ 6 agonie, soirée ■ 7 automne, décours ■ 8 couchant ■ 10 crépuscule ■ 11 abaissement.
DECLINAISON: 8 solstice ■ 9 apophonie, grammaire* ■ 12 instrumental ■ 14 parisyllabique.
DECLINER: 5 finir ■ 6 tomber ■ 7 baisser, récuser ■ 8 agoniser ■ 9 déclinant, repousser ■ 10 déclinable, péricliter ■ 11 déclination, déclinement ■ 12 déclinatoire, indéclinable.
DECLIQUETER: 12 décliquetage.

DECLIVITE: 5 pente ■ 7 oblique ■ 8 penchant.
DECLOISONNER: 15 décloisonnement.
DECOCHER: 6 lancer ■ 8 encocher ■ 11 décochement.
DECOCTION: 6 tisane ■ 7 boisson* ■ 8 colature, racinage ■ 9 hamamélis.
DECODE: 8 décodeur.
DECODER: 8 décodage ■ 11 indécodable.
DECOFFRER: 10 décoffrage.
DECOIFFER: 12 décoiffement.
DECOINCER: 10 décoinçage ■ 12 décoincement.
DECOLLAGE: 4 s.t.o.l.
DECOLLER: 7 envoler, roulure ■ 9 aérodome, décollage, pemphigus, phlyctène ■ 10 décolleuse ■ 11 décollement ■ 12 indécollable.
DECOLLETE: 6 berthe.
DECOLLETER: 11 décolletage, décolleteur.
DECOLORATION: 7 acholie ■ 8 achromie.
DECOLORER: 4 gris, pâle ■ 5 javel, sucre ■ 6 livide ■ 7 blafard, délaver, effacer, pisseux, terreux ■ 8 incoloré, jaunâtre ■ 9 bentonite, déteindre, grisaille, oxygéner ■ 10 blanchâtre, décolorant, demi-teinte ■ 12 chlorométrie, décoloration.
DECOMBRES: 5 ciguë ■ 6 ruines ■ 7 rudéral ■ 8 décharge ■ 9 agripaume, belladone, bourrache, chénopode, jusquiame, lampourde, stramoine.
DECOMMANDER: 12 déprogrammer.
DECOMPOSER: 5 fuser ■ 6 épeler ■ 7 pourrir ■ 8 analyser, résoudre ■ 9 corrompre, débloquer, déflagrer ■ 10 désagréger, saponifier, voltamètre ■ 12 décomposable, électrolyser ■ 14 indécomposable.
DECOMPOSITION: 4 blet ■ 5 fleur, humus ■ 7 analyse, éluvion ■ 8 charogne, cracking, décompte, ptomaïne, pyrolyse ■ 9 acroléine, déblocage, décomposé, parfilage, photolyse, putricide, radiolyse ■ 10 corruption, détonation, dispersion, pourriture, saprophage, saprophyte ■ 11 électrolyse, syllabation ■ 12 déflagration, dissociation, putréfaction ■ 13 désagrégation ■ 14 biodégradation, déconstruction ■ 15 dénitrification.
DECOMPTE: 11 défalcation, goal-average.
DE CONCERT: 13 concurremment, conjointement.
DECONCERTE: 5 ébahi ■ 6 confus, penaud ■ 7 démonté, pantois, surpris* ■ 8 confondu, déconfit, interdit ■ 9 consterné, désemparé ■ 10 désarçonné, désorienté, embarrassé ■ 12 décontenancé.
DECONCERTER: 7 sidérer ■ 8 démonter, dérouter ■ 9 confondre ■ 10 confondant, surprendre ■ 11 désarçonner, désorienter, embarrasser* ■ 12 déconcertant ■ 13 décontenancer.
DECONDITIONNER: 12 déprogrammer.
DECONFITURE: 5 ruine ■ 7 défaite ■ 8 faillite, victoire.
DECONGELER: 13 décongélation.
DECONGESTIONNER: 12 naphtazoline.
DECONNECTER: 12 déconnection.
DECONSEILLE: 13 contre-indiqué.
DECONSEILLER: 10 conseiller.
DECONSIDERER: 7 décrier, flétrir, ravaler ■ 8 diffamer, dénigrer, dépriser ■ 9 déprécier, rabaisser ■ 10 déshonorer ■ 11 discréditer ■ 15 déconsidération.
DECONTAMINATION: 12 décontaminer.
DECONTRACTE: 4 cool.
DECONTRACTER: 7 relaxer ■ 10 défatigant.

DECONTRACTION : 5 repos ■ 8 diastole.
DECONVENUE : 5 échec ■ 7 allongé ■ 11 mésaventure.
DECOR : 4 fond ■ 5 kitch, mural, scène ■ 7 caisson, portant ■ 8 costière ■ 10 avant-scène, machiniste ■ 11 guillochure ■ 12 scénographie.
DECORATIF : 7 lamifié, protomé ■ 8 triskèle ■ 9 réchampis.
DECORATION : 4 fond ■ 5 aigle, batik, bulle, croix, cycas, décor, palme, perle, ruban, staff ■ 6 banane, étoile, nichan, pylône ■ 7 caisson, écusson, rosette ■ 8 broderie, cabochon, high-tech, mascaron, ornement ■ 9 alentours, arabesque, décoratif, garniture, lantanier, pompadour ■ 10 architecte, commandeur, coordonnés, décorateur, étalagiste, marmenteau, modern style, serpentine, tapisserie, tête-declou ■ 11 ameublement, pyrogravure ■ 12 dessus de porte ■ 14 embellissement.
DECORE : 4 déco.
DECORER : 4 arum ■ 5 aster, décor, orner* ■ 6 garnir* ■ 8 styliser ■ 9 décoratif, médailler ■ 10 pyrograver ■ 11 hémérocalle ■ 15 mésembryanthème.
DECORTIQUER : 8 éplucher ■ 11 décorticage ■ 13 décortication.
DECORUM : 10 convenance.
DECOULER : 4 bave ■ 5 effet*, gomme, morve, tenir ■ 6 émaner ■ 7 dériver ■ 8 dépendre, procéder, provenir, résulter*.
DECOUPAGE : 11 grignoteuse.
DECOUPE : 7 redenté ■ 10 prédécoupé.
DECOUPER : 4 dent ■ 5 coupe, labié, redan, sinué ■ 6 couper*, digité, évider, feston, hâcher, patron, redent ■ 7 châssis, ciseler, débiter, découpe, dépecer, fileter, tailler* ■ 8 créneler, délisser, denteler, dépiécer, équarrir, estamper, partager*, trancher ■ 9 découpage, découpeur, découpoir, découpure, délissage, démembrer, détailler, effranger, festonner, filigrane, microtome, mouchette, patronner, tranchoir ■ 10 découpeuse, fragmenter, oxycoupage, oxycoupeur, silhouette ■ 11 chantourner, déchiqueter, laciniation ■ 12 emporte-pièce, prétintaille ■ 13 taille-racines.
DECOUPLER : 10 découplage ■ 12 laisse-courre ■ 13 laisser-courre.
DECOUPURE : 8 barbille, incisure.
DECOURAGER : 4 bras ■ 6 lasser ■ 7 abattre, rebuter ■ 8 dégoûter, écœurer, effrayer, fatiguer ■ 9 terrasser ■ 10 désespérer ■ 11 démoraliser ■ 12 décourageant ■ 13 découragement.
DECOURONNER : 14 découronnement.
DECOURS : 7 décroît.
DECOUSU : 9 décousure.
DECOUVERT : 2 nu ■ 5 brûlé, connu, dette, place, plage, préau ■ 8 escarpin ■ 9 décolleté, esplanade ■ 12 dépoitraillé.
DECOUVRE : 9 déterreur.
DECOUVRIR : 4 voir* ■ 5 épier, furet, mèche ■ 6 eurêka, percer ■ 7 déceler, dégoter, deviner, éventer, exhumer, exonder, repérer, révéler, trouver* ■ 8 chercher, dégotter, dénicher, dénigrer, dépister, détecter, déterrer, dévoiler, explorer, inventer, pénétrer, résoudre, solution, sourcier ■ 9 chercheur, discerner, divulguer, zététique ■ 10 apercevoir, cache-cache, débrailler, déchausser, déchiffrer, décolleter, découverte, découvreur, euristique, maïeutique, surprendre, trouvaille ■ 11 explorateur, heuristique, panoramique, redécouvrir ■ 12 perquisition.
DECRASSER : 8 dérocher, nettoyer* ■ 10 décrassage, décrassoir ■ 12 décrassement.
DECREPER : 9 décrêpage.

DECREPIR: 11 décrépitude ■ 12 décrépissage.

DECRET: 3 loi* ■ 4 code, veto ■ 5 bulle, canon, dahir, ordre, titre ■ 7 décider ■ 8 décréter ■ 9 décret-loi ■ 10 abrogation, plébiscite ■ 12 notification.

DECREUSAGE: 8 décruage ■ 9 décrusage.

DECREUSER: 8 décruage, décruser.

DECRIER: 5 décri ■ 6 blâmer ■ 8 dénigrer, mépriser ■ 11 discréditer.

DECRIRE: 4 dire ■ 6 sinuer ■ 7 peindre* ■ 8 analyser, dessiner*, raconter*, retracer ■ 9 crayonner, dépeindre, détailler, esquisser, expliquer ■ 10 descriptif, développer ■ 11 descripteur, description ■ 12 descriptible ■ 13 photographier ■ 14 géomorphologie, indescriptible.

DECROCHER: 9 escroquer ■ 10 décrochage ■ 12 décrochement, démantibuler.

DECROISER: 12 décroisement.

DECROITRE: 7 décours, décroît ■ 8 diminuer* ■ 9 gradation ■ 11 décroissant ■ 12 décroissance ■ 13 décroissement.

DECROTTER: 8 nettoyer ■ 10 décrottage ■ 13 indécrottable.

DECRUER: 9 décrusage ■ 10 décreusage ■ 12 décreusement.

DECRYPTER: 10 décryptage ■ 12 décryptement.

DEÇU: 11 désappointé.

DECUIVRER: 10 décuivrage.

DECUPLER: 11 décuplement.

DEDAIGNER: 5 paria, rebut ■ 7 cracher, récuser ■ 8 mépriser* ■ 9 repousser ■ 11 dédaignable ■ 15 dédaigneusement.

DEDAIN: 2 fi ■ 3 pft ■ 4 bast, fier, foin, moue, peuh, pfft, pfut ■ 5 baste, petit ■ 6 altier, mépris ■ 8 taratata ■ 9 dédaigner, mésestime ■ 10 dédaigneux.

DEDALE: 8 dédaléen.

DEDANS: 5 havir, intro ■ 6 milieu ■ 8 involuté ■ 9 intérieur ■ 10 rétractile.

DEDIER: 3 don ■ 5 envoi, vouer ■ 6 offrir ■ 7 dévouer ■ 9 attribuer, consacrer, dédicacer ■ 10 invocation ■ 11 dédicataire, dédicatoire ■ 12 consécration.

DEDIFFERENCIATION: 14 dédifférencier.

DEDIRE: 5 dédit ■ 6 arrhes ■ 7 revenir ■ 9 rétracter* ■ 10 contredire.

DEDIT: 6 dédite.

DEDOMMAGER: 5 payer ■ 7 réparer ■ 9 compenser, indemnité, rattraper ■ 10 indemniser ■ 11 récompenser ■ 13 dédommagement, désintéresser.

DEDORER: 8 dédorage.

DEDOUANER: 12 dédouanement.

DEBOUBLEMENT: 9 hydrolyse.

DEDUCTIBLE: 13 déductibilité.

DEDUCTIF: 12 mathématique.

DEDUCTION: 8 mort-gage.

DEDUCTIVE: 14 démontrabilité.

DEDUIRE: 5 suite ■ 7 énoncer, retenir ■ 8 conclure, déductif ■ 9 déduction, défalquer, rationnel ■ 10 abattement, climatisme, extrapoler, retrancher*, soustraire.

DEDUIT: 10 récréation.

DEESSE: 6 apsara ■ 7 apsaras ■ 8 valkyrie ■ 10 hiérogamie.

DEFAILLIR: 5 pâmer ■ 7 absence ■ 8 évanouir ■ 9 faiblesse, fiabilité, trébucher ■ 11 défaillance ■ 12 indéfectible.

DEFAIRE: 5 piler ■ 6 battre, délier, vendre ■ 7 débâter, délacer, dénouer, dériver, effiler, quitter, tailler, vaincre ■ 8 corriger, déballer, déclouer, découdre, défriser, délisser, délivrer, démonter, dénatter, dépiquer, détruire, parfiler ■ 9 déboucler, débrocher, décoiffer, défroncer, démailler, déplisser, redéfaire ■ 10 défaufiler, défroisser, dépalisser, dépaqueter, dépouiller, désajuster, désenfiler, dessangler ■ 11 débarrasser, détortiller ■ 12 désaccoutumer, indémaillable.

DEFAITE : 5 échec*, fuite ■ 6 pièces, vaincu ■ 7 débâcle, dégelée, déroute ■ 8 piquette, réussite ■ 9 débandade ■ 10 défaitiste ■ 11 déconfiture.

DEFALQUER : 4 ôter ■ 5 tarer ■ 10 retrancher, soustraire.

DEFATIGUE : 10 défatigant.

DEFAUSSER : 8 squeezer.

DEFAUT : 2 di ■ 3 vue ■ 4 mort, œil, taré, vice* ■ 5 gâter, péché, tache ■ 6 bêtise, faille, flache, larron, lunure, manque*, paille, vrille ■ 7 absence, asialie, carence*, givrure, nullité, pairage, raideur, roideur, travers, verdeur, vertige ■ 8 anoxémie, atrophie, contumax, dépister, faux-bord, froideur, gélivité, gendarme, malfaçon, pailleux, parangon, vrillage ■ 9 asymétrie, athrepsie, contumace, critiquer, décadrage, défaillir, désuétude, écaillage, ignorance, imparfait, impéritie, improbité, logopédie, médisance, obscurité, orthoptic, pesanteur, platitude, prolixité, prosaïsme, rabâchage, retassure, strabisme, verbosité, vignetage, vulgarité ■ 10 abandonner, aberration, défaillant, défectueux, difformité, distorsion, étroitesse, impeccable, imprudence, inactivité, inaptitude, incapacité, inconduite, inélégance, maladresse, turbulence, zézaiement ■ 11 amateurisme, dissymétrie, gourmandise, inappétence, incertitude, inexistence, instabilité, intolérance, irréflexion, malpropreté, nasillement, non-paiement, orthoptique, ovalisation, psittacisme, rabâchement, rustauderie ■ 12 altérabilité, arc-boutement, aspermatisme, conformation, décentration, décentrement, défectuosité, gallicanisme, illégitimité, imperfection*, imprévoyance, inadaptation, inadvertance, incompétence, incontinence, insoumission, insuffisance, non-comparant, non-exécution ■ 13 disproportion, dissimilitude, hypermétropie, inapplication, inconséquence, inconsistance, insensibilité, irréprochable, non-conformité ■ 14 franchouillard, impeccablement ■ 15 incorrigibilité, invraisemblance, mésintelligence, non-conciliation.

DEFAVORABLE : 5 blâme, décri ■ 6 ennemi ■ 7 hostile ■ 8 défaveur, disgrâce ■ 9 cassandre, contraire, discrédit, péjoratif ■ 10 altération ■ 13 désavantageux, mésestimation ■ 15 défavorablement.

DEFAVORISE : 10 quart-monde.

DEFECATION : 8 déféquer ■ 9 excrément.

DEFECTUEUSE : 11 malposition.

DEFECTUEUX : 3 mal ■ 4 raté, taré ■ 5 aubin, faute, tacot, taché ■ 6 avorté, borgne, défaut*, fautif, louche, manque, véreux ■ 7 boiteux, inexact, infirme, mal-jugé, vicieux ■ 8 abâtardi, malfaçon ■ 9 imparfait, inadéquat, incorrect ■ 11 insuffisant ■ 12 défectuosité ■ 15 défectueusement.

DEFEND : 11 minimaliste.

DEFENDRE : 5 aider, génie, index, ligue, munir ■ 6 garder, sauver ■ 7 abriter, couvrir, excuser, illégal, inhiber, plaider, réfuter, veiller ■ 8 assigner, citation, débattre, disputer, flanquer, hérisser, illicite, jiujitsu, prohiber*, protéger, ramingue, répondre, résister, riposter, secourir, soutenir ■ 9 blockhaus, combattre, consigner, défendeur, défenseur, fortifier, intenable, interdire*, maintenir, massacrer, plaidoyer, préserver. répliquer ■ 10 conseiller, défendable, intercéder, prohibitif, retrancher ■ **11** sauvegarder ■ **12** apologétique, consumérisme, indéfendable, insoutenable, reconvention ■ **13** insaisissable.

DEFENSE: **3** d.c.a., mur ■ **4** abri, arme, dent, dire, mire, trou ■ **5** alibi, alpin, asile, dague, égide, fossé, garde ■ **6** armure, excuse, ivoire, refuge ■ **7** bastion, embargo, escorte, rempart ■ **8** amulette, apologie, barrière, black-out, bouclier, bretèche, bretelle, bretesse, cuirasse, défensif, garnison, muraille, palanque, stoppeur, syndicat, talisman ■ **9** anticorps, barbacane, barricade, défensive, désarmant, exception, leucocyte, opposable, plaidoyer, procédure ■ **10** forteresse, protection, résistance, saut-de-loup, sauvegarde ■ **11** autodéfense, occitanisme, prohibition ■ **12** interdiction, opposabilité, porte-respect ■ **13** agglutination, antisatellite, contre-attaque, fortification, retranchement ■ **14** inopposabilité, irrecevabilité ■ **15** circonvallation, contrevallation.

DEFENSEUR: **5** hourd ■ **6** avocat, duègne, libero, tenant, tuteur ■ **7** conseil, gardien, soutien ■ **8** bouclier, champion, chaperon ■ **9** soutenant ■ **10** avocaillon, avocassier, darwiniste, protecteur ■ **11** légitimiste ■ **13** défensivement.

DEFERENCE: **5** égard ■ **6** estime ■ **7** respect ■ **8** déférent ■ **9** arrogance, cérémonie, politesse, respecter ■ **11** supplétoire ■ **12** complaisance.

DEFERER: **5** céder ■ **7** accuser ■ **8** conférer, délation ■ **10** accusation.

DEFERLER: **5** barre ■ **8** déborder ■ **9** déferlage ■ **11** déferlement.

DEFERRER: **9** déferrage, déferrure ■ **11** déferrement.

DEFI: **6** chiche ■ **7** attaque ■ **11** infériorité, provocation*.

DEFIANCE: **5** doute ■ **7** crainte, soupçon ■ **8** croyance, défaveur, disgrâce, jalousie, méfiance, prudence ■ **9** discrédit, suspicion ■ **10** précaution, prévention, surveiller.

DEFIANT: **6** jaloux, louche, timoré, véreux ■ **7** méfiant, prévenu, prudent, suspect ■ **8** craintif, sournois ■ **9** ombrageux ■ **11** soupçonneux.

DEFIBRER: **9** défibrage, défibreur ■ **10** défibreuse.

DEFIBRILLATION: **14** défibrillateur.

DEFICIENCE: **5** force ■ **6** manque* ■ **9** déficient, faiblesse ■ **10** mongolisme ■ **12** agrammatisme, insuffisance* ■ **13** prédélinquant ■ **15** phénylcétonurie.

DEFICIT: **4** mali ■ **13** arthrogrypose ■ **15** phénylcétonurie.

DEFICITAIRE: **10** sous-saturé.

DEFIER: **6** braver, méfier, parier ■ **7** contrer ■ **8** attaquer, craindre ■ **9** provoquer ■ **10** challenger, dissimuler, soupçonner.

DEFIGURER: **4** laid ■ **7** amocher ■ **9** enjoliver, massacrer, vitrioler ■ **12** défiguration.

DEFILE: **3** col ■ **4** file, grau ■ **5** porte, revue, troupe ■ **6** écluse ■ **7** perthus, théorie ■ **9** cavalcade, mascarade, spectacle ■ **10** pèlerinage, procession.

DEFINIR: **5** clore, fixer, vague ■ **6** cibler ■ **9** délimiter, engendrer, expliquer* ■ **10** déterminer, paramétrer ■ **11** définitoire ■ **12** caractériser, définissable, indéfiniment, je-ne-sais-quoi ■ **14** indéfinissable.

DEFINIT: **11** définissant.

DEFINITIF: **5** ferme, imago ■ **7** radical ■ **9** entériner, ultimatum ■ **10** conclusion, décidément, ne varietur ■ **11** irrévocable ■ **14** définitivement.

DEFINITION: **4** t.v.h.d. ■ **8** ostensif, quiddité ■ **12** réalignement ■ **13** définitionnel.

DEFINITIONNEL: **11** définitoire.

DEFIOLATION : **9** défiolier.
DEFLAGRATION : **8** allumeur ■ **10** combustion, déflagrant ■ **14** antidéflagrant.
DEFLEXION : **9** défléchir.
DEFLORER : **12** dévirginiser.
DEFONCER : **6** rompre ■ **8** éventrer ■ **9** défonçage ■ **11** défoncement.
DEFORMATION : **2** an, at ■ **5** bossu ■ **6** fluage ■ **8** disgrâce, flambage ■ **9** déviation, orniérage, voilement ■ **10** caricature, contorsion, corruption, distorsion, mongolisme ■ **11** cinémascope, ostéoclasie, tensiomètre ■ **12** extensomètre, fluotournage, psychokinèse ■ **13** avachissement, cyphoscoliose, hippocratisme, hydrocéphalie, psychokinésie ■ **15** photo-élasticité, superplasticité, transmodulation.
DEFORME : **3** usé ■ **4** fané, laid, tors ■ **5** éculé, tordu, trapu ■ **6** avachi, crochu, déjeté, gauchi, hideux, inégal, massif, vilain ■ **7** affreux, baroque, bouleux, fatigué, malotru, racorni, ramassé ■ **8** biscornu, défiguré, horrible, laideron, rabougri, ratatiné, tortueux ■ **9** bistourné, contourné, défraîchi, défranchi, disgrâcié, grimaçant, maritorne ■ **10** barbarisme, irrégulier ■ **11** disgrâcieux, hétéroclite, paralytique ■ **13** recroquevillé, rectilinéaire.
DEFORMER : **6** éculer, trahir ■ **7** avachir, bossuer, déjeter, fausser, gauchir ■ **8** bosseler, cabosser ■ **9** distordre ■ **10** bistourner, contourner ■ **11** déformation ■ **12** indéformable.
DEFOURNER : **10** défournage ■ **12** défournement.
DEFRAICHI : **7** déformé, fatigué ■ **9** rossignol.
DEFRICHE : **8** défriche.
DEFRICHER : **7** écobuer, essarts, sarcler ■ **8** arracher, cultiver, éclairer, épierrer, essarter, pionnier, ratisser ■ **9** éclaircir, essoucher ■ **10** débrousser, défrichage, défricheur, fertiliser ■ **11** défrichable, échardonner ■ **12** défrichement.
DEFRISER : **8** décevoir ■ **11** défrisement.
DEFROISSER : **12** déchiffonner.
DEFUNT : **3** feu ■ **4** obit ■ **5** litre ■ **6** décédé ■ **7** de cujus ■ **8** lignager, trentain ■ **10** nécrologie, spiritisme.
DEGAGER : **4** ôter* ■ **5** fumer, vider ■ **6** délier, déluré, évider, guérir, isoler, lâcher, ouvrir, purger, sauver, sortir ■ **7** alléger, débâter, décaper, dégluer, délacer, démêler, dénouer, dénuder, dételer, dévêtir, diviser, élaguer, émettre, émonder, larguer, libérer, relaxer, retirer, révéler, sarcler, séparer ■ **8** absoudre, corridor, débâcler, déballer, débander, débarber, débattre, déblayer, débrayer, débrider, déclouer, décoller, défubler, dégainer, déganter, dégommer, dégorger, dégrafer, dégrever, délivrer, démarrer, dépétrer, détacher, dévisser, dévoiler, élucider, encolure, exempter, exonérer, expédier, nettoyer, normatif, pétiller, promesse, racheter, relâcher ■ **9** abstraire, acquitter, débloquer, déboucher, débourser, déceindre, décercler, déchaîner, décharger, décoiffer, décoincer, découvrir, décrocher, défricher, démasquer, démeubler, démuseler, desceller, désemplir, désopiler ■ **10** affranchir, décacheter, décalotter, déchausser, décloîtrer, dégagement, dépaqueter, dérouiller, désenlacer, désinvolte, développer, distinguer, écheniller, simplifier ■ **11** chantourner, débarrasser, déboutonner, débrouiller, déchiqueter, décliqueter, déharnacher, démailloter, démastiquer, déprisonner, désemballer, désempêtrer, désenclouer, désensabler, désentraver, déshabiller, désobstruer, détortiller ■ **12** débarricader, désembourber, désencombrer, désencroûter, désentraver ■ **13** débarbouiller, désincarcérer ■ **15** désembouteiller.
DEGARNI : **10** désassorti.

DEGARNIR: 4 vide ■ 7 dégréer, pare-feu ■ 9 clairière, démeubler, dépailler, dépeupler, éclaircie ■ 11 débarrasser, désassortir ■ 12 dégarnissage.
DEGASOLINAGE: 11 dégasoliner.
DEGASOLINER: 12 dégasolinage.
DEGAT: 5 larve ■ 6 avarie, ravage ■ 7 dommage, pillage ■ 11 dégradation, déprédation ■ 13 détérioration.
DEGAUCHIR: 13 dégauchissage ■ 14 dégauchisseuse ■ 15 dégauchissement.
DEGAZER: 8 dégazage.
DEGAZONNER: 11 dégazonnage.
DEGEL: 5 fonte, regel ■ 7 débâcle ■ 10 dégèlement ■ 11 raspoutitsa, solifluxion ■ 12 solifluction.
DEGENERER: 4 môle ■ 5 biser ■ 6 tomber ■ 7 abcéder ■ 8 dégénéré, stéatose ■ 9 abâtardir ■ 11 abaissement, dégénération ■ 13 cancérisation, dégénérescence.
DEGENERESCENCE: 7 pycnose ■ 11 dégénératif.
DEGINGANDE: 7 bringue.
DEGIVRER: 9 dégivrage, dégivreur.
DEGLUTIR: 9 dysphagie.
DEGLUTITION: 6 avaler ■ 8 déglutir ■ 9 épiglotte.
DEGOMMER: 2 ex ■ 9 dégommage.
DEGONFLER: 11 déballonner ■ 12 dégonflement.
DEGORGER: 6 couler ■ 9 désopiler.
DEGOURDIR: 7 délurer ■ 8 dégourdi, dessaler, éveiller, fougueux ■ 9 dégaucher ■ 10 dérouiller, désinvolte.
DEGOUT: 2 fi ■ 3 las ■ 4 berk, foin, pouh, soul ■ 5 aigre, beurk, blasé, ennui, haine, pouah, saoul ■ 6 nausée, ordure, saleté, spleen ■ 7 déboire, horreur*, satiété ■ 8 anorexie, aversion, puanteur, rassasié, soulever ■ 9 byronisme, cacositie, déplaisir, dysorexie, éconduire, lassitude, répulsion, sursauter ■ 10 antipathie, fastidieux, répugnance* ■ 11 dégoûtation, disulfirame, écœurement, éloignement, haut-le-cœur, hydrophobie, inappétence, soulèvement ■ 12 désabusement, misanthropie ■ 15 désenchantement.
DEGOUTANT: 4 fade, sale ■ 5 puant ■ 6 cochon, diffus, infect, odieux ■ 7 fadasse, ignoble, immonde, lassant, sordide ■ 8 choquant, ennuyeux, insipide, monotone, nauséeux, rebutant ■ 9 alléchant, assommant, endormant, exécrable, malpropre, répugnant, révoltant ■ 10 déplaisant, fastidieux, innommable, nauséabond, repoussant ■ 11 dégoûtation, immangeable ■ 12 dégoûtamment, insignifiant.
DEGOUTER: 4 puer ■ 5 vomir ■ 6 blaser, soûler ■ 7 affadir, choquer, rebuter, rejeter ■ 8 déplaire, écœurer, répugner*, révolter, soulever ■ 9 repousser ■ 10 débéqueter ■ 11 barbouiller, débecqueter.
DEGOUTTER: 6 couler ■ 7 saigner.
DEGRADATION: 5 dégât, ruine ■ 7 érosion ■ 8 entropie ■ 9 glycolyse ■ 10 mutilation ■ 11 abaissement, antioxydant, carnisation, égueulement, fibrinolyse, métabolisme, profanation ■ 12 fermentation, prostitution ■ 13 abrutissement, affouillement, carnification, déculturation, détérioration, pourrissement.
DEGRADER: 6 avilir, casser ■ 7 abrutir ■ 8 diminuer, ennoblir, humilier, profaner ■ 9 abaissant, abâtardir, dégradant ■ 10 dégravoyer, détériorer, égratiner, prostituer.
DEGRAISSER: 5 salon ■ 8 nettoyer ■ 9 smectique ■ 11 dégraissage, dégraisseur.
DEGRAVOIEMENT: 10 dégravoyer.

DEGRE : 2 pk ■ 3 âge, dan, sub, ton ■ 4 bien, cime, côté, cran, hypo, plus, rang*, saut, test, typé, zéro ■ 5 abîme, archi, baumé, casse, étage, étape, faîte, force, gamme, génie, grade*, ilote, lieue, lisse, mille, point, sénat, sixte, stade, titre ■ 6 apogée, comble, gradin, marche, maxima, mesure*, niveau*, nuance, palier, perron, portée, redans, sommet, summum, zénith ■ 7 échelon, échelle, étagère, étendue, hauteur, maximal, maximum, minimum ■ 8 diapason, escalier, habitude, médiante, meilleur, primaire, quartier, vavassal ■ 9 culminant, dominante, dynamisme, gradation, intensité, maximiser, mouvement, paroxysme, résolvant, souverain, supérieur, vavasseur, vénérable ■ 10 alcoomètre, comparatif, dédoublage, dégression, exaltation, excellence, hiérarchie, marchepied, progressif, superlatif, tétracorde, transition ■ 11 extrêmement, maximaliser, pénétration, progression ■ 12 probabilisme ■ 13 biquadratique, graduellement, superposition.

DEGRESSIF : 12 dégressivité.

DEGRINGOLER : 6 tomber* ■ 9 déguiller, descendre ■ 12 dégringolade.

DEGRIPPER : 10 dégrippant.

DEGRISER : 11 dégrisement.

DEGROSSIR : 4 têtu ■ 5 limer, plane ■ 8 corroyer, smillage ■ 9 décrasser, épanneler, praticien ■ 13 dégrossissage ■ 15 dégrossissement.

DEGUENILLE : 9 loqueteux, va-nu-pieds ■ 10 dépenaillé.

DEGUERPIR : 4 fuir* ■ 6 enfuir, partir ■ 10 décaniller ■ 15 déguerpissement.

DEGUISEMENT : 7 nuement.

DEGUISER : 2 nu ■ 5 gazer, momer, taire ■ 6 cacher, farder, nûment ■ 7 changer, enrober, masquer, pallier, plâtrer, simuler ■ 8 chienlit ■ 9 camoufler, faussaire, maquiller, mascarade, recouvrir, travestir ■ 10 envelopper ■ 11 contrefaire, déguisement, emmitoufler.

DEGUSTATION : 7 flaveur.

DEGUSTER : 5 boire, tâter ■ 6 dégoût, goûter*, manger, ragoût, renvoi ■ 7 déboire, essayer, flatter, siroter ■ 8 ragoûter, savourer ■ 9 avant-goût ■ 11 arrière-goût, dégustateur, dégustation.

DEHANCHER : 12 déhanchement.

DEHARNACHER : 14 déharnachement.

DEHISCENT : 5 valve.

DEHORS : 3 out ■ 4 hors ■ 5 extra, hardi, loger ■ 6 aspect, dessus, ex vivo, façade, panard, valgus ■ 7 externe, in vitro ■ 8 apparent, déférent, éjection, embardée, extérieur*, incurver, pot-de-vin, révoluté, saillant ■ 9 ectropion, émissaire, endosmose, extérieur, hors-la-loi, hors-piste, prolapsus ■ 10 apolitique, extra-légal, hors-pistes, paroptique, solipsisme, supinateur ■ 11 extra-utérin, extrinsèque, superficiel ■ 12 endométriose, extérioriser ■ 13 extraconjugal, extrascolaire ■ 15 extrabudgétaire, extrastatutaire.

DEIFIER : 9 apothéose, glorifier ■ 11 déification.

DEISME : 7 théisme.

DEJECTION : 5 étron ■ 6 fiente ■ 7 matière ■ 9 excrément.

DEJETER : 11 déjettement.

DEJEUNER : 5 lunch, repas ■ 6 brunch ■ 9 breakfast.

DELABRE : 7 cassine.

DELAI : 5 arrêt, levée, pâque, pause, recul, répit, repos*, temps, terme, trêve ■ 6 annion, crédit, remise, retard*, starie, sursis, usance ■ 7 attente, demeure, estarie, lenteur ■ 8 échéance, longueur ■ 9 battement, dilatoire, hic et nunc, moratoire, préfixion, surséance ■ 10 délai-congé, expiration, forclusion, péremption, sur-le-champ ■

11 promptitude, quarantaine, retardement* ■ 12 atermoiement, incessamment, prescription.
DELAISSER: 6 droper, partir* ■ 7 dropper, laisser* ■ 8 détresse ■ 9 sacrifier ■ 10 abandonner* ■ 12 délaissement.
DELAITER: 9 délaitage ■ 11 délaitement.
DELASSER: 6 amuser* ■ 7 récréer, reposer ■ 9 délassant, distraire ■ 10 distractif, distrayant, récréation ■ 11 délassement, distraction.
DELATION: 8 délateur ■ 10 accusation ■ 12 dénonciation.
DELAVER: 7 tremper ■ 8 délavage.
DELAYER: 4 pâte ■ 5 buvée, godet, lavée, lavis ■ 6 diluer, fondre ■ 7 étendre ■ 9 dissoudre ■ 10 affleurage ■ 12 térébenthine.
DELECTER: 7 plaisir, régaler ■ 8 agréable, savourer ■ 10 délectable, gargariser ■ 11 délectation.
DELEGUE: 4 près ■ 5 légat, seize ■ 6 envoyé ■ 7 intrant ■ 8 délégant, official ■ 9 intendant ■ 10 définiteur, propréteur ■ 11 ambassadeur.
DELEGUER: 7 députer, envoyer, mission ■ 8 détacher, mandater ■ 9 remplacer ■ 10 délégateur, délégation ■ 11 délégataire, délégatoire, subdéléguer.
DELESTER: 7 alléger ■ 9 délestage.
DELIBERATION: 4 fiat ■ 5 recès, recez.
DELIBERE: 5 hardi, voulu ■ 9 intention ■ 11 proposition ■ 12 intentionnel.
DELIBERER: 4 avis, fiat ■ 5 levée ■ 6 penser ■ 7 décider, lecture, tribute ■ 8 abstenir, débattre, examiner ■ 9 président ■ 10 délibérant, indélibéré ■ 11 bicamérisme, délibératif ■ 12 délibération ■ 13 bicaméralisme, délibératoire.
DELICAT: 3 fin*, pur, ris ■ 4 chic, doux, flou, joli, menu, poli, rare, sale, tact ■ 5 câlin, délié, fluet, frêle, joint, léché, léger, mégir, mince*, mufle, omble, perlé, suave, sucré* ■ 6 affété, ciselé, coquet, doucet, exquis, faible, friand, galant, gentil, maigre, mignon, minois, soigné, subtil, svelte, tendre ■ 7 affecté, attique, brûlant, caresse, céladon, dégoûté, élégant, épineux, fignole, fragile*, maniéré, mignard, morbide, pudique, raffiné ■ 8 agréable, cajoleur, dorloter, efféminé, flatteur, glissant, gracieux, grossier, malingre, mielleux, mignoter, précieux, raffiner, scabreux, sensible, superfin, vulgaire ■ 9 délicieux, difficile, distingué, doucereux, gringalet, indélicat, ingénieux, mauviette, minutieux*, savoureux, séduisant, spirituel ■ 10 affriolant, scrupuleux*, voluptueux ■ 11 délicatesse, sentimental, sot-l'y-laisse ■ 12 délicatement ■ 13 consciencieux ■ 14 indélicatement.
DELICATEMENT: 8 mignoter.
DELICATESSE: 5 grâce ■ 6 bleuet, pureté ■ 7 finesse, minutie, volupté ■ 8 élégance, muflerie, scrupule ■ 9 affection, atticisme, cajolerie, câlinerie, honnêteté, politesse, subtilité, tendresse, vulgarité ■ 10 galanterie, mignardise, morbidesse, préciosité ■ 11 grossièreté, mignonnerie, raffinement, sensibilité ■ 13 indélicatesse.
DELICIEUX: 4 éden, joie ■ 5 suave ■ 6 délice, exquis, nectar ■ 7 bonheur, plaisir ■ 8 agréable, charmant ■ 9 ambroisie, exquisité ■ 14 délicieusement.
DELICTUEUX: 9 délictuel ■ 13 préméditation.
DELIE: 3 fin* ■ 4 lacs, menu, ténu ■ 5 épais, filet, mince, plein ■ 6 effilé, élancé, faible, subtil, svelte ■ 7 délicat, fragile ■ 8 coupable ■ 9 filiforme.
DELIER: 7 relever ■ 8 détacher ■ 9 déliement ■ 12 indissoluble.
DELIGNAGE: 10 déligneuse.
DELIMITE: 10 bantoustan.

DELIMITER: **8** cantonner, indéfini ■ **11** intercepter ■ **12** délimitation.
DELINQUANT: **3** cas ■ **5** pénal ■ **6** loubar ■ **7** loubard, relégué ■ **8** coupable ■ **9** patronage ■ **13** prédélinquant.
DELIQUESCENCE: **11** abaissement.
DELIRE: **3** fou ■ **5** rêver ■ **6** fièvre, fureur ■ **7** passion ■ **8** délirant, frénésie ■ **9** égarement, paranoïde, transport, zoopathie ■ **10** divagation ■ **11** mégalomanie, paraphrénie, systématisé, zoanthropie, zoopathique ■ **12** enthousiasme ■ **15** delirium tremens.
DELISSAGE: **8** délisser.
DELISSER: **9** délissage.
DELIT: **3** mal, vol ■ **4** faux, vice ■ **5** crime*, excès, faute*, péché, usure ■ **6** fraude, méfait ■ **7** déliter ■ **8** atteinte, chantage, complice, délitage, flagrant, inculper, monition ■ **9** tricherie, violation ■ **10** complicité, concussion, délinquant, délitement, grivèlerie, quasi-délit, stellionat ■ **11** délinquance, escroquerie, inculpation, vagabondage ■ **12** détournement, malversation, procès-verbal ■ **13** correctionnel, contravention, prévarication, qualificateur ■ **15** correctionnelle.
DELIVRE: **11** billettiste.
DELIVRER: **5** exeat, tirer ■ **6** éviter, guérir, livrer, purger, quitte ■ **7** défaire, dégager, libérer* ■ **8** expédier, patenter, racheter, secourir ■ **9** accoucher, catharsis, mettre bas ■ **10** affranchir, délivrance ■ **11** débarrasser*, enfantement ■ **12** désenchaîner ■ **13** désensorceler, désintoxiquer.
DELOYAL: **4** ruse ■ **5** félon, judas ■ **6** cochon ■ **7** apostat, embûche, parjure, perfide, renégat, traître ■ **9** guet-apens, infidèle, scélérat, sournois ■ **9** déloyauté, faux frère ■ **12** déloyalement ■ **13** machiavélique.
DELTA: **9** deltaïque.
DELTOIDE: **10** deltoïdien.
DELUGE: **5** arche, pluie* ■ **8** diluvien ■ **10** inondation ■ **12** antédiluvien.
DELURE: **3** vif ■ **6** dégagé ■ **8** dégourdi, fougueux ■ **10** désinvolte.
DELUSTRER: **7** décatir, ternir, dépolir ■ **10** délustrage.
DEMAGOGIE: **9** démagogue ■ **10** démocratie ■ **11** démagogique.
DEMAIGRIR: **15** démaigrissement.
DEMAILLER: **10** démaillage.
DEMANCHER: **8** démanché ■ **12** démanchement.
DEMANDE: **4** donc ■ **5** appel, grâce, merci, objet, offre, pouce, quête ■ **6** brigue, placet, prière* ■ **7** adresse, recours, requête, rescrit, souhait ■ **8** commande, débouter, exigence, fluidité, mission, pétition, question* ■ **9** atomicité, demandeur, doléances, objection, obsession, postulant, requérant, rogatoire, sommation, supplique, ultimatum ■ **10** conclusion, insistance, invitation, ordonnance ■ **11** codemandeur, déboutement, desideratum, imploration, réclamation, réquisition ■ **12** consultation, contribution, reconvention ■ **13** interrogation*, revendication, surproduction ■ **14** interpellation.
DEMANDER: **5** prier*, voter ■ **6** chiner, exiger*, mander, quêter, sommer ■ **7** briguer, désirer, exaucer, exposer, inviter, mendier, obséder, prendre, retenir, vouloir ■ **8** accorder, cuisiner, exprimer, formuler, harceler, implorer, insister, postuler, réclamer*, recouvrir, requérir, supplier, surfaire ■ **9** commander, consulter, expliquer, prétendre, quémander, souhaiter, souscrire ■ **10** importuner, intercéder, interjeter, interroger, intervenir, redemander, solliciter ■ **11** interpeller, pétitionner, questionner, revendiquer.
DEMANDEUR: **7** serveur.

DEMANGEAISON: 4 gale ■ 6 prurit ■ 8 craw-craw, crow-crow, démanger ■ 11 bourbouille, prurigineux, trombidiose ■ 14 chatouillement ■ 15 antiprurigineux.
DEMANTELER: 5 raser ■ 7 abattre, démolir ■ 9 disloquer ■ 12 démantibuler ■ 13 démantèlement.
DEMAQUILLER: 12 démaquillage.
DEMARCHAGE: 10 démarcheur ■ 11 porte-à-porte.
DEMARCHE: 6 allure, course ■ 7 dégaine ■ 10 courreries, démarcheur.
DEMARQUER: 9 démarcage.
DEMARRAGE: 5 broum ■ 11 anticabreur.
DEMARRER: 6 partir ■ 9 démarrage ■ 10 redémarrer.
DEMASQUE: 5 brûlé ■ 6 grillé.
DEMASTIQUER: 11 démasticage.
DEMATER: 8 démâtage.
DEMATERIALISATION: 14 dématérialiser.
DEMELE: 7 dispute* ■ 8 démêlant ■ 12 contestation.
DEMELER: 5 trier ■ 6 carder, démêlé ■ 7 peigner ■ 8 démêlage, démêlant, démêloir ■ 9 demêlures, éclaircir ■ 10 distinguer ■ 11 débrouiller ■ 12 inextricable ■ 14 débrouillement, désentortiller.
DEMEMBREMENT: 7 partage ■ 8 maintien ■ 9 découpage ■ 11 dislocation.
DE MEME: 4 dito, item, itou ■ 5 ainsi, comme.
DEMENAGEMENT: 11 déménageuse.
DEMENAGER: 10 déménageur ■ 11 déraisonner, transporter ■ 12 déménagement.
DEMENCE: 5 folie* ■ 6 aliéné ■ 9 alzheimer, cacolalie, démentiel ■ 11 hébéphrénie ■ 14 presbyophrénie.
DEMENTIEL: 9 présénile.
DEMENTIR: 4 nier ■ 7 réfuter ■ 8 infirmer ■ 10 contredire.
DEMERITE: 5 peste, rebut ■ 6 odieux, piteux, triste ■ 7 fâcheux ■ 8 blâmable, damnable, horrible, pendable ■ 9 dégradant, exécrable, humiliant, misérable, pitoyable ■ 10 déplorable ■ 11 déshonorant, intolérable, regrettable ■ 13 répréhensible.
DEMESURE: 5 excès*, maous, titan ■ 6 énorme ■ 7 effréné, immense ■ 8 colossal, excessif, illimité, immodéré ■ 12 démesurément ■ 15 disproportionné, malproportionné.
DEMETTRE: 8 abdiquer ■ 9 démission, destituer, disloquer ■ 10 abandonner.
DEMEURE: 3 feu ■ 4 gîte, toit ■ 5 bière, bouge, casba, foyer, hôtel, logis, tente ■ 6 cabane, gourbi, maison*, manoir, masure, prison, séjour, taudis ■ 7 adresse, baraque, caserne, château, couvent, galetas, hôpital, hospice, pénates ■ 8 domicile, ermitage, garnison, internat, logement*, quartier, retraite ■ 9 habitacle, intérieur, résidence, sommation ■ 10 habitation*, intermonde, sédentaire ■ 11 ameublement ■ 12 conciergerie ■ 13 établissement.
DEMEURER: 5 fixer, gîter, loger, poser, tenir, river ■ 6 nicher, rester* ■ 7 arrêter, habiter*, résider, retenir, tremper ■ 8 attarder, survivre ■ 9 incruster, persister, séjourner, subsister ■ 10 persévérer ■ 12 stationnaire.
DEMI: 2 mi ■ 4 semi ■ 5 tango ■ 6 moitié* ■ 10 entrouvert.
DEMI-CERCLE: 5 gorge, venet, voûte ■ 7 caveçon ■ 9 demi-volte, hémicycle ■ 10 rapporteur ■ 14 demi-circulaire, quatre-feuilles, semicirculaire.
DEMI-DOSE: 4 baby.
DEMI-FOND: 5 miler.

DEMI-GROS : 9 grossiste ■ 10 chevillard.
DEMI-LUNE : 7 ravelin ■ 11 semi-lunaire.
DEMINER : 8 déminage, démineur.
DEMI-PRODUIT : 11 semi-produit.
DEMI-SOMMEIL : 8 somnoler ■ 12 hypnagogique ■ 14 assoupissement.
DEMI-SPHERE : 4 dôme ■ 5 poche ■ 10 hémisphère ■ 13 hémisphérique.
DEMISSIONNER : 6 sauter ■ 7 dévêtir, quitter, retirer ■ 8 abdiquer, désister, remettre, renoncer, résigner ■ 9 démission ■ 14 démissionnaire.
DEMI-TEINTE : 10 mezzo-tinto ■ 13 simili-gravure.
DEMI-TON : 5 bémol, dièse, gamme ■ 7 semi-ton ■ 15 micro-intervalle.
DEMI-TOUR : 8 chaintre.
DEMOBILISER : 13 démobilisable ■ 14 démobilisation.
DEMOCRATIE : 9 démagogie, démocrate ■ 10 démophilie ■ 11 jacobisme ■ 12 démocratique, démocratiser ■ 15 démocratisation.
DEMODE : 5 caduc, cucul, dater, tacot ■ 6 désuet, rococo ■ 7 antique, dépassé, suranné ■ 9 rossignol ■ 12 antédiluvien.
DEMODER : 11 indémodable.
DEMODULER : 12 démodulateur, démodulation.
DEMOGRAPHIE : 10 démographe ■ 12 géostratégie ■ 13 démographique.
DEMOISELLE : 3 hie ■ 4 miss ■ 5 fille ■ 6 agrion ■ 7 odonate ■ 8 senõrita ■ 9 libellule.
DEMOLIR : 6 ruiner ■ 7 abattre* ■ 8 détruire* ■ 10 déclinquer, déglinguer, démanteler, démolition ■ 11 démolisseur ■ 12 démantibuler.
DEMON : 5 enfer, lamie, lutin, malin, porte ■ 6 démone, diable*, incube, maudit ■ 7 possédé, succube ■ 9 démonisme, exorciser, exorciste, poulpican ■ 10 démoniaque, diabolique, énergumène ■ 11 conjuration, démonologie, démonomanie ■ 13 démonographie.
DEMONIAQUE : 10 luciférien.
DEMONETISER : 14 démonétisation.
DEMONSTRATIF : 2 çà, ce, ci ■ 3 ces, cet ■ 4 ceci, cela, ceux ■ 5 celle, celui, cette, iceux ■ 6 celles, ceux-ci, ceux-là, icelle, icelui ■ 7 celle-ci, celle-là, celui-ci, celui-là, icelles ■ 8 celles-ci, celles-là.
DEMONSTRATION : 5 frime, lemme, levée ■ 6 preuve ■ 8 argument*, postulat, synthèse ■ 9 exubérant ■ 10 conclusion, corollaire, exhibition, réfutation, témoignage ■ 11 déploiement ■ 12 enthousiasme, protestation, raisonnement, réjouissance ■ 13 argumentation, justification, manifestation.
DEMONTER : 6 monter ■ 9 clastique, débobiner, démontage ■ 10 démontable ■ 11 déboulonner, déconcentrer, déconnecter ■ 12 démantibuler, indémontable.
DEMONTRE : 5 obvie.
DEMONTRER : 6 arguer ■ 7 déduire, établir, inférer, montrer, prouver*, réfuter ■ 8 conclure ■ 9 justifier, persuader, raisonner ■ 10 argumenter, convaincre ■ 11 apodictique, démontrable ■ 12 démonstratif ■ 13 indémontrable.
DEMORALISER : 7 abattre ■ 10 décourager ■ 14 démoralisateur, démoralisation.
DEMOTIVE : 10 démotivant.
DEMOTIVER : 12 démotivation.
DEMOULAGE : 9 démouleur.
DEMOULER : 9 démouleur.
DEMOUSTIQUER : 14 démoustication.

DEMUNI : 5 panné ■ 9 disetteux ■ 10 désargenté.
DEMUNIR : 6 démuni, perdre ■ 11 désargenter ■ 9 sans-le-sou.
DEMYSTIFIER : 12 démystifiant.
DEMYTHIFIER : 15 démythification.
DENASALISER : 14 dénasalisation.
DENATURE : 5 cruel ■ 7 marâtre.
DENATURER : 5 gâter ■ 7 altérer, changer* ■ 8 déguiser ■ 9 corrompre, défigurer, falsifier ■ 10 dénaturant ■ 11 contrefaire ■ 12 dénaturation.
DENAZIFIER : 14 dénazification.
DENEBULER : 12 dénébulation ■ 14 dénébulisation.
DENIAISER : 7 délurer.
DENICHER : 7 chasser, trouver* ■ 9 dénicheur, rapercher.
DENIER : 4 déni, nier ■ 5 blanc, louis, obole ■ 8 démentir ■ 9 trésorier ■ 10 dénégation, indéniable.
DENIGRER : 6 blâmer, dauber, médire ■ 7 accuser, débiner ■ 8 décauser, mépriser ■ 9 clabauder, dénigrant, dénigreur, détracter ■ 10 déblatérer ■ 11 contempteur, dénigrement, discréditer.
DENIVELLATION : 4 à-pic ■ 5 rejet ■ 6 graben.
DENOMBREMENT : 4 cens ■ 7 compter, litanie ■ 9 dénombrer ■ 10 généalogie, inventaire ■ 11 dénombrable, énumération, recensement, statistique.
DENOMBRER : 7 nombrer ■ 13 indénombrable.
DENOMINATION : 3 nom*, v.i.h. ■ 8 dénommer ■ 11 appellation, dénominatif ■ 12 dénominateur ■ 13 qualification.
DENONCER : 6 cafter, donner, vendre ■ 7 accuser, annuler, plainte ■ 8 cafarder, délateur, délation, raccuser, signaler ■ 10 moucharder ■ 12 dénonciateur, dénonciation.
DENONCIATEUR : 7 cafteur ■ 9 cafardeur.
DENOTER : 10 dénotation.
DENOUEMENT : 3 fin ■ 8 happy end, résultat*, solution ■ 10 conclusion ■ 11 catastrophe.
DENOUER : 7 défaire ■ 11 indénouable ■ 13 deus ex machina.
DENOYAUTER : 10 énoyauteur ■ 11 dénoyautage, dénoyauteur.
DENOYER : 8 dénoyage.
DENREE : 4 taxe ■ 5 offre, tarif, taxer ■ 6 vivres ■ 8 commerce, salaison ■ 9 provision ■ 10 mercuriale ■ 11 comestibles, marchandise, subsistance ■ 12 conservateur ■ 13 conditionneur.
DENSE : 3 dru ■ 4 bref, rare ■ 5 épais*, plein, plomb, serré ■ 6 concis, opaque, solide, touffu ■ 7 compact, raréfié ■ 8 condensé ■ 9 concentré, densément ■ 12 concrescible, forêt-galerie.
DENSIMETRE : 13 densimétrique.
DENSITE : 5 baumé, degré ■ 7 opacité ■ 8 pèse-lait, uromètre ■ 9 aéromètre, aréomètre, densifier, épaisseur, oléimètre, pèse-acide, pèse-sirop, uréomètre ■ 10 aérométrie, compactage, concrétion, densimètre, pèse-esprit, pycnomètre ■ 11 densimétrie ■ 12 condensation, galactomètre ■ 13 concentration ■ 15 lactodensimètre.
DENT : 4 came, coin, croc, scie ■ 5 abcès, bulbe, carie, crête, denté, dentu, émail, fanon, herse, inlay, lèvre, morné, morse, perle, pince, pulpe, redan, vivré ■ 6 bouche, bridge, broche, canine, cément, chicot, ciment, collet, dental, dentée, ivoire, marfil, morfil, racine, tartre ■ 7 aglyphe, al dente, alvéole, crochet, cuspide, défense, dentier, dentine, denture, fluxion, molaire, surdent ■ 8 alluchon, aurifier, chocotte, couronne, crénuler, cure-dent, dentaire, denteler, dentiste, fourchon, incisive, quenotte, ratelier, tridenté ■ 9 anodontie,

dentelure, denticule, dentition, égression, engrêlure, gingivite ■ 10 brèche-dent, bruxomanie, dentifrice, dénudation, détartrage, endodontie, mâchelière, obturation, odontalgie, périostite, prémolaire ■ 11 crémaillère, croustiller, dentisterie, endentement, indentation, odontologie, stéréodonte ■ 12 protège-dents, stomatologie ■ 13 bucco-dentaire, déchaussement ■ 14 réimplantation.

DENTAIRE: 7 carieux, pulpite ■ 8 eugénate ■ 10 pédodontrie.

DENT-DE-LION: 9 pissenlit.

DENTELE: 5 crête ■ 6 morfil ■ 7 crénelé ■ 8 rustique ■ 9 barbillon, bretteler, dentelure ■ 10 déchiqueté.

DENTELLE: 4 gaze, laie ■ 5 bride, canon, fichu, filet, jabot, lacis, picot, point, ruche, sedan, tulle, vélin, voile ■ 6 blonde, feston, france, fuseau, gueuse, réseau, venise ■ 7 alençon, bisette, canezou, colbert, guipure, irlande, macramé, malines ■ 8 argentan, barrette, bretonne, grandin, mantille, tavaïole, tulliste ■ 9 bruxelles, chantilly, clinquant, engrêlure, frivolité, grenadine, manchette, passement, tavaïolle ■ 10 angleterre, dentellier, entretoile ■ 11 dentellerie, dentellière, mignonnette ■ 12 remplisseuse, valenciennes.

DENTELURE: 11 odontomètre.

DENTIROSTRES: 5 grive, tyran.

DENTISTE: 9 appui-tête, praticien ■ 10 appuie-tête ■ 11 pied-de-biche, stéréodonte.

DENTURE: 9 homodonte.

DENUDER: 6 chauve ■ 7 dévêtir, tonsure ■ 10 dépouiller.

DENUE: 7 infondé.

DENUEMENT: 5 a quia, besoin, dénué ■ 6 dénuer, manque, misère ■ 8 dépourvu, opulence, pauvreté ■ 13 dépouillement.

DENUTRITION: 7 dénutri ■ 10 consomptif ■ 11 kwashiorkor.

DEPAILLER: 10 dépaillage.

DEPALISSER: 11 dépalissage.

DEPANNAGE: 9 dépanneur ■ 10 dépanneuse.

DEPAQUETER: 11 dépaquetage.

DEPAREILLE: 10 désassorti.

DEPAREILLER: 8 déparier ■ 11 désapparier, désassortir.

DEPARIER: 11 dépareiller, désapparier.

DEPART: 3 dés, ère ■ 4 gare, zéro ■ 5 exode, point ■ 7 starter ■ 8 briefing, escapade, partance ■ 12 appareillage, starting-gate ■ 13 starting-block.

DEPARTAGE: 5 belle.

DEPARTAGER: 8 tie-beak ■ 11 départiteur, goal-average.

DEPARTEMENT: 8 province ■ 11 subdivision ■ 12 portefeuille ■ 13 départemental.

DEPARTIR: 8 renoncer ■ 10 abandonner, distribuer.

DEPASSE: 6 périmé.

DEPASSER: 4 rush ■ 5 excès ■ 6 passer ■ 7 doubler, excéder, gratter, saillir ■ 8 déborder, dribbler, énormité, exagérer immodéré, trémater ■ 9 gold-point, supérieur, suréquipe, surmonter, surnombre, transfini ■ 10 subliminal, surnaturel, surplomber ■ 11 dépassement, outrepasser, surréalisme, transcender ■ 12 inimaginable, nec plus ultra.

DEPAVER: 8 dépavage.

DEPAYSE: 9 dépaysant.

DEPAYSER: 6 égarer ■ 11 dépaysement, embarrasser.

DEPECER: 6 couper ■ 8 découper, dépeçage, dépeceur, équarrir, partager ■ 10 dépècement ■ 12 équarrissage, équarrisseur.

DEPECHE: 5 poste ■ 6 lettre ■ 8 courrier, nouvelle ■ 9 petit-bleu ■

10 malle-poste, télégramme ■ **11** pneumatique ■ **13** télégraphique, télégraphiste.

DEPECHER: **5** hâter ■ **6** magner, manier ■ **8** détacher ■ **9** accélérer.

DEPEINDRE: **6** tracer ■ **7** brosser, décrire, peindre* ■ **8** raconter ■ **11** représenter* ■ **13** photographier.

DEPENALISER: **14** dépénalisation.

DEPENDANCE: **4** serf, sous ■ **5** sujet ■ **6** annexe, dehors, tenant, tenure ■ **7** accense, apanage, appoint, colonie, connexe, esclave, génétif, hommage, tutelle ■ **8** appentis, asservir, dépendre, faubourg, joignant, mouvance, surplus, parasite, subjugué, sujétion* ■ **9** alentours, assujetti, attenance, autonomie, dépendant, entourage, esclavage, obédience, satellite, servitude*, vassalité, vasselage ■ **10** alcoomanie, allégeance, auxiliaire, complément, solidarité, soumission, subalterne, subordonné, succursale, suffragant, supplément, tributaire, vampiriser ■ **11** arrière-fief, contre-allée, homographie, préposition, protectorat, subsidiaire ■ **12** alcoolomanie, appartenance, communaliser, impérialisme, ramification ■ **13** embranchement, subordination* ■ **14** asservissement, franc-bourgeois ■ **15** interdépendance.

DEPENDANT: **5** accro.

DEPENDRE: **5** obéir, selon, tenir ■ **6** dépens ■ **7** relever ■ **8** éventuel ■ **9** commander, rattacher, ressortir ■ **10** arbitraire ■ **11** sociogenèse, subordonner.

DEPENSE: **4** coût, écot, luxe ■ **5** avare, frais, liste ■ **6** budget, dépens, extras ■ **7** débours, onéreux ■ **8** économie, impenses ■ **9** dépensier, entretien, provision, regardant, règlement, surcharge ■ **10** componende, économique, imputation, intendante, sacrifices, somptuaire ■ **11** dispendieux, prodigalités, restriction, voluptuaire ■ **12** contribution, dilapidateur ■ **13** remboursement.

DEPENSER: **5** payer* ■ **6** gruger, mettre, régler, ruiner ■ **7** compter, cotiser, croquer ■ **8** calculer, dépocher, dissiper, épargner, soutenir, subvenir ■ **9** anticiper, débourser, dilapider, gaspiller, prodiguer ■ **10** boursiller, contribuer, entretenir, rembourser.

DEPERDITION: **5** perte ■ **6** perdre ■ **10** calorifuge, épuisement ■ **11** calorifuger.

DEPERIR: **7** languir*, phtisie ■ **8** consumer ■ **11** consomption, délabrement, marcescence ■ **12** dépérissement.

DEPEUPLER: **8** déserter ■ **11** désertifier ■ **12** dépeuplement, dépopulation.

DEPHASAGE: **8** déphaser ■ **9** déphaseur.

DEPILER: **8** arracher ■ **10** dépilation.

DEPIQUER: **8** dépicage **9** dépiquage.

DEPISTER: **8** dérouter ■ **9** découvrir, dépistage.

DEPITER: **3** zut ■ **5** dépit, fumer, vexer ■ **6** bouder ■ **7** bisquer, endêver, enrager ■ **8** jalouser, maronner ■ **10** contrarier, crève-cœur ■ **11** mécontenter*.

DEPLACE: **4** trop ■ **7** charrié ■ **8** immeuble, malséant, shocking ■ **9** navetteur ■ **11** inconvenant ■ **12** impertinence.

DEPLACEE: **7** jetisse ■ **8** jectisse.

DEPLACEMENT: **3** vol ■ **4** pied ■ **6** avance, cinèse, dérive, labile, report ■ **7** courant, souffle ■ **8** décalage, démanché, déplacer, luxation, microbus, roulette, virement ■ **9** advection, bougeotte, charriage, déviation, embarrure, évolution, itinérant, métathèse, migration, parallaxe, révulsion, saltation, transport, variation, vibratile ■ **10** aberration, allochtone, borborygme, changement, coulisseau, dérivation, divagation, élongation, émigration, escamotage, graduation, locomotion, locomotive, mutabilité, sidérostat, transition, traveling ■ 11 abaissement, brachiation, déboîtement, dérangement, fluctuation, oscillation, renversement, solifluxion, transfusion, translation, transvasion ■ 12 décentration, décentrement, déménagement, excentration, solifluction, stabilimètre ■ 13 aérodynamique, cryoturbation, électrocinèse, géliturbation, transposition ■ 14 transbordement, transmigration ■ 15 thermopropulsif, transplantation.

DEPLACER: 5 haler, riper, virer ■ 6 bouger, dévier, gruter, remuer, varier ■ 7 changer*, décaler, déhaler, drosser, emmener, glisser, tourner, traîner, voyager ■ 8 amovible, démettre, dépayser, déranger, emporter, immeuble, inverser, osciller, remonter, reporter, reverser, souffler ■ 9 crapaüter, décentrer, déménager, déplanter, dépointer, entraîner, escamoter, excentrer, remorquer, treuiller ■ 10 crapahuter, transfuser, transposer, transvaser ■ 11 intervenir, transborder, transporter ■ 12 intervertir, transpalette, transplanter.

DEPLAIRE: 4 puer ■ 5 gêner, vexer ■ 6 agacer, peiner ■ 7 blesser, choquer, ennuyer, irriter, rebuter ■ 8 dégoûter*, fatiguer, froisser, indigner, offenser, révolter ■ 9 offusquer ■ 10 contrarier*, déplaisant, désobliger, indisposer ■ 11 effaroucher, mécontenter*, scandaliser ■ 12 contrecarrer, désenchanter ■ 14 désillusionner.

DEPLAISANT: 4 fade ■ 5 lourd ■ 6 gênant, odieux, vexant, vilain ■ 7 fâcheux ■ 8 blessant, ennuyeux, fatigant, importun, insipide ■ 9 incommode, offensant, répugnant ■ 10 détestable, scandaleux ■ 11 désagréable, impopulaire, intolérable ■ 12 antipathique ■ 13 insupportable.

DEPLAISIR: 4 gêne ■ 5 ennui ■ 6 regret ■ 7 chagrin, offense, vilenie ■ 8 jouissif, scandale ■ 10 répugnance ■ 11 désagrément, froissement, importunité, incommodité ■ 12 contrariété, inconvénient ■ 14 mécontentement.

DEPLANTER: 10 déplantage, déplantoir ■ 12 déplantation.

DEPLATRER: 10 déplâtrage.

DEPLIER: 7 étendre ■ 8 dépliage, dépliant ■ 9 dédoubler, étalement, expliquer ■ 10 dépliement.

DEPLOMBER: 10 déplombage.

DEPLORABLE: 6 piteux, triste* ■ 9 misérable*, pitoyable* ■ 11 regrettable ■ 14 déplorablement.

DEPLOYER: 6 étaler ■ 7 arborer, éployer, étendre*, opposer ■ 8 déferler ■ 10 développer, phosphorer ■ 11 déploiement.

DE PLUS: 4 item, même ■ 5 aussi, outre.

DEPOLIR: 6 amatir, sabler, ternir ■ 11 dépolissage.

DEPOLITISER: 14 dépolitisation.

DEPOLLUE: 10 dépolluant.

DEPORTER: 6 bannir ■ 7 chasser, convict ■ 8 reléguer ■ 11 déportation, transporter.

DEPOSER: 5 dépôt, lente, miser ■ 6 droper, mettre ■ 7 charger, confier, dropper, floquer, inhumer ■ 8 déposant, désarmer, ensimage ■ 9 descendre, destituer, témoigner ■ 10 déposition, ensemencer, entreposer, sédimenter ■ 11 alluvionner, ovipositeur ■ 14 entrepositaire, galvanoplastie.

DEPOSITAIRE: 5 garde ■ 9 séquestre ■ 13 consignataire.

DEPOSITION: 10 laitonnage.

DEPOSSEDER: 5 déchu, voler* ■ 6 adirer, égarer, perdre, plumer, priver*, tondre ■ 7 aliéner, déficit, évincer, spolier ■ 8 détrôner ■ 9 dessaisir, destituer, dilapider, gaspiller ■ 10 dépouiller, déshériter, exproprier, hypothèque, péremption, socialiser ■ 12 dépossession, incommutable, prescription.

DEPOT : 3 lie ■ 4 dock, gare, port, silo, suie ■ 5 drift, falun, musée, stock, tanne, varve ■ 6 muséum, tartre, tophus ■ 7 arsenal, givrage, magasin ■ 8 alluvion, archives, chromage, cinérite, culotter, entrepôt, régulage, sédiment ■ 9 argenture, caillasse, colluvion, consigner, évaporite, fourrière, néritique, oviscapte, précipité, séquestre, subaérien, travertin, vestiaire ■ 10 entreposer ■ 11 déchetterie, dépositaire, enregistrer, ionoplastie ■ 12 consignation, effondrilles, incrustation ■ 13 aluminisation, conservatoire, consignataire, désincrustant, sédimentation, transcription.

DEPOTER : 8 dépotage ■ 10 dépotement.

DEPOUILLE : 4 mort ■ 5 clean, plumé ■ 7 cadavre, trophée ■ 10 détalonner.

DEPOUILLER : 4 ôter ■ 5 butin, laine, rober, voler ■ 6 dénuer, gruger, plumer, priver, tondre ■ 7 démunir, dénuder, dévêtir, égermer, élaguer, prendre, quitter, spolier, trophée ■ 8 désosser, ébourrer, écorcher, effriter, équeuter, nettoyer ■ 9 défruiter, dépiauter, déverguer, ébrancher ■ 10 déchausser, déposséder ■ 11 découronner, dépouillage, désentoiler, étronçonner ■ 12 désamidonner ■ 13 dépouillement, désenvelopper.

DEPOURVU : 4 gêné, vide ■ 5 aride, dénué, idiot, ladre, privé ■ 6 exempt, manque, pauvre ■ 7 aphylle, apprêté ■ 8 acéphale, atoxique, calvitie, imbécile ■ 9 démentiel, déshérité ■ 11 inexpressif, inorganique ■ 13 versificateur ■ 14 anastigmatique.

DEPOUSSIERAGE : 13 aspiro-batteur, dépoussiérant.

DEPOUSSIERER : 13 dépoussiéreur.

DEPRAVATION : 4 pica, tare, vice* ■ 6 luxure* ■ 7 gâterie ■ 8 débauche*, dénaturé ■ 9 perdition, souillure ■ 10 corruption, déshonneur, perversion, perversité* ■ 11 dégradation, flétrissure, profanation ■ 12 dépréciation ■ 14 dégénérescence.

DEPRAVE : 8 corrompu ■ 9 dépravant.

DEPRAVER : 5 gâter*, salir, tarer ■ 6 avilir, perdre, ternir, vicier* ■ 7 flétrir ■ 8 dégrader, déprimer, profaner, souiller ■ 9 corrompre*, dégénérer, déprécier, pervertir ■ 10 déshonorer.

DEPRECIER : 6 avilir ■ 7 décrier, ravaler ■ 8 abaisser, dénigrer, déprimer, dépriser, diminuer, mépriser ■ 9 détracter, rabaisser ■ 10 péjoration ■ 11 démonétiser, dépréciatif, discréditer ■ 12 dépréciateur, dépréciation.

DEPREDATION : 3 vol ■ 5 dégât ■ 6 rapine ■ 7 pillage ■ 10 concussion ■ 11 déprédateur.

DEPRENDRE : 7 déprise.

DEPRESSION : 3 pli, val ■ 4 coma, hile ■ 5 chott, combe, crise, fovéa ■ 6 ouvala, vallée, vallon ■ 7 cuvette, torpeur ■ 8 langueur ■ 9 battement, break-down, dépressif, déprimant ■ 10 abattement*, mélancolie, sidération ■ 11 boutonnière, cyclothymie, prostration ■ 14 alanguissement, antidépresseur, assoupissement ■ 15 dépressionnaire.

DEPRIME : 8 raplapla ■ 15 neurodépresseur.

DEPRISER : 8 déprimer ■ 9 déprécier.

DEPROGRAMMER : 15 déprogrammation.

DEPUIS : 2 de ■ 3 dès ■ 9 récemment ■ 12 dernièrement, nouvellement.

DEPURATIF : 7 bardane, livèche ■ 9 lampourde ■ 13 salsepareille.

DEPURER : 5 candi ■ 9 dépuratif ■ 10 dépuration.

DEPUTE : 5 nonce, sénat ■ 6 envoyé ■ 7 délégué ■ 9 doléances ■ 10 amphictyon, députation, non-inscrit ■ 13 thermidoriens.

DEQUALIFIER : 15 déqualification.

DERACINER : 8 arracher, extirper ■ 9 essoucher ■ 10 dessoucher ■ 12 déracinement ■ 13 indéracinable.

DERAIDIR : 8 déroidir.
DERAILLER : 12 déraillement.
DERAISON : 5 folie* ■ 7 ivresse ■ 8 insanité, témérité ■ 9 absurdité, illogisme ■ 10 aberration, affolement, enivrement ■ 11 aveuglement, imbécillité ■ 12 enthousiasme.
DERAISONNABLE : 3 sot ■ 5 idiot, niais ■ 6 insane ■ 7 absurde, insensé ■ 8 démesuré, imbécile ■ 9 illogique, téméraire ■ 11 extravagant, irrationnel ■ 13 irraisonnable.
DERAISONNER : 5 rêver ■ 7 affoler, radoter, tromper ■ 8 déconner, divaguer ■ 9 débloquer, déménager, dérailler ■ 13 déraisonnable ■ 14 déraisonnement.
DERANGE : 6 zinzin ■ 9 triekster ■ 10 dérangeant.
DERANGEMENT : 5 toqué ■ 6 tracas ■ 7 dérangé, trouble* ■ 8 désarroi, désordre, détraqué ■ 9 branle-bas, confusion ■ 11 dérèglement désarrimage, remue-ménage ■ 12 perturbation ■ 13 chambardement, décomposition ■ 14 bouleversement ■ 15 désorganisation.
DERANGER : 6 rompre ■ 8 déplacer, dérégler, troubler* ■ 9 brouiller, déclasser, décoiffer, dépeigner, détraquer ■ 10 désarrimer ■ 11 dérangement ■ 12 désorganiser.
DERAPER : 5 riper ■ 7 chasser, glisser ■ 8 dérapage ■ 12 antidérapant.
DERASER : 10 dérasement.
DERAYAGE : 6 drayer ■ 7 dérayer.
DEREALISATION : 10 déréaliser.
DEREGLEMENT : 9 humorisme, stop-and-go.
DEREGLER : 5 excès ■ 6 égarer ■ 8 débauche, déranger, libertin, troubler ■ 9 cognement, déréglage ■ 10 licencieux ■ 11 dérèglement, dissolution ■ 12 indéréglable.
DEREGULATION : 9 déréguler.
DERISION : 4 huer, punk ■ 6 mépris ■ 8 moquerie ■ 9 dérisoire, raillerie, sobriquet ■ 12 autodérision, plaisanterie.
DERISOIRE : 6 minime ■ 13 dérisoirement.
DERIVANT : 9 xanthique ■ 13 xanthogénique.
DERIVATIF : 5 hobby ■ 8 exutoire.
DERIVATION : 4 bief ■ 5 shunt ■ 6 détour ■ 9 adduction, apophonie, dérivatif.
DERIVE : 5 imide, l-dopa ■ 6 arsine, butyle, éthyle, phénol ■ 7 dioxine, éthanol, naphtol, phanère, phényle, sulfone, uraneux ■ 8 aspirine, hématine, nitrique ■ 9 acétylure, dérivatif, éthylique, mercaptan, phtalique, résorcine, vanadique ■ 10 benzylique, cinchonine, créatinine, dérivation, phénolique, pyrogallol, résorcinol, saccharine, sulfurique, terpénique, tungstique ■ 11 antimoniate, apomorphine, chloroquine, dénominatif, hindoustani, monogénisme ■ 12 acéthylénique, désoxyribose, ectodermique, nitrobenzène ■ 13 aminophylline, chloropicrine, diaminophénol, phénothiazine ■ 14 paramidophénol.
DERIVER : 5 venir ■ 8 découler, dériveur, provenir ■ 9 dérivable.
DERIVEUR : 7 vaurien.
DERMATOSE : 9 psoralène ■ 10 érythrasma, intertrigo ■ 12 puvathérapie ■ 13 érythrodermie ■ 15 paranéoplasique.
DERME : 4 peau* ■ 5 favus ■ 7 dermite ■ 8 dermique, pétéchie ■ 9 dermatite, dermatose, érésipèle, érysipèle, hypoderme ■ 10 intertrigo, pityriasis ■ 12 démangeaison, dermatologie, radiodermite, sclérodermie ■ 13 intradermique.
DERMOPTERE : 9 forficule ■ 12 perce-oreille.
DERNIER : 3 der, fin ■ 4 bout, cène, fion, soir ■ 5 balai, cadet, culot, dosse, final, ilote, polir, puîné, queue, reste, tarse, terme, talon ■

6 infime, limite, récent, ultime, ultimo ■ 7 clôture, extrême, moderne, nouveau, suprême* ■ 8 clausule, complies, partance, pliocène, prêtrise, réplique, traînard ■ 9 arasement, dernier-né, extrémité, finissage, hercynien, lazzarone, précédent, serre-file, tardillon, télophase, testament, ultimatum ■ 10 dégagement, in extremis, pénultième, péroraison, vieillesse ■ 11 cysticerque, magdalénien, phalangette, quaternaire ■ 12 avant-dernier ■ 14 anti-pénultième.

DERNIERE: 4 würm.

DEROBEE: 5 fuite ■ 8 tapinois ■ 9 invisible ■ 11 furtivement, secrètement.

DEROBER: 5 murer, voler* ■ 6 chiper, choper, piquer, voiler ■ 7 défiler, faucher, masquer, manquer, prendre*, volable ■ 8 barboter, chauffer, dérobade, dérobeur, échapper, marauder ■ 9 chaparder, détourner, escamoter ■ 10 approprier, capitulard, soustraire*, subtiliser.

DEROCHER: 9 dérochage.

DEROGATION: 5 écart ■ 7 déroger, licence ■ 11 dérogatoire.

DEROULER: 4 film ■ 5 suite ■ 7 avancer, dévider, tourner ■ 8 histoire ■ 9 débobiner, déroulage ■ 10 dérouleuse, développer ■ 11 déroulement.

DEROUTE: 7 débâcle, défaite ■ 9 débandade.

DEROUTER: 6 égarer ■ 8 dépayser, dépister ■ 9 déroutage, déroutant ■ 11 déroutement, embarrasser.

DERRIERE: 3 cul ■ 4 anus, lune, tain ■ 5 après, aubin, en-but, ergot, fanon, fesse, gigot, hayon, séant, train ■ 6 ballon, croupe, pétard ■ 7 arrière, culotte, dergère, derjeau, fessier, popotin, postère ■ 8 coulisse, dépasser, emboîter ■ 9 retourner, serre-file ■ 10 postérieur ■ 12 arrière-train ■ 15 arrière-boutique.

DERVICHE: 8 calender.

DES: 8 aussitôt ■ 10 backgammon.

DESABONNER: 13 désabonnement.

DESABUSER: 4 amer ■ 8 décevoir ■ 9 dessiller, détromper ■ 12 désabusement.

DESACCORD: 5 clash, heurt ■ 7 divorce, tension, zizanie ■ 8 anomalie, désunion, fâcherie, friction ■ 9 décompter, différend ■ 10 divergence ■ 12 ressemblance, tiraillement ■ 15 mésintelligence*.

DESACCOUTUMER: 15 désaccoutumance.

DESACRALISER: 15 désacralisation.

DESACTIVER: 13 désactivation.

DESAERER: 9 désaérage.

DESAFFECTER: 14 désaffectation.

DESAGREABLE: 3 cri ■ 4 amer, exil, fort, laid, rude, sale ■ 5 acide, aigre, fusel, garce, gaupe, lérot, mâtin, matou, merle, suave, tuile ■ 6 atroce, criard, maudit, odieux, vilain ■ 7 affreux, chameau, conasse, fâcheux, guêpier, méchant, merdeux, moineau ■ 8 blessant, casse-cul, choquant, connasse, écorcher, ennuyant, ennuyeux, maussade, saumâtre, tiédasse ■ 9 agacement, disparate, dissonant, grincheux, infumable ■ 10 déplaisant, détestable, grincement ■ 11 apostropher, arrière-goût, désespérant, disgrâcieux, malplaisant, regrettable ■ 12 criaillement, désobligeant, inharmonieux ■ 15 désagréablement.

DESAGREGATION: 5 arène, sable ■ 8 division, scission ■ 9 clastique, déchirure ■ 10 désagréger, détritique, mutilation, séparation ■ 11 disjonction, dislocation ■ 12 délitescence, démembrement.

DESAGREGER: 5 atome, péter ■ 6 crever, sauter ■ 7 déliter, désunir, diviser, éclater, étoiler, mutiler, scinder, séparer ■ 8 déboîter, déchirer, démettre, écrouler, effriter, ouvreuse, pétiller ■ **9** démembrer, dissoudre, disloquer ■ **10** décomposer, disjoindre ■ **11** désintégrer.

DESAGREMENT : **5** dammé, ennui, pépin, souci ■ **7** déboire ■ **8** trinquer ■ **10** embêtement ■ **14** mécontentement*.

DESAIMANTER : **14** désaimantation.

DESALIGNER : **13** désalignement.

DESALTERER : **5** boire ■ **10** rafraîchir ■ **11** désaltérant.

DESAMORCER : **11** désamorçage.

DESAPPOINTEMENT : **6** douche ■ **8** défriser ■ **9** déception ■ **10** crève-cœur, déconvenue ■ **11** désillusion ■ **12** désappointer.

DESAPPROBATION : **5** blâme ■ **8** démérite, sifflets ■ **9** hostilité ■ **12** condamnation.

DESAPPROUVER : **6** blâmer ■ **9** condamner*, critiquer, désavouer, improuver, réprouver, vitupérer ■ **10** improbatif ■ **11** improbateur, objurgateur, réprimander ■ **14** désapprobateur, désapprobation.

DESARMER : **11** désarmement.

DESARROI : **7** émotion ■ **8** désordre ■ **11** dérangement ■ **12** sauve-qui-peut.

DESARTICULER : **9** disloquer ■ **10** déglinguer ■ **15** désarticulation.

DESASSIMILATION : **8** lysosome ■ **12** désassimiler.

DESASSORTIR : **11** dépareiller ■ **14** désassortiment.

DESASTRE : **5** ruine* ■ **7** foirade, malheur* ■ **8** calamité ■ **9** trafalgar ■ **10** déplorable, désastreux ■ **11** catastrophe ■ **15** désastreusement.

DESATELLISATION : **12** désatelliser.

DESAVANTAGE : **4** tare ■ **5** échec ■ **6** déchet, défaut ■ **8** éviction, handicap, insuccès, omission ■ **9** déchéance ■ **10** diminution, forclusion, négligence, pénalisant ■ **11** déperdition, infériorité ■ **12** désavantager, inconvénient, pénalisation ■ **13** désavantageux.

DESAVANTAGER : **5** gêner, léser ■ **10** handicaper, prétériter ■ **11** défavoriser.

DESAVOUER : **4** nier ■ **6** blâmer*, dédire, renier ■ **7** désaveu ■ **9** rétracter ■ **11** désavouable, méconnaître ■ **12** désapprouver.

DESCELLER : **5** sceau ■ **12** descellement.

DESCENDANCE : **4** fils, gent, issu, père, race*, sang, tige ■ **5** agnat, ligne, tronc ■ **6** enfant, lignée, maison, parage, souche ■ **7** ancêtre, famille, origine, parenté, rejeton, testage ■ **8** quartier ■ **9** filiation, patronyme, postérité, profectif ■ **10** ascendance, descendant, extraction, génération ■ **11** progéniture ■ **13** apparentement.

DESCENDRE : **4** aval ■ **5** hôtel ■ **6** avaler, tomber* ■ **7** affaler, baisser, dévaler, flotter, glisser ■ **8** abaisser, débouler, désalper, descente, glissoir, schlitte ■ **9** ascenseur, débarquer, schlitter ■ **10** descendant, ingurgiter, stalactite ■ **11** bathysphère, dégringoler, redescendre, rétrograder.

DESCENTE : **4** raft ■ **5** pietà, ptôse ■ **6** police, schuss, slalom ■ **7** désalpe, origine, rafting, ramasse, rivière ■ **8** toboggan ■ **9** bobsleigh, colpocèle, pentecôte ■ **10** dévoiement, schlittage.

DESCOLARISER : **15** déscolarisation.

DESCRIPTION : **4** état, plan ■ **5** carte, devis, flore, image, mètre, musée, récit, scène, tracé, trait ■ **6** aperçu, crayon, dessin, détail, exposé, résumé, schéma ■ **7** analyse, croquis, ébauche, recette, tableau ■ **8** contours, esquisse, géologie, histoire, peinture, portrait, princeps ■ **9** bordereau, graphique, halologie, narration, populiste ■ **10** descriptif, formulaire, géographie, histologie, hypotypose, métalangue, ophiologie, prospectus, silhouette ■ **11** aréographie, descripteur, explication, halographie, livret-guide, métalangage, monographie, nosographie, pittoresque, signalement, statistique, topographie ■ **12** angiographie, chorographie, cosmographie, ethnographie, héliographie, ophiographie, ostéographie, procès-verbal, signalétique, uranographie ■ 13 ampélographie, développement, planification, sélénographie ■ 14 anthropométrie ■ 15 distributionnel.

DESECTORISER: 15 désectorisation.

DESEMBUER: 10 désembuage.

DESEMPARER: 9 disloquer ■ 11 déconcerter.

DESENCADRER: 14 désencadrement.

DESENCHANTER: 8 décevoir, dégoûter ■ 14 désillusionner.

DESENCOLLER: 12 désencollage.

DESENCOMBRER: 15 désencombrement.

DESENDETTER: 14 désendettement.

DESENGAGER: 13 désengagement.

DESENSABLER: 14 désensablement.

DESENSIMER: 11 désensimage.

DESENTOILER: 12 désentoilage.

DESEPAISSIR: 7 dérober.

DESEQUILIBRE: 6 désaxé ■ 7 anormal ■ 8 loufoque ■ 9 inflation ■ 10 balourdise, distorsion ■ 11 agressivité, loufoquerie, pondération ■ 13 déséquilibrer.

DESERT: 4 bled, doum, dune, vide ■ 5 aride, manne, oasis, pampa, sable ■ 6 ermite, jungle, llanos, maquis, mirage, savane, simoun, steppe ■ 7 abandon, bédouin, sauvage, stérile, toundra ■ 8 autruche, caravane, ennoyage, inhabité, solitude, thébaïde ■ 9 déflation, semi-aride, solitaire, xérophile ■ 10 anachorète, désertique, désolation ■ 11 désertifier ■ 12 dépeuplement ■ 15 désertification.

DESERTER: 6 trahir ■ 7 laisser ■ 9 déserteur, désertion, transfuge ■ 10 abandonner ■ 12 insoumission.

DESESPERER: 5 abois, perdu ■ 9 désespéré, désespoir ■ 10 décourager ■ 12 désespérément, trompe-la-mort ■ 14 désespéramment.

DESETATISER: 14 désétatisation.

DESEXCITATION: 10 désexciter.

DESHABILLER: 7 dévêtir ■ 8 dégarnir, dévoiler ■ 9 découvrir ■10 décolleter, strip-tease ■ 12 déshabillage.

DESHERBER: 10 désherbage, désherbant.

DESHERITER: 6 priver ■ 9 déshérité, exhéréder, misérable ■ 12 exhérédation, réservataire ■ 13 déshéritement.

DESHONNETE: 6 véreux ■ 10 malhonnête ■ 12 déshonnêteté ■ 14 déshonnêtement.

DESHONORER: 5 honte, nuire, salir ■ 6 avilir, perdre ■ 7 honteux ■ 8 souiller ■ 9 ignominie ■ 10 déshonneur, réputation ■ 11 déshonorant, discréditer ■ 12 ensanglanter.

DESHUILER: 10 déshuileur.

DESHUMANISER: 13 déshumanisant ■ 15 déshumanisation.

DESHYDRATATION: 7 amylène.

DESHYDRATER: 5 oléum ■ 6 sécher ■ 12 déshydratant ■ 14 déshydratation.

DESHYDROGENATION: 8 aldéhyde.

DESIGNATION: 3 nom ■ 5 appel*, titre* ■ 6 surnom ■ 7 nominal ■ 9 nommément ■ 10 nomination, pseudonyme ■ 11 affectation, appellation* ■ 12 dénomination.

DESIGNER: 5 citer, voici ■ 6 élire, nommer* ■ 7 appeler*, coopter, montrer* ■ 8 chiffrer, dénommer, électeur, indiquer*, signaler*, subroger, vouvoyer ■ 9 épaulette, signifier, surnommer ■ 10 désignatif, statutaire ■ 11 désignation, quelque part, spécialiser.

DESILLUSION : 8 décompte ■ 9 déception ■ 15 désenchantement.
DESINCARCERATION : 13 décarcération.
DESINCARNER : 14 désincarnation.
DESINCRUSTER : 15 désincrustation.
DESINDEXER : 13 désindexation.
DESINENCE : 3 fin ■ 5 régir ■ 11 désinentiel, terminaison, variabilité.
DESINFECTANT : 5 javel ■ 6 crésyl, phénol ■ 8 créosote ■ 9 méthylène, sulfitage ■ 12 benzonaphtol.
DESINFECTATION : 13 désinfectiser.
DESINFECTER : 5 dakin, étuve ■ 8 assainir ■ 12 désinfectant, désinfecteur, désinfection.
DESINFORME : 14 désinformateur.
DESINFORMER : 14 désinformation.
DESINTEGRATION : 4 pile ■ 9 cyclotron, émanation.
DESINTEGRER : 13 désincorporer ■ 14 désintégration.
DESINTERESSE : 9 altruisme.
DESINTOXICATION : 9 méthadone.
DESINVOLTE : 4 chic ■ 6 déluré ■ 8 dégourdi, élégance ■ 9 sous-façon ■ 12 désinvolture.
DESIR : 4 faim, rage, soif, vœu, vote ■ 5 envie, haine ■ 6 besoin, brigue, dégoût, espoir, fièvre, pensée ■ 7 appétit, attente, attrait, avidité, caprice*, passion*, souhait, volonté ■ 8 ambition, cupidité, penchant, tendance* ■ 9 angélisme, animosité, appétence, arrivisme, curiosité, émulation, espérance, fantaisie, frigidité, intention, phantasme, tentation ■ 10 appétition, aspiration, convoitise, décourager, prétention, satisfaire, suggestion, tempérance ■ 11 appétissant, candidature, coquetterie, dépréciation, inclination, mégalomanie ■ 12 anaphrodisie, autopunition, démangeaison, ressentiment, satisfaction ■ 13 concupiscence, insatiabilité ■ 15 anaphrodisiaque.
DESIRER : 5 aimer, avide, désir, rêver ■ 6 brûler, cupide, envier, tenter ■ 7 appêter, aspirer, briguer, dévorer, espérer, guetter, guigner, lorgner, vouloir ■ 8 attendre, chercher, demander, désireux, soupirer ■ 9 ambitieux, appétitif, convoiter*, désirable, prétendre, souhaiter ■ 10 insatiable, rechercher ■ 11 ambitionner.
DESISTER : 8 renoncer* ■ 10 abandonner* ■ 11 désistement.
DESOBEIR : 6 violer ■ 7 refuser, résister ■ 10 enfreindre ■ 11 contrevenir ■ 12 désobéissant, indiscipline, transgresser ■ 13 désobéissance ■ 15 insubordination.
DESOBLIGER : 8 déplaire*, froisser ■ 11 désagréable ■ 12 désobligeant ■ 13 désobligeance ■ 15 désobligeamment.
DESOBSTRUER : 11 désengorger ■ 14 désobstruction.
DESODORISANT : 12 assainisseur.
DESODORISER : 12 désodorisant.
DESŒUVREMENT : 5 ennui ■ 7 paresse ■ 8 flânerie, inaction, oisiveté, sinécure ■ 9 curiosité, musardise ■ 10 badauderie ■ 11 fainéantise.
DESOLER : 6 navrer, éploré, peiner ■ 7 ravager ■ 8 désolant, lamenter ■ 9 attrister, chagriner ■ 10 désespérer, désolation.
DESOPILANT : 7 comique, risible.
DESORDONNE : 5 égaré, épars ■ 6 dévoyé, impoli, inégal, obscur ■ 7 anormal, étourdi, extrême, informé ■ 8 cascader, clonique, incongru, patachon, prodigue, vagabond ■ 9 capricant, chaotique, disparate, erratique, logorrhée, turbulent ■ 10 arythmique, cafouiller, cavalcader, dépareillé, hurluberlu, incohérent, irrégulier, licencieux, monstrueux ■ 11 épileptique, inconvenant ■ 12 asymétrique, inextricable ■ 14 indéchiffrable.

DESORDONNER: **7** emmêler, radoter ■ **8** démonter, déplacer, déranger, dérégler, divaguer, mélanger, rabacher, saccager ■ **9** brouiller, détraquer, disloquer, disperser, galvauder, gaspiller ■ **10** chambarder, chiffonner, éparpiller, vagabonder ■ **11** bouleverser, embrouiller, entortiller ■ **12** désorganiser.

DESORDRE: **3** mal ■ **4** abus, aria, rixe, vice*, vrac ■ **5** bazar, chaos, cohue, enfer, épars, folie, noise, orage, scène ■ **6** chahut, fatras, gâchis, mic-mac, pagaye, tapage ■ **7** barrage, chicane, cyclone, débâcle, dispute, foutoir, gabegie, licence, maladie, mélange, tempête, trouble*, tumulte, vertigo ■ **8** anarchie, anomalie, arythmie, brouhaha, coq-à-l'âne, débauche, désarroi, échevelé, fouillis, méli-mélo, pagaille, pêle-mêle, querelle, radotage, ramassis, saccager, sédition, tohu-bohu, troubler ■ **9** agitation, asymétrie, bric-à-brac, brouiller, brouillon, cavalcade, charivari, confusion*, débandade, débraillé, déchevelé, ébouriffé, écheveler, égarement, fourrager, haschisch, imbroglio, margaille, rabâchage, recoiffer ■ **10** bousculade, cacophonie, cafouillis, capharnaüm, cataclysme, contresens, décheveler, désordonné, dévoiement, divagation, flottement, galimatias, gaspillage, tintamarre, tourbillon, turbulence ■ **11** altercation, cafouillage, catastrophe, dérangement, dérèglement, incohérence, pandémonium, prodigalité, promiscuité, remue-ménage ■ **12** brouillamini, brouillement, broussailles, complication, excentricité, immaturation, monstruosité, perturbation ■ **13** chambardement, embroussaillé, inconséquence ■ **14** bouleversement, embrouillement, enchevêtrement, inorganisation.

DESORGANISER: **8** déranger, désordre, troubler ■ **9** dissocier ■ **10** démanteler ■ **11** dérangement ■ **12** destructurer ■ **15** désorganisateur, désorganisation.

DESORIENTER: **8** dépayser ■ **11** embarrasser ■ **14** désorientation.

DESORMAIS: **6** avenir ■ **10** dorénavant.

DESOSSER: **11** désossement.

DESOXYDER: **9** réducteur ■ **10** désoxydant ■ **12** désoxydation.

DESPOTIQUE: **5** tyran* ■ **6** absolu ■ **7** despote ■ **9** proconsul ■ **10** arbitraire, autocratie, despotisme, tyrannique ■ **11** autoritaire ■ **14** despotiquement.

DESQUAMATION: **7** écaille, peeling ■ **8** ichtyose ■ **9** pellicule, xéroderme ■ **10** pityriasis, xérodermie ■ **11** exfoliation.

DESSABLER: **9** dessablage.

DESSAISIR: **5** céder ■ **8** remettre ■ **10** abandonner ■ **15** dessaisissement.

DESSALAGE: **9** dessaleur.

DESSALER: **8** dégourdi, gaillard ■ **9** dessalage ■ **11** dessalaison, dessalement.

DESSECHER: **3** sec ■ **4** saur ■ **5** aride, copra, hâler, luffa, moere, momie, ortie, rôtir, salep, tarir ■ **6** brouir, brûler, sécher* ■ **7** griller ■ **8** évaporer, pemmican ■ **9** harmattan, myrobalan, myrobolan, ossements ■ **12** dessèchement, dessicateur, dessication ■ **14** amaigrissement.

DESSEIN: **3** but* ■ **4** plan, voie ■ **5** ligue, objet, visée ■ **6** projet* ■ **7** volonté ■ **8** ambition, projeter, suggérer ■ **9** conspirer, guet-apens, intention, programme ■ **10** entreprise, résolution ■ **11** innocemment, machination ■ **12** conciliabule, malveillance ■ **13** arrière-pensée, préméditation.

DESSERRER: **6** lâcher ■ **8** desserré ■ **9** débloquer, décoincer ■ **10** desserrage.

DESSERTE: **7** serdeau ■ **8** standard.

DESSERTIR: 7 dégager ■ 13 dessertissage.
DESSERVIR: 4 curé ■ 5 aider, nuire*, train ■ 9 chapelain ■ 10 desservant ■ 11 obédiencier.
DESSICCATION: 12 anhydrobiose.
DESSIN: 3 vue ■ 4 côté, fond, noir, ondé, plan ■ 5 album, bosse, carte, coupe, encre, épure, étude, fleur, grené, guide, image*, lavis, motif, ombre, piqué, ponce, punch, sauce, sépia, trace, trait, veine ■ 6 calque, charge, éclaté, fusain, lisage, méplat, pastel, patron, poncif, profil, ramage, rehaut, relevé, schéma ■ 7 carreau, cartoon, couleur, croquis, dessiné, ébauche, échelle, équerre, estompe, gabarit, gravure, légende, méandre, paysage, piquoir, signage, traceur ■ 8 académie, bayadère, brochure, décalque, dessiner, eau-forte, esquisse, graffiti, liserage, ornement, ostracon, racinage, sanguine, sous-bois, tatouage, vignette ■ 9 aquatinte, arabesque, autocopie, carroyage, cartouche, damassure, diagramme, élévation, fac-similé, géométral, humoriste, pointillé, raccourci, réduction, tablature ■ 10 caricature, projection, silhouette, story-board ■ 11 axonométrie, gribouillis, marqueterie, perspective, pochoiriste, topographie ■ 12 arborisation, gribouillage, illustration, lithographie, rondouillard ■ 13 configuration, contre-épreuve, dermatoglyphe, développement, portrait-robot, profilographe, stéréographie, télautographe ■ 14 représentation.
DESSINATEUR: 7 graveur ■ 9 modéliste ■ 10 crayonneur, décorateur, jardiniste ■ 11 vignettiste ■ 12 illustrateur, ornementiste ■ 13 caricaturiste.
DESSINE: 9 bédéphile ■ 11 cartooniste.
DESSINEES: 6 comics.
DESSINER: 5 laver, lever ■ 6 bomber, chiner, hâcher, ombrer, tracer ■ 7 bombage, calquer, croquer, réduire, relever ■ 8 colorier, damasser, estomper, profiler, projeter ■ 9 crayonner, décalquer, esquisser, festonner, illustrer, pasteller ■ 10 construire, contourner, craticuler, diagraphie, pointiller, rapporter ■ 11 dessinateur, gribouiller, représenter, silhouetter.
DESSOLER: 11 dessolement.
DESSOUDER: 10 dessoudure.
DESSOUS: 4 fond, sous ■ 5 duvet, jupon, sabot, velet ■ 8 avantage, cotillon, rallonge, semelage, sous-plat ■ 10 cul-de-lampe, sous-jacent ■ 12 sous-vêtement.
DESSUINTER: 11 dessuintage.
DESSUS: 3 sur ■ 5 chape, ongle, sabot, tabar, veste ■ 8 avantage, empeigne, octavier, panoufle ■ 10 contre-haut, décalotter ■ 11 houppelande ■ 15 essentiellement.
DESSUS DESSOUS: 9 bousculer ■ 10 chambouler.
DESTABILISE: 13 déstabilisant ■ 15 déstabilisateur.
DESTALINISATION: 12 déstaliniser.
DESTIN: 3 lot, vie ■ 4 sort ■ 5 fatal, fatum, futur, rouet ■ 6 avenir, étoile, hasard*, oracle ■ 7 fortuné ■ 8 destinée, fatalité, immuable, vocation ■ 9 fatidique, nécessité ■ 10 invariable, nécessaire, prédiction ■ 11 résignation ■ 12 vaticination ■ 13 fatidiquement ■ 14 prédestination.
DESTINE: 8 presseur ■ 13 antipollution.
DESTINATION: 2 de, en ■ 3 fin ■ 4 pour ■ 5 datif, usage ■ 7 utilité ■ 8 dédicace, destiner, expédier, groupage, parvenir ■ 10 allocation ■ 11 affectation, assignation, désaffecter ■ 12 consécration.
DESTINER: 4 pour ■ 5 vouer ■ 6 dédier, gagner, garder, tâcher ■ 7 aboutir, allouer, appeler, arriver, dévouer, diriger, prédire ■ 8 affec-

ter, assigner, chercher, déléguer, désigner, parvenir, réserver ■ 9 consacrer, prétendre ■ 10 poursuivre ■ 11 prédestiner ■ 12 destinataire, entreprendre.

DESTITUE: 15 indéboulonnable.

DESTITUER: 6 casser, dénuer, sauter ■ 7 chasser, déposer, dévêtir, émérite, libérer, limoger, quitter, relever, retirer, vétéran ■ 8 abdiquer, amovible, dégommer, dégrader, démettre, déplacer, désister, détrôner, réformer, renoncer, renvoyer, résigner, retraité, révoquer*, suspendre ■ 9 congédier, déchéance, honoraire, interdire, licencier, pensionné, remercier, remplacer ■ 10 déposséder, disgrâcier, inamovible ■ 11 destituable, destitution ■ 12 démissionner.

DESTRUCTEUR: 8 nuisible ■ 12 parasismique.

DESTRUCTION: 4 lyse, mine, sape ■ 5 arsin, carie, dégât, fléau, hydre, pilon, proie, ruine* ■ 6 foudre, guerre, poison, ravage, tuerie ■ 7 brûlage, chancre, cyclone, dommage, écocide, malheur, ouragan, pillage, torrent ■ 8 autodafé, autolyse, cytolyse, défanant, délétère, désastre, génocide, hémolyse, incendie, lipolyse, massacre, naufrage, sinistre ■ 9 abolition, avalanche, corricide, décadence, déchéance, encrivore, essanvage, fongicide, histolyse, mégatonne, nihilisme, ostéolyse, perdition, sacrifice, subversion ■ 10 abattement, annulation, cataclysme, démolition, désolation, destructif, disruption, étincelage, extinction, grignotage, hémolysine, immolation, indélébile, macrophage, méphitisme, vandalisme ■ 11 antitoxique, catabolisme, cytolitique, destructeur, dévastation, disparition, élimination, extirpation, iconoclaste, insecticide, liberticide, mort-aux-rats, suppression ■ 12 annihilation, cisaillement, consomptible, décoloration, dératisation, destructible, effondrement, inactivation, radionécrose ■ 13 amortissement, bactériophage, chloropicrine, extermination, fractionnisme, pallidectomie, pulvérisation, stérilisation, syringomyélie ■ 14 alexipharmaque, anéantissement, dépolarisation ■ 15 autodestruction, désorganisation.

DESTRUCTURER: 15 destructuration.

DESUET: 6 ancien, démodé, périmé, rococo ■ 7 suranné ■ 8 vieillot ■ 9 archaïque, désuétude, obsolète ■ 12 antédiluvien.

DESULFURER: 13 désulfuration.

DESUNION: 7 trouble, zizanie ■ 8 brouille, diviseur ■ 9 désaccord ■ 11 brouillerie, fractionnel ■ 12 tiraillement ■ 15 mésintelligence.

DESUNIR: 7 diviser, séparer ■ 9 brouiller, dissocier ■ 10 disjoindre ■ 12 indissoluble.

DESURCHAUFFER: 14 désurchauffeur.

DETACHANT: 7 toluène ■ 9 détacheur.

DETACHE: 5 blasé, tiède ■ 6 neutre, séparé ■ 7 dégoûté, envieux ■ 9 impartial ■ 10 détroquage ■ 11 désenamouré, détachement, indifférent ■ 12 désintéressé.

DETACHER: 4 lime ■ 5 bribe, motte, scalp ■ 6 délier, isoler, sevrer, tomber ■ 7 abatage, défaire, dégager, déraper, dételer, écarter, égrener, larguer, scalper, séparer* ■ 8 abattage, arracher, cloîtrer, commando, cueillir, décoller, découper, dégrafer, démarrer, dépendre, écailler, égrainer, égrapper, nettoyer, plantoir, staccato, trancher ■ 9 campement, cueilloir, déchaîner, découpler, décrocher, dépendre, desquamer, disperser, distraire, expatrier, formation, rabattoir ■ 10 avant-poste, décomposer, détachable, distinguer, grand-garde, sectionner, séquestrer ■ 11 déboutonner, désincarner, détachement, vaguemestre ■ 12 démaillonner.

DETAIL: 4 note ■ 5 débit, devis, étude, motte, revue ■ 5 regrat, relevé ■ 6 insert, regrat, timing ■ 7 débiter, laitier ■ 8 boutique, broderie, découper, demi-gros, détaillé ■ 9 détailler, minutieux, spécifier ■ 10 détaillant, grosso modo, longuement, mastroquet, méticuleux, réformette ■ 11 maniaquerie, particulier, tâtillonner ■ 12 croustilleux ■ 13 circonstancié ■ 14 particulariser.

DETAILLER : 9 escaloper.

DETALONNER : 11 détalonnage.

DETARTRER : 10 détartrage, détartreur.

DETAXER : 10 détaxation.

DETECTE : 10 détectable.

DETECTER : 5 asdic, radar, sonar ■ 9 découvrir, détecteur, détection, détective ■ 12 indétectable ■ 13 scintillateur ■ 14 radiodétection.

DETECTEUR : 10 hydrophone.

DETEINDRE : 5 élavé ■ 9 décharger ■ 10 influencer.

DETELER : 8 dételage.

DETENDRE : 6 battre, lâcher ■ 7 flotter, larguer, relaxer ■ 8 débander, déraidir, épanouir, relâcher ■ 9 desserrer, émollient, retendoir ■ 12 décontracter.

DETENDU : 5 lâche, libre ■ 6 largué, relaxé ■ 7 ballant, débandé, déraidi, flasque, pendant, relâché ■ 8 desserré, flottant, mollasse ■ 10 pendillant ■ 11 décontracté.

DETENIR : 5 dépôt ■ 6 garder ■ 8 posséder ■ 9 conserver, détenteur, détention, puissants, recordman ■ 10 challenger ■ 11 codétenteur.

DETENTE : 5 oasis, repos ■ 6 loisir ■ 8 bossette, gâchette, plongeon, réaction, sécurité ■ 9 sous-garde ■ 10 relaxation, silencieux ■ 11 délassement, myorelaxant ■ 13 décontraction.

DETENTION : 12 réintégrande.

DETENU : 5 otage ■ 6 tôlard ■ 7 taulard ■ 8 codétenu ■ 9 détention ■ 10 prisonnier ■ 14 emprisonnement, septembrisades.

DETERGENT : 9 perborate ■ 10 détergence ■ 12 shampouineur ■ 13 shampouineuse.

DETERGER : 8 purifier ■ 9 détersion.

DETERIORATION : 5 usure ■ 6 avarie ■ 7 dommage, vétuste ■ 8 niellure, sabotage, vermoulu ■ 9 alzheimer, déchirure, fragilité ■ 10 altération, pourriture ■ 11 dégradation, délabrement ■ 13 pourrissement.

DETERIORER : 4 user ■ 5 gâter*, rayer ■ 6 abîmer, couleur, éculer, manger, percer, raguer, ronger, trouer ■ 7 altérer, amocher, avarier, empirer, mutiler, pourrir, ravager, saboter, vétuste ■ 8 déchirer, dégrader, délabrer, ébrécher ■ 9 délaborer, détraquer, esquinter ■ 10 déglinguer, endommager* ■ 13 détérioration.

DETERMINATION : 5 parti ■ 6 limite, projet, sexage, vérité ■ 7 analité, énergie, fermeté, titrage, volonté* ■ 8 datation, jaugeage, résoudre, zérotage ■ 9 certitude, oxymétrie, politique ■ 10 aérométrie, aréométrie, astrométrie, barymétrie, gemmologie, graduation, gypsomètre, imposition, œnométrie, phacomètre, quadrature, relèvement, séquençage, skiascopie, volumétrie ■ 11 alcoométrie, alcalimètre, eudiométrie, goniométrie, grisoumètre, hypsométrie, mensuration, odontomètre, orientation, planimétrie ■ 12 dimensionner, électroscope, graphométrie ■ 13 esthésiomètre, extrapolation, psychrométrie, rectification, spécification ■ 14 prédestination, quantification ■ 15 radiogoniomètre.

DETERMINE : 4 fixé, vrai ■ 5 donné, fatal, heure, réglé ■ 6 arrêté, assuré, décidé, défini, marqué, précis, résolu, strict ■ 7 certain, décisif, déclaré, ontique, précisé, tranché ■ 8 consacré, délimité, distinct, marquant, officiel, saillant, volition ■ 9 incertain, rationnel ■ 10 décrétoire, victorieux ■ 11 barguigneur, caractérisé, déterminant, indéterminé, péremptoire ■ **12** déterminable, déterminatif, scientifique ■ **13** cristallisant ■ **14** indéterminable ■ **15** indétermination, prédéterminisme.

DETERMINER: **5** dater, doser, peser, point, régir ■ **6** titrer ■ **7** arrêter, décider, définir, estimer, mesurer, minuter, relever, vouloir ■ **8** adjectif, assigner, calculer, carencer, intégrer, jalonner, préciser, préférer ■ **9** affouager, ankyloser, apprécier, engendrer, localiser, persuader, recentrer, spécifier ■ **10** barguigner, coordonnée, déclencher, encourager, identifier, quantifier ■ **11** alcalimètre, coordonnées, occasionner*, odontomètre ■ **12** caractériser, dimensionner, rationaliser, reconstituer ■ **13** détermination, diagnostiquer, prédéterminer.

DETERMINISME: **9** fatalisme ■ **12** déterministe.

DETERRAGE: **9** déterreur.

DETERRE: **9** déterreur.

DETERRER: **4** ôter ■ **5** hyène ■ **7** exhumer ■ **8** arracher ■ **11** déterrement.

DETERSIF: **5** javel ■ **7** lessive ■ **9** détersion.

DETESTABLE: **6** odieux ■ **9** exécrable, haïssable ■ **10** abominable ■ **12** antipathique ■ **14** détestablement.

DETESTER: **4** haïr* ■ **7** exécrer, maudire ■ **8** abhorrer, abominer ■ **9** xénophobe ■ **10** détestable ■ **11** détestation, francophobe ■ **12** ressentiment.

DETIRER: **9** détireuse.

DETONATION: **9** détonique.

DETONER: **5** fuser, voler ■ **6** partir, sauter, tonner ■ **7** éclater ■ **8** crépiter, exploser, fulminer, pétiller ■ **9** enflammer, pétarader ■ **10** détonateur, détonation ■ **12** déflagration.

DETORDRE: **9** détorsion ■ **11** décommettre.

DETORTILLER: **8** décorder.

DETOUR: **3** pli ■ **4** ruse, tour ■ **5** biais, coude, franc, fuite, image, repli ■ **6** courbe, figure, lacets, manège, retour, virage, zigzag ■ **7** chicane, circuit, contour, crochet, défaite, duperie, fourche, méandre, mystère, ressaut, sinueux ■ **8** intrigue, louvoyer, méandres, parabole, ricochet, sophisme, spirale, tortille, tournant ■ **9** allégorie, carrément, déflexion, déviation, diversion, égarement, équivoque, évolution, inflexion, manigance, randonnée, sinuosité, tortiller, tromperie ■ **10** aberration, dérivation, digression, escamotage, faux-fuyant, labyrinthe, périphrase, subterfuge, tortillard, tortuosité ■ **11** anfractueux, cachotterie, circonvenir ■ **12** capitulation, détournement, échappatoire ■ **13** embranchement ■ **14** circonlocution, tergiversation.

DETOURER: **9** détourage.

DETOURNE: **5** biais, tortu ■ **6** déréel, élusif, sournois ■ **7** fourchu, sinueux ■ **8** flexueux, indirect, tortueux ■ **9** dérivatif ■ **13** indirectement.

DETOURNEMENT: **9** évitement ■ **11** déprédation ■ **12** chizophasie, malversation.

DETOURNER: **5** duper, parer, prise, ruser, virer, voler ■ **6** couder, dévier, égarer, éluder ■ **7** aliéner, biaiser, courber, dériver, dérober, dévoyer, écarter, évoluer, replier, tourner, tromper ■ **8** allonger, chicaner, conjurer, dépister, détacher, dissiper, divertir, éloigner, louvoyer, obliquer, prévenir, rabattre ■ **9** abstraire, débaucher, défléchir, dilapider, dissuader, distraire, fourvoyer, intriguer, palliatif, réfracter, serpenter, tortiller, tournoyer ■ **10** alambiquer, approprier, conseiller, contourner, équivoquer ■ **11** embrouiller, entortiller, tergiverser ■ **12** détournement.

DETOXICATION : 10 détoxiquer.
DETRACTER : 10 détractation.
DETRACTEUR : 5 blâme ■ 12 calomniateur.
DETRAQUER : 3 fou ■ 8 déranger, dérégler, détraqué, troubler ■ 9 disloquer ■ 10 détériorer ■ 12 détraquement.
DETREMPE : 7 tempera.
DETREMPER : 4 boue, pâte ■ 5 limon ■ 6 pétrir ■ 7 délaver ■ 8 détrempe ■ 10 jaunissage.
DETRESSE : 3 s.o.s. ■ 5 berne ■ 7 malheur, warning ■ 8 écoutant, pauvreté* ■ 10 auto-alarme, souffrance*.
DETRIMENT : 5 à tort ■ 9 préjudice ■ 11 désavantage.
DETRITUS : 3 lie ■ 5 bouse, ciron, fange, rebut ■ 6 déchet, flysch, gâchis, moulée, ordure, saleté ■ 7 résidus, souille ■ 9 balayures, bourriers, clastique ■ 10 détritique, immondices ■ 11 détritivore, margouillis.
DETROIT : 3 pas ■ 5 canal ■ 6 manche ■ 7 pertuis ■ 9 embouquer.
DETROUSSER : 5 voler ■ 11 détrousseur.
DETRUIRE : 4 tuer, user ■ 5 gâter*, lyser, miner, raser, rayer, saper ■ 6 abîmer, abolir, briser*, broyer*, casser*, guérir, mécher, piller, ronger, ruiner* ■ 7 abattre, amortir, annuler, décimer, défaire, démolir, dépecer, dépérir, désoler, dévorer, écraser, écrêter, effacer*, empâter, faucher, fausser, immoler, luddite, mutiler, ravager, réfuter, taupier ■ 8 anéantir, assainir, atomiser, consumer, culbuter, démonter, dévaster, dissiper, ébranler, éliminer, éteindre, étouffer, extirper, raticide, saborder, saccager, suicider ■ 9 annihiler, cisailler, défleurir, déniveler, déraciner, dessouder, détraquer, détremper, disloquer, dissoudre, esquinter, foudroyer, fracasser, larvicide, massacrer, régénérer, renverser, sacrifier, supprimer*, vermicide ■ 10 décérébrer, démaçonner, démanteler, désaligner, écheniller, endommager, phagocyter, plastiquer, pulvériser ■ 11 déboulonner, dépolariser, désaccorder, désassortir, désinfecter, désorienter, destructeur, disparaître, fractionner, hannetonner ■ 12 démagnétiser, désenvenimer, désorganiser, destructible, destructurer ■ 13 déforestation, destructivité, entre-détruire ■ 14 indestructible.
DETRUIT : 8 virocide, virucide ■ 10 virulicide ■ 13 biodégradable.
DETTE : 2 dû ■ 4 prêt ■ 5 bilan, débet, débit, payer, solde ■ 6 acquit, charge, chèque, crédit, devoir, impayé, passif, remise, syndic, tribut ■ 7 arriéré, capital, créance, déficit, emprunt, warrant ■ 8 coobligé, débiteur, échéance, endetter, faillite, redevoir, virement ■ 9 acquitter, concordat, créancier, découvert, principal, quittance, redevable, redevance, règlement ■ 10 affranchir, antichrèse, censitaire, codébiteur, contrainte, hypothèque, libération, obligation ■ 11 banqueroute, collocation, débirentier, désendetter, exigibilité, liquidation, subrogation ■ 12 acquittement, nantissement, prescription, recouvrement ■ 13 amortissement, cofidéjusseur, remboursement ■ 14 reconnaissance.
DEUIL : 4 noir ■ 5 berne, crêpe, escot, mante ■ 8 pleurant ■ 9 demi-deuil ■ 10 endeuiller.
DEUTERIUM : 6 deutos ■ 8 deutéron.
DEUX : 3 bis, duo ■ 4 pari ■ 5 métis, paire, pérot, phase ■ 6 bâtard, couple, second ■ 7 diacide, hybride, secundo ■ 8 bicolore, bilingue, bimoteur, bivalent, causeuse, deuxième, deux-mâts, dimorphe, dualisme, équitant, fourcher, goélette, polarisé, rigaudon ■ 9 accoupler, androgyne, autoroute, bibasique, bicéphale, biconcave, biconvexe, bifilaire, bifurquer, bilabiale, bilatéral, bimensuel, bipartite, bipolaire, bisannuel, bissexuel, deux-seize, didactyle, duplicata, paritaire, tête-à-

tête ■ **10** ambivalent, bichlorure, bicyclette, binational, biréacteur, bissecteur, bissection, deux-quatre, diplocoque, dissyllabe, doublement, homocerque, martingale ■ **11** ambivalence, bifurcation, bilinguisme, biloculaire, biquotidien, manichéisme ■ **12** accouplement, bicapsulaire, bimétallique, dédoublement, dichotomique, énantiotrope, scissiparité ■ **13** dichromatique, dissylabbique, hermaphrodite.

DEUXIEME: **4** bêta ■ **5** duodi ■ **6** deusio, deuzio, mindel, second ■ **8** brumaire ■ **9** bâbordais, bec-de-cane, métaphase, oligocène ■ **10** jurassique, mésothorax, phalangine, sexagésime ■ **12** deuxièmement ■ **13** superfétation.

DEVALISER: **5** voler ■ **9** guet-apens ■ **10** cambrioler, dévaliseur.

DEVALORISATION: **7** monnaie ■ **10** diminution ■ **11** dévaloriser, dévaluation.

DEVALORISE: **12** dévalorisant.

DEVALUATION: **8** dévaluer ■ **10** diminution.

DEVANAGARI: **6** nagari.

DEVANCER: **6** éviter ■ **7** gratter ■ **8** dépasser, précéder*, prévenir ■ **9** anticiper, devancier, distancer, éclaireur, surpasser ■ **11** devancement ■ **12** prédécesseur ■ **13** avant-courrier.

DEVANT: **5** avant, front, guide, hayon ■ **8** plastron, poitrail ■ **9** pardevers ■ **11** parementure.

DEVANTURE: **5** banne, rampe, store ■ **7** étalage, vitrine.

DEVASTATION: **5** fléau, perte, ruine ■ **6** ravage ■ **7** cyclone, malheur, ouragan, torrent ■ **8** désastre ■ **9** avalanche ■ **10** cataclysme, désolation ■ **11** destruction.

DEVASTER: **5** nuire ■ **6** abîmer, piller*, ruiner* ■ **7** désoler, ravager ■ **8** détruire*, saccager ■ **11** dévastateur, dévastation.

DEVELOPPE: **10** acidiphile, photomaton, tiers monde ■ **11** acotylédone.

DEVELOPPEMENT: **3** feu ■ **5** cours, essor, imago, larve, stade, talle ■ **6** avorté, épiage, exposé, marche, pousse, tirade ■ **7** anthèse, culture, embryon, étendue, progrès*, retardé ■ **8** agénésie, apogamie, babytest, démarier, dextrine, discours, maturité, nouaison, proverbe, rabougri ■ **9** anaplasie, androgène, antivirus, aoûtement, comprador, déduction, dysplasis, éducation, évolution, expansion, extension, formation, gemmation, humanisme, infection, pilosisme, processus, takeoff, urbanisme ■ **10** autocentré, avancement, croissance, définition, gigantisme, hirsutisme, hypoplasie, hypertélie, paraphrase, polysarcie, quiescence, sémiologie, technopole, traitement, végétation ■ **11** acromégalie, amensalisme, commentaire, description, embryologie, explication, feuillaison, germination, histogenèse, hypergenèse, hyperplasie, klinefelter, propagation, remplissage, sadique-anal, séméiologie, somatotrope ■ **12** antibiotique, aspergillose, blastomycose, dissertation, gynécomastie, hypertrophie, infantilisme, morphogenèse, organogenèse, psychanalyse, puériculture, réquisitoire, surdéveloppé, testostérone ■ **13** amplification, anthropogénie, rurbanisation ■ **14** agrandissement, anthropogenèse, bourgeonnement, endocrinologie, épidermomycose, tertiarisation ■ **15** arrière-voussure, éclaircissement, tertiairisation.

DEVELOPPER: **6** germer, mûrir ■ **7** croître*, déduire, définir, étendre, fleurir, grossir, induire, muscler, pousser ■ **8** allonger, conclure, cultiver, déferler, déployer, dérouler, dessiner, éclairer, enrichir, étriquer, parfaire ■ **9** amplifier, commenter, créatique, éclaircir, expliquer, illustrer, instruire, traitable ■ **10** déchiffrer, électriser, nourriture, progresser ■ **11** débrouiller, gymnastique, paraphraser ■ **12** civilisateur, rudimentaire ■ **13** champignonner.

DEVENIR : 4 être ■ 5 faire, mûrir, pâlir, rôtir, sûrir ■ 6 mincir, tomber ■ 7 grandir, grossir ■ 8 acquérir, dégarnir, enchérir, endurcir, gâtifier, infatuer, momifier, rabonnir, racornir, verdoyer, vieillir ■ 9 amenuiser, ankyloser, commencer, concevoir, énamourer, grisonner, liquéfier, rallonger, septupler, soumettre, vermouler ■ 10 engraisser, érubescent, grisailler, quadrupler, rafraîchir, solidifier ■ 11 chroniciser, désenlaidir. ■ 13 grabatisation.

DEVERGONDER : 4 vice ■ 7 licence ■ 9 suborner ■ 9 débaucher ■ 12 dévergondage.

DEVERROUILLER : 14 déverrouillage.

DEVERSE : 8 exocrine.

DEVERSER : 6 tomber, verser ■ 7 daraise, évacuer ■ 8 déborder ■ 9 décharger, déversoir, endocrine, trop-plein ■ 10 canalicule ■ 11 déversement.

DEVETIR : 7 dénuder ■ 10 défrusquer ■ 11 désaffubler, déshabiller.

DEVIATION : 6 dérivé, détour, flèche, gauche, valgus ■ 7 cyphose ■ 8 scoliose ■ 9 déviateur ■ 10 dévoiement ■ 11 diffraction ■ 12 superstition ■ 13 gauchissement.

DEVIDAGE : 13 verbigération.

DEVIDER : 4 aspe, tour ■ 5 asple, caret, rouet ■ 6 ourdir, touret ■ 7 bobiner, envider, peloter, séchoir, tourner, voluter ■ 8 chignole, dévidage, dévideur, dévidoir, écheveau, roquetin, roquette, travouil ■ 9 escaladou, ficellier, moustache, peloteuse, tortiller, tournette, tracanner ■ 10 ourdissage, ourdisseur, ourdissoir, pelotonner.

DEVIDOIR : 4 aspe ■ 5 asple.

DEVIATION : 9 zoophilie.

DEVIENT : 9 rubescent.

DEVIER : 5 parer, tortu ■ 6 éviter ■ 7 écarter, effacer ■ 8 aberrant, conjurer, déporter, éloigner, empêcher, prévenir ■ 9 détourner, déviation, infléchir, racémique ■ 10 dextrogyre.

DEVIN : 4 jour ■ 6 augure, oracle, pythie, voyant ■ 7 auspice, deviner, inspiré, sorcier ■ 8 aruspice, devineur, illuminé, magicien, prophète ■ 9 cabaliste, devinable, haruspice, nécromant ■ 10 astrologue, pythonisse, somnambule ■ 11 psychagogue, visionnaire ■ 12 cartomancien, chiromancien, chresmologue, nécromancien, vaticinateur.

DEVINER : 4 pile ■ 5 juger ■ 6 sonder ■ 7 augurer, espérer, flairer, prédire, prévoir, révéler, trouver* ■ 8 annoncer, calculer, dévoiler, imaginer, pénétrer, préjuger, présager, prévenir, résoudre ■ 9 anticiper, découvrir, devinette, entrevoir, intuition, vaticiner ■ 10 comprendre, déchiffrer, divination, pressentir, rencontrer, soupçonner ■ 11 conjecturer, interpréter, prophétiser, reconnaître, transparent ■ 12 pronostiquer ■ 13 transparaître.

DEVIRILISER : 14 dévirilisation.

DEVIS : 7 deviser, facture.

DEVISE : 6 billet, maxime*, pensée ■ 9 armoiries, chartiste ■ 10 eurodevise ■ 11 inscription.

DEVISSER : 9 dévissage ■ 11 contre-écrou.

DEVITRIFICATION : 11 dévitrifier.

DEVOILER : 7 déceler, révéler ■ 8 redevoir ■ 9 démasquer, divulguer, expliquer, proclamer ■ 11 dévoilement ■ 13 sociocritique.

DEVOIR : 2 dû ■ 3 mal ■ 4 bien, indu, soin ■ 5 avoir, copie, débet, dette, faute, frein, ordre, payer, rente ■ 6 charge, raison ■ 7 arriéré, hommage, probité ■ 8 corriger, débiteur, exercice, forfaire, redevoir ■ 9 arrérages, rectitude, redevable, redevance ■ 10 conscience, obligation*, satisfaire ■ 11 composition, déontologie, prévariquer.

DEVOLTER: 9 dévoltage.
DEVONIEN: 8 polypier, silurien ■ 9 ptérygote ■ 11 céphalaspis, ichtyostéga ■ 12 bothriolépis, holoptychius.
DEVORER: 4 lire ■ 5 goule, urubu ■ 6 manger* ■ 8 dévorant, dévoreur ■ 10 dévorateur ■ 12 entre-dévorer.
DEVOT: 8 tartuffe.
DEVOTION: 4 béat, zèle ■ 5 bigot, cagot, dévôt, piété ■ 6 cafard, dévoué, exalté ■ 7 chauvin, croyant, ferveur, station ■ 8 médaille, mystique, neuvaine, nitouche, papelard, religion* ■ 9 bigoterie, bigotisme, cagoterie, fanatisme, mysticité, prosélyte ■ 10 dévôtement, dévouement, exaltation, pèlerinage ■ 11 chauvinisme, dévotionnel ■ 12 bondieuserie, prosélytisme ■ 14 sainte-nitouche.
DEVOUE: 4 lige, séid, zèle ■ 5 damné, loyal, séide, vôtre ■ 6 fidèle ■ 7 civisme ■ 9 sacrifice ■ 10 dévouement ■ 11 affectionné, ministériel.
DEVOUER: 6 dédier ■ 9 sacrifier ■ 10 dévouement.
DEXTERITE: 7 adresse ■ 8 habileté.
DEXTRE: 5 bande, barre, flanc ■ 8 senestre.
DEXTRINE: 5 staff.
DIABETE: 6 bronzé ■ 8 boulimie, insuline ■ 9 biguanide ■ 10 diabétique, polydipsie ■ 11 acidocétose ■ 12 diabétologie, diabétologue, glycosurique.
DIABLE: 4 hère ■ 5 démon*, malin, messe, salut ■ 6 maudit ■ 7 diantre ■ 8 infernal ■ 9 diablerie, diablotin, misérable, satanique, tentateur ■ 10 démoniaque, diablement, diabolique, luciférien ■ 14 diaboliquement.
DIABOLIQUE: 10 diaboliser.
DIACHRONIE: 10 synchronie ■ 12 diachronique.
DIACIDE: 7 biacide ■ 9 malonique, polyamide.
DIACRE: 5 ordre, sacre ■ 7 tunique ■ 8 diaconal, diaconat.
DIADEME: 5 nimbe ■ 7 bandeau ■ 8 couronne.
DIAGNOSTIC: ■ 8 diagnose ■ 10 iridologie ■ 14 cytodiagnostic, sérodiagnostic, télédiagnostic ■ 15 pathognomonique, tuberculination.
DIAGNOSTIQUE: 11 myélogramme.
DIAGONALE: 4 trot ■ 5 ogive ■ 7 oblique ■ 11 bandoulière ■ 13 diagonalement.
DIAGRAMME: 7 mandala ■ 14 chromatogramme, enregistrement.
DIALECTE: 2 oc, wu ■ 3 gan, min ■ 4 calo, erse, tupi ■ 5 argot, corse, hakka, koinè, ladin, slang, xiang ■ 6 dorien, gallec, gallot, gascon, ionien, jargon, langue*, parler, patois, picard, pidgin, syrien, toscan, wallon ■ 7 flamand, gallois, irakien, iraqien, jobelin, léonais, léonard, lorrain, occitan, ombrien ■ 8 alsacien, arcadien, biscaien, biscayen, cornique, gaélique, lucanien, pékinois, tunisien ■ 9 auvergnat, baragouin, calabrais, campanien, cantonais, dialectal, francique, putonghua ■ 10 alémanique, dauphinois, gallo-roman, hollandais, rhéto-roman ■ 12 anglo-normand, dialectisant ■ 13 dialectologie, dialectologue, dialectophone, judéo-espagnol, pidgin-english.
DIALECTIQUE: 11 dialectiser.
DIALOGUE: 3 duo ■ 4 lois ■ 5 opéra, tiret ■ 6 aparté ■ 8 entrevue, réplique ■ 9 catéchèse, dialoguer, enchaîner, entretien, interview, monologue, soliloque, tête-à-tête ■ 10 catéchisme, conférence, dialogique, dialogisme, discussion ■ 11 dialectique ■ 12 conciliabule, conversation*, stichomythie ■ 13 interlocuteur.
DIALYPETALE: 5 ciste ■ 7 câprier, rosacée*, rutacée* ■ 8 cactacée*, cornacée*, lauracée*, malvacée*, myrtacée*, violacée* ■ 9 crucifère, mimosacée*, onagracée, résédacée*, rhamnacée* ■ 10 fumariacée*,

géraniacée*, nymphéacée*, oxalidacée*, ribésiacée*, sapindacée*, saxifragée ■ 11 ampélidacée*, aurantiacée, hypéricacée*, ombellifère, papavéracée*, polygalacée*, simarubacée* ■ 12 anacardiacée, berbéridacée*, cruciféracée*, œnothéracée*, onagrariacée, papilionacée*, renonculacée*, saxifragacée*, sterculiacée* ■ 13 hippocastanée, térébinthacée* ■ 14 ombelliféracée* ■ 15 hippocastanacée*.

DIALYSE : 7 dialysé ■ 8 dialyser ■ 9 dialyseur.

DIAMANT : 4 bort, rose ■ 5 carat, émeri, gemme, stras ■ 6 jargon, strass ■ 7 égrisée, glaceux, semence, véricle ■ 8 aigrette, brillant, corindon, diamanté, dormeuse, parangon ■ 9 adamantin, carbonado, diamanter, diamantin, étincelle, solitaire ■ 10 feuilletis, kimberlite ■ 11 diamantaire ■ 12 diamantifère.

DIAMETRE : 3 axe ■ 5 jauge, rayon, sinus ■ 6 cercle, module ■ 7 alésage, calibre ■ 8 mâtereau ■ 9 diamétral, triboulet ■ 10 diaphragme, dudgeonner, héliomètre ■ 11 demi-colonne ■ 14 diamétralement.

DIAMINE : 9 polyamide.

DIAPASON : 3 son ■ 6 accord ■ 11 diapasonner.

DIAPHANE : 11 diaphanéité, translucide, transparent.

DIAPHRAGME : 7 sanglot ■ 9 phrénique ■ 11 diaphragmer ■ 15 diaphragmatique.

DIAPHYSE : 5 fémur.

DIAPOSITIVE : 9 diaporama, diathèque.

DIAPRE : 5 irisé.

DIARRHEE : 5 foire, sprue ■ 7 colique, turista ■ 8 entérite, toxicose ■ 9 pullorose ■ 10 dysenterie ■ 11 diarrhéique, diascordium, parégorique.

DIASTASE : 3 ase ■ 6 enzyme, lipase, zymase ■ 7 amylase, lactase, maltase, oxydase, papaïne, pepsine, sucrase ■ 8 émulsine, érepsine, myrosine, protéase, pryaline, trypsine ■ 9 invertine, thrombine ■ 10 saccharase ■ 11 carboxylase, diastasique ■ 12 entérokinase.

DIASTOLE : 11 diastolique, périsystole.

DIATHERMIE : 15 arsonvalisation.

DIATHESE : 6 goutte ■ 8 athérome, scrofule ■ 10 herpétisme ■ 11 arthritisme.

DIATOMEE : 8 navicule.

DIATONIQUE : 5 fusée, grave ■ 10 diatonisme ■ 14 diatoniquement.

DIATRIBE : 6 satire.

DICARYON : 12 dicaryotique.

DICHOPSIS : 11 gutta-percha.

DICHOTOMIQUE : 14 ethnocentrisme.

DICOTYLEDONE : 6 labiée, ranale ■ 7 apétale*, linacée* ■ 8 acéracée*, anonacée*, méliacée*, tiliacée*, urticale ■ 9 araliacée*, hédéracée ■ 10 droséracée*, gamopétale*, verbénacée* ■ 11 amarantacée*, aurantiacée, césalpiniée, crassulacée*, dialypétale*, magnoliacée*, verbascacée ■ 12 campanulacée*, euphorbiacée* ■ 13 césalpiniacée*, métachlamydée ■ 14 archichlamydée, caryophyllacée*.

DICTATURE : 6 absolu ■ 8 tyrannie* ■ 9 dictateur ■ 10 communisme ■ 11 dictatorial ■ 12 thermidorien.

DICTER : 6 dictée ■ 7 imposer ■ 9 prescrire ■ 10 dictaphone, secrétaire ■ 12 sténodactylo.

DICTION : 5 crase ■ 7 apocope, diérèse, syncope ■ 8 aphérèse, paragoge, prothèse, syncrèse ■ 9 élocution, épenthème, métathèse ■ 12 allitération ■ 13 prononciation*.

DICTIONNAIRE : 4 code, dico ■ 5 index, musée ■ 6 gradus ■ 7 apparat, lexique ■ 9 catalogue, glossaire, thésaurus ■ 10 répertoire ■

11 vocabulaire ■ 12 encyclopédie, lexicographe ■ 13 lexicographie ■ 15 dictionnairique.
DIDACTICIEL : 11 didacthèque.
DIDACTIQUE : 6 jataka ■ 8 discours ■ 9 bestiaire ■ 10 didactisme ■ 14 didactiquement.
DIELECTRIQUE : 12 permittivité.
DIEME : 8 isoprène.
DIENCEPHALE : 8 épiphyse ■ 9 genouillé ■ 14 diencéphalique.
DIENE : 9 dioléfine.
DIERESE : 5 crase.
DIERGOL : 7 biergol ■ 12 hypergolique.
DIESE : 6 diéser ■ 8 armature ■ 12 enharmonique.
DIESEL : 10 diéséliser, diéséliste ■ 13 diésélisation.
DIETE : 5 jeûne ■ 7 hygiène ■ 8 dextrine ■ 10 abstinence, diététique ■ 11 liberum veto.
DIETHYLAMINE : 10 lysergique.
DIEU : 3 élu ■ 4 acte, ciel, éden, être, père ■ 5 culte, déité, divin, fable, grâce, hymne, juste, manne, oblat, pain, saint, terme ■ 6 déesse ■ 8 caktisme, divinité, épiphane, indigète, litanies, oblation, offrande, panthéon, seigneur ■ 9 consacrer, décalogue, diviniser, théologal ■ 10 hiérogamie, intermonde, martinisme, mythologie, panthéisme, providence, théocratie ■ 11 componction, monothéisme, obsécration, omniscience, ontologisme, polythéisme ■ 12 consécration, tout-puissant ■ 13 théocentrisme.
DIFFAMER : 5 nuire, salir ■ 6 cabale, honnir, ternir ■ 7 accuser, décrier, flétrir, libelle, noircir ■ 8 déchirer, scandale ■ 9 calomnier, diffamant ■ 10 déblatérer, déshonorer, maltraiter, réputation, vilipender ■ 11 diffamateur, diffamation, discréditer, éclabousser, stigmatiser ■ 12 diffamatoire.
DIFFERE : 3 z.a.d. ■ 9 postposer.
DIFFERENCE : 2 di ■ 3 dis ■ 4 agio, mais, sexe, volt ■ 5 comme, écart, perte, reste, solde, suite ■ 6 errata, nuance, soulte ■ 7 mélange, surplus, tension, variété, voltage ■ 8 complexe, différer, distance, excédent, kilovolt, variante ■ 9 contraste, déphasage, différent, diversité, dynamisme, éclimètre, exception, inégalité*, millivolt, plus-value, variation, voltmètre ■ 10 aliénation, altération, complexité, digression, divergence, opposition, séparation, spéciation ■ 11 disparation, distinction, diversement, nivellement, thermoscope ■ 12 cathétomètre, complication, différemment, différencier, dissemblance, dissentiment, polarisation, ressemblance, soustracteur ■ 13 dénivellation, dénivellement, disproportion, dissimilation, dissimilitude, potentiomètre ■ 14 différenciable, indifféremment, millivoltmètre, thermotactisme ■ 15 différenciation, indistinctement.
DIFFERENCIE : 11 différencié ■ 15 différenciateur.
DIFFERENCIER : 5 jurer, mêler ■ 6 hurler, varier ■ 7 aliéner, altérer, croiser, déroger, nuancer ■ 8 mélanger, partager ■ 10 compliquer, contrarier, contraster, distinguer ■ 11 désassortir, diversifier ■ 12 distinguable.
DIFFEREND : 5 débat, juger ■ 6 démêlé, litige, procès ■ 7 affaire, dispute* ■ 8 discorde, querelle ■ 9 décisoire, désaccord ■ 10 discussion*, malentendu ■ 12 amphictyonie, contestation, dissentiment ■ 13 accommodement, récrimination.
DIFFERENT : 5 autre, écart, école, êtres, filon, libre, métis, mixte, moyen, tempo, toton, trope, union, vaste ■ 6 change, divers, inégal, majeur, vairon ■ 7 appoint, éloigné, hybride, mélangé, nouveau,

partage ■ **8** alternat, complexe, différer, discuter, distinct*, étranger, flexueux, scission ■ **9** contraire, disparate, maquiller, multiplet ■ **10** allopathie, allotropie, ambivalent, approchant, coordonnés, dérogation, hétérodoxe, hétérogène, transposer ■ **11** ambivalence, assortiment, démarcation, désassortir, hétéroclite, hybridation, transformer ■ **12** anharmonique, court-circuit, différemment, dissemblable, dissimilaire, exceptionnel, hétérogreffe, hétéromorphe, incomparable ■ **13** transpositeur ■ **14** méconnaissable.

DIFFERENTIEL: **9** intégrale ■ **10** planétaire ■ **12** différencier.

DIFFERENTIELLE: **12** différencier.

DIFFERER: **5** délai ■ **6** tarder, urgent, varier ■ **7** différé, retenir ■ **8** arriérer, attendre, diverger, pressant, remettre, retarder, surseoir ■ **9** atermoyer, suspendre ■ **10** temporiser.

DIFFICILE: **3** dur* ■ **4** âpre, ardu, calé, rude* ■ **5** aride, lourd, malin, raide, rétif, roide ■ **6** confus, obscur, tenace, vaseux ■ **7** abscons, abstrus, algèbre, dégoûté, délicat, épineux, escarpé, indécis, malaisé, pénible*, profond, sorcier ■ **8** abstrait, complexe, coucheur, exigeant, glissant, hérisson, indocile, problème, scabreux, sibyllin ■ **9** acariâtre, accablant, alambiqué, compliqué, contourné, dangereux, illisible, incrédule, indigeste, insoluble, laborieux, périlleux, rigoureux ■ **10** diabolique, difficulté, dystocique, embrouillé, entortillé, hermétique, impossible, imprenable, incroyable, infaisable ■ **11** énigmatique, hiéroglyphe, inabordable, introuvable ■ **12** baragouinage, difficultueux, embarrassant, impénétrable, impondérable, impraticable, inaccessible, incalculable, inconcevable, inexpugnable, irréalisable ■ **13** difficultueux, indécrottable ■ **14** indéchiffrable, inintelligible ■ **15** étouffe-chrétien.

DIFFICULTE: **2** os ■ **3** cas, dys, hic, mal, mer, pli ■ **4** aria, gêne, lala, pont ■ **5** colle, crise, épine, nœud, nuage, passe, peine, péril, rébus, ronce ■ **6** accroc, aporie, corvée, danger, dédale, énigme, tirage, tracas ■ **7** affaire, apepsie, charade, chicane, dyspnée, dysurée, guêpier, impasse, malaise, mévente ■ **8** acinésie, asthénie, chipoter, dérobade, dysbasie, dyslexie, dystocie, embarras, grimoire, merdoyer, obstacle, piedroit, question, solution, tourment ■ **9** acrobatie, anicroche, chiendent, confusion, croupière, difficile, dyspepsie, dysphagie, dyspraxie, expédient, extrémité, impotence, objection, obscurité, pied-droit, repreneur ■ **10** bégaiement, chicanerie, complexité, contrainte, dysarthrie, grand-peine, labyrinthe, logogriphe, résistance ■ **11** achoppement, délicatesse, empêchement, étouffement, malaisément ■ **12** balbutiement, complication*, constipation ■ **13** difficilement, difficultueux, éblouissement, essoufflement.

DIFFORME: **3** bot ■ **4** laid, noué, tors ■ **5** bossu, gnome, nabot, tordu ■ **6** bancal, éclopé, faible, pygmée ■ **7** avorton, bizarre, boiteux, déformé, gibbeux, infirme, informe, mal bâti, mal fait, manchot, monstre, pied-bot, risible ■ **8** estropié, mal fichu, mal foutu, rabougri, ridicule ■ **9** estropiat, grotesque ■ **10** contrefait*, crapoussin, cul-de-jatte ■ **11** caricatural, scoliotique.

DIFFORMITE: **5** bosse ■ **6** charge ■ **7** cyphose, lordose ■ **8** anomalie, scoliose ■ **9** équinisme, gibbosité, infirmité, palmature, strabisme ■ **10** caricature, orthopédie ■ **11** bec-de-lièvre ■ **12** claudication, monstruosité ■ **13** disproportion.

DIFFRACTION: **10** diffracter.

DIFFUS: **4** self ■ **6** bavard, dépoli ■ **7** prolixe, verbeux ■ **8** ennuyeux, monotone, sommaire, succinct ■ **9** diffusant, diffuseur, prolixité, redondant ■ **10** galimatias, paraphrase ■ **11** compendieux, diffusément, surabondant.

DIFFUSER : 7 phraser, radoter ■ 8 bavarder, divaguer, propager, rabâcher, répandre*, samizdat ■ 9 amplifier ■ 10 médiatiser, rediffuser ■ 11 paraphraser, transmettre ■ 12 télédiffuser ■ 13 radiodiffuser ■ 14 radioreportage.

DIFFUSION : 2 di ■ 3 dis ■ 6 osmose ■ 8 délayage, émission, invasion, radotage, verbiage ■ 9 bavardage, mass media, prolixité, rabâchage, verbosité ■ 10 digression, divagation, paraphrase, véhiculeur ■ 11 bafouillage, inélastique, propagation ■ 12 stratovision, surabondance ■ 13 amplification, marchandisage, télédiffusion ■ 14 circonlocution, documentaliste, retransmission.

DIFFUSIONNISME : 14 diffusionniste.

DIGERE : 13 digestibilité.

DIGERER : 5 peser ■ 8 digestif, souffrir ■ 9 assimiler, cellulase, digestion, indigeste ■ 10 digestible ■ 13 digestibilité.

DIGESTIF : 7 dérangé ■ 9 achalasie, endoderme ■ 11 entérovirus ■ 14 entérobactérie.

DIGESTION : 3 thé ■ 4 sang ■ 5 chyle, jabot, léger ■ 6 nausée ■ 7 apepsie, coction, colique ■ 8 albumose, boulimie, céliaque, digestif, eupepsie, nosémose, pellagre ■ 9 arrow-roat, camomille, dyspepsie, excrément, gastrique, lienterie, prédigéré ■ 10 éructation, eupeptique, rumination, salivation ■ 11 aplatisseur, bradypepsie, déglutition, haut-le-cœur, indigestion, mastication, trituration, vomissement ■ 12 assimilation.

DIGESTIVE : 7 saburre.

DIGITAL : 12 dactylologie.

DIGITALE : 5 pavée ■ 8 gantelée ■ 9 ganteline ■ 10 digitaline, digitoxine.

DIGITALINE : 10 digitoxine.

DIGITIGRADE : 4 chat ■ 5 chien.

DIGNE : 5 pitié, royal, séant ■ 7 pleutre ■ 8 adorable, enviable, étonnant, héroïque, légitime, méritant, néronien, ridicule ■ 9 admirable, équitable, graciable, herculéen, honorable, mémorable, misérable, vénérable ■ 10 concevable, déplorable, méprisable, sculptural ■ 11 intéressant, respectable ■ 13 répréhensible ■ 14 charlatanesque.

DIGNITAIRE : 7 effendi, voïvode ■ 8 voïévode.

DIGNITE : 4 agha, rang, réis ■ 5 bâton, dogat, droit, grade, grand, nabab, place, thane, tiare, titre ■ 6 imanat, pairie, vidame ■ 7 califat, décanat, doyenné, éphorat, éphorie, gravité, honneur*, orgueil, papauté, patrice, pontife, pourpre, prieuré, régence, royauté, vidamie, voïvode ■ 8 amiralat, bassesse, bâtonnat, bénéfice, chanoine, chérifat, dégrader, despotat, ennoblir, exarchat, grandeur, khalifat, khédivat, prêtrise, primatie, rabbinat, réservat, sultanat, voïévode ■ 9 archontat, avènement, canonicat, caractère, dictature, électorat, épiscopat, généralat, grandesse, inférieur, installer, magistère, palatinat, patriciat, précieuse, prélature, principat, promotion, sacerdoce ■ 10 burgraviat, cardinalat, chancelier, déposition, dignitaire, honorariat, mainteneur, mamamouchi, mandarinat, maréchalat, margraviat, nomination, patriarcat, pontificat, procuratie, promouvoir, propréture, tétrarchat ■ 11 amour-propre, camerlingat, chapellenie, dégradation, landgraviat, métropolite, prééminence, principauté, proconsulat, rhingraviat, supériorité, vice-recteur, vice-royauté ■ 12 magistrature, stathoudérat ■ 13 archidiaconat, illustrissime ■ 14 archiépiscopat, archimandritat, ennoblissement, vice-président ■ 15 archi-chancelier.

DIGRESSION : 5 à-côté, écart ■ 8 parabase ■ 10 parenthèse.

DIGUE : 4 môle ■ 5 jetée, levée ■ 8 endiguer, estacade ■ 9 bâtardeau, franc-bord, serrement ■ 10 brise-lames ■ 11 contre-digue, empêchement, endiguement.

DILACERER : 12 dilacération.

DILAPIDER : 7 croquer ■ 8 dépenser ■ 9 prodiguer ■ 12 dilapidateur, dilapidation.

DILATATION : 5 fuite, invar, vater ■ 6 macule, varice ■ 8 diastole, mydriase ■ 9 anévrisme, couperose, dilatable, emphysème, mégacôlon ■ 10 pycnomètre, varicocèle ■ 11 angiectasie, buccinateur, compression, dilatomètre ■ 12 condensation ■ 13 bronchectasie ■ 14 bronchiectasie, télangiectasie.

DILATER : 6 enfler ■ 8 atropine, cathéter, dilatant, épanouir, expansif ■ 10 dilatateur, dilatation.

DILETTANTE : 7 amateur ■ 13 dilettantisme.

DILIGENCE : 4 soin, zèle ■ 5 coche, coupé ■ 7 rotonde, vitesse* ■ 8 dépêcher, diligent, vélicité*, voiture* ■ 9 expéditif, impériale, vigilance ■ 10 diligenter ■ 11 diligemment, promptitude* ■ 12 accélération.

DILUANT : 11 white-spirit.

DILUE : 8 brouillé.

DILUER : 7 délaver, délayer ■ 8 dilution ■ 10 dispersant.

DILUTION : 13 gemmothérapie.

DILUVIUM : 8 diluvial.

DIMANCHE : 5 avent, oculi, pâque, prône, saint ■ 9 dominical, quasimodo ■ 10 sexagésime ■ 11 endimancher ■ 12 quadragésime, septuagésime ■ 13 quinquagésime.

DIME : 5 impôt ■ 9 décimable ■ 10 décimateur.

DIMENSION : 4 côté ■ 6 format, mesure, rating, taille ■ 7 étendue, gabarit, hauteur ■ 8 grandeur*, grosseur, longueur, pointure ■ 9 calibrage, épaisseur, hyperplan, tolérance ■ 10 profondeur, proportion ■ 11 échantillon, espace-temps, grossissant, hyperespace, isométrique, mensuration, micrométrie ■ 12 conformateur, dimensionnel, dimensionner ■ 14 micrométéorite, sociocentrisme ■ 15 tridimensionnel, unidimensionnel.

DIMERCAPROL : 3 b.a.l.

DIMINUE : 11 hypotenseur, thermocline ■ 14 hypoallergique.

DIMINUER : 4 user ■ 5 céder, gâter, pâlir, tarir, venir ■ 6 aléser, amorti, ariser, calmer, diluer, élégir, évider, fondre, rogner, ronger, tomber* ■ 7 abréger, adoucir, alléger, amincir, amortir, arriser, baisser, déchoir, détaxer, diminué, écorner, enlever, entamer, épuiser, étrécir, faiblir, mitiger, modérer, mutiler, pallier, ravaler, réduire* ■ 8 abaisser, amaigrir, assoupir, atténuer, attiédir, corriger, décliner, découper, déforcer, dégrader, délarder, détendre, dévolter, ébranler, ébrécher, écourter, grandeur, infirmer, rabattre, ralentir, réformer, relâcher, rétrécir, soulager, tempérer ■ 9 accourcir, affaiblir, amenuiser, amoindrir, apetisser, appauvrir, atrophier, comprimer, coupe-vent, déchanter, décroître, dégonfler, dégressif, dégrossir, démarquer, déprécier, descendre, désenfler, détendeur, diminutif, dissoudre, échancrer, éclaircir, prolonger, rabaisser, refroidir, régresser, rémittent, resserrer ■ 10 contracter, craticuler, décarburer, diminution, économique, péricliter, raccourcir, rapetisser ■ 11 atténuateur, chantourner, contrepoids, décomprimer, diaphragmer, restreindre ■ 12 déconcentrer ■ 13 antipollution, décapitaliser ■ 14 désensibiliser ■ 15 anaphrodisiaque, compressibilité.

DIMINUTION : 4 flou, frai, tare ■ 5 chute, fondu, froid, rabat ■ 6 anémie, baisse, déchet, déclin, détaxe, fading, litote, rabais, remise ■ 7 acompte, amnésie, anosmie, coulage, déficit, détente, insight, retrait, surdité ■ 8 adipisie, anidrose, atrophie, glaucome, oligurie, quantité ■ 9 albinisme, anhépatie, anhidrose, collapsus, décadence, déchéance, décrément, déplétion, discrédit, dysorexie, gradation, hémogénie, hypotonie, hypoxémie, paralysie, presbytie, réduction*, rémission, ristourne, tolérance ■ 10 allègement, brunissure, dénatalité, dépression, épuisement, euphémisme, inhibition, leucopénie, moins-value, ravalement, régression, rémittence ■ 11 abaissement, abréviation, atténuation, contraction, dégrèvement, decrescendo, déperdition, dévaluation, ébranlement, hypoacousie, lymphopénie, neutropénie, raréfaction, relâchement, restriction, soulagement, tempérament ■ 12 bonification, décroissance, dégringolade, dépréciation, désinflation, détumescence, encroûtement, hypoglycémie, insuffisance, thrombopénie, xérophtalmie ■ 13 adoucissment, amortissement, décompression, décroissement, défervescence, fragilisation, gratification, retranchement ■ 14 agranulocytose, amaigrissement, attiédissement, dévalorisation, endurcissement, ralentissement, rétrogradation ■ 15 accourcissement, affaiblissement, amoindrissement, appauvrissement, décalcification, hypochlorhydrie, refroidissement.

DIMORPHE : 11 dimorphisme.

DINANDERIE : 8 dinandier ■ 10 aquamanile.

DINDON : 5 dinde, urubu ■ 8 glou-glou, glousser ■ 9 caroncule, gallinacé ■ 10 dindonneau, dindonnier ■ 11 glouglouter.

DINER : 5 dînée, repas ■ 7 dînette ■ 9 dînatoire ■ 10 amphitryon, après-dîner.

DINGUE : 9 dinguerie.

DINITROTOLUENE : 8 cheddite.

DINOSAURIEN : 9 dinosaure, iguanodon ■ 10 diplodocus ■ 11 brontosaure.

DIOCESE : 4 ordo ■ 5 exeat ■ 6 évêché ■ 8 écolâtre ■ 9 diocésain, ordinaire ■ 11 archidiacre ■ 12 archidiaconé, archidiocèse, suburbicaire.

DIODE : 10 photodiode.

DIOÏQUE : 8 monoïque.

DIONEE : 13 attrape-mouche ■ 14 attrape-mouches.

DIONYSIAQUE : 9 dionysies ■ 10 dithyrambe.

DIOPTRIE : 10 phacomètre.

DIOSCOREACEE : 6 igname, tamier.

DIOXINE : 3 p.c.b.

DIPHENOL : 12 hydroquinone, pyrogallique.

DIPHTERIE : 5 croup ■ 11 diphtérique ■ 13 streptomycine ■ 15 antidiphtérique.

DIPHTONGUE : 5 tréma ■ 11 diphtonguer ■ 13 diphtongaison.

DIPLOCOQUE : 11 pneumocoque ■ 12 méningocoque.

DIPLOMATE : 5 diète, légat, nonce ■ 6 consul, député, envoyé ■ 7 ablégat, congrès, drogman, mission ■ 8 audience, légation, négocier, résident ■ 9 ambassade, émissaire, médiateur, réception ■ 10 conférence, députation, diplomatie, internonce, mémorandum, nonciature, secrétaire, vice-consul ■ 11 ambassadeur, négociateur ■ 12 chancellerie, diplomatique ■ 13 parlementaire.

DIPLOME : 3 d.e.a. ■ 4 d.e.u.g. ■ 5 d.e.u.s.t., grade ■ 6 brevet ■ 7 graduat, mastère ■ 8 candidat, diplômer, peau d'âne ■ 9 impétrant, parchemin ■ 10 certificat ■ 12 baccalauréat.

DIPNEUSTE : 10 protoptère ■ 11 lépidosiren ■ 12 lépidosirène.

DIPOLAIRE : 5 debye.

DIPOLE : 9 réactance.
DIPSACACEE : 7 cardère ■ 8 dipsacée ■ 9 scabieuse.
DIPSOMANIE : 9 dipsomane.
DIPTERE : 4 puce, pupe, taon ■ 6 cousin, mouche, myiase, œstre, syrphe, tipule, tsé-tsé, varron ■ 7 lucilie, muscidé, simulie, stomoxe, tachina ■ 8 anophèle, éristale, glossine, pupipare, syrphidé ■ 9 anthomyie, hypoderme, mélophage, moucheron, moustique, stégomyie, volucelle ■ 10 brachycère, drosophile, maringouin, nématocère, phlébotome.
DIRE : 3 dit ■ 4 nier ■ 5 citer, crier, faire, juger, prose, rêver, taire, usage ■ 6 aviser, avouer, causer, dédire, dicter, diseur, mander, narrer, nommer, non-dit, opiner, parler*, redire ■ 7 ajouter, avancer, avertir, confier, débiter, émettre, énoncer, exposer, gaminer, glisser, intimer, marquer, niaiser, pérorer, publier, réciter, relater, répéter, révéler ■ 8 affirmer, annoncer, assigner, bavarder, déclarer, décocher, dégoiser, dénoncer, dévoiler, ébruiter, énumérer, exprimer*, indiquer, informer, insinuer, messager, notifier, oraliser, ordonner, préciser, propager, raconter, répandre, souffler, stipuler, suggérer, traduire, trancher ■ 9 apprendre, articuler, colporter, commander, confesser, confirmer, constater, converser, détailler, dialoguer, discourir, disserter, divulguer, éloquence, entredire, expliquer, facétieux, gasconner, inculquer, instruire, permettre, présenter, proclamer, professer, promettre, rapporter, rectifier, renchérir, rengainer, répliquer, reprocher, ressasser, rétracter, signifier, spécifier, témoigner, trompeter ■ 10 baliverner, bouffonner, bourdonner, causticité, contredire, développer, invectiver, manifester, mentionner, monologuer, périphrase, plaisanter, renseigner, rhétorique ■ 11 apostropher, communiquer, déboutonner, déraisonner, fanfaronner, polissonner, prophétiser, recommander, reconnaître, transmettre ■ 12 sous-entendre.
DIRECT : 4 hoir, troc ■ 5 droit, train ■ 6 brutal ■ 8 détourné, immédiat, prochain ■ 9 autogamie, clinicien, filiation ■ 10 apostrophe, référendum ■ 11 directement ■ 13 télé-imprimeur.
DIRECTE : 12 psychokinèse ■ 13 psychokinésie.
DIRECTEMENT : 4 à pic.
DIRECTEUR : 4 chef* ■ 5 élève ■ 6 gérant ■ 7 manager, recteur ■ 8 croupier, ministre ■ 9 causalité, direction, dirigeant, orienteur, président, principal, proviseur, substance, supérieur, tenancier ■ 10 commandant, conducteur, directorat, gouverneur ■ 11 codirecteur, directorial ■ 12 contremaître, surintendant ■ 13 sous-directeur ■ 14 administrateur.
DIRECTIF : 11 directivité ■ 14 non-directivité.
DIRECTION : 2 ne, no, se, so[1] ■ 3 axe, cap, ene, ese, est, fil, nno, ono, oso, sse, sso[2], sud, sur ■ 4 aire, aval, mire, nord, pour, rêne, sens, tête, vers ■ 5 amont, biais, cadre, cours, guise, ouest, outre, penon, qibla, régie, règle, route, tortu ■ 6 allure, aplomb, babord, chemin, droite, gauche, virage, volant ■ 7 aulofée, cerveau, courant, évitage, gérance, gestion, suivant, tribord ■ 8 conduite, nutation, pointage, principe, tactique, tournant ■ 9 citérieur, contre-fil, déflexion, directive, dirigeant, éditorial, girouette, gyromètre, impulsion, incidence, maîtrise, maniement, palonnier, parallèle, politique, réfléchir, réflexion, renverser, stratégie, ultérieur, verticité ■ 10 anémomètre, anisotrope, clignotant, clignoteur, conversion, déflecteur, directoire, discipline, gouvernail, indication, présidence, réfraction, tête-à-

1. Abréviations de nord-est, nord-ouest, etc.
2. Abréviations de est-nord-est, est-sud-est, etc.

queue ■ 11 codirection, convergence, directorial, instruction, orientation, radio-compas, trajectoire ■ 12 commandement, directionnel, gouvernement, irréversible, nomenklatura, parallélisme ■ 13 polycentrique ■ 14 administration ■ 15 unidirectionnel.

DIRECTOIRE: 9 directeur ■ 10 incroyable ■ 11 directorial ■ 12 merveilleuse.

DIRIGER: 4 axer ■ 5 aller, fixer, frein, gérer, mener, mirer, régir, tenir, virer, viser ■ 6 amener, former, gagner, guider, manier, porter, router, styler, tenter, voguer ■ 7 ajuster, avertir, braquer, emmener, exciter, manager, montrer, plonger, pointer, ramener, tourner, traîner ■ 8 attacher, attaquer, bornoyer, conduire*, déporter, dérouter, diverger, docilité, éclairer, indiquer, indocile, inspirer, intenter, inverser, jalonner, obliquer, ordonner, orienter, présider, promener, réaliser, régenter, souffler, suggérer ■ 9 acheminer, aiguiller, appliquer, autoguidé, bifurquer, canaliser, cheftaine, commander*, converger, détourner, directeur, direction, dirigeant, enseigner, entraîner, gouverner, hauturier, instruire, pare-fumée, planifier, président, rapporter, remorquer, stratégie, talonnage, trimbaler, verboquet ■ 10 autoguider, conseiller, dirigeable, maîtriser, manœuvrer, téléguider ■ 11 administrer, aérostation, autoguidage, conjurateur, consistoire, destination, ouvriérisme, patronnesse, zymotechnie ■ 13 autodirecteur.

DIRIGISME: 9 dirigiste ■ 11 libéralisme.

DISACCHARIDE: 10 saccharose.

DISCALE: 11 discomycète.

DISCERNER: 4 sens, voir* ■ 6 goûter ■ 7 démêler, deviner, flairer ■ 8 aveugler, dépister, malavisé, orienter ■ 9 percevoir ■ 10 distinguer, visibilité ■ 11 discernable, reconnaître ■ 12 discernement ■ 14 discrimination.

DISCIPLE: 5 élève ■ 6 satori, talibé ■ 9 zététique.

DISCIPLINAIRE: 6 biribi.

DISCIPLINE: 9 cryologie ■ 10 alcoologie ■ 11 bibliologie, islamologie, océanologie, organologie ■ 12 électrologie, mathématique ■ 13 disciplinable, disciplinaire, neurobiologie, neurosciences, préventologie, sociocritique ■ 14 psychobiologie.

DISCIPLINER: 5 canon, ordre, règle ■ 6 biribi, régler ■ 7 policer ■ 8 conduite, ordonner ■ 9 destituer ■ 10 consulteur, définiteur, discipline ■ 11 rétrograder ■ 12 chancellerie, enseignement, indiscipline ■ 13 disciplinable, disciplinaire, paramilitaire ■ 15 indisciplinable.

DISC-JOCKEY: 2 d.j.

DISCOMYCETE: 6 pezize, truffe ■ 7 discale, morille ■ 8 botytris, helvelle.

DISCONTINU: 5 larvé ■ 9 momentané, rémittent ■ 11 intercadent ■ 12 discontinuer, intercurrent, intermittent.

DISCONTINUITE: 5 accès, ondée ■ 6 averse, rafale ■ 7 bouffée, boutade ■ 8 échappée, giboulée ■ 9 rémission ■ 10 alternance, discontinu ■ 11 discordance ■ 12 discontinuer, interférence, interruption ■ 13 intermittence.

DISCORDANCE: 5 lutte, pomme, tison ■ 6 émeute ■ 7 brandon, conflit, dispute*, divorce, rupture, schisme, zizanie ■ 8 anarchie, anomalie, brouille, désordre, discorde, désunion, querelle, scission, tohubohu ■ 9 asymétrie, charivari, désaccord, discorder polémique ■ 10 cacophonie, discordant, dissension, dissidence, divergence, inharmonie, malentendu, opposition, séparation ■ 11 déchirement, dissonnance, incohérence, mésalliance ■ 12 dissentiment ■ 13 disconvenance, disproportion ■ 15 incompatibilité, mésintelligence.

DISCORDANT : 5 couac, jurer ■ 6 inégal ■ 7 absurde, anormal, boiteux, décousu, dérangé, détoner, loucher ■ 8 grinçant, malséant ■ 9 discorder, disparate, dissident, grimaçant ■ 10 anarchique, dépareillé, désassorti, désordonné, dissonnant, incohérent ■ 11 asymétrique, discordance, inconvenant, irrationnel ■ 12 inconséquent, inharmonique, schismatique.

DISCORDE : 7 zizanie.

DISCOTHEQUE : 5 disco ■ 11 disc-jockey ■ 13 discothécaire.

DISCOUNT : 10 discounter.

DISCOURIR : 6 parler* ■ 7 débiter, pérorer, plaider, prêcher, réciter, toucher ■ 8 déclamer, discuter, exhorter, laïusser, palabrer, tartiner ■ 9 disserter, haranguer, persuader, plaidoyer, pontifier, raisonner, répliquer ■10 convaincre, discoureur, improviser, invectiver, psalmodier ■ 11 paraphraser ■ 12 complimenter.

DISCOURS : 2 et ■ 4 plan, topo ■ 5 conte, débit, début, éloge, fleur, geste, laïus, plaid, point, prône, style, toast, verbe ■ 6 énigme, exorde, prêche, propos, sermon, speech, tirade ■ 7 adresse, défense, diction, emphase, homélie, matière, mélopée, message, mimique, oraison, préface ■ 8 apologie, boniment, causerie, division, hâblerie, harangue, réplique, sornette ■ 9 baliverne, discourir, élocution, éloquence, enchaîner, invective, invention, leitmotiv, manifeste, monologue, narration, parallèle, plaidoyer, soliloque ■ 10 allocution, amphigouri, compliment, conférence, digression, discoureur, discussion, exposition, galimatias, mercuriale, paraphrase, péroraison, plaidoirie, prosopopée, réfutation, rhétorique ■ 11 anaphorique, déclamation, déclaration, disposition, exhortation, panégyrique, philippique, prédication, proposition ■ 12 confirmation, diffamatoire, entortillage, proclamation, réquisitoire, schizophasie ■ 13 improvisation.

DISCOURTOIS : 6 impoli ■ 7 incivil ■ 8 inamical.

DISCREDITER : 4 tuer ■ 6 avilir, couler, dauber, déchet, médire ■ 7 débiner, décrier, noircir, retenue ■ 8 dénigrer, diffamer, malmener ■ 9 discrédit ■ 10 accréditer, décréditer, déshonorer ■ 11 défavoriser, démonétiser ■ 12 déconsidérer, disqualifier ■ 14 décrédibiliser.

DISCRETION : 4 tact ■ 5 merci ■ 6 pudeur, secret ■ 7 discret, mystère, réserve ■ 8 catimini, prudence, sobriété ■ 9 indiscret ■ 10 modération ■ 11 délicatesse ■ 12 discrètement, indiscrétion ■ 14 circonspection.

DISCRIMINATION : 6 agisme 10 séparation ■ 13 esthésiomètre.

DISCULPER : 7 excuser* ■ 8 blanchir, défendre ■ 9 justifier ■ 12 disculpation.

DISCUSSION : 5 débat, diète, forum, palme ■ 6 balint ■ 7 chicane, dispute*, palabre, pilpoul, travaux ■ 8 argument ■ 9 discuteur, objection, polémique, vétillard, vétilleur ■ 10 abstention, contention, empoignade, logomachie ■ 11 altercation, contentieux, controverse, dialectique ■ 12 contestation, délibération, dissertation.

DISCUTAILLE : 13 discutailleur.

DISCUTE : 11 controversé.

DISCUTER : 6 agiter ■ 7 discuté ■ 8 débattre, négocier, question ■ 9 contester, discuteur, indiscuté, raisonner ■ 10 rediscuter ■ 11 parlementer, philosopher ■ 12 controverser, discutailler, indiscutable ■ 14 byzantinologie.

DISETTE : 4 faim ■ 6 besoin*, famine, manque* ■ 7 pénurie ■ 9 abondance.

DISEUR : 7 causeur, parleur ■ 11 informateur.

DISGRACE : 4 aman ■ 5 coton ■ 7 malheur ■ 8 défaveur ■ 10 difformité.

DISJOINDRE : 5 lotir ■ 6 briser, casser, ouvrir* ■ 7 écarter, séparer ■ 8 démonter, dépiécer ■ 9 démembrer, dessouder, disperser ■ 10 désagencer, désagréger ■ 11 déboulonner ■ 12 désassembler, désorganiser.
DISJONCTEUR : 10 disjoncter.
DISLOCATION : 7 sautage.
DISLOQUER : 5 gâter, lotir, luxer ■ 6 abîmer, briser, casser, tordre ■ 7 altérer, entorse, faillir, fausser, séparer ■ 8 déboîter, démettre, démonter, dépiécer, déranger, orogénie ■ 9 brouiller, déhancher, démancher, démembrer, dessouder, détraquer, disperser ■ 10 déclinquer, désagencer, désagréger, désajuster, désemparer, disjoindre, tectonique ■ 11 déboulonner, dégingander, désemboîter, désengrener, dislocation ■ 12 démantibuler, désarticuler, désassembler, désorganiser.
DISPARAITRE : 4 fuir*, ôter ■ 5 aller, laver, noyer, pâlir, périr, tarir, vider ■ 6 cacher, couler, enfuir, évader, fondre, fugace mourir, partir*, passer, perdre ■ 7 coucher, disparu, effacer, élaguer, enlever, envoler, épuiser, flétrir, fugitif, manquer, omettre ■ 8 absenter, absorber, anéantir, blanchir, dissiper, échapper, éclipser, éliminer, emporter, enfoncer, esquiver, éteindre, évanouir, évaporer, extirper, liquider, résorber, résoudre ■ 9 annihiler, dégonfler, déraciner, désembuer, dispescer, dissoudre, engloutir, ensevelir, entraîner, éradiquer, escamoter, licencier, néantiser, supprimer, trépasser ■ 11 désintégrer, disparition, effaroucher, palimpseste, volatiliser ■ 13 désambiguïser.
DISPARATE : 5 jurer ■ 6 inégal ■ 7 bariolé, bigarré, panaché ■ 9 disparité ■ 10 cacophonie, hétérogène ■ 11 ressemblant ■ 12 dissemblance ■ 15 disproportionné.
DISPARITION : 4 mort, sida ■ 5 décès, deuil, fondu, fugue, perte, ruine ■ 6 départ ■ 7 absence, démence, éclipse, veuvage ■ 8 myatonie, naufrage, présence, vitiligo ■ 10 annulation, dispersion, effacement, escamotage, évanescent, survivance ■ 11 dénervation, destruction, habituation, occultation ■ 12 décongestion ■ 13 défervescence, désaliénation ■ 14 agranulocytose, anéantissement, dépressuration, évanouissement.
DISPATCHING : 10 dispatcher.
DISPENDIEUX : 7 ruineux.
DISPENSER : 5 congé ■ 8 bienfait, dispense, épargner, exempter, exonérer, immunité ■ 9 décharger ■ 10 distribuer, nécessaire ■ 11 dispensable ■ 13 indispensable.
DISPERSER : 5 épars ■ 6 perdre, rompre ■ 7 chasser, cracher, éclater ■ 8 débander, dissiper, diverger, égailler, émietter, essaimer, irradier, parsemer, rayonner, répandre*, voltiger ■ 9 crachoter, débandade, dégrouper, disloquer, dispersif, irisation ■ 10 clairsemer, désagréger, dispersion, disséminer, effeuiller, éparpiller, fourrageur ■ 11 éclabousser ■ 12 déconcentrer, dispersement.
DISPERSION : 5 flint ■ 7 aérosol ■ 9 diffusion, dispersif, plastisol ■ 10 crachement, flint-glass, fourchette ■ 11 dissipation, émiettement, irradiation ■ 13 dissémination, éparpillement ■ 14 éclaboussement.
DISPONIBILITE : 10 disponible ■ 15 non-directivisme.
DISPONIBLE : 5 stock ■ 6 vacant ■ 9 destituer ■ 13 disponibilité.
DISPOS : 4 apte, inné ■ 5 agile, infus, léger ■ 6 idoine, propre ■ 7 capable.
DISPOSE : 4 prêt ■ 5 porté, quiné ■ 6 agencé, dispos, enclin ■ 7 ordonné, partant, préparé, prévenu ■ 8 radiaire ■ 10 instinctif, prédisposé.
DISPOSER : 4 nuer ■ 5 faire, orner ■ 6 abusus, enlier, étager, étaler, masser, ourdir, placer* ■ 7 agencer, ajuster, anneler, arrêter, arrimer,

cabaner, coiffer, croiser, dresser, houpper, imposer ■ **8** aménager, apprêter, arranger*, combiner, emmétrer, entourer, ordonner, orienter, préparer, réaliser, torsader ■ **9** aiguiller, compasser, débloquer, embusquer, encastrer, enchaîner, imbriquer, mainmorte, organiser, promettre, propriété, sériation ■ **10** charpenter, construire, disponible, distribuer, échelonner, éparpiller, ornementer, orchestrer, palissader, possession, rapprocher, stratifier ■ **11** mannequiner ■ **12** indisponible ■ **13** castramétation.

DISPOSITIF : **4** kick ■ **5** bande, block, frein, fusée, gatte, maser, phare, shunt, train ■ **6** clabot, codeur, crabot, déclic, lieuse, relais, stoker, viseur, visuel ■ **7** antivol, assisté, capteur, contact, copieur, lecteur, pare-feu, rugueux, rupteur, scanner, sécheur, starter, tordeur, traceur ■ **8** allumage, allumeur, amorçage, appareil, assurage, béquille, bitoniau, bobinage, centreur, chargeur, coapteur, coffrage, coupe-feu, coupleur, décodeur, frotteur, glisseur, lentille, sécheuse, sécurité, vide-vite ■ **9** abaisseur, absorbeur, antilacet, appui-tête, audimètre, banc-titre, capacitif, composeur, corps-mort, coupe-vent, culbuteur, déphaseur, déviateur, égaliseur, enrouleur, formation garniture, graisseur, gyroscope, monétique, palonnier, para-grêle, pare-fumée, sélecteur, strip-line, va-et-vient ■ **10** actionneur, aérotherme, anti-fading, antiroulis, appuie-tête, cache-prise, candélabre, couverture, dérailleur, garde-place, hygiaphone, modulateur, obturateur, parafoudre, photostyle, pressostat, saturateur, schnorchel, sèche-mains, suspension ■ **11** amortisseur, anticabreur, atténuateur, block-system, bloc-système, brise-soleil, cloisonnage, commutateur, déclencheur, essuie-glace, pont-bascule, retardement, stignomètre ■ **12** accouplement, antidérapant, articulation, démodulateur, distribution, encliquetage, multiplexeur, numérisateur, phonocapteur, porte-bagages, positionneur, présélecteur, presse-étoupe, ralentisseur, télépointage, thermosiphon, transducteur ■ **13** autoélévateur, cloisonnement, concentrateur, enclenchement, manodétendeur, redéploiement, stabilisateur ■ **14** autocorrection, autopropulseur, contrebutement, monochromateur, presse-raquette, thermostatique ■ **15** démagnétisation, différentiateur.

DISPOSITION : **3** don, épi ■ **4** état, goût, legs, luné, plan, rang, vice ■ **5** cœur, coupe, décor, droit, fibre, forme, génie, glace, lacet, ligne, ordre, panne, parti, pouls, série, suite, verbe, vertu ■ **6** clause, couche, équité, esprit, humeur, rythme, semple, talent ■ **7** cadrage, logique, manière, mémoire, qualité, service, texture, volonté, vouloir ■ **8** aptitude, attitude, avantage, bien-être, capacité, capotage, conduite, diathèse, docilité, facilité, facultés, gisement, habileté, habitude, jugement, méfiance, penchant, position*, symétrie, tendance, tournure, vivacité, vocation ■ **9** acrimonie, caractère, échiquier, émotivité, engrenage, engrenure, étagement, fenêtrage, foliation, habillage, jovialité, nervation, sentiment, stratégie, structure, tolérance ■ **10** agencement, croisement, dévouement, dogmatisme, éclectisme, générosité, imposition, libéralité, ludothèque, obéissance, obligeance, ordonnance*, précaution, radication, ramescence, résolution, soumission, spécialité ■ **11** combinaison, concordance, inclination, médiathèque, munificence, nonchalance, orientation, quadrillage, religiosité, tempérament, variabilité ■ **12** annulabilité, architecture, complaisance, constitution, construction, crachotement, dérégulation distribution, emmarchement, intelligence, irascibilité, mobilisation, organisation, placentation, préfloraison, préfoliaison ■ **13** bienveillance, ornementation, préfleuraison ■ **14** immobilisation, prédisposition, stratification, susceptibilité ■ **15** entrecroisement, prolétarisation, vascularisation.

DISPROPORTION : 5 excès, usure ■ 8 démesure ■ 9 inégalité ■ 13 disconvenance.

DISPUTE : 4 rixe ■ 5 débat, éclat, lutte, match, noise, orage, prise, scène ■ 6 combat, démêlé, guerre, litige, procès ■ 7 affaire, aigreur, attaque, bagarre, chicane*, conflit, grabuge, tempête, tournoi ■ 8 algarade, altercas, bisbille, brouille*, concours, discorde, fâcherie*, querelle, rivalité, scandale, schproum, violence ■ 9 animosité, chamaille, collision, désaccord, différend*, émulation, esclandre, polémique ■ 10 apostrophe, chamaillis, discussion, malentendu ■ 11 altercation, compétition, provocation ■ 12 chamaillerie, contestation, dissentiment ■ 13 récrimination.

DISPUTER : 6 courir, lutter ■ 7 liarder, matcher ■ 8 chicaner*, débattre, tempêter ■ 9 batailler, contester, disputeur, quereller, rivaliser ■ 10 chamailler, ferrailler, récriminer ■ 11 réprimander ■ 12 disputailler.

DISQUE : 3 d.o.c. ■ 4 flan, gong, live, rond, scie, yo-yo ■ 5 boule, buffle, cd-rom, nimbe, palet ■ 6 besant, bouton, cadran, cercle*, discal, piston, plaque, timbre, voyant ■ 7 bobèche, cymbale, frisbee, nucleus, palette, plateau ■ 8 discoïde, réticule ■ 9 croquette, discobole, discoïdal, disquaire, garde-rats ■ 10 discophile ■ 11 audiodisque, cicatricule, compact disc, discopathie, discothèque, excentrique, microsillon, phonographe ■ 12 discarthrose, discographie, tourne-disque ■ 14 audionumérique.

DISQUETTE : 5 drive.

DISSECTION : 7 cadavre ■ 8 anatomie, autopsie, zootomie ■ 9 disséquer, nécropsie ■ 10 prosecteur ■ 15 microdissection.

DISSEMBLANCE : 10 différence, hétérogène ■ 12 dissemblable, ressemblance.

DISSEMINER : 5 kyste, semer, spore ■ 7 indivis ■ 9 disperser ■ 12 déconcentrer ■ 13 décentraliser, dissémination.

DISSENSION : 8 discorde ■ 9 désordres ■ 12 dissentiment ■ 15 mésintelligence.

DISSEQUER : 5 sujet ■ 6 couper ■ 7 scalpel ■ 8 anatomie ■ 10 anatomiser, dissection.

DISSERTATION : 6 traité ■ 7 mémoire ■ 8 discours ■ 9 disserter, rédaction*.

DISSIDENCE : 6 raskol ■ 7 révolte, schisme ■ 8 scission ■ 9 dissident, sécession.

DISSIDENT : 12 vieux-croyant.

DISSIMULATION : 6 feinte ■ 7 comédie, grimace ■ 8 feintise ■ 9 tricherie ■ 10 camouflage, simulation ■ 11 déguisement ■ 12 détournement, sournoiserie.

DISSIMULE : 4 faux ■ 6 secret*, simulé ■ 8 narquois, sournois ■ 10 pseudonyme ■ 13 sournoisement.

DISSIMULER : 4 voir ■ 5 taire ■ 6 cacher, mentir, voiler ■ 7 dérober, enfouir, feindre, tricher ■ 9 camoufler, cryptique, démarquer, renfermer ■ 12 cache-flammes ■ 14 cache-radiateur.

DISSIPATION : 10 dissipatif.

DISSIPER : 5 avare ■ 6 manger, percer ■ 7 chasser*, dissipé, écarter, écouler ■ 8 absorber, dépenser, évanouir, évaporer, prodigue ■ 9 attention, dilapider, disperser, engloutir, prodiguer ■ 10 défatiguer, désennuyer, éparpiller, étourderie ■ 11 démystifier, disparaître, dissipateur, dissipation.

DISSOCIANT : 6 éclaté.

DISSOCIATION : 2 pk ■ 5 secte ■ 7 abandon, diérèse, divorce, placebo, rupture, schisme ■ 9 sécession ■ 10 dissidence, mésentente, séparation ■ 11 effritement, séparatisme ■ 14 dissociabilité.

DISSOCIER: 5 trier ■ 7 désunir, dételer, scinder, séparer* ■ 8 décoller, découdre, démarier, divorcer ■ 9 découpler, dédoubler, démembrer, dessouder, disloquer, dissoudre ■ 10 désagréger, disjoindre ■ 11 désapparier ■ 12 désaccoupler, désassembler, dissociation ■ 13 décentraliser, désolidariser, distanciation.

DISSOLUTION: 4 lyse ■ 5 sirop ■ 6 fusion ■ 7 analyse ■ 8 catalyse, cytolyse, division, infusion ■ 9 sécrétion ■ 10 résolution ■ 11 électrolyse, évaporation, lixiviation ■ 12 colliquation, distillation, liquéfaction ■ 13 décomposition, déliquescence, désagrégation ■ 14 volatilisation.

DISSOUDRE: 5 gâter, titré ■ 6 fondre, soluté ■ 7 délayer, diviser, infuser, séparer, soluble, solvant ■ 8 analyser, évaporer, illuvium, résoudre, sécréter ■ 9 catalyser, corrompre, distiller, insoluble, liquéfier, urokinase ■ 10 décomposer, désagréger, dispersant, dissoluble, dissolutif, dissolvant, précipiter ■ 11 volatiliser ■ 12 cristalloïde ■ 13 dissolubilité.

DISSOUS: 7 divorcé.

DISSUADER: 9 détourner ■ 10 conseiller, dissuasion.

DISSYMETRIQUE: 7 crochon.

DISTANCE: 3 pas ■ 4 base, côte, loch, loin, long, main, onde, plan, près, tour, voir ■ 5 borne, écart, empan, étage, gauss, lieue, mille, nœud, poste, rayon, redan, route, sonde, stade, télex ■ 6 apogée, bordée, chemin, course, espace, estime, foulée, marche, milage, parsec, portée, stampe, traite, trajet, trotte, verste ■ 7 aphélie, brassée, distant, gazoduc, millage, orgueil, sextant, sillage, vitesse ■ 8 cinglage, demi-fond, échappée, lointain, odomètre, parcours, pipe-line, prospect, vergence ■ 9 compte-pas, distancer, encâblure, focomètre, kilomètre, parasange, pédomètre, périphérie, quant-à-soi, taximètre, télémètre, télescope ■ 10 chevauchée, écartement, élongation, espacement, hyperfocal, intervalle, kilométrer, profondeur, télémesure, télémétrie, téléphonie, télévision ■ 11 convergence, déclinaison, éloignement, empattement, équidistant, interfrange, longimétrie, station-aval, télégestion, téléguidage, télesthésie ■ 12 apomécomètre, entrecolonne, télécommande, télépointage ■ 13 court-courrier, développement, radiocommande, signalisation, téléaffichage, télautographe, télécommander, télémécanique ■ 14 télédiagnostic, téléimpression ■ 15 télémaintenance.

DISTANCER: 9 forlonger.

DISTENDRE: 7 élonger.

DISTENSION: 6 laxité ■ 8 claquage ■ 10 vergetures ■ 12 ballonnement ■ 13 hydronéphrose.

DISTILLATION: 4 brai, coke, rhum ■ 5 fusel, indol ■ 6 cornue ■ 7 alambic, brûleur ■ 8 alcoolat, brûlerie, eau-de-vie, hydrolat, kérosène, kérosine, rhumerie, semi-coke, sublimer ■ 9 azéotrope, bouilleur, distillat, distiller, melliflue, rectifier ■ 10 oléonaphte ■ 11 distillerie, évaporateur, pyroligneux ■ 12 azéotropique, distillateur.

DISTILLE: 8 hydrolat.

DISTINCT: 3 net, pur ■ 4 duel, haut, rare, self, seul ■ 5 autre, clair, divis, isolé ■ 6 absolu, décidé, dégagé, marqué, précis, propre*, séparé, unique ■ 7 bizarre, indivis, positif, spécial, tranché, typique, visible ■ 8 abstrait, apparent, idiogyne, saillant, sensible ■ 9 articuler, différent*, explicite, hypostase, singulier ■ 10 discontinu, distinctif, indistinct, individuel ■ 11 bredouiller, caractérisé, catégorique, discernable, indépendant, particulier, remarquable ■ 12 enharmonique, intelligible ■ 13 distinctement ■ 14 démultiplexage, extraordinaire, reconnaissable, ville-satellite ■ 15 caractéristique, catégorématique.

DISTINCTIF : 7 mérisme.

DISTINCTION : 4 lady, race ■ 5 galon ■ 6 classe, sélect ■ 7 honneur, insigne, mention ■ 8 accessit, élégance, noblesse ■ 9 distingué, distinguo, élévation, sélection, vulgarité ■ 10 décoration, différence, épinglette ■ 12 discernement ■ 13 individualisé, individuation ■ 14 aristocratique, discrimination.

DISTINGUE : 6 classe.

DISTINGUER : 4 voir ■ 5 élite, sceau, signe ■ 7 démêler, émérite, éminent, marquer, séparer ■ 8 brillant, critique, éclairer polarité, préférer, signaler ■ 9 connaître, critérium, découvrir, discerner, éclaircir, empreinte, percevoir, remarquer ■ 10 distinctif ■ 11 débrouiller, dimorphisme, discriminer, distinction, guillemeter, reconnaître, remarquable ■ 12 caractériser, différencier, distinguable, sélectionner, singulariser ■ 13 achromatopsie, astéréognosie ■ 14 individualiser ■ 15 discriminatoire.

DISTORSION : 3 tic ■ 6 crampe, goutte, hiatus, hoquet, spasme ■ 7 pyrosis, sanglot, torsion ■ 9 distordre ■ 10 bâillement, convulsion, crispation, distension ■ 11 contraction, prosopalgie, vomissement ■ 15 désaisonnaliser.

DISTRACTION : 5 oubli* ■ 6 déduit ■ 7 absence, détente, évasion, mégarde, plaisir, rêverie ■ 8 agrément, légèreté, omission ■ 9 amusement, attention ■ 10 étourderie, récréation ■ 11 dissipation, inattention ■ 12 inadvertance ■ 13 préoccupation.

DISTRAIRE : 6 amuser* ■ 7 recréer ■ 8 consoler, délasser, distrait, divertir, étourdir ■ 9 détourner ■ 10 distractif, distrayant ■ 11 distraction ■ 12 déconcentrer.

DISTRAIT : 5 léger ■ 6 absent, rêveur ■ 7 absorbé, affairé, dissipé, étourdi ■ 8 oublieux ■ 9 préoccupé ■ 10 inattentif* ■ 13 distraitement.

DISTRIBUE : 9 paneterie.

DISTRIBUER : 6 donner* ■ 8 départir, partager*, répandre*, répartir ■ 9 dispenser, rationner ■ 11 distributif ■ 12 distribuable, distributeur, distribution.

DISTRIBUTION : 5 curée, donne ■ 7 factage, médiale, partage, service ■ 8 conduite, fast-food, fontaine, fourrier, guide-fil, hérisson, largesse, maldonne, orbitale, pompiste, quartile, sportule ■ 9 buraliste, cambusier, diffusion, également, paneterie ■ 10 magasinier ■ 11 clair-obscur, disposition, exclusivité, innervation, répartition ■ 12 rationnement, volucompteur ■ 13 affouragement, distributaire, semi-grossiste ■ 14 classification, distributivité ■ 15 géothermométrie, phytogéographie.

DITHYRAMBE : 5 éloge ■ 10 flatterie ■ 12 enthousiasme ■ 13 dithyrambique, dithyrambiste.

DIURETIQUE : 3 lin, thé ■ 4 maté ■ 5 genêt, urine ■ 6 scille ■ 9 bourrache, spartéine ■ 10 furosémide ■ 14 salidiurétique.

DIURNE : 4 buse ■ 6 autour, busard, faucon, lycène, rapace ■ 7 danaïde, gypaète, machaon, vanesse, vautour ■ 8 circaète, épervier, lycénidé, papillon ■ 9 balbuzard ■ 10 journalier.

DIVAGUER : 5 errer ■ 7 délirer ■ 9 dérailler, errements ■ 10 divagateur, divagation ■ 11 déraisonner ■ 12 élucubration.

DIVAN : 4 cosy ■ 6 canapé ■ 10 cosy-corner.

DIVERGENCE : 5 écart, rayon ■ 9 divergent ■ 10 dispersion, dissidence ■ 15 semi-convergence.

DIVERS : 4 mêlé ■ 5 autre, émail, métis, mixte, panto, varié* ■ 7 bigarré, hybride, mélangé ■ **8** uniforme ■ **9** composite, différent, diversité, plusieurs ■ **10** dichroïsme, diversifié, polychrome ■ **11** diversement ■ **13** individuation.

DIVERTICULE: **6** meckel ■ **9** appendice ■ **13** diverticulose.

DIVERTIR: **4** rire ■ **5** folie, jouer ■ **6** amuser*, plaire ■ **7** ébattre, ébaudir, récréer, régaler, réjouir ■ **9** détourner, distraire ■ **10** distractif, fastidieux ■ **12** divertissant ■ **13** vide-bouteille ■ **14** divertissement.

DIVERTISSEMENT: **3** jeu* ■ **5** ébats, joute ■ **7** plaisir ■ **8** carnaval, fantasia ■ **9** interlude, intermède ■ **10** intermezzo, récréation* ■ **11** délassement ■ **12** réjouissance.

DIVIN: **4** diva, dive ■ **5** déchu, nimbe, péché, saint ■ **7** céleste ■ **8** divinité ■ **9** luminaire, prophétie ■ **10** divinement ■ **11** incarnation ■ **12** immanentisme.

DIVINATION: **5** rébus ■ **6** augure, cabale, calcul, énigme, extase, indice ■ **7** charade, présage ■ **8** instinct, mantique ■ **9** avant-goût, devinette, géomancie, horoscope, intuition, prévision, pronostic, prophétie, trigramme ■ **10** astrologie, clédonisme, conjecture, gyromancie, hypnotisme, indication, magnétisme, prédiction, prévention, prévoyance, révélation, spiritisme, suggestion, théomancie ■ **11** brizomancie, chiromancie, divinatoire, extralucide, illuminisme, inspiration, nécromancie, onirocritie, oniromancie, pénétration, phrénologie ■ **12** bibliomancie, clairvoyance, météorologie, perspicacité ■ **13** arithmomancie, météoromancie, ornithomancie, somnambulisme ■ **14** interprétation ■ **15** cristallomancie.

DIVINISER: **5** divin, héros ■ **7** déifier ■ **8** indigète ■ **9** glorifier ■ **12** divinisation.

DIVINITE: **4** dieu*, vœu ■ **5** athée, déité, démon, fanum, génie, hymen, idole, image, jurer, prier ■ **6** déesse, oracle ■ **7** fortune, parèdre ■ **8** chtonien, demi-dieu, religion, renommée ■ **9** blasphème, chthonien, prêtresse, sacrement ■ **10** tricéphale ■ **11** prophétesse.

DIVISE: **5** bandé, divis, fascé ■ **7** endetté, losangé ■ **8** fissile, scissile ■ **10** métamérise, tripartite.

DIVISER: **5** divis, enter, fascé, lotir, tomer ■ **6** burelé, couper, fendre ■ **7** allotir, classer, débiter, graduer, indivis, scinder, trimère, séparer ■ **8** avant-bec, brancher, composer, déchirer, découper, diverger, diviseur, lobuleux, morceler, partager*, ramifier, sérancer, triparti ■ **9** bifurquer, démembrer, détailler, dichotome, dividende, divisible, écarteler, échiqueté, granuleux, lamelleux, tétramètre ■ **10** bissecteur, centésimal, classifier, distribuer, duodécimal, fouilleuse, fragmenter, horométrie, quadriller, sectionner, subdiviser, tripartite ■ **11** fractionner*, indivisible, parcellaire ■ **12** divisibilité, scissiparité, triloculaire ■ **13** parcellariser ■ **14** compartimenter, indivisibilité, multiloculaire.

DIVISION: **3** ère, ion, jeu ■ **4** acte, case, clan, déci, dème, lobe, mois, nome, part*, pico, tome, zone ■ **5** atome, banat, bande, barre, caste, centi, chant, curie, cycle, degré, étage, flanc, genre, index, livre, micro, milli, ordre*, parti, pièce, point, pomme, quart, règle, règne, scène, temps, tiers, titre, trias, tribu, zeste ■ **6** alinéa, canton, casier, classe*, clause, époque, espèce, eyalet, méiose, membre, mesure, mitose, partie, phrase, refend, saison, verset, wilaya ■ **7** alvéole, amitose, article, branche, capiton, cellule, colonne, commune, coupet, diérèse, diocèse, échelle, élément, épisode, famille, foliole, fourche, îlotage, morceau, partage, passage, portion, ressort, rupture, schisme, section, segment, sourate, strophe, tranche, willaya ■ **8** académie, anaphase, chapitre, chef-lieu, décilage, défluent, discorde, dispersé, district, diviseur, électron, émulsion, fraction, fragment, molécule,

primaire, province, quartier, quotient, scission, thébaïde, voïvodie ■ **9** acyclique, bailliage, catégorie, centilage, déchirure, décimilli, découpage, dividence, métaphase, partition, sous-genre, voïévodie ■ **10** bissection, calendrier, chromosome, classement, dichotomie, diffluence, divergence, écartelure, entrefilet, graduation, hipparchie, intendance, métathorax, paragraphe, présidence, quadrifide, quadrivium, trisection ■ **11** bifurcation, bipartition, caryocinèse, déchirement, département, lotissement, quadrillage, subdivision* ■ **12** compartiment, dédoublement, démembrement, distribution, gouvernement, morcellement, multiplexage, ramification, segmentation, tripartition ■ **13** divisionnaire, embranchement*, endivisionner, œilletonnage, scissionniste ■ **14** arrondissement ■ **15** circonscription, mésintelligence.
DIVISIONNISME: **13** divisionniste.
DIVORCE: **10** séparation ■ **11** répudiation.
DIVULGUER: **4** dire ■ **6** trahir ■ **7** publier, révéler* ■ **8** dévoiler, ébruiter, propager ■ **9** colporter, proclamer, trompeter ■ **10** tympaniser ■ **11** divulgateur, divulgation, interviewer.
DIX: **4** déca, déci, dîme ■ **5** décan ■ **6** décade, décadi, décimo ■ **7** décimal, dixième ■ **8** décaèdre, décagone, décalobe, décapode, décapole, décennal, décennie, décupler, manipule, messidor ■ **9** décacorde, décalitre, décalogue, décamètre, décandrie, décastyle, décathlon, décigrade, décilitre, décimètre, décimilli ■ **10** décagramme, décapétale, décaphylle, décigramme, millénaire ■ **11** décasyllabe, décuplement, soixante-dix ■ **13** quatre-vingt-dix ■ **14** décasyllabique.
DIXIEME: **9** décigrade ■ **10** décigramme.
DIZYGOTE: **10** bivitellin.
DJAÏNISME: **4** jaïn ■ **5** djaïn.
DJIBOUTI: **10** djiboutien.
DOCILE: **4** doux, sage, têtu ■ **6** souple ■ **8** docilité ■ **9** obéissant* ■ **10** discipliné, docilement ■ **11** apprivoiser ■ **12** récalcitrant ■ **13** disciplinable.
DOCKER: **4** dock ■ **7** porteur ■ **8** arrimeur.
DOCTE: **6** savant* ■ **10** doctissime.
DOCTEUR: **4** père ■ **5** grade, mulla, santé, taleb, thèse, titre, uléma ■ **6** mollah, pandit, rabbin, scribe ■ **7** médecin* ■ **8** didascal, doctoral, doctorat, mandarin ■ **9** ubiquiste ■ **10** apologiste, pontifiant ■ **13** hiérogrammate, hodjatoleslam.
DOCTORAL: **10** ex. cathedra.
DOCTRINE: **3** suc ■ **4** chef ■ **5** credo, dogme, école, gnose, parti, peste, secte, somme, thèse ■ **6** errata, savoir, social* ■ **7** babisme, hérésie, holisme, nazisme, nudisme, système*, théorie* ■ **8** anarchie, croyance, disciple, évangile, laïcisme, mosaïsme, néophyte, orphisme, planisme, religion*, saktisme, sionisme, valdisme ■ **9** acharisme, activisme, apostasie, doctrinal, dynamisme, figurisme, galénisme, gomarisme, humanisme, humorisme, idéologie, magistère, mandéisme, naturisme, orthodoxe, pacifisme, palamisme, péronisme, politique*, populisme, programme, prosélyte, romanisme, théodicée, théologie, tradition, troskisme, valdéisme, vitalisme ■ **10** averroïsme, babouvisme, bellicisme, blanquisme, catharisme, darwinisme, économique*, ésotérisme, extrémisme, hétérodoxe, historisme, intégrisme, machinisme, martinisme, mesmérisme, nicolaïsme, propagande, richerisme, spiritisme ■ **11** antagonisme, application, catholicité, démolisseur, doctrinaire, évangéliste, iconoclasme, militarisme, mondialisme, monogénisme, mutazilisme, neutralisme, ontologisme, organicisme, philosophie*, polygénisme, pragmatisme, préadamisme, puritanisme, rosicrucien, scepticisme, vishnouisme ■ **12** adop-

tianisme, agnosticisme, apostolocité, arminianisme, déterminisme, égalitarisme, enseignement, eschatologie, hégélianisme, historicisme, monophysique, monothélisme, nationalisme, pentecôtisme, physiocratie, progressisme, pythagorisme, rationalisme, régionalisme, ultramontain, zoroastrisme ■ **13** antisémitisme, aristotélisme, hippocratisme, humanitarisme, sabellianisme, sociobiologie, tiers-mondisme, zwinglianisme ■ **14** abolitionnisme, conceptualisme, évolutionnisme, malthusianisme, néoplasticisme, préraphaélisme, priscillanisme, saint-simonisme, weltanschauung ■ **15** constructivisme, fonctionnalisme, libre-échangisme, néo-hegélianisme, néo-pythagorisme, ultramontanisme.

DOCUMENT : 4 visa ■ **5** carte, faxer, pièce ■ **6** papier, script, source ■ **7** pouvoir ■ **8** classeur, décision, évangile, horodaté, postdaté, validité, vrai-faux ■ **9** collation, documenté, microfilm, passeport, press-book, tapuscrit, triptyque ■ **10** descriptif, documenter, microfiche, porte-fiche ■ **11** phonothèque, photocopier, sans-papiers ■ **12** bélinogramme, diplomatique, documentaire, rectificatif ■ **13** dactylogramme, documentation, renseignement, trombinoscope ■ **14** documentaliste, documentariste.

DOCUMENTAIRE : 9 thesaurus.

DODECAPHONISME : 14 dodécaphonique.

DODELINER : 7 dodiner ■ **8** balancer.

DODU : 4 gras* ■ **6** étoffé, potelé ■ **10** plantureux.

DOGE : 5 dogat ■ **9** dogaresse ■ **10** bucentaure.

DOGMATIQUE : 10 ex cathedra.

DOGME : 3 foi ■ **5** credo ■ **7** décisif ■ **8** croyance, évangile, religion ■ **9** orthodoxe ■ **10** catéchisme, dogmatique, dogmatiser, dogmastisme, dogmatiste, propagande ■ **11** affirmation, dogmatiseur, péremptoire ■ **13** autoritarisme, libre-penseur ■ **14** dogmatiquement, infaillibilité.

DOGUE : 6 carlin, doguin ■ **7** mastiff, molosse, terrier ■ **10** bouledogue.

DOIGT : 5 bague, barré, bijou, empan, envie, index, nœud, ongle, palme, pouce ■ **6** doigté, majeur, médius, nilles, onglée, orteil ■ **7** digital, montrer, panaris, shiatsu ■ **8** doigtier, fourchet, pédimane, phalange ■ **9** annulaire, didactyle, manuterge, palmature, tourniole ■ **10** syndactyle, tridactyle ■ **11** auriculaire, chiquenaude, digitiforme, digitigrade, phalangette, rince-doigts, syndactylie ■ **12** castagnettes, dactylologie, dactyloptère, imparigidité, interdigital, macrodactyle, paridigitide, pentadactyle, polydactylie, spina-ventosa, tétradactylé ■ **13** digitoplastie ■ **14** digitopuncture.

DOL : 7 dolosif.

DOLEAU : 5 doler.

DOLICHOCEPHALE : 5 nègre ■ **13** brachycéphale.

DOLINE : 6 ouvala.

DOLLAR : 10 asiadollar ■ **11** narcodollar.

DOLMAN : 7 soubise.

DOLMEN : 5 allée.

DOLOIRE : 5 doler.

DOLOMIE : 9 cargneule ■ **11** dolomitique.

DOLORISME : 9 doloriste.

DOMAINE : 4 aire, bien, fief ■ **5** comté, ferme, serfs, terre, villa ■ **6** empire, enclos ■ **7** apanage, secteur, univers ■ **8** domanial, métairie ■ **9** isoglosse, non-initié, propriété, starostie ■ **10** archiduché, empathique, koudourrou, surnaturel ■ **11** domanialité, garde-chasse, monocristal ■ **12** procréatique.

DOME : 5 galbe, voûte ■ **6** radôme ■ **7** calotte, coupole ■ **8** verrière ■ **9** lanternon ■ **10** cumulo-dôme.

DOMESTIQUE: 3 âne, boy, lad ■ 4 chat, lama, lare, page, pion, zébu ■ 5 cavas chien, cygne, gager, gages, groom, lapin, monte, panca, panka, punka, renne, valet* ■ 6 bedeau, cocher, cochon, écuyer, goujat, jockey, larbin, maison, recors, suisse ■ 7 ancelle, coureur, cuistre, esclave, galopin, icoglan, laquais, licteur, lingère, pénates, piqueur, portier, trottin ■ 8 berceuse, bestiaux, brosseur, camérier, chasseur, échanson, estaffer, familier, frotteur, heiduque, huissier, jocrisse, marmiton, portière, remueuse, patronet, servante*, souillon, suivante, volatile ■ 9 ancelette, camériste, cellérier, chauffeur, chien-loup, concierge, cuisinier, majordome, officieux, postillon, serviteur*, sommelier, soubrette ■ 10 bouteiller, chambellan, chambrière, cuisinière, dariolette, dinanderie, mangeaille, quincaille ■ 11 domesticité, palefrenier, tourne-bride, vide-ordures.

DOMESTIQUER: 6 former ■ 7 dompter, dresser ■ 8 affaîter, habituer ■ 11 apprivoiser ■ 12 domesticable ■ 13 domestication.

DOMICILE: 6 maison* ■ 7 chez-soi, demeure ■ 8 call-girl, clochard, logement, quérable, vagabond ■ 9 intérieur ■ 10 démarchage, domicilier, habitation ■ 11 home-trainer, vagabondage ■ 12 domiciliaire ■ 13 domiciliation ■ 14 domiciliataire.

DOMINANCE: 14 latéralisation.

DOMINANTE: 14 diffusionnisme.

DOMINATEUR: 10 jupitérien ■ 12 possessivité.

DOMINATION: 4 ange, joug ■ 5 union ■ 6 griffe ■ 7 pouvoir* ■ 8 autorité*, contrôle, maîtrise, sujétion ■ 9 épistasie, influence, puissance* ■ 15 néocolonialisme.

DOMINE: 7 dépassé.

DOMINER: 6 planer, règner, sur-moi ■ 7 couvrir, réduire ■ 8 asservir, dominant, envoûter, machisme, posséder ■ 9 commander, conquérir, contrôler, couronner, dominance, dominante, maîtriser, principal, subjuguer, supérieur, surmonter ■ 10 assujettir, dominateur, revanchard, surplomber ■ 11 sophrologie ■ 12 susdominante ■ 13 sous-dominante.

DOMINO: 2 as ■ 6 ma-jong, masque ■ 7 mah-jong, matador.

DOMMAGE: 3 dam, mal ■ 4 sauf, tort ■ 5 casse, dégât, délit, grief, nuire, perte, ruine, usure ■ 6 avarie, brèche, méfait, ravage ■ 7 indemne ■ 8 accident, atteinte, sinistre, trinquer ■ 9 assurance, détriment, préjudice* ■ 11 dégradation, déprédation, destruction, dévastation, dommageable ■ 12 meurtrissure ■ 13 dédommagement, détérioration, endommagement ■ 14 pretium doloris.

DOMPTER: 5 mater ■ 6 brider ■ 7 dresser, réduire, vaincre* ■ 8 désarmer, domptage, dompteur, façonner, indompté, régenter ■ 9 assouplir, belluaire, commander, domptable, maîtriser, soumettre*, surmonter ■ 10 houspiller ■ 11 apprivoiser, discipliner, indomptable.

DOMPTE-VENIN: 10 asclépiade.

DON: 4 doué, legs, prêt ■ 5 envoi ■ 6 aumône, cadeau, denier, octroi ■ 7 cession, charité*, créatif, gratuit, hommage, présent, subside, voyance ■ 8 avantage, bakchich, bienfait*, charisme, donateur, donation, étrennes, largesse, oblation, offrande, sportule ■ 9 captation, collation, donataire, fondation, pourboire, privilège, testament ■ 10 assistance, concession, délégation, générosité, libéralité*, pythonisse, réparation ■ 11 assignation, attribution, extra-lucide, munificence, prodigalité, prophétique ■ 13 gratification, philanthropie.

DONATION: 10 codonateur ■ 11 codonataire.

DONAX: 7 trialle.

DONC: 5 ainsi.

DONJON : **4** tour* ■ **6** ballon.
DON JUAN : **7** tombeur ■ **11** donjuanisme ■ **12** donjuanesque.
DONNE : **8** soignant.
DONNEE : **3** bus ■ **5** titre ■ **6** codeur, énoncé ■ **7** centile, lecteur ■ **8** opérante ■ **9** graphique, hypothèse ■ **12** géostratégie ■ **13** concentrateur ■ **14** géothermomètre, téléchargement.
DONNER : **3** don ■ **5** aider, biser, catir, céder, doter, gaver, louer, roser, taper, typer ■ **6** animer, chiner, corser, élever, fendre, ficher, frêter, gorger, léguer, lifter, livrer, nantir, offrir*, passer, porter, prêter, pulser, rendre, servir, souler, valoir ■ **7** abouler, acenser, adjuger, adonner, aliéner, allouer, avertir, cendrer, combler, confier, dévouer, exercer, fieffer, fournir*, frapper, gigoter, inonder, obliger, refiler, réjouir, remplir, saturer, suriner, tabouer, tapoter ■ **8** accorder, affenage, affermer, arabiser, argenter, arrenter, assigner, assister, assouvir, baisoter, baptiser, bâtonner, cadencer, calibrer, calotter, concéder, conclure, conférer, décerner, déléguer, dénommer, départir, destiner, disposer, donateur, ébaucher, échanger, éclairer, embrunir, enfanter, ennoblir, entonner, équerrer, érotiser, façonner, fouetter, généreux, gréciser, hiverner, incarner, inféoder, informer, inverser, juponner, mandater, mordorer, octroyer, opaliser, percuter, platiner, pourvoir, procurer, produire, profiler, proposer, rallumer, recevoir, redonner, réformer, remettre, repaître, replacer, résigner, retercer, romancer, salarier, signaler, slaviser, suicider, surlouer, talocher, tonsurer, tonifier, torchère, velouter, vivifier ■ **9** acquitter, appliquer, approuver, asphyxier, assoiffer, attribuer, autoriser, avantager, baptismal, becqueter, certifier, complexer, confirmer, congédier, consacrer, déchaîner, décharger, démutiser, dénaturer, diamanter, donataire, dynamiser, échauffer, embecquer, embrasser, enfiévrer, engendrer, faisander, féminiser, fortifier, franciser, gratifier, hébraïser, idéaliser, instruire, insuffler, intituler, lactarium, latiniser, mythifier, permettre, politiser, préaviser, prédiquer, prénommer, présenter, prodiguer, promettre, protester, quartager, rancarder, rapporter, rapprêter, rassasier, redresser, rehausser, remplacer, rencarder, renforcer, rétribuer, revisiter, romaniser, rubriquer, sous-louer, surélever, surnommer, tabouiser, techniser, travestir, urbaniser, valoriser, viriliser, warranter ■ **10** affourager, angliciser, annualiser, apparenter, brunissure, configurer, contribuer, détalonner, développer, distancier, distribuer, dragéifier, dramatiser, émotionner, estrapader, filigraner, galvaniser, helléniser, libéralité, materniser, merceriser, métalliser, multiplier, quittancer, recueillir, renseigner, requinquer, rétrocéder, sexualiser, souffleter, surbaisser, surexposer, tourmenter, transmettre, trémousser ■ **11** allégoriser, assaisonner, communiquer, courbaturer, décarcasser, dégingander, déqualifier, dialectiser, empoisonner, entredonner, interpréter, italianiser, maximaliser, militariser, mondialiser, mouvementer, naturaliser, occasionner, ordonnancer, sanctionner, solutionner, surinformer, techniciser, transformer ■ **12** américaniser, démutisation, masculiniser, médicamenter, miniaturiser, prolétariser, sanctuariser, théâtraliser, transfigurer, zoomorphisme ■ **13** commissionner, convulsionner, décentraliser, scolarisation, spiritualiser ■ **14** industrialiser, technocratiser.
DONNEUR : **3** i.a.d.
DONZELLE : **5** femme, fille.
DOPAMINE : **5** l-dopa ■ **14** dopaminergique.
DOPE : **6** dopant.
DORENAVANT : **6** avenir ■ **9** désormais.

DORER: 4 doré, gril ■ 5 ambré, moulu ■ 6 doreur, dorure, galope ■ 7 blondir, redorer, vermeil ■ 8 blaireau, couchoir, roulette, surdorer ■ 10 jaunissage ■ 12 queue-de-morue.
DOREUR: 8 couchoir.
DORIEN: 9 myxoldien.
DORIENNE: 13 préhellénique.
DORLOTER: 7 cajoler, cocoler, soigner ■ 8 mignoter ■ 11 chouchouter, dorlotement.
DORMANT: 6 battée.
DORMIR: 4 dodo, loir ■ 5 clore, cuver, somme ■ 6 camper ■ 7 dormant, dormeur, dortoir, pioncer, reposer*, ronfler ■ 8 assoupir, chambrée, dormitif, endormir, redormir, somnoler, wagon-lit ■ 9 rendormir, roupiller ■ 10 sommeiller, voiture-lit ■ 11 narcolepsie.
DORSAL: 6 chordé ■ 10 épineurien.
DORSALE: 7 tergite ■ 11 fosbury flop.
DOS: 5 bosse, buste, crête, endos, filet, garde, hotte, queue, râble, selle ■ 6 coccyx, dorsal, échine, nouure, rachis, sacrum, surdos ■ 7 carrure, cyphose, dossier, lave-dos, lordose, lumbago, scoured, surfaix ■ 8 antihalo, balustre, croupion, cuirasse, dosseret, dossière, dossiste, endosser, grébiche, havresac, renverse, rouvieux, scoliose, splénius ■ 9 dorsalgie, gratte-dos, mantelure, rendosser, rhomboïde ■ 10 rachialgie, supination ■ 11 endossement, tranche-file ■ 12 quadrijumeau.
DOS-A-DOS: 6 adossé.
DOSAGE: 6 mesure ■ 8 quantité ■ 9 marchéage, surdosage ■ 11 quantitatif ■ 12 alcalimétrie, chlorométrie.
DOSE: 5 doser ■ 6 teinte ■ 7 surdose ■ 8 quantité ■ 9 dosimètre, posologie ■ 10 dosimétrie.
DOSSIER: 5 divan, farde ■ 7 chemise, retable, violoné ■ 8 parafeur, sellette ■ 9 parapheur ■ 10 appui-nuque ■ 13 dépouillement ■ 14 soit-communiqué.
DOT: 5 dotal, doter ■ 8 dotalité, dotation.
DOTAL: 8 dotalité.
DOTER: 3 dot ■ 5 orner ■ 7 équiper ■ 8 dotation, pouvoir* ■ 9 gratifier, motoriser ■ 10 structurer ■ 11 électrifier, médicaliser, nucléariser, télématiser.
DOUAIRE: 5 douer ■ 10 douairière.
DOUANE: 5 plomb, ronde, sonde ■ 6 accise ■ 7 gabelou, patache ■ 8 douanier ■ 9 admission, dédouaner ■ 10 carabinier ■ 12 dédouanement.
DOUBLAGE: 10 dédoublage.
DOUBLE: 3 pli ■ 4 rein ■ 5 copie, gambe, noire, plier, repli, tréma, verre ■ 6 paroli ■ 7 doublet, dualité ■ 8 diplopie, doubleau, doubleur, organsin, portière ■ 9 digraphie, duplicata, dupliquer, équivoque, matelassé ■ 10 ampliation, doublement, doublonner, homozygote ■ 11 biflecnodal ■ 12 battellement, bimétallisme, biréfringent, contrepartie ■ 13 contre-fenêtre.
DOUBLER: 5 crevé, damer, velet ■ 6 ouater ■ 7 fourrer, géminer, jumeler, répéter ■ 8 doublage, doublure, fourrure, ouatiner, thibaude ■ 9 dédoubler, percaline, redoubler ■ 10 dédoublage, doublement, équivoquer ■ 11 duplication, mignonnette, molletonner.
DOUBLURE: 10 dédoublage ■ 11 parementure.
DOUCEMENT: 3 bas ■ 5 mollo, piano, tâter ■ 6 minute ■ 8 décanter, insinuer, posément, susurrer ■ 9 dodeliner, lentement, siffloter ■ 10 bouilloter ■ 12 doucettement.

DOUCEREUX: 4 doux, fade ■ 5 sucré ■ 6 benoît ■ 7 patelin, paterne ■ 8 mielleux, papelard, peloteur, sournois ■ 9 douceâtre, melliflue*, patte-pelu ■ 10 chattemite, patelineur ■ 14 doucereusement.

DOUCETTE: 5 mâche ■ 6 rampon ■ 12 valérianelle.

DOUCEUR: 4 dure, miel ■ 5 baume, bonté, dolce, félin, patte, pitié, sirop, sucre ■ 6 doucet, doucir, élixir, fadeur, litote ■ 7 aménité, charité, liqueur, mélodie, onction, suavité ■ 8 clémence, doux-amer, émulsion, euphonie, harmonie, liniment, melliflu ■ 9 benignité, brutalité, doucereux, malvoisie, melliflue ■ 10 douce-amère, euphémisme, mansuétude, mignardise ■ 12 débonnaireté.

DOUCHE: 7 arroser, doucher, tremper ■ 8 affusion, doucheur.

DOUE: 3 don ■ 5 animé, génie ■ 6 sagace, vivide ■ 7 matheux ■ 8 inductif, intuitif ■ 9 prescient ■ 10 interactif ■ 11 intelligent, superfluide ■ 14 viscoélastique, viscoplastique.

DOUER: 5 doter ■ 8 partager, pourvoir*.

DOUILLE: 4 étui, jack ■ 9 cartouche ■ 10 baïonnette, extracteur.

DOUILLET: 5 ouaté ■ 7 délicat ■ 8 sensible ■ 10 douillette ■ 14 douillettement.

DOULEUR: 2 ah ■ 3 aïe, mal* ■ 4 ciel, fiel, gaba, mort, rage ■ 5 algie, deuil, gémir, hélas, larme, peine*, point ■ 6 effort, ouille ■ 7 chagrin*, colique, cuisson, épreuve, fichtre, lumbago, martyre, myalgie, otalgie, sanglot, sédatif ■ 8 jouissif, migraine, supplice, tourment ■ 9 analgésie, analgique, brisement, causalgie, dolorisme, dorsalgie, hémialgie, hurlement, lombalgie, névralgie, ostéalgie, tenailler ■ 10 affliction, anesthésie, antalgique, arthralgie, cardialgie, contrition, courbature, douloureux, élancement, entéralgie, étiopathie, gastralgie, hépatalgie, impassible, masochisme, poignarder, proctalgie, rachialgie, rhumatoïde, souffrance*, torticolis ■ 11 adoucissant, analgésique, brachialgie, cervicalgie, componction, déchirement, déploration, dyspareunie, glossodynie, lancination, lancinement, parégorique, pleurodynie, radiocotomie, soulagement, stabat mater ■ 12 bourrèlement, condoléances, extrasystole, radiculalgie ■ 13 encéphalalgie, pleurnicherie, précordialgie, syringomyélie ■ 14 pleurnichement.

DOULOUREUSE: 14 cénesthopathie.

DOULOUREUX: 4 amer ■ 7 algique ■ 8 endolori, indolore, épreinte ■ 9 condylome, déchirant, endolorir, priapisme ■ 10 affligeant ■ 12 dysménorrhée, épicondylite ■ 15 douloureusement.

DOUTE: 2 si ■ 3 bah, bon, euh, hem, heu, hom, hum ■ 6 dégoût, énigme, hasard, litige, risque ■ 7 ouï-dire, soupçon ■ 8 croyance, défiance, méfiance, embarras, inconnue, méfiance, peut-être, problème, révoquer, scrupule, taratata ■ 9 ambiguïté, casualité, condition, dubitatif, hypothèse, obscurité ■ 10 conjecture, évidemment, hésitation, indécision, perplexité, pyrrhonien ■ 11 controverse, éventualité, incertitude, incrédulité, perspective, possibilité, présomption, probabilité, scepticisme, supposition ■ 15 invraisemblance.

DOUTER: 5 blasé ■ 6 défier, méfier ■ 7 douleur, douteur, hésiter ■ 8 décroître, infirmer, mécréant, objecter, supposer ■ 9 contester, dubitatif, incroyant, sceptique, suspecter ■ 10 pressentir*, soupçonner ■ 11 conjecturer, indubitable, pyrrhonisme ■ 12 controverser.

DOUTEUX: 4 faux, obel ■ 5 obèle ■ 6 ambigu, casuel, louche, obscur, risqué, véreux ■ 7 fragile, gratuit, hasardé, inconnu, indécis, putatif, suspect ■ 8 apparent, éventuel, possible, prétendu, probable ■ 9 aléatoire, apocryphe, équivoque, hasardeux, incertain, litigieux ■ 10 incroyable, noblaillon, présumable, provisoire ■ 11 conjectural, contentieux, contestable, énigmatique ■ 12 acoquinement, conditionnel, douteusement, embarrassant, hypothétique, maquignonner ■ **13** problématique ■ **14** controversable ■ **15** invraisemblable.

DOUVE: **5** bonde, fosse, jable ■ **7** douelle, merrain ■ **8** aissette, douvelle, tire-fond ■ **11** distomatose.

DOUX: **3** bon, mol, mou, uni ■ **4** âcre, ange, fade, flou, lait, moût, poli, sage ■ **5** amène, bénin, brise, câlin, calme, casse, dolce, filer, flûte, grâce, laine, liant, lisse, ouaté, satin, suave, surah, sucré* ■ **6** accort, agneau, aimant, benoît, docile, doucet, doucir, facile, faible, gentil, humble, mignon, raboté, satiné, serein, souple, soyeux, tendre, timide ■ **7** affable, aimable, candide, clément, coulant, délicat, fadasse, huileux, marsala, mignard, modeste, patelin, patient, velours, velouté ■ **8** agréable, cajoleur, craintif, douillet, duveteux, édulcoré, familier, flatteur, friselis, gracieux, innocent, maniable, mielleux, moelleux, onctueux, paisible, radoucir, sirupeux, tolérant ■ **9** aigre-doux, angélique, caressant, cotonneux, douceâtre, doucement, doucereux, émollient, hypocrite, indulgent, insinuant, irascible, liquoreux, pacifique, patte-pelu, persuasif, pitoyable, savonneux, traitable, zéphyrien ■ **10** accessible, affectueux, charitable, chattemite, conciliant, débonnaire, discipliné, dolcissimo, doucissage, gazouillis, inoffensif, salicional ■ **11** accointable, complaisant, louise-bonne ■ **12** compatissant ■ **13** dulcification.

DOUZAINE: **12** demi-douzaine.

DOUZE: **4** mois, once ■ **5** douze, pence, penny, pouce ■ **7** apôtres, douzain, in-douze ■ **8** décembre, douzaine, douzième, shilling ■ **9** fructidor ■ **10** alexandrin, dodécaèdre, dodécagone, duodécimal ■ **11** dodécagonal, dodécastyle ■ **12** douzièmement ■ **13** dodécasyllabe.

DOYEN: **7** décanat ■ **9** doyenneté.

DOYENNE: **5** poire.

DRACHME: **4** mine ■ **5** obole ■ **7** statère.

DRACONIEN: **6** léonin.

DRAGEE: **4** anis ■ **8** drageoir ■ **10** dragéifier.

DRAGEON: **7** bouture ■ **10** drageonner ■ **11** drageonnage ■ **13** drageonnement.

DRAGON: **7** échidna, serpent ■ **10** amphiptère.

DRAGUE: **6** élinde ■ **7** draguer ■ **8** dragueur ■ **11** marie-salope.

DRAIN: **10** géotextile.

DRAINE: **8** draineur.

DRAINER: **8** drainage, draineur ■ **9** émissaire.

DRAMATIQUE: **2** nô ■ **4** auto ■ **5** drame, opéra, pièce, scène, sotie ■ **6** jingxi, joruri, satyre, sottie ■ **7** lyrique, miracle, théâtre ■ **8** émouvant, oratorio, revuiste, tragédie, zarzuela ■ **9** mélodrame, mimodrame ■ **10** chorédrame, dramatiser, dramaturge, sociodrame ■ **11** kammerspiel, opéra-ballet ■ **13** tragi-comédie ■ **14** dramatiquement.

DRAMATISE: **11** dramatisant.

DRAP: **2** lé ■ **4** bure ■ **5** alèse, carde, coupe, habit, haire, nappe, pièce, poêle, sedan, serge, tuile, tweed ■ **6** alaise, coupon, elbeuf, feutre, lanice, pagnon, peigne, ratine ■ **7** casimir, droguet, futaine, lisière, mâchure, marengo, peluche, tuilage ■ **8** carpette, cheviote, croisure, draperie, grébiche ■ **9** castorine, chabraque ■ **10** contre-poil, foulonnier ■ **11** échardonner ■ **12** échardonnage.

DRAPEAU: **4** bois ■ **5** aigle, appel, berne, hampe, trabe ■ **6** brayer, canton, fanion, flamme, guidon, pennon ■ **7** labarum ■ **8** bannière, baudrier, cornette, couleurs, enseigne, étendard, gonfalon, guindant, pavillon, pavoiser ■ **9** banderole, oriflamme ■ **10** gaillardet, vexillaire ■ **12** gonfalonnier, porte-drapeau ■ **13** pavillonnerie.

DRAPER : **6** rideau ■ **8** draperie ■ **9** drapement ■ **11** cantonnière.
DRAVE : **6** draver.
DRAVIDIENNE : **6** canara, telugu ■ **7** kannara ■ **8** télougou ■ **9** malayalam.
DRAYER : **8** drayoire.
DREPANOCYTOSE : **10** falciforme.
DRESSAGE : **11** maître-chien.
DRESSE : **13** verbalisateur.
DRESSER : **5** lamer, layer, meute, tente **6** cabrer, élever*, former, meuler, ramper, rompre, tendre ■ **7** chauvir, dompter, exercer, leurrer, manéger, planter, pointer, ramener, saillir ■ **8** dressage, dresseur, formuler, habituer, hérisser, planeuse, rebiquer, vertical ■ **9** affaîtage, affouager ■ **10** catalogage, échafauder, fauconnier, verbaliser ■ **11** affaîtement, apprivoiser, cartographe, fauconnerie ■ **12** cartographie, généalogiste, hippotechnie ■ **13** cartographier ■ **14** apprivoisement.
DRESSOIR : **8** crédence.
DRIBBLE : **9** dribbleur.
DRILLE : **5** luron ■ **7** driller ■ **9** compagnon, misérable.
DRIVE : **6** driver.
DROGUE : **4** dope, séné, trip ■ **5** accro ■ **6** chnouf, dealer, drogué ■ **7** mixtion, mortier, onguent, schnouf, sniffer ■ **8** orviétan, schnouff ■ **9** charlatan, droguerie, droguiste, intoxiqué ■ **10** médicament* ■ **12** sophistiquer.
DROGUER : **5** camer.
DROGUET : **8** lustrine.
DROGUISTE : **9** droguerie.
DROIT : **4** bien, cité, tort, usus, voix ■ **5** ancré, asile, avers, canon, carré, carte, exact, glèbe, hêtre, juste*, latte, légal, litre, loyal, modal, objet, obtus, oubli, paria, payer, péage, piano, râblé, recta, talon, tarif, titre, tortu, turbe, usage, usant ■ **6** aigage, banvin, cédant, dextre, direct, licite, octroi, raison, régale, surdon, timbre, ubusus, valide ■ **7** adextre, aiguage, aînesse, aubaine, correct, coutume, créance, faculté, fructus, geôlage, hallage, juriste, justice*, liberté, paréage, pariage, passage, puisage, saisine, terrage, tribord, voucher ■ **8** affouage, autorité, batelage, concéder, cuissage, doctrine, dressage, droitier, droiture, éviction, farinage, feudiste, glandage, légitime, lignager, maintien, non-droit, pâturage, paulette, priorité, refuznik, régalien, régulier, tortueux ■ **9** autoriser, bien-fondé, carrément, compétent, copyright, déchéance, déontique, dessaisir, indigénat, justicier, médiation, pénaliste, pétitoire, plausible, préséance, privilège, propriété, rectifier, rectitude, redresser, rétenteur, réversion, souverain ■ **10** alignement, ayant cause, ayant droit, bénéficier, compétence, concession, décimateur, droitement, emphytéote, expectatif, forclusion, garde-noble, germaniste, hypothèque, incorporel, institutes, magasinage, orthotrope, passe-droit, percentage, resquiller, sous-traité, suppléance, tribordais ■ **11** aliénataire, capacitaire, compétiteur, condominium, délibératif, dextrochère, exclusivité, héréditaire, intercourse, juridiction, liberum veto, naturaliser, passing-shot, possessoire, prééminence, prérogative, réhabiliter, riveraineté, suffragette, suzeraineté ■ **12** cantonnement, délaissement, équarrissage, hypothécaire, renonciation, rétrocession, seigneuriage, trirectangle ■ **13** jurisconsulte, rectangulaire, réglementaire ■ **14** nu-propriétaire, successibilité.
DROITE : **3** hue ■ **5** huhau ■ **6** dextre ■ **7** médiane, polaire, sécante ■ **8** diagonal, diamètre, droitier ■ **9** asymptote, diagonale, parallèle, sous-verge ■ **10** ambidextre, dextralité, dextrogyre, eurodroite, médiatrice,

mictiligne, néonazisme, rectiligne ■ 11 bissectrice ■ 12 dextrocardie, parallélisme, transversale ■ 13 antiparallèle ■ 15 perpendiculaire.
DROITIER: 9 droitisme, droitiste.
DROITURE: 3 foi ■ 6 équité ■ 7 justice, loyauté, netteté ■ 8 perfidie ■ 9 franchise, rectitude.
DROLE: 4 witz ■ 5 falot, farce ■ 6 drôlet, enfant ■ 7 bizarre, bouffon, cocasse, comique*, crevant, marrant, poilant, risible, tordant ■ 8 drôlerie ■ 9 drôlement, gondolant, sacripant ■ 10 drôlatique.
DROMADAIRE: 6 méhari.
DROME: 7 drômois.
DROP: 6 droper ■ 7 dropper.
DROSERA: 8 rossolis ■ 13 attrape-mouche.
DROSERACEE: 6 dionée ■ 7 droséra ■ 8 rossolis ■ 9 tourbière ■ 14 attrape-mouches.
DRU: 4 fort ■ 6 touffu*.
DRUIDE: 4 rote ■ 5 cairn, évate, ovate ■ 6 dolmen, galgal, menhir ■ 7 peulven, tumulus ■ 8 cromlech ■ 9 druidesse, druidique, druidisme.
DRUPE: 6 mangue ■ 7 drupace.
DUALISME: 11 marcionisme.
DUALISTE: 8 bogomile.
DUALITE: 4 dual ■ 5 dyade ■ 8 dualisme, dualiste ■ 9 ambiguïté ■ 12 zoroastrisme.
DUC: 5 ducal, duché ■ 11 duché-pairie.
DUCHESSE: 5 poire.
DUCTILE: 4 doux ■ 6 souple ■ 9 aluminium, ductilité, palladium.
DUCTILITE: 13 fragilisation.
DUEL: 4 défi, lame ■ 6 cartel, combat ■ 7 affaire, escrime ■ 8 bretteur ■ 9 duelliste, flamberge, rencontre, spadassin ■ 10 batailleur, réparation ■ 11 ferrailleur, provocateur, provocation.
DUNE: 3 erg ■ 4 oyat ■ 5 butte, nebka ■ 8 barkhane.
DUO: 6 duetto ■ 9 duettiste, tête-à-tête.
DUODENUM: 7 jéjunum, wirsung ■ 8 duodénal, intestin ■ 9 duodénite, sécrétine ■ 10 cholédoque.
DUPE: 6 marron.
DUPER: 4 dupe, gogo ■ 5 piper ■ 6 capter, flouer, gruger, pigeon, rouler ■ 7 duperie, empiler, enjôler, entuber, frauder, refaire, tromper*, truffer ■ 8 arnaquer, carotter, estamper, frustrer ■ 9 dindonner, escroquer, falsifier ■ 10 pigeonneau, surprendre ■ 11 couillonner.
DUPERIE: 3 dol ■ 4 ruse ■ 6 fraude, manège ■ 7 gabegie, panneau ■ 8 artifice, mensonge* ■ 9 baraterie, captation, collusion, expédient, tromperie ■ 10 traquenard ■ 11 escroquerie, supercherie ■ 12 couillonnade ■ 13 falsification, mystification.
DUPLEX: 9 duplexage ■ 11 duplication.
DUPLEXAGE: 8 duplexer.
DUPLICATA: 9 dupliquer.
DUPLICATION: 2 bi, di ■ 3 bis ■ 5 copie ■ 9 duplicata ■ 11 réplication.
DUPLICITE: 8 fausseté, mensonge ■ 11 pharisaïsme.
DUR: 3 cru, sec*, sel ■ 4 amer, âpre, bois, bort, fort, rude, soie, turc ■ 5 acéré, acier, aigre, amer, avare, chêne, coque, corne, cruel*, dense, ébène, émail, émeri, épine, étain, ferme*, frêne, froid, jaspe, nacre, noyau, noyer, perle, raide, rêche, roche, rogue, raide*, roide, rosse, roule, savon, sourd, vache ■ 6 abrupt, acerbe, ascète, bourru, bronze, brutal, féroce, induré, noueux, osseux, rigide, sévère*, solide*, strict, tenace ■ 7 aguerri, austère, barbare, brusque, calleux, cassant, cerbère, coriace, crûment, durable, égoïste, endurci, galérer, marâtre,

méchant, morfler, pénible*, racorni, revêche, rugueux, stoïque ■ 8 campêche, carapace, choquant, corindon, corsaire, croquant, cuirassé, dénaturé, durement, durillon, endurant, endurcir, exigeant, galérien, grossier, hargneux, inhumain*, menaçant, pétrifié, pierreux, raboteux, scabreux, sensible, squirrhe, terrible ■ 9 adamantin, anhydrite, difficile*, dissonant, draconien, duralumin, irritable, manganèse, marmoréen, molybdène, palladium, rendurcir, renfrogné, résistant, rigoureux* ■ 10 consistant, despotique, discordant, douloureux, inexorable, inflexible, insensible*, insociable, maltraiter, métallique, rébarbatif, repoussant, rocailleux, tyrannique ■ 11 acrimonieux, cornouiller, réfractaire, sidéroxylon ■ 12 croustillant, sclérophylle ■ 13 inhospitalier ■ 14 incompréhensible.

DURABLE: 4 bref ■ 5 caduc, court ■ 6 solide, stable ■ 7 caduque, continu, éternel, pérenne ■ 8 constant, éphémère, hectique, passager, précaire ■ 9 chronique, consacrer, continuel, incessant, permanent, perpétuel, révocable ■ 10 consolider, durabilité, instantané, persistant, précariser, provisoire, temporaire ■ 11 durablement, transitoire ■ 12 impérissable, intercurrent, interminable.

DURANT: 7 pendant ■ 14 temporellement.

DURCIR: 4 névé ■ 5 battu, geler, glacé ■ 6 rassir ■ 8 endurcir ■ 9 scléroser, sténosage ■ 12 carton-pierre, durcissement.

DURCISSEMENT: 7 sténose ■ 8 athérome, glaucome, rigidité, sclérose ■ 9 callosité ■ 10 induration, xérodermie ■ 11 nitruration ■ 15 artériosclérose.

DURE: 8 constant.

DUREE: 3 âge ■ 4 à vie, bout, bref, jour, note, nuit, pour, user ■ 5 annal, cours, orage, phase, pièce, règne, temps*, terme, trame ■ 6 séance, valeur ■ 7 duratif, gérance, quelque, sablier ■ 8 annalité, bâtonnat, bimestre, brièveté, éternité, longueur, maintien, quantité, questure, validité, vitalité ■ 9 archonnat, chronaxie, dictature, existence, fragilité, isochrone, longévité, mandature, pérennité, scolarité, septennat ■ 10 nycthémère, permanence, perpétuité, pontificat, septénaire ■ 11 allongement, persistance, proconsulat, professorat, quinquennat, semi-durable ■ 12 chronographe, isochronique, photopériode, provincialat ■ 15 accourcissement, rééchelonnement.

DURE-MERE: 7 cerveau*, duramen ■ 8 épidural ■ 9 péridural ■ 10 arachnoïde.

DURER: 5 durée, vieil, vieux, vivre ■ 6 régner ■ 7 durable, exister, nourrir, pourrir ■ 8 perdurer, triennal ■ 9 continuer*, éterniser, incessant, maintenir, perpétuer, persister, prolonger, subsister ■ 10 entretenir, persévérer ■ 11 quadriennal, quinquennal, trentenaire ■ 13 quarantenaire.

DURETE: 3 cal ■ 5 force ■ 6 âpreté, biller, colère, croûte, trempe ■ 7 aigreur, brinell, courage, croûton, cruauté, crudité, fermeté, raideur, rigueur, rudesse ■ 8 aciérage, amertume, durement, durillon, froideur, rugosité ■ 9 callosité, craquelin, diamantin, turquerie ■ 10 aciération, discipline, induration, résistance, sécheresse ■ 11 consistance, scléomètre ■ 12 pénétromètre ■ 13 hydrotimétrie ■ 14 rigoureusement.

DURILLON: 3 cal, cor ■ 6 oignon.

DUUMVIR: 5 sénat ■ 9 duumvirat.

DUVET: 4 poil ■ 5 coton, eider, plume ■ 6 linter ■ 7 duveter, édredon, plumule ■ 8 duveteux, lanifère, lanigère ■ 9 pubescent, tomenteux ■ 10 lanugineux ■ 11 échardonner ■ 12 échardonnage.

DYADE: 8 dyadique.

DYALIPETALE: 14 archichlamydée.

DYNAMIQUE: **5** actif, force, tonus ■ **6** phrasé, yuppie ■ **8** vitalité ■ **9** dynamisme, dynamiste ■ **11** inconscient ■ **12** turbomachine ■ **13** dynamiquement.
DYNAMISE: **10** dynamisant.
DYNAMISER: **12** dynamisation.
DYNAMISME: **9** dynamiser.
DYNAMITE: **9** dynamiter ■ **10** dynamitage, dynamiteur ■ **11** dynamiterie ■ **14** nitroglycérine.
DYNAMO: **9** bipolaire ■ **10** collecteur ■ **11** dynamomètre ■ **12** dynamographe.
DYNAMOMETRE: **12** dynamographe.
DYNASTIE: **3** roi ■ **4** chef ■ **9** sassanide ■ **10** dynastique.
DYNE: **3** erg ■ **5** barye.
DYSENTERIE: **5** nopal ■ **8** diarrhée ■ **12** dysentérique.
DYSGENESIE: **10** dysgénique ■ **12** dysgénésique.
DYSHARMONIE: **13** schizophrénie.
DYSLEXIE: **10** dyslexique.
DYSPEPSIE: **9** digestion ■ **11** dyspepsique, dyspeptique.
DYSPLASIE: **10** dysgénésie.
DYSPNEE: **9** asystolie, orthopnée ■ **10** dyspnéique ■ **11** étouffement ■ **13** essoufflement.
DYSTROPHIE: **10** dystonique.
DYTIQUE: **10** hydrophile.

E

EAU : 3 bée, ino, lac, mer ■ **4** abée, alun, aube, auge, bain, base, boue, cana, coco, flac, flot, hydr, jonc, lave, mare, nèpe, nixe, onde, pale, quai, saut, seau, soda, tine, urne, vase ■ **5** basse, béton, bonde, buvée, cacao, caler, cours, dalot, devon, digue, douve, drain, écope, égout, ester, étang, étier, étuve, évent, évier, fonts, fossé, fumée, gatte, gelée, gerbe, glace, grèbe, grêle, guéer, hydro, jarre, javel, jetée, julep, lagon, lance, lavée, lavis, marée, melon, muire, nable, naffe, nager, nappe, neige, noyer, océan, ombre, ondée, ondin, orage, orgue, panée, papin, perle, plomb, pluie, pompe, puits, purin, raton, roche, rosée, royat, sasse, saule, sèche, sonde, soupe, suage, sucre, touer, vague, vanne, vélie ■ **6** aigage, aqueux, arrosé, daleau, déluge, étiage, flaque, flotte, fluide, humeur, morène, remous, trempe, vapeur, vivier ■ **7** aiguade, aiguage, anhydre, chadouf, cloaque, immergé, liquide*, rinçure, rivière ■ **8** amphibie, aquacole, aquatile, aquicole, aquifère, assécher, calaison, décharge, défluent, démêlage, dénitrer, eau-forte, éjecteur, endigage, fontaine, goulette, goulotte, humidité, hydrater, hydrémie, hydrolat, hydromel, limonade, mascaret, puisette, purgeoir, saumâtre, savonnée, terraque, upwelling, varaigne ■ **9** aquaplane, aquarelle, aquatique, baissière, barbacane, déjecteur, embarquer, évaporite, exoréique, goupillon, hydratant, hydrofuge, hydrogène, hydroxyde, injecteur, lenticule, long-drink, mouillage, neptunien, partiteur, perhydrol, potomètre, presqu'île, puisement, rivulaire, submerger, water-polo ■ **10** bouilloire, chauffe-eau, chloration, flottaison, fluvialité, hydrologie, hydrophobe, inondation, irrigation, javelliser, pluviosité, thermalité ■ **11** adoucisseur, caillebotis, chauffe-bain, clapotement, dégorgement, déshydrater, ensablement, évaporateur, hydratation, hydraulique, hydrométrie, hydrophobie, imperméable, minéraliser, ozonisation, rabouilleur, réchauffeur, thermocline ■ **12** chantepleure, cressonnière, dessablement, hydrographie, hydrothermal, incrustation, subaquatique ■ **13** hydrogéologie, hydrothérapie, hydrotimétrie, insubmersible, verdunisation ■ **14** déshydratation, hydromécanique.

EAU-DE-VIE : 3 gin ■ **4** chai, fine, grog, marc, rhum ■ **5** agave, calva, chais, fusel, gnole, jalap, prune, tafia, vodka ■ **6** boukha, brandy, brûlot, cherry, cognac, flegme, gnaule, gniole, gnoule, grappa, kirsch, piaule, whisky ■ **7** akvavit, aquavit, schnaps ■ **8** armagnac, brûlerie, calvados, mêlé-cass, prunelle, quetsche, rincette, schiedam ■ **9** brandevin ■ **10** bistouille, mêle-cassis, tord-boyaux ■ **11** aguardiente, casse-pattes ■ **12** distillateur ■ **13** fine-champagne.

EAU DOUCE: 4 lote, nage ■ 5 algue, alose, amibe, brème, carpe, hydre, lotte, ombre ■ 6 ganoïde ■ 7 aiguade, touladi ■ 8 bouvière, carassin, chevaine, chevenne, chevesne, crevette, dipneuse, épinoche, planaire, planorbe, rotifère, vandoise ■ 9 cyprinidé, dulcicole, écrevisse, paramécie, polyptère, spongille, vaucherie ■ 10 péridinien, sagittaire, vorticelle ■ 11 poisson-chat, turbellarié ■ 12 dulcaquicole, water-ballast.
EAU-FORTE: 5 guide ■ 12 aquafortiste.
EBAHIR: 4 baba ■ 6 ahurir, ébaubi, épater ■ 7 étonner*, méduser, sidérer ■ 8 éberluer, étourdir, surprendre ■ 9 pétrifier ■ 10 abasourdir, estomaquer ■ 11 déconcerter, embarrasser, interloquer.
EBAHISSEMENT: 8 ribouler.
EBARBAGE: 9 ébavurage.
EBARBER: 6 boësse ■ 8 ébarbage, ébarbeur, ébarboir, ébarbure ■ 9 ébarbeuse.
EBAT: 6 déduit.
EBATTRE: 5 ébats ■ 7 ébrouer ■ 8 folâtrer.
EBAUCHE: 3 jet ■ 4 idée ■ 5 essai, prime ■ 6 amorce, aperçu, chorde, projet* ■ 7 canevas, croquis, pochade ■ 8 esquisse, maquette, rudiment, spécimen ■ 9 amblyopie, brouillon, imparfait ■ 11 échantillon, escarmouche ■ 12 commencement ■ 13 griffonnement.
EBAUCHER: 7 amorcer, brosser, galeter ■ 9 dégrossir, ébauchoir.
EBAUDIR: 6 amuser.
EBENACEE: 7 ébénier ■ 12 plaqueminier.
EBENE: 4 noir ■ 6 cytise, sillet ■ 7 aubours, ébénier ■ 8 ébéniste, macassar ■ 9 envilasse ■ 11 ébénisterie ■ 12 plaqueminier.
EBENISTERIE: 4 orme, sipo ■ 5 madré, sapin ■ 6 ketmie, sandal, santal ■ 7 alisier, avodire, poirier ■ 8 ébéniste, pitchpin, tchitola ■ 9 courbaril, tabletier, tranchage ■ 10 citronnier ■ 11 palissandre.
EBLOUIR: 6 épater ■ 7 bluffer, briller*, étonner*, séduire*, tremper ■ 8 acrobate, aveugler, chatoyer, éberluer, fasciner, miroiter, rayonner ■ 9 étinceler, offusquer ■ 10 halluciner, papilloter, réverbérer ■ 11 éblouissant, émerveiller.
EBLOUISSEMENT: 6 berlue, mirage ■ 7 vertige ■ 9 séduction ■ 10 contrejour, étonnement ■ 11 chatoiement, fascination, miroitement ■ 13 étincellement, hallucination, papillotement.
EBOUILLANTER: 8 blanchir, bouillir, échauder ■ 13 ébouillantage.
EBOULEMENT: 5 dosse, perre, ruine ■ 6 fondis, tomber ■ 7 ébouler, éboulis ■ 8 blindage, coffrage ■ 9 étaiement ■ 10 croulement, étrésillon, foudroyage, revêtement ■ 11 écroulement.
EBOURGEONNER: 8 bourgeon ■ 13 ébourgeonnage ■ 15 ébourgeonnement.
EBOURIFFANT: 8 échevelé, étonnant ■ 15 invraisemblable.
EBOURIFFER: 11 ébouriffage.
EBRANCHER: 6 couper ■ 7 élaguer ■ 8 houppier ■ 10 ébranchage ■ 12 ébranchement.
EBRANLER: 4 choc ■ 5 saper ■ 6 agiter ■ 7 étonner, secouer, séismal ■ 9 affaiblir, chanceler ■ 10 inflexible ■ 11 ébranlement, traumatiser ■ 12 commotionner, inébranlable ■ 13 imperturbable.
EBRECHER: 8 égueuler ■ 9 ébréchure ■ 10 détériorer ■ 11 ébrèchement.
EBRIETE: 7 ivresse*, schlass.
EBROUER: 8 respirer ■ 9 esbroufer.
EBRUITER: 9 divulguer ■ 11 ébruitement.
EBULLITION: 4 buée ■ 5 point ■ 6 vapeur ■ 7 capsule ■ 8 bouillir ■ 10 hypsomètre, surchauffe ■ 11 évaporation ■ 12 ébulliomètre, ébullioscope, effondrilles, fermentation ■ 13 ébullimétrie, ébullioscopie.

ECAILLE : **4** lame, test ■ **5** boule, lèpre, tatou ■ **6** plaque, squame ■ **7** écaillé, feuille, porrigo ■ **8** bakélite, carapace, coquille, écailler, ichtyose, squameux, squamule ■ **9** coccolite, desquamer, écaillage, écailleux, écaillure, paillette, pellicule, squamelle ■ **10** coquillage, écaillette, squamifère ■ **11** écaillement ■ **12** desquamation.
ECAILLER : **9** écailleur.
ECALE : **4** brou.
ECARLATE : **5** rouge ■ **10** scarlatine.
ECART : **3** gap ■ **5** bandc, bourg, break, faute, folie, penty ■ **6** effacé ■ **7** frasque ■ **8** chambrer, décalage, détourné, diastase, distance, embardée, fredaine, latitude, luxation, variance ■ **9** amplitude, déviation, évasement, incartade, isolement, ouverture ■ **10** aberration, digression, dilatation, dissuasion, divagation, divergence, ébrasement, effacement, entrouvrir, scotomiser ■ **11** ajournement, déclinaison, déportement, disjonction, distraction, tempérament ■ **13** élargissement ■ **14** divertissement, écarquillement.
ECARTELER : **8** quartier ■ **10** écartelure ■ **11** écartèlement.
ECARTEMENT : **4** épar ■ **5** ancre, empan, épart ■ **8** chaînage, distance ■ **9** travelage ■ **10** relégation ■ **11** dislocation, éloignement, porte-hauban ■ **12** écartèlement ■ **13** séquestration.
ECARTER : **5** celer, écart, érine, garer, jeter, tempe ■ **6** bannir, cacher, dévier, égarer, évaser, fendre, isoler, ouvrir, serrer, sortir ■ **7** aberrer, abriter, adjurer, chasser*, dégoter, déloger, dériver, déroger, dilater, distant, ébraser, élargir, enfouir, espacer, étendre, évacuer, évincer, exclure, fourrer, rebuter, rejeter*, séparer ■ **8** aberrant, conjurer, dénicher, déplacer, détacher, diverger, divertir, éliminer, éloigner, enfermer, enserrer, enterrer, épissoir, étranger, expulser, irradier, raffûter, ramifier, rayonner, reléguer, triomphe ■ **9** abduction, consigner, débusquer, détourner, disloquer, disperser, dissuader, distraire, écarteler, éconduire, épissoire, exorciser, forligner, remplacer, repousser*, solitaire ■ **10** déposséder, digression, disjoindre, écartement, poursuivre, séquestrer ■ **11** dépersuader, écarquiller, effaroucher, hétéroclite, pourchasser, refoulement ■ **12** déconseiller ■ **13** chasse-pierres ■ **14** désyndicaliser.
ECCHYMOSE : **5** plaie ■ **7** coquard ■ **9** contusion.
ECCLESIASTIQUE : **4** bref, laïc, ordo, rote ■ **5** clerc, ordre ■ **6** camail, église*, laïque, prélat, prêtre*, synode ■ **7** mosette, mozette ■ **8** barrette, bénéfice, celebret, chanoine, écolâtre, official, prébende, suspense, temporel ■ **9** collateur, défroquer, exorciste, obédience, ordinaire, séminaire ■ **10** imprimatur, prêtraille ■ **11** cléricature, inquisition, officialité ■ **12** pénitencerie ■ **14** excommunication.
ECERVELE : **3** fou ■ **6** braque, foufou ■ **7** étourdi, fofolle ■ **10** hurluberlu.
ECHAFAUD : **3** ope ■ **5** hourd ■ **6** boulin, pylône, sapine ■ **7** estrade ■ **8** chevalet ■ **9** écoperche.
ECHAFAUDAGE : **5** bâtir ■ **6** cintre ■ **7** tasseau ■ **8** baliveau, toboggan ■ **9** écoperche ■ **10** échafauder, étamperche.
ECHALAS : **6** hautin ■ **7** hautain ■ **8** paisseau ■ **10** échalasser ■ **12** démaillonner.
ECHALOTE : **8** ravigote ■ **9** rocambole.
ECHANGE : **8** flottant.
ECHANCRER : **4** baie, lune, mire ■ **5** habit, lunée ■ **6** évider ■ **8** calanque ■ **9** croissant, entailler ■ **10** échancrure ■ **11** indentation.
ECHANCRURE : **8** échancré.
ECHANGE : **3** mue, o.p.e. ■ **4** troc ■ **5** câlin, soute ■ **6** change, relais,

retour, soulte ■ 7 remploi ■ 8 mutation, rechange ■ 9 fusillade, interface, permutant, permuteur, roulement ■ 10 aliénation, échangisme, échangiste, réciproque, thermicité, traduction ■ 11 adiabatique, altercation, commutation, convertible, échangeable, intertribal, laboratoire, permutation ■ 12 coéchangiste, contre-valeur, libre-échange, marginalisme, remplacement, transduction, trophallaxie ■ 13 collectiviser, correspondant, inconvertible, inéchangeable, redéploiement, socialisation ■ 14 correspondance ■ 15 interindustriel.

ECHANGER: 4 muer ■ 6 rouler, venger ■ 7 aliéner, changer, commuer, relayer, troquer ■ 8 coqueter, discuter, permuter, renvoyer, revaloir, traduire ■ 9 remplacer ■ 10 copermuter ■ 11 réciproquer.

ECHANGEUR: 11 rebouilleur.

ECHANSON: 9 sommelier ■ 13 échansonnerie.

ECHANTILLON: 5 jauge, panel ■ 6 modèle* ■ 7 quarter ■ 8 marmotte, quartage, spécimen, standard ■ 9 carottier ■ 10 carotteuse, éprouvette ■ 14 échantillonner ■ 15 échantillonnage.

ECHANTILLONNAGE: 15 échantillonneur.

ECHANVRER: 10 échanvroir.

ECHAPPE: 13 imprédictible.

ECHAPPER: 4 fuir*, sauf ■ 5 évent, filer, fugue, temps ■ 6 couler, couper, enfuir, évader, éviter, frôler, lâcher, sauver, sortir ■ 7 dérober, fugitif, perlant, revenir ■ 8 échappée, éclipser, escapade, inaperçu, négliger ■ 9 autotomie, échappade, invisible, réchapper, sous-virer, tire-au-cul, traditeur ■ 10 décanailler, escarbille, soustraire, sous-vireur, subterfuge ■ 11 disparaître, échappement ■ 12 échappatoire ■ 13 imperceptible.

ECHARDONNER: 12 échardonnage.

ECHARNAGE: 10 écharneuse.

ECHARNER: 9 écharnage ■ 11 écharnement.

ECHARPE: 5 fichu ■ 8 cache-col, cache-nez, mantille ■ 11 bandoulière.

ECHASSIER: 4 grue, gruo, ibis, râle ■ 5 agami, barge, butor, cagot, cagou, gruau, héron ■ 6 jabiru ■ 7 bécasse, courlan, courlis, crabier, échasse, flamant, foulque, kamichi, outarde, pluvian, rallidé*, spatule, tantale, tinamou ■ 8 aigrette, avocette, bernache, bihoreau, gambette, glaréole, guignard, huîtrier, maubèche ■ 9 bécasseau, bécassine, chevalier, ciconiidé*, héronneau, marouette, œdicnème, outardeau ■ 10 combattant, ralliforme, sanderling ■ 11 charadriidé* ■ 12 cannepetière, tourne-pierre ■ 14 charadriiforme.

ECHAUDAGE: 7 échaudé.

ECHAUDER: 5 chaux ■ 6 brûler ■ 9 échaudage, échaudoir ■ 11 échaudement ■ 12 ébouillanter.

ECHAUFFEMENT: 5 écume ■ 9 liquation ■ 10 convection ■ 12 dilatabilité ■ 14 tyndallisation.

ECHAUFFER: 7 exalter ■ 8 chauffer ■ 9 enflammer ■ 12 échauffement.

ECHAUFFOUREE: 4 choc ■ 6 assaut, combat* ■ 9 collision, rencontre ■ 10 chamaillis ■ 11 escarmouche.

ECHEANCE: 7 encours ■ 9 escompter ■ 10 échéancier ■ 14 renouvellement.

ECHEC: 3 fou, mat, pat, roi ■ 4 dame, flop, four, noir, pieu, tour ■ 5 mater, pièce, reine, roque, union, veste ■ 6 cacade, fiasco, ratage, revers* ■ 7 défaite, échouer, foirade ■ 8 cavalier, faillite, insuccès, malmener, piquette, retenter, réussite ■ 9 échiquéen, échiquier ■ 10 simultanée ■ 11 achoppement, déconfiture.

ECHELLE: 3 iso ■ 5 degré ■ 6 gradin ■ 7 rancher, richter, ridelle, triquet, vernier ■ 8 beaufort, échalier, échelier, escabeau, escalade,

escalier, registre ■ 9 échelette, géométral ■ 10 plan-relief, proportion ■ 11 tire-veilles.
ECHELONNER: 5 degré, grade, phase ■ 6 étager, palier, ranche ■ 7 échelon ■ 10 enfléchure ■ 13 échelonnement.
ECHENILLER: 11 échenillage, échenilloir.
ECHEVEAU: 5 bouin, échée, maque, moche ■ 6 flotte, pelote, torque ■ 7 dévider, manoque, matteau, pantine ■ 9 échevette.
ECHEVIN: 8 scabinal ■ 9 échevinal, échevinat.
ECHINE: 3 dos ■ 5 coppa, longe ■ 7 colonne.
ECHINER: 8 fatiguer.
ECHINOCOQUE: 8 hydatite ■ 13 échinococcose.
ECHINODERME: 6 oursin, podion ■ 7 ophiure ■ 8 astéride*, crinoïde* ■ 9 ambulacre ■ 10 holothurie, pentacrine, stelléride.
ECHIQUIER: 4 case ■ 6 damier, échecs ■ 7 tablier ■ 9 échiqueté, tabletier.
ECHO: 8 anecdote, échotier, nouvelle ■ 10 répétition.
ECHOIR: 6 dévolu ■ 7 advenir, obvenir, revenir.
ECHOGRAPHIE: 12 échographier.
ECHOPPE: 8 boutique, échopper.
ECHOUE: 6 avorté.
ECHOUER: 4 gîte ■ 5 buser, buter, luger, pelle, rater ■ 6 couler, écueil, foirer ■ 7 accoter, avorter, caréner, claquer, crouler, déjouer, engager, faillir, manquer, sombrer ■ 8 achopper, broncher, échouage, engraver, ensabler, talonner ■ 9 béquiller, embarquer, renflouer, succomber, torpiller, trébucher ■ 10 bredouille, échouement.
ECLABOUSSER: 7 cracher ■ 8 cracheur ■ 12 éclaboussure ■ 14 éclaboussement.
ECLAIR: 3 feu ■ 4 épar ■ 5 barca, épart, flash, lueur, orage ■ 6 foudre ■ 8 tonnerre ■ 9 fulgurant ■ 10 religieuse ■ 11 coruscation, fulfuration ■ 13 météoromancie.
ECLAIRAGE: 3 feu ■ 5 herse, phare ■ 7 lumière* ■ 8 applique, cameline, kérosène, kérosine ■ 9 diffuseur, revisiter ■ 10 lampadaire, plafonnier ■ 12 éclairagiste, illumination ■ 13 crude ammoniac ■ 14 diaphanoscopie.
ECLAIRCIR: 4 râpe ■ 5 clair ■ 7 démêler, déroder ■ 8 décanter, élucider ■ 9 clarifier, découvrir, défricher, expliquer ■ 10 distinguer ■ 11 débrouiller.
ECLAIRCISSEMENT: 4 note ■ 7 raclage ■ 9 raclement ■ 11 élucidation ■ 13 clarification, renseignement.
ECLAIREMENT: 3 lux ■ 4 phot ■ 5 luxmètre ■ 8 isophase ■ 15 photoconducteur.
ECLAIRER: 5 clair, luire, phare ■ 7 briller*, édifier ■ 8 faîtière, question ■ 9 éclairage, éclairant, éclaireur, endoscope, étinceler, flamboyer, illuminer, instruire, rat-de-cave ■ 10 expliciter, scintiller ■ 11 éclairement, intelligent ■ 12 préliminaire.
ECLAIREUR: 4 goum ■ 8 boy-scout ■ 10 tirailleur.
ECLAMPSIE: 11 éclamptique.
ECLAT: 3 cri, eau, feu, mat, son ton ■ 4 bout, fard, iode, nova, œil, pâle, poli ■ 5 bruit, épaté, épave, fleur, geste, grain, luire, métal, morne, nacre, rayon, rebut, reste, risée, stras, vitre, voile ■ 6 beauté, brique, chicot, colère, copeau, débris, éclair, émonde, lustre, miette, montre, orient, parade, partie, poudre, relief, sciure, tapage, tesson, vanité ■ 7 apparat, avivage, charpie, coloris, couleur, écharde, éclisse, étalage, exploit, glamour, haillon, lambeau, lumière*, paillon, panache, planure, recoupe, rognure ■ 8 argenter, brillant*, citation, détri-

tus, ébarbure, éclatant, écornure, effilure, esquille, fragment, grandeur, guenille, incolore, limaille, luisance, prestige, retaille, richesse, rutilant, scandale, tapageur, vivacité ■ 9 adamantin, apparence, battiture, bractéole, brillance, brillanté, chapelure, clinquant, diamanter, diamantin, écharnure, épaufrure, étinceler, étincelle, fraîcheur, magnitude, mitraille, obscurcir, paillette, poussière, rehausser, splendeur, splendide, triomphal, vitrifier ■ 10 défraîchir, escarbille, magnifique, pare-éclats, préciosité, resplendir ■ 11 affectation, diamantaire, éblouissement, miroitement, prestigieux, rayonnement ■ 12 flamboiement, magnificence, transfigurer ■ 13 étincellement ■ 14 retentissement ■ 15 obscurcissement.

ECLATANT: 3 pif, vif ■ 4 haut ■ 5 clair, fuser, nacre, paros, péter, sourd, terne ■ 7 pompeux, radieux, sublime, superbe, tonnant ■ 8 brillant*, féerique, illustre, lumineux*, rutilant, sourdine, tonnerre ■ 9 clinquant, coruscant, rayonnant, somptueux ■ 10 étincelant, magnifique, monumental, stupéfiant ■ 11 éblouissant ■ 12 retentissant ■ 13 poil-de-carotte.

ECLATEMENT: 7 fission ■ 8 amorçage ■ 9 crevaison, disruptif ■ 10 spallation ■ 13 thermoclastie.

ECLATER: 5 bombe, fusée, péter ■ 6 crever, rompre* ■ 7 attirer, briller, craquer, pouffer ■ 8 écuisser, exploser, fulgurer, fulminer, paraître, pétiller ■ 9 esclaffer, flamboyer.

ECLECTOQUE: 6 cousin.

ECLIPSE: 5 saros ■ 6 entrée, retour, sortie ■ 8 émersion, pénombre, solstice ■ 9 défection, immersion ■ 10 échancrure, écliptique ■ 11 inclinaison, obscuration ■ 12 récupération.

ECLIPSER: 5 pâlir ■ 7 effacer ■ 9 obscurcir ■ 11 disparaître.

ECLISSE: 7 attelle, bandage.

ECLOPE: 7 boiteux, infirme.

ECLORE: 5 culot, duvet, sable, sphex ■ 6 naître* ■ 9 accouvage ■ 12 prémonitoire.

ECLUSE: 3 sas ■ 4 bief, biez, busc ■ 5 canal ■ 7 bajoyer, écluser ■ 8 éclusage, éclusier, vannelle, vantelle ■ 10 traversine.

ECŒURANT: 8 écœurer, nauséeux ■ 9 alléchant, dégoûtant, malpropre ■ 10 nauséabond ■ 11 écœurement ■ 12 décourageant.

ECŒUREMENT: 4 berk ■ 5 beurk.

ECOLE: 4 chef, épée, pipo ■ 5 bahut, bazar, bizut, boîte, carva, copie, cours, élève, fruit, grime, laïus, lycée, place, point, préau, salle ■ 6 cancre, gatter, thème ■ 7 collège, cubisme, écolier, grimaud, gymnase, pension, vérisme ■ 8 académie, acméisme, cartable, dadaïsme, doctrine, garderie, institut, internat, magister, maîtrise, scolaire ■ 9 auto-école, chafiisme, communale, félibrige, futurisme, gibecière, hanafisme, malékisme, malikisme, normalien, séminaire, sévrienne ■ 10 cyrénaïque, décrocheur, esthétisme, hanbalisme, hésychasme, maternelle, romantisme, unanimisme, université ■ 11 buissonnier, instruction, mutazilisme, naturalisme, néoréalisme, polyvalente, scolastique ■ 12 déscolariser, enseignement*, manécanterie, parascolaire, post-scolaire ■ 13 conservatoire, scolarisation ■ 14 néogrammairien.

ECOLOGIQUE: 14 écologiquement.

ECOLOGISTE: 5 écolo.

ECONDUIRE: 6 bouler ■ 7 chasser, dinguer ■ 8 lanlaire ■ 9 congédier ■ 10 reconduire, valdinguer.

ECONOME: 5 avare ■ 8 économat, prodigue ■ 9 cellérier ■ 11 sous-économe.

ECONOMETRIE: 13 économétrique.

ECONOMIE: **4** gain ■ **5** crase, magot, sinus ■ **6** ménage, pécule ■ **7** avarice, épargne, mégoter, réserve ■ **8** épargner ■ **9** abondance, boursicot ■ **10** boursicaut, économique, économiste, modération*, parcimonie, prévoyance ■ **11** économiseur, non-marchand, prodigalité, sovnarkhose ■ **12** modélisation ■ **13** keynésianisme ■ **14** chrématistique, économiquement, inflationniste ■ **15** interindustriel.

ECONOMIQUE: **3** g.i.e. ■ **5** crise, trend ■ **7** duopole, newlook ■ **8** autarcie, campagne, doctrine, planisme ■ **9** dirigisme, inflation, profitant, socialisme, stop-and-go ■ **10** avantageux, dépression, kondratiev, malthusien, prospérité ■ **11** anticyclique, capitalisme, colbertisme, coopération, corporation, économétrie, libéralisme, monétarisme, partenariat, péréquation, perestroïka, prospective, socialisant ■ **12** corporatisme, impérialisme, marginalisme, mésoéconomie, multilatéral ■ **13** macrodécision, macro-économie, mercantilisme, microdécision, micro-économie, redéploiement ■ **14** désidérabilité, industrialisme, malthusianisme, prévisionniste, sous-équipement ■ **15** libre-échangisme, néo-colonialisme.

ECONOMISER: **7** ménager ■ **8** épargner ■ **9** prodiguer ■ **11** thésauriser, restreindre.

ECONOMISTE: **14** conjoncturiste.

ECOPER: **8** baqueter.

ECOPERCHE: **10** étamperche, étemperche.

ECORCE: **3** glu, pic, tan ■ **4** sial ■ **5** brion, bryon, chêne, classe, dosse, garou, gayac, grume, hêtre, liber, liège, macis, mélia, peler, rober, roche, tille, zeste ■ **6** cortex, diogot, pelard, regros, teille ■ **7** dioggot, gerçure, papyrus ■ **8** cannelle, cortical, écorçage, écorceur, lécanore, orangeat, orogénie, purkinje, racinage, roquille, sainbois, salicine ■ **9** démascler, enveloppe, quinquina ■ **10** cascarille, lenticelle, orogénique, quercitron, subsidence ■ **11** citronnelle, décorticage, décortiquer, épirogenèse, exfoliation, protococcus ■ **12** épirogénique, géosynclinal ■ **13** décortication, épeirogénique, stratigraphie.

ECORCHER: **5** peler ■ **7** blesser, érafler, griffer ■ **8** déchirer, érailler, excorier, labourer ■ **9** dépiauter, écorchage, écorcheur, écorchure, estropier ■ **10** dépouiller, égratigner ■ **11** écorchement.

ECORNIFLEUR: **7** convive ■ **8** parasite.

ECOSSAIS: **4** clan, erse, kilt, loch ■ **5** cairn, laird, plaid, tweed ■ **6** haggis, scotch ■ **7** country, filibeg, pibrock ■ **8** claymore, esterlin, scottish ■ **10** schottisch ■ **12** presbytérien.

ECOSSE: **9** petit-pois ■ **13** aberdeen-angus.

ECOSSER: **4** pois ■ **8** éplucher.

ECOT: **5** écoté ■ **9** quote-part.

ECOUAGE: **10** échouement.

ECOUFLE: **5** milan, passe.

ECOULEMENT: **3** jet ■ **4** bave, flux, laps, onde ■ **5** canal, dalot, drain, égout, étang, évier, fosse, fuite, nable, pomme, sueur, tuyau, vanne, veine ■ **6** canule, coulée, daleau, geyser, gourme, règles, renard, source, vortex ■ **7** aréique, lochies, puisard, robinet, torrent ■ **8** chanlate, décharge, descente, diarrhée, drainage, étancher, fontaine, goulette, goulotte, otorrhée, pyorrhée, ruisseau ■ **9** anaclinal, barbacane, chanlatte, clepsydre, gouttière, pissement, souillard, turbulent ■ **10** aéraulique, endoréisme, évacuation, exsudation, gargouille, hémorragie, hémorroïde, leucorrhée, relativité, saignement, stillation, suintement ■ **11** caillebotis, déchargeoir, dégorgement, épanchement, larmoiement, liquidation, suppuration ■ **12** chantepleure, infiltration, phléborragie, vélocimétrie ■ **13** jaillissement, ruissellement, transpiration ■ **15** tourbillonnaire.

ECOULER : 4 fuir ■ 5 fluer, vider ■ 6 couler*, passer, vendre ■ 7 épuiser, refiler, saigner, suinter ■ 8 décharge, dégorger, dérouler, liquider.
ECOURTER : 6 couper* ■ 8 diminuer* ■ 9 prolonger ■ 10 raccourcir.
ECOUTE : 6 casque, yankee ■ 8 auditeur, audition, écoutant, empanner, géophone ■ 9 audio-oral, auditoire.
ECOUTER : 4 ouïr ■ 5 obéir ■ 6 prêter, suivre ■ 8 écouteur, entendre, inécouté ■ 9 ausculter, réécouter ■ 11 parlementer.
ECOUVILLON : 5 balai ■ 13 écouvillonner ■ 14 écouvillonnage.
ECRABOUILLER : 6 broyer* ■ 13 écrabouillage ■ 15 écrabouillement.
ECRAN : 4 spot ■ 5 panca, panka, punka, trame ■ 6 cacher, filtre ■ 8 cinérama, éventail, paravent, télécran ■ 9 décadrage ■ 10 pare-soleil, sérigraphe ■ 11 négatoscope ■ 12 multifenêtre ■ 13 oscillogramme ■ 14 pare-étincelles.
ECRASE : 7 schlich.
ECRASER : 5 batte, camus, mater ■ 6 battre, bocard, broyer*, camard, fouler ■ 7 aplatir, crasher, écacher, presser, vaincre ■ 8 accabler, écraseur, épaufrer, piloner ■ 9 camouflet, chapelure, émotteuse ■ 10 contondant, écrasement ■ 11 brise-mottes, éclabousser ■ 12 écrabouiller.
ECREMER : 8 écrémage ■ 9 écrémeuse.
ECRETER : 10 écrêtement.
ECREVISSE : 5 patte, pince ■ 6 cancre ■ 8 pêchette.
ECRIN : 5 boîte ■ 7 baguier.
ECRIRE : 5 craie, encre, noter, plume, poète, poser, style, taper ■ 6 auteur, copier, pondre, signer, tracer ■ 7 bombage, dactylo, émarger, enrôler, graphie, marquer, minuter, parafer, phraser, raturer, récrire, rédiger, traiter ■ 8 composer, écriture, écrivain, illettré, inscrire, latinité, libeller, parapher, parolier, plumitif, ponctuer, préfacer, produire, réécrire, sous-main, tartiner ■ 9 alphabète, chiffrage, consigner, écritoire, élucubrer, grossoyer, historien, papeterie, prosateur, psalmodie, romaniser, souscrire ■ 10 écrivasser, épistolier, gâte-papier, griffonner, illettrisme, logographe, numération, pindariser, polygraphe, polyphonie, porte-plume, secrétaire, transcrire, transposer ■ 11 analphabète, barbouiller, calligraphe, chiffrement, écrivailler, écrivassier, épistolaire, esthéticien, évangéliste, grammairien, grammatiste, gribouiller, hagiographe, interligner, journaliste, mythographe, nouvelliste, orthographie, ronsardiser, stratégiste ■ 12 brouillonner, écrivailleur, régionaliste, rhétoriqueur, scribouiller ■ 13 calligraphier, éditorialiste, hiérogrammate, orthographier, sténographier, transcription ■ 14 dactylographie ■ 15 dactylographier.
ECRIT : 4 acte, bave, dire, nota, rôle, tête, zend ■ 5 copie, écrit, ligne, livre, plume, prose, revue, roman, suite, sujet, tempo, volti ■ 6 chèque, factum, minute, ordure, papier, satire, tirade ■ 7 adscrit, article, contrat, demande, journal, libellé, matière, mémoire, pasquin, placard ■ 8 apologie, document, graffiti, grimoire, pamphlet, pétition, phraseur ■ 9 brouillon, chiffreur, duplicata, éditorial, graphisme, mandement, manuscrit, olographe, paperasse, parallèle, testament, trilingue ■ 10 amphigouri, autographe, cacographe, certificat, entreligne, galimatias, holographe, méditation, nécrologie, patrologie, prolifique, prosopopée ■ 11 arlequinade, diffamation, publication, rescription ■ 12 autorisation, charte-partie, diffamatoire, hagiographie, primesautier, proclamation ■ 13 certification, interlinéaire ■ 14 contrapuntique, journalistique.
ECRITEAU : 6 plaque ■ 8 pancarte ■ 9 étiquette ■ 11 inscription.
ECRITURE : 4 kana, ogam ■ 5 bâton, bible, blanc, canon, géant,

hampe, kanji, ogham, patte, plein, plume, ronde, style, texte ■ 6 brahmi, coulée, grosse, oncial ■ 7 bâtarde, braille, graphie, kufique ■ 8 agraphie, anagogie, anglaise, courante, coufique, gothique, grattoir, linéaire, ostracon ■ 9 atonalité, atticisme, autocopie, caractère, démotique, fac-similé, graphisme, oghamique, parchemin, triadique ■ 10 anagogiste, cunéiforme, dysgraphie, interligne, syllabisme ■ 11 autographie, barbouillis, faux-bourdon, graphologie, gribouillis, griffonnage, hiéroglyphe, palimpseste, scriptuaire, style-feutre ■ 12 alphabétisme, barbouillage, calligraphie, contrepartie, glagolitique, graphométrie, gribouillage, paléographie, pictographie ■ 13 boustrophédon, cryptographie, opistographe, télautographie ■ 14 pictographique ■ 15 alphabétisation.

ECRIVAIN: 6 bohême ■ 7 pisseur ■ 11 écrivaillon ■ 12 écrivailleur ■ 13 scribouilleur.

ECROU: 3 vis ■ 6 prison ■ 8 visserie ■ 11 contre-écrou.

ECROUER: 10 incarcérer ■ 11 emprisonner.

ECROUIR: 11 écrouissage.

ECROULER: 5 ruine ■ 6 tomber* ■ 7 crouler, démolir, ébouler ■ 8 dégrader, délabrer, effriter, enfoncer, lézarder ■ 9 affaisser, disloquer, effondrer ■ 10 démanteler, désagréger ■ 11 écroulement.

ECROUTER: 5 biner.

ECTODERME: 9 mésoderme ■ 10 mésoblaste ■ 12 ectodermique.

ECTOPROCTE: 8 fluorose.

ECTROPION: 11 éraillement.

ECU: 3 foi, pal ■ 4 chef, ente, lion, orle, palé, péri, sème, vair ■ 5 alèse, chape, cœur, coupe, entée, fasce, flanc, giron, palée, parti, périé, pièce, plein, sable ■ 6 dextre, issant, meuble, pennon, taille, tierce ■ 7 chaussé, écusson, émanché, gironne, plumeté, support, tranche, vergeté ■ 8 bastille, écartelé, embrasse, esquarre, fourrure, quartier ■ 9 armoiries, champagne, chevronné, écarteler, échiqueté, engrelure, panonceau, partition ■ 10 écartelure ■ 11 dextrochère ■ 13 franc-quartier, sénestrochère.

ECUBIER: 4 tape ■ 5 gatte.

ECUEIL: 4 étoc, sain ■ 5 basse, écore, récif, sèche, vigie ■ 6 accore, danger ■ 7 allaise, barrage, bassier, batture, brisant ■ 8 banquise, chaussée, formique, traverse ■ 9 faraillon ■ 11 assablement, empêchement.

ECUELLE: 5 batée ■ 6 sébile ■ 7 gamelle ■ 8 assiette, écuellée ■ 12 vaissellerie.

ECULER: 4 user*.

ECUME: 4 bave ■ 5 arcot, crème, rebut ■ 6 levure, mousse, rocher, salive, scorie ■ 7 cendrée, chiasse, crachat, écumeux, ferment, spumeux ■ 8 bouillon, buissure, épistase, impureté, mucilage ■ 9 magnésite, sépiolite, spumosité ■ 10 spumescent.

ECUMER: 4 suer ■ 5 baver, rager ■ 6 colère, crémer, rocher ■ 7 mousser ■ 8 bouillir, écumoire, pétiller ■ 9 fermenter, moutonner ■ 11 bouillonner.

ECURER: 8 égoutier, nettoyer ■ 9 sablonner.

ECUREUIL: 5 bauge, tamia, xérus ■ 8 menu-vair ■ 9 petit-gris, tournette ■ 10 polatouche ■ 11 spermophile.

ECURIE: 3 box, lad ■ 5 crack ■ 6 étable, stalle ■ 7 piqueur ■ 8 bat-flanc ■ 11 cavalcadeur.

ECUSSON: 9 panonceau ■ 10 écussonner, mésothorax ■ 11 écussonnage, écussonnoir.

ECUYER: 8 jongkeer, jonkheer ■ 11 cavalcadeur.

EDELWEISS : 10 pied-de-lion ■ 13 étoile-d'argent.
EDEN : 6 jardin ■ 7 édénien, paradis ■ 8 édénique.
EDENTE : 4 dent ■ 5 tatou ■ 8 pangolin, tamanoir ■ 9 glyptodon, paresseux*, porte-musc, xénarthre ■ 10 fourmilier, oryctérope ■ 11 glyptodonte, mégathérium.
EDICTER : 9 prescrire.
EDICULE : 6 chalet ■ 7 kiosque ■ 8 pavillon ■ 9 sanisette.
EDIFICATION : 12 mégalithisme.
EDIFICE : 3 vue ■ 4 ante, dôme, étai ■ 5 épure, étage, faîte, fanum, hôtel, musée, ordre, saper, socle, unité ■ 6 caitya, donjon, église, moulin, muette, temple, travée ■ 7 édicule, fronton, guérite, kiosque, rotonde, pinacle ■ 8 bâtiment*, chapelle, demi-lune, monument, pavoiser, prostyle, prytanée, tonnelle, tourelle, vaisseau ■ 9 basilique, belvédère, bouteroue, clocheton, colonnade, couronner, épigraphe, esplanade, gloriette, monoptère, périptère, vestibule ■ 10 anastylose, arcboutant, architecte, baptistère, candélabre, gouttereau, labyrinthe, positonium, sanctuaire ■ 11 dégradation, désaffecter, échauguette, maisonnette, positronium ■ 12 architecture, couronnement, orthographie.
EDIFIER : 5 bâtir ■ 7 édifiant ■ 8 détruire ■ 9 instruire ■ 10 construire, renseigner ■ 11 édification.
EDILE : 5 sénat ■ 7 édilité.
EDIT : 3 loi ■ 5 ukase, union ■ 7 novelle ■ 9 règlement.
EDITE : 9 coéditeur.
EDITER : 5 tirer ■ 7 brocher, éditeur, édition, publier* ■ 8 imprimer, paraître.
EDITEUR : 10 surresmise.
EDITION : 5 pilon ■ 6 tirage ■ 8 brochage, parution, princeps, producer, rééditer ■ 9 brossette, coédition, copyright, intégrale ■ 10 impression, ne varietur ■ 11 publication ■ 12 vidéographie.
EDITORIAL : 6 leader ■ 7 article ■ 13 éditorialiste.
EDREDON : 5 duvet, eider, plume.
EDUCATION : 4 brut, judo, tact ■ 5 danse, élève ■ 6 morale ■ 7 gymnase, malpoli, pension ■ 8 éducable, éducatif, externat, grossier, institut, moniteur ■ 9 éducateur, formation, génétisme, politesse ■ 10 hébertisme, pensionnat, précepteur ■ 10 coéducation, édification, frœbélien, gouvernante, institution, instruction, savoir-vivre ■ 11 rééducation ■ 12 éducationnel ■ 13 surintendante.
EDULCORANT : 9 cyclamate.
EDULCORER : 7 adoucir ■ 10 édulcorant ■ 12 édulcoration.
EDUQUER : 6 élever, former*, styler ■ 7 dresser, édifier, prêcher ■ 8 façonner, habituer ■ 9 assouplir, civiliser, dégourdir, dégrossir, instruire, moraliser, rééduquer ■ 10 catéchiser, inéducable, surveiller ■ 12 familiariser.
EFFACE : 5 falot, terne* ■ 6 simple ■ 7 modeste.
EFFACER : 5 céder, noyer, rayer ■ 6 barrer, biffer, gommer, passer, radier, sabrer, ternir ■ 7 annuler*, dédorer, gratter, oublier, raturer, réparer ■ 8 amnistie, anéantir, délébile, détruire*, éclipser, effaçure, estomper, racheter ■ 9 caviarder, décolorer, démarquer, déteindre, effaçable, oblitérer, obscurcir, radiation, supprimer* ■ 10 effacement, surcharger ■ 11 ineffaçable.
EFFARER : 6 hagard ■ 8 effrayer, troubler.
EFFAROUCHER : 6 effarer ■ 7 choquer ■ 8 effrayer ■ 14 effarouchement.
EFFECTIF : 4 réel*, vrai* ■ 6 solide ■ 7 positif*, renfort ■ 8 efficace, physique ■ 11 effectivité, recrutement, sureffectif ■ 12 sous-effectif.

EFFECTIVEMENT : 7 en effet.
EFFECTUE : **8** braquer ■ **13** stéréotaxique.
EFFECTUER : **5** faire*, zoner ■ **6** sonder, vibrer ■ **7** compter, moduler, réguler, remplir, sceller ■ **8** carburer, cyanurer, cycliser, dévaluer, exécuter, mignoter, penduler, pondérer, projeter, réaliser, recycler, scheider, sélecter, slalomer, spéculer ■ **9** accomplir*, décentrer, finisseur, trafiquer, prérégler, remmouler ■ **10** détoxiquer ■ **11** dévaloriser, initialiser ■ **12** décontaminer, entrepreneur, expérimenter ■ **13** carbonitrucr.
EFFEMINER : **5** femme ■ **7** amollir, blondin ■ **9** affaiblir ■ **11** déviriliser.
EFFERVESCENCE **7** calmage, chaleur ■ **10** ébullition ■ **12** échauffement, effervescent, fermentation ■ **13** conflagration ■ **14** bouillonnement.
EFFET : **3** gag, nul ■ **4** agir, aval, choc, lent, lift, ride, vain ■ **5** avide, encre, endos, force, hertz, issue, lampe, larme, lente, magie, moire, purge, rétro, slice, suite, tâche ■ **6** bagage, flafla, impayé, œuvre, papier, succès, usance, valeur ■ **7** encours, opérant, partant ■ **8** agiotage, analogie, bancable, efficace, grippage, pliement, prémices, proactif, réaction, réprimer, résultat*, théâtral ■ **9** banquable, causalité, cicatrice, corrosion, déduction, détersion, efficient, engendrer, événement, induction, inopérant, intoxiqué, main-levée, merveille, métonymie, opération, paquetage, rendement, rouillure ■ **10** amnistiant, conclusion, corollaire, efficacité, efficience, fracassant, grippement, impression, inefficace, photologie, platonique, résultante ■ **11** conséquence*, embrasement, endossement, libératoire, négociation, photochimie, rétroaction, servo-moteur, télégénique ■ **12** cantonnement, condensation, cryobiologie, enchaînement, impondérable, photogénique, portefeuille, souscripteur ■ **13** aboutissement, dégravoiement, effectivement, incandescence, photobiologie ■ **14** automatisation, immobilisation, retentissement, sanctification.
EFFETS : **5** barda ■ **8** havre-sac, vêtement.
EFFEUILLER : **7** feuille ■ **11** effeuillage.
EFFICACE : **4** fort, réel ■ **5** actif, utile*, vertu ■ **6** anodin, absolu ■ **7** positif ■ **8** agissant, effectif, héroïque, matériel, prégnant, puncheur ■ **9** efficient, énergique, palliatif, sommation, souverain ■ **10** efficacité, inefficace ■ **12** efficacement, irrémissible, rationaliser ■ **14** inconditionnel.
EFFIGIE : **5** agnel, image ■ **6** aignel, gisant ■ **8** portrait ■ **11** iconoclaste.
EFFILE : **7** santiag ■ **10** effilement.
EFFILER **4** aigu ■ **5** mince ■ **6** délier ■ **8** effilage, grenadin, plantoir ■ **9** effranger, grenadine ■ **10** effilement, effilocher.
EFFILOCHAGE : **8** effileur.
EFFILOCHER : **7** effiler ■ **8** effileur, surfiler ■ **11** effilochage, effilocheur, effilochure.
EFFLEURER : **5** raser ■ **6** baiser, friser, frôler, lécher ■ **7** érafler, frisant, peloter, toucher* ■ **8** caresser ■ **10** effleurage ■ **12** effleurement.
EFFLORESCENCE : **9** effleurir.
EFFLUVE : **5** odeur*, ozone ■ **6** vapeur ■ **7** miasmes, senteur ■ **9** effluence, émanation ■ **10** exhalaison.
EFFONDREMENT : **4** rift, sida.
EFFONDRER : **5** chute, perré ■ **6** ruiner, tomber* ■ **7** crouler ■ **8** défoncer, ébranler ■ **13** effondrement.
EFFORCER : **6** peiner, tâcher ■ **7** essayer, vouloir ■ **8** chercher, évertuer ■ **9** combattre.
EFFORT : **3** han ■ **4** ahan, coup, élan, rush ■ **5** essai, haler, lutte, peine, pesée, pièze, tendu, union, viser, vomir ■ **6** finish ■ **7** épaulée,

poussée, travail ■ 8 asthénie, cabestan, conation, dépenser, efforcer, escrimer, évertuer, réaction, rigolade, souffler, traction ■ 9 arc-bouter, déchirure, difficile ■ 10 adaptation, contrainte, marguerite, servo-frein, tressailli ■ 11 servo-moteur ■ 13 stakhanovisme.

EFFRACTION : 10 cambrioler, hémorragie.

EFFRANGER : 12 effrangement.

EFFRAYANT : 8 alarmant, terrible ■ 10 effroyable ■ 12 épouvantable.

EFFRAYER : 5 pâlir ■ 6 saisir ■ 7 alarmer, apeurer, effarer ■ 8 trembler ■ 9 ombrageux ■ 10 épouvanter ■ 11 effaroucher ■ 13 croquemitaine.

EFFRENE : 7 débridé ■ 8 délirant, échevelé ■ 10 désordonné.

EFFROI : 4 peur* ■ 7 crainte*, frayeur, horreur, panique ■ 8 sinistre ■ 9 épouvante ■ 10 effroyable ■ 13 horripilation.

EFFRONTE : 3 osé ■ 5 drôle, hardi ■ 6 déluré ■ 7 délurer, cynique, effréné, galopin ■ 8 grossier, impudent, insolent, pétulant, polisson ■ 9 indiscret ■ 11 effronterie, impertinent, inconvenant ■ 12 effrontement.

EFFRONTERIE : 5 bagou, culot ■ 6 aplomb, toupet ■ 7 cynisme, licence ■ 8 timidité ■ 9 hardiesse, impudence, insolence, pétulance ■ 12 impertinence, indiscrétion.

EFFROYABLE : 6 atroce ■ 7 affreux ■ 8 horrible, terrible, tragique ■ 9 dantesque, effrayant ■ 10 monstrueux ■ 12 épouvantable ■ 14 effroyablement.

EFFUSION : 8 répandre ■ 11 épanchement.

EGAILLER : 9 disperser.

EGAL : 3 ras, uni* ■ 4 même*, pair, palé, plan, plat ■ 5 paire, parti, plain, ronde, stère ■ 6 pareil ■ 7 adéquat ■ 8 conforme, égalable, égaliser, isohyète, isohypse, uniforme ■ 9 également, équiangle, équipollé, identique, inégalité, isochrome, non-pareil, semblable* ■ 10 inégalable, symétrique ■ 11 équilatéral, équimolaire, isométrique, tautochrome ■ 12 isochronique, isodynamique, isopérimètre ■ 13 équipartition.

EGALEMENT : 4 plus ■ 5 aussi ■ 10 ambidextre ■ 13 semblablement.

EGALER : 5 émule, faire ■ 7 inégalé, joindre ■ 8 balancer, répartir ■ 9 atteindre, coïncider, compenser, rivaliser ■ 10 équipoller, équivaloir ■ 14 contrebalancer.

EGALISATION : 7 drayage ■ 8 dérayage.

EGALISER : 5 polir ■ 6 drayer, herser, rifler, taquer ■ 7 doubler, mandrin, niveler ■ 8 handicap, racloire, tempérer ■ 11 bouche-pores, égalisateur, égalisation.

EGALITAIRE : 10 babouvisme ■ 12 égalitarisme.

EGALITE : 3 iso ■ 4 pair ■ 5 autre, balle, paire ■ 6 niveau, parité ■ 8 dead-heat, équation, identité, symétrie ■ 9 équilibre, paritaire ■ 10 conformité, égalitaire, équanimité, proportion ■ 11 péréquation ■ 12 équipollence, parallélisme, ressemblance, synchronisme.

EGARD : 2 vu ■ 4 pour ■ 5 selon ■ 6 estime* ■ 7 respect* ■ 8 imposant ■ 9 attention, déférence, politesse* ■ 10 ménagement, nonobstant ■ 12 obséquiosité ■ 13 considération.

EGARE : 5 adiré.

EGAREMENT : 5 folie, oubli ■ 6 délire ■ 7 ivresse, vertige ■ 10 aberration, effarement.

EGARER : 5 épave, errer ■ 6 abuser, adirer, dévier, perdre* ■ 7 bluffer, dévoyer, écarter, tromper ■ 8 dépayser, dérouter, posséder ■ 9 détourner, fourvoyer ■ 10 labyrinthe ■ 11 désorienter.

EGAYER : 6 amuser ■ 7 dérider ■ 8 divertir ■ 9 égaiement, égayement.

EGERMER : 8 égermage.
EGLANTIER : 6 rosier ■ 7 bédégar ■ 9 églantine, gratte-cul ■ 10 cynorhodon.
EGLISE : 3 mer, nef ■ 4 aile, aire, béat, brou, dîme, dôme, jubé, pape, pope, rose ■ 5 agape, aigle, ambon, autel, avent, cavée, chape, culot, dalle, férié, hymne, icône, légat, litre, orgue, pâque, saint, tronc, voûte ■ 6 abbaye, abside, bedeau, chaire, chevet, chœur, clergé, crypte, parvis, suisse, temple*, travée ■ 7 bas-côté, calotin, charité, clocher, galerie, mosquée, narthex, pinacle, portail, prieuré, station ■ 8 bannière, canonial, chaisier, chapelle, dédicace, jacobite, maronite, néophyte, oratoire, paroisse, religion, transept, vaisseau, vespéral, vitrière ■ 9 abbatiale, absidiole, ascension, basilique, campanile, canonique, desservir, ecclésial, encensoir, épiphanie, épiscopal, fabricien, figurisme, martyrium, romanisme, sacristie, spirituel, synagogue, triforium ■ 10 baptistère, campanille, cartulaire, cathédrale, collatéral, collégiale, hésychasme, iconostase, patriarcal, pontifical, sacristain, sanctuaire, tabernacle ■ 11 camerlingue, église-halle, excommunier, fauxbourdon, œcuménisme, relevailles, saint-synode, stationnale ■ 12 circoncision, épiscopalien, gallicanisme ■ 13 déambulatoire ■ 14 ecclésiastique*.
EGLOGUE : 6 idylle, poésie.
EGOCENTRISME : 7 égoïsme ■ 9 personnel ■ 12 égocentrique ■ 13 allocentrisme.
EGOÏSME : 3 moi ■ 7 égoïste, intérêt ■ 8 paranoïa ■ 9 altruisme, personnel ■ 11 égoïstement ■ 12 ego-altruisme, égocentrisme.
EGORGER : 4 tuer ■ 5 banco ■ 8 égorgeur ■ 10 égorgement ■ 11 entregorger.
EGOSILLER : 5 crier ■ 9 tonitruer.
EGOTISME : 8 égotiste ■ 9 personnel.
EGOUT : 5 canal ■ 6 ordure ■ 7 cloaque ■ 8 égoutier ■ 10 collecteur ■ 11 tout-à-l'égoût.
EGOUTTAGE : 9 faisselle.
EGOUTTER : 5 égout ■ 8 couloire, fromager, passoire ■ 9 cagerotte, caserette, égouttage, égouttoir, égoutture, vaisselle ■ 11 égouttement ■ 15 porte-bouteilles.
EGOUTTOIR : 2 if.
EGOUTTURE : 5 gatte.
EGRAPPER : 9 égrappage, égrappoir.
EGRATIGNER : 7 griffer ■ 8 déchirer, écorcher ■ 9 grafigner ■ 11 égratigneur, égratignure.
EGRENER : 7 dévider ■ 8 batteuse, égrenage ■ 9 égrainage, égreneuse.
EGRILLARD : 5 épicé ■ 6 cochon ■ 8 gaillard.
EGRISER : 8 égrisage.
EGRUGER : 6 broyer ■ 9 égrugeage, égrugeoir.
EGYPTE : 6 soudon ■ 7 syringe.
EGYPTIEN : 4 crue, doum, nome ■ 5 almée, arabe, azyme, copte, croix, delta, exode, livre, lotos, lotus, magie, momie, pâque, stèle ■ 6 fellah, pylône, sphynx ■ 7 chadouf, effendi, hypogée, khédive, mastaba, papyrus, pharaon, pschent, rosette ■ 8 mameluck, pyramide ■ 9 démotique, obélisque ■ 10 alexandrin, psamétique, taricheute, thérapeute ■ 11 égyptologie, égyptologue, hiéroglyphe.
EGYPTIENNE : 5 cange.
EINSTEINIUM : 2 es.
EJACULATION : 12 aspermatisme, éjaculatoire.
EJACULER : 11 éjaculation ■ 12 éjaculatoire.

EJECTER : 6 lancer ■ 7 chasser ■ 9 éjectable.
ELABORATION : 5 chyme ■ 8 élaborer, préparer ■ 9 gestation ■ 10 brain-trust ■ 11 constituant, pondération, préparation, viniculture ■ 12 assimilation, construction ■ 13 mellification ■ 15 agro-alimentaire.
ELABORE : 10 semi-ouvert.
ELAGUER : 4 écot ■ 6 étêter ■ 7 dégager, émonder, tailler ■ 8 cisaille, élagueur ■ 9 cisailles, croissant, ébrancher.
ELAN : 4 saut, zèle ■ 5 essor, furia, poids ■ 6 ardeur, fougue, lancée ■ 7 entrain, foucade, orignal, relance, rondade ■ 8 tremplin ■ 9 animation, émulation, mouvement ■ 12 empressement.
ELANCE : 3 fin ■ 5 délié, mince ■ 7 élégant, gracile ■ 8 flandrin.
ELANCER : 4 élan, ruer ■ 6 foncer, piquer ■ 8 lanciner ■ 10 précipiter*.
ELARGIR : 6 évaser ■ 7 arrêter, ébraser, écarter, étendre ■ 8 relâcher, soufflet, spéculum ■ 12 clientélisme, conformateur ■ 13 élargissement.
ELARGISSEMENT : 14 stomatoplastie.
ELASTICITE : 5 lycra ■ 12 anélasticité.
ELASTIQUE : 4 bond, orme ■ 5 bande, éther, gaine, gomme, laine, liant, papin ■ 6 banlon, trempé ■ 7 ressort, stretch, valvule ■ 8 moelleux, tournure, tremplin ■ 9 cartillage ■ 10 caoutchouc, élasticité, extensible, passe-lacet, silentbloc ■ 13 vulcanisation ■ 15 photo-élasticité, visco-élasticité.
ELASTOMERE : 5 lycra ■ 12 polyuréthane ■ 13 polyuréthanne.
ELATERIDE : 6 taupin ■ 10 coléoptère.
ELECTEUR : 4 cens ■ 9 électorat, palatinat, prud'homme ■ 11 attrape-tout ■ 15 archichambellan.
ELECTIF : 9 mandature.
ELECTION : 3 élu ■ 5 choix, élire, luger, sénat ■ 6 option ■ 7 électif, élisant, intrant ■ 8 décemvir, électeur, primaire, suffrage, votation ■ 9 électoral, sélection ■ 10 ballottage, cooptation ■ 12 préélectoral ■ 13 pacta conventa.
ELECTISME : 14 postmodernisme.
ELECTRICITE : 3 ion, ohm ■ 4 pile, plot, pôle, volt, watt ■ 5 ambre, anion, borne, cosse, culot, débit, farad, hertz, joule, lampe, laser, métal, morse, ozone, phase, pompe, prise, rotor, shunt, stark, suite, tapis, train ■ 6 ampère, cation, mégohm, proton ■ 7 circuit, courant, énergie, faraday, isolant, microhm, queusot ■ 8 bétraton, capacité, électron, entrefer, kilovolt, neutrino, ohmmètre ■ 9 baladeuse, bolomètre, cyclotron, induction, intensité, isolateur, isolation, millivolt, photopile, potentiel, veilleuse, voltaïque, voltmètre, wattmètre ■ 10 conducteur, conduction, électrique, électriser, excitateur, inductance, photophore, pyrographe, surtension, télégraphe, trolleybus ■ 11 alternateur, ampère-heure, capacimètre, conjoncteur, électricien, électrifier, électrochoc, électrogène, électrolyse, excitatrice, psophomètre, résistivité, télédynamie ■ 12 antistatique, condensateur, diélectrique, électrocuter, électrologie, électromètre, oscilloscope, sèche-cheveux, thermistance ■ 13 auto-induction, électro-aimant, électrométrie, électromoteur, temporisateur ■ 14 bio-électricité, conductibilité, électriquement, électro-ménager, photovoltaïque, semi-conducteur ■ 15 électrification, électrobiologie, électrostatique, électrothérapie, photo-électrique, pyroélectricité.
ELECTRIQUE : 5 debye ■ 7 capteur ■ 8 ampérage, cryptage ■ 9 bitension ■ 10 moulinette, quadripôle, varistance ■ 11 atténuateur, conjoncteur ■ 12 prolongateur ■ 13 isoélectrique ■ 14 cryoconducteur, défibrillation ■ 15 électroportatif.
ELECTRISE : 8 électret.

ELECTRISER : **5** méson ■ **7** exciter ■ **9** enflammer ■ **10** galvaniser ■ **11** électrisant ■ **12** électrisable ■ **15** électrification.
ELECTRO-ACOUSTIQUE : **7** vumètre ■ **10** audiophile.
ELECTROCARDIOGRAMME : **6** holter.
ELECTROCHOC : **13** sismothérapie.
ELECTRODE : **2** p.k ■ **5** anode, diode, lampe ■ **6** grille ■ **7** cathode, tétrode, wehnelt ■ **8** penthode ■ **11** grille-écran.
ELECTROLYSE : **7** faraday ■ **10** persulfate, voltamètre ■ **11** anodisation ■ **12** électrolyser, galvanotypie ■ **13** électrolyseur ■ **14** électrolysable, électrolytique.
ELECTROLYTE : **9** ampholyte.
ELECTROLYTIQUE : **8** cadmiage ■ **10** laitonnage ■ **11** brillanteur.
ELECTROMAGNETIQUE : **9** micro-onde ■ **10** ultracourt.
ELECTROMENAGER : **10** sèche-linge.
ELECTRON : **7** wehnelt ■ **9** covalence ■ **10** microsonde ■ **14** délocalisation.
ELECTRONIQUE : **4** spin ■ **5** atome, méson, modem, rayon ■ **6** triode ■ **7** négaton, pentode, tétrode ■ **8** anodique, bigrille, cryotron, électron, kénotron, penthode ■ **9** avionique, phanatron ■ **10** calculette, cathodique, iconoscope ■ **11** anticathode, grille-écran ■ **12** démodulateur, microédition, synthétiseur ■ **13** électronicien, thermoionique ■ **14** télémessagerie.
ELECTROPHONE : **11** mange-disque.
ELECTROPHORESE : **10** anaphorèse.
ELECTROSTATIQUE : **9** xérocopie.
ELECTROTECHNIQUE : **9** presspahn.
ELECTUAIRE : **5** opiat ■ **8** épithème ■ **10** catholicon ■ **11** diascordium.
ELEGANCE : **3** cri ■ **4** chic, goût, luxe, mode ■ **5** galbe, grâce*, guide, ligne, style ■ **6** beauté, charme, esprit, parure, pureté, sapeur ■ **7** aisance, élégant, purisme, vénusté ■ **8** braverie, snobisme, urbanité ■ **9** atticisme, platitude, politesse, vulgarité ■ **10** courtoisie, élégamment, galanterie, inélégance, préciosité ■ **11** affectation, coquetterie, délicatesse, raffinement ■ **12** désinvolture, inélégamment.
ELEGANT : **3** fin, urf ■ **4** beau, chic, lion, poli, roue, snob ■ **5** bijou, brave, crevé, dandy, serin, smart, zazou ■ **6** dégagé, élancé, faraud, gandin, milord, muguet, soigné, svelte ■ **7** cocodès, dameret, gommeux, lorette, mondain, pimpant ■ **8** brillant, chouette, fringant, muscadin, pommadin, pomponné ■ **9** copurchic, damoiseau, mirliflor ■ **10** endimanché, godelureau, incroyable, mirliflore, petit-crevé ■ **11** fashionable, merveilleux, petit-maître ■ **14** aristocratique.
ELEGANTE : **7** vénusté.
ELEMENT : **3** abc, eau, vau, vin ■ **4** face, lyse, néon, plan, plat, pour, spot, tête ■ **5** appui, argon, atome, atout, binon, chaos, ilion, mixte, oasis, oxyde, patin, pièce, pixel, place, point, prout, radon, saine, solde, spore, tissu, tmèse ■ **6** banche, corpus, curium, genèse, infixe, partie*, racine, surbau, zeugme ■ **7** abacule, basique, biotype, cellule, emprunt, facette, facteur, fernium, formant, hahnium, intrant, matière, mélangé, néodyme, ouvrage, phonème, protomé, shingle, spoiler, surcuit, thulium, zellige ■ **8** analogon, écouteur, électron, endogène, équipier, fibrille, filament, globulin, halogène, hardware, laitance, limivore, métrique, minorant, morphène, orbiteur, organite, plasmide, portière, principe, sommable, synthèse, technème, tenaille, tendance ■ **9** absorbeur, américium, berkélium, bloc-évier, composant, désabouté, équilibre, formation, indemnité, neptunium, organelle, paraphyse, pourboire, rabatteur, radiation, récepteur, sémantème, simplisme,

substance ■ 10 avant-garde, bioélément, chromosome, commençant, coordonnée, corpuscule, cristallin, électrique, flanc-garde, fourchette, idempotent, lanthanide, lawrencium, randomiser, ressources, surmontoir, symétrique, technétium, totalisant, transformé, transmuter, transposon ■ 11 californium, conjoncture, coordonnées, détachement, einsteinium, élémentaire, hypergenèse, mendélévium, militarisme, préfabriqué, transformée ■ 12 appartenance, arrière-garde, dégazolinage, désassimiler, intersection, radio-élément, transuranien ■ 13 déglutination, quadripartite, transmutation ■ 14 électronégatif, électropositif, géothermomètre, immobilisation, minéralisateur, nucléosynthèse ■ 15 autofécondation, catégorématique.

ELEMENTAIRE : 4 b.a.-ba, brut, idée ■ 5 gluon ■ 6 notion, simple* ■ 8 avogadro, magnéton, sommaire, syntagme ■ 9 ommatidie ■ 10 abécédaire, antiproton, percussion, syllabaire ■ 12 rudimentaire ■ 13 antiparticule.

ELEPHANT : 6 cornac, ivoire, marfil, morfil ■ 7 baréter ■ 8 mammouth ■ 10 éléphantin, pachyderme ■ 11 éléphanteau ■ 12 barrissement, proboscidien ■ 13 éléphantiasis.

ELEVAGE : 4 auge, parc ■ 6 vaiçya ■ 7 éleveur, fazenda ■ 8 agrainer, embouche, herbager, moulière, oiselier, trotting, vacherie ■ 9 ganaderia, lapinière, terrarium, volailler ■ 10 apiculture, aviculture, boucholeur, bouchoteur, faisandier, héronnière, magnanerie, paludarium, poulailller, séricicole, visionnière, zootechnie ■ 11 aquaculture, aquiculture, faisanderie, insectarium ■ 12 agropastoral, crapiculture, escargotière, hippotechnie, magnanarelle, pisciculture ■ 13 aquariophilie, colombophilie, héliciculture, lombriculture, mytiliculture, seminomadisme, trutticulture ■ 14 salmoniculture ■ 15 conchyliculture, cuniculiculture.

ELEVATEUR : 4 skip ■ 6 treuil ■ 8 deltoïde.

ELEVATION : 3 ton ■ 4 banc, crue, haut, mont ■ 5 arsis, bosse, godet, lampe, noble, seuil ■ 6 accent, apogée, fièvre, hausse, tertre, treuil ■ 7 ampleur, hauteur, retombé ■ 8 altitude, bassesse, éminence, escalade, grandeur, hauf-fond, noblesse ■ 9 ascension, avènement, supernova, surélever ■ 10 plan-relief ■ 12 augmentation, exhaussement, hyperthermie, regonflement, surélévation ■ 13 enseuillement, glorification, surhaussement, transgression.

ELEVE : 3 bel, vil ■ 4 beau, cher, cube, fier, haut, jo-jo, racé ■ 5 axène, bizut, blanc, cadet, carré, civil, école, étude, exeat, faîte, fruit, fusée, grand, lèche, loges, noble, orgue, petit, piton, préau, rapin, stipe, tapir, ténor, vache, vague, verre, vigie, wiski ■ 6 bizuth, épique, fistot, humble, lycéen, relevé, talibé, zénith ■ 7 cacique, cagneux, écolier, externe, grimaud, interne, massier, pilotin, potache, poussin, soutenu, sublime, tribune ■ 8 acolytat, acropole, apprenti, aspirant, axénique, cégépien, cloutard, culminer, disciple, étudiant, fastigie, flottard, héroïque, internat, surfaire, trottoir ■ 9 archicube, chartiste, collégien, coqueleux, culminant, directeur, gentleman, magnanime, malappris, normalien, pédagogie, sévrienne, supérieur, top-niveau ■ 10 couventine, décrocheur, grand-choix, notabilité, osculateur, passerelle, prohibitif, suprématie, tournemire, théologien ■ 11 culmination, garde-marine, promontoire, rhétoricien, saint-cyrien, séminariste ■ 12 instaurateur, pensionnaire, transcendant ■ 13 progressivité, ultra-pression ■ 14 polytechnicien, supercarburant, superstructure.

ELEVER : 5 aller, bâtir, cuber, élève, lever, pompe ■ 6 carrer, ériger, hisser, sauter, surgir, tendre ■ 7 arborer, aspirer, brandir, dresser*, éduquer, élevage, éleveur, émerger, exalter, grimper, hausser, nourrir, planter, pointer, vriller ■ 8 abaisser, aérostat, agrandir, déjauger, détruire, ennoblir, parvenir, poétiser, remonter, soulever, sublimer, surtaxer ■ 9 accentuer, ascenseur, ascension, charpente, échauffer, élévateur, élévation, exhausser, piédestal, poudroyer, protester, remblayer, statufier, surmonter, surpasser ■ 10 élévatoire, exaltation, promouvoir, surhausser ■ 11 bouillonner, surchauffer ■ 12 protestation.

ELEVEUR : 13 héliciculteur.

ELEVURE : 5 bulle, suçon ■ 6 bouton ■ 7 pustule ■ 8 militaire, vésicule.

ELFE : 5 lutin.

ELIMER : 4 user* ■ 5 râper ■ 7 seriner.

ELIMINATION : 5 ester, purge ■ 6 getter, lactame, repique ■ 8 affinage, dégazage, nycturie, sphacèle ■ 9 clearance, dessévage, épuration, excrétion, lessivage ■ 10 ammoniurie, déshuilage, dessablage, détartrage ■ 11 axénisation, suppression* ■ 12 menstruation ■ 13 dépoussiérage, salidiurétique.

ELIMINER : 5 trier ■ 6 râbler ■ 7 adoucir, chasser*, évincer ■ 8 dénitrer, excréter ■ 9 délignage, distancer, néantiser, repousser, scratcher, supprimer* ■ 10 antifading, désensimer, désulfurer, transpirer ■ 11 désiliciage, éliminateur, élimination ■ 12 démoustiquer, déphosphater, déphosphorer, désenvenimer, dessablement, éliminatoire ■ 14 désidéologiser ■ 15 désaisonnaliser.

ELIRE : 5 opter, voter ■ 6 nommer ■ 7 choisir*, électif, élisant, intrant, réélire ■ 8 conclave, électeur, élection, renommer ■ 9 électoral ■ 10 électivité, réélection ■ 11 plébisciter.

ELISION : 10 apostrophe.

ELITE : 5 choix, crème, fleur, garde, guide ■ 6 gratin ■ 8 élitaire ■ 9 grenadier, supérieur, voltigeur ■ 11 argyraspide ■ 12 aristocratie.

ELLEBORE : 7 vératre ■ 9 vératrine.

ELLIPSE : 4 soit ■ 5 ovale, sotch ■ 6 courbe ■ 9 mouchette ■ 10 elliptique ■ 14 elliptiquement.

ELLIPSOIDE : 7 lambert ■ 10 pillow-lava.

ELOCUTION : 5 débit, style ■ 6 parole ■ 7 diction ■ 8 discours ■ 9 abondance.

ELOGE : 3 los ■ 7 louange* ■ 8 apologie, élogieux, reproche, triomphe ■ 10 compliment*, dithyrambe ■ 11 panégyrique ■ 13 félicitations ■ 14 congratulation ■ 15 applaudissement.

ELOIGNE : 4 cela, exil, haut, loin* ■ 5 isolé, lieue, perdu, point, radar, voilà ■ 6 distal, écarté, reculé ■ 7 distant, modeste ■ 8 chassant, embusqué, lointain ■ 9 solitaire ■ 11 arrière-plan, arrière-port ■ 13 arrière-cousin.

ELOIGNEMENT : 2 ab ■ 3 abs, gap ■ 4 haïr, plan ■ 5 degré, recul ■ 6 sûreté ■ 7 ablatif, absence ■ 8 distance*, présence, retraite ■ 9 nostalgie ■ 10 digression, modération ■ 11 perspective ■ 12 excentricité ■ 14 continentalité.

ELOIGNER : 4 fuir ■ 6 bannir, exiler ■ 7 aliéner, écarter, évincer, retirer, séparer ■ 8 absenter, arracher, décliner, détacher, éclipser, reléguer, retarder ■ 9 détourner, répulsion ■ 10 centrifuge, émouchette, séquestrer ■ 11 éloignement ■ 14 désyndicaliser.

ELOQUENCE : 5 éloge, toast, verve ■ 6 ardeur, bagout, disert, flamme, sermon, speech ■ 7 chaleur, faconde, homélie, loquèle, orateur, parleur ■ 8 discours, éloquent, harangue, verbiage ■ 9 abondance, babillard, bavardage, élocution, loquacité, prolixité, véhémence, verbosité ■ 10 allocution, conférence, éloquemment, homilétique, plaidoirie, rhétorique*, volubilité ■ 11 panégyrique ■ 12 proclamation, réquisitoire.

ELU : **5** élire, saint ■ **7** papable ■ **8** éligible ■ **10** censitaire, coéligible, inéligible ■ **11** éligibilité, législature ■ **13** glorification ■ **14** prédestination.
ELUCIDER : **8** éclairer ■ **9** éclaircir, expliquer ■ **11** débrouiller, élucidation.
ELUCUBRATION : **4** idée*.
ELUCUBRER : **6** écrire.
ELUDE : **6** élusif.
ELUDER : **6** éviter ■ **7** tourner ■ **9** escamoter.
EMACIATION : **14** amaigrissement.
EMAIL : **5** métal, sable ■ **6** allumé, jacket, langué, vernis ■ **7** gueules, pourpre, rassade, ripolin ■ **8** couverte, craquelé, émailler, fourrure, lampasse, rocaille ■ **9** cloisonné, émaillage, émailleur, émaillure, parfondre ■ **10** porcelaine.
EMAILLEUR : **9** périgueux.
EMANATION : **3** gaz ■ **5** arôme, fumet, ichor, niton, odeur, radon ■ **6** miasme, thoron, vapeur ■ **7** bouffée, effluve, haleine, mofette, senteur ■ **9** effluence ■ **10** dégagement, exhalaison, inhalaison ■ **13** pulvérisation.
EMANCIPATION : **9** chartisme.
EMANCIPER : **4** serf ■ **8** racheter ■ **10** affranchir ■ **12** émancipateur, émancipation.
EMANER : **5** royal, venir ■ **6** élever, partir, sortir ■ **7** dégager, exhaler, inhaler ■ **8** découler ■ **9** éditorial ■ **10** pulvériser, théocratie.
EMARGER : **7** toucher ■ **9** signature ■ **10** émargement.
EMBALLAGE : **4** tare, vrac ■ **5** agave, balle, boîte, colis*, flein, kraft, malle, manne ■ **6** ballot, cageot, caisse, coffre, panier, papier, paquet*, tortue, valise ■ **7** banaste, basquet, blister, cagette, civière, tambour ■ **8** ballotin, courroie, mallette, sacherie ■ **9** berlingot, cartouche, container, corbeille, packaging, préemballé ■ **10** remballage ■ **11** serpillière ■ **15** conditionnement.
EMBALLER : **4** lier ■ **5** tarer ■ **6** corder ■ **7** charger ■ **8** attacher, encaquer, entoiler ■ **9** emballage, emballeur, encaisser, remballer ■ **10** embariller, empaqueter ■ **11** emballement ■ **12** conditionner ■ **13** enthousiasmer.
EMBARCATION : **3** nef ■ **4** caïc, étui, foil, yole ■ **5** canoé, canot*, doris, héler, nable, plate, scull, voile ■ **6** allège, bachot, barque*, bateau*, caïque, esquif, gabare, oumiak, pédale, prame, rafiau, rafiot, sampan, you-you ■ **7** barreur, cabaner, fargues, gondole, nacelle, pinasse, pirogue, sampang, vedette ■ **8** chaloupe, échouage, ensabler, godiller ■ **9** catamaran, guignette, hydrofoil, outrigger, sous-palan ■ **10** balancelle, baleinière, boat people, canoë-kayak, périssoire ■ **11** norvégienne ■ **12** motonautisme.
EMBARDEE : **5** écart.
EMBARQUER : **6** partir ■ **8** emporter ■ **9** débarquer ■ **10** rembarquer ■ **12** embarquement.
EMBARRAS : **3** euh ■ **4** aria, gêne ■ **5** crise, doute, ennui*, honte, issue, peine, péril, souci ■ **6** danger, pétrin, tracas ■ **7** dilemme, remords, trouble* ■ **8** dépanner, dépétrer, obstacle*, perplexe, sujétion, timidité, tointoin, tourment ■ **9** anicroche, chiendent, confusion, débourber, expédient, gaucherie, paralysie, ressource ■ **10** bégaiement, difficulté, faux-fuyant, labyrinthe, perplexité, subterfuge, zézaiement ■ **11** achoppement, alternative, contretemps, débarrasser, dérangement, embarrasser, engorgement, impédimenta, incommodité, interloquer, obstruction ■ **12** balbutiement, compromettre, débrouillard, échappatoire, embarrassant, encombrement ■ **14** enchevêtrement.

EMBARRASSE: 3 sot ■ 4 gêne* ■ 5 égaré, perdu ■ 6 confus, dadais, étonné, gauche, penaud, timide ■ 7 défrisé, démonté, dépaysé, dérouté, empêché, engoncé, honteux, indécis, inquiet, quinaud, troublé* ■ 8 constipé, craintif, déconfit, emprunté, hésitant, intimidé, lourdeur, perplexe ■ 9 contraint, incertain ■ 10 déconcerté, démoralisé, désarçonné, désorienté, tortillage ■ 12 décontenancé.

EMBARRASSER: 5 gêner ■ 7 acculer, bégayer, déjouer, délicat, ennuyer, épineux, zézayer ■ 8 asservir, attirail, barboter, bataclan, dandiner, démonter, dépayser, déranger, dérouter, empêcher, empêtrer, engorger, entraver, obstruer*, patauger, troubler* ■ 9 balbutier, brouiller, encombrer, intriguer, traverser ■ 10 contrarier ■ 11 déconcerter, désorienter, embrouiller ■ 12 contrecarrer, désappointer, embarrassant ■ 13 décontenancer ■ 14 emberlificoter.

EMBASTILLER: 6 prison ■ 14 embastillement.

EMBAUCHER: 7 engager ■ 8 recruter ■ 10 embaucheur, rembaucher ■ 11 réembaucher.

EMBAUMER: 5 momie ■ 8 parfumer ■ 10 embaumeur, taricheute ■ 11 embaumement.

EMBELLIR: 5 orner*, parer* ■ 6 garnir ■ 7 décorer, flatter ■ 8 émailler, embellie, enlaidir, enrichir, poétiser ■ 9 enjoliver ■ 10 décoration ■ 14 embellissement.

EMBERLIFICOTER: 15 emberlificoteur.

EMBETANT: 12 enquiquinant.

EMBETE: 12 enquiquineur.

EMBETER: 5 souci ■ 7 ennuyer ■ 10 embêtement.

EMBLAVER: 9 emblavage, emblavure, remblaver ■ 11 emblavement.

EMBLEME: 5 image, myrte, signe ■ 7 balance, fuscine, insigne, symbole ■ 8 attribut, phrygien, violette ■ 12 emblématique.

EMBOBELINER: 9 embobiner.

EMBOBINER: 7 ficeler.

EMBOITEMENT: 5 moyeu ■ 8 ajustage, jonction, mosaïque, niellure ■ 9 abouement, emboîture, embrayage, insertion ■ 10 sertissure ■ 11 empattement, marqueterie ■ 12 articulation, damasquinage, emboutissage, enchâssement, incrustation.

EMBOITER: 5 enter ■ 6 braser, entrer, monter, sertir, souder ■ 7 adapter, ajuster, greffer, insérer, joindre, rentrer ■ 8 aboucher, emboutir, embrayer, embrever, empatter, encadrer, engrener, glénoïde ■ 9 appliquer, articuler, assembler, emboîtage, emmancher, encastrer, enchâsser, encliquer, glénoïdal, imbriquer, incruster ■ 10 emboîtable, embroncher, entrelacer ■ 11 emmortaiser ■ 12 enchevaucher.

EMBOLIE: 6 embole ■ 7 embolus ■ 8 phlébite.

EMBONPOINT: 6 dondon ■ 7 enflure, graisse, obésité ■ 8 grosseur, pléthore, rondelet ■ 9 réplétion, rotondité ■ 10 corpulence, empâtement, engraisser, polysarcie ■ 13 engraissement.

EMBOSSER: 9 embossage, embossure.

EMBOUCHURE: 5 barre, delta ■ 6 bouche, tétine ■ 7 bouches, quillon ■ 8 estuaire, trombone ■ 9 débouquer, trompette ■ 10 embouchoir.

EMBOUER: 8 embouage.

EMBOSSER: 9 embossure.

EMBOURRER: 10 embourrure.

EMBOUTEILLAGE: 15 désembouteiller.

EMBOUTEILLE: 8 encombré.

EMBOUTEILLER: 13 embouteillage.

EMBOUTIR: 7 heurter ■ 9 tamponner ■ 12 emboutissage, emboutisseur, emboutissoir ■ 13 emboutisseuse.

EMBRANCHEMENT[1] **:** **6** chemin ■ **7** fourche ■ **9** annélidés, crustacés, ectoprote, prochordé, procordés, vertébrés ■ **10** bryophytes, mollusques, prochordés, rhizopodes, vermidiens ■ **11** arthropodes, cœlentérés, spongiaires, subdivision ■ **12** échinodermes, phanérogames ■ **13** ptéridophytes, sporozoaires ■ **14** plathelminthes ■ **15** némathelminthes.

EMBRASEMENT : **3** feu* ■ **6** ardeur, flamme ■ **7** flambée ■ **8** autodafé, ignition, incendie, sinistre ■ **9** crémation, flammèche ■ **12** déflagration ■ **13** conflagration.

EMBRASER : **5** arder ■ **6** brûler* ■ **7** flamber ■ **9** enflammer, flamboyer, incendier.

EMBRASSER : **5** biger, biser, faire, lapse ■ **6** baiser, brûler, serrer ■ **7** accoler, bécoter, dominer, enlacer, épouser ■ **8** accolade, baisoter, caresser, contenir ■ **9** amplectif, convertir, étreindre, romaniser ■ **10** embrassade, embrasseur, panoptique ■ **12** embrassement, universalité ■ **13** polytechnique.

EMBRASURE : **8** ébrasure ■ **10** embrasement ■ **15** arrière-voussure.

EMBRAYER : **9** embrayage, embrayeur ■ **10** bloc-moteur.

EMBRIGADER : **7** enrôler ■ **13** embrigadement.

EMBROCATION : **8** liniment.

EMBROCHER : **5** rôtir ■ **6** percer ■ **12** embrochement.

EMBROUILLE : **11** tarabiscoté.

EMBROUILLER : **5** clair, mêler* ■ **6** dédale ■ **8** désordre, écheveau, élucider, empêtrer, mélanger* ■ **9** brouiller, difficile, imbroglio, indigeste, obscurcir ■ **10** compliquer, embrouille, galimatias ■ **11** baragouiner, enchevêtrer ■ **12** embrouillage ■ **14** embrouillement.

EMBRUN : **7** poudrin.

EMBRYOGENESE : **13** embryogénique.

EMBRYON : **4** môle ■ **5** ferme, ovule ■ **6** chorde, fœtus, morula ■ **7** avorton, chorion, gravide, neurula ■ **8** apogamie, blastula, blastule, bourgeon, gastrula, nidation, placenta, plantule, tréphone ■ **9** cartillage, cotylédon, ectoderme, endoderme, épiblaste, épigenèse, mésoderme ■ **10** allantoïde, blastomère, blastopore, ectoblaste, endoblaste, endosperme, hypoblaste, mésenchyme, mésoblaste, suspenseur ■ **11** blastoderme, embryogénie, embryologie, histogenèse, lithopédion ■ **12** commencement, embryonnaire, embryopathie, embryoscopie, organisateur, télencéphale ■ **13** embryologique, embryologiste, embryoscopie, myélencéphale, polyembryonie ■ **14** arrière-cerveau, rhombencéphale ■ **15** triploblastique.

EMBRYONNAIRE : **6** fivete, meckel, müller ■ **7** ouraque ■ **8** gonocyte, otocyste ■ **9** endoderme ■ **10** totipotent ■ **11** neuroblaste ■ **12** morphogenèse ■ **14** deutérostomien.

EMBUCHE : **4** rets ■ **5** piège* ■ **6** danger ■ **9** embuscade, guet-apens, insidieux ■ **12** chausse-trape.

EMBUSCADE : **5** piège*, varus ■ **8** guérilla ■ **9** embusquer.

EMECHE : **4** ivre, soûl ■ **5** saoul.

EMERAUDE : **5** béril, béryl, graal ■ **9** smaragdin ■ **10** smaragdite.

EMERGER : **6** émergé, sortir* surgir ■ **7** sourdre ■ **9** émergence ■ **10** émergement ■ **14** atterrissement.

---

1. Les divers embranchements des règnes végétaux et animaux s'utilisent le plus souvent au pluriel. C'est la raison qui nous fait opter ici pour le pluriel dans le classement par nombre de lettres.

EMERI : 5 polir, potée ■ 8 émeriser.
EMERITE : 6 adroit.
EMERVEILLER : 7 éblouir, égnafer, étonner ■ 8 fasciner ■ 14 émerveillement.
EMET : 7 remueur ■ 10 rhizocarpé ■ 11 stolonifère.
EMETIQUE : 7 vomitif ■ 8 algaroth.
EMETTEUR : 2 c.b. ■ 5 lampe, radio ■ 6 balise, chaîne ■ 7 station ■ 8 lumineux ■ 10 brouilleur, étincelant, radiophare, réémetteur ■ 11 anticathode, luminescent, radiobalise ■ 12 directionnel, transpondeur ■ 14 vidéo-fréquence.
EMETTRE : 5 créer, jeter ■ 7 aspirer, énoncer, exhaler, pousser ■ 8 diffuser, émetteur, hasarder, produire, radicant, rayonner, sécréter ■ 11 stolonifère ■ 12 fluorescence ■ 15 phosphorescence.
EMEUTE : 5 meute ■ 6 pogrom ■ 7 émotion, pogrome, révolte*, trouble ■ 8 émeutier, sédition* ■ 9 agitation, coup d'état, mutinerie.
EMIETTER : 5 émier, paner ■ 6 broyer* ■ 10 fragmenter ■ 11 émiettement.
EMIGRATION : 5 exode ■ 7 émigrer ■ 9 essaimage, migration ■ 11 immigration ■ 12 bannissement, expatriation ■ 14 cosmopolisme.
EMIGRE : 7 chicano ■ 8 refuznik.
EMINENCE : 3 pli, puy ■ 5 épine, olive, pénil ■ 6 papule, tertre ■ 7 colline, hauteur, mamelon, papille, saillie ■ 8 mastoïde, tombelle ■ 9 élévation ■ 10 hypothénar ■ 12 protubérance.
EMINENT : 4 haut ■ 7 émérite ■ 8 illustre ■ 9 distingué, supérieur ■ 10 excellence, suréminent ■ 13 éminentissime ■ 14 extraordinaire.
EMISSAIRE : 8 messager.
EMISSION : 3 jet, rot ■ 4 flux, live, pair ■ 5 envoi, filet, prime, vesse ■ 6 accord, écoute, renvoi ■ 7 anurèse, melæna, tranche ■ 8 dyslalie, émetteur, énurésie, éruption, sélectif, sudation, talk-show ■ 9 audimètre, fumerolle, hématurie, lallation, radiation, semi-nasal ■ 10 auditorium, brouilleur, éructation, luciférine ■ 11 décochement, irradiation, radiophonie, rediffusion, somniloquie, sporulation, surémission, tachyphémie ■ 12 antiparasite, articulateur, incontinence, luminescence, omnidirectif, radioamateur, stratovision ■ 13 radio-activité, ruissellement, thermo-ionique, transpiration ■ 15 bioluminescence.
EMMAGASINER : 9 gazomètre ■ 12 condensateur, emmagasinage ■ 14 emmagasinement.
EMMAILLOTER : 12 remmailloter ■ 14 emmaillotement.
EMMANCHER : 8 emboîter ■ 11 remmancher ■ 12 emmanchement.
EMMELER : 5 mêler* ■ 8 mélanger* ■ 9 brouiller ■ 10 emmêlement ■ 11 embrouiller ■ 13 broussailleux ■ 14 embroussailler, enchevêtrement.
EMMENAGEMENT : 9 emménager ■ 11 arrangement.
EMMENAGOGUE : 3 ase, rue ■ 5 apiol.
EMMENER : 6 amener ■ 8 emporter*, remmener ■ 9 entraîner.
EMMERDER : 13 emmouscailler.
EMMITONNER : 10 envelopper ■ 11 circonvenir.
EMMITOUFLER : 8 déguiser ■ 10 envelopper.
EMMOTTER : 8 émotteur.
EMOI : 7 émotion*, trouble*.
EMOLLIENT : 3 mou ■ 5 mauve.
EMOLUMENT : 4 gain* ■ 7 salaire* ■ 11 rétribution.
EMONCTOIRE : 8 exutoire.
EMONDER : 5 vouge ■ 7 élaguer, tailler* ■ 8 émondage, émondeur, émondoir, jardiner ■ 10 émondement.

EMORFILER: 10 émorfilage.
EMOTION: 4 émoi ■ 7 crainte, feeling, stupeur, trouble*, vertige ■ 8 angoisse, désarroi, embarras, émouvoir ■ 9 agitation, commotion, émotivité, épouvante, flageoler, sentiment*, serrement, transport ■ 10 affolement, cataplexie, émotionner, foudroyant, impassible, soubresaut ■ 11 affectivité, ébranlement, émotionnant, flegmatique, suffocation ■ 12 émotionnable, frémissement, interjection, saisissement* ■ 13 électrodermal, frissonnement ■ 14 bouleversement, tressaillement.
EMOTIONNEL: 4 raga ■ 11 inémotivité ■ 12 immaturation.
EMOTIVITE: 11 sensibilité ■ 14 hyperémotivité.
EMOTTER: 8 émottage ■ 10 émottement.
EMOUDRE: 7 affiler ■ 8 aiguiser, émoulage, émouleur.
EMOUSSER: 4 user ■ 5 gâter, obtus ■ 6 blaser ■ 7 abattre, affadir, éblouir, énerver, hébéter ■ 8 arrondir, endormir, épointer ■ 9 affaiblir, assourdir, paralyser ■ 11 anesthésier.
EMOUSTILLER: 7 exciter ■ 12 émoustillant.
EMOUVANT: 7 prenant, vibrant ■ 8 poétique, poignant, touchant, tragique ■ 9 déchirant, palpitant ■ 10 dramatique, pathétique, saisissant ■ 11 indifférent ■ 13 attendrissant.
EMOUVOIR: 5 fibre ■ 6 agiter, remuer, vibrer ■ 7 amollir, frapper, mouvoir, toucher* ■ 8 affecter, apitoyer, attacher, déchirer, ébranler, émouvant, palpiter, sensible, troubler* ■ 9 atteindre, attendrir, attrister, éloquence, émotivité, empoigner, humaniser, pantelant, retourner, sentiment ■ 10 dramatiser, émotionner, frissonner, inflexible, intéresser ■ 11 apprivoiser, bouleverser, sensibilité ■ 13 impressionner, révolutionner.
EMPAILLAGE: 12 empaillement.
EMPAILLER: 10 empaillage, empailleur, taxidermie ■ 11 naturaliser ■ 12 empaillement.
EMPALER: 3 pal ■ 10 empalement.
EMPALMER: 9 empalmage.
EMPAQUETER: 7 trousse ■ 11 empaquetage, rempaqueter.
EMPARER: 5 prise, proie, siège, tenir ■ 6 piller, saisir* ■ 7 prendre*, usurper ■ 8 amariner, capturer ■ 9 accaparer, escroquer ■ 10 approprier ■ 11 intercepter ■ 14 pronunciamento.
EMPATE: 5 épais ■ 6 baveux ■ 7 empâter ■ 8 bavocher ■ 10 empâtement.
EMPATER: 8 bavocher.
EMPATHIE: 10 empathique.
EMPATTEMENT: 10 égyptienne, embasement.
EMPATTER: 11 empattement.
EMPAUMER: 7 tromper ■ 8 empalmer ■ 9 conquérir.
EMPECHEMENT: 4 cale ■ 5 digue, jetée, mitre, nuage, perré, sabot ■ 6 écueil ■ 7 entrave ■ 8 barrière, batayole, garde-fou, obstacle, traverse ■ 9 isolement, muselière, paragrêle, ventrière ■ 10 difficulté, étrésillon, inhibition, modération, opposition, résistance, revêtement, suspension ■ 11 contre-écrou, engorgement, intolérance, prohibition, suppression ■ 12 complication, encombrement.
EMPECHER: 5 gêner, mitre, murer, peser ■ 6 barrer, couper, fermer, isoler ■ 7 arrêter, boucher, inhiber, modérer, museler, retenir, séparer ■ 8 abstenir, contenir, défendre, endiguer, engorger, étouffer, obstruer, prévenir, prohiber, souffrir, soutenir, trousser ■ 9 béquiller, comprimer, empêcheur, encombrer, étrangler, offusquer, paralyser, préventif, supprimer, suspendre ■ 10 calorifuge ■ 11 antifermant,

antigivrant, embarrasser, empêchement, inéluctable, restreindre ■ 12 antibiotique, antidérapant, antiputrique ■ 13 anticoagulant, confusionisme, désincrustant.

EMPEIGNE: 9 remontage ■ 10 espadrille.

EMPEREUR: 4 czar, sire, tsar, tzar ■ 5 légat sénat, trône ■ 6 kaiser, sultan ■ 7 rescrit ■ 8 césarien, électeur, impérial, monarque ■ 9 apothéose, autocrate, landgrave, prétorien ■ 10 autocrator, dalmatique ■ 11 impératrice ■ 12 apocrisiaire ■ 13 impérialement, médiatisation ■ 14 porphyrogenèse.

EMPESER: 5 tuyau ■ 6 raidir ■ 8 empesage ■ 9 amidonner.

EMPESTER: 4 puer*.

EMPETRER: 4 lier ■ 8 merdoyer ■ 9 encoubler ■ 10 vasouiller ■ 11 embarrasser.

EMPHASE: 6 pathos, phébus ■ 7 enflure, étalage ■ 8 boniment ■ 9 clinquant, hyperbole, solennité ■ 10 emphatique, galimatias, gargarisme, pédanterie, prétention ■ 11 affectation, bafouillage ■ 12 boursouflure ■ 14 emphatiquement.

EMPHATIQUE: 4 pouf ■ 5 grand ■ 6 guindé ■ 7 ampoulé*, pompier, rhéteur ■ 8 ronflant, solennel* ■ 10 boursouflé ■ 12 déclamatoire ■ 13 grandiloquent ■ 14 mélodramatique.

EMPIERRER: 5 ferré ■ 6 pierre ■ 9 quartzite, recharger ■ 12 empierrement ■ 13 envahissement.

EMPIETER: 7 chasser, envahir, usurper ■ 8 déborder, dépasser, enjamber ■ 9 anticiper ■ 10 échancrure ■ 11 chevauchant, empiétement ■ 12 entreprendre.

EMPIFFRER: 6 manger.

EMPILAGE: 7 carasse.

EMPILER: 5 voler ■ 7 amasser ■ 8 empilage, empileur, entasser, gerbeuse, rempiler ■ 9 empilable ■ 10 empilement ■ 12 régénérateur.

EMPIRE: 4 cité ■ 5 guide, règne ■ 7 pouvoir* ■ 8 autorité*, empereur, grognard, impérial, margrave ■ 9 puissance* ■ 10 tatrarchie ■ 11 impératrice, sénatorerie.

EMPIRER: 8 aggraver.

EMPIRIQUE: 7 médecin ■ 8 pratique ■ 9 empirisme, rationnel, rebouteur, rebouteux.

EMPLACEMENT: 4 abri, lieu* ■ 5 gatte, local, locus, radar ■ 7 cockpit ■ 8 chaintre, chantier ■ 9 cartouche, pomœrium, prolapsus, terrarium ■ 13 abri-sous-roche ■ 14 délocalisation.

EMPLATRE: 5 baume, cérat ■ 6 charge, plâtre ■ 7 onguent, pommade, thapsia, topique ■ 8 bouillie, épithème, fenêtrer ■ 9 compresse, diachylon, pansement, sparadrap ■ 10 cataplasme, illutation ■ 11 embrocation ■ 13 emplastration.

EMPLETTE: 5 achat ■ 11 acquisition.

EMPLIR: 6 bonder, garnir ■ 7 bourrer*, combler, remplir*, truffer ■ 8 engrener ■ 10 emplissage.

EMPLOI: 3 job ■ 4 état, rôle ■ 5 caser, cumul, degré, perte, place*, plomb, poste, prise, selle, somme, titre, trial, usage* ■ 6 boulot, charge, office ■ 7 dépense, langage, travail, utilité ■ 8 candidat, carrière, cumulard, dégommer, embauche, fonction*, maîtrise, permuter, position, rotation, sinécure, software, truquage ■ 9 antiradar, apprêtage, démission, destituer, forestier, galénique, iotacisme, mécaniser, ministère, permutant, placement, résidence, simplisme, situation*, sous-fifre, sulfitage, téléradar, titulaire ■ 10 calendrier, débauchage, doublonner, gallicisme, gaspillage, inamovible, machinisme, médication, nomination, occupation, perception, profession*, rhotacisme, sous-emploi, subreption, supplanter ■ 11 attribution, hydraulique, ingantation, lieutenance, maître-chien, non-activité, plein-emploi, pyrotechnie, utilisation ■ 12 démissionner, vice-consulat, vice-légation ■ 13 appointements, commissionner, pharmacologie ■ 14 grandiloquence.

EMPLOYE: 5 agent, cadre, clerc, staff ■ 6 bedeau, commis, coteur, suisse ■ 7 caviste, facteur, gabelou, livreur, mensuel, métreur, postier, préposé ■ 8 cheminot, coursier, croupier, huissier, lampiste, première, receveur, traminot ■ 9 facturier, sauveteur, vacataire ■ 10 aiguilleur, auxiliaire, croquemort, garde-frein, guichetier, magasinier ■ 11 bureaucrate, hospitalier, laborantine, sous-économe ■ 12 gratte-papier, mécanographe, shampouineur ■ 13 aide-comptable, conditionneur, contre-indiqué, fonctionnaire, scribouillard, télégraphiste ■ 15 expéditionnaire.

EMPLOYEE: 7 boniche, trottin.

EMPLOYER: 4 user* ■ 6 brûler, donner, mettre, passer ■ 7 ménager, occuper, remplir ■ 8 apporter, dépenser, épargner, utiliser ■ 9 appliquer, consacrer, consommer, employeur, galvauder, remployer, ressource, sacrifier ■ 10 employable, praticable, réemployer ■ 12 sous-employer.

EMPOI: 6 amidon.

EMPOIGNER: 7 prendre ■ 8 émouvoir, empoigne.

EMPOISONNER: 4 puer, tuer, upas ■ 7 ennuyer, toxique ■ 8 infecter ■ 9 botulisme, envenimer ■ 10 intoxiquer, strophante ■ 11 mort-aux-rats, strophantus ■ 12 empoisonneur ■ 14 empoisonnement.

EMPOISSONNER: 15 empoissonnement.

EMPORTE: 3 vif ■ 5 calme ■ 6 brutal, enragé ■ 7 furieux, violent ■ 8 déchaîné, dominant, fougueux, furibond ■ 9 bouillant, colérique, fanatique, impétueux, passionné.

EMPORTEMENT: 5 furie ■ 6 colère, fougue, fureur, sortie ■ 7 foucade, passion ■ 8 frénésie, violence, vivacité ■ 9 animosité ■ 12 déchaînement.

EMPORTE-PIECE: 7 poinçon ■ 10 pastilleur.

EMPORTER: 6 porter, primer, rafler, tonner ■ 7 bourrer, dominer, éclater, emmener, enlever*, grogner, menacer, prendre*, rudoyer, tombeur, traîner, vaincre ■ 8 arracher*, charrier, dépasser, efférent, emballer, exceller, fulminer, malmener, maugréer, portatif, rabrouer, sabouler, savonner, tempêter ■ 9 accoutrer, déchaîner, embarquer, ensevelir, entraîner, prévaloir, quereller, rembarrer, remporter, submerger, surpasser, triompher ■ 10 accommoder, brutaliser, chamailler, houspiller, maltraiter ■ 11 apostropher, emportement, outrepasser.

EMPOTE: 8 empaillé.

EMPOTER: 8 empotage ■ 10 empotement.

EMPREINDRE: 6 écrire, graver ■ 7 plomber, sceller, timbrer ■ 8 cacheter, estamper, imprimer ■ 10 poinçonner.

EMPREINTE: 4 coin, flan, fumé, type ■ 5 morne, piste, plomb, sceau, trace, ukase ■ 6 cachet, frappe, griffe, marque*, scellé, timbre ■ 7 estampe, fossile, gravure, poinçon, sigille, sillage, vestige ■ 8 alginate, gaufrure, imprimer, stigmate, tatouage ■ 9 cicatrice, estampage, influence ■ 10 filigrane, impression, stéréotype ■ 12 contre-timbre, oblitération ■ 15 contre-empreinte.

EMPRESSEMENT: 4 élan, zèle* ■ 7 chaleur ■ 9 diligence ■ 10 impatience ■ 11 fraîchement ■ 12 complaisance ■ 13 précipitation.

EMPRESSER: 7 démener ■ 8 affairer ■ 9 accélérer ■ 12 empressement.

EMPRISE : 9 influence*.
EMPRISONNEMENT : 4 tôle ■ 5 taule ■ 6 prison* ■ 9 captivité, détention, réclusion ■ 10 jour-amende, relégation ■ 11 arrestation, déportation, internement, restriction ■ 13 incarcération.
EMPRISONNER : 6 pincer ■ 7 arrêter, boucler, coffrer, écrouer ■ 8 cloîtrer, déporter, enfermer, interner, reléguer ■ 9 empoigne ■ 10 incarcérer, séquestrer ■ 11 appréhender, claquemurer, embastiller.
EMPRUNT : 5 rente ■ 11 compilation.
EMPRUNTE : 6 timide ■ 8 encombré ■ 9 anglomane.
EMPRUNTER : 5 péage, taper, tirer ■ 6 imiter, prêter, puiser ■ 7 prendre ■ 8 circuler, passager, recevoir ■ 10 emprunteur, remprunter ■ 11 embarrasser, réemprunter.
EMPUANTIR : 15 empuantissement.
EMULATION : 4 élan, envi, zèle ■ 5 émule, lutte ■ 6 émuler ■ 8 rivalité* ■ 9 émulateur.
EMULSINE : 9 synaptase.
EMULSION : 5 looch, mûrir ■ 7 crémage, tempera ■ 8 émulseur ■ 9 anionique ■ 10 émulsifier ■ 11 émulsifiant, émulsionner ■ 12 émulsifiable ■ 13 émulsionnable ■ 14 émulsionnement, panchromatique.
ENAMOURER : 10 amouracher.
ENANTIOMORPHE : 11 énantiomère.
ENARQUE : 8 énarchie.
ENCADREMENT : 4 bord*, côté, tour, zone ■ 5 bande, cadre, chape, marge ■ 6 cartel, liséré, listel, liston, liteau, ourlet, parois, rebord ■ 7 bordage, châssis, cimaise, lisière, listeau, panneau ■ 8 formeret, margelle, pourtour, vignette ■ 9 cartouche, entourage, filotière, huisserie, sous-verre ■ 10 chambranle, périphérie ■ 11 encadrement ■ 12 passe-partout.
ENCADRER : 6 border, marger, ourler ■ 8 entourer ■ 11 encadrement.
ENCAISSE : 10 encaissant.
ENCAISSER : 7 morfler, toucher ■ 8 encaisse ■ 10 encaissant, encaisseur ■ 11 encaissable ■ 12 encaissement.
ENCANAILLER : 14 encanaillement.
ENCARTER : 9 encartage ■ 10 encarteuse, introduire.
EN-CAS : 7 parasol ■ 9 parapluie.
ENCASTELER : 11 encastelure.
ENCASTRER : 8 emboîter ■ 11 encastrable ■ 12 encastrement.
ENCAVER : 8 encavage 10 encavement.
ENCEINTE : 3 mur ■ 4 parc ■ 5 palis, venet ■ 6 cirque, pesage ■ 7 bornage, clôture*, contour, crémieu, paddock, parquet, rempart, tambour ■ 8 bordigue, ceinture, madrague, muraille, propylée ■ 9 bourdigue, concevoir, enceindre, entourage, grossesse, palissade ■ 10 incubateur ■ 12 amphithéâtre ■ 13 circonférence, fortification, retranchement.
ENCENS : 6 oliban ■ 7 galipot, navette ■ 9 encensoir.
ENCENSER : 7 flatter* ■ 8 louanger ■ 9 encensoir ■ 11 encensement ■ 12 thuriféraire.
ENCENSOIR : 9 encenseur.
ENCEPHALE : 5 crâne ■ 7 cerveau* ■ 8 cervelle, thalamus ■ 9 hypophyse ■ 10 céphalique, ventricule ■ 11 diencéphale, électrochoc, encéphalite ■ 12 encéphalique, hypothalamus, infundibulum, mésencéphale ■ 13 cérébrospinal, hydrocéphalie ■ 14 arrière-cerveau ■ 15 encéphalogramme, encéphalopathie.
ENCEPHALITE : 4 kuru.
ENCERCLER : 8 entourer ■ 10 envelopper ■ 12 encerclement.

ENCHAINEMENT: 3 fil ■ 5 cours, karma, suite*, tissu ■ 6 chaîne, destin, monème, tai-chi ■ 7 cadence, liaison, rapport ■ 8 harmonie, intrigue ■ 9 connexion ■ 11 agencement, déroulement, tai-chi-chuan ■ 12 ordinogramme, raisonnement, tachypsychie ■ 13 concaténation.
ENCHAINER: 4 lier ■ 6 suivre ■ 8 attacher ■ 9 continuer ■ 12 enchaînement.
ENCHANTE: 4 ravi.
ENCHANTEMENT: 3 fée ■ 5 magie ■ 6 charme ■ 7 bonheur, paradis ■ 9 enchanter, séduction ■ 10 enchanteur ■ 11 envoûtement, fascination, ravissement ■ 14 ensorcellement ■ 15 désenchantement.
ENCHASSER: 5 jable ■ 6 monter, sertir ■ 8 emboîter ■ 10 enchâssure, reliquaire ■ 12 enchâssement.
ENCHATONNER: 14 enchatonnement.
ENCHEMISER: 11 enchemisage.
ENCHERE: 4 mise ■ 5 criée, encan ■ 6 oudler ■ 8 enchérir ■ 10 licitation, surenchère ■ 12 adjudication, enchérisseur.
ENCHEVETRER: 3 erg ■ 5 tissu, trame ■ 6 plique ■ 7 emmêler ■ 9 brouiller ■ 10 entrelacer, entremêler, filandreux ■ 14 enchevêtrement.
ENCLAVER: 8 entourer ■ 11 enclavement.
ENCLENCHER: 13 enclenchement.
ENCLIN: 5 géant, porté, sujet ■ 7 jouette ■ 8 coléreux, penchant ■ 9 colérique, satirique, séditieux ■ 11 soupçonneux ■ 14 miséricordieux.
ENCLIQUETAGE: 11 encliqueter.
ENCLORE: 4 haie, lice, parc ■ 5 clore, murer, toril ■ 6 borner, fermer, grille ■ 7 enclave, griller, limiter, paddock, rempart ■ 8 contenir, enceinte, enclaver, entourer, investir ■ 9 courtille, palissade ■ 13 fortification.
ENCLOS: 5 secco ■ 6 corral.
ENCLOUER: 9 enclouage, enclouure.
ENCLUME: 2 dé ■ 3 tas ■ 5 forge ■ 6 billot, étaple ■ 7 bigorne, potence, tasseau ■ 10 enclumette.
ENCOCHE: 4 came ■ 8 entaille ■ 9 enclenche ■ 11 encochement.
ENCOCHER: 9 encochage.
ENCODER: 8 encodage.
ENCOIGNURE: 4 coin, cosy ■ 5 angle ■ 10 cosy-corner.
ENCOLLAGE: 11 désencoller.
ENCOLLER: 5 colle ■ 8 agar-agar ■ 9 encollage, encolleur ■ 10 encolleuse.
ENCOLURE: 3 cou ■ 5 jabot ■ 8 poitrail, rouvieux ■ 9 frivolité ■ 10 parmenture ■ 11 parementure.
ENCOMBRER: 5 barda ■ 8 déblayer, encombre, obstruer* ■ 10 encombrant ■ 11 embarrasser* ■ 12 embouteiller, encombrement ■ 13 congestionner.
ENCONTRE: 6 opposé ■ 8 démentir.
ENCOPRESIE: 12 encoprétique.
ENCORBELLEMENT: 5 hourd ■ 11 échauguette.
ENCORE: 4 même ■ 5 aussi, quand ■ 7 quoique ■ 8 toujours.
ENCORNET: 7 calamar.
ENCOURAGER: 2 va ■ 3 olé ■ 4 ollé ■ 5 hardi, prime, quête ■ 6 animer, piquer, porter ■ 7 exciter*, inciter, pousser* ■ 8 enhardir, exhorter, protéger, stimuler* ■ 9 enflammer ■ 10 solliciter ■ 12 aiguillonner, encourageant ■ 13 encouragement, enthousiasmer.
ENCOURIR: 5 pénal ■ 7 attirer ■ 10 impunément.

ENCRASSER: 5 salir* ■ 9 entartrer ■ 12 encrassement.
ENCRE: 4 pâté ■ 5 balle, lavis, moine, ponce ■ 6 encrer ■ 7 encrage, encrier ■ 8 bavocher ■ 9 caviarder, encrivore.
ENCUVER: 8 encuvage ■ 10 encuvement.
ENCYCLOPEDIE: 7 recueil ■ 12 dictionnaire ■ 14 encyclopédique, encyclopédiste.
EN DEÇA: 3 cis ■ 9 citérieur.
ENDEMIQUE: 5 lèpre ■ 8 trachome ■ 10 endémicité, épidémique.
ENDENTER: 11 endentement.
ENDETTER: 6 obérer ■ 10 contracter ■ 11 endettement.
ENDEVER: 5 rager ■ 6 fâcher.
ENDIABLE: 3 vif ■ 6 endêvé ■ 8 fougueux.
ENDIGUER: 7 enrayer ■ 8 refréner.
ENDIVE: 7 witloof.
ENDOBLASTE: 12 endodermique.
ENDOCARDE: 11 endocardite.
ENDOCRINE: 14 neurosécrétion.
ENDOCRINIEN: 9 endocrine, hypophyse, virilisme ■ 12 infantilisme ■ 13 parathyroïdes, rétrocontrôle.
ENDOCRINOLOGIE: 14 endocrinologue.
ENDOCTRINER: 7 enrôler ■ 10 catéchiser, influencer ■ 14 endoctrinement.
ENDODERME: 9 mésoderme ■ 10 mésoblaste.
ENDOGAMIE: 9 endogamie.
ENDOGENE: 14 holocristallin, hypocristallin.
ENDOLORIR: 8 souffrir ■ 9 attrister ■ 10 douloureux ■ 15 endolorissement.
ENDOMMAGE: 5 arsin.
ENDOMMAGER: 4 user, sauf ■ 5 arsin, cotir, gâter, léser, nuire ■ 6 abîmer, coûter, friper, perdre, ruiner ■ 7 avarier, entamer, ravaner ■ 8 bigorner, dégrader, délabrer, détruire*, dévaster, ébrécher, froisser, infester, meurtrir, mordache ■ 9 atteindre, bousiller ■ 10 détériorer*, plastiquer ■ 11 empoisonner ■ 13 endommagement.
ENDORMI: 3 mou ■ 7 assoupi, ensuqué, lendore ■ 8 engourdi ■ 11 soporifique.
ENDORMIR: 5 passe ■ 6 bercer, dormir ■ 7 ennuyer, tromper ■ 8 assoupir, berceuse, émousser ■ 9 endormant, engourdir ■ 10 appesantir, hypnotiser, magnétiser, sommeiller ■ 11 anesthésier, soporifique ■ 14 endormissement.
ENDOSCOPE: 11 gastroscope ■ 13 embryoscopie.
ENDOSCOPIE: 9 endoscope ■ 11 cystoscopie, fibroscopie, rectoscopie ■ 12 cœlioscopie, endoscopique, gastroscopie ■ 15 œsophagoscopie.
ENDOSCOPIQUE: 9 anuscopie ■ 12 arthroscopie, colonoscopie, laparoscopie.
ENDOSMOSE: 8 exosmose ■ 12 endosmomètre.
ENDOSSEMENT: 5 endos, ordre ■ 9 endosseur ■ 12 endossataire.
ENDOSSE: 10 endossable.
ENDOSSER: 6 mettre ■ 7 revêtir ■ 9 rendosser.
ENDROIT: 2 là, où ■ 3 gué, tir ■ 4 bled, côte, fond, haut, lieu*, noue, part, voie ■ 5 affût, arrêt, basse, chape, enfer, étape, évadé, foire, forte, gatte, gibet, joint, local, minée, moine, murer, place*, point, poser, poste, recto, satin, siège, stand, talon, veine ■ 6 ibidem, rucher ■ 7 baisure, cédraie, déposer, épinaie, garenne, pondoir, redoute, repeint, vasière ■ 8 baignade, carénage, casse-cou, ceinture,

contrôle, crêperie, débouché, dépotoir, échouage, fauverie, foulerie, invasion, mangeure, officine, repérage, resserre ■ 9 bagagerie, clairière, décousure, éclaircie, emboîture, glaisière, lapinière, noiseraie, précipice, rouissoir, tanguière, timonerie, tisanerie ■ 10 feuilletis, flottaison, fromagerie, machinerie, melonnière, melting-pot, point de vue, sanctuaire, sardinerie, souricière ■ 11 anacyclique, bifurcation ■ 12 cinémathèque, intersection, serre-papiers ■ 13 échansonnerie ■ 15 champignonnière.

ENDUIRE: 5 cirer, gluer, luter ■ 6 coller, crépir, encrer, farter, masser ■ 7 bitumer, couvrir*, engluer, frotter, glaiser, poisser, résiner, revêtir, soufrer, stuquer, suiffer, talquer ■ 8 engommer, graisser, pommader ■ 9 amidonner, emmieller, empoisser, ensoufrer, galipoter, graphiter, peinturer, savonnage. vaseliner ■ 10 glycériner, paraffiner ■ 11 badigeonner, paraffinage ■ 12 caoutchouter, encaustiquer.

ENDUIT: 3 lut ■ 4 cire, fard, stuc ■ 5 baume, cérat, ligot, solin, style, tissu ■ 6 cirage, couche, vernis ■ 7 brasque, glaçure, lambris, onguent, pommade ■ 8 badigeon, fumagine, liniment, populéum, saburral ■ 9 basilicum ■ 10 briquetage, cosmétique, crépissure, ravalement ■ 11 bouche-pores, embrocation, fomentation ■ 12 incrustation.

ENDURANCE: 4 fond, raid ■ 6 enduro, flegme ■ 7 fermeté*, rouleur, stoïque ■ 8 endurant, maîtrise, patience* ■ 9 constance, stoïcisme ■ 10 contenance ■ 12 persévérance ■ 13 impassibilité ■ 14 endurcissement.

ENDURCIR: 6 durcir ■ 8 aguerrir ■ 9 cuirasser ■ 10 impénitent ■ 11 impénitence ■ 14 endurcissement.

ENDURER: 5 boire, subir ■ 7 tolérer ■ 8 souffrir*, soutenir ■ 9 endurable, supporter* ■ 11 longanimité.

ENERGIE: 3 ton ■ 4 fort, mâle, pile, watt ■ 5 atome, cœur, force*, moule, sport, tonus ■ 6 action, effort, fluide, photon, poigne, vaseux ■ 7 amorphe, courage, fermeté, inertie, mazette, nouille, peureux, ressort, vigueur*, volonté ■ 8 beylisme, cervelet, décision, énervant, entropie, exigence, jeunesse, mollasse, mollesse, mutateur, onduleur, raplapla, varheure, veulerie, virilité, vitalité ■ 9 dantesque, dynamiser, dynamisme, énergique, laconisme, puissance, retremper, wattheure ■ 10 bioénergie, dynamogène, énergisant, énergivore, entêtement, femmelette, galvaniser, générateur, insistance, isodynamie, libération, radiomètre, résistance, résolution ■ 11 combustible, électricité, énergétique, génératrice, inélastique, nucléariser, obstination, rayonnement, thermopompe ■ 12 accumulateur, électronvolt, récupérateur, solarisation, transduction ■ 13 antinucléaire, avachissement, découragement, détermination, dynamogénique, électrochimie, énergiquement, kilowattheure, photosynthèse, varheuremètre ■ 14 alanguissement, productibilité, ralentissement ■ 15 hydroélectrique.

ENERGIQUE: 3 dur ■ 4 caïd, mâle, têtu ■ 5 actif, ferme, viril ■ 6 décidé, entêté, maître, tenace ■ 7 obstiné ■ 9 déterminé, impétueux, opiniâtre, turbulent ■ 12 interjection.

ENERGUMENE: 7 furieux.

ENERVE: 6 excité.

ENERVEMENT: 4 lala.

ENERVER: 6 agacer, calmer ■ 7 crisper, irriter* ■ 9 affaiblir, exaspérer ■ 11 impatienter.

ENFANCE: 4 ange, baby, bara, bébé, bobo, caca, dodo, fils, gone, mère, mimi, môme, papa, père, pipi, robe, part, test, tour ■ 5 babil, bijou, braie, cadet, clerc, démon, drôle, fruit, gamin, gosse, jouet, lange, lutin, maman, nanan, nurse, oblat, pépée, petit, raton, scout, sucer ■ 6 bambin, champi, garçon, lardon, marmot, mioche, poupon ■ 7 berceau, blondin, crapaud, enfance, fugueur, galopin, louchon, loupiot, mignard, morpion, morveux, pouliot, poupard, pupille, rejeton, sevrage ■ 8 benjamin, chérubin, clergeon, couveuse, enfanter, enfantin, fillette, garderie, hériter, jeunesse*, orphelin, pédiatre, pitchoun, polisson, quenotte, toxicose ■ 9 accouchée, badinerie, blondinet, dernier-né, diablotin, frimousse, gaminerie, garçonnet, garnement, grouillot, infantile, marmaille, marmouset, momignard, mongolien, moujingue, niaiserie, nouveau-né, pédagogie, pédagogue, pédologic, postérité, poussette, prématuré, premier-né, puérilité, salopette ■ 10 barboteuse, douillette, illégitime, jardinière, latéralisé, merdaillon, nourrisson, paidologie, puérilisme, trousse-pet ■ 11 caractériel, gouvernante, infanticide, progéniture, pupillarité, renouvelant, vagissement ■ 12 enfantillage, infantilisme, psychomoteur, puériculture ■ 13 croquemitaine, petits-enfants, souvenir-écran ■ 14 latéralisation ■ 15 psychopédagogie.

ENFANT : 4 gone, jo-jo ■ 6 champi, chiard, gâtion, poulot ■ 7 bobonne, champis, mouflet, poulbot ■ 8 brise-fer ■ 9 moujingue, tout-petit ■ 10 pédophilie ■ 11 pousse-canne, prématurité ■ 14 bébé-éprouvette ■ 15 pédopsychiatrie.

ENFANTER : 5 créer ■ 6 couche, gésine ■ 8 produire ■ 9 accoucher, primipare ■ 10 délivrance ■ 11 enfantement, parturition.

ENFANTILLAGE : 7 mômerie.

ENFANTIN : 4 coco, tata, zizi ■ 6 cafter, nounou ■ 7 cafteur ■ 14 préélémentaire.

ENFER : 5 damné ■ 8 infernal.

ENFERME : 5 bullé.

ENFERMER : 4 loge ■ 5 murer ■ 6 cacher, évader, fermer, priver, ranger, reclus, serrer ■ 7 bloquer, boucler, coffrer, emmurer, encuver, fourrer, inclure, parquer, reclure, traquer ■ 8 chambrer, cloîtrer, confiner, contenir*, emballer, encaquer, enclaver, entourer, interner, reléguer ■ 9 cantonner, claustrer, consigner, encaisser, encercler, encoffrer, recouvrir, renfermer*, resserrer, séquestrer ■ 10 barricader, calfeutrer, coffre-fort, empaqueter, encaserner, envelopper, séquestrer ■ 11 claquemurer, emprisonner, enfermement, verrouiller.

ENFICHE : 10 enfichable.

ENFIEVRER : 12 enfièvrement.

ENFILER : 4 aine ■ 5 point ■ 8 enfilade, enfilage, enfileur, renfiler ■ 9 canetière ■ 10 cannetière, désenfiler.

ENFLAMMER : 5 doper, lance, peste ■ 7 allumer, exciter*, prendre ■ 8 allumage, embraser ■ 9 échauffer ■ 10 électriser, galvaniser, renflammer ■ 11 incendiaire, inflammable ■ 12 hypergolique, inflammation, lance-flammes ■ 13 enthousiasmer, ininflammable.

ENFLE : 4 gros, pote ■ 5 nille ■ 6 gonflé* ■ 7 ampoulé, tuméfié, turgide ■ 9 tumescent ■ 10 boursouflé, emphatique ■ 11 intumescent.

ENFLER : 5 bosse ■ 7 bouffir, enflure, gonfler, grossir ■ 9 ballonner, dégonfler, désenfler ■ 11 boursoufler.

ENFLEURAGE : 9 enfleurer.

ENFLURE : 11 bouffissure.

ENFONCEMENT : 4 trou ■ 5 creux, fiche, golfe, nable, niche, palis, pedum, pivot, sonde ■ 6 alcôve ■ 7 lançage, profond, salière, souille ■ 8 calaison ■ 9 baissière, enfonçure, impaction ■ 10 subduction ■ 11 énophtalmie.

ENFONCER : 3 hie ■ 4 clou, dame ■ 5 caler ■ 6 abîmer, rompre ■ 7 bourrer, brocher, chasser, empaler, enliser, envaser, infuser, macé-

rer, piloter, pivoter, planter, plonger, vautrer ■ 8 chassoir, immerger ■ 9 avant-clou, enfonçure, renfoncer, replonger, submerger ■ 10 chasse-clou ■ 11 enfoncement ■ 13 insubmersible.
ENFOUIR : 6 cacher, terrer ■ 7 caleter ■ 8 enterrer ■ 11 enfouisseur ■ 13 enfouissement.
ENFOURCHEMENT : 11 ramassement.
ENFOURNER : 11 enfournage ■ 12 enfournement.
ENFREINDRE : 6 violer* ■ 7 déroger, faillir ■ 8 désobéir, forfaire, parjurer ■ 11 contrevenir, prévariquer ■ 12 transgresser.
ENFUIR : 4 fuir* ■ 5 cœur, lever ■ 6 calter ■ 7 débiner, envoler ■ 8 débander, décamper, échapper, esbigner, esquiver ■ 10 décaniller, escampette ■ 11 disparaître.
ENFUMER : 5 fumée ■ 8 enfumage.
ENGAGE : 6 marqué.
ENGAGEANT : 7 affable ■ 8 attirant ■ 9 attrayant, insinuant, séducteur.
ENGAGEMENT : 4 vœu ■ 5 dette, vœux ■ 6 assaut, combat ■ 7 caution ■ 8 infidèle, promesse*, ratifier, réversal ■ 9 non-engagé, porte-fort, religieux, souscrire, violation ■ 10 contracter, convention, désengager, obligation, unilatéral ■ 11 déconfiture, escarmouche, volontariat ■ 12 quasi-contrat, souscription ■ 13 inobservation, insolvabilité ■ 14 recommandation.
ENGAGER : 4 lier, supé ■ 5 enjeu, gager, jurer, louer, motus, vouer ■ 6 livrer ■ 7 arrêter, assurer, attirer, avancer, convier, enfiler, enrôler, inciter, inviter, obliger, racoler, retenir ■ 8 accepter, demander, devancer, disposer, empêtrer, endenter, ensabler, garantir, recruter, rengager ■ 9 commencer, corrompre, demandeur, desperado, embarquer, embaucher, embouquer, embourber, impliquer, promettre, réengager, reprendre, souscrire ■ 10 conseiller, embringuer, rembarquer ■ 11 enchevêtrer, entraîneuse, hypothéquer ■ 12 entreprendre, intercession.
ENGEANCE : 4 race.
ENGENDRE : 10 sclérogène.
ENGENDRER : 5 créer* ■ 7 générer ■ 8 agénésie, cyanoser, géniteur, procréer, produire ■ 9 photogène ■ 10 prolifique, thermogène ■ 11 criminogène, paraboloïde, plutonigène ■ 12 désorganiser, engendrement, gonochorisme ■ 14 toxicomanogène.
ENGERBER : 9 engerbage.
ENGERMER : 7 traquer.
ENGIN : 3 mil ■ 4 gord, mine ■ 5 fusée, orgue, outil*, piège ■ 6 drague, harpon, leurre, ski-bob ■ 7 crochet, cuiller, grappin, grenade, machine*, missile, scraper, senseur, trident, trimmer ■ 8 cuillère, éjecteur, grapette, madrague, torpille ■ 9 anaérobie, bulldozer, décapeuse, élévateur, motopaver, niveleuse, propergol, satellite, tue-diable, tunnelier ■ 10 angledozer, autotracté, fourchette, instrument* ■ 11 locomotrice, tout-terrain ■ 13 auto-élévateur ■ 14 autopropulsion ■ 15 trajectographie.
ENGLOBER : 8 contenir.
ENGLOUTIR : 6 abîmer, avaler ■ 7 sombrer ■ 15 engloutissement.
ENGLUER : 3 glu ■ 8 engluage ■ 10 engluement.
ENGOMMER : 9 engommage.
ENGORGEMENT : 6 lampas ■ 8 dégorger, engorger ■ 9 résolutif ■ 10 pulmonaire ■ 11 ensablement, obstruction.
ENGOUER : 3 fou ■ 5 aimer ■ 7 coiffer, entêter ■ 8 enticher, infatuer, snobisme ■ 10 embéguiner, engouement ■ 13 enthousiasmer.
ENGOUFFRER : 13 engouffrement.
ENGOULEVENT : 11 tête-chèvres.

ENGOURDIR : 4 lent, loir ■ 5 froid, gourd, raide, sphex ■ 6 inerte, raidir ■ 7 abrutir, balourd, étonner, hébéter, perclus, stupide, torpide, transir ■ 8 alourdir, assoupir, endormir, étourdir, imbécile, immobile, lourdaud ■ 9 ankyloser, assourdir, paralyser, somnolent, stupéfait ■ 10 appesantir, insensible, narcotique ■ 11 anesthésier, languissant, léthargique ■ 12 cataleptique, hémiplégique ■ 14 insensibiliser.

ENGOURDISSEMENT : 7 inertie, lenteur, raideur, sommeil, stupeur, torpeur ■ 8 hébétude, langueur* ■ 9 léthargie, paralysie, stupidité ■ 10 abattement*, anesthésie, balourdise, catalepsie, estivation, étonnement, hémiplégie, immobilité, narcotique, somnolence ■ 11 hibernation ■ 12 stupéfaction ■ 13 abrutissement, insensibilité, transissement ■ 14 assoupissement, étourdissement ■ 15 assourdissement, dégourdissement.

ENGRAIS : 4 parc ■ 5 erbue, falun, guano, humus, purin, purot ■ 6 fumier, fumure, gadoue, scorie, wagage ■ 7 verdage ■ 8 épandeur, hérisson ■ 9 cyanamide, plastique, poudrette, sylvinite ■ 10 engraisser, landerneau, touraillon ■ 13 crude-ammoniac ■ 14 superphosphate.

ENGRAISSER : 3 mue ■ 5 fumer, gobbe, patée, soupe ■ 7 appâter, empâter, pouture, pré-salé ■ 8 embouche, épinette, herbager, limonage, nourrain, poularde ■ 9 gélinotte ■ 11 engraissage, engraisseur, nourricerie, nourrisseur, rengraisser ■ 13 engraissement.

ENGRANGER : 7 rentrer ■ 12 engrangement.

ENGRAULIDE : 7 anchois.

ENGRELURE : 5 picot.

ENGRENAGE : 4 came, dent ■ 5 boîte, prisc, train, vérin ■ 6 mordre ■ 7 hypoïde ■ 8 engrener, globique ■ 9 satellite ■ 10 planétaire ■ 11 désengrener, engrènement ■ 12 arc-boutement, articulation, surmultiplié.

ENGRENEMENT : 13 synchroniseur.

ENGRENER : 9 engrenure.

ENGUEULER : 8 disputer, injurier ■ 10 engueulade.

ENHARDIR : 5 hardi ■ 10 encourager.

ENIGME : 6 secret* ■ 7 charade ■ 8 question ■ 10 logogriphe ■ 11 énigmatique.

ENIVRER : 4 ivre ■ 5 boire ■ 6 cuiter, griser, souler ■ 7 bitture, biturer, coiffer, émécher, saouler ■ 8 bitturer, capiteux, enivrant, ivrogner ■ 9 godailler, pocharder ■ 10 arsouiller, ivrognerie ■ 11 vertigineux ■ 13 enthousiasmer.

ENJAMBEMENT : 12 crossing-over.

ENJAMBER : 3 pas ■ 5 rejet ■ 8 enjambée ■ 10 pas-de-géant ■ 11 enjambement.

ENJEU : 3 pot ■ 4 cave, mise, pari ■ 5 banco, caver, jouer, poule ■ 7 relance.

ENJOINDRE : 6 aviser ■ 7 avertir, diriger, intimer ■ 8 endosser, insinuer, ordonner, suggérer ■ 10 catéchiser ■ 11 recommander.

ENJOLER : 7 cajoler, patelin, tromper ■ 8 enjôleur ■ 9 embobiner ■ 10 enjôlement ■ 11 embobeliner.

ENJOLIVE : 9 miniaturé.

ENJOLIVER : 5 orner*, parer* ■ 8 enlaidir ■ 9 historier, idéaliser ■ 10 enjoliveur, enjolivure.

ENJOUE : 3 fol, fou, gai ■ 5 badin ■ 7 folâtre, spitant ■ 8 alacrité, souriant ■ 10 enjouement.

ENLACER : 5 nouer ■ 6 serrer ■ 9 étreindre ■ 10 enlacement, entrelacer ■ 12 symplectique.

ENLAIDIR: **14** enlaidissement.
ENLEVE: **6** désodé ■ **8** déthéiné.
ENLEVEMENT: **4** rapt ■ **5** rafle ■ **6** déblai ■ **7** rentrée, retrait ■ **8** dépilage, marinage, soutrage ■ **9** évidement ■ **10** assomption, débourrage, démasclage, kidnapping ■ **11** délardement, dérochement, ravissement ■ **12** découverture, desquamation.
ENLEVER: **4** ôter* ■ **5** butin, laver, lever, peler, pelle, proie, ravir, vider, voler ■ **6** écaler, écimer, glaner, plumer, priver*, racler, rafler ■ **7** amputer, balayer, débâtir, décaler, déclore, défiler, dégager, dégréer, délacer, délaver, déluter, démater, dénuder, dépaver, déposer, dévêtir, ébarber, écorcer, écrêter, égermer, épincer, essorer, exciser, moucher, prendre*, retirer*, séduire ■ **8** abrasion, amovible, arracher*, débarrer, déblayer, débrider, décadrer, déclouer, décorner, décrépir, déferrer, déflorer, déganter, dégarnir, dégermer, déglacer, dégrafer, délainer, délaiter, délester, démouler, dénantir, déplacer, dépulper, dérocher, désarmer, détacher, dévisser, ébavurer, éborgner, écailler, écharner, échopper, emporter*, épamprer, éplucher, époutier, essanger, exfolier, extraire*, incision, nettoyer, rabattre, ramasser, prothèse ■ **9** anglaiser, débarquer, débourber, décapeler, décapoter, décercler, déchaîner, décoffrer, découvrir, décrotter, décuivrer, dédoubler, défruiter, démaigrir, démascler, démeubler, démieller, dépailler, dépiauter, déplâtrer, déplomber, desceller, désherber, déshuiler, désoxyder, dessertir, détartrer, détourner, émasculer, émorfiler, épinceler, épinceter, éviscérer, gravatier, kidnapper, rechampir, remporter, reprendre, ressuyage, tire-bonde ■ **10** approprier*, bouchonner, champlever, décapsuler, décarburer, décarreler, déchausser, dédoublage, défeuiller, défraîchir, dégazonner, dégraisser, dégravoyer, déhouiller, démanteler, dénoyauter, dépouiller, dérouiller, déséquiper, désulfurer, enlèvement, épousseter, moissonner, soustraire ■ **11** antirouille, débalourder, débarrasser, débillarder, décortiquer, dégoupiller, démaquiller, démastiquer, dénasaliser, dénitrifier, désargenter, déshabiller, désodoriser, dévitaliser ■ **12** décadenasser, décarbonater, déphosphorer, déscolariser, désexualiser, désoperculer, dessiccation ■ **13** déchaperonner, déshydrogéner.
ENLISER: **10** enlisement, envasement.
ENLUMINER: **9** miniature ■ **10** enlumineur, enluminure.
ENNEMI: **4** joug, juré, raid ■ **5** butin, front, mêlée, rival ■ **7** hostile, traître ■ **8** embauche, partisan, plastron ■ **9** déserteur, diversion, empêcheur, offensive, transfuge ■ **10** adversaire, défilement ■ **11** antagoniste, défavorable ■ **12** germanophobe, représailles ■ **13** cobelligérant.
ENNOBLIR: **7** anoblir ■ **8** agrandir ■ **14** ennoblissement.
ENNUI: **4** aria, gêne, scie ■ **5** barbe, dépit, épine, peine, souci*, temps, tuile ■ **6** dégoût, spleen, tracas ■ **7** chagrin, déboire, fardeau, fatigue*, litanie, malheur ■ **8** angoisse, embarras*, encombre, ennuyeux, froideur, tourment ■ **9** agacement, anicroche, bavardage, déplaisir, endormant, jérémiade, lassitude, mortifère, nostalgie, obsession, tristesse ■ **10** bâillement, déconvenue, désennuyer, embêtement, fastidieux, impatience, inquiétude, mélancolie, répétition ■ **11** accablement, contrariété, désagrément, hypocondrie, tracasserie ■ **12** malencontreux, misanthropie ■ **14** empoisonnement, enquiquinement.
ENNUIE: **7** soûlant.
ENNUYER: **4** suer ■ **5** raser, scier, vexer ■ **6** agacer, barber, lasser, soûler, tanner, tartir ■ **7** bâiller, canuler, cavaler, dépérir, désoler, droguer, embêter, irriter, obséder, seriner ■ **8** accabler, assommer,

bassiner, dégoûter, déplaire, emmerder, endormir, ennuyeux, fatiguer* ■ 9 morfondre, offusquer ■ 10 chiffonner, contrarier, cramponner, importuner*, persécuter, tourmenter* ■ 11 empoisonner, enquiquiner, impatienter ■ 13 emmouscailler.

ENNUYEUX: 4 fade, long ■ 5 pluie, suant ■ 6 bougon, diffus, rasant, sciant, vexant ■ 7 agaçant, barbant, fâcheux, lassant ■ 8 canulant, casse-cul, embêtant, ennuyant, fatigant, hargneux, importun, insipide, maussade, monotone, quinteux ■ 9 assommant, emmerdant, endormant, ombrageux, peigne-cul, somnifère ■ 10 barbifiant, déplaisant, encombrant, fastidieux ■ 11 désagréable, intolérable, soporifique ■ 12 empoisonnant, insignifiant ■ 13 ennuyeusement, insupportable.

ENONCE: 3 loi ■ 5 lexis ■ 8 locuteur, morphème ■ 9 analycité ■ 10 antonomase, attributif ■ 11 analyticité, énonciation, performatif ■ 12 assertorique, intentionnel ■ 13 acceptabilité, autoréférence, autosuffisant.

ENONCER: 4 dire ■ 5 juger ■ 6 causer, énoncé, former ■ 7 déduire, définir, émettre, exposer ■ 8 décliner, énumérer, exprimer, formuler, proposer, stipuler ■ 9 articuler, canonique, éclaircir, expliquer ■ 10 énonciatif, expliciter, numération ■ 11 énonciation.

ENORGUEILLIR: 6 enfler ■ 7 enivrer, gonfler.

ENORME: 4 rock ■ 5 grand* ■ 7 immense ■ 8 démesuré, étonnant ■ 9 cyclopéen, pyramide ■ 10 mastodonte, monstrueux, monumental ■ 11 gigantesque, hippopotame ■ 13 éléphantesque.

ENOUER: 9 épinceter.

EN PLUS: 5 en sus ■ 13 gratification ■ 14 supplémentaire.

ENQUERIR: 8 chercher, informer ■ 10 rechercher, renseigner.

ENQUETE: 5 panel, turbe ■ 6 zétète ■ 7 scrutin, sondage ■ 8 enquêter, enquérir, soulever ■ 9 détective, docimasie, enquêteur, interview, recherche*, reportage ■ 10 renseigner ■ 11 information, instruction ■ 12 consultation ■ 13 contre-enquête, interrogation.

ENQUETER: 8 indaguer.

ENRACINER: 8 invétéré ■ 12 enracinement.

ENRAGER: 3 fou ■ 7 furieux ■ 8 fougueux ■ 9 endiabler.

ENRAYER: 5 gêner ■ 7 arrêter, juguler, modérer ■ 8 endiguer, enrayoir, enrayure, étouffer, refréner, réprimer ■ 9 déflation ■ 10 enraiement, enrayement ■ 11 neutraliser.

ENRAYURE: 7 enrayer.

ENREGISTRE: 4 live ■ 13 préenregistré.

ENREGISTREMENT: 5 audio, dolby, piste, prise ■ 6 holter, mixage ■ 7 mémoire ■ 8 doublage, tournage ■ 9 égaliseur, graphique, myographe ■ 10 auditorium, bande-vidéo, barographe, dictaphone, myographie, sonothèque ■ 11 autochromie, phonographe, sismographe, sismométrie, tonographie, vidéogramme ■ 12 cardiographe, cinémographe, dynamographe, magnétophone, magnétoscope, phonocapteur, scintigramme, séismographe, stabilimètre, sténodactylo, thermographe ■ 13 livre-cassette, oscillographe, pneumographie, sphygmographe ■ 14 accélérographe, retransmission.

ENREGISTRER: 6 filmer ■ 7 tourner ■ 8 compteur ■ 9 pointeuse ■ 10 autochrome ■ 12 chronographe, enregistreur ■ 13 enregistrable, magnétoscoper, réenregistrer ■ 14 accélérographe, enregistrement.

ENREGISTREUR: 10 manographe ■ 13 applaudimètre.

ENRHUME: 10 enchifrené.

ENRICHI: 9 comprador.

ENRICHIR: 5 orner ■ 7 étoffer, lecture, meubler ■ 10 engraisser, ornementer ■ 11 recalcifier ■ 14 enrichissement.

ENRICHISSEMENT : 14 eutrophication.
ENRICHIT : 12 enrichissant.
ENROBER : 8 enrobage ■ 9 pralinage ■ 10 enrobement.
ENROCHEMENT : 8 enrocher.
ENROLEMENT : 5 levée ■ 6 presse ■ 8 conscrit.
ENROLER : 5 lever ■ 8 enrôleur ■ 10 embrigader, embringuer, enrôlement.
ENROUER : 5 râler, vélar ■ 6 rauque ■ 7 raucité ■ 8 grailler ■ 10 enrouement.
ENROULAGE : 7 copsage.
ENROULE : 5 roulé.
ENROULEMENT : 4 cops ■ 5 fusée, spire ■ 6 boucle, cirrhe, postes, volute, vrille ■ 7 rinceau, spirale ■ 8 coquille ■ 9 papillote, sinuosité, solénoïde ■ 10 secondaire ■ 12 commutatrice ■ 14 circonvolution.
ENROULER : 5 lover ■ 6 tordre ■ 7 bobiner, envider ■ 8 renvider, volubile ■ 9 embobiner, enrouleur, serpenter, tortiller ■ 10 contourner, enroulable, rembobiner ■ 11 enroulement, recoquiller.
ENSACHAGE : 9 ensacheur.
ENSACHER : 9 ensachage ■ 10 ensacheuse.
ENSAISINER : 13 ensaisinement.
ENSANGLANTE : 8 saignant, sanglant ■ 12 sanguinolent.
ENSEIGNE : 7 bouchon, carotte, drapeau*, midship ■ 8 agronome, bannière, étendard, manipule.
ENSEIGNEMENT : 3 e.a.o., l.e.p., u.e.r. ■ 4 p.e.g.c. ■ 5 bizut, cours, cycle, école*, leçon, lycée, règle ■ 6 classe, preuve ■ 7 athénée, collège, medersa, système, yeshiva ■ 8 clinique, disciple, doctrine, enseigné, laïcisme, lectorat, minerval, parabole, précepte, primaire ■ 9 apprenant, audio-oral, séminaire, terminale ■ 10 didactique, discipline, enseignant, hermétisme, marianiste, révélation, technopole, université ■ 11 audio-visuel, didacticiel, divulgation, instruction, publication, registraire, scolastique ■ 12 parascolaire, périscolaire ■ 13 démonstration, propédeutique, vulgarisation ■ 14 préélémentaire ■ 15 alphabétisation, assomptionniste, maître-assistant.
ENSEIGNER : 6 maître ■ 7 décrire, édifier, prouver, publier, révéler ■ 8 dénoncer, indiquer, moniteur, signaler ■ 9 apprendre, démontrer, divulguer, instruire, professer ■ 10 catéchiste, dogmatiser, enseignant, exotérique, professeur, vulgariser ■ 11 grammairien, instituteur ■ 12 alphabétiser, dialecticien, enseignement.
ENSEMBLE : 3 art, ban, loi, paf ■ 4 agio, ambe, avec, bloc, coir, cour, crac, éros, état, gare, girl, glie, jury, krak, lias, lice, pack, race, rame, rite, sexe, soin, soma, tout, type ■ 5 armée, avent, avoir, biote, bordé, cadre, cagée, canon, choix, clone, credo, culte, curie, décor, droit, drome, école, étage, faune, faute, flore, forêt, fouet, fruit, galbe, garde, gotha, habit, harem, islam, lisse, liure, masse, monde, moral, opium, paire, pègre, phare, plant, ponte, quine, ramas, redox, scène, secte, série, signe, smala, spire, terne, tissu, train, trame, tutti, unité, valse, volée, vulve ■ 6 accord, ascèse, assise, chorus, clique, décile, écurie, effilé, fatras, flotte, genèse, génome, graphe, groupe, isolat, jet-set, laïcat, mâture, necton, non-moi, olympe, perron, ramure, redent, rucher, sémène, stress, sur-moi, tantra, troupe ■ 7 adstrat, basoche, benthos, câblage, centile, chorale, concert, culture, cushing, décorum, dossier, famille, fessier, flaveur, fournée, fratrie, literie, nursage, nursing, package, parquet, pélagos, plaçure, plumage, ripieno, rosette, science, tétrade, théorie, toiture, tournée, toxémie, trucage, twinset, vannage, visible, voilure ■ 8 accouple, activité, aéro-

gare, aéroport, albraque, amorçage, androcée, apparaux, appareil, archipel, armement, attelage, attirail, balisage, banlieue, bourgeon, boutique, calicule, capelage, capitaux, chambrée, chantier, chapelet, chimisme, chiourme, chloasma, cohésion, commerce, complexe, conserve, consorts, contexte, couchage, couronne, création, deadheat, discours, doctrine, dotation, douzaine, économie, élinguée, embarque, énarchie, enfilade, épicerie, équipage, faisceau, flibuste, folklore, fressure, génotype, gouverne, gréement, hardware, harmonie, héligare, hérisson, humanité, identité, intégrer, jumelles, lectorat, ligament, maîtrise, matériel, membrure, ménagère, mercerie, meunerie, mobilier, moinerie, mosaïsme, naissain, nautisme, néologie, non-droit, notariat, officine, ossature, panoplie, panthéon, parcours, parhélie, patronat, pédicule, plancton, plankton, plissure, plombure, prosodie, quiddité, ramassis, retombée, romanité, samizdat, sarclure, scotisme, semelage, simplexe, subsumer, syndrome, synthèse, téléport, tenderie, terrasse, toilette, totalité, trilogie, trimétal, tubulure, vaigrage, vergeure, visserie, vitellus, zérotage, zoonomie ■ **9** accumuler, ambassade, animalité, armoires, artisanat, ascétisme, assemblée, assembler, astatique, auditoire, aumônerie, balancine, bioclimat, branchage, broquelin, canonique, cargaison, cavalerie, charpente, chevelure, chronique, ciliature, clientèle, coexister, cohabiter, conscient, cousinage, créatique, cryologie, dentition, dérouleur, diagenèse, directive, domotique, empennage, encéphale, épiscopat, évolution, fakirisme, fenêtrage, féodalité, feuillage, finissure, fondation, gemmation, gueulante, haubanage, horoscope, idiolecte, indigénat, involucre, lallation, maisonnée, monastère, monétique, motricité, multiplet, nutrition, orchestre, organisme, outillage, palanquée, paquetage, parentèle, paysannat, périanthe, péristyle, phénotype, phonation, piétaille, piètement, portfolio, press-book, prud'homie, psychisme, quarrable, quintette, rébellion, récrément, rédaction, rhytidome, roulaison, sacerdoce, sexualité, sous-barbe, structure, symposion, symposium, technique, tessiture, théogonie, timonerie, tout-paris, urbanisme, visagisme, voligeage ■ **10** aiguillage, anabolisme, antisepsie, ascendance, athlétisme, back-office, bioéthique, biunivoque, bloc-moteur, chiennerie, chondriome, chrétienté, cité-jardin, climatisme, collection, commission, complétion, concertino, consonance, couverture, culbuterie, décoration, discipline, discordant, dry-farming, dysbarisme, enfléchure, enseignant, ensemblier, équipement, ethnologie, fenestrage, figuration, flaconnage, foresterie, garde-corps, gestualité, hypnotisme, infanterie, machinerie, maistrance, matelotage, maturation, patrimoine, phonétisme, plasturgie, plissement, population, quart-monde, rassembler, régulation, répertoire, sandinisme, sidérurgie, soufflerie, sportswear, tétralogie, tiers-monde, transports, trésorerie, truanderie, tuyauterie, vanillisme, verticille, volcanisme ■ **11** achalandage, affectivité, alcoométrie, ameublement, antimatière, appareiller, ascaridiose, baraquement, bibliologie, bimbelotier, biosciences, bureautique, capitalisme, catabolisme, catholicité, cénesthésie, classicisme, cléricature, concubinage, conjugaison, criminalité, délinquance, dépareiller, descendance, domesticité, engineering, ensembliste, ferraillage, fourmilière, gymnastique, habillement, kinesthésie, législation, littérature, métabolisme, métagalaxie, microclimat, mouluration, musculature, océanologie, paralangage, paysannerie, physionomie, pithiatisme, préfabriqué, productique, prophétisme, protoplasma, protoplasme, radiophonie, répartement, saint-crépin, septantaine, sismométrie, télématique, viniculture, vishnouisme ■ **12** appareillage, appartenance, cœnesthésie, cohabitation, collectivité, comparatisme, constitution, eschatologie, géostratégie, hydrographie, installation, intersection, microédition, mobilisation, monolithisme, municipalité, muséographie, nomenclature, orientalisme, signalétique, sous-ensemble, subsistances, syndicalisme, tachéométrie, terminologie, viennoiserie, vinification ■ **13** bibliographie, climatisation, conjointement, cryotechnique, diamagnétisme, documentation, imprimabilité, inflorescence, keynésianisme, minérallurgie, neurosciences, normalisation, parafiscalité, parapharmacie, parasexualité, prémédication, refinancement, secrétairerie, sociothérapie, technoscience, thanatopraxie, vrombissement ■ **14** administration, alexandrinisme, continentalité, euroterrorisme, fructification, infrastructure, paralittérature, péritéléphonie, péritélévision, réglementation, saccharimétrie ■ **15** contre-offensive, contre-transfert, curriculum vitae, déstalinisation, glycorégulation, intertextualité, oligodendroglie, péri-information, psychotechnique, radioprotection, radiotélévision, ultramontanisme, vitiviniculture.

ENSEMENCER : **5** minot, semer*, semis ■ **7** héminée ■ **8** emblaver ■ **9** emblavure, remblaver, semailles ■ **12** réensemencer ■ **13** ensemencement.

ENSERRER : **8** contenir, enfermer.

ENSEVELIR : **8** enterrer ■ **11** funérailles ■ **13** ensevelisseur ■ **15** ensevelissement.

ENSILER : **8** ensilage, silotage.

ENSIMAGE : **10** désensimer.

ENSORCELER : **6** captif, charme ■ **7** séduire ■ **9** enchanter ■ **11** ensorcelant, ensorceleur ■ **13** désensorceler ■ **14** ensorcellement.

ENSUITE : **2** et ■ **4** puis ■ **5** après ■ **13** subséquemment.

ENSUIVRE : **8** résulter.

ENTABLEMENT : **5** frise, ordre ■ **6** mutule ■ **7** atlante, télamon, verseau ■ **8** corniche, épistyle, persique, zoophore ■ **10** architrave.

ENTACHER : **4** noir ■ **8** usuaire ■ **10** frauduleux, incestueux, réputation, simoniaque ■ **12** anachronique.

ENTAILLE : **4** abot, cran, dame, lime, raie, râpe ■ **5** adent, coche, creux, enter, fente, hoche, jable, redan ■ **6** cavité, entame, lioube, onglet, redent, taille ■ **7** balafre, cassure, coupure, créneau, encoche, rablure, rainure*, ruinure, tranche ■ **8** coulisse, crevasse, éraflure, excision, incision, mortaise, palanche, sabotage, taillade ■ **9** cicatrice, crénelure, découpure, dentelure, encochure, engravure, feuillure, guimbarde, ouverture, taillader ■ **10** abscission, échancrure, entaillure, estafilade ■ **11** boutonnière, vivisection ■ **12** déchiqueture, encastrement, queue-d'aronde ■ **13** scarification.

ENTAILLER : **6** couper*, fendre, ouvrir, rainer ■ **7** cranter, entamer, exciser, inciser, saboter, tailler ■ **8** balafrer, déchirer, découdre, ébrécher, engraver, grecquer, trancher ■ **9** échancrer, scarifier ■ **10** entaillage, pourfendre ■ **11** déchiqueter.

ENTAMER : **3** dur ■ **4** lier ■ **5** reste, séton, talon ■ **6** manger, mordre, ouvrir ■ **7** amorcer, écorner, engager, toucher ■ **8** attaquer, ébrécher, inentamé ■ **9** commencer, effleurer, entailler.

ENTASSEMENT : **5** chaos, terrir ■ **8** charnier, débarras, ossuaire, pyramide ■ **9** barricade ■ **10** capharnaüm ■ **12** accumulation ■ **13** amoncellement ■ **15** ensevelissement.

ENTASSER : **7** amasser, empiler ■ **8** encaquer ■ **9** accumuler, amonceler, ensevelir ■ **10** agglomérer ■ **11** entassement, thésauriser.

ENTE : **5** enter ■ **6** enture, greffe.

ENTENDEMENT : **6** raison ■ **8** jugement ■ **9** catégorie, intellect ■

10 analytique, conception, criticisme ■ 12 intelligence.
ENTENDRE: 4 ouïr ■ 5 jurer ■ 6 prêter, saisir ■ 7 audible, écouter ■ 8 accorder, audition, composer, crépiter, égrainer, insinuer, murmurer, octavier ■ 9 articuler, ausculter, concerter, confesser, entendeur, murmurant, percevoir, raisonner, striduler, transiger ■ 10 bourdonner, comprendre, gazouiller ■ 11 fraterniser, gargouiller, intraitable, sympathiser ■ 12 intelligible, sous-entendre ■ 13 confessionnal.
ENTENDU: 5 inouï ■ 6 adroit ■ 9 compétent ■ 10 témoignage ■ 11 intelligent.
ENTENTE: 4 pool ■ 5 condé, union ■ 6 accord, cartel ■ 7 concert, konzern ■ 8 concerté ■ 9 coalition, collusion ■ 10 complicité, connivence, convention, mésentente ■ 11 camaraderie ■ 12 conspiration, intelligence ■ 15 mésintelligence.
ENTER: 7 greffer.
ENTERINER: 9 approuver*, confirmer ■ 11 sanctionner ■ 12 entérinement.
ENTERITE: 11 strongylose.
ENTEROPNEUSIE: 12 balanoglosse.
ENTERRE: 5 ci-gît.
ENTERREMENT: 6 convoi ■ 8 obsèques ■ 11 funérailles.
ENTERRER: 7 enfouir, inhumer ■ 8 casemate ■ 9 cimetière, déchaumer, ensevelir, fossoyeur, sépulture.
ENTETE: 3 âne ■ 4 buté, mule, têtu* ■ 5 ferme, hutin, raide, titre ■ 6 entier, tenace ■ 7 acharné, endurci, entiché, obstiné* ■ 8 constant, encroûté, entêtant, exclusif, indocile ■ 9 cabochard, fanatique, opiniâtre* ■ 10 inexorable, inflexible, volontaire ■ 11 intraitable ■ 12 indiscipliné, récalcitrant.
ENTETEMENT: 7 caprice, fermeté, préjugé, raideur, volonté ■ 8 ténacité ■ 9 constance, fanatisme ■ 10 engouement, insistance, résistance ■ 11 acharnement, infatuation, obstination*, opiniâtreté, persistance.
ENTETER: 5 buter ■ 7 engouer, mutiner ■ 8 acharner, enticher, éprendre, infatuer, insister, obstiner*, résister ■ 9 persister ■ 10 embeguiner, opiniâtrer.
ENTHOUSIASME: 4 brio, élan, rêve, zèle ■ 5 génie, hymne, verve, youpi ■ 6 ardeur, délire, extase, flamme, fougue, griser, vision ■ 7 chaleur, émotion, emphase, entrain, ferveur, ivresse, lyrisme, ovation, passion*, youppie ■ 8 dégriser, frénésie, griserie, illusion, pâmoison ■ 9 élévation, éloquence, enflammer, fanatisme, prophétie, sublimité, transport, triomphal ■ 10 admiration, aspiration, engouement, enivrement, exaltation, excitation, exubérance, mysticisme, possession, révélation ■ 11 acclamation, électrisant, emballement, embrasement, imagination, inspiration, ravissement ■ 12 désenchanter, enthousiaste, illumination ■ 13 contemplation, enthousiasmer, surexcitation* ■ 14 enthousiasmant.
ENTHOUSIASTE: 4 fana, zélé ■ 5 chaud, furia ■ 6 ardent ■ 7 chauvin, fervent, sublime ■ 8 enflammé, fougueux, mystique, zélateur ■ 9 passionné* ■ 10 chaleureux.
ENTICHEMENT: 6 coiffé ■ 7 caprice, préjugé ■ 10 engouement ■ 11 infatuation.
ENTICHER: 4 féru ■ 7 coiffer, engouer ■ 8 enfatuer, éprendre ■ 10 amouracher, embéguiner ■ 11 entichement.
ENTIER: 4 têtu, tout* ■ 5 diète, ferme, plein, raide, reste, sceau, total, unité, verre ■ 6 intact ■ 7 adéquat, complet*, extenso, indivis, plénier, univers ■ 8 constant, exclusif, intégral ■ 9 aliquante, in extenso,

fanatique, pirouette ■ **10** inflexible, surjection, volontaire ■ **11** intraitable, vingt-quatre ■ **12** emporte-pièce, systématique.

ENTIEREMENT: **9** absorbant ■ **10** absolument, pleinement, totalement ■ **12** presse-bouton, radicalement.

ENTIERETE: **7** fermeté, raideur, volonté ■ **9** constance.

ENTITE: **7** capital, tenseur ■ **8** avogadro.

ENTOILER: **9** entoilage.

ENTOLER: **8** entôleur.

ENTOMOLOGIE: **13** entomologique, entomologiste.

ENTOMOSTRACE: **7** anatife, cyclope, daphnie ■ **9** sacculine.

ENTONNER: **10** intonation.

ENTONNOIR: **5** culot ■ **6** cornet, siphon, trémie ■ **7** chausse, cuvette, perloir, verveux ■ **8** bassinet ■ **9** autoclave ■ **10** boudinière, craterelle, fourmilion, tourbillon ■ **12** chantepleure.

ENTORSE: **5** écart ■ **7** foulure ■ **9** distordre.

ENTORTILLER: **5** tordu ■ **6** obscur ■ **9** cartisane, conquérir ■ **10** envelopper ■ **14** emberlificoter, entortillement.

ENTOUR: **6** autour ■ **9** entourage.

ENTOURAGE: **4** cour ■ **5** monde ■ **6** cercle, milieu ■ **7** ambiant, entours ■ **8** liserage ■ **9** compagnie ■ **11** captativité.

ENTOURE: **6** gangué ■ **9** myélinisé ■ **10** encaissant ■ **15** circumstellaire, circumterrestre.

ENTOURER: **4** lier, parc ■ **5** bande, clore, murer, rober, volve ■ **6** barder, border, butter, cerner, choyer, épiner, fermer, guiper, rouler, sertir ■ **7** bloquer, ceindre, cercler, enclore, insérer, pailler, traquer ■ **8** auréoler, circuler, clôturer, congréer, contenir, détourer, élinguer, encadrer, enclaver, enclouer, enfermer, engainer, enserrer, habiller, investir, liserage ■ **9** ceinturer, couronner, embrasser, enceindre, encercler, enchâsser, enclôture, entourage, étreindre, fenestrer, filigrane, fortifier, ligaturer, périptère, renfermer ■ **10** avant-fossé, contourner, envelopper*, environner, épicrânien, palissader, platebande, terreauter ■ **11** embastiller, entortiller, homochromie ■ **12** circonscrire, contrescarpe, enguirlander ■ **13** déambulatoire, environnement.

ENTRACTE: **5** arrêt ■ **14** divertissement.

ENTRAIDE: **7** secours ■ **9** mutualité ■ **11** mutuellisme.

ENTRAILLE: **9** éviscérer.

ENTRAILLES: **5** curée ■ **8** aruspice, intestin ■ **9** haruspice.

ENTRAIN: **3** vie ■ **4** brio, élan, joie, zèle ■ **5** chien ■ **6** allant, ardeur, fougue*, gaieté ■ **7** mordant ■ **8** vivacité ■ **9** dynamisme ■ **10** allégresse ■ **13** avachissement.

ENTRAINEMENT: **4** élan ■ **5** derny, pente ■ **7** primage ■ **8** aéroclub, habitude, jiu-jitsu, practice ■ **9** déflation, migration, stripping ■ **10** entraîneur ■ **11** rééducation ■ **15** surentraînement.

ENTRAINER: **4** vent ■ **6** abuser, amener, causer*, perdre, tenter ■ **7** attirer, diriger, drosser, engager, enjôler, exciter, exercer, flirter, induire, manager, séduire, traîner ■ **8** conduire, emporter, fasciner, suggérer ■ **9** débaucher, embarquer, embaucher, impliquer, persuader, pervertir ■ **10** enclencher, entraînant, entraîneur, nécessiter, rentraîner, tourbillon ■ **11** entraînable, occasionner* ■ **12** entraînement, punching-ball, surentraîner ■ **13** apprentissage ■ **15** sparring-partner.

ENTRAINEUSE: **8** taxi-girl.

ENTRANT: **7** intrant.

ENTRAVE: **4** abat, abot ■ **5** frein, libre ■ **7** tribart ■ **8** dépêtrer, entraver, obstacle*, saboteur ■ **11** désentraver, empêchement, impedimenta.

ENTRAVER : 5 gêner ■ 7 enrayer.
ENTRE : 5 inter, moyen, parmi, séton, tenon, tiède, trans, tuyau ■ 7 enfoncé ■ 10 ingrédient, interposer ■ 11 après-souper, constituant, constitutif, emboîtement, interastral, intercostal, interosseux ■ 12 interdigital ■ 13 intertropical ■ 14 interocéanique, intervertébral, intervocalique ■ 15 intercellulaire, intergalactique, intermusculaire.
ENTRECHAT : 4 saut ■ 8 cabriole.
ENTRECOLONNEMENT : 9 aréostyle.
ENTRECOUPER : 6 hacher ■ 10 entremêler ■ 11 interrompre.
ENTRECROISEMENT : 7 tissure.
ENTRECROISER : 10 intersecte ■ 11 guillochure ■ 15 entrecroisement.
ENTRE-DEUX : 4 raie ■ 8 dentelle ■ 11 entrecuisse ■ 13 intermédiaire.
ENTREE : 3 pas ■ 4 môle, raid ■ 5 accès, anode, barre, fanal, gorge, opium, porte, seuil, tarif ■ 6 boucan, exorde, parvis, razzia ■ 7 cochère, fronton, passage, portail, tessère ■ 8 barrière, débouché, invasion, marquise, propylée, triomphe ■ 9 admission, avant-port, brisebise, immersion, immixtion, incursion, insertion, irruption, ouverture, vestibule ■ 10 embouchure, saut-de-loup ■ 11 antichambre, arrière-port, contre-sujet, emboîtement ■ 12 embouquement, emboutissage, intervention.
ENTREGENT : 3 bas ■ 4 ruse ■ 7 adresse, rouerie ■ 8 habileté, parasite ■ 9 flatterie, intrigant, souplesse ■ 10 ingéniosité ■ 11 écornifleur, flagornerie, ingéniosité, solliciteur ■ 12 rastaquouère.
ENTREJAMBE : 11 enfourchure.
ENTRELACEMENT : 4 haie, lacé ■ 5 lacis, natte, nœud, ramée, tissu ■ 6 armure, croisé, réseau, tresse ■ 7 pairage ■ 8 épissure ■ 9 arabesque ■ 10 croisement, enlacement ■ 15 entrecroisement.
ENTRELACER : 5 lacer, nouer ■ 6 natter, tisser, tramer ■ 7 croiser, enlacer, épisser, tresser ■ 8 enverger, tricoter ■ 9 traverser ■ 10 intersecté ■ 11 enchevêtrer, entortiller ■ 12 entrecroiser ■ 13 entrelacement.
ENTRELARDER : 14 entrelardement.
ENTREMELER : 8 mélanger* ■ 9 intriquer ■ 11 intrication ■ 13 entremêlement.
ENTREMETS : 5 crème, lissé ■ 7 soufflé ■ 8 bavarois ■ 9 bavaroise, charlotte ■ 11 blanc-manger.
ENTREMETTEUR : 5 agent ■ 7 matrone ■ 8 courtier, matrulle ■ 9 maquignon, médiateur, proxénète ■ 10 maquerelle, procureuse ■ 13 intermédiaire.
ENTREMETTRE : 9 entremise ■ 10 intervenir* ■ 12 entremetteur.
ENTREMISE : 4 aide, voie ■ 5 canal, degré, moyen* ■ 6 levier ■ 7 échelon ■ 9 médiation, ministère ■ 10 marche-pied ■ 13 intermédiaire.
ENTREPONT : 5 soute ■ 7 cambuse ■ 9 écoutille.
ENTREPOSE : 9 bagagerie.
ENTREPOT : 4 dock ■ 5 étape ■ 7 cellier, fondouk, magasin ■ 9 dédouaner ■ 11 entreposage, entreposeur, manutention ■ 14 entrepositaire.
ENTREPRENDRE : 4 agir, oser ■ 5 créer, faire, hardi, tâter ■ 6 entrer, fonder, tenter ■ 7 aborder, adonner, engager, entamer, essayer, établir, risquer, usurper ■ 8 attaquer, efforcer, exécuter, intenter, spéculer ■ 9 commencer*, embarquer, embrasser ■ 10 initiative, marchander, travailler ■ 12 entreprenant ■ 13 soumissionner.
ENTREPRENEUR : 7 aconier ■ 8 acconier, tâcheron ■ 9 compagnon ■ 10 architecte, déménageur ■ 11 marchandeur ■ 13 sous-traitant.

ENTREPRISE: 5 enjeu, essai, firme, sable, tâche, toast, trust ■ 6 action, agence, projet, raider, risque ■ 7 affaire, attaque, dessein, épreuve, équipée, filiale, service ■ 8 aventure, campagne, fabrique, industrie, prospect ■ 9 personnel, publicité, repreneur, tentative, voyagiste ■ 10 concession, consortium, expédition, expérience, filialiser, nouvelleté, soumission, technopôle ■ 11 autogestion, commanditer, conjuration, spéculation ■ 12 adjudication, entrepreneur, organigramme, privatisable, unipersonnel ■ 13 établissement, intéressement, sous-traitance ■ 14 cartellisation ■ 15 entrepreneurial, internalisation, soumissionnaire.

ENTRER: 4 lier ■ 5 enter, garer, libre, porte queue ■ 6 ficher, frayer, mettre, sonder, tâcher ■ 7 aborder, engager, envahir, fourrer, fureter, greffer, imbiber, infuser, ingérer, insérer, planter, plonger, rentrer, saturer, toucher ■ 8 aboucher, absorber, affilier, associer, combiner, concours, emboîter, embotter, emboutir, embrayer, embrever, embûcher, empatter, empiéter, empocher, encadrer, enfoncer, engrener, faufiler, humecter, immiscer, importer, infester, inoculer, insinuer, intégrer, pénétrer*, refouler, répandre ■ 9 assimiler, commettre, contacter, emmancher, embarquer, embouquer, encaisser, encliquer, implanter, imprégner, incruster, infiltrer, instiller, insuffler, joignable, mordiller ■ 10 embrigader, engouffrer, incorporer, intéresser, interpoler, intervenir, introduire, rencontrer ■ 11 effloraison, emmortaiser ■ 12 enrégimenter, hospitaliser, impatroniser ■ 13 préadolescent.

ENTRESOL: 9 mezzanine.

ENTRETENIR: 5 séton, tapis, tenir, vivre ■ 6 causer, choyer, gigolo, parler ■ 7 anhéler, deviser, flirter, nourrir, pisteur, réparer ■ 8 caresser, cultiver, fomenter ■ 9 alimenter, chauffeur, conserver, converser, dialoguer, maintenir, sustenter ■ 12 correspondre ■ 13 confusionisme.

ENTRETENU: 5 giton, rough.

ENTRETIEN: 5 devis, édile, haras, manse, voyer ■ 6 aparté ■ 7 chauffe, demande, élevage, jogging ■ 8 baliseur, colloque, dialogue, draisine, égoutier, entrevue*, fourrage, klystrom, lampiste, marinier, oaristys, réplique ■ 9 amareyeur, bricoleur, histinine, interview, monologue, soliloque, terrarium, tête-à-tête ■ 10 après-vente, cantonnier, fontainier, frigoriste ■ 11 chuchoterie ■ 12 conciliabule, conversation, sylviculture ■ 13 correspondant.

ENTRETOISE: 5 bague ■ 8 traverse ■ 11 entretoiser ■ 14 entretoisement.

ENTREVOIR: 4 voir ■ 8 miroiter.

ENTREVOUS: 11 entrevoûter.

ENTREVUE: 6 visite ■ 7 congrès, palabre, réunion* ■ 8 audience, colloque, dialogue, relation ■ 9 admission, assemblée, entretien, interview, réception, rencontre*, tête-à-tête ■ 10 conférence, discussion, rendez-vous ■ 11 abouchement, explication, négociation ■ 12 conciliabule, conversation ■ 13 communication, confrontation.

ENTRISME: 8 entriste.

ENTROPIE: 12 isentropique.

ENTROUVRIR: 11 rentrouvrir.

ENTURE: 6 mi-bois ■ 13 enfourchement.

ENUCLEATION: 8 énucléer.

ENUMERATION: 4 item ■ 5 liste ■ 6 détail ■ 7 litanie ■ 9 bordereau, catalogue ■ 10 deux-points, énumératif ■ 12 articulation, dénombrement.

ENUMERER: 9 conjuguer ■ 10 énumérable ■ 11 énumération.

ENVAHI : 8 trichiné.
ENVAHIR : 6 entrer ■ 7 inonder ■ 8 déborder ■ 9 parasiter ■ 11 envahissant, envahisseur ■ 13 envahissement.
ENVASER : 10 envasement.
ENVELOPPE : 3 pli, sac ■ 4 baie, bale, brou, cape, cosy, étui, peau, pupe, robe, taie, test, tige, tour ■ 5 balle, barde, bogue, borde, boyau, câble, candi, chape, cocon, coque, cosse, coton, écale, étain, fruit, gaine, giron, globe, glume, gruau, kyste, liber, momie, tarer, volva, volve ■ 6 cachet, carter, clisse, croûte, cupule, écorce, gousse, housse, spathe ■ 7 ampoule, capsule, chemise, chorion, délivre, écaille, paillon, silique, trousse, tunique ■ 8 blindage, cache-pot, cacheter, coquille, cuirasse, épiderme, fourreau, membrane, muqueuse, perfolié, périgone, périoste, tégument ■ 9 albuginée, involucre, pare-chocs, pellicule, péricarde, péricarpe, périanthe, périsprit, spathelle ■ 10 aponévrose, coléoptile, couverture, développer, encaissant, semi-rigide ■ 11 cataphracte, décorticage, décortiquer, enveloppant, genouillère, souscription ■ 12 portefeuille.
ENVELOPPER : 5 bande, lance, lange, nouer, vêtir ■ 6 bander, barder, cacher, langer, rouler ■ 7 ambiant, baigner, enrober, revêtir* ■ 8 affubler, contenir, emballer, embrumer, enfermer, engainer, enkyster, enrouler, entourer*, habiller, réticule ■ 9 accoutrer, empailler, ensevelir, enveloppe, impliquer, obnubiler, recouvrir* ■ 10 emmitonner, empaqueter, enchemiser ■ 11 emmailloter, emmitoufler, entortiller, renvelopper ■ 13 désenvelopper, enveloppement.
ENVENIMER : 7 exciter ■ 11 empoisonner ■ 12 envenimement.
ENVERGURE : 3 vol ■ 5 minus, vaste ■ 11 allongement.
ENVERS : 4 avec, pour, ubac ■ 6 rentré, revers ■ 7 arrière ■ 9 renverser ■ 10 contre-scel ■ 11 anacyclique, contrecollé, contre-sceau.
ENVIE : 4 faim, soif ■ 5 désir*, péché, venin ■ 6 besoin*, nævus, nausée ■ 7 envieux, sommeil ■ 8 enviable, épreinte, jalouser, jalousie* ■ 10 convoitise ■ 11 haut-le-cœur ■ 12 démangeaison, envieusement.
ENVIEUX : 5 zoïle ■ 6 jaloux* ■ 7 tentant.
ENVIRON : 4 dans ■ 6 abords ■ 7 quelque ■ 8 alentour, autour de, graviter ■ 9 alentours ■ 10 approchant.
ENVIRONNE : 6 entour.
ENVIRONNEMENT : 10 écologisme.
ENVIRONNER : 7 ceindre ■ 8 ambiance, enfermer, entourer, quartier ■ 9 embrasser ■ 10 atmosphère, envelopper.
ENVISAGER : 5 juger, point ■ 8 regarder ■ 9 concevoir, réfléchir ■ 10 considérer, impensable, rapprocher ■ 12 envisageable, européaniser.
ENVOI : 5 colis, passe ■ 6 paquet, renvoi ■ 8 dédicace, émission ■ 9 diffusion, lancement, livraison ■ 10 députation, dispersion, expéditeur, expédition, messagerie, meurtrière ■ 11 destination ■ 12 colonisation, destinataire ■ 13 télé-imprimeur.
ENVOL : 5 essor ■ 6 essaim ■ 7 envolée ■ 9 check-list.
ENVOLER : 5 envol, voler ■ 7 envolée ■ 11 disparaître.
ENVOUTEMENT : 6 charme ■ 8 conquête, envoûter ■ 9 envoûteur, séduction ■ 11 fascination ■ 12 enchantement ■ 14 ensorcellement.
ENVOYE : 5 envoi, mahdi, talon ■ 6 député ■ 7 ablégat, a latere, délégué ■ 8 messager ■ 9 diplomate ■ 10 internonce, mandataire ■ 11 ambassadeur ■ 12 providentiel, représentant ■ 13 parlementaire.
ENVOYER : 5 envoi, faxer, levée ■ 6 bannir, exiler, lancer, livrer, porter ■ 7 centrer, députer, diriger, émettre ■ 8 adresser, apporter,

déléguer, dépêcher, déporter, détacher, diffuser, échanger, éloigner, envoyeur, expédier, exporter, reléguer, renvoyer, souffler ■ 9 disperser, recentrer, soufflant ■ 10 distribuer ■ 11 recommander.

ENZYME: 6 rénine ■ 7 amylase ■ 8 autolyse, coenzyme, diastase, émulsine, estérase, lysozyme, nucléase, ribozyme, saponase ■ 9 cellulase, desmolase, glycolyse, hydrolase, invertase, isomérase, réductase, urokinase ■ 10 allostérie, antienzyme, insulinase, péroxydase, répresseur, tyrosinase ■ 11 enzymatique, enzymologie, phosphatase, transférase ■ 12 ribonucléase, transaminase ■ 13 pénicillinase, thrombokinase ■ 14 cholinestérase, oxydoréductase ■ 15 thromboplastine.

EOCENE: 6 platax ■ 7 cérithe ■ 9 oligocène, sassafras ■ 10 cryptornis, enchelyope ■ 12 nummulitique, paléothérium ■ 13 anoplothérium.

EOLIEN: 5 harpe, lœss.

EOSINOPHILE: 10 acidophile.

EPAGNEUL: 6 barbet ■ 11 king charles.

EPAIS: 3 dru, dur, lie, mat ■ 4 gras, gros*, lard, nuée, suie ■ 5 brume, clair, dense, encre, galon, lange, loden, lourd, magma, mince, morne, nuage, patin, pilaf, pilau, pilaw, râblé, serre, tamis, verre, volve ■ 6 boueux, empâté, fourni, gluant, mastoc, opaque, pâteux, pesant, solide, touffu ■ 7 compact, concret, crémeux, liquide, mollard ■ 8 coaguler, épaissir, grossier, légèreté, longotte, mucosité, muraille, plat-bord, scléreux, sirupeux ■ 9 concentré*, concréfié, démaigrir, éclaircir, extrafort, grumeleux, pou-de-soie, préceinte, résistant ■ 10 concrétion, consistant ■ 11 désépaissir.

EPAISSEUR: 5 corps, épais, jouée, vagon, wagon ■ 7 graisse, renfort, tranche ■ 8 boutisse, délarder, enlevure, grosseur, kératose, périoste, rondelle ■ 9 callosité, crénelage, embrasure, plaquette, souillard, surcharge ■ 10 ravalement ■ 11 empattement ■ 13 maître-à-danser, intradermique ■ 15 dendrochronolie.

EPAISSIR: 4 lier ■ 5 figer ■ 7 cailler, grossir ■ 8 coaguler, congeler, grumeler ■ 9 amenuiser, condenser, renformir ■ 10 concentrer, concréfier, engraisser ■ 12 cristalliser, épaississant ■ 14 épaississement.

EPAISSISSEMENT: 11 pachydermie.

EPAMPRER: 9 épamprage ■ 11 épamprement ■ 12 effeuilleuse.

EPANCHEMENT: 8 effusion ■ 9 confiance, ecchymose, expansion ■ 11 dégorgement, hémarthrose ■ 12 pneumothorax.

EPANCHER: 6 couler, verser ■ 7 confier ■ 8 déverser, expansif, regorger, répandre ■ 10 dégouliner, extravaser ■ 11 épanchement.

EPANDAGE: 6 verser ■ 7 achères ■ 8 épandre, épandeur ■ 13 gravillonnage.

EPANOUISSEMENT: 3 été ■ 4 joie ■ 5 essor, éveil ■ 7 anthèse ■ 8 épanouir ■ 9 floraison ■ 10 dilatation, fleuraison, florissant ■ 12 débourrement ■ 13 efflorescence.

EPARGNE: 5 grâce, magot, masse, pâque ■ 6 lésine, pécule, pelote ■ 7 réserve, tontine ■ 8 économie ■ 9 épargnant, lésinerie ■ 10 parcimonie, prévoyance ■ 12 quasi-monnaie ■ 14 intermédiation.

EPARGNER: 6 éviter, garder ■ 7 ménager ■ 9 pardonner, prodiguer ■ 10 économiser ■ 11 thésauriser.

EPARPILLER: 5 semer ■ 7 épandre ■ 8 émietter, parsemer ■ 9 disperser ■ 10 disséminer ■ 12 déconcentrer ■ 13 éparpillement.

EPARS: 8 ramasser.

EPATE: 5 camus ■ 9 épatement.

EPATER: 6 ébahir, zigoto ■ 7 éblouir, étonner ■ 10 épatement.

EPAULARD: 5 orque.

EPAULE: 3 cou ■ 4 bras, froc, saie, saye ■ 5 amict, buste, carré, châle, coude, fichu, lever, longe, poids, râble, taled, tombé ■ 6 garrot, jambon ■ 7 carrure, épaulée, épitoge, humérus, paleron ■ 8 acromion, aisselle, capeline, colletin, deltoïde, éclanche, encolure, macreuse, omoplate, palanche, poitrail ■ 9 clavicule, décolleté, développé, épaulette, épaulière ■ 10 haussement, scapulaire.
EPAULER: 5 aider ■ 7 dévissé ■ 8 protéger, soutenir.
EPAVE: 5 lagan ■ 8 épaviste.
EPEE: 3 fer ■ 4 arme*, étoc, lame ■ 5 bague, botte, branc, brand, carré, dague, estoc, garde, sabre* ■ 6 brette, flambe, glaive ■ 7 alfange, briquet, épéisme, épéiste, escrime, espadon, fleuret, palache, pas-d'âne, plommée, pommeau, quillon, rapière, yatagan ■ 8 accolade, baudrier, bretteur, carrelet, claymore, coquille, coutelas, coutille, dégainer, dragonne, enferrer, estocade, poignard* ■ 9 badelaire, canne-épée, cimeterre, croisette, embrocher, ensiforme, flamberge, porte-épée ■ 10 baudelaire, baïonnette, braquemart, bretailler, estramaçon, ferrailler ■ 11 bretailleur, ferrailleur ■ 12 colichemarde.
EPEIRE: 7 diadème.
EPELER: 10 épellation.
EPERDU: 10 éperdument.
EPERON: 5 bride, pique ■ 6 broche, collet, rostre ■ 7 branche, collier, membret, molette, rosette ■ 8 avant-bec, éperonné, ramingue, talonner ■ 9 éperonner ■ 10 arrière-bec.
EPERVIERE: 9 piloselle.
EPHEBE: 10 adolescent ■ 11 sophroniste.
EPHEDRA: 9 éphédrine.
EPHELIDE: 7 lentigo ■ 8 rousseur.
EPHEMERE: 5 court, lueur ■ 7 fragile, granule ■ 8 passager.
EPHEMERIDE: 7 annales ■ 10 calendrier.
EPI: 4 bale, crib, loge ■ 5 arête, balle, barbe, épier, gaine, glane, glume spica ■ 6 épiage, rachis ■ 7 écaille, épillet, spicule ■ 8 épiaison, gynérium, touselle ■ 10 pick-up reel, spiciforme.
EPICE: 3 sel ■ 4 anis, cari, cary, thym ■ 5 bétel, carry, curry, cumin, farce, sauce, sauge ■ 6 cubèbe, piment, poivre, safran ■ 7 aromate, fenouil, girofle, laurier, muscade, paprika, vanille ■ 8 cannelle, genièvre, moutarde, nonnette ■ 9 condiment, coriandre, gingembre ■ 10 toute-épice ■ 13 court-bouillon ■ 14 assaisonnement.
EPICEA: 5 pesse ■ 7 chermès ■ 9 sapinette.
EPICERIE: 9 dépanneur.
EPICONDYLE: 12 épicondylite.
EPICONDYLITE: 11 tennis-elbow.
EPICURIEN: 5 secte ■ 7 sensuel ■ 8 ataraxie ■ 10 épicurisme ■ 11 épicuréisme ■ 14 pantagruélisme.
EPIDEMIE: 4 pian ■ 5 croup, lèpre, peste ■ 6 grippe, suette, typhus, vomito ■ 7 choléra, endémie, rubéole, variole ■ 8 béribéri, enzootie, pandémie, rougeole ■ 9 diphtérie, dysenterie, épizootie, oreillons, tularémie ■ 10 épidémique ■ 11 épidémicité ■ 13 épidémiologie.
EPIDEMIOLOGIE: 15 épidémiologique, épidémiologiste.
EPIDERME: 4 gale, peau* ■ 5 bulle, plume ■ 6 squame ■ 7 phanère, stomate, stratum ■ 8 vésicule ■ 9 callosité, mésocarpe, pellicule, pemphigus, phlyctène ■ 10 épithélium ■ 11 épidermique, escarotique, excoriation ■ 12 desquamation ■ 14 kératinisation ■ 15 sous-épidermique.
EPIDIDYME: 11 épididymite.
EPIER: 5 filer, mater, rôder ■ 6 suivre ■ 7 guetter ■ 8 observer, mouchard, regarder ■ 9 espionner ■ 10 surveiller.

EPIERRER: 9 épierrage ■ 11 épierrement.
EPIGENIE: 13 surimposition.
EPIGRAMME: 6 satire ■ 7 pasquin ■ 8 limerick ■ 14 épigrammatique, épigrammatiste.
EPIGRAPHE: 5 sigle ■ 11 inscription ■ 12 épigraphique.
EPILEPSIE: 4 aura ■ 8 comitial ■ 9 éclampsie ■ 10 convulsion ■ 11 épileptique ■ 13 épileptiforme ■ 15 anti-épileptique.
EPILEPTIQUE: 12 glichroïdie.
EPILER: 7 épileur ■ 9 épilation ■ 10 épilatoire.
EPILLET: 5 glume.
EPILOGUER: 8 chicaner, conclure, prologue ■ 9 critiquer.
EPINARD: 9 tétragone.
EPINCER: 6 énouer ■ 9 épinceter.
EPINCETER: 6 énouer.
EPINE: 2 os ■ 4 haie, scie, vive ■ 5 filet, queue, tibia ■ 6 essart, friche, inerme, rachis ■ 7 acanthe, écharde, épineux, épinier, piquant, spinule ■ 8 épinière, stimule ■ 9 aiguillon ■ 11 broussaille.
EPINEUSE: 8 cramcram.
EPINEUX: 4 kali, maïa, puya, ulex ■ 5 ajonc, carde, câpre, cirse, cotte, épine, ronce ■ 6 épiner, oponce ■ 7 brûlant, câprier, épinaie, épineux, néflier, paliure ■ 8 arganier, aubépine, panicaut ■ 9 difficile, églantier, épinglage ■ 12 épine-vinette.
EPINGLE: 6 camion, sixtus ■ 7 bigoudi ■ 8 épingler ■ 9 épinglage, épinglier ■ 10 imperdable.
EPINIERE: 7 myélite ■ 9 amourette ■ 10 amourettes.
EPIPALEOLITHIQUE: 12 sauveterrien.
EPIPHYSE: 8 diaphyse ■ 11 diencéphale.
EPIQUE: 4 rare ■ 5 chant, élevé, geste ■ 6 byline, épopée ■ 9 cantilène.
EPISCOPAL: 5 siège ■ 9 cathédral, épiscopat ■ 10 cathédrale ■ 12 presbytérien.
EPISCOPALISME: 12 épiscopalien.
EPISODE: 4 pont ■ 8 aventure*, rapsodie ■ 9 événement, péripétie, rhapsodie, ricercare, soap opera ■ 10 épisodique ■ 14 épisodiquement.
EPISODIQUE: 7 galérer.
EPISTEMOLOGIE: 13 épistémologue ■ 15 épistémologiste.
EPISTEMOLOGIQUE: 7 holisme.
EPITAPHE: 5 ci-gît ■ 11 inscription*.
EPITHELIOMA: 9 cancroïde.
EPITHELIUM: 5 tanné ■ 8 bourgeon, coccidie ■ 10 épithélial ■ 11 épithélioma ■ 14 adénocarcinome.
EPITHETE: 8 adjectif, épiphane ■ 10 apposition ■ 11 chèvre-pieds ■ 12 qualificatif.
EPITHYTE: 8 aéricole.
EPITOME: 6 abrégé.
EPITRE: 4 pope ■ 5 bible ■ 6 lettre.
EPIZOOTIE: 8 épidémie ■ 11 brucellose, épizootique.
EPLORE: 5 pietà ■ 8 attristé.
EPLUCHER: 5 peler* ■ 6 écaler ■ 7 écosser ■ 9 épluchage, éplucheur, épluchure ■ 10 éplucheuse ■ 11 décortiquer.
EPLUCHURE: 7 pluches.
EPOINTER: 8 émoussé ■ 9 épointage ■ 11 épointement.
EPONGE: 5 loofa, luffa ■ 6 oscule, polype ■ 7 éponger, spicule ■ 8 zoophyte ■ 9 épongeage, spongieux, spongille ■ 10 spongiaire ■ 11 euplectille ■ 13 spongiculture.
EPONYME: 8 éponymie.

EPOPEE : 6 épique ■ 8 histoire.

EPOQUE : 3 ère ■ 4 dans, date, jour, muer, page, sous ■ 5 avent, dater, foire, quand, règne, style, temps*, terme ■ 6 épiage, moment, saison*, siècle ■ 7 périgée, période, saunage ■ 8 agnelage, canicule, chaumage, fenaison, ottonien, semaille, solstice ■ 9 caillasse, cervaison, climatère, essaimage, gemmation, millésime, paléocène, pondaison, saunaison ■ 10 agnèlement, avant-garde, expiration, fauchaison, frondaison, immémorial ■ 11 aurignacien, caniculaire, chronologie, défloraison, harengaison ■ 12 anachronisme, synchronisme ■ 13 paléolithique ■ 14 fructification ■ 15 louis-philippard, louis-quatorzien.

EPOUILLER : 10 épouillage.

EPOUSER : 7 redorer ■ 8 épouseur ■ 9 embrasser, mésallier.

EPOUSSETER : 7 plumeau ■ 8 nettoyer ■ 11 époussetage.

EPOUVANTABLE : 4 beau ■ 7 affreux ■ 8 terrible ■ 9 effrayant ■ 10 apocalypse, effroyable.

EPOUVANTAIL : 7 spectre ■ 9 loup-garou ■ 13 croque-mitaine.

EPOUVANTE : 4 peur* ■ 5 banco ■ 6 alarme, effroi ■ 7 crainte*, émotion, frayeur, horreur, panique, terreur ■ 8 angoisse*, thriller ■ 10 affolement, épouvanter ■ 12 épouvantable ■ 13 épouvantement.

EPOUX : 4 mari ■ 5 femme, futur, homme ■ 6 épouse, gendre, maître, moitié ■ 7 épouser, mariage, sororat ■ 8 compagne, conjoint, conjugal, légitime, ménagère, préciput, seigneur ■ 9 compagnon ■ 10 bourgeoise ■ 11 épousailles ■ 12 cohabitation, maritalement.

EPOXYDE : 5 époxy ■ 10 époxydique.

EPRENDRE : 5 aimer ■ 6 toquer ■ 10 amouracher, embéguiner, passionner.

EPREUVE : 4 fumé, raid, test ■ 5 cahot, coupe, doper, écrit, essai*, ferro, final, image, match, stage, subir ■ 6 chromo, cliché, course, enduro, examen, guerre, ozalid, slalom, tiercé ■ 7 becquet, brimade, combiné, creuset, malheur, morasse, négatif, ordalie, placard, positif ■ 8 biathlon, champion, crédence, cromalin, éprouver, gymkhana, handicap, noviciat, reviseur, spéciale ■ 9 challenge, classique, critérium, décathlon, pellicule, phototype, probation, réception, supporter ■ 10 admissible, correcteur, demi-finale, expérience, heptathlon, instantané, simultanée ■ 11 championnat, chromotypie, coefficient, compétition, dégustation, photogramme, schibboleth ■ 12 cross-country, éliminatoire, vérification ■ 13 apprentissage, daguerréotype ■ 14 agrandissement, contre-la-montre ■ 15 expérimentation.

EPRIS : 4 féru ■ 5 toqué.

EPROUVE : 8 angoissé, misandre, oppressé.

EPROUVER : 5 avoir, fumer, pâtir, subir*, tâter ■ 6 brûler, goûter, peiner, rougir, sentir, sonder, tester ■ 7 bisquer, doucher, endurer, essayer, essuyer, exulter, flasher, jubiler, réjouir, trouver ■ 8 déguster, examiner, indigner, palpiter, partager, recevoir, résister, souffrir, soutenir, titiller, trembler, vérifier ■ 9 concevoir, connaître, inéprouvé, regretter, ressentir, supporter ■ 10 débouillir, déréaliser, fourmiller ■ 11 tressaillir ■ 12 expérimenter.

EPUISE : 2 k.o. ■ 3 las ■ 5 flapi ■ 7 reprint ■ 8 épuisant, forfait, inépuisé ■ 9 épuisable, exténuant ■ 12 intarissable ■ 13 inexhaustible.

EPUISEMENT : 5 usure ■ 7 exhaure, fatigue* ■ 9 lassitude ■ 10 courbature ■ 11 accablement, éreintement, exténuation, tarissement ■ 12 dessèchement ■ 13 essoufflement ■ 15 affaiblissement.

EPUISER : 4 user ■ 5 drain, finir, miner, noyer, tarir, vider* ■ 6 briser, crever, forcer, lasser, pomper, ronger ■ 7 dénoyer, échiner, excéder ■ 8 absorber, accabler, anéantir, assommer, consumer, dégarnir, dépenser, effriter, éreinter, exténuer, fatiguer*, harasser, surmener ■ **9** affaiblir, appauvrir, consommer, désemplir, dessécher, pressurer ■ **10** épuisement, essouffler ■ **11** courbaturer, inépuisable.

EPURATION: 8 affinage, décapage, lagunage, peignage, scrubber ■ **9** clairçage, épurement, raffinage ■ **10** défécation, dépuration, filtration ■ **11** décantation, hémodialyse ■ **12** purification ■ **13** clarification, crude-ammoniac ■ **14** assainissement ■ **15** hydrotraitement.

EPURE: 5 herse ■ **6** dessin.

EPURER: 6 apurer, écumer, purger ■ **7** affiner, décaper, filtrer, trieuse ■ **8** décanter, déféquer, expurger, purifier, raffiner ■ **9** clarifier, coupeller, déjecteur, épurateur, épuration, épurement, rectifier ■ **10** épuratoire.

EQUARRIR: 5 chant ■ **8** découper ■ **12** équarrissage ■ **14** équarrissement.

EQUATEUR: 5 cacao, ligne, sucre ■ **7** doldrum ■ **8** équinoxe, tropique ■ **10** équatorial, équatorien, équinoxal ■ **13** subéquatorial.

EQUATION: 9 paramètre, quadrique, résolvant ■ **10** résolvante.

EQUATORIALE: 5 selva, selve ■ **8** méliacée.

EQUERRAGE: 8 équerrer.

EQUERRE: 2 té ■ **5** règle ■ **6** biveau ■ **8** équerrer, esquarre ■ **9** carrément ■ **10** sauterelle.

EQUESTRE: 6 mérens ■ **8** fantasia ■ **9** chevalier.

EQUEUTER: 9 équeutage.

EQUIDE: 3 âne ■ **4** mule ■ **5** bidet, genet, mulet, zèbre ■ **6** bardot, cheval, jument, onagre ■ **7** dourine, hémione, jumenté, poulain ■ **8** solipède ■ **9** hipparion.

EQUIDISTANT: 8 parabole ■ **12** équidistance.

EQUILIBRE: 4 lest ■ **5** appui ■ **6** aplomb, niveau ■ **7** abattée, balance, vertige ■ **8** basculer, instable, isotomie, migraine, statique, surplace ■ **9** astatique, balancier, eurythmie, mécanique, stabilité, tautomère, trébucher ■ **10** apollinien, balançoire, bioénergie, équilibrer, méthionine ■ **11** apériodique, balancement, contrepoids, équilibrant, équilibreur, neutraliser, pondération ■ **12** aérostatique, déséquilibré, équilibriste, indifférence, rééquilibre ■ **13** déséquilibrer, équilibration, hétéromorphie, hydrostatique, hyperstatique, proprioceptif ■ **14** contrebalancer ■ **15** phosphocalcique.

EQUILIBRER: 7 boucler ■ **8** balancer, otolithe, pondérer ■ **9** ballaster, compenser ■ **11** équilibrage ■ **13** équilibration ■ **14** contrebalancer.

EQUILIBRISTE: 12 fildefériste.

EQUILLE: 4 vive ■ **6** lançon.

EQUINOXE: 5 pâque ■ **6** vernal ■ **10** équinoxal.

EQUIPAGE: 5 arroi, lagan, smala, train ■ **6** bagage, smalah ■ **8** amariner, canotier, coquerie, navigant, vautrait ■ **9** babordais, habitacle, louvetier ■ **10** navigateur, tribordais ■ **11** cavalcadeur ■ **12** embarquement, sous-marinier ■ **13** radionavigant.

EQUIPE: 4 gang, onze, team ■ **5** match, score, stick, train ■ **6** ailier ■ **8** armateur, équipier ■ **9** quadrette, supporter, wagonnier ■ **10** barragiste, basket-ball, coéquipier, médicalisé ■ **13** demi-finaliste ■ **14** sous-équipement.

EQUIPEE: 7 frasque ■ **8** escapade, fredaine.

EQUIPEMENT: 5 barda ■ **6** bagage ■ **7** équiper ■ **8** apparaux, armement, courroie, dotation, havresac, matériel, téléport ■ **9** suréquipe ■ **10** déséquiper, fourniment, téléalarme ■ **11** buffleterie ■ **13** équipementier, suréquipement.

EQUIPER: 10 diéséliser, gadgétiser, suréquiper ■ **14** transistoriser.

EQUIPOTENT : 11 équipotence.
EQUISETALE : 5 prêle ■ 8 calamite ■ 11 équisétinée.
EQUITABLE : 4 égal ■ 5 droit, juste*, loyal ■ 6 équité ■ 7 injuste ■ 8 légitime, objectif ■ 9 impartial ■ 10 aristarque ■ 11 inéquitable, raisonnable ■ 13 équitablement.
EQUITATION : 5 école, tenue ■ 7 voltige ■ 8 équestre, hippisme.
EQUIVALENCE : 6 modulo, parité ■ 7 annuité ■ 10 isodynamie ■ 12 équipollence.
EQUIVALENT : 3 rem, tep ■ 7 sievert ■ 8 synonyme ■ 9 semblable ■ 10 équivaloir ■ 11 équivalence.
EQUIVALOIR : 6 égaler.
EQUIVAUT : 10 acquisitif.
EQUIVOQUE : 4 faux ■ 6 ambigu, louche, obscur ■ 7 indécis, suspect ■ 9 calembour, demi-monde, interlope, janotisme ■ 10 équivoquer ■ 12 entortillage, escorbarderie ■ 15 éclaircissement.
ERABLE : 7 négondo, négundo ■ 8 disamare, sycomore ■ 9 érablière.
ERADICATION : 11 arrachement.
ERAFLER : 8 déchirer, écorcher, érailler ■ 9 grafiner ■ 10 éraflement.
ERBIUM : 6 erbine.
ERE : 5 cycle, temps* ■ 6 époque, hégire ■ 7 miocène, néogène, période*, permien ■ 8 cambrien, dévonien, pliocène, silurien, spirifer ■ 9 belemnite, néozoïque, oligocène, paléogène, tertiaire ■ 10 cénozoïque, jurassique ■ 11 carbonifère, néolithique, paléozoïque, précambrien ■ 13 carboniférien ■ 14 anthropozoïque, interglaciaire, post-industriel.
ERECTION : 8 clitoris, érectible ■ 9 priapisme ■ 10 anérection ■ 12 détumescence, érectibilité ■ 13 horripilation, ithyphallique.
EREINTER : 6 blâmer, fourbu, lasser, médire ■ 7 claquer, démolir ■ 8 fatiguer*, harasser ■ 9 critiquer ■ 11 éreintement.
ERG : 5 joule.
ERGATOPLASME : 9 réticulum.
ERGOL : 8 monergol.
ERGOMETRIE : 9 ergomètre.
ERGONOMIE : 8 ergonome ■ 11 ergonomique, ergonomiste.
ERGOT : 5 doigt, ongle ■ 6 éperon ■ 8 ergotine ■ 9 histamine ■ 10 lysergique ■ 11 ergotamine.
ERGOTER : 8 chicaner, ergotage, ergoteur, finasser ■ 9 chinoiser, ergoterie, pinailler.
ERGOTHERAPIE : 14 ergothérapeute.
ERICACEE : 6 azalée, rosage ■ 7 airelle, bruyère ■ 8 myrtille ■ 9 arbousier, busserole ■ 10 canneberge, gaulthéria, gaulthérie ■ 11 raisin d'ours ■ 12 rhododendron.
ERIGER : 5 bâtir ■ 6 élever ■ 7 dresser, établir ■ 8 codifier.
ERMITE : 5 moine ■ 6 ascète ■ 7 starets, styliste ■ 8 ermitage, stariets ■ 9 solitaire ■ 10 anachorète, érémitique, érémitisme ■ 11 hiéronymite.
ERODEE : 9 podolithe.
EROGENE : 11 sadique-anal.
EROSION : 4 mésa ■ 5 combe, usure ■ 9 corrosion, terrigène ■ 10 pénéplaine, ruiniforme ■ 11 anthropique, boutonnière ■ 13 affouillement, périglaciaire.
EROTIQUE : 4 sexy ■ 6 cochon ■ 7 obscène, vicieux ■ 8 érotiser, érotisme ■ 9 luxurieux ■ 10 libidineux ■ 12 érotiquement.
EROTISATION : 9 ondinisme ■ 10 algolagnie.
EROTISER : 9 érotisant ■ 11 érotisation.
EROTOLOGIE : 10 érotologue ■ 12 érotologique.

EROTOMANIE : 9 érotomane ■ 13 érotomaniaque.
ERPETOLOGIE : 12 herpétologie ■ 13 erpétologique.
ERRANT : 5 rônin.
ERREMENT : 6 erreur ■ 7 procédé ■ 10 redresseur.
ERRER : 5 horde, larve, muser, rôder ■ 6 camper, dévier, égarer, flâner, nomade, vaguer ■ 7 écarter, errance, marcher, paladin, tromper ■ 8 divaguer, marauder, musarder, promener, vagabond ■ 9 colporter, errements, fourvoyer, galvauder, rodailler, tournoyer, trimarder ■ 10 tourniquer, traînasser, vagabonder ■ 11 polissonner, tournailler.
ERREUR : 4 abus, loup, rêve ■ 5 bévue, faute*, gaffe, loupé, oubli ■ 6 ânerie, blague, bourde, impair, lapsus, leurre, mirage, utopie ■ 7 blouser, brioche, erratum, hérésie, insight, méprise, préjugé, sottise ■ 8 boulette, broncher, captieux, coquille, énormité, faux-sens, gourance, gourante, illusion, maldonne, mécompte, mensonge, omission, paradoxe, pataquès, sophisme, syllabus ■ 9 confusion, désabuser, détromper, déviation, égarement, quiproquo, simulacre ■ 10 aberration, balourdise, étourderie, maladresse, malentendu ■ 11 aveuglement, cacographie, démystifier, fautivement, hétérodoxie, imagination, paralogisme ■ 12 anachronisme, contre-vérité, couillonnade, fourvoiement, inexactitude, superstition ■ 13 démonstration.
ERRONE : 7 inexact ■ 10 contresens ■ 12 inexactitude.
ERRONEE : 15 hypercorrection.
ERSATZ : 9 succédané.
ERSE : 6 erseau.
ERSEAU : 5 tolet.
ERUCTER : 5 roter ■ 6 renvoi ■ 10 éructation.
ERUDIT : 5 docte ■ 6 savant* ■ 9 massorète ■ 14 alexandrinisme.
ERUDITION : 6 savoir* ■ 9 recherche ■ 10 philologie ■ 14 encyclopédique.
ERUPTION : 3 mil ■ 4 rash, zona ■ 6 herpès, lichen, suette ■ 7 diorite, éruptif, granite, lapilli, purpura, roséole, rubéole, syénite, variole ■ 8 andésite, hawaiien, impétigo, porphyre, rhyolite, rougeole ■ 9 énanthème, exanthème, rhyolithe, urticaire, vaccinide, varicelle ■ 10 obsidienne*, vaccinelle ■ 11 bourbouille, furonculose ■ 13 jaillissement.
ERUPTIVE : 9 ophiolite ■ 11 lamprophyre ■ 12 ultrabasique ■ 13 mégalérythème.
ERYTHEME : 9 frayement ■ 12 érythémateux.
ERYTHREE : 10 érythréen.
ERYTHROBLASTE : 11 érythrocyte ■ 12 mégaloblaste ■ 14 érythroblastose.
ERYTHROCYTE : 14 érythrocytaire.
ESBROUFFE : 8 étonnant ■ 10 esbrouffeur.
ESCABEAU : 6 passet ■ 9 escabelle ■ 10 marchepied ■ 12 agenouilloir.
ESCADRILLE : 4 raid.
ESCADRON : 5 turme ■ 9 capitaine ■ 11 escadronner.
ESCALADE : 6 grimpe, monter ■ 7 grimper, varappe ■ 10 rochassier.
ESCALE : 5 arrêt, étape.
ESCALIER : 3 pas ■ 5 carré, degré, giron, limon, noyau, patin, rampe, volée ■ 6 montée ■ 7 échelle ■ 8 casse-cou, échiffre, escabeau, gémonies, pilastre ■ 9 escalator, lanternon ■ 10 lanterneau, marchepied, scala-santa ■ 12 emmarchement.
ESCAMOTABLE : 7 spoiler.
ESCAMOTER : 7 dérober* ■ 8 emplamer ■ 10 escamotage, escamoteur, soustraire* ■ 11 disparaître, escamotable.
ESCAMOTEUR : 5 pitre ■ 7 muscade.

ESCAPADE : 5 fugue, fuite ■ 7 équipée, évasion ■ 8 dérobade.
ESCARBOUCLE : 6 grenat ■ 9 almandine.
ESCARGOT : 4 luma ■ 5 hélix ■ 6 hélice ■ 7 limaçon ■ 9 cagouille, colimaçon, petit-gris, tortillon ■ 12 escargotière ■ 13 héliciculteur, héliciculture.
ESCARMOUCHE : 6 assaut, combat ■ 8 algarade.
ESCARPE : 4 à pic, ardu, crêt ■ 5 berge, raide, roide ■ 6 abrupt, bandit ■ 8 encaissé ■ 9 meurtrier, précipice ■ 11 escarpement.
ESCARPOLETTE : 10 balançoire.
ESCARRE : 5 plaie ■ 11 escarotique, escarrifier ■ 15 escarrification.
ESCAUT : 8 scaldien.
ESCHE : 5 appât.
ESCLAFFER : 4 rire*.
ESCLANDRE : 8 scandale*.
ESCLAVAGE : 3 fer ■ 7 esclave, servage ■ 8 asservir, sujétion* ■ 9 captivité, servitude*, vassalité, vasselage ■ 12 esclavagisme, esclavagiste ■ 13 subordination ■ 14 asservissement.
ESCLAVE : 4 séid, serf* ■ 5 ilote, nègre ■ 6 captif, hilote ■ 7 asiento, eunuque, servile ■ 8 galérien ■ 9 affranchi, anagnoste, esclavage, hiérodule, marronner, odalisque, servitude ■ 10 affranchir, domestique, prisonnier ■ 11 manumission ■ 12 nomenclateur.
ESCLAVON : 7 sclavon.
ESCORBARDERIE : 8 fausseté.
ESCOMPTE : 7 encours ■ 8 rechange ■ 9 escompter ■ 10 escompteur, réalisable, réescompte ■ 11 escomptable ■ 13 inescomptable.
ESCOMPTER : 6 tabler ■ 7 espérer ■ 9 anticiper ■ 11 réescompter.
ESCORTE : 5 aviso ■ 7 cortège, frégate ■ 8 croiseur ■ 9 convoyage, destroyer, satellite ■ 11 convoiement.
ESCORTER : 4 page ■ 6 suivre* ■ 8 convoyer ■ 9 convoyeur ■ 11 accompagner.
ESCRIME : 4 lame ■ 5 bâton, fente, garde, ligne, passe, prime, sixte, temps, volte ■ 6 assaut ■ 7 épéisme, fleuret, reprise, septime ■ 8 bataille, moniteur ■ 9 escrimeur ■ 10 ferrailleur.
ESCRIMEUR : 12 fleurettiste.
ESCROC : 4 gogo ■ 5 filou, pègre ■ 6 bandit, faisan, fripon, larron, pirate, voleur* ■ 7 faiseur ■ 8 aigrefin ■ 9 arnaquer, intrigant ■ 10 malfaiteur ■ 14 carambouilleur.
ESCROQUER : 5 voler ■ 7 entuber ■ 8 arnaquer, chantage ■ 9 friponner ■ 11 escroquerie ■ 14 carambouillage.
ESCROQUERIE : 7 arnaque.
ESCULAPE : 7 médecin.
ESERINE : 11 physostigma ■ 13 physostigmine.
ESKIMO : 7 aléoute.
ESOTERIQUE : 5 caché ■ 6 secret ■ 10 ésotérisme.
ESPACE : 3 île, vie, vol ■ 4 apex, bief, biez, ciel, coin, cour, jour, laps, lieu, loin, mois, nuit, orbe, vide, zone ■ 5 abîme, arène, blanc, cadre, champ, durée, empan, entre, étage, éther, fossé, green, joint, ligne, marge, nagée, oasis, pièce, piste, place, plage, plein, porte, préau, rayon, route, stand, tenir, unité, vague ■ 6 avance, chemin, enclos, lacune, laisse, minute, parage, parvis, piazza, région, ruelle, sautée, soirée, tirage, trajet, travée, tympan ■ 7 étendue, évitage, exergue, intérim, journée, parefeu, spatial, terrain, tonsure, variété ■ 8 arythmie, décalage, distance, échappée, enceinte, entrefer, faîtière, glabelle, huitaine, lunaison, ouillère, oullière, quillier, risberme, semestre, trottoir, vaisseau ■ 9 aérolithe, continuum, corbeille, éclaircie,

entrepont, entrerail, entrevoie, entrevous, franc-bord, génétisme, hémicycle, hyperplan, impluvium, longtemps, médiastin, œkoumène, olympiade, orchestre, ouillière, ouverture, périmètre, triennium, trimestre ■ **10** accotement, dégagement, entreligne, entrenœud, fontanelle, interligne, intermonde, interstice, intervalle*, plate-bande, proxémique, sous-espace ■ **11** débattement, gravisphère, hyperespace, spatialiser ■ **12** bimillénaire, intersidéral ■ **13** biogéographie, expansibilité, spacieusement ■ **14** interstellaire, science-fiction, spatio-temporel ■ **15** extra-galactique, interplanétaire.

ESPACEMENT : 15 spanioménorrhée.

ESPACER : 10 échelonner, espacement.

ESPADO : 7 matador.

ESPADON : 11 poisson-épée.

ESPADRILLE : 4 alfa ■ **8** chausson ■ **9** chaussure.

ESPAGNE : 8 ibérique.

ESPAGNOL : 3 don, olé, rio ■ **4** alfa, calo, donã, haro, jais, maïs, péon, réal, soie ■ **5** alcade, aviso, caban, canon, gitan, junte, noria, oille, pampa, patio, rioja, senõr, tango, toper, toril, xérès ■ **6** alcade, basque, hombre, infant, paella, posada, señora, sierra, tiento ■ **7** andalou, bandera, caramba, catalan, chorizo, corrida, hidalgo, picador ■ **8** camarera, carliste, épagneul, fandango, flamenco, galicien, gaspacho, ibérique, mantille, marranes, matamore, morisque, mozarabe, phalange, piécette, señorita, toréador ■ **9** aragonais, audiencia, caballero, camarilla, caMériste, castillan, grandesse, madrilène, valencien, zapateado ■ **10** carabinier, franquiste, hispanique, hispanisme, manzanilla, séguedille, seguidilla ■ **11** conceptisme, phalangiste, priscillien ■ **12** conquistador, hispano-arabe, hispanophone ■ **13** judéo-espagnol ■ **14** pronunciamento ■ **15** hispano-moresque.

ESPALIER : 8 accolage, palisser, palmette.

ESPAR : 4 bôme ■ **5** drome ■ **9** balestron, boute-hors.

ESPARGOUTE : 8 spergule.

ESPART : 4 épar ■ **5** épart, espar ■ **6** espars.

ESPECE : 2 en ■ **3** yak ■ **4** cène, gent, race, sexe, type ■ **5** bovin, duvet, genre, homme, opium, ordre, paire, sorte, tigre, tribu, unité ■ **6** acabit, argent, aspect, nature, orvale ■ **7** branche, calibre, essence, famille, jadéite, manière, néotène, parenté, qualité, section, variété* ■ **8** biogénie, commerce, division, farfadet, gantelée, inquilin ■ **9** aiguillat, caractère, catégorie, congénère, effarvate, générique, phalloïde, taxologie ■ **10** croisement, groupement, homogreffe, spanandrie, spécialité, spécifique ■ **11** hybridation, multiparité, tutti quanti ■ **12** myrmécophile ■ **13** spécification ■ **14** classification ■ **15** interspécifique.

ESPERANCE : 5 désir, songe ■ **6** espoir ■ **7** attente, espérer ■ **8** allécher, mécompte, promesse, repaître ■ **9** assurance, confiance, prévision ■ **10** conviction, désespérer, prétention, satisfaire ■ **11** perspective ■ **12** désappointer, désespérance.

ESPERANTO : 12 espérantiste.

ESPERER : 6 croire, penser, tabler ■ **7** compter, désirer, flatter, prévoir ■ **8** attendre ■ **9** concevoir, déchanter, escompter, prétendre, promettre ■ **10** désespérer, expectatif.

ESPIEGLE : 3 gai, vif* ■ **5** badin, démon, gamin, luron, lutin, mutin, niche, peste ■ **6** coquin, diable, fripon, mièvre ■ **8** polisson ■ **9** diablotin, malicieux ■ **11** émerillonné, espièglerie.

ESPINGOLE : 8 tromblon.

ESPION : 6 affidé, cafard, épieur, mouche, mouton, roussi ■ **7** curieux, roussin, traître ■ **8** délateur, guetteur, mouchard ■ **9** casserole, éclaireur ■ **10** accusateur, indicateur, rapporteur, sycophante ■ **11** inquisiteur, observateur, surveillant ■ **12** dénonciateur.

ESPIONNER : **5** épier, filer ■ **6** trahir ■ **7** guetter ■ **8** cafarder, éclairer, observer ■ **9** inspecter, rapporter ■ **10** espionnage, moucharder, rechercher, surveiller.

ESPOIR : **7** attente ■ **8** bernique, décevoir, illusion ■ **9** désespéré, espérance* ■ **11** désespérant.

ESPONTON : **9** demi-pique.

ESPRIT : **3** âme, fée, sel, sot ■ **4** beau, doux, drac, elfe, fond, goût, idée, lune, péri, rêve, saut, sens, tact, tête ■ **5** aigle, blanc, brute, cadre, cœur, court, démon, djinn, école, étude, folie, force, fouad, génie, gnome, houri, intox, jeune, lutin, malin, objet, obvie, patin, rébus, repos, riant, sport, sucer, sujet, tâche, tâter, tendu, trace, troll, venir ■ **6** diable, énigme, goétie, humour, kobold, nigaud, ondine, pensée*, pointe, raison*, satire, stryge, talent ■ **7** cerveau, fantôme, finesse, manitou, mémoire, raffiné, saillie, sottise, spirite, volonté ■ **8** animisme, béotisme, cérébral, cervelle, charisme, concetti, ellébore, façonner, farfadet, fléchier, frappant, illusion, incarner, innocent, insipide, instinct, jugement, korrigan, moinerie, mosaïque, papillon, partisan, persicot, prémices, quiétude, répandre, revenant, sagacité, sectaire, sécurité, sénilité, séraphin, sylphide, théorgie, valkyrie, vivacité, vividité ■ **9** accoucher, attention, caractère, coranique, cornélien, délicieux, dérivatif, dextérité, distraire, égarement, élévation, idéalisme, illogique, inculquer, ingénieux, instruire, lunatique, mentalité, périsprit, présenter, psychique, raillerie, ravissant, réflexion, sentiment, servilité, spirituel, stupidité ■ **10** antoinisme, conception, conscience, conséquent, contention, conviction, électisme, étroitesse, expérience, gouailleur, impression, médiocrité, profondeur, renouveler, songecreux, spiritisme, typtologie, vandalisme ■ **11** abstraction, délicatesse, disposition, distinction, entendement, imagination, imaginative, inspiration, magnanimité, monoïdéisme, moutonnerie, pénétration, psychologie, reconnaître, scepticisme ■ **12** agnosticisme, discernement, égocentrisme, enrichissant, inconscience, intellection, intellectuel, intelligence, mercenarisme, perspicacité, plaisanterie, psychokinèse, spiritualité, subconscient ■ **13** concentration, confusionnisme, conservatisme, contemplation, épistémologie, inflexibilité, obscurantisme, pneumatologie, psychokinésie, spiritualisme ■ **14** franchouillard, substantifique ■ **15** antimilitarisme, psychosomatique, spirituellement.

ESPROT : **5** sprat.

ESQUIF : **11** embarcation*.

ESQUIMAU : **5** igloo, iglou, inuit, renne ■ **6** eskimo, oumaïk.

ESQUINTER : **4** user ■ **8** fatiguer ■ **9** critiquer ■ **10** détériorer.

ESQUISSE : **3** jet ■ **4** idée ■ **6** dessin, projet* ■ **7** canevas, charbon, croquis, ébauche ■ **9** crayonner, esquisser, squelette ■ **11** description, schématisme ■ **12** commencement.

ESQUIVER : **4** fuir ■ **5** parer, volte ■ **6** enfuir, éviter, partir ■ **7** défiler, dérober ■ **11** disparaître.

ESSAI : **4** test ■ **5** stage ■ **6** canter, examen, traité ■ **7** botteur, ébauche, épreuve*, ordalie ■ **8** audition, balancer, brinnell, esquisse, essayeur, noviciat ■ **9** autodrome, critérium, tentative* ■ **10** entreprise, éprouvette, expérience, répétition ■ **11** contre-essai, dégustation, tâtonnement, transformer ■ **12** vérification ■ **13** apprentissage ■ **14** transformation ■ **15** expérimentation.

ESSAIM : **5** ruche ■ **8** taurides ■ **9** multitude.

ESSANGER : **10** essangeage.

ESSARTAGE : 6 brûlis.
ESSAYER : 4 oser, voir ■ 5 tâter ■ 6 goûter, sonder, tâcher, tendre, tenter, tester, vamper ■ 7 courser, innover, retâter, risquer ■ 8 chercher, déguster, ébaucher, efforcer, éprouver, essayage, essayeur, évertuer, examiner, hasarder, préluder, préparer, ressayer, tâtonner, vérifier ■ 9 commencer, esquisser, installer, réessayer, ressayage, retoucher ■ 12 entreprendre, expérimenter.
ESSENCE : 3 suc ■ 4 anis, fond ■ 5 huile, indol, lampe ■ 6 entité, indole, nature, nizeré ■ 7 cajeput ■ 8 absinthe, captieux, divinité, lavandin, pompiste, rhodinol ■ 9 existence, réformeur ■ 10 cajeputier, essencerie, gaulthérie ■ 11 encaustique, sacramentel, wintergreen ■ 12 héliotropine, quintessence, térébenthène ■ 13 essentialisme ■ 14 station-service, super-carburant ■ 15 essentiellement.
ESSENCE DE BOIS : 2 if ■ 3 pin ■ 4 anis, aune, buis, houx, orme, rose, teck ■ 5 cèdre, chêne, ébène, frêne, gayac, hêtre, noyer sapin, thuya ■ 6 acajou, charme, citron, corail, cyprès, cytise, érable, fusain, mélèze, mûrier, picaut, santal, sappan, sureau, violet ■ 7 ailante, alisier, amboine, bouleau, camagon, cayenne, cormier, gommier, olivier, perdrix, platane, poirier, pommier, prunier, tilleul ■ 8 amandier, amarante, campêche, cerisier, merisier, peuplier, pitchpin, robinier ■ 9 amourette, caliatour, muscadier, sauvageon ■ 10 abricotier, citronnier, marronnier ■ 11 châtaignier, palissandre ■ 12 épine-vinette ■ 13 œil-de-perdrix.
ESSENIEN : 10 thérapeute.
ESSENTIALISME : 13 essentialiste.
ESSENTIEL : 4 fond, vrai ■ 5 canon, nœud, vital ■ 7 capital ■ 8 principe, substrat ■ 9 crayonner, important*, principal*, substance, taurobole ■ 10 accessoire, antonomase, eucalyptol, nécessaire ■ 11 élémentaire, fondamental, intrinsèque, schématique, subsidiaire, substantiel ■ 14 substantifique ■ 15 caractéristique, essentiellement.
ESSIEU : 3 axe ■ 4 esse ■ 5 bogie, fusée, happe, moyeu ■ 6 bissel ■ 7 cabrage ■ 11 débattement, empattement ■ 12 trinqueballe.
ESSONNE : 6 essuie.
ESSOR : 3 vol ■ 5 envol, talon, volée ■ 7 envolée, relance, reprise ■ 8 démarrer, essorant.
ESSORER : 6 sécher* ■ 8 essorage, essoreuse.
ESSORILLER : 13 essorillement.
ESSOUCHER : 12 essouchement.
ESSOUFFLER : 7 haleter, haneler ■ 8 fatiguer ■ 12 essoufflement.
ESSUIE : 8 essuyeur.
ESSUIE-MAINS : 6 essuie ■ 8 touaille.
ESSUYER : 5 refus, subir ■ 7 éponger, frotter*, torcher ■ 8 essuyage, essuyeur, malmener, nettoyer, recevoir, ressuyer, touaille, trottoir ■ 9 manuterge ■ 10 essuie-main, paillasson, torchonner ■ 11 essuie-plume ■ 12 essuie-verres ■ 13 essuie-meubles, purificatoire.
EST : 5 alizé, ouest, plage ■ 6 levant, orient.
ESTACADE : 5 digue.
ESTAFETTE : 8 messager.
ESTAFIER : 8 bretteur.
ESTAFILADE : 8 entaille.
ESTAMINET : 4 café ■ 7 cabaret.
ESTAMPE : 5 coule, grené, image, trait ■ 6 crépon godron ■ 7 épreuve, gravure*, hachure, planche ■ 8 eau-forte, mâchonné, monotype, vignette ■ 9 estampeur, griffonis, grignotis, pointillé, portfolio ■ 10 cul-de-lampe, exemplaire, guillochis ■ 11 frontispice, taille-douce ■ 12 illustration ■ 13 contre-épreuve.

ESTAMPER: 7 frapper ■ 8 imprimer, matricer.
ESTAMPILLE: 6 marque ■ 11 estampiller ■ 12 estampillage.
ESTARIE: 6 starie ■ 10 surestarie.
ESTER: 6 oléate ■ 7 lactone ■ 8 benzoate, éther-sel, pentrite, triester, uréthane ■ 9 carbamate, carbonate, glutamate, glycérine, palmitine, uréthanne ■ 10 estérifier, forclusion, saponifier ■ 12 méthacrylate ■ 14 saponification ■ 15 acétylcellulose.
ESTERIFICATION: 7 stéride.
ESTERIFIER: 10 éthérifier.
ESTERLING: 8 sterling.
ESTHETIQUE: 4 déco ■ 6 beauté* ■ 8 manucure ■ 10 esthétiser ■ 11 esthéticien, synthétisme ■ 12 inesthétique ■ 14 esthétiquement, préraphaélisme ■ 15 constructivisme.
ESTIMATION: 4 dire ■ 5 devis, virée ■ 6 prisée, valeur ■ 8 cotation ■ 9 estimatif ■ 10 barymétrie, évaluation ■ 11 after-effect, estimatoire, ventilation ■ 12 appréciateur, appréciation, dépréciation ■ 13 surestimation ■ 14 capitalisation.
ESTIME: 4 cote, cher ■ 5 égard, vogue ■ 6 mérite ■ 7 hommage, honneur, opinion, orgueil, respect*, surfait ■ 8 autorité, défaveur, renommée ■ 9 démériter, estimable, honnêteté, honorable, méritoire, sympathie ■ 10 popularité, réputation ■ 11 distinction, réhabiliter ■ 12 appréciateur, déconsidérer ■ 13 considération, pas-grand-chose ■ 14 réhabilitation, respectabilité.
ESTIMER: 5 coter, faire, juger*, noter, pitre, ramas, rapin ■ 6 croire, goûter, jauger, priser ■ 7 compter, évaluer, honorer, réputer ■ 8 arbitrer, préférer, sapiteur, soupeser, supputer, ventiler ■ 9 apprécier, critérium, déprécier, estimable, remarquer, respecter, témoigner ■ 10 considérer, distinguer, estimation, intéresser, surestimer ■ 11 recommander, inestimable ■ 13 inappréciable.
ESTOC: 4 épée, race ■ 6 racine ■ 8 estocade, estoquer.
ESTOCADE: 8 estoquer.
ESTOMAC: 3 sac ■ 4 bile, rate, sein ■ 5 antre, chyme, cœur, jabot, panse, rumen, vomir ■ 6 bonnet, cardia, fundus, gaster, gésier, hoquet, pylore, ulcère ■ 7 aigreur, bézoard, mulette, pepsine, pyrosis, ventrée ■ 8 duodénum, feuillet, gastrite, intestin, pancréas, psautier, stomacal ■ 9 caillette, dyspepsie, gastrique, ingestion, œsophage ■ 10 aérophagie, dilatation, égagropile, éructation, flatulence, flatuosité, gastralgie, gras-double, tubérosité, ventricule ■ 11 ægagropile, aérogastrie, gastronomie, gastroscope, indigestion, perforation, stomachique, succenturie ■ 12 gastrectomie, gastroscopie ■ 13 régurgitation ■ 14 gargouillement, gastro-entérite.
ESTOMPER: 5 sauce ■ 6 pastel ■ 9 estompage, tortillon ■ 11 estompement.
ESTRADE: 4 ring ■ 6 chaire ■ 7 tréteau, tribune ■ 8 échafaud ■ 10 catafalque, marchepied.
ESTRAPADE: 5 gibet ■ 10 estrapader.
ESTROPE: 5 ganse, moque.
ESTROPIER: 6 éclopé ■ 7 manchot, mutiler* ■ 8 difforme.
ESTUAIRE: 9 estuarien ■ 10 embouchure.
ESTURGEON: 6 caviar ■ 7 sterlet ■ 11 ichtyocolle.
ET: 11 esperluette.
ETABLE: 4 soue, tect ■ 6 écurie ■ 7 bercail, établer ■ 8 bergerie, bouverie, vacherie ■ 9 porcherie ■ 11 stabulation.
ETABLI: 4 banc ■ 5 assis, bardo, campé, fondé, formé, ordre, poste, titre, valet, vérin, vigie ■ 8 cisoires, râtelier ■ 9 constitué, ordinaire, préétabli.

ETABLIR : **4** unir ■ **5** baser, bâtir, créer, faire, fixer*, nouer, poser ■ **6** camper, élever, ériger, fonder, former, ouvrir placer, ponter ■ **7** asseoir, clicher, déroger, deviser, dresser, édifier, étudier, habiter, induire, ménager, mijoter, peupler, prouver, tarifer ■ **8** balancer, combiner, comparer, composer, déblayer, élaborer, embrayer, facturer, forjeter, machiner, négocier, pourvoir, préparer ■ **9** assimiler, comploter, connecter, constater, démontrer, étalonner, implanter, installer, instaurer, instituer, organiser, rattacher, réétablir, réimposer ■ **10** annualiser, classifier, constituer, construire, départager, distinguer, échafauder, introniser, préétablir, préméditer, programmer, satelliser ■ **11** contretyper, subordonner ■ **12** impatroniser, préconcevoir ■ **13** établissement.

ETABLISSEMENT : **3** pub ■ **5** asile, bagne, bains, boîte, école, firme, fonds, forge, haras, hôtel, lever, lycée, salut, siège, usine ■ **6** aérium, bureau, casino, crèche, hammam, maison*, saline, zaouïa, zawiya ■ **7** aciérie, athénée, cabaret, cokerie, dancing, édifice, hôpital, lambert, laverie, lazaret, magasin, medersa, mission, ouvroir, roulage, station, tissage, yeshiva ■ **8** abattoir, aumônier, bâtiment, building, carterie, clinique, collègue, comptoir, corderie, crémerie, érection, fabrique, fast-food, filature, foulerie, friterie, gréement, hôtelier, institut, matériel, moulière, peignage, saladero, sécherie, sionisme, solarium, terrasse, tuilerie, vivarium ■ **9** affinerie, ambulance, brasserie, écloserie, fondateur, fondation, formation, gaufrerie, maternité, minoterie, pépinière, séminaire ■ **10** antipoison, divergence, entreprise, imprimerie, jardinerie, mûrisserie, orphelinat, pétaudière, restaurant, sanatorium, savonnerie, succursale, tréfilière, visonnière ■ **11** composition, dispensaire, entraîneuse, familistère, fournisseur, insectarium, institution, machination, manufacture, mont-de-piété, pourcentage, registraire, saurisserie, titrisation, vinaigrerie ■ **12** banalisation, bienfaisance, canalisation, constitution, construction, cristallerie, frigorifique, gestionnaire, instauration, modélisation, observatoire, polarisation, préventorium, téléboutique ■ **13** chalcographie, fournissement, halte-garderie, photogéologie, planification, programmation.

ETABLIT : **12** nomenclateur.

ETAGE : **5** degré, trias ■ **6** danien, palier, second ■ **7** attique, canopée, grenier, premier, rhétien ■ **8** bungalow, deuxième, entresol, escalier, lutécien, lutétien, plancher, toarcien, turonien ■ **9** entresolé, étagement, impériale, mezzanine, néocomien, quatrième, troisième ■ **10** aquitanien, gratte-ciel ■ **13** rez-de-chaussée ■ **14** villafranchien.

ETAGER : **9** étagement.

ETAGERE : **6** tablar ■ **7** juchoir, tablard ■ **8** archelle, clayette, dressoir, fruitier, servante ■ **10** cosy-corner.

ETAI : **3** foc ■ **5** appui ■ **7** draille, étançon, étayage, pataras, pointal, soutien ■ **8** blindage, chevalet ■ **9** chandelle, épontille ■ **10** arc-boutant ■ **11** contre-buter, contre-fiche ■ **12** contre-bouter.

ETAIN : **2** sn ■ **4** tain ■ **5** métal, plomb, potée, potin, suage ■ **6** chamme, souage ■ **8** fer-blanc, stanneux ■ **9** goldcoast, revercher, stannique ■ **10** chrysocale ■ **11** cassitérite ■ **12** chrysocalque.

ETALAGE : **4** étal ■ **5** faste ■ **6** flafla, montre, parade ■ **7** étalier, frottis, shoping, vitrine ■ **8** boutique, esbroufe, étalager, étaleuse, shopping ■ **9** déballage, devanture, éventaire ■ **10** étalagiste, exhibition ■ **11** déploiement, ostentation ■ **12** lèche-vitrine ■ **13** lèche-vitrines.

ETALER : **5** fripe ■ **6** tomber ■ **7** éployer, étendre*, exposer, montrer ■ **8** afficher, déballer, déployer, dérouler, estomper ■ **9** étalement ■ **10** échelonner, valdinguer.

ETALON: 2 or ■ 4 pige ■ 5 haras, jauge, unité ■ 6 cheval, modèle ■ 7 matrice, statère ■ 8 standard ■ 9 archétype, étalonner, gold-point ■ 10 stalonnage ■ 12 bi-métallisme, étalonnement.
ETAMBOT: 5 quête ■ 7 fémelot, râblure ■ 9 aiguillot.
ETAME: 7 étamure.
ETAMER: 5 canne, étain ■ 7 étamage, retamer ■ 10 miroiterie.
ETAMINE: 5 burat, filet, fleur, penon ■ 7 anthère, stamine ■ 8 androcée, monandre, staminal, unisexué ■ 9 connectif, girouette, polyandre, triandrie, unisexuel ■ 10 monadelphe, protandrie, stammifère ■ 11 staminifère, tétradyname ■ 12 protérandrie ■ 13 pollinisation.
ETAMPER: 8 étampage.
ETANCHE: 6 fermer ■ 8 calfater, coqueron, étancher ■ 10 étanchéité.
ETANCHEITE: 12 carton-feutre.
ETANCHER: 5 boire ■ 7 éponger, retenir ■ 8 assouvir ■ 11 étanchement.
ETANÇONNER: 4 étai ■ 7 étançon ■ 8 soutenir ■ 13 étançonnement.
ETANG: 2 by ■ 3 ide, lac ■ 4 mare, rive ■ 5 bonde, chott, lagon, moule, pièce ■ 6 alevin, lagune, marais*, sebkha, vivier ■ 7 daraise ■ 8 carpière, forcière, glycérie, massette, nourrain, paludine, sauvagin ■ 9 alevinier, chevalier, déversoir, ményanthe ■ 10 alevinière, canardière ■ 11 myriophylle ■ 12 empoissonner.
ETANT: 7 ontique.
ETAPE: 4 bond ■ 5 arrêt, halte, oasis, phase ■ 6 escale ■ 8 planning, routière ■ 9 biogenèse ■ 10 synectique ■ 14 initialisation.
ETAT: 2 en ■ 3 rut, sur ■ 4 aisé, cité, dans, épée, face, fisc, fond, froc, land, mode, paix, para, pays*, plus, prêt, sain, sort, trip, vrac ■ 5 agent, armée, boîte, démon, dette, devis, étain, fondu, forme, ilote, impôt, juste, larve, légat, ligue, liste, mieux, ordre, passe, point, prime, régie, repos, saint, santé, sceau, sénat, siège, solde, sorte, strie, sujet, tabac, tâter, temps, thèse, verbe, vigil, volve ■ 6 béance, destin, émirat, empire, emploi, nation*, patrie* ■ 7 acidose, défense, essence, manière, mésaise, posture, qualité, réalité, schlass, servage, sthénie, terrain, tétanie ■ 8 alcalose, algidité, anarchie, annalité, anonymat, aspérité, assiette, cachexie, caducité, caféisme, calvitie, capitale, contrôle, courbure, débilité, défroqué, délabrer, dépanner, diathèse, enflammé, érection, estoppel, étatique, étatiser, étatisme, externat, faillite, fétidité, figement, finances, froideur, grainage, humidité, hypnoïde, ignition, ilotisme, jeunesse, latomies, lividité, maigreur, maturité, ministre, minorité, modalité, mollesse, monoécie, mouvance, nodocité, noirceur, nubilité, nymphose, oisiveté, pâmoison, pauvreté, pénombre, pléthore, porosité, position, préparer, prodrome, recharge, rétablir, rugosité, ruisseau, salariat, sérénité, soigneur, solitude, sovkhoze, spontané, statisme, statu-quo, sujétion, ténacité, vénalité, véraison ■ 9 acescence, armoiries, barbelure, blasement, bosselure, caractère, colloïdal, concavité, condition, confusion, crêpelure, déclivité, déflexion, détention, dominance, dysphorie, ectropion, émergence, entre-deux, entretenu, entretien, épaisseur, épatement, équilibre, esclavage, évasement, existence, extrémité, fébrilité, féculence, flagrance, fongosité, frigidité, gavidité, gestation, glissance, grossesse, hégémonie, hostilité, hypomanie, hypotonie, immanence, impotence, impuberté, indicatif, inhérence, innocence, intégrité, isolement, knock-down, main-morte, massiveté, maternité, mentalité, métropole, mouvement, multiplet, navrement, nématique, nervosité, notoriété, occlusion, passivité, paternité, pesanteur, petitesse, plénitude, politique, polygamie, potentiel, présénile, président, publicité, puis-

sance, purulence, putridité, quiescent, réplétion, restaurer, révulsion, rotondité, rutilance, situation, sordidité, stabilité, stérilité, surmenage, tétanisme, tiqueture, tristesse, turbidité, vagotonie, vassalité, vasselage, vétérance, viabilité, villosité, virginité, virulence ■ **10** adossement, affalement, alcalinité, ancienneté, animaliser, apesanteur, avancement, bipolarité, cacochymie, caillement, chronicité, cocaïnisme, coincement, communauté, complexité, conformité, contiguïté, courbature, crépissure, crétinisme, demi-canton, dénudation, désenrayer, détériorer, dissidence, ébullition, effilement, embonpoint, empâtement, énervement, enivrement, enlacement, enrouement, entretenir, fédération, flaccidité, flexuosité, flottement, gazéiforme, gémination, gonflement, hébétement, herpétisme, hypertonie, illetrisme, immaturité, immobilité, inactivité, incapacité, incroyance, indécision, inquilisme, insipidité, insolation, insularité, interrègne, inventaire, irritation, joséphisme, judicature, luxuriance, mal-en-point, margraviat, médiocrité, mélancolie, monachisme, neutralité, pénéplaine, peuplement, pluviosité, polyandrie, pourriture, prévention, profession, prospérité, protandrie, protogynie, pubescence, recourbure, récurrence, relaxation, renflement, république, rutilement, satyriasis, scindement, sécheresse, sécularité, sinistrose, somnambule, somnolence, spanandrie, sphéricité, stabiliser, stagnation, supination, surchauffe, suspension, ternissure, territoire, tortuosité, tumescence, turgescent, uniformité, vandalisme, vultuosité, xérodermie ■ **11** absinthisme, accablement, adiabatisme, affairement, ambassadeur, amovibilité, arraisonner, arrangement, balancement, budgétivore, capillarité, cénobitisme, coalescence, coïncidence, conjuration, consistance, cryptogamie, culpabilité, déguisement, délabrement, demi-sommeil, démographie, dénutrition, département, dérangement, déréliction, description, désétatiser, détachement, disposition, domesticité, échaudement, éloignement, encastelure, extériorité, gouvernants, hallucinose, hérissement, hibernation, imbrication, immortalité, implication, impuissance, incertitude, incohérence, incommodité, incurvation, insalubrité, inspiration, intégralité, libre-pensée, marcescence, masculinité, mercenariat, mitoyenneté, monoïdéisme, non-activité, normativité, parasitisme, périodicité, polyploïdie, prématurité, principauté, proéminence, prostration, pupillarité, raccommoder, récessivité, réciprocité, récognition, relâchement, rustauderie, scepticisme, schématisme, schistosité, sérénissime, solvabilité, supériorité, surdimutité, taciturnité, tangibilité, tempérament, température, terminaison, vagabondage, versatilité, verticalité ■ **12** ahurissement, alcalescence, annexionisme, anti-étatique, arborescence, avilissement, belligérance, bourrellerie, catéchuménat, chancellerie, cohabitation, complication, conformation, conspiration, constitution, contentement, contribution, défectuosité, défiguration, dégénération, dénomination, désespérance, efflorescent, égocentrisme, encaissement, gonochorisme, honorabilité, imperfection, impopularité, inachèvement, inaliénation, inconscience, incurabilité, indéhiscence, indifférence, insolubilité, invisibilité, irrésolution, irritabilité, libanisation, navigabilité, non-existence, oblitération, parallélisme, postériorité, prognathisme, protérandrie, protérogynie, pulvérulence, rassasiement, révocabilité, serpentement, subjectivité, synchronisme, tétraploïdie, tranquillité, vallonnement ■ **13** acclimatement, affadissement, comptabilité, conservatisme, convalescence, conventualité, dépérissement, désœuvrement, disponibilité, entrelacement, essoufflement, gémelliparité, horizontalité, immatérialité, impassibilité, impeccabilité, imperforation, incandescence, inéligibilité, inexorabilité, insignifiance, insolvabilité, invariabilité, monolinguisme, mortinatalité, obscurantisme, praticabilité, reconstituant, recueillement, superposition, symptomatique, translucidité ■ **14** alanguissement, alourdissement, asservissement, bouillonnement, boursouflement, décompensation, délocalisation, émerveillement, étourdissement, fonctionnariat, hygrométricité, improductivité, incirconcision, inexcitabilité, inorganisation, irrévocabilité, ramolissement, sentimentalité, surendettement, thalassocratie, vieillissement ■ **15** amoindrissement, barotraumatisme, curriculum vitae, désappointement, impraticabilité, inaccessibilité, inadmissibilité, indisponibilité, non-belligérance, rabougrissement, radiorésistance, transfiguration.

ETATISER : **11** étatisation ■ **12** nationaliser.

ETATISME : **4** lois ■ **8** étatiste ■ **12** coordination.

ETATS-UNIS : **7** cascara ■ **10** états-union.

ETAU : **3** âne ■ **4** mors ■ **7** ramasse ■ **8** mordache.

ETAYER : **5** buter ■ **8** chevaler, soutenir ■ **9** étaiement, étayement, galhauban ■ **13** enchevalement, étrésillonner.

ETE : **5** morue, pomme ■ **6** estive ■ **7** chaleur, estival, roselet ■ **8** canicule, estivage, estivant ■ **9** rousselet ■ **10** estivation.

ETEINDRE : **5** finir, périr, pompe, tison ■ **6** calmer, casser, cesser, fermer, mourir, périmé, ternir ■ **7** amortir, annuler, apaiser, détiser, languir ■ **8** anéantir, détruire, diminuer, étouffer, souffler ■ **9** clignoter, couvre-feu, éteigneur, éteignoir ■ **10** extincteur, extinction ■ **11** disparaître, extinguible ■ **12** désenflammer ■ **13** inextinguible.

ETENDARD : **5** aigle ■ **6** guidon ■ **7** drapeau, labarum, vexille ■ **8** bannière, cornette, enseigne, gonfalon, gonfanon ■ **10** vexillaire ■ **13** porte-étendard.

ETENDRE : **5** cirer, gésir, lever, paver, semer, tapir, tirer ■ **6** couver, diluer, étaler, étirer, herber, longer, ramper, tendre*, verser ■ **7** abattre, ajouter, bitumer, coucher, couvrir, délayer, déplier, déposer, détirer, dilater, écarter, échouer, élargir, élonger, enduire, épandre, éployer, exhaler, gonfler, grossir, joncher, peindre, pousser, publier, revêtir, vautrer ■ **8** agrandir, allonger, déferler, déployer, dérouler, détordre, empiéter, épancher, épanouir, étendage, exagérer, insister, irradier, mélanger, mouiller, parsemer, pénétrer, propager, ramifier, rayonner, refléter, répandre ■ **9** accroître, appliquer, augmenter, découcher, déplisser, descendre, disperser, distendre, expliquer, extenseur, extension, fermenter, prolonger, renverser ■ **10** développer, disséminer, distribuer, expansible, extensible, prosterner, saupoudrer ■ **11** additionner, communiquer, paraphraser, transmettre ■ **12** ventrouiller ■ **13** pandiculation.

ETENDU : **4** long ■ **5** ample*, grand*, large, vaste* ■ **6** gisant ■ **9** universel ■ **10** expansible, extensible ■ **12** tentaculaire ■ **15** incommensurable.

ETENDUE : **3** île, lac, mer, vue ■ **4** aire, lieu, mare, plan, zone ■ **5** borne, champ, coupe, degré, étang, forêt, lagon, lande, large, livre, manse, nappe, océan, place, plage, poème, point, rayon, tapis, temps, terme, terre, vaste ■ **6** canton, centre, cercle, espace, finage, format, friche, infini, lagune, limite, médium, mesure, niveau, plaine, portée, région, sphère, volume ■ **7** ampleur, clavier, contrée, élément, hauteur, héminée, horizon, largeur, matière, paysage, ressort, surface*, terrain, travers ■ **8** atteinte, campagne, capacité, contenir, diapason, distance, district, garderie, grandeur, icefield, inétendu, légation, littoral, panorama, primatie, quantité, registre, spacieux, vignoble ■ **9** amplitude, continent, dimension, envergure, géométrie, immensité, natavisme, petitesse, proximité, tessiture ■ 10 archevêché, compétence, contenance, espacement, inondation, pédiplaine, proportion, spécialité, superficie, territoire ■ 11 département, emplacement, juridiction ■ 12 dictionnaire, périscopique, sénéchaussée ■ 13 circonférence ■ 14 arrondissement ■ 15 circonscription.

ETERNEL: 4 dieu, idée ■ 5 repos, salut, ville ■ 6 avenir, incréé ■ 7 continu, durable, pérenne ■ 8 éternité, immortel ■ 9 béatitude, coéternel, continuel, éterniser, perpétuel ■ 10 intemporel, perdurable ■ 11 sempiternel ■ 12 impérissable.

ETERNELLEMENT: 8 perdurer.

ETERNITE: 9 coéternel.

ETERNUEMENT: 8 éternuer ■ 10 ébrouement ■ 12 sternutation ■ 13 sternutatoire.

ETETER: 7 élaguer ■ 9 étêtement.

ETHANAL: 12 acétaldéhyde.

ETHANE: 6 éthyle ■ 7 éthanol.

ETHER: 4 coca ■ 5 ester ■ 6 éthéré ■ 8 gazoline, teinture ■ 9 éthériser, éthérisme ■ 10 éthéromane ■ 11 éthéromanie ■ 12 éthérisation ■ 14 éthérification, nitrocellulose, nitroglycérine.

ETHERE: 3 pur ■ 10 séraphique ■ 12 quintessence.

ETHERIFICATION: 10 éthérifier.

ETHIOPIE: 4 birr ■ 5 guèze ■ 11 couchitique.

ETHIOPIEN: 4 café ■ 5 négus, tigre ■ 6 négous ■ 9 érythréen ■ 10 abyssinien, éthiopique.

ETHIQUE: 8 beylisme.

ETHNIE: 4 race* ■ 6 peuple* ■ 8 ethnique, génocide ■ 10 ethnologie, ethnologue ■ 12 ethnographie ■ 13 interethnique, multiethnique.

ETHNIQUE: 9 ethnonyme.

ETHNOCENTRISME: 14 ethnocentrique.

ETHOLOGIE: 9 éthologue.

ETHYLE: 5 éther.

ETHYLENE: 5 diène ■ 6 butane ■ 8 butylène, oléfiant ■ 9 allylique ■ 12 polyéthylène.

ETHYLENIQUE: 6 butène, vinyle.

ETHYLIQUE: 7 éthanal, ivrogne ■ 9 éthylisme.

ETINCELANT: 9 coruscant.

ETINCELER: 7 briller*, éblouir ■ 8 chatoyer, éclairer, pétiller ■ 9 brasiller, flamboyer ■ 10 scintiller.

ETINCELLE: 5 rouet ■ 7 bluette ■ 8 éclateur ■ 9 flammèche ■ 10 étoilement ■ 12 extra-courant ■ 13 étincellement ■ 14 pare-étincelles.

ETIOLER: 7 dépérir, languir ■ 9 rabougrir.

ETIOLOGIE: 11 étiologique.

ETIOPATHIE: 9 étiopathe.

ETIQUE: 4 gras ■ 6 étisie, maigre*.

ETIQUETER: 11 étiqueteuse.

ETIQUETTE: 5 label ■ 6 marque ■ 7 décorum ■ 8 écriteau, vignette ■ 9 étiqueter, protocole ■ 10 étiquetage, étiqueteur ■ 11 inscription, vitrophanie.

ETIRAGE: 7 foulure ■ 8 doublage, étireuse ■ 9 corroyage, délivreur ■ 10 défeutrage.

ETIRE: 5 bridé.

ETIREMENT: 6 clonus.

ETIRER: 7 ductile, égrener, élonger, étendre, étireur ■ 8 étirable ■ 9 ductilité, étirement ■ 10 protactile.

ETOFFE: 2 lé ■ 3 pan, ras, uni ■ 4 alun, bord, bure, cati, drap, gaze, ikat, jeté, mite, poil, reps, soie ■ 5 basin, biser, blanc, burat, bruir, bysse, cardé, catir, chute, corde, coton, coupe, crête, damas, escot, fanon, fichu, frise, gerce, godet, grain, laine, laise, laize, lange, linge, loque, marli, moire, moule, olive, pagne, panne, patte, pékin, pièce, pince, pique, point, ponge, rabat, satin, serge, serve, stoff, surah, tapis, tapon, teint, tente, tissu*, tonte, toque, tripe, tweed, vichy, virer, voile ■ 6 alpaga, broche, byssus, chiffe, effilé, étoffe, feutre, fileté, lassis, madras, mohair, muleta, nankin, peigne, pluché, ratine, sampot, tampon, tartan, tussor, zénama ■ 7 alépine, bavolet, brocart, calicot, camelot, casimir, chiffon, damassé, dossard, droguet, épitoge, étamine, finette, foulard, futaine, granité, grémial, guipure, jaconas, lainage, lasting, matière, mérinos, mi-laine, moireur, oripeau, orléans, ottoman, ouatine, peluche, pourpre, recoupe, semelle, suédine, tendoir, tenture, velours ■ 8 anacoste, baudrier, blanchet, cellular, croisure, damasser, doublure, écarlate, époutier, grillage, himation, lustrine, mangeure, molleton, moquette, parement, pavillon, plumetis, rational, rebroder, sergette, shantung, sous-pied, taffetas, triplure, whipcord ■ 9 banderole, bruissage, chantoung, cheviotte, cotonnade, débouilli, demi-pièce, éraillure, gabardine, moleskine, paillette, papillote, pompadour, ratineuse, satinette, shantoung, tarlatane, tiratalne, veloutine, zéphyrine ■ 10 amordancer, andrinople, brocatelle, débouillir, mordaçage, scapulaire ■ 11 dégraisseur, tissu-éponge ■ 12 aiguilletage, quart-de-pouce ■ 13 contre-pointer ■ 14 débouillissage.

ETOILE: 4 nord, nova, star, vamp ■ 5 astre*, chien, mages, ourse, voûte ■ 6 acteur, destin, hyades ■ 7 astérie, binaire, galaxie, polaire, touchau, vedette ■ 8 céphéide, grandeur, pentacle, perséide, taurides, toucheau ■ 9 accrétion, carrefour, constellé, edelweiss, magnitude, nébuleuse, stellaire, supernova ■ 10 astérisque, consteller, étoilement, stelléride, tramontane ■ 11 protoétoile ■ 13 constellation, scintillation, scintillement ■ 14 interstellaire ■ 15 circumstellaire.

ETONNANT: 5 bœuf, inouï, raide, roide ■ 6 énorme, sciant ■ 7 bizarre, épatant, étrange, imprévu, inopiné, magique ■ 8 époilant, fabuleux, frappant, inespéré, insolite ■ 9 admirable, inattendu, mirifique, pyramidal, singulier, troublant ■ 10 ahurissant, esbroufant, faramineux, formidable, incroyable, miraculeux, mirobolant, monumental, mystérieux, pétrifiant, phénoménal, prodigieux*, renversant, stupéfiant, surprenant ■ 11 ébouriffant, étonnamment, merveilleux, pharamineux ■ 12 étourdissant, inconcevable, inimaginable, sensationnel ■ 13 époustouflant ■ 14 abasourdissant, extraordinaire*, impressionnant ■ 15 invraisemblable, phénoménalement.

ETONNEMENT: 2 çà, ho ■ 3 bah, euh, heu ■ 4 quoi ■ 5 mâtin ■ 6 effroi ■ 7 fichtre, frayeur, miracle, prodige, stupeur, sursaut, trouble ■ 8 surprise* ■ 9 confusion, épatement ■ 10 contempler, hébétement, soubresaut ■ 11 exclamation, fascination, ravissement ■ 12 ahurissement, ébahissement, saisissement, stupéfaction ■ 13 consternation, éblouissement ■ 14 émerveillement, étourdissement, tressaillement.

ETONNER: 5 ravir ■ 6 ahurir, ébahir*, épater, saisir* ■ 7 admirer, ébaubir, éblouir*, hébéter, sidérer ■ 8 dépasser, dérouter, éberluer, effrayer, étourdir, exclamer, fasciner, troubler ■ 9 confondre, esbroufer, interdire, intriguer, pétrifier, renverser, stupéfier, surpasser, sursauter ■ 10 abasourdir, consterner, ébouriffer, surprendre ■ 11 embarrasser, émerveiller, interloquer, tressaillir ■ 12 catastropher, époustoufler ■ 13 décontenancer.

ETOUFFEE: 9 étouffade ■ 10 estouffade.
ETOUFFEMENT: 7 étouffé ■ 9 cauchemar.
ETOUFFER: 5 noyer ■ 7 couvrir, enrayer ■ 8 insonore, refréner ■ 9 asphyxier, braisière, étouffage, étouffant, étouffeur, étouffoir, étrangler, suffoquer ■ 10 estouffade ■ 11 étouffement.
ETOUPE: 7 bourras, chanvre, étouper ■ 8 calfater ■ 11 serpillière.
ETOUPILLE: 10 étoupiller.
ETOURDERIE: 5 oubli ■ 9 attention ■ 10 imprudence, maladresse ■ 11 dissipation, distraction, inattention, irréflexion.
ETOURDI: 5 ahuri, ébahi, évent, léger*, plomb, sonné ■ 6 braque, éventé, groggy ■ 7 évaporé, frivole, linotte, vaurien ■ 8 distrait, écervelé, malavisé ■ 9 étourneau, imprudent ■ 10 étourderie, hurluberlu, truffaldin ■ 11 étourdiment, inconsidéré ■ 12 inconséquent.
ETOURDIR: 4 bile ■ 6 casser, griser, sonner, soûler ■ 7 saouler, vertige ■ 8 assommer ■ 10 abasourdir ■ 12 étourdissant ■ 14 étourdissement.
ETOURNEAU: 3 sot ■ 7 étourdi ■ 9 sansonnet.
ETRANGE: 5 inouï ■ 7 bizarre, curieux ■ 8 étonnant* ■ 9 admirable, étrangeté ■ 11 étrangement, extravagant ■ 12 épouvantable, inexplicable ■ 14 extraordinaire.
ETRANGER: 3 goï, goy ■ 4 goim, goye ■ 5 banni, colon, exilé, rasta ■ 6 aubain, créole, dehors, embole, gentil, gringo, velche, welche ■ 7 barbare, embolus, gavache, immigré, métèque, pèlerin, profane, réfugié ■ 8 allogène, alogique, cicérone, émigrant, emporium, exclusif, exotique, exporter, farouche, impureté, touriste, visiteur, voyageur ■ 9 aborigène, extérieur, immigrant, uitlander, xénélasie, xénophile, xénophobe ■ 10 allochtone, digression, extranéité, factorerie, naturalisé, romanisant, xénophilie, xénophobie ■ 11 cosmopolite, indifférent, non-résident ■ 12 rastaquouère ■ 13 inhospitalier.
ETRANGETE: 13 déréalisation.
ETRANGLEMENT: 5 choke ■ 7 pertuis ■ 9 choke-bore ■ 12 paraphimosis.
ETRANGLER: 4 thug, tuer ■ 5 lacet ■ 6 pendre, serrer ■ 8 étouffer ■ 9 resserrer* ■ 10 étrangleur, stranguler ■ 12 étranglement ■ 13 strangulation.
ETRAVE: 4 bulb ■ 5 brion, bulge ■ 7 râblure ■ 9 boute-hors ■ 10 brise-glace.
ETRE: 3 éon, fée ■ 4 ange, bête, dieu, mode, must ■ 5 autre, chose, créer, djinn, durer, étant, femme, fleur, force, forme, genre, germe, gîter, guise, homme, juger, objet, piste, richi, roche, seoir, tenir, vivre* ■ 6 animal, entité, monère, naître, siéger ■ 7 benthos, exister*, microbe, monstre ■ 8 assister, centaure, créature, dépasser, divinité, exceller, fluctuer, individu, katchina, personne, plancton, plankton, procurer, pulluler, redonder, référent, répondre, retomber, somnoler, surjaler, symbiote, tournure, trembler, trépider, voisiner ■ 9 affleurer, bissexuel, chanceler, concourir, connaître, consister, créoliser, discorder, endiabler, homoncule, homuncule, ontologie, organisme, pendiller, phénomène, redevenir, subsister, surpasser ■ 10 appartenir, chorologie, contraster, équivaloir, histologie, homozygote, indifférer, procaryote, scissipare, substratum, surabonder, vermisseau ■ 11 lamarckisme, morphologie, positivisme, transcender ■ 12 conditionner, correspondre ■ 13 villégiaturer ■ 14 chronobiologie, pithécanthrope, transgénétique.
ETRECIR: 8 diminuer ■ 13 étrécissement.
ETREINDRE: 6 serrer ■ 7 enlacer, presser ■ 8 caresser, étreinte ■ 9 embrasser.

ETRIER : 5 chape ■ 7 manille ■ 9 étrivière ■ 12 otospongiose, porte-étriers.

ETRILLE : 6 panser ■ 7 portune ■ 8 étriller, malmener, strigile.

ETROIT : 3 fin*, mue ■ 4 aigu, banc, caïc, menu, péri, vire ■ 5 allée, bande, barre, berge, berme, bigot, borne, boyau, champ, chant, court, estoc, exigu, fiord, fjord, flûte, isker, juste, latte, mince*, momie, palot, petit, ruban, serre, skiff, veine ■ 6 aminci, effilé, étréci, strict ■ 7 collant, étriqué, largeur, mesquin, pertuis, rétréci, sentier ■ 8 amenuisé, chapelle, cheminée, corridor, échappée, enserrer, estocade, étranglé, étriquer, felouque, linéaire, resserré*, rétrécir, sectaire, sellette, spacieux, tortille, traboulle ■ 9 banderolle, barbacane, engrelure, garrotter, juridisme, mannequin, resserrer, restreint, rigoureux ■ 10 capillaire, étroitesse, landerneau, passerelle, petitement, tortillère ■ 11 caporalisme, claquemurer, étroitement ■ 12 angustifolié, stricto sensu.

ETROITESSE : 7 atrésie ■ 14 franchouillard.

ETRON : 8 colombin.

ETUDE : 4 pion ■ 5 amour, butin, clerc, faire, musée, pièce, stage, vogue ■ 6 bureau, muséum, projet, traité* ■ 7 analyse, article, cabinet, graduat, science, solfège, travaux, yeshiva ■ 8 anatomie, écomusée, feudiste, géodésie, myologie, orogénie, otologie, physique, régendat, studieux, ufologie, urologie ■ 9 biochimie, bryologie, celtisant, civiliste, déontique, ergologie, ergonomie, génétique, géochimie, géométrie, hébraïste, jalon-mire, linguiste, marketing, mécanique, mycologie, pédologie, posologie, scolarité, séminaire, sérologie, sexologie, sexonomie, sinologie, sitologue, sociatrie, théologie, tonétique, toponymie, typologie ■ 10 analytique, andrologie, arboretum, astronomie, chorologie, climatisme, conférence, coprologie, cryométrie, cryoscopie, diététique, économiste, épigraphie, ergométrie, érotologie, filmologie, fœtologie, hébraïsant, helléniste, héraldiste, hippologie, histologie, historisme, japonisant, léprologie, mastologie, médiévisme, moliériste, mythologie, paidologie, pathogénie, pétrologie, phénologie, phonétique, photologie, présalaire, proxémique, répétiteur, rhinologie, sémantique, sémiologie, sémitisant, sociologie, spécialité ■ 11 aérographie, africaniste, biophysique, casuistique, chiromancie, cladistique, condisciple, crâniologie, cryptogamie, démographie, dentisterie, docimologie, égyptologie, embryologie, engineering, enzymologie, ergographie, erpétologie, faunistique, folkloriste, géophysique, germanisant, glaciologie, graphologie, hépatologie, hispanisant, histochimie, hydraulique, hydrométrie, instruction, malacologie, métathéorie, minéralogie, monographie, morphologie, myélogramme, naturaliste, néphrologie, neurochimie, neutronique, observation, océanologie, odontologie, onomastique, papyrologie, pathogenèse, patristique, philosophie, phrénologie, physiologie, policologie, pragmatique, prospection, prospective, psychiatrie, psychologie, scolasticat, séméiologie, slavistique, spéléologie, strioscopie, stylistique, technologie, tératogénie, thermalisme ■ 12 arithmétique, assyriologie, béhaviorisme, byzantinisme, cancérologie, carcinologie, coronographe, cosmographie, cryobiologie, culturologie, cybernétique, cytobiologie, diabétologie, diacoustique, diplomatique, électronique, ethnographie, géopolitique, gérontologie, hydrographie, iconographie, indianologie, laryngologie, macrographie, mathématique, métallogénie, métaphysique, météorologie, micrographie, orientaliste, orthogénisme, paléographie, phtisiologie, planétologie, primatologie, procréatique, psychogenèse, sémasiologie, stomatologie, tératogenèse, thanatologie, thermoscopie, volcanologie, vulcanologie ■ **13** aérodynamique, aérotechnique, ampélographie, anthropogénie, anthroponymie, astronautique, astrophysique, bioacoustique, biogéographie, cardiographie, céramographie, cosmobiologie, delphinologie, dialectologie, épidémiologie, épistémologie, ethnobiologie, eurostratégie, gastrotechnie, hémodynamique, hydrostatique, introspection, kremlinologie, magnétochimie, magnétométrie, métapsychique, océanographie, onomasiologie, paléocécologie, parasitologie, photobiologie, politicologie, radiobiologie, sociobiologie, spectrométrie, spectroscopie, stratigraphie, télédétection, zoogéographie ■ **14** accidentologie, anthropogenèse, biospéléologie, byzantinologie, cancérologique, catégorisation, chronobiologie, cristallogénie, électrothermie, hydrodynamique, magnéto-optique, métallographie, neurobiochimie, paléobotanique, phénoménologie, phytopharmacie, sédimentologie, sigillographie, spectrographie ■ **15** bioclimatologie, géothermométrie, microsociologie, paléochistologie, pharmacodynamie, phytosociologie, psychogénétique, radarastronomie, radioastronomie, symptomatologie, trajectographie.

ETUDIANT : 3 kot ■ **5** degré, élève, étude ■ **7** carabin, externe, faluche, jobiste ■ **8** auditeur ■ **9** agrégatif, résidanat ■ **10** guindaille, hermétiste, sorbonnard ■ **11** estudiantin ■ **13** universitaire.

ETUDIE : 7 affecté ■ **9** afféterie ■ **11** organologie.

ETUDIER : **5** pâlir, peser ■ **6** bûcher, sonder ■ **7** chiader, creuser, piocher, scruter ■ **8** analyser, comparer, débattre, discuter, éplucher, examiner*, explorer, observer, potasser, préparer, ventiler, vérifier ■ **9** apprendre, critiquer, délibérer, disserter, instruire, réétudier, retourner ■ **10** considérer, herboriser, prospecter, renseigner, travailler ■ **11** approfondir, débrouiller.

ETUI : 2 dé ■ **3** sac ■ **4** tube ■ **5** balle, boîte, écrin, fonte, gaine ■ **6** caisse, coffin, élytre, gousse, housse, onglon ■ **7** casette, cazette, chemise, douille, plumier, trousse ■ **8** carquois, fourreau ■ **9** écritoire, enveloppe, épinglier ■ **10** aiguillier, flaconnier, porte-clefs ■ **12** cartouchière, porte-cigares, portemanteau ■ **13** porte-étendard ■ **14** porte-aiguilles ■ **15** porte-cigarettes.

ETUVE : 4 bain ■ **7** chaleur ■ **8** soufroir ■ **9** calderium, touraille ■ **11** poussinière.

ETUVER : 7 étuveur ■ **8** étuveuse ■ **9** étuvement.

ETYMOLOGIE : 7 origine ■ **11** lexicologie ■ **12** étymologique, étymologiste.

EUCHARISTIE : 4 cène ■ **8** viatique ■ **9** communion ■ **10** impanation ■ **13** eucharistique, sacramentaire.

EUDIOMETRE : **5** volta ■ **11** eudiométrie ■ **13** eudiométrique.

EUGENISME : **9** eugénique, eugéniste.

EUPHEMISME : **10** antiphrase, euphémique, modération ■ **12** contre-vérité.

EUPHONIE : **10** euphonique ■ **14** euphoniquement.

EUPHORBIACEE : 5 hévéa, ricin ■ **6** croton, épurge, kamala, manioc ■ **8** aleurite, euphorbe, foirolle ■ **10** bancoulier, médicinier, mercuriale ■ **12** mancenillier ■ **13** réveille-matin.

EUPHORIE : 4 aise, joie ■ **5** manie, opium ■ **7** bonheur ■ **8** bien-être, nicotine ■ **10** euphorique ■ **13** hallucinogène, morphinomanie.

EUPHORIQUE : **10** euphoriser.

EUPHORISER : 13 euphorisation.

EURASIE : 12 eurasiatique.

EUROCOMMUNISME : **14** eurocommuniste.

EURODEVISE : 11 euromonnaie ■ **14** euro-obligation.

EUROPE: **3** écu ■ **6** draine, drenne ■ **9** eurofranc ■ **10** eurodevise ■ **11** eurafricain ■ **13** eurostratégie ■ **14** euroterrorisme.
EUROPEANISER: **15** européanisation.
EUROPEEN: **4** grec, turc ■ **5** belge, latin, roman, russe, slave ■ **6** danois, magyar, soviet, suisse, toubab ■ **7** anglais, bulgare, finnois, germain, helvète, italien, maltais, roumain, suédois, tchèque ■ **8** albanais, allemand, andorran, espagnol, eurasien, français, hongrois, ibérique, italique, pied-noir, polonais ■ **9** eurocrate, indo-arien, irlandais, islandais, norvégien, portugais ■ **10** autrichien, balkanique, euromarché, finlandais, germanique, helvétique, monégasque, scandinave, soviétique, yougoslave ■ **11** britannique, européanité, néerlandais ■ **12** européaniser, européanisme, finno-ougrien, indo-européen ■ **13** eurocentrisme ■ **14** austro-hongrois, luxembourgeois, tchécoslovaque.
EURYHALIN: **12** euryhalinite.
EURYTHERME: **11** eurythermie.
EUSTACHE: **7** couteau.
EUTOCIE: **9** eutocique.
EUTYCHEEN: **8** melchite.
EVACUATION: **5** péril, purge, selle, train ■ **7** vomique ■ **8** éjection, émission, éruption, spiracle ■ **9** contre-fer, déjection, émonction, excrément, purgation ■ **10** évacuateur, sialorrhée ■ **11** désaération, désenfumage, échappement, pollakiurie.
EVACUER: **5** nable, vider ■ **6** sortir*, uriner ■ **7** émettre ■ **8** dégorger, évacuant, expulser ■ **9** reniflard ■ **10** abandonner* ■ **11** caloporteur ■ **12** thoracentèse ■ **13** caloriporteur.
EVADE: **7** échappé.
EVADER: **4** fuir* ■ **6** enfuir ■ **8** échapper ■ **9** bovarysme.
EVAGINATION: **8** épiphyse.
EVALUATION: **4** note ■ **5** jauge, toise ■ **6** budget, cubage, mesure* ■ **8** évaluatif ■ **9** arpentage, chiffrage, dimension ■ **10** estimation, inventaire ■ **11** chiffrement ■ **12** appréciation, thermométrie ■ **13** approximation, surestimation ■ **14** géostatistique.
EVALUER: **5** cuber, faire, juger* ■ **7** compter, estimer, nombrer, réputer ■ **8** calculer, chiffrer, supputer, ventiler ■ **9** apprécier, évaluable, réévaluer ■ **11** amblyoscope, sous-évaluer ■ **12** impondérable, réévaluation ■ **14** géothermomètre.
EVANGILE: **5** bible, ladre, mages ■ **7** mission, synopse ■ **11** évangélique, évangéliser, évangélisme ■ **12** évangéliaire ■ **14** évangélisateur, évangélisation ■ **15** évangéliquement, rechristianiser.
EVANOUI: **5** vapes.
EVANOUIR: **5** pâmer ■ **7** syncope ■ **9** défaillir, faiblesse ■ **11** disparaître* ■ **14** évanouissement.
EVAPORATION: **4** pâte ■ **5** froid, sucre ■ **7** séchage ■ **8** évaporer, fanaison ■ **9** alcarazas, évaporite ■ **10** dry-farming, évaporable, exhalaison ■ **11** gargoulette ■ **12** évaporatoire, vaporisation.
EVAPORE: **6** éventé ■ **7** étourdi.
EVASER: **5** hotte, large ■ **6** fraiser, ouvert ■ **7** étamper ■ **8** soufflet ■ **9** évasement.
EVASIF: **8** lanturlu ■ **11** évasivement.
EVASION: **5** fuite*.
EVEIL: **6** réveil, satori ■ **8** insomnie ■ **9** éveilleur ■ **13** noctambulisme.
EVEILLE: **5** benêt, lutin, mutin ■ **8** dégourdi, excitant, fringant.
EVEILLER: **5** éveil ■ **7** frapper, rouvrir, veiller ■ **9** réveiller.
EVENEMENT: **3** cas, hip ■ **4** acmé, acte, aléa, date, fait, heur, noël,

sort, vécu ■ 5 chose, chute, crise, drame, échec, effet, fléau, issue, mûrir, orage, perte, plaie, récit, revue, ruine, scène, signe, tuile ■ 6 action, avanie, chance, épopée, famine, guerre, hasard, ravage, revers, succès ■ 7 abandon, advenir, débâcle, déroute, dommage, éclipse, épisode, épreuve, exemple, malheur, odyssée, prodige, tempête ■ 8 accident, anecdote, aventure, calamité, contexte, datation, désastre, disgrâce, embarras, encombre, engramme, épidémie, histoire, incendie, incident, insuccès, montjoie, naufrage, nouvelle, occasion, prodrome, sinistre, tragédie ■ 9 actualité, cérémonie, condition, esclandre, fatalisme, féliciter, péripétie, phénomène, précédent, prophétie, rencontre, tourmente ■ 10 astrologie, cataclysme, contrecoup, dénouement, éphéméride, fait divers, inondation, intersigne, occurrence, spectateur, télépathie ■ 11 bénédiction, catastrophe, chronologie, coïncidence, compte rendu, conjoncture, contretemps, éventualité, malencontre, mésaventure, tribulation, vicissitude ■ 12 avant-coureur, bicentenaire, circonstance*, dégringolade, équiprobable, événementiel, inconvénient, quelque chose ■ 13 commémoration, deus ex machina, parachronisme, simultanéisme ■ 14 congratulation, géochronologie, sociocentrisme ■ 15 prédéterminisme.

EVENTAIL: 4 paon ■ 5 écran, panka ■ 9 flabellum ■ 13 chasse-mouches, éventailliste.

EVENTE: 7 étourdi, évaporé.

EVENTER: 8 éventail ■ 9 découvrir.

EVENTRER: 8 défoncer.

EVENTUALITE: 3 cas ■ 8 éventuel ■ 9 événement ■ 10 continence ■ 11 contingence, possibilité ■ 12 circonstance* ■ 13 casus fœderis ■ 14 éventuellement.

EVENTUEL: 6 casuel.

EVEQUE: 5 mitre, ordre, sacre, trône ■ 6 prélat, primat ■ 7 pasteur, pontife ■ 8 cathèdre, chanoine, grandeur, official, ordinant, pastoral ■ 9 épiscopal, épiscopat, mandement ■ 10 archevêque, coadjuteur, consacrant, dimissoire, patriarche, préconiser, suffragant ■ 11 autocéphale, monseigneur ■ 13 épiscopalisme ■ 14 révérendissime.

EVERTUER: 6 peiner, tâcher ■ 7 essayer ■ 8 efforcer, escrimer.

EVICTION: 10 évincement.

EVIDENCE: 9 aveuglant, baroscope, certitude, flagrance ■ 11 crève-vessie, lapalissade ■ 12 indiscutable.

EVIDENT: 5 clair, force, obvie, roche ■ 6 appert, formel, patent ■ 7 certain, positif, visible* ■ 8 apparoir, constant, évidence, flagrant, palpable ■ 9 certitude, manifeste* ■ 10 apparaître, assurément, évidemment ■ 13 concaténation.

EVIDER: 7 creuser, évidoir ■ 8 costière ■ 9 évidement ■ 10 champlever, refouiller.

EVINCER: 7 écarter ■ 9 repousser ■ 10 évincement ■ 11 blackbouler.

EVITE: 6 non-dit ■ 8 lucifuge.

EVITEMENT: 6 by-pass ■ 7 bipasse.

EVITER: 4 fuir* ■ 5 garer, parer, volte ■ 6 éluder, garder, obvier, terrer ■ 7 abriter, dérober, écarter, effacer, frauder ■ 8 abstenir, antichoc, conjurer, devancer, échapper, éloigner, empêcher, épargner, esquiver, évitable, exempter, garantir, irénique, prémunir, prévenir, protéger, prudence ■ 9 détourner, dispenser, escamoter, évitement ■ 10 faux-fuyant, inévitable, soustraire ■ 11 bloc-système, block-system ■ 13 antipollution ■ 14 incontournable.

EVOCATION: 5 appel, magie ■ 8 allusion, ecmnésie ■ 9 suggestif ■ 10 évocatoire ■ 11 incantation.

EVOLUE : 8 lithosol, primitif ■ 9 chronique ■ 11 extra-utérin, psychotique.
EVOLUER : 7 changer, parader ■ 8 graviter ■ 10 manœuvrer.
EVOLUTIF : 11 évolutivité ■ 12 homonisation.
EVOLUTION : 6 climax ■ 7 société ■ 8 biogénie, épigénie, évolutif, galopant ■ 9 biogenèse, égression, graphique ■ 10 avancement, chancrelle, changement*, diachronie, ethnologie, pédogenèse ■ 11 dialectique, escadronner, lamarckisme, prédictible, prospective, téléguidage, tératogénie ■ 12 chassé-croisé, débilisation, morphogenèse, tératogenèse, vulcanologie ■ 13 aggiornamento, mutationnisme, néodarwinisme ■ 14 évolutionnisme, géomorphologie, intersexualité, monétarisation ■ 15 infléchissement.
EVOQUE : 10 mongoloïde ■ 12 biomorphique.
EVOQUER : 8 allusion, évocable, invoquer, rappeler* ■ 9 évocateur, évocation ■ 11 nécromancie ■ 12 introduction.
EXACERBE : 15 churrigueresque.
EXACERBATION : 9 exacerber, paroxysme ■ 10 irritation ■ 12 redoublement ■ 13 recrudescence.
EXACT : 4 vrai* ■ 5 juste, moule, radar, revue ■ 6 ajusté, assidu, assuré, congru, fidèle, pétant, précis*, propre, rigide, sévère, strict ■ 7 certain*, correct, positif*, textuel ■ 8 appliqué, attentif, conforme, fabuleux, littéral, ponctuel, puritain, régulier ■ 9 aliquante, minutieux, rationnel, rectifier, regardant, rigoureux* ■ 10 exactement, exactitude, méthodique, méticuleux, scrupuleux ■ 11 authentique ■ 12 approximatif ■ 13 consciencieux.
EXACTEMENT : 4 pile.
EXACTION : 5 impôt ■ 8 exacteur ■ 10 concussion.
EXACTITUDE : 4 soin ■ 6 vérité* ■ 7 ric-à-rac, rigueur ■ 8 fausseté, fidélité, justesse, vérifier ■ 9 assiduité, certitude, compasser, dépeindre, étalonner, précision ■ 10 conformité, convaincre, correction, discrétion, exactement, infidélité, négligence, régularité, véridicité ■ 11 ponctualité ■ 12 reproduction.
EXAGERATION : 4 abus*, cant ■ 5 excès* ■ 6 charge ■ 7 emphase, enflure ■ 8 égotisme, excessif, hâblerie, outrance, paranoïa, sédation ■ 9 flatterie, hyperbole ■ 10 exagératif, gasconnade, gigantisme, hirsutisme, modération ■ 11 acromégalie, exagérateur, exagérément, hypersomnie, nymphomanie, surémission ■ 13 sursimulation.
EXAGERE : 10 polydipsie.
EXAGERER : 5 outre, saler, ultra ■ 6 broder, enfler, forcer, outrer ■ 7 attiger, bluffer, charger, cherrer, grossir ■ 8 charrier, cravater ■ 10 chariboter, dramatiser ■ 11 exagération.
EXALTATION : 5 folie ■ 6 fureur, pythie ■ 7 sibylle ■ 8 apologie, frénésie ■ 9 apothéose, éréthisme, fanatisme ■ 10 enivrement, vantardise ■ 12 enthousiasme* ■ 13 glorification.
EXALTE : 4 ivre ■ 5 monté ■ 8 bacchant ■ 9 fanatique, surexcité ■ 10 énergumène, romantique ■ 14 ultra-royaliste ■ 15 convulsionnaire.
EXALTER : 6 enfler, griser, vanter ■ 7 chanter, enivrer, enlever, expirer ■ 8 abaisser, célébrer, chauffer, embraser, louanger ■ 9 canoniser, diviniser, dolorisme, glorifier, magnifier ■ 10 électriser, galvaniser.
EXAMEN : 3 vue ■ 4 jury, oral, reçu, test ■ 5 essai, fruit, luger, revue ■ 6 refusé, visite ■ 7 analyse, biopsie, censure, copiage, épreuve, massore, moffler, rupiner ■ 8 autopsie, collante, concours, critique, examiner, massorah, préconçu, question, recalage, réexamen, repenser, révision, spéculum, vacation ■ 9 anuscopie, collation, épluchage, nécropsie, otoscopie, préalable, recension, répondant, soumettre ■ 10 admissible,

certificat, discussion, endoscopie, pathogénie, percussion, rectoscope ■ 11 adénogramme, chef-d'œuvre, coefficient, colposcopie, comparaison, cystoscopie, docimologie, exploration, graphologie, microscopie, proposition, radioscopie, rhinoscopie, saint-office ■ 12 arthroscopie, baccalauréat, cœlioscopie, colonoscopie, consultation, délibération, gastroscopie, laparoscopie, spermogramme ■ 13 antibiogramme, considération, dépouillement, interrogation, investigation, propédeutique, sédimentation ■ 14 œsophagoscope, ophtalmoscopie, reconnaissance.

EXAMINER : 4 lire, voir* ■ 5 peser, tâter ■ 6 apurer, revoir, sonder ■ 7 creuser, essayer, étudier*, réviser, scruter, tourner, visiter ■ 8 analyser, balancer, censurer, comparer, corriger, débattre, discuter, éclairer, enquêter, éplucher, explorer, informer, observer*, orienter, regarder*, ventiler, vérifier* ■ 9 compulser, consulter, contrôler, critiquer, délibérer, disserter, effleurer, envisager, espionner, inspecter, langueyer, parcourir, retourner ■ 10 considérer, contempler, dépouiller, expertiser, interroger, prospecter, réexaminer, renseigner, surveiller, visionner ■ 11 amblyoscope, approfondir, arraisonner, débrouiller, examinateur, questionner ■ 12 échographier.

EXANTHEME : 13 exanthémateux ■ 14 exanthématique.

EXASPERATION : 8 ras-le-bol.

EXASPERER : 6 damner ■ 7 irriter*, pousser ■ 11 insupporter.

EXAUCER : 8 inexaucé ■ 10 exaucement, satisfaire.

EXCAVATEUR : 6 élinde ■ 9 roue-pelle.

EXCAVATION : 4 mine, sape, silo ■ 5 creux, enrue, fossé, puits ■ 6 cavité, conque, fondis, sillon ■ 7 caverne, déblais, excaver, fouille, galerie, puisard, scraper ■ 8 tranchée ■ 9 acétabule ■ 10 affouiller, sous-cavage ■ 12 effondrement ■ 13 retranchement, surcreusement.

EXCEDE : 8 ras-le-bol.

EXCEDENT : 4 boni ■ 5 excès*, prime, purin ■ 6 débord ■ 7 surplus ■ 9 déversoir, tolérance ■ 10 masselotte, surarement ■ 11 suractivité ■ 12 excédentaire ■ 15 surcompensation.

EXCEDER : 5 géant ■ 6 abuser, lasser, passer ■ 7 combler, irriter ■ 8 déborder, démesuré, dépasser*, excédant, excédent, excessif, franchir, surmener ■ 9 accumuler, encombrer, surpasser, trop-plein ■ 10 tourmenter.

EXCELLENCE : 4 prix ■ 9 magistrat ■ 11 précellence.

EXCELLENT : 3 bel, bon, fin ■ 4 bath, beau, bien, haut ■ 5 divin, grand ■ 6 nectar ■ 7 éminent, parfait ■ 8 exceller ■ 9 supérieur ■ 10 prééminent, talentueux ■ 12 excellemment, transcendant ■ 15 excellentissime.

EXCELLENTE : 10 superforme.

EXCENTRICITE : 11 excentrique, originalité ■ 12 extravagance.

EXCENTRIQUE : 4 yéyé ■ 5 zazou ■ 7 bizarre ■ 8 excentré, original ■ 9 phénomène ■ 10 incroyable ■ 15 excentriquement.

EXCEPTE : 3 ôté ■ 4 fors, hors, sauf ■ 5 passe ■ 6 hormis ■ 9 exception.

EXCEPTER : 7 exclure, séparer ■ 8 réserver ■ 9 pardonner ■ 11 restreindre.

EXCEPTION : 6 accroc, phénix ■ 7 licence, monstre, réserve ■ 8 anomalie ■ 9 déviation, exclusion, merveille, phénomène ■ 10 aberration, bizarrerie, trouvaille ■ 11 restriction, singularité ■ 12 exceptionnel, irrégularité.

EXCEPTIONNEL : 4 rare* ■ 5 extra, géant, inouï ■ 6 anomal, unique ■ 7 anormal, bizarre ■ 8 demi-dieu, étonnant, exclusif, fréquent, insolite, prévotal ■ 9 non-pareil, singulier ■ 10 monstrueux ■ 11 hétéroclite, inaccoutumé, merveilleux, particulier ■ 14 extraordinaire.

EXCES: 4 abus, luxe, sous, trop ■ 5 cuver, dèche, hyper, orgie, outre, reste, sobre ■ 6 comble, ribote ■ 7 adipose, autisme, emphase, enflure, licence, obésité, surplus ■ 8 assommer, boulimie, débauche*, désordre, encenser, excédent, frénésie, harasser, idolâtre, irénique, outrance, raffoler, surfaire, tempérer ■ 9 adoration, empiffrer, gobeleter, idolâtrie, impulsion, inflation, mélomanie, profusion, réplétion, ressuyage, surcharge, surmenage, trop-plein ■ 10 biberonner, différence, exubérance, formalisme, gobelotter, hydramnios, modération, polysarcie, préciosité, supplément, suroxygène ■ 11 aérogastrie, affectation, casuistique, débordement, dérèglement, exagération*, gourmandise, mollasserie, narcissisme, sophistique, surchauffer, surpâturage, surprotéger, tarabiscoté ■ 12 accumulation, boit-sans-soif, encombrement, exaspération, extravagance, hypertrophie, immodérément, incontinence, inconvenance, intempérance, obséquiosité, œsinophilie, phosphaturie, pudibonderie, superstition, surabondance, surmortalité, surproductif, tarabiscoter ■ 13 blettissement, décarburation, disproportion, excessivement, fabuleusement, grossissement, hyperglycémie, insatiabilité, outrecuidance, surpeuplement, surpopulation ■ 14 claustrophobie, hyperémotivité ■ 15 perfectionnisme, réglementarisme, scandaleusement, surentraînement.

EXCESSIF: 3 fol, fou ■ 4 haut, noir, rage, trop ■ 5 avare, bigot, outré, prude ■ 6 abusif, diffus, énorme, enragé, mortel ■ 7 déréglé, effréné, exagéré, extrême, surdose, violent ■ 8 carabiné, colossal, démesuré, dévorant, surpêche, terrible ■ 9 distendre, effrayant, exubérant, fanatique, outrageux, surdosage ■ 10 désordonné, exorbitant, hypertélis, insatiable, monstrueux, outrancier, prohibitif, sitiomanie, surexposer ■ 11 hyperplasie, inabordable, inconvenant*, maniaquerie, raisonnable, surabondant, surémission, surpâturage ■ 12 dolichocôlon, épouvantable, hyperacousie, hyperbolique, hypernerveux, hypertrophié, surdéveloppé ■ 13 excessivement, hypersensible, hypersensitif, suréquipement ■ 14 surmédicaliser ■ 15 disproportionné, sardanapalesque, spanioménorrhée, suraccumulation, surconsommation.

EXCIPIENT: 5 julep ■ 8 lanoline, liniment ■ 9 cold-cream, œnolique.

EXCISER: 7 amputer ■ 8 excision ■ 11 irridectomie.

EXCITANT: 3 thé ■ 4 café, kola ■ 5 sauge ■ 6 dopant ■ 7 piquant, topette, tripant ■ 8 alkermès, incitant, nicotine ■ 9 stimulant* ■ 13 aphrodisiaque.

EXCITATION: 4 rage ■ 5 appel ■ 6 excité ■ 7 ivresse, orgasme, réflexe ■ 8 schizose, stimulus, tropisme ■ 9 agitation*, chronaxie, émulation, éréthisme, érotogène, fébrilité, fellation, hypomanie, lascivété, lascivité, réconfort, sommation ■ 10 satyriasis, suggestion, survoltage ■ 11 contraction, cunnilingus, fomentation, hypermnésie, inspiration, instigation, provocation, stimulation ■ 12 cunnilinctus, entraînement, exaspération, extrasystole, irritabilité ■ 13 surexcitation.

EXCITER: 2 va ■ 3 oup, sus ■ 4 houp ■ 5 doper, fouet ■ 6 agacer, agiter, animer, aviver, brûler, calmer, crever, piquer, porter, remuer ■ 7 activer, allumer, altérer, ameuter, attiser, décider, dresser, exalter, inciter, irriter, mouvoir, pousser*, ranimer, relever ■ 8 acharner, aguicher, aiguiser, apitoyer, boutefeu, embraser, émeutier, émouvoir, enhardir, éveiller, excitant, exhorter, fomenter, fouetter, harceler, indigner, inspirer, remonter, soulever, stimuler*, suggérer, susciter, talonner, vivifier ■ 9 accélérer, actionner, asticoter, débaucher, déchaîner, échauffer, embaucher, enflammer, entraîner, envenimer, éperonner, exacerber, excitable, fanatiser, fortifier, insuffler, intriguer, merveille, persuader, pitoyable, provoquer, raffermir, retremper, réveiller, triomphal ■ 10 abominable, désopilant, électriser, encourager*, excitateur, intéresser, précipiter, réchauffer, solliciter, surexciter ■ 11 appétissant, émoustiller, inexcitable, mécontenter, réconforter, transporter ■ 12 aiguillonner, bouffonnerie, excitabilité, masticatoire ■ 13 enthousiasmer.

EXCLAMATIF : 3 que, qui ■ 4 quel, quoi ■ 5 quels ■ 6 auquel, duquel, lequel, quelle ■ 7 quelles ■ 8 auxquels, desquels, laquelle, lesquels ■ 10 auxquelles, desquelles, lesquelles.

EXCLAMATION : 2 eh ■ 3 bah, bon, cri, hom ■ 4 cric, dame, paré ■ 5 matin, peste ■ 6 eurêka ■ 7 pécaïre ■ 9 notre-dame ■ 10 exclamatif.

EXCLURE : 4 ôter ■ 5 index, rayer ■ 6 bannir*, exiler, radier ■ 7 chasser*, écarter, séparer ■ 8 divorcer, excepter, expulser, forclore, prohiber, répudier ■ 9 exclusion, proscrire, repousser ■ 10 déposséder, disgracier ■ 10 excommunier, hors-de-cause.

EXCLUSIF : 5 caste ■ 8 monopole ■ 10 uniquement ■ 11 chauvinisme ■ 12 exclusivisme ■ 3 exclusivement, privativement ■ 15 concessionnaire.

EXCLUSION : 4 exil, sans, seul ■ 5 paria ■ 7 divorce ■ 8 disgrâce, éviction, sobriété ■ 9 exception, exclusive, expulsion ■ 10 forclusion, ostracisme, séparation ■ 11 élimination, répudiation ■ 12 bannissement, dépossession, proscription ■ 15 excommunication.

EXCOMMUNICATION : 8 anathème ■ 10 excommunié ■ 11 malédiction.

EXCORIATION : 9 écorchure.

EXCREMENT : 4 bran, bren, caca ■ 5 bouse, fèces, guano, merde, selle, urine ■ 6 chiure, crotte, fiente ■ 7 chiasse, crottin, troches ■ 9 déjection, stercoral ■ 10 coprolithe, coprophage, coprophile, mouscaille, scatologie, scatophile ■ 11 coprophilie ■ 12 excrémenteux, excrémentiel ■ 14 excrémentitiel.

EXCRETEUR : 7 wirsung.

EXCRETION : 8 excréter ■ 9 excréteur, lactation, néphridie ■ 10 cholagogue, excrétoire, sialagogue ■ 11 élimination.

EXCROISSANCE : 3 fic ■ 5 coque, crête, épine, galle, loupe ■ 6 fongus ■ 7 bédegar ■ 8 apophyse, broussin ■ 9 caroncule, condylome, fongosité, tubercule ■ 10 végétation ■ 11 évagination, verrucosité.

EXCURSION : 6 voyage ■ 9 promenade* ■ 10 alpenstock, expédition ■ 11 safari-photo ■ 12 excursionner ■ 14 excursionniste.

EXCURSIONNISTE : 11 panier-repas.

EXCUSE : 6 bourde, pardon ■ 7 chicane, couvert, défense ■ 8 prétexte* ■ 9 excusable ■ 10 allégation ■ 11 inexcusable ■ 12 échappatoire ■ 13 adoucissement, justification.

EXCUSER : 6 éluder, passer ■ 7 adoucir, couvrir, pallier, tolérer ■ 8 absoudre, alléguer, chicaner, exempter, invoquer ■ 9 décharger, disculper, excusable, indulgent, justifier*, pardonner*, prétexter, regretter, replâtrer ■ 10 innocenter ■ 11 supportable.

EXECRABLE : 13 exécrablement.

EXECRATION : 11 détestation.

EXECRER : 4 haïr ■ 5 sacré ■ 7 maudire ■ 8 abominer ■ 10 exécration ■ 13 exécrablement.

EXECUTE : 5 stylé ■ 6 soigné ■ 9 taraudeur.

EXECUTER : 4 tuer* ■ 5 faire*, jouer, obéir ■ 6 danser, dédire, lécher, louper, mouler, valser, volter ■ 7 doubler, enlever, étamper, évoluer, hourder, lyncher, moduler, ponceur, remplir, réussir, saboter, saloper, torcher, triller ■ 8 attaquer, basculer, bricoler, capsuler, conjurer, dessiner, dysbasie, exécutif, fignoler, musicien, réaliser, tricoter ■

9 accomplir, acquitter, anticiper, bousiller, cochonner, commettre, effectuer, exécutant, exécution, exequatur, inexécuté, pratiquer, rétracter ■ 10 commettant exécutable, exécuteur, manœuvrer, sous-œuvre, supplicier, torchonner, transposer, travailler ■ 11 automatique, interpréter, symphoniste ■ 12 sous-traitant ■ 13 illusionniste.

EXECUTION : 4 paré ■ 5 effet, façon, grève ■ 6 arpège ■ 7 bâclage ■ 8 bobinier, bourreau, maestria, massacre, pratique, sanction ■ 9 diligence, glissando, hardiesse, moratoire, opération, outillage, promotion, suspensif, troussage ■ 10 exécutoire, expédition, observance, synergiste ■ 11 inexécution ■ 12 accélération, non-exécution ■ 13 mécanographie, programmation, testamentaire ■ 14 appareillement ■ 15 multitraitement.

EXEGESE : 4 note ■ 7 exégète, midrash ■ 8 anagogie ■ 10 modernisme ■ 11 explication ■ 13 herméneutique.

EXEMPLAIRE : 5 copie, saint ■ 7 édition, épreuve, parfait ■ 8 réplique ■ 9 bouillons, duplicata, polycopie ■ 11 exemplarité ■ 12 justificatif ■ 14 exemplairement.

EXEMPLE : 5 comme, règle ■ 6 modèle* ■ 7 sillage ■ 8 instar de, parangon ■ 9 paradigme, précédent ■ 10 proverbial ■ 11 apostolique, échantillon, édification, exemplifier, illustratif ■ 13 centre-exemple ■ 14 exemplairement ■ 15 exemplification.

EXEMPLIFIER : 10 exemplatif.

EXEMPT : 3 net, pur ■ 4 sain, sauf ■ 5 alleu, blanc, franc, libre ■ 6 intact, propre, serein, vierge ■ 8 dispensé, exempter, favorisé, objectif, virginal ■ 9 affranchi, aseptique, franc-fief ■ 10 privilégié ■ 11 indépendant.

EXEMPTER : 7 abriter, écarter, excuser, gracier, libérer ■ 8 absoudre, épargner, garantir ■ 9 acquitter, amnistier, décharger, dispenser, pardonner ■ 10 affranchir.

EXEMPTION : 4 abri ■ 5 repos ■ 6 faveur, remise ■ 8 amnistie, décharge, dispense, garantie, immunité ■ 9 franchise, privilège ■ 10 absolution, componende, libération, protection ■ 12 acquittement, indépendance.

EXERCE : 5 versé ■ 6 expert, habile ■ 8 cotuteur, exerçant, inexercé ■ 9 rétenteur, retrayant.

EXERCER : 5 faire, sévir, tenir, tirer ■ 6 régner, toréer ■ 7 cumuler, diriger, dominer, essayer, influer, occuper, remplir ■ 8 exerçant, exercice, presseur ■ 9 actinique, entraîner, interagir, marronner, ministère, praticien, pratiquer, professer, satiriser, subjuguer ■ 10 influencer, magnétiser, manœuvrer, travailler, tyranniser ■ 12 incompatible.

EXERCICE : 2 an ■ 5 arène, place, repos, salve, sport, stade, thème, xyste ■ 6 action, ascèse, détiré, dictée, marche ■ 7 arraché, grimper, parlote, voltige ■ 8 acrobate, fonction, gymnaste, gymnique, palestre, pancrace, pratique, vocalise ■ 9 acrobatie, bourgeon, dictature, manœuvre, mouvement, narration, virevolte ■ 10 abdominaux, autodictée, conférence, délégation, partimento, pentathlon ■ 11 gymnastique, sacramental ■ 12 dissertation, entraînement, médecine-ball.

EXERGUE : 11 inscription.

EXFILTRER : 12 exfiltration.

EXFOLIATION : 6 dartre ■ 7 gerçure, rhagade ■ 8 exfolier ■ 11 écaillement.

EXHALAISON : 5 odeur ■ 6 vapeur ■ 7 effluve, souffle ■ 8 puanteur ■ 10 méphitiser.

EXHALER : 4 puer ■ 5 fumer ■ 6 émaner, rendre, sentir, sortir ■ 7 dégager, expirer ■ 8 embaumer, répandre ■ 10 exhalaison, transpirer.

EXHAUSSER: **5** seuil ■ **6** élever ■ **7** hausser ■ **8** abaisser, colmater, remonter ■ **14** exhaustivement.
EXHAUSSIF: **12** exhaussivité.
EXHIBER: **7** exposer, montrer ■ **8** produire ■ **11** performance.
EXHORTER: **3** sus ■ **4** avis ■ **7** engager, exciter ■ **8** stimuler ■ **9** sermonner ■ **10** conseiller, encourager ■ **11** recommander.
EXHUMER: **8** déterrer ■ **10** exhumation.
EXIGE: **5** voulu.
EXIGEANT: **7** délicat ■ **9** difficile ■ **10** nitrophile ■ **11** intraitable, pointilleux.
EXIGENCE: **6** besoin ■ **7** volonté ■ **10** contrainte, prétention ■ **11** exigibilité.
EXIGER: **5** droit ■ **7** imposer, prendre, vouloir ■ **8** demander*, entendre, exaction, exigence, exigible, réclamer*, requérir, supposer ■ **9** prétendre, rançonner ■ **10** inexigible ■ **11** contraindre, obligatoire ■ **14** assujettissant.
EXIGU: **6** étroit* ■ **8** coqueron.
EXILER: **4** exil ■ **6** bannir* ■ **7** chasser* ■ **8** déporter, rappeler, reléguer ■ **9** proscrire.
EXISTE: **9** coéternel.
EXISTENCE: **3** vie* ■ **4** état, être ■ **5** athée, monde, néant, vivre, zoner ■ **6** dasein ■ **7** affaire, concret, matière, non-être, réalité* ■ **8** animisme, détecter, présence, thétique ■ **9** atomicité, indicatif ■ **10** conception, engendrer, hylozoïsme, idiopathie, paranormal, ressources ■ **11** coexistence, existentiel, exobiologie, inexistence, subsistance, temporalité ■ **12** non-existence, objectivisme, potentialité, préexistence, restauration, simultanéité ■ **13** essentialisme, polycentrisme, spiritualisme ■ **14** immatérialisme ■ **15** substantialisme.
EXISTENTIALISTE: **6** être-là.
EXISTER: **4** être*, voir ■ **5** dater, durer, vivre* ■ **6** debout, dormir, régner ■ **8** éclipser, effectif, existant, précéder ■ **9** coéternel, coexister, consister, existence, subsister, supprimer ■ **10** compatible, inexistant, préexister, rencontrer, sporadique ■ **11** disparaître, pancosmisme ■ **15** catégorématique.
EXIT: **6** sortie.
EXODE: **6** départ ■ **10** émigration.
EXOGAMIE: **7** exogame ■ **10** exogamique.
EXONERER: **6** décote ■ **11** exonération.
EXORBITANT: **8** excessif.
EXORCISER: **5** ordre ■ **7** adjurer ■ **8** conjurer ■ **9** exorcisme ■ **10** exorciseur ■ **12** exorcisation.
EXORDE: **8** discours ■ **9** préambule ■ **12** commencement, préliminaire.
EXOSTOSE: **5** forme.
EXOTHERMIQUE: **8** catergol ■ **15** désassimilation.
EXOTIQUE: **7** jussiée ■ **8** étranger, exotisme, jussieus ■ **9** aborigène.
EXPANSIF: **10** jubilation ■ **11** expansivité ■ **12** communicatif.
EXPANSION: **7** big bang ■ **8** coquille, planisme ■ **9** explosion ■ **10** expansible, malthusien, prospérité, pseudopode, sinisation ■ **11** irradiation, propagation ■ **12** impérialisme ■ **14** expansionnisme.
EXPATRIER: **6** bannir*, exiler ■ **7** chasser* ■ **12** expatriation.
EXPECTATIVE: **7** attente ■ **8** patience ■ **9** expectant ■ **11** expectation.
EXPECTORER: **7** cracher ■ **11** bronchorrée, expectorant ■ **13** expectoration.
EXPEDIENT: **5** moyen ■ **9** industrie, palliatif, ressource.

EXPEDIER : 7 envoyer ■ 9 accélérer, bourriche ■ 10 chargement, expéditeur, réexpédier ■ 12 transmetteur ■ 15 expéditionnaire.
EXPEDITIF : 6 prompt ■ 8 diligent, sommaire ■ 14 expéditivement.
EXPEDITION : 5 copie, envoi ■ 6 course, grosse, safari, voyage ■ 7 épreuve, méhalla ■ 8 campagne, croisade, pratique ■ 9 ratonnade ■ 11 observation ■ 12 réexpédition.
EXPERIENCE : 4 hier, raid, test, vécu ■ 5 école, essai, manip, mûrir ■ 6 acquis, cobaye, manipe ■ 7 épreuve, holisme, science ■ 8 blanc-bec, éprouver, habileté, pratique ■ 9 empirique, empirisme, impéritie, pavlovien ■ 10 éprouvette ■ 11 acquisition, a posteriori, expérimenté, observation ■ 12 connaissance, expérimental, expérimenter, inexpérience, vérification ■ 15 expérimentateur, expérimentation.
EXPERIMENTAL : 9 parabiose.
EXPERIMENTATION : 7 in vitro.
EXPERIMENTE : 4 fort ■ 5 ferré, rompu, versé ■ 6 adroit, expert, habile, nestor, savant ■ 7 capable, émérite ■ 8 consommé, virtuose ■ 9 chevronné, compétent ■ 13 inexpérimenté.
EXPERIMENTER : 5 subir ■ 6 goûter ■ 15 expérimentation.
EXPERT : 8 sapiteur ■ 9 chartiste ■ 11 expérimenté*.
EXPERTISE : 6 expert ■ 10 brain-trust, estimation, évaluation, expertiser ■ 15 contre-expertise.
EXPIATION : 8 pénalité, punition, sanction ■ 9 châtiment, pénitence ■ 10 piaculaire.
EXPIATOIRE : 10 piaculaire.
EXPIER : 5 payer, sévir ■ 7 inexpié, réparer ■ 8 expiable, infliger ■ 9 compenser, expiateur ■ 10 expiatoire, inexpiable, purgatoire ■ 13 satisfactoire.
EXPIRATION : 4 toux ■ 7 souffle ■ 9 chuintant ■ 10 expirateur, forclusion ■ 11 éternuement, expiratoire ■ 12 prescription.
EXPIRER : 5 finir, périr ■ 6 mourir* ■ 7 aspirer ■ 8 respirer, souffler ■ 10 expiration.
EXPLICATION : 3 car ■ 4 avis, soit ■ 5 glose ■ 6 exposé, notice, raison ■ 7 dispute, légende, préface, théorie ■ 9 c'est-à-dire, consulter, glossaire ■ 10 deux-points, paraphrase, traduction ■ 11 avant-propos, commentaire, description ■ 12 enseignement, introduction, oniromancie, prolégomènes ■ 13 avertissement, démonstration, justification ■ 14 interpellation, interprétation* ■ 15 éclaircissement.
EXPLICITE : 11 catégorique, expliciter ■ 13 explicitement ■ 14 compréhensible.
EXPLIQUER : 4 lire ■ 6 gloser ■ 7 décrire, définir, énoncer, exposer, montrer, motiver ■ 8 éclairer, élucider, ostensif, problème, raconter, traduire ■ 9 commenter, critiquer, démontrer, détailler, éclaircir, enseigner, illustrer, justifier, présenter ■ 10 déchiffrer, développer, explicable, explicatif, inexpliqué ■ 11 allégoriste, débrouiller, étiologique, exemplifier, expliciter, interpeller, interpréter, paraphraser, sentencieux ■ 12 impénétrable, inexplicable.
EXPLOIT : 5 geste ■ 6 action, record ■ 8 haut fait, prouesse ■ 9 exploiter, sommation ■ 11 performance.
EXPLOITABLE : 14 exploitabilité.
EXPLOITANT : 10 consortage.
EXPLOITATION : 5 borde, ferme, puits, rural, salin ■ 7 colonat, fortage, gérance ■ 8 borderie, dépilage, fonderie, foretage, hacienda, matériel ■ 9 rabattant ■ 10 concession, exploitant, hôtellerie, plantation ■ 11 absentéisme, charbonnage, monoculture, polyculture, saliculture, superviseur, surpâturage ■ 12 bio-industrie ■ 13 charlata-

nisme, établissement ■ 14 sweating-system ■ 15 prolétarisation.
EXPLOITER: 5 veine, voler ■ 6 maquer ■ 8 estamper, utiliser ■ 9 pressurer ■ 10 inexploité ■ 11 exploitable ■ 13 inexploitable, sous-exploiter ■ 15 gentleman-farmer.
EXPLORATION: 6 examen, voyage ■ 7 fouille, invasif, in vitro ■ 9 océanaute, otoscopie ■ 10 succession ■ 11 spéléologie ■ 12 narco-analyse ■ 13 bronchoscopie, laryngoscopie ■ 15 percuti-réaction.
EXPLORER: 5 tâter ■ 6 palper, sonder* ■ 8 chercher*, fouiller, percuter ■ 9 inexploré ■ 10 iconoscope ■ 11 explorateur, exploration, reconnaître ■ 12 inexplorable.
EXPLOSER: 5 bonde ■ 6 partir, sauter ■ 7 détonner ■ 8 explosif ■ 9 exploseur, explosion ■ 10 explosible ■ 12 inexplosible.
EXPLOSIBLE: 13 explosibilité.
EXPLOSIF: 4 obus ■ 5 fusée ■ 6 amorce, poudre, tolite ■ 7 ammonal, bellite, cordite, lyddite, plastic, sautage ■ 8 bickfort, cheddite, détonant, dynamite, hexogène, kamikase, mélinite, pentrite, pryoxyle, roburite, sécurité, torpille ■ 9 balistite, crésylite, déroctage, kilotonne, poudrerie, poudrière ■ 10 détonateur ■ 11 coton-poudre, nitrate-fuel, panclastite, pyrotechnie ■ 12 azothydrique, flegmatisant, nitrobenzène ■ 13 sensibilisant ■ 14 nitroglycérine ■ 15 trinitrotoluène.
EXPLOSION: 4 pouf, raté ■ 5 chien ■ 7 big bang, ouragan, tempête ■ 8 exploser, explosif, fulminer, hilarité, teuf-teuf ■ 9 entonnoir, vulcanien ■ 10 détonation ■ 11 retardement ■ 15 fusée-détonateur, subkilotonnique.
EXPORTE: 12 import-export.
EXPORTER: 7 envoyer ■ 10 exportable ■ 11 exportateur, exportation.
EXPOSANT: 11 exponentiel.
EXPOSE: 4 plan, topo ■ 5 sujet ■ 6 aperçu, notice ■ 7 briefer, mémoire ■ 8 relation, showroom, sommaire, synthèse ■ 9 narration ■ 10 mémorandum, plaidoirie, rapporteur ■ 11 commentaire, description.
EXPOSER: 5 fumer, rôtir ■ 6 braver, étaler, herber, narrer, saisir ■ 7 énoncer, éventer, insoler, montrer, motiver, recuire, risquer, soufrer, traiter ■ 8 annoncer, encourir, fumaison, hasarder, irradier, raconter, retracer ■ 9 aventurer, découvrir, ensoufrer, présenter ■ 10 développer ■ 11 sous-exposer ■ 12 compromettre.
EXPOSITION: 4 midi, pose ■ 5 évent, foire, salon, stand ■ 7 étalage, galerie ■ 8 roentgen ■ 10 insolation, irroration, vernissage ■ 11 irradiation ■ 12 sensitomètre ■ 13 développement, rétrospective, surexposition ■ 14 sous-exposition.
EXPRES: 8 délibéré, messager ■ 12 expressément.
EXPRESSIF: 3 hot ■ 5 atone ■ 7 parlant ■ 8 éloquent ■ 9 cantabile ■ 10 expressivo ■ 11 expressione ■ 12 significatif ■ 14 expressivement.
EXPRESSION: 3 air, art, mot, ton ■ 4 apax, mine, tour, vœu, voix ■ 5 blâme, dolce, front, guide, juron, style, terme, trait ■ 6 accent, amimie, litote, monôme, slogan, tenuto, vérité, visage ■ 7 adresse, formule, mimique, sine die ■ 8 contexte, dadaïsme, élégance, explétif, locution, mobilité, polynôme, quantité, rayonner, risorius, sentence, shocking, tournure ■ 9 allégorie, argotisme, audio-oral, caractère, correctif, émanation, expressif, grognerie, hardiesse, hyperbole, idiotisme, inégalité, intensité, raccourci, sex-appeal ■ 10 disjonctif, euphémisme, forte-piano, hellénisme, lemniscate, quaternion ■ 11 déterminant, gasconnisme, inexpressif, physionomie, proposition, rayonnement, trivialités ■ 13 factorisation, spécification ■ 15 expressionnisme.
EXPRIME: 5 écrit ■ 7 duratif ■ 12 contestateur.

EXPRIMER: 3 hem ■ 4 code, dire* ■ 5 forme, gémir, prier, rébus, sigle, tirer ■ 6 écrire, parler, tacite ■ 7 buriner, émettre, énoncer, maudire, presser, rédiger, tourner ■ 8 bien-dire, discuter, extraire, formuler, préciser, refléter, respirer, traduire ■ 9 accentuer, articuler, condenser, dubitatif, élocution, expliquer, expressif, indicible, inexprimé, numériser, pantomime, présenter, qualifier, souhaiter, spécifier ■ 10 abstractif, antiphrase, déblatérer, exégétique, exprimable, manifester, périphrase, phonétique, rencontrer, symboliser, tortillage ■ 11 entortiller ■ 12 extérioriser, inexprimable, interjection, interrogatif, revendicatif, significatif, sous-entendre ■ 14 holophrastique.

EXPROPRIATION: 9 exproprié.

EXPROPRIER: 10 socialiser ■ 13 expropriateur, expropriation.

EXPULSER: 6 bannir*, exiler ■ 7 chasser*, déloger, éjecter, essorer, expirer ■ 8 renvoyer, ténifuge ■ 9 expulsion, proscrire ■ 10 carminatif, reconduire ■ 11 graillonner.

EXPULSION: 4 exil ■ 5 fusée ■ 8 éviction ■ 9 xénélasie ■ 10 défécation ■ 12 bannissement, proscription.

EXQUIS: 5 suave ■ 7 délicat ■ 8 agréable ■ 9 exquisité.

EXSUDAT: 14 pseudomembrane.

EXSUDATION: 3 pus ■ 7 miellée ■ 8 miellure.

EXSUDER: 5 gomme, manne ■ 7 suinter ■ 9 adragante.

EXTASE: 4 yoga ■ 6 chanam ■ 7 bonheur, ivresse ■ 9 extatique, transport ■ 10 mysticisme ■ 11 ravissement.

EXTEMPORANEE: 15 extemporanément.

EXTENSION: 7 entorse, étendue ■ 8 extensif, pandémie, traction ■ 9 développé, équinisme ■ 10 distension, extensible, pédiplaine, prospecter ■ 11 empiètement, propagation ■ 12 phagédénisme, prolongement ■ 13 développement, extensibilité ■ 14 agrandissement.

EXTENSIONNEL: 15 extensionnalité.

EXTENUER: 6 lasser ■ 7 épuiser ■ 8 fatiguer ■ 9 exténuant.

EXTERIEUR: 4 aile, hors ■ 5 coude, deuil, forme, fruit, havir, lèvre, limbe, nœud, rober, signe, tenue, zeste ■ 6 aspect, casing, dehors* ■ 7 exogène, habitus ■ 8 au-dehors, calicule, émergent, exosmose, extrados, extrorse, physique, tenaille, survirer ■ 9 apparence, cérémonie, devanture, enveloppe, éventaire, persienne, prestance, rhytidome, soufflage, sous-virer ■ 10 altéragène, arc-boutant, contrevent, extramuros, extraverti, extroverti, hétéronome, périphérie, procidence, sous-vireur, thermicité ■ 11 extériorité, impartition ■ 12 extérioriser, extéroceptif, extraversion ■ 13 configuration, extracorporel, métamorphoser ■ 14 extérieurement, extraterrestre.

EXTERIORISER: 8 exprimer ■ 15 extériorisation.

EXTERMINATION: 5 pâque ■ 7 pogrome.

EXTERMINER: 4 tuer ■ 8 anéantir, détruire, éteindre ■ 9 dératiser, supprimer ■ 13 exterminateur.

EXTERNE: 5 hélix, tibia, vulve ■ 7 médecin ■ 8 auricule, dure-mère, épiderme, externat, tactisme ■ 9 ectoderme, extérieur, péricycle ■ 11 extrinsèque, vésicatoire ■ 12 déterminisme, ectoparasite.

EXTINCTION: 3 fin ■ 6 rachat ■ 7 aphonie, fiducie ■ 9 confusion ■ 10 antichrèse ■ 12 compensation ■ 13 amortissement.

EXTIRPER: 4 ôter* ■ 8 arracher*, énucléer, tire-nerf ■ 9 déraciner ■ 10 extirpable ■ 11 éradication, extirpation ■ 12 inextirpable.

EXTORQUER: 5 tirer, voler ■ 6 racket ■ 8 chantage ■ 9 extorsion, rançonner ■ 10 concussion.

EXTRACTION: 2 ab, de, ec, ef, es, ex ■ 3 abs ■ 4 sang ■ 5 benne, fonte ■ 7 origine, sablier ■ 8 dragline, évulsion, tire-clou ■ 9 calcarone, carottage, extractif, naissance ■ 10 enfleurage, extracteur, généalogie, multicâble, sidérurgie ■ 11 arrachement, débenzolage, énucléation, lixiviation, métallurgie, sous-produit ■ 12 dégazolinage ■ 13 déparaffinage, minérallurgie.

EXTRADOS: 4 rein ■ 7 spoiler ■ 8 intrados.

EXTRAIRE: 4 ôter* ■ 5 tirer*, vider ■ 6 puiser, sauner, traire ■ 7 enlever, épuiser, exhumer, prendre, résiner, retirer*, tourber ■ 8 arracher*, carrière, colliger, compiler, déballer, dégainer, démouler, dénicher, dépocher, déterrer, diffuser, exprimer, extirper, extrader, oléifère, pressoir, soutirer ■ 9 débarquer, décaisser, décharger, déplanter, déraciner, digesteur, distiller, extorquer, industrie, pressurer, soufrière, tire-balle ■ 10 césarienne, débenzoler, extracteur, extraction, orpailleur ■ 11 extractible ■ 12 presse-citron, presse-fruits, presse-viande.

EXTRAIT: 3 suc ■ 5 pavot, sérum, sucre ■ 6 abrégé ■ 7 ammonal, coupure, essence, explant, sénevol ■ 8 créosote, fragment*, salicine, thridace ■ 9 benzoïque, cratægus, matricule, méthylène, potassium, santaline, tartrique, ytterbium ■ 10 caprylique, salicoside ■ 11 compilation, extractible, lactucarium, pilocarpine, scopolamine ■ 12 cantharidine, justificatif, pelletiérine.

EXTRAORDINAIRE: 3 bon ■ 4 rare*, seul ■ 5 extra, héros, inouï, terne ■ 6 anomal, épique, unique ■ 7 ablégat, anormal, bizarre, curieux, éminent, épatant, étrange, extrême, foutral, inusité, magique, notable, nouveau, prodige, sublime, superbe ■ 8 charisme, colossal, étonnant*, excessif, fabuleux, féerique, insolite, saillant, terrible ■ 9 admirable, différent, effrayant, excellent, fantasque, fascinant, grandiose, important, mirifique, paradoxal, pyramidal, singulier, supérieur, surhumain ■ 10 faramineux, formidable, incroyable, miraculeux, mirobolant, monstrueux, phénoménal, prodigieux*, scandaleux, stupéfiant, surnaturel, surprenant ■ 11 ébouriffant, excentrique, extravagant, hallucinant, inénarrable, merveilleux, prestigieux, remarquable ■ 12 étourdissant, exceptionnel, inconcevable, inimaginable ■ 13 abracadabrant, époustouflant ■ 14 invraisemblable ■ 15 phénoménalement.

EXTRAPOLATION: 10 extrapoler.

EXTRAVAGANCE: 5 folie, lubie, manie ■ 7 caprice, équipée, frasque, marotte, rêverie, toquade ■ 8 débauche, énormité, escapade, fredaine ■ 9 égarement, incartade, monomanie.

EXTRAVAGANT: 5 tordu ■ 6 braque, dément, énorme, unique ■ 7 absurde, bizarre, farfelu, insensé ■ 8 biscornu, délirant, écervelé ■ 9 foutraque, grotesque ■ 10 impossible ■ 11 fantastique, visionnaire ■ 12 extravagance ■ 13 carnavalesque, rocambolesque.

EXTREME: 4 bout, fort ■ 5 abîme, archi, épave, manie, moyen, perse, scion, ultra ■ 6 absolu, apogée, étisie, infini, sommet, summum ■ 7 complet, dernier, furieux, intense, maximum, profond, radical, sommité, suprême, tranché, violent* ■ 8 aversion, cachexie, excessif, extrémal, gaillard, hectisie, poulaine, stylisme, terminus, voracité ■ 9 adoration, désespéré, extrémité, ignominie, léthargie, paroxysme, souverain ■ 10 désordonné, émaciation, extrémiste, importance, jouissance, perfection, pouillerie, superlatif ■ 11 exténuation, extrêmement, fichtrement, harassement, hyperboréen, juste-milieu, puissamment ■ 12 catastropher, déchaînement, ébahissement, magnétopause, pointillisme, surdéveloppé ■ 13 effervescence, précipitation ■ 15 jusqu'au-boutisme.

EXTREMEMENT : 5 vanné ■ 9 sacrément ■ 10 gravissime, ultraléger ■ 13 ultrasensible.
EXTREME-ORIENTAL : 3 sen ■ 4 gong ■ 5 ramie ■ 8 aleurite, carassin, oriental ■ 9 asiatique*, hortensia, paulownia ■ 10 bancoulier ■ 12 pousse-pousse.
EXTREMISME : 10 extrémiste ■ 11 jacobinisme.
EXTREMITE : 3 bec, fin* ■ 4 aile, bord, bout, buse, mort, pied, pôle, tête ■ 5 abois, about, chute, corde, cosse, fusée, gland, gouge, jable, lance, moyen, mufle, penne, queue, sabot, sinus, talon, veine ■ 6 abside, agonie, airure, chevet, éponge, flèche, limite, musoir, scolex, têteau, trayon ■ 7 aileron, ajutage, confins, externe, poigner, pommeau, sommité ■ 8 aiguille, capuchon, croupion, engraver, épiphyse, pavillon, surliure, terminal, violence ■ 9 acrodynie, biacuminé, décapiter, électrode, oviscapte, patte-d'oie, ressource ■ 10 épicondyle, épiphysite, réceptacle, semi-ouvert, sous-tendre ■ 11 acrocyanose, tranche-file ■ 12 contre-pointe, débouquement.
EXTRINSEQUE : 7 externe ■ 15 extrinsèquement.
EXTRUSION : 8 extruder, extrusif ■ 10 cumulo-dôme, extrudeuse.
EXUBERANCE : 5 manie ■ 9 abondance ■ 12 communicatif.
EXULCERATION : 9 exulcérer ■ 10 ulcération.
EXUTOIRE : 5 séton ■ 10 émonctoire, ulcération.

FABLE : **5** conte*, mythe ■ **6** isopet, morale ■ **7** fabliau, fablier, légende ■ **8** apologue, fabuleux, mensonge, parabole ■ **9** allégorie, fabuliste ■ **10** fabulation ■ **12** affabulation.

FABRICANT : **6** gallup ■ **7** facteur, luthier, soudier, toilier ■ **8** armurier, cloutier, fromager, heaumier, levurier, lunetier, opticien, papetier, rubanier, sabotier, storiste ■ **9** aciériste, archetier, bonnetier, céramiste, chausseur, coutelier, dinandier, épinglier, faïencier, lessivier, lunettier, savonnier, semoulier, tabletier, tapissier, tisserand, vergetier ■ **10** ballonnier, boutonnier, briquetier, carrossier, cartonnier, cuisiniste, grillageur, lanternier, mellifique, moutardier, robinetier, stéarinier, vernisseur, vinaigrier ■ **11** allumettier, bimbelotier, bouchonnier, chocolatier, dentellière, fabricateur, ferblantier, médailliste, vermicelier ■ **12** chaudronnier, distillateur, porcelainier, quincaillier ■ **13** équipementier, éventailliste, faux-monnayeur, manufacturier.

FABRICATION : **7** copiage, saunage ■ **8** fagotage, glacerie, grenadin, matériau, présérie, sabotage, vergeure, xylidine ■ **9** acchroïde, céramique, clouterie, fabricant, finissure, fruitière, grosserie, industrie*, monnayage, pralinage, roulaison, saunaison, soufflage ■ **10** affleurage, archèterie, cartonnage, confection, métallerie, moulurière, recoupette, semoulerie ■ **11** décolletage, exclusivité, pourrissage, préparation, salpêtrière, viniculture ■ **12** bouteillerie, nidification, superalliage ■ **13** dénucléariser, méthacrylique, saccharomyces ■ **14** microtechnique, préfabrication.

FABRIQUE : **5** usine* ■ **6** église, made in ■ **7** arsenal, soierie ■ **8** alunière, câblerie, cidrerie, giletier, glacerie, grainerie, huilerie, imagerie, monoxyle, sucrerie, toilerie, tuilerie, virolier, vitrerie ■ **9** beurrerie, brasserie, brosserie, caisserie, clouterie, fabricant, fabricien, féculerie, industrie*, lustrerie, papeterie, poudrerie, saboterie, siroperie, tamiserie ■ **10** aiguilleté, bijouterie, chemiserie, cimenterie, faïencerie, ficellerie, glucoserie, horlogerie, savonnerie, serrurerie ■ **11** biscuiterie, boulangerie, boulonnerie, briqueterie, cartonnerie, conserverie, cordonnerie, dentellerie, dynamiterie, ébénisterie, ferronnerie, gobeleterie, manufacture, parqueterie, stéarinerie, vinaigrerie ■ **12** cartoucherie, chocolaterie, confiturerie, cristallerie, margarinerie, robinetterie ■ **13** pavillonnerie, vermicellerie ■ **14** manufacturable.

FABRIQUER : **5** créer, faire ■ **6** usiner ■ **8** couchoir, damasser, fabrique, façonner, fondeuse, glacière, inventer, préparer, produire ■ **9** fabricant, stéarique ■ 10 bétonnière, construire ■ 11 fabricateur, fabrication, préfabriqué ■ 12 manufacturer ■ 13 confectionner.

FABULATION: 5 trame ■ 13 confabulation.

FABULEUX: 5 mythe ■ 6 kraken, sirène, sphinx ■ 7 basilic, chimère, griffon, licorne, vouivre ■ 8 centaure ■ 9 admirable*, andriague, endriague, homérique, prête-jean ■ 10 imaginaire, mythologie, orichalque, romanesque, prêtre-jean ■ 11 hippogriffe ■ 13 fabuleusement, gigantomachie ■ 14 extraordinaire*.

FAÇADE: 4 face ■ 5 galbe ■ 6 parvis, perron, porche ■ 7 portail ■ 8 bretèche, bretesse, enseigne, prostyle, tavillon ■ 9 apparence*, avant-toit, bow-window, élévation, mur-rideau, péristyle ■ 10 avant-corps ■ 11 brise-soleil, enfoncement, frontispice ■ 12 architecture*.

FACE: 2 as ■ 3 lit, pan ■ 4 côté ■ 5 avant, avers, carré, front ■ 6 aspect, façade, facial, figure*, litham, litsam, visage* ■ 7 quincke, soffite, trièdre, vis-à-vis ■ 8 hexaèdre, mâchoire, mornifle, octaèdre, plancher, vultueux ■ 9 affronter, biconcave, biconvexe, bilatéral, dépouille, érésipèle, érysipèle, heptaèdre, icosaèdre, pentaèdre, rencontre, tétraèdre, trifacial, triquètre ■ 10 dodécaèdre ■ 11 déconfiture, frontispice, plan-concave, plan-convexe ■ 12 orthographie, palissadique, prognathisme ■ 13 contreplacage, insolvabilité, noli-me-tangere, rhinencéphale ■ 14 contre-parement.

FACETIE: 5 farce* ■ 9 clownerie, facétieux ■ 12 bouffonnerie, plaisanterie ■ 14 facétieusement.

FACETTE: 4 rose ■ 8 facetter ■ 10 isoédrique, lamellaire, tête-de-clou, troncature.

FACHE: 4 vexé ■ 5 marri ■ 6 colère, excité, irrité, ulcéré ■ 7 froissé, indigné, offensé ■ 9 contrarié, repentant ■ 12 chatouilleux.

FACHER: 5 vexer ■ 6 agacer, aigrir, bouder, briser, pester, piquer, rompre ■ 7 bisquer, blesser, choquer, dépiter, ennuyer, heurter, irriter*, ulcérer ■ 8 affecter, brusquer, déplaire, froisser, humilier, indigner, maronner, meurtrir, molester, offenser ■ 9 attrister, brouiller, chagriner, envenimer, mortifier, offusquer, provoquer ■ 10 contrarier*, courroucer, désobliger, indisposer ■ 11 effaroucher, mécontenter*.

FACHERIE: 5 haine, pique ■ 6 piqûre ■ 7 aigreur, boutade, dispute*, offense, ombrage, rancune, rupture ■ 8 bouderie, courroux, défaveur, désunion, disgrâce, froideur, inimitié, querelle, vexation ■ 9 agacement, désaccord, discrédit ■ 10 excitation, irritation ■ 11 bisbrouille, froissement, humiliation, indignation ■ 12 ressentiment ■ 13 désobligeance, mortification ■ 14 mécontentement ■ 15 refroidissement.

FACHEUX: 3 pis, sot, tic ■ 5 à-coup, tuile ■ 6 gêneur, râlant ■ 7 malheur ■ 8 importun, pléthore, scandale ■ 9 esclandre, indiscret ■ 10 déplaisant ■ 11 contretemps, désagréable*, disgracieux, mésaventure, regrettable ■ 12 fâcheusement.

FACIES: 6 figure*, visage* ■ 7 atérien, capsien ■ 8 chasséen, urgonien ■ 10 clactonien, gravettien ■ 11 badegoulien, périgordien ■ 12 levalloisien, sauveterrien, tardenoisien ■ 15 châtelperrogien.

FACILE: 3 uni ■ 4 aisé*, grue ■ 5 clair, léger, pante, usuel ■ 6 docile, fluide, lucide, poncif, simple, souple ■ 7 affable, commode*, coulant, courant, digeste, lorettte, naturel, planque ■ 8 digestif, emprunté, enfantin, facilité, familier, habituel, maniable, possible, sociable, sonatine ■ 9 abordable, arrow-root, difficile, dolce vita, faciliter, ombrageux, ordinaire, routinier ■ 10 conciliant, facilement, facultatif, musiquette, praticable ■ 11 accommodant, accueillant, complaisant, élémentaire ■ 12 intelligible, manœuvrable ■ 14 compréhensible, reconnaissable ■ 15 impressionnable.

FACILIATION: **7** frayage.
FACILITE: **3** jeu ■ **5** bagou, marge ■ **6** clarté ■ **7** agilité, aisance, faconde, routine ■ **8** fluidité, habitude, lucidité, mobilité ■ **9** commodité, crédulité, fragilité, incommode ■ **10** facilement, indulgence, simplicité, train-train, volubilité ■ **11** circulation, inconstance, promptitude ■ **13** accessibilité.
FACILITER: **7** démêler, draîner, vêleuse ■ **8** élucider ■ **9** coagulant, expliquer, lipotrope, lubrifier ■ **10** déchiffrer, simplifier, suppuratif ■ **11** débrouiller, expectorant ■ **12** mâche-bouchon ■ **15** standardisation.
FAÇON: **3** air, art, ton ■ **5** ainsi, biais, comme, guise, sorte ■ **6** chichi, corroi, flafla, matage ■ **7** formule, lainage, manière*, méthode, station, tordage, travail, trempée, tuilage ■ **8** belcanto, scansion, tailleur ■ **9** affaîtage, boudinage, cérémonie, ébauchage, ébaucheur, façonnage, façonnier, fouillage, gestuelle, grimacier, laconisme ■ **10** dry-farming, financière, franquette, germanisme, helvétisme, tortillage ■ **11** affaîtement, affectation, agissements, appellation, main-d'œuvre, minauderies, retroussage.
FACONDE: **3** bec ■ **9** éloquence.
FAÇONNE: **11** polygénique.
FAÇONNEMENT: **9** façonnage.
FAÇONNER: **4** brut ■ **5** faire ■ **6** former*, pétrir ■ **7** ajuster, tourner ■ **8** gabarier, peignier, tournage ■ **9** façonnage ■ **10** contourner, filigraner, pâtissoire, refaçonner, travailler* ■ **11** façonnement ■ **12** européaniser, tarabiscoter.
FAÇONNIER: **10** formaliste.
FAC-SIMILE: **5** copie ■ **7** reprint ■ **12** reproduction.
FACTEUR: **4** képi ■ **7** porteur ■ **8** organier, tactisme ■ **11** coefficient, information, sociogenèse ■ **12** distribution ■ **13** cocarcinogène.
FACTICE: **4** faux* ■ **7** emprunt ■ **8** postiche ■ **10** artificiel ■ **11** facticement.
FACTION: **4** clan, guet ■ **5** garde, ligue, parti* ■ **7** complot, vedette ■ **8** factieux, sédition ■ **9** tentative ■ **10** sentinelle ■ **11** affiliation, association, conjuration ■ **12** conspiration, factionnaire ■ **15** révolutionnaire.
FACTITIF: **8** causatif.
FACTORERIE: **8** comptoir.
FACTUM: **6** satire ■ **8** relation.
FACTURE: **4** noter ■ **6** compte ■ **8** facturer, manifold, pro forma ■ **9** facturier ■ **11** facturation ■ **13** versification.
FACULTATIF: **5** libre ■ **15** facultativement.
FACULTE: **3** vue ■ **4** sain, sens ■ **5** doyen, droit ■ **6** moyens, option, raison ■ **7** arbitre, énergie, médecin, mémoire, pouvoir*, qualité, volonté ■ **8** activité, capacité, étudiant, hébétude, jugement, motilité, sensitif, souvenir, ubiquité ■ **9** cognition, éducation, eidétisme, eurythmie, éveilleur, fantaisie, intuition, opération, polysémie, puissance*, verticité ■ **10** appariteur, conception, divination, expression, préemption, préhensible, prévoyance, rétractile, université ■ **11** comprenette, disposition, entendement, germinateur, imagination, imaginative, inspiration, sensibilité ■ **12** autorisation, connaissance, discernement, excitabilité, intelligence, productivité, radiesthésie, raisonnement ■ **13** apparentement, compréhension, contractilité, psychasthénie ■ **14** conductibilité, discrimination ■ **15** discrétionnaire.
FADAISE: **6** bêtise, fadeur ■ **8** sornette* ■ **9** niaiserie, platitude ■ **10** berquinade.
FADE: **4** plat ■ **5** niais, terne ■ **6** délavé, fadeur ■ **7** affadir, fadaise,

fadasse ■ **8** bellâtre, fadement, insipide ■ **9** aigre-doux, blondasse, douceâtre, écœurant ■ **12** insignifiant ■ **13** affadissement.

FAGACEE: **5** chêne, hêtre, yeuse ■ **6** fagale, rouvre, tauzin, vélani ■ **10** chêne-liège, cupulifère, quercitron ■ **11** châtaignier ■ **13** cupuliféracée.

FAGNE: **7** fagnard.

FAGOT: **4** hart ■ **5** botte, gerbe ■ **6** brande, cotret, paquet, traîne ■ **7** bourrée, fagotin, fascine, javelle, rouette ■ **8** fagotage, fagotier, faisceau, falourde, margotin ■ **9** branchage, fauchette.

FAIBLE: **3** bon, mou, tas, vil ■ **4** fort, menu, pâle ■ **5** arsis, atone, basse, bénin, caduc, cassé, fluet, frêle, grave, grêle, léger, lueur, mince, petit, piano, terne, veule ■ **6** abattu, anémie, blèche, chétif*, débile, étiolé, étique, inerte, maigre, malade, pliant ■ **7** avorton, aztèque, bonasse, cassant, délicat, douteux, fragile*, friable, indécis, modique ■ **8** affaibli, anémique, atrophié, bonhomme, branlant, cholémie, craintif, croulant, demi-jour, difforme, efféminé, engourdi, faiblard, flexible, malingre, médiocre, patraque, plateure, précaire, rabougri ■ **9** affaiblir, cacochyme, découragé, déficient, efféminer, énergique, formicant, freluquet, gringalet, incapable, inférieur, mauviette, trembleur, vacillant ■ **10** adynamique, asthénique, attaquable, chancelant, débonnaire, faiblement, femmelette, impuissant, inoffensif, insensible, pianissimo, rachitique ■ **11** lymphatique, microséisme, radiobalise, souffreteux, sous-médical ■ **12** inconsistant ■ **13** sous-développé, valétudinaire ■ **14** infraliminaire.

FAIBLESSE: **5** faute ■ **6** anémie, atonie, misère ■ **7** asténie, crainte, inertie ■ **8** asthénie, bassesse, débilité, langueur*, mollesse, penchant ■ **9** flageoler, fragilité, gracilité, inanition, platitude ■ **10** abattement, indécision ■ **11** consomption, délicatesse, impuissance, relâchement ■ **12** débonnaireté ■ **13** découragement ■ **14** évanouissement ■ **15** engourdissement.

FAIBLIR: **5** céder*, plier ■ **7** dérober, fléchir ■ **8** soutenir ■ **9** débiliter ■ **10** impeccable.

FAIBLIT: **11** faiblissant.

FAÏENCE: **5** bocal ■ **7** azulejo, harasse ■ **8** couverte, ramequin ■ **9** faïencier, maïolique, majolique ■ **10** faïencerie, porcelaine* ■ **11** cailloutage.

FAILLE: **5** fente, lèvre, rejet ■ **8** salbande.

FAILLIR: **6** pécher ■ **7** manquer, tromper ■ **8** achopper.

FAILLITE: **5** krach, ruine* ■ **6** failli ■ **7** débâcle, déficit ■ **8** sinistre ■ **9** découvert ■ **11** banqueroute, déconfiture, liquidation ■ **12** excusabilité ■ **13** concordataire, insolvabilité.

FAIM: **4** repu ■ **5** désir ■ **7** appétit ■ **8** boulimie, fringale, malefaim, nicotine ■ **9** faim-valle, famélique ■ **10** polyphagie ■ **11** amphétamine ■ **12** gloutonnerie.

FAINEANT: **5** cagne, oisif* ■ **7** rossard ■ **8** faignant, feignant, glandeur ■ **9** paresseux* ■ **10** fainéanter ■ **11** fainéantise.

FAIRE: **4** agir* ■ **5** airer, caver, créer, finir, péter, taler ■ **6** causer, draver, ériger, fonder, former, fuguer, gatter, jabler, jogger, opérer, pauser, sinuer, tacler, vaquer ■ **7** achever, dresser, édifier, épeurer, établir, exercer, faiseur, gaminer, luncher, manager, mégoter, mésuser, raucher, refaire, remplir, tapager, tapiner ■ **8** affecter, analyser, assiéger, balafrer, bricoler, cantiner, caresser, carroyer, cheminer, colliger, composer, coqueter, créneler, cuisiner, déclarer, demander, denteler, dépenser, efforcer, élaborer, encocher, endiguer, enfanter, enquêter, enrocher, évertuer, exécuter*, expédier, façonner, forfaire, gambader, grimacer, hâchurer, imploser, inventer, laïusser, machiner, malfaire, mélanger, menuisier, meurtrir, musiquer, notifier, offenser, pactiser, parfaire, parodier, parvenir, pâtisser, poiroter, procréer, produire, promesse, radouber, réaliser, rebondir, recenser, récolter, rééditer, répondre, repriser, reséquer, ricocher, surfiler, tempêter, traduire, trépaner ■ **9** accomplir*, acquitter, amalgamer, apprécier, ausculter, autopsier, bambocher, banqueter, bienfaire, bienséant, cabotiner, cabrioler, caracoler, chatonner, cliqueter, commencer, commenter, commercer, commettre, courtiser, crevasser, débourser, débusquer, déchaîner, dédicacer, dénombrer, disserter, dupliquer, effectuer, emménager, encabaner, engendrer, entailler, esquisser, fabriquer, forlancer, godronner, grossoyer, guerroyer, inaugurer, instaurer, instiguer, légiférer, naufrager, pratiquer, prolonger, propulser, putréfier, quereller, raisonner, rapporter, réassurer, rééduquer, registrer, ressauter, rimailler, ripailler, ronronner, scarifier, sermonner, surpiquer, sursauter, taillader, tictaquer, toiletter, vendanger, versifier, violenter, vocaliser, zigzaguer ■ **10** admonester, anatomiser, bouffonner, cavalcader, chansonner, constituer, construire, désadapter, diligenter, engraisser, expertiser, fainéanter, gesticuler, improviser, infaisable, introduire, manifester, mentionner, mixtionner, moissonner, multiplier, parachever, pirouetter, plaisanter, pointiller, polémiquer, régurgiter, ristourner, satisfaire, transcrire, travailler ■ **11** contrepeser, contretirer, désarçonner, effaroucher, émulsionner, encliqueter, fanfaronner, frictionner, froufrouter, inventorier, paraphraser, parlementer, plastronner, polissonner, répertorier, réprimander, surenchérir, transmettre ■ **12** ascensionner, cauchemarder, complimenter, concurrencer, entreprendre, excursionner, gueuletonner, instrumenter, manufacturer, portraiturer, restructurer, réveillonner, sélectionner ■ **13** comptabiliser, confectionner, conscientiser, contorsionner, soumissionner ■ **14** contre-attaquer ■ **15** perquisitionner.

FAIRWAY: 5 rough.

FAISABLE: 11 faisabilité.

FAISAN: 3 coq ■ **5** argus ■ **6** juchée ■ **7** faisane ■ **8** avocette, faisandé ■ **9** criailler, faisander, pouillard ■ **10** faisandeau, faisandier ■ **11** faisanderie.

FAISANDER: 7 pourrir ■ **10** faisandage.

FAISCEAU: 3 tas ■ **4** amas, pile, spot ■ **5** balai, bauge, botte, bysse, câble, fagot, gerbe, glane, maque, meule, moche ■ **6** byssus, feston, foudre, gerbée, gloire, grappe, pelote, torque, touffe, toupet ■ **7** agrégat, botteau, bouquet, chignon, fascine, javelle, moyette, pinceau, quillon, raphide, trochée, trochet, trophée ■ **8** aigrette, charnier, duc-d'albe, écheveau, gerbière, manipule, moissine, ramassis, risorius ■ **9** coalition, déflexion, écossette, fascicule, gerbillon, trousseau, veillotte ■ **10** agglomérat, broqueline, cathodique, dispersion, époussette, microsonde, projecteur, quenouille ■ **11** luminophore, neutronique ■ **13** neutrographie, queue-de-cheval ■ **15** neutronographie.

FAISEUR: 6 escroc ■ **8** turlupin ■ **9** intrigant.

FAIT: 3 cas, gag ■ **4** acte, vécu ■ **6** action ■ **7** adstrat, déprise, épisode, exemple, exploit, foirade, miracle, voilage ■ **8** anamnèse, datation, faisable, itératif, modalité, nouvelle, ras-le-bol, recalage ■ **9** bronzette, conscient, coucherie, événement*, existence, impressif, ipso facto, juridique, matériaux, phénomène, polygynie, préalable, précédent, survirage, théâtreux ■ **10** actualités, antécédent, boulochage, calaminage, caviardage, codonateur, dénotation, historique, non-respect, quasi-délit, québécisme, reparution, wallonisme ■ **11** bredouillis, déroulement, directivité, estompement, éventualité, information, pragmatique, prophétisme, pullulation, sociogenèse ■ 12 antéposition, boursicotage, circonstance, clientélisme, constatation, craquèlement, démutisation, désinsertion, grisonnement, possessivité, rassissement ■ 13 avant-gardisme, grabatisation, politicologie, profitabilité, ressourcement, vedettisation ■ 14 autoaccusation, blanchissement, désendettement, endormissement, mondialisation, non-comparution, questionnement ■ 15 culpabilisation, marginalisation, non-dénonciation.

FAITE : 4 haut ■ 5 crête ■ 6 comble, sommet* ■ 7 faîtage, faîteau ■ 8 enfaîter, faîtière ■ 9 enfaîteau, renfaîter ■ 11 enfaîtement.

FAITIERE : 9 enfaîteau.

FAKIR : 9 fakirisme.

FALAISE : 6 rocher ■ 8 aiguille, valleuse.

FALCONIDE : 4 buse, cire ■ 5 aigle, balai, milan, moine, niais, sacre, serre, urubu ■ 6 aiglon, busard, condor, harpie, lanier ■ 7 bondrée, faucon, gerfaut, griffon, orfraie, pèlerin, vautour ■ 8 hobereau, pygargue ■ 9 balbuzard, émerillon ■ 10 crécerelle, fauconneau ■ 11 percnoptère.

FALCONIFORME : 9 falconidé*.

FALLACIEUX : 8 trompeur* ■ 15 fallacieusement.

FALOT : 7 comique ■ 8 lanterne ■ 12 insignifiant.

FALSIFIABILITE : 11 falsifiable.

FALSIFICATION : 7 alliage ■ 8 pastiche, postiche ■ 9 frelatage, imitation ■ 10 altération, corruption, démarquage ■ 11 contrefaçon ■ 12 adultération ■ 14 sophistication.

FALSIFIE : 11 falsifiable.

FALSIFIER : 6 gourer, imiter ■ 7 altérer, changer, fausser, flatter, truquer ■ 8 bidonner, frelater, tromper ■ 9 adultérer, corrompre, démarquer, maquiller, pasticher ■ 11 contrefaire ■ 12 sophistiquer ■ 13 falsification, infalsifiable.

FALUN : 9 falunière.

FAMELIQUE : 7 crevard.

FAMEUX : 4 fier ■ 6 réputé* ■ 8 illustre ■ 9 supérieur ■ 11 fameusement.

FAMILIAL : 10 patriarcat.

FAMILIALE : 13 mucoviscidose.

FAMILIARISER : 11 accoutumer, apprivoiser ■ 15 familiarisation.

FAMILIARITE : 6 amitié ■ 8 intimité, privauté ■ 10 affabilité, fraternité ■ 11 camaraderie ■ 12 connaissance ■ 13 déréalisation.

FAMILIER : 2 té ■ 4 auto ■ 5 bécot, bicot, bigre, bique, franc, liant, lutin, privé ■ 6 copain, intime, simple ■ 7 affable, dînette, habitué ■ 8 camarade, causerie, maniable, oaristys, sacristi, sapristi ■ 9 abordable, compagnon, converser, fraternel, sacrebleu, sacredieu, traitable ■ 10 accessible, accostable, palsambleu, ventrebleu ■ 12 familiariser ■ 13 familièrement ■ 14 saperlipopette ■ 15 ventre-saint-gris.

FAMILLE[1] : 3 feu, lié ■ 4 chez, clan, gens, race, type ■ 5 foyer, khoin, ordre*, ovidé, smala, tribu ■ 6 apidés, aymara, cébidé, couvée, gramen, labiée, maison, ménage, muridé, nichée, smalah ■ 7 agamidé, agrumes, aracées, bercail, branche, cactées, fagales, gadidés, khoisan, paridés, pinacée, pongidé, radiées, rapaces, ratites, simples, sparidé,

1. Les diverses familles des règnes végétaux et animaux s'utilisent le plus souvent au pluriel. C'est la raison qui nous fait opter ici pour le pluriel dans le classement par nombre de lettres.

tinéidé ■ **8** acariens, agnathes, anatidés, buxacées, carabidé, cervidés, corvidés, diptères, dynastie, étranger, fagacées, familial, fucacées, ganoïdes, linacées, lycénidé, méliacée, mimosées, moracées, murénidé, musacées, muscidés, noctuidé, odonates, oléacées, palmacée, palmiers, plocéidé, rallidés, rosacées, rutacées, sauriens, sciénidé, scincidé, siluridé, sturnidé, sylviide, syrphidé, taxacées, turdidés, ulmacées, vespidés ■ **9** acalèphes, acéracées, acridiens, aculéates, annélides, anonacées, aphidiens, aranéides, asmonéens, cactacées, camélides, carinates, charançon, clupéidés, colubridé, composées, conifères, coréopsis, cornacées, cténaires, cynipidés, diatomées, dipsacées, ébénacées, éricacées, floridées, grimpeurs, hédéracée, ilicacées, iridacées, joncacées, labiacées, lauracées, lemnacées, léporidés, liliacées, maisonnée, malvacées, marmaille, mucoracée, muscinées, myrtacées, népotisme, personées, phasemidé, rubiacées, scincoïde, scindidés, sciuridés, sélaciens, serranidé, solipèdes, sphingidé, strigidés, tiliacées, trogonidé, typhacées, vipéridés, wombatidé ■ **10** abiétinées, alismacées, amentacées, annonacées, arachnides, aroïdacées, bétulacées, ciconiidés, conjuguées, cypéracées, cyprinidés, delphinidé, dipneustes, domestique, échassiers, égyptienne, élatéridés, eupatrides, falconidés, filicinées, fourragère, gallinacée, généalogie, hémiptères, madrépores, mucoracées, mustélidés, nymphalidé, onagracées, palmipèdes, passereaux, patriarche, pipéracées, rhamnacées, rhynchotes, salicacées, salmonidés, sapotacées, scombridés, solanacées, urticacées, viverridés ■ **11** acanthacées, agaricacées, alcméonides, alcyonaires, anguilidés, apocynacées, aptérygotes, archiptères, asclépiades, aurantiacée, bignoniacée, célastracée, césalpinées, coléoptères, composacées, cryptogames, cupressacée, cupulifères, cténophores, dipsacacées, familistère, fumariacées, géométridés, géraniacées, graminacées, longicornes, névroptères, nymphéacées, orchidacées, orthoptères, phasianidés, phéophycées, primulacées, psittacidés, ribésiacées, salsolacées, sapindacées, scarabéidés, syngnathidé, téléostéens, thysanoures, tortricidés, trochilidés, tupi-guarani, verbascacée, verbénacées, zoanthaires ■ **12** amarantacées, ampélidacées, angiospermes, ansériformes, anthozoaires, belle-famille, bignoniacées, broméliacées, cérambycidés, césalpiniées, charadriidés, coralliaires, crassulacées, cupressacées, cyanophycées, dentirostres, dialypétales, équisétinées, familialisme, fringillidés, généalogique, gymnospermes, hyménoptères, hypéricacées, juglandacées, légumineuses, lépidoptères, liguliflores, lycopodinées, monstrillidé, papavéracées, phanérogames, polémoniacée, polygonacées, rhizocarpées, rhodophycées, simarubacées, sino-tibétain, spermaphytes, stolonifères, synanthérées, ténuirostres, thallophytes ■ **13** anacardiacées, berbéridacées, blastomycètes, borraginacées, branchiopodes, campanulacées, cannabinacées, chlorophycées, chrysomélidés, consanguinité, cruciféracées, cucurbitacées, curculionidés, dioscoréacées, dicotylédones, euphorbiacées, malacostracés, nyctaginacées, œnothéracées, ombelliformes, onagrariacées, papilionacées, passifloracée, paterfamilias, renonculacées, saxifragacées, scyphozoaires, sterculiacées, valérianacées, zingibéracées ■ **14** amaryllidacées, asclépiadacées, caprifoliacées, chénopodiacées, convolvulacées, cupuliféracées, pleuronectidés, plombaginacées, spermotophytes, térebinthacées ■ **15** caryophyllacées, monocotylédones, ombelliféracées, péronosporacées, ptéridospermées, scrofulariacées.

FAMINE : **4** faim ■ **7** disette.

FAN : **7** fan-club.

FANAL : **3** feu ■ **8** lanterne.

FANATIQUE: 4 séid, zélé ■ 5 dévôt, séide, fakir ■ 6 voyant ■ 7 furieux ■ 8 illuminé, partisan*, piétiste, puritain, sectaire, zélateur ■ 9 fanatiser, gnostique, passionné*, surexcité, théosophe ■ 10 flagellant, hachischin, intolérant ■ 11 inquisiteur, visionnaire ■ 12 enthousiaste ■ 13 fanatiquement, superstitieux.
FANATISER: 12 fanatisation.
FANATISME: 4 zèle ■ 6 fureur ■ 7 passion* ■ 8 dévotion ■ 9 rigorisme ■ 11 intolérance, persécution, puritanisme ■ 12 enthousiasme*, superstition.
FANCHON: 5 fichu ■ 8 mantille, marmotte.
FANE: 3 usé ■ 5 passé, terne* ■ 6 décati, étiolé, fanure, flétri ■ 7 déformé, effaner ■ 8 défanant, effanure ■ 9 effaneuse, effanures.
FANFARE: 9 bombardon, trompette ■ 13 sarrussophone.
FANFARON: 6 fareul, gascon ■ 7 capiton, casseur, fendant, hâbleur, vantard ■ 8 blagueur, bravache, craqueur, flambard, glorieux, mâchefer, matamore, rodomont, tartarin, trompeur, vaniteux* ■ 9 charlatan, fier-à-bras, sacripant ■ 11 pourfendeur ■ 15 tranche-montagne.
FANFARONNADE: 6 blague, parade, vanité ■ 7 bravade ■ 8 crânerie, hâblerie, jactance ■ 9 craquerie, esbrouffe ■ 10 gasconnade, vantardise ■ 11 fanfaronner, forfanterie, ostentation, rodomontade ■ 13 outrecuidance.
FANGE: 4 boue ■ 5 bauge ■ 7 fangeux.
FANTAISIE: 3 gré ■ 4 idée, mode ■ 5 désir, idéal, lubie, manie ■ 6 humeur, quinte ■ 7 caprice*, foucade, marotte, plaisir, toquade, vertigo, volonté ■ 8 breloque, cabochon, parurier ■ 9 arabesque, fantasque, music-hall, parurerie ■ 10 aspiration, capricieux, colifichet ■ 11 fantaisiste, imagination*, voluptuaire ■ 14 postmodernisme.
FANTASIA: 9 carrousel.
FANTASME: 6 vision ■ 7 fantôme* ■ 9 fantasmer ■ 13 fantasmagorie.
FANTASQUE: 6 braque ■ 7 bizarre, farfelu ■ 8 pistolet ■ 10 capricieux.
FANTASSIN: 4 péon, pion ■ 5 alpin ■ 6 biffin, evzone, piéton, skieur, soldat ■ 7 hoplite, piquier ■ 8 chasseur, heiduque, peltaste ■ 9 voltigeur ■ 10 coupe-choux, lansquenet ■ 11 argyraspide, arquebusier ■ 12 mousquetaire, sabre-briquet ■ 13 couleuvrinier ■ 14 pousse-cailloux.
FANTASTIQUE: 3 fée ■ 4 dahu ■ 7 bizarre, monstre ■ 8 mascaron ■ 10 imaginaire ■ 13 rocambolesque ■ 15 fantastiquement.
FANTÔME: 4 elfe ■ 5 génie, gnome, goule, lamie, larve, ombre ■ 6 esprit, lilith, strige, stryge ■ 7 gobelin, spectre, vampire ■ 8 fantasme, korrigan, revenant ■ 9 phantasme, simulacre, squelette ■ 10 apparition, brucolaque ■ 12 fantomatique ■ 13 fantasmagorie ■ 15 matérialisation.
FAON: 5 biche, raler.
FAQUIN: 3 vil ■ 6 coquin ■ 10 faquinerie.
FARCE: 5 farci ■ 6 blague ■ 7 attrape, canular, comique ■ 8 godiveau, jocrisse ■ 9 barigoule ■ 10 ballotine, fumisterie, pasquinade ■ 11 turlupinade ■ 12 bouffonnerie*.
FARCER: 6 berner ■ 8 attraper ■ 9 ballotter, mystifier ■ 10 turlupiner.
FARCEUR: 7 baladin, bouffon*, fumiste, loustic ■ 9 paillasse ■ 10 plaisantin.
FARD: 5 blanc, blush, rouge ■ 6 rimmel ■ 12 démaquillant.
FARDEAU: 4 bard, faix, grue, joug, main ■ 5 banne, benne, poids* ■ 6 charge* ■ 7 chariot, élingue ■ 8 bretelle, coltiner, élinguer, embarrer, soulager, soupeser ■ 9 coltineur, portefaix, tortillon, verboquet ■ 11 monte-charge.

FARDER : 6 cacher ■ 8 déguiser ■ 9 maquiller.
FARDIER : 11 triqueballe ■ 12 trinqueballe.
FARFELU : 4 gras ■ 5 barjo ■ 6 barjot, foufou ■ 7 bizarre*, fofolle.
FARIBOLE : 5 conte ■ 8 sornette* ■ 9 baliverne.
FARINE : 4 gari, maïs, pain, pâte, roux ■ 5 buvée, griot, minot, pâtée, sagou, salep, talca ■ 6 gluten, poudre ■ 7 cassave, maïzena, mouture, recoupe, repasse, semoule ■ 8 bisaille, bouillie, enfariné, farinage, farineux, macaroni, millasse, racahout, sinapisé ■ 9 enfariner, farinière, grésillon, minoterie, sinapisme, ténébrion ■ 10 lathyrisme, recoupette, saupoudrer ■ 13 convertisseur.
FARNIENTE : 8 inaction, oisiveté*.
FAROUCH : 8 incarnat.
FAROUCHE : 4 âpre ■ 6 hagard ■ 7 méfiant, sauvage* ■ 9 loup-garou, sauvageon, truculent ■ 10 insociable ■ 11 misanthrope.
FAR WEST : 6 saloon.
FASCE : 6 burèle ■ 7 burelle ■ 8 équipolé ■ 9 équipollé.
FASCINANT : 8 charmant, fasciner ■ 9 attachant, envoûtant ■ 11 ensorcelant, fascinateur, fascination.
FASCINE : 4 tune ■ 5 fagot ■ 6 tunage ■ 8 fasciner, risberme ■ 9 fascinage.
FASCINER : 7 charmer*, éblouir ■ 11 émerveiller, fascinateur, fascination.
FASCISME : 8 fasciste, phalange ■ 12 anti-fasciste.
FASCISTE : 5 facho ■ 8 fasciser.
FASTE : 4 luxe* ■ 8 fastueux ■ 13 fastueusement.
FASTIDIEUX : 4 scie ■ 6 mortel ■ 8 ennuyant, ennuyeux* ■ 15 fastidieusement.
FAT : 6 faraud, fiérot ■ 7 fatuité ■ 8 vaniteux ■ 9 important.
FATAL : 4 vamp ■ 7 funeste, néfaste ■ 8 fatalité, immuable ■ 9 fatidique ■ 10 fatalement, inévitable, invariable, nécessaire* ■ 14 prédestination.
FATALISME : 9 fataliste ■ 11 résignation ■ 12 déterminisme ■ 15 prédéterminisme.
FATALITE : 4 sort ■ 5 fatum ■ 6 destin, hasard* ■ 7 fortune, malheur ■ 9 nécessité ■ 11 malédiction.
FATIGANT : 4 rude ■ 5 tuant ■ 6 mortel, rasant ■ 7 foulant, pénible, tannant ■ 8 claquant ■ 9 assommant, harassant ■ 10 esquintant.
FATIGUE : 3 las, ouf ■ 4 ahan, rude, tiré ■ 5 ennui*, peine, poids, recru, rendu, usant, vanné ■ 6 anémie, avachi, charge, corvée, vaseux ■ 7 amnésie, déformé, fardeau, soûlant ■ 8 courbatu, délasser, endurant, fatigant, fatiguer fortrait, nicotine, raplapla, reposant ■ 9 cassement, chiffonné, endurance, lassitude, surcharge, surmenage ■ 10 abattement, courbature, défatiguer, épuisement*, myasthénie ■ 11 accablement, éreintement, exténuation, harassement, infatigable, papillotage ■ 12 fatigabilité ■ 13 découragement, essoufflement, papillotement.
FATIGUER : 4 suer, user ■ 5 peser ■ 6 ahaner, briser, crever, forcer, lasser, peiner*, pomper, rompre, trimer, vanner ■ 7 anémier, claquer, échiner, ennuyer*, épuiser*, excéder, ménager ■ 8 accabler, assommer, dépenser, éreinter, étourdir, exténuer, harasser, harceler, surmener ■ 9 assourdir, époumonner, esquinter ■ 10 assassiner, chiffonner, essouffler, importuner* ■ 11 courbaturer ■ 12 travailloter.
FATRAS : 4 amas ■ 7 mélange ■ 8 désordre*.
FATUITE : 7 orgueil* ■ 8 modestie ■ 11 présomption.
FATUM : 6 destin.

FAUBOURG : **8** banlieue ■ **10** faubourien ■ **13** agglomération.
FAUCARD : **9** faucarder ■ **10** faucardeur.
FAUCHAGE : **10** fauchaison.
FAUCHE : **9** misérable ■ **10** fauchaison.
FAUCHER : **4** faux ■ **6** coffin ■ **8** fauchage, faucheur ■ **8** faucheux, opilions ■ **9** porte-lame, renverser ■ **10** fauchaison.
FAUCILLE : **4** faux, sape ■ **5** serpe*, vouge ■ **6** étrape, volant ■ **7** fauchon ■ **8** fauchard, serpette ■ **9** croissant, faucillon ■ **10** falciforme.
FAUCON : **4** buse ■ **5** sacre ■ **6** autour, busard, lanier, sacret ■ **7** gerfaut, laneret, pèlerin ■ **8** chaperon, chevêche, émouchet, épervier, hobereau, pèregrin ■ **9** antannier, émerillon, tiercelet ■ **10** crécerelle, fauconneau, fauconnier ■ **11** fauconnerie.
FAUFILER : **5** bâtir ■ **7** glisser ■ **8** pénétrer ■ **9** faufilage ■ **10** défaufiler.
FAUNE : **5** biote ■ **8** faunesse, faunique, madicole ■ **9** faunesque ■ **11** faunistique.
FAUSSE : **6** biaisé.
FAUSSEMENT : **11** désinformer.
FAUSSER : **6** forcer, gourer, mentir, voiler ■ **7** feindre, simuler, truquer ■ **8** frelater, torturer ■ **9** adultérer, calomnier, démarquer, dénaturer, falsifier, maquiller, pasticher, travestir ■ **10** dissimuler ■ **11** contrefaire ■ **12** sophistiquer.
FAUSSET : **7** guillon.
FAUSSETE : **5** lexis ■ **6** feinte ■ **7** cautèle, comédie, félonie, sottise ■ **8** artifice, calomnie, mensonge*, paradoxe, simagrée, singerie, sophisme ■ **9** apparence, cafardise, duplicité, fourberie, franchise, frelatage, illogisme, tromperie ■ **10** hypocrisie*, jésuitisme, patelinage, simulation, tartuferie ■ **11** affectation, papelardise, pharisaïsme, supercherie ■ **12** escobarderie, extravagance, sournoiserie ■ **13** dissimulation, falsification.
FAUTE : **3** mal ■ **4** cuir, gage, loup, vice* ■ **5** chute, crime*, délit*, écart, école, oubli, péché* ■ **6** ânerie, bourde, coulpe, défaut, errata, erreur*, impair, lapsus, manque*, méfait, risque, suppôt ■ **7** brioche, en-avant, erratum, hérésie, impiété, mégarde, offense, rechute, sottise ■ **8** boulette, coquille, coupable, démérite, désordre, énormité, fredaine, infliger, mea culpa, mécompte, omission, pataquès, pis-aller, récidive, scandale ■ **9** délictuel, médisance, préjudice, quiproquo, sacrilège, sans-faute, séducteur, solécisme, souillure ■ **10** amendement, balourdise, barbarisme, contresens, correction, étourderie, illégalité, imprudence, maladresse, manquement, négligence, peccadille, purgatoire, réprimande ■ **11** cacographie, culpabilité, fautivement, inattention ■ **12** anachronisme, inadvertance, inconvenance, incorrection, inexactitude, pénalisation, périssologie, résipiscence ■ **13** désobéissance, parachronisme.
FAUTER : **7** faillir ■ **8** broncher, désobéir ■ **9** démériter ■ **10** enfreindre.
FAUTEUIL : **5** siège* ■ **6** chaise ■ **7** bergère, crapaud, violoné ■ **8** voltaire ■ **9** appui-tête ■ **10** appuie-tête, bout-de-pied, repose-pied ■ **11** repose-pieds ■ **12** rocking-chair.
FAUTIF : **6** erroné ■ **7** illégal, inexact ■ **8** coupable, criminel ■ **9** cacologie, incorrect.
FAUTIVEMENT : **10** cacographe.
FAUVE : **4** bois ■ **6** alezan ■ **7** raciner ■ **8** fauverie, venaison ■ **12** rembûchement.
FAUVETTE : **6** malure ■ **8** grisette, pouillot ■ **9** grignette, phragmite, roussette ■ **10** zinzinuler ■ **11** rousserolle ■ **12** passerinette ■ **13** bergeronnette.

FAUVISME : 5 fauve.
FAUX : 3 sot, toc ■ 4 vain ■ 5 cagot, couac, fable, feint, félon ■ 6 cafard, erroné, fourbe, godage, irréel, playon, pleyon, pseudo ■ 7 absurde, déloyal, douteux, factice, faucard, fauchon, inexact, insensé, parjure, patelin, supposé ■ 8 bravache, broncher, cajoleur, canarder, dizygote, emprunté, enjôleur, faucille, fausseté, matamore, mielleux, papelard, perruque, postiche, prétendu, rodomont, sophisme, sournois, spécieux, tartuffe, tortueux, vrai-faux ■ 9 aléthique, cauteleux, clinquant, controuvé, dérisoire, doucereux, faussaire, hypocrite*, illogique, mensonger, paradoxal, pattepelu, simulacre ■ 10 artificiel, chattemite, discordant, improbable ■ 11 artificieux, extravagant, irrationnel, paralogisme, sophistique, superficiel ■ 12 archipatelin ■ 13 déraisonnable ■ 14 contradictoire.
FAUX-FUYANT : 5 fuite ■ 8 prétexte ■ 10 subterfuge ■ 11 tergiverser.
FAVEUR : 5 amant, amour, grâce, ruban, vogue ■ 6 aumône, baraka, crédit, favori, octroi, pardon ■ 7 plaisir service ■ 8 amnistie, avantage*, bienfait*, concéder, défaveur, disgrâce, dispense, immunité, réservat, tyrannie ■ 9 démagogue, exemption, gratifier, maîtresse, népotisme, plaidoyer, privilège*, supplique, tolérance ■ 10 intercéder, ménagement, partialité, passe-droit, permission, popularité, préférence, récompense, supplanter ■ 11 accréditeur, commutation, distinction, favoritisme, impopulaire, prérogative, solliciteur ■ 12 autorisation, bénéficiaire, complaisance, intercession, persona grata, prédilection ■ 13 encouragement, gratification, renonciataire.
FAVORABLE : 3 ami, bon, pro ■ 4 bien, pour ■ 5 atout, bénin ■ 7 heureux, optimal, optimum, propice, sourire ■ 8 complice, opportun, prospère, saducéen ■ 9 bénéfique, condition, eugénisme, favoriser, jeune-turc, prévenant, tutélaire ■ 10 avantageux, extrémiste, indisposer, mélioratif, prévention, réputation ■ 11 approbation, conjoncture, défavorable ■ 12 germanophile, heureusement, impérialiste, présomptueux ■ 13 bienveillance, favorablement, pro-occidental ■ 15 populationniste, révolutionnaire.
FAVORI : 4 dada ■ 5 amant, crack, hobby ■ 7 préféré, protégé ■ 8 chouchou.
FAVORISE : 4 aisé, loti ■ 8 chanceux, prospère ■ 9 disgracié, nataliste ■ 10 favorisant ■ 11 émulsifiant, myorelaxant ■ 12 émulsionnant.
FAVORISER : 5 aider, doter, lotir ■ 6 choyer, servir ■ 7 appuyer, combler, épauler, obliger, pousser ■ 8 défendre, exempter, préférer, protéger, seconder, soutenir ■ 9 avantager, dispenser, patronner, provoquer ■ 10 distinguer, encourager, intéresser, passionner ■ 11 cancérigène, cancérogène, cicatrisant, convivialité, favoritisme, galactogène, progestatif, recommander, reproductif ■ 12 civilisateur, galactagogue, proxénétisme ■ 13 caprification ■ 14 aristocratisme.
FAVORITISME : 12 chouchoutage.
FEAL : 5 loyal ■ 8 partisan.
FEBRIFUGE : 5 apiol ■ 7 marrube, quinine ■ 8 aspirine ■ 9 angusture, valériane ■ 10 antipyrine ■ 13 antipyrétique, antithermique.
FEBRILE : 7 nerveux, pondéré, pyrexie, typhose ■ 8 fiévreux ■ 9 fébrilité, impatient ■ 10 scarlatine ■ 11 fébrilement.
FECAL : 4 bran ■ 5 étron, fèces ■ 8 méconium.
FECALE : 8 fécalome ■ 9 coliforme ■ 11 coprophagie.
FECOND : 5 carpe, riche ■ 7 fertile ■ 8 féconder ■ 9 fécondité, lapinisme.
FECONDATION : 3 f.i.v. ■ 4 œuf ■ 6 fivete ■ 8 apomixie, féconder, nouaison ■ 9 autogamie ■ 10 accrescent, amphimixie, ontogenèse ■

11 chasmogamie, fécondateur ■ 12 insémination, menstruation, segmentation, siphonogamie ■ 13 fertilisation, superfétation.
FECONDER: 9 fécondant ■ 10 fécondable ■ 13 fécondabilité.
FECULE: 5 sagou ■ 7 tapioca ■ 8 amylique, colocase, féculent, racahout ■ 9 arrow-root, féculerie.
FEDERATION: 5 allié, union ■ 7 fédéral, fédérer, société ■ 9 coalition, fédératif ■ 11 fédéraliser ■ 13 confédération.
FEDERER: 4 unir.
FEE: 4 féer ■ 5 pérri ■ 8 korrigan.
FEEDER: 7 royalty ■ 9 royalties.
FEINDRE: 6 boiter ■ 7 simuler ■ 8 affecter, feintise, semblant.
FEINT: 4 faux ■ 6 étudié, simulé.
FEINTE: 4 fard ■ 5 frime, parer ■ 6 doucet ■ 7 feinter ■ 8 feintise ■ 13 dissimulation, pleurnicherie.
FEINTER: 8 feinteur.
FELDSPATH: 6 arkose, kaolin ■ 7 orthose, pétunsé, syénite ■ 8 labrador ■ 9 amazonite ■ 10 microcline, migmatique, oligoclase ■ 12 plagioclases ■ 13 feldspathique.
FELER: 5 rayer ■ 6 rompre, strier ■ 7 étoiler ■ 9 craqueler, fendiller.
FELIBRIGE: 4 gras ■ 7 félibre, majoral, mistral.
FELICITATION: 5 éloge ■ 7 louange* ■ 10 compliment ■ 14 congratulation.
FELICITE: 4 joie*, paix ■ 5 calme, salut ■ 6 extase ■ 7 bonheur*, plaisir ■ 8 euphorie, euthymie, sérénité ■ 9 béatitude ■ 10 enivrement, exaltation, jouissance ■ 11 ravissement ■ 12 contentement, enchantement.
FELICITER: 6 vanter ■ 11 congratuler ■ 12 complimenter, félicitation.
FELIDE: 4 chat, eyre, félin, lion, lynx, once, puma, tigre ■ 6 jaguar ■ 7 caracal, cervier, couguar, guépard, léopard ■ 8 cougouar, panthère.
FELIN: 8 félinité.
FELON: 7 déloyal, perfide, traître ■ 8 infidèle.
FELURE: 4 raie ■ 5 strie ■ 6 étoile, paille ■ 9 jardineux ■ 10 étoilement ■ 12 fendillement.
FEMELLE: 4 cane, dine, hase, laie, lait, lice, mère, mule, œuf, rate, sexe ■ 5 aigle, biche, coche, daine, dinde, femme, louve, ourse, ovule, poule, reine, truie, vache ■ 6 ânesse, brebis, chatte, cocyte ■ 7 faisane, ovocyte, ovotide, renarde ■ 8 chamelle, faisande, faunesse, levrette, merlette, oosphère, ovogonie, perruche, portière, tigresse ■ 9 brehaigne, bufflesse, bufflonne, chevrette, colostrum, gestation, gravidité, ovogenèse ■ 10 copulation, hérissonne, nymphomane ■ 11 chanterelle, cicatricule ■ 12 féminisation ■ 13 gémelliparité.
FEMININ: 4 body ■ 6 démone ■ 8 guêpière, monokini ■ 9 ringuette.
FEMININE: 8 lesbisme ■ 10 tribadisme ■ 11 lesbianisme.
FEMINISE: 10 féminisant.
FEMME: 3 bru, fée ■ 4 alto, bibi, dame, dona, éden, elle, grue, jupe, lady, maid, mari, mère, pouf, rani, robe, sein, sexe, sexy, vamp, viol ■ 5 atour, bonne, catin, dinde, donna, fatma, fille, furie, garce, gaupe, goton, harem, houri, lotta, poule, pin-up, reine, squaw, vulve ■ 6 beauté, chipie, congai, déesse, dondon, doudou, dragon, épouse, gouine, guenon, harpie, mégère, mémère, mousmé, nubile, nymphe, réglée, robert, salope, sirène, virago, youyou ■ 7 baillie, bas-bleu, bécasse, bobonne, bringue, cocotte, commère, conasse, congaye, femelle, féminin, fiancée, folasse, frigide, héroïne, ingénue, jacasse, luronne, marâtre, marotte, matrone, ménesse, moukère, préfète, soldate, sphinge, sultane, traînée, tribade, tsarine, typesse, tzarine ■

8 baillive, bayadère, bégueule, bigouden, bouchère, capeline, co-épouse, comtesse, connasse, cornette, cotillon, couseuse, dauphine, donzelle, drôlesse, duchesse, dulcinée, écrivain, efféminé, enceinte, entolage, féminité, gendarme, générale, gonzesse, greluche, gribiche, grisette, homespun, hommasse, laideron, maharané, maharani, maîresse, mantelet, margrave, marmotte, marquise, marraine, ménagère, mijaurée, misogyne, mistress, monogame, nourrice, ouvreuse, pairesse, pantalon, peignoir, personne, pigeonne, pimbèche, poétesse, poitrine, poupoule, rombière, saphisme, servante, sylphide, toilette ■ 9 accouchée, affiquets, bacchante, bas-dessus, belle-mère, camériste, cariatide, caryatide, cavalière, chabraque, charlotte, chemisier, chochotte, clownesse, colinette, colonelle, contralto, demi-monde, diablesse, dogaresse, esclavage, féminiser, féminisme, grand-mère, grognasse, grossesse, harengère, maîtresse, maréchale, marinière, maritorne, ménopause, misogynie, monogamie, nullipare, odalisque, officière, pauvresse, pleureuse, poissarde, polygynie, précieuse, prêtresse, princesse, puerpéral, redingote, sage-femme, soubrette, tcharchaf, virilisme ■ 10 belle-fille, boulangère, cantinière, chambrière, châtelaine, chemisette, courtisane, deux-pièces, doctoresse, femmelette, intendante, ivrognesse, lavandière, materniser, mulâtresse, notairesse, nymphomane, péronnelle, pétroleuse, pie-grièche, pimpesouée, polyandrie, présidente, prostituée, repasseuse, sauvagesse, schabraque, vicomtesse ■ 11 cache-corset, chancelière, conseillère, gourgandine, gouvernante, gynécologie, impératrice, jouvencelle, laborantine, lieutenante, parturiente, prophétesse, sous-préfète, sportswoman, tricoteuse, vocératrice ■ 12 ambassadrice, demi-mondaine, effeuilleuse, magnanarelle, merveilleuse, mezzo-soprano, procuratrice ■ 13 archiduchesse, strip-teaseuse ■ 14 grande-duchesse.

FEMUR: 5 psoas ■ 7 fémoral ■ 9 cotyloïde ■ 10 épiphysite, trochanter.

FENDILLER: 9 craqueler ■ 12 fendillement.

FENDRE: 5 fêler ■ 6 casser, cliver, couper, rompre ■ 7 craquer, déliter, écarter, inciser, scinder ■ 8 déchirer, découdre, fissurer, lézarder, refendre, scissile ■ 9 fracturer ■ 10 disjoindre, pourfendre.

FENESTRAGE: 12 fenestration.

FENESTRATION: 9 fenêtrage.

FENETRE: 3 vue ■ 4 baie, gond, orbe, rose ■ 5 judas, volet ■ 6 hublot, oculus, rosace, sabord, trappe ■ 7 carreau, croisée, guichet, lucarne, lunette, véranda, vitrage ■ 8 abat-jour, ébrasure, fenêtrer, grillage, piédroit, vasistas, verrière ■ 9 banquette, battement, bourrelet, bow-window, brise-bise, embrasure, fenêtrage, huisserie, mezzanine, petit-bois, pied-droit, soupirail, tabatière ■ 10 chambranle, claire-voie, contre-vent, embasement, fenestrage, garde-place, meurtrière ■ 11 cantonnière, œil-de-bœuf ■ 12 espagnolette, fenestration, moucharabieh, multifenêtre, porte-croisée ■ 13 contre-fenêtre, enseuillement ■ 14 défenestration.

FENOUIL: 5 aneth ■ 7 visnage ■ 8 vespétro ■ 10 fenouillet ■ 12 fenouillette.

FENTE: 3 vue ■ 4 dyke, jour, raie, ride, trou, voie ■ 5 classe, creux, éclat, filon, fuite, gerce, séime, strie, trace ■ 6 bifide, crique, enture, faille, fêlure, flipot, forage, grigne, langue, paille, suture ■ 7 cassure, coupure, fissure*, fourche, gerçure, lézarde, rainure ■ 8 crevasse, entaille, éventure, fendillé, fracture, incision, introrse, jointure, scissure ■ 9 abreuvoir, braguette, cadranure, chiqueter, cicatrice, déchirure, décousure, fendiller, gouttière, ouverture*, péristome ■ 10 bouterolle, calfeutrer, craquelure, échancrure, interstice, intervalle ■ **11** bec-de-lièvre, boutonnière ■ **12** chantepleure.

FENUGREC: **10** trigonelle.

FEODAL: **4** host ■ **7** paréage, pariage.

FEODALITE: **4** fief, lige, serf, sire ■ **5** alleu ■ **8** feudiste, sénéchal, vavassal ■ **9** franc-fief, vavasseur ■ **10** allégeance, féodalisme ■ **11** féodalement.

FER: **2** fe ■ **3** jas, pic, soc ■ **4** anel, cage, coin, dard, esse, gond, lame, mica, soic, tinc, tôle ■ **5** acier, armet, bâcle, barde, barre, bidon, bride, ferré, ferro, haste, liens, moire, pince, rouge ■ **6** aétite, chaîne, coutre, ferrer, ferret, galope, godron, pellet ■ **7** carreau, crochet, épidote, ferrage, ferreux, ferrite, ferrure, frisoir, wolfram ■ **8** ægyrine, déferrer, étampure, fer-blanc, gaufroir, hématite, ilménite, limonite, nichrome, oligiste, puddlage, pyroxène, rouverin, sanguine, sidérite, sidérose, vitrière ■ **9** almandine, amphibole, cémentite, ferraille, ferrement, magnétite, marcasite, mispickel, permalloy, platinite ■ **10** aluminage, cordiérite, dégorgeoir, marcassite, pyrrhotite, rappointis, sidérurgie ■ **11** ferblantier, ferraillage, ferredoxine, ferrocérium, ferrochrome, ferronickel, ferronnerie, ferrugineux, sidéroxylon ■ **12** ferblanterie, ferricyanure, ferroalliage, ferrocyanure ■ **13** parkérisation, sidérographie ■ **14** hémochromatose ■ **15** ferromagnétisme.

FER A CHEVAL: **8** étampure ■ **10** rhinolophe ■ **12** amphithéâtre.

FERME: **3** api, dur*, mas, sur ■ **4** cati, clos, fixe*, mâle ■ **5** barre, brave, hardi, ranch, viril ■ **6** assuré, cancel, décidé, mi-clos, rancho, résolu, solide*, stable* ■ **7** al dente, closeau, fermage, fermeté, fermier, nerveux, robuste, stoïque ■ **8** affermer, affermir, closerie, constant, enceinte, enfermer, estancia, fermette, huis clos, immuable, kibboutz, plancher, résister, sovkhoze, stoïcien, vaciller, vaillant ■ **9** affermage, basse-cour, confiance, confirmer, énergique, intrépide, jeune-turc, persister, raffermir, resserrer, vigoureux ■ **10** consolider, conviction, ferme-école, inflexible, invincible, landerneau, persévérer, plantation, tranquille, trapillon, volontaire ■ **11** amodiataire ■ **12** exploitation.

FERMENTATION: **3** vin ■ **4** aisy, arac, cuve, kvas, kwas, moût, rack, raki, rhum, saké, saki ■ **5** arack, bière, écume, fusel, kéfir ■ **6** képhir, levain, levure, mécher, mousse ■ **7** ferment, guiller, pepsine, présure ■ **8** amylique, cuvaison, échauffe, fermenté, guillage, lactique, ptyaline, vinaigre ■ **9** échauffer, fermenter, mycoderme, zymotique ■ **10** antienzyme, ébullition ■ **11** amylobacter, antifermant, bouillaison, chaptaliser, fermentatif, pancréatine, zymotechnie ■ **12** échauffement, nitrosomonas ■ **13** effervescence, saccharomyces ■ **15** alcoolification.

FERMENTER: **5** cuver, faire, gâter, lever ■ **6** germer ■ **7** tourner ■ **10** travailler ■ **11** fermentable ■ **14** fermentescible.

FERMER: **5** clore*, épart, lacer, luter, murer ■ **6** bâcler, barrer, borner, garnir, opiler ■ **7** agrafer, bloquer, boucher*, boucler, cligner, coffrer, coiffer, combler, écluser, enclore, encuver, étouper, griller, inclure, limiter, obturer, occlure, parquer ■ **8** aveugler, cacheter, calfater, capsuler, chambrer, cloîtrer, clôturer, colmater, confiner, emballer, encaquer, enclaver, enclouer, engorger, entourer, estacade, investir, obstruer, refermer, reléguer ■ **9** bondonner, boutonner, condamner, consigner, encaisser, encombrer, fermeture, jointoyer, lock-outer, mastiquer, remblayer, renfermer, tamponner ■ **10** barricader, cadenasser, calfeutrer, capitonner, cicatriser, empaqueter, envelopper, séquestrer ■ **11** claquemurer, conjoncteur, embarrasser, emprisonner, entrefermer, verrouiller ■ **13** congestionner.

FERMETE : 3 roc, ton ■ 5 calme, ferté, force ■ 6 aplomb, dureté, trempe ■ 7 courage, énergie, raideur, rigueur, roideur, vigueur, volonté* ■ 8 bravoure, décision, mollesse, rigidité, ténacité ■ 9 assurance, caractère, constance, endurance, faiblesse, fermement, hardiesse, sang-froid, spartiate, stoïcisme, vaillance ■ 10 contenance, entêtement, résistance*, résolution ■ 11 consistance, intrépidité, obstination, opiniâtreté ■ 12 persévérance, tranquillité ■ 13 impassibilité, inconsistance, inflexibilité ■ 14 affermissement.

FERMETURE : 3 zip ■ 4 clef, épar, pale, tape ■ 5 bâcle, bande, bonde, épart, paroi, volet ■ 6 trappe, velcro, verrou ■ 7 barreau, cadenas, cloison, clôture*, croisée, fenêtre, lock-out, serrure, tirette ■ 8 abattant, bouclage, coulisse, jalousie, vasistas ■ 9 bobinette, colombage, couvercle, devanture, loqueteau, occlusion, ouverture, persienne ■ 10 contrevent, hermétique, tourniquet ■ 12 espagnolette ■ 13 cicatrisation, craniosténose, imperforation.

FERMIER : 5 colon, méger ■ 6 paysan*, tenant ■ 7 censier, closier, métayer ■ 8 cabanier ■ 9 partiaire, publicain, tenancier ■ 11 agriculteur.

FERMIUM : 2 fm.

FEROCE : 5 cruel* ■ 6 brutal ■ 7 barbare, sadique, sauvage ■ 8 férocité, inhumain ■ 9 belluaire, bestiaire ■ 10 férocement.

FERRAILLE : 8 ravageur ■ 9 ferratier, mitraille ■ 11 ferrailleur.

FERRAILLER : 8 bretteur ■ 9 spadassin ■ 11 ferrailleur ■ 13 ferraillement.

FERRE : 10 alpenstock ■ 11 chemin de fer.

FERRER : 7 ferreur ■ 8 maréchal ■ 9 enclouure, morailles ■ 11 aiguilleter ■ 13 maréchal-ferrant.

FERRIQUE : 7 ferrate.

FERRITE : 15 ferrimagnétisme.

FERROCYANURE : 14 ferroprussiate.

FERROELECTRICITE : 15 ferroélectrique.

FERRONNERIE : 5 fiche ■ 6 broche ■ 7 crampon, crémone, crochet, penture ■ 8 panneton, paumelle, targette ■ 9 charnière ■ 10 ferronnier, tourniquet ■ 12 espagnolette.

FER ROUGE : 7 flétrir ■ 10 cautériser ■ 11 stigmatiser.

FERROUTAGE : 9 ferrouter.

FERROVIAIRE : 8 pont-rail ■ 10 porte-autos.

FERRUGINEUX : 8 hématine.

FERRURE : 2 té ■ 5 fiche ■ 7 fémelot, penture ■ 9 charnière.

FERRY BOAT : 10 traversier.

FERTILE : 5 riche ■ 6 fécond, jardin, maigre, polder, vineux ■ 7 grenier ■ 8 généreux ■ 9 fertilité, fructueux, infertile ■ 10 fertiliser, plantureux, prolifique, tchernozem ■ 11 fertilisant, tchernoziom.

FERTILISER : 8 colmater, cultiver ■ 9 appauvrir ■ 10 engraisser, phosphater ■ 11 fertilisant ■ 12 fertilisable ■ 13 fertilisation.

FERTILITE : 8 richesse ■ 9 abondance, fécondité, profusion ■ 10 assolement, exubérance ■ 11 fertilement ■ 15 appauvrissement.

FERULE : 3 ase ■ 8 autorité, galbanum ■ 11 assa-fœtida.

FERVENT : 5 chaud, tiède ■ 7 ferveur ■ 11 jaculatoire ■ 12 enthousiaste ■ 14 attiédissement.

FESSE : 3 cul ■ 5 fessu ■ 7 fessier ■ 8 derrière ■ 9 callipyge.

FESSER : 5 volée ■ 6 battre.

FESTIN : 4 noce ■ 5 bâfre, bombe, bosse, foire, régal, repas* ■ 6 bâfrée ■ 7 banquet*, bitture, buverie, frairie ■ 8 bamboche, beuverie, bombance, débauche, godaille, pandèmes, ripaille ■ 9 gueuleton ■ 10 bambochade ■ 12 boustifaille.

FESTON : 4 dent ■ 9 festonner.
FESTOYER : 11 festoiement.
FETE : 3 bal ■ 4 fous, gala, noël, péan, võdo, võto ■ 5 avent, azyme, feria, foire, mulud, orgie, pâque, raoût, régal, rodéo, võdou, vogue ■ 6 apport, baïram, beiram, éacées, festif, festin, octave, pâques, pardon, pourim, sabbat, vigile ■ 7 ballade, balocho, ducasse, féralie, fest-noz, frairie, kippour, mouloud, passion, préveil, priapée, ramadan, rameaux, redoute, reinage, roméria, schoura, soukhot, station, tabaski, tournoi, trinité ■ 8 asiarque, bamboula, bombance, carnaval, confetti, dédicace, dionysie, épinicie, festival, festoyer, fête-dieu, gymkhana, hanoukka, kermesse, nativité, néoménie, pandèmes, potlatch, shabouot, triomphe, valentin ■ 9 ascension, assemblée, canéphore, cérémonie*, christmas, compitale, éleusinie, épiphanie, festivité, floralies, halloween, jubilaire, panégyrie, pentecôte, quasimodo, roumavage, solennité, tondaille, toussaint, vestalies ■ 10 assomption, bacchanale, bambocheur, carillonné, chandeleur, lupercales, parentales, pèlerinage, récréation, roumeirage, saturnales, semi-double, tabernacle, visitation, vulcanales, yom-kippour ■ 11 antesthérie, garden-party, lectisterne, panathénées, parentalies, patronnesse, roch ha-shana, rosh ha-shana ■ 12 circoncision, inauguration, présentation, purification, réjouissance, résurrection, ribouldingue, thesmophorie ■ 13 catherinettes, sans-culottide ■ 15 auto-sacramental, transfiguration.
FETER : 6 chômer ■ 8 célébrer, festoyer, pavoiser ■ 9 illuminer ■ 10 commémorer, sanctifier, solenniser.
FETE RELIGIEUSE : 9 aïd-el-adha, aïd-el-fitr ■ 10 aïd-el-kébir ■ 11 aïd-el-séghir.
FETICHE : 8 amulette, mascotte ■ 9 féticheur ■ 10 fétichisme, fétichiste, porte-veine ■ 12 porte-bonheur, superstition.
FETIDE : 5 puant ■ 8 fétidité ■ 9 infection, marcaptan ■ 10 asa-fœtida, malodorant ■ 11 assa-fœtida.
FEU : 4 igné, mort ■ 5 aesin, apyre, arsin, bombe, fanal, fouée, foyer*, rouge ■ 6 ardeur*, décédé, flamme, furole, kevlar, torrée ■ 7 amiante, brasier, briquet, chaleur*, famille, fest-noz, flambée, fuégien, lumière*, passion, ringard, warning ■ 8 adustion, autodafé, cheminée, fourneau, grégeois, ignicole, ignivome, ignivore, incendie, objectif, pincette, tisonner ■ 9 allume-feu, chauffeur, contre-feu, décharger, empyreume, enflammer, étoupille, fournaise, fusillade, tisonnier ■ 10 artificier, cendrillon, chauffeuse, flammerole, plutonisme, préannonce, salamandre ■ 11 caléfaction, embrasement ■ 12 déflagrateur ■ 13 incandescence.
FEUIL : 9 filmogène.
FEUILLAGE : 4 dôme ■ 7 rinceau, verdure ■ 8 feuillée ■ 9 arabesque ■ 10 frondaison ■ 12 feuillagiste, sempervirent.
FEUILLE : 3 thé ■ 4 bloc, café, côté, fane, maté, nerf, page*, rame, tôle ■ 5 agave, aplat, arbre, défet, fiche, folio, palme, quiné, tract ■ 6 décidu, encart, fronde, papier, plaque, touffu ■ 7 aphylle, bractée, capsage, écaille, épreuve, feuillu, foliacé, journal, pochoir, rosette, stipule, tableau ■ 8 aiguille, bourgeon, carpelle, conjugué, effanure, exfolier, fanaison, feuillée, feuiller, feuillet, foliaire, folioter, froufrou, in quarto, limbaire, miellure, palmette, perfolié, polaroïd, trifolié, unifolié ■ 9 bloc-notes, décurrent, dentelure, engaînant, épiphylle, feuillage, foliation, in-dix-huit, latifolié, palmifide, paripenné, pellicule, pubescent ■ 10 boisselier, déchiqueté, défeuiller, effeuiller, enrôlement, frondaison, maculature, myrtiforme, palmiparti, palmisèque, pubescence, verticille ■ 11 assembleuse, caducifolié, défoliation,

feuillaison, palmatifide, palmatilobe, quadrifolié, transparent ■ **12** angustifolié, palissadique, palmatiparti, palmatisèque, préfoliaison, préfoliation, sclérophylle ■ **13** défeuillaison, effeuillaison, effeuillement, tourne-feuille.

FEUILLET : 4 page*, rôle ■ **5** folio, garde, tract ■ **6** cédule ■ **7** feuille*, fissile ■ **8** scissile ■ **9** ectoderme, endoderme, fascicule, mésoderme ■ **10** ectoblaste, endoblaste, feuilleter, mésoblaste, pique-notes ■ **15** triploblastique.

FEUILLETE : 7 dariole, dartois.

FEUILLETER : 9 allumette, compulser, vol-au-vent ■ **11** feuilletage ■ **12** feuillantine.

FEUILLETON : 5 conte ■ **7** article ■ **9** soap opera ■ **12** novélisation ■ **14** feuilletoniste ■ **15** feuilletonesque, roman-feuilleton.

FEULER : 7 rauquer.

FEUTRAGE : 8 trichoma, trichome.

FEUTRE : 4 drap ■ **5** batte, nappe ■ **6** bourre, capade ■ **7** feutrer, manchon ■ **8** feutrage, feutrine, fouleuse, mélusine, sombrero ■ **9** bourrelet ■ **10** surligneur ■ **11** infeutrable, stylo-feutre.

FEVE : 5 tonka ■ **8** faverole, féverole, gourgane ■ **9** coumarine, favelotte ■ **11** physostigma, théobromine.

FEVRIER : 8 bissexte ■ **12** intercalaire.

FIABLE : 10 fiabiliser.

FIANÇAILLES : 12 accordailles.

FIANCE : 5 futur ■ **6** promis ■ **7** accordé ■ **8** prétendu ■ **9** corbeille ■ **11** fiançailles ■ **12** accordailles.

FIBRANNE : 7 viscose.

FIBRE : 4 coir ■ **5** agave, câble, kapok, lycra, nylon, orlon ■ **6** banlon, dacron, dralon, kevlar, raphia, rhovyl, rilsan ■ **7** fibreux, flocage, floquer, goretex, tractus ■ **8** défibrer, fibrille, ligament, lobotomie, piassava, terlenka, térylène, verranne ■ **9** lacrylique, léiomyome, réticulum, rouissage, sténosage ■ **10** filandreux, rosaniline, sansevière ■ **11** chlorofibre, polyoléfine ■ **12** sclérodermie.

FIBREUSE : 7 fibrose.

FIBREUX : 4 orme ■ **7** ouraque ■ **8** scléreux ■ **9** molluscum.

FIBRILLE : 11 fibrillaire, myofibrille.

FIBRINE : 9 fibrineux, thrombine ■ **11** fibrinogène, fibrinolyse.

FIBRINEUX : 14 pseudomembrane.

FIBRINOGENE : 15 afibrinogénémie.

FIBROME : 11 fibromateux, fibromatose.

FIBROSCOPE : 11 fibroscopie.

FICELER : 12 saucissonner.

FICELLE : 3 fil ■ **4** chef, nerf, ruse, yoyo ■ **5** corde*, filin, fouet, lisse, mèche ■ **6** cordée ■ **7** ficeler, ligneul, lisseau, volette ■ **8** attacher, cacheron, centaine, ficelage, lignette, tringler ■ **10** cordelette, ficellerie, lignerolle.

FICHE : 6 cédule, fichet, marque ■ **7** fichier ■ **8** fichiste ■ **13** reproductrice.

FICHER : 6 moquer ■ **7** planter, railler.

FICHIER : 6 mot-clé ■ **7** serveur ■ **11** descripteur.

FICHU : 5 châle ■ **6** chéret, guimpe, pointe ■ **7** canezou, écharpe, fanchon ■ **8** marmotte.

FICTIF : 6 irréel ■ **7** fiction ■ **9** invention ■ **10** fiduciaire, imaginaire ■ **11** fictivement.

FICTION : 9 antihéros, docudrame.

FIDEICOMMIS : 11 trusteeship.

FIDELE: 3 ami, pur, sûr ■ 4 féal, lige, paix ■ 5 dévôt, guise, juste, leude, loyal, pieux ■ 6 affidé, dévoué ■ 7 éprouvé ■ 8 constant, maronite, militant ■ 9 fidéliser, loyaliste, synagogue, vertueux ■ 10 antrustion, fidèlement, scrupuleux ■ 13 incorruptible.
FIDELISER: 12 fidélisation.
FIDELITE: 3 foi ■ 5 amour, piété ■ 6 amitié, sûreté, vérité ■ 7 hommage, honneur, loyauté, probité ■ 8 chasteté, dévotion, promesse, religion, scrupule, véracité ■ 9 confiance, constance, loyalisme, pervenche ■ 10 allégeance, dévouement, exactitude, infidélité, minichaîne, musicalité ■ 11 attachement.
FIDJI: 7 fidjien.
FIDUCIAIRE: 14 fiduciairement.
FIEF: 5 alleu, féage ■ 6 tenure ■ 7 domaine, fieffer ■ 8 banneret, inféoder, seigneur, suzerain ■ 9 franc-fief, starostie ■ 10 ensaisiner, feudataire, franc-alleu ■ 11 arrière-fief, investiture.
FIEFFE: 6 conard ■ 7 connard.
FIEL: 4 amer, bile ■ 8 fielleux.
FIELLEUX: 9 enfieller.
FIENTE: 5 bouse ■ 6 crotte ■ 7 fienter ■ 8 épreinte, laissées ■ 9 colombine, excrément.
FIER: 3 sûr ■ 5 crâne, noble ■ 6 altier, faraud ■ 7 confier, hautain, superbe ■ 8 insolent, renchéri, vaniteux* ■ 9 fièrement ■ 10 conquérant, dédaigneux, triomphant ■ 11 orgueilleux*, plastronner.
FIERTE: 7 hauteur, orgueil* ■ 8 humilité, maestria ■ 9 arrogance, triompher.
FIEVRE: 5 accès, crise, stade, sueur ■ 6 amaril, délire, suette, vomito ■ 7 amarile, chaleur, cocotte, fébrile, frisson, maladie, malaria, passion*, pyrexie, rougeur ■ 8 adynamie, apyrexie, fiévreux, hectique, kala-azar, pyrogène ■ 9 agitation, cauchemar, enfiévrer, fébricule, fébrifuge, fiévrotte, paludisme, paroxysme, rémission, stégomyie, vitulaire ■ 10 antiamaril, apyrétique, brucellose, irritation ■ 11 bactériémie, température*, tremblement ■ 12 échauffement, inflammation, leptospirose, paratyphoïde, redoublement ■ 13 défervescence, fiévreusement.
FIFILLE: 14 hypocoristique.
FIGER: 7 caille, transir ■ 8 coaguler, congeler, figement ■ 9 scléroser ■ 10 hiératique.
FIGNOLER: 7 chiader ■ 8 parfaire ■ 9 fignolage.
FIGUE: 3 fic ■ 4 kaki ■ 5 nopal ■ 6 banian, boukha, cotona, oponce ■ 7 carique, coctane, ficoïde, gourcau, opuntia, ruminal ■ 8 bananier, figuerie, sycomore ■ 9 crossette ■ 10 cervantine, cordelière, palétuvier ■ 11 coucourelle ■ 13 cotignacenque.
FIGUIER: 8 figuerie.
FIGURANT: 4 girl ■ 7 casting ■ 8 choriste, comparse ■ 9 marcheuse ■ 10 figuration.
FIGURE: 3 roi, tau ■ 4 côté, dame, face, hure, lion, tête, type ■ 5 aigle, angle, balle, bille, bosse, crase, fiole, forme, idole, ligne, macle, magot, poire, pomme, sosie, style, trope, valet, volte ■ 6 bobine, cimier, devise, dièdre, faciès, gueule, ironie, litote, minois, lunule, marmot, pagode, pantin, poupée, solide, statue, visage*, vrille, zeugma ■ 7 apocope, barbara, bouille, diérèse, ellipse, emblème, imposée, piaffer, plumeté, segment, support, syncope, tonneau, voltige ■ 8 académie, allusion, aphérèse, asyndète, bonhomme, enallage, figurine, moulinet, passe-bas, persique, portrait, prothèse, sarcasme, styliser, syllepse, syncrèse, tourteau, triangle, trombine ■ 9 allégorie, antithèse, arabesque, cafetière, chandelle, demi-volte, épenthèse, figu-

riste, filigrane, frimousse, gradation, hendiadis, hendiadys, hypallage, hyperbate, hyperbole, imitation, immelmann, inversion, jaquemart, mannequin, métalepse, métaphore, métathèse, métonymie, périmètre, pléonasme, projectif, réticence, rhomboïde, trigramme, trompette ■ **10** anacoluthe, antiphrase, antonomase, apostrophe, attraction, bouillotte, catachrèse, champlever, concession, conversion, correction, curviligne, demi-droite, épiphonème, euphémisme, figurément, hendiadyin, homothétie, hypotypose, invocation, opposition, paronomase, périphérie, périphrase, prosopopée, quadrangle, quadrature, répétition, rhétorique, subjection, suspension, synecdoche, synecdoque ■ **11** antipodisme, conjonction, disjonction, énumération, exclamation, homographie, imprécation, margoulette, marionnette, obsécration, pastourelle, physionomie, prétérition, sociogramme, zoophorique ■ **12** allitération, interruption, isopérimètre ■ **13** communication, interrogation, rectangulaire ■ **14** représentation* ■ **15** transfiguration.

FIGURER : **7** accoler ■ **8** imaginer* ■ **10** bouche-trou, figuration, figurement, préfigurer ■ **11** représenter*.

FIGURINE : **6** santon ■ **7** netsuke, tanagra ■ **8** historié ■ **9** jaquemart.

FIL : **4** bâti, cops, filé, lamé, soie ■ **5** basin, borne, cardé, caret, corde, coton, duite, filer, filet, fusée, lurex, penne, toron ■ **6** archal, bobine, effilé, empile, faufil, fileur, sangle, torque, tortis ■ **7** chégros, copsage, coupant, doublot, ficelle, fleuret, fusible, futaine, ligneul, lingard, tordeur ■ **8** bobinage, défilage, dentelle, écheveau, effilure, embuvage, filament, filandre, filature, lisérage, organsin, raffûter, roquetin, silionne, terlenka, tréfiler, trichite, tringler, vergeure ■ **9** aiguillée, bifilaire, boudinage, bruissage, canetière, cordonnet, éfaufiler, élastique, enverjure, filoselle, mule-jenny, parfilage, serre-fils, solénoïde, surfilage ■ **10** tranchant, cannetière, cannetille, commettage, croisement, déroulement, envergeure, filandière, merceriser, semi-peigné, unifilaire, vermicelle ■ **11** éraillement, mercerisage ■ **12** coupe-circuit, fildeфériste, multifilaire, quart-de-pouce ■ **15** radio-téléphonie.

FIL A FIL : **8** chambray.

FILAGE : **9** extrusion.

FILAIRE : **9** filariose.

FILAMENT : **4** poil ■ **5** barbe, fibre, flood, hyphe, ouate, usnée ■ **7** fibrine, filasse ■ **8** barbille, flagelle, spirille ■ **9** barbillon, flagellum, protonéma, rivulaire, tungstène, vauchérie, vibratile ■ **10** oscillaire, spirochète ■ **11** filamenteux ■ **12** chondriosome.

FILAMENTEUSE : **7** zygnéma ■ **12** actinomycète.

FILANDREUX : **6** obscur.

FILANT : **6** étoile.

FILASSE : **5** broie ■ **6** étoupe ■ **7** chanvre ■ **8** sérancer, sesbanie ■ **9** échanvrer, maroufler ■ **10** chènevotte.

FILATURE : **8** ensimage, filateur, peignage ■ **9** ouvraison, retordeur.

FILE : **4** rang ■ **5** queue, suite* ■ **6** défilé, virure ■ **7** filable ■ **8** déboîter, enfilade, filature ■ **10** procession.

FILER : **4** fuir* ■ **5** jenny, rouet ■ **6** couler, courir, partir, pister, suivre ■ **8** filocher ■ **10** filandière.

FILET : **3** let, pan, sac ■ **4** lacs, orle, parc, rets ■ **5** appât, bâche, barbe, drège, folle, hamac, louve, nasse, palis, picot, piège*, poche, puche, ridée, seine, senne, tente, venet ■ **6** ablier, bolier, bourse, chalut, collet, drague, dreige, follée, gabare, galope, magret, réglet, réseau, truble, vannet ■ **7** ableret, annelet, ansière, armille, balance, boulier, chausse, cordeau, diguial, fileter, ganguid, guideau, havenet, nervure, panneau, pantène, résille, rissole, suprême, tambour, tartane, tirasse, tournée, tramail, trémail, trouble, verveux ■ **8** araignée, bordigue, bricolet, buhotier, carrelet, dentelle, épervier, filetage, gansette, haveneau, lassière, oiseleur, pantenne, pantière, réticule, thonaire, tonnelle, traîneau ■ **9** cliquette, connectif, échiquier, émailler, engrelure, épuisette, filigrane, glomérule, paradière, ramendeur, réchampis, resarcelé, thonnaire, tournedos, traînasse, troubleau ■ **10** crevettier, écladouère, émouchette, marcolière, tomberelle, volley-ball ■ **11** harenguière, langoustier ■ **12** langoustière ■ **13** chasse-mouches, chateaubriand, châteaubriant ■ **15** tourbillonnaire.

FILET DE PECHE : **6** ablier ■ **7** ableret.

FILIALE : **11** sous-filiale.

FILIALISATION : **10** filialiser.

FILIATION : **9** matriclan, patriclan, théogonie ■ **10** généalogie*, génération ■ **11** filialement, unilinéaire ■ **12** matrilignage, patrilignage ■ **13** matrilinéaire, patrilinéaire.

FILICALE : **7** fougère, osmonde ■ **8** cétérach, polypode.

FILIERE : **3** fil ■ **4** soie ■ **7** fileter ■ **9** dégrosser, extrusion ■ **10** pultrusion ■ **12** onchocercose.

FILIFORME : **3** fil ■ **4** poil ■ **8** vibrisse.

FILIGRANE : **8** serpente ■ **10** filigraner.

FILIN : **4** orin ■ **5** corde, funin ■ **6** brague, vérine ■ **7** cordage, élingue, gerseau, manille, verrine ■ **8** aussière, pantoire ■ **9** manœuvre, œil-de-pie ■ **10** tire-veille.

FILLE : **3** oie ■ **4** viol ■ **5** dinde, fatma, femme, garce, gosse, poule ■ **6** dondon, gamine, mousmé, nymphe, quille, vierge, virago ■ **7** fifille, folasse, infante, lorette, nicette, pucelle, rosière, tendron, vestale ■ **8** blondine, call-girl, donzelle, fillasse, fillette, garçonne, greluche, grisette, laideron, poulette, salisson, servante ■ **9** caillette, chabraque, gigolette, midinette, princesse, soubrette, trousseur ■ **10** damoiselle, dariolette, demoiselle, diaconesse, péronnelle, prostituée, schabraque ■ **11** célibataire, horizontale, jouvencelle, petite-fille, petite-nièce ■ **12** arrière-nièce, mademoiselle.

FILLETTE : **6** réglée ■ **7** fifille.

FILM : **4** plan ■ **5** bande, lyric, nanar, pièce, porno, short ■ **6** cinéma, remake ■ **7** cartoon, moviola, musical, parlant, western ■ **8** cinéaste, dialogue, filmique, producer, projeter, suspense, téléfilm, thriller, vidéaste ■ **9** cinéphile, ciné-roman, coloriser, docudrame, générique, pellicule, super-huit ■ **10** contretype, ektachrome, inversible, producteur, production, projection ■ **11** dialoguiste, long-métrage, réalisateur, technicolor, visionneuse ■ **12** cinémathèque, court-métrage, filmographie, internégatif, moyen métrage, novélisation ■ **13** cinégraphique ■ **14** documentariste, synchroniseuse ■ **15** super-production.

FILMER : **7** filmage ■ **11** safari-photo.

FILON : **4** dyke ■ **5** veine ■ **6** éponte ■ **7** galerie ■ **8** filonien, salbande.

FILONIENNE : **6** aplite.

FILOU : **6** escroc, fripon, voleur* ■ **8** filouter ■ **9** arnaqueur, filoutage ■ **10** filouterie, flibustier, grivèlerie.

FILS : **3** ben, bru, ebn, ibn ■ **4** béni, béno, brin, fieu, gars ■ **5** petit ■ **6** enfant, fiston, garçon ■ **7** rejeton ■ **8** benjamin ■ **9** petit-fils, postérité ■ **10** belle-fille ■ **11** petite-fille, progéniture ■ **12** arrière-neveu ■ **13** beau-petit-fils.

FILTRAGE : **8** colature, purgeoir.

FILTRE : **5** écran ■ **6** bougie ■ **7** crépine, filtrat, filtrer ■ **8** blanchet, colature, passe-bas, passoire ■ **9** filtrable, infiltrer, passe-haut ■ **10** filtration, géotextile ■ **11** ultrafiltre ■ **12** filtre-presse, papier-filtre, passant-bande ■ 15 ultrafiltration.

FILTRER: 4 suer ■ 6 couler, épurer, passer, purger ■ 7 suinter ■ 8 filtrage, filtrant, pénétrer, purifier ■ 9 clarifier, dégoutter, traverser ■ 10 filtration, infravirus, transsuder, ultravirus.

FIN: 3 bon, but*, pur, sel ■ 4 bout*, fiat, futé, gong, menu*, mort, naïf, roué, rusé, silt, tard ■ 5 arrêt, avisé, camée, carat, cesse, chute, décès, délié, enfin, épais, épode, final, madré, malin, mince*, oméga, opium, queue, reste, sedan, terme* ■ 6 adroit, étroit*, finale, finaud, habile, limite*, matois, relief, retors, sagace, soyeux, subtil, surfin ■ 7 bougran, délicat*, dessert, éveillé, finesse, kaddish, lacerie, liberty, piquant, raffiné, surplus, week-end ■ 8 cabochon, cashmere, consoler, décliner, dégourdi, épilogue, éternité, filament, finalité, finasser, finement, funicule, grossier, madrigal, postface, raffiner, résilier, résultat, saborder, serpente, terminus, toujours, vaporeux ■ 9 appendice, astucieux, cauteleux, cessation*, désinence, extrémité*, finalisme, guillemet, judicieux, manœuvre, ménopause, quat'zats, rouleauté, spirituel, transfini ■ 10 acidulaire, apocalypse, capillaire, cul-de-lampe, décrocheur, extinction, finalement, impalpable, péremption, péroraison, perspicace, scaferlati, téléologie ■ 11 autotélique, clairvoyant, désaffilier, dissolution, négociation, non-recevoir, suppression, ténuirostre, terminaison ■ 12 consommation, prescription, remembrement ■ 13 aboutissement, arrière-saison, désagrégation ■ 14 décolonisation ■ 15 déconventionner.

FINAL: 4 rush ■ 5 issue ■ 6 climax, finale, ultime ■ 7 dernier ■ 9 finaliste ■ 10 demi-finale ■ 12 exploitation.

FINALE: 10 roncation ■ 13 demi-finaliste.

FINALISER: 12 finalisation.

FINALITE: 7 mastère ■ 9 télénomie ■ 10 téléonomie.

FINANCE: 8 clearing, questeur, rechange ■ 9 argentier, financier, liquidité, publicain, succursale ■ 10 finançable, transferts, trésorerie ■ 12 compensation, surintendant, syndicataire ■ 14 financièrement.

FINANCEMENT: 13 cofinancement.

FINANCER: 5 payer ■ 7 leasing ■ 10 cofinancer ■ 11 financement, sponsoriser ■ 15 auto-financement.

FINANCIERE: 13 capital-risque.

FINASSER: 7 biaiser.

FINAUD: 3 fin ■ 4 rusé ■ 5 malin ■ 8 roublard ■ 10 finauderie.

FINE: 7 acuminé, poudrin.

FINESSE: 4 ruse, tact ■ 5 flair ■ 6 astuce ■ 7 adresse*, naïveté, pairage, rouerie ■ 8 finasser, sagacité ■ 9 atticisme, subtilité* ■ 10 finasserie, stratagème ■ 11 conceptisme, délicatesse*, grossièreté, raffinement ■ 12 clairvoyance, perspicacité.

FINI: 8 finitude.

FINISTERE: 11 finistérien.

FINIR: 4 ôter ■ 5 clore, lever, périr, tarir, vider ■ 6 bâcler, borner, briser, calmer, cesser*, échoir, mourir, tomber ■ 7 aboutir, achever, apaiser, arrêter, arriver, baisser, dénouer, expirer, laisser, limiter, manquer, périmer, quitter, ragréer, refuser, résumer, shaving ■ 8 abstenir, clôturer, conclure, demeurer, dénoncer, départir, détruire, éteindre, expédier, finition, parfaire, renoncer, résoudre, terminer, vieillir ■ 9 accomplir, consommer, couronner, délimiter, finissage, finisseur, supprimer ■ 10 finalement, parachever ■ 11 déshabituer, récapituler ■ 13 désaccoutumer.

FINITION: 6 honing, pareur ■ 7 lapping.

FINLANDE: 6 markka.

FINLANDAIS: 7 finnois ■ 10 finlandais ■ 14 ouralo-altaïque.

FINNO-OUGRIEN : **4** este ■ **5** lapon ■ **6** ostiak, ostyak ■ **7** finnois ■ **8** estonien, hongrois, ostiaque.
FINNO-OUGRIENNE : **6** vovoul ■ **7** vogoule ■ **11** tchérémisse.
FIOLE : **7** topette ■ **9** bouteille.
FIOUL : **14** viscoréduction.
FIRME : **13** établissement.
FISCAL : **5** carte ■ **9** fiscalité ■ **10** fiscaliser ■ **11** fiscalement, procurateur ■ **13** fiscalisation.
FISCALITE : **10** antifiscal ■ **12** défiscaliser.
FISSILE : **8** fissible.
FISSION : **7** fissile ■ **10** fissionner.
FISSURATION : **12** fracturation.
FISSURE : **5** fente*, filon, fuite ■ **6** faille, larron, renard, sillon, suture, tapure ■ **7** lézarde ■ **8** crevasse, diaclase, entaille, éventure, gélivure, malandre, propolis ■ **9** abreuvoir, cicatrice, gouttière, pourlèche ■ **11** fissuration.
FISSURER : **7** boucler, déjeter, déliter ■ **10** entrouvrir.
FISTULE : **9** fistuleux ■ **10** fistulaire.
FISTULINE : **11** foie-de-bœuf ■ **13** langue-de-bœuf.
FIXAGE : **6** fixing.
FIXATION : **4** alun, oyat ■ **5** bysse ■ **8** accolage, embattage, enrayage, naissain, ventouse ■ **9** korsakoff, préfixion ■ **10** adipopexie, étalingure, limitation ■ **11** alcoylation, enkystement, hydratation, néphropexie ■ **13** calcification, stéréochromie ■ **15** recalcification.
FIXE : **4** amer, cale, taux ■ **5** appui, donné, ferme*, fixer, point ■ **6** défini, entêté, fixité, précis, solide*, stable* ■ **7** arrêté, certain, continu, décisif, fixisme, marotte ■ **8** adhérent, ambulant, constant, épiphyse, fixement, habituel, homogène, immanent, immobile, immuable, monotone, régulier, taxateur, uniforme ■ **9** azéotrope, définitif, déterminé, obsession, permanent, résistant ■ **10** décrétoire, inamovible, invariable, périodique, statutaire ■ **11** ambulatoire, appontement, inaliénable, ineffaçable, irrévocable, péremptoire, synarthrose ■ **12** azéotropique, impérissable, impermutable, indissoluble, inébranlable, porte-greffes ■ **13** incorruptible ■ **14** indestructible ■ **15** imprescriptible.
FIXER : **4** lier ■ **5** caler, élire, figer, lacer, nouer, river, taxer ■ **6** ancrer, bosser, bréler, clouer, coller, donner, ficher, graver, régler, sertir, souder, visser ■ **7** amarrer, arrêter, arrimer, asseoir, assurer, atteler, boucler, braquer, breller, coincer, enrêner, établir*, évaluer, fichoir, fixatif, frapper, marquer, minuter, planter, retenir, riveter, sceller ■ **8** absorber, affermir, appondre, attacher*, cimenter, claveter, désigner, embosser, encadrer, encarter, entoiler, épingler, fixateur, fixation, habituer, haubaner, immigrer, imprimer, liquider, préciser, préfixer, punaiser, roulette, soutenir ■ **9** accrocher, anticiper, attention, basophile, boulonner, boutonner, cheviller, délimiter, encastrer, enchâsser, enraciner, enverguer, goujonner, implanter, incruster, lipotrope, maintenir, mémoriser, prescrire, suspendre ■ **10** assujettir, consolider, cosmétique, cramponner, déterminer, écussonner, encarture, étalinguer, gournabler ■ **11** applicateur ■ **12** contingenter, cristalliser, dimensionner ■ **13** photographier, stratigraphie ■ **14** particulariser.
FJORD : **5** golfe.
FLACON : **5** fiole ■ **10** flaconnage, flaconnier ■ **12** saupoudreuse.
FLAGELLE : **6** volvox ■ **7** euglène, volvoce ■ **9** cellulase, zoogamète ■ **10** centrosome, leishamnia, leishmanie ■ **11** flagellaire, trichomonas, trypanosome, zooflagellé ■ **13** phytoflagellé.

FLAGELLER : 6 battre*, rosser ■ 8 fouetter ■ 10 flagellant ■ 12 flagellateur, flagellation.
FLAGEOLER : 8 trembler ■ 9 chanceler.
FLAGORNER : 7 flatter* ■ 10 flagorneur ■ 11 flagornerie.
FLAGORNEUR : 8 grimpion.
FLAGRANT : 7 évident, positif ■ 9 flagrance.
FLAIR : 6 odorat ■ 9 pifomètre ■ 12 clairvoyance*.
FLAIRER : 6 sentir ■ 7 halener ■ 9 subodorer ■ 10 pressentir, soupçonner.
FLAMAND : 9 marollien.
FLAMBEAU : 5 suage ■ 6 torche ■ 7 brandon ■ 9 chandelle ■ 10 chandelier ■ 11 bout-de-table.
FLAMBER : 3 feu ■ 6 brûler* ■ 7 flambée ■ 8 flambage, flambant ■ 10 flambement.
FLAMBOYER : 7 briller*, éclater, rutiler ■ 8 éclairer ■ 9 étinceler ■ 10 flamboyant, resplendir ■ 12 flamboiement.
FLAMENCO : 5 cueva ■ 6 cuadro ■ 8 taconeos.
FLAMME : 3 feu ■ 4 zèle ■ 5 amour*, crise ■ 6 ardeur, carnau, pennon ■ 9 chalumeau, étincelle, flammèche, oriflamme ■ 12 protubérance.
FLAN : 6 quiche ■ 7 dariole ■ 8 barbille ■ 10 stéréotype.
FLANC : 4 côté, crêt ■ 7 iliaque ■ 8 courtine, embrasse, flanquer, gémonies ■ 9 avalanche, flanqueur, frégatage, isoclinal ■ 10 flanconade, monoclinal.
FLANCHER : 7 reculer.
FLANDRIN : 3 mou ■ 5 mince.
FLANER : 5 errer*, muser ■ 7 flâneur, marcher, traîner ■ 8 badauder, balocher, flânerie, musarder, promener ■ 9 flanocher, lanterner, rodailler ■ 10 baguenauder ■ 12 lèche-vitrine ■ 13 lèche-vitrines.
FLANQUER : 4 côté ■ 5 jeter ■ 8 soutenir ■ 11 flanquement.
FLAQUE : 7 gouille.
FLASQUE : 3 mou ■ 5 lâche ■ 8 mollasse ■ 9 cotonneux, spongieux ■ 10 flaccidité.
FLATTER : 5 bénir ■ 6 aduler, penser, ramper, servir, vanter ■ 7 cajoler, câliner, déifier, espérer, gratter, peloter, targuer, tromper ■ 8 allécher, amadouer, caresser, encenser, flatteur, louanger, mignoter ■ 9 applaudir, courtiser, délicieux, diviniser, flagorner, glorifier, prétendre, prévaloir, ragoûtant, succulent ■ 10 bouchonner ■ 11 assaisonner, chatouiller ■ 12 complimenter.
FLATTERIE : 6 encens, fadeur ■ 7 louange*, mamours ■ 8 mensonge ■ 9 adulation, bénissage, blandices, cajolerie, servilité, souplesse, tromperie ■ 10 compliment, galanterie, hypocrisie ■ 11 amadouement, flagornerie, génuflexion ■ 12 complaisance, obséquiosité ■ 13 courtisanerie.
FLATTEUR : 6 galant ■ 7 lécheur, sauteur ■ 8 cajoleur, emmiellé, enjôleur ■ 9 adorateur, adulateur, bénisseur, courtisan, doucereux, encenseur, endormeur, hypocrite, laudateur, louangeur ■ 10 caudataire, flagorneur ■ 11 démagogique, lèche-bottes ■ 12 thuriféraire ■ 13 applaudisseur, complimenteur, dithyrambiste, flatteusement.
FLATUOSITE : 3 gaz, pet, rot ■ 4 vent ■ 5 vesse ■ 6 hoquet ■ 10 borborygme, éructation, flatulence.
FLEAU : 4 arme ■ 5 fouet, plaie, lèpre ■ 7 malheur, plommée ■ 8 nunchaku ■ 9 campagnol, languette ■ 11 catastrophe.
FLECHE : 3 arc ■ 4 dard, upas ■ 5 penne, trait ■ 6 archée, sagaie ■ 7 carreau, flécher, javelot, sagette, sagitte, vireton ■ 8 carquois, flé-

chage, javeline, sagittal ■ **9** barbillon, empennage, fléchette ■ **10** sagittaire, strophante ■ **12** strophanthus.

FLECHIR: **5** céder*, plier ■ **6** arquer, couder, ployer ■ **7** courber, crisper, flexion, toucher ■ **8** désarmer ■ **9** attendrir, infléchir, succomber ■ **10** contracter, inexorable ■ **11** fléchisseur, génuflexion ■ **12** irréductible ■ **13** fléchissement.

FLECHISSEMENT: **7** flexion ■ **8** courbure, jointure ■ **9** déflexion, inflexion, sinuosité ■ **10** crispation ■ **11** contraction, flexibilité, génuflexion ■ **12** articulation.

FLEGME: **5** calme ■ **10** exaltation ■ **11** flegmatique ■ **12** enthousiasme, impassibilité, indifférence ■ **15** flegmatiquement.

FLEMMARD: **5** oisif ■ **9** paresseux*.

FLEMMARDER: **11** flemmardise.

FLETAN: **5** elbot.

FLETRIR: **5** faner ■ **8** enlaidir, vieillot ■ **9** ratatiner ■ **10** marcescent ■ **11** marcescible, stigmatiser ■ **13** immarcescible.

FLETRISSEMENT: **7** enthèse.

FLETRISSURE: **7** infamie ■ **9** souillure ■ **11** défloraison.

FLEUR: **3** épi, ive, lis, lys, rue ■ **4** anis, arum, iris, ixia, ixie, lobe, miel, puya, rose, sium, thym, ulex ■ **5** ajonc, aster, berce, bluet, bugle, calla, canna, câpre, ciguë, cobéa, colza, élite, flore, genêt, glume, gouet, inule, jacée, lilas, mauve, mélia, myrte, ortie, pavot, phlox, sauge, souci, yucca ■ **6** aconit, arnica, azalée, bleuet, bryone, butome, calice, coucou, crocus, cytise, dahlia, datura, floral, hysope, ivette, jasmin, kerria, menthe, mimosa, mouron, muguet, nielle, ophrys, orchis, pensée, picris, plante*, réséda, rosage, safran, salvia, samole, silène, soleil, spirée, tagète, tépale, trèfle, tulipe, zinnia ■ **7** adonide, ancolie, anémone, arabète, armoise, barbeau, basilic, bégonia, benoîte, bétoine, bruyère, camélia, catalpa, chardon, chloris, dicline, fleuron, floréal, foliole, fuchsia, garance, glaïeul, glécome, glycine, lavande, liseron, lobélie, mahonia, mélilot, mélisse, néottie, nigelle, œillet, papaver, pétunia, pivoine, ponceau, romarin, seringa, statice, tamaris, trochet, ulmaire, velvote ■ **8** absinthe, achillée, ageratum, amarante, anthémis, aubépine, balisier, bassinet, bistorte, buglosse, caladium, caméline, capucine, couronne, crassile, cyclamen, digitale, ellébore, endymion, euphorbe, fanaison, fleurage, gardénia, gentiane, géranium, giroflée, gléchome, glumelle, grenadin, hypogine, jacinthe, joubarbe, julienne, magnolia, malherbe, martagon, monandre, myosotis, narcisse, nénuphar, orchidée, parterre, robinier, roquette, tanaisie, tigridie, uniflore, unisexué, verveine, violette ■ **9** amaryllis, améthyste, angélique, asphodèle, balsamine, belladone, bourrache, bouton d'or, camomille, campanule, centaurée, cinéraire, clématite, clochette, colchique, coréopsis, défleurir, ecballium, edelweiss, églantine, fleurette, fleuriste, fleuronné, floraison, florifère, florilège, foliation, hellébore, hépatique, hortensia, jonquille, magnolier, maurandie, mirabilis, œillette, passerose, pédoncule, périanthe, pervenche, pissenlit, primerose, primevère, renoncule, rudbeckia, rudbeckie, saponaire, scabieuse, sensitive, stramoine, tubéreuse, unisexuel, valériane, véronique, volubilis, volucelle ■ **10** accrescent, aigre-moine, coquelicot, crête-de-coq, cynoglosse, dentelaire, fleuraison, florissant, foliiforme, fraxinelle, gamopétale, gamosépale, héliotrope, immortelle, marguerite, marjolaine, mercuriale, monadelphe, multiflore, pâquerette, passiflore, pauciflore, perce-neige, pique-fleur, plate-bande, protandrie, protogynie, soldanelle, spéculaire, symphorine, tillandsie, verticille, virescence, xéranthème ■ **11** aristoloche, belle-de-jour, belle-de-nuit, bouquetière, calcéolaire, caryophylle, défloraison, efflorasion, fleur-de-lisé, fritillaire, marcescence, pélargonium, pique-fleurs, sanguisorbe ■ 12 affleurement, arrière-fleur, boule-de-neige, chrysanthème, floriculture, gueule-de-loup, millefeuille, millepertuis, polycarpique, protérandrie, protérogynie, rhododendron ■ 13 bougainvillée, chèvrefeuille, grenouillette, inflorescence, pied-d'alouette, reine-des-prés, tiercefeuille ■ 15 mésembryanthème, reine-marguerite.

FLEURET: 3 fer ■ 4 épée ■ 5 botte ■ 6 mouche ■ 7 escrime ■ 8 plastron ■ 11 démoucheter ■ 12 fleurettiste.

FLEURETTE: 9 fleureter.

FLEURIR: 7 réussir ■ 9 refleurir, remontant.

FLEURON: 3 rai ■ 9 entrelacs, fleuronné ■ 10 raide-cœur ■ 13 amortissement, quartefeuille, quintefeuille.

FLEUVE: 4 bras, rive ■ 5 cours ■ 7 fluvial, portage ■ 9 cours d'eau, irruption ■ 10 embouchure, fluvialité ■ 11 débordement, fluviomètre ■ 15 fluvio-glaciaire.

FLEXIBLE: 4 jonc ■ 5 bâton, canne, liant, stick ■ 6 souple* ■ 7 pliable, rouette ■ 8 baguette, houssine, soufflet ■ 9 casse-tête, chiffonne ■ 10 semi-rigide ■ 11 flexibilité ■ 12 flexibiliser.

FLEXION: 4 aine ■ 10 flexionnel.

FLEXUEUX: 6 ondulé ■ 10 flexuosité.

FLIBUSTE: 9 flibuster.

FLIBUSTIER: 6 bandit, pirate ■ 8 corsaire, flibuste.

FLINT GLASS: 10 crown glass.

FLION: 5 donax ■ 6 donace.

FLIRTER: 5 flirt ■ 7 caprice ■ 8 coquette, flirteur ■ 9 amourette.

FLOCAGE: 7 floquer.

FLOCON: 6 muesli ■ 8 floculer ■ 9 floconner ■ 10 corn flakes, floconneux ■ 11 floculation ■ 12 cirro-cumulus.

FLOCULATION: 9 floculent.

FLOPEE: 5 volée ■ 9 multitude*.

FLORAISON: 8 effleurir ■ 12 arrière-fleur ■ 13 vernalisation ■ 15 refleurissement.

FLORALE: 7 ikebana.

FLORE: 5 biote ■ 8 dextrine, madicole ■ 9 botanique, floralies ■ 10 végétation ■ 11 floristique.

FLORIDEE: 9 coralline ■ 11 rhodophycée.

FLORILEGE: 10 anthologie.

FLOT: 3 mer ■ 4 flux, lame, onde ■ 5 houle, vague ■ 6 couler ■ 8 afflouer, bouillon, flottage ■ 9 logorrhée, renflouer ■ 10 déséchouer ■ 11 débordement ■ 13 contre-courant.

FLOTTAGE: 5 drave.

FLOTTAISON: 8 déjauger, muraille, saborder ■ 9 préceinte ■ 11 fluctuation.

FLOTTANT: 7 glaciel.

FLOTTE: 6 armada, marine ■ 8 navarque ■ 9 flottille.

FLOTTER: 4 pack ■ 5 bouée, nager ■ 6 voguer ■ 7 bouchon, émerger, ondoyer, trimmer, voleter ■ 8 balancer, flottant, flotteur, naviguer, surnager, voltiger ■ 9 flottable, navigable, renflouer ■ 10 brandiller, flottement, lavallière, métacentre.

FLOTTEUR: 3 fun ■ 6 pédalo ■ 8 funboard.

FLOU: 5 bougé, fondu, vague* ■ 8 vaporeux.

FLUCTUANT: 8 fluctuer.

FLUCTUATION: 9 chartiste ■ 10 changement, succession.

FLUET: 4 menu ■ 5 mince ■ 6 faible.

FLUIDE : **3** air, gaz ■ **5** clair, éther, fréon, poche ■ **6** by-pass, humeur ■ **7** bipasse, colonne, liquide* ■ **8** effluent, éjecteur, émersion, fluidité, registre ■ **9** coacervat, convexion, diffusion, échangeur, fluidique, implosion, manomètre, périsprit, perméable, rhéomètre, viscosité ■ **10** convection, fluidifier, magnétisme ■ **11** caloporteur, engorgement ■ **12** électrovanne, phlogistique, presse-étoupe, turbomachine, vélocimétrie, volucompteur ■ **13** caloriporteur ■ **14** fluidification, gargouillement ■ **15** tourbillonnaire.

FLUIDIFIER : **14** fluidification.

FLUIDIQUE : **9** fluidique.

FLUIDISATION : **9** fluidiser.

FLUIDITE : **3** rhé.

FLUOPHOSPHATE : **7** apatite.

FLUOR : **8** fluorine, fluorose, fluorure ■ **9** cryolithe ■ **10** fluoration ■ **12** hexafluorure ■ **13** fluorhydrique.

FLUORESCEINE : **6** éosine.

FLUORESCENCE : **5** écran ■ **6** stokes ■ **9** rhodamine ■ **11** fluorescent, luminescent.

FLUORINE : **7** murrhin.

FLUORURE : **6** fluate ■ **8** cryolite, fluorite ■ **9** cryolithe ■ **12** hexafluorure.

FLUTE : **5** fifre ■ **6** diaule, flûter, pipeau ■ **7** fistule, flûtiau, larigot, monaule, octavin, piccolo, sarrane, syringe ■ **8** flûtiste, galoubet, hautbois, mirliton, tonarion ■ **9** capistrum, chalumeau, flageolet, pifferaro, plagiaule, turlututu ■ **10** clarinette ■ **11** éléphantine, traversière.

FLUVIAL : **8** poussage, vire-vire ■ **10** auto-moteur.

FLUX : **3** mer ■ **4** flot ■ **5** barre, lumen, marée ■ **6** macrée ■ **7** wehnelt ■ **8** faisceau, mascaret, radiance ■ **9** fluxmètre, menstrues ■ **10** radiomètre ■ **12** dysménorrhée ■ **14** auto-inductance.

FLUXION : **10** rhumatisme.

FOC : **6** génois, yankee ■ **7** clinfoc ■ **9** boute-hors ■ **10** tourmentin, trinquette.

FOCAL : **8** vergence.

FOCALE : **9** focomètre.

FOCALISER : **12** focalisation.

FŒTUS : **4** œuf ■ **5** fruit, létal ■ **6** amnios, fœtal ■ **7** embryon*, gravide, ombilic ■ **9** gestation, non-viable, ombilical ■ **10** césarienne, conception, fœtologie ■ **11** embryotomie, lithopédion ■ **12** présentation, toxoplasmose ■ **13** fœto-maternel, trigémellaire.

FOFOLLE : **7** folasse.

FOI : **4** fief, zèle ■ **5** canon ■ **6** vérité ■ **7** déloyal, mystère ■ **8** adultère, croyance, fidéisme, mécréant, religion, syllabus ■ **9** communion, confiance*, déloyauté, duplicité, incroyant, mysticité, romaniser ■ **10** confesseur, consultant, ex cathedra ■ **11** incrédulité ■ **13** confessionnel ■ **15** déchristianiser.

FOIE : **4** bile ■ **5** abats ■ **8** biliaire, cirrhose, fressure, hâtereau, héparine, hépatite, hydatide ■ **9** anhépatie, fistuline, glycogène, hépatique ■ **10** hépatalgie, hépatocèle, hépatocyte, insulinase ■ **11** antitoxique, distomatose, hépatologie ■ **12** hépatisation, mytilotoxine, sushépatique ■ **13** hépatomégalie ■ **14** hépatonéphrite, hépatopancréas.

FOIN : **5** barge, fenil, meule ■ **7** tumulte ■ **8** faucheur, fenaison, fourchée, fourrage, rateleur, ratelier ■ **9** râtelures, veillotte ■ **10** vire-andain ■ **11** pick-up baler.

FOIRE : **4** fête ■ **5** gille, louée ■ **6** festin, foiral, lendit, marché ■ **7** foireux ■ **8** débauche ■ **9** excrément.

FOIRER : 7 foirade.
FOIS : 4 coup ■ 7 trisser ■ 8 itératif, sextuple ■ 9 bimensuel, fréquence, primipare, prochaine, quadruple, quintuple ■ 11 biquotidien ■ 13 itérativement, quatre-vingt-dix.
FOISONNER : 7 abonder* ■ 10 foisonnant ■ 12 foisonnement.
FOLATRER : 5 badin ■ 7 ébattre, folâtre ■ 9 batifoler ■ 10 folâtrerie, marivauder ■ 11 folichonner, papillonner.
FOLIACEE : 4 lobe.
FOLIATION : 11 phyllotaxie.
FOLIE : 4 amok, dada ■ 5 asile, crise, lubie, manie* ■ 6 délire, fièvre, fureur* ■ 7 caprice, démence, épimane, équipée, ivresse, marotte, passion*, toquade, vésanie ■ 8 débauche, déraison, ellébore, escapade, fredaine, frénésie, hystérie, insanité ■ 9 absurdité, agitation, égarement, follement, illogisme, incartade ■ 10 aberration, aliénation, divagation, exaltation, imbécilité, maboulisme ■ 11 aveuglement, démonomanie, dérangement, mégalomanie, zoanthropie ■ 12 déséquilibre, extravagance, inconscience, lycanthropie.
FOLIOTER : 5 folio ■ 7 paginer ■ 9 foliotage, numéroter.
FOLKLORE : 7 vouivre ■ 11 folklorique, folkloriste.
FOLKLORIQUE : 6 folko.
FOLKSONG : 4 folk.
FOLLE : 7 folasse.
FOLLET : 5 lutin, troll ■ 6 furole ■ 8 farfadet.
FOLLICULAIRE : 11 journaliste.
FOLLICULE : 12 folliculaire.
FOMENTER : 7 exciter* ■ 8 factieux ■ 11 fomentateur, fomentation.
FONCE : 4 noir* ■ 5 clair ■ 6 obscur*, sombre* ■ 8 cramoisi ■ 9 éclaircir ■ 10 demi-teinte.
FONCER : 4 oser ■ 7 élancer ■ 9 foncement*.
FONCIER : 3 z.i.f. ■ 7 censier ■ 15 gentleman-farmer.
FONCTION : 4 cadi, caïd, curé, kadi, rôle, vice ■ 5 affin, aleph, cumul, grade, kanat, place, poste, titre, triol ■ 6 action, brevet, chaire, charge, commis, emploi*, khanat, mairie, office, praxie ■ 7 abélien, adjuvat, censure, décanat, délégué, dignité, diplôme, émérite, employé, époxyde, gérance, maïorat, mayorat, mission, pouvoir, prêture, prévôté, priorat, recette, régence, service, travail, tutorat, vizirat ■ 8 archonte, audition, bâtonnat, biliaire, candidat, censorat, clinicat, collègue, éponymie, externat, lectorat, maximant, officier, pastorat, polybase, position, questure, retraité, révoquer, sinécure, synergie, triacide, vicariat ■ 9 actuariat, adipolyse, ambassade, anhépatie, auditorat, bibasique, cotutelle, curatelle, démission, devancier, diplomate, direction, duumvirat, généralat, homologue, honoraire, intégrale, intérimat, magistrat, ministère, monitorat, motricité, nutrition, olfaction, ondinisme, personnel, polyacide, progiciel, prud'homie, reportage, résidanat, résidence, sacerdoce, sécrétion, situation, suppléant, trialcool ■ 10 adipopexie, auxiliaire, commission, délégation, députation, dignitaire, directorat, échevinage, génération, glanduleux, hiérarchie, inspection, intendance, judicature, machinisme, morphogène, nomination, nonciature, parrainage, patriarcat, phonologie, présidence, profession, proprêture, provisorat, suppléance, tétrarchat, trésorerie, tribasique ■ 11 fonctionnel, fonctionner, glandulaire, identifieur, intérimaire, névropathie, phagocytose, phrénologie, physiologie, préceptorat, principalat, proconsulat, professorat, prosectorat, répétitorat, respiration, satisfiable, secrétariat, sommellerie ■ 12 amniocentèse, bradypsychie, commissariat, conciergerie, conservation, démissionner,

magistrature, pénitencerie, phonématique, procuratrice, reproduction, surnuméraire, stathoudérat ■ 13 commissionner, fonctionnaire, vice-président ■ 14 administrateur, archi-épiscopat, différentiable, différentielle, identificateur, interprétariat, sous-préfecture, vice-chancelier, vice-présidence ■ 15 différentiation, sous-secrétariat.

FONCTIONNAIRE: 3 bey ■ 4 wali ■ 5 agent, blâme, voyer ■ 6 efendi ■ 7 censeur, employé ■ 8 auditeur, dégrader, épistate, essayeur, exaction, fonction*, résident ■ 9 directeur, eurocrate, intendant, magistrat, tabellion ■ 10 disponible, précepteur, sous-préfet, subdélégué ■ 11 budgétivore, destitution, provéditeur ■ 12 conservateur, procès-verbal ■ 13 sous-intendant, sous-ministre ■ 14 fonctionnariat, sous-gouverneur ■ 15 fonctionnariser, fonctionnarisme, haut-commissaire.

FONCTIONNALISME: 15 fonctionnaliste.

FONCTIONNE: 12 incrémentiel.

FONCTIONNEL: 8 symptôme ■ 9 lésionnel ■ 14 adiposogénital, fonctionnalité ■ 15 fonctionnaliser.

FONCTIONNELLE: 7 néphron ■ 10 vicariance.

FONCTIONNEMENT: 3 jeu ■ 7 sthénie, topique ■ 8 armement, couplage, recharge ■ 9 check-list, fiabilité, homéostat, lubrifier, manualité, myxœdème ■ 10 actionneur, déclencher, désamorcer, désenrayer ■ 11 dysfonction, stomachique ■ 12 dérégulation, oligo-élément ■ 13 dysendocrinie, enclenchement, pré-combustion ■ 14 décompensation.

FONCTIONNER: 4 agir ■ 5 aller, jouer ■ 6 partir ■ 7 marcher ■ 8 carburer, démarrer, patraque ■ 9 opérateur, organiser, remarcher ■ 10 cafouiller, travailler, tricourant.

FOND: 3 bas, cul, lie ■ 4 acul, base*, busc, cale gîte, sole, vase ■ 5 algue, ancre, basse, cadre, canne, culot ■ 6 fundus, limite, pointu, résidu, stayer, vasard ■ 7 cannage, cordeau, élément, fondeur, matière, sentine, tartare, toilage ■ 8 défoncer, enfoncer, haut-fond ■ 9 benthique, exhaustif, extrémité, guimbarde, rechampir, ressource, traversin ■ 10 fonçailles, profondeur, rescisoire, subvention ■ 11 approfondir, enrochement ■ 12 effondrilles ■ 13 arrière-bouche.

FONDAMENTAL: 4 base, fond ■ 5 dogme, vital ■ 7 basique, capital, crucial ■ 8 en dehors, kératine, tendance ■ 9 nucléique, principal ■ 10 bilirubine, cystoplasme, frontalité, primordial, trochaïque ■ 11 cyclohexane ■ 15 fondamentaliste.

FONDAMENTALISME: 15 fondamentaliste.

FONDANTE: 6 tiaffe.

FONDATEUR: 4 chef ■ 7 dynaste ■ 9 bâtisseur.

FONDATION: 4 waqf ■ 5 rouet ■ 8 tranchée ■ 9 fondement ■ 11 empattement, enfoncement ■ 12 rempiétement.

FONDE: 4 faux ■ 5 juste ■ 7 valable ■ 8 raisonné ■ 9 rationnel ■ 10 autarcique, illégitime ■ 11 cofondateur, métalogique, naturaliste, pragmatique ■ 12 arithmétique, expérimental, hypothétique, inégalitaire, traditionnel.

FONDEMENT: 3 cul, pet ■ 4 anus, base, rêve, vain ■ 6 assise, tantra ■ 7 infondé ■ 8 prestant, principe ■ 9 fondation ■ 10 chimérique, sous-œuvre ■ 11 fondamental, gnoséologie, imagination ■ 12 soubassement.

FONDER: 5 baser, bâtir, créer* ■ 6 élever, ouvrir, tabler ■ 7 établir* ■ 8 détruire ■ 9 fondateur, fondation, instaurer ■ 10 constituer.

FONDERIE: 8 crassier, sablerie ■ 9 enterrage.

FONDRE: 5 fonte, fuser ■ 6 candir, souder ■ 7 dégeler, délayer, infuser ■ 8 débraser, dégivrer, déglacer, fondeuse, mélanger, refondre ■ 9 dissoudre, infusible, liquéfier, parfondre, vitrifier ■ 11 syncrétisme.

FONDS: 4 boni, cave ■ 5 appel, terre ■ 6 argent ■ 7 foncier ■ 8 commerce, financer, investir, questeur, tréfonds, virement ■ 9 dividende ■ 11 commanditer, reversement, riveraineté ■ 12 investisseur, malversation ■ 13 commanditaire, fournissement ■ 14 investissement.
FONDU: 4 flou, fumé, lavé, suif ■ 7 fusible ■ 8 enchaîné, raclette.
FONGIBLE: 11 fongibilité.
FONGICIDE: 12 organochloré.
FONGIQUE: 12 tétracycline ■ 14 déphalosporine.
FONTAINE: 3 jet ■ 6 source* ■ 7 cascade, nymphée ■ 8 salignon ■ 9 navicelle ■ 10 aquamanile, fontainier, fontanelle.
FONTANELLE: 11 bregmatique.
FONTE: 4 type ■ 5 mazer, taque ■ 6 fusion, gueuse ■ 7 mazéage ■ 8 alluchon, caquelon, puddlage ■ 9 cémentite ■ 10 étoilement, sidérurgie ■ 13 convertissage, décarburation ■ 14 ferromanganèse, graphitisation ■ 15 déphosphoration.
FOOTBALL: 4 foot, goal, onze, polo, shot ■ 5 avant, inter, rugby, shoot, tacle ■ 6 ailier, corner, libero ■ 7 penalty, shooter ■ 8 babyfoot, dribbler, retourné, stoppeur ■ 9 intérieur, recentrer ■ 11 avant-centre, association, footballeur, goal-average.
FOR: 12 intérioriser.
FORAGE: 5 riser ■ 8 couronne, sondeuse ■ 9 carbonado, percement, puisatier ■ 11 turboforage ■ 15 semi-submersible.
FORAIN: 4 loge ■ 6 nomade ■ 7 hercule ■ 8 bateleur*, massacre, roulotte, toboggan ■ 12 saltimbanque.
FORAMINIFERE: 11 globigérine.
FORÇAT: 7 bagnard ■ 8 argousin, chiourme ■ 13 garde-chiourme.
FORCE: 2 da ■ 3 yin ■ 4 ases, bras, dyne, lion, mâle, mita, nerf, ours, plat, sève, tour, vain, volt, yang ■ 5 à-bras, appui, armée, armer, frêle, poids, santé ■ 6 action, ardeur, atonie, fougue, poigne, portée, sthène, volume ■ 7 courage*, énergie*, fermeté, mazette, poussée, pouvoir*, ressort, traînée, verdeur, vigueur* ■ 8 acrobate, adynamie, alanguir, animisme, asyndète, autorité, beaufort, centrale, cohésion, conation, déferler, efficace, éjaculer, emporter, énervant, épuisant, éventrer, éviction, grandeur, héroïsme, portance, pression, puissant, rallumer, réaction, renaître, rouiller, sanction, ténacité, tendance, traction, vieilir, violence, virilité, vitalité, vividité ■ 9 accentuer, cohérence, collapsus, composant, concision, constance, défaillir, diminutif, dynamisme, émasculer, entraîner, équilibre, extorquer, faiblesse, fortement, fortifier, hardiesse, haussière, impulsion, intensité*, millivolt, plusieurs, potentiel, puissance*, rançonner, ravigoter, régresser, remontant, restaurer, retremper, subjuguer, surhumain, véhémence, violenter, virulence ■ 10 ampère-tour, attraction, belliciste, centrifuge, contrainte, dépression, développer, efficacité, fortifiant, inévitable, marémoteur, résistance*, robustesse ■ 11 affectivité, analeptique, centrifuger, consistance, contrepoids, dynamomètre, gravitation, impuissance, infériorité, réconforter, télédynamie, tribométrie ■ 12 équipollence, inexpugnable, isodynamique, manu militari, mobilisation, neurasthénie, ragaillardir ■ 13 concentration, géostrophique, télédynamique ■ 14 hydrodynamique, kinésithérapie ■ 15 affaiblissement, antigravitation, appauvrissement, contre-extension, jusqu'au-boutisme, kilogramme-force, kilogramme-poids, prolétarisation.
FORCENE: 7 furieux ■ 10 énergumène.
FORCER: 5 mollo ■ 7 obliger ■ 8 torturer ■ 9 augmenter, forcément, violenter ■ 10 contorsion, effraction, poursuivre ■ 11 contraindre*.
FORER: 6 percer* ■ 9 tunnelier.

FORESTIER : 3 pin ■ 4 loge, orme, teck ■ 5 cèdre, chêne, frêne, gaiac, hêtre, hévéa, liane, sapin, thuya ■ 6 acajou, baobab, charme, épicéa, érable, gaulis, mélèze ■ 7 bouleau, copayer, palmier, tremble ■ 8 campèche, coudrier, peuplier, pitchpin, résineux, robinier ■ 9 boisement, giroflier ■ 10 chêne-liège ■ 11 châtaignier, palissandre.

FORET : 4 bois, parc ■ 5 biome, cavée, gault, napée, selva, selve, sylve, vente, virée ■ 6 bocage, brûlis, drille, dryade, futaie, maquis, massif, ormaie, pinède, trépan, verger ■ 7 bosquet, boulaie, canopée, chênaie, déroder, frênaie, gibelet, grueric, hêtraie, olivaie, pignade, sauvage, taillis ■ 8 sous-bois, soutrage ■ 9 affouager, boqueteau, cassenoix, clairière, débardage, forestage, forestier, sapinière, sylvinite ■ 10 aménagiste, coupe-coupe, foresterie, percerette ■ 11 dépaissance, hercynienne, sélaginelle ■ 12 forêt-galerie, rembûchement, sempervirens ■ 13 châtaigneraie, déforestation.

FORFAIT : 5 crime* ■ 8 trahison, walk-over ■ 10 abonnement, convention, forfaiture, marchander ■ 11 forfaitaire, marchandeur.

FORFANTERIE : 7 bravade ■ 11 rodomontade ■ 12 fanfaronnade.

FORFICULE : 12 perce-oreille, pince-oreille ■ 13 pince-oreilles.

FORGE : 5 usine ■ 7 enclume, marteau ■ 8 batterie, fondcric, forgeron ■ 9 clouterie, forgeable ■ 10 chaufferie, serrurerie, soufflerie ■ 11 ferronnerie ■ 12 frappe-devant, marteau-pilon.

FORGER : 7 cingler ■ 8 corroyer, forgeage, forgeron, inventer*, reforger ■ 9 fabriquer, ferratier, ferretier ■ 10 battitures.

FORGERON : 4 anel ■ 6 étampe ■ 7 daubeur ■ 8 frappeur, servante ■ 9 maréchale ■ 10 dégorgeoir ■ 11 taillandier.

FORMAGE : 10 pultrusion.

FORMALISER : 6 fâcher* ■ 8 offenser ■ 13 formalisation.

FORMALISME : 9 juridisme.

FORMALISTE : 7 affecté ■ 9 façonnier ■ 11 cérémonieux.

FORMALITE : 5 forme ■ 7 filière, préavis ■ 9 cérémonie, convention, procédure, solennité ■ 10 défectueux, formalisme ■ 12 introduction.

FORMAT : 3 écu, pot ■ 5 aigle, album, carré, jésus ■ 6 pigeon, raisin ■ 7 in-douze, in-folio, in-plano, in-seize, tabloïd ■ 8 cavalier, coquille, couronne, florette, in-octavo, in-quarto, ministre, tellière ■ 9 colombier, dimension, in-dix-huit, super-huit.

FORMATER : 9 formatage.

FORMATION : 3 tuf, u.f.r. ■ 4 bush, goum, hydr, hypo, octi, octo ■ 5 acheb, caudé, combo, taïga ■ 6 fascia, flysch, nouure, steppe ■ 7 brigade, colonne, toundra ■ 8 aéro-club, antigène, caatinga, cétogène, commando, épiaison, équipier, garrigue, harmonie, idéation, lithiase, mangrove, matorral, néologie, pallidum, synthèse ■ 9 classique, dentition, dérivatif, épigenèse, faïençage, flottille, grenaison, monitorat, néoplasie, néoplasme, ovogenèse, recyclage, thrombose ■ 10 cavitation, concordant, cosmogonie, dérivation, détartrant, détartreur, détritique, entartrage, lymphoïèse, magmatisme, onomatopée, patrouille, pétrologie, planétoïde, plissement, plutonisme, ravinement, résistance, salpêtrage, sclérogène, turbulence, ulcération ■ 11 anthropique, biosynthèse, dyskératose, émulsifiant, glycogenèse, histogenèse, leucopoïèse, lithogenèse, pétrogenèse, préfixation, suffixation, sulfatation ■ 12 blastogenèse, émulsionnant, exosquelette, gamétogenèse, gélification, hématopoïèse, métallogénie, néoformation, organogenèse, pigmentation, plancentation, polyaddition, protogalaxie, protoplanète, pseudotumeur, salification ■ 13 agglutination, cancérogenèse, érythropoïèse, polyembryonie, sédimentation, superfétation, surcreusement ■ 14 alluvionnement, cristallogénie, éthérification, fructification, généralisation, nucléosynthèse, sidérolithique, spermatogenèse ■ **15** cristallogenèse, escarrification, glycogénogenèse, phosphorisation, radioactivation, tuberculisation.

FORME: **3** ové, zoé ■ **4** état, fond, hydr, hypo, mode, ovée, voix ■ **5** carré, façon, hasté, moule, ovale, rédie, rondo, sauce, style ■ **6** figure, gueule, haïkaï, ladino, tréflé ■ **7** attesté, carrure, contour, cuboïde, dégaine, flexure, gibbeux, jogging, melonné, rondeau, sfumato, spatulé, surface, toccata ■ **8** aliforme, blastula, blastule, conforme, conicité, déformer, deltoïde, dimorphe, emboutir, endogène, façonner, gastrula, géodésie, granulie, lamaïsme, locution, matériel, modifier, montagne, nauplius, ovalaire, palmette, paronyme, romancer, sagittal, sigmoïde, siphoïde, synopsie, talqueux, tournure*, tramping, tubéracé, tubéreux, uniforme, utopiste ■ **9** annulaire, apparence, arrangeur, cagerotte, carbonaté, cardioïde, cérémonie, cholérine, consister, consonant, corallien, croissant, discoïdal, ensiforme, extérieur, formateur, frangeant, fusiforme, hélicoïde, hémicycle, ichtyoïde, isomorphe, latiniser, lobulaire, mandriner, matricage, octogonal, œnilisme, participe, pénicille, pilulaire, piriforme, plasmique, politique, procédure, profilage, pyramidal, réniforme, rhombique, ricercare, rotondité, sépaloïde, sphérique, sphéroïde, steppique, structure, tabulaire, tautomère, trigéminé, tubulaire, turriculé, unciforme, zoomorphe ■ **10** analytique, anguiforme, bombagiste, capsulaire, capuchonné, cérumineux, circulaire, collerette, configurer, cordiforme, cruciforme, dialogique, difformité, dragéifier, dysmorphie, éclectique, ectoplasme, embauchoir, encaissant, exemplaire, expression, falciforme, fongiforme, formalisme, globulaire, hélicoïdal, lanciforme, lentiforme, losangique, mamillaire, maniérisme, micellaire, miracidium, morphogène, multiforme, myrtiforme, penniforme, pisciforme, plasticité, polymorphe, préformage, république, résiduaire, rhomboïdal, scutiforme, sinusoïdal, spiciforme, sulciforme, surbaisser, survivance, varioloïde, vasculaire, vermiforme, vésiculeux ■ **11** antinomique, arborescent, arrangement, autoportant, autoporteur, conjugaison, cylindrique, cylindroïde, délinéament, digitiforme, disposition, dysmorphose, électricité, ellipsoïdal, embryogénie, gestaltisme, linguiforme, modern dance, morphologie, naviculaire, octaédrique, ondulatoire, parabolique, polyédrique, prismatique, protéiforme, protubérant, quadratique, réticulaire, sacramentel, segmentaire, semi-lunaire, sentencieux, tire-bouchon, transformer, trapézoïdal, tronconique, tubériforme, uniformiser, utriculaire, vermiculure ■ **12** allélomorphe, antithétique, arborescence, architecture, bacilliforme, bromhydrique, conformation, constitution, coralliforme, diversiforme, embryogenèse, énantiotrope, exceptionnel, hétéromorphe, hyperbolique, hypostatique, imprécatoire, lamelliforme, lenticulaire, néanthropien, néovitalisme, ombelliforme, papilliforme, patelliforme, pelliculaire, phonolitique, préformation, ressemblance, stéréognosie, téleutospore, tétratomique, triangulaire, zoomorphique, zoomorphisme ■ **13** astéréognosie, configuration, énantiomorphe, hémisphérique, membraniforme, phonolithique, polymorphisme, rhomboédrique, stéréographie, thermoformage, unicellulaire ■ **14** anthropomorphe, demi-circulaire, géomorphologie, héboïdephrénie, néocapitalisme, transformation ■ **15** expressionnisme, impressionnisme, pluricellulaire, spondylarthrite.

FORMEL: **4** bien ■ **6** exprès ■ **7** certain*, positif* ■ **8** prononcé ■ **9** explicite ■ **10** injonction ■ **11** métathéorie ■ **12** formellement, prescription ■ **13** explicitement.

FORMER: **5** épier, faire, fécer, nouer ■ **6** élever, pétrir, rouler, styler ■

7 diriger, dresser, éduquer, enclore, énoncer, exercer, fédérer, laniste, nourrir ■ 8 composer, cultiver, dissoner, façonner, formatif, jarreter, machiner, ombrager, plaindre, préparer*, reformer, sporuler, syncoper ■ 9 boulocher, compléter, comploter, concevoir, coquiller, couronner, floconner, formation, instruire, ostéogène ■ 10 constituer*, salifiable, totipotent, transformer ■ 11 discipliner, escarrifier ■ 12 constitution, reconstituer ■ 13 calligraphier, endivisionner ■ 14 conceptualiser.

FORMIDABLE : 5 super ■ 8 étonnant*, terrible ■ 12 sensationnel ■ 14 formidablement.

FORMIQUE : 8 méthanal ■ 11 méthanoïque.

FORMOL : 8 bakélite, formiate, formique, formoler ■ 11 aminoplaste ■ 12 formaldéhyde.

FORMOSE : 8 formosan.

FORMULAIRE : 9 protocole.

FORMULE : 3 dom ■ 4 c.q.f.d., veto, visa ■ 5 règle ■ 6 modèle, passim, revoir ■ 7 recette ■ 8 dédicace, ex-libris, formuler, primitif, tournure ■ 9 doxologie, exéquatur, informulé, leitmotiv, primitive ■ 10 congruence, expression, formulaire, ionogramme ■ 11 pharmacopée, rationalisé ■ 12 stéréochimie ■ 14 multipropriété.

FORMULER : 5 poser ■ 7 énoncer ■ 8 fulminer, insinuer, intenter, stipuler ■ 10 reformuler ■ 11 formulation.

FORNICATION : 9 forniquer ■ 11 fornicateur.

FORS : 4 hors ■ 7 excepté.

FORT : 3 bon, dru ■ 4 abri, beat, bien, calé, fier, gros, haut, rude*, très, turc ■ 5 balès, bosse, butor, crack, frais, frêle, maous, poilu, rance ■ 6 cheval, fortin, pépère, soigné, solide, valide ■ 7 balaise, costaud, hercule, malabar, mastard, robuste, taureau ■ 8 affermir, beaucoup, brailler, casemate, cavalier, fortiche, fortiori, généreux, malabare, prononcé, puissant, reverdir, terrible ■ 9 braillard, brailleur, corpulent, égosiller, étreindre, extrafort, fortement, garroter, important, oppresser, renforcer, résistant*, vigoureux* ■ 10 consolider, fortepiano, forteresse, redoutable, tord-boyaux ■ 11 casse-pattes, intensifier ■ 12 contrescarpe, fortification ■ 13 véhémentement.

FORTE : 5 tiède ■ 6 tiaffe.

FORTERESSE : 4 fort ■ 6 bunker, donjon, fortin, kasbah ■ 7 bicoque ■ 8 acropole, bastille, bonnette ■ 9 blockhaus, citadelle ■ 15 superforteresse.

FORTIFIANT : 7 tonique* ■ 9 remontant, roboratif ■ 11 analeptique, corroborant ■ 12 réconfortant ■ 13 reconstituant.

FORTIFICATION : 4 crac, fort, krac, ksar, lice, ravi ■ 5 ligne, redan ■ 6 donjon, éperon, fortin, ithome, kasbah, redent ■ 7 bicoque, fortifs, ravelin, redoute ■ 8 acropole, bastille, casemate, ceinture, couronne, saillant, tenaille ■ 9 blockhaus, citadelle, fortifier ■ 10 démanteler ■ 11 embastiller, machicoulis.

FORTIFIE : 5 ribat.

FORTIFIEE : 5 kreml ■ 7 castrum, kremlin.

FORTIFIER : 5 armer, munir ■ 7 nourrir ■ 8 affermir, profiter ■ 9 augmenter, raffermir ■ 10 barricader, retrancher ■ 11 gymnastique ■ 12 convalescent.

FORTUIT : 4 sort ■ 6 hasard* ■ 9 occurrence ■ 10 accidentel.

FORTUNE : 3 i.s.f. ■ 4 aise, hère, sort ■ 5 punch, rupin ■ 6 chance, hasard ■ 7 bonheur, heureux ■ 8 ambition, parvenir, richesse* ■ 9 infortune, possédant ■ 10 mal-en-point, médiocrité, privilégié ■ 11 ploutocrate ■ 14 aristocratisme.

FORTUNELLA : 7 kumquat.

FOSSE : 2 by ■ 4 clos, orne, parc, rift, silo, trou ■ 5 auget, berge, berme, canal, crête, creux, douve, levée, purot, talus, tombe ■ 6 bunker, cavité, choane, faulde, provin, rigole, sillon ■ 7 billard, coupure, cunette, cuvette, puisard, saignée, tinette ■ 8 bouldure, fossette, marcheux, septique, tranchée ■ 9 fossoyeur, oubliette, pont-levis, vidangeur, watergang ■ 10 accotement, avant-fosse, eaux-vannes, excavation, saut-de-loup, souterrain ■ 12 contrescarpe, géosynclinal ■ 13 retranchement.

FOSSILE : 4 anas ■ 5 ambre ■ 6 platax, tabulé ■ 7 cérithe, nautile, pemphix, reptile*, rudiste, zoolite ■ 8 ammonite, calamite, cambrien, cératite, dendrite, dinornis, éléphant, entroque, épyornis, géologie, hominidé, mammouth, nautilus, polypier, ptérodon, scorpion, zoolithe ■ 9 actinodon, æpyornis, ananchyte, belemnite, clyptodon, glyptodon, hipparion, holostéen, iguanodon, mégacéros, mosasaure, nummilite, ptérygote, rhinobate, sassafras, trilobite ■ 10 anthropien, aspidosome, catoblépas, coprolithe, cryptornis, diplodocus, enchelyope, fossiliser, grenouille, ichtyornis, mastodonte, orthocéras, pécoptéris, ptéranodon, ptérygotus, rhinocéros, sauropsidé, sigillaire, stégosaure, sténoneure, téléosaure ■ 11 atlanthrope, brontosaure, céphalaspis, cyathocrine, dinosaurien*, dinothérium, eurysternon, fossilifère, glyptodonte, halithérium, hippopotame, ichtyosaure, ichtyostéga, machairodus, mégathérium, paréiasaure, plésiosaure, sinanthrope, théromorphe, tricératops ■ 12 acanthocéras, atlantosaure, bothriolepis, créopithèque, holoptychius, mésopithèque, paléothérium, prionotropis, ptérodactyle, ptérosaurien, sphénoptéris, stégocéphale, tyrannosaure ■ 13 anaplothérium, anoplothérium, archœoptéryx, branchiosaure, fossilisation, paléoécologie, paléontologie ■ 14 aechanthropien, baluchithérium, paléanthropien, paléobotanique, ptéridospermée, scélidothérium ■ 15 mastodontosaure.

FOU : 3 fol, sot ■ 4 fada, fêlé, jeté, tapé ■ 5 barjo, dingo, givré, idiot, niais, piqué, sinoc, sonné, toqué, tordu ■ 6 aliéné, barjot, braque, cinglé, cintré, dément, dingue, foufou, frappé, insane, maboul, malade, timbré, toc-toc, zinzin ■ 7 absurde, anormal, avertin, azimuté, chnoque, cinoque, dérangé, fofolle, forcené, insensé, interne, marteau, possédé, schnock, sinoque ■ 8 camisole, détraqué, écervelé, excessif, imbécile, loufoque, schnoque, siphonné ■ 9 démentiel, foutraque ■ 10 démoniaque, frénétique, louftingue ■ 11 inconscient ■ 12 brindezingue, déséquilibré.

FOUACE : 8 fouacier.

FOUCADE : 9 fantaisie.

FOUDRE : 4 choc ■ 5 épart, lueur ■ 6 éclair ■ 7 flasher, tonneau ■ 8 tonnerre ■ 9 foudroyer ■ 10 para-foudre ■ 11 fulguration ■ 12 paratonnerre ■ 13 météoromancie.

FOUDROYANT : 5 subit* ■ 7 soudain* ■ 12 foudroiement.

FOUET : 4 nerf ■ 5 knout, verge* ■ 6 badine, sangle ■ 7 chicote, nagaïka, nahaïka ■ 8 battogue, chicotte, cravache, flic-flac, fouetter, garcette, houssine, martinet ■ 9 escourgée, étrivière ■ 10 chambrière, discipline.

FOUETTER : 6 battre*, fesser, rosser ■ 7 cingler, exciter*, sangler ■ 8 fustiger*, sabouler ■ 9 cravacher, flageller, fouailler, fouettard ■ 11 fouettement.

FOUGERE : 7 adiante, cétérac, indusie ■ 8 filicale, rhizoïde ■ 9 asplénium, fougerole ■ 15 langue-de-serpent.

FOUGERET : 4 sore ■ 7 adiante, cétérac, osmonde ■ 8 adiantum, cétérach, polypode, sporange ■ 9 filicinée, fougeraie, fougerole, prothalle ■ 10 capillaire, pécoptéris ■ 11 ophioglosse, rhizocarpée, scolopendre.

FOUGUE: 3 feu ■ 4 élan ■ 6 ardeur* ■ 7 entrain*, verveux ■ 8 bravoure, fougueux, violence* ■ 9 véhémence, virulence ■ 11 emportement, impétuosité, promptitude ■ 13 fougueusement.

FOUGUEUX: 3 vif* ■ 6 déluré, enragé ■ 7 emporté, violent* ■ 8 dégourdi, endiablé ■ 9 bouillant, impétueux.

FOUILLER: 6 fouger ■ 7 excaver, fouille, fouiner, fureter ■ 8 barboter, blindage, chercher*, ratisser ■ 9 effondrer, fouilleur, fouisseur, vermiller ■ 10 fourgonner, rechercher ■ 11 farfouiller, trifouiller.

FOUILLIS: 7 mélange ■ 8 désordre*.

FOUINARD: 9 indiscret.

FOUINE: 5 furet, pékan, vison ■ 6 martre, putois, skunks ■ 7 belette, civette, genette, glouton, grisard, hermine ■ 8 blaireau, chafouin, fouineur, moufette, zibeline ■ 9 ichneumon, mangouste, viverridé ■ 10 chinchilla.

FOUIR: 7 cécilie, échidné ■ 9 fouissage, fouisseur ■ 11 approfondir ■ 12 vermillonner.

FOUISSEUR: 8 pélodyte.

FOULAGE: 8 fouleuse.

FOULARD: 6 tussor ■ 7 bandana, fanchon.

FOULE: 3 tas ■ 4 amas, nuée ■ 5 armée, battu, cohue, masse, meute, monde, plèbe, volée ■ 6 essaim, foison, légion, peuple, populo, presse, public, tourbe, troupe ■ 7 cohorte, fouleur, meeting, torrent ■ 8 beaucoup*, feutrine, foulerie, kyrielle, populace, quantité, troupeau ■ 9 affluence, agitation, assemblée, camarilla, multitude*, vomitoire ■ 11 fourmilière, pullulement ■ 12 attroupement, encombrement ■ 13 rassemblement.

FOULER: 4 dame ■ 5 pilon ■ 6 foulée ■ 7 foulure, marcher, presser ■ 8 opprimer, piétiner ■ 9 abbatures, foulonner ■ 10 foulonnier.

FOULQUE: 7 judelle.

FOUR: 4 aire, âtre, flop, havi, oura, sole, tape ■ 5 arche, échec, étuve, fouée, glaie, voûte ■ 6 bonard, bouche, carnau, cornue, grille, moufle, tettin, tuyère ■ 7 carneau, cathode, cavalet, ouvreau ■ 8 aisselle, alandier, bombarde, bonichon, bouchoir, calisson, chapelle, chaufour, fourneau, fournier, margeoir, tonnelle, tuilette ■ 9 attremper, calcarone, défourner, embassure, enfourner, étenderie, plâtrière ■ 10 cuisinière, enfourneur, micro-ondes, rissolette, sourcilier ■ 11 laboratoire, réchauffoir ■ 12 chaufournier.

FOURBE: 4 rusé ■ 6 fripon ■ 7 escobar, tartufe ■ 8 effronté, impudent, sournois, tartuffe, trompeur ■ 9 hypocrite* ■ 10 simulateur.

FOURBERIE: 4 ruse ■ 6 feinte ■ 8 carotter, fausseté, mensonge* ■ 9 duplicité, franchise, impudence, tromperie* ■ 10 hypocrisie*, passe-passe, tartuferie ■ 11 effronterie, escroquerie, pharisaïsme ■ 12 escorbarderie ■ 13 dissimulation.

FOURBIR: 7 frotter* ■ 11 fourbissage.

FOURCHE: 4 dame, dent ■ 5 foëne, havet ■ 6 bibale, bident, fouëne, fouine, harpon ■ 7 cornuet, fichoir, fichure, fourchu, fuscine, trident ■ 8 forquine, fourchée, fourchon ■ 9 fourfière, tire-fient ■ 10 enfourcher, fourchette ■ 11 bifurcation ■ 12 fourche-fière ■ 13 embranchement.

FOURCHETTE: 5 glome ■ 7 couvert ■ 8 fourchon.

FOURGON: 5 break ■ 10 fourgonner.

FOURGONNER: 8 fouiller.

FOURGONNETTE : 10 camping-car.
FOURIER : 11 fouriérisme, fouriériste, phalanstère ■ 13 phalanstérien.
FOURMI : 7 miellat ■ 8 formique, pangolin ■ 11 formication, fourmilière ■ 13 fourmillement.
FOURMILIER : 8 tamanoir.
FOURMILIERE : 12 mrymécophile.
FOURMILLEMENT : 9 abondance, multitude* ■ 10 fourmiller ■ 11 formication ■ 12 grouillement, spasmophilie ■ 15 engourdissement.
FOURNEAU : 4 pipe, sole ■ 5 casse, forge, poêle ■ 7 athanor, brasque, cratère, creuset, étalage, potager, réchaud ■ 8 cendrier ■ 9 allumelle, camouflet, chaudière, cucurbite ■ 10 calorifère, cuisinière, hypocauste ■ 12 haut-fourneau.
FOURNIR : 5 armer, doter, munir*, vêtir ■ 6 donner*, livrer, monter, nipper, servir, verser ■ 7 débiter, nourrir, prester, suffire ■ 8 apporter, chausser, financer, habiller, outiller, pourvoir*, procurer*, produire ■ 9 souscrire ■ 10 achalander, avitailler, contingent, documenter, fourniment, fourniture, renseigner ■ 11 fournisseur, ravitailler, recrutement ■ 12 entreprendre ■ 13 munitionnaire ■ 14 approvisionner, contre-indiquer.
FOURRAGE : 4 moha, vert ■ 5 carex, colza, gazon, gesce, gesse, lupin, ortie, vesce ■ 6 canche, dragée, fléole, houque, ivraie, lotier, millet, paille, pralin, trèfle, vulpin ■ 7 cuscute, dactyle, farouch, fenasse, houlque, luzerne, pâturin, verdage ■ 8 alléluia, crételle, farouche, féverole, moutarde, ray-grass, rutabaga, sainfoin, spergule ■ 9 anthyllis, betterave, ensileuse, fourrager ■ 10 affourager, anthyllide, fourragère, fourrageur ■ 11 hache-paille, pied-d'oiseau ■ 13 affouragement.
FOURRAGERE : 5 panic ■ 7 farrago, phléole ■ 8 crételle.
FOURRE : 7 buisson, épinier.
FOURREAU : 2 nu ■ 4 dard, étui ■ 5 gaine ■ 6 élytre ■ 7 bélière, manchon ■ 8 dégaîner, doigtier ■ 9 porte-épée, rengaîner ■ 10 bouterolle ■ 15 porte-baïonnette.
FOURRER : 6 garnir, hot-dog, mettre ■ 8 fourreur ■ 9 minahouet ■ 10 introduire.
FOURREUR : 8 triballe.
FOURRURE : 3 boa ■ 4 lynx, mite, ours, peau, poil, vair ■ 5 étole, grèbe, lapin, marte, pékan, raton, taupe, vison ■ 6 castor, chapka, chèvre, loutre, martre, murmel, ocelot, phoque, putois, renard, sconse, skunks ■ 7 aumusse, civette, gazelle, genette, grisard, hermine, manchon, ondatra, opossum, poulain, roselet, vigogne, zorille ■ 8 armeline, astracan, astrakan, attagène, chow-chow, dermeste, fourreur, kolinski, marmotte, menu-vair, mongolie, palatine, panthère, ragondin, viscache, zibeline ■ 9 erminette, pelletier, petit-gris, sauvagine, teddy-bear ■ 10 chinchilla, contre-vair, pelleterie ■ 11 chancelière, emmitoufler ■ 12 breitschwanz ■ 13 contre-hermine.
FOURVOYER : 6 égarer* ■ 7 aberrer ■ 12 fourvoiement.
FOX TROT : 4 slow ■ 5 blues ■ 7 slow-fox.
FOYER : 3 feu* ■ 4 âtre, lare ■ 5 focal, lares, phare ■ 6 maison*, stoker ■ 7 famille ■ 8 alandier, cheminée*, fourneau ■ 9 chaudière, flammèche, homofocal ■ 10 cuisinière, escarbille, ringardage ■ 14 pare-étincelles.
FRACASSER : 5 bruit ■ 6 casser*, fracas ■ 9 marmelade ■ 12 fracassement.
FRACTION : 4 part* ■ 6 partie* ■ 8 division*, escouade, plafonné, tendance ■ 9 stripping ■ 10 abattement, commandite, comminutif, numérateur, obligation ■ 11 fractionner ■ 12 dénominateur ■ 13 fractionnaire ■ 15 autofinancement.

FRACTIONNEMENT : 5 débit ■ 6 détail ■ 9 découpage ■ 10 dépècement, graduation, séparation ■ 11 cryoclastie, fractionnel ■ 12 dédoublement, démembrement, écartèlement, morcellement.
FRACTIONNER : 6 casser*, rompre* ■ 7 débiter, dépecer, diviser*, graduer, scinder, séparer ■ 8 découper*, morceler ■ 9 dédoubler, démembrer, détailler, écarteler ■ 10 sectionner* ■ 14 fractionnement.
FRACTURE : 4 bris ■ 5 calus, fente ■ 6 fêlure ■ 7 apocope, brisure, cassure*, rupture* ■ 8 blessure, esquille ■ 9 embarrure, gouttière ■ 10 craquement, effraction ■ 13 pseudarthrose.
FRACTURER : 5 fêler ■ 6 casser*, fendre, rompre* ■ 7 craquer.
FRAGILE : 4 menu, vain ■ 5 court, délié, frêle, grêle, mince ■ 6 casuel, chétif*, débile, épuisé, étiolé, faible*, fugace, mièvre ■ 7 cassant, délicat*, friable, gracile, mouvant ■ 8 branlant, croûlant*, éphémère, flexible, instable, passager, pécloter, précaire ■ 9 changeant, fragilité, vacillant ■ 10 attaquable, chancelant, fragiliser, périssable, provisoire, temporaire ■ 12 inconsistant.
FRAGILITE : 11 ostéoporose.
FRAGMENT : 4 bout, gour, lobe, menu, part* ■ 5 bribe, brife, darne, éclat, épave, grave, pièce, rebut, ruban, thème, tronc ■ 6 arioso, béquet, brique, chicot, coupon, débris, entame, havrit, mesure, miette, monème, partie*, sciure, tesson ■ 7 becquet, biopsie, bouchée, brisure, charpie, cistron, composé, écharde, émondes, explant, extrait*, haillon, lambeau, moignon, morceau*, paillon, portion*, recoupe, rognure, section, tectile, tranche, trognon, tronçon, tuileau ■ 8 chanteau, chapitre, cisaille, coapteur, cossette, décombre, délétion, détritus, ébarbure, effilure, esquille, fraction, guenille, incision, limaille, molécule, retaille, ribozyme ■ 9 bractéole, chapelure, écharnure, épaufrure, météorite, mitraille, paillette, râtelures ■ 10 battitures, brimborion, escarbille, feuilleton, fragmenter, puntarelle ■ 12 fragmentaire, ostéoplastie ■ 13 fragmentation.
FRAGMENTATION : 7 fractal ■ 12 gélifraction, libanisation ■ 13 balkanisation.
FRAGMENTER : 6 couper*, hâcher ■ 7 débiter, dépecer, diviser*, entamer ■ 8 découper*, émietter, morceler, partager*, trancher ■ 9 démembrer, détailler ■ 10 tronçonner ■ 11 déchiqueter ■ 13 fragmentation.
FRAI : 9 montaison.
FRAICHEUR : 5 frais ■ 8 déflorer, jeunesse, vieillir ■ 10 défraîchir ■ 11 flétrissure ■ 14 rafraîchissant.
FRAIRIE : 4 fête ■ 6 festin.
FRAIS : 4 vert ■ 5 brise, froid, jeune ■ 6 dépens, franco, poupin, récent* ■ 7 casquer, cellier, dépense*, écolage, nouveau*, onéreux ■ 8 défrayer, minerval ■ 9 fraîcheur, gouleyant ■ 10 économique, indemniser, rafraîchir ■ 11 enterrement, fraîchement ■ 12 préjudiciaux ■ 13 pique-assiette ■ 15 superproduction.
FRAISE : 6 capron ■ 7 fressan, moraire ■ 8 fraiseur, fraisier, héricart ■ 9 fraisette ■ 10 fragiforme, rougissure.
FRAISER : 8 fraisage ■ 9 fraiseuse.
FRAISIER : 9 capronier, fraisière ■ 10 capronnier, fraiseraie ■ 13 quatre-saisons.
FRAMBOISE : 10 framboiser.
FRAMBOISIER : 5 mûron ■ 9 framboise.
FRANC : 3 cru, net, pur, sou, vif ■ 4 dard, rond, vrai ■ 5 belga, carré, clair, droit, liard, libre, loyal, métro ■ 6 exempt, ouvert, simple ■ 7 brusque, centime, cordial, naturel, positif, sincère ■ 8 familier ■

9 eurofranc, francique, hypocrite, sans-façon, véridique ■ **10** francisque, franquette ■ **11** franc-parler, franc-tireur.
FRANÇAIS : 3 mas ■ **4** képi, once ■ **5** beauf, câble, carme, franc, gaude, pinte, pouce, toise ■ **7** blédard ■ **8** circaète, courante, émissole, estagnon, francité, hanneton, keepsake, martinet, pétanque, polygala, polygale, robinier, sarcelle ■ **9** astragale, champagne, ecballium, franciser, franciste, gaillarde, marollien ■ **10** abricotier, crécerelle, effarvatte, gallicisme, gallomanie, helvétisme, québécisme ■ **11** francophile, francophone, pastoureaux, pipistrelle ■ **12** francisation, francophilie, fransquillon, montbéliarde, vespertillon ■ **14** franchouillard, franco-canadien, franco-français ■ **15** fransquillonner.
FRANÇAISE : **6** gitane, marans.
FRANC-ALLEU : **5** alleu ■ **8** allodial.
FRANC-COMTOIS : **8** vacherin ■ **11** cancoillote.
FRANCHE : **8** free-shop.
FRANCHIR : **6** passer*, sauter ■ **8** échalier, enjamber, portière ■ **9** traverser* ■ **12** steeple-chase ■ **13** franchissable ■ **14** franchissement ■ **15** infranchissable.
FRANCHISAGE : **10** franchiser ■ **11** franchising.
FRANCHISE : **5** tortu ■ **6** avouer, clarté ■ **7** crudité, netteté, rondeur ■ **8** fausseté, perfidie, tortueux, véracité, vivacité ■ **9** franchisé, librement, onérosité, sincérité* ■ **11** franchiseur ■ **12** gallicanisme, sournoiserie.
FRANCHISSEMENT : **15** transfrontalier.
FRANC-MAÇONNERIE : **4** loge ■ **7** couvent ■ **9** rose-croix ■ **10** franc-maçon, maçonnique ■ **14** antimaçonnique ■ **15** franc-maçonnique.
FRANCO : **3** f.c.o., f.o.b. ■ **10** franquiste.
FRANCOPHONE : **12** fransquillon ■ **14** francophoniser.
FRANGE : **6** effilé ■ **7** crêpine, torsade ■ **9** effranger, frangeant ■ **11** interfrange.
FRANGIPANE : **7** dariole.
FRAPPANT : **8** étonnant, lumineux ■ **10** tape-à-l'œil.
FRAPPE : **3** fou ■ **5** punch ■ **7** éprouvé ■ **8** frappage ■ **9** demi-volée, monnayeur ■ **10** excommunie ■ **11** obsolescent.
FRAPPEE : **9** milk-shake.
FRAPPER : **4** club, truc ■ **5** batte, boxer, férir, geler, poing, punir, taper ■ **6** battre*, cogner, copter, ébahir, fesser, paumer, slicer, sonner, tondre, toquer, tosser ■ **7** cingler, éblouir, étonner*, heurter, imposer, méduser, piaffer, sidérer, tapoter ■ **8** affliger, aveugler, bâtonner, empanner, estoquer, fouetter*, frappage, frappeur, infliger, marteler, percuter ■ **9** attrister, balancier, confondre, cravacher, éperonner, fouailler, foudroyer, fulgurant, horrifier, matraquer, paralyser, pétrifier, proscrire, refrapper, stupéfier, terrifier, trépigner ■ **10** chamailler, consterner, frappement, houspiller, paupériser, poignarder, stupéfaire, surimposer, surprendre, terroriser, victimaire ■ **11** tambouriner ■ **12** commotionner, disqualifier, entrefrapper ■ **13** anathématiser.
FRATERNEL : **8** alter ego ■ **15** fraternellement.
FRATERNISER : **8** entendre ■ **14** fraternisation.
FRATERNITE : **6** fenian.
FRAUDE : **3** dol ■ **4** ruse ■ **7** dolosif, gabegie, péculat ■ **8** exaction, fraudeur ■ **9** baraterie, interlope, tromperie* ■ **10** concussion, frauduleux, soustraire ■ **11** escroquerie, fraudatoire ■ **12** disqualifier, malhonnêteté, malversation ■ **13** contrebande, contrefaçon, falsification ■ **15** frauduleusement.

FRAUDER: 6 priver ■ 7 tricher, tromper ■ 8 frelater ■ 9 falsifier ■ 12 sophistiquer.
FRAYE: 4 guai ■ 5 guais.
FRAYEUR: 4 peur* ■ 6 alarme, effroi ■ 7 crainte*, terreur ■ 8 effrayer ■ 9 épouvante.
FREDONNER: 7 chanter ■ 12 fredonnement.
FREGATE: 6 navire ■ 8 corvette, frégation.
FREIN: 5 sabot ■ 8 freinage, obstacle, refréner ■ 9 aérofrein, déviateur, guiderope ■ 10 barbillons, garde-frein, rétrofusée, servofrein ■ 11 serre-freins ■ 15 rétropropulsion.
FREINAGE: 11 antiblocage.
FREINE: 9 frénateur.
FREINER: 5 piler ■ 7 modérer* ■ 8 freinage ■ 11 christiania.
FRELATER: 9 falsifier, frelatage ■ 12 sophistiquer.
FRELE: 5 mince* ■ 6 esquif ■ 7 délicat*, fragile*.
FRELUQUET: 5 léger ■ 6 faible.
FREMIR: 6 vibrer* ■ 8 palpiter, trembler* ■ 10 frémissant ■ 12 frémissement.
FREMISSEMENT: 7 frisson ■ 8 friselis.
FRENE: 4 orne ■ 7 fraisse, frênaie ■ 8 mannitol ■ 10 cantharide, fraxinelle.
FRENESIE: 5 folie ■ 6 délire, fureur ■ 7 passion* ■ 10 frénétique ■ 12 enthousiasme ■ 14 frénétiquement.
FREQUEMMENT: 4 tant ■ 7 souvent ■ 8 toujours ■ 11 communément ■ 15 perpétuellement.
FREQUENCE: 2 bf, fm ■ 4 file ■ 5 hertz, série, suite ■ 6 chaîne, rythme, tirade ■ 7 cibiste, doppler, litanie ■ 8 enfilade, infrason, kyrielle, rotation, syntonie ■ 9 kilocycle, kilohertz, passe-haut, thyratron ■ 10 hétérodyne, intervalle, modulation, passe-bande, procession, ribambelle, séismicité ■ 11 citizen band, énumération, fréquentiel ■ 12 enchaînement ■ 14 audiofréquence, fréquencemètre, hyperfréquence, radiofréquence, vidéo-fréquence ■ 15 arsonvalisation, monochromatique.
FREQUENT: 4 rare ■ 6 commun ■ 8 itératif, raréfier ■ 9 formicant, perpétuel, rarissime ■ 11 constamment, crépitation, crépitement, criaillerie ■ 12 fréquentatif ■ 13 fréquentation, journellement.
FREQUENTATION: 7 contact, rapport ■ 8 commerce ■ 9 relations ■ 10 côtoiement ■ 11 accointance ■ 13 scolarisation.
FREQUENTE: 5 battu, isolé, suivi ■ 6 désert, retiré ■ 7 passant ■ 8 familier ■ 9 salonnard ■ 12 boulevardier ■ 13 anthropophile.
FREQUENTER: 4 lier, voir ■ 6 courir, hanter ■ 7 flirter ■ 8 négliger ■ 9 approcher, connaître, courtiser, guilledou, pratiquer ■ 10 bretailler, entretenir ■ 11 encanailler ■ 12 familiariser, fréquentable.
FRERE: 3 lai ■ 5 moine ■ 6 frater, frérot ■ 7 frangin, fratrie ■ 9 beau-frère, demi-frère, fraternel ■ 10 belle-sœur, fraternité, fratricide, ignorantin.
FRESQUE: 4 cène ■ 9 sgraffite ■ 10 fresquiste.
FRET: 5 nolis ■ 9 pacotille.
FRETER: 7 noliser ■ 8 affréter ■ 9 affréteur.
FRETILLER: 6 remuer ■ 10 frétillant, trémousser ■ 12 frétillement.
FRETIN: 6 alevin ■ 8 nourrain ■ 9 menuaille ■ 11 blanchaille ■ 13 poissonnaille.
FRETTER: 8 frettage.
FRIABLE: 3 sel ■ 5 casse ■ 8 effriter, graphite ■ 10 friabilité.
FRIAND: 8 agréable, gourmand* ■ 11 gourmandise.

FRIANDISE : 4 four ■ 5 crème, nanan ■ 6 bonbon, gâteau ■ 7 biscuit, compote, douceur, gâterie, soufflé ■ 8 sucrerie ■ 9 charlotte, chatterie, confiture, marmelade, sucreries ■ 11 blanc-manger, gourmandise, gueulardise.
FRIBURGEOIS : 8 armailli.
FRICASSEE : 5 poêle ■ 9 gibelotte.
FRICHE : 5 pâtis ■ 7 inculte, jachère.
FRICOTER : 6 fricot ■ 7 frichti ■ 9 fricoteur.
FRICTION : 8 liniment ■ 10 bruxomanie ■ 11 frictionnel, frictionner ■ 12 constrictive.
FRICTIONNER : 6 masser, oindre ■ 7 frotter.
FRIGORIFIER : 5 geler ■ 8 congeler ■ 10 réfrigérer.
FRIGORIFIQUE : 5 fréon, frigo ■ 8 glacière ■ 12 conservateur.
FRILEUX : 9 frilosité ■ 12 frileusement.
FRIMAS : 5 gelée ■ 10 brouillard.
FRIME : 7 frimeur.
FRINGILLIDE : 4 zizi ■ 6 bréant, bruant, proyer ■ 7 linotte, ortolan ■ 8 cardinal ■ 9 bouvreuil.
FRIPER : 8 défriper ■ 10 chiffonner*.
FRIPIER : 8 friperie ■ 10 brocanteur ■ 14 décrochez-moi-ça.
FRIPON : 3 vif ■ 4 tour ■ 5 gueux ■ 6 coquin, escroc, frappe, gredin ■ 7 pendard ■ 8 espiègle*, maroufle ■ 11 friponnerie.
FRIPOUILLE : 7 vaurien*.
FRIRE : 5 cuire, poêle ■ 11 menuisaille.
FRISE : 5 crépu ■ 6 crollé ■ 7 crépelé, crépelu ■ 8 agneline, antéfixe, moutonné, pleurant, zoophore ■ 9 frisottis, moutonner ■ 10 bouveteuse ■ 11 tire-bouchon.
FRISER : 6 crêper, frison, frôler ■ 7 anneler, boucler, frisage, frisure, onduler, ratiner ■ 8 défriser ■ 9 bichonner, frisotter, papillote ■ 10 permanente ■ 11 calamistrer.
FRISOTE : 8 frisotté ■ 10 frisottant.
FRISSON : 4 peur ■ 5 froid ■ 6 fièvre ■ 10 frissonner ■ 11 bactériémie ■ 13 frissonnement, horripilation.
FRISSONNE : 11 frissonnant.
FRISSONNER : 7 transir ■ 8 trembler*.
FRIT : 6 friton.
FRITTAGE : 7 fritter.
FRITURE : 5 chips, crêpe, frite, poêle, tuile ■ 7 beignet, croûton, galette ■ 8 friterie, friteuse ■ 9 croquette, croustade.
FRIVOLE : 4 vain ■ 5 léger* ■ 6 futile* ■ 7 étourdi ■ 8 papotage, sornette ■ 9 bagatelle, baliverne, caillette, frivolité, niaiserie ■ 10 billevesée ■ 11 frivolement, marionnette.
FROID : 3 sec ■ 4 bise, brrr, noir ■ 5 aride, aspic, calme, frais, glacé*, grave, hiver ■ 6 algide, frimas, pincer, statue ■ 7 aquilon, cramine, distant, frigide, frileux, galerne, gerçure, glaçant, glacial ■ 8 congeler, cryogène, engelure, engourdi, fraîcheur, fricasse, frisquet, froideur, froidure, giboulée ■ 9 bavaroise, fraîcheur, frigidité, grelotter, morfondre, pardessus, réfrigéré, refroidir ■ 10 affectueux, couverture, froidement, impassible ■ 11 frigidarium, frigorifier, indifférent*, température, tramontane ■ 12 cryothérapie, frigorifique, saisissement, saucissonner ■ 13 horripilation, réfrigérateur, réfrigération, vernalisation ■ 15 mésintelligence, refroidissement.
FROISSEMENT : 8 froufrou ■ 10 crissement.
FROISSER : 5 rider, vexer* ■ 6 fâcher, friper, gercer, piquer ■ 7 blesser*, choquer, heurter, poindre, ulcérer ■ 8 déplaire, grimacer, offen-

ser* ■ 9 froissure, mortifier ■ 10 bouchonner, chiffonner, défroisser, désobliger, froissable, renfrogner ■ 11 froissement, scandaliser ■ 15 infroissabilité.

FROLE: 7 frôleur.

FROLER: 5 raser ■ 6 friser ■ 7 côtoyer, toucher* ■ 8 caresser ■ 9 effleurer*, frôlement.

FROLEUR: 8 frotteur.

FROMAGE: 3 oka ■ 4 brie, édam, feta, œil, peau, pita, séré, tome ■ 5 buron, comté, conté, gouda, grana, niolo, sérac, tomme ■ 6 asiago, cantal, cendré, crémet, fromgi, géromé, maquée, olivet, rollot, salers, sbrinz, suisse ■ 7 broccio, caséeux, cheddar, chester, dariole, demi-sel, égoutté, fontine, fromagi, fronton, gaperon, gruyère, jonchée, langres, livarot, morbier, munster, raviole, ricotta, rigotte, stilton ■ 8 beaufort, chaource, emmental, époisses, fribourg, fromager, frometon, hollande, laguiole, laiterie, marolles, mont-dore, parmesan, persillé, raclette, rocouyer, vacherin, valençay ■ 9 cagerotte, camembert, caséation, caserette, chabichou, chevrotin, emmenthal, entremets, faisselle, fromageon, fruitière, maroilles, port-salut, reblochon, roquefort, sassenage ■ 10 chabrillou, fromagerie, fromagière, gorgonzola, mozarelle, neufchâtel, rocamadour, vieux-lille ■ 11 caillebotte, cancoillote, coulommiers, double-crème, pénicillium, petit-suisse, pont-l'évêque, sainte-maure, tête-de-maure ■ 12 croque-madame, sousmaintrain ■ 13 fontainebleau, saint-nectaire ■ 14 saint-florentin, saint-marcellin.

FROMENT: 3 blé* ■ 5 carie ■ 6 lambic, méteil ■ 7 engrain, lambick ■ 8 champart, écautre ■ 9 fromental.

FRONÇAGE: 8 grippage ■ 10 grippement.

FRONCE: 6 smocks ■ 7 froncis ■ 10 bouillonné.

FRONCER: 6 plisser* ■ 10 contracter, froncement.

FRONDE: 4 arme, mole ■ 5 union ■ 6 cestre ■ 8 frondeur, frondule, sédition ■ 9 fustibale ■ 10 espingarde, frondibale, fustiballe.

FRONT: 4 ride, tête ■ 5 avant, carré, somme ■ 6 bregma, infule ■ 7 frontal ■ 8 fronteau ■ 9 coalition ■ 10 sous-cavage ■ 11 ferronnière, flanquement, frontispice ■ 13 accroche-cœur.

FRONTIERE: 4 pays ■ 5 borne ■ 6 limite*, marche ■ 7 confins, passeur ■ 9 interface ■ 10 frontalier ■ 15 transfrontalier.

FRONTON: 5 brisé, gable ■ 6 tympan ■ 8 acrotère, fronteau.

FROTTAGE: 10 sintériser.

FROTTEMENT: 4 frai, lime, user ■ 5 galet ■ 7 baderne, limande, sassage ■ 8 abrasion, cambouis, durillon, fricatif, friction, frottant, grippage, limaille ■ 9 attrition, boulocher, frayement, glissance, viscosité ■ 10 grincement, grippement, intertrigo, lubrifiant, tribologie ■ 11 tribométrie ■ 12 anélasticité, antifriction ■ 15 lettre-transfert.

FROTTER: 4 user ■ 5 cirer, limer, parer, polir*, rader, raper, riper, rôder ■ 6 ailler, frayer, frôler, huiler, lécher, lisser, masser, oindre, poncer, racler ■ 7 balayer, briquer, brosser, égriser, érafler, essuyer, fourbir, frottis, glairer, gratter, torcher ■ 8 aiguiser, astiquer, caresser, corroyer, écorcher, érailler, étriller, froisser, frottage, frotteur, frottoir, graisser, nettoyer*, strigile ■ 9 frétiller, tamponner ■ 10 bouchonner, chiffonner, frottement ■ 11 chatouiller, frictionner.

FROU-FROU: 11 froufrouter ■ 14 froufroutement.

FROUFROUTE: 12 froufroutant.

FROUSSE: 4 peur*, suée ■ 7 canette, crainte* ■ 12 poltronnerie.

FRUCTIFICATION: 6 écidie ■ 9 périthèce, prospérer ■ 10 fructifier ■ 13 caprification ■ 14 fructueusement.

FRUCTOSE: 8 lévulose, sorbitol ■ 10 saccharose ■ 14 monosaccharide.

FRUCTUEUX: **8** rentable.
FRUGAL: **5** léger, sobre ■ **6** simple ■ **9** frugalité ■ **11** frugalement.
FRUGIFERE: **5** hêtre, noyer, ronce, vigne ■ **6** litchi, mûrier, pêcher ■ **7** dattier, figuier, néflier, oranger, poirier, pommier, prunier, sorbier ■ **8** amandier, bananier, cerisier, cocotier, fraisier, goyavier, manguier ■ **9** caroubier, grenadier, noisetier ■ **10** abricotier, citronnier, cognassier, groseiller, prunellier ■ **11** châtaignier, framboisier, mandarinier ■ **12** épine-vinette, pamplemousse.
FRUGIVORE: **7** gorille ■ **9** étourneau ■ **10** orang-outan, végétarien ■ **11** orang-outang.
FRUIT: **3** api, mûr, rob ■ **4** arec, baie, blet, brou, café, coco, cône, dard, ente, fève, kaki, kola, lime, loge, marc, mûre, nafé, noix, pâté, peau, pive, pois ■ **5** akène, alise, alize, anone, cacao, câpre, caque, casse, coing, copra, coque, corme, damas, datte, drupe, écale, faîne, figue, givré, gland, grain, jaque, liard, limon, lotos, lotus, macle, macre, melon, motte, moyeu, mûron, nèfle, olive, pavie, pêche, pépon, pinot, poire, pomme, prune, sorbe, taler, tonka ■ **6** amande, ananas, avocat, balise, banane, beurré, cageot, capron, cassis, cédrat, cerise, citron, coprah, courge, fraise, gousse, goyave, graine, guigne, icaque, jujube, letchi, litchi, locher, lychee, mangle, mangue, marron, merise, orange, pacane, papaye, piment, pineau, poivre, pomelo, raisin, samare, sapote, sucrin, talure, taluté, tomate ■ **7** abricot, achaine, agassin, airelle, alberge, arbaise, arbouse, aveline, azérole, bardane, brugnon, cabosse, capsule, caroube, carouge, cénelle, doyenne, épargne, fructus, glucose, grenade, griotte, haricot, jambose, kumquat, limette, linette, longane, mahaleb, monilla, muscade, poivron, potiron, pruneau, rambour, silique, trochet, vanille, vomique ■ **8** ambrette, anacarde, bigarade, caryopse, corossol, crassane, disamare, épicarpe, équeuter, féculent, féverole, fruitier, genièvre, hâtiveau, marasque, myrtille, mytilène, noisette, pastèque, péponide, pistache, prunelle, quetsche, rambures, reinette, sanguine, silicule, strobile, univalve, véraison ■ **9** affruiter, aubergine, autocarpe, balsamine, bergamote, cacahuète, calebasse, châtaigne, compotier, concombre, confiture, cornichon, courgette, cueilloir, défruiter, endocarpe, entrements, flageolet, follicule, framboise, fructidor, frugivore, fruiterie, fruitière, génétisme, gratte-cul, groseille, macédoine, madeleine, malpighie, marmelade, mélongène, mésocarpe, mirabelle, moniliose, myrobalan, myrobolan, orangette, pédoncule, perdrigon, péricarpe, picholine, polyakène, rousselet, sapotille, siliqueux ■ **10** baguenaude, cacahouète, citrouille, clémentine, coquerelle, cornouille, cueillette, cynorhodon, diaphragme, fenouillet, fructifère, fructifier, grape-fruit, mancenille, mangoustan, maniguette, mirlicoton, muscadelle, plaquemine ■ **11** biloculaire, candisation, cristophine, évaporateur, grappefruit, indéhiscent, montmorency, pomiculteur, tutti frutti ■ **12** bicapsulaire, fenouillette, pamplemousse ■ **13** blettissement, quick-freezing, saisiebrandon ■ **14** bonnet-de-prêtre, fructification.
FRUITIER: **4** kola ■ **5** noyer ■ **6** mûrier, pêcher ■ **7** dattier, figuier, meslier, néflier, olivier, oranger, poirier, pommier, prunier ■ **8** amandier, cacaoyer, cerisier, demi-tige, goyavier, manguier, spondias ■ **9** albergier, caroubier, fruiterie, grenadier, sagoutier ■ **10** abricotier, citronnier, cognassier, palétuvier, pistachier ■ **11** châtaignier, mandarinier.
FRUIT SEC: **5** akène.
FRUSTE: **3** usé ■ **4** brut ■ **5** pleuk ■ **7** balourd ■ **14** héboïdophrénie.

FRUSTRATION: 7 frustré.
FRUSTRE: 9 frustrant.
FRUSTRER: 3 ôter ■ 6 priver* ■ 7 frauder, tromper ■ 10 déshériter ■ 11 frustration ■ 12 désavantager, frustratoire.
FUGACE: 5 court ■ 8 fugacité, passager*.
FUGACITE: 10 anérection.
FUGITIF: 5 court* ■ 6 fugace, fuyard ■ 8 passager*, velléité ■ 10 évanescent ■ 11 velléitaire ■ 12 fugitivement.
FUGUE: 6 fuguer ■ 7 fugueur, strette ■ 8 escapade ■ 10 exposition ■ 11 contre-fugue, contre-sujet.
FUIR: 5 filer, lever ■ 6 battre, couler, courir, enfuir, évader, éviter*, partir*, sauver* ■ 7 biaiser, cavaler, déloger, détaler, émigrer, glisser, quitter*, reculer ■ 8 débander, décamper, démarrer, déserter, échapper*, éclipser, esbigner, esquiver ■ 9 carapater, déguerpir, déménager, disperser ■ 10 abandonner*, décaniller, soustraire ■ 11 disparaître*, effaroucher.
FUITE: 5 fugue ■ 6 détour, refuge ■ 7 défaite, déroute, évasion ■ 8 escapade, fugacité ■ 9 débandade, désertion, disperser, échappade, transfuge ■ 10 émigration, faux-fuyant, obturateur, subterfuge ■ 11 conjuration, disparition ■ 12 échappatoire, sauve-qui-peut.
FULGURANT: 10 fulgurance.
FULGURATION: 6 foudre ■ 11 étincelant.
FULIGULE: 8 morillon.
FULMINER: 10 invectiver ■ 11 fulmination.
FUMAGE: 4 fumé ■ 6 fumeur.
FUMARIACEE: 8 dicentra ■ 9 fumeterre.
FUME: 6 kipper ■ 7 fumable.
FUMEE: 4 smog, suie ■ 6 vapeur ■ 7 tabagie, troches ■ 8 fumaison, fumigène, fumivore, laissées ■ 9 pare-fumée ■ 10 désenfumer, fuligineux, fumigation ■ 11 désenfumage.
FUMER: 3 sot ■ 4 aine, kiff, pipe, saur ■ 6 fumage, fumeur, fumoir, fumure ■ 7 fumerie, fumeron, pétuner ■ 8 boucaner, fumaison, ramender ■ 9 boucanage, fumerolle, infumable, non-fumeur.
FUMET: 6 parfum ■ 9 faisander.
FUMIER: 4 ruée ■ 5 chaux, falun, guano, marne, purin ■ 6 chanci, goémon, paille, scorie, varech ■ 7 compost, crottin, litière, nitrate, terreau ■ 8 fourchée ■ 9 excrément ■ 10 enchausser.
FUMIGATION: 7 fumiger ■ 10 trochisque ■ 11 fumigatoire ■ 13 suffumigation.
FUMISTERIE: 7 attrape, fumiste.
FUNEBRE: 4 glas ■ 5 deuil ■ 6 nénies, triste ■ 7 lugubre, macabre, oraison ■ 8 obsèques ■ 9 funéraire, mortuaire ■ 10 croquemort, labyrinthe ■ 11 enterrement.
FUNERAILLES: 4 noir ■ 7 absoute, funèbre ■ 9 funéraire, pleureuse ■ 11 enterrement ■ 15 ensevelissement.
FUNERAIRE: 5 enfeu, mound, poêle, stupâ ■ 6 canope, priant, stoupâ ■ 7 funèbre ■ 8 mausolée, pleurant ■ 9 demi-deuil ■ 11 burial-mound.
FUNERARIUM: 7 athanée.
FUNESTE: 3 mal ■ 4 noir ■ 5 fatal ■ 7 malheur, mauvais, néfaste ■ 8 sinistre, tragique ■ 10 déplorable, désastreux, malheureux ■ 11 funestement ■ 14 catastrophique.
FURANNE: 3 pcb.
FURETER: 8 chercher*, fouiller, furetage, fureteur.
FURETEUR: 7 curieux ■ 8 indiscret.

FUREUR : 4 rage ■ 5 accès, folie*, furie ■ 6 colère*, délire, pythie ■ 7 démence, épimane, furieux, ivresse, passion* ■ 8 frénésie, furibond, malerage, violence ■ 9 explosion, fanatisme, paroxysme, transport ■ 10 exaltation, irritation ■ 11 acharnement, emportement ■ 12 déchaînement, enthousiasme, exaspération ■ 13 manifestation ■ 14 mécontentement.

FURIEUX : 3 fou ■ 5 furax ■ 6 dément, enragé, fâché, irrité, mégère ■ 7 acharné, forcené, furioso, possédé ■ 8 déchaîné, exaspéré, furibard, furibond ■ 9 endiabler, fanatique, hurlement, surexcité ■ 10 démoniaque, énergumène, frénétique ■ 11 épileptique ■ 12 furieusement.

FURONCLE : 4 clou ■ 5 abcès ■ 6 tumeur ■ 7 anthrax, orgelet ■ 10 bourbillon ■ 11 furonculeux ■ 13 staphylocoque.

FURTIF : 6 secret ■ 8 œillade ■ 10 subreptice ■ 11 furtivement.

FUSAIN : 7 charbon ■ 9 fusiniste ■ 10 fusainiste ■ 14 bonnet-de-prêtre.

FUSEAU : 5 fusée ■ 6 fuselé ■ 9 fusiforme ■ 10 centromère ■ 11 dentellière.

FUSEE : 4 obus ■ 6 boudin, rocket ■ 7 missile, rugueux ■ 8 roquette ■ 9 catapulte, satellite ■ 10 fusée-sonde, rétrofusée ■ 11 lance-fusées ■ 15 rétropropulsion.

FUSELAGE : 10 emplanture.

FUSIBLE : 4 iode ■ 5 pyrex ■ 10 fusibilité.

FUSIL : 4 arme, busc, joue, noix, tire ■ 5 famas, lebel, rifle, skeet ■ 6 crosse, mauser ■ 7 flingot, flingue, pétoire, quillon ■ 8 biscaïen, bretelle, carabine, fusilier, fusiller, mousquet, pistolet*, ratelier, tromblon ■ 9 arquebuse, chassepot, espingole, fusillade, haquebute ■ 10 baïonnette, canardière, hammerless, mousqueton, winchester ■ 11 couleuvrine, kalachnikov ■ 12 mitraillette, mousqueterie ■ 15 sabre-baïonnette.

FUSILIER : 6 marine.

FUSILLER : 4 tuer ■ 9 fusilleur.

FUSION : 4 œuf ■ 5 acier, casse, dégel, fonte, matte, suint ■ 7 castine, eutexie, mélange*, réunion*, tokamak ■ 8 ablation, anatexie, isogamie, mâchefer, synérèse, tuilette ■ 9 cueillage, fusionner, hybridome ■ 10 absorption, amphimixie, caryogamie, diphtongue ■ 11 association*, hétérogamie, intégration, syndactylie ■ 12 fusionnement, haut-fourneau ■ 13 diphtongaison ■ 14 interclasseuse ■ 15 thermonucléaire.

FUSTIGATION : 6 fessée ■ 8 punition ■ 10 correction ■ 12 flagellation.

FUSTIGER : 6 battre*, fesser, rosser ■ 7 cingler, frapper*, sangler ■ 8 fouetter*, sabouler ■ 9 cravacher, flageller, fouailler ■ 11 fustigation, réprimander.

FUT : 5 tronc ■ 6 escape ■ 7 bollard, pommeau, tambour, tonneau, tronqué ■ 8 arbalète, enfûtage, quartaut ■ 9 astragale, cannelure, monostyle ■ 10 embouchoir, grenadière.

FUTAIE : 4 bois ■ 5 forêt ■ 10 marmanteau ■ 11 expurgation.

FUTAILLE : 4 muid, pipe ■ 7 tonneau ■ 8 gerbeuse ■ 10 bordelaise, bourdillon ■ 11 enfutailler.

FUTE : 3 fin ■ 5 benêt, malin* ■ 8 roublard ■ 9 spirituel.

FUTILITE : 4 rien, vain ■ 5 frime, léger ■ 6 bêtise, futile, hochet ■ 7 babiole, inutile ■ 8 bisbille, lambiner ■ 9 baliverne, broutille, frivolité ■ 10 futilement.

FUTUR : 6 avenir*, fiancé, là-haut ■ 8 éternité ■ 9 condition, futurible, prophétie ■ 12 anticipation, conditionnée.

FUTUROLOGIE : 13 futurologique.

FUYARD : 5 lâche ■ 6 fuyant ■ 7 fugitif.

G

GABARE : **9** gabarrier.
GABARIT : **6** modèle ■ **8** gabarier ■ **9** gabariage ■ **12** reproducteur.
GABEGIE : **8** désordre.
GABELOU : **7** gabelle ■ **8** douanier.
GABIER : **7** matelot ■ **10** garde-corps, matelotage.
GABION : **9** gabionner ■ **10** gabionnage.
GABLE : **13** amortissement.
GABON : **8** gabonais.
GACHE : **4** pêne ■ **8** mortaise ■ **11** ouvrabilité.
GACHER : **5** gâter* ■ **6** bâcler, plâtre ■ **7** manquer, saboter, saloper, saveter, torcher ■ **9** bousiller, galvauder, gaspiller ■ **10** torchonner.
GACHIS : **6** pastis ■ **8** désordre ■ **11** margouillis.
GADGET : **7** gimmick ■ **10** gadgétiser.
GADIDE : **4** gade, lieu, lote ■ **5** colin, loche, lotte, merlu, morue ■ **6** lingue, merlan, tacaud ■ **7** capelan, églefin, haddock ■ **8** aiglefin, aigrefin, baudroie, cabillau, merluche ■ **9** cabillaud ■ **10** stockfisch ■ **13** anacanthinien.
GADOUE : **9** gadouille.
GAËLIQUE : **4** erse, ogam ■ **9** irlandais.
GAFFE : **6** erreur, perche ■ **10** maladresse*.
GAG : **6** gag-man ■ **9** gaguesque.
GAGE : **5** bravi, bravo, otage ■ **7** gagiste, mortage, sicaire, warrant ■ **8** dénantir, garantie*, mort-gage, rengager, servante ■ **9** palladium, serviteur ■ **10** engagement, incessible, pignoratif ■ **11** rengagement, rétribution ■ **12** nantissement ■ **13** incessibilité.
GAGNE : **8** envenimé.
GAGNER : **7** décaver, emparer, enlever, envahir, lauréat, obtenir*, prendre ■ **8** acquérir, franchir, gagnable ■ **9** conquérir*, décrocher, dilatoire, entraîner, grignoter, prosélyte, qualifier, remporter, vainqueur ■ **10** contracter, grignotage, ingagnable, travailler ■ **11** endoctriner ■ **12** communicatif.
GAI : **3** bon, dru, gré ■ **5** badin, gaîté, luron, riant ■ **6** enjoué, hilare, jovial, joyeux*, réjoui ■ **7** allègre, allegro, comique*, content, égayant, éveillé, folâtre, gaulois, grivois, lisette, scherzo ■ **8** espiègle, gaillard ■ **9** bon vivant, empêcheur, éteignoir, gaudriole, guilleret, sémillant ■ **10** gros vivant, scherzando, vaudeville ■ **11** émerillonné, réjouissant ■ **12** boute-en-train.
GAÏAC : **7** gaïacol ■ **8** thionine.

GAIETE: 3 gai, ris ■ 4 joie*, rire ■ 5 folie ■ 7 entrain, gaiment ■ 8 alacrité, gaiement, hilarité ■ 9 désopiler, égrillard, jovialité ■ 10 désordonné, enjouement ■ 11 émoustiller, gaillardise, gauloiserie, grivoiserie ■ 12 boute-en-train.
GAILLARD: 3 dru, gai ■ 5 hardi, leste, libre, luron, vibor ■ 6 vibord ■ 7 dessalé, gaulois, grivois ■ 8 étonnant, rambarde ■ 9 égrillard, guilleret ■ 10 licencieux ■ 11 rabelaisien ■ 12 ragaillardir ■ 13 gaillardement.
GAILLET: 8 grateron ■ 9 gratteron ■ 10 caille-lait.
GAIN: 4 boni ■ 5 fruit, lucre, usure ■ 6 casuel, gratte, guelte, profit*, rapine, report, revenu ■ 7 aubaine, intérêt, picorée, raccroc, salaire*, tire-sou ■ 8 avantage, bénéfice, lucratif, pot-de-vin, rapacité ■ 9 dividende, émolument, grippe-sou, honoraire, intéressé ■ 10 mercantile, mercenaire, traitement ■ 11 rétribution, revenant bon, spéculation ■ 12 appointement ■ 13 mercantilisme.
GAINE: 4 étui ■ 5 mèche ■ 6 hermès ■ 7 manchon ■ 8 dégainer, engainer, fourreau, gainerie ■ 9 engainant, enveloppe, névrilème, rengainer ■ 11 porte-balais ■ 12 gaine-culotte.
GAINER: 7 gainage.
GAINERIE: 7 gainier ■ 8 galuchat.
GALACTOSE: 14 monosaccharide.
GALANT: 4 poli* ■ 5 amant ■ 6 muguet, poulet ■ 7 blondin, céladon, dameret ■ 8 cajoleur, cavalier, enjôleur, flirteur, galantin, mugueter, sigisbée ■ 9 adorateur, chevalier, courtisan, damoiseau, fleurette, galamment, séducteur ■ 10 godelureau ■ 11 petit-maître ■ 13 complimenteur.
GALANTE: 10 courailler.
GALANTERIE: 5 amour ■ 8 madrigal, mugueter ■ 9 amabilité, attention, séduction ■ 10 courtoisie ■ 11 coquetterie, gentillesse, gracieuseté, marivaudage ■ 12 complaisance, empressement.
GALANTINE: 10 ballotine.
GALAXIE: 9 superamas ■ 12 protogalaxie ■ 15 intergalactique.
GALBANUM: 6 férule ■ 11 gomme-résine.
GALBE: 8 courbure ■ 10 modénature.
GALE: 6 acarus, galeux ■ 8 rouvieux, scabieux ■ 9 grattelle.
GALEJADE: 7 facétie, galéjer ■ 12 plaisanterie ■ 14 carabistouille.
GALENE: 9 alquifoux.
GALERE: 5 bagne, fuste, prame, réale ■ 6 birème, trière ■ 7 chiourme, espalier, galéace, galiote, mahonne, sensile ■ 8 galéasse, galérien ■ 10 bucentaure.
GALERIE: 3 rue ■ 4 bure, jubé, loge, mine ■ 5 allée, ambon, hourd, musée, préau, salon, xyste ■ 6 airage, arcade, aviage, balcon, porche, public, travée, tunnel ■ 7 bowette, cimaise, cloître, couloir, cymaise, foggara, logette, narthex, paradis, passage, tribune, véranda ■ 8 albraque, billette, chassage, corridor, enfilade, portique, propylée, rauchage, raucheur, transept ■ 9 auditoire, camouflet, colonnade, galeriste, péristyle, promenoir, rabattant, serrement, triforium, vestibule ■ 10 accrochage, contre-mine, palplanche, poulailler, souterrain ■ 11 descenderie, travers-banc.
GALERIEN: 6 forçat ■ 7 bagnard, déporté, relégué ■ 8 espalier.
GALET: 5 plage ■ 6 pierre ■ 7 caillou ■ 9 poudingue.
GALETAS: 6 réduit ■ 8 mansarde.
GALETER: 8 galetage.
GALETTE: 4 fric ■ 5 crêpe, rösti ■ 6 fouace, roesti ■ 7 biscuit, cassave, oseille ■ 8 placenta.

GALIMATIAS: 6 jargon, pathos, phébus ■ 8 charabia, pataquès ■ 9 baragouin ■ 10 amphigouri.
GALIPETTE: 7 cumulet.
GALIPOT: 3 pin ■ 9 galipoter.
GALLE: 6 cynips ■ 7 cécidie, chermès ■ 8 phytopte ■ 9 gallicole.
GALLICANISME: 8 gallican.
GALLIFORME: 9 gallinacé*.
GALLINACE: 5 hocco ■ 6 grouse, picage ■ 8 lagopède ■ 9 francolin, gelinotte ■ 10 lophophore, phasianidé*.
GALLIUM: 7 galleux.
GALLOIS: 7 country ■ 8 gaélique, kymrique ■ 11 néo-celtique.
GALON: 5 bande, bordé, padou, ruban* ■ 6 gallup, laisse, tirant, tresse ■ 7 bordure, chevron, insigne, lézarde, sardine ■ 8 dragonne, embrasse, galonner, parement ■ 9 bourdalou, chamarrer, cordonnet, galonnier, passement* ■ 11 brandebourg, chevillière ■ 12 passementier.
GALOP: 4 trot ■ 5 bague ■ 6 canter ■ 8 galopade.
GALOPER: 5 aubin ■ 6 courir* ■ 8 galopeur.
GALOPIN: 5 gamin ■ 7 vaurien ■ 8 polisson ■ 9 garnement.
GALVANISER: 7 zinguer ■ 9 enflammer ■ 13 galvanisation.
GALVANOMETRE: 9 fluxmètre.
GALVAUDER: 5 errer, gâter* ■ 6 gâcher ■ 10 galvaudage.
GALVAUDEUX: 7 vaurien ■ 8 vagabond.
GAMBADE: 8 cabriole, gambader.
GAMBIE: 7 gambien.
GAMETE: 6 gonade ■ 7 ovotide ■ 8 isogamie, oosphère ■ 9 ovogenèse, zoogamète ■ 10 spermatide ■ 11 conceptable, hétérogamie ■ 12 anthérozoïde, gamétogenèse ■ 13 homogamétique, spermatozoïde ■ 15 hétérogamétique.
GAMIN: 4 gone, titi ■ 5 cadet ■ 6 enfant, miston ■ 7 crapaud, galopin, gouspin, loupiot ■ 8 gavroche ■ 9 gaminerie ■ 10 goussepain.
GAMINERIE: 7 gaminer.
GAMME: 3 sol, ton ■ 4 mode ■ 5 degré ■ 8 médiante ■ 9 dominante.
GAMOPETALE: 4 tube ■ 6 pyrole, sésame, styrax ■ 7 buxacée*, oléacée* ■ 8 composée, dipsacée, ébénacée*, éricacée*, gentiane, labiacée*, rubiacée* ■ 9 asclépias, sapotacée*, solanacée* ■ 10 acanthacée*, apocynacée*, asclépiade, composacée*, dipsacacée*, globulaire, orobranche, primulacée* ■ 11 bignoniacée* ■ 12 borraginacée*, cucurbitacée*, valérianacée* ■ 13 asclépiadacée*, caprifoliacée*, convolvulacée*, plantaginacée*, plombaginacée* ■ 14 scrofulariacée*.
GANG: 5 bande ■ 6 troupe.
GANGLION: 5 bubon ■ 6 glande ■ 7 adénite ■ 9 connectif, stellaire, trijumeau ■ 10 écrouelles, lymphocyte ■ 11 adénogramme, adénopathie ■ 13 ganglionnaire, histoplasmose.
GANGRENE: 5 gâter ■ 7 nécrose ■ 9 gangrener ■ 10 gangréneux.
GANGSTER: 12 gangstérisme.
GANGUE: 6 gangué ■ 7 castine.
GANOÏDE: 6 caviar ■ 7 sterlet ■ 9 esturgeon ■ 10 lépidostée ■ 11 ichtyocolle, lépidosteus.
GANSE: 6 floche, ganser ■ 8 gansette ■ 9 cordonnet, passement* ■ 12 cache-couture ■ 13 passementerie.
GANT: 5 ceste ■ 6 moufle, rebord ■ 7 crispin, gantier, manicle, manique, mitaine ■ 8 gantelet, paumelle, pointure ■ 9 empaumure.
GANTELET: 5 miton.
GARAGE: 3 box ■ 4 parc ■ 5 garer, dépôt ■ 6 remise ■ 9 garagiste.

GARANCE : 5 rober, rouge ■ 7 alizari ■ 8 garancer ■ 9 alizarine, garançage, garanceur, purpurine ■ 10 garancière.
GARANTIE : 3 foi ■ 4 aval, coin, gage ■ 5 endos, otage ■ 6 garant, sûreté ■ 7 caution, garanti, recours, surface, warrant ■ 8 consigne ■ 9 assurance, certitude, palladium, répondant ■ 10 assistance, couverture, engagement, estampille, hypothèque, précaution, protection, sauvegarde ■ 11 accréditeur, endossement, fidéjussion ■ 12 nantissement ■ 13 cautionnement ■ 14 chirographaire.
GARANTIR : 5 banne ■ 6 donner, nantir ■ 7 abriter, assurer, couvrir ■ 8 affirmer, assigner, avaliser, défendre, endosser, épargner, garantie, garde-vue, marquise, napperon, paravent, prémunir, protéger, répondre, soutenir ■ 9 autoriser, brise-vent, certifier, comptable, confirmer, contre-mur, parapluie, patronner, porte-fort, préserver, warranter ■ 10 accréditer, cautionner, talonnière ■ 11 genouillère, hypothéquer, prophylaxie, sauvegarder ■ 12 intercession, nantissement ■ 13 certificateur.
GARÇON : 3 boy, lad ■ 4 fils, gars, zizi, zozo ■ 5 goret, gosse, scout ■ 6 enfant, marmot, mitron, poupon, puceau ■ 7 galopin, liftier, loufiat, morveux, moutard, steward ■ 8 boy-scout, garçonne ■ 9 garçonnet, marmouset, patronnet, sauvageon ■ 10 garçonnier ■ 11 célibataire ■ 12 mezzo-soprano.
GARÇONNIERE : 11 appartement.
GARD : 5 tavel ■ 7 gardois.
GARDE : 4 loge ■ 5 dogue, gardé, mâtin, rouet, serre, tsuba, vigie ■ 6 fédéré, piquet, quarte, quinte, vigile ■ 7 défense, escorte, eunuque, gardien, messier, molosse, pas-d'âne, planton, quillon, redoute, vedette ■ 8 coquille, doberman, dragonne, garde-fou, grognard, préposer, veilleur ■ 9 attention, concierge, garde-côte, garde-robe, prétorien ■ 10 archiviste, bouterolle, cent-gardes, couverture, horseguard, précaution, quartenier, sentinelle, silencieux ■ 11 entreposeur, garde-malade, garde-manger, garde-meuble, gardiennage, objurgation, surveillant* ■ 12 factionnaire, surveillance* ■ 13 garde-barrière, pavillonnerie, précautionner ■ 14 bibliothécaire.
GARDE-BOUE : 4 aile ■ 8 pare-boue.
GARDE-FOU : 8 rambarde ■ 10 garde-corps.
GARDE-MAGASIN : 10 garde-mites.
GARDE-MANGER : 8 glacière.
GARDER : 5 poser, taire, tenir* ■ 6 éviter ■ 7 confier, détenir, gardeur, gardien, retenir* ■ 8 attendre, défendre, destiner, garantir, garderie, observer, protéger, réserver ■ 9 conserver, consigner, maintenir*, respecter ■ 10 économiser, entreposer, surveiller ■ 11 emmagasiner ■ 12 intérioriser.
GARDE-ROBE : 5 selle ■ 7 basique ■ 8 penderie.
GARDEUR : 6 cow-boy ■ 8 chevrier ■ 10 dindonnier.
GARDIEN : 4 goal ■ 5 garde ■ 6 gaucho ■ 7 cerbère, gardian ■ 8 consigne, huissier, plongeon ■ 9 concierge, chartrier ■ 10 porte-clefs, sentinelle ■ 11 gardiennage, thesmothète.
GARDON : 8 rotengle.
GARE : 4 quai ■ 5 garer, halte ■ 8 consigne ■ 9 buffetier.
GARER : 7 remiser.
GARGARISER : 10 gargarisme.
GARGOTTE : 9 gargotier ■ 10 restaurant.
GARGOUILLEMENT : 11 gargouiller, gargouillis.
GARNEMENT : 6 gredin ■ 7 galopin, vaurien.
GARNI : 5 bagué, farci ■ 6 meublé, touffu ■ 10 passepoilé.

GARNIR: 5 armer, echer, gréer, lotir, munir, orner*, parer ■ 6 ailler, baguer, barder, boiser, bouler, canner, emplir, farcir, ferrer, foncer, gancer, joncer, lester, nantir, nipper, ouater, rucher, vanner, vitrer, zipper ■ 7 amorcer, baliser, blinder, boucher, bourrer, cercler, charger, clisser, clouter, couvrir, décorer, doubler, dresser, enrayer, équiper, étoffer, étouper, feutrer, flécher, fournir, fourrer, franger, fretter, houpper, meubler, occuper, pailler, plaquer, remplir, revêtir, rubaner, truffer, voliger ■ 8 chemiser, cimenter, culotter, dégarnir, emperler, emplumer, endenter, entoiler, fasciner, feuiller, feutrage, habiller, hérisser, outiller, pavoiser, pourvoir, prémunir, rebroder, regarnir, salpicon, tapisser, tontiner, tricouni ■ 9 barigoule, briqueter, cartonner, casemater, clayonner, embourrer, empailler, enjoliver, fortifier, harnacher, laitonner, langueyer, maroufler, meringuer, plafonner, rentoiler, soutacher, tamponner ■ 10 bastionner, caillouter, capitonner, chevronner, dépouiller, engazonner, envelopper, garnissage, lambrisser, matelasser, rembourrer, rempailler, treillager ■ 11 entrevoûter, plastronner, quenouillée, ravitailler, treillisser ■ 12 caoutchouter ■ 13 calorifugeage, paillassonner ■ 14 approvisionner.
GARNISON: 4 mess ■ 7 présidc.
GARNITURE: 5 cosse, jabot, joint, ruche, sabot ■ 6 berthe, effilé, embout, parure, volant ■ 7 empenne, flasque, grébige, monture, œillet, voilage ■ 8 basquais, calandre, capuchon, grébiche, gribiche, ornement*, panoufle ■ 9 dépassant, empennage, ferrement, pare-chocs, passe-poil ■ 10 bouterolle, enjoliveur, talonnette ■ 11 cache-peigne, fanfreluche, planchéiage ■ 13 dessous-de-bras.
GARONNE: 9 garonnais.
GAROU: 6 daphné ■ 8 sainbois.
GARRIGUE: 5 lande.
GARROT: 7 tordoir ■ 10 banderille.
GARROTER: 8 attacher ■ 10 garrottage.
GASCON: 2 oc ■ 8 fanfaron ■ 9 gasconner ■ 10 gasconnade ■ 11 gasconnisme.
GASPILLER: 6 gâcher* ■ 7 coulage ■ 8 dépenser ■ 9 dilapider, prodiguer ■ 10 gaspillage, gaspilleur ■ 11 dépradation.
GASSER: trijumeau.
GASTEROMYCETE: 7 geaster, geastre ■ 10 lycoperdon ■ 11 vesse-deloup ■ 12 gastromycète.
GASTEROPODE: 4 cône ■ 5 nasse, physe, turbo ■ 6 buccin, casque, cauris, conque, fuscan, fuseau, natice, ormeau, triton, troque, vermet ■ 7 cérithe, cymbium, patelle, pourpre, pulmoné*, strombe, térèbre ■ 8 bernique, haliotis, paludine, planorbe ■ 9 haliotide, péristome, ptéropode* ■ 10 ampullaire, delphinule, gastropode, jambonneau, porcelaine, turritelle ■ 12 prosobranche* ■ 14 opisthobranche*.
GASTRIQUE: 7 achylie, pepsine ■ 9 caillette.
GASTROENTERITE: 7 turista.
GASTROLATRE: 8 gourmand ■ 10 gastronome.
GASTRONOMIE: 8 gourmand ■ 13 gastronomique.
GASTROPODE: 11 gastéropode*, nudibranche ■ 12 tectibranche.
GASTROSCOPIE: 11 gastroscope.
GASTRULA: 8 blastula, blastule ■ 10 blastopore ■ 12 gastrulation.
GATE: 4 sain ■ 5 vicié ■ 6 gâtion, pourri.
GATEAU: 4 baba, cake, moka ■ 5 bûche, cooke, roulé, sablé ■ 6 couque, éclair, gaufre ■ 7 baklava, biscôme, dariole, échaudé, galette, génoise, gougère, kouglof, pudding ■ 8 clafouti, vacherin ■ 9 allumette, chiqueter, clafoutis, congolais, gougelhof, kugelhopf, made-

leine, milliasse, mont-blanc, nougatine ■ 10 frangipane, pithiviers, religieuse ■ 11 petit-beurre, plum-pudding, saint-honoré ■ 12 langue-de-chat, millefeuille, quatre-quarts.

GATE-BOIS: 6 cossus.

GATER: 4 puer, user ■ 5 biser, cotir, geler, salir, tarer ■ 6 abîmer, aigrir, bâcler, brouir, carier, friper, gâcher, gourer, greler, perdre, piquer, rancir, ruiner, sabrer, tâcher, ternir, vicier* ■ 7 altérer, avarier, brasser, brocher, croupir, dépérir, empirer, entamer, étioler, flétrir, gâterie, manquer, pourrir*, ravager, saboter, saveter, soigner, taveler, torcher, tourner ■ 8 déflorer, déformer, défriser, dégrader, délabrer, dépraver, dépriser, détruire*, dévaster, émousser, empester, enlaidir, frelater, froisser, infecter, infester, meurtrir, négliger, profaner, rouiller, souiller, trousser, vieillir ■ 9 abâtardir, adultérer, atteindre, bousiller, cochonner, corrompre*, défigurer, dégénérer, dénaturer, déprécier, estropier, faisander, falsifier, fermenter, forligner, galvauder, gangrener, gâte-sauce, massacrer, mortifier, pervertir, putréfier ■ 10 décomposer, déshonorer, détériorer*, endommager ■ 11 barbouiller, chouchouter, empoisonner, gribouiller ■ 12 désorganiser, sophistiquer.

GATEUX: 3 âgé ■ 4 gaga ■ 6 malade ■ 7 gâtisme, ramollo ■ 8 gâtifier.

GATTILIER: 11 agnus-castus.

GAUCHE: 3 dia ■ 4 rate, zozo ■ 6 babord, empoté ■ 7 empêtré, gaucher ■ 8 dandiner, démanché, emprunté, flandrin, godichon, lévogyre, senestre, singerie ■ 9 dégauchir, maladroit* ■ 10 altération, dextrorsum, gauchement, gauchissant, provincial ■ 13 senestrochère ■ 15 arrière-voussure.

GAUCHEMENT: 8 dansoter ■ 9 dansotter.

GAUCHERIE: 8 embarras ■ 9 dégaucher, dégourdir ■ 10 maladresse* ■ 14 provincialisme.

GAUCHIR: 6 voiler ■ 7 déjeter ■ 8 envoiler, gondoler ■ 9 gondolage ■ 10 travailler ■ 13 gauchissement.

GAUCHISSEMENT: 7 voilure ■ 11 déjettement.

GAUDRIOLE: 12 plaisanterie*.

GAUFRE: 6 cloqué, gâteau ■ 8 bricelet, gaufrier, gaufroir ■ 9 gaufrerie, gaufrette.

GAUFRER: 7 cloquer ■ 8 gaufrage, gaufrure ■ 10 boucharder.

GAULER: 7 chabler.

GAULOIS: 5 ovate ■ 6 eubage ■ 8 gaillard ■ 11 gallo-romain.

GAUSSER: 6 moquer* ■ 7 railler* ■ 9 raillerie.

GAVAGE: ■ 7 gaveuse.

GAVE: 5 gorge ■ 7 torrent ■ 9 cours d'eau.

GAVER: 6 emplir, gaveur, gorger ■ 7 appâter ■ 9 embecquer, rassasier.

GAZ: 3 air, g.p.l., pet, rot ■ 4 néon, soda, vent ■ 5 anode, argon, azote, bulle, gazer, ozone, vesse, xénon ■ 6 flamme, fluide, gazier, grisou, hélium, miasme, vapeur* ■ 7 gazoduc, krypton, méthane, mofette, oxygène, venturi, ypérite ■ 8 ammoniac, argonide, calamine, désaérer, éthylène, ignitron, oléfiant, pipe-line, scrubber ■ 9 acétylène, admission, allume-gaz, barbotage, carbogène, cyanogène, détecteur, gazéifier, gazinière, gazomètre, hydrogène, insuffler, méthanier, oléifiant, propergol, soufflure, sulvinite, ventosité ■ 10 absorption, aérolique, ammoniaque, atmosphère, borborygme, carminatif, éructation, exhalaison, flatulence, flatuosité, gazéiforme, gazochimie, météoriser, obturateur, silencieux, tympanisme ■ 11 eudiométrie, hypercapnie, ionoplastie, pneumatique ■ 12 aérostatique, ballonnement, explosimètre, insufflation, liquéfacteur, liquéfaction, pneumothorax, sulfhydrique, vaporisation ■ 13 chloropicrine, crude ammoniac, météorisation.

GAZE: 4 tutu ■ 5 mèche.
GAZEIFIER: 13 gazéification.
GAZELLE: 7 méchoui.
GAZETTE: 7 journal* ■ 8 gazetier.
GAZEUSE: 4 coca ■ 5 kéfir, seltz ■ 8 coca-cola.
GAZEUX: 3 air ■ 4 néon ■ 5 argon, radon ■ 6 képhir ■ 8 éthylène ■ 9 émanation, fumerolle, hydrogène ■ 10 gazométrie ■ 12 cyclopropane.
GAZON: 5 herbe* ■ 6 gramen ■ 7 statice ■ 8 gazonnée, gazonner ■ 9 gazonnage, gazonnant, gazonneux ■ 10 boulingrin, dégazonner, engazonner, vertugadin ■ 11 gazonnement ■ 13 dégazonnement.
GAZONNE: 5 green.
GAZOUILLER: 7 chanter ■ 10 gazouillant, gazouillis ■ 11 gazouilleur.
GEAI: 6 frouer.
GECKO: 7 tarente.
GEANT: 4 nain, ogre ■ 5 grand*, titan ■ 6 énorme* ■ 7 colosse, cyclope, gigante ■ 8 colossal*, cyclopéen, titanique ■ 10 monstrueux ■ 11 gigantesque* ■ 13 gigantomachie, mégacaryocyte.
GEHENNE: 5 enfer ■ 8 supplice.
GEINDRE: 7 piorner ■ 8 plaindre* ■ 9 regretter ■ 10 geignement.
GEL: 5 accot, froid* ■ 8 gélifier, gélivité, hydrogel, synérèse ■ 9 antigélif ■ 11 solifluxion, thixotropie ■ 12 gélification, solifluction ■ 13 cryoturbation, périglaciaire.
GELATINE: 5 colle ■ 8 colloïde ■ 9 bavaroise, collagène ■ 10 gélatineux, phototypie ■ 11 pelliculage ■ 12 réticulation ■ 13 gélatiniforme ■ 15 gélatino-bromure.
GELATINEUSE: 6 némale.
GELATINEUX: 6 chordé ■ 13 gélatiniforme.
GELATINO-BROMURE: 4 film.
GELEE: 3 gel ■ 4 pâte ■ 5 aspic, givre, glace ■ 6 frimas, napalm ■ 8 coaguler, fricasse, froidure, gélatine, giboulée ■ 9 confiture, galantine ■ 10 enchausser ■ 11 congélation.
GELER: 6 glacer ■ 7 frapper, prendre, regeler, transir ■ 8 congeler ■ 11 frigorifier.
GELIFICATION: 9 gélifiant.
GELIVATION: 12 gélifraction.
GELOSE: 8 agar-agar.
GEMELLIPARITE: 13 gémelliparité.
GEMINEE: 10 gémination.
GEMISSEMENT: 3 cri ■ 7 plainte* ■ 9 gémissant, gémisseur ■ 11 lamentation.
GEMME: 6 pierre (précieuse), résine, zircon ■ 7 diamant, glaceux ■ 9 gemmation, jardineux ■ 10 gemmologie ■ 12 gemmologiste.
GENANT: 5 lourd ■ 8 fatigant, importun* ■ 10 incommoder ■ 11 intolérable ■ 13 insupportable.
GENCIVE: 6 épulis ■ 7 épulide, parulie ■ 8 gengival ■ 9 gingivite.
GENDARME: 5 cogne, condé ■ 7 pandore ■ 8 policier* ■ 10 carabinier, pyrocorise.
GENDARMERIE: 6 prévôt ■ 7 prévôté ■ 12 maréchaussée.
GENE: 4 aise ■ 5 dèche, ennui*, létal, locus, purée ■ 6 besoin*, génome, opéron ■ 7 cistron, génique ■ 8 courbatu, embarras, exutoire, intimidé, létalité, nuisance, oncogène, oppressé, opulence, pauvreté*, récessif, richesse, timidité, violence ■ 9 besogneux, dominance, épistasie, incommodé, nécessité, préjudice ■ 10 contrainte, difficulté, embarrassé*, homozygote ■ 11 autosomique, importuné,

incommodant, incommodité, récessivité ■ 12 hétérozygote, inconvénient ■ 14 assujettisant.

GENEALOGIE : 5 arbre ■ 7 ancêtre*, famille, implexe ■ 8 origine* ■ 8 herd-book, pedigree, quartier, stud-book ■ 9 ascendant, flock-book ■ 10 descendant, phylogénie ■ 11 phylogenèse ■ 12 généalogique, généalogiste.

GENER : 5 aider, nuire* ■ 6 gêneur ■ 7 choquer ■ 8 dégoûter, déranger, entraver, fatiguer ■ 9 oppresser ■ 10 handicaper, importuner* ■ 11 contraindre, embarrasser* ■ 12 contrecarrer, désavantager.

GENERAL : 2 q.g. ■ 3 t.i.g. ■ 4 p.e.g.c. ■ 5 armée, major ■ 6 commun ■ 7 négrier ■ 8 ensemble, gaullien, générale, gnomique, prêtoire, principe ■ 9 bourgeois, brigadier, généralat, induction, universel ■ 10 commandant, généralité, vice-amiral ■ 11 archidiacre, connotation, généraliser, porte-fanion ■ 12 généralement ■ 13 conflagration, divisionnaire, généralissime.

GENERALISER : 10 extrapoler ■ 13 généralisable ■ 14 généralisateur, généralisation.

GENERALITE : 12 universalité.

GENERALOGIE : 9 théogonie.

GENERATEUR : 4 pile, pôle ■ 5 rotor ■ 6 stator ■ 7 cambium ■ 8 polarité, primaire ■ 9 chaudière, magnétron ■ 10 directrice ■ 11 alternateur, génératrice, thermopompe.

GENERATION : 4 race, sexe ■ 8 hérédité ■ 9 génératif, génésique, postérité, stérilité ■ 10 ascendance, générateur ■ 12 scissiparité.

GENEREUX : 3 bon* ■ 4 chic ■ 5 brave, large, noble ■ 6 relevé ■ 7 clément, libéral ■ 8 gavroche, inhumain, sensible ■ 9 magnanime ■ 10 charitable*, chiquement, générosité, grassement, munificent ■ 11 bienfaisant* ■ 12 désintéressé, don quichotte ■ 13 chevaleresque, généreusement.

GENEROSITE : 3 don ■ 5 bonté* ■ 6 aumône ■ 7 charité*, présent, secours ■ 8 bienfait*, grandeur, héroïsme, largesse, noblesse ■ 9 sacrifice ■ 10 abnégation, dévouement, libéralité* ■ 11 détachement, magnanimité, renoncement ■ 12 bienfaisance*, magnificence.

GENESIQUE : 7 orgasme.

GENET : 5 ajonc, brusc ■ 6 brande, sparte ■ 9 genêtière ■ 10 hérissonne, genêtrière.

GENETIQUE : 10 drosophile, généticien, transposon ■ 11 clodistique, réplication ■ 12 reprogrammer, transduction ■ 13 génétiquement ■ 14 transgénétique.

GENETISME : 9 nativisme.

GENETTE : 7 civette.

GENEUR : 7 fâcheux ■ 8 importun ■ 9 empêcheur.

GENEVRIER : 4 cade ■ 6 sabine ■ 8 genièvre ■ 10 genévrière.

GENIAL : 9 génialité ■ 11 génialement.

GENIE : 3 dev, div ■ 4 arme, elfe, lyre, muse, péri, sape ■ 5 aigle, démon, gnôme, ondin ■ 6 esprit, sylphe, talent* ■ 8 capacité, demi-dieu, pionnier, prolonge ■ 9 casernier, chefferie, compagnie ■ 10 pontonnier ■ 12 reprogrammer.

GENIEVRE : 3 gin ■ 6 encens, vernis ■ 10 genevrette, sandaraque.

GENISSE : 4 veau ■ 5 taure, vache ■ 10 free-martin ■ 11 vaccinifère.

GENITAL : 5 vulve ■ 8 bisexuel, bissexué ■ 9 bissexuel, ménopause, testicule ■ 10 andrologie, castration, prégénital ■ 12 bucco-génital.

GENITO-URINAIRE : 10 urogénital.

GENOIS : 8 ligurien.

GENOISE : 9 nougatine.

GENOTYPE : 9 phénotype.
GENOU : 4 bras, plié ■ 5 atémi, giron, mi-bas, pietà ■ 6 rotule ■ 7 grémial, synovie ■ 8 géniculé, mini-jupe, tire-pied, vessigon ■ 10 jambonneau, scalasanta ■ 11 agenouiller, genouillère, génuflexion ■ 12 arthroscopie.
GENRE : 3 raï ■ 4 b.c.b.g., fadé ■ 5 sorte ■ 6 espèce*, jingxi, joruri, neutre, sottie ■ 7 féminin, manière, société ■ 8 fatrasie, masculin ■ 9 burlesque, classique, congénère, générique, homérique sous-genre ■ 10 garde-bœuf, monogatari, serventois ■ 11 fantastique, kammerspiel, pastourelle, uniformiser ■ 14 science-fiction.
GENS : 6 rastel ■ 7 cohorte ■ 8 personne*, séquelle ■ 9 cavalcade.
GENT : 4 gens, race* ■ 7 famille.
GENTIL : 4 beau, gent, joli, mimi ■ 5 païen ■ 6 mièvre, mignon ■ 7 aimable, mignard ■ 8 amitieux, gracieux ■ 9 bon enfant, épiphanie, gentilité, gentillet, gentiment.
GENTILHOMME : 5 cadet, noble ■ 6 écuyer, junker, squire ■ 8 hobereau ■ 10 anspessade ■ 11 aristocrate, gentillâtre ■ 12 mousquetaire ■ 14 gentilhommerie, gentilhommière.
GENTILLESSE : 5 grâce ■ 9 chatterie, mièvrerie ■ 10 mignardise ■ 11 délicatesse, mignonnerie.
GENTIQUE : 8 plasmide.
GEOCHIMIE : 11 géochimique, géochimiste.
GEOGRAPHIE : 5 atlas ■ 6 isolat ■ 7 biotope ■ 9 géographe ■ 12 cartographie, géographique, géostratégie.
GEOLE : 6 prison* ■ 7 cellule.
GEOLOGIE : 3 tuf ■ 7 crétacé ■ 8 géologue, primaire ■ 9 isostasie, néocomien, tertiaire ■ 10 géologique, tectonique ■ 11 nitrosation, paléoclimat ■ 12 géotechnique, préglaciaire ■ 13 géotectonique, hydrogéologie, stratigraphie ■ 14 géochronologie, géologiquement.
GEOLOGIQUE : 10 cénozoïque.
GEOMETRIDE : 7 phalène ■ 8 acidalie.
GEOMETRIE : 4 lieu, tore ■ 5 affin ■ 6 lunule ■ 8 géomètre ■ 10 quadrature, quaternion, riemannien, résultante ■ 11 géométrique, homographie, planimétrie ■ 12 non-euclidien, stéréométrie ■ 15 géométriquement.
GEOMETRIQUE : 7 mandala.
GEOPHYSIQUE : 8 sismique ■ 10 hydrologie ■ 12 géophysicien.
GEOSYNCHROSE : 15 géostationnaire.
GERANCE : 15 location-gérance.
GERANIACEE : 8 géranium ■ 11 pélargonium.
GERANT : 4 géré.
GERBE : 5 airée, botte* ■ 7 gerbage, moyette ■ 8 engerber, faisceau, gerbière.
GERÇURE : 7 fissure ■ 8 crevasse, fendille, gélivure, gercement.
GERER : 5 régir ■ 7 cogérer, diriger*, gérable ■ 8 traction ■ 9 ingérable, protuteur.
GERIATRIE : 8 gériatre ■ 11 gériatrique.
GERMAIN : 6 teuton ■ 10 germanique, germaniser, teutonique ■ 13 germanisation.
GERMANIQUE : 4 nixe ■ 5 recès, recez ■ 9 ashkénaze.
GERME : 4 malt, œuf ■ 5 grain ■ 6 fœtus, germer, graine, levain, sperme ■ 7 égermer, origine, semence ■ 8 dégermer, germinal ■ 9 aseptique, germicide, idée-force, proligère ■ 10 autovaccin, macrospore, microspore, neurotrope, touraillon ■ 11 blastoderme, germination, inoculation ■ 12 coproculture, embryonnaire, nicolas-

favre ■ **13** toxi-infection ■ **14** primo-infection.
GERMEN : 4 soma ■ **8** germinal.
GERMER : 5 semer ■ **9** prothalle, touraille ■ **10** germinatif ■ **11** germinateur.
GERMINALE : 6 cocyte ■ **7** ovocyte ■ **8** ovogonie, séminome ■ **10** gamétocyte ■ **12** spermatocyte.
GERMINATION : 12 gibbérelline.
GERONTE : 9 vieillard*.
GERONTOPHILIE : 12 gérontophile.
GERS : 7 gersois.
GERZEAU : 6 nielle.
GESINE : 11 enfantement, parturition ■ **12** accouchement.
GESSE : 5 orobe ■ **7** jarosse ■ **8** jarousse, vespéron ■ **10** lathyrisme.
GESTATION : 6 utérus ■ **8** placenta ■ **9** grossesse ■ **11** progestatif.
GESTE : 3 zou ■ **4** mine, sort ■ **5** câlin, façon, mudra ■ **6** action, allure, menace, épopée ■ **7** dégaîne, exploit, gestuel, manière, mimique, momerie ■ **8** acinésie, attitude*, simagrée, singerie ■ **9** asynergie, baise-main, mimologie, mouvement*, pantomime, révérence ■ **10** contorsion, expression, gesticuler, gestualité, minauderie ■ **13** gesticulation.
GESTICULER : 6 agiter, remuer*, sauter ■ **7** démener ■ **8** grimacer ■ **9** sautiller ■ **11** gesticulant ■ **13** gesticulation.
GESTION : 5 régie ■ **7** gabegie ■ **8** curateur, économie, grapheur ■ **9** cambusier, organisme ■ **10** back-office ■ **11** autogestion, sovnarkhose, télégestion ■ **12** gestionnaire, gouvernement, investisseur, paternalisme.
GESTUALITE : 9 gestuelle.
GHANA : 4 cédi.
GHETTO : 8 juiverie, township.
GIBBERELLINE : 13 gibbérellique.
GIBBON : 7 siamang.
GIBECIERE : 3 sac ■ **7** carnier, musette, sacoche ■ **9** panetière ■ **11** carnassière.
GIBERNE : 10 grenadière.
GIBET : 5 credo, croix ■ **7** potence ■ **9** estrapade ■ **11** patibulaire.
GIBIER : 4 lacs, râle, tire ■ **5** affût, barde, civet, fumet ■ **6** breuil, chasse* ■ **7** carnier, cendrée, giboyer, traquer ■ **8** agrainer, débucher, dépister, giboyeux, rabattre ■ **9** bourriche, brochette, étouffade, faisander, rabattage, rabatteur, retriever ■ **10** estouffade ■ **11** carnassière, garde-chasse.
GICLE : 6 giclée.
GICLER : 7 jaillir ■ **9** giclement.
GIFLE : 4 coup, tape ■ **5** baffe, bâfre, tarte ■ **6** battre, beigne, claque ■ **7** mandale, taloche ■ **8** emplâtre, mornifle, soufflet ■ **9** camouflet, talmousse.
GIGANTESQUE : 5 géant*, grand*, titan ■ **8** colossal* ■ **9** cyclopéen, titanique, ziggourat ■ **10** monumental, titanesque ■ **11** acromégalie.
GIGOGNE : 10 matriochka.
GIGOT : 5 baron ■ **6** souris.
GIGOTER : 6 danser, remuer* ■ **10** gigotement.
GILDE : 11 corporation.
GILET : 8 giletier.
GIN : 7 gin-fizz.
GINGEMBRE : 8 zérumbet ■ **11** zingibéracé.
GIOTTO : 10 giottesque.

GIRAFE : **5** amble ■ **7** girafon ■ **8** girafeau.
GIRANDOLE : **10** chandelier.
GIRAVION : **8** girodyne.
GIROFLE : **8** alkermès, eugénol.
GIROFLEE : **7** violier ■ **9** matthiole.
GIROLLE : **11** chanterelle.
GIRONDE : **7** margaux.
GIROUETTE : **4** vent ■ **5** penon ■ **6** pantin.
GISEMENT : **4** gîte, mine ■ **6** bassin, placer ■ **8** filonien ■ **14** géostatistique.
GITAN : **4** kalé ■ **5** gadjo.
GITE : **4** abri*, mine ■ **5** antre*, bauge, tende ■ **7** repaire, tanière, terrier ■ **8** débouler, retraite ■ **9** débusquer, forlancer ■ **10** habitation.
GIVRE : **5** gelée ■ **7** givrage, givrant ■ **8** dégivrer ■ **11** antigivrant.
GIVREUX : **7** givrure.
GLABRE : **5** barbu ■ **7** imberbe.
GLAÇAGE : **7** glaceur ■ **8** glaceuse ■ **10** sandaraque.
GLACE : **4** fixe, tain ■ **5** cadre, froid, geler, givré, neige, sérac, vitre ■ **6** glaçon, grésil, miroir*, psyché ■ **7** débâcle, glaçant, glaceux, glacial, glacier, granite, hummock, iceberg, ice-boat, trumeau, verglas ■ **8** banquise, cocktail, déglacer, esquimau, glacerie, glacière, glisseur, ice-cream, icefield, icefjeld, iceström, traînage ■ **9** avalanche, déglaçage, glaciaire, glissoire, lève-glace, lève-vitre, miroitier, ringuette ■ **10** glaciation, miroiterie, plombières, sorbetière ■ **11** déglacement ■ **13** marteau-piolet.
GLACER : **5** geler ■ **7** transir ■ **8** calandre.
GLACIAL : **5** froid, glacé ■ **8** blizzard ■ **10** pisse-froid ■ **11** réfrigérant ■ **12** glacialement.
GLACIATION : **4** riss, würm ■ **6** mindel ■ **7** wurmien ■ **10** eustatisme ■ **12** préglaciaire ■ **13** postglaciaire.
GLACIER : **4** névé ■ **5** drift, glace ■ **8** crevasse ■ **9** glaciaire, inlandsis ■ **10** épaulement ■ **11** glaciologie ■ **12** amphithéâtre ■ **13** nivoglaciaire ■ **15** fluvio-glaciaire.
GLACIERE : **10** frigidaire ■ **11** frigorifère, frigorigène ■ **12** frigorifique ■ **13** réfrigérateur.
GLACIOLOGIE : **13** glaciologique.
GLACIS : **5** talus ■ **7** piémont, verseau ■ **8** bonnette, pédiment, piedmont ■ **10** vertugadin.
GLAÇON : **7** embâcle ■ **8** charrier.
GLAÇURE : **9** craqueler, écaillage, surglacer.
GLADIATEUR : **7** laniste, samnite ■ **8** cavalier, rétiaire, sécuteur ■ **9** belluaire, bestiaire, essédaire, laquéaire, mirmillon ■ **10** hoplomaque, parmulaire.
GLAIRE : **7** pituite ■ **8** glairure.
GLAISE : **6** argile* ■ **8** glaiseux ■ **9** glaisière.
GLAIVE : **4** épée ■ **8** ancipité.
GLAND : **4** porc ■ **6** cupule, floche ■ **7** alvéole, glandée, prépuce ■ **8** balanite, capuchon, glandage ■ **9** avelanède ■ **12** paraphimosis.
GLANDE : **3** suc ■ **4** pore, sein ■ **6** cortex, gonade, ovaire, thymus ■ **7** adénome, fistule, mamelle ■ **8** acineuse, adénoïde, exocrine, glandeur, nectaire, pancréas, parotide, prostate, thyroïde ■ **9** endocrine, hypophyse, oreillons, salivaire, testicule, thyroxine ■ **10** adénologie, castration, glanduleux ■ **11** endocrinien, glandulaire, uropygienne ■ **12** bartholinite, testostérone ■ **13** dacryo-adénite, dysendocrinie, hidrosadénite, hypothyroïde, parathyroïde.

GLANDULAIRE : 14 adénocarcinome, neurosécrétion.
GLANER : 7 glanage, glanure, prendre ■ 9 glanement ■ 10 grappiller.
GLAPIR : 4 grue ■ 5 crier ■ 6 criard.
GLATIR : 5 aigle.
GLEBE : 3 sol* ■ 4 serf ■ 5 serfs, terre*.
GLIE : 5 glial.
GLISCHROIDIE : 11 glischroïde.
GLISSADE : 5 tacle ■ 7 ramasse.
GLISSEMENT : 5 butée, frane ■ 8 dérapage, stakning ■ 11 chausse-pied ■ 12 coulissement.
GLISSER : 4 fart ■ 5 riper ■ 6 couler, glisse, ramper, rouler, tomber, valser ■ 7 chasser, déraper, ice-boat, manquer, patiner, traîner ■ 8 échapper, faufiler, glissade, glissant, glisseur, insinuer, survirer ■ 9 coulisser, descendre, infiltrer, lubrifier ■ 10 antiglisse, dissimuler, glissement, introduire, resquiller.
GLISSIERE : 3 zip ■ 8 toboggan.
GLOBAL : 9 globalité ■ 10 globaliser.
GLOBALISER : 11 globalisant ■ 13 globalisateur, globalisation.
GLOBE : 4 nord, orbe, sima, zone ■ 5 boule, bulbe, carte ■ 6 azonal, sphère* ■ 7 verrine ■ 8 équateur, géologie, glaucome, orbicole, pandémie ■ 9 entropion, épicentre, géochimie, globuleux ■ 10 cataclysme, chorologie, globulaire, hémisphère, mappemonde ■ 11 conjonctive, énophtalmie, géophysique ■ 12 panophtalmie ■ 13 zoogéographie.
GLOBE-TROTTER : 8 voyageur.
GLOBULE : 4 sang ■ 5 bulle ■ 7 hématie ■ 8 globulin, hémolyse, hydrémie ■ 9 diapédèse, globuleux, kalicytie, plaquette ■ 10 mégalocyte ■ 11 cytaphérèse, hématocrite, leucopoïèse, neutropénie ■ 12 hématopoïèse ■ 13 erythropoïèse, plasmaphérèse.
GLOBULE BLANC : 9 leucocyte ■ 10 leishmania, leishmanie, leucopénie, lymphocyte, macrophage ■ 11 leucocytose ■ 13 mononucléaire, polynucléaire ■ 14 agranulocytose.
GLOBULE ROUGE : 7 hématie ■ 10 hémolysine, plasmodium ■ 11 érythrocyte, hémoglobine ■ 12 hématozoaire.
GLOBULINE : 14 gammaglobuline, macroglobuline.
GLOIRE : 3 nom ■ 5 éclat, myrte, nimbe, renom* ■ 6 apogée, crédit, lustre, marque, mérite, parade, vanité ■ 7 auréole, honneur*, ovation, triomphe* ■ 8 ambition, couronne, glorieux, gloriole, grandeur, héroïsme, lauriers, mandorle, pénombre, renommée* ■ 9 apothéose, célébrité, glorifier, publicité, splendeur ■ 10 engouement, importance, popularité, réputation* ■ 11 rayonnement ■ 12 honorabilité ■ 13 considération, glorification.
GLOMERULE : 6 tubule.
GLORIEUX : 8 vaniteux* ■ 10 magnifique ■ 11 orgueilleux* ■ 13 glorieusement ■ 15 transfiguration.
GLORIFICATION : 6 apogée ■ 7 auréole ■ 8 apologie ■ 9 apothéose ■ 10 exaltation ■ 11 célébration.
GLORIFIER : 5 bénir, louer*, parer ■ 7 déifier, exalter*, flatter*, targuer ■ 8 abaisser, auréoler, célébrer ■ 9 clarifier, diviniser, magnifier ■ 10 apothéoser ■ 13 glorificateur.
GLORIOLE : 7 orgueil.
GLOSE : 4 note ■ 10 glossateur.
GLOSSAIRE : 12 dictionnaire.
GLOSSINE : 6 tsé-tsé.
GLOTTE : 7 glottal ■ 9 épiglotte, glottique.
GLOUGLOU : 11 glouglouter.

GLOUSSE : 9 gloussant.
GLOUSSER : 4 rire.
GLOUTON : 4 porc ■ 5 avide*, goulu ■ 6 vorace ■ 7 avaleur, bâfreur, goinfre ■ 8 goulafre, gourmand* ■ 9 avale-tout, gouliafre ■ 12 avale-tout-cru, gloutonnerie, va-de-la-gueule ■ 13 gloutonnement.
GLU : 4 bave, cire, houx, miel, poix ■ 5 colle, gluau, gomme, mucus, sérum, sirop ■ 6 glaire, gluten, sperme ■ 7 fibrine, glucose, goudron, graisse, onguent, pommade, synovie ■ 8 agar-agar, albumine, dextrine, gélatine, mucosité ■ 9 mucillage ■ 11 gutta-percha.
GLUANT : 4 gras ■ 6 baveux, filant ■ 7 collant, gommeux, grumeau, muqueux ■ 8 adhérent, onctueux, poisseux, visqueux ■ 9 glutineux, savonneux ■ 10 gélatineux ■ 11 agglutinant, conglutiner ■ 12 mucilagineux.
GLUCIDE : 3 ose ■ 5 fusel, oside ■ 6 amidon ■ 7 glucose, inuline, mannose ■ 8 holoside ■ 9 cellulose, glycogène ■ 10 glucidique, glycosurie, saccharide, saccharose ■ 12 disaccharide, polyholoside ■ 13 glycoprotéine, pantothénique ■ 14 polysaccharide ■ 15 glucocorticoïde, glycorégulation.
GLUCINIUM : 2 be ■ 7 glucine ■ 9 béryllium.
GLUCOIDE : 8 esculine.
GLUCOMETRE : 8 pèse-moût.
GLUCOSE : 4 maïs ■ 7 glucosé ■ 8 dextrose, esculine, fructose, glycémie, ouabaïne, salicine, saponine, sorbitol ■ 9 glucoside, glycogène, glycolyse, inversion, invertase, invertine ■ 10 gluconique, glucoserie, glycogénie, glycosurie, isoglucose, saccharose, salicoside ■ 11 glycogenèse ■ 12 glycogénique, hypoglycénie ■ 13 hyperglycémie ■ 14 monosaccharide, polysaccharide ■ 15 glycogénogenèse.
GLUCOSIDE : 6 rutine ■ 8 rutoside ■ 10 hétéroside.
GLUTAMIQUE : 9 glutamate, prolamine.
GLYCERIDE : 9 linoléine.
GLYCERINE : 8 glycérol ■ 9 acroléine, glycéride, glycérole, palmitine ■ 10 glycériner ■ 14 nitroglycérine.
GLYCOL : 9 polyester ■ 10 glycolique.
GLYCOPROTEINE : 6 mucine.
GNANGNAN : 4 lent.
GNEISS : 7 orthose ■ 9 gneisseux ■ 10 gneissique, migmatique.
GNETALE : 6 gnetum.
GNOME : 4 nain ■ 5 génie, troll.
GNOMONIQUE : 11 horographie.
GNOSE : 14 anthroposophie.
GNOSTIQUE : 3 éon ■ 9 mandéisme ■ 10 nicolaïsme ■ 11 marcionisme.
GOBELET : 5 quart, tasse ■ 6 cornet, shaker ■ 7 timbale ■ 11 gobeleterie, rince-bouche.
GOBE-MOUCHES : 8 bec-figue.
GOBER : 5 aimer ■ 6 avaler, croire, happer.
GODELUREAU : 6 galant ■ 10 adolescent.
GODE : 6 godage.
GODER : 7 grigner ■ 9 godailler.
GODET : 3 pli ■ 4 auge ■ 7 saleron ■ 9 avelanède, pincelier ■ 10 cassolette.
GODICHE : 3 sot* ■ 5 niais ■ 9 maladroit.
GODILLE : 4 rame ■ 8 godiller.
GODILLER : 9 godendart.
GODRON : 9 godronner ■ 10 godronnage.
GOELETTE : 7 fortune ■ 8 schooner ■ 9 brigantin.

GOEMON: 3 sar ■ 4 sart ■ 5 algue ■ 6 varech.
GOGUENARDER: 7 railler* ■ 12 goguenardise.
GOINFRE: 7 glouton ■ 8 goinfrer, goulafre ■ 10 goinfrerie.
GOITRE: 6 strume ■ 8 goitreux, strumeux ■ 14 hyperthyroïde.
GOLF: 3 par, tee ■ 4 club, putt ■ 5 caddy, cadet, green, links, pitch, rough, slice ■ 6 bunker, driver ■ 7 fairway, golfeur, putting ■ 8 parcours, practice ■ 9 match-play ■ 10 medal play ■ 13 knickerbocker.
GOLFE: 4 anse, baie, port ■ 5 fjord ■ 6 conche, crique ■ 8 calanque, golfique.
GOMAR: 9 gomariste.
GOMENOL: 7 niaouli.
GOMME: 4 cati, cire ■ 5 butée, gutte, laque ■ 6 balata, gommer ■ 7 gommage, gommeux, gommier, gommose ■ 8 calamite, dégommer, encoller, engommer, galbanum, gommette, gommeux ■ 9 gummifère ■ 10 chewing-gum, gomme-gutte, grummifère.
GOMMEUX: 7 élégant ■ 8 dextrine.
GONADE: 9 gonadique ■ 11 gonadotrope.
GONADOTROPE: 14 gonadotrophine ■ 15 gonadostimuline.
GOND: 3 axe ■ 8 paumelle ■ 9 va-et-vient.
GONDOLE: 6 péotte ■ 8 duchesse ■ 9 gondolage, gondolier.
GONDOLER: 4 rire*.
GONFALON: 11 gonfalonier, gonfanonier.
GONFLE: 5 enflé, obèse ■ 6 bouffi, empâté ■ 7 soufflé, tuméfié ■ 8 ballonné, bouffant, distendu, vultueux ■ 9 crevaison, tumescent ■ 10 boursouflé, gonflement, turgescent.
GONFLEMENT: 4 crue ■ 6 œdème ■ 7 enflure, fluxion, orgasme ■ 8 érection ■ 9 cellulite, emphysème, éréthisme, oreillons ■ 10 dilatation, distention, tympanisme ■ 11 tuméfaction, turgescence ■ 12 hypertension, intumescence ■ 13 éléphantiasis.
GONFLER: 6 enfler ■ 7 bouffer, dilater, empâter ■ 8 exagérer, gonflage, gonfleur ■ 9 augmenter, ballonner, dégonfler, distendre, gonflable, regonfler ■ 10 météoriser.
GONIOMETRE: 13 goniométrique.
GONIOMETRIE: 13 goniométrique.
GONOCHORISME: 12 gonochorique.
GONOCOQUE: 10 gonococcie ■ 12 blennorragie.
GONOCYTE: 10 gonocyaire.
GORGE: 3 col, réa ■ 4 gave, sein ■ 5 cañon, cluse, plein ■ 6 gorget, gosier, guimpe ■ 8 amygdale, gorgerin, languier ■ 9 diphtérie, grasseyer, jugulaire, rengorger, sous-gorge ■ 10 gorgerette ■ 12 dépoitraillé ■ 13 ingurgitation ■ 14 gargouillement.
GORGEE: 6 goulée, lampée.
GORGER: 5 gaver ■ 6 soûler ■ 7 saouler ■ 9 rassasier.
GORGONAIRE: 7 gorgone ■ 8 gorgonie.
GORGONE: 7 échidna ■ 10 gorgonaire.
GOSIER: 4 kiki ■ 5 dalle, gorge ■ 6 gavion, gaviot, quiqui ■ 7 avaloir, sifflet ■ 8 avaloire, guttural ■ 10 gargamelle, garguillot, ingurgiter.
GOSPEL: 14 rhythm and blues.
GOSSE: 4 môme ■ 6 enfant, mioche.
GOTHIQUE: 8 formeret ■ 10 cathédrale, flamboyant, gouttereau, sexpartite.
GOUACHE: 8 gouacher.
GOUAILLER: 6 moquer ■ 7 railler ■ 8 gouaille ■ 9 raillerie.
GOUDRON: 4 brai, ploc, taud ■ 5 pègle ■ 6 bitume*, crésol, crésyl, deggut, guipon, indène, pyrène, pyrrol, xylène ■ 7 coaltar, furanne,

guidron, pyrrole ■ **8** bitumeux, créosote, pyridine ■ **10** anthracène, bitumineux, goudronner, naphtalène, naphtaline, oléonaphte, tarmacadam ■ **11** goudronnage, goudronneux ■ **12** dégoudronner.

GOUET : **4** arum.

GOUFFRE : **4** aven ■ **5** abîme, fosse, puits ■ **8** barathre, malstrom ■ **9** entonnoir, maelström, oubliette, précipice ■ **10** engoufrer, tourbillon.

GOUJAT : **8** grossier* ■ **10** goujaterie.

GOUJON : **9** goujonner.

GOULOT : **7** capsule ■ **8** égueuler, verseuse ■ **9** capsulage ■ **12** mâche-bouchon.

GOULOTTE : **8** goulette.

GOULU : **5** avide ■ **7** glouton* ■ **8** gourmand* ■ **9** goulûment.

GOUM : **5** tabor ■ **7** goumier.

GOUPILLE : **9** goupiller ■ **11** dégoupiller ■ **14** chasse-goupille.

GOUPILLON : **9** aspersoir.

GOURDE : **5** bidon ■ **9** calebasse.

GOURGANDINE : **10** prostituée.

GOURMAND : **5** pansu ■ **6** friand, ventru, viveur ■ **7** délicat, glouton*, gourmet, lécheur ■ **8** gueulard ■ **9** affrioler ■ **10** gastronome ■ **11** gastrolâtre, gourmandise.

GOURMANDER : **11** réprimander.

GOURMANDISE : **5** orgie ■ **8** débauche, lècherie ■ **9** crevaille, friandise, goinfrage ■ **12** incontinence, intempérance.

GOURME : **5** grave ■ **7** affecté ■ **8** impétigo.

GOURMER : **6** battre ■ **11** réprimander.

GOURMET : **6** gueule ■ **8** gourmand.

GOURMETTE : **9** sous-barbe.

GOUSSE : **3** ail ■ **5** cosse ■ **6** légume ■ **8** faverole, féverole ■ **12** légumineuses.

GOUT : **3** sûr ■ **4** âcre, âpre, faim, fort, foxé, mode, rage, roui, rude, salé, sens ■ **5** amour, fusel, génie, genre, kitch, manie, ranci, rèche ■ **6** âcreté, palais, relent, saveur*, velche, welche ■ **7** acidité, amateur, appétit, caprice, délicat, falbala, finesse, flasher, goûteux, montant, passade, raffiné ■ **8** caramélé, dégoûté, exotisme, gustatif, insipide, nidoreux, penchant*, saumâtre, sauvagin, vocation ■ **9** appétence, atticisme, avant-goût, bouchonné, défruiter, fantaisie, gustation, madériser, mondanité, rehausser, succulent ■ **10** caramélisé, chamarrure, chiquement, modernisme ■ **11** affublement, arrière-goût, assaisonner, coquetterie, dégustation, délicatesse, flemmardise, italianisme, raffinement ■ **12** convivialité, orientalisme.

GOUTER : **5** aimer, jouir, tâter ■ **6** plaire ■ **7** essayer*, goûteur, nieller, retâter ■ **8** allécher, dégoûter, déguster, raffoler, ragoûter, savourer ■ **9** approuver, collation, gustation.

GOUTTE : **4** pâté ■ **5** perle ■ **6** tophus ■ **7** gonagre, goutter, podagre, tectile ■ **8** arthrite, chiragre, goutteux ■ **9** batavique, instiller, sciatique ■ **10** colchicine, rhumatisme*, stillation ■ **11** allopurinal, arthritisme, gouttelette, stillatoire ■ **13** compte-gouttes, goutte-à-goutte, stalagmomètre ■ **14** stalagmométrie.

GOUTTELETTE : **5** rosée ■ **8** emperler ■ **10** brouillard, pinocytose.

GOUTTIERE : **10** gargouille, gouttereau.

GOUVERNAIL : **5** barre, mèche, timon ■ **6** dérive, drosse, safran ■ **7** barreur, étambot, fémelot, peautre, penture ■ **8** commande, jaumière ■ **9** aiguillot, gouverner, palonnier, traversin ■ **10** sauvegarde, tire-veille ■ **11** tire-veilles.

GOUVERNANTE: **5** nurse ■ **6** duègue ■ **8** chaperon.
GOUVERNE: **6** élevon ■ **10** gyropilote.
GOUVERNEMENT: **3** dey ■ **4** état, note ■ **5** junte, règne, sénat ■ **6** bakufu, nation, régime* ■ **7** maghzen, makhzen, pouvoir, royaume, système ■ **8** autorité, conduite, consulat, exarchat, légation, ministre, satrapie, tyrannie, vichyste ■ **9** césarisme, concordat, décret-loi, monarchie, synarchie ■ **10** chancelier, démocratie, franc-duché, franquisme, franquiste, monocolore, oligarchie, pentarchie, préfecture, république, tétrarchie, théocratie, triumvirat ■ **11** département, polysynodie, provéditeur, tripartisme ■ **12** aristocratie, loi-programme, ploutocratie, semi-officiel ■ **13** confédération, gérontocratie, supranational ■ **14** administration, gouvernemental ■ **15** antiministériel.
GOUVERNEMENTALE: **10** tripartite.
GOUVERNER: **4** mors ■ **5** obéir ■ **6** barrer, régner ■ **7** diriger*, dominer* ■ **8** conduire, régenter ■ **9** autonomie, manœuvre ■ **10** gouvernant, gouverneur ■ **11** administrer, discipliner, gouvernable, gouvernante, impératrice ■ **12** gouvernement ■ **13** ingouvernable.
GOUVERNEUR: **4** émir ■ **5** pacha ■ **6** maître, mentor ■ **7** exarque, palatin, satrape, vice-roi ■ **8** olibrius ■ **10** stathouder ■ **11** procurateur, statthalter ■ **14** sous-gouverneur.
GRABATAIRE: **7** nursage, nursing ■ **13** grabatisation.
GRABUGE: **7** dispute, dommage.
GRACE: **3** fée ■ **4** aman, goût ■ **5** merci ■ **6** beauté*, charme*, faveur, octroi, pardon*, remise ■ **7** adresse, grâcier, onction, plaisir, raideur, roideur, service, vénusté ■ **8** agrément, amnistie, bienfait, disgrâce, élégance*, gracieux, gracioso, grazioso, légèreté, remettre ■ **9** amabilité, pesamment, remercier, rémission, souplesse, supplique, sveltesse ■ **10** disgracier, indulgence, simplicité ■ **11** accortement, bénédiction, délicatesse, disgracieux, gentillesse, gracieuseté, impétration, impitoyable, miséricorde, nécessitant, sacramental, solliciteur ■ **12** gratuitement, pélagianisme ■ **13** gracieusement.
GRACIER: **9** graciable.
GRACIEUSE: **7** tanagra, vénusté.
GRACIEUX: **4** poli* ■ **5** félin ■ **6** accort, gentil, minois, tendre ■ **7** aimable*, élégant, gratuit, pimpant ■ **8** agréable, bénévole, sylphide.
GRACILE: **4** menu ■ **9** gracilité.
GRADE: **5** degré*, galon ■ **6** classe ■ **7** échelon, licence, sergent, vélites ■ **8** aspirant, dégrader, doctorat ■ **9** cassation, chevalier, collation, décigrade, épaulette, généralat, gradation, promotion, rose-croix, serre-file ■ **10** avancement, centigrade, commandeur, grand-croix ■ **11** dégradation, instructeur, lieutenance, sergent-major ■ **12** baccalauréat, caporal-chef, contre-amiral, feld-maréchal, gestionnaire, honoris causa ■ **13** brigadier-chef ■ **14** quartier-maître, sous-lieutenant.
GRADIENT: **14** chimiotactisme.
GRADIN: **5** degré* ■ **7** tribune ■ **9** hémicycle ■ **12** amphithéâtre.
GRADUAT: **6** gradué.
GRADUE: **4** mire ■ **7** alidade ■ **10** rapporteur ■ **13** varheuremètre, millimétrique.
GRADUER: **9** étalonner ■ **10** fahrenheit, graduation ■ **13** graduellement ■ **15** progressivement.
GRAFFITI: **3** tag ■ **10** graffiteur ■ **12** barbouillage.
GRAILLON: **11** graillonner.
GRAIN: **3** ave, gin, riz, sas, son, van ■ **4** aire, bale, brin, grès, lacé, maïs, muid, râpé, silo ■ **5** balle, biser, carie, germe, grené, grenu,

gruau, pater, perle, pluie ■ **6** bouton, dragée, fougue, graine*, grelon, tarare ■ **7** akvavit, amphore, aquavit, globule, granule, grumeau, papille, perlure, schlich, tempête, tétrade, vannure, ventage ■ **8** agrainer, ave maria, bourgeon, eau-de-vie, égrainer, engrener, épeautre, furfurol, grainage, granuler, grènetis, miliaire, mylonite, niellure, pisolite, pollinie, provende, schiedam, secoueur, tararage ■ **9** céréalier, granivore, granuleux, grenaille, pisolithe ■ **10** bourrasque, granulaire ■ **11** amygdaloïde, granulation, luminophore ■ **12** chondriosome, mitochondrie ■ **13** ségrégabilité.

GRAINE : **3** ers, mil ■ **4** anis, baie, brin, café, fève, hile, orge, pois, soja, soya ■ **5** akène, amone, apiol, cacao, carvi, germe, grain*, pépin, vesce ■ **6** amande ■ **7** asperme, écalure, farrago, linette, semence, vomique ■ **8** ambrette, caryopse, chènevis, cramcram, criblure, féculent, grainier, lentille, pistache, plantule, tégument ■ **9** cacahuète, granivore, grenaille, grenaison ■ **10** cacahouète, grainetier, maniguette, monosperme ■ **11** aplatisseur, germination, spermaphyte ■ **12** décuscuteuse.

GRAINETIER : **8** grainier.

GRAISSAGE : **10** multigrade.

GRAISSE : **4** gras, lard, oing, suif ■ **5** huile, panne, suint ■ **6** allégé, axonge, beurre*, oléine ■ **7** adipeux, adipose, crêtons, lipoïde, myéline, rillons, suitine ■ **8** butyrine, cambouis, graillon, graisser, lanoline, lipolyse, parement, saindoux, stéarine, vaseline ■ **9** adiposité, graisseur, graisseux, lipophile, lipophobe, lipotrope, panouille, paraffine ■ **10** adipopexie, dégraisser, lipochrome, lipoïdique, palmitique ■ **11** dégraissant, liposoluble.

GRAISSER : **5** salir ■ **6** oindre ■ **9** graissage, lubrifier.

GRAISSEUX : **4** gras ■ **7** huileux ■ **8** onctueux, stéatome, stéatose ■ **9** stéarique.

GRAM : **9** colistine ■ **10** listériose ■ **11** gentamicine ■ **12** clindamycine.

GRAMINACEE : **3** blé, riz ■ **4** alfa, maïs, moha, nard, orge, oyat ■ **5** brize, brome, canne, glume, panic, spart ■ **6** avoine, bambou, canche, fléole, flouve, houque, ivraie, millet, roseau, seigle, sorgho, sparte, vulpin ■ **7** alpiste, dactyle, engrain, fétuque, froment, houlque, mélique, panicum, pâturin, phléole, turquet, vétiver ■ **8** agrostis, crételle, épeautre, glumelle, glycérie, graminée, gynérium, leucanie, massette, ray-grass ■ **9** agrostide, amourette, chiendent, écourgeon, phragmite ■ **10** escourgeon, larme-de-Job.

GRAMINEE : **7** phléole ■ **8** cramcram, crételle ■ **10** coléoptile.

GRAMMAIRE : **3** cas, nom* ■ **4** duel, mode*, rime, voix ■ **5** actif, datif, genre, moyen, prose, temps*, verbe ■ **6** figure*, langue, neutre, nombre, passif, pronom*, rythme, scolie ■ **7** ablatif, adverbe*, analyse*, article*, augment, élision, exégèse, féminin, flexion, génitif, langage, locatif, pluriel, purisme, radical, syntaxe*, vocatif ■ **8** adjectif*, déponent, locution*, masculin, métrique, personne, prosodie ■ **9** accusatif, assonance, désinence, élocution, linguiste, nominatif, particule, singulier, solécisme ■ **10** comparatif, étymologie, philologie, philologue, phonétique, substantif, superlatif ■ **11** conjonction*, conjugaison, contraction, déclinaison, grammairien, grammatical, lexicologie, lexicologue, morphologie, orthographe, paléographe, préposition*, proposition*, syntactique, vocabulaire* ■ **12** comparatisme, comparatiste, étymologique, étymologiste, instrumental, interjection*, linguistique, paléographie, philologique, redoublement ■ **13** belles-lettres, versification ■ **14** grammaticalisé, grammaticalité, orthographique.

GRAMMATICAL : **7** ergatif, scholie.

GRAMMATICALITE: **12** agrammatical.
GRAMME: **10** décigramme ■ **11** centigramme, hectogramme, milligramme ■ **12** microbalance.
GRAND: **3** aga, bée, bel, bon, tel ■ **4** agha, beau, fier, fort, gros, haut, long, macr, tant ■ **5** accru, ample, balès, baron, élevé, géant*, gigue, kébir, large, maous, noble, petit, titan, vaste ■ **6** enième, énorme*, étendu, infini, magnat, mahous, majeur, perche ■ **7** abyssal, balaise, échalas, fish-eye, foutoir, grandet, grandir, immense, malabar, mastard, mesquin, profond, spectre, sublime* ■ **8** agrandir, beaucoup, carillon, centaine, colossal, coursier, démesuré, diminuer, étonnant, high-life, illimité, imposant, indéfini, infernal, intensif, majorité, malabare, médiocre, nombreux, patagon, pelletée, précieux, privauté, pulluler, quantité, spacieux, tripotée, vélocité ■ **9** accroître, augmenter, cyclopéen, grandelet, grandesse, grandiose, grenadier, important*, indicible, ineffable, magnanime, milliasse, multitude, nécropole, pluralité, suffisant, surhumain, vox populi ■ **10** dégingandé, escogriffe, foultitude, grandement, grandissant, incroyable, magnifique, monumental, monstrueux, prodigieux, suffisance, surnaturel, volumineux ■ **11** écarquiller, embrasement, gigantesque*, grossissant, mégalomanie, raffinement, respectable, trismégiste ■ **12** astronomique, considérable, personnalité, tout-puissant ■ **13** extermination ■ **14** extraordinaire.
GRANDE: **3** t.g.v. ■ **5** chiée ■ **7** craquée.
GRANDEMENT: **9** vastement.
GRANDEUR: **4** déci, méga, myri ■ **5** noble, sonie ■ **6** beauté, cétane, délire, étalon, limite, phanie, taille* ■ **7** algèbre, capteur, combien, demi-vie, hauteur, majesté, tenseur ■ **8** entropie, fonction, linéique, maestria, quantité, relation ■ **9** aberrance, dimension*, élévation, enthalpie, immensité, intensité, magnifier, paramètre, quantifié, sublimité*, variation ■ **10** corpulence, différence, invariance, redresseur, résultante, surfacique ■ **11** after-effect, magnanimité, mégalomanie, mensuration, mesquinerie, pourcentage, température ■ **12** arithmologie, embourgeoisé, magnificence, mathématique, transducteur ■ **13** approximation, commensurable, électrométrie, macro-économie, magnétométrie, magnétomoteur ■ **14** décimalisation, quantification ■ **15** échantillonneur, incommensurable.
GRANDILOQUENT: **7** ampoulé ■ **14** grandiloquence.
GRANDIR: **5** venir ■ **7** croître* ■ **8** profiter ■ **9** augmenter*.
GRAND-MERE: **4** mamy, mémé ■ **5** aïeul, mamie, mammy ■ **9** mère-grand ■ **10** bonne-maman, grand-maman ■ **13** grands-parents.
GRAND-PERE: **4** papi, papy, pépé ■ **5** aïeul ■ **6** pépère ■ **7** bon-papa ■ **9** grand-papa ■ **10** grand-oncle, grand-tante ■ **13** grands-parents.
GRANGE: **4** aire ■ **5** fenil ■ **7** grangée, grenier, pailler, raccard ■ **9** engranger.
GRANGRENE: **5** peste ■ **8** ergotine ■ **11** perfrigens.
GRANITE: **7** orthose ■ **8** graniter, rhyolite ■ **9** graniteux, granulite, pegmatite, protogine, thyolithe ■ **10** granitique, granitoïde ■ **11** porphyroïde.
GRANITIQUE: **8** anatexie.
GRANIVORE: **6** pigeon ■ **9** bec-croisé, casse-noix.
GRANULAT: **6** enrobé.
GRANULATION: **8** cirrhose ■ **9** granuleux ■ **10** centrosome ■ **11** éosinophile.
GRANULE: **11** coalescence.
GRANULOCYTE: **14** agranulocytose.
GRAPHIE: **4** hadj ■ **6** brahmi ■ **7** çivaïte ■ **9** chafiisme ■ **10** homophonie.

GRAPHIQUE: 4 logo ■ 6 abaque, graphe ■ 8 grapheur, logotype ■ 9 graphiste ■ 10 myographie, nomogramme, sonagramme ■ 11 histogramme, nomographie, phonogramme, topographie ■ 12 chronogramme, ordinogramme, scintigramme, téléécriture ■ 13 graphiquement ■ 14 accélérographe ■ 15 lettre-transfert.
GRAPHISME: 3 tag.
GRAPHITE: 9 graphiter ■ 10 graphiteux, plombagine ■ 11 graphitique ■ 14 graphitisation.
GRAPHOLOGIE: 9 scripteur ■ 11 graphologue ■ 13 graphologique.
GRAPHOMETRE: 10 demi-cercle.
GRAPPE: 3 épi ■ 4 râpe ■ 5 rafle ■ 6 régime ■ 8 allebote, égrapper, faisceau, moissine, panicule ■ 10 cisèlement, grappillon ■ 11 grappelette ■ 13 staphylocoque.
GRAPPILLER: 6 glaner ■ 11 grappillage, grappilleur.
GRAPPIN: 4 croc.
GRAS: 4 dodu, fart, gros*, lard, noue, soja, soya, suint ■ 5 plein ■ 6 étoffé, fafelu, oponce, potelé, replet ■ 7 adipeux, cérumen, farfelu, grasset, huileux, opuntia, rebondi ■ 8 caprique, crassula, crassule, figement, greubons, onctueux, rondelent ■ 9 cervaison, graisseux, margarine, reblochon ■ 10 caprylique, embonpoint, engraisser, entrelardé, linoléique, médianoche, plantureux, porchaison ■ 11 embrocation, homogénéisé, rengraisser ■ 12 grassouillet, rondouillard.
GRASSEYER: 10 grasseyant ■ 12 grasseyement.
GRASSOUILLET: 6 enrobé, potelé ■ 12 rondouillard.
GRATICULER: 13 graticulation.
GRATIFICATION: 3 der, don ■ 5 prime ■ 6 aumône, cadeau ■ 7 surpaye ■ 8 pot-de-vin, rallonge ■ 9 bonne-main, pourboire ■ 10 libéralité ■ 11 gracieuseté, rétribution ■ 14 dessous-de-table.
GRATIFIER: 5 doter ■ 8 partager, procurer ■ 9 attribuer.
GRATIS: 7 gratuit ■ 12 gratuitement.
GRATITUDE: 3 gré ■ 12 remerciement ■ 14 reconnaissance*.
GRATTAGE: 8 abrasion, gratteur, gratture.
GRATTER: 4 ripe ■ 5 riper ■ 6 effacer, piquer, racler* ■ 7 abraser ■ 8 grattage, gratteur, grattoir, ratisser ■ 9 gratte-dos, regratter, veloutine ■ 10 égratigner.
GRATUIT: 4 œil ■ 6 franco, gratis ■ 8 bénévole, gracieux, gratuité ■ 9 franchise ■ 12 gratuitement.
GRAVATS: 6 ruines ■ 7 gravois ■ 9 décombres, gravatier.
GRAVE: 3 bas ■ 4 alto, posé, sage ■ 5 basse, calme, digne, froid, lourd, raide ■ 6 boomer, buriné, pédant, rigide, sévère*, woofer ■ 7 austère*, gravité, sérieux ■ 8 aggraver, atténuer, désastre, doctoral, granulie, lapicide, pellagre, réfléchi, solennel*, toxicose ■ 9 aggravant, atténuant, botulisme, caverneux, contralto, gravement, important, myopathie ■ 10 coccidiose, gravissime, grièvement, majestueux, silencieux, trichinose ■ 11 basse-contre, contrebasse, flegmatique, guillochure, sentencieux.
GRAVER: 5 faire ■ 7 buriner ■ 8 chiffrer, imprimer, inscrire ■ 9 glyptique, intailler ■ 11 xylographie ■ 12 photoglyptie ■ 13 chalcographie, sidérographie.
GRAVEUR: 3 bol ■ 5 bosse ■ 7 échoppe, tapette ■ 8 onglette ■ 11 entretaille, médailliste, vignettiste ■ 12 aquafortiste, aquatintiste.
GRAVIDE: 9 gravidité.
GRAVIER: 3 jar ■ 4 jard, tune ■ 5 béton, grève, sable ■ 8 dégraver, gravelle, gravière ■ 9 graveleux, gravillon ■ 10 dégraveler, dégravoyer, pouzzolane, ripple-mark ■ 11 mignonnette ■ 13 dégravoiement.

GRAVILLON : **11** gravillonner ■ **12** gravillonneur ■ **13** gravillonnage.
GRAVIR : **6** monter* ■ **7** grimper ■ **8** remonter ■ **9** escalader ■ **12** ascensionner.
GRAVITATION : **8** graviter ■ **10** attraction ■ **11** gravisphère ■ **14** gravitationnel, semi-balistique ■ **15** antigravitation.
GRAVITE : **5** anti-g, tenue ■ **6** flegme, véniel ■ **7** crémage, dignité, majesté, raideur, réserve, retenue, sérieux ■ **8** centrage, énormité, froideur, légèreté, rigidité, sévérité ■ **9** austérité, bénignité, gravitant, pesanteur, solennité ■ **10** barycentre, importance, pédantisme, sécheresse ■ **11** aggravation, componction, sentencieux ■ **12** stabilimètre.
GRAVOIS : **6** ruines ■ **7** gravats.
GRAVURE : **4** doré, fumé ■ **5** burin, coulé, grené, image ■ **6** cliché, godron, nielle ■ **7** épreuve, estampe*, galvano, graveur ■ **8** nielleur, vignette ■ **9** aquatinte, glyptique, grignotis, hors-texte, pointillé ■ **10** mezzotinto, toreutique ■ **11** clair-obscur, frontiscipe, taille-douce ■ **12** galvanotypie, héliogravure, illustration, lithographie, phonocapteur, photogravure ■ **13** fluorhydrique ■ **14** enregistrement, peintre-graveur.
GRE : **6** malgré ■ **7** vau-l'eau ■ **10** volontiers.
GREC : **2** mu, nu, pi, ro ■ **3** chi, dys, êta, khi, ksi, phi, psi, rho, tau ■ **4** aède, bêta, dève, duel, feta, hydr, hypo, iota, méta, mime, poly ■ **5** alpha, archi, delta, gamma, oméga, sampi, sigma, thète ■ **6** dédale, hydrie, ichtus, nénies ■ **7** dactyle, epsilon, grécité, hellène, néo-grec, omicron, retsina, stentor, upsilon ■ **8** alcaïque, arcadien, chtonien, gréciser, grecquer, moussaka, néoménie, palicare, palikare, parabase, romaïque, tripodie ■ **9** accusatif, canéphore, embolisme, estradiot, hexamètre, isthmique, pallicare, pallikare, zététique ■ **10** asclépiade, fustanelle, gréco-latin, hellénique, helléniser, hellénisme, helléniste, pentamètre ■ **11** anapestique, gréco-romain, hellénisant, philhellène ■ **13** archimandrite, hellénistique, panhellénique, présocratique ■ **14** alexandrinisme.
GRECE : **8** linéaire.
GRECQUE : **4** coré, ouzo ■ **6** couros, kouros, oréade ■ **7** sirtaki ■ **8** souvlaki ■ **11** antistrophe.
GREEMENT : **3** mât* ■ **4** croc, dame, rame ■ **5** agrès, ancre, arbre, caler, écope, gaffe, tolet, voile ■ **6** amarre, aviron, écoute, hélice, houari, mâture, moteur, pagaie, perche, vergue ■ **7** cordage, dégréer, godille, grappin, marconi ■ **8** aussière, cordelle ■ **9** bermudien, chaudière ■ **11** motogodille.
GREEN : **4** putt ■ **7** fairway, putting.
GREFFE : **4** ente ■ **6** enture, greffé, marque ■ **7** bouture, greffon ■ **8** greffeur ■ **9** isogreffe, parabiose ■ **10** autogreffe, dominotier, homogreffe ■ **11** autoplastie ■ **12** hétérogreffe ■ **13** kératoplastie.
GREFFER : **5** enter ■ **6** entoir ■ **8** greffage, greffoir ■ **9** regreffer ■ **10** écussonner ■ **11** écussonnoir.
GREFFIER : **8** plumitif.
GREFFON : **10** autogreffe ■ **11** porte-griffe ■ **12** porte-griffes.
GREGORIEN : **10** plain-chant.
GRELE : **4** menu ■ **5** délié, mince* ■ **6** faible, grêlon, grésil ■ **7** brossée, greleux ■ **8** ascaride, érepsine, giboulée ■ **9** grésiller ■ **11** jujéno-iléon.
GRELOT : **9** clochette ■ **13** tintinnabuler.
GRELOTTE : **10** grelottant.
GRELOTTER : **8** trembler* ■ **12** grelottement.
GREMILLE : **11** goujonnerie.
GRENADE : **7** rugueux ■ **8** grenader, grenadin, tromblon ■ **9** grenadier ■ **10** grenadière, grenadille ■ **13** lance-grenades.

GRENADIER : 12 pelletiérine.
GRENADILLE : 10 passiflore.
GRENADINE : 5 tango.
GRENAGE : 7 greneur ■ 8 graineur.
GRENAILLE : 4 lest ■ 10 grenailler.
GRENAT : 8 éclogite ■ 9 almandine, pyrénéite ■ 10 alabandine.
GRENETIS : 9 grenelage.
GRENIER : 7 pailler ■ 8 mansarde.
GRENOUILLAGE : 11 grenouiller.
GRENOUILLE : 4 frai ■ 5 raine ■ 6 ranidé ■ 7 coasser ■ 8 graisset, rainette ■ 10 coassement ■ 12 grenouillère.
GRES : 5 alios, jarre ■ 6 cérame, tourie ■ 7 gréseux, molasse ■ 8 grésière, jaquelin, mollasse, séricine ■ 9 gresserie, jaqueline, quartzite.
GRESER : 7 grésage.
GRESIL : 5 grêle ■ 9 grésiller ■ 12 grésillement.
GREVE : 4 bord ■ 7 lock-out ■ 8 gréviste ■ 9 antigrève.
GRIBOUILLAGE : 11 gribouiller ■ 12 barbouillage, gribouilleur.
GRIEF : 8 reproche* ■ 10 accusation*.
GRIFFE : 4 croc ■ 5 ongle ■ 6 marque, serres ■ 7 griffer ■ 8 dégriffé, griffade, griffeur, griffure ■ 9 onguicule ■ 11 égratignure.
GRIFFON : 11 hippogriffe.
GRIFFONNER : 11 barbouiller, griffonnage, griffonneur.
GRIGNOTER : 6 manger, ronger* ■ 10 grignotage, grignoteur ■ 12 grignotement.
GRIL : 6 boucan ■ 7 châssis, griller ■ 8 grilloir.
GRILLAGE : 4 crib ■ 9 grillager ■ 10 grillageur, traversine ■ 12 moucharabieh.
GRILLE : 5 claie, herse ■ 6 cancel ■ 7 clôture, implant, sommier ■ 8 barrière, bigrille, claustra, garde-feu, grillage, pilastre ■ 9 grill-room, transenne, trigrille ■ 10 claire-voie ■ 13 verbicruciste.
GRILLE-PAIN : 7 toaster ■ 8 toasteur.
GRILLER : 5 rôtir* ■ 6 brûler ■ 7 braiser, roustir ■ 8 barbecue, grillade, grillage, toasteur ■ 9 brasiller, torréfier ■ 10 charbonnée, grille-pain ■ 13 chateaubriand, châteaubriant.
GRILLON : 6 cricri ■ 12 grésillement, stridulation.
GRIMACE : 3 tic ■ 4 moue ■ 5 lippe ■ 6 baboue, rictus ■ 8 grimacer, pitrerie, simagrée, singerie ■ 9 grimaçant, grimacier ■ 10 contorsion, convulsion*, distorsion, minauderie ■ 11 affectation, contraction ■ 12 bouffonnerie, clignotement ■ 13 contorsionner.
GRIMACER : 6 singer ■ 7 bouffer ■ 9 clignoter ■ 10 gesticuler, grimacerie.
GRIMAUD : 5 élève ■ 6 pédant ■ 8 maussade.
GRIMER : 9 maquiller.
GRIMOIRE : 5 livre ■ 11 hiéroglyphe ■ 12 barbouillage.
GRIMPANT : 4 pois, rame, soja, soya ■ 5 bétel, gesse, loofa, luffa ■ 6 gourde, loofah, louffa, tamier ■ 7 bignone, garance, glycine, houblon, lantana ■ 8 bignonia ■ 9 clématite, grimpette, maurandie, vanillier ■ 10 ampélopsis, momordique, sarmenteux ■ 11 aristoloche ■ 13 bougainvillée.
GRIMPANTE : 6 cubèbe ■ 8 monstera.
GRIMPER : 6 monter* ■ 8 grimpeur ■ 9 regrimper.
GRIMPEUR : 3 pic ■ 5 koala ■ 6 coucou, pivert, torcol, torcou, toucan ■ 7 épeiche, picvert ■ 10 épeichette, psittacidé*.
GRINCER : 7 crisser ■ 8 grinçant ■ 9 grignoter ■ 10 grincement.
GRINCHEUX : 6 gringe ■ 7 grinche, revêche, ronchon ■ 8 hargneux*, pantalon, pimbêche ■ 9 acariâtre* ■ 10 rouspéteur.

GRIOTTE: 8 marasque.
GRIPPE: 5 rhume* ■ 6 dengue ■ 7 grippal ■ 9 influenza.
GRIS: 3 bis ■ 4 iode, ivre, loup, vair ■ 5 aviné, beige, biset, camée, grège ■ 6 éméché, grison ■ 7 terreux ■ 8 grisâtre, menu-vair, noisette, pinchard ■ 9 grisaille, grisonner, grivelure, manganèse, palladium, tourdille, tungstène, zirconium ■ 10 anthracite, grissailler ■ 11 clair-obscur.
GRISER: 7 ébriété, enivrer*, ivresse, saouler ■ 8 griserie.
GRISONNER: 12 grisonnement.
GRISOU: 4 mine ■ 10 grisouteux ■ 11 grisoumètre.
GRIVE: 5 fraye, merle, tourd ■ 6 draine, drenne, mauvis, tourde ■ 7 jocasse, litorne ■ 8 tendelle ■ 11 calandrette.
GRIVOIS: 4 salé, vert ■ 5 épicé, léger, leste ■ 8 gaillard, paillard ■ 11 grivoiserie.
GROENLAND: 9 laimargue.
GROENLANDAIS: 5 renne.
GROGNARD: 6 bougon, soldat.
GROGNER: 4 ours, porc ■ 5 rager, râler ■ 6 feuler, pester ■ 7 grognon ■ 8 grogneur, murmurer, renauder ■ 10 grognasser, grognonner, ronchonner.
GROGNON: 7 ronchon.
GROIN: 6 museau* ■ 7 boutoir.
GROMMELER: 8 murmurer*.
GRONDER: 4 ours ■ 6 tancer ■ 8 attraper, emballer, grondant, grondeur, murmurer, rabrouer ■ 9 bougonner, gronderie ■ 11 réprimander*.
GRONDERIE: 9 attrapade, attrapage.
GROS: 4 bâti, fort, gras*, ossu, papa, rond ■ 5 balle, bedon, bossu, bourg, bûche, câble, enflé, épais*, épaté, lourd, maous, mince, obèse, pansu, ragot, trapu ■ 6 bouffi, boulot, charnu, dilaté, énorme, mafflu, mahous, mastoc, membru, nourri, pataud, pépère, potelé, renflé, replet, ventru ■ 7 bosselé, bouleux, bulbeux, colosse, gibbeux, joufflu, poussah, rebondi, soufflé, taureau, turgide ■ 8 ballonné, demi-gros, ensemble, godillot, mareyeur, patapouf, rondelet, tubéreux ■ 9 corpulent, dégrossir, gaillette, gargantua, globuleux, grossiste, haussière ■ 10 boursouflé, chevillard, grosso, modo, mastodonte, proéminent, volumineux ■ 11 manufacture ■ 12 cash and carry, macrocéphale, ventripotent ■ 13 macromolécule.
GROSEILLE: 8 raisinet.
GROSEILLER: 4 baie, râpe ■ 6 cassis.
GROSSE: 5 copie ■ 6 mafflu ■ 9 grossoyer, tabellion.
GROSSESSE: 3 i.v.g. ■ 6 prolan ■ 8 chloasma, enceinte ■ 9 gestation ■ 10 avortement, gravidique, vergetures ■ 12 progestérone ■ 13 trigémellaire.
GROSSEUR: 5 bosse ■ 6 œdème, tophus, tumeur, volume* ■ 7 bedaine, carrure, enflure, fluxion, obésité, rondeur, trommel ■ 8 engelure ■ 9 anévrisme, emphysème, épaisseur, gibbosité, rotondité ■ 10 corpulence, embonpoint, empâtement, hydropisie, météorisme, tubérosité, tumescence ■ 11 bouffissure ■ 12 ballonnement, boursoufflure, excroissance, hypertrophie, intumescence, protubérance ■ 13 développement.
GROSSIER: 3 bas, cru, dur, vil* ■ 4 bort, bran, brut, gras, gros, rude, salé ■ 5 bévue, brute, bulle, butor, épais, huron, impur, lourd, mufle ■ 6 abrupt, abruti, brutal, commun, éhonté, fruste, goujat, impoli*, manant, massif, mastoc, pataud, paysan, pesant, rustre, simple, vilain, virago ■ 7 balourd, barbare, béotien, cuistre, cynique, hirsute, incivil, inculte, informe, malotru, pignouf, rustaud, sauvage, soudard, trivial ■ 8 choquant, embouché, eustache, hourdage, impudent, incongru, inso-

lent*, lourdaud, malséant, maroufle, matériel, ordurier, poissard, primitif, rustique, saugrenu, thibaude, vulgaire* ■ 9 burlesque, dégrossir, grésillon, grotesque, inélégant, malappris, malpropre, maritorne, ostrogoth, paltoquet, répugnant ■ 10 malhonnête, malsonnant, rafistoler, rapetasser ■ 11 discourtois, grossièreté, impertinent, inconvenant*, malgracieux, ratatouille ■ 12 grossièrement ■ 14 irrévérencieux.

GROSSIERE : 4 bren ■ 6 lanice.

GROSSIEREMENT : 13 lointainement.

GROSSIERETE : 6 ordure ■ 7 crudité ■ 8 barbarie, bassesse ■ 9 brutalité, impudence, irrespect, rusticité ■ 10 bestialité, engueulade, sauvagerie, scatologie, simplicité ■ 11 impolitesse*, incongruité ■ 12 impertinence, inconvenance, malhonnêteté.

GROSSIR : 6 bomber, enfler, forcir ■ 7 bouffer, dilater, empâter, étendre, gonfler ■ 8 arrondir, épaissir, exagérer, souffler, tuméfier ■ 9 amplifier, augmenter*, dégonfler, distendre, regrossir ■ 10 compte-fils, développer ■ 13 grossissement.

GROSSULARIACEE : 10 ribésiacée*.

GROTESQUE : 3 fou ■ 5 clown, magot ■ 6 marmot, pagode ■ 7 bouffon, risiblc ■ 8 mascaron, ridicule* ■ 9 accoutrer, burlesque, cavalcade, harnacher ■ 10 bambochade, caricature, queue-rouge ■ 12 harnachement ■ 13 carnavalesque.

GROTTE : 7 caverne ■ 9 cryptique ■ 10 stalactite, stalagmite ■ 11 cavernicole ■ 13 troglodytique ■ 14 biospéléologie.

GROUILLER : 6 remuer ■ 7 abonder ■ 10 grouillant ■ 12 grouillement.

GROUPE[1] : 3 lié, rom ■ 4 cité, îlot, pool, race, rade, sore, type ■ 5 cadre, clade, coron, fumée, glane, lobby, munda, nahua, octat, parti, secte, selle, série, trait ■ 6 balint, chœur, clique, convoi, cordée, cuadro, équipe, espèce, essaim, mounda, opéron, redent, triade, troupe ■ 7 abélien, cohorte, coterie, élément, ennéade, famille, groupal, ougrien, peloton, réunion*, triolet, trochet, zutique, zutiste ■ 8 berbères, caravane, centaine, décapole, digramme, distique, étranger, filonien, génocide, intégrer, locution, logotype, nourrain, sextolet, société, trifolié ■ 9 actinides, aggloméré, cheftaine, collectif, diatomées, dravidien, endogamme, état-major, géophyrien, migration, quintolet, sextuplés, synarchie ■ 10 bloc-sièges, brain-trust, collection, communauté, dinosaures, dissidence, escadrille, groupement*, lipochrome, oligarchie, sauropsidé, sous-groupe ■ 11 antistrophe, auréliacées, macchiaioli, tardigrades, zygomycètes ■ 12 collectivité, dinosauriens, discomycètes, finno-ougrien, indo-européen, patrilignage, préhominidés, préhominiens ■ 13 agglomération, brain-storming, catarrhiniens, constellation, contre-société, platyrhiniens, plectomycètes, pyrénomycètes, thermidoriens ■ 14 appendiculaire, deutérostomien, ethnocentrisme, platyrrhiniens ■ 15 autosubsistance, interprofession, technostructure.

GROUPEMENT : 3 g.i.e. ■ 4 amas, bloc, gent, pool, race ■ 5 aryle, masse, mêlée, parti, tribu ■ 6 écurie, espèce, ethnie, groupe* ■ 7 amicale, cellule, coterie, essence, famille, galaxie, parenté, radical, réunion ■ 8 affilier, batterie, complexe, décapole, disamare, division, engeance, majorité, noyauter, phalange, protéide, syndicat ■ 9 activiste, appairage, carbonyle, carboxyle, néocomien, ordinaire, permanent, touranien ■ 10 assemblage, consortium, fédération, hémitropie,

---

1. Les groupes de plantes et d'animaux figurant dans cette rubrique s'utilisent le plus souvent au pluriel. C'est la raison qui nous fait opter ici pour le pluriel dans le classement par nombre de lettres. Les nouveaux mots repris sont au masculin dans la nouvelle nomenclature du Larousse.

pluralisme, spécialité ■ 11 association*, coopérative, corporation, nationalité ■ 12 accouplement, corporatisme ■ 13 agglomération, confédération, inflorescence, rassemblement, spécification.

GROUPER: 6 allier, masser, réunir* ■ 7 joindre*, rallier, truster ■ 8 associer, coaliser, groupage ■ 9 accoupler, assembler*, choke-bore, condenser, regrouper, spécifier ■ 10 contrarier, éparpiller, groupement, rassembler* ■ 11 additionner, spécialiser ■ 12 enrégimenter ■ 13 pangermanisme ■ 14 cartellisation ■ 15 interattraction.

GRUAU: 8 fleurage, mousseau ■ 9 remoulage ■ 13 convertisseur.

GRUE: 4 gruo ■ 5 benne, gruau, gruon, vérin, volée ■ 6 gruter, sapine ■ 7 grutier ■ 8 empatter ■ 9 craqueter, palanquée ■ 10 ponton-grue ■ 12 glapissement.

GRUGER: 5 pante, voler ■ 6 broyer ■ 7 grésoir.

GRUME: 8 flottage.

GRUMEAU: 8 grumeler ■ 9 grumeleux ■ 10 engrumeler.

GRUYERE: 5 comté, conté ■ 8 beaufort, emmental, fribourg, vacherin ■ 9 appenzell, emmenthal, forestier.

GUADELOUPE: 12 guadeloupéen.

GUADELOUPEEN: 4 béké.

GUATEMALA: 7 quetzal ■ 13 guatémaltèque.

GUE: 5 guéer ■ 7 guéable, passage.

GUEDE: 6 isatis, pastel.

GUENILLE: 5 loque ■ 6 peneau ■ 7 haillon*, oripeau ■ 8 penaille, vêtement ■ 9 penaillon.

GUEPE: 5 sphex ■ 6 eumène, frelon ■ 7 poliste ■ 9 ammophile.

GUEPIER: 5 piège*.

GUERE: 3 feu, peu ■ 4 trop ■ 13 pas-grand-chose.

GUERILLA: 6 guerre ■ 10 guérilléro.

GUERILLERO: 6 contre.

GUERIR: 6 calmer, opérer, panser, sauver ■ 7 adoucir, apaiser, curable, pallier, ranimer, revenir, soigner, traiter ■ 8 délivrer, remédier, remettre, rétablir, soulager ■ 9 incurable, paronyque, passerage, turquette ■ 10 chélidoine, cicatriser, dentelaire, médicament ■ 11 guérissable, vétérinaire ■ 12 hippiatrique ■ 13 inguérissable ■ 15 antiscorbutique.

GUERISON: 4 coué, cure ■ 6 régime ■ 7 curatif ■ 8 médecine ■ 10 médication, mesmérisme, traitement, vulnéraire ■ 13 thérapeutique.

GUERISSEUR: 4 mège ■ 7 médecin* ■ 8 bailleur, renoueur ■ 9 empirique, rebouteur, rebouteux ■ 10 rhabilleur ■ 15 antinévralgique.

GUERITE: 9 poivrière ■ 11 échauguette.

GUERRE: 3 g.i.g. ■ 4 bloc, mine, paix, péan ■ 5 avant, aviso, falot, lutte*, muret, pæan ■ 6 assaut, combat*, djihad, razzia ■ 7 baliste, conflit, dispute, révolte ■ 8 boutefeu, combatif, désarmer, dondaine, escalade, étendard, gorgerin, guérilla, guerrier, invasion, militant, nordiste, roquette, samouraï, tomahawk ■ 9 guéguerre, guerroyer, hostilité, incursion, militaire*, offensive, sacripant, sous-marin ■ 10 belliqueux, casse-pipes, engagement, expédition, francisque, résistance, scramasaxe, stratagème, torpilleur ■ 11 après-guerre, avant-guerre, belligérant, polémologie ■ 13 cobelligérant, conflagration.

GUERRIER: 4 pair ■ 6 soldat*, truste ■ 7 martial, stentor, trustis ■ 8 boutefeu, claymore, combatif, gorgerin, militant, samouraï ■ 9 militaire, sacripant ■ 10 belliciste, belliqueux, guerroyeur ■ 11 va-t-en-guerre.

GUET: 5 affût ■ 7 faction ■ 8 cachette ■ 9 embuscade, guet-apens ■ 10 espionnage, sentinelle ■ 11 observation ■ 12 surveillance.

GUET-APENS: 5 piège* ■ 9 embuscade ■ 10 assassinat.

GUETRE: 7 guêtrer, guêtron, jambart ■ 8 chausses, houseaux, sous-pied.

GUETTER : 5 épier ■ 6 couver ■ 8 attendre, éclairer, guetteur, observer, regarder ■ 9 espionner ■ 10 surveiller.
GUEULARD : 6 cadmie ■ 9 braillard.
GUEULE : 6 bouche, figure ■ 7 gueuler.
GUEULETON : 12 gueuletonner.
GUEUX : 3 vil ■ 5 argot ■ 6 coquin, pauvre* ■ 7 geuser ■ 8 mendiant*, mendigot ■ 9 gueuserie, misérable*, va-nu-pieds ■ 10 claquedent, coquillard, gueusaille.
GUI : 4 bôme.
GUIBRE : 5 herpe.
GUIDAGE : 8 chaumard ■ 12 radioguidage ■ 15 radionavigation.
GUIDE : 4 péon, rêne ■ 5 phare ■ 6 berger, cornac, mentor, pilote, sherpa ■ 7 sherpas ■ 8 cicérone, flambeau ■ 9 consulter, cornaquer, topo-guide ■ 10 indicateur, itinéraire ■ 11 pied-de-biche.
GUIDER : 4 rêne ■ 5 mener ■ 7 diriger*, piloter ■ 8 conduire*, guide-âne, orienter ■ 9 glissière ■ 10 conseiller.
GUIGNE : 7 guignon ■ 8 guignard, guignier ■ 9 guignolet, malchance*.
GUILLERET : 3 gai*, vif ■ 6 joyeux ■ 8 gaillard.
GUILLOCHER : 9 guilloche ■ 11 guillochage, guillocheur.
GUILLOTINE : 8 couperet, échafaud ■ 9 guilloche ■ 11 guillotiner ■ 12 guillotineur ■ 14 guillotinement.
GUIMAUVE : 7 althæa ■ 11 marshmallow.
GUIMPE : 5 fichu ■ 8 barbette ■ 10 chemisette.
GUINDE : 7 affecté ■ 8 compassé.
GUINDER : 8 guindage.
GUINGUETTE : 3 bal ■ 7 auberge ■ 10 bastringue, restaurant.
GUIPURE : 5 laize ■ 7 giselle ■ 8 dentelle.
GUIRLANDE : 6 feston, tortis ■ 8 chapelet, couronne ■ 9 branchage ■ 12 enguirlander.
GUITARE : 4 luth, lyre ■ 5 banjo ■ 6 sistre ■ 7 cithare, mandore, ukulélé ■ 8 guiterne ■ 9 balalaïka, mandoline, touchette ■ 10 guitariste, turlurette.
GUITOUNE : 4 abri ■ 5 tente.
GUIVRE : 5 bisse.
GUMMIFERE : 9 gommifère.
GUNITE : 7 guniter.
GUYANE : 8 guyanais.
GYMNASE : 5 agrès, école, lycée, xyste ■ 8 octogone ■ 9 gymnasial ■ 11 sophroniste ■ 12 gymnasiarque.
GYMNASTIQUE : 3 gym, mil ■ 5 agrès, bâton, canne, volte ■ 6 massue, tai-chi ■ 7 aérobie, haltère, trapèze ■ 8 gymnaste, gymnique, moniteur, pancrace ■ 9 estrapade, extenseur ■ 10 abdominaux, exerciseur, pas-de-géant, trapéziste ■ 11 tai-chi-chuan ■ 12 cheval-arçons, gymnasiarque ■ 14 rétablissement.
GYMNOCARRE : 8 conifère.
GYMNOSPERME : 5 cycas, zamia ■ 6 ginkgo ■ 7 éphédra, gnétale*, taxacée* ■ 8 conifère*, cycadale, résineux ■ 9 archégone ■ 10 cupulifère* ■ 14 ptéridospermée.
GYNECEE : 5 harem ■ 6 pistil.
GYNECOLOGIE : 10 accoucheur ■ 11 gynécologue ■ 13 gynécologique, gynécologiste.
GYPSE : 6 plâtre ■ 7 gypsage, gypseux ■ 8 clivable ■ 9 anhydrite ■ 11 alabastrite.
GYRIN : 10 tourniquet.
GYROSCOPE : 10 gyrocompas, gyropilote ■ 12 gyroscopique.

HABILE : **3** bon, fin, vif ■ **4** aisé, apte, bien, calé, fort, futé, roué, rusé* ■ **5** agile, avisé, ferré, léger, leste, madré, malin, rompu, sensé ■ **6** adroit, exercé, expert, finaud, gascon, idoine, maître, matois, preste, prompt, retors, sagace, savant, subtil ■ **7** capable*, débater, émérite, éveillé, routier, sorcier ■ **8** apprenti, consommé, dégourdi, exceller, feinteur, fortiche, gracieux, habileté, inhabile, roublard ■ **9** astucieux, automédon, capitaine, compétent, débatteur, dénicheur, diplomate, incapable, judicieux, maladroit, malicieux, spirituel ■ **10** cordon-bleu, perspicace, vaudeville ■ **11** calligraphe, clairvoyant, expérimenté, industrieux, intelligent, manœuvrier ■ **12** diplomatique ■ **13** physionomiste.

HABILETE : **3** art, don ■ **4** chic, ruse*, tact, truc ■ **5** force, grâce, patte ■ **6** astuce, doigté, malice ■ **7** adresse*, agilité, aisance, faculté, finesse, mazette, rouerie, science ■ **8** aptitude, capacité*, défendre, facilité, légèreté, maestria, pratique, sagacité, tactique, vivacité ■ **9** dextérité, entregent, malhabile, stratégie, subtilité ■ **10** compétence, débrouille, diplomatie, escamotage, expérience, finasserie, habilement, incapacité, maladresse, spécialité, stratagème ■ **11** artistement, disposition, observation, promptitude, roublardise, savoir-faire ■ **12** clairvoyance, intelligence, perspicacité ■ **15** débrouillardise.

HABILITER : **:** **9** permettre.

HABILLE : **6** sapeur.

HABILLEMENT : **4** gant, jupe, mise, mode ■ **5** habit*, harde ■ **6** atours, bagage, ficelé, livrée, parure ■ **7** complet, costume, liberty ■ **8** affiquet, défroque, toilette, uniforme, vêtement* ■ **9** dépouille, entretien, trousseau ■ **10** ajustement, colifichet, confection, coordonnés ■ **11** affublement, déguisement, fanfreluche ■ **12** accoutrement.

HABILLER : **5** parer, vêtir* ■ **6** coller, draper, nipper ■ **7** ajuster, attifer, équiper, fagoter, revêtir ■ **8** affubler, apprêter, arranger, costumer, culotter, déguiser, fringuer ■ **9** accoutrer, bichonner, habillage, habilleur, pomponneur, rhabiller ■ **10** habillable ■ **11** enharnacher, habillement.

HABIT : **3** sac ■ **4** frac, froc ■ **5** tenue ■ **6** vêture ■ **7** costume, simarre, spencer ■ **8** défroque, fringues, ornement, uniforme, vergette, vêtement* ■ **9** passement ■ **10** époussette, queue-de-pie ■ **11** habillement* ■ **12** queue-de-morue.

HABITACLE : **8** écoumène ■ **9** œkoumène ■ **12** habitabilité.

HABITACLE : **8** fuselage, verrière ■ **10** habitation.

HABITANT : 3 âme, rue ■ 4 hôte, pays ■ 5 colon, îlien, mèdes, natif, turbe ■ 6 évacué, manant, nomade, peuple, ruraux, zonier ■ 7 citadin, fagnard, martien, métèque, naturel ■ 8 africain*, antipode, colonial, coloured, estivant, ethnique, européen*, indigène, occupant, résidant, sélénite, zoreille ■ 9 aborigène, affouager, américain*, asiatique*, bourgeois, châtelain, dépeupler, hivernant, immigrant, insulaire, maraîchin ■ 10 autochtone, concitoyen, kolkhozien, naufrageur, paroissien, périsciens, population*, troglodyte, villageois ■ 11 compatriote, périœciens ■ 13 phalanstérien ■ 14 extraterrestre.

HABITAT : 4 pays ■ 5 local, ville ■ 6 climat, milieu, région ■ 7 contrée, demeure ■ 8 logement ■ 9 domotique, résidence ■ 10 habitation, territoire.

HABITATION : 3 h.l.m., nid ■ 4 case, cure, gîte, home, isba, loge, tipi, toit, trou ■ 5 coron, iglou, logis, ruche, taule, turne ■ 6 cahute, chalet, maison*, manoir, ménage, trullo ■ 7 baraque, cambuse, château, demeure*, domisme, famille, mal-logé, pénates, tanière ■ 8 bungalow, ermitage, hacienda, immeuble, logement* ■ 9 habitacle, intérieur, maisonnée, motor-home, palafitte, résidence*, sans-logis, urbaniste ■ 10 cité-jardin, médicalisé, pigeonnier, presbytère ■ 11 fourmilière ■ 12 cohabitation ■ 13 abri-sous-roche, agglomération, troglodytique ■ 14 nu-propriétaire.

HABITE : 13 anthropophile.

HABITER : 5 fixer, loger*, vivre ■ 6 passer, rester ■ 7 crécher, estiver, établir, occuper, peupler, résider ■ 8 demeurer*, hiverner, limicole ■ 9 cohabiter, habitacle, lignicole, séjourner, virilocal ■ 10 campagnard, domicilier, équinoxial, faubourien, frontalier, habitation, matrilocal, montagnard, occupation, parnassien ■ 11 banlieusard, inhabitable.

HABITUDE : 2 us ■ 3 pli, tic ■ 4 dada, rite ■ 5 manie, usage* ■ 6 mœurs, usance ■ 7 coutume, mâcheur, manière, ornière, routine ■ 8 citateur, conduite, familier, feintise, habituel, habituer, insolite, matineux, moquerie, négateur, percheur, pleureur, pratique, trantran, tutoyeur, vanterie, véracité ■ 9 acoquiner, apprendre, bougeotte, cancanier, fouisseur, fourberie, fréquence, idiolecte, loquacité, loucherie, minaudier, mondanité, musardise, omophagie, regimbeur, romaniser, véridique, tradition, vétilleux ■ 10 accoutumer, bambochard, bambocheur, emprunteur, impénitent, ivrognerie, louchement, marmotteur, moraliseur, réhabituer, rendez-vous, répétition ■ 11 acquisition, déshabituer, hippophagie, paillardise, poursuiveur, pyrrhonisme, raccoutumer, ronchonneur, toxicomanie ■ 12 accoutumance, entraînement, ichtyophagie, onychophagie, parisianisme, pleurnicheur ■ 13 désaccoutumer, désobéissance, embourgeoiser, morphinomanie, pleurnicherie, transvestisme ■ 14 anthropophagie, pleurnichement.

HABITUEL : 5 usuel* ■ 6 commun, normal, poncif, rituel ■ 7 chaland, courant* ■ 8 consacré, fréquent, régulier, traitant ■ 9 accoutumé, bréviaire, classique, coutumier, errements, ordinaire, résidence, routinier ■ 10 anastrophe, inhabituel, profession ■ 11 inaccoutumé ■ 12 traditionnel ■ 14 habituellement.

HABITUER : 6 former ■ 7 dresser, exercer ■ 8 aguerrir, amariner, façonner ■ 9 assouplir, entraîner, instruire ■ 10 acclimater, accoutumer*, contracter ■ 11 apprivoiser ■ 12 familiariser ■ 13 apprentissage.

HABLEUR : 4 crac ■ 6 craque, gascon ■ 7 faiseur, menteur ■ 8 craqueur, fanfaron*, hâblerie ■ 11 forfanterie.

HACHAGE : 9 ensileuse.

HACHE : 4 arme, laye ■ 6 cognée, doleau, merlin ■ 7 bipenne, cochoir, doloire ■ 8 aissette, besaiguë, couperet, hachette, tomahawk ■ 9 erminette, hachereau ■ 10 francisque, herminette ■ 11 taillandier.

HACHER: 6 couper*, hachis, hachoir, hachure, tailler ■ 8 saccader ■ 9 hachement, rillettes ■ 11 hache-paille, hache-viande ■ 12 coupe-racines.

HACHIS: 5 farce, haché ■ 7 fromage, taboulé ■ 8 godiveau, vitoulet ■ 9 barigoule.

HACHOIR: 7 hansart.

HACHURE: 5 hache ■ 8 hachurer.

HADDOCK: 8 aiglefin.

HAFNIUM: 2 hf ■ 7 celtium.

HAGARD: 5 égaré ■ 6 effaré.

HAGIOGRAPHIE: 14 hagiographique.

HAIE: 4 clos ■ 7 hurdler ■ 8 bouchure, échalier ■ 9 bull-finch, églantier, muscardin, noisetier ■ 10 pie-grièche, symphorine.

HAIKU: 6 haïkaï.

HAILLON: 5 loque ■ 7 chiffon, lambeau, oripeau ■ 8 guenille ■ 9 déchirure, penaillon ■ 10 pendeloque ■ 11 haillonneux.

HAINAUT: 8 hainuyer, hennuyer.

HAINE: 4 bave, bile, fiel ■ 6 odieux ■ 7 aigreur, haineux, horreur*, rancune ■ 8 amertume, aversion, inimitié, jalousie, rivalité ■ 9 acrimonie, affection, animosité, haïssable, hostilité, misérable, misogamie, misogynie, révulsion ■ 10 antipathie, détestable, exécration, misonéisme, ulcération, xénophobie ■ 11 abomination, androphobie, antagonisme, détestation, intolérance ■ 12 haineusement, malveillance, misanthropie, ressentiment ■ 13 germanophobie.

HAINUYER: 8 hannuyer.

HAIR: 5 haine* ■ 6 aigrir ■ 7 exécrer, irriter, rebuter, ulcérer ■ 8 abhorrer, déplaire, détester*, jalouser ■ 9 entre-haïr, exaspérer, haïssable ■ 10 indisposer.

HAIRE: 6 silice.

HAITI: 6 gourde.

HALAGE: 2 le.

HALE: 6 aduste, basané, bronzé, cuivré.

HALEINE: 7 halener, souffle* ■ 8 haletant ■ 11 respiration*.

HALER: 5 tirer*, touer ■ 6 vérine ■ 7 bronzer, verrine ■ 8 paumoyer.

HALETER: 8 panteler, respirer ■ 9 essoufflé, pantelant ■ 10 halètement.

HALIOTIDE: 6 ormeau ■ 12 oreille-de-mer.

HALIPLIDE: 7 haliple.

HALL: 9 vestibule.

HALLE: 5 salle ■ 6 marché, minque ■ 7 hallage ■ 9 poissarde ■ 12 poissonnerie.

HALLEBARDE: 4 arme ■ 5 lance ■ 6 travan ■ 10 pertuisane ■ 12 hallebardier.

HALLIER: 7 buisson.

HALLUCINATION: 3 l.s.d. ■ 5 folie ■ 6 vision ■ 7 zoopsie ■ 8 acousmie, ecmnésie, fantasme, onirisme ■ 9 halluciné ■ 10 autoscopie, halluciner ■ 11 hallucinant, hallucinose ■ 13 hallucinogène ■ 14 hallucinatoire.

HALLUCINATOIRE: 4 trip.

HALLUCINOGENE: 3 qat ■ 4 khat ■ 7 défonce ■ 9 psilocybe ■ 10 lysergique ■ 11 psilocybine.

HALO: 4 aura ■ 6 cercle ■ 7 auréole.

HALOGENE: 7 haloïde ■ 10 halogénure ■ 12 halogénation.

HALTE : 4 stop ■ 5 arrêt*, étape, pause, répit ■ 6 relais.
HALTERE : 7 arraché, dévissé, soulevé ■ 9 développé ■ 12 haltérophile ■ 13 haltérophilie.
HALTEROPHILIE : 6 épaulé ■ 7 mi-lourd ■ 10 épaulé-jeté.
HALTICIDE : 6 altise ■ 10 coléoptère.
HAMAC : 9 palanquin.
HAMADRYADE : 6 nymphe.
HAMEAU : 4 îlet ■ 5 bourg ■ 7 village*.
HAMEÇON : 4 èche, haim ■ 5 aiche, appât, boëte, esche ■ 6 boette, boitte, empile ■ 7 avancée, bouette, bricole, crochet, grappin ■ 8 empilage, libouret ■ 9 barbillon, embecquer, hameçonné ■ 10 dégorgeoir.
HAMPE : 4 bois, dard, faux, tige ■ 5 digon, pique, trabe ■ 6 brayer ■ 7 drapeau ■ 9 banderole.
HANCHE : 5 coxal, ilion ■ 8 camisole, casaquin, coxalgie, déhanché ■ 9 sciatique ■ 10 coxarthrie, hanchement ■ 11 coxarthrose.
HANDBALL : 11 handballeur.
HANDICAP : 5 gêner ■ 7 scratch ■ 10 handicaper, pénalisant ■ 11 défavoriser, handicapeur.
HANDICAPE : 10 handisport ■ 11 handicapant.
HANGAR : 4 toit ■ 6 remise.
HANNETON : 3 man ■ 8 scarabée ■ 11 hannetonner ■ 12 hannetonnage.
HANSE : 4 anse ■ 7 société ■ 11 association, hanséatique.
HANSEATIQUE : 5 recès, recez.
HANTE : 7 anxieux ■ 8 bourrelé ■ 9 cauchemar.
HANTER : 10 fréquenter*.
HAPPER : 6 saisir ■ 7 prendre ■ 8 attraper ■ 9 happement.
HAQUENEE : 6 jument.
HAQUET : 9 haquetier.
HARANGUE : 8 discours* ■ 9 haranguer ■ 10 allocution, harangueur.
HARAS : 4 stud.
HARASSE : 3 las ■ 5 recru, rendu ■ 6 fourbu ■ 7 fatigué* ■ 10 estrapassé.
HARCELEMENT : 8 guérilla ■ 9 obsession.
HARCELER : 4 huer ■ 6 suivre ■ 7 acculer, ennuyer, obséder ■ 8 chahuter, fatiguer*, taquiner ■ 9 assaillir, harcelant, harceleur ■ 10 importuner, persécuter, poursuivre*, préoccuper, tourmenter* ■ 11 harcèlement.
HARDI : 3 osé ■ 4 chic ■ 5 bagou, brave*, ferme, franc, léger, oseur ■ 6 assuré, décidé, déluré, lascar, résolu, timide ■ 7 aguerri, culotté, cynique, étourdi ■ 8 casse-cou, cavalier, dégourdi, délibéré, effronté, enhardir, gaillard, impavide, impudent, insolent ■ 9 audacieux, déterminé, hardiesse, indiscret, intrépide, téméraire, valeureux ■ 10 aventureux, embarrassé ■ 11 impertinent ■ 12 entreprenant.
HARDIESSE : 4 oser ■ 5 calme, culot, front ■ 6 aplomb, audace, sûreté, toupet ■ 7 courage*, cynisme, fermeté ■ 8 bravoure*, jactance, témérité, timidité ■ 9 assurance, confiance, hardiment, impudence, insolence, sang-froid, vaillance ■ 10 impavidité, résolution ■ 11 effronterie, intrépidité ■ 12 impertinence, indiscrétion ■ 13 détermination.
HAREM : 6 sérail ■ 7 gynécée ■ 9 odalisque.
HARENG : 3 pec, sor ■ 4 aine, guai, saur ■ 5 caque, guais, sprat ■ 6 kipper, saurin ■ 8 clupéidé, gendarme, graisson, rollmops ■ 9 harenguet, trinquart ■ 10 harenguier ■ 11 encaquement, harengaison, saurisserie.
HARENGUIER : 7 drifter.

HARGNE : 6 colère, quinte ■ 7 aigreur ■ 8 hargneux ■ 9 acrimonie ■ 10 brusquerie, impatience, mélancolie ■ 11 hypocondrie, maussaderie ■ 13 récrimination.
HARGNEUX : 5 rèche ■ 6 bougon, bourru, criard, morose, roquet ■ 7 bilieux, brusque, grognon, malotru, revêche ■ 8 coléreux, farouche, maussade, rechigné, quinteux ■ 9 acariâtre*, cacochyme, grincheux, impatient, ombrageux, renfrogné, taciturne ■ 10 déplaisant, hypocondre ■ 11 atrabilaire, inabordable, susceptible ■ 12 mélancolique ■ 13 hargneusement.
HARICOT : 3 ers ■ 4 fève, pois, rata, soja, soya ■ 5 cocos, dolic, fayot, mungo, niebé ■ 6 lingot ■ 7 dolique, faviole ■ 8 chevrier, légumine ■ 9 cassoulet, flageolet, mange-tout ■ 11 anthracnose.
HARIDELLE : 6 cheval.
HARLE : 6 bièvre.
HARMONIE : 5 bruit, unité ■ 6 accord*, triton ■ 7 avenant, cadence, concert, mélodie, rondeur, syntone ■ 8 dissoner, économie, euphonie, symétrie ■ 9 désaccord, équilibre, eurythmie, harmonier ■ 10 désassorti, harmonique, harmoniser, harmoniste, partimento, régularité ■ 11 disharmonie, dysharmonie ■ 14 harmoniquement ■ 15 harmonieusement.
HARMONIEUX : 7 balancé, épanoui, musical ■ 8 cohérent, régulier ■ 9 disparate, urbanisme ■ 10 coordonnés, discordant ■ 11 eurythmique ■ 12 inharmonieux, proportionné.
HARMONISER : 8 accorder, arrondir, assortir, cadencer ■ 9 harmonier ■ 10 équilibrer ■ 13 harmonisation.
HARMONIUM : 5 orgue ■ 8 mélodium ■ 10 expression ■ 12 harmonicorde.
HARNACHEMENT : 5 licol, licou ■ 9 étrivière ■ 12 trousse-queue ■ 13 porte-brancard.
HARNACHER : 5 bâter, vêtir ■ 6 brider, seller ■ 7 atteler, équiper, sangler ■ 8 entraver ■ 9 accoupler ■ 11 enchevêtrer ■ 12 harnachement.
HARNAIS : 3 bât ■ 4 mors ■ 5 bacul, bride, guide, licou, timon, trait ■ 6 bourre, bridon, surdos ■ 7 bateuil, bricole, cacolet, collier, courbet, culeron, culière, frontal, têtière ■ 8 avaloire, bardelle, bossette, brancard, chevêtre, courroie, dossière, frontail, œillère, poitrail, sellette ■ 9 bouffette, chanfrein, contrebat, coussinet, croupière, gourmette, harnacher, muserolle, palonnier, porte-bébé, sous-barbe, sous-gorge ■ 10 porte-trait, reculement ■ 11 déharnacher, enharnacher ■ 12 harnachement ■ 13 porte-brancard, sous-ventrière.
HARPAGON : 5 avare.
HARPE : 5 boyau ■ 7 trigone ■ 8 harpiste, sambuque.
HARPIE : 6 mégère ■ 9 acariâtre.
HARPON : 4 croc ■ 5 foëne ■ 6 fouëne, fouine ■ 9 harponner ■ 10 harponnage, harponneur ■ 12 harponnement.
HASARD : 4 aléa, hoca, loto, pile, sort ■ 5 bingo, hâtif, veine ■ 6 biribi, chance*, danger, destin* ■ 7 aubaine, bonheur, fortune, loterie, malheur, raccroc ■ 8 attraper, fatalité*, hasarder, occasion ■ 9 aventurer, pifomètre, rencontre, vingt-et-un ■ 10 occurrence ■ 11 chemin de fer, contingence, éventualité, prétentaine, probabilité, prophétiser, vicissitude ■ 12 circonstance, stochastique.
HASARDER : 6 tenter ■ 7 essayer*, exposer, risquer ■ 8 brusquer ■ 9 aventurer, commettre ■ 12 compromettre.
HASARDEUX : 6 risqué 7 extrême, fortuit ■ 8 éventuel, glissant ■ 9 adventice, aléatoire ■ 10 aventureux ■ 11 casse-gueule, occasionnel ■ 12 providentiel.

HASCHISH : 6 chilom, shilom ■ 11 marie-jeanne.
HASSIDISME : 8 hassidim ■ 10 hasidique.
HAST : 4 faux ■ 5 angon, épieu, hache, hampe, lance, pique, vouge ■ 6 framée ■ 8 fauchard, guisarme ■ 10 francisque, hallebarde.
HATE : 7 urgence, vitesse* ■ 8 accourir, dare-dare, sauvette, vélocité ■ 9 précipité, précocité ■ 10 avortement, maturation ■ 11 promptitude ■ 12 empressement ■ 13 improvisation, précipitation,
HATELET : 7 hâtelle ■ 9 hâtelette.
HATER : 4 oust ■ 6 forcer ■ 7 avancer, avorter, presser* ■ 8 brusquer, dépêcher ■ 9 accélérer*, empresser, grouiller ■ 10 improviser, précipiter ■ 11 dégrouiller.
HATIF : 6 pressé, urgent ■ 7 abortif, matinal, précoce, prémice ■ 8 pressant ■ 9 écourgeon, maturatif, prématuré ■ 10 escourgeon, griffonner.
HATTERIA : 9 sphénodon.
HAUBAN : 4 ride ■ 5 gambe ■ 6 cadène ■ 7 pataras ■ 8 bastaque, haubaner ■ 9 haubanage ■ 10 enfléchure ■ 11 porte-hauban.
HAUBERT : 7 jaseran.
HAUSSE : 4 boom ■ 5 dièse ■ 8 haussier ■ 9 élévation, inflation ■ 12 accaparement ■ 14 enchérissement.
HAUSSER : 5 lever ■ 6 diéser, élever* ■ 7 majorer ■ 8 abaisser ■ 9 augmenter*, exhausser, rehausser ■ 10 haussement, hausse-pied.
HAUT : 4 aigu, cîme, kami, pôle, tête ■ 5 crête, élevé, faîte, grand, petit ■ 6 flèche, là-haut, maxima, pignon, pointe, sommet, source, summum ■ 7 colline, maximum, sommité, sublime ■ 8 ci-dessus, dépasser, éminence, extrême, gueulard, maximiser, puissant, rougeaud, susnommé ■ 9 contrebas, culminant, empaumure, épigramme, exhausser, mancheron, plafonner, plongeant, rehausser, souverain, suspendre, truculent ■ 10 couvrement, sous-dénommé, superlatif ■ 11 acrocéphale, empiècement ■ 13 pandiculation.
HAUTAIN : 4 fier ■ 5 prude ■ 6 altier ■ 8 arrogant, cavalier ■ 9 impérieux ■ 11 orgueilleux, sourcilleux.
HAUTBOIS : 3 cor ■ 5 anche ■ 10 hautboïste.
HAUT-DE-CHAUSSE : 7 grègues ■ 8 tonnelet ■ 9 rhingrave.
HAUT-DE-FORME : 4 tube ■ 5 gibus ■ 11 huit-reflets.
HAUTE : 3 q.h.s. ■ 4 t.v.h.d. ■ 8 oraliser ■ 9 engrêlure ■ 10 minichaîne.
HAUTE MER : 8 pélagien ■ 9 hauturier.
HAUTEUR : 4 haut ■ 5 butte ■ 6 montée, taille, tirant ■ 7 baissée, castrum, colline, isodome, orgueil*, rasance ■ 8 altitude, culminer, grandeur, humilité, panorama ■ 9 astrolabe, culminant, élévation, franc-bord ■ 10 balustrade, marégraphe, surhausser ■ 11 ensellement, escarpement, fosbury flop, hypsométrie, orthocentre, typographie.
HAUT-FOURNEAU : 4 buse, dame ■ 8 gueulard.
HAUT-PARLEUR : 6 boomer, woofer ■ 7 tweeter ■ 9 diffuseur.
HAUT-PRE : 10 garde-corps.
HAVE : 4 pâle ■ 7 spectre.
HAVRE : 7 havrais.
HAVREUSE : 6 havrit.
HAWAIIENNE : 7 ukulélé.
HEAUME : 6 casque, mézail ■ 8 heaumier ■ 10 lambrequin.
HEBDOMADAIRE : 4 news ■ 12 newsmagazine.
HEBEPHRENIE : 10 hébéphrène 13 hébéphrénique.
HEBERGER : 8 recevoir ■ 11 hébergement.
HEBETE : 5 vapes.
HEBETER : 7 abrutir ■ 9 hébétude ■ 10 hébétement.
HEBRAÏQUE : 6 menora ■ 9 hébraïser.

HEBREU: 4 amen, juif ■ 5 aleph ■ 6 pessah ■ 7 lévirot, massore, schofar ■ 8 alléluia, massorah, rational ■ 9 hébraïque, hébraïste ■ 10 hébraïsant.
HECATOMBE: 7 carnage.
HECTOMETRE: 13 hectométrique.
HEDERACEE: 6 aralia ■ 9 araliacée*.
HEDONISME: 9 hédoniste ■ 12 hédonistique.
HEGEMONIE: 7 pouvoir* ■ 10 leadership ■ 11 hégémonique, supériorité.
HEIMATLOS: 8 apatride ■ 10 sans-patrie.
HELER: 7 appeler ■ 10 interpeller.
HELIANTHE: 6 soleil ■ 9 tournesol.
HELIANTHINE: 12 méthylorange.
HELICE: 3 vis ■ 4 pale, tors ■ 5 écrou, spire ■ 6 vrille ■ 7 hélicon, propfan, turbine ■ 8 vrillage ■ 9 cannelure, hélicoïde, solénoïde ■ 10 hélicoïdal, quadripale ■ 11 tire-bouchon ■ 13 hydroglisseur.
HELICOPTERE: 5 rotor ■ 8 giravion, héligare, héliport ■ 9 fenestron, héliporté, rotruenge ■ 11 héliportage ■ 14 hélitreuillage ■ 15 héliotransporté.
HELIOGRAVURE: 5 hélio ■ 9 chromiste ■ 12 héliograveur.
HELIOTROPE: 9 pipéronal ■ 12 héliotropine.
HELIPORT: 8 héligare.
HELITHERAPIE: 10 héliomarin.
HELIUM: 2 hé ■ 6 hélion ■ 13 superfluidité.
HELIX: 8 escargot.
HELLENISME: 8 saducéen ■ 9 sadducéen ■ 11 philhellène ■ 13 hellénisation.
HELLENISTIQUE: 8 épiphane.
HELMINTHE: 12 helminthique.
HELVETIE: 7 helvète.
HEMATIE: 10 hypochrome ■ 11 érythrocyte ■ 12 réticulocyte ■ 13 agglutinogène.
HEMATITE: 4 ocre ■ 5 émeri ■ 6 ferret ■ 8 oligiste.
HEMATOLOGIE: 11 hématologue ■ 13 hématologique, hématologiste.
HEMATOLOGIQUE: 11 cladistique,
HEMATOPOÏESE: 15 hématopoïétique.
HEMATOZOAIRE: 9 paludisme ■ 10 plasmodium.
HEMATURIE: 9 bilharzie.
HEMICYCLE: 6 abside ■ 8 tribunal.
HEMIEDRIE: 11 hémiédrique.
HEMINOPTERE: 10 phylloxéra.
HEMIPLEGIE: 9 paralysie ■ 12 hémiplégique.
HEMIPTERE: 3 pou ■ 4 nèpe ■ 6 cigale, réduve ■ 7 puceron, punaise, ranatre ■ 10 cochenille, phylloxéra.
HEMIPTEROÏDE: 9 rhynchote.
HEMISPHERE: 4 lyre ■ 7 rolando ■ 8 vésicule ■ 11 planisphère ■ 13 hémisphérique, rhinencéphale ■ 14 latéralisation.
HEMISTICHE: 6 césure.
HEMOGLOBINE: 4 sang ■ 6 hémine ■ 7 globine ■ 8 hématine ■ 10 hypochrome, oxycarbone, porphyrine ■ 13 drépanocytose ■ 14 hémoglobinurie, méthémoglobine.
HEMOGLOBINOPATHIE: 11 thalassémie.
HEMORRAGIE: 8 pétéchie ■ 9 hémogénie, hémostase ■ 10 ménorragie ■ 11 métrorragie, pléborragie ■ 12 hémorragique, hémostatique, leptospirose.

HEMORRAGIQUE : 7 infarci.
HEMORROÏDE : 9 hamamélis ■ 13 hémorroïdaire.
HEMOSTATIQUE : 8 ergotine ■ 10 sang-dragon ■ 12 sang-de-dragon.
HENNIR : 10 hennissant.
HEPARINE : 9 protamine.
HEPATIQUE : 6 riccie ■ 9 bryophyte ■ 10 canalicule, marchantia, marchantie ■ 12 leptospirose, urobilinurie.
HERALDIQUE : 3 tau ■ 4 pile ■ 5 fusée, sable ■ 6 allumé, blason* ■ 7 émanché, gueules, léopard, losange, pommeté, sinople ■ 8 billette ■ 11 escarboucle ■ 13 quartefeuille.
HERAULT : 10 héraultais.
HERBACEE : 3 blé, lin ■ 5 bugle, vesce ■ 6 crocus, laitue, picris, pirole, pyrole, sagine, samole, trèfle ■ 7 anémone, benoîte, cresson, gaillet, gerbera, linaire, maceron, thlaspi ■ 8 anthémis, chicorée, crételle, érigeron, massette, peucédan, polygala, polygale, sisymbre, vaccaire ■ 9 anthyllis, belladone, centaurée, chénopode, coronille, cotonnier, épervière, maurandie, mélampyre, mirabilis, paronyque, pervenche, renoncule, saxifrage, véronique ■ 10 aigremoine, anthyllide, coquelicot, gypsophile, matricaire, pariétaire, pulmonaire, spéculaire, vulnéraire, xéranthème ■ 12 polémoniacée.
HERBAGE : 5 herbe ■ 8 herbager, pâturage ■ 11 herbagement.
HERBE : 4 alfa, foin, iris, nard ■ 5 gazon, herbu, llano, pesse, spart ■ 6 fléole, flouve, gramen, gremil, herber, houque, ivraie, laiche, népète, regain, sparte, vulpin ■ 7 cuscute, fétuque, freesia, herbacé, herbage, herbeux, herbier, houlque, pâturin, phléole, verdure ■ 8 ægilops, agrostis, enherber, faucille, fourrage, graminée, herbette, raygrass, sainfoin, sarclure ■ 9 agrostide, amourette, chiendent, désherber, fromental, herbivore, râtelures, spargoute, valériane ■ 10 fourniture, herboriser, herboriste, pique-nique ■ 11 extirpateur, hydrocotyle, pédiculaire, saintpaulia, scrofulaire ■ 12 herbe-aux-poux, staphisaigre ■ 13 herbe-aux-chats ■ 14 sous-arbrisseau.
HERBER : 8 herberie.
HERBIER : 9 posidonie.
HERBIVORE : 5 daman ■ 6 iguane ■ 7 bacille, criquet, wallaby ■ 8 éléphant, escargot, hanneton, lamantin ■ 9 iguanodon, wombatidé ■ 10 végétarien.
HERE : 9 pouilleux.
HERCHER : 8 herchage ■ 9 herschage.
HEREDITAIRE : 4 gêne, inné ■ 5 alleu ■ 6 allèle, hérédo ■ 8 génotype, récessif ■ 11 thalassémie ■ 12 allélomorphe. ■ 13 drépanocytose ■ 15 phénylcétonurie
HEREDITE : 4 gêne ■ 8 atavisme ■ 9 génétique ■ 10 légitimité, succession ■ 15 héréditairement.
HERESIE : 5 arien ■ 6 erreur ■ 8 adamisme ■ 9 docétisme, donatisme, hérétique ■ 11 hérésiarque, manichéisme, marcionisme.
HERETIQUE : 5 impie ■ 6 bégard, béguin, relaps ■ 7 apostat, beggard, béguard, cathare, patarin ■ 8 unitaire ■ 10 héréticité, hétérodoxe, trinitaire ■ 11 hérésiarque, iconoclaste ■ 14 réconciliation.
HERISSE : 7 hirsute, hispide ■ 9 horripilé ■ 11 hérissement.
HERISSON : 6 oursin ■ 8 porc-épic ■ 10 hérissonné ■ 11 échinoderme ■ 15 porte-bouteilles.
HERITAGE : 3 dot ■ 4 bien, legs, lods ■ 5 masse ■ 6 hoirie ■ 7 apanage ■ 8 atavisme, donation, lignager ■ 9 espérance, franc-fief, mainmorte ■ 10 dépendance, nouvelleté, patrimoine, recueillir, succession* ■ 12 portionnaire ■ 13 accroissement.

HERITER : 8 héritage ■ 9 cohériter ■ 10 cohéritier.
HERITIER : 4 hoir ■ 8 diadoque, préciput ■ 9 instituer ■ 10 déshérence, présomptif ■ 12 réservataire.
HERMAPHRODITE : 7 bisexué ■ 8 bisexuel, bissexué ■ 9 androgyne, bissexuel.
HERMETIQUE : 3 lut ■ 6 obscur* ■ 9 garniture ■ 10 hermétisme, scaphandre ■ 11 herméticité ■ 14 hermétiquement.
HERMETISME : 10 hermétiste.
HERMINE : 7 roselet ■ 8 armeline ■ 9 erminette.
HERNIE : 6 effort ■ 8 descente, hernieux ■ 9 herniaire, turquette ■ 10 engouement, entérocèle, épiplocèle, gastrocèle, hépatocèle ■ 11 éventration, spina-bifida ■ 12 étranglement.
HEROINE : 11 diamorphine ■ 12 héroïnomanie.
HEROINOMANE : 6 junkie.
HEROIQUE : 5 brave, élevé, geste ■ 8 efficace, héroïsme ■ 9 courageux, héroïcité, homérique, valeureux ■ 12 héroï-comique, héroïquement ■ 13 chevaleresque.
HERON : 5 butor ■ 7 crabier ■ 8 aigrette, bihoreau, éolipile, éolipyle ■ 9 héronneau ■ 10 garde-bœuf, héronnière.
HEROS : 5 barde ■ 7 stentor ■ 8 héroïque, héroïsme, indigète ■ 9 apothéose, fier-à-bras ■ 10 mythologie.
HERSE : 8 noblesse, niveleur ■ 9 sarrasine ■ 10 écroûteuse.
HERSER : 7 herseur.
HERTZ : 9 mégahertz.
HESITANT : 15 valse-hésitation.
HESITATION : 9 réticence ■ 10 flottement, indécision*, perplexité ■ 11 barguignage, franchement, incertitude, tâtonnement.
HESITE : 9 tâtonnant.
HESITER : 4 zist ■ 5 tâter ■ 6 danser, franco ■ 7 reculer ■ 8 balancer, broncher, hésitant, osciller, perplexe, réticent, scrupule, tâtonner, vaciller ■ 9 balbutier, tortiller ■ 10 barguigner, hésitation, vasouiller ■ 11 tergiverser.
HESSE : 7 hessois.
HETAÏRE : 10 hétaïrisme, prostituée.
HETEROCERE : 3 ino ■ 4 mite, paon ■ 5 perle ■ 6 bombyx, psyché, pyrale, sphinx, teigne ■ 7 céladon, daphnis, phalène ■ 8 cochylis, gallérie, géomètre, panthère ■ 9 croissant, virginale ■ 10 pachytelle, ptérophore.
HETEROCHROMOSOME : 8 allosome.
HETEROCLITE : 5 varié ■ 7 bizarre ■ 9 composite.
HETEROCYCLE : 9 thiophène.
HETEROCYCLIQUE : 6 purine, pyrrol ■ 7 furanne, pyranne ■ 8 pyridine, thiazole ■ 10 pyrimidine.
HETERODOXE : 7 apostat ■ 11 hétérodoxie.
HETEROGAMIE : 8 isogamie ■ 10 anisogamie.
HETEROGENE : 5 autre ■ 9 différent ■ 10 involution ■ 12 déchiqueteur, ressemblance ■ 13 hétérogéneité.
HETEROMORPHE : 13 hétéromorphie ■ 15 hétéromorphisme.
HETERONYME : 10 pseudonyme.
HETEROPLASTIE : 12 hétérogreffe.
HETEROPTERE : 5 vélie ■ 6 réduve, soldat, thrips ■ 7 naucore, punaise, ranatre ■ 8 gendarme ■ 9 notonecte, pentatome ■ 10 pyrocorise.
HETEROSEXUEL : 15 hétérosexualité.
HETEROSIDE : 10 digitoxine, nucléoside, salicoside.

HETEROTROPHE : **10** autotrophe.
HETEROZYGOTE : **10** homozygote.
HETRE : **3** fau, fou ■ **4** loir ■ **5** faine ■ **6** fayard, foyard ■ **7** fouteau, gaïacol, hêtraie ■ **10** nothofagus.
HEUR : **6** chance ■ **7** bonheur.
HEURE : **3** gmt, top ■ **4** none ■ **5** demie, sexte ■ **6** montre, plombe, tierce ■ **7** horaire, seconde ■ **8** aussitôt, horodaté ■ **9** couvre-feu, demi-heure, pointeuse ■ **10** horodateur, nycthémère, rendez-vous, surtravail ■ **11** interclasse ■ **13** kilowattheure.
HEUREUX : **3** bon ■ **4** béat ■ **5** faste, joice ■ **7** content, fortuné, jouasse, raccroc ■ **8** bienvenu, enchanté, happy end ■ **10** béatifique, euphorique, malheureux ■ **11** bénédiction ■ **12** providentiel.
HEURT : **4** choc*, coup* ■ **6** impact ■ **7** offense ■ **8** friction ■ **9** battement, collision, pulsation ■ **10** percusssion ■ **11** carambolage, froissement ■ **12** répercussion, tamponnement.
HEURTANT : **6** odieux, vexant ■ **8** blessant ■ **9** offensant, répugnant ■ **10** détestable, rocailleux ■ **11** impopulaire ■ **12** antipathique.
HEURTER : **5** buter, vexer ■ **6** battre, cogner, cosser, donner, peiner, toquer ■ **7** aborder, blesser, chopper, choquer*, frapper, gratter, irriter, secouer ■ **8** coudoyer, emboutir, froisser, indigner, infliger, offenser, percuter, révolter, sabouler ■ **9** accrocher, affronter, offusquer, tamponner, verboquet ■ **10** désobliger, houspiller, indisposer, télescoper ■ **11** effaroucher, mécontenter ■ **12** entrechoquer, entreheurter.
HEURTOIR : **6** marmot.
HEXACORALLIAIRE : **9** madrépore ■ **12** madréporaire.
HEXAMETRE : **8** distique ■ **10** spondaïque.
HEXOSE : **3** ose ■ **8** lactique.
HIATUS : **6** hiatal.
HIBISCUS : **6** ketmie ■ **8** ambrette.
HIBOU : **3** duc ■ **4** huer ■ **5** strix ■ **6** huette ■ **7** effraie, hulotte ■ **8** chevêche, chouette, strigidé ■ **9** boubouler, chat-huant.
HIDEUX : **4** beau, laid* ■ **6** vilain* ■ **11** hideusement.
HIE : **7** hiement ■ **10** demoiselle.
HIERARCHIE : **5** degré, grade*, thète ■ **8** fonction* ■ **11** panchen-lama, précellence ■ **12** hiérarchique, hiérarchiser, méritocratie, sous-diaconat ■ **15** hiérarchisation.
HIERARCHIQUE : **9** séniorité.
HIERATIQUE : **10** hiératique ■ **14** hiératiquement.
HIERRO : **3** fer.
HILARITE : **4** rire ■ **6** gaieté* ■ **7** comique, risible.
HILE : **7** hilaire.
HIMALAYA : **6** sherpa ■ **9** himalayen.
HINDOU : **6** indien*.
HINDOUE : **4** maya ■ **6** vaisya.
HINDOUISME : **5** atman ■ **6** dharma, mantra ■ **7** darshan ■ **8** çivaïsme, sivaïsme ■ **10** hindouiste ■ **11** vishnouisme.
HINDOUISTE : **6** gopura.
HIPPIE : **4** baba ■ **8** baba cool.
HIPPIQUE : **7** jumping ■ **8** hippisme.
HIPPOCASTANACEE : **10** marronnier ■ **13** hippocastanée.
HIPPOMOBILE : **5** break ■ **6** landau, milord, téléga ■ **7** calèche, phaéton, télègue ■ **8** victoria ■ **9** cabriolet, voiturier ■ **10** avant-train, tapissière.
HIPPOPHAE : **9** argousier.

HIPPOPOTAME : **15** hippopotamesque.
HIPPURIDACEE : **5** pesse.
HIRONDELLE : **6** aronde, sterne ■ **8** martinet ■ **9** hirondeau, salangane ■ **12** queue-d'aronde.
HIRSUTE : **7** hérissé ■ **8** échevelé ■ **9** ébouriffé.
HIRUDINEE : **7** sangsue.
HISPANIQUE : **9** audiencia.
HISPIDE : **7** hérissé.
HISSER : **5** lever ■ **7** apiquer, arborer, envoyer, guinder ■ **8** élinguée ■ **9** estrapade, verboquet.
HISTAMINE : **12** histaminique.
HISTIOCYTE : **13** histiocytaire.
HISTOIRE : **3** ana, art, ère, vie ■ **4** char, écho, witz ■ **5** conte*, récit* ■ **6** blague, charre ■ **7** annales ■ **8** anecdote, archives, nouvelle, zoologie ■ **9** antiquité, chronique, figurisme, halologie, historien, mémoires, sinologie ■ **10** biographie, historique, médiéviste, mythologie, nobiliaire, synchronie ■ **11** erpétologie, halographie, historiette, historisant, musicologie, préhistoire, tératologie ■ **12** byzantinisme, byzantiniste, historicisme ■ **13** anthropologie, céramographie, préromantisme, protohistoire ■ **14** byzantinologie, historiographe.
HISTOLOGIE : **7** biopsie, osmique ■ **11** hématologie ■ **12** histologique.
HISTORICISME : **12** historiciste.
HISTORIQUE : **7** exégèse, scholie, wargame ■ **8** relation ■ **9** événement, narration, toponymie ■ **10** historisme ■ **11** chronologie, historicité ■ **12** mémorialiste ■ **13** préhistorique ■ **14** historiquement,sociocentrisme.
HISTRION : **6** acteur ■ **7** bouffon.
HISTRIONISME : **12** histrionique.
HITLERIEN : **10** hitlérisme ■ **11** statthalter.
HIVER : **4** bise, loir, loup, luge ■ **6** brumal, hiémal, nivéal ■ **8** catillac, froidure, hibernal, hiberner, hivernal, hiverner ■ **9** alcyonien, catillard, écourgeon, hivernage, hivernant, orangerie ■ **10** douillette, isochimène, muscadelle ■ **11** caducifolié, chasse-neige, cryptophyte ■ **13** passe-crassane.
HOBEREAU : **5** noble ■ **11** aristocrate.
HOCHEQUEUE : **13** bergeronnette.
HOCKEY : **5** stick ■ **9** hockeyeur, ringuette.
HOLDING : **5** trust ■ **7** société.
HOLISME : **7** holiste ■ **10** holistique.
HOLLANDAIS : **6** batave ■ **8** jongkeer ■ **11** tête-de-maure.
HOLLANDE : **4** édam ■ **5** gouda ■ **6** batave.
HOLLYWOOD : **12** hollywoodien.
HOLOCAUSTE : **9** sacrifice*.
HOLOCEPHALE : **7** chimère.
HOLOGRAPHIE : **13** holographique.
HOLOPROTEINE : **9** prolamine.
HOLOSTEEN : **9** polyptère.
HOLOTHURIE : **7** trépang, tripang ■ **9** concombre ■ **10** bêche-de-mer.
HOMARD : **9** caudrette ■ **10** homarderie ■ **11** langoustine.
HOMBRE : **5** baste, trick ■ **7** matador ■ **8** spadille, virevolte.
HOMELAND : **10** bantoustan.
HOMELIE : **6** sermon ■ **8** discours*.
HOMEOMORPHISME : **9** morphisme ■ **11** homéomorphe.
HOMEOPATHIE : **10** homéopathe ■ **11** isothérapie ■ **13** homéopathique.

HOMEOTHERME : 12 homéothermie.
HOMERIQUE : 9 rhapsodie.
HOMICIDE : 7 meurtre ■ 10 assassinat.
HOMICIEN : 11 atlanthrope.
HOMINIDE : 10 anthropien.
HOMMAGE : 4 lige ■ 5 culte, dulie ■ 7 devoirs ■ 8 dédicace, offrande, respects, sérénade ■ 9 civilités, dédicacer, franc-fief.
HOMME : 3 âne, rat ■ 4 caïd, chef, éden, fils, fini, fort, gars, hère, lame, lion, loup, mari, mime, omis, ours, paon, papa, peau, père, pied, porc, puce, rage, raid, rire, robe, sana, sens, sexe, sire, tête, voix, zéro ■ 5 amant, arabe, blanc, brave, butor, crevé, dandy, drôle, époux, garde, gnome, goret, ilote, lapin, leude, luron, magot, mufle, oison, pante, séide, sieur, ténor, thane, viril ■ 6 barbon, chiffe, éphèbe, être-là, gigolo, humain, marcou, milord, sapeur, tarzan ■ 7 apollon, atlante, athlète, avorton, béjaune, bélitre, boucher, calotin, cocodès, colosse, dameret, escobar, eunuque, gommeux, hercule, laquais, macaque, marquis, messier, nicaise, nobliau, orateur, pandour, pasteur, pierrot, pleutre, pontife, poussah, protomé, routier, ruffian, sabreur, sagouin, sangsue, sapajou, taureau, tiresou, wergeld ■ 8 aigrefin, aliboron, arlequin, attorney, blanc-bec, bohémien, bonhomme, bourreau, cavalier, corsaire, coucheur, courrier, créature, croquant, demi-dieu, écrivain, feudiste, flandrin, galérien, harpagon, hommasse, humanité, individu*, iroquois, ministre, mirmidon, monsieur, morutier, myrmidon, narcisse, nicodème, partisan, patapouf, pérégrin, personne, plébéien, potentat, prochain, ravageur, soliveau, sourcier, surhomme, tégument, troubade, vibrissc ■ 9 andouille, babordais, cabochard, casquette, centenier, coltineur, cornichon, courtisan, dépendeur, freluquet, gentleman, gringalet, grippe-sou, homoncule, homuncule, humaniser, humanisme, humaniste, important, imposteur, jalonneur, lazzarone, loup-garou, machiavel, mandibule, mannequin, marmouset, ménétrier, paltoquet, pédéraste, pharisien, portefaix, pourpoint, publicain, recordman, satellite, semblable, solicitor, sous-homme, surhumain, thréonine, trousseur, vieillard, wagonnier, yachtsman ■ 10 affairiste, androgénie, andrologie, capitulard, chemisette, combattant, énergumène, escogriffe, femmelette, foutriquet, jean-foutre, journalier, malheureux, manouvrier, monocratie, noblaillon, orpailleur, postérieur, roquelaure, sociologie, songe-creux, tourbillon, tribordais ■ 11 acrocéphale, androphobie, anthropoïde, azoospermie, basse-taille, brancardier, businessman, ferrailleur, gentilhomme, humainement, lycanthrope, palefrenier, pantouflard, phrénologie, ploutocrate, vespasienne ■ 12 colonisation, eschatologie, grippeminaud, hallebardier, lycanthropie, misanthropie, patrilignage, polichinelle ■ 13 anthropologie, anthropophile, brachycéphale, homme-sandwich, philanthropie ■ 14 anthropozoïque, dolichocéphale, physiognomonie, pithécanthrope.
HOMOGENE : 5 aleph, pixel ■ 7 vitreux ■ 8 miscible, régulier, solution ■ 9 semblable, similaire ■ 10 agrégation, hétérogène, inhomogène, involution ■ 11 homogénéité, homothermie ■ 12 homogénéiser ■ 15 homogénéisation.
HOMOGENEISER : 15 homogénéisateur.
HOMOLOGUE : 8 analogue ■ 9 homologie.
HOMOLOGUER : 9 entériner ■ 11 sanctionner ■ 12 homologation.
HOMONISATION : 8 homonisé.
HOMONYMIE : 9 homonyme ■ 10 homographe, similitude ■ 11 homonymique.

HOMOPHONE: 12 homophonique ■ 13 homorythmique.
HOMOSEXUALITE: 8 lesbisme ■ 10 tribadisme ■ 11 lesbianisme.
HOMOSEXUEL: 3 gay ■ 4 lope ■ 5 giton ■ 7 inverti, lopette ■9 pédéraste ■ 13 homosexualité.
HOMOSEXUELLE: 6 gouine ■ 7 tribade.
HOMOSPHERE: 12 hétérosphère.
HOMOZYGOTE: 5 létal.
HONDURAS: 7 lempira ■ 9 hondurien.
HONGKONG: 11 hongkongais
HONGRIE: 5 tokaj, tokay.
HONGROIS: 5 galop ■ 8 goulache, goulasch, heiduque, hussarde.
HONGROYAGE: 9 corroyage ■ 10 hongroyage, hongroyeur ■ 11 hongroierie.
HONNETE: 4 poli ■ 5 brave, probe ■ 6 décent ■ 7 intègre, pudique ■ 8 indécent, mercanti, vertueux* ■ 9 combinard ■ 10 trafiquant, trafiqueur ■ 11 honnêtement ■ 13 consciencieux.
HONNETETE: 6 pudeur ■ 7 probité ■ 9 tripotage ■ 12 excusabilité.
HONNEUR: 3 dom, mai, sir ■ 4 péan, rang, sale ■ 5 élite, grade, thane ■ 6 estime, gloire*, mérite, verrée ■ 7 bushido, dignité*, messire, ovation ■ 8 autorité, blessure, calomnie, carencer, escorter, féralies, forfaire, grandeur, litanies, noblesse, renommée, révérend, sainteté, triomphe ■ 9 apothéose, baisemain, calomnier, élévation, honnêteté, honorable, intention, plaquette, préséance, promotion, salutaire, splendeur ■ 10 déshonneur, déshonorer, dithyrambe, hiérarchie, honorariat, malhonnête, parentales, réputation, seigneurie ■ 11 délicatesse, distinction, flétrissure, honorifique, monseigneur ■ 12 honorabilité, illustration ■ 13 considération, honorablement ■ 14 révérendissime.
HONNIR: 4 huer ■ 7 maudire.
HONORABLE: 3 écu ■ 4 orle ■ 5 bande, barre ■ 6 pairle, salaud ■ 7 bordure ■ 8 saligaud ■ 9 champagne, resarcelé, trescheur ■ 12 honorabilité ■ 13 honorablement ■ 14 archiconfrérie.
HONORAIRE: 4 gain*, taxe ■ 7 salaire* ■ 10 honorariat ■ 11 rétribution.
HONORER: 5 fêter ■ 6 adorer, saluer ■ 7 combler, décorer, révérer, vénérer ■ 8 acclamer, conférer, décerner ■ 9 couronner, glorifier, médailler, respecter.
HONORIFIQUE: 4 agha ■ 5 sahib ■ 6 pandit ■ 7 esquire ■ 8 hautesse ■ 9 honoraire, préséance ■ 10 excellence, in partibus ■ 11 archiprêtre ■ 12 honoris causa ■ 15 honorifiquement.
HONTE: 6 avanie, éhonté, pudeur ■ 7 affront, cynisme, démenti, honteux, infamie, opprobe ■ 8 embarras, humilité, opprobre, repentir, reproche, scandale, soufflet, timidité, vergogne ■ 9 camouflet, confusion, discrédit, ignominie, reprocher, turpitude ■ 10 déconvenue, déshonneur ■ 11 componction, effronterie, humiliation ■ 12 pudibonderie.
HONTEUX: 5 lâche, puant ■ 6 confus, furtif, humble, pauvre, penaud, piteux, timide ■ 7 pudique, quinaud, sordide ■ 8 pudibond, stigmate ■ 10 embarrassé ■ 11 vilainement ■ 12 honteusement.
HOPITAL: 4 osto, tour ■ 5 hosto, salle ■ 7 domerie, hospice, hosteau ■ 8 clinique, externat, ladrerie ■ 9 maternité, résidanat, tisanerie ■ 10 infirmerie, léproserie, maladrerie, sanatorium ■ 11 dispensaire, hospitalier ■ 12 gestionnaire, hospitaliser, hospitalisme ■ 15 hospitalisation.
HOPLITE: 7 zeugite.
HOQUET: 8 hoqueter ■ 10 convulsion.

HORDE: 6 troupe ■ 8 peuplade.
HORIZON: 3 est ■ 4 aube, jour, nuit ■ 5 ouest ■ 8 illuvium ■ 9 ascendant, nord-ouest ■ 10 clinomètre, horizontal, méridienne ■ 11 culmination, illuviation ■ 12 almicantarat.
HORIZONTAL: 4 ambe, gril, sole, tire ■ 8 guindeau, portique ■ 9 advection, décubitus ■ 10 chambrière ■ 11 nivellement, travers-banc ■ 13 horizontalité.
HORLOGE: 5 ancre ■ 7 morbier, pendule* ■ 8 carillon, horloger ■ 9 clepsydre, minuterie, mouvement, pendillon ■ 10 garde-temps, horlogerie, jacquemart ■ 11 échappement.
HORLOGERIE: 9 pendulier.
HORMIS: 4 sauf ■ 7 excepté.
HORMONE: 4 a.c.t.h. ■ 6 auxine, pellet ■ 7 lutéine ■ 8 ecdysone, glucagon, hormonal, insuline ■ 9 cortisone, hypophyse, ocytocine, sécrétine, stimuline, thyroxine ■ 10 adrénaline, coléoptile, endorphine, œstradiol, prolactine ■ 11 aldostérone, calcitonine, folliculine, gonadotrope, parathyrine, somatotrope ■ 12 androstérone, endomorphine, parathormone, phytohormone, progestérone, testostérone, vasopressine ■ 13 posthypophyse ■ 14 gonadotrophine, hydrocortisone, somatotrophine ■ 15 corticostéroïde, gonadostimuline, hormonothérapie, thyréostimuline.
HORIZONTALITE: 7 nivelle.
HOROSCOPE: 6 destin ■ 10 prédiction ■ 12 généthliaque.
HORREUR: 4 peur ■ 5 haine* ■ 6 dégoût*, effroi, hideur ■ 7 émotion, exécrer, fantôme, frisson, infamie, laideur, monstre, spectre, stupeur, terreur, trouble ■ 8 abhorrer, abominer, atrocité, aversion, noirceur ■ 9 cauchemar, égarement, épouvante, horrifier, néophobie, répulsion ■ 10 antipathie, difformité, effarement, exécration, horrifique, répugnance ■ 11 abomination, hydrophobie, photophobie, tremblement ■ 12 frémissement, monstruosité, saisissement, stupéfaction ■ 13 horripilation.
HORRIBLE: 4 beau ■ 6 atroce, hideux, vilain ■ 7 affreux ■ 9 effrayant, exécrable ■ 10 abominable, effroyable, monstrueux ■ 12 épouvantable, horriblement.
HORRIFIE: 10 horrifiant.
HORRIPILER: 7 irriter.
HORS: 4 fors ■ 6 hormis ■ 7 excepté ■ 8 haletant, obsolète, réprouvé ■ 9 débardage, découcher, émanciper ■ 10 collatéral, essouffler, extérieurs, extra-muros, réexporter, surplomber ■ 11 extravagant, intouchable ■ 12 accastillage, disqualifier, transcendant ■ 13 transcendance.
HORS-COMBAT: 8 knock-out ■ 9 knock-down ■ 13 antipersonnel.
HORS DE SOI: 10 horripiler ■ 11 transporter.
HORS-D'ŒUVRE: 5 blini ■ 6 tarama ■ 8 zakouski ■ 9 picholine ■ 10 cassolette.
HORS-TEXTE: 7 plaçure ■ 13 collationnure.
HORTICULTURE: 7 bagueur, primeur ■ 8 sécateur ■ 9 jardinage ■ 10 rosiériste ■ 12 floriculture, horticulteur.
HOSPICE: 7 hôpital* ■ 9 maternité ■ 11 hospitalier.
HOSPITALIER: 3 c.h.s., c.h.u. ■ 4 s.a.m.u. ■ 7 mouroir ■ 10 nosocomial.
HOSPITALITE: 4 hôte ■ 11 hospitalier ■ 13 inhospitalier.
HOSTIE: 6 paterne ■ 7 ciboire, custode ■ 8 corporal ■ 9 élévation, ostensoir ■ 10 monstrance, tabernacle ■ 11 eucharistie.
HOSTILE: 6 contre, ennemi ■ 7 adverse ■ 8 antinazi, antitout, inamical ■ 10 antifiscal, antisocial ■ 11 défavorable ■ 13 antibourgeois, antinucléaire, antireligieux, antisémitique, conservatisme ■ 14 antisoviétique ■ 15 antiautoritaire.

HOSTILITE : 4 anti ■ 5 haine ■ 6 guerre ■ 7 rancune ■ 8 inimitié ■ 9 boomerang, boumerang ■ 10 aliénation, casus belli ■ 11 agressivité, cessez-le-feu, infériorité ■ 12 ressentiment ■ 14 anticommunisme ■ 15 antimilitarisme.
HOTE : 5 diffa ■ 7 convive ■ 10 amphitryon.
HOTEL : 4 hôte ■ 5 motel ■ 6 palace, tôlier ■ 7 auberge, caviste, pension, steward, taulier ■ 8 hôtelier, immeuble, légation ■ 9 ambassade, concierge, tenancier ■ 10 hôtellerie, préfecture, présidence ■ 11 hostellerie, tournebride ■ 13 caravansérail.
HOTELLERIE : 7 fondouk.
HOTTE : 5 banne, benne ■ 6 bachou, brante, collet, hottée, hotter ■ 7 bouille ■ 8 cheminée, hotteret, tandelin ■ 9 hottereau ■ 11 vendangeoir.
HOTTENTOT : 11 stéatopygie.
HOTU : 4 nase.
HOUBLON : 4 cône ■ 5 bière ■ 10 houblonner ■ 11 houblonnage, houblonnier ■ 12 houblonnière.
HOUE : 4 daba ■ 5 houer, hoyau ■ 7 bêchoir, fossoir ■ 8 sarcloir ■ 13 arrache-racine.
HOUILLE : 4 brai, coke ■ 6 boulet, mineur, pyrène, pyrrol ■ 7 boghead, coaltar, charbon*, lignite ■ 8 borinage, calamite, houiller, pyridine, semi-coke ■ 9 aggloméré, briquette, gailletin, houillère, houilleur, maréchale, méthylène, ricamarie ■ 10 anthracite, déhouiller, talaudière, terre-noire ■ 11 charbonnage, cokéfaction, gailleterie.
HOULE : 4 flot ■ 5 agité ■ 7 acculée, houleux, tempête.
HOUPPE : 4 floc ■ 6 floche, pompon, touffe ■ 7 houpper ■ 8 freluche ■ 9 bouffette, houppette.
HOURDIS : 7 hourder ■ 9 colombage.
HOURVARI : 6 tapage.
HOUSPILLER : 7 rudoyer ■ 8 malmener, molester, sabouler ■ 11 houspilleur, réprimander.
HOUSSE : 7 housser ■ 9 caparaçon, chabraque, enveloppe ■ 10 schabraque ■ 11 déhoussable.
HOUSSINE : 9 houssiner.
HOUSSOIR : 7 plumard.
HOUX : 3 glu ■ 4 maté ■ 6 fragon ■ 7 housset ■ 8 houssaie, houssine, houssoir ■ 12 aigrefeuille.
HUCHE : 4 maie ■ 6 coffre.
HUEE : 4 huer ■ 5 tollé ■ 6 aubade, avanie, mépris ■ 7 clameur, murmure, sifflet ■ 9 charivari ■ 10 grognement ■ 11 imprécation ■ 12 vocifération.
HUER : 4 honnir ■ 7 ameuter, bafouer, railler, siffler ■ 8 chahuter, conspuer, malmener ■ 9 vociférer.
HUGUENOT : 10 protestant.
HUILE : 3 s.a.e. ■ 4 coco, fuel, maye, musc, spic ■ 5 bidon, cérat, gatte, monoï ■ 6 chrême, croton, diogot, gasoil, mazout, naphte, néroli, oléine ■ 7 créosol, dioggot, essence, fuel-oil, huileux, huilier, ichtyol, nivelle, oléolat, pétrole ■ 8 cambouis, cameline, estagnon, gazoline, graisser, huilerie, kérosène, kérosine, macassar, marinade, mytilène, oléfiant, oléifère, onctueux, poivrade, quinquet, térylène ■ 9 aiguillat, castoréum, déshuiler, graisseux, linoléine, œillette, oléiforme, oléimètre, oléomètre, papillote ■ 10 déshuilage, élaïomètre, eucalyptol, mayonnaise, multigrade, oléagineux, oléonapthe, quinoléine ■ 11 brillantine, liposoluble ■ 13 aromathérapie.
HUILEUSE : 7 oléolat.

HUIS: 5 porte*.
HUISSIER: 6 bedeau, héraut, recors, suisse ■ 7 chaouch, constat, exploit, licteur, massier, sergent ■ 8 mandille, officier ■ 9 sommation ■ 10 appariteur, audiencier, porte-masse ■ 11 ajournement ■ 12 commandement, introducteur ■ 14 instrumentaire.
HUIT: 3 oct ■ 4 août, octa, octi, octo ■ 5 canon, octal ■ 6 octant, octidi, octuor ■ 7 octuple, triolet ■ 8 huitaine, huitième, octaèdre, octogone, octopode, octupler ■ 9 octastyle, octocorde, octostyle ■ 11 octosyllabe ■ 14 octosyllabique.
HUITIEME: 6 octidi.
HUITRE: 4 acul, parc ■ 5 belon, nacre, valve ■ 6 claire, peigne, perlot ■ 7 bonamia, cancale, clayère, manteau, ostracé ■ 8 coquille, huîtrier, marennes, naissain, parqueur, spéciale ■ 9 charnière, écaillage, huîtrière, pintadine ■ 10 détroquage, méléagrine, portugaise ■ 12 fine-de-claire, ouvre-huîtres, pied-de-cheval ■ 13 ostréiculture ■ 15 conchyliculture.
HULOTTE: 9 chat-huant.
HUMAIN: 3 bon* ■ 4 sein, thug ■ 5 buste, chair, homme*, sacré ■ 6 dasein, isolat, mortel ■ 7 clément, société ■ 8 carcasse, génocide, humanité, peuplade, sensible ■ 9 humaniser ■ 10 anthropien ■ 11 in carnation ■ 12 androcéphale ■ 13 anthropogénie ■ 14 anthropogenèse, anthropométrie, anthropomorphe.
HUMANITE: 5 bonté* ■ 7 charité ■ 8 histoire, inhumain ■ 11 humainement, humanitaire ■ 13 protohistoire.
HUMANOÏDE: 4 yeti.
HUMBLE: 3 bas, vil ■ 4 doux ■ 5 petit* ■ 6 effacé, faible, obscur, simple, timide ■ 7 modeste*, rampant, réservé, résigné, servile ■ 8 implorer, médiocre ■ 9 immodeste ■ 10 obséquieux ■ 11 respectueux ■ 12 présomptueux.
HUMECTER: 7 arroser, tremper ■ 8 bassiner, mouiller ■ 9 humecteur ■ 11 humectation.
HUMER: 6 avaler, humage, sentir*.
HUMERUS: 6 épaule ■ 7 huméral, trochin ■ 9 trochiter ■ 10 épicondyle ■ 14 scapulo-huméral.
HUMEUR: 3 gai, pus*, suc ■ 4 bave, bile, égal, fiel, lait, lune, sève, suer ■ 5 accès, chyle, crase, ennui, gaîté, larme, morve, mucus, rogne, sanie, sérum, sueur, suint, urine, venin, virus ■ 6 bisque, flegme, gaieté, glaire, gourme, hargne, lymphe, quinte, roupie, salive, sperme, spleen, thymie ■ 7 bouffée, cérumen, chassie, fluxion, frottis, humoral, liquide, passade, peccant, pepsine, pituite, saburre, synovie ■ 8 altérant, atrabile, bouderie, goguette, hyaloïde, labilité, maugréer, maussade, mucilage, mucosité, paisible, rechigné, rétiveté, rétivité, sérosité, thymique ■ 9 acrimonie, caractère, dyscrasie, dysthymie, fantaisie, grognerie, humorisme, jovialité, loup-garou, obsession, rechigner, sécrétion, suffusion, tracassin, tristesse ■ 10 équanimité ■ 11 blennorrhée, bourrasque, complexion, émonctoire, enjouement, mélancolie, pisse-froid ■ 11 acariâtreté, atrabilaire, hypocondrie, maussaderie ■ 12 irrégularité.
HUMIDE: 3 mol, mou ■ 4 aune, jonc, noue ■ 5 aride, aulne, berce, moite, moiti ■ 7 galerne ■ 8 humecter, humidité, marécage ■ 9 mouillère, pulicaire ■ 10 basse-fosse, humidement, humidifier, hygrophobe ■ 11 crapaudière ■ 13 déshumidifier ■ 14 humidification,
HUMIDIFIER: 6 diluer, oindre, saucer, verser ■ 7 arroser, baigner, délaver, imbiber, infuser, inonder, macérer, ondoyer, plonger, saturer, tremper ■ 8 échauder, humecter, immerger, madéfier, mouiller*,

pénétrer, ramollir, répandre ■ 9 détremper, imprégner, seringuer, submerger ■ 10 rafraîchir ■ 11 éclabousser.

HUMIDITE: 7 moiteur, ressuer ■ 9 égouttage ■ 10 hygromètre, hygrophile ■ 11 égouttement, humidimètre, hygrométrie, hygroscopie, microclimat, pourrissage ■ 12 déliquescent, dessication, psychromètre ■ 13 déliquescence, hygroscopique.

HUMILIATION: 5 gifle, honte* ■ 6 avanie ■ 7 humilié, vilenie ■ 8 bassesse, blessure ■ 9 plastitude, servilité ■ 10 déconvenue ■ 11 abaissement, froissement ■ 13 mortification.

HUMILIER: 5 céder, mater ■ 6 avilir, penaud, piteux, ramper ■ 7 abattre, aplatir, blesser, courber, dompter, écraser, fléchir, honteux, ravaler ■ 8 abaisser*, accabler, déconfit, dégrader, froisser ■ 9 confondre, humiliant, mortifier, rabaisser ■ 10 prosterner ■ 12 rabaissement.

HUMILITE: 7 douceur, réserve, respect ■ 8 modestie, supplier, timidité ■ 9 déférence, faiblesse, obscurité ■ 10 abnégation, effacement, humblement, médiocrité, simplicité ■ 11 résignation.

HUMOUR: 6 esprit ■ 9 humoriste ■ 12 humoristique.

HUMUS: 5 terre ■ 7 humique ■ 8 géophile ■ 11 décomposeur ■ 12 humification.

HUNE: 5 gabie, gambe ■ 9 perroquet.

HUNS: 8 hunnique.

HUPPE: 5 riche ■ 6 touffe ■ 7 élégant ■ 8 cochevis.

HURLER: 4 loup ■ 5 crier, rugir ■ 9 hurlement, tonitruer, vociférer.

HURLEUR: 7 alouate, ouarine.

HURLUBERLU: 7 étourdi.

HURRICANE: 7 cyclone.

HUSSARD: 7 housard.

HUSSITE: 8 taborite.

HUTTE: 4 case, loge ■ 5 buron, igloo, kraal ■ 6 cabane, cahute, wigwam ■ 8 paillote.

HYALIN: 9 rubicelle ■ 10 ectoplasme.

HYBRIDE: 5 métis ■ 6 tiglon, tigron ■ 8 hybrider, lavandin, léporide ■ 9 hétérosis, hybridité, triticale ■ 10 hybridisme ■ 11 hybridation.

HYDATIDE: 13 échinococcose.

HYDNE: 12 pied-de-mouton.

HYDRACIDE: 8 hydrique.

HYDRAIRE: 5 hydre.

HYDRATE: 5 borax ■ 7 épidote, terpine ■ 8 calamine, saponite ■ 9 tréhalose ■ 10 hydratable ■ 13 hydrosilicate ■ 14 hydrocarbonate ■ 15 montmorillonite.

HYDRATER: 10 réhydrater.

HYDRAULIQUE: 4 aube, auge, buse, roue ■ 5 godet, noria, pompe ■ 7 tambour, turbine ■ 8 éjecteur, vide-cave ■ 10 dégorgeoir ■ 11 hydromoteur, superciment ■ 12 hydraulicien ■ 13 hydroglisseur.

HYDRAVION: 8 flotteur ■ 9 hydrobase.

HYDROCARBONATE: 10 vert-de-gris.

HYDROCARBURE: 5 diène ■ 6 alcane, alcène, alcyne, allène, butane, butène, hexane, indène, mazout, octane, pinène, pyrène, xylène ■ 7 amylène, benzène, benzine, cyclane, heptane, pentane, propane, styrène, terpène, toluène ■ 8 allylène, butylène, craqueur, dégazage, éthylène, oléfines, sapropel ■ 9 acétylène, butadiène, diphénile, sapropèle, styrolène, tétraline ■ 10 dispersant, napthalène, napthaline ■ 11 éthylénique ■ 12 dégazolinage, phénanthrène, térébenthène, vapocraquage.

HYDROCHARIDACEE: 6 morène ■ 7 morrène ■ 11 vallisnérie.

HYDROCORTISONE: 8 cortisol.
HYDROFUGER: 13 hydrofugation.
HYDROGENATION: 13 berginisation ■ 15 hydrotraitement.
HYDROGENE: 4 hydr ■ 5 acide, amide, amine, prout ■ 6 arsine, borane, cétane, éthane, silane ■ 7 hydrure, tritium, valence ■ 8 ammoniac, limonène ■ 9 carburant, deutérium, monoacide, paraffine ■ 10 anthracène, chloration, hydrogéner, hydrolithe, oxhydrique ■ 11 iodhydrique ■ 12 bromhydrique, hydrocarboné, hydrocarbure, sulfhydrique ■ 13 chlorhydrique, déshydrogéner, fluorhydrique, hydrocraquage, hydrogénation, hyposulfureux ■ 14 tellurhydrique.
HYDROGENOSULFURE: 9 bisulfure.
HYDROGRAPHIE: 9 exoréisme ■ 11 hydrographe ■ 14 hydrographique.
HYDROLOGIE: 11 potamologie ■ 12 hydrologique, hydrologiste.
HYDROLYSE: 5 oside ■ 8 éstérase, holoside, protéase ■ 9 galactose, inversion, hydroliser ■ 10 glycogénie ■ 11 glycogenèse ■ 12 hydrolysable, ribonucléase ■ 13 protéolytique.
HYDROMEDUSE: 11 hydrozoaire.
HYDROMEL: 8 chouchen.
HYDROPHILE: 10 amphiphile, débouillir.
HYDROPHOBE: 10 amphiphile.
HYDROPHOBIE: 3 muc.
HYDROPISIE: 6 ascite ■ 7 enflure ■ 8 sérosité ■ 9 anasarque, hydrocèle ■ 10 hydropique ■ 11 hydarthrose, hydrothorax ■ 13 hydrocéphalie.
HYDROPTERE: 9 hydrofoil.
HYDROSAURIEN: 11 crocodilien*.
HYDROSPHERE: 12 hydrographie.
HYDROTHERAPIE: 15 hydrothérapique.
HYDROXYDE: 6 alcali ■ 7 lithine, potasse, zincate ■ 8 magnésie ■ 10 strontiane.
HYDROZOAIRE: 8 cnidaire, hydraire* ■ 9 gonophore, gonozoïde, millépore ■ 11 hydroméduse ■ 12 siphonophore*.
HYDRURE: 10 hydrolithe.
HYGIENE: 5 santé ■ 9 naturisme, salubrité, sanitaire ■ 10 diététique, hygiénique, hygiéniste ■ 14 antihygiénique, capilliculture, hygiéniquement.
HYGROMETRIE: 10 hygroscope ■ 11 hygroscopie ■ 13 hygrométrique ■ 14 hygrométricité.
HYGROMETRIQUE: 12 psychométrie.
HYMEN: 7 hyménée, mariage*.
HYMENOMYCETE: 5 bolet ■ 6 agaric.
HYMENOPTERE: 5 apidé, galle, guêpe, sirex, sphex ■ 6 fourmi, frelon ■ 7 abeille, andrène, bourdon, chalcis, halicte, poliste, pompile, rhodite, vespidé ■ 8 aculéate, cynipidé, xylocope ■ 9 ammophile, ichneumon, philanthe, tenthrède ■ 12 trichogramme.
HYMNE: 3 ode ■ 4 péan ■ 5 chaut*, pæan, prose ■ 6 psaume, stance, verset ■ 7 hosanna, strophe ■ 8 cantique, hymnaire, hymnique, liturgie, séquence ■ 9 doxologie, palinodie, psalmodie ■ 10 hymnologie, plain-chant.
HYPERBOLE: 8 excessif* ■ 10 équilatère ■ 12 hyperbolique, hyperboloïde.
HYPEREXCITABILITE: 12 spasmophilie.
HYPERFONCTIONNEMENT: 11 acromégalie.
HYPERFREQUENCE: 9 strip-line.

HYPERGLYCEMIE: 15 hyperglycémiant.
HYPERICACEE: 12 millepertuis.
HYPERMETROPIE: 12 hypermétrope.
HYPERONYME: 8 hyponyme.
HYPERREALISME: 13 hyperréaliste.
HYPERSECRETION: 9 séborrhée.
HYPERSENSIBILITE: 10 réactogène.
HYPERTELIE: 12 hypertélique.
HYPERTHYROÏDIE: 14 antithyroïdien, cardiothyréose.
HYPERTROPIE: 6 culard.
HYPERTROPHIE: 5 enflé, loupe ■ 13 hypertrophier ■ 14 hypertrophique.
HYPNE: 9 tourbière.
HYPNOSE: 9 pentothal ■ 10 hypnotique, narcotique, suggestion ■ 11 fascinateur ■ 12 barbiturique, narco-analyse ■ 15 penthiobarbital.
HYPNOTIQUE: 11 méprobamate ■ 12 prométhazine ■ 13 phénobarbital.
HYPNOTISER: 8 endormir ■ 10 magnétiser ■ 11 hypnotiseur.
HYPOCALORIQUE: 8 aspartam ■ 9 aspartame, cyclamate.
HYPOCHLORITE: 5 javel.
HYPONCONDRE: 4 rate.
HYPONDRIAQUE: 9 acariâtre.
HYPOCRISIE: 7 cautèle, comédie, mômerie ■ 8 artifice, enfariné, fausseté*, pruderie, simagrée, singerie ■ 9 bigoterie, cafardise, cagoterie, déloyauté, duplicité, félonnerie, fourberie*, hypocrite, imposture, jonglerie, mascarade, sincérité, tromperie ■ 10 jésuitisme, simulation, tartuferie ■ 11 bégueulerie, papelardise, pharisaïsme, supercherie ■ 12 escobarderie, sournoiserie.
HYPOCRITE: 4 cant, faux* ■ 5 bigot, cagot, dévôt, félon, girie, prude ■ 6 cafard, fourbe ■ 7 déloyal, escobar, patelin, tartufe ■ 8 bégueule, cajoleur, comédien, enjôleur, mielleux, nitouche, papelard, sournois*, tartuffe, tortueux, trompeur ■ 9 cauteleux, courtisan, doucereux, grimacier, imposteur, patte-pelu, pharisien ■ 10 chattemite, jésuitique ■ 11 artificieux ■ 12 archipatelin, grippeminaud, sournoiserie ■ 13 hypocritement ■ 14 sainte-nitouche.
HYPODERME: 5 varon ■ 9 pannicule ■ 11 hypodermose.
HYPODERMIQUE: 10 sous-cutané.
HYPOGEE: 5 tombe.
HYPOGLYCEMIE: 14 hypoglycémiant.
HYPONEURIEN: 12 protostomien.
HYPONOMEUTE: 10 yponomeute.
HYPONYME: 10 hyperonyme.
HYPOPHOSPHOREUX: 13 hypophosphite.
HYPOPHYSE: 4 a.c.t.h. ■ 8 turcique ■ 9 ocytocine, stimuline ■ 10 hypophysie, prolactine ■ 11 acromégalie, antépophyse, diencéphale, gonadotrope, somatotrope ■ 12 hypophysaire, infundibulum, vasopressine ■ 13 posthypophyse ■ 14 adiposo-génital ■ 15 thyréostimuline.
HYPOSTASE: 11 hypostasier.
HYPOSULFITE: 11 thiosulfate.
HYPOSULFUREUX: 11 hyposulfite.
HYPOTENSEUR: 9 raubasine ■ 12 angiotensine.
HYPOTENSION: 10 hypotensif, sérotonine ■ 12 hypertenseur.
HYPOTHALAMUS: 10 endorphine ■ 12 endormorphine ■ 14 hypothalamique ■ 15 releasing factor.
HYPOTHEQUE: 4 gage ■ 5 dette ■ 8 garantie ■ 9 main-levée, privilège ■ 10 emphytéose ■ 11 hypothéquer, inaliénable ■ 12 hypothécable, hypothécaire ■ 14 chirographaire.

HYPOTHESE : 8 réquisit ■ 9 prévision ■ 10 complétude, conjecture ■ 11 hétérogénie, présupposer, supposition* ■ 12 hypothétique ■ 13 théorématique.
HYPOTHETIQUE : 6 parton ■ 7 tachyon ■ 8 éventuel, léporide, neutrino ■ 9 touranien ■ 10 répresseur ■ 11 antimatière.
HYPOTONIQUE : 9 hypotonie.
HYPSOMETRIE : 13 hypsométrique.
HYSTERECTOMIE : 6 totale.
HYSTERIE : 4 aura ■ 5 folie* ■ 10 hystérique ■ 12 hystériforme.

I

IAMBE : **8** iambique ■ **9** choriambe ■ **10** choliambre.
IAMBIQUE : **9** choriambe.
IBERIE : **8** ibérique.
IBERIQUE : **5** arobe ■ **6** arrobe.
IBERIS : **8** téraspic.
ICAQUIER : **6** icaque.
ICHTYOLOGIE : **13** ichtyologique, ichtyologiste.
ICI : **2** çà, ci, là ■ **5** céans, ci-gît.
ICONE : **10** iconologue ■ **11** iconoclasme, iconoclaste ■ **12** iconologiste ■ **14** iconographique.
ICONOLOGIE : **12** iconologique.
ICTERE : **8** cholémie, jaunisse ■ **9** ictérique.
IDEAL : **4** rêvé, type ■ **6** absolu ■ **7** parfait* ■ **8** accompli, ataraxie, idéalité ■ **9** archétype, classique, idéalisme, idéologie, olympisme, prosaïque, prosaïsme ■ **10** aspiration, idéalement, métacentre, platonique, prométhéen ■ **15** substantialisme.
IDEALISER : **6** esprit ■ **9** poétiser, ruralisme ■ **11** imagination ■ **12** idéalisation ■ **14** idéalisateur.
IDEALISTE : **12** don quichotte.
IDEE : **4** dada, mana, rêve, tour, vide ■ **5** blanc, dyade, idéal, idéer, image, jaune, juger, manie, songe ■ **6** donnée, ectype, entité, notion, pensée*, projet ■ **7** chimère, concept, hantise, marotte, noumène, remueur, rêverie, soupçon, théorie*, volonté ■ **8** gnomique, idéation, machisme, militant, pratique, souvenir, velléité ■ **9** allégorie, communier, connaître, fantaisie, idée-force, idéologie, intention, matériaux, monomanie, obsession, péjoratif, prénotion, sensation, sentiment, tentation, universel ■ **10** conception*, érotomanie, idéogramme, impression, répétition, sandinisme, sinistrose, suggestion, vieillerie ■ **11** endoctriner, idéographie, imagination, monoïdéisme ■ **12** connaissance, illumination, intelligible, tachypsychie ■ **13** astrobiologie, compréhension, concaténation, extrapolation, préconception ■ **14** autosuggestion, conceptualisme, évolutionnisme, représentation.
IDENTIFICATION : **4** isbn, issn ■ **8** filtrage ■ **10** panthéisme ■ **11** diagnostic ■ **12** assimilation, coproculture, introjection ■ **13** bertillonnage ■ **14** anthropométrie ■ **15** identificatoire.
IDENTIFIER : **8** document ■ **9** assimiler ■ **11** reconnaître* ■ **12** identifiable ■ **14** identification.
IDENTIQUE : **3** tel ■ **4** même*, seul ■ **5** autre ■ **6** pareil*, propre ■

9 isoglosse, isogreffe, semblable* ■ **10** gémination, identifier ■ **13** identiquement.

IDENTITE: **3** nom, r.i.b. ■ **4** même* ■ **5** carte ■ **7** judaïté, judéité ■ **10** communauté, identifier, photomaton, pseudonyme ■ **11** équivalence, identitaire, sans-papiers ■ **13** déculturation.

IDEOLOGIE: **8** arabisme, machisme ■ **13** contre-société, sociocritique ■ **14** désidéologiser.

IDEOLOGIQUE: **13** maître-penseur.

IDIOME: **6** langue* ■ **7** langage ■ **11** idiomatique.

IDIOT: **3** sot* ■ **4** bête, nase, naze ■ **5** daube, enflé ■ **6** crétin ■ **7** conneau, idiotie, stupide* ■ **8** insanité ■ **10** idiotement.

IDIOTISME: **8** tournure ■ **10** expression.

IDOINE: **9** approprié*.

IDOLATRIE: **5** amour*, païen ■ **7** nations ■ **8** idolâtre ■ **9** adoration* ■ **11** idolatrique.

IDOLE: **4** dieu ■ **7** fétiche ■ **8** idolâtre ■ **9** idolâtrie.

IDYLLE: **8** caristys ■ **9** idyllique, pastorale.

IDYLLIQUE: **8** arcadien.

IGNAME: **6** foufou, foutou.

IGNARE: **8** ignorant*.

IGNE: **10** pyrosphère.

IGNIFUGER: **12** ignifugation.

IGNITION: **4** moxa ■ **10** combustion.

IGNOBLE: **3** bas ■ **4** beau, joli, laid* ■ **6** abject, hideux ■ **7** affreux, immonde ■ **8** ruisseau ■ **9** dégoûtant ■ **11** ignoblement.

IGNOMINIE: **5** honte* ■ **8** opprobre ■ **9** turpitude ■ **10** déshonorer ■ **11** ignominieux.

IGNORANCE: **4** insu, maya, nuit ■ **5** doute ■ **6** ânerie ■ **7** bandeau, candeur, ineptie, naïveté, nullité, sottise ■ **8** encroûté, ilotisme, malfaçon, ténèbres ■ **9** décrasser, décrotter, gaucherie, impéritie, ingénuité, innocence, niaiserie ■ **10** incapacité*, maladresse*, simplicité ■ **11** tâtonnement ■ **12** connaissance, incompétence, inconscience, inexpérience, insuffisance, superstition ■ **13** inconséquence ■ **14** méconnaissance.

IGNORANT: **3** âne, nul, sot* ■ **4** bâté, bête, buse, naïf, pont ■ **5** borné, idiot, niais ■ **6** cancre, crétin, ignare, inepte, ingénu, nigaud, novice, simple, velche, welche ■ **7** arriéré, barbare, béjaune, béotien, candide, inculte, indocte, profane, stupide* ■ **8** aliboron, apprenti, étranger, grossier, illettré, innocent, jocrisse ■ **9** bourrique, charlatan, dégrossir, maladroit, malhabile ■ **11** analphabète, incompétent, inconscient, vulgum pecus ■ **12** ignorantisme ■ **13** inexpérimenté, irresponsable.

IGNORE: **5** épave ■ **6** inédit, obscur, oublié ■ **7** inconnu, méconnu ■ **9** incertain, incompris.

IGNORER: **7** croupir, oublier ■ **8** rouiller ■ **9** encrasser ■ **11** méconnaître.

IGUANE: **7** basilic ■ **12** amblyrhynque.

ILE: **4** îlet, îlot ■ **5** atoll, îlien, oasis ■ **6** îlette, javeau ■ **8** archipel ■ **9** insulaire ■ **10** insularité.

ILEON: **5** iléal ■ **6** iléite ■ **11** iléo-cæcal.

ILIACEE: **4** houx.

ILIAQUE: **5** pubis ■ **7** ischion ■ **9** cotyloïde.

ILLEGAL: **9** trafiquer ■ **10** arbitraire, billonnage ■ **12** illégalement, proscription ■ **14** pronunciamento.

ILLEGITIME: **7** injuste* ■ **10** exploiteur ■ **14** illégitimement.

ILLICINEE : 12 aquifoliacée*.
ILLICITE : 5 brûlé ■ 7 défendu, inceste ■ 8 fricoter ■ 10 dichotomie, quasi-délit, subreptice ■ 11 gaspillage ■ 12 illicitement.
ILLIMITE : 6 infini ■ 7 immense ■ 8 démesuré ■ 10 amplifiant.
ILLISIBLE : 11 barbouillis, gribouillis, hiéroglyphe ■ 12 barbouillage, gribouillage, illisibilité ■ 13 illisiblement ■ 14 indéchiffrable.
ILLOGIQUE : 9 illogisme ■ 13 illogiquement.
ILLUMINATION : 4 fête ■ 7 lumière* ■ 9 éclairage, illuminer, luminaire ■ 11 embrasement, visionnaire.
ILLUMINER : 8 éclairer*, embraser ■ 11 ensoleiller, illuminisme.
ILLUSION : 4 rêve ■ 5 bluff, écart, songe ■ 6 erreur, leurre, mirage, utopie, vision ■ 7 chimère, fantôme, rêverie ■ 8 dégriser, prestige ■ 9 désabuser, égarement, illusoire, micropsie, phantasme, simulacre ■ 10 paramnésie ■ 11 aveuglement, désillusion, illusionner, imagination, trompe-l'œil ■ 12 désenchanter ■ 13 fantasmagorie, hallucination ■ 14 désillusionner ■ 15 phénakistiscope.
ILLUSIONNER : 5 rêver ■ 6 abuser, égarer ■ 7 leurrer ■ 8 décevoir ■ 9 désabuser.
ILLUSIONNISME : 13 illusionniste.
ILLUSOIRE : 4 faux*, maya, vain* ■ 10 chimérique ■ 13 illusoirement.
ILLUSTRATION : 3 nom ■ 5 éclat, image*, rough ■ 6 gloire, lustre ■ 7 détouré, honneur ■ 8 crayonné, maquette, peinture ■ 9 habillage ■ 10 enluminure.
ILLUSTRE : 5 punch ■ 6 fameux ■ 7 célèbre, renommé ■ 8 carte-vue, magazine ■ 9 cover-girl, illustrer ■ 10 apothegme, exemplatif, personnage ■ 12 illustration.
ILLUSTRER : 5 orner* ■ 9 triompher.
ILLUVIATION : 8 illuvial.
ILOT : 6 insula.
ILOTE : 6 hilote ■ 8 ilotisme.
IMAGE : 4 flou, halo, idée, look, naos, rêve, spot ■ 5 album, buste, champ, fondu, icône, image, pixel, tanka ■ 6 charge, chromo, cliché, dessin*, figure, statue, visuel ■ 7 effigie, emblème, estampe, fétiche, gravure, négatif, parélie, symbole, tableau*, vidicon ■ 8 agnus-dei, dépliant, fantasme, figurine, iconique, imagerie, parhélie, peinture*, pêle-mêle, portrait*, rémanent, séquence, vividité ■ 9 allégorie, décadrage, découpure, linéature, miniature, phototype, simulacre, stock-shot ■ 10 autoscopie, caricature, décalquage, définition, enluminure, iconolâtre, iconoscope, instantané, microforme, photo-robot, projecteur, projection, sécheresse, signifiant, silhouette, télévision, transformé ■ 11 anamorphose, audiovisuel, cinémascope, description, iconolâtrie, iconothèque, pittoresque, prémonition, remnogramme, stéréoscope, transformée, transparent, trompe-l'œil ■ 12 colorisation, illustration, magnétoscope, photographie, remnographie, scanographie, scintigraphie ■ 14 représentation ■ 15 vidéoconférence, visioconférence.
IMAGERIE : 3 i.r.m.
IMAGINAIRE : 3 fée ■ 4 faux*, pôle ■ 5 conte, fable, roman ■ 6 esprit, fictif, irréel, utopie ■ 8 eldorado, équateur, fabuleux, référent, sélénite, utopique ■ 9 parallèle, phantasme, réactance ■ 10 chimérique, fabulation, quaternion ■ 11 coquecigrue, fantaisiste, fantastique, pandémonium, surréalisme ■ 12 almicantarat, pataphysique.
IMAGINATION : 3 feu ■ 4 chic, idée, rêve*, saut, tête ■ 5 aride, génie, idéal, logis, manie, poète, roman, songe, thème, verve ■ 6 délire, esprit, extase, féerie, mirage, pensée, projet, talent, utopie, vision ■

7 chimère, fiction, théorie ■ 8 gamberge, illusion ■ 9 eidétique, fantaisie*, hypothèse, invention ■ 10 conception, imaginaire ■ 11 fantastique, imaginative, inspiration ■ 12 enthousiasme ■ 13 contemplation, fantasmagorie, hallucination, pressentiment ■ 14 représentation*.

IMAGINER : 5 juger, rêver ■ 6 aviser, croire, forger, penser ■ 7 délirer, espérer, figurer ■ 8 inventer*, pensable, supposer* ■ 9 concevoir*, gamberger, illustrer, persuader ■ 10 construire, contempler, imaginable, imaginatif, pressentir ■ 11 imaginative, représenter* ■ 12 extérioriser.

IMBECILE : 3 âne, sot* ■ 5 gourd, melon, moule, poire ■ 6 conard, crétin, tourte ■ 7 chnoque, connard, conneau, corniot, demeuré, enfoiré, jacques, schnock ■ 8 couillon, schnoque ■ 9 andouille, cornichon.

IMBECILLITE : 8 imbécile ■ 10 crétinisme ■ 12 imbécilement ■ 14 ramollissement.

IMBERBE : 5 barbu ■ 6 glabre.

IMBIBE : 5 soupe ■ 9 spongieux.

IMBIBER : 5 bruir ■ 6 aviner ■ 7 arroser, teindre, tremper ■ 8 absorber, mouiller* ■ 10 imbibition.

IMBROGLIO : 8 désordre*.

IMBU : 4 gras ■ 5 plein.

IMITATION : 3 toc ■ 4 faux, mime, stuc ■ 5 camée, copie, stras, vélin ■ 6 calque, charge, modèle, simili, strass ■ 7 emprunt, parodie, plagiat ■ 8 coin-coin, imitatif, original, pastiche, racinage, singerie ■ 9 aquatinte, archaïsme, clinquant, contagion, mimologie, ricercare, vermiculé ■ 10 académisme, anglomanie, caricature, chrysocale, ondulation, onomatopée, ossianisme, pastichage, pastillage, pindarisme, répétition ■ 11 contrefaçon, maillechort, moutonnerie ■ 12 chrysocalque, pétrarquisme, reproduction ■ 13 anacréontisme, contrefaction ■ 15 travestissement.

IMITER : 4 mime ■ 5 jouer, mimer, piper ■ 6 copier*, égaler, frouer, gerber, parler, piller, singer, suivre, veiner ■ 7 calquer, charger, feindre, marbrer, modeler, picorer, pirater, plagier, répéter, simuler ■ 8 attraper, bégueter, graniter, imitable, parodier, poissard, veinette ■ 9 briqueter, emprunter, imitateur, imitation, marotique, pasticher, travestir ■ 10 cicéronien, inimitable, iridescent, marivauder, pantomimer, reproduire* ■ 11 caricaturer, contrefaire, courcaillet, lamartinien, rossignoler, tambouriner ■ 13 paramilitaire.

IMMANENT : 9 immanence.

IMMANQUABLEMENT : 10 assurément ■ 12 certainement ■ 14 invariablement.

IMMATERIALISME : 10 immatériel, spiritisme ■ 13 immatérialité ■ 14 immatérialiste.

IMMATERIEL : 14 dématérialiser.

IMMATRICULER : 13 minéralogique ■ 15 immatriculation.

IMMATURE : 12 lymphoblaste.

IMMEDIAT : 2 go ■ 3 tôt ■ 5 fonte, subit* ■ 6 illico, prompt* ■ 7 bientôt, soudain* ■ 8 aussitôt, comptant, dare-dare, prochain ■ 9 à l'instant, proximité ■ 10 coaptation, instantané, sur-le-champ ■ 11 automatique, immédiateté, incontinent, périurbain, tout de suite ■ 13 immédiatement ■ 14 intentionalité.

IMMENSE : 5 géant, grand* ■ 6 espace, infini ■ 8 colossal, démesuré ■ 11 immensément.

IMMERGE : 7 exonder ■ 10 hydrophone.

IMMERGER : 4 orin ■ 6 carène, couler ■ 7 plonger* ■ 8 baptiser, mouiller ■ 9 isocarène, mouilleur ■ 10 débouillir.

IMMERSION : 4 bain*, noyé ■ 8 immersif ■ 14 débouillissage.

IMMEUBLE : 4 cité ■ 5 hôtel, purge ■ 6 maison* ■ 7 impense ■ 8 bâtiment, building ■ 9 bien-fonds, concierge, propriété ■ 10 cité-jardin, gratte-ciel, habitation*, immobilier.
IMMIGRATION : 8 immigrer ■ 9 immigrant ■ 10 émigration.
IMMIGRE : 6 latino.
IMMINENT : 6 proche* ■ 7 instant ■ 8 prochain ■ 9 approcher, imminence.
IMMISCER : 8 insinuer ■ 10 intervenir.
IMMIXTION : 12 cléricalisme.
IMMOBILE : 4 fixe* ■ 5 atone, ferme, oisif ■ 6 arrêté, inerte, passif, stable ■ 7 inactif, perclus, podagre ■ 8 casanier, immuable, impotent, paisible ■ 9 équilibre, stupéfait ■ 10 inamovible, insensible, sédentaire, tranquille ■ 11 flegmatique, immobiliser.
IMMOBILIER : 9 pétitoire ■ 12 immobiliaire ■ 13 expropriation.
IMMOBILISE : 11 fascinateur.
IMMOBILISER : 5 figer ■ 6 clouer ■ 7 arrêter*, coincer, plâtrer ■ 9 rétention ■ 10 stationner ■ 14 immobilisation.
IMMOBILISME : 11 immobiliste.
IMMOBILITE : 4 mort, yoga ■ 5 calme, repos* ■ 6 fixité, flegme ■ 7 fermeté, inertie, stupeur ■ 8 fixation, oisiveté, surplace ■ 9 assurance, équilibre, passivité, stabilité ■ 10 inactivité, stagnation ■ 13 impassibilité, insensibilité.
IMMODERE : 5 sobre ■ 8 cupidité, démesuré, excessif* ■ 10 bambochard, bambocheur, convoitise ■ 12 immodérément ■ 13 insatiabilité.
IMMODESTE : 11 orgueilleux* ■ 13 immodestement.
IMMOLATION : 9 sacrement, sacrifice* ■ 10 holocauste.
IMMOLER : 9 sacrifier ■ 10 immolateur, immolation.
IMMONDE : 4 sale* ■ 9 malpropre*.
IMMONDICE : 5 égout ■ 6 ordure* ■ 7 cloaque ■ 8 décharge ■ 11 dégorgement.
IMMORAL : 5 impur ■ 6 amoral, mœurs ■ 7 déréglé, injuste ■ 8 débauché* ■ 9 antimoral, malpropre ■ 10 licencieux* ■ 12 immoralement.
IMMORTEL : 7 éternel* ■ 9 ambroisie ■ 11 immortalité ■ 12 immortaliser ■ 14 immortellement.
IMMORTELLE : 7 statice ■ 9 éternelle ■ 10 xéranthème.
IMMUABLE : 4 fixe, même* ■ 6 arrêté ■ 10 stéréotypé ■ 12 immuablement, immutabilité.
IMMUNISATION : 9 anatoxine.
IMMUNISE : 5 immun.
IMMUNISER : 8 exempter, inoculer, protéger*, réceptif ■ 10 immunisable ■ 12 immunisation.
IMMUNITAIRE : 4 sida ■ 13 immunodéprimé ■ 15 immunocompétent.
IMMUNITE : 8 anavenin, dispense ■ 9 franchise ■ 10 immunogène, plasmocyte ■ 11 immunologie ■ 13 mithridatisme.
IMMUNODEPRESSEUR : 15 immunodépressif.
IMMUNOGLOBINE : 7 myélome.
IMMUNOLOGIE : 13 immunologique, immunologiste.
IMPACT : 5 heurt* ■ 10 astroblème, microsonde.
IMPAIR : 8 ethmoïde, imparié ■ 12 imparidigité.
IMPALUDATION : 8 impaludé.
IMPARFAIT : 4 brut, vert ■ 5 hâtif, passé ■ 6 avorté, borgne, écorné, fautif, louche, mutilé, véreux ■ 7 avorton, boiteux, ébauché, inexact, infirme, informe, précoce, tronqué, vicieux ■ 8 abâtardi, inachevé, prétérit, velléité ■ 9 dépouillé, inadéquat, incomplet*, incorrect, prématuré, trachéide ■ 10 défectueux ■ 11 insuffisant, superficiel ■ 14 imparfaitement.

IMPARTIAL : 4 égal ■ 5 calme, juste* ■ 6 modéré, neutre ■ 7 intègre ■ 9 équitable ■ 10 impassible, insensible ■ 11 indifférent ■ 12 désintéressé.

IMPARTIALITE : 6 équité, flegme ■ 7 égalité, justice ■ 9 intégrité, sang-froid ■ 10 modération, neutralité ■ 12 indifférence ■ 13 impassibilité, insensibilité.

IMPASSE : 3 rue ■ 5 accul ■ 6 courée, danger ■ 7 venelle ■ 8 cul-de-sac ■ 10 difficulté.

IMPASSIBLE : 5 calme*, froid ■ 8 impavide ■ 10 exaltation, pisse-froid, sourciller ■ 11 flegmatique ■ 13 impassibilité, imperturbable ■ 14 impassiblement.

IMPATIENCE : 2 ah, çà ■ 3 hum ■ 5 basta, baste, flûte ■ 6 crénom, morgué ■ 9 agacement, morguenne ■ 10 crispation, morguienne ■ 12 impatiemment.

IMPATIENT : 5 calme, saint ■ 8 crispant ■ 9 balsamine ■ 12 impatientant.

IMPATIENTER : 7 crisper, énerver* ■ 10 tourmenter*.

IMPATRONISER : 8 insinuer ■ 15 impatronisation.

IMPAVIDE : 5 hardi ■ 10 impavidité, impossible.

IMPAYABLE : 7 comique*.

IMPECCABLE : 3 net ■ 7 parfait* ■ 13 impeccabilité, irréprochable.

IMPECUNIOSITE : 8 pauvreté*.

IMPEDANCE : 9 réactance ■ 10 admittance ■ 11 capacitance.

IMPENETRABLE : 5 abîme ■ 6 opaque, sphinx ■ 8 mangrove ■ 10 mystérieux, profondeur.

IMPERATIF : 2 da, va ■ 4 bref, must ■ 5 ordre* ■ 9 impérieux ■ 14 impérativement, inconditionnel.

IMPERATRICE : 7 tsarine, tzarine.

IMPERCEPTIBLE : 6 faible ■ 9 invisible ■ 10 insensible.

IMPERFECTIF : 11 imperfectif, non-accompli.

IMPERFECTION : 4 tare, vice* ■ 5 essai, faute, tache ■ 6 défaut*, manque*, projet ■ 7 ébauche ■ 8 esquisse, fragment, malfaçon ■ 9 imparfait ■ 10 négligence ■ 12 défectuosité, inachèvement, incorrection, inexactitude ■ 13 imperfectible.

IMPERIAL : 7 novelle ■ 9 principal ■ 11 pragmatique ■ 12 colonialisme, impérialiste, référendaire ■ 13 impérialement.

IMPERIEUX : 6 absolu ■ 7 cassant ■ 9 impératif, magistral ■ 10 jupitérien ■ 11 autoritaire ■ 14 impérieusement.

IMPERISSABLE : 7 éternel.

IMPERITIE : 9 ignorance* ■ 10 inaptitude, incapacité*, maladresse*.

IMPERMEABILITE : 10 fluatation.

IMPERMEABLE : 4 ciré ■ 5 alios, chape, imper, kabic, kabig, tissu ■ 6 anorak, cutine, gâtine ■ 7 goretex ■ 8 kératine ■ 9 alquifoux, gabardine ■ 10 mackintosh, porcelaine, trench-coat, waterproof ■ 13 parkérisation ■ 14 imperméabilité ■ 15 imperméabiliser.

IMPERSONNEL : 8 aseptisé ■ 14 impersonnalité.

IMPERTINENT : 6 faquin ■ 7 incivil ■ 8 insolent*, pimbêche ■ 9 répliquer ■ 10 désinvolte ■ 11 inconvenant ■ 12 impertinence ■ 14 impertinemment.

IMPERTURBABLE : 5 ferme ■ 10 impassible ■ 11 flegmatique, indifférent.

IMPETIGO : 12 impétigineux.

IMPETRER : 7 obtenir ■ 8 postuler.

IMPETUEUX : 4 rush ■ 7 furieux*, violent* ■ 8 endiablé, pétulant, véhément ■ 10 bourrasque, tourbillon, volcanique ■ 11 impétuosité, torrentueux.

IMPETUOSITE : **5** furia, furie ■ **6** fougue ■ **7** passion* ■ **8** violence* ■ **9** véhémence ■ **14** impétueusement.

IMPIE : **4** laps ■ **5** athée, païen ■ **6** déiste, relaps ■ **7** apostat, pêcheur, profane, renégat ■ **8** infidèle, libertin, mécréant ■ **9** hérétique, incrédule, sceptique ■ **10** antéchrist, panthéiste, scandaleux ■ **11** irréligieux*, profanateur ■ **12** libre-penseur, matérialiste, rationaliste ■ **13** blasphémateur.

IMPITOYABLE : **3** dur* ■ **5** cruel* ■ **7** endurci ■ **8** inhumain ■ **10** insensible*.

IMPLACABLE : **3** dur* ■ **5** cruel* ■ **8** inhumain* ■ **9** rémission ■ **13** implacabilité ■ **14** implacablement.

IMPLANT : **6** pellet ■ **13** implantologie.

IMPLANTATION : **8** nidation ■ **14** bébé-éprouvette.

IMPLANTE : **11** implantable.

IMPLANTER : **7** établir*, planter ■ **12** implantation.

IMPLEXE : **9** compliqué*.

IMPLICITE : **13** implicitement.

IMPLIQUER : **5** mêler* ■ **11** débarrasser, implication ■ **12** sous-entendre ■ **14** contradictoire.

IMPLORATION : **6** prière* ■ **7** demande* ■ **10** adjuration, invocation ■ **11** conjuration, dépréciation, humiliation, obsécration ■ **12** supplication.

IMPLORER : **5** prier* ■ **7** adjurer ■ **8** conjurer, humilier, invoquer, réclamer, supplier ■ **9** implorant ■ **10** implorable ■ **11** imploration, recommander.

IMPLOSION : **8** imploser.

IMPOLI : **7** incivil ■ **8** effronté, grossier*, impudent, insolent*, saugrenu ■ **9** injurieux, malappris ■ **10** malhonnête ■ **11** discourtois, impertinent*, inconvenant*, malgracieux ■ **14** irrévérencieux.

IMPOLITESSE : **8** sans-gêne ■ **9** insolence ■ **10** impoliment, incivilité ■ **11** effronterie, grossièreté, irrévérence ■ **12** impertinence, inconvenance*, malhonnêteté.

IMPONDERABLE : **5** éther, léger ■ **6** subtil ■ **15** impondérablité.

IMPOPULAIRE : **4** buté ■ **12** impopularité.

IMPORTANCE : **4** rien ■ **5** force, gotha, huile, poids ■ **6** crédit, portée, valeur* ■ **7** ampleur, étendue, gabarit, gravité, intérêt, pontife, pouvoir, urgence, utilité ■ **8** autorité, grandeur, grosseur, incident, marquise, mirmidon, modicité, myrmidon ■ **9** apparence, ascendant, bilboquet, broutille, dimension, formalité, freluquet, influence, nécessité, pontifier, puissance ■ **10** intéresser ■ **11** cachotterie, conséquence, supériorité ■ **12** familialisme ■ **13** considération, insignifiance.

IMPORTANT : **3** vif ■ **4** fort, gros, tout ■ **5** grand*, grave, genre, léger, mince, petit, vital ■ **6** anodin, bonnet, frimer, magnat, majeur, oudler, soigné, urgent ■ **7** capital, central, modique, notable, sérieux, signalé, spécial, suprême ■ **8** apparent, cardinal, chiffrer, dominant, importer, imposant, influent, marquant, montjoie, précieux, puissant, rondelet, saillant, sinécure, solennel, tragédie, vaniteux ■ **9** culminant, essentiel*, événement, magistral, principal, rengorger, supérieur ■ **10** conséquent, importance, malheureux, nécessaire*, prédominer, privilégié ■ **11** appréciable, fondamental, remarquable, respectable, substantiel, superprofit, sureffectif ■ **12** considérable, prépondérant.

IMPORTE : **12** import-export.

IMPORTER : **5** lèpre, polka, tabac ■ **6** whisky ■ **7** acheter, chaloir, imposer ■ **8** acheteur, aggraver, apporter ■ **10** importable, intéresser*, réimporter ■ **11** importateur, importation.

IMPORTUN : 4 trop ■ 5 fléau ■ 6 gêneur, gluant, intrus, poison, raseur ■ 7 collant, crampon, fâcheux, tannant ■ 8 ennuyeux, excédant, fatigant, obsédant ■ 9 cauchemar, emmerdeur, incommode, indiscret, jérémiade ■ 10 casse-pieds, encombrant ■ 11 clabauderie, criaillerie, envahissant, importunité, intempestif, intolérable, persécuteur, trouble-fête ■ 12 enquiquineur ■ 13 importunément, insupportable.
IMPORTUNE : 9 bassinant.
IMPORTUNER : 4 suer, tuer ■ 5 peser, raser ■ 6 tanner ■ 7 canuler, embêter, cnnuyer*, excéder, obséder ■ 8 assiéger, assommer, déplaire, déranger, étourdir, fatiguer*, harceler, molester ■ 9 accrocher, quémander ■ 10 assassiner, cramponner, persécuter, poursuivre, tarabuster, tourmenter* ■ 11 empoisonner, enquiquiner.
IMPOSANT : 5 grave, noble ■ 7 auguste ■ 8 prégnant, solennel ■ 9 grandiose, magistral, prestance ■ 10 majestueux.
IMPOSER : 6 dicter, diktat, donner, impôt ■ 7 charger, obliger, saigner ■ 9 commander, gouverner, imposable, offensive, prescrire, réimposer ■ 10 imposition, surcharger ■ 11 caporaliser, contraindre, obligatoire, tendancieux ■ 12 indiscutable ■ 14 quantification.
IMPOSITION : 4 cens ■ 5 impôt ■ 8 imposeur ■ 9 réimposer ■ 10 perception ■ 12 réimposition ■ 13 surimposition.
IMPOSSIBILITE : 5 point ■ 9 acalculie ■ 10 paralysie ■ 12 constipation ■ 13 astéréognosie ■ 14 infaillibilité, inopposabilité ■ 15 incompatibilité.
IMPOSSIBLE : 3 fou ■ 4 faux, vain ■ 6 erroné ■ 7 absurde, insensé ■ 8 ridicule, saugrenu ■ 9 imparable, indatable, ingérable, insoluble ■ 10 imprenable, infaisable ■ 11 inabordable, introuvable ■ 12 impénétrable, impraticable, inaccessible, inadmissible, incalculable, incompatible, inconcevable, indétectable, inexécutable, inexpugnable, inextricable, irréalisable, philosophale ■ 13 déraisonnable, impossibilité, indécrottable, indénombrable ■ 14 contradictoire, incontournable, indéchiffrable.
IMPOSTEUR : 9 charlatan ■ 10 antéchrist.
IMPOT : 3 i.s.f. ■ 4 cote, dîme, fisc, taxe* ■ 5 congé, droit, ferme, franc, payer, régie, taxer, zakat ■ 6 accise, annone, cédule, charge, excise, imposé, tribut ■ 7 accises, foncier, gabelle, maltôte, patente, subside, tonlieu ■ 8 dégrever, immunité ■ 9 fiscalité, income-tax, redevance ■ 10 antifiscal, capitation, collecteur, fiscaliser, imposition, percepteur, prestation, subvention, surimposer ■ 11 prestataire, regrèvement, répartement ■ 12 contribution, défiscaliser ■ 13 progressivité ■ 14 auto-imposition.
IMPOTENT : 8 paralysé* ■ 9 impotence ■ 11 paralytique.
IMPRATICABLE : 10 impossible* ■ 15 impraticabilité.
IMPRECATION : 2 qu ■ 3 que ■ 5 juron ■ 9 blasphème, exorcisme ■ 10 adjuration, exécration ■ 11 attestation, détestation, imprécateur, malédiction ■ 12 imprécatoire.
IMPRECIS : 5 vague* ■ 6 ambigu, latent ■ 7 douteux ■ 8 illimité, indéfini ■ 9 changeant, implicite, incertain ■ 11 énigmatique, indéterminé.
IMPRECISION : 6 énigme ■ 9 ambiguïté ■ 10 faux-fuyant, flottement ■ 11 fluctuation ■ 15 indétermination.
IMPREGNATION : 8 soufrage ■ 9 savonnage ■ 10 mordançage ■ 12 insalivation ■ 13 lignification.
IMPREGNER : 5 mèche ■ 6 aluner, huiler ■ 7 baigner, confire, teindre ■ 8 abreuver, parfumer, pénétrer* ■ 10 intoxiquer ■ 11 imperméable, imprégnable ■ 12 imprégnation.

IMPRESSION : 4 joie, pose, sens ■ 5 effet, image, trace ■ 6 apprêt, déjà-vu, offset, saveur ■ 7 couleur, édition, émotion, frayage, morasse ■ 8 écorcher, frappant, garde-vue, imprimer, poignant, réceptif, souvenir ■ 9 affection, avant-goût, hyperbole, impressif, imprimant, in-dix-huit, linotypie, livraison, pellicule, pompadour, sensation*, sentiment*, surcharge ■ 10 consonance, électriser, maculature, multiplier, phototypie, retiration, tabellaire, trichromie ■ 11 autographie, chromotypie, sérigraphie, télesthésie, typographie, xylographie ■ 12 anaglyptique, connaissance, lithographie, photogravure, platinotypie, pointillisme, réimpression, saisissement, stéréoscopie ■ 13 cauchemardeux, imprimabilité, impressionner, similigravure, surimpression, thermogravure ■ 14 photomécanique, téléimpression ■ 15 cauchemardesque, impressionisme.

IMPRESSIONNER : 7 exposer, frapper*, toucher* ■ 8 émouvoir ■ 12 photogénique, sensibiliser ■ 14 impressionnant, organoleptique ■ 15 impressionnable, sensibilisation.

IMPRESSIONNISME : 13 divisionnisme ■ 15 impressionniste.

IMPREVISIBLE : 15 imprévisibilité.

IMPREVOYANCE : 8 légèreté ■ 10 imprudence ■ 11 irréflexion.

IMPREVU : 4 aléa ■ 5 en-cas, scène, subit, tuile ■ 6 casuel, hasard* ■ 7 brusque, fortuit, fortune, inopiné, soudain* ■ 8 aventure, éventuel, inespéré ■ 9 adventice, fantaisie, inattendu*, rencontre, trafalgar ■ 10 accidentel, contingent ■ 11 contretemps, occasionnel ■ 14 extraordinaire.

IMPRIME : 9 imprimant, strip-line, variorium ■ 12 carte-réponse ■ 15 bulletin-réponse.

IMPRIMER : 5 creux, encre, tirer ■ 6 éditer, fouler, graver, lister ■ 7 gaufrer, marbrer, marquer, minerve, pousser, publier, tatouer ■ 8 bavocher, cylindre, estamper, mâchurer, rotative ■ 9 bilboquet, inculquer, patronner ■ 10 empreindre, horodateur, impression, imprimable, imprimatur, imprimerie, réimprimer ■ 13 lithographier.

IMPRIMERIE : 4 alfa, cyan, fumé, œil, page, pige, type ■ 5 balle, bible, casse, copie, corps, filet, fonte, forme, galée, ligne, marge, moule, passe, perle, plomb, point, prote, texte, thèse, train ■ 6 billet, papier ■ 7 galvano, placard ■ 8 cassetin, italique ■ 9 composeur, imprimeur, incunable, typomètre ■ 10 bas-de-casse, conducteur, correcteur, lignomètre.

IMPROBABLE : 7 douteux ■ 13 improbabilité.

IMPROBATION : 4 huée.

IMPRODUCTIF : 7 stérile*.

IMPROMPTU : 5 subit ■ 9 improvisé.

IMPROPRE : 4 vice ■ 6 hongre ■ 7 stérile* ■ 9 abiotique, dénaturer ■ 11 impropriété ■ 12 démantibuler, improprement.

IMPRODUCTIF : 14 improductivité.

IMPROUVER : 12 désapprouver.

IMPROVISATION : 3 raï ■ 4 scat.

IMPROVISER : 8 préluder ■ 9 impromptu ■ 11 psychodrame ■ 13 improvisateur, improvisation.

IMPROVISTE : 7 traître ■ 8 débouler, dépourvu, surprise ■ 9 tout à coup ■ 10 surprendre.

IMPRUDENCE : 6 danger ■ 8 légèreté, témérité ■ 10 maladresse ■ 11 irréflexion.

IMPRUDENT : 7 étourdi, hasardé ■ 8 casse-cou ■ 9 chauffard, téméraire ■ 12 imprudemment.

IMPUBERE : 9 impuberté.

IMPUDENCE: 5 front ■ 8 impudeur ■ 9 hardiesse ■ 10 exhibition ■ 11 effronterie, impudemment.
IMPUDENT: 5 hardi*, puant ■ 6 éhonté, impoli* ■ 7 cynique, obscène ■ 8 effronté, grossier*, insolent ■ 9 impudence.
IMPUDIQUE: 5 impur, puant ■ 7 obscène ■ 8 indécent* ■ 10 impudicité ■ 13 impudiquement.
IMPUISSANCE: 9 faiblesse, stérilité ■ 10 inaptitude, incapacité* ■ 11 infécondité ■ 12 insuffisance.
IMPUISSANT: 6 faible, inapte ■ 7 eunuque, stérile* ■ 9 incapable* ■ 10 inoffensif ■ 11 insuffisant.
IMPULSIF: 8 spontané ■ 10 irréfléchi ■ 11 impulsivité ■ 12 primesautier ■ 13 impulsivement.
IMPULSION: 3 stop ■ 4 vent, voix ■ 5 appel, force, nagée ■ 6 branle, mobile ■ 7 poussée, pulsion ■ 8 impulsif, instinct ■ 9 mouvement*, promoteur, pyromanie ■ 10 sitiomanie.
IMPUNITE: 10 absolution.
IMPUR: 4 sale* ■ 5 silex, xylol ■ 7 immonde, obscène*, trouble ■ 8 impureté ■ 10 impurement.
IMPURETE: 3 pus ■ 4 bave, cire ■ 5 morve, sanie, sueur, urine ■ 6 gangue, humeur, pissat, râbler, roupie, saleté*, tartre ■ 7 cérumen, chassie, crachat, furfure, saburre ■ 9 excrément, pellicule, purulence ■ 13 expectoration.
IMPUTATION: 8 reproche* ■ 9 imposture.
IMPUTER: 6 prêter ■ 7 accuser, référer ■ 9 attribuer* ■ 12 imputabilité.
IMPRUTESCIBLE: 4 teck.
INACCESSIBLE: 5 ferme ■ 9 difficile* ■ 11 inabordable ■ 12 agnosticisme ■ 15 inaccessibilité.
INACCOUTUME: 4 rare* ■ 8 débauché.
INACHEVE: 3 dur ■ 4 vert ■ 5 hâtif ■ 7 embryon, informe, précoce ■ 9 imparfait*, prématuré ■ 12 inachèvement.
INACTIF: 5 oisif* ■ 6 inerte, passif ■ 7 amorphe ■ 8 attentif, endormir, fainéant, immobile, indolent ■ 9 somnolent ■ 10 antitoxine.
INACTION: 5 repos* ■ 6 loisir ■ 7 inertie, marasme, paresse ■ 8 oisiveté* ■ 9 farniente, quiétisme ■ 10 inactivité ■ 13 désoccupation, désœuvrement.
INACTIVATION: 9 inactiver.
INACTIVITE: 7 attente, chômage, inertie, marasme, sommeil ■ 8 inaction ■ 9 fumerolle, indolence, passivité ■ 11 frictionnel, sommeiller.
INACTUEL: 11 inactualité.
INADAPTE: 11 caractériel.
INADEQUAT: 13 contre-indiqué.
INADVERTANCE: 5 oubli* ■ 6 lapsus ■ 7 mégarde ■ 11 distraction*, inattention*.
INALIENABLE: 5 dotal.
INALTERABLE: 5 apyre, étain, fixer ■ 14 inaltérabilité.
INANIME: 4 mort ■ 5 chose.
INANIMEE: 10 abiogenèse.
INANITE: 6 vanité ■ 9 inutilité.
INAPTITUDE: 9 impéritie ■ 10 incapacité* ■ 12 insuffisance.
INATTAQUABLE: 7 bétonné.
INATTENDU: 5 bœuf, ruade ■ 7 imprévu*, inopiné, raccroc ■ 8 étonnant, inespéré, magicien, surprise ■ 10 déconvenue, étonnement, improviste ■ 11 catastrophe ■ 12 enchantement.
INATTENTIF: 3 fou, mou ■ 5 léger ■ 6 absent, rêveur ■ 7 absorbé,

dissipé, étourdi*, évaporé ■ 8 distrait*, écervelé, engourdi, inespéré ■ 9 négligent, préoccupé ■ 10 désordonné, hurluberlu, insouciant, irréfléchi*, nonchalant ■ 11 inconscient, inconsidéré, indifférent*, surperficiel.

INATTENTION : 5 faute, oubli* ■ 6 erreur ■ 7 absence, incurie, rêverie ■ 8 désordre, légèreté, mollesse, omission ■ 9 attention, échappade ■ 10 distraction, divagation, étourderie, imprudence, négligence* ■ 11 dissipation, insouciance, nonchalance ■ 12 imprévoyance, inadvertance, inconscience ■ 13 inapplication, inconséquence, précipitation, préoccupation ■ 15 engourdissement.

INAUGURATION : 9 inaugural, inaugurer, ouverture.

INAUGURER : 6 ouvrir ■ 9 commencer* ■ 12 inaugurateur.

INCA : 7 quichua ■ 9 incasique.

INCANDESCENCE : 4 néon ■ 5 lampe ■ 9 étincelle ■ 12 incandescent ■ 13 thermocautère.

INCANTATION : 6 charme ■ 12 incantatoire.

INCAPABLE : 6 cloche, faible, inapte, inepte ■ 7 eunuque, frigide, ganache, infichu, infoutu, stérile ■ 8 emplâtre, ignorant* ■ 9 dépendeur, maladroit* ■ 10 événement, impeccable, impuissant, inoffensif, jean-foutre ■ 11 incompétent, insuffisant ■ 13 incorruptible, inexpérimenté.

INCAPACITE : 6 alexie, amusie ■ 7 agnosie, apraxie, ineptie, nullité ■ 9 anarthrie, asymbolie, faiblesse, ignorance*, impéritie, stérilité ■ 10 impatience, inaptitude, inhabileté, maladresse* ■ 11 impuissance ■ 12 apragmatisme, incapacitant, incompétence, inexpérience, insuffisance ■ 15 incompréhension.

INCARCERER : 7 détenir ■ 8 interner ■ 11 emprisonner* ■ 13 incarcération.

INCARNAT : 5 rouge* ■ 10 incarnadin.

INCARNATION : 5 chair, corps, verbe ■ 6 avatar ■ 12 annonciation ■ 13 réincarnation.

INCARTADE : 6 sortie ■ 7 caprice, offense ■ 8 algarade.

INCENDIE : 3 feu* ■ 5 pompe ■ 7 brûleur, hydrant, pompier ■ 8 coupe-feu, hydrante, pyromane, sinistre ■ 9 brûlement, contre-feu, falarique, pétroleur, pyrophyte ■ 10 combustion, extincteur, pétroleuse ■ 11 embrasement, incendiaire ■ 12 fourgon-pompe ■ 13 conflagration.

INCENDIER : 6 brûler*.

INCERTAIN : 4 flou, zist ■ 5 balan, sourd, temps, vague* ■ 6 ambigu, confus ■ 7 douteux, hésiter, indécis* ■ 8 balancer, éventuel, irrésolu, précaire, vaciller ■ 9 aléatoire, condition ■ 11 incertitude ■ 12 hypothétique.

INCERTITUDE : 4 nuit ■ 5 brume, doute* ■ 8 ténèbres ■ 9 équivoque, précarité ■ 10 flottement, hésitation, indécision* ■ 11 déconcerter, embarrasser, tâtonnement ■ 12 irrésolution.

INCESSANT : 7 continu* ■ 8 brownien, toujours ■ 9 perpétuel.

INCESTE : 10 incestueux ■ 15 incestueusement.

INCIDENCE : 10 parenthèse ■ 11 incidemment.

INCIDENT : 5 à-coup ■ 7 conflit, épisode ■ 8 aventure, encombre ■ 9 événement, péripétie ■ 10 cabanement, incidenter.

INCIDENTER : 8 chicaner.

INCINERE : 11 crématorium.

INCINERER : 6 brûler ■ 9 cinéraire, crémation ■ 11 columbarium ■ 12 incinérateur.

INCISER : 6 couper* ■ 7 scalper ■ 8 débrider ■ 9 scarifier.

INCISIF : 4 dent ■ 5 punch ■ 7 mordant* ■ 8 incisive.

INCISION : 5 fente ■ 7 bagage, coupure*, scalpel, seppuku ■ 8 bistouri ■ 10 césarienne, cystotomie ■ 11 kératotomie ■ 13 scarification.

INCISIVE: 8 grignard ■ 12 labiodentale.
INCITATION: 9 tentation ■ 11 instigation, provocation.
INCITER: 5 prier ■ 6 tenter ■ 7 engager, exciter*, inviter ■ 8 stimuler ■ 9 instiguer, provoquer ■ 10 encourager, incitateur, incitation ■ 12 aiguillonner.
INCIVIL: 6 impoli*.
INCLEMENT: 3 dur ■ 9 rigoureux.
INCLINABLE: 4 foil.
INCLINAISON: 4 gîte, voie ■ 5 bande, fruit, pente*, quête, talus ■ 6 devers, flèche ■ 7 oblique, pendage ■ 8 chavirer, faux-bord, isocline, penchant ■ 9 aclinique, inflexion, obliquité ■ 10 carrossage, clinomètre, dévoiement ■ 11 antéversion.
INCLINATION: 4 race ■ 5 amour* ■ 7 appétit, caprice* ■ 8 penchant*, vocation ■ 9 affection*, malignité ■ 10 propension ■ 11 disposition* ■ 12 bienfaisance.
INCLINE: 5 pentu ■ 8 proclive, secoueur.
INCLINER: 4 cale, fuir, slip ■ 5 céder, lever, plier, rampe ■ 6 saluer ■ 7 baisser, braquer, coucher, courber, pencher ■ 8 résigner*, tremplin ■ 9 infléchir, ventrière ■ 10 inclinable.
INCLURE: 7 ci-joint ■ 8 contenir* ■ 10 introduire*.
INCLUS: 8 hyponyme.
INCLUSION: 10 pinocytose ■ 15 internalisation.
INCOERCIBLE: 8 mentisme ■ 10 sitiomanie ■ 14 incoercibilité.
INCOHERENT: 5 songe ■ 6 fatras ■ 10 désordonné ■ 11 bafouillage, incohérence ■ 13 schizophrénie.
INCOLORE: 4 pâle ■ 5 argon, azote, béril, béryl, encre ■ 7 acétone, méthane ■ 8 créosote, éthylène, glycérol ■ 9 glycérine, phosphore, phtaléine ■ 11 chloroforme ■ 12 sulfhydrique.
INCOMMODER: 5 gêner ■ 6 fendre, malade ■ 7 enfumer ■ 8 déplaire* ■ 10 importuner*, indisposer ■ 11 embarrasser, empoisonner ■ 13 incommodement.
INCOMMUTABLE: 15 incommutabilité.
INCOMPARABLE: 6 unique ■ 7 parfait* ■ 9 supérieur.
INCOMPATIBILITE: 8 allergie ■ 10 antipathie ■ 13 contradiction.
INCOMPLET: 5 gruau ■ 6 écorné, mutilé ■ 7 informe, tronqué ■ 8 fragment ■ 9 anaplasie, dépouillé, imparfait*, palliatif ■ 10 dépareillé ■ 11 décompléter, insuffisant, superficiel ■ 12 catalectique ■ 14 incomplètement.
INCOMPREHENSIBILITE: 12 schizophasie.
INCOMPREHENSIBLE: 5 clair, vague* ■ 6 obscur* ■ 9 babélisme, baragouin, illisible ■ 10 esotérique, impensable ■ 12 inconcevable ■ 14 inintelligible.
INCOMPREHENSION: 12 connaissance.
INCONDUITE: 4 vice* ■ 8 débauche* ■ 9 débaucher.
INCONGRUITE: 3 pet ■ 4 vent ■ 12 incongrûment, inconvenance*, incorrection.
INCONNU: 2 on ■ 5 caché, inouï, voilé ■ 6 ignoré, inédit, masqué, obscur, oublié, secret ■ 7 anonyme, méconnu, nouveau ■ 8 étranger, inaperçu ■ 9 découvrir, incertain, incognito, incompris, solitaire ■ 10 découverte, divination, mystérieux ■ 11 exponentiel, inconscient ■ 12 substitution ■ 14 extraordinaire.
INCONSCIENT: 3 fou ■ 8 ignorant ■ 9 freudisme ■ 10 bruxomanie ■ 11 défoulement ■ 12 narco-analyse, réminiscence, subconscient ■ 14 inconsciemment.
INCONSEQUENCE: 7 caprice ■ 8 légèreté ■ 10 étourderie ■ 12 in-

conséquent ■ 15 inconséquemment.
INCONSIDERE: 5 léger* ■ 7 étourdi* ■ 9 maladroit* ■ 10 légèrement ■ 12 inconséquent.
INCONSISTANCE: 8 légèreté.
INCONSTANT: 5 léger* ■ 6 mobile ■ 8 infidèle, ondoyant ■ 9 changeant* ■ 10 capricieux, inconstance ■ 11 incertitude.
INCONTESTABLE: 7 certain*, reconnu ■ 8 flagrant ■ 9 contester, démontrer ■ 10 assurément, indéniable ■ 11 apodictique.
INCONTINENCE: 5 excès ■ 8 débauche* ■ 10 encoprésie.
INCONTINENT: 13 immédiatement.
INCONTROLE: 10 flottement.
INCONVENANCE: 6 nudité, ordure ■ 7 licence ■ 8 sans-gêne ■ 9 impudence, indécence, obscénité ■ 10 brusquerie ■ 11 discordance, grossièreté ■ 11 impolitesse*, incongruité ■ 12 impertinence, incorrection, indiscrétion*, intempérance*, malhonnêteté ■ 13 inopportunité.
INCONVENANT: 2 nu ■ 4 indu, sale ■ 6 abusif, impoli*, odieux ■ 7 cynique, défendu, déplacé, honteux, obscène*, prohibé ■ 8 choquant, excessif*, grossier*, immodéré, impropre, impudent, incongru, indécent*, insolite, malséant, ordurier, saugrenu, shocking ■ 9 immodeste, indiscret*, malpropre, répugnant ■ 10 désordonné, discordant, inopportun, licencieux*, malhonnête ■ 11 impertinent, intempestif ■ 13 déraisonnable, malencontreux.
INCONVENIENT: 3 mal ■ 4 gêne* ■ 6 danger, défaut, rançon, risque ■ 7 demi-mal ■ 8 étrenner.
INCOORDINATION: 6 ataxie.
INCORPORATION: 7 marnage ■ 10 amendement, incération, incorporer, sursitaire ■ 13 médiatisation.
INCORPORE: 11 stabilisant.
INCORPOREL: 6 esprit ■ 12 incorporéité.
INCORPORER: 6 marner ■ 9 excipient, parfondre ■ 10 comprendre ■ 12 incorporable, réincorporer.
INCORRECT: 7 barbare ■ 9 cacolalie ■ 10 petit-nègre ■ 14 incorrectement.
INCORRECTE: 9 janotisme.
INCORRECTION: 11 inconduite, incongruité ■ 12 inconvenance*.
INCORRIGIBLE: 13 indécrottable ■ 15 incorrigibilité.
INCORRUPTIBLE: 7 intègre ■ 11 inaltérable.
INCREDULE: 9 incroyant, sceptique ■ 11 irréligieux.
INCREDULITE: 3 bon ■ 4 donc ■ 8 taratata ■ 9 mécréance ■ 11 libertinage, scepticisme ■ 14 voltairianisme.
INCREMENT: 11 incrémenter ■ 12 incrémentiel.
INCRIMINER: 6 blâmer* ■ 7 accuser* ■ 8 attaquer ■ 12 incriminable ■ 13 incrimination.
INCROYABLE: 5 inouï ■ 8 effarant ■ 9 gaguesque ■ 10 effroyable, formidable ■ 11 ébourrifant, fantastique ■ 13 abracadabrant ■ 14 extraordinaire ■ 15 invraisemblable*.
INCROYANT: 9 incrédule, sceptique ■ 11 irréligieux.
INCRUSTATION: 6 nielle ■ 9 incruster ■ 11 marqueterie ■ 12 damasquinage, désincruster ■ 13 pétrification.
INCUBATION: 8 couveuse ■ 10 incubateur.
INCULPE: 6 accusé ■ 7 prévenu ■ 8 coupable ■ 9 coïnculpé, meurtrier ■ 12 réquisitoire.
INCULPER: 7 accuser* ■ 10 inculpable ■ 11 inculpation.
INCULQUER: 9 imprégner, persuader ■ 10 inculcation.
INCULTE: 4 brut, dune ■ 5 aride, lande, pampa, vague ■ 6 causse,

désert, friche, jungle, llanos, maquis, savane, steppe ■ 7 garigue, paramos, sauvage, stérile*, toundra ■ 8 limonage ■ 9 inculture, infertile ■ 10 alchemille, indéfriché, inexploité.

INCURABLE 9 condamner ■ 10 euthanasie ■ 12 incurabilité ■ 13 incurablement, inguérissable.

INCURIE: 10 négligence* ■ 11 inattention.

INCURSION: 4 raid ■ 6 razzia, voyage ■ 7 attaque ■ 8 invasion ■ 9 irruption ■ 13 envahissement.

INCURVE: 11 incurvation, picd-de-biche.

INDE: 3 sal ■ 5 sahib, tabla ■ 6 brahmi, mounda, sarode ■ 7 cajeput, sikhara ■ 8 saktisme, sikhisme, tallipot ■ 9 dravidien ■ 10 cajeputier.

INDECENCE: 6 nudité ■ 9 obscénité ■ 10 immodestie ■ 11 malpropreté ■ 12 inconvenance*.

INDECENT: 2 nu ■ 6 odieux ■ 7 défendu, honteux, obscène*, prohibé ■ 9 débraillé, immodeste, indécence ■ 10 licencieux* ■ 11 inconvenant*, indécemment.

INDECHIFFRABLE: 6 obscur ■ 8 grimoire ■ 9 illisible.

INDECIS: 5 balan, vague* ■ 6 ambigu, confus, obscur* ■ 7 amorphe, douteux, flotter, général ■ 8 ballotté, craintif, illimité, imprécis, incolore, indéfini, irrésolu, perplexe, vaporeux ■ 9 changeant, incertain* ■ 10 embarrassé, indécision, indistinct* ■ 11 énigmatique, indéterminé ■ 12 inconsistant ■ 13 indiscernable ■ 14 indéfinissable.

INDECISION: 6 énigme ■ 7 crainte ■ 8 embarras, scrupule ■ 9 ambiguïté, confusion ■ 10 hésitation, perplexité, résolution ■ 11 incertitude* ■ 12 irrésolution ■ 13 indistinction ■ 15 indétermination.

INDEFECTIBLE: 15 indéfectibilité.

INDEFINI: 2 on, un ■ 3 nul, tel, une ■ 4 ciel, rien, tout ■ 5 aucun, autre, monde, nulle, telle, vague* ■ 7 indécis ■ 8 récursif ■ 9 plusieurs, quiconque ■ 10 quelconque,

INDEFORMABLE: 15 indéformabilité.

INDEHISCENT: 5 akène ■ 8 caryopse ■ 12 indéhiscence.

INDELEBILE: 11 ineffaçable ■ 12 indélébilité.

INDELICAT: 5 mèche ■ 8 aigrefin, grossier*.

INDELICATESSE: 3 vol ■ 8 sans-gêne.

INDEMNISER: 9 assurance, compenser, indemnité ■ 10 dédommager* ■ 12 indemnisable ■ 13 indemnisation.

INDEMNITE: 4 paie, paye, prêt ■ 10 exproprier, récompense, surestarie ■ 12 compensation, indemnitaire.

INDEMONTRABLE: 8 postulat.

INDENIABLE: 7 certain* ■ 13 incontestable ■ 14 indéniablement.

INDEPENDANCE: 7 liberté* ■ 9 servitude ■ 15 indépendentisme.

INDEPENDANT: 5 libre*, outre ■ 6 absolu ■ 8 autonome ■ 9 constante, free-lance ■ 10 appartenir, objectiver ■ 11 anorganique, principauté.

INDESIRABLE: 9 xénélasie.

INDETERMINATION: 10 indécision*, résolution.

INDETERMINE: 5 maint, mille, vague ■ 6 énième ■ 7 myriade ■ 9 aléthique, paramètre, plusieurs ■ 13 saint-glinglin.

INDEX: 5 table, toton ■ 8 indexeur ■ 10 indexation ■ 11 saint-office.

INDEXATION: 10 désindexer.

INDEXE: 6 mot-clé.

INDEXER: 8 indexage ■ 10 indexation.

INDIANISME: 10 indianiste.

INDICATEUR: 5 index, jalon ■ 6 espion ■ 9 axiomètre ■ 11 cinémomètre, hélianthine.

INDICATION: 4 cote, date, exit, main, note, opus ■ 5 borne, coche, index, jalon, jeton, obèle, point, sigle, signe, tacet, tiret, trait, volti ■ 6 flèche, indice, marque, renvoi, repère, signet ■ 7 adresse, emblème, formule, insigne, symbole ■ 8 attribut, entaille, esquisse, lettrine, notation, remarque, repérage, rubrique, tomaison ■ 9 directive, étiquette, programme, référence ■ 10 astérisque, coordonnée, correction, didascalie, médication, pancartage, parenthèse, télémesure ■ 11 attribution, intégrateur, ponctuation ■ 13 domiciliation, renseignement* ■ 14 contre-indiquer ■ 15 caractéristique, curriculum vitae.

INDICE: 4 œil ■ 5 bosse, signe*, trace ■ 6 marque, rating, repère ■ 7 annonce ■ 8 dow jones, indiciel, symptôme ■ 10 indication*, indiciaire ■ 11 pondération ■ 13 réfractomètre, renseignement* ■ 15 photo-élasticité.

INDICIBLE: 9 ineffable ■ 12 inexprimable ■ 13 indiciblement.

INDIEN: 3 boa ■ 4 gaur, jute, lion, naja, péon, pion, sari, sikh, thug, tipi, tupi, yoga, yogi, zébu ■ 5 bégum, carte, caste, fakir, hindi, islam, laque, nabab, paria, perle, poule, rajah, rubis, sitar, tigre ■ 6 cipaye, gavial, gurkha, hindou, jungle, radjah, sachem, turban ■ 7 bramine, manitou, mousson, védisme ■ 8 agha khan, balisier, borassus, brahmane, çaktisme, civaïsme, haschich, katchina, parsisme, sagouier, sanscrit, sanskrit, sesbanie ■ 9 cannelier, cotonnier, crocodile, dravidien, gallinacé, indo-aryen, indouisme, jambosier, maharajah, myrobalan, myrobolan, sagoutier ■ 10 amérindien, bouddhisme, hindouisme, indianisme, maharadjah ■ 11 brahmanisme, hindoustani, intouchable ■ 12 indianologie ■ 13 gymnosophiste.

INDIENNE: 4 maya, vina ■ 5 mound, otomi, squaw ■ 6 apsara, aymara, vimana ■ 7 apsaras, quichua ■ 8 algonkin, tandoori ■ 10 algonquien ■ 11 tupi-guarani.

INDIFFERENCE: 3 heu, pch, pff, pft, zut ■ 4 bast, peuh, pfft, pfut ■ 5 baste, pfutt ■ 6 dégoût, flegme ■ 7 apathie, athymie, cynisme, égoïsme, incurie, nirvanâ, tiédeur ■ 8 froideur, mollesse ■ 9 indolence, passivité ■ 10 haussement, négligence, neutralité ■ 11 athymhormie, détachement, inappétence, inattention, insouciance*, nonchalance, résignation ■ 12 enthousiasme, impartialité, inconscience, laisser-aller ■ 13 impassibilité ■ 15 indifférentisme.

INDIFFERENT: 3 mou ■ 4 égal ■ 5 blasé, calme, froid*, glacé, libre, tiède ■ 6 neutre, passif, séparé, serein ■ 7 cynique, dégoûté, détaché, égoïste, résigné ■ 8 indolent, oublieux, paisible ■ 9 apathique, impartial, négligent ■ 10 désordonné, impassible, inattentif*, indifférer, insensible*, insouciant, insoucieux, nonchalant, tranquille ■ 11 désénamouré, flegmatique, inconscient, indifférence ■ 12 désintéressé ■ 13 imperturbable.

INDIGENCE: 6 besoin*, manque, misère* ■ 8 opulence, pauvreté* ■ 9 nécessité.

INDIGENE: 3 boy ■ 4 caïd, sidi ■ 5 asile, spahi ■ 7 naturel, réserve ■ 8 habitant*, négrille ■ 9 indigénat.

INDIGENISME: 11 indigéniste.

INDIGENT: 5 gueux ■ 10 malheureux ■ 11 nécessiteux.

INDIGESTE: 7 crudité.

INDIGNATION: 2 et, ho ■ 4 haro, quoi ■ 5 merde, outre, tollé ■ 6 colère, crénom, mépris, odieux ■ 7 comment, indigné ■ 8 indigner, scandale, soulever ■ 11 exclamation.

INDIGNE: 5 lâche, outré ■ 8 profaner ■ 9 indignité, révoltant ■ 11 indignement ■ 13 inqualifiable.

INDIGNER: 8 écœurer, hérisser, révolter* ■ 11 scandaliser.

INDIGNITE: 5 honte* ■ 7 offense.
INDIGO: 4 bleu* ■ 5 indol ■ 6 florée, pastel ■ 7 aniline ■ 8 céruline ■ 10 indigotier, indigotine ■ 13 indigocarmine.
INDIQUE: 6 marqué ■ 10 tendanciel ■ 12 quelque chose.
INDIQUER: 4 dire ■ 5 noter, penon, pouce, tomer, voilà ■ 6 donner ■ 7 accuser, définir, dénoter, doigter, marquer, montrer*, révéler ■ 8 annoncer, dénoncer, désigner, jalonner, piqueter, ponctuer, proposer, signaler ■ 9 enseigner, étiqueter, gyromètre, indicatif, métronome, milliaire, signifier, souligner ■ 10 anémomètre, indicateur, indication, symboliser.
INDIRECT: 5 biais ■ 6 figure, masque, tacite ■ 7 latéral, oblique, sinueux ■ 8 détourné, ricochet ■ 9 implicite, transitif ■ 11 allégorique, sous-entendu ■ 13 conventionnel, indirectement.
INDISCIPLINE: 5 horde ■ 8 indocile* ■ 11 dissipation, soldatesque.
INDISCRET: 5 hardi ■ 6 intrus ■ 7 curieux*, fâcheux ■ 8 fouinard, fouineur, fureteur, importun, malavisé ■ 9 imprudent, maladroit ■ 10 rapporteur ■ 11 inconsidéré, inconvenant*, trouble-fête ■ 14 indiscrètement.
INDISCRETION: 5 fuite ■ 9 bavardage, curiosité, hardiesse, immixtion, ingérence, intrusion, obsession ■ 10 révélation ■ 11 dérangement, importunité ■ 12 inconvenance* ■ 13 tripatouiller.
INDISPENSABLE: 5 vital ■ 7 premier ■ 8 munition ■ 9 essentiel*, histidine, thréonine ■ 10 nécessaire* ■ 11 tryptophane.
INDISPONIBLE: 15 indisponibilité.
INDISPOSER: 6 fâcher*, malade* ■ 8 déplairc* ■ 10 incommoder*.
INDISPOSITION: 7 maladie* ■ 8 prodrome ■ 11 indigestion ■ 15 refroidissement.
INDISSOLUBLE: 5 river ■ 15 indissolubilité.
INDISTINCT: 4 flou ■ 6 confus*, obscur* ■ 7 amorphe, indécis* ■ 8 brouillé, incolore, vaporeux ■ 11 bredouillis, indéterminé ■ 12 inconsistant ■ 13 indiscernable ■ 14 indéfinissable, inintelligible ■ 15 indistinctement.
INDISTINCTION: 9 confusion*, obscurité ■ 10 brouillard.
INDIVIDU: 3 gus, zig ■ 4 cave, coco, être, gars, race, sexe, tête, type ■ 5 éthos, gonze, gusse, homme*, jaune, mêlée, meute, pante, paria, racer, sujet, voyou, zèbre, zigue ■ 6 aubain, bandit, bohème, bougre, chacun, coquin, diable, drille, faisan, forban, quidam, roquet, zigoto ■ 7 charlot, citoyen, compère, crapule, eccéité, mastard, merdeux, refoulé, soudard ■ 8 biogénie, camarade, casse-cou, coucheur, créature, exogamie, fantoche, gaillard, génotype, grimpion, personne*, salopard, trublion ■ 9 compagnon, hors-la-loi, margoulin, matricule, ontogénie, peigne-cul, phénomène, sexonomie, sous-fifre, souteneur ■ 10 antoinisme, bréviligne, indicateur, individuel, paroissien, personnage*, sporophyte, trichineux ■ 11 hybridation, indésirable, particulier, pullulation, tétraploïde ■ 12 appartenance, comportement, héritabilité ■ 13 individualité, individuation ■ 14 déviationnisme, hermaphrodisme, interpersonnel ■ 15 interindividuel.
INDIVIDUALISME: 3 moi ■ 14 individualiste.
INDIVIDUALITE: 6 entité ■ 7 eccéité ■ 10 simplicité ■ 11 bisexualité, singularité ■ 12 personnalité ■ 13 particularité.
INDIVIDUEL: 2 p.c. ■ 4 bige, rôle ■ 5 atome, isolé ■ 6 intime, monade ■ 8 destinée, distinct, original ■ 9 essentiel, personnel, respectif, singulier, subjectif ■ 11 numérologie, particulier, sociogramme ■ 13 idiosyncrasie.
INDIVIS: 6 quirat ■ 7 partage ■ 9 ségrairie ■ 12 indivisément.

INDIVISIBLE : 5 atome ■ 6 simple.
INDIVISION : 11 indivisaire.
INDO-ARYEN : 7 bengali ■ 8 mahratte.
INDO-ARYENNE : 4 urdu ■ 5 oriya ■ 6 népali ■ 7 marathe, marathi, panjabi ■ 8 assamais, gujarati, mahratte, népalais ■ 9 néo-indien.
INDOCHINOIS : 13 galéopithèque.
INDOCILE : 5 rétif ■ 6 entêté ■ 7 rebelle ■ 9 regimbeur ■ 10 indocilité ■ 11 indomptable, réfractaire ■ 12 récalcitrant ■ 15 indisciplinable.
INDOCTE : 8 ignorant*.
INDO-EUROPEEN : 4 zend ■ 5 aryen, celte, lette, zende ■ 8 albanais, allemand, arménien, celtique, étrusque, sanscrit, sanskrit ■ 9 tokharien.
INDO-EUROPEENNE : 5 balte, perse ■ 7 hittite ■ 8 baltique ■ 9 tokharien.
INDO-GERMANIQUE : 5 celte.
INDOLE : 12 indométacine.
INDOLENT : 3 mou ■ 5 bûche, oisif* ■ 7 cagnard, endormi, inactif ■ 8 empaillé ■ 9 apathique, énergique, indolence, paresseux* ■ 10 insensible ■ 11 indolemment, léthargique.
INDOLORE : 10 insensible.
INDO-MALAIS : 4 paon ■ 9 tranchoir.
INDOMPTABLE : 4 fort ■ 8 indocile*.
INDONESIEN : 5 tagal ■ 7 tagalog ■ 8 javanais, malgache ■ 9 quinquina ■ 10 ilang-ilang.
INDONESIENNE : 7 cebuano ■ 9 madourais ■ 10 soundanais.
INDU : 8 indûment.
INDUBITABLE : 3 sûr* ■ 7 certain* ■ 9 certitude* ■ 10 assurément ■ 15 indubitablement.
INDUCTANCE : 10 variomètre.
INDUCTEUR : 10 excitateur ■ 15 cryoalternateur.
INDUCTION : 7 rupteur ■ 8 inductif ■ 9 faradique, inducteur ■ 10 amplifiant ■ 13 auto-induction, self-induction ■ 14 auto-inductance.
INDUIRE : 6 abuser, amuser, bercer, égarer ■ 7 blouser, cajoler, enjôler, inviter, leurrer, séduire, tromper ■ 8 attraper, aveugler, captieux, conclure, décevoir, endormir, sophisme, suborner ■ 9 fourvoyer, mystifer ■ 10 embéguiner ■ 11 illusionner ■ 13 démonstration.
INDUIT : 14 autoexcitateur.
INDULGENCE : 5 bonté*, gâter ■ 6 faveur, jubilé ■ 7 charité*, douceur, gâterie ■ 8 clémence ■ 9 bénignité, faiblesse, tolérance ■ 10 générosité*, mansuétude ■ 11 stationnale ■ 12 complaisance, indulgencier ■ 13 compréhension.
INDULGENT : 3 bon* ■ 5 bénin ■ 6 benoît ■ 7 clément, commode ■ 8 paternel, tolérant ■ 9 favorable ■ 10 charitable, conciliant ■ 12 compréhensif.
INDUMENT : 8 rabioter.
INDURATION : 8 sclérose.
INDUSTRIE : 5 firme, forge, usine* ■ 7 adresse, laverie, show-biz, textile, tôlerie ■ 8 cidrerie, combinat, complexe, corderie, exercice, fabrique*, filature, foulerie, gélatine, meunerie, planning, sacherie, sécherie, sellerie, tannerie, tuilerie, vannerie ■ 9 accouvage, chaussure, minoterie, rubanerie, stockiste, texturant ■ 10 batellerie, bonneterie, industriel, mégisserie, miroiterie, plasturgie, savonnerie, technopole, tréfilerie ■ 11 carbochimie, carrosserie, chapellerie, concurrence, connectique, distillerie, lampisterie, manufacture, métallurgie, pétrochimie, technologie ■ 12 aérospatiale, show-business, vaissellerie ■

13 agro-industrie, chaudronnerie, établissement, ostréiculture, quincaillerie, salaisonnerie, siriciculture ■ 14 industrialiser, industrialisme, manufacturable ■ 15 protectionnisme.
INDUSTRIEL: 6 fumeur ■ 7 malteur ■ 8 effileur ■ 9 alcoolier ■ 10 biscuitier, clactonien ■ 11 badegoulien, périgordien ■ 12 lavalloisien, tardenoisien ■ 14 photocomposeur.
INDUSTRIELLE: 2 z.i. ■ 8 filetage ■ 12 bio-industrie ■ 13 préindustriel ■ 14 postindustriel.
INDUSTRIEUX: 5 singe ■ 6 adroit, habile.
INEBRANLABLE: 3 fer ■ 4 fixe ■ 5 ferme* ■ 7 robuste ■ 8 constant, impavide, stoïcien,
INEDIT: 7 nouveau ■ 8 original.
INEFFABLE: 7 sublime ■ 9 indicible ■ 12 inexprimable ■ 13 ineffablement.
INEFFAÇABLE: 10 indélébile ■ 15 ineffaçablement.
INEFFICACE: 14 inefficacement.
INEFFICACITE: 6 vanité ■ 8 caducité.
INEGAL: 3 uni ■ 4 âpre, brut, ridé, rude ■ 6 abrupt ■ 7 barlong, calleux, hérissé, rugueux ■ 8 montueux, raboteux, rustique, saillant, scabreux ■ 9 accidenté, capriçant, changeant, disparate, grumeleux ■ 10 discordant, interrompu, irrégulier* ■ 11 anfractueux, inégalement ■ 15 disproportionné.
INEGALABLE: 9 nonpareil.
INEGALITE: 5 bosse, grain ■ 6 flache, grigne ■ 7 ressaut, saillie ■ 8 accident, aspérité, éminence, évection ■ 9 asymétrie, disparité, monticule ■ 10 différence*, gonflement, inéquation, renflement, séparation ■ 11 dissymétrie ■ 12 astigmatisme, inégalitaire ■ 13 disconvenance, disproportion.
INELIGIBLE: 8 nébuleux ■ 13 inéligibilité.
INELUCTABLE: 10 inévitable ■ 14 inéluctabilité ■ 15 inéluctablement.
INENARRABLE: 7 comique* ■ 12 inexprimable.
INEPTE: 3 con.
INEPTIE: 6 bêtise* ■ 7 sottise* ■ 9 sottisier, stupidité.
INEPUISABLE: 12 intarissable ■ 15 inépuisablement.
INERTE: 8 argonide, empaillé.
INERTIE: 5 masse ■ 6 atonie, flamme ■ 7 apathie, inactif, paresse, sommeil ■ 8 inertiel ■ 9 faiblesse, paralyser, passivité, stupéfier ■ 10 masselotte, stagnation, stupéfiant ■ 15 engourdissement.
INERVANT: 15 pneumogastrique.
INESPERE: 7 imprévu.
INEVITABLE: 5 fatal*, forcé ■ 10 nécessaire* ■ 11 inéluctable, obligatoire* ■ 14 inévitablement ■ 15 infailliblement.
INEXACT: 4 faux* ■ 6 erroné ■ 8 infidèle ■ 12 inexactement.
INEXCITABLE: 14 inexcitabilité.
INEXCUSABLE: 9 imparable.
INEXECUTION: 11 commissoire ■ 13 inobservation.
INEXIGIBLE: 13 inexigibilité.
INEXISTANT: 7 fantôme.
INEXORABLE: 3 dur* ■ 5 cruel*, sourd ■ 8 inhumain ■ 9 indicible ■ 13 inexorabilité ■ 14 inexorablement.
INEXPERIENCE: 7 naïveté ■ 9 nouveauté ■ 12 connaissance ■ 13 inexpérimenté.
INEXPLICABLE: 7 miracle.
INEXPRIMABLE: 9 indicible, ineffable ■ 11 inénarrable.
INEXTENSIBLE: 15 inextensibilité.

INEXTRICABLE: 6 obscur* ▪ 8 dédaléen.
INFAILLIBLEMENT: 10 assurément ▪ 15 immanquablement.
INFAME: 5 drôle, impur, paria ▪ 6 abject, coquin, éhonté, fripon, gredin, vilain ▪ 7 crapule, galopin, ignoble, infamie, vermine ▪ 8 canaille, maroufle, polisson, racaille, ramassis ▪ 9 misérable.
INFAMIE: 5 crimc, honte* ▪ 6 stupre ▪ 8 infamant ▪ 9 ignominie, réclusion ▪ 10 exposition.
INFANTERIE: 4 arme ▪ 5 biffe, lebel ▪ 6 vélite, zouave ▪ 7 cohorte, lignard, pandour ▪ 8 esponton, marsouin, phalange, troubade ▪ 9 compagnie, fantassin, flanqueur, hausse-col, piétaille, taxiarque, voltigeur ▪ 10 anspessade, bersaglier, janissaire, tirailleur ▪ 11 cent-suisses.
INFANTILE: 9 pédiatrie.
INFANTILISER: 13 infantilisant ▪ 15 infantilisation.
INFATIGABLE: 10 increvable.
INFATUE: 8 infatuer.
INFATUER: 7 engouer.
INFECONDITE: 9 stérilité* ▪ 11 impuissance* ▪ 12 contraceptif ▪ 13 contraception.
INFECT: 7 cloaque ▪ 10 pestilence.
INFECTE: 11 ragougnasse.
INFECTER: 8 empester ▪ 9 empuanter, envenimer ▪ 10 contaminer, méphitiser ▪ 11 empoisonner ▪ 12 contagionner.
INFECTIEUSE: 7 zoonose ▪ 10 arbovirose, borréliose, listériose ▪ 13 infectiologie.
INFECTIEUX: 11 entéro-rénal.
INFECTION: 3 pus ▪ 4 pian ▪ 5 croup, lèpre, peste ▪ 6 typhus ▪ 7 anthrax, ecthyma, pyrexie, sycosis, tétanos, variole ▪ 8 envenimé, fétidité, puanteur, septique, syphilis, typhoïde ▪ 9 chlamydia, érésipèle, érysipèle, infectant, tularémie ▪ 10 antisepsie, dysenterie, incubation, infectieux, malodorant, myxomatose, nosocomial, pyrodermite ▪ 11 pasteurella, pestilence, polynévrite, tuberculose ▪ 12 actinomycose, antiseptique, impaludation, paratyphoïde, salmonellose, streptocoque, surinfection ▪ 13 auto-infection, contamination, hippocratisme, streptococcie, toxi-infection ▪ 14 primo-infection, staphylococcie ▪ 15 cytomégalovirus.
INFEODER: 11 inféodation, ministériel.
INFERER: 5 tirer ▪ 8 conclure ▪ 11 inférovarié.
INFERIEUR: 3 bas ▪ 4 base, cave, îles, lias, nain ▪ 5 aigle, basse, culot, djinn, gorge, grade, jambe, lippe, pilon, queue, terme ▪ 6 commun, crural, escape ▪ 8 bajocien, boui-boui, caboulot, camelote, couaille, minorant, prédelle, procordé, urgonien, vavassal ▪ 9 bas-ventre, champagne, contrebas, déclasser, dysmature, mandibule, mucoracée, mycorhize, pacotille, prochordé, rudenture, sacrifier, soupirail, sous-barbe, sous-fifre, sous-homme, sous-ordre, sous-verge, surbaisse, vavasseur, vergeoise ▪ 10 architrave, entrailles, épicondyle, hypogastre, orthostate, paraplégie, subalterne, subordonné, ultracourt ▪ 11 abaissement, arriération, hypotension, hypotonique, infériorité, mésalliance, sous-assurer, sous-calibre, sous-tension, sous-voltage ▪ 12 aplacentaire, morganatique, nimbo-stratus, soubassement, sous-effectif, water-ballast ▪ 13 hyposécrétion, rhinencéphale ▪ 14 sous-gouverneur, sous-production ▪ 15 rachianesthésie.
INFERIEURE: 6 bas-mât, labium.
INFERIORISER: 15 infériorisation.
INFERIORITE: 4 sous ▪ 5 moins ▪ 11 désavantage.

INFERNAL : 5 enfer, furie ■ 8 endiablé ■ 10 diabolique ■ 13 infernalement.

INFERTILE : 7 stérile*.

INFESTER : 7 ravager.

INFICHU : 7 infoutu.

INFIDELE : 4 laps ■ 5 félon, impie, merci, païen ■ 6 ingrat, relaps ■ 7 apostat, déloyal, inexact, nations, perfide, renégat, traître ■ 8 cornette ■ 9 hérétique ■ 10 infidélité ■ 12 infidèlement.

INFIDELITE : 5 dédit, fugue ■ 7 abandon*, désaveu, félonie, hérésie, lâchage, liaison, parjure, passade, rupture ■ 8 adultère*, perfidie, trahison ■ 9 apostasie, déloyauté, reniement, tromperie ■ 10 abjuration, forfaiture, irréligion ■ 11 ingratitude ■ 12 inexactitude, malversation, rétractation ■ 13 prévarication.

INFILTRATION : 5 chape ■ 7 amylose, exhaure ■ 9 infiltrer.

INFILTRER : 4 suer ■ 6 passer ■ 7 filtrer, glisser*, suinter ■ 8 pénétrer* ■ 9 dégoutter, traverser ■ 10 transsuder.

INFIME : 3 bas ■ 5 petit*.

INFINI : 6 absolu ■ 7 immense ■ 8 illimité, infinité ■ 9 asymptote, immensité ■ 10 infinitude.

INFINITIF : 5 supin ■ 14 semi-auxiliaire.

INFIRME : 3 i.m.c. ■ 5 cassé ■ 6 amputé, blessé, éclopé, faible, mutilé* ■ 7 boiteux, maladif, manchot ■ 8 difforme, estropié, impotent, invalide, manicrot ■ 10 cul-de-jatte.

INFIRMER : 6 ruiner ■ 7 annuler ■ 10 infirmatif ■ 11 infirmation.

INFIRMERIE : 5 poste ■ 7 hôpital.

INFIRMIERE : 5 garde, nurse ■ 11 garde-malade ■ 13 puéricultrice.

INFIRMITE : 5 asile ■ 7 infirme, maladie*, nanisme, réformé ■ 8 langueur ■ 9 paralysie ■ 10 difformité, invalidité, mutilation, rachitisme, rhumatisme.

INFLAMMABLE : 4 moxa ■ 5 pilou ■ 6 napalm ■ 8 semi-coke ■ 9 ignifuger, phosphore ■ 11 combustible* ■ 14 antidéflagrant, inflammabilité.

INFLAMMATION : 3 feu, pus ■ 5 brout, carie, morve, lupus, otite, rhume ■ 6 coryza, iléite, iritis, lésion, onyxis, uvéite ■ 7 adénite, angéite, angiite, anthrax, aortite, cardite, cocotte, coction, cystite, dermite, flegmon, hygroma, mastite, métrite, myélite, myosite, névrite, orchite, ostéite, ovarite, panaris, parulie, pulpite, pyélite, rectite, rhinite, vulvite ■ 8 actinite, annexite, arthrite, arthrose, balanite, catarrhe, chéilite, embarras, enflammé, entérite, exostose, fourchet, furoncle, gastrite, glossite, hépatite, kératite, mycétome, néphrite, phlébite, phlegmon, posthite, proctite, pubalgie, rétinite, sinusite, splénite, synovite, typhlite, urétrite ■ 9 alvéolite, bronchite, cellulite, cervicite, dermatite, duodénite, érésipèle, érysipèle, frayement, gingivite, gras-fondu, laryngite, méningite, myocardie, ophtalmie, oreillons, pleurésie, pneumonie, pourlèche, révulsion, stomatite, tendinite, trachéite, urétérite ■ 10 amygdalite, blépharite, cataplasme, coronarite, écrouelles, épiphysite, mastoïdite, parotidite, périostite, péritonite, pharyngite, phlegmasie, prostatite, rhumatoïde, salpingite, sigmoïdite, thyroïdite ■ 11 appendicite, bourbouille, capillarite, encéphalite, endocardite, endométrite, épididymite, épisclérite, folliculite, lymphangite, œsophagite, pancréatite, péricardite, rectocolite ■ 12 angiocholite, bartholinite, blennorragie, cholécystite, désenflammer, détumescence, échauffement, entérocolite, épicondylite, labyrinthite, lombarthrose, ostéomyélite, panophtalmie, périarthrite, périphlébite, pérityphlite ■ 13 conjonctivite, dacryo-adénite, dacryocystite, hydrosadénite, inflammatoire, pyélonéphrite ■ 14 gastro-entérite, ostéochondrose ■ 15 encéphalopathie, pleuropneumonie, rhino-pharyngite, thrombophlébite.

INFLAMMATOIRE: 9 chalazion, dermatite ■ 10 urtication.

INFLATION: 12 désinflation ■ 14 inflationniste.

INFLEXIBLE: 3 dur* ■ 5 ferme, raide, roide ■ 6 rigide ■ 8 constant, inhumain ■ 9 rigoureux ■ 13 inflexibilité ■ 14 inflexiblement.

INFLEXION: 3 ton ■ 10 modulation ■ 11 biflecnodal.

INFLIGER: 6 donner ■ 7 doucher, énerver, imposer, moucher ■ 9 pénaliser, prescrire ■ 11 sanctionner ■ 12 tortionnaire.

INFLORESCENCE: 3 épi ■ 4 cône, cyme ■ 6 grappe ■ 7 corymbe, ombelle, spadice ■ 8 capitule ■ 9 camomille, glomérule.

INFLUENCE: 4 fief, lune ■ 5 lunée, poids, règne, signe ■ 6 charme, crédit, empire, étoile, osmose ■ 7 emprise, pouvoir, prévenu, souffle ■ 8 autorité, infléchi, mainmise, prestige, suicider, tropisme, tyrannie ■ 9 ascendant, direction, discrédit, empreinte, freudisme, japonisme, maléfique, puissance, séduction, trafiquer ■ 10 atmosphère, attraction, convection, domination, giottesque, importance, impression, influencer, magnétisme, persuasion, phénologie, tellurisme, tyrannique ■ 11 démonologie, fascination, interaction, lamarckisme, rayonnement ■ 12 bureaucratie, intimidation, modification, prescripteur, technocratie ■ 13 démonographie, maître-penseur, phototactisme, phototropisme, prépondérance ■ 14 autosuggestion ■ 15 bioclimatologie.

INFLUENCER: 4 agir ■ 5 mener, peser, plier ■ 6 capter, causer, dicter, gagner, pétrir, primer, styler ■ 7 attirer, charmer, décider, diriger, dominer, éblouir, exciter, influer, plaider, pousser, séduire ■ 8 affecter, captiver, empaumer, fasciner, inspirer*, modifier, refléter, suggérer ■ 9 déteindre, enchanter, entraîner, intimider, perméable, persuader, retourner, traitable ■ 10 catéchiser, contribuer, convaincre, ensorceler ■ 11 circonvenir, endoctriner ■ 12 impatroniser, influençable ■ 13 impressionner.

INFLUENT: 5 pluie, ponte ■ 8 puissant ■ 9 camarilla, pertinent.

INFLUENZA: 5 rhume* ■ 6 grippe.

INFLUER: 7 militer ■ 10 influencer.

INFLUX: 4 bloc ■ 7 frayage ■ 10 conduction ■ 14 neuromédiateur.

INFOGRAPHIE: 13 infographiste.

INFORMATEUR: 2 on ■ 6 épieur ■ 8 délateur, guetteur ■ 9 éclaireur, enquêteur ■ 10 inspecteur, rapporteur ■ 11 observateur, surveillant ■ 12 dénonciateur.

INFORMATION: 3 bit ■ 4 avis, guet, info ■ 5 modem, potin ■ 6 cancan, rumeur ■ 7 annonce, enquête, lecteur, ouï-dire, rapport, simplex, traceur ■ 8 briefing, citation, délation, document, informer, nouvelle*, racontar, vidéotex ■ 9 chronique, commérage, disquette, fluidique, interface, page-écran, recherche ■ 10 initiation, inspection, microforme, privatique, processeur ■ 11 chrominance, observation, perforateur, publication, surinformer ■ 12 connaissance, dénonciation, surveillance, télé-écriture ■ 13 avant-première, communication, renseignement*, télé-affichage ■ 14 informationnel.

INFORMATIQUE: 3 bug, bus ■ 4 lisp ■ 5 basic, dédié, digit, drive, macro, zoner ■ 6 codeur, lister, pascal, prolog, visuel ■ 7 cliquer, lecteur, routine, serveur, tableur ■ 8 formater, grapheur, logiciel, opérande, vocodeur ■ 9 démoduler, disquette, émulateur, incrément, interface, monétique, multiplet, page-écran, permalloy, progiciel ■ 10 assembleur, compactage, interactif, métalangue, nanoréseau, paramétrer, photostyle, processeur, séquenceur, traducteur ■ **11** bureautique, compilateur, descripteur, didacticiel, digitaliser, identifieur, incrémenter, métalangage, productique, superviseur, télématique ■ **12** additionneur, convivialité, incrémentiel, interpréteur, microédition, modélisation, multifenêtre, ordinogramme, préprogrammé ■ **13** concentrateur ■ **14** fonctionnalité, identificateur, initialisation, monoprocesseur, téléchargement ■ **15** péri-information.

INFORMATISER : 14 informatisable ■ **15** informatisation.

INFORME : 4 brut, laid ■ **5** masse ■ **8** grossier* ■ **9** documenté, imparfait* ■ **11** gribouillis ■ **12** gribouillage.

INFORMER : 4 voir ■ **5** citer, épier ■ **6** aviser, écrire, narrer, savoir ■ **7** avertir*, guetter, initier, publier, relater ■ **8** annoncer*, dévoiler, ébruiter, éclairer, enquérir, enquêter, énumérer, observer, prévenir, propager, raconter, répandre ■ **9** apprendre, colporter, divulguer, inspecter, rapporter ■ **10** développer, rechercher, renseigner*, surveiller ■ **11** communiquer, désinformer, transmettre.

INFORTUNE : 7 malheur* ■ **8** calamité, disgrâce ■ **9** adversité.

INFOUTU : 7 infichu.

INFRACTION : 5 crime, délit*, pénal ■ **7** entorse ■ **8** récidive ■ **9** violation* ■ **12** imputabilité ■ **13** contravention, séquestration ■ **15** non-dénonciation.

INFRASON : 11 infrasonore.

INFRASTRUCTURE : 11 médicaliser.

INFRAVIRUS : 5 virus.

INFROISSABLE : 15 infroissibilité.

INFRUCTUEUX : 4 vain* ■ **6** ingrat ■ **7** stérile*.

INFUS : 4 inné.

INFUSER : 5 nouet ■ **9** infusette, tisanière.

INFUSIBLE : 5 apyre ■ **12** infusibilité.

INFUSION : 3 thé ■ **4** amer, café, marc, maté, moka ■ **5** boldo, nouet, punch ■ **6** bichof, bishop, hysope, tisane ■ **7** bischof, infuser, macérer ■ **8** aubépine, colature ■ **12** effondrilles, millepertuis.

INFUSOIRE : 5 amibe, cilié ■ **6** filine, monade, polype, protée ■ **7** cyclide, gonelle, stenton ■ **8** bursaire ■ **9** lamelline, paramécie, zoosperme ■ **10** anguillade, macrobiote, urcéolaire, virgulaire, vorticelle ■ **11** protozoaire.

INGAMBE : 3 vif ■ **5** agile*, leste ■ **6** valide.

INGENIERIE : 12 ingénériste.

INGENIEUR : 5 génie ■ **12** constructeur, hydraulicien ■ **13** sous-ingénieur.

INGENIEUX : 3 bon ■ **6** adroit*, habile*, subtil ■ **9** astucieux, combinard, spirituel ■ **11** ingéniosité, intelligent ■ **14** ingénieusement.

INGENU : 4 naïf* ■ **7** candide ■ **8** innocent* ■ **9** ingénuité ■ **10** ingénument.

INGENUE : 7 dugazon.

INGERENCE : 12 intervention ■ **15** panaméricanisme.

INGERER : 6 avaler ■ **8** insinuer ■ **9** immiction, ingérence, ingestion.

INGESTION : 9 argyrisme ■ **11** coprophagie.

INGRAT : 3 sec ■ **7** stérile ■ **8** oublieux ■ **11** ingratement, ingratitude ■ **13** reconnaissant.

INGREDIENT : 5 punch ■ **6** drogue ■ **11** assaisonner ■ **14** assaisonnement.

INGRES : 8 ingrisme.

INGRISME : 9 ingresque.

INGUERISSABLE : 9 incurable.

INGURGITER: **6** avaler ■ **8** déglutir.
INHABILETE: **8** inhabile ■ **9** gaucherie, impéritie ■ **10** maladresse* ■ **12** inhabilement.
INHABITE: **5** isolé ■ **6** désert ■ **7** sauvage ■ **9** solitaire.
INHABITUEL: **4** rare .
INHALATION: **8** silicose ■ **9** asbestose, byssinose ■ **10** fumigation, inhalateur ■ **15** oxygénothérapie.
INHERENCE: **9** adhérence.
INHIBE: **7** amensal ■ **12** bétabloquant.
INHIBER: **7** barrage ■ **8** défendre ■ **10** inhibition ■ **12** cytostatique.
INHIBITEUR: **13** bromocriptine.
INHIBITION: **10** allostérie, désinhiber ■ **11** amensalisme.
INHUMAIN: **3** dur* ■ **5** cruel*, tyran ■ **6** brutal, odieux ■ **7** barbare, despote, forcené, furieux, méchant*, sauvage, violent ■ **8** dénaturé, farouche, furibond, horrible, sensible, terrible ■ **9** fanatique, maupiteux ■ **10** implacable, inexorable, inflexible, inhumanité, insensible ■ **11** impitoyable, persécuteur, sanguinaire ■ **12** tortionnaire ■ **13** inhumainement.
INHUMANITE: **7** cruauté, sadisme ■ **8** férocité ■ **9** brutalité.
INHUMATION: **5** fosse ■ **7** inhumer ■ **9** sépulture ■ **11** enterrement, funérailles.
INIMAGINABLE: **6** épique ■ **10** formidable ■ **15** invraisemblable.
INIMITIE: **5** haine* ■ **7** rancune ■ **9** hostilité ■ **12** ressentiment.
ININFLAMMABLE: **8** ignifugé ■ **11** chlorofibre.
ININTELLIGENT: **3** sot* ■ **7** stupide*.
ININTELLIGIBLE: **6** hébreu, obscur* ■ **8** charabia ■ **9** baragouin, patenôtre ■ **10** bafouiller, logogriphe ■ **13** amphigourique.
ININTERROMPU: **5** filon, série ■ **9** randonnée.
INIQUE: **7** injuste* ■ **9** équitable ■ **10** iniquement.
INITIALE: **5** sigle ■ **8** anacruse ■ **9** anacrouse, majuscule ■ **12** allitération.
INITIALISATION: **11** initialiser.
INITIATION: **9** admission ■ **10** mystagogie ■ **11** initiatique, instruction.
INITIATIVE: **4** agir ■ **9** mouvement ■ **10** entreprise ■ **15** discrétionnaire.
INITIER: **10** ésotérique, initiateur, renseigner.
INJECTER: **7** embouer ■ **10** injectable.
INJECTION: **4** bock ■ **7** lançage ■ **8** injecter, lavement ■ **9** créosoter, injecteur ■ **10** irrigateur ■ **12** mésothérapie ■ **14** artériographie, post-combustion ■ **15** autotransfusion, tuberculination.
INJONCTION: **4** donc ■ **5** ordre* ■ **9** injonctif ■ **12** commandement* ■ **13** avertissement.
INJURE: **4** huée, raca, rixe ■ **5** délit ■ **6** avanie, coquin ■ **7** affront, insulte, offense*, outrage, pouille, sottisc, vilenie ■ **8** calomnie, quolibet, riposter, saignant, soufflet ■ **9** blasphème, camouflet, harengère, injurieux, invective ■ **10** engueulade, parpaillot, prêtraille ■ **11** diffamation, imprécation, malédiction ■ **12** plaisanterie, ressentiment.
INJURIER: **4** huer ■ **7** bafouer, blesser*, maudire ■ **8** adresser, conspuer, écharper, insulter, offenser*, outrager* ■ **9** accoutrer, engueuler ■ **10** blasphémer, invectiver, vilipender ■ **14** injurieusement.
INJUSTE: **4** indu, roué ■ **5** à tort, tyran ■ **6** fautif, fourbe, fripon, furtif, inique, intrus, odieux ■ **7** déloyal, illégal, immoral, indigne, mauvais, méchant*, partial ■ **8** blâmable, illicite, immérité, infidèle ■ **9** équitable, indélicat ■ **10** arbitraire, clandestin, illégitime, irrégulier, malfaisant, tyrannique ■ **11** condamnable, inéquitable, injustement ■ **13** déraisonnable.

INJUSTICE: **4** abus ■ **5** crier ■ **6** faveur, fraude, piston ■ **7** rouerie ■ **8** iniquité, rancœur ■ **9** déloyauté, fourberie, indignité, intrusion, quérulent, tromperie ■ **10** illégalité, immoralité, infidélité, manquement, partialité, préférence, usurpation ■ **11** persécution ■ **12** illégitimité, malversation ■ **13** indélicatesse, prévarication.

INLANDSIS: **8** incesträm ■ **10** glaciation ■ **11** glaciologie.

INLASSABLE: **14** inlassablement.

INNE: **7** innéité, naturel ■ **8** innéisme, innéiste, spontané ■ **9** prénotion ■ **10** congénital ■ **11** disposition, héréditaire.

INNERVATION: **11** dénervation.

INNERVE: **10** hypoglosse.

INNOCENCE: **6** excuse, pureté* ■ **7** candeur, naïveté ■ **8** adamisme, sainteté ■ **9** blancheur, crédulité, gaucherie, ignorance, ingénuité, justifier, niaiserie, virginité ■ **10** absolution, simplicité ■ **11** innocemment ■ **12** acquittement, disculpation, inexpérience.

INNOCENT: **3** bon*, pur* ■ **4** doux, naïf* ■ **5** blanc, niais, saint ■ **6** agneau, anodin, gauche, ingénu, novice, simple, vierge ■ **7** candide, crédule ■ **8** ignorant, immaculé ■ **9** innocence ■ **10** innocenter ■ **13** inexpérimenté.

INNOCENTER: **5** laver ■ **7** excuser ■ **8** absoudre, blanchir ■ **9** acquitter, décharger, disculper, justifier, pardonner* ■ **11** réhabiliter.

INNOVATION: **8** innovant, novateur ■ **10** changement*, innovateur ■ **11** immobilisme ■ **13** conservatisme.

INNOVE: **8** innovant.

INOCCUPE: **5** oisif* ■ **6** vacant ■ **10** no man's land ■ **12** inoccupation.

INOCULATION: **5** morve ■ **8** inoculer ■ **12** impaludation.

INOCULER: **8** vacciner ■ **9** immuniser ■ **10** inoculable ■ **13** inoculabilité.

INODORE: **3** eau ■ **5** argon, azote, odeur.

INOFFENSIF: **3** bon ■ **4** doux ■ **5** bénin ■ **6** agneau, anodin ■ **7** placebo ■ **8** innocent ■ **9** innocuité ■ **15** inoffensivement.

INONDATION: **4** crue ■ **5** orage ■ **6** déluge ■ **7** torrent ■ **9** cataracte ■ **10** cataclysme, submersion ■ **11** débordement ■ **13** envahissement.

INONDER: **5** noyer ■ **7** tremper* ■ **8** abreuver, déborder ■ **9** inondable, ruisseler, submerger.

INOPINE: **5** subit ■ **7** imprévu* ■ **8** survenir ■ **11** inopinément.

INOPPORTUN: **13** contre-indiqué ■ **15** inopportunément.

INOUÏ: **7** étrange ■ **14** extraordinaire* ■ **15** invraisemblable.

INOXYDABLE: **4** inox.

INQUIET: **4** béat ■ **5** agité, rongé ■ **6** dévoré, jaloux, pensif, triste ■ **7** anxieux, indécis, remuant ■ **8** distrait, fiévreux, perplexe, soucieux ■ **9** impatient, incertain, inquiéter, ombrageux, préoccupé, sans-souci, tourmenté, tracassin ■ **10** embarrassé, scrupuleux ■ **11** soupçonneux ■ **14** hypocondriaque.

INQUIETANT: **6** sombre ■ **8** alarmant, critique, menaçant, sinistre ■ **11** patibulaire ■ **12** comminatoire.

INQUIETE: **6** bileux.

INQUIETER: **5** biler ■ **7** alarmer, ennuyer, frapper, soucier ■ **8** émouvoir, redouter, trembler, troubler ■ **9** chagriner, tracasser, trépigner ■ **10** préoccuper, solliciter, tourmenter*.

INQUIETUDE: **4** émoi, peur* ■ **5** ennui, peine, souci* ■ **6** tracas, transe ■ **7** anxiété, chagrin, crainte*, émotion, malaise, remords, soupçon, trouble ■ **8** angoisse, détresse, insomnie, scrupule, tintouin, tourment* ■ **9** agitation, épouvante, tristesse ■ **10** indécision, inquiétant, perplexité ■ **11** distraction, incertitude, sollicitude ■ **12** tranquillité, trépignement ■ **13** préoccupation.

INQUISITION: 8 autodafé ■ 10 consulteur ■ 11 inquisiteur ■ 13 qualificateur.
INSALUBRE: 7 maremme ■ 11 insalubrité.
INSANE: 3 sot ■ 13 déraisonnable.
INSATIABLE: 5 avide ■ 7 pieuvre ■ 8 dévorant ■ 14 insatiablement.
INSATISFACTION: 9 bovarysme ■ 12 insatisfaire ■ 14 mécontentement*.
INSCRIPTION: 4 inri ■ 5 liste, titre ■ 6 devise, ex-voto, liston, marque ■ 7 affiche, annonce, écusson, exergue, placard ■ 8 adhésion, écriteau, enseigne, épitaphe, graffiti, intitulé, lapicide, pancarte ■ 9 cartouche, empreinte, épigraphe, estampage, étiquette, matricule, panonceau ■ 10 épigraphie ■ 11 affiliation, registraire ■ 12 chronogramme, embarquement, souscription ■ 13 budgétisation, téléscripteur ■ 14 préinscription.
INSCRIRE: 5 coter, livre ■ 6 écrire, passer ■ 7 adhérer, coucher, écrouer, enrôler, marquer ■ 8 annoncer, créditer ■ 9 cadastrer, colloquer, étiqueter, postdater ■ 10 cataloguer, matriculer, non-inscrit, plaquarder, réinscrire ■ 11 enregistrer, inscription, répertorier ■ 12 immatriculer, inscriptible.
INSECABLE: 12 insécabilité.
INSECTE: 3 nid, pou, ver, vol ■ 4 aile, dard, iule, miel, toto ■ 5 coque, corne, filer, galle, gerce, imago, jabot, patte, perle, queue, tarse ■ 6 anobie, cynips, labium, piquer ■ 7 acarien*, bacille, couvain, diptère*, haliple, tergite, vermine ■ 8 carabidé, cérambyx, corselet, diapause, ecdysone, gallerie, géotrupe, isoptère, mâchoire, métabole, nymphose, papillon*, protoure, sensille, stigmate, syrphidé ■ 9 antennate, arbovirus, galéruque, languette, larvicide, mécoptère, pentamère, phasemidé, prothorax, ptérygote, ravisseur, rhynchote*, xylophage ■ 10 archiptère* arthropode, brachycère, coléoptère*, dermoptère*, éruciforme, mallophage, naphtalène, naphtaline, nématocère, névroptère*, orthoptère*, planipenne, plécoptère, sarracénie, thysanoure* ■ 11 dictyoptère, entomologie, entomophage, hétéroptère*, hyménoptère*, insectarium, insecticide, insectivore, lépidoptère, mégaloptère, trichoptère ■ 12 entomophilie, holométabole, moucheronner, siphonaptère, strepsiptère*, thysanoptère, trichogramme, trophallaxie ■ 13 attrape-mouche, chéleutoptère ■ 14 hétérométabole.
INSECTICIDE: 3 d.d.t., h.c.h. ■ 7 sulfure ■ 8 antimite, pyrèthre, quassine, roténone ■ 9 téphrosie ■ 12 organochloré.
INSECTIVORE: 5 orvet, taupe ■ 6 coucou, desman, lézard, tanrec, tenrec, tupaïa, tupaja ■ 7 dasyure, échidné, traquet, vampire ■ 8 caméléon, fauvette, hérisson, roitelet ■ 8 sylviidé ■ 9 étourneau ■ 10 amphisbène, musaraigne, pie-grièche, troglodyte ■ 11 chéiroptère ■ 12 macroscélide ■ 13 bergeronnette, galéopithèque.
INSEMINATION: 3 i.a.d. ■ 12 inséminateur.
INSENSE: 3 fou* ■ 4 pile ■ 6 dément ■ 7 absurde, vésanie ■ 10 impossible ■ 11 extravaguer.
INSENSIBILISER: 5 éther ■ 6 mourir ■ 7 chloral ■ 8 cocaïner, étourdir, évanouir, morphine ■ 9 asphyxier, défaillir, engourdir, éthériser, stupéfier ■ 11 anesthésier, morphiniser ■ 12 chloroformer.
INSENSIBILITE: 7 apathie, raideur, stupeur ■ 8 asphyxie, froideur ■ 9 analgésie, apoplexie, paralysie ■ 10 anesthésie, catalepsie, sidération ■ 11 détachement ■ 12 indifférence* ■ 13 étourdissement, impassibilité ■ 14 évanouissement ■ 15 engourdissement.
INSENSIBLE: 3 dur* ■ 4 mort ■ 5 ferme, froid, glacé, ladre, raide, roche, sourd ■ 6 inerte, sidéré ■ 7 détaché, endurci, étourdi, éva-

noui ■ 8 immobile, indolent, indolore ■ 9 analgique, apathique, dessécher, lentement ■ 10 impassible, stupéfiant ■ 11 analgésique, indifférent* ■ 12 anesthésique ■ 14 insensibiliser ■ 15 tropicalisation.

INSEPARABLE : 15 inséparablement.

INSERER : 5 enter ■ 7 inclure, sessile ■ 8 encarter, enficher ■ 9 annonceur, enchâsser, implanter, insérable, insertion ■ 10 intercaler, introduire, reproduire ■ 11 enchatonner, interfolier ■ 12 désinsertion.

INSERTION : 3 r.m.i. ■ 6 suture ■ 8 aisselle, peaucier ■ 10 phocomélie ■ 12 justificatif ■ 13 circumduction.

INSIDIEUX : 8 trompeur.

INSIGNE : 5 aigle, bâton, croix, éphod, galon, palme, ruban, verge ■ 6 anneau, cordon, crosse, étoile, fanion, plaque, plumet ■ 7 chevron, cocarde, collier, diadème, emblème, pallium, panache, rosette, sceptre, symbole ■ 8 armoirie, attribut, couronne, faisceau, médaille ■ 9 croissant, demi-pique, épaulette, hausse-col, important ■ 10 décoration, épinglette ■ 11 remarquable*.

INSIGNIFIANT : 4 fade ■ 5 falot, petit ■ 7 vétille ■ 8 médiocre, mirmidon, myrmidon, racontar ■ 9 bavardage, dérisoire, enfonceur, engageant ■ 10 foutriquet ■ 13 insignifiance.

INSINUANT : 7 patelin ■ 9 chatterie, engageant ■ 10 patelinage ■ 11 patelinerie.

INSINUER : 5 mêler ■ 7 glisser*, ingérer ■ 8 immiscer, inspirer, suggérer ■ 9 infiltrer, insinuant ■ 10 insinuatif ■ 11 insinuation ■ 12 impatroniser, infiltration.

INSIPIDE : 3 eau ■ 4 fade* ■ 5 azote ■ 7 affadir, fadasse ■ 9 édulcorer ■ 10 insipidité.

INSISTANCE : 6 prière ■ 8 instance, tripoter ■ 9 dévisager ■ 10 répétition*.

INSISTE : 6 appuyé.

INSISTER : 7 appuyer, obséder, presser, répéter, revenir ■ 8 bringuer, rebattre, remettre ■ 9 insistant, ressasser ■ 10 appesantir, insistance.

INSOCIABLE : 7 sauvage ■ 8 farouche, hargneux ■ 13 insociabilité.

INSOLENCE : 6 audace ■ 7 orgueil* ■ 8 insulter ■ 9 hardiesse, impudence ■ 11 insolamment.

INSOLENT : 4 fier ■ 5 rogue ■ 6 altier, impoli* ■ 7 cassant ■ 8 arrogant, cavalier, grossier*, impudent, vaniteux ■ 9 suffisant ■ 11 impertinent*.

INSOLITE : 4 rare* ■ 7 bizarre, inusité ■ 10 bizarroïde ■ 14 extraordinaire*.

INSOLUBLE : 10 oléorésine ■ 12 insolubilité ■ 13 insolubiliser.

INSOMNIE : 5 varus ■ 6 veille ■ 10 insomnieux ■ 11 insomniaque ■ 12 benzodiazépine.

INSONORISER : 14 insonorisation.

INSOUCIANCE : 3 bah ■ 5 oubli ■ 8 mollesse ■ 9 indolence ■ 10 incuriosité, négligence* ■ 11 inappétence, inattention, nonchalance ■ 12 indifférence*, laisser-aller ■ 13 je-m'en-fichisme.

INSOUCIANT : 3 mou ■ 5 relax ■ 6 relaxe ■ 8 indolent, oublieux ■ 9 incurieux ■ 10 inattentif*, nonchalant ■ 11 indifférent, insouciance.

INSOUMISSION : 8 insoumis, sédition* ■ 9 désertion, mutinerie ■ 13 désobéissance.

INSPECTER : 7 visiter ■ 8 examiner*.

INSPECTEUR : 5 édile ■ 6 ingame ■ 8 écolâtre, visiteur ■ 10 inspection ■ 11 inspectorat, provéditeur ■ 13 missi dominici.

INSPECTION : 5 revue, ronde ■ 6 visite ■ 8 contrôle ■ 10 souchetage.

INSPIRATEUR : 7 scalène.

INSPIRATION : 3 feu ■ 4 idée, luth, muse, plan, rêve ■ 5 génie ■

6 délire, poésie, projet, utopie ■ **7** conseil, souffle, stridor, théorie ■ **9** mouvement, prophétie ■ **10** conception ■ **11** inspirateur, supposition ■ **12** illumination, inspiratoire, kimbanguisme ■ **13** versificateur.
INSPIRE: **11** antiquisant.
INSPIRER: **5** jeter, pitié ■ **6** dicter, élever ■ **7** aspirer, figurer, revenir ■ **8** enticher, imprimer, insinuer, répugner, souffler, suggérer, supposer ■ **9** commander, concevoir, instiguer, instiller, insuffler, intimider, persuader ■ **10** conseiller*, encourager, ensorceler, intéresser ■ **11** émerveiller.
INSTABILITE: **8** mobilité ■ **9** fragilité ■ **11** inconstance, vicissitude.
INSTABLE: **7** mouvant ■ **8** flottant, précaire ■ **9** changeant, lunatique ■ **10** positonium ■ **11** positronium.
INSTALLATEUR: **10** cuisiniste.
INSTALLATION: **4** mine ■ **5** poste ■ **7** exhaure, secteur ■ **8** craqueur, héligare, plombier, practice, tubulure ■ **9** absorbeur, campement, déballage, réformeur ■ **10** interphone, multicâble, tuyauterie ■ **11** planétarium, réfrigérant, station-aval, vide-ordures ■ **12** cantonnement, installateur, vapocraqueur ■ **13** signalisation ■ **14** infrastructure ■ **15** autocommutateur, électrification, radiotélévision.
INSTALLE: **9** canissier ■ **10** cannissier.
INSTALLER: **6** camper, placer* ■ **7** dresser, établir* ■ **8** aplomber, caserner ■ **9** cantonner, descendre ■ **10** introniser ■ **11** réinstaller ■ **12** installation.
INSTANCE: **6** prière*, procès ■ **8** conjurer, réclamer, supplier ■ **9** procédure, souverain ■ **10** insistance, instamment ■ **12** commandement, supplication.
INSTANT: **5** heure, phase, point, temps ■ **6** moment*, urgent ■ **7** soudain ■ **8** débotter, échappée, imminent, partance, pressant ■ **10** instantané, tournemain ■ **13** immédiatement.
INSTANTANE: **6** illico, prompt ■ **7** ad nutum, soudain* ■ **8** vite-vite ■ **13** instantanéité ■ **14** instantanément.
INSTAURER: **7** établir*.
INSTIGATEUR: **6** moteur ■ **9** promoteur ■ **12** protagoniste.
INSTIGATION: **7** conseil ■ **11** inspiration.
INSTILLER: **12** instillation.
INSTINCT: **6** libido ■ **8** penchant* ■ **9** zoophagie ■ **10** bestialité, grégarisme, instinctif ■ **11** instinctuel ■ **15** instinctivement.
INSTINCTIF: **8** machinal ■ **9** sympathie ■ **13** pressentiment.
INSTITUER: **6** ériger, nommer, sacrer ■ **7** établir ■ **10** constituer, préconiser ■ **11** consultatif, institution.
INSTITUT: **3** i.u.t. ■ **5** école* ■ **9** visagiste ■ **13** esthéticienne.
INSTITUTEUR: **5** insti ■ **6** instit, maître ■ **10** frœbélien.
INSTITUTION: **4** chef, épée, veto ■ **5** bible, tabou ■ **6** organe ■ **7** édifice, ephébie, pension, tutelle ■ **8** écomusée, érection, mosaïsme ■ **9** olympisme, prud'homie, sinologie ■ **10** chevalerie, monachisme ■ **12** habeas corpus, instaurateur, organisation ■ **13** établissement ■ **14** institutionnel ■ **15** anti-militarisme.
INSTRUCTEUR: **8** moniteur.
INSTRUCTION: **5** école, guide, leçon, lycée, ordre, palme, prône ■ **6** savoir ■ **7** ciné-tir, clergie, culture, enquête, homélie, théorie ■ **8** consigne, cultiver, exercice, mémorial, opérante ■ **9** directive, éducation, formation, instruire, mandement, pédagogie, programme, règlement, sommation ■ **10** catéchisme ■ **11** institution, instructeur, sous-section ■ **12** enseignement* ■ **13** scolarisation, sous-programme ■ **14** analphabétisme.

INSTRUIRE : **5** faire ■ **6** former ■ **7** dresser, étudier, initier, seriner ■ **8** éclairer, informer ■ **9** apprendre, pédagogie, procédure, serinette ■ **10** catéchiser, didactique, indocilité, instructif ■ **11** instituteur ■ **12** conférencier.

INSTRUIT : **4** calé, sage ■ **5** livre ■ **6** averti, ignare, lettré, savant* ■ **7** cultivé, éclairé ■ **8** ignorant ■ pédagogue ■ **11** autodidacte, expérimenté, séminariste.

INSTRUMENT : (voir : *instrument de musique*) : **2** dé, if ■ **3** clé, cor, fer, hie, pal, par, pic, van ■ **4** arme, clef, clou, coin, étau, gant, lame, loch, mâle, sous, voix ■ **5** ancre, arçon, baume, bongo, broie, burin, canif, clamp, corde, corne, croix, écang, écope, engin, érine, fléau, foret, gibet, gouet, gouge, hâche, happe, herse, hoyau, jauge, lance, limbe, louve, masse, outil*, palot, pelle, perce, peson, pilon, pince, queue, râble, rabot, règle, ritte, sabot, sasse, serpe, sonde, tamis, tille, toise, velte, verge, verre ■ **6** broche, buzuki, compas, coucou, cutter, davier, érigne, étalon, gnomon, maraca, niveau, octant, palmer, playon, pleyon, réglet, réveil, rugine, stadia, tarare ■ **7** ablatif, balance, bagueur, bascule, bouloir, charrue, comtois, curette, doloire, équerre, étrille, forceps, fouloir, fourche, gabarit, grésoir, haltère, horloge, lissoir, navette, palpeur, pendule, pesette, pinceau, potence, régloir, renette, romaine, rouleau, sablier, scalpel, schofar, sextant, sifflet, spatule, tocante, trocart, venturi, vernier, videlle ■ **8** affiloir, affinoir, ajustoir, anéroïde, attisoir, bistouri, bouzouki, chevalet, compteur, cure-dent, cure-pied, dévidoir, diascope, dilatant, écarteur, épiscope, faucille, géophone, lancette, luxmètre, marquoir, matraque, mélodia, mesureur, odomètre, ohmmètre, otoscope, palisson, pêchette, pèse-moût, pilulier, plomboir, raquette, réglette, seringue, soufflet, spéculum, stripper, tire-lait, toquante, trusquin, uromètre ■ **9** acoumètre, aéromètre, aéroscope, aréomètre, arrachoir, assomoir, astrolabe, baromètre, baroscope, bolomètre, bretteler, casse-noix, claquette, clepsydre, croissant, cueilloir, décimètre, découpoir, diagraphe, dialyseur, écailleur, éclimètre, égrappoir, focomètre, fluxmètre, gagne-pain, guimbarde, gyromètre, héliostat, lucimètre, machmètre, manomètre, microtome, oléomètre, ondemètre, osmomètre, pilulaire, podomètre, polissoir, porte-mine, porte-voix, posemètre, potomètre, pyromètre, rhéomètre, rhizotome, serre-file, sonomètre, taximètre, télémètre, télescope, timonerie, tire-balle, tire-botte, tireligne, typomètre, uréomètre, ustensile, voltmètre, wattmètre ■ **10** acétimètre, acétomètre, alcoomètre, anémomètre, audiomètre, barographe, bathymètre, célérifère, clavicorde, clinomètre, cure-ongles, curvimètre, cystoscope, débitmètre, débouchoir, dégorgeoir, densimètre, déplantoir, dilatateur, discipline, draisienne, échanvroir, élaïomètre, embauchoir, embouchure, eudiomètre, excitateur, extracteur, glucomètre, goniomètre, guillotine, gypsomètre, gyrocompas, héliomètre, hygromètre, hygroscope, hypsomètre, irrigateur, lactomètre, marégraphe, micromètre, microphone, navisphère, pantomètre, pendulette, phacomètre, photomètre, pianoforte, piézomètre, planimètre, porte-plume, pycnomètre, serre-joint, spiromètre, tachymètre, théodolite, tourniquet ■ **11** actinomètre, alcalimètre, ampèremètre, butyromètre, calorimètre, capacimètre, chausse-pied, chronomètre, colorimètre, crémaillière, cure-oreille, déchaussoir, dilatomètre, dynamomètre, échenilloir, explorateur, extirpateur, fluviomètre, graphomètre, grisoumètre hache-paille, héliographe, mégohmmètre, odontomètre, pantographe, piérographe, pluviomètre, polarimètre, polariscope, psophomètre, radiocompas, saupoudroir, scléromètre, sismographe, sphéromètre, stéréoscope, stéthoscope, stroboscope, tachéomètre, tensiomètre, thermomètre, thermoscope, troussequin, vulnération ■ 12 arithmomètre, cathétomètre, chronographe, cinémographe, conformateur, coronographe, coupe-cigares, coupe-légumes, coupe-racines, ébulliomètre, ébullioscope, électromètre, électroscope, emporte-pièce, endosmomètre, extensomètre, galactomètre, galvanomètre, hache-légumes, hystéromètre, instrumental, insufflateur, magnétomètre, oblitérateur, oscillomètre, pénétromètre, presse-citron, presse-fruits, psychromètre, séismographe, solarigraphe, stilligoutte, stomatoscope, thermographe, vaporisateur, volucompteur ■ 13 abaisse-langue, conformateur, marteau-piolet, ophtalmomètre, ophtalmoscope, phonocontrôle, pulvérisateur, réfractomètre, saccharimètre, scarificateur, sphygmographe, stalagmomètre, taille-racines, tourne-à-gauche, transpositeur, varheuremètre ■ 14 accélérographe, fréquencemètre, interféromètre, millivoltmètre, sitogoniomètre ■ 15 radiogoniomètre, sphymomanomètre, ultramiscroscope.

INSTRUMENTAL: 5 rondo ■ 6 tiento ■ 7 toccata ■ 9 fantaisie, gaillarde, polonaise ■ 10 sicilienne.

INSTRUMENTALE: 7 chacone ■ 10 intermezzo ■ 12 divertimento.

INSTRUMENT DE MUSIQUE: 3 cor, sax, ton, zon ■ 4 alto, erke, gong, koto, luth, lyre, rote, tuba ■ 5 anche, banjo, basse, bugle, corde, couac, diane, fifre, flûte, guzla, harpe, jouer, loure, orgue, piano, rabab, rebab, rebec, sanza, sitar, tabla, tinya, viole ■ 6 basson, biniou, buccin, cistre, cloche, diaule, néo-cor, pipeau, régale, sarode, sistre, tam-tam, téorbe, vielle, violon ■ 7 balafron, baryton, célesta, cithare, clairon, crotale, cymbale, flûteau, guitare, hélicon, larigot, mandore, musette, ocarina, octavin, olifant, pandore, pianino, pibrock, piccolo, saxhorn, serpent, tambour, théorbe, timbale ■ 8 bombarde, carillon, charango, clavecin, crincrin, cromorne, cymbalum, derbouka, diapason, dondaine, éolienne, épinette, galoubet, hautbois, hydraule, médiator, mirliton, pavillon, pochette, préluder, timballe, triangle, trombone, tympanon, virginal ■ 9 accordage, accordéon, balalaïka, bigophone, bombardon, chalumeau, cliquette, cornemuse, czimbalum, flageolet, guimbarde, harmonica, harmonium, mailloche, mandoline, manicorde, métronome, monocorde, quintette, saxophone, serinette, tambourin, trombonne, trompette, turlututu, typophone, xylophone ■ 10 clarinette, concertina, harmonicor, heptacorde, ophicléide, psaltérion, tétracorde, turlurette ■ 11 castagnette, contrebasse, manicordon, organologie, trois-quarts, violoncelle ■ 12 contrebasson, harmonicorde, manichordion, stradivarius ■ 13 basse continue, sarrussophone ■ 14 instrumentiste.

INSTRUMENTER: 9 orchestre ■ 13 orchestration ■ 14 instrumentiste.

INSTRUMENTISTE: 7 ripieno.

INSU: 11 insciemment.

INSUBORDINATION: 12 insubordonné ■ 13 désobéissance.

INSUCCES: 4 four ■ 5 chute, échec*, perte, veste ■ 8 réussite ■ 10 avortement, déconvenue.

INSUFFISAMMENT: 13 sous-exploiter ■ 14 sous-administré.

INSUFFISANCE: 7 idiotie ■ 8 crevasse ■ 9 asystolie, cortisone, myxœdème, tolérance, vicariant ■ 10 anorganisme, déficience, demi-mesure, hypoplasie, inaptitude, médiocrité ■ 11 hypotrophie, kwashiorkor, supplétoire ■ 12 hypocalcémie, hypokaliémie, incomplétude, infantilisme ■ 13 hyperazotémie, hyperthyroïdie.

INSUFFISANT: 6 faible, pauvre ■ 8 casilleux ■ 10 hypochrome, sous-équipé, sous-peuplé ■ 11 insatisfait ■ 12 sous-employer, sous-utiliser ■ 13 sous-alimenter ■ 14 insuffisamment.

INSUFFISANTE: 13 sous-nutrition ■ 14 sous-exposition.
INSUFFLER: 7 aspirer ■ 9 dynamiser ■ 12 insufflateur, insufflation.
INSULAIRE: 5 îlien.
INSULINDE: 13 mangoustanier.
INSULINE: 8 glucagon ■ 9 protamine ■ 10 insulinase.
INSULTE: 6 injure* ■ 7 offense* ■ 8 algarade ■ 9 blasphème, insultant, insulteur.
INSULTER: 7 cracher ■ 8 outrager* ■ 10 blasphémer, souffleter.
INSUPPORTABLE: 6 sciant ■ 8 infernal ■ 9 garnement, imbuvable ■ 10 déplaisant, massacrant ■ 11 insupporter, intolérable.
INSURRECTION: 7 insurgé, révolte* ■ 9 agitation ■ 10 révolution ■ 11 chouannerie, soulèvement ■ 15 insurrectionnel.
INTACT: 3 pur* ■ 4 sauf ■ 6 entier*, vierge* ■ 7 complet* ■ 10 intangible.
INTACTILE: 11 intouchable.
INTAILLE: 5 camée.
INTANGIBLE: 5 sacré ■ 11 intouchable ■ 13 intangibilité.
INTARISSABLE: 11 inépuisable.
INTEGRAL: 4 tout* ■ 5 plein ■ 6 absolu, entier*, infini, intact, massif ■ 7 complet*, indivis ■ 8 exclusif, illimité, monopole.
INTEGRALITE: 4 bloc ■ 5 masse, rafle ■ 8 ensemble* ■ 9 entièreté, intégrant ■ 10 indivision ■ 11 omnipotence ■ 12 accaparement.
INTEGRATION: 4 r.n.i.s. ■ 8 high-tech ■ 9 primitive ■ 10 intégratif.
INTEGRE: 3 mos, pur ■ 5 juste* ■ 7 honnête* ■ 9 caméscope, impartial, intégrité ■ 11 intègrement.
INTEGRER: 9 domotique ■ 10 budgétiser, intégrable ■ 11 désintégrer, intégration ■ 12 sociabiliser.
INTEGRITE: 6 pureté ■ 7 probité.
INTELLECT: 10 conception ■ 12 intelligence*.
INTELLECTUALISATION: 13 mentalisation.
INTELLECTUALITE: 11 cérébralité.
INTELLECTUEL: 2 q.i. ■ 5 moral, ponte ■ 7 agonie ■ 8 baby-test, culturel, mentisme ■ 9 archétype, inférence, magistère ■ 10 apriorisme, verbalisme ■ 11 minus habens, phrénologie ■ 12 agrammatisme, débilisation, immaturation ■ 14 dégénérescence, intelligentsia ■ 15 intellectualité.
INTELLIGENCE: 4 note, test ■ 5 chien, géant, idéal, idiot, union ■ 6 esprit*, pensée*, prolog, raison* ■ 7 cerveau, entente, finesse, lumière ■ 8 capacité, entendre, gamberge, hystérie, jugement, lucidité, trahison ■ 9 collusion, éducation, envergure, intellect, intuition, non-valeur, réflexion, spirituel ■ 10 binet-simon, conception, crétinisme, perception, profondeur ■ 11 abrutisseur, imbécillité, ingéniosité, intelligent, pénétration ■ 12 clairvoyance, discernement, entraccorder, intellectuel, perspicacité ■ 13 abrutissement, compréhension ■ 14 inintelligence, intelligemment.
INTELLIGENT: 3 fin, net ■ 4 ours, tête ■ 5 borné, clair, singe ■ 6 adroit, lucide, ouvert ■ 7 bécasse, capable, entendu, ganache, profond ■ 8 fortiche, imbécile ■ 9 ingénieux ■ 10 perspicace ■ 13 intelligent.
INTELLIGENTSIA: 14 occidentaliste.
INTELLIGIBLE: 5 clair*, glose ■ 9 éclaircir, obscurcir ■ 10 accessible, panlogisme ■ 11 obscurément ■ 14 compréhensible ■ 15 intelligibilité.
INTEMPERANCE: 5 excès* ■ 7 ivresse ■ 8 débauche*, sobriété ■ 11 intempérant.
INTEMPERIE: 8 rustique.

INTEMPESTIF : 4 zèle ■ 8 importun ■ 11 braillement.
INTEMPOREL : 13 intemporalité.
INTENDANCE : 10 bouteiller, boutillier, riz-pain-sel ■ 12 subsistance ■ 13 sous-intendant.
INTENDANT : 6 écuyer ■ 10 intendance, subdélégué ■ 12 surintendant.
INTENSE : 3 bas ■ 4 fort* ■ 7 cramine, extrême*, violent* ■ 8 jouissif, ralentir ■ 9 accentuer, exaspérer, marmitage, mysticité, pilonnage ■ 11 intensément ■ 13 intensivement.
INTENSIFIER : 9 augmenter*.
INTENSITE : 3 ton ■ 4 voix ■ 5 degré, fondu, force*, gamme, masse, seuil ■ 6 acuité, apogée, bougie, cinèse, nuance, portée ■ 7 candela, étendue, hauteur, maximum, œrsted, travail ■ 8 ampérage, diapason, intensif, rhéobase, rhéostat, vitalité ■ 9 brillance, faiblesse, gradation, lucimètre, luminance, paroxysme, puissance*, régresser, rémittent, renforcer, résonance, sforzando ■ 10 dégression, expression, gravimètre, photomètre, pianissimo, proportion, renforçage ■ 11 actinomètre, amortisseur, ampèreheure, ampèremètre, colorimètre, decrescendo, disjoncteur, gravimétrie, microampère, milliampère, phonométrie, photométrie, progression ■ 12 actinométrie, endosmomètre, galvanomètre, magnétomètre, recrudescent, renforcement, surintensité ■ 13 applaudimètre, phonocontrôle, phototactisme, recrudescence ■ 14 infraliminaire ■ 15 expressionnisme.
INTENTER : 5 ester ■ 8 attaquer ■ 9 actionner ■ 10 rescisoire ■ 11 actionnable.
INTENTION : 3 but*, vue ■ 4 idée ■ 5 désir, final, motif, objet, rôder, tâter, venir, visée ■ 6 pensée ■ 7 chimère, dessein, volonté, vouloir ■ 8 attitude, entendre, illusion, proposer, tendance, velléité ■ 9 médisance, prononcer ■ 11 conception, intentionné, tendancieux ■ 12 intentionnel, significatif ■ 13 arrière-pensée, démonstration ■ 14 malintentionné, volontairement.
INTENTIONNEL : 5 noème.
INTERACTION : 9 interagir ■ 13 électrofaible ■ 14 interactionnel ■ 15 chromodynamique.
INTERACTIVITE : 10 interactif.
INTERASTRAL : 5 rayon.
INTERCALATION : 5 tmèse ■ 9 embolisme, épenthèse ■ 10 parenthèse ■ 13 interpolation.
INTERCALER : 9 enchâsser ■ 10 interpoler, interposer, introduire* ■ 12 opus incertum ■ 13 intercalation.
INTERCEDER : 5 prier* ■ 8 défendre, réclamer ■ 10 intervenir* ■ 12 intercesseur, intercession.
INTERCEPTER : 6 capter, couper ■ 8 éclipser ■ 11 contre-porte.
INTERCESSION : 12 propitiation.
INTERCOSTAL : 9 surcostal.
INTERDICTION : 6 défens ■ 7 défends, défense, embargo ■ 8 interdit ■ 9 débloquer, exclusion ■ 10 boycottage, suspension ■ 11 excommunion, prohibition ■ 12 condamnation, proscription.
INTERDIRE : 5 porte, tabou ■ 6 bannir ■ 7 exclure ■ 8 censurer, défendre, prohiber* ■ 9 boycotter, caviarder, condamner*, consigner, proscrire, suspendre ■ 10 conseiller ■ 11 excommunier ■ 12 bannissement ■ 13 démilitariser, dénucléariser.
INTERDIT : 4 sens ■ 5 capot ■ 6 étonné, penaud ■ 7 pantois ■ 8 anathème, déconfit ■ 9 stupéfait ■ 10 déconcerté, prohibitif.
INTERESSANT : 5 aride, nanar ■ 6 mariol, utile* ■ 7 piquant ■ 8 émouvant, poignant, touchant ■ 9 attachant, attrayant, captivant, impor-

tant, mirliflor, palpitant ■ **10** avantageux, dramatique, mirliflore, profitable ■ **11** passionnant ■ **13** inintéressant.

INTERESSE : **5** avare, valet, vénal ■ **7** combine ■ **9** courtisan ■ **10** mercenaire, utilitaire ■ **11** flagornerie ■ **13** interafricain.

INTERESSER : **5** roman, tenir ■ **6** animer, piquer, plaire ■ **7** chaloir, charmer, exciter, pencher, toucher ■ **8** attacher, captiver, cultiver, émouvant, importer, regarder ■ **9** concerner, embrasser ■ **10** participer, passionner*.

INTERET : **3** t.i.g. ■ **4** part, pour, taux, unir ■ **5** cause, loyer, oubli, parti, pitié, rente, usure ■ **6** besoin, charme, coupon, estime, profit*, revenu ■ **7** rapport, utilité ■ **8** audience, avantage*, bénéfice, consorts, curateur, désamour, pourcent, syndicat ■ **9** arrérages, attention, curiosité, démagogue, dividende, échiquier, inintérêt, intéressé, moratoire, nécessité, procureur, sympathie, viabilité ■ **10** anatocisme, berquinade, compassion, conversion, désintérêt, dissension, dramatiser, imprésario, intéresser, profession, travailler ■ **11** capitaliser, humanitaire, indifférent, intéressant, pourcentage, sollicitude ■ **12** antinational, bonification, consumérisme, désintéressé, utilitarisme ■ **13** allocentrisme, désintéresser, inintéressant ■ **14** particularisme, pretium doloris.

INTERFERENCE : **9** diaphonie ■ **10** interférer ■ **11** interférent ■ **14** interférentiel, interféromètre.

INTERFOLIER : **12** interfoliage.

INTERIEUR : **3** âme, for ■ **4** bled, cale, fond, robe, sein, sous ■ **5** abyme, accès, cœur, coupe, creux, étang, farce, géode, inter, intra, limbe, marli, noyau, paroi, perle, phare, privé, serre, tripe, zeste ■ **6** centre, dedans, in-bord, intime, maison, milieu, secret, serdah, thèque ■ **7** in petto, interne, in utero, mystère, négligé, venteau ■ **8** audedans, cuvelage, diascope, endogène, exosmose, inquilin, intrados, nucléole, peignoir, persillé, runabout, schrapnel, sous-bois ■ **9** ascospore, cantonade, carlingue, charpente, endocarde, endogamie, languette, lobotomie, métathèse, pénétrant, pet-en-l'air, plutonien, ravisseur, tentation, triforium, tubercule ■ **10** audiencier, chambellan, contre-rail, déshabillé, encoignure, endophasie, intra-muros, panoptique, phréatique, plutonique ■ **11** bronchioles, contre-cœur, intériorité, intra-utérin, intrinsèque ■ **12** conformateur, endoparasite, intracrânien, intraveineux ■ **13** intraoculaire, laryngoscopie ■ **14** intracardiaque, intranucléaire, ophtalmoscopie ■ **15** intra-montagnard, intramusculaire.

INTERIM : **8** passager ■ **11** intérimaire.

INTERIORISER : **15** intériorisation.

INTERJECTION : **2** ah, çà, eh, fi, ha, hé, hi, ho, là, na, oh, ok, té, va ■ **3** ahi, aïe, bah, bis, bon, bye, cri, dia, euh, gai, gué, hem, hep, heu, hip, hop, hou, hue, hum, las, ohé, olé, ouf, oup, paf, pch, pff, pft, pif, pst, sus, vli, zou, zut ■ **4** ah çà, allo, areu, bast, berk, beuh, bien, boum, brrr, chic, chut, ciao, ciel, clac, clic, crac, cric, dame, dieu, évoé, fiat, fixe, flac, floc, foin, gare, haie, hein, hélà, hi hi, hoir, holà, houp, lala, miam, ollé, ouïe, oust, paix, pare, peuh, pfft, pfut, ploc, pouf, pouh, quoi, snif, soit, stop, tope, vive, vlan, youp, zest, zist ■ **5** adieu, allez, basta, baste, beurk, bigre, bravo, broum, couic, enfin, évohé, ferme, flûte, grâce, halte, hardi, hélas, hello, huhau, matin, merci, merde, mince, motus, ouais, ouste, pardi, passe, peste, pouah, pouce, psitt, repos, salut, sniff, tchao, tiens, tollé, vivat, voici, voilà, vroom, vroum, youpi ■ **6** alerte, allons, bye-bye, chance, chiche, coquin, crénom, debout, diable, eh bien, encore, eurêka, hourra, hurrah, jamais, marche, minute, morgué, ouiche, ouille, pin pon, preste, pschut, suffit, taïaut, tarare, tayaut, tintin, tudieu, vivent, voyons ■ 7 accordé, arrière, bagasse, caramba, comment, corbleu, courage, diantre, dommage, entendu, fichtre, halte-là, ho hisse, hosanna, mazette, miracle, morbleu, parbleu, pardieu, parfait, pécaire, pechère, silence, youppie ■ 8 badaboum, bernique, canaille, chouette, continue, des clous, flic flac, fouchtra, miam-miam, patatras, patience, peuchère, sacristi, sapristi, shocking, taratata, tête-bleu, tonnerre, tout doux ■ 9 admettons, attention, doucement, jarnibleu, morguenne, notre-dame, sacrebleu, sacredieu, turlututu, vertubleu, vertuchou, vertudieu, vingt-deux ■ 10 bravissimo, jarnicoton, morguienne, palsambleu, rantanplan, saperlotte, tchin-tchin, ventrebleu ■ 11 interjectif, miséricorde ■ 14 saperlipopette ■ 15 ventre-saint-gris.

INTERLIGNE: 11 interligner ■ 12 interlignage ■ 13 interlinéaire.

INTERLOCUTEUR: 5 tiret ■ 6 médium, schème ■ 9 n'est-ce pas ■ 10 appellatif ■ 14 téléconférence.

INTERLOCUTOIRE: 11 interloquer.

INTERLOPE: 7 suspect.

INTERMEDE: 7 saynète ■ 9 interlude ■ 14 divertissement.

INTERMEDIAIRE: 3 v.r.p. ■ 4 alto, saut, sens, sima ■ 5 canal, ordre ■ 6 broker, médium, schème ■ 7 demi-fin ■ 8 courtier, immédiat, remisier ■ 9 entre-deux, entremise, intermède, médiateur, présidial ■ 10 mandataire, martinisme, somnolence, transition, truchement ■ 11 basse-taille, demi-sommeil, métropolite, négociateur, trait d'union ■ 12 entremetteur, représentant, subconscient ■ 13 brigadier-chef, semi-grossiste ■ 14 contrepartiste, pithécanthrope ■ 15 commissionnaire, concessionnaire.

INTERMITTENT: 5 stade ■ 9 clignoter, erratique, permanent, soufflard ■ 10 discontinu, élancement ■ 12 intermission ■ 13 intermittence.

INTERNAT: 8 labadens.

INTERNATIONAL: 2 si ■ 3 o.i.t. ■ 5 m.a.t.i.f., mètre ■ 9 espéranto ■ 11 moscoutaire.

INTERNE: 4 sein ■ 5 tibia ■ 7 cochlée, lactame, lactone, lamelle, médecin ■ 8 gastrite, internat ■ 9 endocarpe, endoderme, intérieur, vestibule, viscosité ■ 10 cochléaire, endoblaste, endoscopie, épicanthus, géothermie, hypothénar, labyrinthe, pensionnat, phlegmasie, résorption ■ 11 biomatériau, cénesthésie, endométrite, endothélium ■ 12 cœnesthésie, labyrinthite, pensionnaire ■ 13 correspondant ■ 14 diaphanoscopie.

INTERNEMENT: 10 relégation ■ 11 déportation.

INTERNER: 3 fou ■ 7 déporté ■ 10 prisonnier ■ 11 emprisonner*, internement.

INTEROCEPTIVE: 15 intéroceptivité.

INTERPELLATION: 4 appel ■ 7 vocatif ■ 10 apostrophe.

INTERPELLER: 5 héler ■ 7 appeler* ■ 10 appellatif ■ 11 apostropher ■ 14 interpellateur, interpellation.

INTERPLANETAIRE: 8 astronef ■ 9 exosphère ■ 10 astronaute ■ 13 astronautique.

INTERPOLER: 10 intercaler, interposer ■ 13 interpolateur, interpolation.

INTERPOSER: 7 apaiser ■ 8 arranger, composer ■ 9 concilier ■ 10 intercaler, intercéder, intervenir, rapprocher ■ 11 entremettre, réconcilier ■ 13 intermédiaire.

INTERPOSITION: 8 donation ■ 9 entremise ■ 11 stipulation ■ 12 conciliation, intercession ■ 13 intermédiaire ■ 14 réconciliation.

INTERPRETATION : 5 glose, sacré ■ 6 augure, cabale, phrasé ■ 7 babisme, entente, exégèse, feeling, version ■ 8 anagogie ■ 9 exécution, travestir ■ 10 contre-sens, définition, malentendu, traduction ■ 11 autoanalyse, commentaire, explication* ■ 12 intelligence, interpréteur ■ 13 herméneutique, jurisprudence ■ 15 métapsychologie.

INTERPRETE : 6 acteur ■ 7 artiste, drogman ■ 10 traducteur ■ 11 prophétesse ■ 14 interprétariat, interprétateur.

INTERPRETER : 6 phrasé ■ 7 définir, prendre, tourner ■ 8 entendre, judaïser, traduire* ■ 9 blasonner, expliquer ■ 10 comprendre, exégétique ■ 11 débrouiller, paraphraser ■ 13 interprétable, psychiatriser, spiritualiser ■ 14 interprétation.

INTERPROFESSIONNEL : 4 s.m.i.c.

INTERROGATIF : 3 que, qui ■ 4 quel, quoi ■ 5 quels ■ 6 auquel, duquel, lequel, quelle ■ 7 quelles ■ 8 auxquels, desquels, laquelle, lesquels ■ 10 auxquelles, desquelles, lesquelles.

INTERROGATION : 4 hein, oral ■ 5 colle ■ 6 énigme, examen ■ 7 charade, demande*, enquête, épreuve, minitel ■ 8 dialogue, est-ce que, question* ■ 9 devinette, interview, recherche, reportage ■ 11 information ■ 12 consultation, interrogatif ■ 13 interrogative, questionnaire ■ 14 interpellation.

INTERROGER : 5 héler, poser, sondé ■ 6 coller, sonder ■ 7 scruter ■ 8 cuisiner, demander, enquérir, examiner, informer ■ 9 consulter, inspecter ■ 10 importuner, rechercher, renseigner ■ 11 interpeller, questionner* ■ 13 interrogateur, interrogeable ■ 14 questionnement.

INTERROMPRE : 6 briser, cesser, chômer, couper, hâcher, rompre* ■ 7 arrêter*, obturer, quitter, relayer, reposer, séparer ■ 8 alterner, relâcher, surseoir, troubler ■ 9 suspendre, trembleur ■ 10 désamorcer, interposer, raccrocher ■ 11 entrecouper, intercepter ■ 12 discontinuer, interrupteur, interruption.

INTERROMPU : 5 hâché ■ 7 continu, déréglé ■ 9 continuel, momentané, rémittent ■ 10 désordonné, discontinu, entrecoupé, incohérent, irrégulier ■ 11 intercadent ■ 12 ininterrompu, intercurrent, intermittent.

INTERRUPTEUR : 6 bouton ■ 7 rupteur ■ 11 conjoncteur, disjoncteur.

INTERRUPTION : 3 i.v.g. ■ 5 arrêt*, break, congé, délai, grève, répit, repos*, trêve ■ 6 hiatus, lacune, relais ■ 7 absence, brisure, chômage, coupure, intérim, relâche, rupture, silence, vacance ■ 8 distance, entracte, toujours ■ 9 armistice, cessation, éclaircie, rémission ■ 10 aposiopèse, avortement, désemparer, disjoncter, inactivité, interstice, intervalle, récréation, rémittence, séparation, suspension ■ 11 arrache-pied, incohérence, interruptif ■ 12 coupe-circuit, interception, interférence, intermission ■ 13 discontinuité, disponibilité, intermittence ■ 15 consécutivement, discontinuation.

INTERSECTION : 5 arête, point, voûte ■ 7 croisée ■ 9 coupement ■ 10 méridienne, tiers-point.

INTERSIDERAL : 9 météorite.

INTERSTELLAIRE : 11 protoétoile.

INTERSTICE : 4 méat, palé, pore ■ 5 bande, barre, fasce, fente, palée ■ 6 espace ■ 9 lacunaire ■ 12 interstitiel.

INTERTEXTUALITE : 12 intertextuel.

INTERTIDAL : 12 intercotidal.

INTERVALLE : 3 ton ■ 4 mode, vide ■ 5 comma, écart, entre, fente, fusée, joint, palée, répit, rhumb, sixte, solin, train, trêve ■ 6 espace*, métope, octave, quarte, quinte, savart, tierce, travée, triton ■ 7 demi-ton, intérim, relâche, seconde ■ 8 distance, entracte, immédiat, neuvième, scission ■ 9 aréostyle, armistice, battement, entre-deux, entre-nerf, interlune, lendemain, ouverture ■ 10 entre-temps, interrègne, interstice, périodique, semi-ouvert, séparation, suspension, tétracorde ■ 11 interclasse, périsystole, tempérament, transitoire ■ 12 intermission ■ 13 discontinuité, intermittence, intervallaire, interquartile ■ 15 micro-intervalle.

INTERVENIR: 4 agir ■ 5 aider* ■ 6 opérer ■ 7 apaiser, plaider ■ 8 arranger, composer, défendre, immiscer, négocier, proposer, secourir ■ 9 catalyser, concilier ■ 10 entremêler, intercéder, interposer, participer ■ 11 entremettre, intervenant ■ 12 intervention ■ 14 psychoaffectif.

INTERVENTION: 3 z.i.f. ■ 4 aide ■ 6 action ■ 7 défense, secours ■ 9 chirurgie, entremise, immixtion, médiation, opération, plaidoyer ■ 10 abstention, arthrodèse, engagement ■ 11 merveilleux, négociation ■ 12 conciliation, fourgon-pompe, implantation, interception, intercession ■ 13 interposition, ostéosynthèse, participation ■ 14 action research ■ 15 extra-judiciaire, non-intervention, recherche-action.

INTERVERSION: 13 contrepèterie.

INTERVERTIR: 8 déplacer ■ 9 renverser ■ 10 commutatif.

INTERVIEW: 5 panel ■ 7 enquêté ■ 11 interviewer ■ 12 conversation.

INTESTIN: 4 bile ■ 5 amibe, boyau, brout, chyle, côlon, curée, grêle, iléon, iléum, iléus, lacté, sprue, ténia, tripe ■ 6 cæcum, cénure, oxyure, rectum, tænia ■ 7 ascaris, cœnure, jéjunum, maltase, viscère ■ 8 amibiase, ascardie, dextrine, duodénum, entérite, épiploon, érepsine, membrane, pancréas, strongle, trichine ■ 9 baudruche, entérique, lambliase, mégacôlon, mésentère, péritoine, strongyle, tripaille, ventuosité ■ 10 carminatif, engouement, entéralgie, entrailles, flatulence, flatuosité, hippolithe, intestinal, parenchyme, saccharase, tympanisme ■ 11 ankylostome, colibacille, échinocoque, entérocoque, entérorénal, jéjuno-iléon, parégorique, perforation, recto-colite ■ 12 benzonaphtol, dolichocôlon, entérocolite, entérokinase, entérovaccin ■ 13 trichocéphale ■ 14 bothriocéphale, gastro-entérite .

INTESTINAL: 7 dérangé.

INTESTINALE: 9 invertase ■ 10 entéralgie ■ 11 entéro-rénal.

INTIME: 4 fond, home ■ 5 privé, repli ■ 6 étroit, proche, secret ■ 8 conjoint, diariste, éminence, familier, inhérent, intimité ■ 9 accointer, intérieur ■ 10 sanctuaire ■ 12 intérioriser.

INTIMER: 8 notifier ■ 10 intimation.

INTIMIDER: 5 gêner ■ 6 glacer ■ 7 bluffer ■ 8 troubler* ■ 9 complexer, racketter ■ 10 intimidant, racketteur ■ 11 effaroucher, intimidable ■ 12 comminatoire, intimidateur, intimidation.

INTIMISTE: 9 intimisme.

INTIMITE: 6 alcôve ■ 11 familiarité, kammerspiel.

INTOLERANT: 8 sectaire ■ 9 fanatique ■ 13 insupportable.

INTONATION: 3 clé ■ 6 accent ■ 9 intonatif.

INTOUCHABLE: 5 paria ■ 9 intactile ■ 10 intangible.

INTOXICATION: 6 poison*, urémie ■ 7 cyanose, iodisme ■ 8 anilisme, argyrose, fluorose ■ 9 chélateur, ergotisme, éthérisme, éthylisme, nicotisme, tabagisme, thébaïsme ■ 10 antipoison, cannabisme, lathyrisme, saturnisme ■ 11 absinthisme, morphinisme, nicotinisme, polynévrite ■ 12 barbiturisme, cocaïnomanie, phosphorisme ■ 13 désintoxiquer, hydrargyrisme ■ 14 barbituromanie ■ 15 désintoxication.

INTOXIQUER: 5 intox ■ 11 empoisonner.

INTRACELLULAIRE: 8 lysosome ■ 10 toxoplasme ■ 13 ergastoplasme.

INTRADOS: 8 extrados, jarreter ■ 11 arc-doubleau.

INTRAITABLE : 6 entêté ■ 7 cerbère ■ 12 irréductible ■ 13 intransigeant.
INTRA-MUROS : 2 ev.
INTRANSIGEANT : 6 entier ■ 7 cassant ■ 8 taborite ■ 11 intraitable ■ 14 intransigeance.
INTRANSITIF : 14 intransivité.
INTRANSMISSIBLE : 10 accommodat.
INTRANT : 5 input.
INTRAOCULAIRE : 11 tonographie.
INTREPIDE : 4 fier ■ 5 brave*, hardi* ■ 8 impavide ■ 9 affronter, audacieux, valeureux ■ 11 intrépidité ■ 13 intrépidement.
INTRIGANT : 4 roué, rusé ■ 5 rasta ■ 6 escroc, habile, pirate, souple ■ 7 faiseur, lisette ■ 8 factieux, flatteur ■ 9 arriviste, hypocrite, ingénieux ■ 10 aventurier, flagorneur, mascarille ■ 11 condottiere, écornifleur ■ 12 rastaquouère.
INTRIGUE : 4 ruse ■ 5 menée, nœud, pacte, trame ■ 6 action, brigue, cabale, manège, mic-mac ■ 7 complot*, coterie, cuisine, faction, rouerie ■ 8 démarche, éviction, habileté ■ 9 camarilla, flatterie, imbroglio, intrigant, intriguer, manigance, manœuvre, souplesse, tripotage ■ 10 dénouement, galanterie, hypocrisie, roman-photo, subterfuge, vaudeville ■ 11 agissements*, conjuration, flagornerie, machination*, spéculation ■ 12 conspiration ■ 13 maquignonnage, sollicitation.
INTRIGUER : 5 mêler, nouer ■ 6 remuer, tisser, tramer ■ 7 aguiche, briguer, étonner, flatter, pousser ■ 8 conjurer, faufiler, spéculer, tripoter ■ 9 comploter*, flagorner ■ 10 manigancer, solliciter ■ 11 entremettre ■ 12 intrigailler.
INTRINSEQUE : 9 intérieur ■ 11 extrinsèque ■ 15 intrinsèquement.
INTRODUCTION : 5 mitre, porte ■ 6 piqûre, tubage ■ 7 chapeau, lecteur, préface, sondage ■ 8 allergie, moussage, néologie ■ 9 anticorps, emphysème, ingestion, injection, insertion, intrusion, préambule, sulforage ■ 10 engagement, incubation, innovation, intubation ■ 11 avant-propos, contrebande, inoculation ■ 12 cathétérisme, commencement, halogénation, insufflation, intoxication, intromission, mâche-bouchon, monétisation, prolégomènes, pupinisation, tamponnement ■ 13 ingurgitation, introductaire ■ 14 immunotolérant, réintroduction ■ 15 intussusception.
INTRODUIRE : 5 lisse, loger, mêler, taper ■ 6 amener, couler, entrer, jingle, mettre, passer, verser ■ 7 coucher, engager, fourrer, glisser, inclure, infuser, ingérer, insérer, viroler ■ 8 encarter, enclouer, huissier, importer, injecter, insinuer, noyauter, produire, varaigne ■ 9 expliquer, implanter, insuffler, mécaniser, présenter ■ 10 acclimater, embauchoir, intercaler, interpoler, randomiser, sexualiser ■ 11 naturaliser ■ 12 démocratiser, introducteur, introduction, réintroduire ■ 13 introductoire.
INTROIT : 5 oculi.
INTRONISER : 13 intronisation.
INTROSPECTIF : 10 autoptique.
INTROSPECTION : 10 mentalisme.
INTROVERSION : 10 introverti ■ 12 schizothymie.
INTRUS : 5 tiers ■ 8 importun.
INTUITON : 8 croyance, instinct, intuitif ■ 9 avant-goût, invention, pifomètre, prévision ■ 10 prévention, prévoyance ■ 11 inspiration, probabilité ■ 12 clairvoyance, perspicacité ■ 13 intuitivement, pressentiment ■ 14 intuitionnisme.
INTUMESCENCE : 9 laccolite ■ 10 laccolithe.

INUIT : 6 eskimo.
INUSITE : 8 insolite ■ 9 singulier*.
INUTILE : 4 vain* ■ 5 babil, perdu ■ 6 oiseux ■ 7 stérile, verbeux ■ 8 superflu, verbiage ■ 9 gaspiller, inutilisé, vainement ■ 10 battologie ■ 11 chinoiserie, inutilement, remplissage, superfluité, surabondant.
INVAGINATION : 9 invaginer.
INVALIDE : 6 g.i.c., g.i.g.
INVALIDER : 7 annuler ■ 12 invalidation, invalidement.
INVARIABLE : 4 amen ■ 5 invar ■ 9 particule ■ 11 conjonction, préposition ■ 13 invariabilité ■ 14 invariablement.
INVARIANT : 4 même ■ 13 axisymétrique.
INVASION : 7 attaque ■ 8 endigage ■ 9 incursion ■ 10 endiguement ■ 13 sporotrichose.
INVECTIVER : 5 crier ■ 6 pester, tonner ■ 8 fulminer, injuruer*, tempêter ■ 9 invective ■ 12 enguirlander.
INVENDABLE : 5 nanar.
INVENDU : 9 bouillons ■ 11 bouillonner.
INVENTAIRE : 4 cote, état ■ 5 liste* ■ 11 description, inventorier, recensement ■ 12 dénombrement.
INVENTER : 5 créer*, juger ■ 6 broder, forger, penser ■ 7 deviner, innover, trouver* ■ 8 imaginer*, ingénier ■ 9 concevoir, contrepet, découvrir, fabriquer, inventeur, invention ■ 10 controuver, improviser, réinventer.
INVENTIF : 11 inventivité.
INVENTION : 4 idée ■ 5 génie, roman ■ 6 talent ■ 7 fiction, légende ■ 8 artifice, création ■ 9 manigance, sortilège ■ 10 découverte, innovation, stratagème ■ 11 imagination, ingéniosité, inspiration ■ 12 intelligence ■ 13 improvisation.
INVENTORIER : 12 inventoriage.
INVERSE : 6 opposé* ■ 8 inverser, vergence ■ 9 contraire*, cosécante, tête-bêche, vice versa ■ 10 admittance, cotangente, désorption, inversible, relèvement ■ 11 conductance, contrefugue, convergence, inversement ■ 12 banalisation, cologarithme, conductivité, différentiel ■ 13 énantiomorphe.
INVERSER : 8 déplacer ■ 11 commutateur.
INVERSION : 6 cowper ■ 7 inersif ■ 8 inversif, saphisme.
INVERTASE : 7 sucrase ■ 9 invertine ■ 10 saccharase.
INVERTEBRE : 3 ver* ■ 6 oursin ■ 7 insecte* ■ 8 articulé*, coccidie, otocyste ■ 9 ectoprote, grégarine, mollusque* ■ 10 arthropode ■ 13 céphalothorax ■ 14 hépatopancréas.
INVERTINE : 10 saccharase.
INVESTIGATION : 6 examen ■ 9 recherche* ■ 11 inquisition, investiguer, mensuration ■ 12 psychanalyse.
INVESTIR : 6 cerner ■ 7 engager, revêtir ■ 8 pourvoir ■ 9 dictateur ■ 10 réinvestir ■ 11 désinvestir, immobiliser ■ 14 investissement.
INVESTISSEMENT : 5 sicav ■ 6 blocus.
INVINCIBLE : 13 invincibilité ■ 14 invinciblement.
INVIOLABLE : 5 asile, sacré ■ 10 sanctuaire ■ 13 inviolabilité ■ 14 inviolablement.
INVISIBLE : 5 perdu ■ 6 secret ■ 8 éclipser ■ 10 inapparent ■ 11 ultraviolet ■ 12 invisibilité ■ 13 imperceptible, invisiblement ■ 15 ultramicroscope.
INVITATION : 5 appel*, congé, priée, raout ■ 6 prière ■ 7 réunion ■ 9 réception ■ 10 insistance ■ 11 convocation.

INVITE: 4 hôte, prié ■ 7 convive.
INVITER: 5 prier ■ 6 rastel, réunir ■ 7 appeler, arroser, attirer, convier, engager, exciter, induire ■ 8 insister, invitant, inviteur ■ 9 convoquer, réinviter ■ 10 désinviter, invitation.
IN VITRO: 3 f.i.v. ■ 6 fivete ■ 14 bébé-éprouvette.
INVOCATION: 4 appel ■ 8 épiclèse, litanies ■ 9 martyrium ■ 10 hésychasme ■ 11 invocatoire ■ 12 kyrie eleison.
INVOLONTAIRE: 6 clonie ■ 8 athétose, énurésie, machinal ■ 9 contagion, priapisme ■ 10 échouement, imprudence, syncinésie ■ 11 larmoiement, spasmodique ■ 12 incontinence.
INVOLUCRE: 11 involucelle.
INVOLUTION: 9 involutif ■ 13 présénescence.
INVOQUER: 5 citer, prier ■ 7 évoquer ■ 10 invocateur, invocation ■ 11 recommander.
INVRAISEMBLABLE: 5 inouï ■ 8 étonnant* ■ 9 paradoxal ■ 10 incroyable* ■ 11 ébouriffant ■ 12 inimaginable ■ 13 rocambolesque.
INVULNERABLE: 15 invulnérabilité.
IODE: 5 ioder ■ 6 varech ■ 7 iodisme ■ 9 iodoforme ■ 10 iodo-ioduré ■ 11 iodhydrique.
IODURE: 10 iodo-ioduré.
ION: 5 anion, redox ■ 6 cation ■ 7 ionique, oxonium ■ 8 monobase ■ 9 composite ■ 10 ionisation, ionogramme, isoïonique ■ 11 coordinence, nucléophile, solvatation ■ 14 électrodialyse ■ 15 électroaffinité.
IONIQUE: 2 pk.
IONISATION: 8 ionisant ■ 13 radiobiologie.
IONOSPHERE: 13 ionosphérique.
IRAN: 4 rial.
IRANIEN: 4 iwan ■ 5 kurde ■ 7 tchador ■ 9 avestique, baloutchi.
IRASCIBLE: 8 coléreux* ■ 9 colérique ■ 11 susceptible.
IRE: 6 colère*.
IRENISME: 8 irénique.
IRIDACEE: 4 iris, ixia, ixie ■ 6 crocus, safran ■ 7 freesia, glaïeul ■ 8 tigridie.
IRIDIUM: 2 ir ■ 5 mètre ■ 6 iridié.
IRIS: 4 uvée ■ 5 irone ■ 6 flambe, iritis ■ 7 iridien, pupille ■ 8 choroïde ■ 10 iridescent, iridologie ■ 11 iridectomie.
IRISATION: 8 marbreur.
IRLANDAIS: 4 clan ■ 6 fenian ■ 7 country, whiskey ■ 8 gaélique, sinn fein ■ 9 oghamique ■ 11 néo-celtique ■ 12 irish-terrier.
IRONIE: 6 humour, satire ■ 7 parodie ■ 8 badinage, ironique, ironiste, moquerie*, sarcasme ■ 9 épigramme, raillerie* ■ 10 antiphrase, causticité, persiflage ■ 12 ironiquement, plaisanterie.
IRONIQUE: 5 badin ■ 8 ironiser, narquois ■ 9 caustique, goguenard, satirique, spirituel ■ 10 persifleur, sacro-saint, sardonique.
IRONISER: 7 badiner ■ 8 parodier ■ 9 brocarder, persifler ■ 10 plaisanter ■ 11 goguenarder.
IRRADIATION: 12 puvathérapie ■ 15 radioactivation.
IRRADIE: 9 irradiant.
IRRADIER: 9 perséides ■ 11 irradiation.
IRRAISONNABLE: 13 déraisonnable.
IRRATIONNEL: 11 surréalisme ■ 13 déraisonnable, irrationalité ■ 14 irrationalisme, irrationaliste.
IRREALISABLE: 6 utopie ■ 8 utopiste ■ 9 idéologie ■ 10 impossible.
IRREALITE: 7 non-être.
IRRECONCILIABLE: 4 juré.

IRREDENTISME : 12 irrédentiste.
IRREDUCTIBLE : 11 intraitable ■ 15 irréductibilité.
IRREFLECHI : 3 fou, sot, vif ■ 5 léger ■ 6 éventé ■ 7 aveugle, brusque, dissipé, étourdi*, évaporé, stupide ■ 8 écervelé, impulsif, spontané ■ 9 brouillon, étourneau, imprudent ■ 10 hurluberlu, inattentif* ■ 11 aventurisme, imprévoyant, inconscient, inconsidéré, superficiel.
IRREFLEXION : 7 aboulie, sottise ■ 8 légèreté, vivacité ■ 9 échappade, impulsion, stupidité ■ 10 brusquerie, divagation, étourderie, imprudence ■ 11 dissipation, inattention*, spontanéité ■ 12 imprévoyance, inadvertance ■ 13 inconséquence, précipitation.
IRREFUTABLE : 10 indéniable ■ 14 irréfutabilité ■ 15 irréfutablement.
IRREGULARITE : 7 caprice, fractal ■ 8 anomalie, arythmie ■ 9 fantaisie ■ 12 excentricité.
IRREGULIER : 5 sinus, volve ■ 6 anomal, inégal* ■ 7 anormal, baroque, déréglé, illégal, routier, saccadé, surdent ■ 8 antipape, biscornu, breloque, difforme, incisure, saccader ■ 9 comitadji, distancer, erratique, filoselle ■ 10 capricieux, coupailler, désordonné, trémousser ■ 12 bachi-bouzouk, intermittent ■ 13 anfractuosité ■ 15 irrégulièrement.
IRRELIGIEUX : 5 athée, impie* ■ 8 libertin, mécréant, sans-dieu ■ 9 incrédule, incroyant, sceptique ■ 10 antéchrist, parpaillot ■ 12 libre-penseur ■ 13 antireligieux, irréligiosité.
IRREPREHENSIBLE : 13 irréprochable.
IRREPROCHABLE : 3 net ■ 6 intact ■ 10 impeccable ■ 15 irrépréhensible.
IRRESISTIBLE : 8 talisman ■ 9 foudroyer, impérieux ■ 10 tyrannique ■ 11 fascination, narcolepsie ■ 12 enchantement.
IRRESOLU : 7 indécis* ■ 8 flottant ■ 9 incertain, vacillant ■ 10 chancelant ■ 12 irrésolument, irrésolution.
IRRESOLUTION : 5 doute ■ 8 embarras ■ 10 indécision*, résolution ■ 11 vacillation.
IRRESPECT : 12 impertinence.
IRREVERSIBLE : 15 irréversibilité.
IRREVOCABLE : 4 fixe ■ 5 écrit, fatal, vouer ■ 9 ultimatum ■ 14 irrévocabilité ■ 15 irrévocablement.
IRRIGATION : 4 tank ■ 5 canal ■ 6 séguia ■ 7 foggera ■ 8 arrosage ■ 9 asperseur, partiteur.
IRRIGUE : 6 arrosé.
IRRIGUER : 7 arroser* ■ 9 irrigable.
IRRITABLE : 5 aigre, aigri ■ 7 brusque, nerveux ■ 8 coléreux ■ 9 braillard, colérique, impatient, irascible, ombrageux ■ 10 nervosisme ■ 11 atrabilaire, susceptible* ■ 12 irritabilité.
IRRITANT : 4 âcre, amer ■ 5 ortie ■ 7 turbith ■ 11 adoucissant.
IRRITATION : 4 bile, rage, toux ■ 5 envie ■ 6 âcreté, colère*, hargne ■ 7 ténesme ■ 8 irritant, soulever ■ 9 agacement, éréthisme, lassitude, révulsion ■ 10 crispation, énervement, impatience ■ 11 rubéfaction ■ 12 exaspération ■ 13 horripilation ■ 14 mécontentement*.
IRRITER : 5 rager ■ 6 aigrir, aviver, fâcher*, piquer ■ 7 énerver*, ennuyer, enrager, excéder ■ 8 offenser, révolter ■ 9 exacerber, exaspérer, irritable, irritatif, provoquer ■ 10 contrarier, courroucer, horripiler, irritation.
IRRUPTION : 8 descente, invasion ■ 9 implosion, incursion.
ISCHEMIE : 10 ischémique.
ISCHION : 9 sciatique ■ 11 ischiatique.
ISERE : 9 sassenage.

ISLAM : 5 zakat ■ 8 madhisme, sunnisme ■ 9 ayatollah, chafiisme, hanafisme, islamiser, malékisme, malikisme ■ 10 hanbalisme ■ 11 islamologie ■ 13 antéislamique, hodjatoleslam ■ 14 arabo-islamique.
ISLAMIQUE : 5 türbe ■ 6 charia, turbeh, zaouïa, zawiya ■ 7 falsafa ■ 8 musulman, soufisme ■ 11 mahométisme ■ 12 hispano-arabe, islamisation ■ 15 hispano-moresque.
ISLAMISME : 9 islamiste.
ISLANDAIS : 5 morue.
ISMAELIEN : 10 ismaélisme.
ISOBARE : 13 géotrophique.
ISOCHRONE : 12 isochronisme.
ISODYNAMIE : 12 isodynamique.
ISOGAMIE : 11 hétérogamie.
ISOLANT : 5 câble ■ 7 ébonite, perlite, thermos ■ 9 presspahn ■ 10 chatterton, séparateur ■ 11 guttapercha ■ 12 diélectrique ■ 14 cache-poussière.
ISOLATION : 8 pyralène ■ 12 carton-feutre.
ISOLATIONNISME : 14 isolationniste.
ISOLE : 4 bled, pâté, seul*, vide ■ 5 fiche, oasis ■ 6 écarté, ermite, reculé, retiré ■ 7 éloigné, esseulé, ségrais ■ 8 délaissé, dépeuplé, gendarme, inhabité, isolable, pavillon, sélectif ■ 9 abandonné, isolement, solitaire ■ 10 anachorète ■ 11 abstraction ■ 13 individualité ■ 14 isolationnisme.
ISOLEMENT : 7 abandon, célibat ■ 8 ermitage, solitude ■ 9 isolation, rouissage ■ 10 désolation, encagement, perditance, sporadique ■ 11 quarantaine ■ 12 coproculture, dépeuplement ■ 13 créationnisme ■ 15 ultrafiltration.
ISOLER : 4 lido ■ 7 écarter, séparer* ■ 8 confiner, enfermer, enterrer, paravent, préparer ■ 9 abstraire, cantonner, encercler, isolateur ■ 10 séquestrer ■ 12 retraitement.
ISOMERE : 8 fructose, isomérie ■ 9 racémique ■ 11 énantiomère ■ 12 phénanthrène ■ 13 isomérisation, stéréo-isomère, téréphtalique.
ISOMERIE : 9 polymérie ■ 14 stéréo-isomérie.
ISOMETRIQUE : 9 isométrie.
ISOMORPHE : 12 isomorphisme ■ 13 automorphisme.
ISOPODE : 5 ligie ■ 6 aselle, bopyre ■ 8 cloporte.
ISOSTASIE : 11 isostatique.
ISOTOPE : 6 thoron ■ 7 tritium ■ 9 deutérium ■ 11 radiocobalt ■ 12 radio-isotope.
ISOTROPE : 7 isotron ■ 9 isotropie.
ISRAEL : 6 shekel.
ISRAELITE : 4 juif* ■ 5 azyme, bible, manne, pâque, polak, youdi ■ 6 guinal, hébreu, sémite, youpin, youtre ■ 7 polaque.
ISSANT : 11 dextrochère.
ISSIR : 4 issu ■ 5 issue, tirer ■ 6 naître.
ISSUE : 4 rade ■ 5 accul, après, murer ■ 6 sortie*, succès ■ 8 critique, cul-de-sac, résultat* ■ 9 vomitoire ■ 10 émonctoire, procidence ■ 13 aboutissement.
ITALIEN : 4 maïs, soie ■ 5 coppa, grana, latin, pizza, rital, sarde, sbire ■ 6 asiago, grappa, ligure, romain, scampi, toscan ■ 7 émilien, fontine, lombard, mosette, mozette, ombrien, ricotta, trévise ■ 8 alkermès, étrusque, fascisme, italique, levrette, podestat, romagnol, sicilien, vénitien ■ 9 bardolino, calabrais, camériste, campanien, colombine, maïolique, spaghetti, trattoria ■ 10 carabinier, mozzarelle, napolitain, piémontais ■ 11 italianiser, italianisme, macchiaioli ■ 12 carbona-

risme, irrédentisme, italianisant, risorgimento, romanticisme, valpolicella ■ 15 trans-avant-garde.

ITINERAIRE: 2 li ■ 5 lieue, mille, motel, stade, temps ■ 6 verste, voyage* ■ 7 circuit ■ 8 fléchage ■ 11 cheminement.

ITINERANT: 6 dioula.

IVOIRE: 4 dame ■ 5 jeton, morse ■ 6 cément, corozo, éburne, fichet, morfil, rohart, sillet ■ 7 dentine, ivoirin, ivorine ■ 8 éburnéen, éléphant, ivoirier ■ 10 toreutique ■ 15 chryséléphantin.

IVRAIE: 7 zizanie ■ 8 ray-grass.

IVRE: 3 gai, paf ■ 4 gris, noir, pris, rond, soûl ■ 5 aviné, parti, plein, saoul ■ 6 bourré, éméché, émergé, enivré ■ 7 ivrogne ■ 8 pompette, schlasse ■ 10 éthéromane ■ 12 brindezingue.

IVRESSE: 5 cuite, orgie ■ 6 biture, ribote ■ 7 ébriété, vertige* ■ 8 débauche, dégriser, griserie, soulerie ■ 9 bacchante, dessouler ■ 10 alcoolisme, désenivrer, dessaouler, enivrement, ivrognerie ■ 11 éthéromanie ■ 12 enthousiasme, soulographie.

IVROGNE: 6 buveur, soûlon, suppôt ■ 7 pochard, poivrot, soûlard, soûlaud ■ 8 soiffard ■ 9 dipsomane, éthylique, imbriaque ■ 10 alcoolique, ivrognesse ■ 11 intempérant, soûlographe.

IVROGNERIE: 10 pochardise ■ 12 soûlographie.

IXODE: 5 tique.

IXTLE: 5 agave.

J

JABLE : 6 jabler ■ **8** jabloirc.
JABORANDI : 9 pilocarpe ■ **11** pilocarpine.
JABOT : 5 gorge, poche.
JABOTE : 8 jaboteur.
JABOTER : 8 bavarder*, jaboteur.
JACASSER : 3 pie ■ **8** babiller, bavarder* ■ **9** jacasseur ■ **10** jacasserie ■ **11** jacassement.
JACENT : 9 subjacent.
JACHERE : 5 lande ■ **6** friche, guéret.
JACINTHE : 7 muscari.
JACOBITE : 5 copte.
JACONAS : 9 brillanté.
JACQUERIE : 7 jacques.
JACQUET : 7 matador ■ **10** backgammon.
JACTER : 6 parler*.
JADE : 7 jadéite ■ **8** néphrite.
JADIS : 5 antan, soude ■ **7** naguère ■ **9** autrefois ■ **12** anciennement.
JAILLIR : 6 couler*, gicler, pisser, sortir* ■ **7** saillir, sourdre ■ **8** débonder, éclateur, épancher, exprimer ■ **9** rejaillir ■ **10** extravaser ■ **11** éclabousser, jaillissant ■ **13** jaillissement.
JAILLISSEMENT : 3 jet ■ **4** bave ■ **5** puits ■ **6** geyser, source ■ **7** surgeon ■ **8** éruption ■ **9** pissement ■ **10** hémorragie, hémorroïde ■ **11** épanchement.
JAÏN : 6 vihara.
JAÏNISME : 4 jaïn ■ **5** djaïn, jaïna.
JAIS : 5 jayet.
JALON : 4 mire ■ **8** jalonner ■ **9** jalonneur ■ **11** jalonnement.
JALOUSER : 6 douter, envier, jaunir ■ **7** guetter ■ **8** craindre, redouter ■ **9** espionner ■ **10** soupçonner, surveiller.
JALOUSIE : 5 envie*, volet ■ **6** délire ■ **7** crainte ■ **8** défiance, méfiance, rivalité* ■ **9** émulation ■ **10** inquiétude ■ **11** concurrence.
JALOUX : 5 rival, tigre ■ **7** défiant, envieux, inquiet, méfiant ■ **9** ombrageux ■ **11** jalousement, soupçonneux.
JAMAICAINE : 3 ska ■ **6** reggae ■ **7** calypso.
JAMAIS : 3 onc ■ **6** onques ■ **7** oncques ■ **9** nullipare, trente-six.
JAMBAGE : 8 dosseret, piédroit ■ **9** pied-droit ■ **11** empattement.
JAMBE : 3 bas ■ **4** pied*, tige ■ **5** amble, bigle, botte, canon, fémur, flûte, genou, gigot, gigue, nager, patte*, pilon, suros, tarse, tibia ■

6 cuisse, flûtes, jarret, javart, mollet, péroné, quille, rotule ■ 7 abattis, fumeron, guibole, jambier, paturon ■ 8 cheville, gambette, guibolle, jambette, jambière, soléaire ■ 9 astragale, calcaneum, métatarse ■ 10 cul-de-jatte, jambonneau ■ 11 unijambiste ■ 12 califourchon, gargouillade.

JAMBIERE : 4 arme ■ 5 grève, heuse ■ 6 guêtre ■ 7 cnémide, jambart, legging.

JAMBON : 8 basquais, mirepoix ■ 11 coupe-jambon.

JAMBOSE : 9 jambosier.

JAMBOSIER : 7 jambose.

JANISSAIRE : 7 talpack.

JANSENISME : 10 janséniste.

JANTE : 7 bandage ■ 8 déjanter ■ 11 démonte-pneu.

JAPON : 6 yakusa ■ 7 bunraki ■ 11 macrocheire.

JAPONAIS : 3 sen, yen ■ 4 saké, saki ■ 5 futon, haiku, kyudo, laque, torii, tsuba ■ 6 gagaku, geisha, haïkaï, kabuki, karaté, kerria, kimono, mikado, mousmé, nippon ■ 7 ikebana, netsuke, origami ■ 8 agar-agar, hara-kiri, kamikaze, samouraï, shamisen, zibeline ■ 9 camphrier, japonerie, japonisme, japoniste ■ 10 japonisant, monogatari, shintoïsme ■ 12 japonaiserie.

JAPONAISE : 4 kana, suno ■ 5 kanji ■ 6 jojuri ■ 8 makimono, munchaku.

JAPPER : 5 chien ■ 6 aboyer ■ 7 jappeur ■ 9 jappement.

JAQUETTE : 7 smoking ■ 9 redingote ■ 10 parmenture.

JAQUIER : 5 jaque.

JARDIN : 3 zoo ■ 4 éden, mail, parc ■ 5 carré, oasis, pièce, terre, thuya ■ 6 clédar, marais, square, verger ■ 7 closeau, courtil, paradis, planche, vigneau ■ 8 closerie, eldorado, épierrer, jardinet, parterre, tortille ■ 9 bouvreuil, courtille, jardinage, jardinier, magnolier, pelle-à-cul, pépinière ■ 10 balancelle, cité-jardin, jardinerie, jardinière, jardiniste ■ 11 garden-party, rez-de-jardin ■ 12 horticulture.

JARDINAGE : 10 jardinerie ■ 13 microtracteur.

JARDINIER : 7 binette ■ 8 houlette, jardiner, plantoir ■ 9 jardinage, maraîcher ■ 10 serfouette ■ 11 primeuriste ■ 12 horticulteur.

JARGON : 5 argot, sabir ■ 6 langue*, parler* ■ 7 bigorne, langage* ■ 8 javanais, largonji, narquois ■ 9 babélisme, jargonner ■ 10 galimatias.

JARRET : 5 acier, jambe, jarde, tarse ■ 6 jardon ■ 7 capelet, éparvin, épervin, poplite, trumeau ■ 8 jarreter, malandre, osso-buco, vessigon ■ 10 énervation.

JARS : 9 jargonner.

JAS : 7 suriner.

JASER : 6 parler* ■ 8 bavarder*, caqueter.

JASPER : 8 barioler.

JASPINER : 8 babiller, bavarder*.

JATTE : 3 bol ■ 4 jale ■ 6 jattée.

JAUGER : 5 jauge, velte ■ 7 mesurer* ■ 8 jaugeage ■ 9 rhéomètre.

JAUNATRE : 4 blet, cire, kaki ■ 5 bolet, bulle, fluor, khaki, zèbre ■ 7 saburre ■ 8 éphélide.

JAUNE : 3 sil ■ 4 bile, doré, ocre, roux, ulex, vert ■ 5 ambre, beige, béril, béryl, fauve, gaude, genêt, gutte, inule, melon, moyeu, olive, saure, serin, souci, tigre, zeste ■ 6 aurore, citron, cuivre, jaunet, marron, orange ■ 7 chamois, merdoie, safrané ■ 8 isabelle, jaunâtre, massicot, orpiment, picrique, safraner, sardoine, sarrette ■ 9 aubergine, colophane, hyacinthe, jonquille, lécithine, marcasite, mirabelle, strontium, urochrome ■ 10 aventurine, flavescent, hippolithe, jaunissage, lipochrome, marcassite, mayonnaise, mirlicoton, quercitron ■ 11 blastoderme, stil-de-grain, xanthélasma, xanthoderme ■ 12 cuisse-madame, feuille-morte, jaunissement, xanthophylle.

JAUNIR : 8 safraner ■ 10 jaunissant.

JAUNISSE : 6 ictère ■ 9 ictérique ■ 12 leptospirose.

JAUNISSEMENT : 8 chlorose ■ 10 étiolement.

JAVA : 6 coléus.

JAVANAIS : 6 jargon* ■ 7 gamelan.

JAVEL : 10 javelliser.

JAVELER : 8 javelage.

JAVELINE : 6 flèche.

JAVELLE : 5 fagot, javel ■ 7 javeler ■ 8 faisceau, javeleur ■ 9 enjaveler, javeleuse.

JAVELOT : 4 arme, dard ■ 5 haste, pilum ■ 6 flèche*, framée, sagaie.

JAZZ : 3 hot ■ 4 beat, cool ■ 5 be-bop, combo, dixie, drume, funky, swing ■ 7 big band, drummer, quintet ■ 8 jazzique ■ 9 dixieland ■ 10 charleston, jam-session, middle jazz ■ 11 jazzistique ■ 12 boogie-woogie ■ 14 rhythm and blues.

JEAN : 5 denim ■ 10 johannique.

JEAUGEAGE : 5 jauge.

JEJUNUM : 5 iléon, iléum ■ 7 jéjunal.

JE-M'EN-FICHISME : 13 je-m'en-fichiste, je-m'en-foutisme.

JENNERIEN : 13 variolisation.

JEREMIADE : 7 plainte.

JERK : 6 jerker.

JERRYCANE : 8 nourrice.

JESUITE : 4 maté ■ 8 fausseté ■ 9 hypocrite, moliniste ■ 10 jésuitique, jésuitisme.

JESUS-CHRIST : 4 cène, oint ■ 5 agape, croix, messe, pâque, verbe ■ 8 ecce homo, évangile, galiléen, nativité ■ 10 rédempteur ■ 11 évangéliste ■ 12 monophysisme ■ 12 transfiguration.

JET : 3 arc, tir ■ 4 dard ■ 5 angon, gerbe, lance, plomb, pluie, pompe, trait ■ 6 douche, fronde, geyser, giclée, lancer, sagaie, source, zagaie ■ 7 baliste, cascade, embruns, jacuzzi, javelot, marteau, rejeton ■ 8 arbalète, émission, pissette ■ 9 boomerang, boumerang, catapulte, chalumeau, entre-deux, géomancie, lave-glace, soufflard, trébuchet ■ 10 balistique, étoilement ■ 13 ruissellement.

JETABLE : 7 kleenex.

JETE : 7 jetable.

JETEE : 4 môle ■ 5 digue, havre ■ 6 musoir ■ 11 débarcadère, embarcadère.

JETER : 4 ruer ■ 5 baver, crier, fumer, jouer, poser, semer, tirer, vomir ■ 6 ancrer, couler, darder, ficher, gicler, jeteur, lancer*, poquer, tomber, verser ■ 7 abattre, arroser, beugler, briller, cracher, élancer, émettre, envoyer, épandre, jaillir, joncher, lapider, pousser, rejeter ■ 8 atterrer, balancer, confluer, décocher, démonter, dépotoir, détruire, éclairer, éjaculer, éjection, enferrer, flanquer, fulminer, injecter, irradier, mouiller, parsemer, projeter, répandre ■ 9 débaucher, déboucher, disperser, étinceler, flamboyer, jettatore, jettatura, rejaillir, renverser*, repousser, terrasser ■ 10 consterner, ensemencer, ensorceler, éparpiller, épouvanter, marabouter, précipiter ■ 11 éclabousser, déconcerter, dévergonder ■ 12 époustoufler ■ 14 défenestration.

JETEUR : 11 quimboiseur.

JETON : 6 marque, marron, méreau, numéro ■ 9 taxiphone.

JEU : 3 bog, dés, fou, hoc, jan, pic, rob, roi ■ 4 besi, cave, char, dame, gage, hoca, jass, lego, loto, mail, mise, pile, polo, quiz, rami, rams, siam, tour, truc, walé, yass ■ 5 arène, atout, awalé, bague, balle, banco, baste, batte, belle, bingo, cadet, carré, carte, cœur, coupe, creps, damer, début, donne, écart, enjeu, éteuf, fiche, filou, furet, jeton, jouer, jouet*, levée, loure, massé, momon, palet, passe, paume, pièce, pique, point, poker, pouce, poule, rebot, rébus, reine, repic, robre, score, serré, table, talon, tapis, tarot, trick, whist ■ 6 astuce, banque, barres, belote, biribi, blason, boston, bridge, casino, chibre, clandé, écarté, échecs, énigme, gouret, hockey, hombre, jaquet, lindor, ma-jong, mourre, nasard, pelote, piquet, puzzle, taquin, tarots, tennis, thèque, tripot, volant ■ 7 aluette, baccara, besigue, billard, bouchon, bowling, brisque, canasta, cricket, croquet, gin-rami, jackpot, jacquet, larigot, loterie, ludique, mah-jong, manille, marella, marelle, mariage, matador, mecano, néméens, pharaon, quilles, réversi, sizette, tonneau, wargame ■ 8 alluette, asiarque, banquier, bassette, bataille, crapette, cromorne, croupier, fair-play, gin-rummy, gymkhana, jonchets, ludiciel, massacre, patience, pétanque, prestant, réversis, rigolade, roulette, scrabble, tie-break, trictrac, triomphe, zanzibar ■ 9 amusement, articuler, badminton, bilboquet, black jack, bonneteau, casse-tête, cochonnet, corbillon, devinette, impériale, isthmique, ludologue, manœuvre, mécanisme, nain jaune, olympiade, olympique, pythiques, quadrette, romestecq, sarabande, solitaire, vingt-et-un, water-polo ■ 10 backgammon, bouillotte, boulodrome, cache-cache, cerf-volant, engagement, lansquenet, martingale, passe-temps, philippine, récréation, salicional, strip-poker, tourniquet, trou-madame ■ 11 cache-tampon, cafouillage, charlemagne, chemin de fer, dominoterie, esthétisant, mots croisés, saute-mouton ■ 12 baguenaudier, registration ■ 13 cache-mouchoir, colin-maillard ■ 15 bulletin-réponse.

JEU DE MOTS : 5 rébus ■ 6 énigme, pointe ■ 7 charade ■ 8 boniment, quolibet, rosserie ■ 9 anagramme, calembour, épigramme, équivoque ■ 10 acrostiche, logogriphe ■ 11 turlupinade ■ 12 bouffonnerie, plaisanterie ■ 13 contrepèterie.

JEUDI : 4 céne ■ 8 fête-dieu, mi-carême ■ 9 baisement.

JEUNE : 3 m.j.c., néo ■ 4 beur, bleu, faim, gars, hère, jeun, lais, page ■ 5 cadet, chiot, diète, goret, gosse, osier, petit, plant, provo, puîné, rapin, surin, tapin, taure, thème, volve ■ 6 brunet, carême, daguet, éphèbe, famine, garçon, inédié, jeunet, jeunot, maigre, minime, régime, tendre, vigile ■ 7 apollon, béjaune, bufflon, imberbe, jeûneur, nouveau, poussin, ramadan, ramerot, trottin ■ 8 benjamin, blanc-bec, cochelet, conservé, coquebin, coquelet, cousette, dispense, grisettte, jeunesse, marmiton, paonneau, pioupiou, porcelet, poulette, rajeunir, ramereau ■ 9 austérité, bachelier, bouvillon, buffletin, canardeau, crossette, damoiseau, garçonnet, hirondeau, jeûnement, louveteau, maquiller, midinette, mirliflor, mortifier, outardeau, patronnet, pénitence, pintadeau, pouillard, roquentin, starlette, taurillon, tout-petit ■ 10 abstinence, adolescent, bleusaille, chaponneau, faisandeau, fauconneau, mirliflore, pigeonneau, printanier ■ 11 chaperonner, éléphanteau, pastourelle, petit-maître, quatre-temps ■ 12 rajeunissant ■ 13 saute-ruisseau.

JEUNE FEMME : 5 pépée ■ 7 nénette.

JEUNE FILLE : 4 coré, môme ■ 5 guide, pépée ■ 7 groupie, nénettte, oiselle, rosière, tanagra ■ 8 valentin ■ 9 bécassine, canéphore, cheftaine, cover-girl, mannequin, nymphette, trousseau, valentine ■ 10 couventine, demi-vierge ■ 11 blondinette, entraîneuse, jouvencelle ■ 12 catherinette, effeuilleuse.

JEUNE GARÇON: 13 préadolescent.

JEUNE HOMME: 5 giton ■ 6 couros, kouros ■ 8 milicien ■ 9 bachelier, blondinet, étourneau ■ 10 godelureau, incroyable, mirliflore, pigeonneau ■ 11 blouson noir.

JEUNER: 7 jeûneur ■ 8 abstenir, renoncer.

JEUNESSE: 4 jour, yé-yé ■ 5 fleur, jeune, matin, zazou ■ 6 ajiste, aurore ■ 7 enfance*, jaciste, puberté, verdeur ■ 8 jouvence ■ 9 printemps ■ 10 juvénilité, printanier ■ 11 adolescence, tourtereaux.

JIU-JITSU: 4 judo ■ 5 lutte.

JOAILLERIE: 9 bijoutier, joaillier ■ 10 pierreries.

JOB: 7 jobiste.

JOBARD: 5 niais* ■ 9 jobardise ■ 10 jobarderie.

JOCKEY: 5 toque ■ 6 driver ■ 7 casaque ■ 14 gentleman-rider.

JOCRISSE: 5 niais*.

JOGGING: 6 jogger ■ 7 joggeur.

JOIE: 2 ah ■ 3 hip ■ 4 aise, youp ■ 5 larme, youpi ■ 6 délire, extase, gaieté*, liesse ■ 7 bonheur*, entrain, épanoui, hosanna, ivresse, plaisir*, youppie ■ 8 alacrité, euphorie, euthymie, exclamer, hilarité, pavoiser ■ 9 jovialité, optimisme, rabat-joie, triompher ■ 10 allégresse, enjouement, exultation, jubilation ■ 11 acclamation, exclamation, gaillardise, joyeusement, ravissement ■ 12 contentement, enchantement, enthousiasme, réjouissance, satisfaction* ■ 14 épanouissement.

JOINDRE: 4 ajut, lier*, unir* ■ 5 ajust, jouer, mêler, nouer, trait ■ 6 abuter, allier, clouer, coller, coudre, fondre, marier, relier, réunir*, souder ■ 7 aborder, abouter, accoler, adapter, adhérer, agréger, ajouter, ajuster, annexer, apposer, coupler, enlacer, épouser, greffer, grouper*, insérer, jumeler, rallier, sceller, toucher ■ 8 aboucher, affilier, ajointer, allonger, apparier, appondre, associer, attacher*, cimenter, coaliser, colliger, confluer, coopérer, emboîter, embrever, empatter, englober, jonction, ramasser, recoudre ■ 9 accoupler, adjoindre, appliquer, assembler*, atteindre, cheviller, concourir, confondre, conjuguer, converger, convoquer, emmancher, fusionner, goujonner, joignable, jointoyer, mastiquer, prolonger, raccorder, rapporter, rattacher, rejoindre ■ 10 agglutiner, collaborer, concentrer, empaqueter, incorporer, intercaler, interpoler, juxtaposer, liaisonner, rapprocher, rassembler*, rencontrer, transfiler ■ 11 accompagner, anastomoser, appareiller, conglomérer, conglutiner, injoignable ■ 12 enchevaucher ■ 13 collectionner.

JOINT: 3 lut ■ 5 délit, genou ■ 6 enlier ■ 7 brisure, ci-joint, cohésif, collure ■ 8 adjectif, ci-annexé, ci-inclus, jointure ■ 9 agrégatif, bourrelet, garniture, jointoyer ■ 10 jointoyeur ■ 11 couvre-joint, rejointoyer ■ 12 jointoiement.

JOINTURE: 5 nœud ■ 6 boulet ■ 8 cornière, trochlée ■ 9 articuler, arthrodie, charnière ■ 12 articulation.

JOLI: 4 beau*, gent, jo-jo ■ 5 bijou, pépée ■ 6 bellot, joliet ■ 8 chouette, joliesse ■ 9 enjoliver ■ 12 enjolivement.

JONC: 4 alfa, glui ■ 5 acore, ajonc, auffe, balai, brusc, cabas, canne*, épart, nattte, spart, stick ■ 6 anneau, butome, joncer, scirpe ■ 7 joncier, landier, souchet ■ 8 jonchaie, jonchère ■ 10 époussette, joncheraie.

JONCACEE: 4 jonc ■ 6 butome, luzule.

JONCHER : 7 prévoir ■ 8 parsemer ■ 9 recouvrir.
JONCHETS : 8 honchets.
JONCTION : 5 écart, livet, matir, union ■ 6 bregma ■ 7 liaison ■ 8 adhésion, doublage ■ 10 assemblage, commissure ■ 12 raccordement ■ 13 enchevauchure.
JONGLER : 8 jongleur ■ 10 troubadour.
JORDANIEN : 9 hachémite, hachimite.
JOTA : 10 aragonaise.
JOUBARBE : 11 sempervivum.
JOUE : 4 rose ■ 5 barbe, duvet, gifle, jugal, tempe ■ 6 bajoue, mafflu ■ 7 abajoue, malaire ■ 8 fossette, masséter, pommette, soufflet.
JOUER (voir *jeu*) : 4 rôle ■ 5 faire, lento, mimer, opéra, pièce, scène, serré, taper ■ 6 flûter, putter ■ 7 bridger, débuter, figurer, jouable, pionner, rejouer, vieller ■ 8 canarder, exécuter, incarner, octavier, violoner, volleyer ■ 9 batifoler, bostonner, décliquer, injouable, jouailler, scrabbler ■ 11 interpréter, représenter ■ 14 représentation.
JOUET : 3 feu* ■ 4 noël, yoyo ■ 5 balle, sabot, toton ■ 6 hochet, joujou, pantin, poupée, toupie ■ 7 bascule, croquet, cuisine, diabolo, flûteau, magasin, tambour ■ 8 massacre, mercerie, panoplie ■ 9 bilboquet, patinette ■ 10 balançoire, cerf-volant, ludothèque ■ 11 passe-boules, trottinette ■ 12 lance-pierres, polichinelle.
JOUEUR : 4 demi, onze ■ 5 avant, badin, cadet, capot, école, inter, ponte ■ 6 centre ■ 7 arrière, botteur, donneur, sonneur ■ 8 bouliste, bridgeur, haussier, luthiste, pelotari, pianiste, quilleur, rugbyman, stoppeur, vielleur, violiste ■ 9 cymbalier, dribbleur, hockeyeur, intérieur, manilleur, ménétrier, organiste, quadrette, quinziste, sitariste, talonneur, treiziste ■ 10 basketteur, bassoniste, cithariste, concertant, hautboïste, scrabbleur, simultanée, trompeteur, violoniste ■ 11 avant-centre, buccinateur, tromboniste, cornemuseur, cornettiste, handballeur, trois-quarts ■ 12 claveciniste, mandoliniste, tambourineur, trompettiste ■ 13 accordéonniste, tambourinaire ■ 13 vibraphoniste ■ 14 violoncelliste.
JOUFFLU : 4 lune ■ 6 bouffi.
JOUG : 7 harnais* ■ 8 enjuguer ■ 9 esclavage ■ 13 subordination.
JOUIR : 5 droit, reste ■ 6 goûter ■ 8 mort-gage, savourer ■ 10 bénéficier, garde-noble.
JOUISSANCE : 4 bail, baux ■ 5 ferme, libre, usage, vivre ■ 7 douceur, plaisir* ■ 8 impenses, usufruit ■ 9 chasement, privilège, propriété, recréance ■ 10 pas-de-porte, possession* ■ 11 bienheureux ■ 13 concupiscence, non-jouissance.
JOUR : 3 têt, vie ■ 4 aube, bref, date, fête, hier, ides, kief, midi, neuf, none, sept, soir ■ 5 ajour, brune, clair, dîner, douze, duodi, faste, férié, heure, jeudi, levée, lundi, mardi, matin, natal, nones, point, repas, seize, sexte, tridi, vingt, zonze ■ 6 décadi, déclin, diurne, épacte, nomidi, nonidi, octodi, samedi, soirée ■ 7 estarie, journée, matinée, primidi, septidi, sextidi ■ 8 bissexte, calendes, demi-jour, dimanche, enfanter, éphémère, mercredi, occurent, pénombre, quartidi, quintidi, vendredi ■ 9 après-midi, ascension, avant-hier, bréviaire, couvre-feu, épiphanie, indiction, lendemain, quotidien ■ 10 après-dîner, assomption, aujourd'hui, claire-voie, journalier, lucernaire, quatre-temps, septénaire, surestarie ■ 11 après-demain, avant-veille, biquotidien, potron-minet, vingt-quatre ■ 12 fenestration, intercalaire, potron-jaquet, photopériode, réactualiser, surlendemain ■ 13 noctambulisme, poltron-jaquet, sans-culottide.
JOURNAL : 5 livre, revue ■ 6 brûlot, canard, organe, presse ■ 7 aubette, dazibac, feuille, gazette, libellé, mensuel, morasse ■ 8 bulletin, cour-

rier, diariste, magazine, officiel, pamphlet, retourne, rubrique ■ 9 annonceur, annoncier, articulet, bouillons, chronique*, éditorial, kiosquier, plaquette, quotidien, reportage ■ 10 entrefilet, journaleux, kiosquiste, périodique ■ 11 journaliste, publication ■ 12 hebdomadaire, justificatif, radio-journal ■ 14 journalistique ■ 15 roman-feuilleton.
JOURNALIER: 5 marée ■ 6 diurne ■ 9 quotidien.
JOURNALISTE: 8 échotier, localier, reporter, soiriste ■ 9 rédacteur, salonnier ■ 10 journaleux, publiciste ■ 11 chroniqueur, interviewer, journalisme, nouvelliste ■ 12 courriériste, folliculaire, pamphlétaire ■ 13 correspondant, éditorialiste, fait-diversier, radio-reporter.
JOURNEE: 4 jour*, tard ■ 5 balai, dîner, unité ■ 7 bonjour ■ 9 glorieuse, lucimètre ■ 11 demi-journée.
JOUTE: 4 lice ■ 5 lance, morne ■ 7 tournoi.
JOUVENCEAU: 6 éphèbe ■ 10 adolescent.
JOVIAL: 3 gai* ■ 4 papa ■ 6 drille ■ 9 jovialité ■ 11 jovialement.
JOYAU: 5 bijou ■ 8 ménisque ■ 11 ferronnerie.
JOYEUSETE: 12 plaisanterie.
JOYEUX: 3 gai*, vif ■ 4 aisé ■ 5 badin, luron ■ 6 enjoué, jovial, réjoui ■ 7 allègre, content, épanoui, folâtre, grivois, heureux, pimpant, radieux ■ 8 délirant, enchanté, folichon, fringant, gaillard, gros-rené ■ 9 égrillard, gaudeamus, guilleret, malicieux, optimiste ■ 10 émoustillé, frétillant ■ 11 gobichonner.
JUBE: 5 orgue.
JUBILATION: 11 jubilatoire.
JUBILE: 9 jubilaire.
JUBILER: 4 joie, rire* ■ 9 jubilaire ■ 10 jubilation.
JUCHER: 7 juchoir, percher ■ 8 déjucher.
JUDAÏQUE: 4 juif* ■ 6 rabbin ■ 8 judaïser, judaïsme ■ 10 rabbinisme.
JUDAÏSME: 6 kasher ■ 7 cachère, karaïte, quaraïte ■ 10 hassidisme.
JUDAS: 7 déloyal*.
JUDEEN: 4 juif.
JUDICATURE: 4 robe.
JUDICIAIRE: 5 datif, forme, plaid ■ 7 command, exploit ■ 8 huis clos, imperium ■ 9 arrêtiste, pétitoire ■ 11 actionnable, collocation, réouverture ■ 14 interlocutoire, judiciairement.
JUDICIEUX: 4 sain ■ 11 intelligent ■ 14 judicieusement.
JUDO: 3 dan ■ 5 ippon ■ 6 judoka ■ 7 mi-lourd, mi-moyen.
JUDOKA: 6 judogi.
JUGE: 4 caïd, robe ■ 5 juger, juste, siège ■ 6 veniat ■ 8 hooligan, houligan, official ■ 9 assesseur, justicier, magistrat* ■ 10 judicature ■ 11 inquisiteur, justiciable, préjudiciel, supplétoire ■ 12 inquisitoire, tortionnaire ■ 13 correctionnel ■ 15 discrétionnaire, juge-commissaire.
JUGEMENT: 3 ban, sot ■ 4 sens ■ 5 appel, arrêt, lynch, prise, subir ■ 6 arrêté, errata, esprit, estime, procès, raison ■ 7 censure, cerveau, fermeté, jugeote, mal-jugé, manière, opinion*, préjugé, sottise, verdict ■ 8 cervelle, critique, délibéré, écervelé, insanité, intitulé, paradoxe, sentence, solution, troubler ■ 9 déviation, dilatoire, grossoyer, intellect, judicieux, pronostic, rectitude, réflexion, règlement, soumettre, stupidité ■ 10 compétence, conscience, estimation, évaluation, évaluateur, interjeter, opposition, ordonnance, ostracisme, partialité, prévention ■ 11 approbation, entendement, proposition, réprobation, scepticisme, schibboleth ■ 12 appréciation, assertorique, autocritique, discernement, inconscience, intelligence, préjudiciaux, volontarisme.
JUGER: 4 dire, voir ■ 5 jurer, louer, toise ■ 6 blâmer, croire, opiner, penser*, priser, régler ■ 7 abonder, arrêter, décider, déduire, deviner,

estimer*, évaluer, méjuger, prévoir, rejuger, réputer, statuer, trouver ■ **8** arbitrer, calculer, conclure, critique, déclarer, examiner, jugeable, préjuger, présumer, résoudre ■ **9** apprécier, approuver, condamner, critiquer, envisager, prononcer, raisonner ■ **10** compétence, considérer, départager, déterminer, lactomètre ■ **11** conjecturer, délicatesse, juridiction ■ **12** discernement ■ **13** physionomiste.

JUGLANDACEE : **5** noyer ■ **7** hickory.

JUGULER : **7** enrayer ■ **8** refréner.

JUIF : **5** bible, goyim, kippa, pâque, sénat, taled ■ **6** lévite, mellah, pourrim, scribe, sémite, taleth, talith, targum, youpin ■ **7** hébreux, talleth, tallith ■ **8** enjuiver, judaïque, judaïsme, juiverie, rational, saducéen, sionisme, zélateur ■ **9** ashkénaze, cabaliste, ébionites, israélite*, lévitique, massorète, pharisien, sadducéen, sanhédrin, synagogue ■ **10** holocauste, thérapeute ■ **11** roch ha-shana, rosh ha-shana ■ **13** antisémitique, antisémitisme, judéo-espagnol, sacrificateur ■ **14** traditionnaire.

JUILLET : **11** juilletiste.

JUIVE : **5** shéol ■ **6** pessah, pourim ■ **7** judaïté, judéité, kaddish, kippour, soukhot ■ **8** hanoukka, saducéen, shabouot ■ **9** bar-miyava, parascève, sadducéen ■ **10** yom kippour.

JUJUBIER : **7** zizyphe.

JUMEAU : **6** besson, gémeau, triplé ■ **8** dizygote ■ **9** quadruplé ■ **10** gémellaire, monozygote ■ **11** gémillipare, univitellin ■ **13** superfétation.

JUMELER : **7** joindre* ■ **8** jumelage.

JUMELLE : **7** gémelle, lunette ■ **8** bessonne ■ **9** lorgnette.

JUMENT : **4** baie, mule ■ **5** haras, mulet ■ **6** cavale, cheval*, moreau, suitée ■ **7** ponette ■ **8** haquenée, pouliche, pouliner ■ **10** poulinière.

JUMPING : **3** spa.

JUNIOR : **5** cadet.

JUNKER : **5** stuka.

JUNON : **8** junonien.

JUPE : **4** kilt, maxi, mini, pouf, tutu ■ **5** cotte, jupon, paréo, tonne ■ **6** jupier, panier, sarong ■ **7** amazone, filibeg, jupette ■ **8** basquine, cotillon, feutrine, juponner, mini-jupe, philibeg, sous-jupe ■ **9** crinoline, porte-jupe ■ **10** enjuponner, fustanelle, vertugadin ■ **11** jupe-culotte.

JUPON : **7** filibeg ■ **10** philibeg.

JURA : **7** morbier.

JURASSIQUE : **4** lias ■ **6** dogger ■ **7** rhétien ■ **8** bajocien, cisjuran, cyclamen, toarcien ■ **9** iguanodon, jurassien ■ **10** diplodocus, stégosaure, télésaure, transjuran ■ **11** ichtyosaure, plésiosaure ■ **12** archéoptéryx, ptérodactyle.

JURE : **4** jury ■ **7** jurande.

JUREMENT : **5** juron* ■ **7** serment ■ **9** blasphème, notre-dame ■ **10** palsambleu, ventrebleu.

JURER : **6** pester, sacrer ■ **7** adjurer, déférer, engager, exécrer, maudire, obliger ■ **8** affirmer, attester, conjurer, détester, maugréer ■ **9** exorciser, promettre* ■ **10** blasphémer, contraster ■ **11** assermenter.

JURIDICTION : **3** for ■ **4** rote ■ **5** arrêt, kanat, siège ■ **6** cercle, khanat, sphère ■ **7** basoche, prévôté, qualité, ressort ■ **8** district, instance, official, paroisse, primatie, tribunal ■ **9** baillage, panonceau ■ **10** archevêché, compétence, généralité, margraviat ■ **11** attribution, chatellenie, département, gouvernance ■ **12** archidiaconé, condamnation, introduction, maréchaussée, présidialité, sénéchaussée ■ **14** arrondissement, décriminaliser, juridictionnel ■ **15** circonscription.

JURIDIQUE : **3** cas ■ **4** dire ■ **7** exégèse, informé ■ **8** caducité ■

9 chafiisme, électorat, habiliter, hanafisme, huridisme, malékisme, malikisme, passation, paternité, rétorsion ■ 10 hanbalisme, intimation ■ 11 domanialité, heimatlosat, nationalité, subrogation ■ 12 émancipation, habilitation, immutabilité, ratification ■ 13 juridiquement.

JURISCONSULTE : 7 légiste.

JURISPRUDENCE : 5 droit ■ 8 bien-jugé ■ 13 hodjatoleslam ■ 15 jurisprudentiel.

JURISTE : 7 légiste ■ 10 privatiste ■ 12 criminaliste.

JURON : 5 jurer, pardi, sabre ■ 6 crénom, morgué, tudieu ■ 7 bagasse, caramba, corbleu, morbleu, parbleu, pardieu ■ 8 fouchtra, sacristi, tête-bleu, tonnerre ■ 9 blasphème, damnation, morguenne, sacrebleu, sacredieu, vertubleu, vertuchou, vertudieu ■ 10 jarnicoton, morguienne ■ 14 saperlipopette ■ 15 ventre-saint-gris.

JUS : 3 suc, vin ■ 4 coco, marc ■ 5 cidre, gelée, juter, limon, neige, poire, punch, sirop, sucre ■ 6 coulis ■ 8 citronné, épulpeur, exprimer, réglisse ■ 9 diffuseur, orangeade, pressurer ■ 10 citronnade, lèchefrite ■ 12 presse-citron, presse-fruits, vinification.

JUSANT : 6 reflux.

JUSQU'EN HAUT : 5 à bloc.

JUSSIEU : 4 sain, vrai.

JUSSION : 12 commandement.

JUSTAUCORPS : 4 body ■ 5 jaque ■ 9 buffletin.

JUSTE : 3 pur, sûr ■ 4 faux, sain, vrai* ■ 5 droit*, exact*, fondé, légal, loyal, moral, probe, sensé, tortu ■ 6 étroit, fidèle, licite, précis, strict ■ 7 austère, délicat, honnête, injuste ■ 8 justesse, légitime, régulier, vertueux ■ 9 approprié, équitable*, eurythmie, honorable, impartial, justifier, plausible, rationnel, véritable ■ 10 discordant, scrupuleux, soutenable ■ 13 consciencieux.

JUSTEMENT : 10 exactement ■ 11 précisément.

JUSTICE : 3 for ■ 4 cour, haro, juge, taxe, tort ■ 5 criée, droit*, ester, juste, levée, salle, siège, titre, vertu ■ 6 équité, pureté, sûreté, vérité ■ 7 balance, loyauté, prêteur, probité, sergent, viguier ■ 8 assigner, attraire, citation, consulte, contumax, débouter, désister, droiture, fidélité, forclore, intenter, légalité, moralité, plaindre, prétoire, requérir, scrupule, sénéchal, spécieux ■ 9 actionner, arrêtiste, audiencia, austérité, basilique, comparoir, contumace, défendeur, demandeur, honnêteté, impartial, injustice, juratoire, juridique, justement, justicier, landgrave, parlement, plaignant, réclamant, requérant, rigorisme, sincérité, théodicée ■ 10 accusation, chancelier, conscience, consulaire, corrégidor, exhibition, judiciaire, légitimité ■ 11 arrestation, codemandeur, comparution, compulsoire, délicatesse, gonfalonier, gonfanonier, justiciable ■ 12 chancellerie, non-comparant, opposabilité ■ 14 non-comparution ■ 15 archichancelier, extra-judiciaire.

JUSTIFICATION : 6 excuse, raison ■ 8 apologie, prétexte* ■ 11 explication ■ 12 contre-partie, disculpation.

JUSTIFIER : 5 fondé, juste, laver ■ 7 couvrir, excuser*, motiver, prouver ■ 8 blanchir, invoquer, vérifier ■ 9 décharger, dédouaner, disculper, expliquer, légitimer, prétexter* ■ 10 illégitime, injustifié, innocenter ■ 11 justifiable, sans-papiers ■ 12 justificatif ■ 13 injustifiable, justificateur, justification.

JUTE : 6 corète ■ 7 corette ■ 8 linoléum ■ 9 corchorus.

JUVENILE : 5 jeune ■ 10 juvénilité.

JUXTAPOSER : 5 liure ■ 8 cinérama ■ 12 juxtaposable ■ 13 juxtaposition ■ 14 hermaphrodisme.

JUXTAPOSITION : 8 parataxe.

KABBALE : 10 kabbaliste ▪ **13** kabbalistique.
KABUKI : 8 shamisen.
KAKI : 10 plaquemine.
KALEIDOSCOPE : 15 kaléidoscopique.
KALMOUK : 7 kalmouk.
KAN : 4 khan ▪ **5** kanat.
KANDJAR : 8 poignard.
KANGOUROU : 7 potorou ▪ **9** pétrogale.
KANTISME : 7 kantien ▪ **10** criticisme ▪ **11** néo-kantisme ▪ **13** néo-criticisme.
KAOLIN : 9 kaolinite ▪ **13** kaolinisation.
KAPOK : 6 bourre ▪ **8** fromager, kapokier.
KARATE : 5 ippon ▪ **8** karatéka ▪ **9** taekwondo.
KARST : 5 sotch ▪ **9** karstique.
KARSTIQUE : 5 karst.
KART : 7 karting.
KASSITE : 7 kassite.
KAYAK : 9 kayakable, kayakiste ▪ **10** canoë-kayak.
KAYAKISTF : 12 esquimautage.
KENDO : 5 ippon.
KENYA : 6 kenyan.
KEPI : 5 shako.
KERAL : kozhicode.
KERATINE : 10 kératinisé ▪ **14** kératinisation, scléroprotéine.
KERATITE : 9 occlusion.
KERMES : 8 akermès.
KERMESSE : 4 fête*.
KEROSENE : 13 carburéacteur.
KETMIE : 4 nafé ▪ **8** hibiscus.
KHAGNE : 10 hypokhâgne.
KHAN : 5 kanat ▪ **6** khanat.
KHARIDJISME : 10 kharridjite.
KHEDIVE : 8 khédival, khédivat ▪ **9** khédiéval.
KIDNAPPER : 7 enlever*.
KILOCALORIE : 12 millithermie.
KILOCYCLE : 2 kc.
KILOFRANC : 2 kf.
KILOGRAMME : 2 kg ▪ **5** arobe, livre.

KILOGRAMME-FORCE : 3 kgf.
KILOGRAMME-POIDS : 3 kgp.
KILOGRAMMETRE : 3 kgm.
KILOHERTZ : 9 kilocycle.
KILOJOULE : 2 kj.
KILOMETRE : 2 km ■ 5 borne, lieue ■ 10 kilométrer ■ 11 kilométrage ■ 12 kilométrique.
KIMONO : 6 judogi.
KINESITHERAPIE : 14 poulithérapie.
KINESTHESIE : 9 kinésique ■ 13 cinesthétique, kinesthésique.
KINSHASA : 6 kinois.
KIOSQUE : 7 aubette, édicule ■ 8 pavillon* ■ 9 baignoire, kiosquier ■ 10 kiosquiste ■ 12 bibliothèque.
KIRSCH : 4 baba ■ 6 cerise.
KIWI : 7 aptéryx.
KLAXON : 9 klaxonner.
KNOCK OUT : 2 k.o.
KOBOLD : 5 lutin.
KOLA : 7 caféine ■ 8 kolatier.
KOLKHOZE : 5 artel ■ 10 kolkhozien.
KORAN : 5 coran.
KORRIGAN : 5 lutin.
KOWEIT : 9 koweïtien.
KRACH : 8 faillite ■ 11 banqueroute.
KRILL : 11 euphausiacé.
KRISS : 8 poignard.
KRYPTON : 2 kr.
KURDISTAN : 5 kurde.
KYRIELLE : 5 série*, suite* ■ 10 ribambelle.
KYSTE : 6 tumeur* ■ 8 enkyster, kystique ■ 9 chalazion.

LA: **2** en ■ **3** ici.
LABADENS: **9** compagnon.
LABEL: **10** labelliser.
LABEUR: **7** travail ■ **9** quartager.
LABIACEE: **3** ive ■ **4** spic, thym ■ **5** aspic, bugle, ormin, sauge ■ **6** crosne, hysope, ivette, lamier, lierre, lycope, menthe, népéta, népète, origan ■ **7** ballote, basilic, bétoine, cataire, dictame, épiaire, glécome, lavande, léonure, marrube, mélisse, mélitte, pouliot, romarin ■ **8** calamant, chataire, gléchome, serpolet ■ **9** agripaume, patchouli, sarriette ■ **10** crapaudine, germandrée, marjolaine, toute-bonne ■ **11** patte-de-loup, scutellaire ■ **13** herbe-aux-chats.
LABIALE: **9** bilabiale.
LABIEE: **6** coléus ■ **8** lamiacée.
LABILE: **8** labilité.
LABORATOIRE: **3** têt ■ **5** linas, verre ■ **6** bunsen ■ **8** officine, pissette ■ **9** phytotron ■ **10** animalerie, laborantin ■ **11** laborantine ■ **12** coproculture, spermogramme ■ **13** cristallisoir.
LABORIEUX: **5** actif ■ **9** difficile*.
LABOUR: **5** champ, façon, rayon ■ **6** guéret, parage ■ **7** culture, fermage, jachère, planche ■ **8** dérayure ■ **9** charruage, défonçage, émotteuse, hivernage ■ **10** sous-solage ■ **11** agriculture, défoncement, motoculteur.
LABOURER: **5** houer ■ **7** enrayer, tiercer ■ **8** biloquer, défoncer, emblaver, étramper, hiverner, retercer ■ **9** billonner, labourage, laboureur, quartager ■ **10** égratigner, labourable ■ **11** agriculteur.
LABRE: **5** lèvre.
LABYRINTHE: **6** dédale ■ **13** labyrinthique.
LAC: **3** eau ■ **4** loch, rive ■ **5** étang*, lacet, lagon, omble ■ **6** filets ■ **9** benthique ■ **10** asphaltite, désenlacer, euphotique, limnologie ■ **11** bathymétrie ■ **13** sur-creusement.
LACERER: **8** déchirer*, délisser ■ **10** lacération.
LACERTILIEN: **5** orvet ■ **6** lézard ■ **7** saurien* ■ **8** caméléon, scincidé ■ **9** sciencoïde ■ **12** amblyrhynque.
LACET: **4** lacs ■ **5** lacer ■ **6** crevet, ferret, floche ■ **7** contour, œillet, tirette ■ **10** passe-lacet ■ **11** aiguilleter, aiguillette.
LACHE: **3** bas, mou, vil ■ **4** cerf, plat ■ **5** brave, capon, libre ■ **6** abattu, couard, faible, fuyard, laxité, péteux ■ **7** ballant, déraidi, détendu, flasque, indécis, pendant, peureux*, pleutre, poltron*, relâché ■

8 craintif, dégonflé, desserré, efféminé, fanfaron, flottant, mollasse, pied-plat, vaillant ■ 9 découragé, élastique, jean-fesse ■ 10 capitulard, jean-foutre, pendillant ■ 11 pusillanime.

LACHER: 6 livrer, vesser ■ 7 fléchir, laisser, reculer ■ 8 flancher, relâcher ■ 10 abandonner*, parachuter.

LACHETE: 4 peur* ■ 5 fuite ■ 6 effroi ■ 7 crainte, frayeur, inertie ■ 8 bassesse, mollesse ■ 9 couardise, faiblesse*, platitude ■ 10 abattement, indécision, pleutrerie, résolution ■ 12 poltronnerie ■ 13 découragement, pusillanimité ■ 15 engourdissement.

LACONIQUE: 4 bref* ■ 5 court* ■ 8 succinct ■ 9 lapidaire.

LACTATION: 3 pis ■ 4 lait* ■ 8 agalaxie ■ 9 agalactie ■ 10 prolactine.

LACTOSE: 5 sucre ■ 9 galactose ■ 12 disaccharide.

LACUNE: 4 trou ■ 5 plein ■ 8 lacuneux, omission ■ 9 lacunaire ■ 10 astérisque.

LACUSTRE: 8 sédiment.

LADANUM: 10 ladanifère.

LADRERIE: 5 ladre, lèpre ■ 6 chiche, lésine ■ 7 avarice* ■ 8 économie ■ 9 lésinerie ■ 10 léproserie, parcimonie.

LAGUNE: 4 lido ■ 5 étang, liman, moere ■ 9 lagunaire.

LA HAVANE: 8 havanais.

LAI: 6 frater.

LAÏC: 8 laïciser, laïcisme ■ 11 laïcisation.

LAICHE: 5 carex.

LAID: 3 toc ■ 4 beau, joli, ridé ■ 5 lourd, magot, merle, moche, singe ■ 6 atroce, guenon, hideux, odieux, tocard, vilain* ■ 7 affreux, déformé, hirsute, ignoble, informe, laideur, macaque, mal-bâti, mocheté, sapajou ■ 8 chafouin, défiguré, difforme, enlaidir, grossier, horrible, laideron, malséant, rabougri, ratatiné ■ 9 chabraque, dégoûtant, disgracié, effrayant, grimaçant, grognasse, grotesque, laidement, maritorne ■ 10 abominable, effroyable, monstrueux, repoussant, schabraque ■ 11 désenlaidir, disgracieux ■ 12 épouvantable.

LAIDEUR: 7 turpide.

LAINE: 4 bort, bure, drap, lama, poil, reps, saie, saye, toge ■ 5 arçon, beige, burat, cabas, châle, corde, cosse, crêpe, escot, étaim, frisé, gilet, jarre, lainé, lange, loden, ouate, ponge, rabat, ruban, satin, serge, suint, tonte, tripe, tuque, tweed ■ 6 alpaga, bourre, elbeuf, feutre, jersey, lanice, matton, mohair, peigné, picoté, ratine, tartan, toison, tricot ■ 7 alépine, blousse, camelot, casimir, chevron, droguet, finette, granité, lainage, laineux, lainier, lasting, mérinos, riflard, sayette, scoured, tordeur, zéphire ■ 8 agneline, attagène, blanchet, cardigan, chandail, couaille, délainer, écheveau, flanelle, grateron, lainerie, lanifère, lanoline, liserage, molleton, moquette, orseille, retirons, sergette, soufroir, surtonte, thibaude ■ 9 cachemire, carmeline, cheviotte, délainage, échevette, gabardine, lambswool, lampourde, limousine, teddy-bear, tiretaine, tondaille, tondaison ■ 10 débourrage, défeutrage ■ 11 carbonisage, napolitaine, pied-de-poule.

LAÏQUE: 4 laïc, laie ■ 5 oblat ■ 6 laïcat ■ 7 laïcité, profane ■ 8 laïciser, laïcisme, séculier ■ 11 laïcisation.

LAIS: 8 alluvion.

LAISSE: 6 stance ■ 8 alluvion.

LAISSER: 5 céder, layer, obéir, piste ■ 6 livrer ■ 7 confier, déposer, larguer, marquer, plaquer, quitter*, relayer ■ 8 couturer, défouler, dépasser, emporter, épargner, imprimer, négliger, paresser, répandre ■ 9 délaisser, distiller, permettre ■ 10 abandonner* ■ 12 opus incertum.

LAISSEZ-PASSER : 5 passe ■ 9 coupe-file, passavant, passeport ■ 11 sauf-conduit.
LAIT : 4 coco, lolo, peau ■ 5 blanc, cacao, canne, crème, lacté, mûrir, renne, sérum, sucre, tétée, téter, vache ■ 6 boille, caillé, tourne ■ 7 bouille, caséine, laitage, laiteux, laitier, yogourt ■ 8 agalacte, agalaxie, albumine, allaiter, bouillie, chaudeau, crémerie, lactique, laiterie, lysozyme, pèse-lait, tire-lait, yoghourt ■ 9 agalactie, caséation, colostrum, échaudage, écrémeuse, fromageon, lactarium, lactation, lactifère, milk-shake, petit-lait, téterelle, zythogala, zythogale ■ 10 acidimètre, caille-lait, cappuccino, lactomètre, materniser ■ 11 blanc-manger, butyromètre, caillebotte, cardonnette, galactogène, homogénéisé, lactescence, upérisation ■ 12 chardonnette, galactogogue, galactomètre, galactophore, lactalbumine, lactoflavine, montbéliarde ■ 15 lacto-densimètre.
LAITANCE : 5 guais, laité.
LAITEUX : 5 latex, pavot ■ 6 opalin ■ 10 lactescent.
LAITON : 4 zinc ■ 5 corde ■ 6 vergeure ■ 7 similor ■ 9 laitonner ■ 10 laitonnage.
LAITUE : 4 ulve ■ 6 chicon, salade ■ 7 batavia, romaine, sucrine ■ 8 thridace ■ 11 lactucarium.
LAÏUS : 8 discours, laïusser.
LAIZE : 2 lé.
LAMA : 6 alpaga ■ 7 guanaco, vigogne ■ 9 lamaserie.
LAMAÏSME : 8 lamaïste.
LAMANAGE : 8 lamaneur.
LAMBEAU : 5 loque ■ 6 klippe, partie ■ 7 morceau* ■ 8 guenille, mâchurer ■ 10 déguenillé, dépenaillé ■ 11 déchiqueter.
LAMBIC : 4 faro.
LAMBINER : 6 lambin, tarder ■ 7 traîner* ■ 8 paresser.
LAMBLIA : 9 lambliase.
LAMBOURDE : 7 linsoir.
LAMBRIS : 8 pilastre ■ 10 lambrisser ■ 11 lambrissage.
LAME : 3 dos ■ 4 busc, épée, faux, flot, noue, plot, scie ■ 5 barde, bêche, branc, brand, canif, carré, coche, criss, dague, fanon, folié, garde, glace, hoyau, kriss, patin, plane, ronce, ruban, samit, serpe, table, tarse, vouge ■ 6 ciseau, cornet, cutter, ligule, onglet, plaque ■ 7 ailette, curseur, écaille, fissile, indusie, lamelle, oripeau, valvule ■ 8 alumelle, médiator, ménisque, palisson, parmélie, paupière, pavillon, raquette, scissile, taillant, tricouni ■ 9 badelaire, boomerang, boumerang, feuilleté, languette, mésenthère, paillette, porte-lame, prothalle, tranchant ■ 10 décrottoir, interligne, porte-objet, talonnette, tourniquet ■ 11 anticathode, blastoderme, couteau-scie, gratte-pieds ■ 12 contre-pointe, coupe-circuit, laminectomie.
LA MECQUE : 4 hadj ■ 5 qibla.
LAMELLE : 4 talc ■ 5 adnée, spath ■ 6 squame ■ 7 baleine, plectre ■ 8 cossette ■ 9 clinquant, décurrent, lamelleux, laminaire, pellicule ■ 10 délaminage ■ 11 couvre-objet ■ 12 lamellé-collé, lamelliforme ■ 13 lamellirostre ■ 14 lamellibranche.
LAMELLIBRANCHE : 3 mye ■ 4 lime ■ 5 bysse, coque, donax, moule, olive, perle, pinne, solen, taret, vénus ■ 6 donace, huître, peigne, perlot, pignon, praire ■ 7 bivalve, cancale, cardium, couteau, marteau, mulette, pholade, rudiste, trialle ■ 8 anodonte, bénitier, clovisse, gryphnée, isocarde, palourde, pétoncle, spondyle, tridacne ■ 9 charnière, lithodome, pintadine ■ 10 jambonneau, lithophage, méléagrine, pélécypode ■ 11 vénéricarde.
LAMELLIROSTRE : 12 ansériforme.

LAMENTABLE : 6 piteux ■ 9 pitoyable* ■ 14 lamentablement.
LAMENTER : 6 thrène ■ 7 geindre ■ 8 jérémier, plaindre* ■ 9 jérémiade ■ 11 lamentation.
LAMER : 6 lamage.
LAMINAGE : 8 lamineur, laminoir ■ 11 aplatissage.
LAMINAIRE : 9 alginique ■ 11 aplatisseur.
LAMINER : 4 tôle ■ 5 bloom, crêpe, fonte, train ■ 8 cylindre, laminage, laminoir ■ 11 aplatissoir ■ 12 aplatissoire.
LAMINOIR : 7 empoise ■ 11 aplatissoir ■ 12 aplatissoire.
LAMPE : 3 bec, feu ■ 4 mine, tube ■ 5 culot, diode, flood, mèche ■ 6 bougie, carcel ■ 7 ampoule, lampant, lamparo, lampion, lumière, panache, verrine ■ 8 bigrille, calbombe, demi-watt, lampiste, lanterne*, loupiote, lumignon, papillon, quinquet, survolté ■ 9 baladeuse, calebombe, luminaire*, trigrille, veilleuse ■ 10 baïonnette, cul-de-lampe, lampadaire, lucernaire, photophore ■ 11 lampisterie.
LAMPER : 5 boire ■ 6 lampée.
LAMPOURDE : 9 glouteron.
LAMPROIE : 7 amocète ■ 8 ammocète ■ 10 chatouille, lamprillon.
LANCE : 4 ante, arme, bois, hast ■ 5 bague, épieu, haste, joute, morne, pilum, pique, poids ■ 6 faucre, framée, harpon ■ 7 bourdon, bazooka, javelot, lancier, sarisse ■ 8 esponton, fauchard, gros-bois, guisarme, hastaire, lancéole, lancette ■ 9 demi-pique ■ 10 hallebarde, lanciforme, pertuisane, projectile ■ 11 bec-de-corbin.
LANCEMENT : 3 ber, jet, tir ■ 7 booster ■ 8 anguille ■ 10 cabanement, cosmodrome ■ 11 publication.
LANCER : 5 jeter*, jouer, tirer, vomir ■ 6 darder ■ 7 cracher, émettre, envoyer, éructer, jongler, quiller, shooter ■ 8 décocher, diffuser, éjaculer, fulgurer, fulminer, perrière, projeter, relancer, tromblon ■ 9 bombarder, catapulte, découpler, lancement, vitrioler ■ 10 balistique, catapulter, enfourcher, lance-mines, projection ■ 11 lance-amarre, lance-bombes, lance-fusées, porte-amarre ■ 14 bombardement, lance-flammes, lance-pierres, postillonner ■ 13 lance-grenades ■ 14 lance-roquettes, lance-torpilles.
LANCETTE : 6 flamme ■ 12 vaccinostyle.
LANCIER : 5 uhlan ■ 7 chapska.
LANCINE : 11 lancination, lancinement.
LANÇON : 4 vive ■ 7 équille.
LANDAIS : 8 écarteur.
LANDAU : 5 break ■ 7 voiture ■ 9 landaulet.
LANDE : 5 pâtis ■ 6 maquis ■ 7 brousse, jachère ■ 8 garrigue.
LANDGRAVE : 11 landgravial.
LANGAGE : 3 ton ■ 4 bobo, caca, code, dada, dodo, lisp, mime, mimi, tata, zizi ■ 5 argot, babil, basic broca, cobol, maman, nanan, pépée, sabir ■ 6 cafter, créole, jargon, langue*, parler*, pascal, prolog ■ 7 aphasie, cafteur, lyrisme, phonème, purisme ■ 8 charabia, dyslalie, dyslogie, locution, poissard ■ 9 atticisme, baragouin, cacolalie, dysphasie, euphuisme, grammaire ■ 10 assembleur, audimutité, barbarisme, coprolalie, endophasie, expression, logogriphe, métalangue, petit-nègre, préciosité ■ 11 franc-parler, glossolalie, impropriété, marivaudage, métalangage, tachyphémie ■ 12 dactylologie, linguistique, parisianisme, prudhommerie, schizophasie ■ 13 articulatoire, transverbérer ■ 14 dodécaphonisme.
LANGE : 6 couche ■ 7 maillot ■ 11 emmailloter.
LANGOUREUX : 6 tendre* ■ 8 langueur, languide ■ 9 roucouler ■ 11 languissant ■ 15 langoureusement.

LANGOUSTE : 9 caudrette ■ 11 langoustier.
LANGOUSTINE : 6 scampi.
LANGUE : 2 oc ■ 3 bec, lao, oïl ■ 4 dard, dari, duel, erse, este, grec, inca, maya, pali, peul, thaï, tupi, turc, urdu, zend ■ 5 aïnou, arabe, argot, argus, azéri, balte, cafre, celte, copte, datif, filet, franc, gallo, guèze, hindi, huron, khmer, khoin, kurde, ladin, lapon, latin, lette, morné, munda, oriya, otomi, parse, parsi, pépie, perse, peuhl, roman, russe, sarde, slave, style, tagal, tamil, tatar, thème, uzbek, védas, vulgo, wende, wolof, zende ■ 6 afghan, aymara, bantou, basque, birman, breton, canara, coréen, créole, danois, eskimo, hébreu, idiome, isthme, jargon, kazakh, langué, malais, mongol, mouda, népali, ostiak, ostyak, ouolof, ourdou, ouzbek, parler, pehlvi, relugu, romani, slavon, somali, tamoul, teuton, vogoul ■ 7 adstrat, aléoute, anglais, araméen, bambara, bengali, berbère, bulgare, catalan, cebuano, chinois, crétois, dalmate, eskuara, euscara, euskera, féroïen, fidjien, finnois, flamand, gaulois, gotique, guarani, haoussa, hittite, iranien, italien, kannara, khalkha, khoisan, kirghiz, langage*, lingual, mahrate, malinké, marathe, marathi, nahuatl, norrois, occitan, osmanli, ougrien, pahlavi, panjabi, papille, platine, prakrit, quechua, quichua, roumain, saburre, suédois, tagalog, tapette, tchèque, touareg, védique, vogoule, volapuk, yiddish ■ 8 ablation, akkadien, albanais, algonkin, allemand, annamite, arménien, assamais, baltique, bilingue, cananéen, celtique, dialecte*, espagnol, estonien, étrusque, français, francien, géorgien, glossite, gujarati, haiitien, hongrois, iceström, japonais, javanais, kymrique, lampassé, languier, mahratte, malgache, nôn-khmer, népalais, ostiaque, péruvien, polonais, quetchua, quitchua, romaïque, romanche, saburral, samoyède, sanscrit, sanskrit, slovaque, souahéli, substrat, sumérien, syriaque, tahitien, télougou, tibétain, traduire, turcoman, turkmène, tyrolien ■ 9 afrikaans, allophone, américain, amharique, arabisant, avestique, baloutchi, bichlamar, caucasien, dravidien, espéranto, féringien, fistuline, franciste, humaniste, indo-aryen, irlandais, islandais, languette, langueyer, latiniste, linguiste, lituanien, lusophone, madourais, malayalam, mandingue, néo-indien, norvégien, phénicien, portugais, provençal, putonghua, romaniste, sémitique, sinologie, tokharien, toungouse, toungouze, touranien, trilingue, ukrainien ■ 10 alémanique, algonquien, anglicisme, angliciste, barbillons, bêche-de-mer, biélorusse, clappement, gallicisme, germanique, germaniste, hellénisme, hispanisme, hollandais, hypoglosse, indianisme, indonésien, japonisant, lithuanien, mélanésien, métalangue, monolingue, perlingual, phonologie, polygotte, polynésien, pourlécher, québécisme, rétroflexe, russophone, soundanais, sublingual, substratum, superstrat, turcophone, wallonisme ■ 11 africaniste, anglicisant, couchitique, germanisant, glossodynie, glossotomie, hindoustani, languiforme, métalangage, multilingue, néerlandais, néo-celtique, occitanisme, ophioglosse, serbocroate, slavistique, tchérémisse, tupi-guarini, véhiculaire, vietnamien ■ 12 articulation, austronésien, finno-ougrien, indo-européen, instrumental, italianisant, lingua franca, linguistique, orientaliste, physicalisme, sino-tibétain ■ 13 abaisse-langue, grenouillette, hellénistique, monolinguisme ■ 14 azerbaïdjanais, holophrastique, ouralo-altaïque, paléoasiatique, phraséologique ■ 15 distributionnel, polysynthétique.
LANGUEDOC : 12 languedocien.
LANGUETTE : 5 anche, bugne, patte ■ 9 épiglotte, langueyer, sautereau ■ 10 bouveteuse, coulisseau ■ 11 couvre-joint, languiforme ■ 12 langue-de-chat.
LANGUEUR : 5 tabès, usure ■ 6 anémie, atonie, étisie ■ 7 apathie,

fatigue, marasme, phtisie, torpeur ■ 8 atrophie, cachexie, caducité, chlorose, débilité ■ 9 faiblesse, infirmité ■ 10 abattement, cacochymie, énervation, épuisement, étiolement, langoureux, morbidesse, rachitisme ■ 11 consomption, délabrement, exténuation ■ 13 dépérissement ■ 14 alanguissement.

LANGUIR : 5 pâlir, pâtir ■ 6 fondre, mourir ■ 7 baisser, dépérir, épuiser, étioler, maigrir, traîner, végéter ■ 8 attendre*, consumer, décliner, souffrir, soutenir ■ 9 affaiblir, détraquer.

LANGUISSANT : 5 lâche ■ 6 faible ■ 7 mourant ■ 8 alanguir, traînant ■ 9 cacochyme ■ 14 languissamment.

LANIERE : 5 bande, fouet, guide, knout, lasso, longe ■ 6 laisse, sangle ■ 7 bélière ■ 8 courroie*, tire-pied ■ 9 spartiate ■ 11 tagliatelle, trousse-pied.

LANTERNE : 5 falot, fanal, phare ■ 6 lustre ■ 7 lampion ■ 8 lampiste ■ 9 campanile, lanternon, réverbère ■ 10 campanille, candélabre, lampadaire, lanterneau, lanternier.

LANTERNER : 7 traîner ■ 8 remettre ■ 10 temporiser.

LANTHANE : 2 la ■ 10 lanthanide.

LAOS : 3 kip.

LAOTIEN : 4 thaï.

LAPALISSADE : 6 vérité.

LAPER : 5 boire ■ 8 lapement.

LAPIDAIRE : 5 court* ■ 10 débouchoir.

LAPIDER : 4 tuer ■ 6 pierre ■ 8 malmener ■ 10 lapidation.

LAPIDIFIER : 14 lapidification.

LAPIN : 5 furet, halot, patte, râble ■ 6 angora, clapir ■ 7 bouquet, clapier, garenne, lapiner ■ 8 débouler, laiteron, lapereau, léporide ■ 9 gibelotte, lapinière, secrétage ■ 10 coccidiose, couinement, myxomatose, panneauter ■ 11 rabouillère ■ 15 caniculiculture.

LAPIS-LAZULI : 4 azur, bleu ■ 5 lapis ■ 8 outremer.

LAPON : 5 hutte, renne.

LAPONIE : 8 armeline.

LAPS : 7 apostat ■ 9 mortalité.

LAPSUS : 4 cuir ■ 5 faute.

LAQUAIS : 5 groom ■ 8 mandille ■ 9 serviteur* ■ 10 domestique*.

LAQUE : 4 cire ■ 5 gomme, spray ■ 6 résine, vernis* ■ 7 laqueux ■ 11 stil-de-grain.

LAQUELLE : 3 que, qui ■ 4 quoi.

LARCIN : 3 vol* ■ 7 volerie ■ 8 marauder ■ 10 chapardage.

LARD : 4 porc ■ 5 bacon, barde, kiche ■ 6 flèche, larder, lardon ■ 7 graisse ■ 8 lardoire, mirepoix ■ 9 ventrèche ■ 10 fricandeau ■ 11 délardement.

LARDON : 4 bébé ■ 8 mirepoix ■ 9 lardonner, raillerie.

LARES : 6 maison.

LARGAGE : 7 larguer ■ 8 droppage ■ 11 parachutage.

LARGE : 3 val ■ 4 gros ■ 5 ample, bacul, bande, béant, bêche, bocal, dague, épaté, étole, évasé, fosse, largo, mince, panse, pelle, piste, socle, vigie ■ 7 knicker, largeur ■ 8 beaucoup, couperet, déborder, épaissir, généreux*, knickers, libation, moresque, rélargir, sarcloir, spacieux, taillole ■ 9 boulevard, cimeterre, largement, latifolié, lato sensu, mauresque, rhomboïde ■ 10 estramaçon, pertuisance ■ 11 élargissure ■ 13 brachycéphale, latitudinaire.

LARGEMENT : 9 vastement.

LARGESSE : 5 pluie ■ 8 bienfait* ■ 10 générosité*, libéralité ■ 11 munificence.

LARGEUR: 2 lé ■ 5 filet, laise, laize, large, ligne, pouce, voûte ■ 6 méplat ■ 7 carrure ■ 8 chanteau, diamètre, grandeur ■ 9 envergure, traversin ■ 10 étroitesse ■ 11 libéralisme ■ 12 emmarchement ■ 13 élargissement ■ 14 dolichocéphale.
LARGO: 9 larghetto.
LARGUER: 6 droper ■ 7 dropper.
LARME: 5 perle, pleur ■ 6 goutte ■ 8 lacrymal, larmoyer, lysozyme ■ 9 larmoyant ■ 11 larmoiement.
LARMIER: 6 mutule ■ 7 soffite ■ 8 modillon.
LARRON: 6 escroc*, voleur*.
LARVAIRE: 5 rédie ■ 10 miracidium.
LARVE: 3 man, pic, zoé ■ 5 lepte, sphex, taupe, varon ■ 6 aoûtat, myiase, pibale, têtard ■ 7 asticot, couvain, fantôme ■ 8 ammocète, chenille, hydatide, larvaire, naissain, nauplius, néoténie ■ 9 diablotin, larvicide, ver-coquin ■ 10 chatouille, discontinu, érucitorme, lamprillon ■ 11 cysticerque, trochophore ■ 12 leptocéphale, traîne-bûches, trochosphère, trophallaxie.
LARYNGITE: 5 croup.
LARYNX: 5 nœud ■ 6 glotte, gosier*, hyoïde ■ 7 laryngé ■ 8 cricoïde, thyroïde ■ 9 laryngale, laryngien, laryngite ■ 10 aryténoïde ■ 12 insufflateur, laryngologie, laryngoscope, laryngotomie ■ 13 laryngectomie, laryngoscopie, trachée-artère.
LAS: 5 brisé, crevé, flapi, recru, rendu, rompu, vanné ■ 6 claqué, épuisé, excédé, fourbu ■ 7 éreinté, exténué, fatigué*, harassé.
LASCAR: 5 luron.
LASCIF: 9 luxurieux* ■ 10 libidineux ■ 11 lascivement.
LASER: 10 télémétrie ■ 14 audionumérique.
LASSER: 7 ennuyer*, rebouter ■ 8 délasser, fatiguer*, rabâcher ■ 9 lassitude ■ 10 décourager, inlassable.
LASSITUDE: 4 lala ■ 5 basta, baste, ennui* ■ 9 relaisser ■ 10 abattement ■ 13 découragement.
LATENT: 5 caché ■ 6 secret ■ 8 récessif.
LATERAL: 4 bras, îles, joue ■ 5 flanc, hampe, jouée, slice, swing, tempe, toton ■ 7 bajoyer, bas-côté, flasque ■ 8 scoliose ■ 9 axillaire, charriage, diduction ■ 10 hypocondre ■ 11 contre-allée ■ 12 ptérogoïdien ■ 13 affouillement.
LATERALE: 8 piédroit ■ 9 pied-droit.
LATERALEMENT: 5 bridé.
LATERITE: 11 latéritique.
LATERITIQUE: 13 ferrallitique.
LATEX: 4 upas ■ 5 hévéa, opium ■ 6 chicle, lastex ■ 7 papaïne ■ 8 moussage ■ 10 caoutchouc, landolphie, laticifère ■ 11 gutta-percha.
LATIN: 2 re, us ■ 3 pro ■ 4 idem, item, olim, opus, semi, vers ■ 5 bible, croix, fanum, fatum, faune, inter, intra, intro, mètre, motet, nodus, prose, recta, recto, roman, rumen, silex, spica, super, supra, tabès, tacet, tibia, tonus, trans, ultra, varia, verso, villa, virus, vivat, vulgo ■ 7 dactyle, sénaire ■ 8 alcaïque, déponent, distique, latinité, prélatin, saphique, tripodie ■ 9 accusatif, hexamètre, latiniser, latiniste, monomètre ■ 10 asclépiade, gréco-latin, latinisant, pentamètre ■ 11 anapestique.
LATITUDE: 5 marge, terre.
LATRINES: 6 gogues ■ 8 goguenot.
LATTE: 5 bâton, palis ■ 6 latter, lattis, volige ■ 7 bardeau, claquet, couchis, échalas, lattage ■ 8 baguette ■ 9 treillage.
LATTIS: 8 hourdage.

LAUDATIF : 9 louangeur.
LAUDANUM : 5 ciste ■ 9 laudanisé.
LAURACEE : 7 laurier ■ 9 avocatier, sassafras.
LAUREAT : 4 prix ■ 8 palmarès ■ 9 vainqueur.
LAURIER : 4 baie ■ 5 garou, lauré ■ 6 daphné, gloire ■ 7 caducée ■ 8 lauréole, lauriste, oléandre, sainbois ■ 9 camphrier, cannelier, sassafras ■ 10 récompense ■ 12 laurier-sauce.
LAVABO : 8 toilette ■ 9 lave-mains, manuterge.
LAVAGE : 4 bain ■ 5 batée, élavé, énéma, savon ■ 6 douche, lotion ■ 7 élution, rinçage ■ 8 ablution, lave-auto, lavement ■ 9 nettoyage, prélavage ■ 10 gargarisme, shampooing.
LAVANDE : 4 spic ■ 5 aspic ■ 7 statice ■ 8 lavandin.
LAVE : 6 volcan ■ 7 lapilli ■ 10 pillow-lava ■ 12 cumulo-volcan.
LAVEMENT : 6 lavage, remède ■ 8 clystère, seringue.
LAVER : 4 écru ■ 5 évier, guéer, tuber ■ 6 lavage, laveur, lavoir, rincer ■ 7 baigner, délaver, doucher, lavable, plonger, relaver, tremper ■ 8 ablution, aiguayer, baptiser, décruser, dégorger, échauder, essanger, lavement, lessiver, mouiller, nettoyer*, plongeur, purifier, savonner, toilette ■ 9 absterger, décrasser, justifier, lave-glace, lave-linge, lotionner, rechinser, wassingue ■ 10 aquamanile, lavandière, lessivière ■ 11 shampouiner ■ 12 blanchisseuse ■ 13 débarbouiller ■ 15 débarbouillette.
LAVIS : 5 encre, sépia ■ 6 dessin ■ 9 aquatinte ■ 10 mezzo-tinto.
LAWRENCIUM : 2 lr.
LAXATIF : 5 mauve, purge, tamar ■ 8 agar-agar, psyllium, purgatif*, rhubarbe, sorbitol ■ 9 bourdaine ■ 10 tamarinier ■ 11 cathartique.
LAYETTE : 7 zéphire ■ 8 layetier.
LAYON : 6 chemin.
LAZARET : 10 léproserie.
LAZULITE : 5 lapis.
LAZZI : 8 quolibet ■ 12 plaisanterie.
LEADER : 6 meneur ■ 7 article ■ 9 éditorial.
LECHER : 5 lèche, sucer ■ 6 licher ■ 7 flatter ■ 8 parfaire ■ 9 lèchement ■ 10 lichailler.
LEÇON : 5 cours, élève, lycée, salle ■ 6 épître, morale ■ 7 théorie ■ 8 régenter ■ 10 répétition ■ 11 instruction, remontrance ■ 12 enseignement.
LECTEUR : 5 drive ■ 6 liseur ■ 8 lectorat ■ 9 anagnoste ■ 13 radiocassette.
LECTURE : 5 coran, index, koran, prône, repos, roman ■ 9 anagnoste, bréviaire, illisible, relecture ■ 10 abécédaire ■ 11 semi-globale ■ 12 vidéolecteur ■ 15 alphabétisation.
LEGAL : 3 loi, nul ■ 4 aloi ■ 5 cause, excès, grève, juste, temps ■ 6 échars, permis ■ 8 ajustage, légalité, notifier ■ 9 légaliser, légaliste, moratoire, numéraire ■ 10 extra-légal ■ 11 authentique, extrinsèque ■ 12 prescription.
LEGALISER : 12 authentifier, authentiquer.
LEGAT : 5 nonce ■ 7 a latere.
LEGATAIRE : 11 colégataire.
LEGENDAIRE : 4 yeti ■ 8 cuissage.
LEGENDE : 4 saga ■ 5 conte*, fable, héros, mythe ■ 8 folklore, histoire* ■ 9 tradition ■ 10 légendaire, mythologie.
LEGER : 3 fin, tek, vif ■ 4 doux, flou, gaze, grue, menu, teck, yole ■ 5 agile*, aulne, badin, buggy, burat, cange, canoë, crêpe, duvet, en-cas, évent, farce, fleur, jeune, kapok, leste, libre, lueur, mince, om-

bre, neige, petit, pongé, poule, skiff, sulky, surah, tulle ■ **6** aérien, éthéré, éventé, futile, mobile ■ **7** cocotte, étourdi*, évaporé, folâtre, frivole, lisette, nanzouk, scherzo, vaurien, volatil ■ **8** ameublir, corselet, dentelle, distrait, écervelé, filandre, flanelle, flotteur, folichon, gracieux, légèreté, maniable, mantelet, papillon, peltaste, piper-cub, plumetis, portatif, remplage, sergette, singpiel, sylphide, ténorino, vaporeux, voilette ■ **9** aluminium, arachnéen, cascadeur, changeant, collation, duralumin, effiloche, entrechat, freluquet, frôlement, gouleyant, lambswool, potassium, spirituel, versatile, zéphyrien ■ **10** canonnière, capricieux, chatouille, gazouillis, irréfléchi, légèrement, mousseline, nébulosité, scherzando, ultraléger ■ **11** chatouillis, escarmouche, superficiel, titillation ■ **12** boitillement, demi-mondaine, inconséquent, perspiration ■ **13** frissonnement, indisposition ■ **14** cache-poussière.

LEGEREMENT : **5** tâter ■ **6** biaisé, moitié ■ **8** excorier, taquiner ■ **9** boitiller, effleurer, faseiller, frisotter, indisposé, mordiller, pleuviner, pleuvoter, siffloter.

LEGERETE : **7** agilité, caprice, facétie ■ **8** badinage, futilité, jeunesse, lourdeur, mobilité ■ **9** frivolité, sveltesse ■ **10** étourderie ■ **11** délicatesse, distraction ■ **12** plaisanterie.

LEGIFERER : **11** législation.

LEGION : **5** légat ■ **6** troupe* ■ **9** multitude* ■ **11** légionnaire.

LEGIONNAIRE : **12** légionellose.

LEGISLATION : **4** code ■ **5** droit, sénat ■ **9** parlement ■ **10** législatif ■ **11** législateur, législature.

LEGISLATIVE : **13** landsgemeinde.

LEGISTE : **7** juriste ■ **13** jurisconsulte.

LEGITIME : **5** juste* ■ **6** permis ■ **8** agnation, monogame ■ **10** légitimité ■ **11** légitimiste ■ **12** illégitimité, légitimation.

LEGITIMISTE : **9** royaliste.

LEGS : **3** don* ■ **6** léguer ■ **7** diamant, laisser, prélegs ■ **8** donation, héritage ■ **9** captation, fondation ■ **11** fidéicommis.

LEGUME : **3** ail ■ **4** chou, fêve, pita, pois, rave, silo, tian ■ **5** bette, cosse, écale, farce, froid, lupin, mâche, navet, oille, potée, radis ■ **6** cageot, cardon, céleri, endive, igname, laitue, manioc, oignon, panais, patate, persil, piment, plante*, salade, tomate ■ **7** asperge, brocoli, carotte, chervis, ciboule, cresson, épinard, fenouil, haricot, oseille, poireau, romaine, scarole ■ **8** cerfeuil, chicorée, chop suey, échalote, estragon, légumier, lentille, pourpier, rutabaga, salsifis ■ **9** artichaut, aubergine, barigoule, bénincase, betterave, concombre, cornichon, flageolet, maraîcher, pissenlit, sarriette, tétragone ■ **10** enchausser, scorsonère ■ **11** topinambour ■ **12** coupe-légumes, hâche-légumes ■ **13** quick-freezing, taille-racines.

LEGUMINEUSE : **3** ers ■ **5** apion, gesse, orobe ■ **7** mimosée ■ **8** roténone ■ **9** mimosacée*, sensitive, tephrosia, téphrosie ■ **10** césalpinée ■ **12** papilionacée* ■ **13** césalpiniacée.

LEITMOTIV : **10** répétition.

LEMNACEE : **8** lentille.

LEMURIEN : **4** maki ■ **5** indri, lémur, loris, potto ■ **6** aye-aye, galago ■ **9** prosimien.

LENDEMAIN : **6** avenir ■ **12** surlendemain.

LENIFIER : **6** calmer* ■ **7** adoucir*, lénitif.

LENINISME : **9** léniniste.

LENT : **3** mou ■ **4** long, posé, slow ■ **5** blaps, blues, fondu, géant, grave, lento, lourd, loure ■ **6** lambin, pesant, tai-chi, tardif ■ **7** flâneur, len-

dore, slow-fox ■ 8 athétose, gnangnan, lourdaud, ralentir, traînard, traîneur ■ 9 larghetto, lentivirus ■ 10 carcinoïde, nonchalant, précession, sicilienne, subsidence, tai-chi-cuan ■ 12 infiltration.
LENTEMENT : 5 lento, miner, piano ■ 6 adagio ■ 8 lambiner, maestoso, plan-plan, retarder, savourer ■ 9 chronique, doucement, mâchonner ■ 10 dégouliner, piane-piane, pianissimo ■ 14 insensiblement ■ 15 progressivement.
LENTEUR : 4 lent ■ 7 paresse ■ 8 longueur, lourdeur, mollesse, obtusion, vélocité ■ 9 épaisseur, mouvement, pesanteur ■ 11 bradycardie ■ 12 bradypsychie ■ 13 précipitation.
LENTICULAIRE : 5 moque ■ 8 pallidium.
LENTILLE : 3 ers ■ 4 pois ■ 5 focal, image, loupe, verre, volet ■ 7 triplet ■ 8 bonnette, dioptrie, ménisque, véhicule ■ 9 focomètre, lenticule, lentillon ■ 10 lentiforme ■ 11 convergence ■ 12 achromatisme, condensateur, décentration, décentrement, lenticulaire.
LENTISQUE : 6 mastic.
LEONURE : 9 agripaume.
LEOPARD : 8 léopardé.
LEPIDOPTERE : 8 papillon*.
LEPIOTE : 7 golmote ■ 8 golmotte ■ 10 coulemelle.
LEPORIDE : 4 hase ■ 5 lapin ■ 6 lièvre.
LEPRE : 2 fy ■ 5 cagot, ladre ■ 6 hansen ■ 7 lazaret, lépreux, léprome ■ 8 ladrerie ■ 10 léprologie, léproserie, maladrerie ■ 11 chaulmoogra, thalidomide.
LEPROME : 10 lépromtaux.
LEQUEL : 2 où ■ 3 que, qui ■ 4 quoi.
LES : 2 es.
LESER : 5 nuire* ■ 7 blesser* ■ 10 prétériter ■ 11 lèse-majesté ■ 12 désavantager.
LESINER : 5 ladre ■ 6 chiche ■ 7 liarder, mégoter ■ 8 lésineur ■ 10 économiser.
LESION : 5 aphte, léser, nævi, plaie* ■ 6 lucite, lupome, nævus, ptôsis ■ 7 achrome, chancre, fissure, invastif, névrite ■ 8 aggravée, blessure*, engelure, exutoire, froidure, miliaire, symptôme ■ 9 allergide, anarthrie, cancérisé, dysidrose, infarctus, lésionnel, préjudice, syphilide ■ 10 coronarite, coxarthrie, dystrophie, hémiplégie, pédiculose, radiculite, toxidermie ■ 11 anorganique, coxarthrose, folliculite, granulation, lésionnaire, organicisme, sporotriche ■ 12 hépatisation, précancéreux ■ 13 controlatéral ■ 14 extrapyramidal, polytraumatisé.
LESSIVAGE : 5 jusée.
LESSIVE : 4 buée ■ 6 cuvier ■ 7 azurage, charrée ■ 8 buandier ■ 9 buanderie, lessiviel, lessivier.
LESSIVER : 5 laver* ■ 7 décruer, laveuse ■ 8 nettoyer* ■ 9 lessivage ■ 10 lessivière.
LESTER : 4 lège ■ 8 délester ■ 9 cliquette.
LESTE : 3 vif* ■ 4 vert ■ 5 agile*, singe ■ 6 olé olé, preste ■ 7 ingambe ■ 8 gaillard ■ 9 lestement.
LETAL : 8 létalité.
LETHARGIE : 7 torpeur ■ 11 hibernation, léthargique ■ 14 assoupissement.
LETTON : 5 lettre ■ 7 latvien.
LETTRE : 2 bé, dé, el, em, er, jé, ka, ke, le, me, mu, ne, nu, pe, pi, re, ro, se, te, ve ■ 3 ach, chi, ess, éta, ghe, gyp, heu, iks, khi, ksi, mot, phi, pli, psi, rho, tau, vau, yod ■ 4 bêta, bref, cire, iota, tiré, type, zêta ■ 5 aleph, alpha, cagne, clerc, délié, delta, dzêta, endos, gamma,

kappa, koppa, levée, lycée, oméga, prime, sigle, sigma, thêta, toton ■ 6 auteur, bifton, billet, en-tête, épître, poulet, savant, souche, traite ■ 7 apocope, dépêche, digamma, epsilon, message, missive*, omicron, réponse, rescrit, upsilon ■ 8 alphabet, capitale, consonne, courrier, deltoïde, digramme, épistole, exposant, graphème, lettrage, lettrine, ligature, logotype, prothèse, retraite ■ 9 anagramme, bafouille, caractère, décrétale, duplicata, endosseur, faire-part, majuscule, miniature, minuscule, monitoire, trigramme, trilitère ■ 10 accréditif, babillarde, chargement, circulaire, dimissoire, encyclique, épistolier, pèse-lettre, recommandé, trilittère ■ 11 abréviation, convocation, épistolaire, littérature, recommander, suscription, timbre-poste ■ 12 postscriptum ■ 13 calligraphier, contrepèterie, correspondant, littéralement, reduplication ■ 14 alphanumérique, correspondance, historiographe.

LETTRINE: 9 majuscule.

LEUCEMIE: 11 vincristine.

LEUCOCYTE: 3 hla ■ 4 sang* ■ 7 exsudat ■ 9 infiltrat, myélocyte ■ 10 lymphocyte ■ 11 éosinophile, granulocyte, méoloplasme ■ 12 leucocytaire ■ 15 immunocompétent.

LEUCOPENIE: 10 benzénisme, benzolisme.

LEUCOPOÏESE: 14 leucopoïétique.

LEURRE: 7 piperie ■ 10 dandinette.

LEURRER: 5 piper ■ 7 appâter, bluffer, enjôler, tromper* ■ 8 attraper ■ 11 illusionner.

LEVAGE: 4 grue ■ 5 palan, vérin ■ 7 blondin, gerbeur, grappin ■ 8 gerbeuse.

LEVAIN: 5 azime, azyme ■ 7 ferment.

LEVANT: 3 est ■ 4 caïc ■ 5 matin, papas, sabir ■ 6 aurore, caïque, orient ■ 8 levantin, sacoléva, sacolève ■ 10 crépuscule.

LEVE: 13 photogéologie.

LEVEE: 3 pli ■ 4 veau, vole ■ 5 capot, trick ■ 6 chelem ■ 7 schelem ■ 8 chaussée, terrasse ■ 10 arrière-ban.

LEVER: 4 levé ■ 5 armer, arsis, dîmer, levée, matin, store ■ 6 debout, élever*, gruter, hisser ■ 7 dresser*, enlever, guinder, hausser, relever* ■ 8 banneton, décamper, demi-jour, filetage, géomètre, héliaque, matineux, soulever, soupeser ■ 9 débloquer, palanquer, pont-levis, redresser, treuiller ■ 10 désinhiber, goniomètre, hausse-pied, planchette ■ 11 graphomètre, recoupement, tachéomètre, topographie ■ 12 tachéométrie ■ 15 photogrammétrie.

LEVIER: 4 mors ■ 5 balai, barre, épart, espar, force, louve, pesée, pince, point ■ 6 manche, pédale ■ 7 anspect, barreau, cliquet, maneton, manette, ringard, romaine ■ 8 aiguille, embarrer ■ 9 manivelle, timonerie ■ 10 résistance ■ 11 démonte-pneu, pied-de-biche.

LEVIGER: 10 lévigation.

LEVITATION: 12 psychokinèse ■ 13 psychokinésie.

LEVOGYRE: 5 l-dopa.

LEVRE: 4 bord, joue, moue, rire ■ 5 labié, labre, lippe, lippu ■ 6 babine, labial, labium, lippée, masque ■ 7 balèvre ■ 8 chéilite, écarteur, perlèche ■ 9 bilabiale, moustache, pourlèche ■ 10 labialiser, pourlécher ■ 11 badigoinces, bec-de-lièvre, buccinateur ■ 12 infibulation, labiodentale, marmottement.

LEVRIER: 6 barzoï, levron ■ 7 whippet ■ 8 levrette ■ 9 cynodrome.

LEVULOSE: 8 fructose ■ 9 invertase, invertine.

LEVURE: 5 kéfir ■ 6 zymase ■ 7 candida, ferment ■ 8 levurier ■ 9 mycoderme, nystatine ■ 12 antifongique ■ 13 saccharomyces.

LEXICALE: 9 sémantème.

LEXICOGRAPHE: 15 lexicographique.
LEXICOLOGIE: 11 lexicologue ■ 13 lexicologique.
LEXIQUE: 5 lexie ■ 7 lexical ■ 9 thessaurus ■ 10 lexicalisé ■ 12 dictionnaire*.
LEZARD: 4 seps ■ 5 gecko, gekko ■ 6 moloch ■ 7 agamidé, basilic, scinque ■ 9 héloderme ■ 10 tupinambis.
LEZARDE: 5 fente ■ 8 lézarder.
LIAISON: 2 et ■ 3 fil ■ 4 jeep, lien* ■ 5 brion, herpe, suite, suivi, union* ■ 6 lierne ■ 7 époxyde, planton, pontage, rapport*, tissure ■ 8 affinité, asyndète, coq-à-l'âne, engrener, intimité, pataquès, relation, scout-car ■ 9 cohérence, connexion, connexité, covalence, filiation ■ 10 contexture, cylindrage, incohérent, liaisonner ■ 11 coordinence, semi-polaire ■ 12 acoquinement, désaccoupler, enchaînement ■ 13 communication, desmodromique, fréquentation, homocinétique, transmissions ■ 15 radiotéléphonie.
LIANE: 5 cobéa, cobée, gnète ■ 6 cobaea, gnétum ■ 7 glycine ■ 9 rafflesia, rafflésie, vanillier ■ 10 strophante ■ 12 strophantus ■ 13 chèvrefeuille.
LIANT: 7 affable, tempera ■ 11 super-ciment.
LIARDER: 6 chiche ■ 7 lésiner ■ 8 liardeur.
LIAS: 8 liasique, toracien.
LIASSE: 5 farde ■ 9 enliasser.
LIBANAIS: 5 cèdre.
LIBANAISE: 7 taboulé.
LIBELLE: 6 satire ■ 10 libelliste.
LIBELLER: 6 écrire* ■ 7 rédiger ■ 8 mandater.
LIBELLULE: 6 agrion ■ 7 æschne ■ 10 demoiselle.
LIBER: 5 tille ■ 6 teille ■ 7 cambium ■ 8 libérien ■ 13 libéroligneux.
LIBERAL: 4 muse, whig ■ 5 large ■ 8 généreux* ■ 10 munificent ■ 11 libéraliser, libéralisme, radicalisme ■ 12 libéralement ■ 14 libéralisation, néo-libéralisme.
LIBERALITE: 3 don* ■ 6 aumône ■ 7 charité*, subside ■ 8 bienfait*, donation, largesse ■ 9 profusion ■ 10 assistance, générosité* ■ 11 munificence, prodigalité ■ 12 libéralement ■ 13 gratification, philanthropie.
LIBERATION: 5 atome ■ 6 pécule, pourim, quille, rachat, rançon, remise ■ 8 amnistie, décharge ■ 9 abolition, moudjahid ■ 10 absolution, rédemption ■ 11 arrestation, défoulement, manumission ■ 12 acquittement, émancipation ■ 13 cholinergique ■ 15 désatellisation.
LIBERER: 5 jouer ■ 6 délier, évader, purger, quitte, sauver ■ 7 dégager, élargir, excuser, gracier, relaxer, tolérer ■ 8 absoudre, délivrer*, dépêtrer, désarmer, détacher, échapper, exempter, interner, racheter, relâcher, renvoyer ■ 9 acquitter, amnistier, congédier, décharger, découpler, démarquer, émanciper, libérable, licencier, pardonner, permettre ■ 10 affranchir, déclaveter, décloîtrer, désaliéner, désengager, libérateur ■ 11 libératoire, psychodrame.
LIBERO: 8 stoppeur.
LIBERTE: 5 choix, droit, lapin, libre, serfs ■ 6 relaxe ■ 7 aisance, élargir, libéral, licence*, servage ■ 8 anarchie, garantie, latitude, phrygien ■ 9 autonomie, captivité, franchise, hardiesse, permettre, réclusion ■ 10 contrainte, démocratie, jansénisme, libération, libertaire, prisonnier, relaxation, république ■ 11 familiarité, franc-parler, liberticide ■ 12 débâillonner, désinvolture, gallicanisme, habeas corpus, indépendance, indifférence, pélagianisme ■ 13 élargissement, séquestration ■ 14 postmodernisme.

LIBERTIN : 7 vicieux* ■ 8 débauché* ■ 11 irréligieux, libertinage.
LIBIDINAL : 11 sadique-anal.
LIBIDINEUX : 8 érotique, pantalon ■ 9 luxurieux* ■ 10 licencieux*.
LIBIDO : 9 libidinal.
LIBRAIRIE : 8 parution ■ 10 best-seller ■ 11 bouquiniste, pochothèque.
LIBRE : 3 cru, lié, net ■ 5 colon, évent, franc, hardi, léger, leste, leude, lycée, thane ■ 6 ingénu, olé olé, vacant ■ 7 gaulois ■ 8 autonome, cavalier, délibéré, échappée, émancipé, familier, gaillard, indocile, insoumis, libertin, pérégrin, pimenter, polisson, spontané ■ 9 affranchi, débloquer, débraillé, égrillard, gaudriole, gravelure, impromptu, inasservi, librement, molinisme ■ 10 appartenir, déclencher, dégagement, deltaplane, demi-vierge, désinvolte, libération, vauclusien ■ 11 concubinage, débattement, inassujetti, indépendant, libéraliser, libéralisme, self-service, super-marché ■ 12 croustilleux, demi-position, libre arbitre, libre-échange ■ 13 non-engagement ■ 14 acquit-à-caution ■ 15 libre-échangiste, location-gérance, protectionnisme.
LIBRE PENSEUR : 11 irréligieux.
LIBRE SERVICE : 12 cash and carry.
LIBRETTISTE : 8 parolier.
LICE : 4 camp ■ 5 lisse.
LICENCE : 5 grade ■ 6 brevet, luxure*, permis, saleté ■ 7 liberté* ■ 8 érotisme, impureté, licencié ■ 9 indécence, obscénité ■ 10 immoralité, impudicité, paranymphe, permission, saturnales, université ■ 11 grivoiserie ■ 12 autorisation, inconvenance ■ 13 propédeutique.
LICENCIER : 9 congédier* ■ 11 licenciable ■ 12 licenciement.
LICENCIEUX : 3 cru ■ 4 gras ■ 5 enfer, épicé, impur, libre ■ 6 poivré, risqué ■ 7 grivois, immoral, obscène* ■ 8 érotique, indécent, ordurier, polisson, scabreux ■ 9 débraillé, décolleté, dégoûtant, égrillard, équivoque, graveleux, impudique, luxurieux* ■ 10 dévergondé, libidineux ■ 11 inconvenant* ■ 15 licencieusement.
LICHEN : 5 lèpre, renne, usnée ■ 7 rocella, rocelle ■ 8 apothèce, lécanore, orseille, parmélie ■ 9 apothécie ■ 10 thallophyte.
LICITATION : 7 enchère ■ 10 colicitant.
LICITE : 6 permis* ■ 10 euthanasie, licitement.
LICOU : 4 rêne ■ 5 licol ■ 7 harnais ■ 11 enchevêtrer.
LIE : 5 dépôt, fécer, fécès, louré, perle, rebut* ■ 6 résidu* ■ 8 gravelée, inhérent, sédiment ■ 9 baissière, juxtaposé, précipité ■ 11 équipollent ■ 12 conventionné ■ 13 fractionnaire.
LIED : 5 chant* ■ 7 mélodie*.
LIEGE : 5 chêne, ruche, suber ■ 6 liéger ■ 7 bouchon, liégeux ■ 8 subéreux ■ 9 rhytidome ■ 10 chêne-liège, démasclage, lenticelle, phellogène, talonnette ■ 11 phelloderme.
LIEN : 3 fil ■ 4 fers, glui, hart, joug, lier, mari, trait ■ 5 agnat, alèse, bande, bride, câble, corde, harde, joint, lacet, licol, licou, longe, nœud, osier, paire, plion, ruban ■ 6 amarre, bolduc, catgut, chaîne*, cordon, garrot, racine, tresse ■ 7 attache, cordage, enlacer, entrave, ficelle, lanière, liaison*, rapport*, rouette ■ 8 accolage, courroie, ligament, ligature, menottes ■ 9 élastique, maternité, parentèle, paternité, périsprit ■ 10 cordelette, désenlacer, fraternité, jarretière, obligation ■ 11 conjonction, nationalité, trait d'union ■ 13 concentration, inconséquence.
LIER : 2 et, or, qu ■ 3 que ■ 4 être, lien, unir* ■ 5 happe, lacer, liage, liant, moise, nouer ■ 6 bander, brider, corder, coudre, lourer, relier, serrer, souder ■ 7 accoler, amarrer, atteler, ceindre, engager, fagoter, ficeler, joindre*, liement, renouer, sangler ■ 8 associer, attacher*,

botteler, cimenter, emballer, embosser, engrener, entraver, inféoder, jarreter ■ 9 accointer, accoupler, acoquiner, bauquière, connecter, copulatif, enchaîner, garrotter, harnacher, ligature, rattacher ■ **10** envelopper, franchiser, fréquenter ■ **11** aiguilleter, conjonction, hypothéquer ■ **12** désaccoupler ■ **13** conventionner.

LIERRE : **7** glécome ■ **8** gléchome.

LIESSE : 4 joie*.

LIEU : **2** çà, ci, en, où ■ **3** dès, ici, kan, lit, mue, par, sur ■ **4** abri, aire, base, bois, café, camp, cave, chai, coin, cour, dans, écho, éden, exil, gare, gîte, loge, mine, parc, part, pays, port, près ■ **5** accul, agora, alibi, antre, asile, avant, bagne, bauge, berce, bivac, bouge, cache, cause, colin, curie, dépôt, divan, écart, égout, enfer, entre, étape, fenil, forum, foyer, issue, local, musée, natal, natif, odéon, opéra, pâtis, paume, place*, point, privé, route, salle, scène, sénat, siège, stade, sujet, terme, tiers, toril, venir, vigil, xyste ■ **6** aunaie, caitya, cancel, canier, cliché, élysée, espace, milieu, parage, région, ultime, waters ■ **7** aiguade, atelier, aulnaie, cabinet, cannaie, chênaie, communs, contrée, endroit*, épinaie, frayère, frênaie, habitat, hêtraie, lieu-dit, magasin, nymphée, olivaie, oseraie, paysage, pissoir, planque, podaire, relâche, reposée, saulaie, souille, tribune, urinoir ■ **8** académie, amandaie, antipode, archives, bergerie, bluterie, bourbier, boutique, buissaie, caféière, carrière, cerisaie, charnier, chiottes, cidrerie, coudraie, débarras, débouché, décharge, domicile, eldorado, emporter, entrepôt, feuillée, figuerie, gurdwara, habitant, herberie, houssaie, jonchaie, jonchère, laiterie, latitude, latrines, lingerie, localité, logement, lointain, nègrerie, occasion, oratoire, ossuaire, palestre, pâturage, pêcherie, perchoir, pressoir, quartier, rouvraie, salinage, saussaie, sellerie, solitude, sucrerie, tannerie, toponyme, triperie ■ **9** abreuvoir, acheminer, aclinique, alentours, antérieur, boucherie, buanderie, buissière, campement, carrefour, cimetière, confluent, diathèque, fougeraie, fournaise, fourrière, fruiterie, garde-robe, guilledou, hauturier, hémicycle, hic et nunc, isoglosse, oliveraie, palmeraie, paneterie, patinoire, pharmacie, platanaie, pommeraie, promenade, promenoir, prunelaie, réservoir, roselière, sacristie, sapinière, sépulture, soufrière, synagogue, ubiquiste, volailler ■ **10** animalerie, atmosphère, boulodrome, boyauderie, buen-retiro, capharnaüm, cocoteraie, commodités, cotonnière, coupe-gorge, exposition, forteresse, habitation, héronnière, hippodrome, joncheraie, peupleraie, plantation, pouillerie, purgatoire, raffinerie, réceptacle, réfectoire, sédentaire, trésorerie, vanillerie, vanillière ■ **11** briqueterie, casse-gueule, chamoiserie, crapaudière, destination, distillerie, emplacement, faisanderie, garde-meuble, nourricerie, quelque part, sablonnière, tautochrone, topographie, transmigrer, water-closet ■ **12** chancellerie, charbonnière, équarrissoir, escargotière, laisse-courre, poissonnerie, poulaillerie ■ **13** blanchisserie, châtaigneraie, fréquentation, international, laisser-courre, métacentrique, pavillonnerie, secrétairerie.

LIEUTENANT : **4** maje ■ **8** enseigne ■ **9** louvetier ■ **11** lieutenance.

LIEUX ARIDES : **10** vaillantie.

LIEUX HUMIDES : **9** uligineux, valériane ■ **10** cochléaria, marchantia, marchantie, uliginaire ■ **11** hydrocotyle, scutellaire.

LIEUX INCULTES : **13** bouillon-blanc ■ **14** bourse-à-pasteur.

LIEVRE : **4** gîte, hase, lacs ■ **5** civet, lacet, lapin, râble, vagir ■ **7** bouquet, bouquin, couiner, levraut ■ **8** débouler, léporide ■ **9** levretter, tularémie.

LIFT : **6** lifter.

LIFTING: 8 déridage.
LIGAMENT: 5 écart, ptôse ■ 6 tendon ■ 8 claquage ■ 11 ligamenteux ■ 12 ligamentaire.
LIGATURE: 7 bandage ■ 8 surliure ■ 9 ligaturer, striction.
LIGNAGE: 4 lieu, race* ■ 6 parent* ■ 7 parenté ■ 12 patrilignage.
LIGNE: 3 axe ■ 4 base, côté, enté, onde, pied, raie*, rang*, site, voie ■ 5 arête, biais, canne, corde, crête, doris, entée, essai, front, fuite, gaule, liner, livet, lusin, luzin, mixte, nœud, ogive, ondée, pique, plane, plomb, point, pouce, raphé, rayon, règle, ronde, scion, sixte, terne, tiret, tracé, trait ■ 6 alinéa, bauffe, brisée, courbe, droite, fuyant, laisse, ligner, linéal, rangée*, rayure, repère, talweg ■ 7 appelet, arêtier, bouchon, contour, cordeau, dorsale, ellipse, grébige, hameçon, héberge, isobare, lignage, oblique, rénette, sécante, séismal, septime, traînée ■ 8 accolade, apothème, bandière, bretelle, ceinture, deadheat, déjauger, flotteur, grébiche, isobathe, isocline, isohyète, isohypse, libouret, linéaire, maintien, moulinet, objectif, palangre, parabole, rainette, tangente, terminus, traillet, tringler, trusquin, turlutte, vermille ■ 9 arondelle, branlette, diagonale, direction, directive, filiation, fontanili, graphique, inflexion, isotherme, linéament, linéature, obliquité, parallèle, périmètre, sillonner, souligner, téléphone, tire-ligne, trigramme, verticale ■ 10 collatéral, curviligne, dandinette, définition, directrice, emplanture, générateur, géodésique, guillochis, interligne, isallobare, isochimène, lignerolle, mixtiligne, osculation, rectiligne, silhouette, surtension, télégraphe ■ 11 arrière-plan, bissectrice, chemin de fer, génératrice, horizontale, palangrotte, paternoster, terminateur, trajectoire, troussequin ■ 12 isodynamique, matrilignage ■ 13 justification ■ 15 circonvallation, contrevallation, perpendiculaire, radio-alignement.
LIGNEE: 4 race*, sang ■ 11 descendance*.
LIGNEUX: 5 arbre, loupe ■ 7 bagasse ■ 10 chènevotte, frutescent.
LIGNITE: 4 jais ■ 5 jayet ■ 8 lignifié ■ 13 lignification.
LIGOTER: 4 lier ■ 8 attacher*, ligotage.
LIGUE: 5 grève, seize, union* ■ 6 liguer ■ 7 complot*, ligueur ■ 8 alliance, décapole ■ 9 coalition ■ 11 association*.
LIGURIE: 6 ligure.
LILAS: 5 sauge ■ 6 sauget.
LILIACEE: 3 ail, lis, lys ■ 4 cive ■ 5 aloès, yucca ■ 6 fragon, muguet, oignon, safran, scille, smilax, tulipe ■ 7 asperge, ciboule, civette, dracena, muscari, poireau, porreau, vératre ■ 8 dracaena, échalote, endymion, jacinthe, martagon, phormium, tue-chien ■ 9 asparagus, asphodèle, colchique, hyacinthe, parisette, rocambole ■ 10 aspidistra, ciboulette, dragonnier, sansevière ■ 11 fritillaire, hémérocalle, ornithogale ■ 13 salsepareille ■ 14 raisin-de-renard, sceau-de-salomon ■ 15 dame-d'onze-heures.
LILLE: 7 lillois.
LIMACE: 5 loche.
LIMAÇON: 5 corne ■ 7 cochlée ■ 8 escargot ■ 9 colimaçon ■ 10 cochléaire.
LIMBE: 7 foliole, pétiole ■ 8 limbaire ■ 9 palmifide, palmilobe ■ 10 palmi-parti, palmisèque, palmiséqué ■ 11 palmatifide ■ 12 palmatiparti, palmatisèque.
LIME: 4 râpe ■ 5 limer ■ 6 fraise, râpure, rugine ■ 7 carreau, riflard, rifloir ■ 8 limaille ■ 9 demi-ronde ■ 10 queue-de-rat, tiers-point.
LIMER: 4 étau ■ 5 polir, râper ■ 6 mordre, rifler ■ 7 adoucir, dresser, ébarber, ruginer, tailler ■ 8 chapeler, ébaucher, parfaire.

LIMIER : 8 policier* ■ 9 rembucher.
LIMITATION : 6 limite* ■ 11 restriction ■ 12 cantonnement ■ 14 autolimitation ■ 15 contingentement.
LIMITE : 3 but, fin*, mur, out ■ 4 aire, amer, bord*, côte, fini, haie, orée, plus, rive ■ 5 arête, berge, borne, cadre, corde, front, grève, lèvre, ligne, limbe, temps, terme* ■ 6 frange, infini, mesure, rivage ■ 7 ad litem, bordure*, carnèle, circuit, confins, contour, extrême, lisière, origine, plafond, tranche ■ 8 barrière, illimité, littoral, pomerium ■ 9 délimiter, extrémité, franc-bord, frontière, gold-point, interface, limitable, limitatif, périmètre ■ 10 in extremis, limitrophe, restrictif ■ 11 démarcation, déplafonner, stratopause ■ 12 commencement, magnétopause ■ 13 entrebâilleur, extrapolation ■ 14 numerus clausus ■ 15 circonscription.
LIMITER : 4 fuir ■ 5 clore ■ 6 border*, borner, fermer, longer, rogner ■ 7 définir, ébarber, enclore, épuiser, modérer, séparer ■ 8 déborder ■ 9 cantonner, contenter, limitable, localiser ■ 10 contourner, déterminer, koudourrou ■ 11 restreindre ■ 12 circonscrire*, contingenter ■ 13 dénucléariser.
LIMITROPHE : 6 proche ■ 9 frontière.
LIMNOLOGIE : 12 limnologique.
LIMOGER : 9 limogeage.
LIMOGES : 10 limougeaud.
LIMON : 3 lut ■ 4 boue*, silt, vase ■ 5 lœss, marne, patin ■ 6 bourbe, javeau, wagage ■ 8 boulbène, limonade, limonage, limoneux, limonier, mancelle ■ 13 sous-ventrière.
LIMONADIER : 4 vaté ■ 7 glacier.
LIMONITE : 4 ocre.
LIMOUSINAGE : 10 limousiner.
LIMPIDE : 3 eau, pur* ■ 5 clair, perle, roche ■ 7 trouble ■ 9 limpidité ■ 11 transparent*.
LIN : 4 filé, gaze ■ 5 broie, drège, filer, huile, linge, linon, maque, rouet, tissu, toile ■ 6 étoupe, linacé, linier, macque ■ 7 batiste, chanvre, damassé, filasse, granité, linaire, linette, linière ■ 8 affinoir, chenille, cretonne, écanguer, étaleuse, popeline ■ 9 égreneuse, rouissoir.
LINACEE : 3 lin.
LINAIRE : 7 velvote ■ 9 linéarité ■ 10 cymbalaire ■ 12 linéairement ■ 13 multilinéaire.
LINCEUL : 4 mort ■ 6 sindon, suaire ■ 9 ensevelir.
LINEAIRE : 4 yard ■ 5 lieue.
LINEAMENT : 5 trait ■ 8 rudiment.
LINGE : 3 fin ■ 4 drap, taie ■ 5 ajour, amict, bande, batte, braie, damas, jabot, nappe, nouet, savon, séton, tapon, toile*, tuyau ■ 6 bavoir, couche ■ 7 azurage, damassé, lavette, lessine, lingère, séchoir, tendoir, tuyauté ■ 8 baluchon, buandier, corporal, damasser, essanger, étendoir, frottoir, herberie, lingerie, mercière, mouchoir, tavaïole, troutrou ■ 9 balluchon, bonnetier, cache-sexe, cisailler, compresse, frivolité, lave-linge, manuterge, repassage, serviette, tavaïolle, tortillon, trousseau, véronique ■ 10 bonnetière, écouvillon, essuie-main, gardenappe, lavandière, lessiveuse, sèche-linge ■ 11 cache-corset ■ 12 bateau-lavoir, patte-mouille, soutien-gorge ■ 13 œil-de-perdrix, purificatoire.
LINGERIE : 6 rebras ■ 7 canezou, nanzouk ■ 8 guêpière.
LINGOT : 5 barre, bloom, culot ■ 6 cadrat ■ 8 billette, ressuage ■ 9 dégrosser ■ 10 lingotière.
LINGUISTE : 11 sémanticien ■ 14 néogrammairien.
LINGUISTIQUE : 3 yod ■ 6 monème ■ 7 ougrien ■ 9 isoglosse, topony-

mie ■ **10** diachronie, étymologie, philologie, synchronie ■ **11** littérature ■ **12** finno-ougrien ■ **13** dialectologie ■ **14** structuralisme.
LINIMENT : 5 baume* ■ **7** onguent ■ **11** embrocation.
LINOLEIQUE : 9 linoléine.
LINOTTE : 5 linot ■ **7** étourdi, sizerin.
LINOTYPE : 9 linotypie ■ **11** linotypiste.
LINTEAU : 7 sommier ■ **8** décharge, poitrail ■ **9** feuillure.
LION : 5 tigre, tueur ■ **6** lionin, tiglon, tigron ■ **7** diffamé, léopard ■ **8** crinière, léopardé, lionceau ■ **11** rugissement.
LIPASE : 8 estérase ■ **8** saponase.
LIPIDE : 9 lécithine, lipidémie, lipidique ■ **12** lipoprotéine ■ **13** pantothénique.
LIPPE : 5 lèvre, lippu ■ **7** grimace.
LIQUEFACTION : 5 point ■ **10** liquéfiant ■ **11** thixotropie ■ **12** condensation.
LIQUEFIE : 3 g.p.l.
LIQUEFIER : 6 diluer, fondre, souder ■ **7** dégeler, infuser ■ **8** résoudre ■ **9** condenser, dissoudre, parfondre ■ **11** liquéfiable, réfrigérant ■ **12** liquéfacteur.
LIQUEUR : 3 eau, lie, suc, vin ■ **4** arac, arak, brou, café, cave, grog, ivre, lait, ouzo, rack, raki, vaté ■ **5** agave, anisé, arack, baume, crème, éther, huile, jauge, jusée, larme, punch, sépia, sirop, soyer, tamis, tokaj, tokay, verre ■ **6** bitter, cassis, élixir, génépi, kummel, nectar, pastis ■ **7** calabre, curaçao, essence, ratafia, ripopée, rogomme ■ **8** absinthe, alkermès, anisette, apéritif, digestif, eau-de-vie, futaille, genièvre, laudanum, persicot, picardan, prunelle, rossolis, vermouth, vespétro ■ **9** coriandre, guignolet, liquoreux, marasquin, mirabelle, sommelier ■ **10** chartreuse, défécation, liquoriste, manzanilla, peppermint, spiritueux ■ **11** bénédictine, citronelle, trappistine ■ **12** distillateur, fenouillette, sophistiquer.
LIQUIDATION : 8 curateur, faillite, liquider ■ **10** liquidatif ■ **11** liquidateur.
LIQUIDE : 3 eau*, jus, pus, suc ■ **4** bain, bile, boue, broc, buée, floc, flot, flux, lait, muid, pipe, sang, sève ■ **5** arobe, baume, boire, brome, bulle, chyle, congé, crase, débit, dépôt, écume, égout, encre, éther, fioul, fondu, froid, fuite, huile, kyste, lampe, laque, larme, latex, laver, litre, métal, noyer, ortie, outre, perle, pinte, pompe, purin, rosée, sauce, sérum, sirop, stase, trait, urine, velte, venin, vésou ■ **6** alcool*, arrobe, ascite, brouet, fluide*, giclée, humeur, lotion, oléine, plasma, rasade, sperme, tisane, vortex ■ **7** acétone, amphore, boisson, chassie, chopine, exsudat, filtrat, mélasse, poisson, pucheux, sabayon, saumure, stéride, trempée, vinasse, ypérite ■ **8** babeurre, bouillon, coaguler, colature, congeler, créosote, effluent, émulsion, eye-liner, fait-tout, fixateur, glou-glou, glycérol, laudanum, mucilage, pissette, pyralène, sédiment, sérosité, synérèse, teinture ■ **9** acroléine, agitation, aréomètre, azéotrope, bain-marie, berlingot, bouteille, démixtion, diffluent, digestion, dissoudre, égoutture, entonnoir, immersion, liquéfier, liquidien, mouillant, nébuliser, patouille, petit-lait, précipité, récipient, rembouger, réservoir, sécrétion, stripping, turbidité ■ **10** absorption, aréométrie, caillement, cubitainer, eaux-vannes, ébullition, écoulement, éthylamine, exhausteur, hydramnios, mouillace, piézomètre, pulsomètre, pycnomètre, saturation, shampooing, surchauffe, transfuger, transsudat, turbimètre, turbulence, ventricule ■ **11** chloroforme, consistance, crépitation, crépitement, embrocation, évaporation, hydarthrose, hydrosphère, lactescence, piézo-

gramme, tuberculine ■ 12 distillation, filtre-presse, frémissement, hydrographie, lance-flammes, liquéfaction, perméabilité, sous-refroidi, térébenthine, thoracentèse, vaporisateur, vaporisation, wagon-citerne ■ 13 concordataire, hydrostatique, ingurgitation, navire-citerne, pulvérisateur, saccharimètre ■ 14 bouillonnement, hydrodynamique, solidification.

LIQUIDER: 4 tuer ■ 10 liquidable ■ 11 désendetter, liquidateur, liquidation.

LIRE: 5 encre ■ 6 liseur, relire, revoir ■ 7 ânonner, dévorer, étudier, lecteur, lecture, réciter, récoler ■ 8 dyslexie, illettré ■ 9 alphabète, bouquiner, centesimo, compulser, illisible, parcourir ■ 10 déchiffrer, dépouiller, feuilleter, illettrisme, lisibilité, palindrome, paperasser, syllabaire ■ 11 analphabète, grammatiste, lisiblement ■ 12 phonocapteur ■ 14 indéchiffrable.

LIS: 6 lilial ■ 8 criocère, martagon ■ 9 anaryllis.

LISERE: 8 lisérage ■ 9 passepoil.

LISERON: 6 ipomée ■ 7 vrillée ■ 9 volubilis ■ 11 belle-de-jour, convulvulus.

LISIERE: 2 lé ■ 4 bord*, orée ■ 5 duite, laise, laize, terme ■ 7 bordure*, écotone ■ 9 effiloche.

LISSAGE: 7 lisseur.

LISSE: 3 uni* ■ 4 lice, poli* ■ 5 chant, crépi, frisé, herpe, hêtre, raban, tuyau ■ 6 lisser ■ 7 agatisé ■ 8 calandre, décrêper, délisser, fibrille, lisseuse, popeline ■ 11 napolitaine.

LISSER: 6 gomina.

LISTE: 4 état, menu, rôle ■ 5 carte, tarif ■ 6 errata, lister ■ 7 erratum, matrice, mémoire, tabelle, tableau ■ 8 alphabet, annuaire, éponymie, palmarès, syllabus ■ 9 affouager, catalogue, manifeste, matricule ■ 10 grand-livre, inventaire, mercuriale, nécrologie, répertoire ■ 11 martyrologe ■ 12 argumentaire, filmographie, nomenclature, nomenklatura ■ 13 questionnaire.

LISTER: 7 listage.

LIT: 3 ber ■ 4 dodo, drap, duit, jard, noue, page, pieu, sofa, tara, tune ■ 5 bauge, délit, divan, galet, hamac, kapok, moine, natte, niche, ouate, pagne, pajot, pente, plume, ravin, sopha, tâter ■ 6 canapé, châlit, chevet, coitte, couche*, grabat, pageot, pagnot, pucier, ruelle ■ 7 berceau, couchis, couette, lit-cage, literie, padoque, paillot, peautre, pieuter, plumard ■ 8 courtine, estuaire, pagnoter, ruisseau ■ 9 alitement, baldaquin, canapé-lit, couchette, couvre-lit, paillasse, traversin ■ 10 bassinoire, chauffe-lit, couvre-pied, dégravoyer, fonçailles, grabataire ■ 11 cantonnière ■ 12 défluviation ■ 13 barcelonnette, bercelonnette.

LITHIASE: 6 calcul ■ 8 gravelle ■ 11 lithiasique ■ 12 cholécystite.

LITHIUM: 2 li ■ 7 lithine ■ 10 lépidolite ■ 11 lépidolithe, lithinifère.

LITHOGRAPHIE: 5 litho ■ 11 lithographe ■ 12 zincographie ■ 14 lithographique.

LITHOLOGIE: 12 lithologique, pétrographie.

LITHOSPHERE: 14 lithosphérique.

LITHOSPHERIQUE: 10 subduction.

LITIERE: 6 fumier ■ 8 basterne ■ 9 palanquin.

LITIGE: 7 dispute* ■ 9 arbitrage, décrétale, litigieux, médiation, recréance ■ 11 contentieux, hors-de-cause ■ 12 contestation.

LITORNE: 7 jocasse.

LITRE: 3 kil ■ 4 moss ■ 5 bidon, canon, congé, quart ■ 7 chopine ■ 9 décilitre, demi-litre ■ 10 centilitre, hectolitre, millilitre.

LITTERAIRE : 3 raï ■ 5 image, unité ■ 7 héterie ■ 8 acméisme, doctrine, épilogue ■ 9 antiroman, œuvrette ■ 10 lipogramme, monogatari ■ 11 indigénisme, littéralité ■ 13 préromantisme ■ 14 littérairement, psychocritique.
LITTERAL : 11 littéralité.
LITTERALEMENT : 9 à la lettre.
LITTERATURE : 4 idée, muse, page ■ 5 écrit, héros, lycée, navet, nègre ■ 6 auteur ■ 7 bluette, cénacle, fresque, lettres, pochade, théâtre, vérisme ■ 8 confrère, dadaïsme, fatrasie, institut, nouvelle, pastiche ■ 9 antiroman, compagnie, félibrige, futurisme, latiniste, lettrisme, macaronée, matériaux, populisme, pot-pourri, salonnier ■ 10 esthétisme, germaniste, médiéviste, ossianique, pastichage, philologie, romantisme, scatologie, symbolisme, unanimisme ■ 11 classicisme, conceptisme, germanisant, littérateur, naturalisme, renaissance, surréalisme ■ 12 comparatisme, comparatiste, dissertation, italianisant, linguistique, miscellanées, pornographie, romanticisme ■ 13 belles-lettres ■ 15 impressionnisme.
LITTORAL : 4 baie, bord, lido ■ 5 lagan ■ 6 rivage* ■ 8 avocette, calanque, clovisse, panicaut ■ 9 gattilier.
LITTORINE : 9 bigorneau.
LITUANIE : 10 lithuanien.
LITURGIE : 4 pale ■ 5 motet ■ 6 conopé ■ 10 dalmatique, hiératique, liturgique ■ 12 manécanterie.
LITURGIQUE : 4 oint ■ 5 guèze ■ 8 cathèdre, sucologe ■ 9 tunicelle.
LIVIDE : 4 noir, pâle* ■ 5 blême ■ 8 lividité ■ 12 meurtrissure.
LIVRAISON : 5 lever ■ 7 filière ■ 9 fascicule.
LIVRE : 3 abc ■ 4 avis, once, page, prix, sage, tête, tome ■ 5 album, bible, canon, coran, écrit, enfer, flore, folio, garde, guide, index, porno, quart, table, tenue, titre ■ 6 abrégé, barème, livret, manuel, missel, rituel, targum, traité, volume ■ 7 bouquin, édition, elzévir, extrait, fermail, graduel, imprimé, in-douze, in-folio, in-plano, in-seize, lexique, libellé, ouvrage, recueil, rognoir ■ 8 alphabet, brocheur, brochure, chapitre, couvrure, écrivain, eucologe, évangile, expurger, grimoire, guide-âne, herd-book, in-octavo, in-quarto, intitulé, jaquette, keepsake, librairie, maquette, opuscule, post-face, registre*, shilling, vespéral ■ 9 bouillons, bouquiner, bréviaire, brocheuse, charpente, endossure, facturier, fascicule, finissure, flock-book, glossaire, grammaire, in-dix-huit, librairie, liminaire, livresque, plaquette, quarteron, vade-mecum ■ 10 abécédaire, apocalypse, best-seller, brouillard, catéchisme, cérémonial, compendium, directoire, éphéméride, indicateur, paroissien, rhétorique, syllabaire ■ 11 avant-propos, bibliologie, bibliomanie, bibliophile, bouquinerie, bouquiniste, couvre-livre, frontispice, interfolier, pentateuque, pochothèque, publication*, sapientiaux, tranchefile ■ 12 antiphonaire, arithmétique, bibliographe, bibliothèque, évangéliaire, expurgatoire, passionnaire ■ 13 bibliographie, collationnure, processionnal, sacramentaire.
LIVREE : 7 laquais.
LIVRER : 5 céder, faire, mèche ■ 6 donner*, lâcher, rendre, trahir ■ 7 adonner, confier, émettre, fournir, laisser, livreur ■ 8 délivrer, extrader, hasarder, livrable, repaître ■ 9 combattre, consacrer, intriguer, livraison, sous-palan ■ 10 abandonner, constituer, fainéanter, franco-bord, magouiller, prostituer, recueillir, vandaliser ■ 11 extradition, grenouiller.
LIVRET : 6 cahier ■ 8 libretto ■ 11 librettiste.
LOB : 5 lober.

LOBBY : **8** lobbying, lobbysme.
LOBE : **5** labié, lobée ■ **6** lobule ■ **7** lobaire, trilobé, unilobé ■ **8** auricule, polylobé ■ **9** cotylédon, multilobé, occipital ■ **10** homocerque, lobectomie ■ **11** antépophyse ■ **14** quatre-feuilles.
LOBOTOMIE : **10** leucotomie.
LOBULE : **8** lobuleux ■ **9** lobulaire.
LOCAL : **3** bal ■ **4** loft ■ **5** poste, salle, serre ■ **6** arcade, chenil, fumoir, studio ■ **7** baraque, cellule, couvoir, galerie, parquet, séchoir ■ **8** friterie, fruitier, garderie, glacière, localier, noviciat, officine, procaïne, showroom ■ **9** carnotset, carnotzet, pilosisme, sans-logis ■ **10** acoustique, infirmerie, localement, ludothèque, médicalisé, paludarium, pas-de-porte ■ **11** cartothèque, kommandatur, laboratoire, photothèque, turgescence ■ **13** sous-locataire.
LOCALISATION : **15** électrolocation.
LOCALISE : **6** fondis.
LOCALISER : **5** point ■ **6** borner ■ **7** limiter, repérer ■ **11** antérovirus, localisable, spatialiser ■ **12** circonscrire, localisateur, localisation.
LOCALITE : **4** bled, lieu*, trou ■ **5** ville ■ **7** endroit ■ **8** enzootie ■ **10** chalandise.
LOCATION : **5** congé ■ **6** fréter, louage ■ **7** leasing, louable ■ **8** surlouer ■ **11** colocataire ■ **12** reconduction, sous-location.
LOCHE : **7** barbote ■ **8** barbotte.
LOCK-OUT : **5** grève ■ **9** lock-outer.
LOCOMOTEUR : **7** orthèse.
LOCOMOTION : **5** cycle ■ **8** flagelle ■ **9** ambulacre, flagellum ■ **10** célérifère, draisienne, locomoteur, pseudopode, vélocimane.
LOCOMOTIVE : **5** bogie, fanal, lacet, train ■ **6** bécane ■ **8** coulisse ■ **11** chemin de fer, pantographe ■ **12** banalisation ■ **13** chasse-pierres, diésélisation.
LOCUTEUR : **11** allocutaire.
LOCUTION : **2** go ■ **3** fur ■ **8** arabisme, tournure ■ **9** ad valorem, cacologie, poco à poco, sous-palan ■ **10** anglicisme, expression, hispanisme ■ **11** coordonnant ■ **14** provincialisme.
LOCUTION ADVERBIALE : **3** à nu, exa ■ **4** à cru, à pic, à vie, delà ■ **5** à bloc, abord, à bras, à côté, à demi, à fond, à gogo, à jeun, à même, à mort, à pari, à part, à plat, à plomb, à quia, à sec, à tort, à vide, en bas, en sus, ne... que, par-là, per os ■ **6** à flots, à force, à froid, à la fin, à l'envi, à moins, à peine, à perte, à pible, à point, à ravir, a tempo, à temps, au fond, au loin, au long, au plus, à verse, d'abord, da capo, de face, de loin, de même, de nuit, de pair, de plus, de près, de visu, du tout, en beau, en bloc, en chef, en face, en fait, en gros, en hâte, en haut, en petit, en rond, en tout, en vain, en vrac, et puis, ex vivo, in situ, in vivo, là-haut, passim, que dal, ric-rac ■ **7** à cheval, à compte, à crédit, ad litem, ad nutum, à droite, à foison, a giorno, à jamais, à la dure, à la file, à la fois, à la hâte, à la mort, à la nage, a latere, al dente, à l'écart, à loisir, à mi-côte, à minima, à mi-voix, à moitié, a priori, à propos, à regret, à savoir, à tâtons, au juste, au large, au moins, au reste, au temps, au total, avenant, ci-après, dans peu, d'aplomb, d'autant, d'avance, de biais, de ce pas, de chant, de court, de front, de grâce, d'emblée, de sitôt, dès lors, de reste, de suite, d'office, du moins, du reste, en avant, en biais, en croix, en forme, en foule, en grand, en marge, en masse, en outre, en plein, en un mot, ex aequo, extenso, in petto, in utero, in vitro, mot à mot, non plus, non sans, par-delà, pas à pas, peu à peu, plein de, pour sûr, ric à rac, sine die, sou à sou, tant pis, une fois, vis-à-vis ■ **8** à coup sûr,

à couvert, à demeure, à demi-mot, à dessein, ad patres, à force de, à la coule, à la ronde, à la Titus, à l'avenir, à la volée, à l'entour, à l'envers, à l'estime, à l'étroit, à l'infini, à mi-corps, à mi-jambe, à nouveau, à part lui, à part moi, à peu près, à plaisir, à poignée, à présent, à rebours, à souhait, à travers, à tue-tête, au bas mot, au-dehors, au-dessus, au diable, au double, au hasard, à vau-l'eau, à vau-vent, à volonté, bien plus, ci-contre, ci-dessus, ci-devant, dare-dare, de-ci de là, de dehors, de moitié, de niveau, en avance, en beauté, en chœur, en commun, en croupe, en dehors, en dessus, en détail, en diable, en double, en fraude, en friche, en partie, en public, en regard, en résumé, en retour, en second, en secret, en vérité, en viager, ex nihilo, jusque-là, là-contre, là-dedans, là-dessus, mi-course, ne... goutte, outre-mer, par cœur, par écrit, par en bas, par suite, pêle-mêle, peut-être, pour lors, que dalle, sans plus, sans quoi, tout beau, tout de go, tout doux, vice versa ■ **9** à bon droit, à cela près, à cet égard, à dire vrai, à distance, ad libitum, à domicile, a fortiori, à la fureur, à la légère, à la longue, à l'amiable, à l'arraché, à l'avenant, à la vérité, à l'endroit, à l'extrême, à l'instant, à l'origine, à mi-chemin, à muche pot, à musse pot, à outrance, à perpette, après coup, après quoi, après tout, à reculons, à tout coup, à tout prix, au complet, au courant, au-dessous, au maximum, au minimum, au naturel, au prorata, au rebours, au surplus, au travers, autre part, avant-hier, avec cœur, à vrai dire, bel et bien, berzingue, cahin-caha, ci-dessous, côte à côte, d'ailleurs, de concert, de coutume, de gré à gré, de nouveau, de partout, depuis peu, de rigueur, de travers, d'habitude, d'instinct, d'occasion, en arrière, en cinq sec, en dessous, en échange, en écharpe, en général, en haleine, en passant, en réalité, en réserve, en spirale, en sursaut, en suspens, en travers, et caetera, face à face, hic et nunc, in extenso, là-dessous, lato sensu, mezza voce, outre-Rhin, par avance, par contre, par-dessus, par-devant, par hasard, par le fait, poco a poco, pour la vie, quand même, sans cesse, sans doute, sans faute, soi-disant, sou par sou, sous-palan, sous terre, sur le coup, sur l'heure, tant mieux, tour à tour, tout à coup, tout à fait, tout à trac, tout court ■ **10** ab intestat, à bon compte, a contrario, à contre-fil, à cor et à cri, à corps perdu, à découvert, à jour nommé, à la dérobée, à la marengo, à l'anglaise, à la rigueur, à l'opposite, à merveille, après-demain, à tire-d'aile, au dépourvu, au pis-aller, au plus près, au possible, couci-couça, couci-couci, dans le fond, dans œuvre, de bon cœur, de guingois, de mal en pis, de surcroît, de traviole, de vive voix, d'ordinaire, en cachette, en catimini, en ce moment, en pantenne, en personne, en présence, en qualités, en revanche, en sourdine, en sous-main, en tapinois, entre-temps, en un moment, ex cathedra, ex professo, extra-muros, grosso modo, in extremis, intra-muros, jusqu'alors, mal à propos, ne varietur, outre-monts, outre-tombe, par-ci par-là, par-dessous, par exemple, par indivis, par intérim, par malheur, par mégarde, par moments, par ouï-dire, par système, pour ma part, quelque peu, qui plus est, sans retour, sine qua non, sur-le-champ, tant et plus, tout du long, tout au plus, tout autour, tout d'abord, tout de même, un tantinet, urbi et orbi ■ **11** à bon escient, à claire-voie, à cloche-pied, à contre-jour, à contre-pied, à contre-poil, à contresens, à croupetons, à discrétion, à grand-peine, à la hussarde, à juste titre, à la redresse, à la renverse, à la sauvette, à l'ordinaire, à perpétuité, à perte de vue, à peu de frais, à point nommé, a posteriori, à proportion, à son escient, à tour de bras, à tous égards, à toute force, à tout hasard, à tout moment, à tout propos, au contraire, au demeurant, au préalable, à vol d'oiseau, bien entendu, bras-le-corps, cœur à cœur, corps à corps, coup sur coup, dans le but de, d'autant plus, de compagnie, de confiance, de plain-pied, de plus belle, de sang-froid, de tout cœur, de tout point, de tout temps, de vive force, d'ores et déjà, en attendant, en compagnie, en confiance, en contrebas, en même temps, en pure perte, en raccourci, en sous-ordre, en substance, en tête à tête, en tout point, hors-d'œuvre, outre-Manche, outre mesure, par accident, par ailleurs, par-derrière, par instinct, par surcroît, petit à petit, plus ou moins, pour la forme, tant soit peu, terre à terre, tout à l'heure, tout de suite, tout d'un coup, tout plein de, tutti quanti ■ **12** à bras le corps, à cœur ouvert, à contre-biais, à contrecœur, à contretemps, à la débandade, à la rescousse, à l'aveuglette, à l'improviste, à livre ouvert, à pied d'œuvre, à suffisance, à tête reposée, à tire-larigot, à tout le moins, au beau milieu, au superlatif, avant le temps, bon gré mal gré, comme de juste, dans un moment, de bonne heure, de but en blanc, de convention, de loin en loin, de part en part, de père en fils, de plein droit, de plus en plus, de prime abord, de toute façon, en bonne forme, en conclusion, en confidence, en conscience, en contre-haut, en second lieu, en sous-œuvre, fur et à mesure, hors de propos, nec plus ultra, non seulement, sans conteste, stricto sensu, touche-touche ■ **13** à bâtons rompus, à beaucoup près, à la billebaude, à la bonne heure, à la découverte, à la perfection, clopin-clopant, dans un instant, de compte à demi, de long en large, de son plein gré, de toutes parts, d'outre en outre, en bandoulière, en conséquence, en fin de compte, en particulier, en perspective, en plein milieu, en premier lieu, en suffisance, en temps et bien, en un clin d'œil, goutte à goutte, manu militari, ni plus ni moins, par conséquent, par excellence, par impossible, pour la plupart, pour tout de bon, sans contredit, sous le manteau, tout d'une tenue, un tant soit peu ■ **14** à chaque instant, à la croque au sel, à qui mieux mieux, à rebrousse-poil, à tous les égards, au bout du compte, au dernier point, au fur et à mesure, au grand complet, au premier abord, con espressione, de fond en comble, de point en point, de temps en temps, d'une seule tenue, en quelque sorte, en rang d'oignons, par comparaison, par intervalles, sans aucun doute, sauf correction ■ **15** à bras raccourcis, à brûle-pourpoint, à coups redoublés, à la vie et à la mort, à peu de chose près, à tort et à travers, au compte-gouttes, au diable vauvert, de gaieté de cœur, de part et d'autres, de son propre chef, de toute évidence, d'un commun accord, intuitu personae, mutatis mutandis, outre-Atlantique.

LOCUTION CONJONCTIVE : **5** que si, si que, vu que.

LOCUTION ELLIPTIQUE : **5** adieu.

LOFER : **5** tâter.

LOGARITHME : **3** bit ■ **5** table ■ **8** mantisse, népérien ■ **12** cologarithme ■ **12** logarithmique ■ **14** antilogarithme ■ **15** caractéristique.

LOGARITHMIQUE : **7** richter.

LOGE : **3** box ■ **4** cage ■ **5** cella, loger, niche, vigie ■ **6** loculé, loggia, zoécie ■ **7** logette, pipelet, portier ■ **8** loculeux, porterie ■ **9** baignoire, concierge, loculaire, vénérable ■ **10** avant-scène, poulailler ■ **11** biloculaire ■ **12** triloculaire, uniloculaire ■ **14** multiloculaire ■ **15** franc-maçonnerie.

LOGEMENT : **3** nid ■ **4** abri, loft, loge, toit, trou ■ **5** bouge, garni, loger, logis, loyer, pièce, poste, puits, squat, terme, vivre ■ **6** chenil, maison*, réduit, refuge, taudis ■ **7** adresse, caserne, château, couvert, demeure*, galetas ■ **8** coqueron, domicile, mansarde, sans-abri, squatter ■ **9** déménager, entretien, intérieur, résidence ■ **10** habitation*,

occupation, pied-à-terre ■ **11** appartement, cité-dortoir, garçonnière ■ **12** squattériser.
LOGER: **5** caser, gîter, louer ■ **6** camper, jucher, logeur, placer ■ **7** arrêter, établer, habiter*, meubler, occuper, percher, résider ■ **8** demeurer*, héberger, logeable, logement ■ **9** cantonner, emménager.
LOGETTE: **5** hutte ■ **6** cabine ■ **8** bretèche, bretesse.
LOGICIEL: **7** tableur ■ **8** grapheur, logiciel, ludiciel ■ **10** logithèque ■ **11** développeur, didacticiel ■ **12** incrémentiel, interpréteur, multifenêtre.
LOGIQUE: **5** terme ■ **6** raison* ■ **8** alogique, cohésion, logicien ■ **9** illogique, logicisme, pertinent ■ **10** catégorème, conséquent, incohérent, logistique, méthodique, prélogique, sémiotique ■ **11** antilogique, consécution, dialectique, logiquement, logisticien, métalogique, syntactique, systématisé ■ **12** inconsistant, méthodologie ■ **13** concaténation, naturellement.
LOGIS: **4** chez ■ **5** céans ■ **6** maison* ■ **7** demeure* ■ **10** habitation* ■ **11** appartement.
LOGOGRIPHE: **6** énigme.
LOGOMACHIE: **10** discussion ■ **12** logomachique.
LOGORRHEE: **12** logorrhéique.
LOI: **3** ohm ■ **4** code, édit, émir ■ **5** amour, crime, délit, droit, faute, joule, légal, lynch, macle, magie, norme, ordre, péché, pénal, règle*, saint, série, siège, titre, uléma, usure ■ **6** arrêté, charia, décret, devoir, dharma, omerta ■ **7** formule, légiste ■ **8** attorney, autorité, bienjugé, décemvir, exécutif, intitulé, légitime, loi-cadre, mosaïsme, noncumul, principe, réprouvé, sanction, zoonomie ■ **9** abolition, antinomie, collectif, cotutelle, décret-loi, desperado, féodalité, hors-la-loi, légalisme, légiférer, règlement, sexonomie, taxinomie, taxonomie ■ **10** abrogation, amendement, cosmologie, dérogation, illégalité, infraction, légalement, législatif, obligation, ordonnance ■ **11** absolutisme, constituant, institution, législateur, législation, réfractaire, thesmothète ■ **12** capitulaires, commandement, constitution, contrevenant, crève-tonneau, loi-programme, promulgation ■ **13** associativité, astrobiologie, herméneutique, jurisconsulte, jurisprudence ■ **14** redintégration, réglementation ■ **15** législativement.
LOIN: **3** ici ■ **4** tant ■ **5** avant, là-bas, outre, poids, tâter ■ **6** écarté, reculé ■ **7** arrière, ci-après, éloigné* ■ **8** éloigner, excentré, expédier, lointain ■ **9** découvrir, hauturier, subodorer ■ **11** éloignement*, télédynamie ■ **12** téléobjectif ■ **13** pérégrination, télédynamique.
LOIR: **8** muscardin.
LOIRE: **8** ligérien.
LOISIBLE: **6** permis ■ **8** possible*.
LOISIR: **5** mûrir, temps ■ **8** inaction ■ **9** permettre ■ **13** occupationnel.
LOMBAIRE: **12** lombarthrose.
LOMBE: **4** rein* ■ **5** psoas ■ **7** lumbago ■ **8** lombaire ■ **9** ensellure, lombalgie.
LOMBRIC: **11** lombricoïde ■ **13** lombriculture.
LONDONIEN: **7** cockney.
LONG: **3** bon ■ **4** banc, caïc, crin, lent, macr, maxi, tard, toge ■ **5** bande, barre, bâton, batte, bogie, boyau, durer, éclat, épieu, estoc, fente, filet, flûte, fouet, grand, grêle, héron, jetée, lance, latte, macro, moins, panne, patte, pelle, phare, poche, rabot, rampe, rifle, roman, skiff, toise, train ■ **6** étendu, oblong, usance ■ **7** barlong, durable*, éternel, extenso, longuet, prolixe ■ **8** allonger, éternité, felouque, hectique, javeline, kyrielle, ralingue, refendre, skeleton, sommaire ■

9 banderolle, chevronné, clavicule, in-extenso, laïusseur, longévité, macropode, perpétuel, rallonger, redingote, sarbacane ■ 10 emphytéose, filandreux, léviroste, long-jointé, longuement, procession, ribambelle ■ 11 roman-fleuve ■ 12 interminable, macrodactyle, traditionnel ■ 13 brachycéphale.
LONG-COURS : 7 clipper ■ 10 cap-hornier ■ 12 long-courrier.
LONGE : 5 trait ■ 10 rognannade, rognonnade.
LONGER : 6 ranger, suivre.
LONGEVITE : 8 macrobie.
LONGICORNE : 7 saperde ■ 10 capricorne, coléoptère.
LONGILIGNE : 10 bréviligne.
LONGITUDE : 12 longitudinal.
LONGITUDINAL : 6 liston.
LONGRINE : 4 rail.
LONGTEMPS : 4 tant ■ 5 durer, piéçà, vieil, vieux ■ 7 lurette ■ 8 mitonner ■ 9 chronique, davantage, égosiller, éterniser, perennité ■ 10 traînasser, vieillesse ■ 12 interminable.
LONGUE : 7 géminée, surdent ■ 8 taillote.
LONGUEUR : 3 pas ■ 4 aune, long, onde, pied, pige, yard ■ 5 atèle, aunée, canne, chant, cours, fermi, mètre, norme, ondée, palme, point, pouce, stade, ténia, toise, touée, venue, voûte ■ 6 archée, brasse ■ 7 archère, étendue, isodome, largeur, métrage, new-look, semelle, vernier ■ 8 coursive, diamètre, écourter, grandeur, linéaire, linéique, méjanage, quadrant, vélocité ■ 9 aiguillée, angstrœm, décamètre, encâblure, envergure, éterniser, longitude, ondemètre, périmètre, prolonger ■ 10 curvimètre, dilatation, élongation, hectomètre, traînasser ■ 11 allongement, comparateur, millimicron ■ 12 décamétrique, décimétrique, demi-longueur, dilatabilité, longitudinal ■ 13 grandissement, justification, précipitation ■ 14 dilichocéphale ■ 15 accourcissement.
LOOPING : 9 immelmann.
LOPIN : 7 morceau*.
LOQUACITE : 6 disert ■ 9 éloquence*, taciturne.
LOQUE : 7 haillon* ■ 8 guenille ■ 9 loqueteux ■ 10 déguenillé.
LOQUET : 7 clenche ■ 9 loqueteau, mentonnet.
LORANTHACEE : 3 gui.
LORD : 4 lady, pair ■ 6 milord ■ 10 seigneurie.
LORETTE : 5 fille.
LORGNER : 8 lorgneur, regarder*, reluquer ■ 9 convoiter*.
LORGNETTE : 7 lunette ■ 8 jumelles.
LORGNON : 7 binocle, lunette, monocle ■ 8 pince-nez ■ 9 face-à-main.
LORSQUE : 5 quand.
LOSANGE : 5 fusée, macle, polka ■ 6 rhombe ■ 7 losangé ■ 9 rhombique ■ 10 losangique, rhomboèdre, rhomboïdal ■ 14 orthorhombique.
LOT : 4 part ■ 5 lotir ■ 6 lotois ■ 7 allotir, apanage, jackpot, partage ■ 9 triploïde ■ 11 lotissement.
LOTERIE : 3 lot ■ 4 ambe ■ 5 quine, terne ■ 6 hasard ■ 7 tombola, tranche ■ 8 quaterne ■ 10 sweepstake.
LOTION : 8 friction ■ 9 hydratant, lotionner ■ 10 after-shave.
LOTO : 5 bingo, quine, terne ■ 8 quaterne.
LOTUS : 5 lotos ■ 7 nélumbo ■ 8 nymphéa ■ 9 lotophage.
LOUABLE : 9 méritoire.
LOUAGE : 4 fret, taxi ■ 5 louer, loyer, nolis, rente ■ 7 accense, locatis ■ 8 location ■ 10 nolissement ■ 11 affrètement.
LOUANGE : 3 los ■ 5 éloge*, idole ■ 6 encens, qasisa ■ 8 apologie,

élogieux, laudatif, louanger, reproche, vanterie ■ **9** adulation, apothéose, bénissage, cajolerie, doxologie, flatterie*, laudateur ■ **10** compliment, dithyrambe* ■ **11** célébration, panégyrique ■ **12** félicitation ■ **13** glorification ■ **14** congratulation ■ **15** applaudissement.

LOUANGER: 5 bénir ■ **6** aduler ■ **7** flatter* ■ **8** encenser ■ **9** courtiser, flagorner, louangeur ■ **11** entr'admirer.

LOUBARD: 6 loulou.

LOUCHE: 5 bigle, poche ■ **6** ambigu, pochon ■ **7** bigleux, suspect* ■ **8** loucheur ■ **9** strabisme.

LOUCHER: 6 bigler ■ **9** loucherie ■ **10** louchement.

LOUER: 5 garni, louée ■ **6** fréter, louage, prêter, prôner, vanter* ■ **7** amodier, bailler, chanter, combler, engager, exalter, flatter*, laniste, louable, noliser, prêcher, prendre ■ **8** affermer, affréter, arrenter, célébrer, chaisier, location, voiturin ■ **9** applaudir, approuver, canoniser, diviniser, embaucher, féliciter, glorifier*, sous-louer ■ **10** préconiser ■ **11** congratuler, recommander ■ **12** complimenter.

LOUFOQUE: 11 loufoquerie.

LOUP: 3 bar, leu ■ **4** huée, lynx ■ **5** faune ■ **6** coyotte, lycaon, masque ■ **7** cervier, coyotte, louvart, matelot ■ **8** louveter ■ **9** chien-loup, hurlement, loup-garou, louveteau, louvetier ■ **10** hausse-pied, louveterie ■ **11** épouvantail, lycanthrope ■ **12** lycanthropie.

LOUPE: 5 talpa ■ **8** stéatome ■ **10** compte-fils ■ **12** macrographie, quart-de-pouce.

LOUPER: 7 loupage.

LOUP GAROU: 11 lycanthrope ■ **12** lycanthropie.

LOURD: 4 brut, gavé, gros, ours ■ **5** brôme, butor, dense, épais, mulet, nappe, palan, pilum, plomb, wolfe ■ **6** massif, mastoc, pataud, pesant ■ **7** balourd, béotien, compact, onéreux, rustaud, stupide ■ **8** alourdir, campêche, chaloupe, écrasant, grossier*, longotte, lourdaud, matériel, patapouf ■ **9** accablant, indigeste, maladroit, malappris, peigne-cul, pondéreux ■ **11** patouillard.

LOURDAUD: 5 butor, enflé ■ **6** ballot ■ **7** balourd.

LOURDEUR: 4 lest ■ **5** masse, poids*, somme ■ **6** charge ■ **7** fardeau, surfaix ■ **8** béotisme ■ **9** épaisseur, pesanteur*, surcharge ■ **10** chargement, maladresse ■ **11** indigestion ■ **15** hippopotamesque.

LOUSTIC: 5 luron ■ **7** bouffon.

LOUTRE: 8 épreinte.

LOUVOYER: 7 biaiser ■ **9** louvoyage ■ **11** louvoiement, tergiverser.

LOVER: 6 gléner ■ **8** enrouler.

LOXODROMIQUE: 13 orthodromique.

LOYAL: 4 féal, vrai ■ **5** carré, droit, franc*, réglo ■ **6** fidèle* ■ **9** hypocrite ■ **10** loyalement.

LOYAUTE: 3 foi ■ **7** rondeur ■ **8** droiture, fair-play, fidélité*, perfidie ■ **9** franchise ■ **10** sportivité, tortuosité.

LOYER: 3 h.l.m. ■ **5** ferme, louer, terme ■ **8** location ■ **9** locataire.

LOZERE: 8 lozérien.

L.S.D.: 4 trip ■ **9** lysergide ■ **11** lysergamide.

LUBIE: 7 caprice* ■ **9** fantaisie* ■ **10** turlutaine.

LUBRIFIANT: 4 gras, oing ■ **5** huile, spray ■ **6** axonge ■ **7** graisse ■ **8** saindoux.

LUBRIFICATION: 14 autolubrifiant.

LUBRIFIER: 6 huiler, oindre ■ **8** graisser ■ **10** lubrifiant ■ **13** lubrification.

LUBRIQUE: 6 salace ■ **9** bacchante, lubricité, luxurieux ■ **12** lubriquement.

LUCANE: **10** cerf-volant.
LUCARNE: **5** gable, jouée ■ **7** fenêtre* ■ **8** faîtière, fardière, fermette, vasistas ■ **9** ouverture, tabatière ■ **10** chien-assis ■ **11** œil-de-bœuf.
LUCIDITE: **6** lucide ■ **10** lucidement ■ **12** clairvoyance*, perspicacité.
LUCRATIF: **3** bon ■ **5** filon ■ **13** lucrativement.
LUCRE: **4** gain*.
LUDDITE: **8** luddisme.
LUDIQUE: **7** ludisme.
LUDOTHEQUE: **12** joujouthèque.
LUETTE: **5** uvule ■ **8** uvulaire ■ **9** staphylin.
LUEUR: **4** aube ■ **5** éclat, rayon ■ **6** éclair ■ **7** lumière* ■ **8** éclairer ■ **10** lucernaire ■ **12** cache-flammes, rougeoiement.
LUGUBRE: **6** morose, triste* ■ **7** funèbre ■ **11** lugubrement.
LUI: **5** sézig ■ **7** sézigue.
LUI-MEME: **2** en ■ **3** soi ■ **5** imago ■ **7** eccéité ■ **8** autarcie, narcisse, tourneur ■ **9** monologue, soliloque ■ **10** autogreffe, automoteur, autotrophe ■ **11** autoguidage, automatique ■ **12** autoportrait, libre-service ■ **13** automorphisme ■ **14** autobiographie.
LUIRE: **7** briller*, luisant, reluire ■ **8** chatoyer.
LUISANT: **4** houx, jais, poli ■ **5** glacé ■ **6** moreau.
LUIT: **8** luisance.
LUMBAGO: **7** lombago.
LUMEN: **2** lm, lu.
LUMIERE: **3** feu*, rai ■ **4** aube, flux, halo, jour, néon, pâle, rais, spot ■ **5** cache, éclat*, éther, fanal, gelée, lampe*, lueur, luire, nimbe, phare, queue, rampe, rayon, vitre ■ **6** aurore, bougie, clarté, dépoli, éclair, flamme, lustre, phanie, stigma ■ **7** a giorno ■ **8** abat-jour, diaphase, éclairer, éclipser, enclouer, flambeau, garde-vue, lanterne, lévogyre, lucifuge, lumignon, lumineux, miroiter, pénombre, polaroïd, refléter, solarium, torchère ■ **9** diffusion, dispersif, éclairage, éteigneur, irisation, lucimètre, luminaire, luminance, luminisme, obscurité, pellicule, photogène, photolyse, splendeur ■ **10** antireflet, contre-jour, crépuscule, dioptrique, épinglette, euphotique, exposition, luciférine, photogénie, photologie, photomètre, phototaxie, polariseur, réflecteur, réfraction, réfringent, réverbérer ■ **11** caravagisme, catoptrique, chatoiement, coruscation, diffraction, éclairement, ensoleiller, inactinique, irradiation, luminophore, miroitement, papillotage, photocalque, photochimie, photogenèse, photométrie, photophobie, polarimètre, polariscope, réfringence, réverbérant ■ **12** achromatique, année-lumière, fluorescence. illumination, lampadéphore, luminescence, photoglyptie, transparence ■ **13** dermatophique, éblouissement, héliothérapie, photobiologie, photochimique, photosensible, phototactisme, photothérapie, phototropisme, réfléchissant, réverbération, scintillation, scintillement, spectroscopie, translucidité ■ **15** obscurcissement, phosphorescence, photo-électrique, photopériodisme.
LUMINAIRE: **5** falot, fanal, herse, lampe* ■ **6** lustre, torche ■ **7** brandon, lampion ■ **8** applique, flambeau, lanterne, lumignon, torchère ■ **9** girandole, veilleuse ■ **10** candélabre, lampadaire, lucernaire, plafonnier, réflecteur, suspension.
LUMINESCENCE: **7** blondel.
LUMINEUX: **5** astre, clair*, écran, foyer, lampe, laser, lumen, nimbe, noyau, rayon ■ **6** diffus, photon ■ **7** candela, intense, météore, pinceau ■ **8** brillant, éclatant*, luisance, nébuleux, radiance ■ **9** actinisme, arc-en-ciel, aveuglant, chevelure, déflection, étincelle, nébuleuse, phosphère, phosphore, splendide ■ **10** clignotant, clignoteur,

étincelant, luminosité, projecteur ■ 11 éblouissant, incandescent, luminescent, photosphère ■ 12 calorescence ■ 13 auto-cinétique, lumineusement, poil-de-carotte.

LUNAIRE: 3 têt ■ 13 monnaie-du-pape.

LUNATIQUE: 10 capricieux.

LUNCH: 5 repas ■ 7 luncher ■ 10 five-o'clock.

LUNE: 4 halo ■ 5 corne, cycle, manie, marée, tache ■ 6 lunule, sélène ■ 7 décours, décroît, lunaire, vive-eau ■ 8 adulaire, évection, lunaison, néoménie, quartier, sélénite ■ 9 aposélène, croissant, dichotome, libration ■ 10 dichotomie, périsélène, sublunaire ■ 11 lunisolaire, terminateur ■ 13 sélénographie.

LUNETTE: 4 naja ■ 7 jumelle, lorgnon ■ 8 besicles, lunetier, oculaire, réticule ■ 9 chercheur, longue-vue, lorgnette, lunettier, télescope ■ 10 binoculard, équatorial ■ 13 parallactique.

LUNURE: 4 lune.

LUPERCALE: 8 luperque.

LUPUS: 4 cati ■ 6 lupique, lupome.

LURON: 3 bon, gai* ■ 5 mâtin ■ 6 bougre, drille, lascar, zigoto ■ 7 bouffon, comique*, loustic ■ 8 espiègle*, gaillard.

LUSITANIEN: 8 lusitain.

LUSTRE: 2 an ■ 4 cati, lacé, poli ■ 5 glacé, satin ■ 6 gloire ■ 8 brillant*, tire-fond ■ 9 déglaçage, lustrerie ■ 10 lampadaire, merceriser ■ 11 déglacement, mercerisage, pendeloques.

LUSTRER: 5 catir ■ 6 glacer ■ 8 calandre, cylindre, déglacer, lustrage ■ 9 délustrer.

LUT: 5 luter ■ 8 délutage.

LUTH: 6 buzuki, cistre, sistre, téorbe ■ 7 luthier, mandore, théorbe ■ 8 bouzouki, lutherie, luthiste, shamisen ■ 9 balalaïka.

LUTHERIEN: 5 secte ■ 9 ubiquiste ■ 10 impanation, protestant ■ 12 luthéranisme.

LUTIN: 3 alf ■ 4 elfe ■ 5 djinn, génie, gnome, troll ■ 6 effrit, kobold ■ 8 espiègle*, farfadet, goguelin, korrigan ■ 9 loup-garou.

LUTINER: 8 taquiner*.

LUTTE: 4 lice, ring, sumo ■ 5 catch, joute, mêlée, prise, tombé ■ 6 agonie, assaut, combat*, gouren, guerre*, savate, tomber ■ 7 conflit*, lutteur, pugilat ■ 8 concours, jiu-jitsu, pancrace ■ 9 antitabac, collision, émulation ■ 11 agonistique, antagonique, antagonisme, combativité, escarmouche, maccartisme, ramassement ■ 12 antiacridien, maccarthysme ■ 14 antiterroriste.

LUTTER: 7 mesurer ■ 8 bagarrer, débattre, disputer ■ 9 accoupler, combattre, rivaliser ■ 13 anticancéreux ■ 14 antialcoolique.

LUTTEUR: 7 jouteur, tombeur ■ 8 combatif, militant.

LUXATION: 5 écart, luxer ■ 6 hernie ■ 7 entorse, foulure ■ 9 impaction ■ 10 élongation, exarthrose ■ 11 déboîtement, dislocation, froissement ■ 15 désarticulation.

LUXE: 5 faste, pompe, rupin ■ 6 parade, parure ■ 7 apparat, luxueux ■ 8 carrosse, élégance, équipage, grandeur, marbreur, maroquin, opulence, richesse*, standing, superflu ■ 9 mondanité, solennité, splendeur ■ 10 somptuaire ■ 11 éclabousser, raffinement, somptuosité, voluptuaire ■ 12 hollywoodien, luxeusement, magnificence ■ 15 sardanapalesque.

LUXEMBOURG: 14 luxembourgeois.

LUXURE: 5 orgie, péché ■ 6 saleté ■ 7 cynisme, licence*, volupté* ■ 8 débauche*, impudeur, impureté ■ 9 indécence, lasciveté, lascivité, lubricité, luxurieux ■ 10 bestialité, immodestie, sensualité ■ 11 dépra-

vation*, fornication ■ 12 libidinosité, pornographie, prostitution ■ 13 concupiscence.
LUXURIANT: 8 abondant* ■ 10 luxuriance.
LUXURIEUX: 4 sale ■ 5 impur ■ 6 lascif, salace ■ 7 bestial, cynique, dépravé, immonde, obscène*, sadique, sensuel, vicieux* ■ 8 érotique, indécent, lubrique, paillard ■ 9 immodeste, impudique ■ 10 libidineux, licencieux*, voluptueux.
LUZERNE: 7 minette.
LYCEE: 2 l.p. ■ 3 l.e.p. ■ 5 bahut, cagne, école, élève ■ 6 lycéen ■ 7 censeur, gymnase, potache ■ 8 première ■ 9 gymnasial, intendant, proviseur, troisième.
LYCOPE: 11 patte-de-loup.
LYCOPERDON: 11 vesse-de-loup.
LYCOPODE: 10 pied-de-loup ■ 11 lycopodinée.
LYCOSE: 9 tarentule.
LYMPHATIQUE: 7 adénité ■ 12 lymphangiome.
LYMPHE: 5 bubon ■ 6 faible ■ 7 adénité ■ 9 leucocyte ■ 11 lymphangite, lymphatique, vaccinifère ■ 13 lymphographie.
LYMPHOCYTAIRE: 13 lymphosarcome.
LYMPHOCYTE: 9 lymphoïde ■ 10 lymphoïèse ■ 11 lymphopénie ■ 12 lymphocytose ■ 13 lymphocytaire.
LYMPHOGRANULOMATOSE: 7 hodgkin.
LYMPHOÏDE: 8 amygdale.
LYNCHAGE: 8 lyncheur.
LYNCHER: 5 lynch ■ 8 lynchage.
LYNX: 7 caracal ■ 11 loup-cervier.
LYONNAISE: 5 bugne.
LYOPHILISATION: 11 lyophilisat, lyophiliser ■ 15 cryodessication.
LYRE: 7 cithare ■ 10 heptacorde, pentacorde, tétracorde.
LYRIQUE: 2 nô ■ 3 lai, ode ■ 5 barde, épode, poème ■ 6 bouffe ■ 9 cantilène ■ 10 asclépiade ■ 11 pastourelle.
LYRISME: 6 poésie* ■ 10 pindarisme ■ 11 lyriquement ■ 12 enthousiasme.
LYSE: 5 lysat, lyser ■ 7 lytique ■ 10 protéolyse.
LYSER: 14 fibrinolytique.
LYSIMAQUE: 10 nummulaire.

MACADAM : **7** rouleau ■ **10** tarmacadam ■ **11** macadamiser ■ **12** macadamisage ■ **14** macadamisation.

MACAO : **8** macanéen.

MACAQUE : **5** magot, singe ■ **6** rhésus, vilain.

MACARONIQUE : **9** macaronée.

MACEDOINE : **6** salade ■ **7** mélange*.

MACERATION : **5** jusée ■ **6** bichof, bishof, tisane ■ **7** bischof ■ **9** digestion, pénitence ■ **10** macérateur ■ **11** alcoolature, pourrissage.

MACERER : **5** huile, mater ■ **7** confire ■ **9** mortifier.

MACH : **9** machmètre.

MACHAON : **10** porte-queue.

MACHE : **6** rampon ■ **8** doucette ■ **12** valérianelle.

MACHEFER : **6** scorie, sinter.

MACHELIERE : **4** dent.

MACHER : **5** gober, tabac ■ **6** broyer, manger, mordre ■ **7** chiquer, mâcheur, ruminer, saliver ■ **8** chipoter, remâcher, triturer ■ **9** mâchement, mâchonner, mastiquer ■ **12** masticatoire.

MACHIAVELISME : **4** ruse ■ **9** machiavel ■ **13** machiavélique.

MACHIN : **6** bidule ■ **9** trucmuche.

MACHINAL : **9** mécanique ■ **10** instinctif, irréfléchi ■ **11** automatique ■ **12** involontaire ■ **13** machinalement.

MACHINATION : **6** calcul, projet ■ **7** complot*, embûche ■ **8** batterie, intrigue*, machiner ■ **9** manigance ■ **11** combinaison, élaboration, machinateur, préparation ■ **12** agissements*, conspiration, organisation.

MACHINE : **4** bâti, came, clou, cric, grue, mine, moto, pile, roue, sole, tête, tour, truc ■ **5** arbre, butée, carde, effet, engin*, épure, frein, jenny, noria, outil*, palan, point, pompe, ronéo, rouet, truca ■ **6** abaque, bélier, bineur, brocard, chèvre, manège, métier, moufle, moulin, onagre, presse, semoir, tarare ■ **7** armeuse, baliste, bascule, bineuse, brinell, charrue, dactylo, faneuse, foreuse, haveuse, horloge, laveuse, lecteur, limeuse, luddite, minerve, plieuse, riveuse, scieuse, tireuse, tokamak, trieuse, turbine ■ **8** aléseuse, appareil, automate, batteuse, calandre, cardeuse, cisaille, colleuse, couseuse, cribleur, dondaine, ébarbeur, enrayoir, épandeur, étaleuse, fonceuse, fondeuse, foulerie, fouleuse, gerbeuse, glaceuse, hélépole, laminoir, linotype, liserage, longeron, lumitype, mantelet, massicot, matériau, monotype, ouvreuse, perceuse, perrière, pierrier, planeuse, pressoir, rotative, sableuse, sabreuse, sonnette, tracteur, visseuse ■ 9 affûteuse, agrafeuse, ascenseur, balancier, brocheuse, calibreur, canetière, catapulte, chargeuse, chauleuse, cintreuse, coucheuse, défileuse, détireuse, dévolteur, ébarbeuse, écoperche, écrémeuse, effaneuse, égreneuse, élévateur, embrayage, émotteuse, enrobeuse, ensileuse, faucheuse, fraiseuse, injecteur, interlock, javeleuse, lave-linge, manivelle, mécanique*, mécaniser, outillage, peigneuse, piocheuse, planteuse, plisseuse, pointeuse, poudreuse, raboteuse, ratineuse, riveteuse, sténotype, teilleuse, trébuchet ■ 10 arracheuse, aspirateur, automobile, bétonnière, botteleuse, boudineuse, bouveteuse, calibreuse, cannetière, composeuse, corn-picker, décolleuse, découpeuse, défibreuse, délaiteuse, déligneuse, dérouleuse, écharneuse, encarteuse, encolleuse, ensacheuse, épierreuse, étau-limeur, excitateur, générateur, instrument, locomobile, locomotive machinerie, machiniste, mangonneau, mécanicien, moulurière, perforeuse, polisseuse, sulfateuse, survolteur, tabulateur, taraudeuse, toronneuse, tricoteuse, tuyauterie ■ 11 amortisseur, assembleuse, calculateur, corn-sheller, duplicateur, emballement, étiqueteuse, excitatrice, génératrice, grignoteuse, monte-charge, mortaiseuse, pétrisseuse, pick-up baler, pied-de-biche, pulvériseur, rectifieuse, remblayeuse tabulatrice, toupilleuse, ventilateur ■ 12 autoamorçage, commutatrice, décolleteuse, effilocheuse, emboutissoir, lance-flammes, machine-outil, marteau-pilon, mécanicienne, merceriseuse, moissonneuse, perforatrice, poinçonneuse, remplisseuse, reproducteur, sténotypiste, tronçonneuse ■ 13 convertisseur, dactylographe, emboutisseuse, mécanographie, porte-aiguille, reproduction ■ 14 dactylographie, interclasseuse, tourillonneuse ■ 15 dactylographier.

MACHINE DE GUERRE : 8 perrière.

MACHINE-OUTIL : 9 pointeuse ■ 10 surfaceuse, tenonneuse.

MACHINER : 5 bâtir, mûrir ■ 6 bâcler, forger, ourdir, tramer ■ 7 brasser, méditer, ruminer ■ 8 arranger, calculer, chercher, combiner, élaborer, exécuter, imaginer, inventer, préparer, projeter, spéculer ■ 9 comploter, concerter, conspirer, intriguer, organiser ■ 10 manigancer, préméditer.

MACHINISTE : 6 mécano ■ 10 conducteur, machinisme, mécanicien.

MACHISME : 5 macho ■ 8 machiste.

MACHO : 8 machiste.

MACHOIRE : 4 dent, mors, scie ■ 5 barbe ■ 7 ganache ■ 8 mordache ■ 9 diduction, mâchelier, mandibule, prognathe, sous-barbe ■ 10 maxillaire ■ 11 margoulette ■ 12 craquètement, ptérogoïdien ■ 13 susmaxillaire ■ 14 sous-maxillaire.

MACHONNER : 6 mâcher* ■ 12 mâchonnement.

MAÇON : 4 auge, bard, laie, ripe ■ 5 batte, fiche, gâche, gouge, picot, sabot ■ 6 grelet, niveau, oiseau ■ 7 bouloir, calibre, civière, crochet, doloire, mailler, piqueur, riflard, souille, taloche, truelle ■ 8 archelet, plâtroir, rondelle ■ 9 aide-maçon, berthelée, boucharde, maçonnage, vénérable ■ 10 bourriquet, décintroir, étamperche, jointoyeur, maçonnique ■ 11 lambrissage.

MAÇONNER : 5 murer ■ 6 couler, crépir, gâcher, latter ■ 7 cintrer, enduire, gobeter, hourder, plaquer, sceller ■ 8 carreler, corroyer ■ 9 bousiller, bretteler, encroûter, jointoyer, plafonner, raccorder ■ 10 lambrisser, liaisonner.

MAÇONNERIE : 3 mur, ope ■ 4 four, môle, pile, pisé, quai ■ 5 butée, culée, jetée, joint, paroi, puits, voûte ■ 7 bâtisse, blocage, chemise, créneau, hourdis, linteau, orillon, ruinure, tambour ■ 8 avant-bec, bâtiment, cheminée, fourneau, hourdage ■ 9 bétonnage, engravure, entrevous, fondement, travertin ■ **10** briquetage ■ **11** chevalement, limousinage ■ **12** opus incertum.

MACROCOSME : 13 macrocosmique.

MACROCYTE : 12 macrocytaire.

MACROECONOMIE : 15 macroéconomique.

MACROGRAPHIE : 14 macrographique.

MACRO-INSTRUCTION : 5 macro.

MACROMOLECULAIRE : 5 époxy ■ **9** coacervat.

MACROMOLECULE : 10 copolymère.

MACROSCOPIQUE : 6 durain ■ **7** vitrain.

MACROSPORE : 13 macrosporange.

MACULER : 5 baver, salir* ■ **6** macule, tacher* ■ **8** maculage ■ **10** maculation.

MADECASSE : voir *malgache*.

MADERE : 9 madériser.

MADERISER : 12 madérisation.

MADRE : 5 malin*.

MADREPORAIRE : 10 zoanthaire.

MADREPORE : 8 polypier ■ **9** méandrine ■ **10** zoanthère ■ **11** madréporien ■ **12** madréporique.

MADRIER : 7 basting, poulain ■ **8** bastaing, chantier ■ **11** chevalement.

MADRIGAL : 12 madrigaliste.

MAESTRIA : 7 adresse.

MAESTRO : 8 musicien.

MAFIA : 6 maffia, yakusa ■ **7** camorra, coterie, mafieux, mafioso ■ **8** maffieux, maffioso.

MAFFLE : 6 bouffi, mafflu.

MAGASIN : 4 dock, étal, silo ■ **5** auget, bazar, chais, débit, dépôt, halle, rampe, salon, soute, store ■ **6** agence, marché ■ **7** calicot, cambuse, étalage, shoping ■ **8** barillet, boutique*, commerce*, comptoir, économat, entrepôt, ganterie, huilerie, lainerie, officine, shopping, solderie ■ **9** armurerie, drugstore, librairie, poudrière ■ **10** animalerie, chalandise, chemiserie, confiserie, factorerie, horlogerie, inventaire, magasinage, magasinier, œnothèque, succursale ■ **11** emmagasiner, graineterie, sainte-barbe, supermarché ■ **12** garde-magasin ■ **13** quincaillerie.

MAGASINAGE : 10 palettiser.

MAGAZINE : 5 revue ■ **8** illustré.

MAGE : 5 devin, gnose, magie ■ **8** magicien*.

MAGHREB : 5 ribat ■ **7** atérien.

MAGHREBIENNE : 4 beur.

MAGHREBIN : 7 zellige ■ **9** maugrabin, maugrebin.

MAGICIEN : 4 mage ■ **5** devin ■ **6** chaman ■ **7** sorcier* ■ **8** grimoire ■ **9** nécromant ■ **10** enchanteur ■ **11** conjurateur, thaumaturge ■ **12** nécromancien.

MAGIE : 4 moly ■ **6** charme, goétie ■ **7** magique, mystère ■ **8** envoûter, magicien, théurgie ■ **9** cabaliste, constellé, népenthès ■ **11** envoûtement, incantation, magiquement ■ **12** cabalistique.

MAGIQUE : 8 enchanté.

MAGISTER : 6 maître*, pédant.

MAGISTRAL : 9 supérieur ■ **14** magistralement.

MAGISTRAT : 4 caïd, cour, gens, juge*, toge ■ **5** barbe, édile, jurat, robin, toque ■ **6** consul, éphore, fécial, fétial, préfet, prévôt, tribun ■ **7** censeur, duumvir, échevin, effendi, préteur ■ **8** éméritat, éponymie, inter-roi, podestat, questeur, stratège, tribunal, triumvir ■ **9** dictateur, dizainier, dizenier, landgrave, procureur, substitut ■ 10 accusateur, propréteur ■ 11 bourgmestre, commissaire, comparaître, lieutenante, procurateur, sophroniste, subrogateur ■ 12 magistrature, référendaire ■ 13 inamovibilité.

MAGISTRATURE: 4 robe ■ 6 préture ■ 7 édilité ■ 9 archonat ■ 10 décemvirat.

MAGMA: 5 ichor ■ 6 pluton ■ 7 effusif, mélange ■ 8 anatexie ■ 10 magmatique, magmatisme.

MAGMATIQUE: 6 aplite ■ 9 sursaturé ■ 10 kimberlite, sous-saturé.

MAGNANIME: 5 grand, noble ■ 7 clément ■ 8 généreux* ■ 11 magnanimité ■ 13 magnanimement.

MAGNESIE: 15 montmormillonite.

MAGNESITE: 5 écume, émeri.

MAGNESIUM: 2 mg ■ 4 mica, talc ■ 7 almélec, péridot ■ 8 actinote, dolomite, lazulite, magnésie, pyroxène, saponite ■ 9 amphibole, duralumin, kiesérite, magnésien, partinium ■ 10 almasilium, cordiérite, garniérite, giobertite, serpentine ■ 15 magnésiothermie, organomagnésien.

MAGNETIQUE: 3 i.r.m., r.m.n. ■ 7 ferrite, tokamak ■ 8 magnéton ■ 9 disquette ■ 10 ampère-tour, bande-vidéo ■ 13 biomagnétisme, magnétochimie, magnétomoteur, microcassette ■ 15 ferrimagnétisme, paléomagnétisme.

MAGNETISER: 8 fasciner, suggérer ■ 10 hypnotiser ■ 11 magnétiseur ■ 12 magnétisable ■ 13 magnétisation.

MAGNETISME: 5 crise, gauss, passe ■ 6 aimant, extase, férite ■ 7 hypnose, œrsted, pèlerin, sommeil ■ 8 boussole ■ 9 inducteur, permalloy, sidérisme, solénoïde ■ 10 hypnotisme, magnétique, mesmérisme, réluctance ■ 11 aimantation*, antineutron ■ 13 électro-aimant, géomagnétique, géomagnétisme, magnétométrie, somnambulisme ■ 15 ferromagnétisme.

MAGNETOMOTRICE: 10 ampère-tour.

MAGNETOPHONE: 12 minicassette ■ 15 magnétocassette.

MAGNETOSCOPE: 9 caméscope ■ 13 magnétoscoper.

MAGNETOSPHERE: 12 magnétopause.

MAGNIFICENCE: 4 luxe* ■ 5 faste ■ 8 monument, richesse* ■ 9 splendeur ■ 10 royalement ■ 11 somptuosité.

MAGNIFIER: 9 glorifier.

MAGNIFIQUE: 4 beau* ■ 5 noble, riche ■ 7 superbe ■ 8 éclatant, ronflant ■ 9 admirable*, splendide, somptueux ■ 12 magnificence ■ 14 magnifiquement.

MAGNITUDE: 7 richter.

MAGNOLIACEE: 7 badiane ■ 8 magnolia, tulipier.

MAGOT: 4 laid ■ 5 singe ■ 6 trésor, vilain ■ 7 poussah.

MAGOUILLE: 10 magouiller.

MAGOUILLER: 11 magouilleur.

MAHARADJA: 8 maharané, maharani.

MAHDI: 8 mahdiste.

MAHOMETAN: 4 émir, imam, iman ■ 5 islam ■ 6 hégire ■ 9 islamisme ■ 11 mahométisme.

MAIE: 5 huche.

MAIGRE: 3 sec ■ 4 gras, hâve ■ 5 bacon, erbue, gigue, grêle, mince*, momie, patte, rosse, sécot ■ 6 chétif, débile, émacié, étique, herbue ■ 7 amaigri, bringué, chafoin, criquet, échalas, maigret, momifié, racorni, spectre ■ 8 décharné, macreuse, maigreur, maigriot ■ 9 efflanqué, famélique, gringalet, haridelle, maigrelet, squelette ■ 10 dépenaillé, entrelardé, maigrichon, médianoche ■ 12 squelettique.

MAIGREUR : 6 étisie ■ 7 exilité, minceur ■ 8 hectisie ■ 9 faiblesse ■ 14 amaigrissement.
MAIGRIR : 10 efflanquer.
MAIL : 9 promenade.
MAIL-COACH : 4 drag, mail ■ 5 coach.
MAILLE : 5 filet, folle, miton, obole ■ 7 chaînon, haubert, jaseran, mailler, maillon, paillon ■ 8 gansette, treillis ■ 9 démailler, emmailler, remailler ■ 10 remmailler ■ 13 indémaillable.
MAILLECHORT : 4 zinc ■ 8 alfénide, argentan, melchior.
MAILLET : 4 mail, polo ■ 5 batte, masse ■ 7 hutinet, plommée ■ 9 mailloche, maillotin.
MAILLON : 6 chaîne* ■ 7 chaînon.
MAILLOT : 5 lange ■ 6 bikini, string, t-shirt ■ 8 chandail, monokini ■ 11 démailloter.
MAIN : 3 foi ■ 4 bote, fion, gant, pote, rame, ride, tape ■ 5 atémi, bâton, carpe, doigt, écran, geste, gifle, harpe, index, mudra, palme, passe, patte, paume, pique, pogne, poids, poing, posée, pouce, ronde, taxis, tenir, toper ■ 6 bimane, dextre, manuel ■ 7 abattis, battoir, menotte, paluche, patoche, septime ■ 8 athétose, calotter, chiragre, coquille, durillon, gantelet, manucure, mornifle, palmaire, paumoyer, plumetis, rambarde, senestre, soufflet ■ 9 annulaire, appui-main, dextérité, empoigner, face-à-main, gratte-dos, manipuler, manualité, manucurer, manuscrit, métacarpe, olographe, palmature, scheidage, shake-hand ■ 10 ambidextre, appuie-main, aquamanile, autographe, essuie-main, holographe, mandragore, prétendant, quadrumane, sèche-mains, supination ■ 11 arrière-main, auriculaire, chiromancie ■ 12 attouchement, chauffe-mains, manuellement ■ 15 applaudissement.
MAIN-D'ŒUVRE : 9 suremploi.
MAINMISE : 6 saisie* ■ 9 influence ■ 12 mainmortable.
MAINT : 8 beaucoup* ■ 9 plusieurs*.
MAINTENANCE : 15 télémaintenance.
MAINTENANT : 2 or ■ 4 ores ■ 7 présent, pressant ■ 12 actuellement, présentement.
MAINTENIR : 4 lier ■ 5 érine, lacer, river, tenir*, voler ■ 6 coller, garder, saisir, serrer, trôner ■ 7 accorder, adhérer, amarrer, effacer, joindre, juguler, limiter, mandrin, pavaner, prendre, retenir* ■ 8 armature, attacher, coapteur, contenir, embosser, garantir, humilier, pessaire, soutenir, tire-pied ■ 9 accrocher, confirmer, conserver, contentif, continuer, épontille, gouttière, maîtriser, morailles, redresser, rembouger, rengorger ■ 10 climatiser, cramponner, jarretelle, mainteneur, pique-fleur, plate-longe, pressostat, séquestrer, thermostat, tourniquet ■ 11 entretoiser, équilibreur, pique-fleurs ■ 12 conditionner, positionner, stomatoscope ■ 13 porte-aiguille, presse-papiers ■ 14 thermostatique ■ 15 contre-coussinet, stratosphérique.
MAINTIEN : 3 air ■ 4 mine, port ■ 5 façon, ligne, mufti, tenue ■ 6 allure*, aspect, dehors, touche ■ 7 carrure, dégaine, gravité, posture* ■ 8 attitude, démarche, portance, tournure, triplure ■ 9 apparence, eugénisme, prestance, unioniste ■ 10 contenance, régulation ■ 11 représenter ■ 13 équilibration ■ 14 représentation.
MAIRE : 6 maïeur, mairie ■ 8 mairesse ■ 9 lord-maire ■ 10 appariteur ■ 11 bourgmestre ■ 12 municipalité.
MAÏS : 4 crib ■ 5 zéine ■ 6 foufou ■ 7 maïzena, turquet ■ 8 maïserie, millasse, pourtant, victoria ■ 9 cependant, égreneuse, milliasse, néanmoins, seulement, toutefois ■ 10 corn-picker, isoglucose ■ 11 corn-sheller.

MAISON : 3 mas, m.j.c., nid, rue ■ 4 abri, case, chez, faré, gîte, home, îlot, isba, izba, lieu, quai, race, toit, trou ■ 5 aître, arche, bauge, bazar, boîte, borde, buron, cagna, coron, êtres, ferme, folie, foyer, garni, harem, hôtel, hutte, lares, logis, loyer, ménil, ouche, penty, place, porte, préau, santé, taule, tinel, turne, valet, verre, villa, ville ■ 6 ajoupa, cabane, cahute, carbet, chalet, clandé, claque, datcha, gourbi, insula, mairie, masure, ménage, muette, office, réduit, refuge, sérail, taudis, tripot, wig-wam ■ 7 auberge, baraque, bastide, bâtisse, bercail, bicoque, boniche, cambuse, cassine, château, chambre, chez-soi, cottage, couvent, demeure*, édifice, famille, hospice, locatis, lupanar, mouroir, pénates, pension, prieuré ■ 8 bâtiment, borderie, boutique, bungalow, domicile, économie, ermitage, externat, factotum, immeuble, institut, logement*, métairie, pavillon*, plancher ■ 9 basse-cour, bien-fonds, chambrier, chaumière, concierge, gloriette, intendant, intérieur, locataire, maisonnée, majordome, mortuaire, propriété, résidence, tenancier ■ 10 chartreuse, dépendance, domestique, fenestrage, habitation*, hôtellerie, maquerelle, messagerie, multicarte, pensionnat ■ 11 gouvernante, institution, maisonnette, scolasticat ■ 12 mousquetaire ■ 13 conventualité, enchevalement, établissement*, sous-maîtresse.

MAISTRANCE : 8 marinier ■ 9 mestrance.

MAITRE : 3 dom ■ 4 chef*, dieu, pion, serf, sidi ■ 5 bosco, école, élève, forme, leçon, libre, salle, valet ■ 6 patron, préfet, régent ■ 7 arbitre, paumier, steward ■ 8 empaumer, magistrer, maîtrise, monsieur, seigneur, virtuose ■ 9 magistral, maîtriser, pédagogue, pet-de-loup, supérieur ■ 10 enseigneur, gouverneur, occupation, précepteur, professeur*, sanctuaire ■ 11 instituteur, surveillant ■ 12 impatroniser, propriétaire.

MAITRESSE : 6 amante ■ 8 favorite.

MAITRISE : 4 posé ■ 6 flegme, rassis ■ 7 adresse, contenu, fermeté, pouvoir*, sagesse ■ 8 froideur, prudence, réfléchi ■ 9 psallette, sang-froid ■ 10 modération ■ 11 chef-d'œuvre, self-control ■ 12 impartialité ■ 14 thalassocratie.

MAITRISER : 7 dominer*, dompter*, vaincre* ■ 8 contenir, fasciner ■ 9 commander, reprendre, ressaisir, soumettre, surmonter, triompher ■ 11 discipliner, indomptable, maîtrisable.

MAJESTE : 3 lis ■ 7 dignité* ■ 8 grandeur ■ 10 majestueux ■ 11 lèse-majesté.

MAJESTUEUX : 5 noble ■ 8 imposant, maestoso, olympien, solennel* ■ 9 grandiose ■ 10 hiératique ■ 15 majestueusement.

MAJEUR : 5 grave, ordre ■ 8 prêtrise ■ 12 sous-diaconat.

MAJORER : 7 hausser ■ 9 augmenter*, valoriser ■ 10 majoration ■ 11 revaloriser.

MAJORITAIRE : 8 sunnisme.

MAJORITE : 6 nombre ■ 9 bar-mitsva ■ 11 majoritaire, plébisciter ■ 15 majoritairement.

MAJUSCULE : 8 capitale, initiale, lettrine.

MAL : 3 pis ■ 4 bobo, haïr, rage, vice, zest ■ 5 accès, brout, crime, crise, digne, fichu, haine, malin, miton, péché, peine*, perdu, pitié, plaie, porte, punir, vague, venue, vertu ■ 6 avarie, défaut, goétie ■ 7 douleur*, éprouvé, forfait, infamie, maladie*, malheur, mauvais, méchant, pervers, résigné, traître, vicieux ■ 8 brailler, céphalée, écorcher, guérison, impureté, innocent, joliment, malandre, maldonne, malfaçon, mécompte, méfiance, patraque, saloper ■ 9 cahin-caha, contraint, diablerie, indignité, indisposé, infirmité, injustice, malignité, malvenant, naupathie, perdition, préserver, souillure, tentateur, tentation, vengeance ■ **10** cacographe, corruption, difficulté, difformité, écrivasser, galimafrée, griffonner, inoffensif, massacreur, méchanceté, méconduire, négligence, odontalgie, perversion, perversité, pessimisme, pessimiste, souffrance*, subintrant ■ **11** dépravation, désavantage, dislocation, malveillant, scandaliser ■ **12** adultération, détraquement, exacerbation, exécrablement, imperfection, malveillance ■ **13** détérioration, exécrablement ■ **14** abominablement.

MALACOPTERYGIEN : 6 gadidé*.

MALACOSTRACE : 7 isopode* ■ **8** décapode* ■ **9** amphipode*.

MALADE : 3 fou ■ **4** pâle, soin ■ **5** alèse, crève, exéat, garde, plomb, santé, sonde, sujet ■ **6** aliéné, crétin, dolent, enroué, gâteux ■ **7** albinos, bilieux, dialysé, enrhumé, infirme, maladif*, patient ■ **8** égrotant, fiévreux, mal fichu, patraque, rechuter ■ **9** alitement, incommodé, indisposé, pestiféré, souffrant, variqueux ■ **10** alcoolique, euthanasie, grabataire, infirmerie, médicament, sanatorium, succussion ■ **11** garde-malade, homéopathie, pléthorique, poitrinaire ■ **12** consultation, convalescent, maladivement ■ **13** occupationnel, valétudinaire ■ **14** extrême-onction.

MALADIE : 2 fy ■ **3** cas, mal, m.s.r., rot ■ **4** acné, aura, coma, cure, gale, pian, rage, rash, toux, zona ■ **5** aphte, carie, casse, crise, croup, diète, encre, ergot, folie, foyer, galle lèpre, loque, lupus, morve, otite, ozène, pépie, peste, râler, rogne, santé, sérum, sprue, tabès, virus ■ **6** angine, anémie, anurie, asthme, ataxie, cancer, carate, cécité, chorée, coryza, dartre, dengue, écidie, eczéma, gourme, goutte, grippe, hernie, herpès, ictère, kaposi, lichen, muguet, myopie, nielle, œdème, oïdium, pelage, piétin, pousse, pyurie, rouget, sodoku, suette, teigne, typhus, ulcère, urémie, varice, virose ■ **7** amylose, aortite, apraxie, carreau, cécidie, chancre, charbon, choléra, colique, cystite, diabète, dourine, endémie, gommose, malaria, mildiou, morbide, névrose, pébrine, phtisie, ratelle, rouille, roulure, rubéole, scorbut, syncope, tétanos, tournis, typhose, vaccine, variole, vertigo, zoonose ■ **8** acariose, alopécie, arythmie, béribéri, black-rot, catarrhe, céphalée, chlorose, cirrhose, clavelée, coxalgie, critique, dartrose, diarrhée, diathèse, engelure, entérite, épidémie, évolutif, friselée, frisolée, fumagine, gravelle, hépatite, hystérie, ichtyose, impétigo, invasion, jaunisse, kalaazar, kératite, ladrerie, leucémie, mélanine, mélanose, migraine, mosaïque, néphrite, néphrose, nosémose, pandémie, pédiatre, pellagre, perlèche, phlébite, princeps, prodrome, psychose, reliquat, rétinite, rougeole, roulures, scrofule, séquelle, silicose, sinusite, syndrome, syphilis, tavelure, typhoïde, urologie ■ **9** acrodynie, affection, aliéniste, anévrisme, apoplexie, asystolie, auto-immun, bacillose, bronchite, cardiaque, cataracte, chlorosse, chronique, contagion, dermatose, diphtérie, dyspepsie, emphysème, endémique, épilepsie, épiphytis, épistaxis, épizootie, érésipèle, érysipèle, filariose, flacherie, fusariose, gériatrie, graphiose, grasserie, hématurie, hémogénie, infirmité, influenza, laryngite, méningite, moniliose, névralgie, nosologie, oreillons, ornithose, paludisme, paralysie, paroxysme, pathogène, pemphigus, pleurésie, pneumonie, phtiriase, pourlèche, pourridie, presbytie, pullorose, scabieuse, stomatite, strabisme, syphillis, tularémie, urticaire, varicelle, ventaison, vermineux ■ **10** aérophagie, antoinisme, arbovirose, benzénisme, benzolisme, borréliose, chancrelle, coccidiose, congestion, contagieux, convulsion, coqueluche, diagnostic, dysenterie, endémicité, étiolement, gastralgie, hématémèse, hémiplégie, hémopathie, hémophilie, hémoptysie, hémorragie, hémorroïde, hydropisie, idiopathie, listériose, morbifique, muscardine, myxomatose, neurologie, paraplégie, parasitose, pathogénie, pathologie, péritonite, phtiriasis, pourriture, prévalence, prostatite, psittacose, rachitisme, rhumatisme, scarlatine, sémiologie, septicémie, spirillose, torticolis, traitement, tremblante, trichinose, urédospore, xérodermie ■ **11** adénopathie, albuminurie, anthracnose, appendicite, arthritisme, ascaridiase, avitaminose, bilharziose, bradycardie, collagénose, électrochoc, fonctionnel, furonculose, glossolalie, hypotension, indigestion, leucoplasie, myélomatose, nosoconiose, nosographie, ostéopathie, pathogenèse, phlébologie, pneumologie, séméiologie, tachycardie, tuberculose, vomissement ■ **12** actinomycose, aide-soignant, anguillulose, aspergillose, astigmatisme, blennorragie, constipation, dermatologie, diagnostique, échauboulure, embryopathie, helminthiase, hypertension, légionellose, mélitococcie, néphropathie, nicolas-favre, paratyphoïde, parkinsonien, pneumothorax, poliomyélite, prémonitoire, psychopathie, rickettsiose, salmonellose, sclérodermie, spirochétose, stomatologie, toxoplasmose ■ **13** conjonctivite, contamination, convalescence, diagnostiquer, drépanocytose, échinococcose, éléphantiasis, histoplasmose, hypermétropie, mégalérythème, mucoviscidose, photothérapie, phytothérapie, schizophrénie, trépanématose ■ **14** dermatomyosite, hémoschromatose, sérodiagnostic, thermothérapie, trypanosomiase ■ **15** érythroblastrose, phénylcétonurie, psychochirurgie.

MALADIF : **4** hâve ■ **6** faible, malade* ■ **7** crevard, infirme ■ **8** égrotant, érotisme, langueur, patraque ■ **9** cacochyme ■ **13** absinthisme, souffreteux ■ **13** valétudinaire.

MALADRERIE : **5** lèpre ■ **10** léproserie.

MALADRESSE : **5** faute*, gaffe ■ **6** ânerie, bourde, erreur, impair ■ **7** brioche, ineptie, sottise ■ **8** boulette, brise-fer, malfaçon, massacre, singerie ■ **9** brise-tout, gaucherie, impéritie, stupidité ■ **10** étourderie, imprudence, inaptitude, inhabileté ■ **12** imprévoyance, inadvertance, incompétence, inexpérience ■ **13** tripatouiller.

MALADROIT : **3** sot ■ **4** naïf ■ **5** lourd, moule ■ **6** cloche, empoté, gauche, gourde, inapte, pataud, savate ■ **7** aveugle, balourd, boucher, empêtré, étourdi*, gaffeur, godiche, manchot, mazette, rouillé, stupide ■ **8** encroûté, godichon, inhabile, lourdaud ■ **9** chauffard, galvauder, malhabile ■ **10** cartonnier, maladresse ■ **14** maladroitement.

MALAIS : **4** amok, gaur, prao, upas ■ **5** criss, étain, kriss ■ **6** sarong ■ **8** sagouier ■ **9** sagoutier ■ **10** grenadille ■ **13** mangoustanier.

MALAISE : **4** ardu, gêne* ■ **6** coincé ■ **7** mal-être, mésaise ■ **8** angoisse ■ **9** difficile, dysphorie, laborieux, pesanteur ■ **10** incommoder ■ **11** incommodité, sophrologie ■ **13** éblouissement, indisposition.

MAL A L'AISE : **8** constipé.

MALANDRIN : **6** bandit*.

MALAPPRIS : **6** impoli* ■ **7** incivil ■ **8** grossier* ■ **9** paltoquet.

MAL A PROPOS : **11** contretemps ■ **13** malencontreux.

MALARIA : **9** paludisme.

MALAVISE : **6** impoli ■ **7** étourdi ■ **9** maladroit*.

MALAXANT : **9** motopaver.

MALAXER : **6** pétrir ■ **8** malaxage, malaxeur, mélanger, triturer.

MALAYSIA : **7** ringgit.

MALCHANCE : **6** cerise, guigne, poisse ■ **7** déveine, guignon, malheur* ■ **9** scoumoune ■ **11** mésaventure.

MALDONNE : **6** erreur*.

MALE : **4** fils, jars, mari, musc, sexe ■ **5** homme*, laite, matou, paire, pénis, viril ■ **6** malard, malart, sacret, virago ■ **7** laneret ■ **8** masculin ■ 9 androgène, testicule, tiercelet ■ 10 copulation, spermatide ■ 12 androstérone, anthérozoïde, émasculation, féminisation, masculiniser ■ 13 spermatogonie, spermatozoïde ■ 14 spermatogenèse.

MALEDICTION: 8 anathème ■ 10 exécration ■ 11 imprécation*.

MALEFICE: 4 sort ■ 6 charme ■ 9 sortilège ■ 11 sorcellerie.

MALEFIQUE: 5 opalc ■ 11 bicnfaisant.

MALENCONTRE: 11 mésaventure*.

MALENTENDANT: 10 audiophone.

MALENTENDU: 6 erreur ■ 8 mécompte ■ 9 confusion.

MALFAÇON: 7 bâclage, laideur ■ 8 disgrâce, sabotage ■ 10 bousillage, difformité, négligence ■ 11 déformation ■ 12 barbouillage, gribouillage.

MALFAIRE: 6 bâcler, gâcher, sabrer ■ 7 brasser, brocher, manquer, négliger, saboter, saveter, torcher, trousser ■ 9 bousiller, cochonner, estropier, galvauder, massacrer ■ 11 barbouiller, gribouiller.

MALFAISANT: 5 djinn, efrit, horde ■ 6 cochon, stryge ■ 7 méchant* ■ 8 korrigan, nuisible*, salopard ■ 11 bienfaisant.

MAL FAIT: 4 laid ■ 5 lourd ■ 6 vilain ■ 7 hirsute, informe, malbâti ■ 8 camelote, chafouin, défiguré, difforme, grossier, rabougri, ratatiné ■ 9 disgracié, grimaçant, grotesque ■ 10 bousillage, escogriffe, monstrueux.

MALFAITEUR: 4 gang ■ 5 argot, mafia ■ 6 apache, bandit*, coquin, escroc, fripon, relaps, rôdeur, voleur ■ 7 camorra, malfrat, pendard, traître, vaurien ■ 8 coupable, criminel*, gangster ■ 9 faussaire, malandrin, racketter, tire-laine ■ 10 délinquant, racketteur ■ 11 cambrioleur, incendiaire.

MALFAME: 8 boui-boui ■ 10 tapis-franc.

MALFORMATION: 8 délétion, dysmélie ■ 9 dysplasie ■ 10 exotrophie, phocomélie ■ 11 hypospadias, spina bifida, tératogénie ■ 12 acrocéphalie, tératogenèse ■ 13 craniosténose.

MAL FORME: 11 gribouillis, griffonnage ■ 12 gribouillage.

MALGACHE: 4 maki, vari, zébu ■ 5 tacca ■ 8 épyornis ■ 9 æpyornis, filanzane, madécasse, népenthès ■ 10 ilang-ilang, landolphia, landolphie ■ 11 cœlacanthe.

MALGRE: 4 avec ■ 5 quand ■ 6 contre ■ 9 en dépit de ■ 10 absolument, nonobstant ■ 11 contrecœur.

MALHABILE: 9 maladroit* ■ 11 impolitique ■ 13 malhabilement.

MALHEUR: 5 chute, échec, peine*, ruine, souci ■ 6 déclin, méchef, misère*, revers ■ 7 abandon, chagrin, déboire, déveine, épreuve, fortune, funeste, guignon, mélasse, trouble ■ 8 accident, calamité, désarroi, détresse, disgrâce, embarras, encombre, fatalité, mécompte, sinistre, vexation ■ 9 adversité, décadence, désespoir, infortune, malchance, préjudice ■ 10 affliction, cataclysme, déconvenue, désolation, malheureux ■ 11 catastrophe, contrariété, contretemps, imprécation, longanimité, malédiction, mésaventure, tribulation ■ 12 dépréciation ■ 13 commisération ■ 15 désappointement, désenchantement.

MALHEUREUX: 4 amer, noir, rude ■ 5 cruel, fatal ■ 6 pauvre*, triste* ■ 7 affreux, fâcheux, funeste, néfaste, pénible, ruineux ■ 8 désolant, empêtrer, sinistre, terrible, tragique ■ 9 accablant, infortuné, maléfique, misérable*, pitoyable ■ 10 affligeant, calamiteux, déplorable, désastreux, lamentable, pernicieux ■ 11 défavorable, désespérant, irréparable ■ 12 découragement ■ 13 malencontreux ■ 15 malheureusement.

MALHONNETE: 5 brave, probe ■ 6 impoli, véreux, vilain ■ 7 crapule, déloyal, injuste ■ 8 canaille, tripoter ■ 9 fricotage, indélicat, malpropre ■ 10 déshonnête ■ 11 inconvenant ■ 12 malhonnêteté ■ 14 malhonnêtement.

MALICE: 5 niche ■ 8 rosserie, vacherie ■ 9 diablerie, malicieux, malignité, saloperie ■ 10 méchanceté*, rapporteur ■ 11 espièglerie ■ 14 malicieusement.

MALICIEUX 5 malin, mutin, singe ■ 6 coquin ■ 7 mauvais ■ 8 espiègle*, narquois, roublard ■ 9 spirituel.

MALIGNE: 6 kahler, kaposi ■ 7 mycosis ■ 8 lymphome, séminome.

MALIGNITE: 4 ruse ■ 5 glose, venin ■ 6 malice ■ 7 sarcome ■ 8 décocher ■ 11 malignement ■ 12 ostéosarcome ■ 14 chondrosarcome.

MALIN: 3 fin ■ 4 futé, roué, rusé* ■ 5 benêt, madré, marle, patte, singe ■ 6 diable, finaud, lascar, mariol, matois, renard, retors, zigoto ■ 7 délurer, ficelle, mariole, méchant ■ 8 gaillard, narquois, roublard, sournois ■ 9 épigramme, maléfique, malicieux ■ 12 débrouillard ■ 14 naevo-carcinome.

MALINGRE: 4 fort ■ 6 faible ■ 11 demi-portion, souffreteux.

MALINTENTIONNE: 11 malveillant.

MALIQUE: 9 malonique.

MALLE: 3 fût ■ 6 bagage, coffre, valise ■ 7 cantine, portant ■ 8 mallette, marmotte ■ 10 chapelière.

MALLEABLE: 3 mou ■ 4 doux ■ 5 liant ■ 8 douillet ■ 9 aluminium, celluloïd ■ 12 malléabilité ■ 13 malléabiliser.

MALLEOLE: 5 tibia ■ 8 cheville ■ 11 malléolaire.

MALLE POSTE: 6 briska.

MALLETTE: 10 nécessaire, vanity-case.

MALMENER: 4 huer ■ 6 battre, danser ■ 7 lapider, railler, régaler, rudoyer ■ 8 étriller, molester, sabouler ■ 9 éconduire ■ 10 brutaliser, houspiller, maltraiter, tarabuster, tympaniser, vilipender ■ 11 discréditer.

MALODORANT: 5 actée, puant ■ 6 fétide ■ 8 nidoreux ■ 9 infection ■ 10 méphitique.

MALODORANTE: 3 ase.

MALOTRU: 5 huron ■ 8 grossier*.

MALPLAISANT: 11 désagréable.

MALPROPRE: 4 sale* ■ 5 bouge, gaupe, goret, goton ■ 6 cochon, infâme, salaud, salope, taudis ■ 7 cloaque, immonde, pouacre, sagouin, sordide, vermine ■ 8 craspeck, crasseux, polisson, saligaud, salisson, salopard, salopiat, souillon ■ 9 crapoteux, dégoûtant, écœurant, maritorne, répugnant, salopiaud ■ 10 cendrillon, pouillerie ■ 11 dégueulasse, patrouiller, vilainement ■ 13 malproprement.

MALPROPRETE: 4 roui ■ 6 saleté* ■ 8 propreté ■ 9 saloperie ■ 10 bouchonner ■ 11 cochonnerie.

MALSAIN: 4 mare ■ 7 morbide*, sadisme ■ 8 nuisible ■ 9 insalubre.

MALSEANT: 9 malséance ■ 11 inconvenant*.

MALT: 3 ale ■ 6 lambic ■ 7 lambick, maltage, malteur ■ 8 démêlage ■ 11 touraillage.

MALTAIS: 9 magistère.

MALTERIE: 7 malteur.

MALTOSE: 7 amylase ■ 8 ptyaline ■ 12 disaccharide.

MALTRAITER: 6 battre, brimer ■ 7 bourrer, frotter, rudoyer ■ 8 malmener*.

MALVACEE: 4 kola ■ 5 alcée, mauve, tiaré ■ 6 baobab, ketmie ■ 7 althæa ■ 8 ambrette, fromager, guimauve, hibiscus, kapokier ■ 9 cotonnier.

MALVEILLANCE: 5 venin ■ 8 critique, malfaçon ■ 9 animosité ■ 10 méchanceté* ■ 12 ressentiment ■ 14 malveillamment.
MALVEILLANT: 5 tordu ■ 7 méchant* ■ 8 venimeux ■ 14 malintentionné.
MALVERSATION: 10 concussion ■ 11 déprédation.
MAMELLE: 3 pis ■ 4 sein ■ 5 appât, globe, rumen, téter, têtin, têton, tette ■ 6 aréole, mamelu, tétine, trayon ■ 7 allaite, attrait, mamelon, mastite, têtasse ■ 8 agalaxie, mamelouk, poitrine ■ 9 agalactie, mammifère.
MAMELON: 4 sein ■ 5 butte, paget ■ 6 sommet ■ 9 mamelonné ■ 10 mamillaire ■ 12 quadrijumeau.
MAMMAIRE: 4 sein* ■ 10 mastologie.
MAMMIFERE: 4 lait, musc ■ 5 labre, mufle ■ 6 cétace*, édenté*, ongulé* ■ 7 linsang, primate*, rhytine, rongeur*, tarsien ■ 8 fourrure, péramèle, sirénien*, vibrisse ■ 9 carnivore, créodonte, euthérien, histidine, mammalien, marsupial*, monotrème*, tétrépode, xénarthre ■ 10 carnassier*, chiroptère, hibernation, lagomorphe, mammalogie, pachyderme ■ 11 chéiroptère*, insectivore*, placentaire, tubulidenté ■ 12 aplacentaire, globicéphale, imparidigité, protothérien ■ 14 baluchithérium.
MANAGEMENT: 7 manager.
MANANT: 6 paysan ■ 8 grossier.
MANCENILLIER: 10 mancenille.
MANCHE: 3 rob, set ■ 4 ante, bras, cape, ente, œil, robe, soie ■ 5 barre, batte, bêche, caban, coude, coule, crevé, fléau, fouet, garde, gigot, gilet, hampe, hogue, lance, mante, miton, pelle, pieux, plaid, poche, puche, râble, rabot, robre ■ 6 bielle, chasse, rebord, rebras ■ 7 biroute, crispin, détroit, manicle, poignet ■ 8 brimbale, manselle, moulinet, parement ■ 9 démancher, emmancher, mancheron, manchette, manivelle, patarasse, touchette ■ 10 chevillier, emmanchure, entournure ■ 11 micocoulier, transmanche.
MANCHON: 5 gaine, lampe, louve.
MANCHOT: 7 rookery ■ 8 rookerie, roquerie ■ 10 spénisque.
MANDARIN: 7 chinois ■ 9 putonghua ■ 10 kouan-houa, mandarinal, mandarinat.
MANDARINE: 6 agrume ■ 9 tangerine ■ 10 clémentine ■ 11 mandarinier.
MANDAT: 5 siège ■ 7 mandant, mission, pouvoir ■ 8 mandater ■ 9 commandat, mandature, septennat ■ 10 mandataire ■ 11 mandat-carte, quinquennat, trusteeship ■ 12 contre-mandat, mandat-lettre, représentant.
MANDATAIRE: 5 agent ■ 6 envoyé, gérant ■ 7 trustee ■ 11 observateur ■ 13 intermédiaire.
MANDATER: 7 députer ■ 8 déléguer ■ 11 mandatement.
MANDCHOURIE: 7 manchou.
MANDEMENT: 4 bref ■ 11 rescription.
MANDER: 5 venir ■ 7 appeler ■ 9 convoquer ■ 11 savoir-faire.
MANDIBULATE: 9 antennate.
MANDIBULE: 8 mâchoire ■ 12 mandibulaire.
MANDINGUE: 7 malinké ■ 9 mandingue.
MANDOLINE: 7 mandole, mandore ■ 9 touchette ■ 12 mandoliniste.
MANDRIN: 9 mandriner.
MANDRINER: 10 mandrinage.
MANEGE: 5 flirt ■ 8 caracole, intrigue ■ 9 demi-volte ■ 10 chambrière ■ 11 estrapasser, garde-manège, trépigneuse.

MANETTE: 7 maneton.
MANGANESE: 2 mn ■ 7 rhénium ■ 8 dendrite ■ 9 duralumin, gold-coast, manganate, manganeux, manganine ■ 10 alabandine, manganique, pyrolusite ■ 13 manganésifère.
MANGE: 8 mangeure.
MANGEAILLE: 12 boustifaille.
MANGEOIRE: 4 auge ■ 6 crêche, trémie.
MANGER: 4 faim ■ 5 dîner, gaver, goulu, lèche, pépie, proie, vider ■ 6 avaler, bâfrer, becter, brifer, goûter, happer, jeûner, mâcher, paître, ronger ■ 7 bouffer, bourrer, briffer, brouter, croquer, croûter, dévorer, nourrir, prendre ■ 8 absorber, chipoter, cuillère, déguster, festoyer, géophage, goinfrer, grailler, mangerie, mangeure, omnivore, remanger, repaître, sobriété, tortorer, traiteur, voracité ■ 9 alimenter, becqueter, boulotter, commensal, consommer, empiffrer, grignoter, mangeable, muselière, omophagie, pignocher, rassasier, sustenter, tortiller ■ 10 comestible, grignotage, ingurgiter, mangeaille, mangeotter, restaurant, sitiomanie ■ 11 entremanger, hippophagie, immangeable, manducation ■ 12 incomestible, intempérance ■ 13 boustifailler ■ 14 anthropophagie.
MANGEUR: 5 tigre ■ 8 bouffeur ■ 9 gargantua, souricier.
MANGLIER: 6 mangle.
MANGOUSTANIER: 10 mangoustan.
MANGOUSTE: 8 suricate, surikate ■ 9 ichneumon.
MANGROVE: 10 palétuvier.
MANGUIER: 6 mangue.
MANIABLE: 3 mou ■ 5 lâche ■ 6 facile, souple* ■ 7 commode, ductile, fusible, relâché ■ 8 flexible, moelleux ■ 9 élastique, malléable ■ 11 maniabilité.
MANIAQUE: 5 toqué ■ 7 maladif ■ 8 pyromane ■ 9 réserpine ■ 11 maniaquerie.
MANICHEEN: 9 paulicien ■ 11 manichéisme.
MANICLE: 8 gantelet.
MANIE: 3 tic ■ 4 dada ■ 5 folie* ■ 6 tocade ■ 7 maladie, marotte, passion*, toquade ■ 8 égotisme, ergotage, habitude ■ 9 analyseur, bougeotte, ergoterie, fantaisie, hypomanie, louangeur, obsession ■ 10 anglomanie, critiqueur, métromanie, mythomanie, turlutaine ■ 11 cleptomanie, écrivassier, éthéromanie, kleptomanie, réunionnite ■ 12 baguettisant, systématiser.
MANIEMENT: 7 escrime ■ 12 gouvernement.
MANIER: 5 tâter ■ 6 fondre ■ 7 malaxer, prendre, toucher ■ 8 détendre, maniable, relâcher, tripoter ■ 9 assouplir, liquéfier, maniement, manipuler ■ 10 manœuvrer, patouiller ■ 11 intraitable, patrouiller ■ 13 tripatouiller ■ 14 manutentionnaire.
MANIERE: 2 de, si ■ 3 air, jeu, par, pas, ton, vie, vue ■ 4 avec, chic, cote, dans, état, goût, idée, mise, mode, ordo, plan, port, sort, tour ■ 5 abord, chère, comme, coupe, danse, daube, débit, école, façon*, faire, forme, garde, genre, girie, guise, idiot, lavis, leçon, mieux, mimer, modal, moule, moyen*, niais, ordre, pièce, pincé, plein, point, prise, rimer, river, rubis, satin, sauce, semis, sorte, sosie, style, tenue, tissu, titus, train, trait, union, ville, vouer ■ 6 allure, aspect, cachet, effété, espèce, graphie, secret, trolle ■ 7 affecté, attique, diction, graphie, méthode, posture, procédé, qualité, système, tuyauté ■ 8 agacerie, assiette, attelage, batterie, civilité, démarche, diapason, écriture, greffage, habitude, instar de, javelage, latinité, maintien, parlando, plantage, plâtrage, pratique, précieux, principe, sans-gêne, si-

magrée, tournure, vocalise ■ 9 afféterie, apparence, archaïsme, chauffage, clouement, contourné, découpage, découpure, éclairage, éducation, élocution, euphuisme, exécution, existence, façonnage, errements, étêtement, graphisme, intimisme, jappement, labourage, manœuvre, marinière, massiveté, mentalité, mouvement, pasticher, piquetage, politesse, programme, psalmodie, réception, sans-façon, sèchement, sentiment, situation, spiration, structure, zélotisme ■ 10 affabilité, antiphrase, attifement, chamarrure, clayonnage, craquelage, débilement, déhiscence, demi-pointe, elzévirien, enfournage, enjôlement, espacement, intonation, maniérisme, moutonnier, numérotage, obturation, patelinage, pédanterie, pédantisme, piaulement, pindarique, point de vue, préciosité, prévenance, remaillage, sertissure, tractation, traitement, transition ■ 11 arrangement, bégueulerie, bégueulisme, computation, croc-en-jambe, déclamation, disposition, effronterie, énonciation, épistolaire, fabrication, façonnement, gracieuseté, insinuation, italianisme, jalonnement, libertinage, orthographe, patelinerie, ponctuation, remmaillage, ronsardiser, singularité, stendhalien ■ 12 accentuation, américanisme, baragouinage, comportement, conformation, conversation, déhanchement, enfournement, impertinence, interlignage, masculiniser, organisation, parachutisme, présentation, raisonnement ■ 13 anacréontique, charlatanerie, électrisation, magnétisation, noctambulisme, ornementation ■ 14 assaisonnement, circonlocution, cosmopolitisme, emmaillotement, fonctionnement, paillassonnage ■ 15 aristophanesque.

MANIEREE: 9 chochotte.

MANIFESTATION: 3 cas ■ 4 acte, noir ■ 5 crise, éveil, hymne, lueur, manif, signe, stade ■ 6 action, monôme ■ 8 attitude, craw-craw, crow-crow, effusion, madhisme, présence ■ 9 émanation, épiphanie, étincelle, évolution, explosion, tout-paris ■ 10 apparition, expression, gonococcie, spiritisme, volcanisme ■ 11 affectation, alcalifiant, codominance, manifestant, ostentation ■ 12 consentement ■ 14 épanouissement ■ 15 paranéoplasique.

MANIFESTE: 5 clair ■ 6 ouvert, patent, public ■ 7 certain, évident*, notoire, visible* ■ 8 éclatant, palpable ■ 9 extérieur, pédophile ■ 10 suspicieux ■ 11 perceptible ■ 12 démonstratif, extra-courant, ostentatoire, psychorigide, significatif ■ 13 manifestement.

MANIFESTEMENT: 10 assurément, décidément ■ 11 notoirement.

MANIFESTER: 5 crier, levée, luire, mener ■ 6 clamer, donner, éclore, parler, pester, tiquer ■ 7 arborer, éclater, émerger, grogner, jaillir, jubiler, montrer*, révéler ■ 8 abréagir, affecter, afficher, affirmer, annoncer, broncher, conspuer, déclarer, déployer, exprimer, extasier, maugréer, pavoiser, répandre ■ 9 ankyloser, comprimer, étrangler, phénotype, proclamer, prononcer, témoigner ■ 10 apparaître ■ 12 caractériser, extérioriser ■ 13 manifestation.

MANIGANCER: 6 ourdir, tramer ■ 8 fricoter, machiner ■ 11 agissements*.

MANIGUETTE: 5 amôme.

MANILLE: 8 manillon ■ 9 manilleur ■ 10 étalinguer.

MANIOC: 4 gari ■ 5 couac ■ 6 fécule, foufou, foutou, langou, matété, pivori ■ 7 cassave, tapioca ■ 9 arrow-root, moussache ■ 12 coussecaille.

MANIPULATEUR: 14 marionnettiste.

MANIPULATION: 5 manip ■ 6 manipe ■ 10 ostéopathe, pétrissage ■ 11 chiropraxie, manutention ■ 12 chiropractie, pétrissement, radiothermie, reprogrammer.

MANIPULER: 6 manier* ■ 8 tripoter, triturer ■ 9 traitable ■ 11 coprophilie ■ 12 manipulateur.
MANIVELLE: 5 giron, nille ■ 7 maneton, manette.
MANNE 3 suc ■ 5 banne ■ 6 panier ■ 8 mannette, mannitol.
MANNEQUIN: 6 poupée ■ 8 tarasque ■ 9 quintaine ■ 11 épouvantail.
MANNITE: 7 mannose.
MANŒUVRE: 3 dol ■ 4 cape, gril, péon ■ 5 agrès, bosco, lisse, manip, menée, palan, thème ■ 6 action, brigue, centre, laptot, manipe ■ 7 arrondi, bouline, cuisine, ouvrier ■ 8 aussière, capelage, gréement, guindeau, hercheur, intrigue, tactique ■ 9 aérostier, aide-maçon, haussière, herscheur, manigance, mouillage, opération, patte-d'oie, stratégie, wagonnier ■ 10 aiguillage, aiguilleur, enfourneur, manouvrier, tire-veille ■ 11 agissements*, obstruction, travailleur ■ 12 appareillage, lofing-match, manipulation ■ 13 démonstration ■ 14 reconnaissance.
MANŒUVRER: 5 ramer ■ 7 canoter, parader ■ 8 conduire, costière, naviguer ■ 9 actionner, commander, manipuler ■ 11 manœuvrier, tire-veilles ■ 12 manœuvrable ■ 15 manœuvrabilité.
MANOIR: 6 maison* ■ 7 château ■ 12 manométrique.
MANOMETRE: 10 manographe.
MANQUE: 3 jeu ■ 4 faim, gêne, soif, vide ■ 5 désir, envie, faute*, perte*, poule, solde, thème ■ 6 atonie, baisse, besoin*, défaut*, dégoût, lacune, misère ■ 7 absence*, amorphe, carence, déficit, disette, impiété, incurie, inertie, lenteur, malpoli, pénurie, tiédeur ■ 8 adynamie, barbarie, bassesse, défiance, démesure, déraison, faillite, froideur, impudeur, impunité, insanité, insuccès, lourdeur, maigreur, manquant, méfiance, mollesse, muflerie, pauvreté, retouper, suppléer, timidité, tortueux, veulerie ■ 9 asynergie, brouillon, découvert, défection, déficient, déloyauté, dénuement, désaccord, détriment, disetteux, disparate, encalminé, faiblesse, fragilité, gaucherie, ignorance, illogisme, impondéré, incivisme, incomplet, inconfort, inculture, indécence, indigence, injustice, insolence, inutilité, irrespect, malhabile, misérable, monotonie, petitesse, privation*, prosaïsme, vulgarité ■ 10 défaitisme, déficience, dépareillé, desiderata, désordonné, différence, diminution, élasticité, hésitation, immodestie, impatience, imprudence, incapacité, incivilité, inélégance, infidélité, inhabileté, inhumanité, insécurité, insonorité, invalidité, irréalisme, maladresse, maniérisme, manquement, mésentente, nébulosité, négligence, paupérisme, sécheresse, somnolence ■ 11 absentéisme, amateurisme, aveuglement, avitaminose, défaillance, défectuosité, désideratum, discordance, disgracieux, dissymétrie, distraction, grossièreté, impécunieux, impolitesse, imprécision, imprévision, impuissance, inattention, incohérence, incrédulité, incuriosité, inexécution, ingratitude, insincérité, instabilité, intolérance, irrévérence, malpropreté, meurt-de-faim, nécessiteux, nonchalance, non-réussite ■ 12 délaissement, émancipation, imprévoyance, incompétence, incontinence, inconvenance, indiscipline, indiscrétion, inefficacité, inexactitude, inexpérience, inobservance, insuffisance, intempérance, interruption, irrégularité, malhonnêteté, neurasthénie ■ 13 asynchronisme, déraisonnable, discourtoisie, impécuniosité, impréparation, inconsistance, indélicatesse, inobservation, prévarication, pusillanimité ■ 14 inapplication, inauthenticité, inintelligence, insatisfaction, mécontentement, sophistication ■ 15 disproportionné, indétermination.
MANQUEMENT: 5 faute* ■ 6 manque* ■ 9 violation ■ 10 réprimande ■ 12 incorrection.

MANQUER: 5 pâtir, payer, rater, taire ■ 6 cacher, cesser, chômer, élider, gâcher, jeûner, louper, pécher, sauter, trahir ■ 7 baisser, dérober, déroger, échouer, faillir, omettre, oublier, patiner ■ 8 absenter, abstenir, aveugler, chipoter, diminuer, endormir, négliger ■ 9 défaillir, dégonfler, escamoter, transiger ■ 10 dépouiller, manquement ■ 11 immanquable, prévariquer.
MANSARDE: 6 solier ■ 7 combles, galetas, grenier, membron.
MANSUETUDE: 7 douceur*.
MANTE: 6 empuse.
MANTEAU: 4 cape, maxi, plan, saie, toge ■ 5 amict, caban, capot, chape, hoote, palla, plaid, tabar, voile ■ 6 capote, gueuse, péplos, péplum, poncho, tabard ■ 7 burnous, cagoule, civette, fermail, paletot, palléal, pallium, pelisse, rotonde ■ 8 chasuble, cheminée, chlamyde, courtine, himation, mandille, mantelet, pardosse, régolite ■ 9 gabardine, limousine, pardessus*, redingote ■ 10 douillette, duffel-coat, duffle-coat, mac farlane, mackintosh, parmenture, trench-coat, waterproof ■ 11 parementure, sortie-de-bal, trois-quarts ■ 12 portemanteau ■ 14 cache-poussière.
MANTILLE: 7 fanchon.
MANUEL: 7 artisan, recueil, servile ■ 9 artisanat, bricoleur ■ 10 ranimation ■ 11 réanimation ■ 12 chiropractie.
MANUFACTURE: 5 usine* ■ 7 atelier ■ 8 draperie ■ 9 industrie*, ready-made ■ 12 robinetterie ■ 13 manufacturier.
MANUSCRIT: 4 obel ■ 5 copie, obèle, texte ■ 6 papier, volume ■ 7 dazibao, grébige, papyrus ■ 8 archives, dédicace, grébiche, gribiche ■ 11 biblorhapte, palimpseste, papyrologie ■ 12 bibliothèque ■ 13 opisthographe.
MANUTENTION: 5 palam ■ 10 automation, palettiser, sauterelle, souffleuse ■ 12 transpalette ■ 13 transstockeur.
MAORI: 5 maori.
MAPPEMONDE: 11 planisphère.
MAQUEREAU: 3 mac ■ 11 maqueraison.
MAQUETTE: 5 rough ■ 6 modèle* ■ 7 canevas ■ 8 crayonné ■ 10 plan-relief ■ 11 maquettiste.
MAQUIGNON: 13 maquignonnage.
MAQUILLAGE: 7 mascara ■ 8 eye-liner.
MAQUILLER: 6 farder, grimer ■ 7 plâtrer ■ 8 bidonner, déguiser ■ 9 falsifier ■ 10 maquillage, maquilleur ■ 11 démaquiller, remaquiller.
MAQUIS: 5 lande ■ 9 maquisard.
MARABOUT: 6 talibé ■ 10 marabouter.
MARABOUTER: 11 maraboutage.
MARAICHAGE: 9 jardinage ■ 13 microtracteur.
MARAICHER: 9 jardinier ■ 11 primeuriste.
MARAICHERE: 10 maraîchage.
MARAIS: 3 cob, kob, vie ■ 4 mare, noue ■ 5 barge, calla, chott, douve, étang*, étier, fagne, palud, palus, salin ■ 6 polder ■ 7 cistude, liparis, maremme, marigot, œillet, vernier ■ 8 jonchaie, marécage, paludéen, paludier, palustre, varaigne ■ 9 fondrière, maraîchin, marouette, salicorne, tourbière ■ 10 protoptère ■ 11 lépidosiren, linaigrette, rousserolle ■ 12 lépidosirène ■ 13 hortillonnage.
MARANRACEE: 8 calathéa.
MARANTA: 9 arrow-root.
MARASME: 7 apathie ■ 8 langueur ■ 10 stagnation ■ 14 amaigrissement.
MARASQUE: 9 marasquin.

MARATHON : **10** pentélique ■ **11** marathonien.
MARATRE : **4** mère.
MARAUD : **6** coquin*.
MARAUDER : **5** voler ■ **6** piller ■ **7** dérober, maraude ■ **9** chaparder, maraudage, maraudeur ■ **10** marauderie.
MARBRE : **4** onyx, stuc ■ **5** chaux, dalle, gypse, jaspe, liais, paros, table, tarso, tombe, tuile ■ **6** campan, ophite, parian, portor, rosato ■ **7** albâtre, carrare, cipolin, griotte, marbrer, molette, sciotte, turquin ■ **8** calcaire, marbrier, marbrure, mosaïque, porphyre, tesselle ■ **9** marbrerie, marbrière, marmoréen ■ **10** brocatelle, granitelle, marmoriser, sarancolin, sérancolin ■ **11** dominoterie, sarrancolin.
MARBRER : **5** rayer ■ **8** barioler, marbreur.
MARBRURE : **8** marbreur.
MARC : **6** grappa.
MARCHAND : **4** zinc ■ **5** chand, offre, prime, senau ■ **6** mollah ■ **7** bistrot, blatier, camelot, fondouk, lainier, vendeur ■ **8** acheteur, baratier, crêpière, débitant, fourreur, levurier, lunetier, mercanti, opticien ■ **9** baladeusc, basilique, bonnetier, chausseur, coquetier, disquaire, grossiste, harengère, interlope, lunettier, maquignon, margoulin, négociant, pinardier, rouennier, volailler ■ **10** ballonnier, bourrelier, colporteur, commerçant*, coquassier, mastroquet, trafiquant ■ **11** bimbelotier, bouquetière ■ **12** porcelainier, quincaillier, shipchandler ■ **13** quatre-saisons.
MARCHANDER : **11** marchandage, marchandeur.
MARCHANDISE : **4** quai, tare, vrac ■ **5** bâche, balle, banne, cargo, coche, décri, nanar, place, solde, sonde, stock, tapis, tarer, tarif, trust, vagon, wagon ■ **6** débord, denrée, pontée ■ **7** couffin, étalage, package, produit ■ **8** arrivage, boutique, camelote, commande, commerce, document, emplette, entrepôt, solderie, vitrerie ■ **9** achalandé, bric-à-brac, cargaison, déballage, dédouaner, garde-port, pacotille, rossignol, sous-palan ■ **10** achalander, chargement, commission, magasinage, messagerie, parfumerie, peausserie, préemballé, triporteur ■ **11** charcuterie, contrebande, coutellerie, désarrimage, exportation, importation, passe-debout ■ **12** palettisable, réceptionner ■ **13** passementerie, quincaillerie.
MARCHE : **3** kan, pas ■ **4** aire, côte, cran, étal, kick, pied, rang, souk ■ **5** bazar, degré, étage, étape, foire, forum, galop, giron, halle, halte, lacet, limon, m.a.t.i.f., piste, redan, stock, tempo ■ **6** action, allure, ataxie, captif, course, défilé, gradin, passet, perron, stawug ■ **7** courant, échelle, échelon, étagère, footing, galette, méthode, passant, progrès, ralenti ■ **8** autoport, braderie, coulisse, débouché, démarche, dépanner, dysbasie, échappée, escalier, hors-cote, marchant, marcheur, province, retraite, stellage, trotteur ■ **9** cavalière, démarreur, éclaireur, frontière, monopsone, mouvement, nouveauté, oligopole, processus, promenade ■ **10** abonnement, avancement, béquillard, controller, convention, euromarché, marchander, marche-pied, mercuriale, oligopsone, procession, somnambule, tractation ■ **11** antérograde, chronomètre, combinateur, dégingander, délardement, digitigrade, dispatching, plantigrade, progression, quadrupédie, transaction ■ **12** adjudication, contremarche, déambulation, déhanchement, emmarchement ■ **13** clopin-clopant, contre-courant, rétrogression, superposition.
MARCHER : **5** aller, caner, errer, mener, rôder, tâter ■ **6** courir, flâner, foncer, fouler, longer, passer, suivre, trimer ■ **7** avancer, balader, détaler, évoluer, galoper, pavaner, trotter ■ **8** arpenter, barboter,

breloque, carburer, cheminer, circuler, clopiner, déplacer, emboîter, enjamber, franchir, patauger, piétiner, précéder, promener, raquette, tricoter ■ 9 béquiller, chalouper, crapaüter, déambuler, traverser, trottiner, zigzaguer ■ 10 crapahuter ■ 11 ambulatoire, baguenauder, fonctionner, vadrouiller.

MARCHEUR : 6 nomade, piéton, rôdeur ■ 7 coureur, flâneur, trottin ■ 8 ambulant, touriste, voyageur ■ 9 chemineau, fantassin, promeneur ■ 10 noctambule, trimardeur.

MARCOTTE : 7 bouture, sevrage ■ 8 sautelle ■ 9 marcotter, provigner ■ 10 provignage ■ 12 provignement.

MARE : 5 étang*, lagon ■ 6 flache, flaque, marais* ■ 7 gouille ■ 9 notonecte ■ 10 barbotière, canardière.

MARECAGE : 4 râle, sale ■ 5 joncs ■ 6 maiche, marais* ■ 7 maremme ■ 8 ciprière, limicole ■ 9 fondrière, tourbière ■ 10 marécageux ■ 12 grenouillère ■ 13 pneumatophore.

MARECHAL : 4 chef ■ 5 forge ■ 7 boutoir ■ 8 brochoir, cure-pied, ferrière ■ 9 maréchale, rogne-pied, tricoises ■ 10 maréchalat ■ 12 maréchalerie, maréchaussée.

MAREE : 4 flot, flux, lune, vive ■ 5 lagon, plein, revif ■ 6 jusant, reflux ■ 7 cotidal, syzygie, tsunami, vive-eau ■ 8 fraîchin, morte-eau ■ 10 intertidal, marégraphe ■ 11 chasse-marée ■ 13 contre-courant.

MARGE : 4 bord, nota ■ 7 margeur ■ 8 marginal, marginer ■ 9 desperado, hors-la-loi, manchette ■ 10 émargement.

MARGINAL : 4 skin ■ 8 skinhead ■ 11 marginalité ■ 13 marginalement ■ 15 marginalisation.

MARGOTIN : 5 fagot.

MARGOULIN : 8 marchand.

MARGRAVE : 10 margraviat.

MARGUERITE : 10 pâquerette ■ 15 reine-marguerite.

MARGUILLER : 9 fabricien ■ 12 marguillerie.

MARI : 4 cocu, père, sâti ■ 5 époux*, veuve ■ 6 suttée, suttie ■ 7 cornard, marital ■ 8 beau-père, cornette ■ 9 beau-frère, cotutelle, monogamie, polyandre ■ 10 polyandrie.

MARIAGE : 3 ban, lit ■ 4 mari, noce, unir ■ 5 allié, époux, femme, hymen, lunch, parti, poêle, squaw, union*, veuve ■ 6 accord, nubile ■ 7 brisque, divorce, hyménée, marital, putatif ■ 8 alliance, conjugo, divorcer, épouseur, mariable, mistress, polygame ■ 9 apparenté, endogamie, faire-part, remariage ■ 10 conjoindre, épithalame, formariage, infidélité, nuptialité, prénuptial ■ 11 bénédiction, empêchement, épousailles, fiançailles, impuissance, matrimonial, mésalliance ■ 12 accordailles, morganatique ■ 14 régularisation.

MARIE : 9 polygynie.

MARIER : 4 lier, unir* ■ 8 convoler, remarier.

MARIHUANA : 11 marie-jeanne.

MARIN : 3 bar ■ 4 ange, clam, cône, luth, merl, moco, thon ■ 5 amibe, caret, ceste, doris, hydre, loche, maërl, mille, moine, morse, orque, pagre, taret, vénus ■ 6 alcyon, animal*, béluga, cétacé, chiton, congre, corail, couane, dugong, éponge, homard, kraken, limule, marais, marine, méduse, néréis, narval, otarie, oursin, phoque, rémora, volvox ■ 7 agnathe, ascidie, astérie, baleine, bélouga, calamar, caouane, cistude, col-bleu, crabier, dauphin, dentale, encrine, éperlan, jubarte, matelot, némerte, néréide, ombrine, ophiure, poisson*, rivière, rorqual, sabelle, sélacien, serpule, stentor, trépang, trionyx, tripang, volvoce ■ 8 cachalot, cnidaire, crinoïde, crevette, épaulard, épinoche, gorgonie, haliotis, hydraire, maritime, marsouin, physalie, rotifère, sirénien, sphyrène, spirorbe, surmulet, torpille, tunicier, zoophyte ■ 9 amphioxus, baleineau, cul-de-porc, géphyrien, haliotide, infusoire, madrépore, méandrine, mégaptère, mérostome, millepore, mollusque*, néritique, nummulite, paramécie, phamarope, polychète, ponantais, ptérygote, serranidé, souffleur, spatangue, syngnathe, térébelle ■ 10 amphineure, bryozoaire, cœlentéré, cyclostome, hippocampe, holothurie, leishmanie, leptospire, métazoaire, microcosme, noctilique, pentacrine, péridinien, phytozoaire, ptérygotus, radiolaire, rhizostome, stelléride, sténohalin, stomocordé, vorticelle ■ 11 balénoptère, brachiopode, euphausiacé, globigérine, hydrozoaire, phytozoaire, plésiosaure, protozoaire, pycnogonide, spirographe, sporozoaire, sténotherme, syngnathidé, térébratule ■ 12 foraminifère, globicéphale, hématozoaire, kamptozoaire, rhynchonelle, scyphozoaire, siphonophore ■ 15 coccolithophore.

MARINADE : 9 escabèche.

MARINE : 4 ajut, pale, sain, stop, tape ■ 5 ajust, bande, barre, bordé, bosse, caban, capot, coque, écore, épart, épite, espar, falun, filer, funin, fusée, gabie, gaffe, gambe, ganse, genre, gîter, goret, grade, grain, herpe, jauge, lacer, livet, louve, lusin, mille, nager, naval, nœud, palée, panne, parer, passe, patte, pelle, penne, phare, plein, plomb, point, poste, prime, puits, quart, quête, raban, rhumb, rider, risée, saute, suroît, talon, touée, tramp, tréou, virer, voûte ■ 6 novice ■ 7 matelot, midship ■ 8 amirauté, caronade, cornette, enseigne, marinier, maritime, navarque, navigant, portulan, rollmops, tandoori ■ 9 aéronaval, commodore, flottille ■ 10 commandant, maistrance, midshipman, navigation*, torpilleur, trois-ponts, vice-amiral ■ 12 aéromaritime, contre-amiral, shipchandler, terre-neuvien ■ 13 lithothamnium.

MARINIER : 4 croc ■ 8 batelier.

MARIONNETTE : 6 pantin* ■ 7 bunraku, gigogne, guignol, pupazzo ■ 8 automate, fantoche, shamisen ■ 12 polichinelle ■ 14 marionnettiste.

MARITIME : 5 marin* ■ 12 hydrographie ■ 14 continentalité ■ 15 radioalignement.

MARITORNE : 6 virago ■ 8 servante.

MARIVAUDER : 8 folâtrer ■ 11 marivaudage.

MARJOLAINE : 6 origan.

MARKETING : 9 marchéage ■ 10 mercatique.

MARMAILLE : 6 enfant ■ 7 enfance*, famille.

MARMELADE : 5 pomme ■ 9 confiture.

MARMITAGE : 8 marmiter.

MARMITE : 3 pot ■ 7 cocotte, cuiseur ■ 8 marmitée, pot-au-feu ■ 9 braisière, huguenote ■ 10 bouteillon ■ 11 crémaillère.

MARMITEUX : 9 misérable.

MARMITON : 9 cuisinier, gâte-sauce ■ 12 tourne-broche.

MARMONNER : 8 murmurer* ■ 12 marmonnement.

MARMOT : 6 enfant ■ 7 enfance*.

MARMOTTE : 5 daman, malle ■ 6 murmel ■ 7 fanchon ■ 8 siffleux ■ 10 marmotteur.

MARMOTTER : 8 maronner, murmurer*.

MARNAGE : 7 vive-eau.

MARNE : 5 salse, trias ■ 6 marner ■ 7 marnage, marnais, marneux ■ 8 marnière.

MAROCAIN : 3 fes, fez, kif ■ 4 alfa, kiff ■ 6 mellah ■ 7 maghzen, makhzen.

MAROCAINE : 6 tagine, taline.

MAROQUIN : 4 cuir ■ 10 maroquiner ■ 11 maroquinage ■ 12 maroquinerie.
MAROQUINE : 8 cordouan.
MAROTTE : 4 dada ■ 5 folie*, manie*.
MAROUFLE : 6 coquin* ■ 8 grossier*.
MAROUFLER : 8 marouflе ■ 10 marouflage.
MARQUAGE : 5 rodéo ■ 7 ferrage ■ 8 lettrage ■ 10 souchetage.
MARQUE : 3 net, pli, v.i.p. ■ 4 bleu, cote, logo, note, obel, slip, tour, zone ■ 5 bâton, borne, coche, diffa, extra, fiche, jalon, jeton, label, livet, mètre, noter, nylon, obèle, palet, pieux, piste, point, ponte, salut, sceau, score, signe, style, suçon, tabou, tache, tigré, titre, toton, trace*, trait, veine, zébré ■ 6 bringé, buriné, cachet, fichet, griffe, indice, isorel, pinçon, preuve, repère, timbre ■ 7 cornier, critère, emblème, estampe, gravure, hommage, insigne, poinçon, pommelé, sillage, tiqueté, tranche, trophée, tuméfié, vestige ■ 8 accentué, balivage, contrôle, couronne, couturer, enseigne, entaille, logotype, marbrure, marqueur, mont-joie, pointage, plombage, prononcé, remarque, réticulé, stigmate, tatouage, vergeure, vervelle ■ 9 alinéaire, cicatrice, contrasté, critérium, démarquer, empreinte*, éraillure, fatidique, martelage, oblitérer ■ 10 astérisque, comparatif, estampille, salamandre, sous-marque, témoignage ■ 11 caractérisé, distinction, flétrissure, remarquable ■ 12 contre-marque ■ 13 contre-marquer, démonstration, transitionnel.
MARQUER : 5 coter, layer, noter, tomer ■ 6 cocher, créner, diéser, écrire, ferrer, graver, ligner, signer, tracer, zébrer ■ 7 accuser, augurer, déceler, dénoter, exhaler, flâtrer, flétrir, montrer, plomber, pointer, repérer, révéler, scander, sceller, siniser, tatouer, timbrer ■ 8 annoncer, cacheter, dénoncer, désigner, estamper, gréneler, hachurer, imprimer, indiquer, jalonner, lettrage, marquage, marquoir, marteler, pointeau, ponctuer, présager, respirer, rotoquer, rouanner, signaler, tacheter, tringler, virguler ■ 9 accentuer, bémoliser, biseauter, composter, étalonner, étiqueter, inaugurer, insculper, marqueter, moucheter, numéroter, rechampir, remarquer, souligner ■ 10 composteur, empreindre, kilométrer, matriculer, poinçonner ■ 11 estampiller, stigmatiser ■ 12 pronostiquer.
MARQUETER : 6 truité ■ 7 diaprer, taveler ■ 8 barioler, pommeler, tacheter ■ 9 moucheter.
MARQUETERIE : 5 boule ■ 6 boulle ■ 7 placage, zellige ■ 8 mosaïque ■ 9 marqueter ■ 10 marqueteur ■ 11 tabletterie ■ 12 incrustation ■ 13 damasquinerie.
MARQUIS : 5 comte, titre ■ 9 marquisat.
MARRAINE : 7 commère ■ 10 parrainage.
MARRI : 5 fâché*.
MARRON : 4 coup, gnon ■ 6 havane ■ 8 esculine ■ 9 châtaigne, marronner ■ 11 marronnier, tête-de-nègre.
MARS : 11 aréographie.
MARSOUIN : 8 épaulard.
MARSUPIAL : 5 koala, koola, yapok ■ 6 wombat ■ 7 dasyure, opossum, sarigue, wallaby ■ 8 péramèle ■ 9 kangourou, phalanger, thylacine, wombatidé ■ 11 métathérien.
MARTEAU : 3 hie ■ 4 bloc, esse, laie, têtu ■ 5 batte, drome, masse, mater, panne, picot, pilon, tille ■ 6 asseau, chasse, massue, matage, merlin, piffre, rivoir, smille, utinet ■ 7 angrois, assette, bigorne, engrois, longuet, maillet, pannoir, taillet, tapette ■ 8 besaiguë, brochoir, chassoir, couperet, épinçoir, flattoir, marteler, martinet, mar-

toire, repousse, rustique ■ 9 boucharde, casse-tête, décognoir, ferratier, ferretier, machelote, mailloche, maillotin, marteline, patarasse, rabattoir ■ 11 aplatissoir, taillandier ■ 12 aplatissoire, casse-pierres, emboutissoir, frappe-devant, marteau-pilon ■ 13 requin-marteau.
MARTELAGE: 5 fonte ■ 8 ressuage ■ 9 marteleur.
MARTELER: 8 emboutir, taconeos ■ 11 martèlement.
MARTENSITE: 13 martensitique.
MARTIAL: 5 brave* ■ 8 guerrier ■ 9 prestance ■ 10 belliqueux ■ 12 martialement.
MARTIAUX: 4 dojo.
MARTIEN: 11 aréographie.
MARTINET: 5 fouet ■ 11 arbalétrier.
MARTINIQUAIS: 4 béké, café ■ 7 diamant.
MARTRE: 5 sable ■ 6 murmel ■ 8 zibeline.
MARTYR: 7 martyre, victime ■ 8 ménologe, supplice ■ 9 martyrium ■ 10 martyriser ■ 11 martyrologe.
MARTYRISER: 8 torturer* ■ 10 persécuter.
MARXISME: 8 marxiste ■ 10 socialisme ■ 14 freudo-marxisme.
MARXISTE: 8 marxiser ■ 10 surtravail.
MASCARADE: 6 défilé, masque ■ 8 arlequin, carnaval, chienlit ■ 11 déguisement ■ 15 travestissement.
MASCARET: 4 bore ■ 5 barre.
MASCOTTE: 7 fétiche.
MASCULIN: 4 mâle* ■ 5 agnat, homme*, viril ■ 6 condom ■ 8 virilité ■ 9 pardessus ■ 10 virilisant ■ 11 haut-contre ■ 12 masculiniser.
MASOCHISME: 10 algolagnie, masochiste ■ 14 sadomasochisme.
MASOCHISTE: 4 maso.
MASQUE: 4 loup ■ 5 écran, voile ■ 6 touret ■ 7 cagoule ■ 8 chienlit, katchina, mascaron ■ 9 démasquer, encagoulé, mascarade.
MASQUER: 6 cacher*, sauver ■ 7 couvrir* ■ 8 déguiser, masquage, occulter.
MASSACRE: 3 sac ■ 6 tuerie ■ 7 carnage ■ 14 septembrisades.
MASSACRER: 4 tuer* ■ 7 égorger, immoler ■ 8 trucider ■ 10 exterminer, massacreur.
MASSAGE: 6 masser ■ 7 masseur ■ 10 pétrissage ■ 12 pétrissement, vibromasseur.
MASSE: 3 roc, ton ■ 4 amas, bloc, gîte, marc, mole, névé, once ■ 5 balle, bulbe, chyme, écume, exode, gauss, géode, grain, lagon, livre, magma, maque, marée, méson, motte, noyau, nuage, ounce, paume, poids, pound, point, prise, roche, savon, sonde, sucre, tonne, tuyau ■ 6 acinus, baryon, coulée, gramme, gueuse, macque, mouton, pépite, pluton, rocher, rognon, volume ■ 7 caillot, cloaque, colonne, iceberg, isobare, marteau, plommée, pressée, quintal, remblai ■ 8 biomasse, coagulum, grammage, komsomol, massique, monument, neutrino, paraison, pollinie, populace, quantité, short ton, synctium, tourteau, tubéreux ■ 9 accrétion, advection, aérolithe, avalanche, grumelure, mass media, multitude, nébuleuse, péninsule, plan-masse ■ 10 antiproton, arrière-ban, atmosphère, kieselguhr, kilogramme, pare-éclats, pondérable, tourbillon ■ 11 caillebotte, conglomérer, coup-de-poing, hectogramme, protoétoile, solifluxion, stéatopygie ■ 12 casse-pierres, solifluction ■ 13 concentration, massification, valence-gramme ■ 14 molécule-gramme.
MASSELOTTE: 3 jet.
MASSER: 7 frotter, malaxer, massage ■ 11 frictionner.
MASSIF: 5 butée, léger, trône ■ 6 pesant, solide, statif ■ 7 bosquet,

couvert, orillon ■ **8** ennoyage ■ **9** massiveté, massivité, propagule ■ **10** emplanture, raz de marée ■ **11** massivement ■ **15** intramontagnard.
MASSIQUE: **8** molalité.
MASSUE: **3** mil ■ **4** arme ■ **5** bâton, masse, tinel, typha ■ **7** marteau*, plombée ■ **8** matraque ■ **9** casse-tête.
MASTABA: **6** serdah.
MASTIC: **5** futée, mollé ■ **6** ciment ■ **9** lentisque, masticage, mastiquer ■ **11** démastiquer.
MASTICATEUR: **12** ptérogoïdien.
MASTICATOIRE: **4** arec ■ **5** bétel ■ **10** chewing-gum ■ **11** mastigadour.
MASTIQUER: **6** mâcher* ■ **11** remastiquer.
MASTITE: **7** mammite.
MASTOC: **5** lourd.
MASTODONTE: **4** gros ■ **13** proboscidien.
MASTOÏDIEN: **10** mastoïdite.
MASTROQUET: **7** troquet.
MASURE: **7** baraque.
MAT: **3** gui ■ **4** cape, étui, hune, pâle ■ **5** bigue, blème, coque, corne, espar, gabie, gréer, ketch, mater, matir, phare, pomme, raser, sloop, terne, voile ■ **6** albène, bas-mât, échecs, mâtage, matité, mâture, vergue ■ **7** artimon, beaupré, cocagne, misaine, tapecul ■ **8** cacatois, deux-mâts, étambrai, goélette, mâtereau, nid-de-pie, pantoire, perruche, suspente, trinquet ■ **9** banderole, estrapade, galhauban, girouette, perroquet, sémaphore, trois-mâts ■ **10** bout-dehors, emplanture, grand-voile, pas-de-géant, tourmentin.
MATADOR: **6** espada, muleta, torero.
MATAMORE: **8** bravache, rodomont ■ **15** tranche-montagne.
MATCH: **4** ring ■ **5** round, score ■ **6** combat ■ **7** barrage, matcher ■ **8** carencer ■ **9** test-match ■ **10** compétition*.
MATELAS: **4** drap ■ **5** duvet, futon, plume ■ **7** sommier ■ **10** matelasser ■ **11** matelassier, matelassure.
MATELASSEE: **8** coudière.
MATELOT: **4** loup ■ **5** hamac, marin*, mataf, vigie ■ **6** calier, gabier, lascar, mousse ■ **7** pilotin, soutier ■ **8** batelier, coquerie, lamaneur, marinier, marsouin, mathurin, pompiste ■ **9** cambusier, loup de mer ■ **11** moussaillon.
MATELOTE: **8** pochouse ■ **9** pauchouse.
MATER: **7** dompter*, macérer ■ **8** humilier ■ **9** surmonter.
MATERIALISATION: **7** bornage.
MATERIALISER: **15** matérialisation.
MATERIALISME: **12** matérialiste ■ **13** spiritualisme.
MATERIAU: **4** skaï ■ **5** banco, béton, roche ■ **6** cermet ■ **7** formica, gravats, gravois, lamifié, mortier, péperin ■ **8** carrière, emmétrer, gélivité ■ **9** blocaille, décombres, presspahn, stratifié ■ **10** couverture, éboulement, maçonnerie ■ **11** abrasimètre, conglomérat, fibrociment, placoplâtre, soudabilité, usinabilité ■ **12** anélasticité, lamellé-collé ■ **13** amiante-ciment ■ **15** superplasticité.
MATERIEL: **4** parc, raid ■ **5** affût, corps, engin, flûte, matos, outil*, point, revue, train ■ **6** glisse, loader, ripper, rooter ■ **7** leasing, surplus, univers ■ **8** archerie, dragline, droppage, physique, temporel, traction ■ **9** archétype, casernier, convivial, jouisseur, tradition, vignetage ■ **10** équipement ■ **11** engineering, maintenance, matérialité, réplication, terre à terre ■ **12** incrémentiel, matérialiser, obsolescence, physiquement, transhorizon ■ **15** matérialisation.
MATERNEL: **4** mère ■ **13** matrilinéaire ■ **14** maternellement.

MATERNELLE: **10** frœbélien ■ **11** préélémentaire.
MATHEMATIQUE: **4** math ■ **5** algol, lemme, limbe, moyen, point, suite, trois ■ **6** précis ■ **7** fractal, matheux ■ **8** actuaire ■ **9** conjugués, hypotaupe, topologie ■ **10** lemniscate, logistique, sémiotique ■ **11** logisticien, statistique ■ **12** combinatoire ■ **13** mathématicien, trigonométrie.
MATIERE: **2** de, en, es ■ **3** glu, pvc ■ **4** bran, chef, dont, fond, jute, lave, lest, miel, noir, pâte, pite, soja, soya, suie ■ **5** abaca, bysse, chaos, ciron, colle, corps, crème, dépôt, émail, étron, filon, humus, jaune, joyau, laque, libre, litre, manne, moule, nylon, objet, ovule, plein, point, quick, rocou, rouge, sanie, savon, suint, sujet*, table, tamis, thème, tissu, titre, veine ■ **6** archée, bitume, éosine, indigo, nature*, propos, pruine, râpure, scorie, smegma, téflon ■ **7** amiante, article, charnel, contage, crachat, dulcite, engrais, pigment, quarter, rhodoïd, rupiner, saburre, semoule ■ **8** altuglas, chapitre, dépotoir, dextrine, fuchsine, induline, matériau, matériel, méconium, orseille, peinture, physique, protéine, quartage, rubrique, thionine ■ **9** alizarine, celluloïd, excrément, flammèche, galalithe, hylétique, météorite, phtaléine, plastique, polyester, programme, propergol, purpurine, substance*, rhodamine ■ **10** abiogenèse, dessablage, discipline, discutable, formalisme, hylozoïsme, matiérisme, pultrusion ■ **11** combustible, demi-produit, matérialité, polypropène, polystyrène, prélèvement, rembourrure ■ **12** éclaboussure, fluorescéine, matérialisme, polyéthylène, polyuréthane, psychokinèse ■ **13** polypropylène, polyuréthanne, psychokinésie, vernix caseosa ■ **15** thermoplastique.
MATIERE COLORANTE: **6** éosine ■ **8** mauvéine, thionine ■ **10** indophénol.
MATIERE GRASSE: **5** crème ■ **8** butyrine.
MATIERE PLASTIQUE: **7** oyonnax ■ **11** phénoplaste ■ **14** acétocellulose.
MATIN: **4** aube ■ **5** rosée ■ **6** aubade, aurore, landes ■ **7** corneau, corniot, matinal, matinée, matines ■ **8** corniaud, déjeuner, matineux, matinier, nocturne, peignoir ■ **9** matutinal ■ **11** invitatoire ■ **12** matinalement ■ **13** petit déjeuner.
MATINEE: **6** brunch ■ **9** avant-midi.
MATOIS: **4** rusé* ■ **5** madré, malin* ■ **10** matoiserie.
MATRAQUE: **5** bâton ■ **6** bidule ■ **9** matraquer ■ **10** matraqueur.
MATRAS: **9** florentin.
MATRIARCAT: **10** matriarcal.
MATRICAIRE: **8** anthémis ■ **9** camomille.
MATRICE: **5** moule ■ **6** étampe, frappe, utérus ■ **8** estamper, matricer ■ **9** matriçage, matriciel ■ **10** transposée.
MATRICULE: **5** liste ■ **10** matriculer ■ **12** immatriculer, matriculaire.
MATRILINEAIRE: **9** matriclan.
MATRILOCAL: **10** uxorilocal.
MATRIMONIAL: **7** nuptial ■ **8** conjugal.
MATRONE: **9** sage-femme ■ **13** entremetteuse.
MATTHIOLE: **7** violier ■ **11** quarantaine.
MATURATION: **7** coction ■ **9** mûrissage ■ **10** mégalocyte ■ **11** mûrissement ■ **12** immaturation.
MATURE: **3** mât* ■ **5** agrès, drome, vigie ■ **7** tripode ■ **9** boute-hors ■ **10** enfléchure.
MATURITE: **5** fruit, valve ■ **7** coction, verdeur ■ **8** immaturé, véraison ■ **9** déhiscent ■ **10** maturation, mûrisserie, sporophyte ■ **13** blettissement.

MAUDIRE : 4 haïr, huer ■ 5 jurer ■ 6 blâmer, damner, pester ■ 7 exécrer ■ 8 détester, injurier, maugréer, proférer ■ 9 condamner ■ 10 blasphémer, déshériter ■ 11 excommunier, malédiction, maudissable.
MAUDIT : 5 sacré ■ 8 réprouvé ■ 10 abominable.
MAUGREER : 8 murmurer* ■ 10 ronchonner.
MAUPITEUX : 8 inhumain.
MAURE : 5 arabe.
MAURITANIE : 7 ougouiya.
MAUSOLEE : 5 tombe, türbe ■ 6 turbeh.
MAUSSADE : 5 morne ■ 6 bourru, morose, triste* ■ 7 chagrin, grimaud, méchant ■ 8 hargneux ■ 9 acariâtre, renfrogné ■ 10 massacrant, pessimiste ■ 12 maussadement, mélancolique ■ 13 pisse-vinaigre.
MAUVAIS : 3 mal, pis ■ 4 abus, aloi, miro, pire, puer, roui ■ 5 bouge, brave, cabot, carne, catin, démon, drôle, fichu, fille, fruit, garce, gaupe, gouge, grime, kitch, ladre, moche, panne, péché, perte, pitié, rapin, rogne, sabot, tapin ■ 6 bibine, chétif, infect, manque, maudit, pauvre, poison, rafiot, tocard, véreux ■ 7 cabotin, mazette, méchant*, mésuser, mévente, peccant ■ 8 barbaque, canasson, chignole, criblure, crincrin, délabrer, déplorer, empester, fagotage, graillon, histrion, malfaire, médiocre, merdique, nuisible*, piquette, rechigné, renfermé, sarclure, sinistre, turlupin ■ 9 chlinguer, clinquant, dangereux*, duplicité, exécrable, garnement, gâte-sauce, grognerie, haridelle, imbuvable, malignité, pitoyable, poétereau, rebuffade, rimailler ■ 10 abominable, barbouille, bousilleur, chamarrure, crayonneur, croquenote, déplorable, détériorer, détestable, fricasseur, intempérie, lamentable, mal-en-point, malodorant, méconduite, médicastre, mésestimer, replâtrage, rimailleur, rossinante, schlinguer, tord-boyaux ■ 11 avocasserie, barbouillis, maussaderie, ragougnasse, turlupinade ■ 12 badigeonneur, barbouillage, gribouillage, maltraitance, malveillance, pestilentiel, polichinelle ■ 14 entourloupette, malintentionné.
MAUVAISE VIE : 9 chabraque ■ 10 courtisane, prostituée, schabraque ■ 11 gourgandine.
MAUVE : 4 musc ■ 5 lilas, parme ■ 8 lie-de-vin.
MAUVIETTE : 6 faible ■ 8 alouette.
MAXILLAIRE : 4 auge ■ 7 trismus ■ 13 sus-maxillaire.
MAXILLIPEDE : 13 patte-mâchoire.
MAXIMAL : 4 maxi ■ 7 vive-eau.
MAXIMALE : 14 productibilité.
MAXIME : 3 ana, dit ■ 5 adage, dogme, règle ■ 6 axiome, devise, diction, pensée* ■ 7 parémie ■ 8 gnomique, moralité, précepte, proverbe, sentence ■ 9 aphorisme ■ 10 apophtegme.
MAXIMISER : 10 maximation ■ 14 maximalisation.
MAXIMUM : 4 port ■ 5 phase ■ 6 limite, pointe ■ 7 plafond, valence ■ 8 extremum, virulent ■ 9 amplitude, familiale ■ 10 contingent.
MAYENNE : 9 mayennais.
MAYONNAISE : 7 tartare ■ 9 rémoulade.
MAZDEISME : 7 mazdéen.
MAZER : 7 mazéage.
MAZETTE : 6 cheval ■ 9 maladroit.
MAZOUT : 4 fuel ■ 7 fuel-oil ■ 8 mazouter ■ 10 démazouter ■ 12 water-ballast.
MAZURKA : 6 rédowa ■ 11 varsovienne.
MEA-CULPA : 4 aveu.
MEANDRE : 5 bayou ■ 8 sinuosité ■ 10 labyrinthe, méandrique.

MEAT : **5** canal ■ **8** clitoris.
MEAUX : **7** meldois.
MEC : **3** gus ■ **5** gonze, gusse.
MECANICIEN : **6** mécano ■ **7** wattman ■ **10** diéséliste, machiniste.
MECANIQUE : **5** joule, masse, pelle, point, polir, siège ■ **6** cardan, joujou, statif, stoker, trieur ■ **7** cautère, machine, scieuse ■ **8** bobinoir, criblage, machinal, psyllium, statique, ultra-son ■ **9** dynamique, escalator, palonnier, renvideur ■ **10** fourchette, machinisme, masselotte, mécanicien, pelleteuse, ranimation, sténotypie ■ **11** cinématique, contraction ■ **12** biomécanique, hémostatique, introjection ■ **13** mécaniquement, servocommande ■ **14** mécanothérapie, servomécanisme ■ **15** différentiateur, thermodynamique.
MECANISER : **12** mécanisation.
MECANISME : **4** truc ■ **5** armer, point ■ **6** rouage ■ **7** détente ■ **8** arrêtoir, baladeur, enrayage, pédalier, poussoir, registre, revolver, secoueur, tracteur ■ **9** démouleur, détraquer, direction, embrayage, étouffoir, lève-glace, lève-vitre, mécaniste, mouvement, récepteur, réducteur ■ **10** changement, dérailleur, enraiement, enrayement, pathogénie, pétrologie, régulateur, régulation, servofrein ■ **11** échappement, genouillère, mécanicisme, pathogenèse ■ **12** cybernétique, détoxication, introjection, transmission ■ **13** desmodromique, servocommande ■ **14** servomécanisme ■ **15** glycorégulation.
MECENE : **10** protecteur.
MECHANCETE : **6** fureur, malice ■ **7** aigreur, cruauté, félonie, rancune, vilenie* ■ **8** calomnie, noirceur, vacherie, violence ■ **9** agression, brutalité, épigramme, injustice, malignité, médisance, mordacité, vengeance ■ **10** corruption, mauvaiseté, méchamment, perversité, sauvagerie ■ **12** malveillance, scélératesse, sournoiserie.
MECHANT : **3** mal ■ **4** amer, noir ■ **5** aigre, cruel, démon, félon, furie, garce, malin, peste, rétif, rosse, vache, zoïle ■ **6** acerbe, brutal, fripon, mégère, salaud, taquin, teigne, vilain, vipère ■ **7** choléra, emporté, furieux, incisif, indigne, injuste*, mauvais*, mordant, pervers, rossard, sauvage, vachard, violent ■ **8** agressif, corrosif, espiègle, fielleux, indocile, infernal, médiocre, médisant, nuisible, pendable, sournois, venimeux ■ **9** diablesse, rancunier, sans-cœur, satirique ■ **10** calomnieux, diabolique, malfaisant, sardonique, vindicatif ■ **11** malveillant ■ **12** gribouillage, indiscipliné.
MECHE : **3** épi ■ **5** barre, bombe ■ **6** fraise, guiche, mécher ■ **7** cordeau ■ **8** bickfort, jaumière, lumignon ■ **9** aiguillot, déméchage, moucheron, rat-de-cave ■ **12** rouflaquette ■ **13** accroche-cœur.
MECOMPTE : **9** déception ■ **10** malentendu.
MECOMPTER : **7** tromper.
MECONNAISSABLE : **9** défigurer.
MECONNAISSANCE : **5** oubli.
MECONNAITRE : **7** ignorer, inconnu ■ **14** méconnaissance.
MECONTENT : **5** fâché* ■ **6** bougon ■ **7** grognon ■ **8** geignard, grognard, grondeur, hargneux, plaintif ■ **9** gémisseur ■ **11** mécontenter ■ **12** pleurnicheur.
MECONTENTEMENT : **4** bile, moue ■ **5** dépit ■ **6** colère*, fureur, regret ■ **7** plainte ■ **8** défaveur, disgrâce, reproche, tempêter ■ **9** agacement, déception, déplaisir, discrédit, gronderie ■ **10** grognement, pessimisme, renfrogner, sourciller ■ **11** contrariété*, désagrément, froissement, gémissement ■ **12** exaspération ■ **13** désobligeance ■ **14** pleurnichement.
MECONTENTER : **5** gémir ■ **6** agacer, fâcher* ■ **7** ennuyer, geindre,

grogner, gronder, ragoter ■ 8 affecter, déplaire*, maronner, plaindre ■ 9 bougonner, grommeler, marmonner, offusquer, raisonner ■ 10 contrarier*, désobliger, indisposer ■ 11 pleurnicher.

MECREANT : 5 impie* ■ 11 irréligieux*.

MEDAILLE : 4 coin ■ 5 avers, jeton, pièce, pilon ■ 6 banane, méreau, plaque ■ 7 exergue, insigne ■ 8 quinaire ■ 9 bractéate, crénelage, médailler, médaillon, numismate ■ 10 cistophore, médailleur, médaillier, récompense ■ 11 contorniate, médailliste ■ 12 numismatique.

MEDE : 4 mage ■ 5 tiare ■ 7 médique ■ 10 cunéiforme.

MEDECIN : 5 ovate, poste ■ 6 toubib ■ 7 adjuvat, carabin, docteur, externe, faculté, interne, légiste, messire ■ 8 esculape, gériatre, médecine, oculiste, spéculum, traitant ■ 9 aliéniste, allopathe, charlatan, clinicien, empirique, empiriste, morticole, phoniatre, physicien, praticien, sidologue ■ 10 angiologue, chirurgien, doctoresse, médicastre, psychiatre, thérapeute ■ 11 cardiologue, gynécologue, hématologue, pneumologue, proctologue, réanimateur, spécialiste ■ 12 anesthésiste, obstétricien, pathologiste, phtisiologue, rhumatologue ■ 13 chiropracteur, gynécologiste, hématologiste, omnipraticien, ophtalmologue, propharmacien ■ 14 dermatologiste, endocrinologue, médecin-conseil, stomatologiste ■ 15 ophtalmologiste.

MEDECINE : 4 cure, néré ■ 5 sujet ■ 7 hygiène, médical, médecin ■ 8 clinique, internat, picrique ■ 9 ambulance, chirurgie*, étiologie, galénisme, gériatrie, hépatique, médicinal, pédiatrie, résidanat, spartéine ■ 10 acuponcture, acupuncture, allopathie, biomédical, diagnostic, étiopathie, hippiatrie, phoniatrie, prédictive, proctologie, sémiologie ■ 11 cardiologie, gynécologie, hématologie, médico-légal, pneumologie, prophylaxie, séméiologie, toxicologie ■ 12 allergologie, biomécanique, cancérologie, carcinologie, dermatologie, ergothérapie, médicalement, médico-social, phtisiologie, rhumatologie, voltaïsation ■ 13 abaisse-langue, bactériologie, gouttte-à-goutte, héliothérapie, infectiologie, médico-sportif, périnatalogie, radiothérapie, thérapeutique ■ 14 balnéothérapie, endocrinologie, physiothérapie ■ 15 arsonvalisation.

MEDIA : 6 médium ■ 9 ludologue ■ 10 médiatiser, multimédia ■ 11 généraliste.

MEDIAN : 6 milieu ■ 8 ethmoïde ■ 9 abduction, adduction, mésocarpe.

MEDIAT : 10 médiatiser ■ 13 médiatisation.

MEDIATEUR : 10 interposé, intervenir, médiatiser ■ 13 bromocriptine, cholinergique.

MEDIATION : 9 entremise ■ 11 négociation ■ 12 intervention.

MEDICAL : 8 thérapie ■ 11 orthoptiste ■ 13 démédicaliser.

MEDICALE : 4 s.a.m.u. ■ 9 humorisme, sénologie ■ 10 monitoring ■ 11 médicaliser, phlébologie, sous-médical ■ 12 électrologie, néonatalogie ■ 14 surmédicaliser.

MEDICALISER : 14 médicalisation.

MEDICAMENT : 3 a.z.t. ■ 4 dose ■ 5 baume, codex, doser, gutte, jalep, looch, ovule, sirop, spray ■ 6 drogue, élixir, kamala, kermès, oxymel, pilule, potion, remède* ■ 7 alcalin, collyre, confort, héroïne, mellite, mixtion, onguent, panacée, placébo, surdose ■ 8 adjuvant, assation, comprimé, épithème, héroïque, laudanum, liniment, pastille, sinapisé, ténifuge ■ 9 aconitine, biguanide, clomifène, coupe-faim, diachylon, édulcorer, excipient, glycérole, iatrogène, linguette, pansement, pharmacie*, résolutif, sinapisme, succédané, thériaque ■ 10 antipyrine, antitussif, cataplasme, cholagogue, clofibrate, collutoire, eucalyptol, eupeptique, gargarisme, gomme-gutte, hypnotique, imipramine, isoniazide, médication, opodeldoch, pholcodine, saccharole, saccharure, spécialité, spécifique, stomatique, stupéfiant, toxidermie, trochisque, vésication ■ **11** allopurinal, analeptique, chloroquine, emménagogue, hypotenseur, méprobamate, myorelaxant, paracétamol, pharmacopée, psychotrope, rubéfaction, vésicatoire ■ **12** anticalcique, antiémétique, antifongique, antiulcéreux, anxiolytique, arsénobenzol, caryolytique, cholérétique, cyclosporine, hypodermique, indométacine, masticatoire, médicamenter, strophantine, suppositoire ■ **13** acétylcholine, antithermique, cardiotonique, contre-indiqué, médicamenteux, pharmacologie, pharmacomanie, phénobarbital, reconstituant ■ **14** antidépresseur, antidiurétique, neuromédiateur, phénylbutazone, tranquillisant ■ **15** antiasthmatique, antiépileptique, antiprurigineux, ganglioplégique, pharmacodynamie.

MEDICAMENTEUX : 6 pellet, saponé.

MEDICATION : 4 cure ■ **5** purge ■ **8** ablation, excision, incision ■ **9** opération, résection ■ **10** traitement ■ **11** énucléation, extirpation.

MEDICINAL : 3 ive, rue ■ **4** houx ■ **5** aunée, mauve, ricin, sauge, yèble ■ **6** hièble, sabine, simple, sureau ■ **7** bardane, bouleau, cresson, fougère, médical, nerprun, tilleul ■ **8** amandier, consoude, gentiane, guimauve, quassier, réglisse, roquette, verveine, violette ■ **9** bourrache, camomille, chiendent, valériane ■ **10** eucalyptus, herboriste, mercuriale.

MEDICINALE : 6 cubèbe.

MEDIEVAL : 9 centenier ■ **11** chantefable.

MEDIEVALE : 6 vimana ■ **8** languier ■ **9** dravidien.

MEDIOCRE : 3 nul ■ **4** fade, menu, pâle, vain ■ **5** banal*, moyen, terne ■ **6** cancre, chétif, cloche, commun, faible, humble, manque, modéré, obscur, pauvre, piètre, piteux, tocard ■ **7** douteux, étriqué, mesquin, modeste, modique, pisseur, trivial ■ **8** grossier, passable, plumitif, violoner, vulgaire ■ **9** imparfait, inférieur, ordinaire, pitoyable, poitereau, reluisant, suffisant ■ **10** médiocrité, quelconque ■ **11** écrivaillon, médiocratie ■ **12** écrivailleur, médiocrement, satisfaisant ■ **13** scribouilleur.

MEDIOCREMENT : 9 jouailler.

MEDIRE : 5 baver, jaser, lucre ■ **6** abîmer, bêcher, dauber ■ **7** accuser, défiler, potiner, ragoter, ravaler ■ **8** cancaner, commérer, décauser, dénigrer, éreinter, médisant ■ **9** calomnier, clabauder, déprécier, desservir, distiller, épiloguer ■ **10** déblatérer, incriminer ■ **11** discréditer ■ **13** entre-déchirer.

MEDISANCE : 3 mal ■ **4** gale ■ **5** aspic, on-dit ■ **6** cancan, propos, satire ■ **7** serpent ■ **8** diatribe ■ **10** méchanceté ■ **11** clabauderie, criaillerie, dénigrement.

MEDITATION : 6 pensée ■ **7** rêverie ■ **9** attention, méditatif, réflexion ■ **13** contemplation, recueillement.

MEDITER : 5 mûrir, rêver ■ **6** penser*, rouler ■ **8** préparer, spéculer ■ **9** réfléchir* ■ **10** recueillir.

MEDITERRANEEN : 2 if ■ **4** cône, lion, loup, thon, thym ■ **5** cabot, murex, myrte, scare ■ **7** étésien, lamparo, néréide ■ **8** alicante, clovisse, felouque, pastèque, pélamide, pélamyde, rascasse, squatina, squatine ■ **9** caroubier, gattilier, grenadier, laurier-tin, santoline ■ **10** carbousier, microcosme ■ **11** agnus-castus, vénéricarde.

MEDIUM : 8 télépathe ■ **10** médiumnite ■ **11** médiumnique.

MEDOC : 7 margaux.

MEDULLAIRE : 6 moelle ■ **8** énostose.

MEDULLOSURRENALE : 15 médullosurrénal.

MEDUSE : 5 ébahi* ■ 7 aurélie ■ 8 ombrelle ■ 9 manubrium ■ 10 auréliacée, lucernaire, rhizostome.
MEETING : 7 réunion.
MEFAIT : 5 faute* ■ 7 dommage ■ 11 blouson noir.
MEFIANCE : 5 doute* ■ 7 méfiant ■ 8 défiance*, paranoïa.
MEFIANT : 7 défiant* ■ 8 farouche, sournois ■ 9 cauteleux, ombrageux ■ 11 soupçonneux.
MEGAELECTROVOLT : 3 mev.
MEGAHERTZ : 9 mégacycle.
MEGALITHE : 6 menhir ■ 8 cromlech ■ 12 mégalithisme.
MEGALOBLASTE : 10 mégalocyte.
MEGALOCYTE : 13 mégalocytaire.
MEGALOMANE : 6 mégalo.
MEGALOMANIE : 10 mégalomane ■ 14 mégalomaniaque.
MEGARDE : 5 oubli* ■ 6 erreur* ■ 11 distraction*.
MEGERE : 5 furie ■ 6 chipie, harpie, ménade, poison, virago ■ 8 sorcière ■ 9 bacchante.
MEGIR : 5 mégie, mégis ■ 8 mégisser.
MEGOTER : 8 mégotage.
MEHARI : 7 méharée ■ 9 méhariste ■ 10 dromadaire.
MEILLEUR : 4 état ■ 5 crème, élite, fleur, loges, mieux* ■ 7 premier ■ 8 bonifier, corriger, rabonnir ■ 9 améliorer, substance ■ 10 marchander ■ 11 optimaliser ■ 12 amélioration, quintessence ■ 13 normalisation.
MEILLEURE : 12 pole position.
MEIOSE : 9 méiosique.
MEJUGER : 7 tromper.
MELAMPYRE : 7 dulcite ■ 8 rougeole.
MELANCOLIE : 5 peine ■ 7 chagrin* ■ 8 atrabile ■ 9 nostalgie, tristesse* ■ 12 mélancolique.
MELANCOLIQUE : 4 noir ■ 5 morne, solea ■ 6 sombre, triste* ■ 7 chagrin ■ 8 maussade*, nocturne ■ 9 cafardeux, ténébreux ■ 10 pessimiste ■ 11 cyclothymie, nostalgique ■ 14 neurasthénique.
MELANESIEN : 5 kanak ■ 7 canaque, fidjien.
MELANGE : 3 pur ■ 4 smog, vrac ■ 5 bétel, béton, crase, doser, émeri, farce, fonte, fumée, impur, julep, magma, métis, patée, phase, punch, rompu, rouan, sabir, staff, varié*, verre ■ 6 cadmie, centon, ciment, dégras, fusion*, gâchis, hachis, mazout, méteil, mixage, muesli, pastis, ragoût, salade, salmis ■ 7 alcoolé, alliage, ammonal, chabrol, chabrot, compost, coupage, cut-back, farrago, lytique, mesclun, miroton, mixtion, mixture, mouture, oxycrat, panaché, praliné, repasse, réunion*, ripopée, taboulé ■ 8 alliance, amalgame, brassage, champart, cocktail cohésion, cryogène, démêlage, hypergol, matelote, mélanger, méli-mélo, miscible, pêle-mêle, provende, rapsodie, roburite, solution, synérèse, thermite ■ 9 admixtion, azéotrope, bigarrure, carbogène, clafoutis, cohérence, confusion, falsifier, farlouche, ferlouche, galimafée, insertion, lithopone, macédoine, motopaver, mouillant, pot-pourri, racémique, zythogala, zythogale ■ 10 anthologie, asphaltite, collection, eutectique, ingrédient, migmatique, mortadelle ■ 11 carburateur, combinaison, composition, contraction, lixiviation, nitrate-fuel, ollapodrida, promiscuité, pyroligneux, ratatouille, salmigondis ■ 12 azéotropique, miscellanées ■ 13 bouillabaisse, concentration, incorporation, intercalation, interpolation ■ 14 centrifugation, chromatogramme, conglomération, conglutination ■ 15 chromatographie, équimoléculaire, oxyacétylénique.

MELANGER: **5** dorer, mêler*, semer ■ **6** agiter, étamer, fondre, réunir* ■ **7** brasser, chromer, délayer, emmêler, étendre, malaxer, mitiger, nuancer ■ **8** assortir, bigarrer, combiner*, composer, frelater, recouper ■ **9** amalgamer, amassette, brouiller, confondre, détremper, falsifier, imprégner ■ **10** entrelacer, entremêler, galvaniser, incorporer ■ **11** carburation, embrouiller, enchevêtrer, entortiller ■ **14** batteur-broyeur.
MELANINE: **9** mélanique ■ **10** mélanocyte.
MELANISME: **9** mélanique.
MELASSE: **4** rhum ■ **5** sucre, tafia ■ **9** farlouche, ferlouche.
MELE: **10** caramélisé.
MELEAGRINE: **9** pintadine.
MELEE: **4** maul ■ **6** combat* ■ **7** mélange ■ **9** confusion, talonnage, talonneur.
MELER: **4** unir* ■ **5** aider, ioder ■ **6** allier, couper, fondre, mettre, varier ■ **7** cendrer, charger, croiser, fouiner, insérer, intégrer, occuper ■ **8** immiscer, insinuer, mélanger*, négocier, panacher, secourir, touiller ■ **9** brouiller, confondre, emmieller, fusionner, intriguer, manipuler, mélangeur, salpêtrer ■ **10** concentrer, contracter, entremêler, incorporer, intercaler, interpoler, intervenir, mixtionner, participer ■ **11** caraméliser, conglomérer, conglutiner, encanailler, entrelarder.
MELEZE: **5** larix ■ **12** térébenthine.
MELIACEE **4** sipo ■ **5** melia.
MELLIFLUE: **9** doucereux.
MELODIE: **3** air* ■ **4** aria, jazz, lied ■ **5** chant* ■ **6** arioso, lieder ■ **7** ariette, déchant, romance ■ **8** harmonie ■ **9** cantabile, cantilène, mélodique, mélodiste ■ **10** barcarolle, complainte ■ **11** contre-chant ■ **12** polytonalité ■ **14** mélodieusement.
MELODIQUE: **8** ostinato.
MELODRAME: **3** mélo ■ **5** drame ■ **7** emphase ■ **14** mélodramatique.
MELOMANE: **14** naevo-carcinome.
MELON: **4** cape ■ **6** sucrin ■ **7** melonné, mélonné ■ **8** pastèque ■ **9** cantaloup ■ **10** melonnière.
MELOPEE: **5** chant*.
MEMBRANE: **4** cire, faux, iris, peau ■ **5** croup, fibre, filet, gaine, hymen, palme, volve, zeste ■ **6** amnion, amnios, coiffe, écorce, fraise, lampas, pelure, plèvre, rétine, tympan ■ **7** capsule, chorion, cloison, crépine, manteau, méninge, palmure, pie-mère, scrotum, séreuse, tunique ■ **8** choroïde, dure-mère, épendyme, épiderme, épiploon, gastrite, ligament, opercule, patagium, pectique, périoste, synovite, tégument, tympanal, vésicule ■ **9** cartilage, endocarde, enveloppe, eucaryote, médiastin, mésentère, pellicule, péricarde, péricrâne, péritoine, tunicelle ■ **10** allantoïde, aponévrose, arachnoïde, diaphragme, épichorion, épithélium, gras-double, membraneux, membranure, pituitaire ■ **11** conjonctive, membranaire, périchondre, sclérotique ■ **12** pelliculaire, permsélectif ■ **13** membraniforme, semi-perméable.
MEMBRE: **3** ars, vit ■ **4** aile, bras, juré, mage, nazi, pair, roue, thug, tory, whig ■ **5** atèle, barde, brame, écart, fille, frère, gavot, jambe, moine, oblat, ordre, ovate, patte, pattu, peton, poing, pouce, queue, rabat, scout, spica, serre, torse, tronc, verge ■ **6** ajiste, crural, membru, mormon, quaker, recrue, sachem, trompe, vaiçya, yakusa ■ **7** abbatis, attache, boîtier, citoyen, clubman, eudiste, félibre, haïdouk, jacobin, jacques, ligueur, luddite, mafioso, majoral, mariste, mendéen, muezzin, patarin, rampant, repenti, servite, théatin, vaudois, zutiste ■ **8** adhérent, assimilé, bogomile, brahmane, clausule, clubiste,

confrère, décemvir, droitier, dysmélie, estropié, gangster, hassidim, heiduque, héliaste, impotent, jacobite, komsomol, luperque, maffioso, membrure, mendaïte, nageoire, partisan, pauliste, pénitent, proximal, puritain, questeur, saducéen, samouraï, sénateur, servites, zélateur ■ 9 activiste, ambulacre, atrophier, avant-bras, bâtonnier, caballero, cagoulard, cégétiste, centumvir, défection, directeur, épiscopal, estropier, fabricien, franc-jugé, gouttière, johannite, kchatriya, lazariste, mennonite, nomothète, oligarque, olivétain, oratorien, paulicien, permanent, pharisien, prémontré, prudhomme, résistant, rose-croix, sadducéen, tentacule, tertiaire, tétrapode, ubiquiste, unioniste ■ 10 adventiste, amputation, aréopagite, bréviligne, commission, communiste, conseiller, cooptation, courbature, décabriste, élongation, exerciseur, flagellant, franc-maçon, guillemite, marianiste, méthodiste, monoplégie, mutilation, mutualiste, navigateur, paraplégie, récollette, sabbathien, secouriste, secrétaire, sociétaire, tridactyle, trinitaire ■ 11 académicien, anabaptiste, apparatchik, aristocrate, bolchevique, bolcheviste, commissaire, coopérateur, décembriste, iconoclaste, législateur, manœuvrier, marguillier, orphéoniste, passionniste, phalangiste, spartakiste, tétraplégie ■ 12 congressiste, nosseigneurs, pentecôtiste, référendaire, sous-marinier, travailliste, vieux-croyant ■ 13 conventionnel, coparticipant, parlementaire, rédemptoriste, religionnaire, trombinoscope ■ 14 ecclésiastique, kinésithérapie, occidentaliste ■ 15 maître-assistant, rachianesthésie.

MEMBRURE: 5 livet ■ 6 vaigre.

MEME: 4 auto, avec, dito, égal*, idem ■ 5 ainsi, autre, ligne, rimer, rival, salve, secte, série, sœur, suite, terne, tribu ■ 6 ibidem, pareil, susdit ■ 8 collègue, conforme, homonyme, identité, mêmement, monotone, occurent, panacher, rediseur, statique, synonyme, uniforme, univoque ■ 9 coïncider, commensal, congénère, constante, converger, covendeur, homodonte, homologue, homophone, identique, isoglosse, isomorphe, isotherme, parallèle, plain-pied, pléonasme, semblable*, simultané, synchrone ■ 10 autographe, cocyclique, colinéaire, concitoyen, concourant, concurrent, convergent, équivalent, isochimène, isoïonique, monoclinal, rendez-vous, sédentaire ■ 11 compatriote, convergence, nationalité, récidiviste, stéréotyper, tutti quanti, uniformiser, univitellin ■ 12 concentrique, fur et à mesure, pareillement, stationnaire, simultanéité ■ 13 homogémétique, isosyllabique ■ 14 consubstantiel ■ 15 autofécondation, monochromatique.

MEME TEMPS: 11 concomitant ■ 12 contemporain, synchronique ■ 13 simultanément.

MEMOIRE: 4 dire, note, tête ■ 5 azyme, cœur, liste, pâque, thèse, trace ■ 6 compte, traité ■ 7 amnésie, annales, serveur ■ 8 histoire, médaille, mémorial, mémoriel, mnésique, rappeler, repasser, souvenir* ■ 9 cénotaphe, chronique, dysmnésie, évocation, mémorable, mémoriser, permalloy, remémorer, télécarte ■ 10 autodictée, binet-simon, immémorial, mémoration, mnémonique, paramnésie, souvenance ■ 11 commentaire, hypermnésie, remembrance, ressouvenir ■ 12 mémoraliste, mémorisation, mnémotechnie, préprogrammé, réminiscence ■ 13 commémoration, ressouvenance ■ 14 autobiographie, presbyophrénie.

MEMORABLE: 5 faste ■ 8 mémorial, monument ■ 10 apophtegme ■ 13 mémorablement.

MEMORISER: 11 mémorisable.

MENAÇANT: 5 caduc, prier, torve ■ 8 croulant ■ 9 fulminant, inquiétant ■ 12 comminatoire.

MENACE: 6 alerte, colère, danger*, fureur, injure ■ 7 outrage ■ 8 chantage, menaçant, patience ■ 9 extorquer, ultimatum ■ 10 réprimande ■ 11 commination, ébranlement ■ 12 comminatoire, intimidation ■ 13 admonestation, avertissement, croque-mitaine.
MENACER: 6 braver, sommer ■ 7 avertir ■ 8 effrayer, injurier ■ 9 intimider ■ 10 admonester, gesticuler ■ 11 réprimander.
MENADE: 6 mégère.
MENAGE: 4 râpe ■ 5 bonnc, linge ■ 6 maison ■ 7 batteur, bobonne, cireuse, famille, huilier, ménager, plumeau, réchaud ■ 8 économie, ménagère, pot-au-feu, servante ■ 9 cafetière, confusion, éplucheur ■ 10 pot-bouille ■ 11 dénoyauteur, gouvernante ■ 14 batteur-broyeur.
MENAGEMENT: 3 sec ■ 4 soin ■ 5 égard ■ 6 brutal ■ 7 épargne ■ 8 économie ■ 10 précaution.
MENAGER: 7 secouer ■ 8 épargner, fenêtrer, préparer ■ 9 conserver, respecter ■ 10 économiser ■ 11 thésauriser.
MENAGERIE: 8 fauverie, singerie.
MENDELEVIUM: 2 md.
MENDIANT: 5 argot, gueux*, pilon ■ 6 gredin, pauvre*, truand ■ 7 servitc ■ 8 calender, clochard, mendigot, vagabond* ■ 9 chemineau, mendicité, misérable*, pauvresse ■ 10 turlurette.
MENDIER: 9 mendicité, quémander ■ 10 mendigoter, solliciter.
MENE: 6 abouti.
MENEE: 5 ligue ■ 6 brigue, cabale ■ 8 démarche, intrigue*, syndicat ■ 9 coalition, manigance ■ 10 propagande ■ 11 agissements*, machination* ■ 12 conciliabule.
MENER: 5 aller, finir, licol, licou, vivre, zoner ■ 6 agiter, amener, guider, meneur ■ 7 ameuter, briguer, cabaler, diriger*, traîner ■ 8 abaisser, chauffer, coaliser, conduire, fomenter, machiner, parfaire, soulever ■ 9 concerter ■ 10 acagnarder, parachever ■ 11 bourlinguer, gobichonner ■ 13 révolutionner.
MENESTREL: 8 bateleur, jongleur ■ 10 troubadour ■ 11 travailleur.
MENEUR: 6 tribun ■ 9 agitateur, démagogue ■ 12 perturbateur, protagoniste ■ 15 révolutionnaire.
MENHIR: 7 peulven ■ 9 mégalithe.
MENINGE: 7 pie-mère ■ 8 dure-mère ■ 9 méningite ■ 10 arachnoïde, méningiome ■ 12 méningocoque.
MENINGITE: 12 méningitique.
MENISQUE: 8 méniscal ■ 9 méniscite ■ 14 méniscographie.
MENOPAUSE: 9 climatère ■ 10 ménopausée ■ 12 ménopausique.
MENORRHEE: 9 menstrues.
MENOTTE: 9 manchette.
MENSONGE: 5 conte ■ 6 blague, craque, feinte ■ 7 duperie*, fiction ■ 8 hâblerie, histoire, menterie ■ 9 fourberie*, franchise, imposture, invention ■ 9 mensonger, tromperie* ■ 10 euphémisme, gasconnade, hypocrisie, tartuferie ■ 11 démystifier, effronterie, exagération ■ 12 contre-vérité, échappatoire, escobarderie, fanfaronnade, faux-semblant ■ 13 dissimulation.
MENSONGER: 8 ronflant, trompeur* ■ 14 mensongèrement.
MENSTRUATION: 4 flux, mois ■ 5 jours ■ 6 règles ■ 7 anglais, époques ■ 8 affaires ■ 9 histoires, ménopause, ménorrhée, menstruel ■ 10 aménorrhée, ménorragie ■ 12 dysménorrhée, prémenstruel ■ 13 indisposition ■ 15 spanioménorrhée.
MENSUALITE: 7 salaire*.
MENSURATION: 6 mesure.
MENTAL: 6 désaxé ■ 8 psychose ■ 9 aliéniste, logorrhée, mentalité,

monomanie ■ **10** coprolalie, déficience, dépression, érotomanie, gérontisme, glossolalie, psychiatre, puérilisme, sinistrose, stupéfiant ■ **11** hébéphrénie, psychiatrie ■ **12** bradypsychie, déséquilibre, escobarderie, glichroïdie, neurasthénie, oligophrénie, psychopathie ■ **13** psychasthénie, schizophrénie ■ **14** psychoaffectif.
MENTALEMENT : 10 mentaliser.
MENTEUR : 8 craqueur, trompeur*.
MENTHE : 7 pouliot ■ **8** calament ■ **10** peppermint.
MENTION : 5 endos ■ **10** historique, mentionner ■ **11** endossement, inscription ■ **13** commémoraison.
MENTIONNER : 5 citer ■ **8** inscrire, stipuler ■ **9** consigner ■ **11** enregistrer ■ **12** sus-mentionné.
MENTIR : 7 feindre ■ **9** mythomane ■ **10** mythomanie.
MENTON : 5 barbe, duvet ■ **7** fanchon, galoche ■ **8** barbiche, fossette, uppercut ■ **9** jugulaire ■ **10** mentonnier ■ **11** mentonnière.
MENTONNET : 7 clenche.
MENTOR : 10 conseiller.
MENU : 3 fin* ■ **4** plat, ténu ■ **5** délié, épais, fagot, fluet, gazon, grêle, haché, mince*, volet ■ **6** faible, fretin ■ **7** bricole, fragile, gracile ■ **8** bûchette, herbette, rabougri ■ **9** arénuleux, brindille, broutille, gravillon, hâtelette, menuaille, porte-menu ■ **11** blanchaille, hors-d'œuvre, menuisaille, mignonnette.
MENUET : 4 trio.
MENUISERIE : 4 bâti, sipo ■ **5** about, cérat, devis, filet, hêtre, sapin, saule ■ **6** buffet, okoumé ■ **7** arcanne, croisée ■ **8** abattant, badamier, boiserie, feuillet, menuiser, tchitola ■ **9** baldaquin, ■ **10** nothofagus ■ **11** lambrissage, marqueterie.
MENUISIER : 4 râpe, scie ■ **5** gouge, rabot, sabot, valet ■ **7** équerre ■ **8** ébéniste, servante.
MENURE : 4 lyre ■ **10** oiseau-lyre.
MEPHITIQUE : 5 puant ■ **8** nuisible ■ **10** malodorant.
MEPLAT : 6 tragus.
MEPRENDRE : 7 tromper*.
MEPRIS : 2 fi ■ **3** pch, pff, zut ■ **4** beuh, foin, peuh, pfft, pfut, pouh, raca ■ **5** dépit, lever, merde, nabot, nique, petit, pfutt, pitié ■ **6** dédain, dégoût, giaour, injure, maraud ■ **7** cynisme, impiété, infamie, insulte ■ **8** démérité, dérision, lanturlu, misandre ■ **9** arrogance, discrédit, méprisant, mésestime, misérable, sans-façon ■ **10** déshonneur, haussement, méprisable, prêtraille ■ **11** contempteur, dénigrement, diffamation, indignation, piteusement, réprobation ■ **12** dépréciation.
MEPRISABLE : 3 vil* ■ **5** drôle, écume, lâche, paria ■ **6** abject, crétin, faquin, fumier, gredin, infâme, triste, vilain ■ **7** ignoble, indigne, malfamé, ravilir, roulure ■ **8** canaille, engeance, séquelle ■ **9** excrément, peigne-cul ■ **10** malheureux.
MEPRISANT : 7 chnoque, schnock ■ **8** schnoque.
MEPRISE : 5 bévue ■ **6** errata, erreur* ■ **9** quiproquo.
MEPRISER : 4 huer ■ **6** braver, flétrir, fouler, moquer, toiser ■ **7** bafouer, crosser, décrier, narguer, ravaler, ricaner ■ **8** affecter, conspuer, dénigrer, dépriser, diffamer, indigner, injurier, insulter, profaner ■ **9** affronter, dédaigner, démériter, déprécier, rabaisser, réprouver ■ **10** déshonorer, mésestimer, vilipender ■ **11** discréditer.
MER : 3 eau, ras, raz, ria ■ **4** acul, azur, bras, caïc, côte, dune, flux, fret, grau, lame, lieu, lime, lise, onde, parc, rade, raie, thon, vive ■ **5** alose, ancre, arion, bouée, canal, caret, cotte, doris, drège, eider, étale,

étier, fiord, fjord, galet, glace, golfe, haute, houle, jetée, lagan, large, marée, marin, morse, morue, nable, nolis, océan, ondée, orque, pagre, pinne, plage, point, rayon, tasse, temps, terre, vague, vaste, wharf ■ **6** bonace, corail, laisse, lingue, noroît, plaine, sterne, triton, turbot ■ **7** détroit ■ **8** aiglefin, amariner, bordigue, clapotis, immerger, littoral, mareyeur, maritime, naviguer, océanide, outremer, pingouin, sauvagin, tétrodon, tridacne, tubipore ■ **9** benthique, croisière, exoréique, irruption, naupathie, pélagique, péninsule, piraterie, sépiolite, sous-marin ■ **10** anadyomène, bathymètre, héliomarin, navigation, noctiluque, porcelaine, radiolaire, rembarquer, rhizostome, turritelle, wateringue ■ **11** affrétement, bathymétrie, bathysphère, chaenichtys, euplectelle, globigérine, macrocystis, stercoraire ■ **12** navigabilité, subaquatique, villégiature ■ **14** thalassocratie.

MERCANTILISME: **8** marchand, mercanti ■ **10** colbertisme, mercantile ■ **13** mercantiliste.

MERCAPTAN: **5** thiol ■ **10** thioalcool.

MERCATIQUE: **11** mercaticien.

MERCENAIRE: **6** reître, soldat* ■ **9** intéressé ■ **10** lansquenet ■ **11** condottière, mercenariat, travailleur ■ **12** mercenarisme.

MERCERISER: **12** merceriseuse.

MERCI: **6** pardon ■ **11** miséricorde ■ **14** reconnaissance*.

MERCREDI: **13** carême-prenant.

MERCURE: **2** hg ■ **4** torr ■ **5** lampe, métal ■ **7** cinabre ■ **8** amalgame ■ **9** mercureux, mercuriel, vermillon, vif-argent ■ **10** hydrargyre, mercurique ■ **13** hydrargyrique, hydrargyrisme.

MERCURIALE: **8** discours, foirolle, reproche ■ **10** réprimande* ■ **13** mercurialiser.

MERCURIEL: **13** mercurochrome.

MERE: **5** flanc, frère, fruit, maman, oncle, sœur, tante ■ **6** parent ■ **7** daronne, marâtre ■ **8** maternel, nourrice ■ **9** belle-mère, grand-mère, maternité, matricide, parricide ■ **10** matriarcat ■ **11** stabat mater ■ **12** beaux-parents ■ **13** fœto-maternel.

MERIDIEN: **5** terre ■ **8** quadrant ■ **9** longitude ■ **11** périœciens ■ **12** antiméridien.

MERIDIENNE: **6** canapé, sieste ■ **7** sommeil.

MERIDIONAL: **2** té ■ **3** sud ■ **4** kali, midi* ■ **5** perle, sacre ■ **7** austral, bagasse ■ **9** poutargue.

MERINGUE: **8** vacherin ■ **9** meringuer.

MERISIER: **6** merise, putier, putiet.

MERITE: **3** nul ■ **4** prix, rang, rare ■ **5** bonté, digne, droit, émule, louer, mince, navet, ordre, rival, séant, titre, vertu ■ **6** gloire, prince, talent, valeur* ■ **7** dignité, qualité, utilité ■ **8** avantage, couronne, habileté, illustre, immérité, méritant, moralité, passible, pendable ■ **9** déprécier, désirable, dignement, haïssable, notoriété, véritable ■ **10** détracteur, exaltation, préférable, punissable ■ **11** condamnable, dédaignable, distinction, infériorité, regrettable, reprochable ■ **12** méritocratie ■ **13** impardonnable ■ **14** responsabilité.

MERITER: **5** voler ■ **6** gagner, valoir ■ **7** attirer, obtenir* ■ **8** encourir ■ **9** remporter.

MERITOIRE: **13** méritoirement.

MERLAN: **4** lieu ■ **5** colin.

MERLE: **5** grive, huppe, jaser ■ **6** flûter ■ **7** merleau, moqueur ■ **8** merlette ■ **9** monticole.

MERLUCHE: **5** colin, merlu, morue.

MEROE: **7** candace.

MEROSTOME: 11 chélicérate.
MEROU: 6 serran.
MEROVINGIEN: 5 leude, plaid ■ **8** basterne.
MERVEILLE: 7 miracle, prodige.
MERVEILLEUX: 4 beau, rare ■ **5** extra ■ **7** épatant, superbe ■ **8** étonnant*, féerique ■ **9** admirable*, magistère, mirifique ■ **10** mirobolant, prodigieux* ■ **11** éblouissant, magiquement, prestigieux ■ **12** enchantement ■ **14** extraordinaire.
MERZLOTA: 5 tjäle ■ **10** permafrost.
MESALLIER: 9 forligner.
MESANGE: 8 meunière, nonnette ■ **10** zinzinuler ■ **12** charbonnière.
MESAVENTURE: 5 avaro, tuile ■ **6** méchef ■ **7** malheur* ■ **8** aventure, échauder ■ **9** malchance ■ **10** déconvenue ■ **11** malencontre.
MESENCEPHALE: 12 quadrijumeau.
MESENTENTE: 7 zizanie ■ **9** désaccord*.
MESENTERE: 7 carreau ■ **12** mésentérique.
MESINTELLIGENCE: 5 froid, pique ■ **7** rupture, trouble, zizanie ■ **8** brouille, désunion, discorde, division ■ **9** désaccord* ■ **10** dissension ■ **11** brouillerie ■ **12** dissentiment.
MESOBLASTE: 14 diploblastique.
MESODERME: 14 diploblastique.
MESOLITHIQUE: 7 azilien ■ **11** néolithique.
MESOMORPHE: 9 nématique.
MESOSPHERE: 11 stratopause ■ **12** stratosphère, thermosphère.
MESQUIN: 5 avare*, large, petit ■ **6** chiche ■ **7** étriqué, tire-sou ■ **8** médiocre, riquiqui ■ **11** caporalisme, mesquinerie ■ **12** oriticailler ■ **15** politicaillerie.
MESQUINERIE: 9 petitesse ■ **12** mesquinement.
MESS: 7 cantine ■ **10** réfectoire*.
MESSAGE: 6 exprès, lettre, monème ■ **7** encoder ■ **8** cryptage, discours, messager ■ **9** ambassade ■ **10** télégraphe ■ **11** messageries, radiogramme ■ **12** annonciation ■ **13** communication ■ **14** téléimpression.
MESSAGER: 6 envoyé, exprès ■ **8** courrier, renommée ■ **9** émissaire, estafette ■ **11** ambassadeur ■ **15** commissionnaire.
MESSAGERIE: 14 télémessagerie.
MESSE: 4 obit, paix, pale ■ **5** agnus, amict, autel, biner, canon, kyrie, prône ■ **6** office ■ **7** préface, sanctus, service ■ **8** agnus dei, aspergès, célébret, chasuble, crédence, dies irae, neuvaine, trentain ■ **9** célébrant, élévation, répondant ■ **10** grand-messe, offertoire ■ **12** anniversaire, kyrie eleison ■ **13** sacramentaire.
MESSIANIQUE: 12 kimbanguisme.
MESSIE: 11 messiniaque, messianisme.
MESSIRE: 6 messer.
MESURAGE: 5 stère ■ **6** aréage, aunage ■ **7** métrage.
MESURE: 2 an, as, li, yu ■ **3** are, bar, erg, m.t.s., pan, pas, pot, saa, sou, tex, ton ■ **4** acre, aire, aune, barn, beat, cube, déca, déci, dose, dyne, inch, marc, mile, mine, moss, muid, once, part, pica, pied, pipe, sone, tact, test, torr, vare, voie, yard ■ **5** arobe, cache, canne, canon, carat, carré, congé, corde, curie, cuvée, degré*, doigt, empan, excès, farde, fermi, force, galée, grâce, grain, heure, jauge, joule, libre, lieue, ligne, litre, livre, mètre, mille, minot, moyen, nœud, obole, ounce, palme, pause, peson, pinel, pinte, plomb, poids, point, potée, pouce, pound, prose, queue, sicle, siège, sixte, stade, stère, temps, toise, union, unité, velte, verge ■ **6** ampère, arpent, arrobe, barrel,

bichet, brasse, cicéro, coudée, espace, estime, étalon, étiage, format, gallon, gorgée, hémine, litron, magnum, mégohm, minute, modéré, module, obscur, octave, parsec, perche, pichet, quarte, quinte, radian, ration, saisie, setier, simple, stokes, sûreté, taille, talent, valeur, vergée, verste, volume ■ **7** archère, archine, brimade, calibre, carafon, charrue, chopine, circuit, cloyère, contour, cruchon, décibel, échelle, étendue, fourrée, gabarit, hauteur, hectare, journal, largeur, matrice, modique, modulor, pH-mètre, picotin, poignée, poisson, quintal, retenue, seconde, sievert, six-huit, statère, stockes, surface, tonneau, venturi ■ **8** abscisse, barrique, black-out, boisseau, boujaron, capacité, démesuré, deux-huit, distance, division, énormité, excessif, fraction, géodésie, grandeur, grosseur, immodéré, jaugeage, longueur, médiocre, métrique, neuf-huit, quadrant, quantité*, quartaut, racloire, réglette, sanction, scrupule, septième, short ton, trimètre ■ **9** antiradar, archétype, assiettée, cuillerée, décalitre, décamètre, décigrade, décilitre, décimètre, deux-seize, deux-temps, dimension, douze-huit, échevette, encâblure, épaisseur, exclusive, focomètre, impondéré, intensité, isolement, kilomètre, lucimètre, mégajoule, parasange, précaution, quarteron, trois-deux, trois-huit, urbanisme ■ **10** apollinien, audimétrie, bordelaise, contenance, cryométrie, dame-jeanne, décagramme, décigramme, demi-mesure, deux-quatre, dosimétrie, gazométrie, graduation, hectolitre, hectomètre, hectopièze, horométrie, hypermètre, kilosthène, manœuvrer, manométrie, métrologie, millimètre, modération*, myrométrie, piézomètre, précaution, prévention, profondeur, quatre-huit, superficie, tachymètre, télémétrie, tonométrie, variomètre, volumétrie ■ **11** acidimétrie, astrométrie, audiométrie, ballon-sonde, bathymétrie, chinoiserie, comparateur, densimétrie, échosondage, gravimétrie, hectogramme, hectopascal, humidimètre, hypsométrie, kilométrage, longimétrie, micrométrie, nivellement, opacimétrie, phonométrie, photométrie, piézographe, planimétrie, réouverture, sociométrie, subdivision, titrimétrie, tribométrie, trois-quatre ■ **12** actinométrie, arithmologie, calorimétrie, contre-mesure, immensurable, pluviométrie, polarimétrie, proscription, psychométrie, quatre-quatre, radiosondage, spectomètre, stéréométrie, vélocimétrie, volucompteur ■ **13** chronométrage, circonférence, commensurable, ébulliométrie, ébullioscopie, électrométrie, hydrotimétrie, magnétométrie, néphélémétrie ■ **14** décimalisation, dynamométrique, élasticimétrie, interlocutoire, rétrogradation, saccharimétrie, stalagmométrie ■ **15** déstalinisation, incommensurable, interférométrie.

MESURER: 4 loch ■ **5** auner, cuber, doser, jauge, mètre, peser, piger, radar, rader, toise ■ **6** biller, jauger, métrer, palper, racler, stérer, tester, toiser, velter, verger ■ **7** chaîner, graduer, marquer, niveler, pèse-sel ■ **8** arpenter, calibrer, exagérer, jalonner, luxmètre, mensurer, mesureur, moulinet, odomètre, ohmmètre, pèse-moût, uromètre ■ **9** acoumètre, altimètre, apprécier, astrolabe, cadastrer, compasser, étalonner, fluxmètre, lucimètre, machmètre, manomètre, médionner, mesurable, oléimètre, ondemètre, osmomètre, pèse-acide, posemètre, potomètre, pyromètre, rationner, sonomètre, télémètre, uréomètre, voltmètre, wattmètre ■ **10** alcoolmètre, audiomètre, bathymètre, curvimètre, débit-mètre, densimètre, eudiomètre, goniomètre, héliomètre, hygromètre, micromètre, pantomètre, pèse-esprit, phasemètre, photomètre, piézemètre, planimètre, pycnomètre, radiomètre, rapporteur, spiromètre, théodolite ■ **11** actinomètre, ampèremètre, butyromètre, calorimètre, capacimètre, colorimètre, dilatomètre, dynamomètre, fluviomètre, graphomètre, héliographe, mégohmmètre pluviomètre, polarimètre, psophomètre, scléromètre, sphéromètre, tensiomètre ■ 12 cathétomètre, chronographe, ébulliomètre, ébullioscope, électromètre, endosmomètre, extensomètre, galvanomètre, hystéromètre, oscillomètre, pénétromètre, viscosimètre ■ 13 accéléromètre, fluviographe, ophtalmomètre, potentiomètre, réfractomètre, stalagmomètre, varheuremètre ■ 14 fréquencemètre, interféromètre, millivoltmètre, sitogoniomètre ■ 15 lactodensimètre, sensorimétrique.

METABOLIQUE : 10 glutamique.

METABOLISME : 8 créatine ■ 9 adénosine, cortisone, lépotrope, porphyrie ■ 10 acétonomie, anabolisme, glycosurie, métabolite ■ 11 catabolisme, histochimie, métabolique, métaboliser ■ 13 pantothénique ■ 14 acétocoenzymea ■ 15 glucocorticoïde.

METACARPIEN : 5 genou.

METACENTRE : 13 métacentrique.

METACHRONISME : 12 anachronisme.

METAIRIE : 5 borde, ferme ■ 7 closeau, métayer ■ 8 borderie, closerie.

METAL : 2 or ■ 3 fer, fil, pot, tub, vis ■ 4 aloi, armé, broc, cent, clef, flan, gong, inox, iode, lame, lime, mine, plot, scie, seau, sous, tôle, zinc ■ 5 acide, balle, bande, bardé, boîte, bruni, burin, câble, capot, carde, casse, cosse, culot, drain, écrou, émail, émeri, étain, évier, fiche, fonte, forge, fusil, gaffe, grille, jante, jeton, knout, lampe, lance, matir, palet, patin, perle, pièce, plomb, plume, poche, poids, pomme, rivet, ruolz, sabot, style, tasse, tenon, verge ■ 6 argent, baryum, boësse, cæsum, casing, cérium, chrome, cobalt, cuivre, erbium, indium, lingot, nickel, osmium, sodium ■ 7 bimétal, bismuth, brinell, cadmium, cæsium, calcium, étamure, gallium, iridium, lithium, mercure, minerai, monture, nionium, platine, poucier, rhénium, rhodium, tantale, terbium, thorium, uranium, yttrium ■ 8 actinium, alchimie, alfénide, blindage, bosseler, cémenter, doublage, ébarboir, fonderie, francium, lanthane, limaille, lisérage, lutécium, médaille, organeau, pointeau, polonium, pommette, rubidium, samarium, scandium, sparklet, stanneux, thallium, torchère, tournure, tréfiler, vanadium, vergeure ■ 9 aluminium, antimoine, arséniure, béryllium, bouilleur, clinquant, container, coussinet, docimasie, ductilité, ferraille, germanium, glucinium, grenaille, jaquemart, liquation, magnésium, manganèse, martelage, molybdène, palladium, percuteur, plaquette, plutonium, pontuseau, potassium, ringarder, ruthénium, siliciure, solénoïde, strontium, tungstène, ytterbium, zirconium ■ 10 brunissage, cannetille, chasse-roue, gadolinium, grenadière, masselotte, métallique, métalliser, orichalque, platinoïde, praséodyme, prométhéum, quincaille, repoussage, sidérolite, toreutique ■ 11 antimoniure, aplatissoir, cache-entrée, cémentation, coulabilité, écrouissage, ferronnerie, métallifère, métallurgie, passivation, sidérolithe ■ 12 aplatissoire, bimétallique, calorisation, coupellation, ferricyanure, ferrocyanure, protactinium ■ 13 bondérisation, chalcographie, chlorhydrique, fragilisation, métallisation, quincaillerie ■ 14 galvanoplastie, métallochromie, métallographie, minéralisateur ■ 15 alcalino-terreux, supraconducteur, supraconduction.

METALDEHYDE : 4 méta.

METALLIFERE : 12 métallogénie.

METALLIQUE : 5 inlay ■ 7 lit-cage, mecano, portant ■ 8 batayole, tricouni, trimétal ■ 9 rapointis ■ 10 métallerie.

METALLISER : 11 métalliseur.

METALLOÏDE : 4 bore ■ 5 brôme ■ 6 soufre ■ 7 oxygène ■ 8 sélénium, silicium ■ 9 grenaille.

METALLURGIE : 7 métallo ■ 13 métallurgique, métallurgiste ■ 15 déphosphoration.
METALOGIQUE : 12 décidabilité.
METAMERE : 6 somite ■ 9 métamérie ■ 10 métamérisé ■ 11 métamérique.
METAMORPHIQUE : 6 gneiss ■ 8 éclogite, ectinite, phyllade, stéatite ■ 9 cornéenne, migmatite ■ 10 serpentine ■ 11 amphibolite, micaschiste ■ 13 métamorphiser, métamorphisme.
METAMORPHISME : 9 cornéenne.
METAMORPHOSE : 5 imago ■ 6 avatar, stryge ■ 8 métabole ■ 10 changement*, virescence ■ 11 histogenèse ■ 12 holométabole, lycanthropie ■ 13 métamorphoser, transmutation ■ 14 hétérométabole, transformation* ■ 15 métamorphosable.
METAPHORE : 4 voix ■ 5 image, trope ■ 9 allégorie ■ 12 métaphorique.
METAPHYSIQUE : 7 système ■ 8 doctrine* ■ 9 déduction, intuition, réduction ■ 10 formalisme ■ 11 abstraction, philosophie*, scepticisme ■ 12 agnosticisme, immanentisme, raisonnement ■ 13 individuation, métaphysicien, parapsychique ■ 14 généralisation.
METAPSYCHIQUE : 12 immanentisme ■ 15 parapsychologie.
METASTABLE : 12 sous-refroidi.
METASTASE : 10 métastaser ■ 12 métastatique.
METATARSE : 8 péronier ■ 11 métatarsien.
METAYER : 5 colon ■ 7 bordier, closier, fermier* ■ 8 métairie, métayage.
METEMPSYCHOSE : 13 réincarnation.
METEORE : 3 feu ■ 4 halo ■ 5 court, gelée, grêle, neige, orage, pluie, rosée ■ 6 aurore, bolide, bruine, comète, éclair, foudre, frimas, mirage, siphon ■ 7 cyclone, furolle, ouragan ■ 8 couronne, giboulée, parhélie, taurides, tonnerre ■ 9 aérolithe, arc-en-ciel, météorite, perséides ■ 10 brouillard, crépuscule, météorique, météorisme, tourbillon ■ 12 météorologie ■ 13 météoromancie.
METEORITE : 10 astroblème, sidérolite ■ 11 sidérolithe ■ 12 météoritique ■ 14 micrométéorite.
METEOROLOGIE : 5 météo ■ 11 ballon-sonde, météogramme ■ 12 météorologue, radiosondage ■ 14 météorologique, météorologiste.
METEOROLOGIQUE : 9 lucimètre.
METEQUE : 8 étranger.
METHACRYLIQUE : 12 méthacrylate.
METHANE : 7 formène, méthyle ■ 10 méthaniser, méthylique.
METHODE : 4 coué, mode ■ 5 ordre, rable, règle ■ 6 karaté ■ 7 asepsie, invasif, logique, manière*, midrash, procédé*, shiatsu, système*, testage, théorie* ■ 8 jiu-jitsu, logicien, planning, synthèse ■ 9 créatique, empirisme, freudisme, galénique, stripping, technique*, zététique ■ 10 antisepsie, barymétrie, éclectisme, étiopathie, hébertisme, méthodique, méthodiste, percussion, prospecter, secourisme, skiascopie, stalinisme, synectique ■ 11 audiovisuel, chiropraxie, coopération, hémoculture, isothérapie, opothérapie, scolastique, semi-globale, sophrologie, strioscopie ■ 12 béhaviorisme, chiropractie, comparatisme, comparatiste, contraceptif, hypodermique, jarovisation, méthodologie, puvathérapie, remnographie ■ 13 béhaviourisme, électrométrie, quick-freezing, sédimentation, stéréochromie, stratigraphie, syntonisation, variolisation ■ 14 anthropométrie, électrophorèse, méthodiquement, non-directivité, phénoménologie, pouliethérapie, psychocritique, pyrétothérapie ■ 15 champagnisation, chromatographie, cinématographie,

distributionnel, homogénéisation, interférométrie, percuti-réaction, psychotechnique.

METHODIQUE: 5 réglé ■ 7 ordonné ■ 8 rotation, zootaxie ■ 9 cartésien, ratissage ■ 10 assolement ■ 12 dialecticien.

METHODOLOGIE: 14 méthodologique.

METHYLE: 9 méthylène ■ 10 méthylique ■ 11 wintergreen.

METHYLENE: 8 thionine.

METHYLORANGE: 11 hélianthine.

METICULEUX: 6 fidèle, rigide, précis, sévère, strict ■ 8 attentif ■ 9 minutieux*, regardant, rigoureux ■ 10 scrupuleux* ■ 12 méticulosité ■ 13 consciencieux ■ 15 méticuleusement.

METIER: 3 art ■ 4 lice ■ 5 canut, chine, lisse, temps, tenir ■ 6 lisage, semple ■ 7 show-biz ■ 8 batelier, boulange, chanteur, corderie, draperie, ensouple, jacquart, ramoneur ■ 9 coltinage, embaumeur, industrie, mule-jenny, pédicure, plomberie, portefaix, proxénète, renvideur, technique ■ 10 corporatif, figuration, filandière, gagne-petit, oisellerie, profession*, repasseuse, tapisserie, travailler, truanderie ■ 11 charronnage, cordonnerie, dégraisseur, plumasserie, tabletterie ■ 12 confiturerie, équarrisseur, ferblanterie, maréchalerie, show-business, taillanderie ■ 13 apprentissage, maquignonnage, professionnel ■ 14 microglossaire ■ 15 maréchal-ferrant.

METIS: 6 bâtard, créole, mulard ■ 7 hybride, mulâtre, octavon ■ 8 sang-mêlé ■ 9 amérasien, métissage, quarteron, tierceron.

METRAGE: 4 clip ■ 8 emmétrer.

METRE: 5 mille, pièze, stère, ténia, toise ■ 6 métrer ■ 8 emmétrer, métrique ■ 9 décimètre ■ 10 centimètre, dactylique, hectomètre, millimètre, tétramètre, ultra-court.

METRIQUE: 3 kilo, myri ■ 5 arsin, hecto, micro, myrin, myrio, rejet ■ 7 quintal ■ 8 prosodie ■ 9 métricien ■ 11 antistrophe.

METRO: 13 métropolitain.

METROLOGIE: 3 meg ■ 4 méga ■ 12 métrologique, métrologiste.

METROMANE: 5 poète.

METROPOLE: 5 métro ■ 8 capitale ■ 12 colonisation ■ 13 métropolitain.

METROPOLITAIN: 8 zoreille ■ 11 autocéphale.

METS: 3 ris ■ 4 menu, plat, rata, rôti ■ 5 blini, bribe, carte, chère, civet, darne, daube, épice, farce, gelée, havir, kiche, pilaf, purée, régal, reste, rösti, sauce, sauté, soupe, table ■ 6 bisque, brouet, entrée, étuvée, fondue, fricot, fritot, gratin, hachis, paella, potage, ragoût, roesti, rosbif, salade, salmis, souper, tripée ■ 7 aliment*, bouilli, cuisine, frichti, friture, garbure, haricot, miroton, navarin, pouding, rogaton, tranche ■ 8 arlequin, brandade, coquille, couscous, crédence, déjeuner, escalope, godiveau, grenadin, grillade, julienne, matelote, omelette, pot-au-feu, quenelle, ramequin ■ 9 animelles, boutargue, brochette, croquette, croustade, étouffade, fricassée, galantine, gibelotte, macédoine, oignonade, paupiette, poutarque, zucchetti ■ 10 ballottine, capilotade, carbonnade, chartreuse, chaud-froid, choucroute, crapaudine, financière, fricandeau, galimafrée, jardinière, succulence ■ 11 assortiment, gourmandise, hors-d'œuvre, olla-podrida, ratatouille ■ 13 bouillabaisse.

METTRE: 4 mise ■ 5 caler, caser, caver, dater, faire, filer, fixer, garer, gêner, hâter, jouer, loger, lotir, mater, mêler, plier, polir, poser, semer, tarir, vêtir, viser ■ 6 bouter, camper, capéer, claver, couler, ficher, foutre, lister, mécher, nicher, passer, placer*, ponter, poster, ranger, serrer, verser ■ 7 abouter, ajuster, aposter, apposer, asseoir, briefer, cabaner, capeyer, déposer, enfiler, enrêner, estiver, établir, exposer, fourrer, glisser, infuser, insérer, lourder, pieuter, planter, publier ■ 8 aboucher, accorder, alléguer, aplomber, apporter, apprêter, arranger, attabler, attacher, attarder, chahuter, chausser, confiner, cravater, culotter, déchirer, décliner, délabrer, dépister, dépriser, disposer, ébranler, éloigner, emballer, empocher, encadrer, encaquer, endauber, enfermer, engainer, engerber, engrener, enherber, ensacher, entasser, enterrer, entraver, étalager, exécuter, galonner, garantir, granuler, grumeler, herbager, hérisser, investir, machurer, mainmise, mettable, musiquer, ordonner, orienter, pagnoter, paqueter, parapher, planquer, poussoir, préparer, proposer, recopier, refréner, reléguer, remettre, réserver, résilier, révoquer, saborder, saccager, saumurer, souffler, taponner, tartiner, vacciner ■ 9 accoucher, accoupler, accumuler, actionner, affleurer, affronter, amonceler, antidater, appliquer, approcher, assembler, béatifier, bousculer, boycotter, brouiller, canoniser, chevreter, colloquer, commencer, concerter, concilier, conformer, consigner, contester, contrôler, couronner, cylindrer, débarquer, dessécher, dialoguer, dilacérer, disperser, diviniser, échauffer, effectuer, émanciper, embarquer, emboucher, embourber, embrocher, emmancher, empoigner, encaisser, enflammer, enfourner, engranger, enjaveler, enliasser, entraîner, exploiter, finaliser, fourvoyer, fracasser, gendarmer, harmonier, harnacher, humaniser, implanter, incinérer, installer, justifier, mandriner, numéroter, pratiquer, présenter, préserver, rabaisser, rationner, recercler, recharger, remplacer, renverser, retraiter, rubriquer, saumurage, versifier ■ 10 accommoder, affourcher, apostiller, bâillonner, capilotade, chambouler, chevretter, confronter, contraster, courroucer, décheveler, déclencher, désespérer, détériorer, disjoncter, distinguer, dragéifier, empaqueter, émulsifier, enfourcher, engrumeler, ensaisiner, entreposer, équilibrer, essouffler, grenailler, harmoniser, horripiler, houblonner, incarcérer, incriminer, interpoler, juxtaposer, liaisonner, magasinage, pelotonner, promouvoir, rapprocher, rassembler, sanctifier, scotomiser, séquestrer, sous-titrer, stabiliser, substituer, superposer, transcrire, transposer, vampiriser, vedettiser, vulgariser ■ 11 agenouiller, appareiller, bouleverser, communiquer, contreposer, déchiqueter, désaffilier, diapasonner, embarrasser, embastiller, embrouiller, emmagasiner, emprisonner, enchevêtrer, enfutailler, enharnacher, interloquer, prédisposer, transporter ■ 12 communaliser, compromettre, controverser, déflagrateur, démocratiser, disqualifier, embouteiller ■ 13 collectiviser, containériser, conteneuriser, contresceller, précautionner, proportionner, révolutionner ■ 14 court-circuiter, interconnecter, réquisitionner.

METTRE BAS : 3 bas* ■ 5 vêler ■ 7 agneler ■ 8 biqueter, pouliner ■ 9 accoucher, chatonner, chevreter, chevroter, cochonner, levretter ■ 10 chevretter, délivrance ■ 11 parturition.

MEUBLE : 3 foi, lit ■ 4 banc, case, cosy, pied, rack, semer ■ 5 bahut, boule, divan, écran, fusée, garni, hôtel, laque, plein, sabot, siège, table, tapis ■ 6 boulle, buffet, bureau, casier, chaise, coffre, frette, lavabo ■ 7 abatant, armoire, bergère, cabinet, commode, console, étagère, fichier, losange, pupitre, vitrine ■ 8 ameublir, classeur, crédence, dressoir, ébéniste, écornure, fauteuil, friperie, guéridon, jumelles, mobilier, paravent, prie-dieu, servante, tabouret, toilette ■ 9 argentier, banquette, coiffeuse, déménager, démeubler, menuisier, panetière, passement, piétement, remeubler ■ 10 coquerelle, cosy-corner, encoignure, époussette, jardinière, médaillier, secrétaire, tapissière, vaisselier, vide-poches ■ **11** ameublement, chiffonnier, chippendale, discothèque, ébénisterie, encaustique, garde-meuble, mouluration, vidéothèque ■ **12** bibliothèque, chiffonnière, couronnement, raccommodage, serre-papiers ■ **13** essuie-meubles, porte-chapeaux, quartefeuille, tiercefeuille ■ **15** porte-parapluies, porte-serviettes, saisie-exécution.

MEUBLER: **8** meublant.

MEUGLEMENT: **7** meugler ■ **10** beuglement.

MEULE: **4** ripe ■ **5** barge ■ **6** meulon, ribler ■ **7** gerbier, meulier ■ **8** émouleur, meulette, œillard ■ **9** ébarbeuse, lapidaire.

MEULER: **7** meulage ■ **9** rectifier.

MEULON: **9** veillotte.

MEUNERIE: **13** convertisseur.

MEUNIER: **4** able ■ **8** chevaine, chevenne, chevesne, farinage, farinier, meunerie.

MEURTRI: **4** noir, talé ■ **6** confus ■ **7** compote ■ **9** marmelade ■ **10** contondant.

MEURTRIER: **4** amok ■ **5** bravo, tueur ■ **6** bandit* ■ **7** déicide, escarpe, inculpé, sicaire ■ **8** assassin, coupable, criminel*, homicide, scélérat ■ **9** barbacane, spadassin.

MEURTRIERE: **12** arbalétrière.

MEURTRIR: **5** cotir ■ **6** fouler ■ **7** avarier, blesser*, écraser, pourrir ■ **8** froisser, mâchurer ■ **10** détériorer.

MEURTRISSURE: **4** bleu, noir ■ **5** plaie, taler ■ **6** talure ■ **8** blessure*, meurtrir ■ **9** contusion.

MEUTE: **5** curée, quête ■ **6** troupe*.

MEXICAIN: **5** cobéa, cobée, sisal ■ **7** chicano ■ **8** cactacée ■ **9** tubéreuse ■ **10** amblystome, xiphophore ■ **13** salsepareille.

MEXIQUE: **5** cobéa, cobée ■ **6** cobaea ■ **7** cascara ■ **8** mariachi.

MEZZANINE: **8** entresol.

MEZZO-SOPRANO: **4** voix ■ **9** bas-dessus.

MIASME: **7** effluve, malaria ■ **8** puanteur ■ **11** miasmatique ■ **13** sulfumigation.

MIAULER: **4** chat ■ **8** miauleur ■ **10** miaulement.

MICA: **6** micacé ■ **7** biotite, tuffeau ■ **8** clivable ■ **9** granulite ■ **10** lépidolite ■ **11** lépidolithe.

MICELLE: **10** micellaire.

MICHELINE: **11** automotrice.

MICROBE: **4** gram ■ **5** coque, virus* ■ **6** arsine ■ **7** aérobie, asepsie, bacille*, ferment, pigment, stomose, typhose, vibrion, virgule, zooglée ■ **8** bactérie*, brucella, division, glossine, septique, spirille ■ **9** anaérobie, anatoxine, anticorps, antivirus, ascocoque, exotoxine, gonocoque, infection, leucocyte, méningite, microbien, sulfamide, tularémie ■ **10** champignon, cladothrix, leptothrix, micrococque, psittacose, septicémie, spirochète ■ **11** amylobacter, auréomycine, biotropisme, désinfecter, endocardite, entéroscoque, hémoculture, leuconostoc, microbicide, nitrobacter, pneumocoque, protoplasma, protoplasme, typhotoxine ■ **12** antibiotique, micrographie, streptocoque ■ **13** microbiologie, microrganisme, staphylocoque, stérilisation ■ **14** micro-organisme, pasteurisation, sérodiagnostic.

MICROBICIDE: **9** sulfitage.

MICROBIENNE: **14** céphalosporine.

MICROBIOLOGIE: **5** étuve ■ **8** gélatine ■ **9** virologie ■ **13** bactériologie ■ **15** microbiologiste.

MICROCOSME: **10** landerneau ■ **13** microcosmique.

MICROCRISTAL : **14** vitrocéramique.
MICROECONOMIE : **15** microéconomique.
MICROEDITION : **3** p.a.o.
MICROFILM : **11** filmothèque, microfilmer.
MICRO-INFORMATIQUE : **5** micro.
MICROMETIQUE : **11** cristallité.
MICRONESIE : **11** micronésien.
MICRO-ORDINATEUR : **5** micro ■ **7** cliquer ■ **10** multiposte, nanoréseau.
MICRO-ORGANISME : **7** biocide ■ **9** anaérobie ■ **10** rickettsie ■ **12** aérobiologie ■ **13** bioconversion.
MICROPHONE : **5** micro ■ **6** girafe ■ **8** électret ■ **12** micro-cravate ■ **13** microphonique.
MICROPHYSIQUE : **5** fermi ■ **8** angström ■ **9** angstrœm.
MICROPYLE : **8** anatrope.
MICROSCOPE : **6** statif ■ **7** frottis ■ **8** oculaire ■ **9** microtome ■ **10** porte-objet ■ **11** couvre-objet, microscopie ■ **12** micrographie ■ **13** microchirurgie, microscopique ■ **15** microdissection.
MICROSCOPIQUE : **5** amibe, petit ■ **6** nostoc, oïdium ■ **7** ostiole, perlite, stomate ■ **8** liposome, navicule, plancton, plankton, puccinie, rotifère, sarcopte ■ **9** rhizotone ■ **10** rhizoctone ■ **11** rhizoctonie ■ **12** kamptozoaire, microcristal ■ **13** microrganisme ■ **14** cytodiagnostic, micro-organisme.
MICROSPORE : **13** microsporange.
MICTION : **11** pollakiurie.
MIDI : **3** mas, sud, têt ■ **4** cade, grau, seps ■ **5** adret, butor, feria, garou, gouge, mante, matin, mélia, mollé, notus, pilaf, pilav, pilaw, plage, sexte ■ **8** becfigue, déjeuner, estagnon, garrigue, glaréole, jujubier, méridien, pétanque, picpoule, tommette, vaccaire ■ **9** après-midi, arbousier, clairette, orcanette ■ **10** cantharide, crapaudine, dentelaire, fraxinelle, larme-de-job, méridienne, méridional, picpouille, tarantelle, vaillantie ■ **11** culmination, micocoulier, scolopendre ■ **12** staphisaigre ■ **15** mésembryanthème.
MIDINETTE : **7** trottin ■ **8** cousette ■ **10** couturière, petite-main.
MIE : **3** pas ■ **6** panure.
MIEL : **3** rob ■ **4** cire, ours ■ **5** favus, ruche ■ **6** gaufre, miette, oxymel ■ **7** abeille*, baklava, mélisse, mellite ■ **8** acétomel, emmiellé, fructose, hydromel, melliflu, mielleux ■ **9** démieller, emmieller, mellifère, melliflue ■ **10** apiculture, électuaire, extracteur, mellifique ■ **13** mellification.
MIELLEUX : **5** sucré ■ **9** doucereux ■ **13** mielleusement.
MIELLURE : **9** rouillure.
MIETTE : **2** mi ■ **5** émier ■ **7** morceau* ■ **8** émietter ■ **14** ramasse-miettes.
MIEUX : **4** plus* ■ **5** élite, perle ■ **6** dessus, plutôt ■ **7** suprême ■ **8** meilleur, pis-aller, préférer ■ **9** davantage, optimisme, supérieur ■ **10** perfection, préférable, rénovation ■ **12** amélioration, aristocratie, quintessence.
MIEVRE : **6** gentil ■ **7** fragile ■ **9** mièvrerie.
MIEVRERIE : **10** mièvrement ■ **11** affectation, singularité.
MIGNON : **4** mimi ■ **5** bijou, péché ■ **6** bellot, gentil, joliet ■ **7** mignard, trognon ■ **9** mignonnet ■ **12** croquignolet.
MIGNOTER : **7** flatter, soigner ■ **8** caresser.
MIGRAINE : **10** hémicrânie, migraineux ■ **14** antimigraineux.
MIGRATEUR : **5** cygne ■ **6** caille ■ **7** cigogne, migrant, pèlerin.

MIGRATION : 5 exode ■ 8 estivage, mignoter ■ 9 diapédèse, migrateur, montaison ■ 10 anaphorèse, émigration, magmatisme, migratoire ■ 11 illuviation ■ 12 transhumance ■ 13 réarrangement.
MI-JAMBE : 9 demi-botte ■ 10 chaussette.
MIJAUREE : 8 pimbêche.
MIJOTER : 5 cuire ■ 8 préparer.
MIL : 5 mille, panic ■ 8 couscous, tchapalo.
MILDIOU : 7 rouille ■ 9 mildiouse ■ 10 plasmopara ■ 11 phytophtora.
MILICE : 6 troupe ■ 8 milicien, palikare ■ 9 garde-côte ■ 13 cinquantenier.
MILIEU : 2 ph ■ 3 âme, axe, vif ■ 4 alto, fond, fort, kief, lieu, midi, sein ■ 5 banco, biome, chape, chine, cœur, dîner, fasce, foyer, galbe, macle, mitan, mixte, monde, noyau, oasis, océan, pègre, préau ■ 6 bohème, centre*, climat, dedans, in situ, jet-set, médial, médian, sphère, yakusa ■ 7 écocide, élément, mi-corps, moyenne, univers, urcéolé ■ 8 ambiance, ardillon, cambrure, ceinture, chaussée, dépayser, écologie, gélatine, mi-chemin, mi-course ■ 9 entourage, entredeux, épenthèse, exotoxine, intérieur, médiateur, réveillon ■ 10 atmosphère, landerneau ■ 11 bras-le-corps, espace-temps, indésirable, thermoscope ■ 13 environnement, intermédiaire, pœcilotherme, préadaptation ■ 14 action research, phraséologique.
MILITAIRE : 4 camp, épée, goum, képi, paie, paye, saie, sape, saye ■ 5 appel, cadet, cagna, congé, dépôt, école, galon, garde, grade, guide, major, pacha, point, repos, sabre, shako, siège, singe, thème ■ 6 dolman, engagé, mineur, schako, soldat* ■ 7 caporal, caserne, chapska, colonne, goumier, grenade, rengagé, rosette, servant, voïvode ■ 8 assimilé, campagne, caudillo, cavalier, centurie, dégrader, effectif, exarchat, gendarme, godillot, guerrier*, havresac, imperium, insoumis, landwehr, milicien, officier, partisan, plastron, régiment, schapska, schlague, templier, troupier, uniforme, voïévode ■ 9 artilleur, bataillon, bigorneau, brigadier, canonnier, casernier, cassation, ceinturon, coalition, déserteur, fantassin, manœuvre, méhariste, missilier, objecteur, pyrrhique, supplétif ■ 10 couverture, disponible, garde-à-vous, logistique, riz-pain-sel, subsistant ■ 11 chenillette, gendarmerie, instructeur, kommandatur, légionnaire, militariser, militarisme, portefanion, rengagement, subdivision, territorial ■ 12 caporal-chef commandement, conscription, feld-maréchal, opérationnel, parachutiste, sous-officier ■ 13 démilitariser, disciplinaire, fortification, militairement, non-combattant, redéploiement, remilitariser, sous-intendant ■ 14 militarisation ■ 15 antimilitarisme, antimilitariste, permissionnaire.
MILITANT : 7 basiste, militer ■ 8 guerrier, partisan ■ 12 syndicaliste.
MILLE : 3 mil ■ 4 kilo ■ 5 milli ■ 7 millage, millier, million ■ 8 milliard, millième ■ 9 kilotonne, milliaire ■ 10 millénaire.
MILLEFEUILLE : 8 achillée.
MILLENARISME : 12 millénariste.
MILLENARISTE : 9 millenium.
MILLE-PATTES : 4 iule ■ 8 géophile, gloméris, lithobie ■ 9 anténatte ■ 11 scolopendre.
MILLERANDAGE : 10 millérandé.
MILLESIME : 7 vintage ■ 10 millésimer.
MILLET : 3 mil ■ 4 moha, maïs ■ 5 doura, panic ■ 6 sorgho ■ 8 milliaire.
MILLIARD : 8 trillion ■ 12 milliardaire, milliardième.
MILLIEME : 10 millilitre, millimètre ■ 11 milligramme ■ 12 millithermie.

MILLIGRAMME : **11** microchimie.
MILLIMETRE : **6** micron ■ **13** millimétrique.
MILLION : **4** méga, micr, pico, téra ■ **5** micro ■ **6** mégohm ■ **8** milliard ■ **9** mégahertz ■ **10** sextillion ■ **11** millionième, quatrillion, quintillion ■ **12** millionnaire.
MILLIONIEME : **12** microbalance, microseconde, microthermie.
MILOUIN : **8** fuligule.
MIME : **5** mimer ■ **6** acteur ■ **10** mimographe.
MIMER : **6** imiter.
MIMETISME : **9** mimétique.
MIMIQUE : **5** geste*.
MIMOSACEE : **4** néré ■ **6** acacia, mimosa ■ **7** mimosée ■ **9** amourette, sensitive ■ **11** légumineuse.
MINABLE : **5** loser, minus ■ **6** pauvre ■ **9** misérable* ■ **11** minablement.
MINARET : **5** islam.
MINAUDER : **4** mine ■ **8** grimacer, simagrée ■ **9** grimacier, minaudier ■ **10** minauderie.
MINCE : **3** fin* ■ **4** aigu, lame, menu*, ténu ■ **5** barde, bâton, bible, boyau, carte, court, délié, épais, évidé, étain, feuil, fluet, folié, frêle, grêle, latte, lèche, lusin, petit, tulle ■ **6** effilé, élancé, émincé, estrac, étiolé, étique, étroit*, faible, fretin, fuselé, maigre*, mincir, svelte ■ **7** aiguisé, amincir, délicat*, étamine, gracile, indusie, longuet, minceur ■ **8** atrophié, bricelet, épendyme, filament, flandrin, flexible, javeline, levrette, malingre, médiocre, membrane, panatela, pistolet, resserré*, scarieux ■ **9** efflanqué, filiforme, leptosome, pellicule, rhomboïde ■ **10** longiligne, séparateur ■ **11** schistosité.
MINE : **2** or ■ **3** air ■ **4** bure, buse, cage, orin ■ **5** benne, coron, mèche, minée, miner, minot, plomb, puits, terri, veine ■ **6** minier, terril, visage ■ **7** bowette, cordeau, exhaure, fleuret, minière, recette, sautage ■ **8** alunière, beaucoup, carrière, cuvelage, dragueur, fougasse, fourneau, simagrée, tréfonds, vermoulu ■ **9** apparence, camouflet, carottage, entonnoir, étoupille, falunière, houillère, mouilleur, porte-mine, royalties, serrement ■ **10** bourriquet, concession, lance-mines, palplanche, platinoïde, plombagine, tréfoncier ■ **11** chalcidique, chevalement, descenderie, minauderies, salpêtrière, travers-banc.
MINER : **5** caver, saper ■ **6** ronger* ■ **7** creuser*, déduire*.
MINERAI : **4** gîte, mine, stot ■ **5** fluor, fonte, forge, spath, tutie, veine ■ **6** albite, bocard, gangue, lavoir, pellet, sinter, speiss, tuthie ■ **7** alunite, bauxite, caliche, ferrite, laverie, minette, schlamm, schlich ■ **8** autunite, dépilage, grillage, limonite, mâchefer, roselier ■ **9** amphibole, feldspath, scheidage ■ **10** hornblende, lépidolite, minéralier, pechblende, tourmaline ■ **11** cassitérite, lépidolithe, minéralogie ■ **13** minéralogiste ■ **14** minéralisateur, sidérolithique.
MINERAL : **4** azur, mica, talc ■ **5** ambre, borax, fibre, géode, gypse, nitre, règne, sable ■ **6** argile, blende, galène, gneiss, illite, natron, pyrite, quartz, rognon, sandix, sandyx, silice, soufre ■ **7** amiante, arsenic, asbeste, bézoard, calcite, cinabre, cristal, cuprite, diamant, dolomie, granite, houille, péridot, pétrole, stibine, syénite, thermal, wolfram ■ **8** acerdèse, actimote, argyrite, barytine, chromite, corindon, épigénie, fluorine, orpiment, permagol, pyroxène, silicate, stannine, vanadine, vaseline, zéolithe ■ **9** aérolithe, amphibole, antimoine, cobaltine, cymophane, feldspath, millérite, ozocérite, ozokérite, pegmatite, plastique, sylvanite, tantaline ■ **10** bismuthine, minéralisé, smaragdite ■ **11** molybdénite, white-spirit ■ **12** strontianite ■ **13** déminéraliser ■ **14** minéralisation.

MINERALISATION: 11 décomposeur.
MINERAUX: 12 haut-fourneau.
MINERVOIS: 9 minervois.
MINETTE: 8 lupuline.
MINEUR: 4 sape ■ 5 coron, gamme, lampe, ordre ■ 6 taupin ■ 7 galibot, pupille ■ 8 acolytat, curateur, raucheur ■ 9 poétereau, protuteur, rivelaine ■ 10 garde-noble, photophore ■ 13 prédélinquant.
MINIATURE: 8 portrait ■ 9 miniaturé, vigneture ■ 10 enluminure, miniaturer ■ 12 miniaturiser, miniaturiste ■ 15 miniaturisation.
MINIATURISE: 12 micro-cravate ■ 15 microprocesseur.
MINIERE: 5 claim.
MINIMAL: 8 technème ■ 11 minimaliser, minimaliste.
MINIMALE: 8 prospect, rhéobase.
MINIMALISER: 14 minimalisation.
MINIME: 5 petit*, trace ■ 7 modique ■ 8 ridicule ■ 9 dérisoire, misérable.
MINIMISER: 7 réduire ■ 12 minimisation.
MINIMUM: 3 r.m.i. ■ 4 s.m.i.c. ■ 5 phase, seuil ■ 6 limite, minima ■ 8 extremum ■ 9 chronaxie, franc-bord, miniature, minimiser.
MINI-ORDINATEUR: 4 mini.
MINISTERE: 5 messe ■ 6 emploi, maxima, pléban ■ 7 plébain ■ 9 clergyman, pentagone, sacerdoce ■ 10 accusation, porrection ■ 12 chancellerie.
MINISTERIEL: 4 taxe ■ 5 agréé, avoué ■ 7 notaire ■ 8 greffier, huissier, maroquin ■ 12 portefeuille.
MINISTRE: 5 vizir ■ 6 lévite, prêtre ■ 7 pasteur ■ 9 argentier, clergyman, ministère, prédicant, sacerdoce ■ 11 ministériel, ministrable ■ 13 sous-ministre ■ 15 parlementarisme.
MINITEL: 9 télévente ■ 11 minitéliste.
MINOIS: 6 figure*, visage* ■ 9 frimousse.
MINORE: 9 minoratif.
MINORER: 10 minoration.
MINORITAIRE: 9 menchevik.
MINOTERIE: 8 minotier.
MINUIT: 5 matin ■ 10 médianoche.
MINUSCULE: 5 petit* ■ 10 bas-de-casse, rocamadour ■ 12 pédicellaire.
MINUTE: 5 copie ■ 7 minuter, seconde ■ 8 minutage, minutier ■ 9 minutaire, minuterie.
MINUTIE: 4 rien, soin* ■ 6 poussé ■ 7 analyse, chicane, purisme, vétille ■ 8 fignoler, ouvrager, scrupule ■ 9 cérémonie, épluchage, lésinerie, minutieux, pinailler, protocole, subtilité ■ 10 exactitude, formalisme, parcimonie ■ 11 délicatesse, mesquinerie, raffinement, tatillonner ■ 12 méticulosité ■ 14 susceptibilité.
MINUTIEUX: 6 subtil ■ 7 délicat*, mesquin, puriste, raffiné ■ 8 exigeant, soigneux, tatillon ■ 9 regardant, vétilleux ■ 10 méticuleux*, scrupuleux*, tracassier ■ 11 cérémonieux, pointilleux, susceptible ■ 12 parcimonieux ■ 13 consciencieux ■ 14 minutieusement.
MIOCENE: 8 mollasse, pliocène ■ 9 hipparion, oligocène ■ 10 aquitanien, mastodonte, rhinocéros ■ 11 dinothérium.
MIRABELLE: 5 prune ■ 11 mirabellier.
MIRABILIS: 11 belle-de-nuit.
MIRACLE: 5 manne, signe ■ 8 miraculé ■ 9 merveille ■ 10 assomption, miraculeux ■ 11 thaumaturge ■ 15 miraculeusement.
MIRAGE: 8 illusion ■ 9 merveille.
MIRBANE: 12 nitrobenzène.

MIRE : 5 butte, cible ■ 9 œilleton.
MIRER : 5 viser ■ 6 mireur ■ 8 regarder* ■ 9 mire-œufs.
MIRIFIQUE : 9 admirable* ■ 13 mirifiquement.
MIRLITON : 5 flûte ■ 7 flûteau ■ 9 bigophone.
MIRO : 6 miraud.
MIROBOLANT : 8 étonnant.
MIROIR : 4 clar ■ 5 focal, foyer, glace*, image, piège ■ 6 psyché ■ 7 trumeau ■ 8 applique, spéculum ■ 9 miroitier ■ 10 autoscopie, miroiterie, réflecteur, spéculaire ■ 11 rétroviseur.
MIROITER : 5 mirer ■ 7 briller*, éblouir ■ 8 chatoyer, renvoyer ■ 9 miroitant, réfléchir.
MISAINE : 5 minot ■ 7 fortune ■ 8 trinquet ■ 10 trinquette.
MISANDRE : 9 misandrie.
MISANTHROPE : 8 farouche.
MISCELLANEES : 8 mélanges.
MISCIBLE : 11 miscibilité.
MISE : 4 kick ■ 5 miser, titre ■ 6 paroli, vatout ■ 7 cadrage ■ 8 brushing, citation, défilage, knock-out, massacre ■ 9 alitement, cassation, démarreur, entonnage, sommation ■ 10 assemblage, martingale, préformage, relaxation, stretching ■ 11 application, entonnaison, entonnement, investiture ■ 12 fluidisation, court-circuit ■ 13 déclenchement, élargissement, socialisation, thermoformage ■ 14 initialisation, interconnexion ■ 15 synchronisation.
MISERABILISME : 13 misérabiliste.
MISERABLE : 3 vil* ■ 4 hère ■ 5 déchu, dénué, gueux*, panné, paria, ruiné* ■ 6 cahute, chétif, fauché, masure, miteux, pauvre*, piètre, taudis, truand ■ 7 assisté, bélître, infirme, minable, purotin, tanière ■ 8 bohémien, clochard, croquant, indigent, mendiant*, miséreux, parasite, vagabond* ■ 9 besogneux, déshérité, estropiat, lazzarone, marmiteux, pouilleux, va-nu-pieds ■ 10 claquedent, cul-de-jatte, malheureux*, vermisseau ■ 11 crève-la-faim, meurt-de-faim, meurt-la-faim, nécessiteux ■ 13 misérablement, pique-assiette.
MISERE : 4 rien ■ 5 dèche, épave, panne, peine*, purée, ruine* ■ 6 besoin*, débine, famine, mouise, panade ■ 7 disette, malheur*, mouisse, pénurie ■ 8 détresse, miséreux, opulence, pauvreté*, richesse, soulager ■ 9 dénuement, extrémité, gueuserie, indigence, mendicité, mistoufle ■ 10 pouillerie ■ 12 désembourber, pleure-misère, traîne-misère ■ 13 traîne-malheur.
MISERERE : 5 iléus.
MISEREUX : 9 misérable* ■ 11 crève-la-faim.
MISERICORDE : 5 merci, pitié* ■ 6 pardon* ■ 7 charité* ■ 8 clémence ■ 14 miséricordieux.
MISONEISME : 10 misonéiste.
MISSILE : 4 icbm, irbm, mirv, mrbm, m.s.b.s., slbm, s.s.b.s. ■ 7 booster ■ 9 antiengin, filoguidé, missilier ■ 11 euromissile ■ 15 trajectographie.
MISSION : 3 pie ■ 5 légat ■ 6 charge, sortie ■ 7 a latere, travail ■ 8 briefing, fonction, guetteur, légation, messager ■ 9 ambassade, apostolat, émissaire, lazariste ■ 10 commission, délégation, députation, patrouille, volontaire ■ 11 apostolique, détachement, négociation, passioniste, patrouiller ■ 12 commandement, missionnaire ■ 13 rédemptoriste.
MISSIVE : 3 mot, pli ■ 4 bref ■ 5 bulle ■ 6 billet, épître, lettre*, placet, poulet ■ 7 dépêche, message, réponse, rescrit ■ 8 pétition ■ 9 apostille, duplicata, mandement ■ 10 babillarde, circulaire, encyclique.

MISTRAL: 4 cers, vent.
MITAINE: 4 gant ■ 5 miton.
MITAN: 6 centre.
MITE: 5 miter ■ 6 teigne.
MITEUX: 9 misérable*.
MITHRIAQUE: 9 taurobole ■ 12 mithriacisme.
MITIGER: 7 adoucir*, modérer ■ 8 diminuer.
MITOCHONDRIE: 12 chondriosome.
MITONNER: 5 cuire ■ 7 soigner ■ 8 préparer.
MITOSE: 8 anaphase, prophase ■ 9 métaphase, mitotique, télophase ■ 10 centromère, centrosome ■ 11 caryocinèse ■ 13 antimitotique.
MITOYEN: 6 commun ■ 7 héberge ■ 11 mitoyenneté.
MITRAILLER: 5 tirer ■ 11 mitraillage.
MITRAILLETTE: 5 fusil ■ 10 sulfateuse.
MITRAILLEUSE: 5 affût ■ 10 mitrailler ■ 11 mitrailleur.
MITRE: 5 tiare ■ 6 évêque, fanons, mitral.
MITROBENZENE: 7 mirbane.
MIXTE: 6 géminé ■ 9 bichlamar ■ 10 bêche-de-mer.
MIXTION: 7 mélange*, mixture ■ 10 mixtionner.
MNEMOTECHNIQUE: 10 baralipton.
MOBILE: 3 clé ■ 4 clef, grue ■ 5 cause*, doigt, index, motif*, nille, rotor, tanka, volet ■ 6 moblot, moteur, tangon ■ 8 bastaque, flagelle, mantelet, paravent, symphyse, vasistas ■ 9 attelloir, autoguidé, bobinette, décapoter, emboîtage, flagellum, girouette, languette, mobilité, riboulant, tentacule, vacillant, zoogamète ■ 10 aryténoïde, attelloire, chambrière, élongation, énarthrose, enveloppée, gouvernail, tourniquet, satelliser ■ 11 biblorhapte, inconstance, téléguidage ■ 13 turbomachine ■ 15 thermopropulsif.
MOBILE HOME: 12 auto-caravane.
MOBILIER: 4 gage ■ 5 bazar, boule ■ 6 ménage, meuble* ■ 9 nominatif, pompadour.
MOBILISATION: 9 mobiliser ■ 12 mobilisateur ■ 14 kinésithérapie, mécanothérapie.
MOBILISER: 5 dépôt ■ 10 embrigader ■ 11 mobilisable ■ 12 mobilisation ■ 14 démobilisation ■ 15 gestalt-thérapie.
MOBILITE: 7 tribart ■ 13 arthroplastie.
MOCHE: 7 mochard.
MODALITE: 7 manière*, qualité ■ 9 aléthique, condition ■ 10 solidarité ■ 11 engineering ■ 12 tachitoscope.
MODE: 2 in ■ 3 cri ■ 4 goût, must, raga, snob, voie ■ 5 câblé, dandy, genre, modal, régie, remue, vogue* ■ 6 couplé, croisé, irréel, méiose ■ 7 barbara, branché, fermage, méthode, new-look, optatif, qualité, revival, système ■ 8 étouffée, gérondif, hérédité, modalité, néolocal, salariat, vanisage ■ 9 déroulage, emboîture, étouffade, impératif, indicatif, infinitif, japonisme, participe, potentiel, prédation, résonance, synarchie, virilocal ■ 10 baralipton, cooptation, dichotomie, érémitisme, inquilisme, matrilocal, patrilocal, rumination, sauterelle, subjonctif, succussion, transports, viviparité ■ 11 absentéisme, anémophilie, axonométrie, brachiation, gemmiparité, moissonnage, schizogamie ■ 12 compensation, conditionnel, siphonogamie ■ 13 anachorétisme, cryptographie, inflorescence, ovoviviparité, saprophytisme.
MODELAGE: 9 sculpture ■ 10 repoussage.
MODELE: 4 chic, type ■ 5 canon, épure, essai, forme, moule*, règle ■ 6 atypie, carton, dessin, étalon, patron, poncif ■ 7 calibre, corrigé, ébauche, exemple*, formule, gabarit, matrice, panneau, pattern, ser-

vile, topique ■ 8 académie, esquisse, maquette, modeleur, original, parangon, sovkhoze, spécimen, standard ■ 9 archétype, brouillon, classique, empreinte, gabariage, imitation, modélisme, paradigme, plastique, protocole, prototype ■ 10 exemplaire, formulaire ■ 11 accord-cadre, comparaison, échantillon ■ 12 modélisation ■ 13 aéromodélisme, griffonnement.

MODELER: 6 former ■ 8 emboîter, modelage, modeleur, sculpter ■ 9 plastique ■ 13 céroplastique.

MODELISATION: 9 modéliser.

MODERATION: 5 diète ■ 6 mesure, raison ■ 7 épargne, réserve, retenue*, sagesse* ■ 8 chasteté, économie, modestie, patience, sédation, sobriété ■ 9 bellement, doucement, équilibre, frugalité, honnêteté, politesse, tolérance ■ 10 abnégation, abstention, abstinence, continence, convenance, discrétion, ménagement, simplicité, tempérance ■ 11 pondération, renoncement, résignation, savoir-vivre ■ 12 impartialité, incontinence ■ 14 circonspection.

MODERATRICE: 14 psycholeptique.

MODERE: 3 h.l.m. ■ 4 posé, sage* ■ 5 calme, sobre ■ 6 chaste, simple, timide, timoré ■ 7 andante, discret, économe, modeste, patient, pondéré, réservé ■ 8 craintif, moderato, réticent, tolérant ■ 9 équilibré, impartial, tempérant ■ 11 accommodant, circonspect, raisonnable ■ 12 modérantisme.

MODERER: 5 céder ■ 6 borner, calmer*, priver ■ 7 adoucir, amortir, dompter, enrayer, freiner, mitiger, pallier, retenir, tremper ■ 8 atténuer, contenir, observer, posséder, refréner, renoncer, résigner, tempérer ■ 9 transiger ■ 10 modérateur ■ 11 contraindre.

MODERNE: 4 judo ■ 5 démon ■ 6 récent ■ 7 nouveau, présent ■ 8 building, romaïque ■ 9 atonalité, futurisme, modernité ■ 10 devanâgari, moderniser, modernisme, moderniste ■ 11 néo-gothique ■ 12 néo-vitalisme, obsolescence, physicalisme, romanticisme ■ 14 néo-libéralisme, néo-catholicisme.

MODERNISE: 13 modernisateur.

MODERNISER: 9 mécaniser ■ 13 modernisation.

MODESTE: 3 pur ■ 5 caché, moyen ■ 6 décent, effacé, humble*, mesuré, modéré, obscur, simple* ■ 7 bonasse, modique, pudique, réservé ■ 8 arrogant, bonhomme, innocent, médiocre, vertueux ■ 9 immodeste ■ 11 modestement ■ 12 présomptueux.

MODESTIE: 5 vertu ■ 6 pudeur*, pureté ■ 7 décence*, décorum, douceur, respect, retenue ■ 8 modicité, timidité, violette ■ 9 confusion, innocence ■ 10 bienséance, convenance, immodestie, médiocrité, modération, simplicité* ■ 11 modestement.

MODIFICATION: 4 vide ■ 5 crise, thèse, truca, vivre ■ 6 espèce, figure, nuance ■ 7 brisure, cabrage, doppler, œstrus, refonte, variété ■ 8 allergie, bretesse, mutation, réaction ■ 9 codicille, diversion, dysphonie, inflexion, réduction ■ 10 altération, amendement, changement*, correction, corruption, innovation, kératocône, modulation ■ 11 after-effect, déguisement, embryoardie, remaniement, termaillage ■ 12 adultération, intervention, rétractation ■ 13 accommodation, falsification, métamorphisme, rectification ■ 14 bouleversement, minéralisation, palatalisation, sous-amendement ■ 15 infléchissement.

MODIFIE: 11 modificatif, tensioactif.

MODIFIER: 6 dévier, varier ■ 7 altérer, amender, changer*, décaler, défaire, fausser, nuancer, réduire, toucher, tourner, traiter ■ 8 caméléon, cémenter, corriger*, déguiser, dessoler, ébranler, pondérer, regarnir, remanier, rhéostat ■ 9 adultérer, corrompre, falsifier, incertain, infléchir, rétracter, toiletter ■ 10 actionneur, irrégulier, modifiable ■ 11 bouleverser, dessolement, diversifier, intervenir, minéraliser, mouvementer ■ 12 contrepasser, désectoriser, inconsistant, modificateur ■ 14 thoracoplastie ■ 15 photo-élasticité.

MODIQUE: 3 bas ■ 6 minime.

MODISTE: 7 chapeau ■ 10 apprêteuse.

MODULATEUR: 10 lymphokine.

MODULATION: 2 fm ■ 10 modulateur.

MODULER: 5 canon, chant ■ 8 modulant ■ 9 modulable.

MOELLE: 5 sagou ■ 7 myélite, myélome, palmite ■ 8 épendyme, épiphyse, myéloïde ■ 9 amourette, médulleux, myélocyte ■ 10 amourettes ■ 11 myéloplasme, ostéoclaste ■ 12 laminectomie, myélographie, ostéomyélite, promyélocyte, quintessence ■ 13 cérébro-spinal, mégacaryocyte, métamyélocyte, syringomyélie.

MOELLE EPINIERE: 15 encéphalopathie.

MOELLEUX: 4 doux* ■ 5 satin ■ 8 douillet ■ 10 chamoisage ■ 13 moelleusement.

MOELLON: 5 maçon ■ 6 pierre ■ 8 hérisson, smillage ■ 9 blocaille ■ 11 limousinage.

MŒURS: 5 bible, catin, fonds, mêlée, moral, voyou ■ 7 lorette ■ 8 débauche, donzelle, habitude, moralité, poissard ■ 9 abjection, civiliser, demi-monde, éthologie, moraliste, romaniser ■ 10 banditisme, hétaïrisme ■ 11 démoraliser, éthographie ■ 12 anachronisme, demi-mondaine, empoisonneur.

MOHAIR: 9 teddy-bear.

MOI: 3 égo ■ 4 bibi, mien ■ 5 mézig ■ 7 mézique ■ 8 empathie.

MOINDRE: 6 mineur ■ 8 diminuer ■ 9 amoindrir, inférieur ■ 10 contracter.

MOINE: 4 froc, gens ■ 7 cuculle, frocard, monacal, starets ■ 8 cénobite, défroqué, moinerie, stariets ■ 9 moinillon, monastère, religieux* ■ 10 monachisme, monastique, thérapeute ■ 14 monastiquement.

MOINEAU: 4 piaf ■ 6 piaffe ■ 7 friquet, gros-bec, pierrot ■ 9 gailletin, passereau.

MOINS: 8 manquant ■ 9 amenuiser, seulement ■ 11 moindrement, morte-saison.

MOIRAGE: 5 moire ■ 6 moirer ■ 7 moirure.

MOIRER: 7 moireur.

MOIS: 3 mai ■ 4 août, ides, juin, mars, neuf, réby ■ 5 avril, douze, safar, saint, terme ■ 6 nivôse, redjeb ■ 7 février, floréal, janvier, juillet, mensuel, ramadan, octobre, schewal, ventôse ■ 8 bimestre, brumaire, calendes, décembre, djoumadi, frimaire, gamélion, germinal, messidor, pluviôse, posidéon, prairial, schaaban, semestre ■ 9 bimensuel, embolisme, fructidor, munychion, mouharram, septembre, thermidor, trimestre ■ 10 bimestriel, boédromion, mensualité, pyanepsion, thargélion ■ 11 dsoulhedjab, dsoulkaadah, hécatombéon, mémactérion, vendémiaire ■ 12 anthestérion, élaphébolion, embolismique, métageitnion, scirophorion ■ 13 mensuellement.

MOÏSE: 7 berceau.

MOISIR: 5 gâter* ■ 7 chancir, pourrir*, remugle.

MOISISSURE: 5 barbe, moisi, mucor ■ 6 empuse ■ 7 mildiou, monilie ■ 10 aspergille, zygomycète ■ 11 aspergillus, chancissure, pénicillium, siphomycète, sporotriche ■ 12 plectomycète, pyrénomycète, terrafungine, trichophyton ■ 13 streptomycine.

MOISSON: 4 août ■ 5 verse ■ 6 chaume, éteule ■ 7 récolte* ■ 8 chaumage ■ 10 moissonner, saisonnier.

MOISSONNER: **4** sape ■ **5** scier ■ **6** aoûter, couper, gerber, glaner ■ **7** faucher, javeler ■ **8** arracher, cueillir, ramasser, récolter ■ **10** recueillir ■ **11** moissonnage, moissonneur ■ **12** moissonneuse.
MOISSONNEUSE: **9** porte-lame, rabatteur.
MOITE: **6** moiter ■ **9** halitueux.
MOITIE: **2** mi ■ **4** demi, hémi, midi ■ **5** à demi, demie, grisé, longe, métis, minot, mixte, padou ■ **6** épouse, mi-clos, milieu, padoue ■ **7** demi-vie, mitoyen, moyenne, partage, tabloïd ■ **8** demi-tour ■ **9** demi-deuil, demi-heure, demi-litre, demi-pièce, demi-place, demi-quart, dicotome, hémialgie, parallaxe, patouille, surbaisse, surhausse ■ **10** bissection, demi-cercle, demi-mesure, demi-relief, fifty-fifty, hémiplégie, hémisphère ■ **11** demi-colonne, demi-journée, entrefermer, hémianopsie, mi-partition ■ **12** demi-douzaine, demi-longueur ■ **15** hémicylindrique.
MOKA: **4** café ■ **5** farde.
MOLAIRE: **4** dent ■ **8** molalité, molarité ■ **9** mâchelier ■ **10** mâchelière, prémolaire ■ **11** carnassière ■ **13** valence-gramme.
MOLE: **4** lune, port ■ **5** digue, horst, jetée ■ **6** musoir ■ **7** môlaire ■ **8** avogadro ■ **11** débarcadère, embarcadère, équimolaire, poisson-lune ■ **14** molécule-gramme.
MOLECULAIRE: **14** macroglobuline.
MOLECULE: **4** pore ■ **5** codon, poids ■ **6** active, dimère ■ **7** capside, flavine, molaire, peptide, uracile ■ **8** cyclique, isotonie, oxyacide, protéide ■ **9** atomicité, bisulfure, chiralité, diazoïque, particule ■ **10** allostérie, amphiphile, diatomique, isotonique, répresseur ■ **11** alcoylation, moléculaire, nucléophile, solvatation, triatomique ■ **12** cyclopentane, hexachlorure, mono-atomique, prosthétique ■ **13** désexcitation, macromolécule, semi-perméable ■ **14** délocalisation, oxyhémoglobine, polymérisation ■ **15** ultrafiltration.
MOLENE: **13** bouillon-blanc.
MOLESTER: **7** rudoyer ■ **8** malmener* ■ **10** tourmenter* ■ **11** molestation.
MOLETER: **8** moletage.
MOLETTE: **8** porphyre.
MOLLASSE: **3** mou* ■ **7** flasque ■ **9** mollasson, terrefort ■ **11** mollasserie.
MOLLEMENT: **11** pendouiller.
MOLLESSE: **7** apathie, paresse* ■ **8** vélocité ■ **9** déhancher, faiblesse, indolence ■ **10** somnolence ■ **11** lymphatisme, nonchalance.
MOLLET: **3** mou* ■ **5** sural ■ **11** molletière.
MOLLETON: **8** blanchet ■ **9** sous-nappe ■ **10** molletonné ■ **11** molletonner ■ **12** molletonneux.
MOLLUSQUE: **4** clam, test ■ **5** arion, cirre, flion, harpe, hélix, lambi, mitre, ovule, pédum, perne ■ **6** cirrhe, hélice, rocher ■ **7** calamar, dentale, gravier, rudiste, trialle ■ **8** acéphale, spondyle ■ **9** néopilina ■ **10** amphineure*, coquillage, gastropode, scaphopode* ■ **11** céphalopode*, gastéropode*, hémocyanine, malacologie, nudibranche, trochophore, vénéricarde ■ **12** prosobranche, tectibranche, trochosphère ■ **14** lamellibranche*, opisthobranche, polyplacophore.
MOLOCHE: **7** agamidé.
MOLOSSE: **5** mâtin.
MOLYBDENE: **8** stellite ■ **11** molybdénite.
MOME: **6** chiard.
MOMENT: **3** ici ■ **4** à pic, dans, déjà, pile, spin, tour ■ **5** brune, crise, étale, halte, heure, levée, lever, passé, point, reste, somme, tempo,

temps* ■ 6 éclair, époque, passée ■ 7 instant ■ 8 aspergès, aussitôt, datation, débotter, débouché, débouler, débucher, équinoxe, magnéton, reporter, suspense, tournant ■ 9 actualité, désormais, élévation, fermeture, foliation, momentané ■ 10 actualités, entrefaits, in extremis, maintenant ■ 11 antineutron, feuillaison ■ 12 intermission, laisse-courre ■ 13 laisser-courre, momentanément.

MOMENTANE: 5 congé, pause ■ 7 aulofée ■ 8 accalmie, passager*, retraité ■ 9 armistice, palliatif, remplacer ■ 10 rémittence, temporaire ■ 11 défaillance, occultation ■ 15 engourdissement.

MOMIE: 6 natron ■ 8 momifier ■ 12 momification.

MONACAL: 4 froc ■ 5 moine* ■ 8 couronne ■ 10 monastique.

MONADE: 9 monadisme, monadiste ■ 11 monadologie.

MONARCHIE: 5 blanc, liste ■ 7 royauté ■ 9 royalisme ■ 10 monarchien ■ 11 monarchique, monarchisme, monarchiste ■ 14 ultraroyaliste ■ 15 antimonarchique, antimonarchiste.

MONARQUE: 3 roi* ■ 5 césar ■ 6 prince ■ 7 dynaste ■ 8 empereur, potentat ■ 9 autocrate, souverain*.

MONASTERE: 4 tour ■ 5 lavra ■ 6 abbaye, monial, vihara ■ 7 cloître, couvent*, moutier ■ 8 bonzerie, séculier ■ 9 cellérier, higoumène ■ 10 cartulaire ■ 11 trappistine, visitatrice ■ 13 archimandrite.

MONASTIQUE: 4 froc ■ 5 kondo ■ 6 monial ■ 7 monacal ■ 8 moinerie ■ 9 défroquer ■ 10 monachisme.

MONCEAU: 3 tas ■ 4 amas* ■ 7 fichoir ■ 8 taupinée ■ 10 taupinière.

MONDAIN: 5 raoût ■ 6 galant ■ 8 soiriste ■ 9 mondanité.

MONDE: 5 raoût, terre, vivre ■ 6 dassin, être là, gentry, ici-bas, milieu, nature ■ 7 mondain, mondial, planète, société*, univers*, visible ■ 8 création, occident, séculier, urbanité ■ 9 accoucher, demi-monde, immensité, mondanité, naissance, universel ■ 10 cosmogonie, extraverti, extroverti, intermonde, macrocosme, microcosme, panthéisme, urbi et orbi ■ 11 cosmopolite, mondialisme, pancosmisme, savoir-vivre ■ 12 extraversion, globe-trotter, introversion, mondialement ■ 14 weltanschauung ■ 15 planétarisation.

MONDIAL: 11 mondialiser ■ 14 mondialisation.

MONDIALISER: 14 mondialisation.

MONERGOL: 8 catergol.

MONETAIRE: 11 bullionisme, monétarisme ■ 12 monétisation ■ 14 monétarisation.

MONETARISME: 11 monétariste.

MONGOL: 7 khalkha ■ 10 mongoloïde.

MONGOLIEN: 10 trisomique.

MONGOLIQUE: 8 lamaïsme.

MONGOLISME: 9 mongolien ■ 10 mongoloïde.

MONILIA: 9 moniliose.

MONITEUR: 4 mono ■ 9 monitorat ■ 10 monitoring ■ 11 instructeur.

MONNAIE: 2 as, or ■ 3 écu, fen, fil, lei, lek, leu, lev, loi öre, ort, pul, sen, sol, sou, yen ■ 4 agio, ange, anna, bani, baht, cent, coin, dong, frai, jiao, lire, marc, mark, mine, para, peso, pile, pite, réal, reis, tael ■ 5 agnel, aspre, avers, belga, blanc, colon, croix, décri, dinar, douro, ducat, franc, grosz, haler, krone, kurus, jeton, lepta, liard, livre, louis, marka, noble, obole, patar, pence, penny, pièce, radis, réale, saucé, sicle, singe, sucre, thune, tical, titre, toman, zloty ■ 6 aignel, argent, aureus, balboa, besant, billon, carlin, cauris, décime, denier, dirham, dollar, échars, escudo, filler, florin, forint, gourde, groszy, guinée, gulden, hrivna, kopeck, maille, monaco, mouton, pagode, patard, peseta, pennik, rouble, roupie, rupiah, satang, sequien, talent, teston, thaler ■ **7** afghani, agoroth, angelot, appoint, bolivar, carolus, centavo, centime, centimo, cordoba, darique, doublon, douzain, drachme, ducaton, guarani, jacobus, kreuzer, lempira, meneron, milreis, moneron, ostmark, parisis, pfennig, piastre, piéfort, pistole, quetzal, quintar, risdale, rixdale, sapèque, serrate, statère ■ **8** ajustoir, assignat, couronne, cruzeiro, ducation, esterlin, frappage, génovine, grènetis, groschen, kreutzer, monnayer, napoléon, piécette, pied-fort, quinaire, serratus, sesterce, shilling, sterling, stotinka, stotinki, tchervon, tournois ■ **9** archétype, balancier, boliviano, centesimo, crénelage, demi-louis, maravédis, monétaire, monétiser, monnayage, monnayeur, numéraire, numismate, picaillon, quadruple, schilling, souverain ■ **10** médailleur, reichsmark ■ **11** démonétiser, dévaluation, tchervonetz ■ **12** bimétallisme, numismatique, réalignement ■ **13** faux-monnayeur, papier-monnaie ■ **14** dévalorisation, monométallisme.

MONNAYE : **10** monnayable.

MONNAYER : **8** négocier.

MONOBASE : **11** monobasique.

MONOCABLE : **9** télébenne ■ **10** télécabine.

MONOCHROME : **9** grisaille ■ **11** clair-obscur, monochromie.

MONOCLIQUE : **14** clinorhombique.

MONOCORDE : **8** uniforme.

MONOCOTYLEDONE : **5** tacca ■ **6** aracée*, butome, tépale ■ **7** maranta, musacée*, palmier*, potamot, zostère ■ **8** graminée, iridacée*, joncacée*, lemnacée*, liliacée*, pandanus, typhacée* ■ **9** alismacée*, cypéracée* ■ **10** graminacée*, liliiforme, orchidacée* ■ **11** acitaminale, broméliacée* ■ **12** dioscoréacée*, spadiciflore, zingibéracée* ■ **13** amaryllidacée*.

MONOCYTE : **10** histiocyte.

MONODIQUE : **8** madrigal.

MONOGRAMME : **6** ichtus ■ **7** chrisme, ichthys.

MONOÏ : **5** tiaré.

MONOÏQUE : **8** monœcie.

MONOLINGUE : **9** unilingue.

MONOLITHE : **5** stèle.

MONOLOGUE : **6** aparté ■ **9** soliloque ■ **11** monologuer.

MONOME : **5** terme ■ **11** coefficient.

MONOMERE : **10** polyvinyle.

MONONUCLEAIRE : **8** monocyte.

MONOPHONIE : **4** mono ■ **12** monophonique.

MONOPHONIQUE : **8** monaural.

MONOPHOSPHATE : **3** amp.

MONOPHYSISME : **11** monophysite.

MONOPHYSITE : **7** melkite ■ **8** jacobite, melchite.

MONOPLACE : **3** u.l.m.

MONOPOLE : **5** tabac ■ **7** asiento ■ **9** privilège ■ **11** exclusivité, monopoliser.

MONOPOLISER : **7** truster ■ **9** accaparer ■ **14** monopolisation, monopolisateur.

MONOPOLISTE : **10** monopoleur.

MONOSKI : **4** mono.

MONOTONE : **3** uni ■ **5** scier, terne ■ **7** mélopée ■ **8** ennuyeux, traînant, trantran, uniforme ■ **9** monocorde, monotonie, psalmodie ■ **10** train-train.

MONOTREME : **7** échidné ■ **12** protothérien ■ **13** ornithorynque.

MONOTROPE : **7** sucepin.

MONOTYPE: 4 finn ■ 7 vaurien.
MONOVALENT: 5 scyle ■ 6 vinyle ■ 7 azotyle.
MONSIEUR: 5 sahib, señor ■ 9 caballero ■ 10 tartempion.
MONSTRE: 4 nain ■ 5 géant, hydre, lamie ■ 6 dragon, guivre, harpie, kraken, pygmée, sirène, sphinx ■ 7 albinos, avorton, basilic, chimère, cyclope, échidna ■ 8 acéphale, bijumeau ■ 9 andriague, androgyne, endriague, léviathan, phénomène ■ 10 tératogène ■ 11 polycéphale, tératologie ■ 13 hermaphrodite.
MONSTRUEUX: 4 beau ■ 6 énorme ■ 7 affreux, anormal, bizarre ■ 8 difforme, excessif, tarasque ■ 10 effroyable, phénoménal ■ 12 monstruosité ■ 14 extraordinaire.
MONSTRUOSITE: 8 anomalie ■ 9 mélomélie, phénomène, polymélie ■ 10 difformité ■ 12 anencéphalie, polydactylie.
MONT: 3 pic, puy ■ 4 clou ■ 5 butte, tante ■ 6 ballon, sommet ■ 7 colline*, monceau ■ 8 montagne* ■ 9 monticule ■ 12 ultramontain.
MONTAGE: 7 moviola ■ 8 apiéceur, push-pull ■ 9 encadreur ■ 10 assemblage, frigoriste ■ 11 audiovisuel.
MONTAGNARD: 4 kilt ■ 5 gavot, kéfir, remue ■ 6 képhir ■ 7 clephte, filibeg, gavache, klephte ■ 8 girondin, philibeg ■ 10 génovéfain, highlander.
MONTAGNE: 3 pic, puy, yak ■ 4 cime, dent, mont, pied, trek, yack ■ 5 alpin, piton ■ 6 arnica, chaîne, estive, oréade, piolet ■ 7 chaînon, estiver, hauteur, moraine ■ 8 alpestre, altiport, glissage, schlitte, trekking ■ 9 alpinisme, avant-mont, monticole, orogenèse, tectogène ■ 10 alpenstock, crapaudine, montagnard, montagneux, orographie, transhumer ■ 11 cynocéphale ■ 12 ascensionner, rhododendron, sabot-de-vénus ■ 15 intramontagnard.
MONTANT: 3 pot ■ 4 écot, taux ■ 5 quête, somme, tarif ■ 6 import, meneau, nombre ■ 7 chiffre, colonne, encours, portant, quantum ■ 8 batayole, échelier, piédroit, pilastre ■ 9 ascendant, battement, feuillure, petit-bois, pied-droit, principal ■ 11 mouvementer ■ 12 pied-de-chèvre.
MONTAUBAN: 12 montalbanais.
MONT-DE-MARSAN: 7 montois.
MONTEE: 4 côte, flux ■ 5 rampe ■ 6 diapir ■ 7 téléski ■ 8 escalier ■ 9 grimpette, raidillon ■ 10 convection, marchiepied, monte-pente ■ 12 remonte-pente.
MONTER: 5 monte, selle ■ 6 gravir, hisser, marcher ■ 7 cabaler, dresser, grimper, hausser ■ 8 arranger, houseaux, montueux, remonter ■ 9 accoupler, augmenter, embarquer, escalader, joaillier, monte-sacs ■ 10 ascendance, avancement, équitation, monte-plats ■ 11 fourbisseur, monte-charge, tire-veilles ■ 12 ascensionnel, préfabriquer.
MONTEUR: 11 carlinguier.
MONTGOLFIERE: 6 ballon ■ 12 aéronautique*.
MONTPELLIER: 14 montpelliérain.
MONTICULE: 4 dune ■ 5 butte, cairn, œsar ■ 6 tertre.
MONTRE: 3 coq ■ 5 fusée ■ 6 coucou, oignon, parade ■ 7 étalage, tocante ■ 8 apparent, barillet, horloger, léontine, toquante ■ 9 cadrature, giletière, gourmette, remontoir, trotteuse ■ 10 bassinoire, savonnette ■ 11 affectation, chronomètre, ostentation, porte-montre ■ 12 chronographe ■ 14 bracelet-montre, contre-la-montre, montre-bracelet.
MONTREAL: 11 montréalais.
MONTRER: 4 voir ■ 6 étaler, guider, offrir, trahir ■ 7 abattre, arborer, déceler, décrire, dénuder, détenir, émerger, éventer, exhiber, exhumer, exposer, parader, prouver, publier, révéler* ■ 8 affecter, af-

ficher, apporter, défendre, dénoncer, déployer, dérouler, désigner, dévoiler, indiquer*, montreur, paraître, produire, signaler ■ 9 apprendre, découvrir, démasquer, démontrer, divulguer, empresser, enseigner, instruire, montrable, présenter, prodiguer, remonter, témoigner ■ 10 apparaître, développer, manifester*, vulgariser ■ 11 déshabiller, représenter ■ 15 exhibitionniste.

MONTREUR : 14 marionnettiste.

MONTURE : 4 rêne ■ 5 bride, cadre, chape ■ 6 châsse, crosse ■ 8 démonter, haquenée ■ 9 andriague, dessertir, endriague, porte-lame ■ 10 dromadaire.

MONTURER : 9 enchâsser.

MONUMENT : 5 pilon, stèle, stupa ■ 6 dolmen, koubba, marbre, stoupa ■ 7 colonne, tombeau ■ 8 bâtiment, cromlech, mausolée, mémorial, panthéon, pyramide ■ 9 cyclopéen, statufier ■ 10 monumental, phylactère ■ 11 archéologie, frontispice ■ 12 instaurateur.

MONUMENTAL : 8 colossal*, propylée ■ 13 monumentalité.

MOQUER : 4 rire* ■ 5 vexer ■ 6 berner, braver, chiner, dauber, ficher, larder ■ 7 badiner, bafouer, gausser, narguer, railler*, ricaner ■ 8 attraper, balancer, charrier, ironiser, moquerie, parodier ■ 9 ballotter, brocarder, gouailler, mystifier, persifler ■ 10 chansonner, plaisanter, tourmenter, turlupiner ■ 11 caricaturer, contrefaire, goguenarder, ridiculiser ■ 12 contreficher, contrefoutre.

MOQUERIE : 5 berne, jouet, lazzi, nique, risée ■ 6 ironie*, satire* ■ 7 brocard, parodie ■ 8 badinage, dérision, narquois, ridicule, sarcasme ■ 9 épigramme, goguenard, raillerie* ■ 10 causticité, pasquinade, persiflage, ricanement ■ 11 gouaillerie, turlupinade ■ 12 bouffonnerie, moqueusement, plaisanterie ■ 13 mystification.

MOQUETTE : 5 tapis* ■ 9 moquetter ■ 10 carpettier ■ 12 shampouineur ■ 13 aspiro-batteur, shampouineuse.

MORACEE : 4 upas ■ 6 mûrier ■ 7 figuier, jaquier ■ 8 jacquier.

MORAINE : 5 œsar ■ 10 morainique.

MORAINIQUE : 7 boulder.

MORAL : 3 bon, mal ■ 4 bien, dose, sain, tare ■ 5 crime, enfer, ennui, fable, faute, homme, hymen, ithos, juste, nette, nœud, noble, opium, rance, règne, saine, sutra, trait, vertu*, virus ■ 6 mœurs, morale ■ 7 éthique, immoral, homélie, mésaise, probité, univers ■ 8 ambiance, conduite, dégénéré, ennoblir, expurger, guérison, langueur, moralité, personne, sainteté ■ 9 activisme, affranchi, antimoral, ascétisme, constance, hédonisme, honnêteté, magistère, moraliser, moralisme, perdition, rigorisme ■ 10 abattement, capucinade, catéchisme, catholique, clandestin, conscience, cosmodicée, épicurisme, immoralité, inconduite, jésuitisme, malsonnant, moralement, obligation ■ 11 dérèglement, obligatoire, puritanisme ■ 12 négativisme, traumatisant, utilitarisme ■ 13 confucianisme, découragement, latitudinaire, prédélinquant ■ 14 dégénérescence.

MORALE : 3 pur ■ 8 décideur ■ 9 dolorisme, malékisme, malikisme ■ 10 superforme.

MORALEMENT : 8 entâcher ■ 9 pervertir, régénérer.

MORALISER : 10 moralisant, moraliseur ■ 12 moralisateur, moralisation.

MORBIDE : 4 pica, sain ■ 5 agité ■ 7 malsain ■ 8 accéléré, enfiévré, fiévreux ■ 9 morbidité, zoophobie ■ 10 cocaïnisme, congestion, gonococcie, hydropisie, mélancolie, morbidesse ■ 11 fébricitant, mussitation, narcissisme, toxicomanie ■ 12 complication ■ 13 cancérophobie, hallucination ■ 14 claustrophobie, hyperémotivité.

MORBIHAN : 12 morbihannais.

MORCEAU : **3** âme, duo, têt ■ **4** bout, cale, coda, coin, lame, menu, œuf, part*, soli, solo, trio ■ **5** bâton, bribe, brife, bûche, calot, canon, darne, éclat, étude, fiche, final, haché, jouer, lange, largo, latte, lento, lopin, loque, motet, motif, pagne, pâton, pesée, pièce*, plomb, plume, poids, point, quasi, rabat, sabot, talon, tapon, tempe, tempo, tende, thème, tison, tuile, valse, verge, voile, volti ■ **6** adagio, aideau, chicot, coupon, débris, entame, finale, flipot, garrot, lingot, miette, partie*, rognon, sillet, taille, tesson ■ **7** abaisse, allégro, bavolet, bouchée, chiffon, feuille, grignon, lambeau, moignon, planche, portion*, prélude, quignon, rogaton, scherzo, segment, tasseau, tranche, trognon, tronçon ■ **8** analecta, billette, blanchet, boulette, bûchette, chanteau, cheville, découper, discours, estropié, fragment*, gantelet, gommette, greubons, lichette, loquette, mordache, neuf-huit, nocturne, palanche, palançon, panoufle, parcelle, pastille, piécette, rapsodie, rational, retaille, sourdine, tablette, tesselle ■ **9** allume-feu, analectes, andantino, cartisane, détailler, douze-huit, entrecôte, gailletin, gaillette, languette, larghetto, papillotte, quintette, rhapsodie, trois-huit ■ **10** allégretto, amourettes, anthologie, fortissimo, haut-relief, mouillette, offertoire, paragraphe, quatre-huit, scherzando, sicilienne, talonnière ■ **11** aiguillette, contre-filet, échantillon, gailleterie, sot-l'y-laisse, trois-quatre ■ **12** passe-carreau, trousse-queue ■ **13** chrestomathie.

MORCELER : **6** casser*, couper*, hacher ■ **7** entamer, séparer ■ **8** partager*, trancher ■ **9** démembrer ■ **10** balkaniser, morcelable, tronçonner ■ **12** morcellement.

MORCELLEMENT : **4** pack ■ **12** remembrement.

MORDANÇAGE : **9** aluminage, mordancer ■ **10** diachromie.

MORDANT : **3** vif* ■ **4** âcre, amer ■ **5** acéré, pièce, rosse ■ **6** acerbe ■ **7** cuisant, incisif, mauvais, méchant, piquant* ■ **9** caustique, satirique ■ **10** amordancer, mordançage ■ **11** acrimonieux, sarcastique ■ **12** emporte-pièce.

MORDILLER : **10** mordillage.

MORDORE : **8** mordorer ■ **9** mordorure.

MORDRE : **6** broyer, gruger, mâcher, piquer*, ronger* ■ **7** croquer, lacérer ■ **8** déchirer, découdre, pénétrer, remordre ■ **9** grignoter, mordiller, muselière ■ **11** déchiqueter.

MORELLE NOIRE : **8** tue-chien.

MORFIL : **9** émorfiler.

MORFONDU : **6** transi.

MORGUE : **7** orgueil*.

MORIBOND : **7** mourant ■ **9** agonisant.

MORICAUD : **5** nègre*.

MORIGENER : **8** corriger ■ **11** réprimander*.

MORILLON : **8** fuligule.

MORMON : **10** mormonisme.

MORNE : **6** sombre*, triste*.

MORNIFLE : **5** gifle.

MOROSE : **7** chagrin* ■ **8** maussade*, morosité.

MORPHENE : **6** monème ■ **10** lexicalisé.

MORPHINE : **8** héroïne ■ **9** méthadone ■ **11** apomorphine, encéphaline, enképhaline, morphinique, morphinisme ■ **13** morphinomanie ■ **14** dextromoramide.

MORPHINIQUE : **9** méthadone.

MORPHISME : **12** endomorphisme ■ **13** gomomorphisme.

MORPHOLOGIE : **5** tjäle ■ **9** typologie ■ **10** andrologie ■ **11** gynécologie ■ **13** morphologique.

MORPHOLOGIQUE : 13 microcéphalie.
MORS : 4 rêne ■ 5 bride, frein, guide ■ 6 bridon ■ 7 montant, têtière ■ 8 bossette, emporter ■ 9 gourmette, porte-mors ■ 10 embouchure.
MORSE : 6 rohart ■ 10 télégraphe.
MORSURE : 5 venin ■ 6 sodoku.
MORT : 3 fin, mat ■ 4 coma, glas, rage, sauf, tuer, urne ■ 5 corps, croup, décès, deuil, fosse, hache, larve, létal, litre, momie, nécro, ombre, palme, pâque, périr, perte, peste, pièce, point, pompe, repos, saint, sauvé, shéol, signe, somme, tombe, toril, zombi ■ 6 décédé, défunt, dégelé, éteint, libera, mortel, mort-né, restes, trépas ■ 7 cadavre, disparu, funèbre, funeste, lémures, linceul, martyre, néfaste, service, suicide, vampire ■ 8 autopsie, bourreau, cercueil, charnier, charogne, demi-mort, détruire, échafaud, exécuter, féralies, immortel, malemort, massacre, revenant, thanatos, trépassé ■ 9 asphyxier, cénotaphe, choéphore, cimetière, dépouille, docimasie, dormition, exécution, macchabée, mortifère, mortuaire, nécrologe, obituaire ■ 10 ab intestat, corbillard, euthanasie, foudroyant, guillotine, nécrologie, outre-tombe, parentales, prosopopée ■ 11 crématorium, de profundis, embryotomie, lithopédion, morte-saison, nécromancie, parentalies, psychopompe ■ 12 eschatologie, mortellement, résurrection, thanatologie ■ 13 électrocution ■ 14 empoisonnement.
MORTAISE : 5 tenon ■ 8 enlaçure ■ 9 enlassure, mortaiser ■ 11 mortaiseuse.
MORTALITE : 8 létalité ■ 12 néomortalité, surmortalité.
MORTEL : 4 exil ■ 5 fatal, létal, péché ■ 8 personne, scorpion ■ 9 flacherie ■ 10 muscardine ■ 11 vulgum pecus ■ 12 incapacitant.
MORTICOLE : 7 médecin.
MORTIER : 4 boue ■ 5 bauge, chaux, crépi, pilon, rabot ■ 6 coulis, gâchis ■ 7 bouloir, torchis ■ 8 gunitage, truellée ■ 9 égrugeoir, jointoyer, rusticage ■ 10 boussillage, crépissure ■ 11 couvre-joint, crapouillot.
MORTIFICATION : 5 haire, jeûne ■ 6 cilice ■ 7 nécrose ■ 8 gangrène ■ 9 pénitence ■ 10 contrition, macération.
MORTIFIER : 7 macérer ■ 8 humilier ■ 10 bourbillon ■ 13 mortification.
MORT-NE : 5 velot ■ 13 mortinalité.
MORUE : 4 acra, gade ■ 5 doris ■ 7 églefin, haddock ■ 8 aiglefin, brandade, merluche, morutier ■ 9 cabillaud, islandais ■ 10 stockfisch.
MORULA : 8 blastula, blastule.
MORVE : 5 moque ■ 6 farcin ■ 7 morveux ■ 9 chandelle.
MOSAÏQUE : 7 abacule ■ 8 mosaïqué, mosaïste, tesselle ■ 9 mosaïquer ■ 10 millefiori ■ 11 marqueterie.
MOSQUEE : 4 iwan ■ 5 caaba, islam, kaaba ■ 6 minbar, temple ■ 7 minaret ■ 8 marabout.
MOT : 3 ana, dit, nom ■ 4 apax, bref, écho, vers ■ 5 glose, ligne, rébus, riche, rimer, terme, tilde, tmèse, trait, trope, usage ■ 6 diction, lapsus, lettre, lexème, médial, monème, mot-clé, parole*, pointe, sémène, sésame ■ 7 attesté, bluette, doublet, graphie, incipit, radical, relatif, saillie, vocable ■ 8 adjectif, allusion, antonyme, démotivé, épithète, explétif, faux-sens, locution, morphème, paronyme, prédicat, prothèse, réplique, scrabble ■ 9 acception, anagramme, antonymie, archaïsme, argotisme, calembour, diminutif, épenthèse, épigramme, équivoque, extension, glossaire, graphisme, hyperbate, joyeuseté, métaphore, métathèse, mot-valise, paroxyton, particule, polysémie, prosthèse, raillerie, trigramme, trillière ■ 10 anastrophe, barbirisme, belgi-

cisme, complément, enclitique, étymologie, expression, homophonie, lexicalisé, logomachie, néologisme, onomatopée, paronomase, sémantique, troncation ■ 11 abréviation, anacyclique, anaphorique, appellation, augmentatif, compendieux, conjonction, coordonnant, dénominatif, lexicologie, monosyllabe, mots croisés, paillardise, préfixation, préposition, psittacisme, suffixation, terminaison ■ 12 dénomination, dictionnaire, interjection, latinisation, phraséologie, plaisanterie ■ 13 agglutination, cruciverbiste, déglutination, laconiquement, mots-croisiste, quadrisyllabe, verbigération ■ 14 grandiloquence, holophrasique, monosyllabisme, naturalisation, parisyllabique ■ 15 hypercorrection, parasynthétique, polysynthétique.

MOTACILLIDE : 6 pitpit.

MOTEL : 5 hôtel.

MOTET : 6 psaume ■ 8 cantique.

MOTEUR : 3 âme, i.m.c. ■ 4 nerf, raté, watt ■ 5 broum, caler, canot, capot, cause, libre, rotor, turbo ■ 6 diesel, in-bord, mobile, poussé, stator, tuyère, zodiac ■ 7 culasse ■ 8 bimoteur, embrayer, nourrice, runabout ■ 9 anaérobie, cognement, cylindrée, démarreur, deux-temps, motocycle, motopompe, motoriser, motorship, promoteur, trimoteur ■ 10 aéromoteur, bloc-moteur, collecteur, eupraxique, monomoteur, pathétique, silencieux ■ 11 instignateur, motoculture, ovalisation, turbomoteur, vilebrequin ■ 12 monocylindre, protagoniste, quadrimoteur ■ 13 carburéacteur, décompresseur, précombustion, pulsoréacteur, sensori-moteur, turboréacteur ■ 14 quadriréacteur, turbocompressé ■ 15 turbopropulseur.

MOTIF : 2 si ■ 3 sur ■ 5 cause*, figue, objet, sujet ■ 6 mobile, propos, pylône, raison* ■ 7 rouleau, torsade ■ 8 antéfixe, décision, immotivé, monotype, ostinato, pampille, parce que, prétexte*, triskèle ■ 9 clabauder, cloisonné, évolution, fondement, guirlande, intention, leitmotiv ■ 10 obligation, quadrilobe, tête-de-clou ■ 11 considérant, enroulement, explication ■ 13 considération, détermination.

MOTILITE : 12 psychomoteur.

MOTION : 10 résolution ■ 11 proposition*.

MOTIVATION : 9 démotiver, satiation.

MOTIVER : 5 mener ■ 6 causer* ■ 7 décider ■ 8 conduire, motivant, proposer ■ 9 entraîner*, expliquer, prétexter ■ 10 déterminer, motivation ■ 11 accusatoire ■ 12 rédhibitoire.

MOTO : 7 chopper.

MOTOCYCLETTE : 4 kick, moto ■ 5 meule ■ 6 motard ■ 7 scooter, side-car ■ 9 motocross ■ 10 repose-pied, vélomoteur ■ 11 repose-pieds ■ 12 motocycliste.

MOTOCYCLISME : 6 enduro.

MOTOCYCLISTE : 5 trial.

MOTONAUTISME : 6 in-bord.

MOTONEIGE : 7 motoski ■ 12 motoneigisme, motoneigiste.

MOTOR-HOME : 12 auto-caravane.

MOTORISER : 12 motorisation.

MOTRICE : 7 turbine ■ 9 dyscrasie, dyspraxie, mouvement ■ 10 dyskinésie ■ 12 quatre-quatre.

MOTRICITE : 4 gaba ■ 11 oculomoteur ■ 14 extrapyramidal.

MOTS CROISES : 13 verbicruciste.

MOTTE : 5 glèbe ■ 7 emmotté, roulage, tontine ■ 9 émotteuse ■ 11 brise-mottes.

MOTUS : 4 paix.

MOU : 4 blet, cire, flou, pâte ■ 5 chair, herbe, lâche, loque, pulpe, raton, savon, veule ■ **6** baveux, blèche, chiffle, faible, inerte, mollet, panade, pâteux, souple, tendre ■ **7** amorphe, bonasse, ductile, endormi, flasque, fondant, nouille, ramolli, ramollo ■ **8** engourdi, flandrin, flemmard, flexible, gnangnan, indolent, moelleux, mollasse, mollesse, ramollir, relâcher, soliveau, sybarite ■ **9** aboulique, apathique, cotonneux, élastique, énergique, malléable, mollasson, mollement, savonneux, spongieux.

MOUCHARD: **6** espion* ■ **8** cafarder ■ **9** cafardeur ■ **10** moucharder ■ **11** mouchardage.

MOUCHARDER: **6** cafter ■ **8** raccuser.

MOUCHARDEUR: **7** cafteur.

MOUCHE: **5** patte ■ **6** chiure, stomox, tsé-tsé ■ **7** asticot, diptère*, muscidé, psilopa, stomoxe ■ **9** anthomyie, émouchoir, hématobie, moucheron, stratiome, tenthrède ■ **10** cantharide, émouchette, scatophage ■ **11** démoucheter, hyménoptère* ■ **14** attrape-mouches.

MOUCHER: **8** mouchage, mouchoir ■ **10** mouchettes.

MOUCHERON: **9** chironome.

MOUCHETER: **5** tigré ■ **7** taveler ■ **9** marqueter.

MOUCHETTE: **5** rabot.

MOUCHOIR: **7** foulard, kleenex ■ **8** pochette ■ **10** anguillade ■ **11** cache-tampon.

MOUDRE: **5** piler ■ **6** broyer* ■ **8** remoudre.

MOUE: **5** lippe ■ **7** grimace*.

MOUETTE: **5** mauve ■ **6** rieuse ■ **7** goéland ■ **9** phalarope ■ **11** stercoraire.

MOUFFETTE: **5** scons, skons, skuns ■ **6** sconse, skunks ■ **7** mofette ■ **8** moufette.

MOUFLE: **4** gant.

MOUFLET: **9** moujingue.

MOUILLABLE: **13** mouillabilité.

MOUILLAGE: **9** corps-mort.

MOUILLANT: **10** mouillance.

MOUILLE: **3** sec ■ **5** poule, soupe, tilde ■ **10** ruisselant.

MOUILLER: **4** rade ■ **5** touer ■ **7** arroser*, baigner, délaver, imbiber, inonder, tremper ■ **8** humecter ■ **9** mouillage, mouillant, mouilleur, mouillure, ruisseler ■ **10** affourcher, humidifier*, mouillable, remouiller ■ **11** mouillement ■ **12** pattemouille.

MOUILLEUR: **9** mouilloir.

MOULAGE: **5** fonte ■ **6** masque ■ **8** sablerie ■ **9** démoulage, polyester, remoulage ■ **10** carton-pâte, préformage, surmoulage.

MOULE: **4** mère, supé ■ **5** bosse, chape, coulé, creux, évent, forme, potée, sabot, savon, staff, sucre, verre ■ **6** gueuse, modèle*, virole ■ **7** abaisse, calibre, dariole, mandrin, matrice, mulette, timbale ■ **8** démouler, fondeuse, gaufrier, mouclade, moulière, naissain, surmoule ■ **9** enterrage, stéréotype, troussage, vol-au-vent ■ **10** boucholeur, bouchoteur, embauchoir, lingotière, pinnothère, remmoulage ■ **11** contremoule ■ **13** mytiliculture ■ **15** conchyliculture.

MOULER: **5** tirer ■ **6** couler, fondre ■ **7** moulant, mouleur ■ **8** frittage, remouler ■ **9** figuriste, surmouler ■ **10** boudineuse, reproduire.

MOULIN: **3** bée ■ **4** abée, aile, ante, bief, buse, came, noix ■ **5** cérat, copra, huche ■ **7** claquet, meunier ■ **8** coursier, engrener, moulinet, reillère ■ **9** égrugeoir ■ **10** foulonnier, moulinette.

MOULINAGE: **8** mouliner.

MOULINET: **6** touret ■ **8** crécelle ■ **9** rabatteur.

MOULURE: **3** ove ■ **4** tore ■ **5** bague, bande, cavet, chant, congé, filet, gorge, marli, perle, quart, talon, ténie, toron ■ **6** boudin, cordon, échine, feston, listel, liston, module, réglet, sacome, scotie, souage, volute ■ **7** armille, cimaise, cymaise, doucine, larmier, listeau, nervure, plinthe, ressaut, tringle ■ **8** baguette, chapelet, corniche, modillon, moulurer ■ **9** astragale, cannelure, entrelacs, mouchette, piédouche ■ **10** archivolte, bandelette, cordelière, modénature, moulurière, plate-bande, stéréobate, tarabiscot ■ **11** entablement, mouluration, quart-de-rond.

MOULURER: **9** moulurage.

MOURIR: **5** clore, finir, payer, périr*, rouer ■ **6** crever, passer ■ **7** clamser, claquer, décéder, dégeler, exhaler, expirer, manquer ■ **8** ad patres, claboter, clamecer, crampser, éteindre, moribond ■ **9** calancher, déménager, succomber, trépasser ■ **11** disparaître.

MOURON: **6** samole ■ **9** morgeline, stellaire.

MOUSQUET: **4** arme ■ **5** fusil* ■ **11** mousquetade ■ **12** mousquetaire, mousqueterie.

MOUSQUETON: **5** fusil* ■ **15** porte-mousqueton.

MOUSSAILLON: **6** mousse.

MOUSSE: **4** urne ■ **5** écume, hypne ■ **6** moussu ■ **7** crémant, matelot* ■ **8** géophile, moussant, mousseux, muscinée, polytric, saponine, sphaigne, sporange ■ **9** archégone, bryologie, bryophyte, péristome, propagule, protonéma, sphagnale, sporogone ■ **10** tardigrade ■ **11** moussaillon, sélaginelle ■ **12** polyuréthane ■ **13** polyuréthanne.

MOUSSELINE: **5** blanc, jabot ■ **7** canezou, giselle, jaconas, organdi ■ **8** fontange ■ **9** manchette ■ **10** singalette ■ **12** moustiquaire.

MOUSSER: **6** rocher ■ **8** moussoir, pétiller.

MOUSSERON: **10** tricholome.

MOUSSEUX: **2** aï, ay ■ **4** asti ■ **9** champagne, clairette, pétillant ■ **10** blanquette, cappuccino.

MOUSSON: **4** vent.

MOUSTACHE: **5** poilu ■ **7** bacante ■ **9** moustachu.

MOUSTIQUE: **5** culex ■ **6** cousin, tipule ■ **8** anophèle ■ **9** arbovirus, stégomyie ■ **10** maringouin ■ **12** démoustiquer, moustiquaire.

MOUT: **4** cuve ■ **5** viner ■ **8** mistelle ■ **9** reverdoir ■ **10** désulfiter, glucomètre ■ **11** chaptaliser.

MOUTARD: **9** moujingue.

MOUTARDE: **5** sanve ■ **6** sénevé ■ **7** tartare ■ **8** érucique, myrosine, sinapisé ■ **9** ravenelle, sinapisme ■ **10** moutardier.

MOUTIER: **7** cloître.

MOUTON: **4** ovin, parc ■ **5** baron, bêler, bizet, cosse, gigot, laine, mégir, mégis, ovine, selle, varon, yassa ■ **6** bélier, haggis, piétin ■ **7** karakul, méchoui, mérinos, mouflon, navarin, parcage, pré-salé, scoured, tournis, tripous, tripoux ■ **8** bêlement, bergerie, chachlik, cordouan, éclanche, lainerie, panoufle, sonnette, touloupe ■ **9** amourette, baudruche, chabraque, côtelette, flock-book, mélophage, parchemin, vassiveau ■ **10** moutonnier, tremblante ■ **11** chiche-kebab, moutonnerie.

MOUTONNER: **10** moutonneux ■ **12** moutonnement.

MOUTURE: **5** gruau ■ **7** blutage ■ **8** fleurage ■ **9** minoterie, remoulage.

MOUVANT: **4** lise.

MOUVEMENT: **2** va ■ **3** cri, jet, pas, tic, vie, vif, vol ■ **4** acte, bras, came, clin, coup, ébat, élan, flux, joie, nerf, onde, plié, punk, rire, saut, tour, vent, voix, yang ■ **5** accès, à coup, arbre, balan, bougé, cours, danse, désir, effet, frein, galop, gêner, geste*, guide, houle, lacet, largo, lento, leste, liant, marée, masse, passe, poids, point, porté, rasta, recul, repli, repos, rétro, revif, roque, tabès, tâter, tempo, temps, train, trend, vague, venir, volte ■ **6** abatée, action*, adagio, afflux, colère, course, épaulé, frison, marche, mesure, mobile, motion, pesade, pogrom, porter, presto, reflux, remous, roulis, rythme, tapage, tirage, vivace ■ **7** abattée, acculée, allegro, andante, aulofée, bouffée, brassée, cadence, courant, devenir, dévissé, entrain, envolée, grimace, karaïte, kinésie, meeting, partita, passion, progrès, qaraïte, remuant, ressort, revival, rexisme, saccade, soulevé, sursaut, tangage, tempête, toccata, torsion, tumulte ■ **8** acinésie, agoniste, akinésie, ankylose, approche, athétose, auloffée, automate, bahaïsme, béhaïsme, broutage, brownien, chercher, commande, démarrer, désordre, dodinage, dysbasie, ébranler, embrayer, émersion, espalier, exercice, giration, gnangnan, gyrostat, hystérie, instinct, machinal, moderato, nutation, penduler, poussoir, reculade, rotation, sinn-fein, souffler, soufisme, tactisme, trudgeon ■ **9** abduction, achalasie, actionner, adduction, agitation, allemande, andantino, animation, apoplexie, ascendant, balancier, battement, chartisme, cillement, cinétique, commotion, convexion, courbette, dégourdir, développé, diduction, direction, dynamique, embrayage, enclenche, entraîner, évolution, fréquence, futurisme, giratoire, impétueux, impulsion, johannite, larghetto, libration, mâchement, manivelle, manœuvre, mécanique, métronome, minuterie, moudjahid, nystagmus, orienteur, paralysie, pendillon, pronation, pulsation, puseyisme, rastafari, remuement, révérence, roulement, tentation, va-et-vient, variateur, variation, véhémence, vibration ■ **10** allegretto, armillaire, aspiration, astronomie, automoteur, balistique, broutement, bruxomanie, contorsion, convection, crispation, déclencher, diarthrose, ébullition, écoulement, émergement, épaulé-jeté, flottement, glissement, hanchement, haussement, idéo-moteur, locomotion, néonazisme, ondoiement, ondulation, piaffement, pivotement, précession, promouvoir, propulseur, révolution, ritardando, romantisme, sicilienne, soubresaut, subsidence, supination, symbolisme, syncinésie, synergiste, tourbillon, turbulence, wahhabisme ■ **11** accelerando, autoguidage, balancement, boulangisme, cinématique, cinesthésie, circulation, dandinement, déplacement, duodécimain, ébranlement, échappement, embrasement, fluctuation, haut-le-corps, indignation, kinesthésie, mouvementer, néokantisme, occitanisme, oscillation, palpitation, papillonner, planétarium, prestissimo, rabattement, renaissance, sophistique, spartakisme, surréalisme, télékinésie, tremblement, trépidation, vacillation, voltigement ■ **12** arc-boutement, ballottement, bradykinésie, cardiographe, clignotement, décélération, encliquetage, facture-congé, fermentation, frémissement, frétillement, grouillement, indiscipline, insoumission, kimbanguisme, marmottement, pentecôtisme, pentecôtiste, tranquillité, travaillisme, trépignement ■ **13** aérodynamique, autocinétique, circumduction, déclenchement, effervescence, entrebâilleur, fourmillement, manifestation, phototropisme, pneumographie, proprioceptif, rassemblement, rétrogression, somnambulisme, vrombissement ■ **14** euroterrorisme, mécontentement, ralentissement, rétablissement, situationnisme ■ **15** antipsychiatrie, attendrissement, cinématographie, insubordination, néo-pythagorisme, phénakistiscope, rejaillissement, trans-avant-garde, trémoussement.

MOUVEMENTE : 5 agité* ■ 7 houleux ■ 9 accidenté.

MOUVOIR : 4 grue, rame ■ 5 agile, aller, errer, jouer, palan, tirer, voler ■ 6 agiter, animer, bondir, bouger, courir, danser, frémir, locher, monter, porter, remuer*, rouler, sauter, vibrer ■ 7 avancer, démener, évoluer, gigoter, marcher*, ondoyer, pédaler, piaffer, reculer, tituber, tourner, voyager ■ **8** balancer, circuler, débattre, démarrer, déplacer, émouvoir, gambader, immobile, impotent, mobilité, motilité, osciller, palpiter, panneton, trembler, vivacité ■ **9** actionner, ballotter, chanceler, fermenter, frétiller, gestuelle, grouiller, mouvement, sursauter, tournoyer, trépigner ■ **10** automobile, brandiller, fourmiller, frissonner, gesticuler, immobilité, locomobile, manœuvrer, progresser, trembloter, trémousser ■ **11** bouillonner, marionnette ■ **14** hydromécanique.

MOYEN: **2** de ■ **3** fil, par ■ **4** avec, dire, rêne, soin, sous, truc, voie ■ **5** alibi, beauf, biais, canal, cuire, engin, fuite, issue, magie, mèche, mener, momie, outil, pompe, store, temps, trame, vivre, voler ■ **6** chemin, détour, mesure, milieu, obscur, organe, rouage, secret ■ **7** combine, creuset, manière*, méthode*, moyenne, procédé*, renfort, système*, trucage ■ **8** artifice, batterie, exutoire, facilité, médiocre, passable, pratique, richesse, samizdat, tactique, truquage, véhicule, viatique ■ **9** éclairage, entremise, exception, expédient, mécanisme, moyennant, opération, opposable, ordinaire, palliatif, permettre, publicité, rail-route, ressource, stratégie ■ **10** adminicule, demi-mesure, faux-fuyant, instrument, marche-pied, occupation, résolution, subreption, subterfuge ■ **11** allèchement, chemin de fer, maintenance, mensuration, paralangage, schématique, téléférique, vagabondage ■ **12** échappatoire, instrumental, prescription, téléphérique ■ **13** antisatellite, climatisation, communication, thanatopraxie ■ **14** correspondance, divertissement, irrecevabilité.

MOYEN AGE: **3** fou, lai ■ **4** dông, olim, serf ■ **5** bahut, baile, bouge, colon, comte, geste, hanap, hanse, heuse, hourd, jaque, jurat, magie, manse, neume, piété, redan, tabar, targe, vouge ■ **6** isopet, tabard ■ **7** cathare, jaseran, mansion ■ **8** capeline, cervoise, chaperon, chausses, crédence, doublier, estampie, esterlin, fatrasie, gonfalon, gonfanon, infidèle, jongleur, médiéval, moralité, palefroi, panoplie, podestat, portulan, sapience, sarrasin, trouvère ■ **9** bachelier, bestiaire, cantilène, chevalier, féodalité, fier-à-bras, hellequin, ménestrel, trébuchet ■ **10** adoublement, aquamanile, connétable, coquillard, énervation, escarcelle, maladrerie, mangonneau, médiéviste, moyenâgeux, quadrivium, troubadour ■ **11** gonfalonier, gonfanonier, machicoulis, manumission, pastourelle, scolastique ■ **12** protonotaire ■ **14** franc-bourgeois.

MOYEN-COURRIER: **6** airbus.

MOYENNANT: **4** pour ■ **5** vendu, vente.

MOYENNE: **5** mayen ■ **8** pycnique ■ **11** semi-durable.

MOYEN-ORIENT: **5** lilas ■ **6** orient ■ **13** moyen-oriental.

MOYEU: **4** roue ■ **5** fusée ■ **8** quillier.

MOZAMBIQUE: **7** metical ■ **11** mozambicain.

MTS: **9** kilojoule.

MUCILAGE: **5** gomme, looch ■ **6** algine, gélose ■ **8** agar-agar ■ **9** adragante ■ **12** mucilagineux.

MUCORACEE: **5** mucor.

MUCOSITE: **5** mucus ■ **6** humeur ■ **7** muqueux, pituite ■ **8** mouchure.

MUCUS: **6** mucine.

MUE: **6** exuvie ■ **8** ecdysone.

MUER: **7** changer* ■ **11** transformer*.

MUET: **5** amuir ■ **7** mutisme ■ **8** comparse, figurant ■ **9** taciturne ■ **10** silencieux ■ **12** dactylologie.

MUETTE: **9** marcheuse.

MUEZZIN : 7 minaret.
MUFLE : 6 museau ■ 8 grossier.
MUFLIER : 12 gueule-de-loup.
MUGUET : 8 terpinol ■ 9 amourette, terpinéol.
MUID : 7 tonneau.
MULATRE : 5 métis* ■ 10 mulâtresse.
MULE : 8 chausson ■ 9 baisement.
MULET : 4 muge, mule ■ 6 bardot, braire ■ 7 bardeau, cacolet, chauvir ■ 8 basterne, muletier ■ 9 mulassier.
MULETA : 5 faena.
MULETTE : 5 perle.
MULHOUSE : 10 mulhousien.
MULOT : 5 hibou.
MULTILINGUE : 11 plurilingue.
MULTIPARE : 11 multiparité.
MULTIPLE : 3 q.c.m. ■ 5 autre ■ 8 kilovolt ■ 9 apériteur ■ 10 comminutif ■ 14 homme-orchestre.
MULTIPLET : 5 octet.
MULTIPLEX : 9 multivoie.
MULTIPLEXAGE : 12 multiplexeur.
MULTIPLICATEUR : 4 atto ■ 9 cofacteur.
MULTIPLICATION : 3 meg ■ 4 déca, fois, hect, kilo, méga, myri, téra ■ 5 clone, hecto, myria, myrio, oïdie, règle, table ■ 6 mitage ■ 9 bouturage, essaimage, propagule ■ 10 marcottage, multiplier, prolifique ■ 11 décuplement, gemmiparité, propagation, pullulation, pullulement ■ 12 antibiotique, scissiparité ■ 13 antimitotique, œilletonnage, prolifération, surproduction.
MULTIPLICITE : 9 multitude ■ 10 pluralisme ■ 13 multipartisme.
MULTIPLIER : 5 cuber ■ 6 carrer ■ 7 doubler, peupler, répéter ■ 8 décupler, entasser, nonupler, octupler, propager, pulluler ■ 9 augmenter, centupler, hectokilo, provigner, septupler, sextupler ■ 10 courailler, proliférer, quadrupler ■ 11 aquiculture ■ 12 multipliable, pisciculture, reproduction ■ 13 multiplicande, multiplicatif ■ 14 multiplicateur.
MULTIPROGRAMMATION : 10 multitâche.
MULTITACHE : 14 multiprogrammé.
MULTITUBULAIRE : 13 aquatubulaire.
MULTITUDE : 3 tas ■ 4 amas*, flot, nuée ■ 5 armée, cohue, foulc*, masse, monde, série*, tapée, volée ■ 6 essaim, flopée, foison, légion, peuple, presse, public, troupe ■ 7 cohorte ■ 8 beaucoup*, concours, grégaire, kyrielle, populace, quantité*, régiment, tripotée, troupeau ■ 9 affluence, assemblée, démagogie, foultitude, populaire ■ 11 fourmilière, pullulement, vulgum pecus ■ 12 attroupement, encombrement, multiplicité ■ 13 rassemblement.
MUNI : 4 bômé ■ 9 bastionné.
MUNICIPAL : 5 curie, édile, jurat, maire ■ 7 adjoint ■ 8 alderman, capitoul, décurion, dizenier ■ 9 dizainier ■ 12 municipalité.
MUNIFICENCE : 3 don* ■ 8 bienfait* ■ 10 libéralité*.
MUNIR : 5 armer, gréer, lotir ■ 6 denter, garnir, monter, nantir, nipper ■ 7 busquer, équiper, fournir*, meubler, saboter, shunter, viroler ■ 8 breveter, chausser, habiller, outiller, pourvoir*, prémunir, procurer*, tuteurer ■ 9 carrosser, coulisser, éperonner, grillager, harnacher, palanquer, sonoriser ■ 10 étoupiller, signaliser ■ 11 diaphragmer, ravitailler ■ 12 radiobaliser ■ 13 précautionner ■ 14 approvisionner.

MUNITION : 5 soute, train ■ 8 casemate, hexogène ■ 9 poudrerie, poudrière, provision ■ 10 artificier ■ 11 encartouché ■ 12 amunitionner.
MUON : 2 mu.
MUQUEUSE : 4 toux ■ 5 aphte, chyle, mucus, rhume, ulite ■ 6 coryza, glaire, muguet ■ 7 caduque, gencive, œstrus, rhinite ■ 8 catarrhe, nidation, saburral ■ 9 cancroïde, énanthème, endomètre, hémogénie, papillome, stomatite, styptique, syphilide ■ 10 collutoire, crête-de-coq, perlingual ■ 11 conjonctive, endométrite, leucoplasie ■ 12 blennorragie ■ 14 gastro-entérite.
MUR : 3 ope, pan ■ 4 ados, blet, clos, dame, étai, orbe, pied, sape, tour, vert ■ 5 ancre, bahut, borne, coude, coyau, crépi, crête, cuire, épure, gable, harpe, jambe, jouée, mural, murer, muret, mûrir, niche, paroi, perré, redan, talus, vagon, verre, vieux, wagon ■ 6 allège, pignon, podium, refend, taluté ■ 7 archère, bajoyer, cloison*, clôture, étançon, fronton, héberge, muretin, murette, parapet, précoce, rempart, treille, trumeau ■ 8 antebois, antibois, boutisse, chaperon, courtine, décrépir, échiffre, enceinte, espalier, maturité, muraille, palançon, palanque, palisser, parement, poto-poto, tablette ■ 9 arasement, barbacane, échaudage, embrasure, mouchetis, pied-droit, placarder, renformir, rusticage, souillard ■ 10 bousillage, contrefort, crépissure, dégravoyer, épaulement, immaturité, pariétaire, protogynie, pyrrhocore, revêtement, séparation, tamponnoir ■ 11 contrebuter, contrecœur, contre-fiche, demi-colonne, hyposcénium, soutènement ■ 12 chante-pleure, contre-bouter, contrescarpe, entre-fenêtre, rempiètement, soubassement ■ 13 dégravoiement.
MURAILLE : 3 mur* ■ 4 dyke, quai ■ 5 fruit, hourd, paroi, vibor ■ 6 vibord ■ 7 rempart ■ 8 archière, bouchain ■ 9 contre-mur, trébuchet ■ 10 canonnière, démanteler, meurtrière ■ 11 mâchicoulis.
MURAL : 7 dazibao.
MURALISME : 9 muraliste.
MURE : 5 mûron, ronce ■ 10 protandrie.
MURER : 6 fermer* ■ 7 boucher* ■ 9 condamner.
MURETTE : 5 muret ■ 9 banquette.
MUREX : 6 rocher.
MURIR : 4 vert ■ 5 aoûté, jeune ■ 7 affiner, avorter, digérer ■ 8 préparer.
MURMURE : 6 soupir ■ 7 plainte ■ 9 grognerie, murmurant ■ 10 gazouillis, grognement, marmottage, roucoulade ■ 11 bruissement, gémissement, mussitation, susurrement, vésiculaire ■ 12 chuchotement, roucoulement ■ 13 bourdonnement.
MURMURER : 5 gémir ■ 6 bruire, rogner ■ 7 geindre, grogner, gronder, groumer, ragoter ■ 8 broncher, maronner, maugréer, plaindre, renauder, soupirer, susurrer ■ 9 bambonner, bougonner, chuchoter, fredonner, grommeler, mâchonner, marmonner, marmotter, protester, raisonner, rechigner, rognonner ■ 10 bourdonner, chantonner, gazouiller, grognasser, ronchonner ■ 11 pleurnicher.
MUSACEE : 5 abaca ■ 8 bananier, ravenala ■ 10 strelitzia.
MUSARAIGNE : 7 musette.
MUSARDER : 6 flâner* ■ 9 musardise.
MUSC : 6 castor ■ 7 civette ■ 8 ambrette ■ 10 chevrotain.
MUSCADE : 5 épice, garus, macis ■ 9 muscadier ■ 12 quatre-épices.
MUSCADIN : 9 cadenette.
MUSCARDINE : 8 botrytis.
MUSCAT : 4 asti ■ 8 picardan ■ 11 frontignan ■ 14 lacryma christi.

MUSCLE : 3 bot, tic ■ 4 hill, long, nerf, rond ■ 5 cœur, droit, fibre, gaine, myome, nodal, psoas, tonus ■ 6 anconé, biceps, clonie, clonus, radial, souris, tarzan, tendon, thénar ■ 7 cubital, dentelé, fessier, frontal, jambier, musculo, myalgie, oblique, palatin, pectine, pédieux, pelvien, poplité, scalène, tenseur, tétanos, trapèze, triceps ■ 8 agoniste, brachial, claquage, clonique, deltoïde, dystonie, glossien, lombaire, masséter, myocarpe, myologie, palmaire, paupière, peaucier, pectoral, péronier, releveur, risorius, rotateur, soléaire, splénius, temporal, tonicité ■ 9 abaisseur, abducteur, adducteur, anglaiser, couturier, élévateur, extenseur, glycogène, hypotonie, mâchelier, musculeux, myographe, myopathie, pectoraux, rhomboïde, sphincter, staphylin, surcostal, tétanisme, vaginisme ■ 10 abdominaux, aponévrose, défatigant, diaphragme, ergographe, expirateur, hypertonie, hypoglosse, hypothénar, mastoïdien, mésoblaste, musculaire, myasthénie, myographie, obturateur, pathétique, pharyngien, polysarcie, quadriceps, retirement, rhumatisme, sourcilier, supinateur, sus-épineux, syncinésie, synergiste, tremblante, trochanter, trompeteur, thyroïdien ■ 11 amyotrophie, buccinateur, contractile, contraction, contracture, dénervation, digastrique, éternuement, fléchisseur, intercostal, musculature, orbiculaire, sarcoplasma, sarcoplasme, sous-clavier, sous-épineux, trémulation, zygomatique ■ 12 constricteur, craquètement, fibrillation, ptérygoïdien, triangulaire, vermiculaire ■ 13 décontraction, hétéromorphie, horripilateur, sacro-lombaire ■ 14 coraco-brachial, dermatomyosite, proprioception, sous-scapulaire ■ 15 intermusculaire, intramusculaire, occipito-frontal.

MUSCULAIRE : 7 kinésie, myosite ■ 8 myatonie ■ 9 argologie ■ 10 ergométrie ■ 12 dynamographe ■ 13 arthrogrypose, myorelaxation.

MUSCULATION : 9 gonflette.

MUSE : 5 musée ■ 8 musagète.

MUSEAU : 3 nez ■ 5 groin, mufle, tapir ■ 6 trompe ■ 7 boutoir ■ 12 proboscidien.

MUSÉE : 4 aula ■ 5 salon ■ 6 muséum ■ 7 cabinet, galerie ■ 10 collection, muséologie ■ 11 iconothèque ■ 12 glyptothèque, muséographie, pinacothèque ■ 13 conservatoire, protomothèque.

MUSELER : 7 caveçon ■ 9 démuseler, muselière ■ 10 bâillonner ■ 11 musellement.

MUSER : 6 flâner* ■ 8 musarder.

MUSETTE : 3 bal ■ 5 loure ■ 9 chevrette, cornemuse, gibecière.

MUSICAL : 3 hit, raï ■ 4 punk, raga ■ 6 jingle, jingxi ■ 7 ragtime ■ 8 rapsodie ■ 9 ricercare ■ 10 intermezzo, wagnérisme ■ 11 contre-sujet ■ 14 musicothérapie.

MUSIC-HALL : 4 gens, girl ■ 8 acrobate ■ 9 marcheuse ■ 11 café-concert, fantaisiste.

MUSICIEN : 5 griot ■ 7 groupie, maestro, tsigane, tzigane ■ 8 corniste, flûtiste, mariachi, trombone, virtuose ■ 9 exécutant, mélodite, ménestrel, ménétrier, pifferaro, quintette ■ 10 croque-note, guitariste, jam-session, musicastre ■ 11 compositeur ■ 12 polyphoniste, saxophoniste ■ 13 clarinettiste, orchestrateur ■ 14 contre-bassiste, homme-orchestre, instrumentiste.

MUSICOGRAPHE : 13 musicographie.

MUSICOGRAPHIE : 15 musicographique.

MUSIQUE : 3 cor, duo, ode, rap, ska ■ 4 clef, coda, jazz, luth, lyre, note, opus, page, rêve, rote, soli, solo, trio, tuba ■ 5 album, banjo, bémol, canon, comma, corde, couac, coulé, danse, dièse, disco, dolce, étude, fifre, final, flûte, forme, forte, fugue, fusée, gamma, gigue, grave, harpe, jouer, kyrie, largo, lento, messe, modal, motet, motif, neume, noire, noter, nouba, odéon, opéra, orgue, pause, piano, point, poser, rebec, récit, ronde, sabot, sixte, swing, tacet, tempo, temps, ténor, tenue, thème, tonal, trait, tutti, valse, viole, volta, volte ■ 6 amusie, arioso, arpège, basson, gagaku, reggae, tenuto, tiento, tierce, trille, zydeco ■ 7 agitato, amoroso, calypso, cantate, clairon, country, musette, musical, prélude, requiem, scherzo, solfège, toccata, vérisme ■ 8 audition, festival, flamenco, flonflon, mélomane, musicien, musiquer, neuf-huit, nocturne, oratorio, ostinato, pastiche, pop music ■ 9 a cappella, atonalité, barcarolle, bossa-nova, cassation, charivari, gruppetto, indicatif, interlude, larghetto, leitmotiv, mélomanie, métronome, orchestre, ouverture, pizzicato, quadrille, quintette, sarabande, serinette, symphonie, tablature ■ 10 dilettante, fortepiano, musiquette, offertoire, polyphonie, ritardanto, scherzando, sérialisme, strip-tease ■ 11 compositeur, contrepoint, déchiffrage, fauxbourdon, musicologie, pianistique, ritournelle, violoncelle ■ 12 kyrie eleison, musicalement, musicographe, porte-musique ■ 13 conservatoire ■ 14 rhythm and blues.

MUSQUE : 4 musc ■ 10 muscadelle.

MUSTELIDE : 5 furet, marte, pékan ■ 6 fouine, loutre, martre, putois ■ 7 belette, glouton, zorille ■ 8 blaireau, zibeline.

MUSULMAN : 3 aga, bey ■ 4 agha, alem, aman, arch, cadi, émir, hadj, iman, kadi, raïa, raya ■ 5 allah, arabe*, djinn, douar, fakir, fatma, hadhi, harem, houri, islam, mahdi, mufti, mulud, pacha, rayia, salat, souna, sunna, uléma, vizir ■ 6 caftan, chérif, dervis, dioula, giaour, hadjdj, litham, mollah, muphti, santon, scheik, sounna, zaouia ■ 7 achoura, hadjdji, médersa, mosquée, mudéjar, muezzin, ramadan, sunnite ■ 8 arabiser, derviche, infidèle, marabout, morisque, sarrasin ■ 9 aïd-el-adha, aïd-el-fitr, coranique, croissant, moudjahid, salamalec, tcharchaf ■ 10 aïd-el-kébir ■ 11 aïd-el-séghir, kharidjisme, mutazilisme ■ 12 hispano-arabe, panislamisme ■ 15 hispanomoresque.

MUTANT : 11 tétrapoïde.

MUTATION : 5 muter ■ 6 nasard ■ 8 mutagène ■ 9 mélanisme, sommation, transfert ■ 10 changement*, mutabilité, mutagenèse ■ 11 transmettre ■ 13 mutationnisme, mutationniste, néo-darwinisme.

MUTAZILISME : 11 mutaziliste.

MUTER : 6 mutage ■ 7 mutable.

MUTILATION : 9 autotomie ■ 10 amputation, castration ■ 14 automutilation.

MUTILE : 6 amputé, blessé*, édenté ■ 7 castrat, infirme*, manchot ■ 8 estropié, manicrot ■ 9 ectromèle, essorillé ■ 10 cul-de-jatte.

MUTILER : 6 briser, couper, écouer ■ 7 amputer, châtrer, vandale ■ 8 diminuer, écharper, écourter, tronquer ■ 9 estropier, massacrer ■ 10 essoriler, mutilateur, raccourcir, tronçonner.

MUTIN : 8 espiègle*.

MUTINER : 5 mutin ■ 6 émeute ■ 8 sédition* ■ 9 mutinerie.

MUTINERIE : 6 mutiné.

MUTISME : 7 aphonie, mutique, silence*.

MUTITE : 9 démutiser.

MUTUALITE : 10 mutualisme.

MUTUEL : 3 p.m.u. ■ 6 couplé ■ 7 partage ■ 9 solidaire ■ 10 réciproque* ■ 15 interdépendance.

MUTUELLE : 8 syndicat ■ 9 assujetti, mutualité ■ 10 mutualiser, mutualiste ■ 11 mutuellisme.

MUTUELLEMENT : 5 toper ■ 8 échanger ■ 9 entraider ■ 10 contraster ■ 11 entr'admirer.
MUTUELLISME : 11 mutuelliste.
MYCELIUM : 10 caryogamie.
MYCODERME : 5 piqué.
MYCOSE : 7 candida ■ 9 candidose, mycosique, nystatine ■ 13 griséofulvine, sporotrichose.
MYELINE : 9 myélinisé.
MYOCARDE : 9 myocardie.
MYOFIBRILLE : 7 myosine.
MYOGRAPHIE : 9 myogramme ■ 11 isométrique.
MYOME : 11 myomectomie.
MYOPATHIE : 8 myopathe.
MYOPE : 4 miro ■ 6 myopie.
MYOSOTIS : 13 ne m'oubliez pas ■ 15 oreille-de-souris.
MYRIAPODE : 10 arthropode ■ 11 mille-pattes*.
MYRRHE : 11 gomme-résine.
MYRTACEE : 5 myrte ■ 7 cajeput, myrtaie, niaouli ■ 8 goyavier ■ 9 giroflier, grenadier, jambosier ■ 10 cajeputier, eucalyptus, myrtiforme.
MYSTERE : 5 abîme ■ 6 arcane, secret* ■ 7 trinité ■ 10 discrétion, initiation, mystagogie, mystagogue, mystérieux ■ 11 cachotterie, hiérophante.
MYSTERIEUX : 5 caché ■ 6 obscur*, secret* ■ 7 occulte ■ 9 ténébreux ■ 10 magnétique ■ 12 cabalistique ■ 15 mystérieusement.
MYSTICISME : 9 mysticité.
MYSTIFICATION : 7 attraper* ■ 8 galéjade ■ 10 fumisterie.
MYSTIFIER : 5 avoir ■ 6 moquer*, rouler ■ 7 tromper* ■ 10 mystifiant ■ 11 mystifiable ■ 13 mystificateur, mystification.
MYSTIQUE : 5 rasta ■ 7 croyant ■ 8 anagogie, religion, soufisme ■ 9 mysticité, quiétisme, rastafari ■ 10 hassidisme, martinisme ■ 11 illuminisme ■ 12 mystiquement ■ 13 transverbérer.
MYTHE : 5 conte ■ 7 légende ■ 8 mythique ■ 9 mythifier ■ 10 hiérogamie, mythologie ■ 11 mythographe.
MYTHOLOGIE : 4 elfe ■ 5 fable, titan ■ 6 oréade, sylphe ■ 7 renommée ■ 8 valkyrie, walkyrie ■ 10 mythologue ■ 11 évhémérisme ■ 12 mythologique.
MYTHOLOGIQUE : 9 trickster.
MYTICULTURE : 13 myticulteur.
MYXŒDEME : 13 hypothyroïde, myxœdémateux.
MYXOMYCETE : 6 fuligo ■ 8 myxamibe.

N : **5** azote, tilde.
NABAB : **5** riche*.
NABATEEN : **8** nabatéen.
NABOT : **4** nain ■ **5** petit*, trapu.
NACELLE : **4** lest ■ **8** suspente ■ **9** porte-bébé ■ **11** embarcation*, naviculaire.
NACRE : **5** burgo, perle ■ **6** burgau ■ **10** burgaudine.
NAEVUS : **5** grain, signe ■ **6** fraise ■ **7** angiome ■ **8** mélanose.
NAGE : **5** crawl ■ **6** brasse, crawlé ■ **8** nageoire, trudgeon ■ **9** marinière ■ **12** papillonneur.
NAGEOIRE : **5** palme, ptéro ■ **7** aileron, sépiole, uropode ■ **9** macropode ■ **10** homocerque ■ **12** hétérocerque.
NAGER : **4** nage ■ **6** voguer ■ **7** crawler, émerger, flotter ■ **8** natation, naviguer ■ **9** natatoire, renflouer.
NAGEUR : **5** salpe ■ **8** brasseur, crawleur, dossiste ■ **10** grenouille.
NAGUERE : **9** récemment ■ **12** anciennement.
NAÏADE : **6** nymphe.
NAÏF : **3** bon*, pur, sot* ■ **4** bête ■ **5** cucul, franc, gille, idiot, niais*, poire ■ **6** gauche, gobeur, ingénu, jobard, nigaud, novice, simple*, vierge ■ **7** bonasse, candide, crédule, naturel, simplet, sincère, stupide ■ **8** godichon, ignorant, innocent*, jocrisse, naïvement, primitif, spontané ■ **9** bécassine ■ **10** gribouille ■ **11** inconscient ■ **13** inexpérimenté, irresponsable.
NAIN : **3** bog ■ **5** gnome, lutin, nabot, petit ■ **6** bonsaï, pygmée ■ **7** nanisme ■ **8** korrigan, myrmidon, tom-pouce ■ **11** lilliputien.
NAISSAIN : **6** huître.
NAISSANCE : **4** aube, inné, pays, race, tige ■ **5** axène, début, germe, grand, jésus, monde, natif, tronc ■ **6** aurore, naître, parage, vortex ■ **7** berceau, embryon, origine ■ **8** axénique, bourgeon, endogène, natalité, nativité, prénatal, retombée, sex-ratio ■ **9** faire-part, postnatal ■ **10** congénital, dénatalité, extraction, privilégié ■ **12** commencement*, généthliaque, puériculture ■ **14** aristocratisme.
NAITRE : **4** voir ■ **5** créer, jeter, lever, monde, natif, venir ■ **6** éclore, percer ■ **7** croître, émerger, exister, poindre, pousser, sourdre ■ **8** inspirer, procréer, produire, renaître, soulever, susciter ■ **9** commencer* ■ **10** apparaître, incidenter.
NAÏVE : **7** oiselle.

NAÏVETE : 6 pureté ■ 7 candeur ■ 9 crédulité, franchise, gaucherie, ignorance, ingénuité, innocence*, naïvement, niaiserie, sincérité, virginité ■ 10 simplicité* ■ 12 inconscience.
NAJA : 5 cobra ■ 6 uræus.
NAMIBIE : 4 rand.
NANCY : 8 nancéien.
NANISME : 6 turner ■ 13 hypothyroïde.
NANTES : 7 nantais.
NANTISSEMENT : 4 gage ■ 8 dénantir, procurer.
NAPHTALENE : 7 naphtol ■ 8 naphtyle ■ 9 tétraline ■ 10 naphtaline ■ 12 benzonaphtol.
NAPOLITAIN : 7 camorra.
NAPPE : 5 longe ■ 7 nappage ■ 8 doublier, étaleuse, napperon ■ 9 renversoir, sous-nappe ■ 10 phréatique, résurgence.
NAPPER : 7 nappage.
NARCISSE : 6 coucou ■ 9 jonquille.
NARCOSE : 14 assoupissement.
NARCOTIQUE : 5 opium ■ 7 narcose ■ 8 dormitif, soporeux ■ 9 somnifère, soporatif ■ 10 hypnotique, soporifère ■ 11 soporifique.
NARGHILE : 5 houka.
NARGUER : 6 braver, moquer* ■ 8 mépriser.
NARGUILE : 5 houka.
NARINE : 3 nez ■ 5 évent, morve ■ 6 naseau ■ 8 vibrisse.
NARQUOIS : 5 malin ■ 7 moqueur ■ 13 narquoisement.
NARRATION : 3 lai ■ 5 conte*, récit* ■ 8 narratif, relation ■ 9 flash-back, rédaction ■ 10 historique ■ 12 événementiel ■ 13 simultanéisme.
NARRER : 6 conter* ■ 8 narrateur, raconter*.
NARTHEX : 8 portique.
NARVAL : 6 béluga ■ 7 bélouge, licorne.
NASAL : 5 morve, voile, vomer, voûte ■ 6 trompe ■ 7 rhinite ■ 8 nasalité ■ 9 nasaliser ■ 10 morfondure, nasalement, rhinologie ■ 11 dénasaliser, rhinoscopie ■ 12 nasalisation.
NASALE : 6 choane ■ 12 naphtazoline.
NASARD : 7 larigot.
NASARDE : 11 chiquenaude.
NASE : 4 hotu.
NASILLER : 9 nasillard ■ 11 nasillement, nasonnement.
NASSE : 5 filet*, piège, ruche ■ 6 casier, panier.
NATAL : 7 clocher.
NATALITE : 8 baby-boom ■ 11 surnatalité ■ 13 antinataliste.
NATATION : 7 piscine ■ 9 natatoire.
NATATOIRE : 8 parapode.
NATIF : 8 levantin ■ 9 aborigène ■ 10 originaire*.
NATION : 4 cité, état, gens, gent, pays*, pile ■ 5 diète, tiers ■ 6 patrie*, peuple* ■ 7 intrant ■ 8 étranger, national, panthéon ■ 9 gentilité ■ 10 allégeance, gallomanie ■ 11 nationalité ■ 13 international, transnational.
NATIONAL : 4 nazi ■ 5 danse, hymne ■ 8 génocide, panthéon ■ 9 polonaise ■ 10 fustanelle ■ 12 antinational, nationaliser, nationalisme ■ 14 dénationaliser.
NATIONALISTE : 8 patriote, sinn-fein ■ 10 sandinisme ■ 11 belgeoisant, phalangiste ■ 12 impérialiste.
NATIONALITE : 5 mixte ■ 8 apatride ■ 9 heimatlos ■ 10 binational ■ 11 heimatlosat ■ 13 ressortissant ■ 14 dénationaliser, naturalisation.
NATIVITE : 4 noël ■ 9 naissance*.

NATTE: 5 caget, cajet, claie, ganse, tapis ■ 6 clisse, estère, natter, tresse ■ 7 couffin, paillet, torchon ■ 8 abat-vent, dénatter ■ 9 sparterie ■ 10 dreadlocks, paillasson.
NATURALISATION: 10 naturalise ■ 13 acclimatation, dénaturaliser.
NATURALISTE: 8 zoologue ■ 10 zoologiste ■ 11 naturalisme ■ 12 taxidermiste ■ 13 erpétologiste.
NATURE: 4 ases, brut, égal, goût, gras, naïf, pâte, type, vert, vrai ■ 5 amour, bosse, botte, chair, étain, filon, jaspe, macle, mixte, moyen, ordre, plomb, règne, sonde, sorte, sujet, tâter, terre ■ 6 acabit, aspect, chimie, espèce, étoffe, trempe ■ 7 calibre, charnel, essence, manière, naturel, ostracé, qualité, science, sodomie, univers* ■ 8 butyreux, colloïde, cuprique, dartreux, dénaturé, divinité, farinage, farineux, futilité, glaireux, glaiseux, humanité, identité, imitatif, kystique, matériel, mobilier, mollesse, pierreux, purulent, quiddité, saponacé, scoriacé, siliceux, sirupeux, suiffeux, talqueux, tartreux, ulcéreux ■ 9 angélique, ardoiseux, ardoisier, cancéreux, caractère, catégorie, condition, dynamisme, essentiel, fistuleux, glutineux, graisseux, inhibitif, métissage, naturisme, novatoire, passivité, quartzeux, saccharin, schisteux, semblable, spathique, spongieux, squirreux, structure, sulfureux, tendineux, tétanique, zététique ■ 10 allocation, chamanisme, complexion, cristallin, croisement, friabilité, gangréneux, gélatineux, granitique, herpétique, hétérogène, identifier, légendaire, membraneux, monstrueux, nativement, œdémateux, oléagineux, oolithique, paralysant, philosophe, prédicatif, shintoïsme, subjonctif, surnaturel, thermalité, voltairien ■ 11 agglutinant, andésitique, asthmatique, cataclysmal, charbonneux, composition, contrariant, criminalité, démonologie, équivalence, gnosticisme, goudronneux, homogénéité, hybridation, incarnation, ligamenteux, monobasique, naturalisme, naturaliste, phlegmoneux, prurigineux, scorbutique, sophistiqué, tempérament*, tuberculeux, uniformiser, vertigineux ■ 12 constitution, contagiosité, décourageant, diagnostique, excrémenteux, excrémentiel, molletonneux, monophysisme, oscillatoire, parchemineux, physiquement, qualificatif, sédimentaire, sensationnel, thanatologie ■ 13 biréfringence, carcinomateux, cartilagineux, compromettant, démonographie, diagnostiquer, ecclésiologie, exanthémateux, gélatiniforme, philistinisme, problématique ■ 14 corruptibilité, dégénérescence, exanthématique, excrémentitiel, immatérialisme, putrescibilité ■ 15 reconventionnel.
NATUREL: 3 pur ■ 4 aisé, aven, doué, écru, igue, inné, mont, naïf, rade, trou, tube, upas ■ 5 cloup, décès, décor, dégel, envie, force, fossé, franc, gamme, génie, gypse, havre, infus, luxer, magie, momie, mythe, natif, obvié, pardi, prise, selle, signe, suite, tache, tortu ■ 6 empesé, halite, in situ, nature, simple ■ 7 affecté, apprêté, coulant, écocide, éolithe ■ 8 cérusite, écologie, emprunté, généreux, graphite, indigène, machinal, maternel, oligiste, orpiment, sédiment, sidérite, sidérose, smaltine, spontané, tubulure, vivarium, zéolithe ■ 9 aborigène, caractère, contraint, kaolinite, phénomène, privilège, recherche, sélection ■ 10 agglomérat, artificiel, bismuthine, dépression, diatonique, giobertite, maniérisme, simplicité, thorianite, vanadinite, yttrialite ■ 11 affection, molybdénite, naturaliser, naturalisme, phosphorite, smithsonite, sophistique, tempérament, valentinite ■ 12 arborisation ■ 13 naturellement ■ 14 prédisposition.
NAUFRAGE: 5 épave, périr ■ 6 avarie ■ 7 malheur* ■ 8 désastre, échouage, sinistre ■ 9 naufrager, perdition ■ 10 naufrageur.
NAURU: 7 nauruan.
NAUSEABOND: 6 vireux ■ 9 écœurant.

NAUSEE : 8 nauséeux ■ 9 écœurant ■ 10 mal de cœur, répugnance ■ 11 haut-le-cœur, vomissement.
NAUTIQUE : 8 barefoot, nautisme ■ 9 yacht-club ■ 12 esquimautage.
NAUTONIER : 6 pilote.
NAVAJA : 8 poignard.
NAVAL : 5 aviso ■ 7 rostral ■ 9 naumachie.
NAVALE : 6 fistot.
NAVET : 4 rave ■ 5 nanar, radis ■ 6 panais, turnep ■ 7 raifort, turneps ■ 8 rutabaga.
NAVETTE : 4 yoyo ■ 5 duite, trame ■ 6 bobine ■ 7 canette ■ 8 cannette, navetier ■ 9 frivolité.
NAVIGABLE : 5 passe ■ 9 canaliser ■ 11 innavigable ■ 12 canalisation, navigabilité.
NAVIGATION : 5 avion, cabot, marin, naute, phare ■ 6 consol, couffa, kouffa, marine* ■ 7 bornage, périple ■ 8 astronef, aviation, cabotage, caboteur, haut-fond, maritime, nautique, navicert, poussage, vire-vire, yachting ■ 9 aéronaute, virevaude ■ 10 aiguilleur, navigateur ■ 11 plaisancier ■ 12 aéronautique, motonautisme ■ 13 aérotechnique, astronautique ■ 15 radionavigation.
NAVIGUER : 5 voile ■ 6 voguer ■ 7 caboter, voyager ■ 8 conserve, louvoyer, navigant ■ 9 boulinier ■ 10 navigation*.
NAVIRE : 3 bac, bau, ber, lof, l.s.t., mât, nef, nez, s.o.s., tin ■ 4 amer, bord, cale, erre, étai, gare, gîte, joue, lège, lest, loch, ploc, pont, port, rade, roof, vrac ■ 5 agrès, ancre, avant, aviso, bande, bordé, bouge, brick, cadre, cargo, coque, cotre, dalot, fesse, flûte, gatte, goret, héler, lagan, liner, lisse, marin, mâter, panne, panse, point, poupe, radar, sloop, soute, talon, trouer, tramp, vibor, voûte, wharf, yacht ■ 6 abatée, babord, bateau*, birème, boutre, brûlot, carène, chébec, cutter, drague, dromon, étrave, galère, galion, largue, lougre, mouche, pirate, quirat, rafiot, rostre, surbau, tanker, trière, vaigre, vapeur, vibord ■ 7 aulofée, batelée, câblier, caraque, clipper, couette, dunette, escadre, frégate, galéace, galiote, houache, hourque, noliser, steamer, tanguer, tartane, trirème, vedette, voilier ■ 8 afflouer, affréter, amariner, anguille, apparaux, armateur, bâtiment*, butanier, calaison, caliorne, chadburn, chaloupe, chantier, chargeur, chasseur, corsaire, corvette, coursive, croiseur, cuirassé, déjauger, doublage, échouage, embosser, équipage, faux-bord, galéasse, goélette, membrure, morutier, muraille, paquebot, pavoiser, plat-bord, poulaine, saborder, sacoléva, sacolève, sapiteur, schooner, spardeck, vaisseau*, varangue ■ 9 affréteur, amarinage, axiomètre, baleinier, bauquière, béquiller, brigantin, caravelle, cargaison, carlingue, céréalier, chalutier, débardage, débardeur, débarquer, désemparé, éclaireur, écoutille, embossage, entrepont, escorteur, ferry-boat, garde-côte, garde-rats, interlope, méthanier, nautonier, passavant, perdition, pétrolier, pinardier, portelone, propanier, sous-marin, steam-boat, timonerie, transport, trois-mâts, ventrière ■ 10 archipompe, asphaltier, avitailler, canonnière, chaufferie, escadrille, gouvernail, nolisement, passerelle, polytherme, porte-barge, quadrirème, quatre-mâts, remorqueur, sister-ship, torpilleur, train-ferry, trois-ponts ■ 11 affrètement, appontement, arraisonner, avitailleur, bourlinguer, brise-glaces, charbonnier, patouillard, porte-avions, submersible, super-tanker, terre-neuvas, torpillerie ■ 12 accastillage, appareillage, charte-partie, francisation, navire-jumeau, patrouilleur, pentécontore, ravitailleur, terre-neuvien, water-ballast ■ 13 brick-goélette, connaissement, navire-citerne, orthodromique, radionavigant ■ 14 arraisonnement, transconteneur ■ 15 radiogoniomètre.

NAVRER : 7 désoler* ■ 9 attrister*, navrement.
NAZI : 10 dénazifier.
NAZISME : 8 antinazi.
NE : 4 issu ■ 5 natal, natif, puiné ■ 8 indigène, posthume, sociable ■ 9 adultérin, dernier-né, nouveau-né, prématuré, tardillon.
NEANMOINS : 8 pourtant, toujours ■ 9 cependant, toutefois ■ 10 nonobstant.
NEANT : 3 nul ■ 4 rien*, vide, zéro ■ 5 abîme ■ 6 lacune, manque, misère ■ 7 absence, inanité, vacance, vacuité ■ 9 cassation, néantiser ■ 10 abstention, inexistant, révocation.
NEANTISER : 12 néantisation.
NEBULEUX : 4 octa ■ 6 obscur* ■ 8 vaporeux ■ 10 nébulosité ■ 13 nébuleusement.
NEBULISEUR : 9 nébuliser.
NEBULISER : 10 nébuliseur ■ 12 nébulisation.
NECESSAIRE : 3 loi ■ 5 fatal, forcé, munir, train, utile, vital ■ 6 absolu, obligé, requis, urgent ■ 7 falloir, onglier, trousse ■ 8 exigible, explétif, inhérent, matériel, munition, postulat, pourvoir, pressant, qualifié, superflu ■ 9 bagatelle, dénuement, disetteux, entretien, essentiel, important*, nécessité, outillage, papeterie, provision, rigoureux, simplisme, suffisant ■ 10 entretenir, hylozoïsme, inévitable, matérielle, nécessiter ■ 11 apodictique, meurt-de-faim, nécessiteux, obligatoire*, surabondant ■ 12 baise-en-ville, oligo-élément ■ 13 indispensable ■ 15 mutatis mutandis.
NECESSAIREMENT : 9 forcément ■ 10 absolument ■ 15 infailliblement.
NECESSITE : 4 gêne ■ 6 besoin*, déréel, misère* ■ 7 urgence, utilité ■ 8 exigence, instance, pauvreté ■ 9 activisme ■ 10 contrainte, obligation* ■ 11 nécessitant, nécessiteux.
NECESSITER : 6 exiger* ■ 7 falloir, obliger, presser ■ 11 présupposer.
NECROLOGIE : 9 nécrologe ■ 10 nécrologue ■ 12 nécrologique.
NECROMANCIE : 5 devin ■ 8 magicien ■ 9 nécromant ■ 12 nécromancien.
NECROPHILIE : 10 nécrophile.
NECROPHORE : 11 enfouisseur.
NECROPOLE : 8 ossuaire ■ 9 cimetière*.
NECROSE : 7 eschare, infarci ■ 8 nécroser ■ 10 nécrotique.
NECTAIRE : 6 nectar ■ 11 nectarifère.
NECTAR : 7 boisson ■ 8 nectaire ■ 9 mellifère ■ 11 nectarifère.
NEERLANDAIS : 10 hollandais.
NEF : 4 jubé ■ 6 chevet ■ 7 bas-côté, narthex ■ 11 embarcation* ■ 13 déambulatoire.
NEFLIER : 5 nèfle.
NEGATIF : 2 ne, ni ■ 3 mie, nec, non, pas ■ 5 anion, guère, moins ■ 7 macache ■ 8 antihalo, négation ■ 9 nihilisme ■ 10 ballottage, négativité ■ 11 négastoscope, retardation, séronégatif ■ 12 décélération, internégatif, négativement ■ 13 châssis-presse, machiavélisme.
NEGATIVE : 10 déportance.
NEGATION : 5 atome.
NEGLIGE : 10 dépenaillé ■ 12 négligemment ■ 13 six-quatre-deux.
NEGLIGENCE : 5 oubli* ■ 7 abandon, incurie, lâcheté ■ 8 malfaçon, omission ■ 9 bousiller, mâchonner, négligent ■ 10 accessoire, chapechute, nonchaloir ■ 11 inattention* ■ 12 laisser-aller, négligemment.
NEGLIGER : 7 omettre, oublier* ■ 8 abstenir* ■ 9 dédaigner ■ 10 abandonner* ■ 11 négligeable.

NEGOCE : 8 commerce ■ 9 négociant.
NEGOCIANT : 5 bilan, place, tenue ■ 8 chargeur, marchand* ■ 13 consignataire.
NEGOCIATION : 9 diplomate, ouverture, préalable ■ 10 tractation ■ 11 commerçable, liquidation, négociateur, paritarisme ■ 13 renégociation.
NEGOCIER : 6 régler ■ 7 traiter ■ 8 aboucher, accorder, arranger, convenir, débattre, discuter, proposer ■ 9 diplomate, mobiliser, transiger ■ 10 intervenir, négociable, rapprocher, renégocier ■ 11 négociateur.
NEGRE : 4 case, noir* ■ 5 banjo, crépu, laine ■ 6 créole ■ 7 négrier ■ 8 bamboula, moricaud, nègrerie ■ 9 négrillon ■ 10 négrophile.
NEGRO SPIRITUAL : 6 gospel ■ 9 spiritual.
NEIGE : 3 ski ■ 4 came, névé ■ 5 blanc, chenu, dégel, hutte, igloo, nival, obier, renne, tapir, tolée ■ 6 neiger, tiaffe ■ 7 congère, dameuse, enneigé, glacier, neigeux, poudrin ■ 8 blizzard, enneiger, raquette, snow-boot ■ 9 autoneige, avalanche ■ 11 chasse-neige, enneigement, nivo-pluvial ■ 13 nivo-glaciaire.
NEIGER : 8 reneiger.
NEMATHELMINTHE : 8 nématode*.
NEMATODE : 7 ascaris, filaire ■ 8 ascaride, strongle, trichine ■ 9 strongyle, tylenchus ■ 10 anguillule ■ 11 ankylostome ■ 13 trichocéphale ■ 14 némathelminthe.
NEMERTIEN : 7 némerte.
NEMROD : 8 chasseur.
NENUPHAR : 5 lotos, lotus ■ 6 jaunet ■ 7 nénufar, nymphéa ■ 8 nymphæa.
NEOCAPITALISME : 14 néocapitaliste.
NEOCLASSICISME : 12 néoclassique.
NEOCOLONIALISME : 15 néocolonialiste.
NEOCONFUCIANISME : 5 taiji, t'ai-ki.
NEODYME : 6 didyme.
NEOFORMATION : 8 néoformé.
NEOLITHIQUE : 8 chasséen ■ 14 chalcolithique.
NEOLOGIE : 10 néologique.
NEOLOGISME : 5 robot, swing, tango ■ 8 néologie ■ 11 glossolalie.
NEON : 2 ne ■ 5 lampe.
NEONAZISME : 7 néonazi.
NEOPHYTE : 6 novice*.
NEOPLASME : 11 néoplasique.
NEOPLATONICIEN : 3 éon.
NEOREALISME : 11 néoréaliste.
NEOTENIE : 7 néotène.
NEPHRITE : 11 albuminurie, néphrétique.
NEPHRON : 6 tubule.
NEPOTISME : 11 favoritisme.
NERF : 4 zona ■ 5 lâche, parer, sacré ■ 6 crural, cutané, facial, médian, nervin, radial, spinal, tendon, tibial ■ 7 auditif, cubital, nerveux, neurone, névrite, optique ■ 8 brachial, ganglion, innerver, lombaire, olfactif, péronier ■ 9 axillaire, connectif, entre-nerf, neurinome, névralgie, névrilème, récurrent, sciatique, trifacial, trijumeau, vagotomie ■ 10 élongation, énervation, hypoglosse, irritation, névrologie, névropathe, pathétique, radiculite, retirement, thoracique, vasomoteur ■ 11 dénervation, dévitaliser, innervation, intercostal, névropathie, polynévrite, trépidation ■ 12 adrénergique, fémoro-cutané ■ 13 acétylcholine ■ 14 neurovégétatif, vasculo-nerveux ■ 15 parasympathique, pneumogastrique.

NERFNEVRALGIE : 10 neurotomie.
NEROLI : 10 bigaradier.
NERON : 8 néronien.
NERPRUN : 8 alaterne ■ 9 bourdaine ■ 11 stil-de-grain.
NERVEUSE : 9 break-down ■ 11 neuroblaste ■ 12 télencéphale ■ 13 myélencéphale ■ 14 extrapyramidal, rhombencéphale.
NERVEUX : 5 filet ■ 6 chorée, émotif ■ 7 cerveau, fébrile, frayage, neurone ■ 8 cervelet, engramme, pellagre ■ 9 convulsif, glomérule, nervosité ■ 10 nervosisme, névrotomie ■ 11 hypocondrie, hyponeurien, pithiatisme ■ 12 hypernerveux, nerveusement, protubérance ■ 13 rhinencéphale, trophonévrose ■ 14 neuromédiateur.
NERVI : 7 porteur, vaurien.
NERVOSITE : 9 agitation, fébrilité ■ 10 impatience, nervosisme ■ 11 pondération.
NERVURE : 4 nerf ■ 5 arête, carde, ogive ■ 6 lierne ■ 7 saillie, voûtain ■ 8 nervurer, réticule, trinervé ■ 9 nervation, tierceron ■ 11 palmatifide.
NESTORIEN : 13 nestorianisme.
NET : 3 pur ■ 5 blanc, clair, clean, picot, tarer ■ 6 exprès, précis, propre* ■ 7 netteté, propret, tranché ■ 8 décanter, distinct*, nettoyer, prononcé, stipuler ■ 9 brouillon, équivoque, nettement ■ 11 catégorique ■ 13 superbénéfice.
NETTEMENT : 5 myope ■ 8 articulé, staccato ■ 9 hautement ■ 10 clairement ■ 11 caractérisé ■ 12 expressément, sous-entendre ■ 13 distinctement.
NETTETE : 4 flou ■ 6 clarté, marqué ■ 8 bavocher, propreté ■ 9 précision.
NETTOYAGE : 6 à-fonds, brosse, rasage ■ 8 curetage, détritus, friction ■ 9 balayette, épuration, nettoyant ■ 10 aspirateur, débourrage, vadrouille ■ 11 nettoiement, serpillière ■ 13 appropriation.
NETTOYER : 4 ôter ■ 5 balai, curer, faire, goret, laver*, polir, savon ■ 6 carder, écumer, écurer, monder, purger, racler, rincer, sabler, vanner ■ 7 balayer, briquer, brosser, caréner, cureter, cribler, décaper, draguer, éponger, essuyer, filtrer, fourbir, frotter*, gratter, housser, poutser, ramoner, récurer, sarcler, tamiser, torcher ■ 8 arçonner, astiquer, blanchir, décanter, déféquer, dérocher, déterger, éplucher, essarter, expurger, lessiver, panosser, purifier*, ratisser, regayoir, saietter, savonner, strigile, tararage, vidanger ■ 9 clarifier, coton-tige, débourber, décrasser, décrotter, détergent, goupillon, nettoyage, nettoyeur, regratter, tamponner ■ 10 approprier, bouchonner, cure-ongles, dégraisser, démazouter, dentifrice, dérouiller, épousseter, torchonner ■ 11 cure-oreille, débarrasser, essuie-glace, nettoiement, désencrasser, shampouineur ■ 13 débarbouiller, écouvillonner, shampouineuse.
NEUF : 6 récent ■ 7 ennéade, neuvain, nouveau* ■ 8 flambant, monupler, neuvième*, original, quatorze, régénéré ■ 9 ennéagone, réfection ■ 10 ennéagonal, ravalement, requinquer ■ 13 quatre-vingt-dix.
NEURASTHENE : 10 mélancolie* ■ 14 neurasthénique.
NEUROCHIMIE : 13 neurochimique.
NEUROCHIMIQUE : 13 bromocriptine.
NEUROCHIRURGIE : 9 lobotomie ■ 11 stéréotaxie ■ 13 pallidectomie.
NEUROFIBROMATOSE : 14 recklinghausen.
NEUROLEPTIQUE : 11 halopéridol ■ 13 butyophénone ■ 15 chloropromazine.
NEUROLOGIE : 8 dyslexie ■ 10 neurologue, névrologie ■ 12 neurologique, neurologiste.

NEUROLOGIQUE : 9 korsakoff.
NEUROMEDIATEUR : 4 gaba.
NEURONE : 4 glie ■ 5 gaine ■ 8 neuronal, purkinje ■ 9 névroglie ■ 10 inhibition, unipolaire.
NEUROSPYCHIATRIE : 15 neuropsychiatre.
NEUROPHYSIOLOGIE : 9 faradique.
NEUROTRANSMETTEUR : 11 encéphaline, enképhaline ■ 13 catécholamine.
NEUTRALISER : 7 enrayer ■ 8 absorber ■ 9 paralyser ■ 10 phagocyter ■ 12 neutralisant ■ 14 neutralisation.
NEUTRALITE : 5 ligue ■ 9 passivité ■ 12 impartialité ■ 15 nonbelligérance.
NEUTRE : 5 noyau ■ 8 aseptisé ■ 9 impartial ■ 10 neutralité ■ 11 indifférent, neutraliser ■ 13 isoélectrique.
NEUTRINO : 12 antineutrino.
NEUTRON : 5 atome, noyau ■ 8 deutéron ■ 11 antineutron, neutronique ■ 13 neutrographie ■ 15 neutronographie.
NEUTROPHILE : 11 neutropénie.
NEUVIEME : 4 iota, neuf, none ■ 6 nonidi ■ 7 ramadan ■ 8 prairial ■ 10 sagittaire ■ 12 climatérique, neuvièmement.
NEVEU : 9 népotisme, postérité ■ 12 arrière-neveu.
NEVRALGIE : 4 nerf* ■ 9 sciatique ■ 11 névralgique ■ 15 antinévralgique.
NEVRITE : 10 névritique ■ 12 multinévrite.
NEVROGLIE : 9 microglie ■ 15 oligodendroglie.
NEVROPTERE : 6 sialis ■ 7 panorpe ■ 8 hémérobe, mantispe, phrygane, raphidic ■ 9 porte-faix ■ 10 fourmilion ■ 12 traîne-bûches.
NEVROSE : 6 primal ■ 8 hystérie ■ 9 freudisme ■ 10 névrosique ■ 12 neurasthénie, psychogenèse.
NEVROSISME : 9 nervosité.
NEVROTIQUE : 11 arithomanie.
NEW YORK : 10 new-yorkais.
NEZ : 3 pif ■ 4 aile, nase, naze ■ 5 blair, blase, blaze, camus, nasal, ozène, piton, saïga, tarin, tortu ■ 6 camard, jetage, odorat, truffe ■ 7 caveçon, nasarde ■ 8 nasiller, renifler ■ 9 épistaxis, nasilard, nasilleur, pifomètre, reniflant, renifloir ■ 10 bourbonien, rhinologie, saignement ■ 11 croquignole ■ 12 clairvoyance, rhinoplastie ■ 14 enchifrènement ■ 15 rhino-pharyngite.
NIAIS : 3 job, oie, sot* ■ 4 bêta, cave, daim, fada, gogo, naïf, nice, zozo ■ 5 benêt, colas, dinde, gille, poire, serin ■ 6 bébête, bégaud, calino, dadais, dandin, gourde, jobard, nigaud, pigeon ■ 7 absurde*, balourd, couenné, godiche, gourdée, jacques, nicaise, nouille, nunuche, oiselle, simplet, stupide* ■ 8 boniface, coquebin, godichon, innocent, jean-jean, jocrisse, lustucru, niaiseux, nicodème, schnoque ■ 9 andouille, cantaloup, cornichon déniaiser, niaiserie, simpliste ■ 10 gourdiflot, niaisement ■ 11 gobe-mouches ■ 12 niguedouille.
NIAISERIE : 4 rien ■ 5 cucul ■ 6 bêtise* ■ 7 attrape, fadaise, niaiser ■ 10 simplicité.
NIAOULI : 8 goménolé.
NIAULE : 5 gnôle.
NI BIEN NI MAL : 10 couci-couça, couci-couci.
NICARAGUA : 6 contra ■ 7 cordoba ■ 12 nicaraguayen.
NICE : 6 niçois.
NICHE : 5 enfeu ■ 7 attrape ■ 8 pleurant ■ 11 columbarium.
NICHER : 6 placer ■ 10 héronnière.

NICKEL : 2 ni ■ 5 invar, monel ■ 6 speiss ■ 7 inconel, pacfung ■ 8 argentan, nichrome, nickeler, packung ■ 9 manganine, nickelage, nickelure, permalloy, platinite ■ 10 constantan, garniérite ■ 11 cupronickel, ferronickel, maillechort, nickélifère ■ 15 ferromagnétisme.
NIÇOISE : 12 pissaladière.
NICOLAÏSME : 10 nicolaïste.
NICOTINE : 5 tabac* ■ 9 nicotisme, tabagisme ■ 13 dénicotiniser.
NID : 4 aire ■ 5 airer, niais, nitée ■ 6 nichée ■ 5 couvoir, nichoir ■ 8 dénicher, nidifier ■ 12 nidification.
NIDATION : 11 progestatif.
NIDOREUX : 5 puant ■ 10 malodorant.
NIECE : 11 petite-nièce ■ 12 arrière-nièce.
NIELLE : 5 pluie ■ 7 gerzeau, lychnis ■ 8 niellure ■ 10 brouillard.
NIELLER : 8 niellage, niellure.
NIER : 5 athée, sujet ■ 6 dénier ■ 7 défendre, démentir, négateur, négation ■ 9 contester ■ 10 dénégation ■ 11 disconvenir ■ 14 immatérialisme.
NIETZSCHEEN : 8 surhomme.
NIFE : 4 sima ■ 10 barysphère.
NIGAUD : 5 benêt, niais* ■ 6 dadais ■ 8 nigauder ■ 10 nigauderie.
NIGELLE : 9 poivrette ■ 10 tout-épice.
NIGERIA : 5 naira.
NIGERO-CONGOLAISE : 4 peul ■ 5 peulh, wolof ■ 6 ouolof ■ 9 mandingue.
NIL : 5 cange ■ 7 clarias.
NIMBE : 6 gloire ■ 7 auréole, diadème.
NIMBUS : 5 nuage*.
NÎMES : 6 nîmois.
N'IMPORTE : 9 quiconque ■ 10 quelconque.
NINA : 8 señorita.
NIOBIUM : 9 colombium.
NIPPER : 5 vêtir* ■ 6 nippes.
NIRVANA : 8 hinayana ■ 9 djaïnisme.
NITRATE : 4 iode ■ 5 azote, nitre ■ 7 ammonal, azotate, azotite, azoture, caliche, nitreux, nitrite, nitrure ■ 8 azotique, fuchisme, nitrater, roburite, salpêtre ■ 9 nitrifier, secrétage ■ 11 azotobacter, nitratation, nitrate-fuel, nitrobacter, nitrosation ■ 12 nitrobenzène, nitrosomonas ■ 13 chloropicrine, hydroxylamine, nitrification, nitronisation ■ 15 trinitrotoluène.
NITRATION : 6 nitrer.
NITRIQUE : 8 eau-forte, pentrite ■ 9 nitration, xyloïdine ■ 14 nitrocellulose, nitroglycérine.
NITROCELLULOSE : 9 celluloïd, collodion ■ 11 coton-poudre.
NITROGLYCERINE : 7 tripoli ■ 8 dynamite ■ 9 diatomite ■ 10 trinitrine.
NITRYLE : 7 azotyle.
NITRURATION : 8 nitrurer.
NIVEAU : 4 égal, mire, taux ■ 5 degré*, étage, marée, nappe, pompe ■ 6 dévers, étiage, seiche ■ 7 nivelle, ressaut, vumètre ■ 8 diapason, platière, standard ■ 9 affleurer, avant-cale, contrebas, déniveler, descendre, développé, éclimètre, nivelette, plain-pied, top-niveau ■ 10 clinomètre, flottaison, sous-espèce, verticille, wateringue ■ 11 abaissement, fluviomètre, sous-famille, travers-banc ■ 12 fluviographe, regonflement, superfamille ■ 13 dénivellation, dénivellement, rez-de-chaussée, sous-développé, transgression.

NIVELER: 6 araser ■ 8 nivelage, niveleur ■ 9 bulldozer, nivelette ■ 11 nivellement.
NIVELEUSE: 6 grader ■ 11 motorgrader.
NOBLE: 3 bel, dom ■ 4 beau, dame, fief, fier, page ■ 5 digne, élevé, grand, grave, sacré ■ 6 écuyer, émigré, junker, relevé, varlet ■ 7 auguste, hidalgo, pompeux, soutenu, sublime* ■ 8 généreux, héroïque, jongkeer, jonkheer, noblesse, olympien, roturier, solennel ■ 9 chevalier, estimablc, franc-fief, kchatriya, magnamine, noblement, patricien, sarabande, splendide ■ 10 demoiselle, dérogeance, majestueux, nobilaire ■ 11 aristocrate, gentilhomme, respectable ■ 13 chevaleresque.
NOBLESSE: 3 duc, nom ■ 4 dîme, kami ■ 5 baron, comte, grand, noble, petit, pompe, style, tiers ■ 6 estime, fierté, mérite, morgue, prince ■ 7 dignité, gravité, hauteur, honneur, majesté, marquis, mesquin, nobliau, orgueil, raideur, vicomte ■ 8 baronnet, couronne, ennoblir, grandeur, héroïsme, prestige, vavassal ■ 9 caballero, élévation, parchemin, prestance, prosaïque, solennité, splendeur, vavasseur ■ 10 générosité, nobiliaire, noblaillon ■ 11 amour-propre, distinction, magnanimité ■ 12 aristocratie ■ 13 anoblissement, pacta conventa.
NOCE: 5 bombe, nouba ■ 6 noceur, viveur ■ 7 mariage*, nuptial ■ 8 débauche* ■ 12 ribouldingue.
NOCEUR: 10 bambocheur.
NOCHER: 6 pilote ■ 9 nautonier.
NOCIF: 7 mofette, nocuité ■ 8 nuisible* ■ 10 nocivement ■ 13 contamination ■ 15 décontamination.
NOCTUELLE: 8 leucanie.
NOCTUIDE: 7 agrotis, xanthie ■ 8 agrotide.
NOCTURNE: 3 duc ■ 4 lion ■ 5 blaps, fusée, hibou, hyène, potto, ronde, scops, strix, tigre ■ 6 cossus, sabbat, sphinx, strige, stryge ■ 7 agrotis, fest-noz, hulotte, phalère, rapace, xanthie, zeuzère ■ 8 acidalie, agrotide, chouette, géomètre, nycturie, papillon, porc-épic, strigidé ■ 9 noctuelle, ululation, ululement ■ 10 encoprésie ■ 11 chéiroptère.
NODOSITE: 9 rhizobium.
NODULAIRE: 7 léprome.
NOËL: 5 avant ■ 8 cantique, nativité ■ 9 christmas.
NOEME: 8 noétique.
NŒUD: 3 cal, hic ■ 4 agui, ajut, lacs, lien, nope, œil, rose ■ 5 ajust, coque, lacet, lasso, nodal, nodus, nouer, passe, ruban* ■ 6 anneau, boucle, chaise, collet, enture, floche, laguis, maille, nodule, nouure, plexus, régate, tophus ■ 7 attache, catogan, cocarde, condyle, épincer, maillon, nombril, prussik, rosette ■ 8 broussin, demi-clef, épissure, ganglion, jointure, ligature, malandre, nodosité, noduleux, papillon ■ 9 bouclette, bouffette, cul-de-porc, embossure, entrelacs, épinceler, épinceter, nodulaire, tortillon ■ 10 entre-nœud, lavallière ■ 12 articulation.
NOIR: 3 bai ■ 4 brun, café, embu, frac, fumé, ivre, jais, more, ours, suie ■ 5 agami, aigle, black, blaps, cache, craie, crêpe, deuil, ébène, éboue, encre, gamay, grisé, habit, jayet, laque, lérot, liard, liste, mante, messe, momie, nègre*, négro, pique, ponce, radis, sable, sauce, sépia, taupe, urubu ■ 6 gospel, laptot, moreau, morose, noirci, obscur*, pagnon, portor, sombre*, triste* ■ 7 corbeau, fuscine, lugubre, négrier, noiraud, noircir, rubican, tchador ■ 8 asphalte, bamboula, deux-huit, fumagine, grenache, mâchurer, moricaud, morillon, nocturne, noirâtre, noirceur, souchong, township ■ 9 amphibole, né-

gritude, pyrénéite, tcharchaf, ténébreux ■ 10 hornblende, mélancolie, nigrescent, nigritique, scorsonère ■ 11 arbalétrier, atrabilaire, mélanoderme, noircissure ■ 12 renforcement ■ 13 contre-hermine ■ 14 négro-spiritual, rhythm and blues.

NOIRATRE: 4 bore, khol ■ 5 alios, humus, kohol, ombre, sépia ■ 6 basané, koheul ■ 7 escarre, eschare ■ 8 cambouis ■ 12 mélanodermie ■ 13 blettissement.

NOIRCEUR: 8 infernal.

NOIRCIR: 5 biser, fumer ■ 7 enfumer ■ 8 culotter ■ 9 caviarder, obscurcir ■ 10 charbonner ■ 11 discréditer ■ 13 noircissement.

NOISE: 7 dispute* ■ 8 querelle*.

NOISETIER: 6 coudre ■ 8 coudraie, coudrier, noisette ■ 9 avelinier, noiseraie.

NOISETTE: 4 coco ■ 10 coquerelle ■ 14 casse-noisettes.

NOIX: 4 brou, coco, coir, kola ■ 5 coque, écale, huile, macis, macle, macre, noyer, quasi, tende, zeste ■ 6 pacane ■ 7 aveline, brucine, cerneau ■ 8 anacarde, cocotier, noisette ■ 9 casse-noix, congolais, vomiquier ■ 10 strychnine.

NOLISER: 6 fréter ■ 11 affrètement, nolisement.

NOM: 5 blase, blaze, connu, gueux, liste, odéon, oflag, rabbi, roumi, titre*, tommy ■ 6 nommer, prénom ■ 7 nominal, vocable ■ 8 attribut, baptiser, dénommer, grébiche, innominé, marraine, pointage, prête-nom, toponyme ■ 9 binominal, collectif, éthnonyme, générique, incognito, nominatif, nommément, obituaire, patronyme, soussigné, toponymie ■ 10 antécédent, débaptiser, parpaillot, pseudonyme, réputation, substantif, uninominal ■ 11 appellation, dénominatif, nominalisme, onomastique, porte-parole ■ 12 anthroponyme, dénomination, magnanarelle, nomenclature, patronymique, quelque chose ■ 13 anthroponymie ■ 14 nominativement.

NOMADE: 5 horde ■ 6 errant, forain, targui ■ 7 bédouin, touareg ■ 8 ambulant, roulotte, vagabond* ■ 9 itinérant, nomadisme ■ 10 romanichel, semi-nomade ■ 13 semi-nomadisme ■ 15 sédentarisation.

NOMARCHIE: 4 nome.

NOMBRE: 3 dix, mil, six, tas ■ 4 cent, cinq, cote, date, deux, duel, huit, neuf, nuée, onze, sept, tant, taux, vers ■ 5 aleph, armée, carré, douze, force, forêt, foule, hanse, maint, masse, meute, mille, monde, moult, point, reste, score, seize, semée, somme, tétra, total, trois, unité, ville, vingt ■ 6 essaim, flotte, légion, numéro, rating, troupe ■ 7 chiffre*, combien, estarie, millier, myriade, numéral, poignée, quotité, relatif, rondeur, valence ■ 8 avogadro, centaine, diviseur, dyadique, effectif, excédent, fraction, infinité, majorité, minorité, multiple, nombreux, pulluler, quantité*, quotient, sextuple, soixante, tantième ■ 9 acalculie, aliquante, atomicité, bataillon, constante, dividende, fréquence, justifier, multitude, numérique, pluralité, plusieurs, podomètre, quantième, régresser, surnombre, triadique, vox populi ■ 10 bouche-trou, contingent, coordonnée, différence, foultitude, nonantaine, nuptialité, prévalence ■ 11 archimédien, coefficient, coordinence, progression, quatrillion, quintillion ■ 12 arithmétique, arithmologie, cinquantaine, cologarithme, considérable, équimultiple, imparidigité, multiplicité, surnuméraire ■ 13 arithmonancie, fractionnaire, hypercomplexe, isosyllabique, multiplicande, numériquement, prolifération ■ 14 antilogarithme, multiplicateur, multiplication, numerus clausus.

NOMBRER: 7 compter*.

NOMBREUX: 4 mult, poly ■ 5 dense, multi, paléo, smala, volée ■

8 beaucoup*, fréquent ■ 9 polystyle ■ 10 multicaule ■ 11 grossissant, innombrable.
NOMBRIL : 7 ombilic.
NOMENCLATURE : 5 deuto, liste* ■ 12 nomenclateur.
NOMINAL : 4 agio, pair ■ 5 supin ■ 9 participe ■ 12 nominalement.
NOMINALISER : 14 nominalisation.
NOMINALISME : 10 terminisme.
NOMINATION : 9 promotion ■ 11 intégration.
NOMME : 4 à pic ■ 10 susdénommé.
NOMMER : 5 caser, citer, créer, élire, faire, voter ■ 6 grader, placer, susdit ■ 7 appeler*, avancer, choisir ■ 8 décliner, dénommer, désigner, diplômer, renommer, susnommé ■ 9 bombarder, instituer, présenter ■ 10 innommable, introniser, préconiser, promouvoir ■ 11 titulariser ■ 13 commissionner.
NON : 5 gadjo, nenni.
NONANTE : 10 nonantième ■ 11 nonagénaire.
NONCE : 5 légat ■ 10 nonciature.
NONCHALANCE : 7 apathie*, paresse* ■ 9 indolence, léthargie ■ 10 mangeotter, nonchalant ■ 11 mollasserie ■ 13 nonchalamment ■ 14 assoupissement.
NONCHALANT : 5 balan, momie ■ 8 dandiner ■ 9 apathique ■ 11 léthargique.
NONCHALOIR : 7 apathie*.
NONE : 6 vêpres.
NON-FIGURATIF : 13 non-figuration.
NON-LIEU : 12 condamnation.
NONNAIN : 5 nonne.
NONNETTE : 11 chanoinesse.
NONOBSTANT : 6 malgré ■ 9 cependant.
NON-PAIEMENT : 15 assurance-crédit.
NOPAL : 8 raquette.
NORADRENALINE : 8 dopamine.
NORD : 4 alfa, bise, pôle, sidi ■ 5 eider ■ 6 boréal ■ 7 suédois ■ 8 boussole, nordique ■ 9 bécasseau, islandais ■ 10 tramontance ■ 11 hyperboréen, septentrion ■ 13 septentrional.
NORDIQUE : 7 féroïen ■ 8 valkyrie ■ 9 féringien, nordicité.
NORD-OUEST : 7 galerne.
NORIA : 5 godet ■ 6 sakieh.
NORMAL : 5 santé, tempo ■ 7 eutocie ■ 8 rabougri, régulier* ■ 9 emmétrope, ensellure, normalien, sévrienne ■ 11 hypotension, normalement, orthophonie ■ 12 hypertension ■ 13 hyposécrétion, reconstituant.
NORMALE : 9 archicube ■ 12 arrière-fleur, sous-effectif.
NORMALISATION : 7 tempéré ■ 10 normaliser ■ 11 prêt-à-porter, tempérament ■ 15 standardisation.
NORMALISER : 11 décimaliser ■ 12 anticalcique ■ 13 normalisateur.
NORMAND : 12 anglo-normand.
NORMANDE : 5 halbi.
NORME : 5 canon, régle* ■ 8 normatif, principe ■ 9 canonique ■ 11 normativité.
NORVEGIEN : 3 öre.
NOSTALGIE : 3 mal ■ 6 spleen ■ 10 mélancolie ■ 11 nostalgique.
NOTABLE : 6 djamaa, djemaa ■ 9 important* ■ 10 notabilité ■ 11 remarquable* ■ 12 personnalité.
NOTAIRE : 5 étude ■ 6 maître ■ 7 dataire, notarié ■ 8 attorney, notarial, notariat ■ 9 comparant, solicitor, tabellion.

NOTAMMENT : 14 singulièrement.
NOTATION : 5 neume ■ 8 notateur ■ 12 labanotation.
NOTE : 2 do, fa, la, mi, ré, si, ut ■ 3 air, sol ■ 4 cote, nota ■ 5 bémol, comma, coulé, degré, dièse, écrit, fusée, gamme, glose, noire, noter, point, ronde, sigle, sixte, trait ■ 6 croche, indice, marque, notice, renvoi, scolie ■ 7 bécarre, blanche, cluster, exégèse, facture, mémoire, mention, pensées, syncope, triolet ■ 8 anacruse, broderie, nota bene, notation, remarque*, sextolet ■ 9 anacrouse, apostille, bémoliser, expliquer, manchette, quintolet, tessiture ■ 10 altération, annotation, mémorandum ■ 11 appoggiature, commentaire, douloureuse, explication, observation, remplissage ■ 12 double-croche, sus-dominante ■ 13 sous-dominante.
NOTER : 4 obel ■ 5 album, coter, obèle ■ 6 écrire ■ 7 annoter, calepin, marquer* ■ 8 corriger, indiquer, manifold ■ 9 bloc-notes, commenter, consigner, signifier, souligner ■ 10 apostiller ■ 11 enregistrer ■ 12 chorégraphie.
NOTICE : 6 abrégé ■ 7 préface ■ 10 éphéméride.
NOTIFICATION : 12 commandement, dénonciation ■ 13 signification.
NOTIFIER : 4 dire ■ 7 intimer ■ 9 signifier* ■ 11 notificatif ■ 12 notification.
NOTION : 4 idée* ■ 8 doctrine, rudiment ■ 9 apriorité, notionnel ■ 10 conscience, téléologie ■ 11 abstraction, instruction ■ 12 connaissance, prolégomènes.
NOTOIRE : 6 public ■ 9 manifeste*, notoriété.
NOTORIETE : 5 gotha, poser ■ 7 has been ■ 9 tout-paris ■ 10 avocaillon, réputation*.
NOUAGE : 8 nouement.
NOUER : 4 lier* ■ 5 lacer, nouet ■ 6 tordre ■ 7 arrêter, boucler, établir, joindre*, renouer ■ 8 attacher*, nouement ■ 10 entrelacer.
NOUET : 6 nodule.
NOUEUX : 8 matraque, nodosité ■ 10 tortillard.
NOUILLE : 10 cannelloni.
NOUMENE : 8 nouménal.
NOURRAIN : 6 fretin.
NOURRICE : 6 nounou ■ 9 gardienne, téterelle ■ 10 exhausteur, imperdable.
NOURRIR : 4 hile, sève ■ 5 gaver, sucer, vivre ■ 6 élever ■ 7 étoffer ■ 8 allaiter, caresser, omnivore, zoophage ■ 9 alimenter, carnivore, coronaire, empiffrer, frugivore, granivore, herbivore, nutricier, piscivore, restaurer, sustenter, vermivore ■ 10 autotrophe, coprophage, nécrophage, nourricier, phytophage, rhizophage, saprophage ■ 11 entomophage, ichtyophage, insectivore, nourrissage, nourrissant, nourrisseur ■ 12 alimentateur, hétérotrophe.
NOURRISSANT : 8 nutritif ■ 9 substance ■ 11 substantiel.
NOURRISSON : 4 bébé* ■ 9 arrow-root, lactation, pouponner.
NOURRIT : 8 limivore ■ 10 rhizophage ■ 11 détritivore, suralimenté ■ 12 planctophage ■ 13 planctonivore.
NOURRITURE : 4 foin, pain ■ 5 bœuf, manne, repas*, tripe, vivre ■ 6 pâture ■ 7 aliment*, alpiste, céréale, ventrée ■ 8 bectance, fourrage, laiteron, plancton, plantain ■ 9 ambroisie ■ 10 comestible, mangeaille, saprophyte, touraillon ■ 11 becquetance, bouffetance, ragougnasse ■ 12 trophallaxie ■ 15 suralimentation.
NOUVEAU : 3 néo ■ 4 neuf, vert ■ 5 bible, frais, inouï, jeune, passé, riche ■ 6 actuel, entier, inédit, intact, nouvel, novice*, récent, recrue ■ 7 dernier, inconnu, naguère, new-look, primeur ■ 8 derechef,

néologie, néophyte, novateur, original, racheter, rajuster, rallumer, rameuter, raplatir, réaliser, rebattre, reborder, recarder, recauser, reclouer, recoller, recopier, recouper, requêter, retirage, sursemer ■ 9 différent, néoplasie, nouveauté, prosélyte, rassortir, rattacher, rattraper, réabonner, réadapter, réajuster, réamorcer, reboucher, rechanger, remballer ■ 10 ensaisiner, misonéisme, néologisme, néologiste, rapprendre, réaménager, recalculer, réexaminer, renouveler, subintrant ■ 11 réapprendre ■ 12 néoformation.

NOUVEAU-MONDE : 12 platyrhinien ■ 13 platyrrhinien.

NOUVEAU-NE : 4 part ■ 5 lange, tétée ■ 8 méconium, néo-natal ■ 9 dysmature ■ 11 vagissement ■ 12 néomortalité, néonatalogie ■ 13 barcelonnette, bercelonnette.

NOUVEAUTE : 7 calicot, primeur ■ 8 déflorer ■ 9 néophobie ■ 11 innovation, misonéisme.

NOUVELLE : 3 ana ■ 4 écho ■ 5 bruit*, conte, on-dit, potin, récit* ■ 6 bobard, canard, cancan, propos, rumeur ■ 7 dépêche, gazette, message, ouï-dire ■ 8 anecdote, reporter, synopsis ■ 9 alarmiste, chronique, événement ■ 10 communiqué ■ 11 information*, nouvelliste ■ 13 radio-trottoir.

NOUVELLE-CALEDONIE : 5 kanak ■ 7 canaque ■ 8 caldoche.

NOUVELLEMENT : 8 néophyte ■ 9 jeunement, récemment.

NOUVELLISTE : 11 journaliste.

NOVATION : 5 nover ■ 9 novatoire.

NOVICE : 4 bleu, neuf ■ 5 voile ■ 6 recrue ■ 7 béjaune, nouveau* ■ 8 apprenti, aspirant, blanc-bec, conscrit, débutant, néophyte, noviciat ■ 9 maladroit, stagiaire ■ 10 provincial ■ 11 catéchumène ■ 12 surnuméraire.

NOVICIAT : 7 alumnat ■ 9 probation.

NOYAU : 3 âme ■ 4 nèfe, nifé, œuf ■ 5 atome, cadre, drupe, olive, pavie, pêché, pépin ■ 6 amande, deuton, ferret, graine, hélion, nucléé, nucule, pignon, proton, pyrène, triton ■ 7 isobare, neutron, nucléon, nuclide, pycnose ■ 8 deutéron, diploïde, haploïde, nucléide, nucléole, organite, plasmode, synctium ■ 9 fascicule, mésocarpe, nucléaire, spermatie ■ 10 amphimixie, antipyrine, barysphère, centrosome, chromosome, cytoplasme, dénoyauter, polyploïde, pyrosphère, spallation ■ 11 cicatricule, énucléation, granulocyte, nucléonique, polyploïdie ■ 13 désexcitation, polynucléaire ■ 14 intranucléaire, nucléoprotéine.

NOYAUTER : 9 noyautage.

NOYER : 4 noix ■ 6 couler, noyade ■ 7 inonder ■ 8 pacanier ■ 9 noiseraie.

NU : 4 mort ■ 7 topless ■ 8 académie, adamisme ■ 10 dénudation.

NUAGE : 3 nue ■ 4 nuée, vent ■ 5 grain, panne ■ 6 cirrus, nimbus ■ 7 cumulus, nuageux, stratus ■ 8 ennuager, pommeler ■ 9 obnubiler ■ 10 brouillard ■ 11 altocumulus, altostratus ■ 12 cirro-cumulus, cirrostratus, cumulo-nimbus, nimbo-stratus ■ 13 cumulo-stratus, stratocumulus.

NUAGEUX : 5 vague* ■ 6 obscur*.

NUANCE : 3 ton ■ 5 degré, virer ■ 6 teinte, valeur ■ 7 couleur* ■ 8 uniforme ■ 9 grivelure ■ 10 différence.

NUANCER : 4 nuer.

NUBIE : 6 nubien.

NUBILITE : 6 nubile ■ 7 puberté ■ 8 jeunesse ■ 10 aphrodisie.

NUCELLE : 10 nucellaire.

NUCLEAIRE : 3 r.m.n. ■ 4 mirv ■ 7 breeder ■ 8 stripage ■ 9 bouilleur, eucaryote ■ 10 fissionner ■ 11 euromissile, nucléariser ■ 12 électron-

volt, kilotonnique, mégatonnique, retraitement ■ 13 antinucléaire, dénucléariser, surgénérateur, surgénération ■ 14 préstratégique ■ 15 subkilotonnique, surrégénérateur, surrégénération.
NUCLEARISER : 14 nucléarisation.
NUCLEIQUE : 7 purique, thymine ■ 8 cytosine, xanthine ■ 11 pyrimidique.
NUCLEOLE : 13 ribonucléique.
NUCLEON : 6 parton ■ 8 stripage ■ 11 nucléonique.
NUCLEOSIDE : 9 adénosine ■ 10 nucléotide.
NUCLEOTIDE : 6 ribose.
NUDISME : 7 nudiste ■ 9 naturisme.
NUE : 5 nuage.
NUEE : 5 nuage ■ 9 multitude*.
NUER : 7 nuancer.
NUIRE : 5 aider, gêner*, léser, salir, vexer ■ 6 abîmer, avilir, médire, ruiner, ternir ■ 7 arrêter, blesser, décrier, déparer, évincer, frapper, maudire, nocuité, noircir, ravager ■ 8 attenter, dévaster, diffamer, éreinter, harceler, maléfice, malmener, offenser ■ 9 animosité, atteindre, calomnier, desservir, guet-apens, inquiéter, intriguer, offusquer, paralyser, préjudice*, sacrifier ■ 10 contrarier, décréditer, déshonorer, détériorer, endommager, entre-nuire, incommoder, maltraiter, persécuter, poursuivre, quasi-délit, tourmenter ■ 11 embarrasser, préjudice ■ 12 compromettre, contrecarrer déconsidérer, malveillance ■ 14 non-concurrence.
NUISIBLE : 4 pire ■ 5 nocif, taupe ■ 6 quelea ■ 7 anomala, anomale, funeste, malsain, mauvais, rongeur, vermine ■ 8 délétère, nocivité, réformer, tordeuse ■ 9 anthonome, charençon, chiendent, contraire, dangereux, innocuité, insalubre ■ 10 cochenille, hypertélie, inoffensif, malfaisant, méphitique, pernicieux ■ 11 courtilière, hyponomeute ■ 12 nuisiblement, surentraîner ■ 15 processionnaire.
NUIT : 4 guet, loup ■ 5 étape, fanal, fouée, goule, loger, moins, pâque, phare, voile ■ 6 minuit, nuitée ■ 7 xanthie ■ 8 camisole, goguenot, nocturne, nuisette, sérénade ■ 9 bourdalou, obscurité, réveillon, tirelaine, veilleuse ■ 10 crépuscule, médianoche, noctambule, noctiflore, nuitamment ■ 11 entraîneuse ■ 13 noctambulisme.
NUL : 3 pat ■ 4 fétu, zéro ■ 5 aucun, caduc, néant, point ■ 7 annuler ■ 8 infirmer, personne, révoquer, virevolte ■ 9 aclinique, invalider, nonvaleur ■ 10 inexistant ■ 12 invalidement.
NULLITE : 8 néantise, soliveau.
NUMERAIRE : 5 stock ■ 6 argent.
NUMERAL : 3 dix, mil, six ■ 4 cent, cinq, deux, huit, neuf, onze, sept ■ 5 douze, seize, vingt ■ 9 numérique ■ 11 soixante-dix.
NUMERATION : 5 octal ■ 11 hexadécimal, sexagésimal.
NUMERIQUE : 4 r.n.i.s. ■ 7 numéral ■ 8 sex-ratio ■ 9 intensité, numériser, quantième ■ 11 coefficient, corrélateur, statistique ■ 12 additionneur, soustracteur ■ 13 numériquement.
NUMERISATION : 12 numérisateur.
NUMERISER : 11 digitaliser ■ 12 numérisation.
NUMERO : 4 isbn, issn, loto, urne ■ 5 folio, quine, terne ■ 6 lascar, nombre* ■ 7 chiffre*, grébige, loustic ■ 8 grébiche, gribiche, quaterne ■ 9 matricule, millésime, numéroter ■ 10 matriculer, pagination ■ 12 numérotation.
NUMEROLOGIE : 11 numérologue.
NUMEROTER : 3 tex ■ 5 coter ■ 7 paginer ■ 8 chiffrer, folioter ■ 10 numérotage, numéroteur.

NUMMULITE: **6** éogène ■ **9** paléogène ■ **12** nummulitique.
NU-PIEDS: **5** carme.
NUPTIAL: **5** poêle ■ **11** matrimonial.
NUQUE: **5** nucal ■ **7** énuquer ■ **11** cervicalgie.
NURAGHE: **9** nuragique.
NURSE: **10** infirmière ■ **11** gouvernante.
NUTRITIF: **4** lait ■ **10** suspenseur ■ **11** nourrissant.
NUTRITION: **7** alibile ■ **8** atrophie, nutritif ■ **9** excrétion, prédation, trophique ■ **10** dystrophie, endosperme, nourricier, parenchyme ■ **11** hypotrophie ■ **13** sous-nutrition.
NUTRITIVE: **8** tréphone ■ **12** hydroponique.
NYCTAGINACEE: **9** mirabilis ■ **11** belle-de-nuit ■ **13** bougainvillée.
NYCTALOPIE: **9** nyctalope.
NYCTHEMERE: **11** nycthéméral.
NYLON: **8** adipique.
NYMPHAL: **12** holométabole.
NYMPHE: **4** muse, nixe, pupe ■ **5** faune, grâce, napée ■ **6** dryade, naïade, oréade, satyre, triton ■ **7** néréide, nymphal, nymphée ■ **8** nymphose, océanide ■ **10** hamadryade.
NYMPHEACEE: **5** lotus ■ **7** nénufar, nélombo, nélumbo ■ **8** nénuphar, victoria.

OASIS : **4** oued ■ **6** désert, oasien.
OBEDIENCE : **10** dépendance, obéissance* ■ **11** obédientiel.
OBEIR : **5** céder*, plier ■ **6** mollir ■ **7** écouter, faiblir, fléchir ■ **8** craindre, désobéir, entendre, incliner, observer, rebeller, regimber ■ **9** conformer, gouverner, obéissant, soumettre* ■ **10** obéissance, obtempérer.
OBEISSANCE : **4** vœu ■ **8** docilité ■ **9** obédience, servilité ■ **10** allégeance, soumission* ■ **13** inobservation.
OBEISSANT : **4** sage, têtu ■ **6** docile, soumis*, souple ■ **11** réfractaire ■ **12** récalcitrant.
OBELISQUE : **8** aiguille ■ **10** pyramidion.
OBERER : **8** endetter.
OBESE : **4** gras, gros* ■ **5** pansu ■ **6** ventru ■ **11** entripaillé ■ **12** ventripotent ■ **14** adiposo-génital.
OBESITE : **5** obèse, panse ■ **7** bedaine ■ **10** ventrosité.
OBIER : **6** viorne ■ **12** boule-de-neige.
OBJECTER : **4** dire ■ **7** exciper, opposer*, récuser, réfuter*, rejeter ■ **8** chicaner, discuter, infirmer, proposer, répondre ■ **9** contester, prétexter, protester, repousser ■ **10** argumenter, contredire ■ **11** représenter ■ **12** contrecarrer.
OBJECTIF : **3** but* ■ **5** cible ■ **7** aplanat, fish-eye, optique, sténopé, triplet ■ **8** achromat, pilonner ■ **9** dénivelée, finaliser, impartial ■ **10** diaphragme, encagement, objectiver, obturateur ■ **11** diaphragmer, objectivité ■ **12** bombardement, objectivisme, objectiviste, téléobjectif ■ **13** autodirecteur, objectivement, rectilinéaire.
OBJECTION : **4** mais ■ **8** estoppel, prolepse ■ **9** objecteur ■ **10** difficulté ■ **11** observation ■ **12** contestation, raisonnement ■ **13** objectivation.
OBJET : **3** but*, mur ■ **4** amer, chef, éjet, étui, gage, même, onde, ploc, prix, sens, tare, tige, tout, troc, truc, type ■ **5** achat, amour, arrêt, avant, bâton, bazar, bijou, capot, carré, casse, champ, chant, chape, chose*, chute, cible, coupe, crête, croix, écrin, éject, en-cas, enjeu, étage, fleur, forme, gaine, gamme, globe, haler, hotte, hymne, hypne, image, jouet, joyau, kitch, lagan, laque, livre, loupe, merle, mètre, moule, musée, myope, nanar, natte, nippe, noème, olive, ouate, patte, pièce, plouf, point, poire, poste, prime, queue, quine, raban, radar, ramas, risée, river, roder, selle, siège, souci, sujet, table, tapis, torre, usure, vague, verre, voilà, voile ■ **6** étoile, ex-voto, gnosie,

joujou, trésor ■ 7 article, bibelot, concept, élément, évidure, fétiche, fractal, ontique, opéable, pendant, percept, quanton, tapette, trophée, violoné ■ 8 affutiau, amulette, apparaux, bitoniau, chapelet, churinga, corrélat, couchage, critique, document, doublure, matériel, miraculé, nébuleux, objectif, référent, stérilet, talisman ■ 9 brocanter, broutille, céramique, challenge, exproprié, ferrement, japonerie, nébuleuse, ready-made, théologal, ustensile, vade-mecum ■ 10 antiquaire, brimborion, brocanteur, capharnaüm, colifichet, collerette, descriptif, didactique, enchâssure, exemplaire, millefiori, pique-fleur, prestation, suspension, trouvaille, usurpation ■ 11 marchandise, monogramme, pique-fleurs, résolutoire, sacramentel, stroboscope, testabilité ■ 12 chaudronnier, japonaiserie, maroquinerie ■ 13 litispendance, presse-papiers ■ 14 microtechnique, philotechnique ■ 14 chryséléphantain, collectionnisme.

OBJURGATION: 5 blâme* ■ 8 reproche* ■ 10 réprimande*.

OBLATIF: 10 oblativité.

OBLIGATION: 3 loi ■ 4 bien, dîme, exil, lien ■ 5 garde, nover, objet, ordre, perte, souna, stage, sujet, sunna ■ 6 boulet, charge, devoir, valeur ■ 7 angarie, dilemne, nullité ■ 8 consigne, décharge, dispense, exigence, fidélité, fonction, garantie, novation, paiement ■ 9 déontique, endogamie, monitoire, redevable, rescision, servitude ■ 10 allégeance, non-respect, prestation, récognitif, solidarité ■ 11 compression, exonération, libératoire, obligatoire, rescription, résiliation, subrogation ■ 12 compensation, scripophilie ■ 13 prévarication ■ 14 responsabilité ■ 15 synallagmatique.

OBLIGATOIRE: 5 fatal*, forcé, vital ■ 7 falloir ■ 9 formalité, impératif, impérieux, rigoureux ■ 10 inévitable ■ 11 inéluctable, irrévocable ■ 15 obligatoirement.

OBLIGE: 4 lige, tenu.

OBLIGEANT: 5 brave ■ 9 prévenant ■ 10 obligeance, secourable* ■ 11 complaisant*.

OBLIGER: 4 lier, oust ■ 5 ouste ■ 6 forcer, servir ■ 7 enfumer, engager, réduire ■ 8 dénicher, secourir*, squeezer ■ 9 accrocher, expatrier, obligeant, russifier, violenter ■ 10 astreindre, nécessiter ■ 11 contraindre*, entrobliger ■ 12 obligeamment.

OBLIQUE: 4 lien ■ 5 biais, corne, serge, torve ■ 7 incliné, scalène ■ 8 indirect, obliquer ■ 9 chanfrein, demi-volte, obliquité ■ 10 transverse ■ 11 délardement, embrèvement, obliquement ■ 13 contreboutant.

OBLITERATION: 7 embolie.

OBLITERER: 7 effacer ■ 12 oblitérateur, oblitération.

OBLONG: 4 long ■ 5 bidet, moule ■ 9 aubergine.

OBNUBILATION: 8 obnubilé.

OBNUBILER: 9 obscurcir ■ 12 obnubilation.

OBOLE: 6 aumône*.

OBREPTICE: 10 subreptice.

OBSCENE: 4 sale* ■ 5 impur ■ 6 cochon, ordure, poivré, satyre ■ 7 pimenté, vicieux* ■ 8 érotique, impudent, indécent, ordurier, polisson ■ 9 graveleux, impudique, luxurieux* ■ 10 licencieux* ■ 11 inconvenant* ■ 14 pornographique.

OBSCENITE: 10 cochonceté.

OBSCUR: 3 mue ■ 4 brun, noir* ■ 5 bandé, blaps, caché, clair, foncé, glose, ombre, tache, terne, vague*, voilé ■ 6 confus, dédale, fumeux, humble*, ignoré, œdipe, opaque, phébus, sombre*, touffu, triste, vaseux ■ 7 abscons, abstrus, brumeux, douteux, inconnu, indécis*, nuageux, profond ■ 8 abstrait, nébuleux, sibyllin, vaporeux ■ 9 compliqué, équivoque, obscurcir, ténébreux ■ 10 basse-fosse, déchiffrer, embrouillé, entortillé, filandreux, fuligneux, hermétique, indiscret, infrarouge, mystérieux ■ 11 énigmatique, interpréter, obscuration, obscurément ■ 12 inextricable ■ 13 amphigourique, apocalyptique, obscurantisme, obscurantiste, subconscience ■ 15 obscurcissement.

OBSCURE: 5 manip ■ 6 manipe.

OBSCURCIR: 5 nuage ■ 6 cacher*, voiler ■ 7 effacer ■ 8 éclipser, élucider, nébuleux ■ 9 obnubiler, offusquer ■ 15 rétroprojecteur.

OBSCURITE: 4 nuit ■ 5 brume, chaos, nuage, ombre* ■ 6 dédale ■ 7 opacité, trouble ■ 8 black-out, désordre, embarras, pénombre, ténèbres ■ 9 confusion, imbroglio, phosphore ■ 10 brouillard, crépuscule, labyrinthe ■ 11 cavernicole ■ 12 cabalistique, complication ■ 13 autocinétique ■ 15 assombrissement, photopériodisme, rétroprojecteur.

OBSEDE: 6 pollard ■ 8 obnubilé.

OBSEDER: 6 hanter ■ 9 obsession ■ 10 poursuivre*, préoccuper, tourmenter*.

OBSEQUES: 5 litre ■ 11 enterrement, funérailles.

OBSEQUIEUX: 4 poli ■ 7 servile* ■ 9 courbette ■ 10 caudataire ■ 12 obséquiosité ■ 15 obséquieusement.

OBSERVANCE: 11 observation.

OBSERVATEUR: 10 point de vue.

OBSERVATION: 3 top ■ 4 note ■ 5 vigie ■ 7 mirador, pensées ■ 8 artefact, civilité, nid-de-pie, piper-cub, remarque*, reproche, saucisse ■ 9 almageste, attention, clinicien, empirique, piper-club, spicilège, télescope ■ 10 expérience, meurtrière, observance ■ 11 remontrance* ■ 12 appréciation, observatoire, stroboscopie, vérification ■ 13 météoromancie.

OBSERVATOIRE: 4 dôme.

OBSERVER: 4 voir ■ 5 épier, faire, mirer, tenir ■ 6 garder, suivre ■ 7 étudier*, veiller ■ 8 épiscope, examiner*, regarder* ■ 9 accomplir, inobserver, pratiquer, remarquer* ■ 10 considérer, enfreindre, gardepêche, observable, porte-objet, surveiller* ■ 11 observation, psychologue, reconnaître, représenter, stroboscope ■ 12 inobservable, inobservance, laryngoscope ■ 13 oscillographe.

OBSESSION: 5 manie, souci* ■ 6 tracas ■ 7 hantise ■ 8 psychose ■ 12 obsessionnel.

OBSOLESCENCE: 11 obsolescent.

OBSOLETE: 6 désuet.

OBSTACLE: 2 go ■ 3 mur, spa ■ 4 gêne, haie, oxer ■ 5 barre, bouée, buter, cahot, digue, épine, nuire, peine ■ 6 accroc, butoir, écueil, masque ■ 7 abattis, barrage, chicane, entrave, rivière ■ 8 barrière, dirimant, embarras*, hérisson, obstruer, palanque, parcours, traverse ■ 9 anicroche, barricade, bull-finch, consentir, palliatif, périscope ■ 10 difficulté, opposition ■ 11 achoppement, contrariété, contretemps, dérangement, empêchement, engorgement, obstruction ■ 12 écholocation, encombrement, steeple-chase ■ 13 retranchement ■ 15 électrolocation.

OBSTETRIQUE: 4 lacs ■ 12 obstétricien.

OBSTINATION: 8 ténacité ■ 10 entêtement*, insistance, résistance ■ 11 acharnement, obstinément, opiniâtreté, persistance.

OBSTINE: 4 buté, mule, têtu ■ 6 entêté*, tenace ■ 7 endurci ■ 8 encroûté ■ 9 cabochard, intrépide, opiniâtre.

OBSTINER: 7 entêter* ■ 8 acharner, insister, résister, soutenir ■ 9 persister ■ 10 opiniâtrer.

OBSTRUCTION : 5 iléus ▪ 7 atrésie, embolie ▪ 8 embarras, obstacle* ▪ 9 occlusion ▪ 10 congestion, engouement, obstructif ▪ 11 engorgement, remplissage ▪ 12 encombrement, oblitération ▪ 13 imperforation.
OBSTRUER : 6 barrer ▪ 7 boucher*, remplir ▪ 8 engorger ▪ 9 encombrer, oblitérer ▪ 11 embarrasser ▪ 12 embouteiller ▪ 13 congestionner.
OBTEMPERER : 5 céder*, obéir*.
OBTENIE : 10 sonagraphe.
OBTENIR : 5 avoir, payer, place, rater, tarer, thèse, total ▪ 6 capter, gagner*, glaner, sortir, tenter ▪ 7 acheter, arriver, briguer, dérober, emparer, enlever, hériter, licence, mériter, prendre, retirer, réussir ▪ 8 acquérir, amadouer, arracher, attraper, captiver, cueillir, demander, démarche, disputer, graisser, impétrer, parvenir, posséder, procurer, postuler, racheter, ramasser, recevoir*, recourir, soutirer, triompher ▪ 9 accrocher, confesser, conquérir*, décrocher, efficient, emprunter, extorquer, intriguer, mécanisme, obtention, remporter ▪ 10 marchander, naturalisé, poursuivre, rechercher, recueillir, renseigner, surprendre, sursauter ▪ 11 déprécation, impétration ▪ 13 berginisation, photographier.
OBTENTION : 7 clonage.
OBTURATEUR : 5 fusil ▪ 7 soupape ▪ 11 déclencheur.
OBTURER : 4 tape ▪ 5 clamp, inlay ▪ 6 fermer* ▪ 7 boucher* ▪ 8 aurifier, obstruer, propolis ▪ 10 obturateur, obturation ▪ 11 bouche-pores.
OBTUS : 3 sot ▪ 5 angle ▪ 7 balourd, émoussé ▪ 10 obtuangle.
OBUS : 5 balle, bombe, culot, ogive ▪ 7 marmite, souille ▪ 8 ceinture, shrapnel ▪ 9 entonnoir ▪ 10 pare-éclats, projectile.
OBVIER : 5 parer ▪ 6 éviter.
OC : 7 occitan.
OCCASION : 3 cas ▪ 4 lieu ▪ 5 cause, temps ▪ 6 hasard, moment, occase ▪ 7 fringue ▪ 8 braderie, facilité, racheter, scandale, toujours ▪ 9 bric-à-brac, brocanter, cérémonie, événement ▪ 10 bretailler, épithalame ▪ 11 achoppement, bouquiniste, conjoncture, occasionnel, occasionner, quelquefois ▪ 12 circonstance.
OCCASIONNEL : 8 incident ▪ 11 dispendieux ▪ 15 occasionnalisme.
OCCASIONNER : 5 créer, faire ▪ 6 amener, causer*, coûter, porter ▪ 7 attirer, exciter, influer ▪ 8 apporter, disposer, procurer, produire*, suggérer, susciter ▪ 9 commander, déchaîner, engendrer, entraîner*, impliquer, provoquer* ▪ 10 contribuer, déterminer, influencer ▪ 11 prédisposer.
OCCIDENT : 5 ouest ▪ 6 ponant ▪ 8 couchant ▪ 10 occidental ▪ 13 pro-occidental ▪ 14 occidentaliser.
OCCIPUT : 5 inion, nuque ▪ 7 wormien ▪ 9 occipital.
OCCIPITAL : 9 lambdoïde.
OCCIRE : 4 tuer* ▪ 10 assassiner.
OCCITANE : 11 occitanisme.
OCCLUSION : 5 click, iléus ▪ 8 occlusif, volvulus ▪ 9 affriquée.
OCCLUSIVE : 12 assimilation.
OCCULTATION : 7 éclipse.
OCCULTE : 4 mana ▪ 5 caché, magie ▪ 6 cabale, secret* ▪ 7 hétérie ▪ 10 ectoplasme, occultisme, occuliste.
OCCULTER : 6 cacher.
OCCUPATION : 3 p.o.s. ▪ 4 état ▪ 5 giron, heure, libre, logis, oisif, place, plein, tâche ▪ 6 action, emploi*, métier, tracas, vacant ▪ 7 besogne, collabo, ouvrage, travail* ▪ 8 fonction*, inoccupé, invasion,

occupant, quartier, tourment ■ 9 absorbant, quantième, surcharge ■ 10 entreprise, immobilier, libération, obligation, possession, profession, spécialité ■ 12 réoccupation ■ 13 désœuvrement, envahissement, expansibilité, sous-locataire.
OCCUPE : 9 désoccupé.
OCCUPER : 4 agir ■ 5 faire, mener, place, tenir ■ 6 emplir, habité, vaquer ■ 7 bêtiser, dominer, écraser, ingérer, obséder, piqueur, presser, proxène, remplir, retenir, traiter ■ 8 absorber, accabler, besogner, captiver, empêcher, employer, escrimer, évertuer, immiscer, négocier, présider, squatter ■ 9 accaparer, appliquer, dépeupler, désœuvré, pouponner, remplacer, réoccuper, tracasser ■ 10 assujettir, intervenir, préoccuper, surcharger, tourmenter, travailler ■ 11 tatillonner ■ 12 cannibaliser, entreprendre, intrigailler, squattériser.
OCCURRENCE : 3 cas ■ 12 circonstance*.
OCEAN : 3 mer* ■ 5 biome ■ 6 abysse, océane ■ 7 bathyal ■ 8 océanide ■ 9 benthique, océanique ■ 10 euphotique ■ 13 océanographie ■ 14 bathypélagique, épicontinental, interocéanique, transocéanique ■ 15 océanographique.
OCEANIE : 8 mégapode.
OCEANIEN : 3 tek ■ 4 lori, teck ■ 8 calambac, calambar, hattéria ■ 9 artocarpe, calambour, camphrier, patchouli, perroquet ■ 10 artocarpus.
OCEANIQUE : 5 hadel ■ 12 épipélagique.
OCEANOLOGIE : 11 océanologue ■ 13 océanologique.
OCELLE : 4 œil.
OCRE : 5 jaune, ocrer ■ 6 ocreux ■ 8 limonite, sanguine.
OCTAEDRE : 11 octaédrique.
OCTANE : 8 additivé, contre-ut ■ 12 antidétonant ■ 14 supercarburant.
OCTAVE : 8 fête-dieu, octavier.
OCTOCORALLIAIRE : 6 poulpe ■ 7 pieuvre ■ 9 vérétille ■ 10 alcyonaire*, gorgonaire*.
OCTOGONE : 9 octogonal.
OCTOPODE : 6 poulpe ■ 7 pieuvre.
OCTROI : 3 don* ■ 5 ronde ■ 6 entrée ■ 11 passe-debout ■ 12 congédiement.
OCTROYER : 6 donner* ■ 7 bailler ■ 8 accorder*, concéder.
OCTAVON : 5 métis.
OCULAIRE : 6 cornée ■ 8 glaucome ■ 10 oculariste, spectateur ■ 11 sclérotique ■ 12 naphtazoline, panophtalmie ■ 13 ophtalmologue.
OCULISTE : 13 ophtalmologue ■ 15 ophtalmologiste.
ODE : 5 chant*, divan, épode, hymne ■ 8 cantique, odelette ■ 13 anacréontique.
ODEUR : 3 ail ■ 4 goût, musc, puer, vent ■ 5 arôme, brome, brûlé, évent, fumet, lérot, lilas, momie, myrte, naffe, ozène, puant, rance, ranci ■ 6 enviné, esprit, fétide, miasme, parfum*, relent, roussi ■ 7 aromate, bouquet, effluve, enfermé, haleine, inodore, mofette, odorant, remugle, senteur ■ 8 cacosmie, échauffé, empester, fragance, fraîchin, graillon, nidoreux, puanteur, renfermé, sauvagin, terpinol ■ 9 effluence, émanation, empuanter, empyreune, mercaptan, infection, olfaction, terpinéol ■ 10 exhalaison, malodorant, méphitique, pestilence ■ 11 désodoriser, odoriférant ■ 12 assainisseur.
ODIEUX : 4 noir ■ 7 indigne ■ 10 détestable* ■ 11 odieusement.
ODOMETRE : 9 podomètre.
ODONTOLOGIE : 12 parondologie.
ODONSTOMATOLOGIE : 13 implantologie.

ODORANT : 4 iris, musc, spic ■ 5 irone, mélia ■ 7 fragant ■ 8 ambréine, seringat ■ 9 camomille, coumarine, terpinéol, vanilliné ■ 11 odoriférant.

ODORAT : 3 nez ■ 4 sens ■ 5 flair, odeur, ozène ■ 7 anosmie, antenne ■ 8 allécher, olfactif ■ 9 odoration, olfaction.

ODORIFERANT : 4 thym ■ 5 baume ■ 7 odorant.

ŒCUMENISME : 11 œcuméniste ■ 12 œcuménicité.

ŒDEME : 6 tumeur* ■ 7 quincke ■ 8 engelure, sérosité ■ 9 anasarque, asystolie, myxœdème ■ 10 œdémateux.

ŒDIPE : 8 œdipien ■ 11 préœdipien.

ŒIL : 3 vue* ■ 4 iris, taie ■ 5 argot, atone, calot, enter, hydre, larme, tempe ■ 6 albugo. cornée, greffe, ocelle, oculus, orbite, regard, rétine ■ 7 collyre, coquard, larmier, optique*, pupille, sourcil, visible ■ 8 bourgeon, choroïde, hyaloïde, oculaire, œillade, œillère, paupière, prunelle ■ 9 emmétrope, entropion, ommatidie, ophtalmie, phosphène ■ 10 coquillard, cristallin, emmétropie, épicanthus, pathétique, skiascopie, staphylome ■ 11 conjonctive, épisclérite, exophtalmie, monoculaire, œil-de-bœuf, sclérotique, xanthélasma ■ 12 onchocercose ■ 13 achromatopsie, intraoculaire, ophtalmologie, ophtalmoscope ■ 14 ophtalmoscopie ■ 15 ophtalmologiste.

ŒILLADE : 6 regard.

ŒILLET : 5 lacet ■ 6 anneau, tagète ■ 8 grenadin ■ 10 mignardise ■ 11 mignonnette ■ 14 bouton-pression.

ŒILLETON : 12 œilletonner ■ 13 œilletonnage.

ŒILLETTE : 5 huile, pavot.

ŒNOLOGIE : 9 œnologue ■ 11 œnologique.

ŒNOTHERACEE : 12 onagrariacée*.

ŒSOPHAGE : 5 jabot ■ 6 gosier ■ 11 œsophagien, œsophagite ■ 12 œsophagique ■ 13 régurgitation ■ 14 œsophagoscope.

ŒSTRUS : 9 estrogène ■ 10 œstrogène.

ŒUF : 3 ove, ové ■ 4 brik, coco, flan, frai, lait, ovée ■ 5 coque, couvi, crème, œuvé, galle, guais, laité, larve, lente, moyeu, œuvé, ovale, ovule, ponte, rogue, sphex ■ 6 caviar, glaire, graine, nichet, ovoïde ■ 7 couvain, glairer, lutéine, ovipare, tempera ■ 8 albumine, grainage, meringue, meurette, moussaka, nidation, œufrier, omelette, oviducte, oviforme, pocheuse ■ 9 boutargue, coquetier, couvaison, mire-œufs, oviparité, oviscapte, poutargue ■ 10 blastomètre, coquassier, coquetière, monozygote, mouillette, sporophyte ■ 11 cicatricule, oviposteur, ovovivipare, progestatif, télolécithe ■ 12 croque-madame, segmentation ■ 13 polyembryonie.

ŒUVRE : 3 art ■ 4 film, opus, page ■ 5 abyme, fable, grave, héros, lyric, mètre, motif, navet, rendu, roman, suite, torse, unité ■ 6 tiroir ■ 7 charité, morceau, ouvrage*, pochade, travail* ■ 8 collecte, condensé, diptyque, monument, moralité, pastiche ■ 9 antiroman, fantaisie, japoniste, mouvement, œuvrette, sculpture, turquerie ■ 10 anthologie, assomption, baroquisme, berquinade, estampille, exposition, lipogramme, moliériste, pastichage, vandalisme ■ 11 audiovisuel, chef-d'œuvre, chevalement, classicisme, compilation, opéra-ballet, patronnesse, paysannerie, théâtralité ■ 12 iconographie, muséographie ■ 13 rétrospective, sociocritique, tripatouiller.

ŒUVRER : 10 travailler*.

OFFENSANT : 8 blessant, choquant, sanglant ■ 9 injurieux, insultant ■ 11 impertinent.

OFFENSE : 4 coup ■ 5 pique ■ 6 avanie, injure*, talion ■ 7 affront, insulte, outrage* ■ 8 blessure, offenser, vendetta ■ 9 camouflet, incar-

tade, offensant, offenseur, pénitence ■ **10** réparation ■ **11** componction, humiliation, longanimité, susceptible ■ **12** impertinence, satisfaction.
OFFENSER: **5** vexer* ■ **6** outrer, piquer ■ **7** blesser*, choquer, ulcérer ■ **8** déplaire, froisser*, injurier*, insulter, outrager* ■ **10** formaliser ■ **11** scandaliser.
OFFENSIVE: **5** lance ■ **6** assaut* ■ **7** attaque ■ **13** contre-attaque, offensivement ■ **15** contre-offensive.
OFFERT: **5** donné.
OFFICE: **4** bref, none, obit, ordo ■ **5** culte, leçon, messe, prime, salut, sexte, titre ■ **6** amitié, charge, cursus, laudes, libera, tierce, vêpres ■ **7** absoute, kaddish, matines, procure, serdeau, service ■ **8** complies, fonction, nocturne, officier, offrande, panetier ■ **9** bréviaire, canonicat, entremise, officiant, paneterie, tavaïolle ■ **10** lucernaire ■ **11** gardiennage, hebdomadier, operculaire, stationnale ■ **12** antiphonaire.
OFFICIALISER: **11** officialité ■ **15** officialisation.
OFFICIANT: **6** diacre, prêtre ■ **9** célébrant ■ **10** épistolier, sous-diacre.
OFFICIEL: **4** gala, juge, prié ■ **5** blâme, codex ■ **6** public ■ **7** proxène ■ **8** basileus ■ **9** autocrate, coupe-file, officieux ■ **10** certificat, promulger ■ **11** authentique, commissaire ■ **12** officialiser, ordonnancier, rectificatif, semi-officiel ■ **13** radiotrottoir ■ **14** officiellement.
OFFICIER: **3** bey, élu ■ **4** émir, goum, mess, rang, reis, taxe ■ **5** agréé, avoué, cadet, carré, étude, grade, levée, major, mitre, oflag, palme, santé, seing ■ **6** amiral, bailli, exempt, fistot, guidon, mandat, prévôt, second, shérif ■ **7** colonel, coroner, dataire, général, icoglan, licteur, messier, notaire, palatin, sergent, verdier ■ **8** aspirant, camérier, échanson, enseigne, greffier, huissier, maréchal, panetier, paulette, sénéchal ■ **9** apponteur, capitaine, chambrier, commodore, constable, demi-solde, épaulette, état-major, haussecol, louvetier, magistrat, officière, scripteur, tabellion ■ **10** commandant, corrégidor, lieutenant, ordonnance, porte-aigle, quartenier, vice-amiral ■ **11** destitution, garde-marine, gonfalonier, gonfanonier, non-activité ■ **12** apocrisiaire, contre-amiral, portemanteau, surintendant ■ **13** porte-étendard ■ **14** instrumentaire, sous-lieutenant.
OFFICIEUX: **8** officiel ■ **11** complaisant ■ **14** officieusement.
OFFICINAL: **3** rue.
OFFICINE: **8** boutique ■ **9** pharmacie* ■ **11** laboratoire.
OFFRANDE: **3** don* ■ **4** vœu ■ **5** envoi, offre, votif ■ **6** cadeau ■ **7** adresse, hommage ■ **8** dédicace, keepsake, oblation ■ **9** bienvenue, canéphore, sacrement ■ **10** holocauste.
OFFRE: **3** o.p.a., o.p.e. ■ **5** place, objet, rebus ■ **7** enchère, offreur ■ **8** fluidité, offrande, suroffre ■ **10** exhibition, soumission, surenchère ■ **11** intéressant, moins-disant, proposition* ■ **12** présentation.
OFFRIR: **6** dédier, donner*, porter ■ **7** acheter, immoler, régaler ■ **8** embauche, enchérir, produire, proposer*, recevoir ■ **9** consacrer, dédicacer, présenter, sacrifier, soumettre ■ **13** soumissionner.
OFFSET: **5** typon ■ **9** chromiste ■ **10** offsetiste.
OFFUSQUER: **7** choquer*, ulcérer ■ **8** déplaire* ■ **9** obscurcir.
OGHLAN: **5** uhlan.
OGIVE: **5** gable, voûte ■ **6** arcade, arceau, cintre, ogival ■ **8** arcature, lancette, ogivette, voussure ■ **9** tierceron ■ **10** arc-boutant, tiers-point ■ **11** arc-doubleau.
OGRE: **13** anthropophage.
OHM: **4** volt ■ **6** mégohm ■ **7** ohmique.
OHMMETRE: **10** multimètre.

OIE: **4** jars ■ **5** anser, civet, merde, oison, palme ■ **7** rillons ■ **8** barnache, bernache, bernacle, cacarder ■ **9** criailler ■ **11** ansériforme.
OIGNON: **3** ail ■ **4** cive ■ **5** bulbe, civet, glane ■ **7** ciboule ■ **8** échalote, gratinée, mirepoix ■ **9** oignonade ■ **10** ciboulette, oignonière.
OÏL: **6** gallec, gallot ■ **7** lorrain.
OINDRE: **4** oing, oint ■ **5** huiler ■ **6** sacrer ■ **7** enduire ■ **8** graisser ■ **9** consacrer ■ **11** frictionner.
OISEAU: **3** glu, nid, vol ■ **4** cire, dodo, lacs, œuf, rets, rock ■ **5** argas, babil, cagou, duvet, essor, filet, gluau, guano, huppe, jabot, jaser, jouée, nasse, patte, penne, pépie, pipée, plume, poche, ponte, queue, tuyau, volée, voler ■ **6** alcyon, cui-cui, dronte, phénix, pitpit, rapace*, torcou ■ **7** aviaire, béjaune, chionis, coureur*, oiseler, oiselet, quetzal, voilier ■ **8** aigrette, appelant, carinate, colombin*, épyornis, fournier, grimpeur*, jaboteur, mange-mil, mégapode, oiseleur, oiselier, oisillon, pantenne, pantière, percheur, plantain, plocéidé, sturnidé, tectrice, tégument, tenderie, tisserin, traîneau, volaille, volatile ■ **9** accenteur, æpyornis, dénicheur, échassier*, envergure, francolin, gallinacé*, lariforme, ornithose, palmipède*, passereau, phalarope, sauvagine, syrrhapte, tétrapode, trogonidé, uropygial ■ **10** ardéiforme, aviculteur, aviculture, galliforme, ichtyornis, mésangette, oisellerie, paradisier, pique-bœuf, ralliforme ■ **11** chanterelle, épouvantail, succenturié ■ **12** archéoptéryx, colymbiforme, ornithologie, ornithologue, tournepierre ■ **13** gazouillement, ornithomancie, pélécaniforme ■ **14** charadriiforme, micropodiforme.
OISELEUR: **5** rafle ■ **7** tramail, trémail.
OISELIER: **10** oisellerie.
OISEUX: **4** vain* ■ **7** inutile* ■ **9** paresseux ■ **11** oiseusement.
OISIF: **5** crevé ■ **6** badaud, bohême, buller, inerte, musard, oiseux, passif ■ **7** curieux, flâneur, inactif ■ **8** clochard, fainéant*, immobile, indolent*, inoccupé, oisiveté, vagabond ■ **9** désœuvré, dolce vita, paresseux* ■ **10** acagnarder, oisivement.
OISIVETE: **5** congé, oisif, répit, repos ■ **6** loisir ■ **7** détente, inertie, paresse, relâche ■ **8** flânerie, inaction, sinécure ■ **9** curiosité, farniente, indolence, musardise, passivité ■ **10** badauderie, inactivité, musarderie ■ **11** fainéantise, vagabondage ■ **13** désœuvrement.
OLEACEE: **5** frêne, lilas, orne ■ **6** jasmin, troène ■ **7** olivier ■ **9** forsythia.
OLEAGINEUX: **3** lin ■ **5** colza, noyer, ricin ■ **6** sésame ■ **7** navette, olivier ■ **8** amandier, arachide, cameline, cocotier ■ **9** cotonnier, noisetier, œillette.
OLEIQUE: **6** oléate.
OLEICULTURE: **8** oléicole.
OLFACTIVE: **8** dysosmie.
OLIBRIUS: **8** bravache, original.
OLIGARCHIE: **9** oligarque ■ **12** oligarchique.
OLIGISTE: **8** sanguine.
OLIGOCENE: **4** anas ■ **8** ptérodon ■ **10** grenouille ■ **12** nummulitique.
OLIGOCHETE: **7** lombric, tubifex.
OLIGOPHRENIE: **11** oligophrène.
OLIVE: **4** maye ■ **5** donax, huile, pizza ■ **6** donace ■ **7** olivacée, olivaie ■ **8** actinote, olivâtre, olivette, scouffin ■ **9** maillotin, olivaison, oliveraie, olivettes, picholine, tue-diable.
OLIVIER: **7** caducée, olivaie ■ **8** oléastre ■ **9** oliveraie ■ **11** oléiculteur, oléiculture.
OLIVINE: **7** péridot ■ **10** péridotite.

OLYMPE : 4 ciel ■ 7 olympien.
OLYMPIQUE : 9 olympisme ■ 12 préolympique.
OMAN : 4 rial ■ 7 omanais.
OMBELLE : 9 involucre, ombellule ■ 11 ombellifère ■ 12 ombelliforme.
OMBELLIFERACEE : 4 ache, anis, rave, sium ■ 5 aneth, berce, carvi, ciguë, cumin, sison ■ 6 céleri, éthuse, férule, panais, persil ■ 7 æthusa, carotte, chervis, crithme, fenouil, livêche, maceron, sanicle, thapsia ■ 8 cerfeuil, cirthmun, galbanum, œnanthe, opopanax, opoponax, panicaut, peucédan, sanicule ■ 9 angélique, coriandre ■ 11 assa-fœtida, hydrocotyle, ombellifère, perce-pierre ■ 12 criste-marine.
OMBELLIFERE : 6 éthuse ■ 7 æthuse, maceron ■ 8 peucédan ■ 11 hydrocotyle.
OMBILIC : 7 nombril ■ 9 épigastre, ombilical, ombilique ■ 11 funiculaire.
OMBRAGEUX : 7 méfiant, ombrage ■ 11 pointilleux, susceptible*.
OMBRE : 4 noir*, ocre, ubac ■ 5 adret, nuage, style, trait ■ 7 fantôme, ombrage, ombrant, ombreux, opacité ■ 8 estomper, obombrer, ombrager, pénombre ■ 9 immersion, luminisme, obrombrer, obscurité*, ombrageux ■ 10 crépuscule, plataniste, silhouette, skiascopie ■ 11 caravagisme, emprisonner, scialytique.
OMBRELLE : 5 en-cas ■ 7 parasol ■ 9 parapluie.
OMBRER : 5 ombre.
OMETTRE : 5 taire ■ 6 cacher, passer, sauter ■ 7 oublier* ■ 8 négliger, omission ■ 9 escamoter.
OMISSION : 5 faute, oubli* ■ 6 lacune, manque ■ 7 bourdon, ellipse ■ 9 réticence ■ 11 inexécution, prétérition, restriction.
OMNIPOTENT : 6 absolu* ■ 11 omnipotence.
OMNIPRESENCE : 8 ubiquité.
OMNISCIENCE : 6 savant ■ 7 science.
OMNIVORE : 7 rongeur ■ 8 blaireau, suricate, surikate ■ 9 gallinacé ■ 10 galliforme.
OMOPLATE : 7 paleron ■ 8 acromion ■ 9 caracoïde, clavicule ■ 14 scapulo-huméral, sous-scapulaire.
ONAGRARIACEE : 6 onagre ■ 7 épilobe, fuchsia ■ 9 œnothère, onagracée, onograire ■ 12 œnothéracée.
ONCE : 2 oz ■ 4 gros, marc.
ONCHOCERCOSE : 8 craw-craw, crow-crow.
ONCLE : 5 tante ■ 6 tonton ■ 9 avunculat ■ 11 avunculaire.
ONCOGENE : 11 cancérigène, cancérogène.
ONCTION : 4 oint ■ 5 pépin ■ 6 oindre ■ 7 douceur ■ 8 onctueux ■ 13 onctueusement.
ONCTUEUX : 5 crème, huile, larme, suint ■ 8 liniment, saponite ■ 9 graisseux, savonneux ■ 10 onctuosité.
ONDE : 3 eau*, mer ■ 4 écho, flot ■ 5 hertz, maser, nœud, ondée, radar, train ■ 7 antenne ■ 9 micro-onde, ondomètre, radiation ■ 10 hydrophone, ondulation, ultra-court ■ 11 haut-parleur, ondulatoire, sismométrie ■ 12 décamétrique ■ 14 hyperfréquence, radiofréquence ■ 15 radio-astronomie, radio-électrique, radiogoniomètre, superhétérodyne, unidirectionnel.
ONDINISME : 9 urolagnie.
ONDOYANT : 5 houle, moire ■ 6 ondulé ■ 8 flottant ■ 9 changeant ■ 10 flamboyant.
ONDOYER : 7 flotter ■ 8 baptiser, ondoyant ■ 10 ondoiement.
ONDULATION : 3 pli ■ 4 cran, onde ■ 5 ondée, repli ■ 6 boucle, fronce ■ 8 onduleux ■ 10 ondoiement, permanente ■ 11 ondulatoire ■ 12 indéfrisable.

ONDULER: 6 friser ■ 11 calamistrer.
ONEREUX: 7 coûteux, ruineux ■ 12 onéreusement.
ONE-STEP: 9 paso doble.
ONGLE: 5 corne, envie, ergot, garde, harpe, morné, onglé, rubis, sabot, serre ■ 6 éperon, griffe, lunule, onglée, onyxis, unguis ■ 7 onglier, panaris, rénette, unguéal ■ 9 onguicule, tourniole, unguifère ■ 10 cure-ongles ■ 11 coupe-ongles, phalangette ■ 12 onychomycose, onychophagie ■ 13 hippocratisme.
ONGLEE: 8 débattue.
ONGLET: 11 caryophyllé.
ONGUENT: 5 baume*, cérat, miton ■ 8 emplâtre, épithème, liniment, populéum.
ONGULE: 5 daman ■ 10 pachyderme ■ 12 artiodactyle*, paléothérium, paridigitidé, proboscidien* ■ 14 périssodactyle*.
ONIROMANCIE: 12 oniromancier.
ONOMATOPEE: 2 ah, fi, hi ■ 3 aïe, bah, bip, dia, euh, fla, han, paf, pan, pif, tac, tic, toc, zon ■ 4 ahan, bébé, boum, chut, clac, clic, cric, dada, ding, flac, floc, flop, gong, huer, ploc, zest ■ 5 be-bop, cahot, couic, dring, maman, matou, miaou, plouf, vroom, vroum ■ 6 bip-bip, chichi, drelin, hi hi hi, pépier, ronron, taïaut, tayaut, youyou, zigzag ■ 7 piaffer, tra la la ■ 8 bataclan, bombance, brouhaha, cocorico, couin-couin, dare-dare, flic-flac, flon-flon, glou-glou, patatras, rataplan, teuf-teuf ■ 9 bla bla bla, bric-à-brac, cahin-caha, chuchoter ■ 10 clappement, hurluberlu ■ 12 patati-patata ■ 13 onomatopéique.
ONTOGENESE: 11 phylogenèse ■ 13 ontogénétique.
ONTOLOGIE: 11 ontologique, ontologisme ■ 12 métaphysique ■ 15 ontologiquement.
ONZE: 8 saphique ■ 11 hendécagone ■ 14 hendécasyllabe.
ONZIEME: 4 onze ■ 8 novembre ■ 9 thermidor ■ 11 onzièmement.
OOLITHE: 8 limonite ■ 10 oolithique.
OOMYCETE: 5 mucus ■ 7 mildiou.
OOSPHERE: 6 oogone ■ 8 apogamie ■ 9 archégone, synergide 14 parthénogenèse.
O.P.A.: 7 opéable.
OPACIFIER: 13 opacification.
OPACITE: 5 ombre ■ 9 cataracte, néphélion ■ 11 opacimètrie.
OPALE: 5 silex ■ 6 opalin ■ 7 girasol, hyalite, opaline, opalisé ■ 8 opaliser ■ 10 opalescent ■ 11 opalescence, opalisation.
OPAQUE: 4 grès ■ 5 clair, émail, épais*, jaspe, ombre ■ 7 opacité ■ 8 couvrant ■ 9 jardineux, opacifier ■ 12 kaléidoscope.
O.P.E.: 7 opéable.
OPENFIELD: 9 enclôture.
OPERA: 3 rat ■ 5 danse, final, poème ■ 8 opérette, parolier, prologue ■ 9 marcheuse, ouverture ■ 10 prima donna, tétralogie.
OPERATEUR: 7 auriste, carabin, interne, masseur ■ 8 dentiste, foncteur, oculiste, pédicure ■ 9 caméraman, praticien, rebouteux ■ 10 accoucheur, chirurgien, prosecteur, radiologue, rhabilleur, ventouseur ■ 11 sans-filiste ■ 12 arbitragiste, chiropodiste, stomatologue ■ 13 radionavigant ■ 14 quantificateur.
OPERATION: 4 agio, moto, test ■ 5 érine, ferme, lever, livre, mazer, opéré, règle, siège, terme, train, visée ■ 6 arcane, calcul*, érigne, honing, nouage, preuve, sortie, suture, trépan, virage ■ 7 azurage, diérèse, drayage, exérèse, forçage, inquart, laquage, maclage, plaçure, pontage, ramener, roulage, sabrage, sevrage, shaving, soudage ■ 8 aciérage, addition, cadmiage, calculer, centrage, chlorage, clearing,

courtage, curetage, cuvaison, dérayage, division, drainage, éjection, engobage, enlevage, ensimage, escompte, filature, filetage, fixation, glissage, incision, ligature, nouement, opérande, peignage, perchage, pointage, ponction, procéder, rechange, sabotage, sécréter, virement, zérotage ■ **9** acalculie, arbitrage, capsulage, catissage, chirurgie*, clavetage, délignage, diversion, duplexage, envergure, expertise, finissage, finissure, formalité, hémostase, inférence, lobotomie, martelage, matricage, moulinage, occlusion, opérateur, ouvraison, rouissage, savonnage, secrétage, soumettre, sulfurage, transfert, tripotage ■ **10** aciération, algorithme, anaplastie, associatif, brunissage, césarienne, commission, compactage, complétion, défeutrage, dégrillage, détroquage, envergeure, extraction, jaunissage, macération, mortaisage, obturation, opératoire, ourdissage, percussion, projection, relèvement, remoulage, travelling ■ **11** abstraction, aplatissage, autoplastie, blanchiment, candisation, carbonisage, carburation, chiffrement, chirurgical*, composition, dévaluation, duplication, envoûtement, gastronomie, liquidation, lithotritie, mercerisage, nettoiement, paracentèse, parachutage, réassurance, recensement, répartement, sorcellerie, spéculation, syndication, texturation, titrisation, touraillage, transaction, transfusion, trépanation, vivisection ■ **12** amalgamation, arithmomètre, arrondissage, bouillissage, boursicotage, circoncision, compensation, coupellation, dépigeonnage, désurchauffe, discernement, distillation, échardonnage, fenestration, infibulation, inquartation, intervention, laryngotomie, opérationnel, présélection, remembrement, rhinoplastie, soustraction, sursoufflage, trachéotomie ■ **13** aluminisation, arithmographe, arthroplastie, calciothermie, calorifugeage, capital-risque, caprification, comptabiliser, déclenchement, plasmaphérèse, préopératoire ■ **14** contrepartiste, dépolarisation, multiplication, pasteurisation, post-opératoire, reconnaissance, thoracoplastie ■ **15** assurance-crédit, contre-offensive, déphosphoration, différentiation.

OPERCULE: **11** operculaire ■ **12** désoperculer.

OPERE: **7** opérant.

OPERER: **4** agir* ■ **5** cuire, faire*, muter ■ **6** macler, saisir ■ **7** dérater, incuber, réifier ■ **8** déféquer, délisser, dialyser, opérable, oxygéner, procéder, recouper, réopérer, résorber, sécréter, texturer, trépaner, vinifier ■ **9** déréguler, distiller, recouvrer, somatiser ■ **10** inopérable, mixtionner, séparateur, transfuser, verduniser ■ **11** dévitrifier, fonctionner, pasteuriser ■ **12** déstaliniser ■ **13** surdéterminer ■ **14** revasculariser.

OPHIDIEN: **7** serpent ■ **10** ophiologie.

OPHIOGLOSSE: **15** langue-de-serpent.

OPHIOLITE: **12** ophiolitique.

OPHTALMOLOGIE: **8** oculiste ■ **9** orthoptie ■ **10** optométrie ■ **11** orthoptique ■ **13** contactologie ■ **15** ophtalmologique.

OPIACE: **5** opium ■ **9** thériaque ■ **11** diascordium.

OPIACEE: **5** opiat.

OPILER: **7** boucher.

OPINER: **5** juger ■ **6** croire ■ **7** adopter, choisir, émettre, estimer, raviser ■ **8** déclarer ■ **9** consentir, embrasser, remarquer ■ **10** conseiller, considérer ■ **11** endoctriner.

OPINIATRE: **4** têtu* ■ **5** mêlée, raide ■ **6** entêté*, tenace ■ **7** obstiné* ■ **10** accrocheur ■ **12** récalcitrant ■ **13** opiniâtrement.

OPINION: **3** cri, mal ■ **4** avis, cote, goût, idée, rang, sens, voie ■ **5** blâme, credo, dogme, dolet, école, génie, libre, momie, parti, selon, sondé, thèse, ultra ■ 6 errata, estime, gallup, maxime, pensée*, rumeur, utopie ■ 7 bétonné, conseil, hérésie, manière, préjugé, schisme, soupçon, système, théorie, torysme ■ 8 autorité, croyance*, démordre, doctrine, hasarder, jugement*, paradoxe, pétition, présumer, remarque, scotisme, sentence ■ 9 figurisme, girouette, mésestime, molinisme, opiniâtre, palinodie, pirouette, sectateur, sentiment, volte-face, vox populi ■ 10 adversaire, anarchisme, conception, conjecture, conversion, discussion, dissidence, dogmatisme, éclectisme, gauchisant, impanation, importance, moralement, orléanisme, pessimisme, point de vue, prévention, propagande, réputation, suggestion, talmudiste, voltairien ■ 11 controverse, doctrinaire, endoctriner, imagination, inconstance, jacobinisme, molinosite, monarchisme, opiniâtreté, présomption, radicalisme, supposition, tendancieux, versatilité ■ 12 appréciation, capitulation, cléricalisme, contre-partie, dissentiment, modérantisme, persévérance, polichinelle, présomptueux, prosélytisme, retournement ■ 13 considération, tiers-mondisme, universalisme ■ 15 traditionalisme.

OPISTOBRANCHE: 5 doris.

OPISTHODOME: 4 naos.

OPIUM: 5 opiat, pavot ■ 6 opiacé ■ 7 codéine, diacode, opiacer ■ 8 laudanum, méconine, morphine, narcéine, opiomane, thébaïne ■ 9 narcotine, opiomanie, thébaïque, thébaïsme ■ 10 narcotique, papavérine ■ 11 parégorique.

OPONCE: 5 nopal.

OPOSSUM: 7 sarigue.

OPOTHERAPIE: 14 organothérapie.

OPPORTUN: 5 utile* ■ 9 expédient ■ 10 attentisme, convenable, inopportun ■ 11 intempestif, opportunité ■ 12 opportunisme ■ 13 inopportunité, opportunément.

OPPORTUNITE: 10 indication.

OPPOSABLE: 8 pédimane.

OPPOSE: 4 pôle, rare, veto ■ 5 adret, autre, droit, nadir, objet, panne, parti, pousse, queue ■ 6 devers, envers, obvers, revers ■ 7 adverse, anormal, extrême, inverse* ■ 8 antichar, antipode, autonyme, derrière, obstacle, opposite, saducéen ■ 9 antiengin, antigrève, antiradar, antithèse, antivirus, contraire*, différent, divergent, objection, opposiste, résistant, tête-bêche, transfuge, virilisme, volte-face ■ 10 adversaire, ambivalent, antiaérien, antiroulis, contre-jour, hypoténuse, incohérent, malthusien, rétrograde, tournevent ■ 11 antagonique, antagoniste, antimissile, antineutron, contre-biais, contre-pente, travestime ■ 12 antiatomique, anticalcaire, antichrétien, anticlérical, antiétatique, antifasciste, antinational, antiparasite, antipathique, contre-projet, dépolarisant ■ 13 antimitotique, anti-sous-marin, contre-courant, controlatéral, transvestisme ■ 14 antimaçonnique, contradictoire ■ 15 anticonformiste, antimilitariste, antiministériel, antimonarchique, antipatriotique, antirépublicain.

OPPOSER: 4 nier ■ 6 dédire, étayer, obvier, réagir, violer ■ 7 adosser, annuler, choquer, contrer, déroger, exclure, récrier, réfuter ■ 8 alterner, anéantir, démentir, empêcher, objecter*, prohiber, réclamer, refouler, remédier, répugnier, résister*, riposter ■ 9 affronter, contester, désavouer, échiquier, opposable, prétexter, protester, renverser, repousser, rétracter, rivaliser ■ 10 contrarier, contraster, contredire, enfreindre, rebrousser, récriminer ■ 11 contrevenir, inopposable, neutraliser ■ 12 contrecarrer, contremander ■ 14 contrebalancer.

OPPOSITE: 6 opposé ■ 7 vis-à-vis.

OPPOSITION: **2** et, ob, oc, of, op, os, si ■ **3** non ■ **4** avec, choc, mais, veto ■ **5** arsis, heurt, levée, lutte, verso ■ **6** litige, versus ■ **7** chiasme, chicane, conflit, démenti, désaveu, dilemme, dispute, divorce, hérésie, quoique, schisme, syzygie ■ **8** division, négation, pourtant, push-pull, réaction, rivalité, symétrie ■ **9** antilogie, antinomie, antithèse, antonymie, cependant, concessif, contraste, désaccord, diversité, émulation, hostilité, inversion, main-levée, néanmoins, objection, palinodie, toutefois ■ **10** adversatif, alternance, antipathie, antiphrase, contresens, dissension, dissidence, réfutation, répugnance, résistance, revirement ■ **11** antagonisme, contrariété, controverse, immobilisme, obstruction, réclamation, restriction ■ **12** consentement, contestation, renversement, rétractation ■ **13** contradiction*, contrairement, oppositionnel, récrimination ■ **15** anticonformisme.
OPPRESSE: **10** oppressant.
OPPRESSER: **5** gêner ■ **8** opprimer* ■ **9** étreindre, oppressif ■ **10** oppression.
OPPRESSION: **3** ouf ■ **5** poids ■ **8** angoisse ■ **9** cauchemar, esclavage ■ **10** anhélation.
OPPRIME: **9** opprimant.
OPPRIMER: **6** fouler ■ **7** courber ■ **8** accabler*, asservir ■ **9** oppresser, soumettre*, subjuguer ■ **10** assujettir, oppresseur, tyranniser.
OPPROBRE: **5** honte* ■ **9** ignominie.
OPTER: **7** choisir*.
OPTIMALISER: **12** optimisation ■ **14** optimalisation.
OPTION: **5** choix ■ **8** élection, stellage.
OPTIQUE: **3** vue* ■ **4** œil*, yeux* ■ **5** biaxe, crown, flint, verre ■ **6** afocal, mirage, viseur ■ **7** dioptre, lunette ■ **8** diascope, dioptrie, épiscope, oculaire, opticien, vergence ■ **9** périscope, phantasme ■ **10** condenseur, crown-glass, flint-glass, microscope, optométrie, rectoscope ■ **11** anastigmate, aplanétique, aplanétisme, binoculaire, collimateur, héliographe, stéréoscope, stigmatisme, visionneuse ■ **12** périscopique ■ **14** cinéthéodolite, magnéto-optique, monochromateur.
OPTOELECTRONIQUE: **7** senseur ■ **10** optronique.
OPTOMETRIE: **12** optométriste.
OPTRONIQUE: **10** optronique.
OPULENT: **5** cossu, nabab, riche* ■ **7** luxueux ■ **8** opulence ■ **11** opulemment.
OPUNTIA: **5** nopal ■ **8** raquette.
OPUSCULE: **5** livre ■ **8** brochure.
OR: **2** au ■ **4** doré, filé, marc ■ **5** agnel, carat, claim, dinar, dorer, ducat, galon, ganse, masse, métal, natte, noble, samit, saucé, titre, toman, trône ■ **6** aureus, dorure, orfroi, sequin ■ **7** aurique, jacobus, vreneli ■ **8** aurifère, aurifier, électrum, liserage ■ **9** gold-point, millemium, paillette, souverain ■ **10** cannetille, chrysocale ■ **11** chrysobéryl ■ **12** chrysocalque ■ **15** chryséléphantin.
ORAGE: **4** gros ■ **5** océan, temps ■ **7** orageux, tempête* ■ **12** cumulonimbus, orageusement.
ORAISON: **5** pater ■ **6** orémus, prière* ■ **7** secrète ■ **8** discours ■ **10** méditation ■ **13** postcommunion.
ORAL: **9** oralement ■ **10** plaidoirie.
ORAN: **7** oranais.
ORANGE: **5** jaune, napel, tango, zeste ■ **6** agrume, bichof, bishop ■ **7** bischof, kumquat, oranger, valence ■ **8** bigarade, maltaise, orangeat, roquille, sanguine, sardoine, valencia ■ **9** cantaloup, mandarine, orangeade, orangette.

ORANGER : 5 naffe ■ 6 néroli ■ 9 limettier, orangerie ■ 10 bigaradier, orangeraie ■ 11 bergamotier, mandarinier ■ 12 clémentinier ■ 14 pamplemoussier.
ORANG-OUTANG : 5 jocko.
ORATEUR : 5 verve ■ 6 avocat, diseur, tribun ■ 7 causeur, débater, rhéteur ■ 8 péroreur, prêcheur ■ 9 débatteur, défenseur, prédicant ■ 10 apologiste, harangueur, logographe ■ 11 bonimenteur, déclamateur, panégyriste, prédicateur, sermonnaire ■ 12 conférencier.
ORATOIRE : 5 genre ■ 6 église, tirade ■ 7 envolée, parlote ■ 8 clausule, discours* ■ 9 narration, oratorien.
ORATORIO : 8 récitant ■ 9 ouverture.
ORBE : 4 rond ■ 11 orbiculaire.
ORBITE : 4 rond ■ 6 abside, unguis ■ 7 aphélie, orbital, périgée ■ 8 apoastre, exorbite ■ 9 apolsélène, orbitaire, périastre, périphélie ■ 10 écliptique, périsélène, révolution, sublunaire ■ 11 énophtalmie, exophtalmie, inclinaison, sous-orbital ■ 13 sous-orbitaire ■ 14 heliosynchrone ■ 15 désatellisation.
ORCHESTRATION : 13 orchestrateur ■ 15 instrumentation, réorchestration.
ORCHESTRE : 5 break, drums, opéra, tutti ■ 7 big band, drummer, gramelan, musique* ■ 8 harmonie, jazz-band ■ 9 corbeille ■ 10 bastringue, orchestral, orchestrer ■ 11 hyposcénium ■ 13 orchestration.
ORCHESTRER : 12 instrumenter, réorchestrer.
ORCHIDACEE : 5 vanda ■ 7 liparis ■ 8 cattleya, orchidée, pollinie ■ 9 vanillier ■ 10 zygopétale ■ 12 sabot-de-vénus.
ORCHIDEE : 5 salep ■ 6 ophrys, orchis ■ 7 néottie ■ 8 aéricole, monandre ■ 9 rhizotone ■ 10 rhizoctone ■ 11 rhizoctonie ■ 12 sabot-de-Vénus.
ORDINAIRE : 4 rare ■ 5 banal, connu, excès, force, géant, moyen, usuel ■ 6 commun*, normal, obscur, poncif ■ 7 courant, général, trivial ■ 8 abondant, acronyme, habituel, médiocre, passable, régulier, vulgaire ■ 9 accoutumé, coutumier, populaire, routinier, universel ■ 10 proverbial ■ 12 exceptionnel, satisfaisant, traditionnel ■ 13 ordinairement ■ 14 extraordinaire.
ORDINATEUR : 2 pc ■ 3 bus ■ 5 dédié ■ 7 assisté, lecteur, serveur ■ 8 computer, mémorial ■ 9 computeur, émulsateur ■ 10 multitâche, photostyle, séquenceur ■ 11 compilateur, didacticiel ■ 12 préprogrammé ■ 14 initialisation, mini-ordinateur ■ 15 micro-ordinateur.
ORDINATION : 8 ordinand, ordinant ■ 12 réordination.
ORDO : 10 calendrier.
ORDONNANCE : 4 édit ■ 5 ordre*, recès, recez, règle ■ 6 soldat, tampon ■ 7 rescrit, systyle ■ 8 jugement ■ 9 exéquatur, pharmacie, règlement* ■ 11 arrangement*, disposition*, entablement, pragmatique ■ 12 capitulaires, prescription* ■ 14 ordonnancement, soit-communiqué.
ORDONNER : 4 dire ■ 6 ranger* ■ 7 classer, intimer, inviter ■ 8 arranger*, décerner, décréter ■ 9 commander*, enjoindre, prescrire ■ 10 dimissoire, distribuer, réordonner ■ 11 ordonnateur ■ 14 interlocutoire.
ORDRE[1] : 2 en, va ■ 3 dao ■ 4 chut, file, hola, paré, rang, rite, rôle, tenu, vœu ■ 5 arrêt, avant, aviso, caser, corps, croix, coule, de par,

---

1. Les divers ordres des règnes végétaux et animaux s'utilisent le plus souvent au pluriel. C'est la raison qui nous fait opter ici pour le pluriel dans le classement par nombre de lettres.

flanc, gamme, grand, halte, ligne, merci, oblat, place, règle, ronde, sacre, sixte, suite, titre ■ **6** classe*, firman, mandat, police, ranale, rangée, veniat ■ **7** centile, crachat, discale, discote, échelon, fagales, famille*, filière, fucales, grébige, ionique, jussion, ordonné, ordinal, servite, théatin, tournus ■ **8** acariens, acolytat, alternat, aménager, arranger, bataille, chapitre, citation, colossal, combiner, cycadale, décision, dessoler, diaconat, diptères, disposer, économie, enfilade, eucaride, filicale, ganoïdes, grébiche, gribiche, isoptère, j'ordonne, jumentés, liturgie, mendiant, mysidacé, odonates, ordonner, persique, phalange, position, prêtrise, primates, priorité, protoure, rongeurs, sauriens, secousse, séraphin, servites, sous-aide, symétrie, templier, tubérale, urodèles, urticale ■ **9** aranéides, camaldule, cladocère, colloquer, colombins, composite, congédier, créodonte, décapodes, eurythmie, exécutant, exequatur, exorciste, filicales, fusilleur, grimpeurs, hydraires, hyperbate, impressif, lariforme, mécoptère, olivétain, ombellale, ophidiens, ordinaire, personale, prémontré, rangement, règlement, renverser, roulement, sélaciens, siréniens, sous-ordre, sphagnaie, spiritain, subvertir, trickster, volvocale, xénarthre ■ **10** alignement, alternance, amphipodes, anastrophe, ardéiforme, assemblage, bénédictin, billebaude, carnivores, cataloguer, charophyte, chéloniens, chevalerie, cistercien, commandeur, communauté, consécutif, contrordre, corinthien, décoration, désordonné, dipneustes, discipline, discordant, dominicain, échassiers, fourrageur, galliforme, gallinacés, graduation, guillemite, hémiptères, hiérarchie, infraction, injonction, jarretière, lacertiens, lagomorphe, lilliiforme, madrépores, magnoliale, mallophage, marsupiaux, méthodique, monotrèmes, numérotage, ordination, ordonnance*, orthoptère, palmipèdes, passereaux, physostome, pinnipèdes, planipenne, plécoptère, ptéropodes, ralliforme, rassembler, réarranger, rhynchotes, séquençage, subdélégué, succession, urédinales ■ **11** archiptères, assignation, chiroptères, chronologie, coléoptères, combinaison, commanderie, corporation, cyclostomes, débrouilleur, dictoptère, euphausiacé, franciscain, hiéronymite, instruction, intervenir, légionnaire, mégaloptère, névroptères, ordonnancer, orthoptères, permutation, photo-finish, porte-glaive, rescription, scitaminale, subordonner, téléostéens, thysanoures, trichoptère, tubulidenté ■ **12** alcyonnaires, alphabétique, ansériformes, chancellerie, chéiroptères, chondrostéen, colymbiforme, combientième, commandement*, contremander, crocodiliens, décimétrique, hyménoptères, interjection, interversion, lacertiliens, lépidoptères, lycopodiales, organisation, pacification, prescription*, rhizocarpées, saurophidien, siphonaptère, sous-diaconat, spadiciflore, strepsiptère, tectibranche, thysanoptère, tranquillité, transgresser ■ **13** chéleutoptère, hémiptéroïdes, pélécaniforme, protococcales, ptérosauriens, rédemptoriste, siphonophores, subordination, superposition, ustilaginales ■ **14** charadriiforme, micropodiforme, ordonnancement, péronosporales, successibilité.

ORDURE: **3** lie ■ **4** boue, suie ■ **5** curer, fange, fèces, glame, morve, ramas, sanie, urine, urubu ■ **6** débris, fumier, gâchis, gadoue, gourme, gravat, humeur, lavure, pissat, râpture, résidu, roupie, saleté*, scorie ■ **7** cérumen, chassie, crachat, raclure, rinçure, saburre ■ **8** balayure, bourrier, criblure, décombre, détritus, ordurier, poubelle, ra massis ■ **9** excrément, malpropre, poussière, purulence, salissure, souillure ■ **10** défécation, fondrilles, immondices ■ **11** effondrilles, margouillis, sac-poubelle, vide-ordures ■ **13** expectoration.

ORDURIER: **7** obscène ■ **9** saloperie ■ **10** coprolalie.

OREADE: **6** nymphe.
OREE: **4** bord ■ **7** bordure.
OREILLE: **4** lobe, ouïe ■ **5** hélix, otite, tempe ■ **6** asaret, caisse, conque, étrier, lymphe, otique, ourlet, rocher, tragus, tympan ■ **7** audible, biaural, cérumen, chauvir, cochlée, enclume, limaçon, marteau, orillon, otalgie, sacoule, têtière, versoir ■ **8** anthélix, auricule, barillet, binaural, dormeuse. entendre, esgourde, haliotis, monaural, myosotis, oreiller, otolithe, otologie, otorrhée, parotide, pavillon, utricule ■ **9** cornement, coton-tige, haliotide, oreillard, oreillons, otosconie, vestibule ■ **10** antitragus, audibilité, cochléaire, courtauder, essoriller, labyrinthe, otorrhagie ■ **11** audiogramme, auriculaire, cure-oreille ■ **12** fenestration, labyrinthite, otospongiose, vestibulaire ■ **13** biauriculaire, passe-montagne ■ **14** binauriculaire.
OREILLER: **4** taie ■ **9** traversin.
OREILLETTE: **5** cœur ■ **8** auricule.
OREILLONS: **7** ourlien.
ORFEVRE: **7** orfévré ■ **8** recingle, resingle.
ORFEVRERIE: **4** coin ■ **5** bijou ■ **6** souage ■ **7** ciselet, échoppe, orfèvre, sautoir, surtout ■ **8** languier, résingle ■ **9** bijoutier, filigrane, ostensoir, vigneture ■ **10** monstrance ■ **11** guillochure.
ORFRAIE: **8** pygarque.
ORGANE: **3** arc, bec, nez, toc, vue ■ **4** aile, dent, foie, hile, lobe, mâle, nerf, œil, peau, pied, poil, roue, sexe, tête, yeux ■ **5** barre, boîte, bulbe, butée, bysse, caduc, cœur, corne, corti, fleur, frein, fruit, gaine, guide, mèche, ovule, pénis, plume, point, ptôse, revue, sénat, venin ■ **6** cupule, fundus, glande, gliome, graine, induit, langue, müller, muscle, oogone, racine, secret, siphon, smegma, stylet, stroma, suçoir, syrinx, tâteur, tiroir, utérus ■ **7** antenne, ascidie, chariot, crampon, étamine, feuille, induvie, journal, lacinie, octopie, oreille, ressort, sessile, stipité, système, tarière, tractus, urcéole, viscère ■ **8** adventif, amygdale, apothèse, appareil, bassinet, bisexuel, bissexué, carapace, clitoris, commande, coulisse, endogène, filament, flagelle, flexible, flotteur, gouverne, hérisson, incisure, innerver, irriguer, lancéole, ligament, membrane, ombrelle, parapode, pessaire, placenta, prothèse, scarieux, sédation, synergie, ventouse, vocodeur, volvulus ■ **9** afficheur, amplectif, apothécie, appendice, archégone, atrophier, balancier, bipartite, bissexuel, branchies, cancérisé, collapsus, collégial, commotion, déhiscent, dérouleur, effecteur, émasculer, enveloppe, flagellum, follicule, formation, hémogénie, manivelle, marsupial, mécanisme, médulleux, multilobé, organique, organisme, oviscapte, pédoncule, pousse-toc, prolapsus, protonéma, récepteur, remontoir, réplétion, sensation, tentacule, vicariant, vulnérant ■ **10** angiologie, couvrement, cryptogame, déhiscence, détonateur, émonctoire, fasciation, hypoplasie, incubateur, imprimante, involution, irritation, marcescent, obturateur, prisonnier, processeur, procidence, rhizocarpe, séquenceur, suspenseur, suspensoir, tabulateur, transplant, vicariance ■ **11** antéversion, biloculaire, corrélateur, déclencheur, diverticule, énucléation, équilibreur, évagination, géotropisme, implantable, multiplieur, nématocyste, ovipositeur, sous-section, succenturie ■ **12** accélérateur, additionneur, articulateur, détumescence, invagination, mobilisateur, organogenèse, soustracteur, transmission ■ **13** contrarotatif, décortication, pneumatophore, spermatophore ■ **14** fructification, hépatopancréas, hermaphrodisme ■ **15** différentiateur, thermorécepteur, vascularisation.
ORGANEAU: **10** étalinguer.

ORGANICISME : 11 organiciste.

ORGANIQUE : 4 lyse, œuf ■ 5 acyle, amide, amine, chair, corps* ■ 6 enzyme, lipide, stérol, stress, urique ■ 7 chitine, flavine, glucide, hormone, infarci, lignine, malique, mannite, minéral, oléique, osséine, ovarite, pectine ■ 8 isologue, mannitol, miliaire, oxalique, pectique, pyralène ■ 9 butyrique, cellulose, diazoïque, homologue, nutrition, structure, sulfamide ■ 10 aminoacide, déficience, dystrophie, élastomère, hippurique, métabolite, organicien, palmitique, phosphines, saprophase ■ 11 aliphatique, élaboration, granulation, hétérocycle, physiologie ■ 12 ammonisation, biomorphique, homocyclique, inflammation, organochloré ■ 13 bioconversion, méthacrylique, mercurochrome, organiquement ■ 14 hétérocyclique ■ 15 encéphalopathie, organomagnésien.

ORGANISATION : 3 o.n.g. ■ 5 orsec, règle ■ 7 méthode, montage, repenti, système ■ 8 clanisme, cohésion, fixation, komsomol, luddisme, organisé ■ 9 autonomie, avunculat, ergonomie, inférieur, olympisme, prud'homie, règlement, scoutisme, structure, viabilité ■ 10 agencement, antisocial, discipline, gérontisme, muséologie, ordonnance, proportion, régulation, résistance, taylorisme, tribalisme ■ 11 arrangement*, brahmanisme, combinaison, composition, disposition, élaboration, policologie, préparation, prépsychose, télétravail, thermalisme ■ 12 construction, coordination, désorganiser, distribution, muséographie, organigramme, scénographie ■ 13 architectonie, matrilinéaire, taylorisation ■ 14 militarisation, réorganisation.

ORGANISE : 5 posté ■ 13 pseudoscience.

ORGANISER : 5 fixer, nouer ■ 6 monter, régler* ■ 7 agencer, manager ■ 8 arranger*, combiner, composer, disposer, élaborer, ordonner, préparer* ■ 9 conformer, planifier, syndiquer ■ 10 constituer, construire, coordonner, distribuer, tayloriser ■ 11 cartelliser, discipliner, organisable, réglementer, réorganiser ■ 12 conditionner, organisateur, rationaliser ■ 13 inorganisable ■ 14 inorganisation ■ 15 expert-comptable, fonctionnariser.

ORGANISME : 4 hôte, pool, soma, urée ■ 5 immun, jeton, ténia ■ 6 caisse ■ 7 asepsie, central, embryon, explant, in vitro, pélagos, service ■ 8 antigène, biogénie, diastase, excréter, ischémie, somation, symbiose ■ 9 aérobiose, allergène, anticorps, dépuratif, dicastère, émonction, euryhalin, excrétion, infection, paritaire, phagocyte, récrément, stimugène, tolérance, vagotonie ■ 10 antitoxine, excitation, gonococcie, hygrophobe, ludothèque, phylogénie, production, réassureur, semi-public, sénescence ■ 11 anaréobiose, antitoxique, autotrophie, décomposeur, dénutrition, dispatching, embryogénie, embryologie, gamétophyte, homéostasie, infestation, inoculation, médiathèque, polyploïdie, tryptophane ■ 12 acido-basique, embryogenèse, homéothermie, investisseur, oligo-élément ■ 13 biocompatible cosmobiologie, microrganisme, reconstituant, scintigraphie, sous-traitance, supranational ■ 14 médecin-conseil, micro-organisme ■ 15 pharmacodynamie.

ORGANITE : 3 suc ■ 6 plaste ■ 7 nitrosé ■ 8 lysosome ■ 9 vibratile ■ 12 chondriosome ■ 13 ergastoplasme.

ORGASME : 10 anorgasmie, orgasmique, orgastique.

ORGE : 4 kvas, kwas, malt ■ 5 arête, bière, sucre ■ 6 drêche ■ 7 égermer, germoir, maltage ■ 8 cervoise, champart, hordéacé, hordéine, paumelle ■ 9 écourgeon ■ 10 escourgeon.

ORGEAT : 9 mauresque.

ORGELET : 6 tumeur ■ 8 furoncle, hordéole ■ 13 compère-loriot.

ORGIE : 6 luxure* ■ 8 débauche*, orgiaque ■ 10 bacchanale ■ 12 soulographie.

ORGUE : 4 laie ■ 5 point, récit ■ 6 basson, buffet, cornet, nasard ■ 7 célesta, clairon, larigot, octavin, sommier, tirasse ■ 8 bombarde, cromorne, hautbois, hydraule, organier, prestant, tubipore ■ 9 cornemuse, harmonium, langueyer, organiste, porte-vent, serinette ■ 10 clarinette, expression, salicional, soufflerie ■ 12 harmoniflûte, registration.

ORGUEIL : 5 faste, péché ■ 6 dédain, fierté, mépris, morgue, vanité ■ 7 dignité, égoïsme, fatuité, fermeté, hauteur, raideur, superbe ■ 8 ambition, froideur, gloriole, humilité, modestie, noblesse, paranoïa ■ 9 arrogance, prestance ■ 10 prétention, protecteur, suffisance ■ 11 amour-propre, orgueilleux, ostentation, présomption, sourcilleux ■ 12 complaisance, magnificence ■ 13 outrecuidance ■ 14 méconnaissance.

ORGUEILLEUX : 3 fat ■ 4 fier*, paon, vain ■ 5 enflé, raide ■ 6 altier, empesé, fierot, gourmé, guindé ■ 7 bêcheur, hautain, superbe ■ 8 arrogant*, fastueux, flambard, flambart, glorieux, vaniteux* ■ 9 ambitieux, méprisant, pharisien ■ 10 dédaigneux ■ 11 prétentieux* ■ 12 enorgueillir, outrecuidant, présomptueux.

ORIENT : 3 aga, est, pal ■ 4 agha, haïk, khôl, kief, luth, péri, shah ■ 5 bazar, halva, kilim, kohol, lèpre, pilaf, pilau, pilaw ■ 6 koheul, levant ■ 7 kandjar, kanglar, mandéen ■ 8 ablution, kandjlar, narguilé, oriental, sarrasin ■ 9 astragale, cimeterre, johannite, narghileh, palanquin ■ 10 ethnarchie ■ 12 orientalisme, orientaliste ■ 14 porphyrogénète.

ORIENTAL : 5 houka ■ 7 baklava ■ 10 catholicos.

ORIENTATION : 8 cardinal, épitaxie, glasnost ■ 9 direction*, dirigisme, ménotaxie, orienteur ■ 10 exposition, gyrocompas, phototaxie ■ 11 désorienter ■ 12 déclinatoire ■ 14 intentionalité, postmodernisme ■ 15 électrotropisme, psychotechnique.

ORIENTER : 4 axer ■ 7 braquer, centrer, décliner, diriger* ■ 9 aiguiller, banquette, canaliser, finaliser ■ 10 déflecteur, orientable, réorienter ■ 11 collimation, orientement, reconnaître.

ORIFICE : 3 cou ■ 4 anus, méat, pore, trou* ■ 6 cardia, choane, glotte, naseau, pylore, tragus ■ 7 astrésie, cloaque, cratère, évasure, filière, gicleur, larmier, lumière, ombilic, ostiole, pupille ■ 8 cathéter, étampure, éversion, fraisure, œillard, pointeau, pommelle, spiracle, stigmate ■ 9 évasement, micropyle, ouverture*, sphincter ■ 10 blastopore, dilatateur ■ 11 échappement.

ORIGINAIRE : 4 moco ■ 5 guppy, latin, natif, venir ■ 7 acadien ■ 8 indigène, poitevin, sarrasin ■ 9 aborigène ■ 10 autochtone, caucasique.

ORIGINAL : 4 rare, type ■ 5 banal, drôle, texte ■ 6 inédit, récent, source ■ 7 bizarre, nouveau ■ 8 olibrius, réplique ■ 9 phénomène, prototype, singulier ■ 11 excentrique, impersonnel, originalité, physionomie ■ 13 originalement.

ORIGINALITE : 4 type ■ 6 cachet, déjà-vu ■ 7 copiste ■ 8 aseptisé, banalité ■ 9 caractère, fantaisie, hardiesse ■ 10 académisme ■ 11 pittoresque ■ 12 excentricité, personnalité ■ 13 individualité.

ORIGINE : 2 de ■ 4 base, dont, mère, œuf, type ■ 5 cause*, foyer, germe, label, motif*, tirer ■ 6 made in, modèle, racine, souche, source* ■ 7 ablatif, berceau, enfance, famille, ressort ■ 8 déraciné, originel, principe, procéder, remonter ■ 9 descendre, filiation, fondement, incunable, naissance, neptunien ■ 10 étiopathie, étymologie, extraction, généalogie, originaire, primordial, provenance, psychogène ■

11 appellation, dégustation, descendance, nationalité, originalité ■ 12 commencement*, initialement ■ 13 primitivement, protohistoire ■ 14 originairement, originellement ■ 15 cryptogénétique.

ORIGNAL : 4 élan.

ORIPEAU : 8 guenille*.

ORLE : 8 trécheur ■ 9 trescheur.

ORLEANAIS : 6 olivet.

ORLEANISTE : 9 royaliste.

ORME : 5 loupe ■ 6 ormaie, ormeau, ormoie, samare, ulmacé, ypréau ■ 7 ormille ■ 9 graphiose ■ 10 tortillard.

ORMEAU : 8 haliotis ■ 9 haliotide.

ORNE : 6 ornais ■ 7 cannelé ■ 11 tarabiscoté

ORNEMENT : 2 nu ■ 3 arc, épi, ove, rai, uni ■ 4 dard, jeté, lobe, néon, orle, paon, rive, rose, tour, urne ■ 5 bande, bosse, canon, corne, culot, danio, étole, filet, fleur, frise, galon, gemme, gland, image, jabot, lilas, nille, nœud, ogive, olive, perle, pomme, ruban, ruche, spire, staff, strie, tiare, veuve ■ 6 anglet, arceau, besant, boucle, cartel, cimier, coléus, cordon, damier, échine, effilé, étoile, feston, flamme, flèche, frange, godron, gousse, goutte, listel, liston, mutule, pampre, parure, patère, postes, prunus, revers, rosace, trèfle, tresse, trille, tympan, volant, volute ■ 7 acanthe, atlante, bandeau, bordure, bossage, bucrâne, caisson, camélia, campane, chevron, collier, colonne, crépine, écaille, emblème, faîteau, falbala, fleuron, fresque, fronton, grecque, grenade, insigne, laurier, macaron, moulure, nervure, ovicule, pallium, plinthe, redenté, retable, rinceau, surtout, télamon, tenture, torsade, trophée, tunique ■ 8 aigrette, antéfixe, aréquier, armoire, baguette, billette, bossette, bracelet, broderie, cachepot, chapelet, chenille, coiffure, coquille, corniche, couronne, draperie, formeret, grisotte, lettrine, manipule, mascaron, modillon, mosaïque, palmette, pilastre, pommette, postiche, rocaille, trou-trou, vignette ■ 9 arabesque, asplénium, astragale, banderole, bouffette, cannelure, caparaçon, cariatide, cartouche, chapiteau, clocheton, colonnade, découpure, dentelure, denticule, entrelacs, feuillure, fioriture, gruppetto, guirlande, médaillon, miniature, passement, passepoil, rudenture, sacristie, sculpture, tunicelle, vermicule, vigneture ■ 10 archivolte, chamarrure, colonnette, combattant, cul-de-lampe, décoration, enjolivure, enluminure, entretoile, guillochis, jardinière, lambrequin, moucheture, ornemental, ornementer, phalangère, raidecœur, retroussis, sécheresse, strelitzia, tapisserie, tête-de-clou ■ 11 appogiature, encadrement, enroulement, fleurdelisé, frontispice, imbrication, marqueterie, modern style, ornementiste, porte-glaive, vermiculure ■ 12 carton-pierre, compartiment, enjolivement, illustration, nid-d'abeilles, prétintaille, recouvrement ■ 13 amortissement, ornementation, quintefeuille ■ 14 quatre-feuilles.

ORNEMENTAL : 4 déco, iris, orme, tupa ■ 5 agave, aloès, calla, frêne, gesse, lupin, mollé, ormin, pavot, sauge, souci, yucca ■ 6 acacia, alysse, cyprès, dahlia, ginkgo, kerrie, mimosa, muguet, tulipe, ypréau ■ 7 acanthe, alysson, anémone, aubépine, bégonia, camélia, catalpa, fushsia, glaïeul, lunaire, négondo, négundo, œillet, palmier, pétunia, pivoine, platane, sophora, tamaris, tilleul ■ 8 amarante, badamier, caladium, capucine, crassula, crassule, cyclamen, gardénia, géranium, giroflée, gynérium, jacinthe, julienne, latanier, magnolia, narcisse, pandanus, sainfoin, solidage, solidago, sycomore, téraspic, verveine, victoria ■ 9 asphodèle, balsamine, cinéraire, coréopsis, gaillarde, hortensia, matthiole, maurandie, œnothère, onagraire, paulownia, rudbeckie, saxifrage, tubéreuse, volubilis ■ 10 cynoglosse, delphinium, eucalyptus, gaillardie, héliotrope, marronnier, quadrilobe, térébinthe, tillandsie ■ 11 calcéolaire, cotonéaster, dauphinelle, laurier-rose, pélargonium ■ 12 chrysanthème, passe-velours, rhododendron ■ 13 bougainvillée, chèvrefeuille, queue-de-renard.

ORNEMENTALE: 7 freesia, jussiée ■ 8 calathéa, jussieua ■ 9 anthurium ■ 10 aphélandra ■ 11 saintpaulia.

ORNEMENTATION: 6 rococo ■ 8 mercerie, racinage ■ 9 amazonite ■ 10 décoration, plumassier ■ 11 enroulement, plateresque ■ 12 architecture.

ORNER: 5 dorer, parer*, semer ■ 6 border, broder, chiner, égayer, garnir*, imager, nimber, ourler, sommer, vernir ■ 7 adorner, attifer, brocher, ciseler, coiffer, couvrir, décorer, diaprer, fleurir, froncer, lustrer, nieller, peindre, revêtir ■ 8 aprêter, arranger, atourner, canneler, damasser, denteler, émailler, embellir, façonner, galonner, habiller, moulurer, nervurer, ouvrager, panacher, parurier, pavoiser, pourvoir, rudenter, sculpter, tapisser ■ 9 chamarrer, couronner, enjoliver, enluminer, festonner, garniture*, godronner, historier, illuminer, illustrer, incruster, maquiller, marqueter, mosaïquer, pomponner, rehausser ■ 10 agrémenter, embordurer, empanacher, enrubanner, guillocher, lunéviller, requinquer, saupoudrer ■ 11 chantourner, damasquiner ■ 12 enguirlander, tarabiscoter.

ORNIERE: 5 trace ■ 6 frayée ■ 7 routine ■ 8 cartayer.

ORNITHOGALE: 15 dame-d'onze-heures.

ORNITHOLOGIE: 12 ornithologue ■ 14 ornithologique, ornithologiste.

ORONGE: 9 muscarine, tue-mouche.

ORPAILLEUR: 10 orpaillage, pailleteur.

ORPHELIN: 7 pupille ■ 10 orphelinat.

ORPHEON: 11 orphéoniste.

ORPHIQUE: 8 orphisme.

ORPIN: 5 sédum ■ 12 trique-madame.

ORQUE: 8 épaulard.

ORSEILLE: 7 rocelle ■ 8 roccella.

ORTEIL: 5 pouce ■ 7 panaris ■ 8 phalange ■ 11 syndactylie.

ORTHODONTIE: 13 orthodontiste.

ORTHODOXE: 4 sain ■ 5 lavra ■ 6 uniate ■ 7 melkite ■ 8 melchite ■ 9 higoumène 10 hésychasme, hétérodoxe, orthodoxie ■ 11 autocéphale, métropolite.

ORTHOGENIE: 12 orthogénisme.

ORTHOGONAL: 13 axisymétrique, orthogonalité.

ORTHOGONALE: 13 axonométrique.

ORTHOGRAPHE: 6 écrire ■ 8 paronyme ■ 10 homographe ■ 11 cacographie ■ 13 orthographier ■ 14 orthographique.

ORTHOPEDIE: 7 minerve ■ 12 orthopédique, orthopédiste.

ORTHOPEDIQUE: 9 lombostat.

ORTHOPHONIE: 13 orthophonique.

ORTHOPTERE: 3 pou ■ 5 mante ■ 6 blatte, empuse, phasme, podure, psoque ■ 7 bacille, campode, phyllie ■ 9 acridien*, cancrelat ■ 11 courtilière ■ 12 taupe-grillon.

ORTHOPTIE: 11 orthoptique, orthoptiste.

ORTIE: 6 lamier ■ 8 formique ■ 9 belle-dame, urticacée.

ORTOLAN: 3 cep ■ 4 zizi.

OS: 4 côte, dent, ossu ■ 5 arête, atlas, calus, canon, carie, carpe, crâne, crête, fémur, genou, glène, ilion, joint, luxer, moule, ozone, pubis, sépia, sinus, tarse, tibia, vomer ■ 6 coccyx, hyoïde, manche, osseux, péroné, radius, rocher, rotule, sacrum, unguis, zygoma ■ 7 attelle, cubitus, cuboïde, frontal, humérus, iliaque, ischion, lunette, malaire, osselet, ostéité, ostéome, régloir, sternum, wormien ■ 8 acromion, apophyse, croupion, désosser, diaphyse, énostose, épiphyse, esquille, ethmoïde, exostose, fracture, glénoïde, hyoïdien, ligament, luxation, mâchoire, macreuse, malléole, mastoïde, omoplate, ossature, ossement, ossifier, ossuaire, pariétal, périoste, phalange, temporel, tympanal, vertèbre ■ 9 astragale, calcanéum, cartilage, clavicule, glénoïdal, impaction, incasique, métacarpe, métaphyse, métatarse, occipital, ossements, ostéogène, pisiforme, réduction, remboîter, scaphoïde, sésamoïde, synostose ■ 10 cunéiforme, épiphysite, fontanelle, fourchette, maxillaire, ostéolithe, ostéologie, trapézoïde, trochanter, tubérosité ■ 11 déboîtement, dislocation, interosseux, métatarsien, ostéoblaste, ostéopathie, ostéoporose, pneumatique, zygomatique ■ 12 ossification, ostéographie, ostéomalacie, ostéomyélite, ostéoplastie, ostéosarcome ■ 13 chondromatose, histoplasmose, sus-maxillaire ■ 14 proprioception.

OSCABRION : 6 chiton.

OSCILLATION : 4 onde ■ 5 balan, lacet, marée ■ 6 larsen, shimmy ■ 7 ballant, pendule ■ 8 klystron, mutation ■ 9 balancier, démoduler, nystagmus, résonance, vibration ■ 10 branlement, microphone, transistor ■ 11 balancement* ■ 12 dodelinement, oscillatoire ■ 15 superhétérodyne.

OSCILLER : 6 baller ■ 7 branler, hésiter ■ 8 balancer* ■ 11 débattement, oscillateur ■ 12 oscillatoire.

OSCILLOGRAPHE : 13 oscillogramme.

OSE : 5 hardi*, léger, oseur ■ 6 aldose, cétose, olé olé, risqué ■ 7 pentose ■ 8 holoside ■ 10 diholoside ■ 12 polyholoside.

OSEILLE : 5 rumex ■ 7 surelle ■ 8 oxalique.

OSER : 5 venir.

OSIDE : 10 hétéroside.

OSIER : 3 van ■ 4 hart, vime ■ 5 banne, ciste, claie, hotte, nasse, pelte, plion, ruche ■ 6 clisse, pleyon ■ 7 éclisse, lacette, oseraie ■ 8 bannette, lasserie ■ 9 cagerotte, quillette ■ 11 vendangerot ■ 13 osiériculture.

OSMIUM : 2 os ■ 7 osmique, osmiure.

OSMOTIQUE : 8 isotonie ■ 9 oncotique, onkotique, osmomètre ■ 11 hypotonique ■ 12 hypertonique.

OSQUE : 5 osque.

OSSATURE : 8 carcasse, longeron.

OSSELET : 6 étrier ■ 7 enclume, marteau.

OSSEMENT : 2 os ■ 7 relique ■ 8 ossuaire.

OSSEUSE : 8 styloïde.

OSSEUX : 4 côte, lump ■ 5 boîte, crâne, épine, voûte ■ 6 cément ■ 7 myélite, ostéite ■ 8 carcasse, murénidé, sciénidé ■ 9 cornillon, ostéalgie, ostéolyse ■ 10 ostéophyte ■ 12 ostéomyélite.

OSSIAN : 10 ossianique.

OSSIFICATION : 10 rachitisme ■ 11 ostéogenèse.

OSSUAIRE : 9 cimetière.

OSTENSIBLE : 7 visible* ■ 11 perceptible ■ 14 ostensiblement.

OSTENSOIR : 7 custode ■ 10 monstrance.

OSTENTATION : 5 faste ■ 6 flafla, parade ■ 7 orgueil ■ 11 ostentateur ■ 12 ostentatoire.

OSTEOMYELITE : 13 staphylocoque.

OSTEOPHYTE : 14 bec-de-perroquet.

OSTEOSYNTHESE : 8 coapteur.
OSTIAK : 7 ougrien ■ 8 ostiaque.
OSTRACISER : 6 bannir ■ 9 pétalisme, repousser ■ 10 ostracisme.
OSTRACISME : 9 pétalisme.
OSTRACODE : 6 cypris.
OSTREICULTURE : 6 huître ■ 10 ostréicole ■ 13 ostréiculteur.
ŒSTROGENE : 10 oestradiol.
OTAGE : 6 garant ■ 9 kidnapper.
OTER : 4 tuer ■ 5 lever, limer, parer, peler, raser, ravir, rayer, tirer*, vider, voler ■ 6 abolir, casser, couper, écaler, élider, épiler, épucer, épurer, étêter, exiler, glaner, guérir, isoler, plumer, priver*, radier, rogner, sevrer, ternir ■ 7 abroger, annuler, aplanir, châtier, châtrer, débater, déduire, dégager*, délacer, démâter, démunir, dénuder, dépaver, dépolir, dépoter, dérater, dévêtir, ébarber, écorcer, écorner, écrémer, édenter, effacer, effaner, égrener, élaguer, émonder, enlever*, entamer, épuiser, essuyer, évincer, exclure, exhumer, libérer, mutiler, prendre*, quitter, raboter, retenir, retirer*, sarcler, séparer, spolier ■ 8 arracher*, aveugler, cueillir, débâcler, déballer, débander, déblayer, déboiser, déboîter, débonder, déborder, débotter, débrider, déclouer, déferrer, défibrer, défoncer, dégainer, déganter, dégarnir, dégommer, dégoûter, dégrafer, délaiter, délasser, délester, démouler, dénantir, dénicher, déparier, déplacer, déplumer, dépocher, déranger, dérougir, désaérer, désarmer, désosser, dessoler, détacher, déterrer, détrôner, détruire, dévernir, dévisser, dévoiler, éborgner, ébrécher, écourter, écroûter, éliminer, emporter, épierrer, éplucher, épointer, excepter, exempter, exprimer, expurger, extirper, extrader, extraire*, frustrer, nettoyer, prélever, rabattre, ramasser, remettre, résilier, révoquer, tronquer ■ 9 chaponner, débarquer, déboucher, débourber, débourrer, décaisser, décapiter, déchaîner, décharger, décharner, décintrer, décompter, découvrir, décrasser, décrotter, dédoubler, défalquer, dégrossir, délustrer, démancher, démarquer, démasquer, démeubler, démotiver, démuseler, dépailler, déplanter, dépeupler, déraciner, dériveter, desceller, dessabler, dessaisir, desseller, destituer, dévaliser, distraire, ébrancher, échrancrer, émasculer, épouillir, escompter, exhéréder, expatrier, extorquer, interdire, reprendre, supprimer*, vide-pomme ■ 10 confisquer, décacheter, décalotter, décarreler, déchausser, déclaveter, décourager, déculasser, déculotter, dégazonner, dégraisser, démanteler, dépoétiser, déposséder, dépouiller*, dépourvoir, désamorcer, déshériter, détrousser, développer, écheniller, effeuiller, épousseter, essoriller, exproprier, moissonner, raccourcir, retrancher*, soustraire* ■ 11 débarrasser, décortiquer, découronner, déharnacher, démailloter, démonétiser, démoraliser, démoucheter, dépareiller, dépénaliser, désentraver, déshabiller, excommunier ■ 12 désincruster, ébourgeonner ■ 14 dénationaliser.
OTITE : 10 mastoïdite.
OTTOMAN : 4 raïa, raya, turc ■ 5 rayia ■ 6 eyalet ■ 7 icoglan, padicha ■ 8 padichah ■ 9 padischah.
OU : 4 soit.
OUATE : 6 ouater, tampon ■ 7 ouatine, kleenex ■ 9 cotonneux ■ 10 douillette ■ 12 courte-pointe.
OUBLI : 5 faute, lotos, lotus, pavot ■ 6 lacune, manque, pardon ■ 7 abandon, amnésie, bourdon ■ 8 légèreté, omission* ■ 9 désuétude ■ 10 abnégation, étourderie, manquement, négligence* ■ 11 disparition, distraction, inattention*, ingratitude, prétérition, renoncement ■ 12 inadvertance, inobservance ■ 13 inobservation ■ 14 méconnaissance.

OUBLIER : 5 oubli ■ 6 perdre, sortir ■ 7 laisser, omettre* ■ 8 absoudre, consoler, échapper, éteindre, étourdir, mépriser, oublieux, renoncer, souvenir ■ 9 amnistier, dédaigner, distraire, oubliable, pardonner ■ 11 disparaître, inoubliable ■ 12 désapprendre.
OUBLIETTE : 5 fosse ■ 7 cellule.
OUBLIEUX : 7 étourdi* ■ 8 distrait* ■ 9 négligent ■ 11 indifférent.
OUEST : 5 blanc, jaune, poire, pomme ■ 8 couchant, occident ■ 9 bécasseau, jetstream.
OUGANDA : 9 ougandais.
OUGRIENNE : 6 ostiak.
OUI : 2 oc, da, si ■ 3 oïl ■ 5 voire ■ 6 ouiche ■ 12 parfaitement.
OUÏE : 4 sens ■ 5 oyant, sourd ■ 7 auditif, oreille*, surdité ■ 8 audition, entendre ■ 9 inaudible, sourd-muet.
OUÏES : 9 branchies.
OUÏR : 4 ouïe ■ 7 ouï-dire ■ 8 entendre*.
OUILLER : 8 ouillage.
OUISTITI : 8 hapalidé.
OUKASE : 5 ukase.
OURAGAN : 7 tempête* ■ 10 bourrasque.
OURALIENNE : 7 ougrien.
OURDIR : 6 tramer ■ 7 brasser ■ 8 combiner, machiner* ■ 10 manigancer, ourdisseur.
OURDISSOIR : 6 cantre.
OURLET : 4 bord* ■ 5 suage ■ 6 ourler ■ 9 extra-fort, rouleauté, roulotter ■ 10 passelacet.
OURS : 5 amble, panda ■ 6 kodiak, ourson ■ 7 grizzly ■ 11 septentrion.
OURSIN : 5 melon ■ 8 hérisson ■ 9 châtaigne, spatangue ■ 12 pédicellaire.
OUTARDE : 9 outardeau ■ 11 canepetière.
OUTIL : 3 clé, fer, hie, pic ■ 4 clef, croc, dame, faux, houe, lime, main, râpe, ripe, saie, saye, scie, truc ■ 5 alène, bêche, burin, criss, drège, écang, écope, foret, fusil, gâche, gouet, gouge, hache, hoyau, kriss, masse, mèche, meule, palot, pelle, perce, picot, pince, plane, queux, râble, rabot, racle, sabot, serpe, surin, valet ■ 6 archet, asseau, bédane, biseau, biveau, boësse, bouvet, buisse, ciseau, cognée, doleau, égoïne, embout, entoir, étampe, forces, fraise, galope, godron, gorget, gratte, louche, matoir, merlin, navaja, paroir, peigne, pioche, piolet, plioir, rasoir, rateau, rivoir, rodoir, smille, taraud, toupie, trépan, virolle, vrille ■ 7 alésoir, assette, bec d'âne, bêchoir, bigorne, binette, bouloir, boutoir, chopper, ciselet, dudgeon, égohine, épiloir, équerre, estampe, évidoir, faucard, fauchet, fauchon, fendoir, fossoir, fouloir, fourche, frisoir, gibelet, guipoir, guscine, hachoir, hansart, jabloir, lissoir, louchet, machine*, maillet, mandrin, marteau, onglier, outillé, perçoir, piquoir, planoir, poinçon, pucheux, puisoir, racloir, rasette, régloir, rénette, riflard, rifloir, rognoir, rouanne, rouloir, sciotte, spalter, tarière, traçoir, truelle, varlope, videlle ■ 8 affiloir, affinoir, aissette, allumoir, amorçoir, besaiguë, bisaiguë, bourroir, boutique, céraunie, chassoir, cisaille, cisoires, couperet, coutelas, cuillère, dêmêloir, drayoire, ébarboir, écumoire, émondoir, épissoir, faucille, ferrière, frottoir, grattoir, greffoir, hachette, havre-sac, houlette, jabloire, machette, martinet, massette, niveleur, onglette, ouistiti, outiller, palisson, pincette, plantoir, pointeau, raclette, rainette, recingle, resingle, rustique, serpette, strigile, taillant, tenaille, tire-clou, tirefond, traceret, tranchet, triballe, veinette ■ 9 accordoir, aiguisoir, arrachoir, atomiseur, avant-clou, boucharde, brucelles, carbonado, ca-

rottier, contrefer, coupe-pâte, découpoir, demi-ronde, ébauchoir, écharnoir, égrappoir, erminette, fauchette, faucillon, ferratier, ferretier, guignette, guilloche, hachereau, minahouet, morailles, outillage, oviscapte, polissoir, rabattoir, retendoir, rhizotome, rivelaine, rognepied, tire-bonde, tire-botte, tournevis, tranchoir, ustensile*, videpomme ■ 10 bouterolle, brunissoir, carotteuse, chasse-clou, cureongles, débouchoir, dégorgeoir, demoiselle, ébranchoir, embauchoir, embouchoir, épinglette, feuilleret, francisque, herminette, instrument*, passe-lacet, pastilleur, percerette, porte-outil, queue-de-rat, repoussoir, rouannette, scramasaxe, serfouette, tamponnoir, tarabiscot, tire-bouton ■ 11 aplatissoir, bec-de-corbin, chausse-pied, coupeongles, coupe-papier, cure-oreille, décapsuleur, démonte-pneu, dénoyauteur, échenilloir, écussonnoir, enfouisseur, hache-paille, ouvreboîtes, pelle-pioche, pied-de-biche, saint-crépin, taillandier, technologie, tranche-lard, vilebrequin ■ 12 bec-de-corbeau, brise-copeaux, coupe-cigares, coupe-légumes, coupe-racines, emporte-pièce, fourchefière, frappe-devant, hache-légumes, marteau-pilon, passe-partout, queue-de-morue ■ 13 queue-de-cochon, taille-racines, tourne-à-gauche ■ 14 chasse-goupille.

OUTILLAGE: **13** microlithique ■ **15** électroportatif.

OUTLAW: **8** réprouvé ■ **9** hors-la-loi.

OUTRAGE: **5** délit, fouet ■ **6** avanie, blessé, injure* ■ **7** affront, insulte, inviolé, offense* ■ **8** calomnie, soufflet ■ **9** blasphème, camouflet, invective ■ **10** outrageant ■ **11** diffamation, imprécation, indignation, malédiction.

OUTRAGEANT: **9** injurieux, insultant, offensant, outrageux.

OUTRAGER: **4** huer ■ **7** bafouer, maudire ■ **8** conspuer, écharper, injurier*, insulter, offenser* ■ **9** accoutrer ■ **10** accommoder, blasphémer, invectiver, vilipender.

OUTRANCE: **5** excès* ■ **8** démesure* ■ **10** outrancier.

OUTRE: **4** fort, item, plus ■ **7** indigné, révolté ■ **8** excessif, utricule ■ **9** anglomane, bigoterie, bigotisme, burlesque, cagoterie, cornemuse, fanatisme, par-dessus ■ **10** scandalisé ■ **11** sensualisme ■ **14** indépendamment.

OUTRECUIDANCE: **7** orgueil ■ **11** présomption ■ **12** outrecuidant.

OUTRE-MER: **8** indigène ■ **9** coloniale.

OUTREPASSER: **6** passer ■ **7** excéder.

OUTRER: **6** forcer ■ **8** exagérer*.

OUVERT: **3** bée ■ **5** argus, bayer, béant, éclos, évasé, franc, gifle, palme, tempe ■ **6** kipper ■ **7** de cujus, épanoui ■ **9** imperforé, impluvium ■ **10** accessible, accréditif, entrouvert ■ **12** stomatoscope.

OUVERTEMENT: **9** hautement ■ **10** ex professo ■ **11** franchement.

OUVERTURE: **3** bée, vue ■ **4** abée, anus, baie, cran, jour, œil, orbe, pore, raie, tape, trou*, vide, voie ■ **5** abîme, angle, arche, bocal, bonde, crevé, creux, écart, évent, fente*, fossé, issue, jouée, judas, musse, nable, perce, porte, seuil, valve, verre ■ **6** arcade, arceau, béance, bouche, boulin, brèche, carnau, cavité, chasse, coupée, entrée, exorde, gueule, hablot, hiatus, hublot, maille, narine, percée, rayère, regard, sabord, trappe, trouée, tuyère ■ **7** archère, carneau, cassure, couloir, coupure, cratère, créneau, croisée, écubier, encoche, évasure, fenêtre, galerie, guichet, introït, lucarne, lumière, lunette, œillet, orifice*, ouvreau, panneau, préface, rainure, saignée, venteau ■ **8** aperture, archière, chatière, coulisse, crevassé, dilatant, dosseret, ébrasure, égueuler, entaille, étampure, gueulard, jaumière, mortaise, portière, prologue, tubulure, varaigne, vasistas, venteaux, ventouse ■ 9 barbacane, bienvenue, cicatrice, crénelure, déboucher, découpure, dentelure, écoutille, embrasure, équerrage, évasement, passe-plat, perforage, péristome, préambule, soupirail, térébrant, trapillon, vomitoire ■ 10 bâillement, canonnière, claire-voie, compluvium, disruption, échancrure, embouchure, emmanchure, émonctoire, exposition, meurtrière, trappillon, vernissage ■ 11 boutonnière, cardiotomie, diaphragmer, égueulement, embrasement, endentelure, éventration, laparotomie, machicoulis, perforation, pleurotomie ■ 12 chantepleure, déchiqueture, fenestration, inauguration, installation, porte-fenêtre, thoracotomie ■ 13 avant-première, intronisation ■ 14 écarquillement ■ 15 entrebâillement.

OUVRAGE : 2 op, or ■ 3 épi, mur ■ 4 dais, fort, four, i.s.b.n., loge, môle, opus, plan, tête, tome ■ 5 atlas, bible, bijou, boyau, braie, bribe, cadre, claie, copie, coule, devis, digue, écrit, émail, essai, étude, faune, gland, joint, livre*, masse, mètre, musée, opéra, oriel, palée, pièce, poème, point, redan, salon, tâche, thèse, tissu, usuel, voûte ■ 6 abrégé, estame, labeur, œuvre*, précis, redent, traité ■ 7 addenda, annales, bastion, besogne, bluette, chemise, croisée, ébauche, gravure, incipit, logique, mémento, méthode, opaline, orfévré, ravelin, redoute, reprint, service, synopse, tambour, tissage, travail* ■ 8 annuaire, armature, bastille, bonnette, brochure, camelote, casemate, cavalier, ciselure, couronne, dédicace, demi-lune, dialogue, épilogue, gainerie, malfaçon, mémorial, monument, mosaïque, opuscule, ornement, parution, peinture, physique, plâtrage, princeps, retouper, rocaille, samizdat, scolaire, terrasse, treillis ■ 9 anaglyphe, appendice, archétype, baldaquin, barbacane, bas-relief, charpente, classique, coédition, émaillure, embrasure, étayement, fascicule, fascinage, filigrane, finissage, incunable, intituler, livraison, manuscrit, matériaux, mécanique, monolithe, plâtinerie, plomberie, scoliaste, sparterie, tricotage, variorium ■ 10 bousillage, brise-glace, cailloutis, caponnière, cartonnage, clayonnage, couvrement, faïencerie, géographie, maçonnerie, menuiserie, monogramme, orfèvrerie, parquetage, pastillage, plate-forme, porcelaine, porte-à-faux, production, revêtement, rondebosse, serrurerie, soumission, space opera, traduction, verroterie ■ 11 aide-mémoire, capitonnage, charronnage, chef-d'œuvre, compilation, compte rendu, contre-digue, contrefaçon, ferronnerie, lambrissage, marqueterie, publication, rempaillage, tabletterie ■ 12 badigeonnage, bibliomancie, élucubration, encyclopédie, entrepreneur, incrustation, miscellanées, prolégomènes, renfoncement, travailleuse ■ 13 cloisonnement, fortification, rechampissage ■ 14 substantifique.

OUVRAGER : 5 orner* ■ 10 travailler*.

OUVREAU : 5 verre ■ 8 tuilette.

OUVRER : 10 travailler*.

OUVRIER : 2 o.p., o.s. ■ 5 borin, canut, coron, homme, jaune, maçon, singe ■ 6 calfat, docker, fileur, foreur, foulon, gindre, haveur, licier, mineur, pareur, paveur, riveur, sagard, scieur, tireur, tôlier ■ 7 artisan, boiseur, carreur, caviste, charron, cordier, dalleur, étameur, fendeur, ferreur, fondeur, gainier, geindre, glaceur, laineur, lingère, luddite, margeur, marneur, métallo, metteur, meulier, moireur, monteur, moulier, nattier, piqueur, pompier, régleur, robeuse, rogneur, sableur, salarié, sasseur, saunier, sellier, soudier, tanneur, trameur, trottin, tubiste, tuilier, vannier, verrier, vitrier, voilier ■ 8 affûteur, ajusteur, apiéceur, apprenti, bobineur, bronzeur, burineur, chaînier, clicheur, cloutier, coffreur, couvreur, ébéniste, écorceur, effileur, égoutier, émouleur, étampeur, fagotier, forgeron, fraiseur, gaufreur, grisette, imposeur, lamineur, lapicide, layetier, limousin, marbrier, modeleur, nielleur, paludier, peignier, plâtrier, plombier, pressier, puddleur, raboteur, raucheur, ravaleur, sabotier, sellette, staffeur, tâcheron, tamiseur, tourbier, tourneur, trempeur, virolier ■ **9** amareyeur, apprêteur, argenteur, boyaudier, carreleur, chaîniste, chauffeur, cigarière, cimentier, compagnon, débardeur, défibreur, démouleur, ébaucheur, émailleur, encadreur, engreneur, estampeur, façonnier, garanceur, graisseur, gravatier, imprimeur, lapidaire, manœuvre, marteleur, mégissier, menuisier, midinette, monnayeur, moulineur, moulinier, peaussier, pelleteur, pendulier, praticien, récolteur, rémouleur, repasseur, retordeur, sardinier, souffleur, stucateur, tailleuse, tisserand, tonnelier, trancheur, tréfileur, veloutier ■ **10** apprêteuse, asphalteur, boisselier, bombagiste, bourrelier, bousilleur, briqueteur, cantonnier, chamoiseur, conducteur, cylindreur, déménageur, foulonnier, gobeletier, hongroyeur, journalier, machiniste, marqueteur, pailleteur, pastilleur, plafonneur, plasticien, repriseuse, saisonnier, saurisseur, schlitteur, terrassier, toupilleur, trade-union, typographe ■ **11** charpentier, décolleteur, démolisseur, familistère, ferrailleur, goudronneur, guillocheur, lithographe, maroquineur, métalliseur, travailleur* ■ **12** appareilleur, chaufournier, contremaître, démasquineur, emboutisseur, héliograveur, palissonneur, photograveur ■ **13** compagnonnage, prêtre-ouvrier ■ **14** internationale.

OUVRIERE: **8** toileuse ■ **12** mécanicienne.

OUVRIR: **4** béer, clef ■ **5** aérer, clore ■ **6** crever, éclore, fendre, forcer, percer, piquer, trouer ■ **7** ajourer, bâiller, confier, creuser, déclore, dégager, délacer, démurer, dénouer, déplier, dilater, ébraser, écarter, éclater, élargir, initier, libérer, pousser, rouvrir, séparer ■ **8** créneler, déballer, débarrer, débonder, déchirer, découdre, défoncer, dégrafer, détacher, ébrécher, écailler, enfoncer, épanouir, éventrer, hara-kiri, lancette, ouvrable, ouvreuse, perforer ■ **9** commencer, crevasser, crocheter, déboucher, découvrir, déhiscent, désopiler, desserrer, disséquer, échancrer, entailler, ouverture ■ **10** accréditer, décacheter, décloîtrer, dépaqueter, disjoindre, entrouvrir, introduire, noctiflore ■ **11** déboutonner, désemballer, désobstruer, écarquiller, ouvre-boîtes ■ **12** décadenasser, entrebâiller, espagnolette, laryngotomie, passe-partout ■ **13** déverrouiller.

OUVROIR: **7** atelier.

OVAIRE: **5** fleur, ovule, style ■ **6** infère, lutéal, supère ■ **7** épigyne, lutéine, ovarite ■ **8** adhérent, hypogyne, nouaison, oviducte, placenta ■ **9** ovulation ■ **10** lutéinique, œstradiol ■ **11** folliculine, inférovarié, superovarié ■ **12** ovariectomie, progestérone ■ **14** multiloculaire.

OVALE: **3** ové ■ **6** ovoïde ■ **7** ellipse ■ **8** ovalaire, ovaliser, oviforme ■ **11** œil-de-bœuf.

OVARIECTOMIE: **6** totale ■ **10** castration.

OVATION: **8** acclamer, triomphe ■ **10** ovationner.

OVE: **4** orle.

OVIPARE: **6** oiseau ■ **9** couleuvre.

OVISCAPTE: **7** tarière.

OVNI: **8** ufologie.

OVOÏDE: **5** olive, ovule.

OVULATION: **6** ovuler ■ **9** clomifène ■ **10** ovulatoire ■ **12** anovulatoire.

OVULE: **4** œuf* ■ **7** chalaze, nucelle ■ **8** anatrope, funicule, oosphère, ovulaire, vitellus ■ **9** micropyle, ovulation ■ **10** orthotrope ■ **11** folliculine ■ **12** placentation ■ **14** parthénogenèse.

OXACIDE : 9 sulfacide.
OXALIDACEE : 6 oxalis ■ 7 oxalide ■ 8 alléluia ■ 10 acétoselle.
OXHYDRYLE : 9 hydroxyle.
OXYCHLORURE : 8 algaroth.
OXYDANT : 9 perborate.
OXYDATION : 5 créma, étain, ozone ■ 6 patine ■ 8 aldéhyde, gazogène ■ 9 acrylique, malonique, suroxyder, térébique ■ 10 inoxydable, péroxydase, tyrosinase ■ 11 anodisation, biliverdine.
OXYDE : 5 chaux, émail, étain, éther, métal, safre, smalt, tutie, urane, verre ■ 6 aétite, aimant, baryte, erbine, éthyle, minium, patine, rutile, silice, tuthie, verdet, yttria ■ 7 alcalin, alumine, cuprite, ferrite, glucine, lithine, rouille, thorine, wolfram, zircone ■ 8 anoxémie, colcotar, dendrite, ferrique, hématite, ilmenite, limonite, litharge, magnésie, massicot, monoxyde, oligiste, orpiment, peroxyde, ténorite, thermite ■ 9 amphotère, hémioxyde, hydroxyde, magnétite, manganeux, mercureux, protoxyde, rouillure, ytterbine ■ 10 battitures, oxycarbone, saccharate, strontiane, thorianite, tungstique, vert-de-gris ■ 11 cassitérite, respiration, sesquioxyde, valentinite ■ 13 parkérisation.
OXYDOREDUCTION : 9 réducatse.
OXYGENATION : 7 aérobic ■ 9 vincamine.
OXYGENE : 4 sang ■ 5 métal, oxyde, ozone ■ 6 anoxie ■ 7 azoteux, borique, ozoneur ■ 8 anoxémie, bromique, monoxyde, nitrique, oxyacide, oxygéner, ozoniser, peroxyde ■ 9 arsénique, carbogène, chlorique, chromique, désoxyder, hémioxyde, hypoxémie, oxydation, ozonateur, perhydrol, protoxyde, sélénieux, sélénique, stannique, tellureux, tellurien, thionique ■ 10 carbonique, combustion, oxhydrique, oxysulfure, sulfurique, suroxygène, tellurique ■ 11 antimoniate, hémoglobine, oxychlorure, oxygénation, phosphoryle ■ 12 hypochloreux, perchlorique ■ 13 hyposulfureux ■ 14 post-combustion ■ 15 hypophosphoreux, oxyacétylénique, oxygénothérapie.
OXYTETRACYCLINE : 12 terrafungine.
OXYURE 8 oxyurose.
OYAT : 7 gourbet.
OZONE : 5 ozoné ■ 7 ozonide ■ 8 ozoniser ■ 9 ozonateur, ozoniseur ■ 11 ozonisation ■ 12 assainisseur.

PACAGE : 3 pré ■ 6 défens ■ 7 défends ■ 8 pâturage.
PACANIER : 6 pacane.
PACHYDERME : 6 ongulé*.
PACIFIER : 6 agiter, calmer* ■ 7 apaiser* ■ 12 pacification.
PACIFIQUE : 5 calme* ■ 8 paisible* ■ 9 pacifiste ■ 12 austronésien ■ 13 pacifiquement.
PACOTILLE : 8 camelote ■ 11 marchandise.
PACQUER : 8 pacquage.
PACTE : 6 accord* ■ 7 contrat* ■ 8 alliance, covenant, pactiser ■ 10 convention* ■ 13 antikomintern.
PACTOLE : 7 jackpot.
PAGAIE : 4 rame ■ 5 canoé ■ 8 pagayeur ■ 10 périssoire.
PAGAILLE : 8 désordre*.
PAGANISME : 4 dieu ■ 7 impiété.
PAGE : 4 nota, rôle ■ 5 débit, folio, forme, garde, marge, recto, volti ■ 6 carton, onglet ■ 7 feuille*, paginer ■ 8 feuillet ■ 9 numéroter ■ 10 imposition, pagination, stéréotype ■ 12 passe-partout.
PAGNE : 4 java ■ 5 paréo ■ 10 tissu-pagne.
PAGODE : 6 temple* ■ 7 pagodon.
PAHLAVI : 5 perse.
PAIEMENT : 6 avance, protêt, rappel ■ 7 acompte, annuité, à-valoir ■ 8 coobligé, quérable ■ 9 acquitter, arrérager, buraliste, débourser, versement ■ 10 ordonnance, scriptural ■ 11 banqueroute, non-paiement, rétribution*, termaillage ■ 12 capsule-congé, nantissement, scriptuaire, timbre-amende ■ 13 remboursement.
PAÏEN : 6 eubage, gentil ■ 8 idolâtre, infidèle, mécréant, néophyte ■ 9 paganiser, prosélyte ■ 11 irréligieux.
PAILLARD : 8 débauché* ■ 9 luxurieux* ■ 11 paillardise.
PAILLASSE : 5 clown, pitre ■ 7 paillon, paillot ■ 10 queue-rouge.
PAILLASSON : 5 natte, tapis ■ 8 abri-vent ■ 10 décrottoir ■ 11 essuie-pieds, gratte-pieds, paillassonner ■ 14 paillassonnage.
PAILLASSONNER : 14 paillassonnage.
PAILLE : 4 fétu, glui ■ 5 balle, bauge, cabas, glane, glume, humus, luton, natte, niche, picot, ruche, soyer ■ 6 chaume, éteule ■ 7 bouchon, fouarre, lacerie, litière ■ 8 bûchette, canotier, fourchée, fourrage, lasserie, pailleux, paillote, râtelier ■ 9 chalumeau, dépailler, empailler, paillasse ■ 10 enchausser, paillasson, rempailler ■ 11 hache-paille ■ 12 carton-paille, empaillement.

PAILLER : 8 paillage.
PAILLETTE : 7 paillon ■ 8 pailleté ■ 9 pailleter ■ 10 orpailleur, pailletage, pailleteur.
PAILLON : 7 tontine.
PAILLOTTE : 6 cabane*.
PAIN : 3 bis, bun, mie ■ 4 brie, four, havi, maïs, œil, pané, pita ■ 5 azime, flûte, gruau, huche, jocko, miche, paner, pâtée, pesée, polka, rôtie, savon, soupe, sucre, talon, toast ■ 6 bâtard, boulot, casson, chapon, hostie, hot-dog, panade ■ 7 baisure, bourrée, fournée, gressin, grignon, longuet, moussot, panaire, quignon ■ 8 baguette, banneton, bisaille, biscotte, boulette, chanteau, cramique, mangeure, mousseau, nonnette, panifier, pastille, pistolet, salignon, sandwich, tartiner, tavaïole, tourteau ■ 9 boulanger, chapelure, croissant, marquette, pan-bagnat, paneterie, panetière, tavaïolle, trempette ■ 10 grille-pain, impanation, mouillette, panifiable, rissolette ■ 11 boulangerie, eucharistie, manutention ■ 12 panification.
PAIR : 4 égal, lord ■ 5 bandé, fascé, sénat ■ 6 pairie ■ 8 diphoïde ■ 9 pairement ■ 10 seigneurie ■ 11 duché-pairie ■ 12 paridigitide.
PAIRE : 4 deux, full ■ 6 couple ■ 8 apparier, déparier ■ 9 appairage, rapparier ■ 10 quadripôle, tétraptère.
PAIRLE : 7 gousset.
PAISIBLE : 3 coi ■ 4 béat ■ 5 calme*, quiet ■ 7 placide ■ 9 pacifique, pacifiste ■ 10 intermonde, tranquille* ■ 11 pantouflard ■ 12 paisiblement.
PAITRE : 5 pâtis, pâtre ■ 6 alpage ■ 7 brouter, pacager, parquer, pâturer, viander ■ 8 herbager, repaître ■ 9 cantonner, paissance ■ 10 transhumer ■ 11 dépaissance.
PAIX : 4 chut, holà ■ 5 affre, agape, calme*, motus, pacte, trève ■ 6 accord, amitié, traité ■ 7 silence ■ 8 concorde, pacifier ■ 9 pacifique, pacifiste, protocole ■ 10 apaisement*, convention ■ 11 arrangement ■ 12 capitulation, pacificateur, pacification, tranquillité* ■ 13 accommodement ■ 14 réconciliation.
PAKISTANAIS : 6 ourdou.
PAL : 4 pieu* ■ 5 croix, flanc, palée ■ 8 équipolé, vergette ■ 9 équipollé ■ 10 empalement.
PALABRE : 8 palabrer ■ 9 discourir* ■ 10 discussion.
PALACE : 5 hôtel*.
PALADIN : 9 chevalier*.
PALAFITTE : 9 terramare.
PALAIS : 4 cour ■ 5 hôtel, musée, salle, voile, voûte ■ 6 casbah, évêché, manoir, mikado, sérail ■ 7 château*, édifice, icoglan, vélaire ■ 8 monument, palatial ■ 10 procuratie ■ 12 uranoplastie ■ 13 échansonnerie ■ 14 palatalisation.
PALAN : 5 bigue ■ 8 caliorne, pantoire ■ 9 palanquée, palanquer.
PALANQUE : 9 palanquer.
PALATALISATION : 9 mouillure ■ 11 palataliser.
PALATINE : 5 voûte ■ 9 palatinat.
PALE : 4 bleu, fané, gris, hâve, plat, vert ■ 5 blanc, blême, mauve, pâlir, pâlot, terne* ■ 6 cendre, défait, délavé, éteint, étiolé, flétri, livide ■ 7 blafard, céladon, déteint, pisseux, platine, terreux, tripale ■ 8 anémique, décoloré, incolore, jaunâtre, pâlichon, vrillage ■ 10 blanchâtre, quadripale ■ 11 chlorotique, languissant.
PALEANTHROPIEN : 10 anthrophien.
PALEFROI : 6 cheval.
PALEOGENE : 6 danien ■ 8 lutécien, lutétien ■ 9 paléocène.

PALEOGRAPHIE : 5 sigle ■ 11 paléographe ■ 15 paléographique.
PALEOLITHIQUE : 7 atérien, capsien ■ 9 acheuléen, lavallois, solutréen ■ 10 clactonien, gravettien, moustérien ■ 11 abbevillien, aurignacien, badegoulien, magdalénien, moustiérien, pélistocène, périgordien ■ 12 mésolithique, tardenoisien ■ 13 leptolithique ■ 15 châtelperronien.
PALEONTOLOGIE : 13 paléontologue ■ 15 paléontologique, paléontologiste.
PALERON : 8 surlonge.
PALET : 6 disque ■ 9 discobole.
PALETOT : 7 manteau*.
PALETTE : 3 bat ■ 4 pale ■ 6 férule ■ 7 battoir ■ 8 couchoir ■ 10 palettiser ■ 12 palettisable ■ 13 palettisation.
PALETTISER : 11 palettiseur.
PALETUVIER : 12 pneumatophore.
PALEUR : 6 anémie ■ 8 chlorose, langueur.
PALIER : 5 carré, étage, phase, rampe, volée ■ 7 recette ■ 10 colonnette ■ 12 antifriction.
PALIERE : 7 saleron.
PALINDROME : 11 anacyclique.
PALINGENESIE : 11 renaissance ■ 13 réincarnation ■ 14 palingénésique.
PALINODIE : 10 rétraction.
PALIR : 6 blêmir, ternir ■ 7 changer, flétrir ■ 8 éteindre.
PALIS : 4 pieu* ■ 7 clôture.
PALISSADE : 4 lice ■ 5 palis, secco ■ 7 clôture* ■ 8 abrivent ■ 10 palissader ■ 13 fortification.
PALISSER : 9 palissage ■ 10 dépalisser.
PALISSON : 11 palissonner ■ 12 palissonneur.
PALLADIANISME : 9 palladien.
PALLADIUM : 2 pd ■ 8 garantie.
PALLIATIF : 7 calmant.
PALLIDUM : 13 pallidectomie.
PALLIER : 6 sauver ■ 7 modérer ■ 8 déguiser.
PALMATIQUE : 9 palmitine.
PALME : 7 palmier ■ 9 palmaturé, palmifide, palmilobe ■ 10 palmiparti, palmisèque ■ 11 palmatilobe ■ 12 palmatiparti, palmatisèque.
PALMEE : 9 palmifide ■ 10 palmiséqué ■ 11 palmatifide.
PALMIER : 4 arec, doum ■ 5 cycas, éléis, palme, serre ■ 6 arenga, élæis, kentia, phénix, raphia, rotang ■ 7 borasse, caryote, dattier, euterpe, palmite, phœnix, rondier, spadice ■ 8 aréquier, borassus, céroxyle, cocotier, latanier, oréodoxe, palmacée, palmette, palmiste, pandanus, piassava, sagouier, tallipot ■ 9 chamérops, œnocarpe, palmarium, palmeraie, sagoutier ■ 10 chamærops ■ 11 phytéléphas ■ 12 chou-palmiste, washingtonie.
PALMIPEDE : 3 fou, oie ■ 5 cygne, grèbe, harle ■ 6 canard, pétrel, puffin, rieuse, sterne ■ 7 anatide*, flamant, frégate, goéland, manchot, mergule, mouette, pélican, phaéton ■ 8 albatros, calculot, cormoran, macareux, pingouin, plongeon ■ 9 guillermot, lariforme ■ 11 ansériforme*, stercoraire.
PALMISTE : 5 xérus.
PALOMBRE : 6 pigeon*, ramier ■ 8 ramereau.
PALOURDE : 8 clovisse ■ 10 pinnothère.
PALPER : 7 toucher* ■ 8 palpable, sensible ■ 9 palpation.
PALPITER : 6 vibrer* ■ 9 palpitant ■ 11 palpitation.
PALTOQUET : 8 grossier*.

PALUDISME : 4 palu ■ 7 malaria ■ 8 anophèle, palustre ■ 11 chloroquine ■ 12 impaludation, intermittent.
PALYNOLOGIE : 13 palynologique.
PAME : 8 pâmoison ■ 14 évanouissement.
PAMPHLET : 4 écho ■ 5 tract ■ 6 blason, factum, satire ■ feuille, libellé, placard ■ 8 brochure, diatribe ■ 10 mazarinade, pasquinade ■ 11 journaliste ■ 12 pamphlétaire.
PAMPLEMOUSSE : 6 agrume, pomelo ■ 10 grapefruit.
PAMPRE : 8 épamprer, vignette.
PAN : 5 filet, veste ■ 8 enrayure ■ 9 colombage.
PANACEE : 5 panax ■ 6 remède* ■ 10 catholicon, médicament*.
PANACHE : 5 varié* ■ 6 plumet ■ 7 mélangé* ■ 8 aigrette, culbuter, gynérium, panacher ■ 9 cocardier ■ 10 empanacher.
PANACHER : 8 barioler, mélanger* ■ 9 panachage.
PANAFRICANISME : 11 panafricain.
PANAMA : 6 balboa ■ 8 panaméen, panamien.
PANARIS : 5 abcès* ■ 9 paronyque, tourniole.
PANATHENEES : 5 frise ■ 11 panathénien.
PANCARTE : 8 écriteau.
PANAX : 7 ginseng.
PANCRACE : 5 lutte* ■ 12 pancratiaste.
PANCREAS : 6 fagoue ■ 7 wirsung ■ 8 glucagon, insuline, trypsine ■ 9 sécrétine ■ 11 pancréatite ■ 12 pancréatique, trypsinogène.
PANDEMIQUE : 10 épidémique.
PANEGYRIQUE : 5 éloge* ■ 7 louange* ■ 11 panégyriste.
PANETERIE : 8 panetier.
PANETIERE : 9 gibecière.
PANIC : 3 mil ■ 4 moha.
PANICAUT : 8 pleurote.
PANICULE : 5 phlox.
PANIER : 3 van ■ 4 anse ■ 5 banne, baste, benne, cabas, ciste, flein, glène, hotte, manne, nasse, osier, rasse, ruche ■ 6 cageot, couffe, gabion ■ 7 cloyère, couffin, couvoir, éclisse, nacelle, nichoir, panerce, panerée, paneton, panière, verrier ■ 8 banneton, chistera, maniveau, mannette, pantenne, tonnelet ■ 9 bourriche, corbeille, corbillon, cueilloir, éventaire, faisselle, hottereau, mannequin ■ 11 panier-repas, vendangeoir, vendangerot.
PANIQUE : 9 épouvante*, paniquant, paniquard ■ 10 pessimisme.
PANKA : 5 panca, punka.
PANNE : 5 arrêt ■ 6 avarie ■ 11 chantignole ■ 12 échantignole.
PANNEAU : 4 tape ■ 5 cadre, carte, écran, ferme, filet, secco, table, vitre, volet ■ 6 isorel, métope, tympan ■ 7 affiche, custode, placard, trumeau ■ 8 crayonné, écriteau, enseigne, feuillet, pancarte ■ 9 feuillure, triptyque ■ 10 panneauter ■ 11 panneautage, panneauteur ■ 12 entrefenêtre ■ 13 contreplacage, homme-sandwich.
PANNONIE : 9 pannonien.
PANORAMA : 3 vue ■ 11 panoramique.
PANOSE : 8 panosser.
PANSE : 5 rumen ■ 6 ventre* ■ 7 crépine ■ 8 recingle, resingle ■ 11 palefrenier.
PANSEMENT : 4 gaze ■ 5 bande, crêpe, ouate, patch ■ 7 bandage* ■ 8 appareil, taffetas ■ 9 compresse, sparadrap, tarlatane ■ 10 plumasseau ■ 11 application, embrocation, fomentation.
PANSER : 5 poser ■ 6 bander, calmer ■ 7 brosser, pansage, soigner ■ 8 débrider, déterger, étriller, fomenter, nettoyer ■ 9 appliquer.

PANSLAVISME : 8 slavisme ■ 11 panslaviste.
PANSU : 4 gros* ■ 6 ventru.
PANTALON : 4 froc ■ 6 braies, fuseau, pyjama ■ 7 culotte*, fendard, fendart, knicker, saroual, sarouel ■ 8 blue-jean, corsaire, jodhpurs, knickers, moresque ■ 9 braguette, culottier, mauresque ■ 10 déculotter, entrejambe, reculotter, talonnette ■ 12 pantalonnade.
PANTELANT : 3 ému.
PANTELER : 8 respirer.
PANTHERE : 7 léopard.
PANTIERE : 8 pantenne.
PANTIN : 7 bouffon*, guignol, pupazzo ■ 8 bamboche, fantoche ■ 9 burattino, girouette ■ 11 marionnette ■ 12 polichinelle.
PANTOIS : 10 déconcerté.
PANTOMIME 4 mime ■ 5 geste, lazzi ■ 6 acteur ■ 7 pierrot ■ 9 mimodrame ■ 10 pantomimer.
PANTOUFLARD : 8 casanier, paisible.
PANTOUFLE : 4 mule ■ 6 savate ■ 7 kroumir ■ 8 chausson, mocassin ■ 11 charentaise, pantouflier.
PANURE : 4 pane.
PAON : 8 paonneau, saturnie ■ 9 criailler, gallinacé.
PAPA : 4 père*.
PAPAVERACEE : 5 pavot ■ 7 éclaire, ponceau ■ 9 œillette ■ 10 chélidoine, coquelicot ■ 11 sanguinaire.
PAPE : 4 mule ■ 5 croix, légat, nonce, papal, tiare ■ 7 ablégat, papable, papauté, papisme, pasteur, pontife, vicaire ■ 8 agnus dei, antipape, camérier, commende, conclave, sainteté, trirègne ■ 9 baisement, concordat, décrétale, népotisme, saint-père, souverain ■ 10 caudataire, encyclique, inter-nonce, monsignore, pontifical, pontificat ■ 13 béatification, épiscopalisme ■ 15 sedia gestatoria.
PAPELARDISE : 8 fausseté ■ 9 doucereux* ■ 11 pharisaïsme.
PAPERASSE : 6 papier* ■ 11 paperassier.
PAPIER : 3 pot ■ 4 page, pâte, pile, plan, rame ■ 5 aigle, bande, bible, blanc, bulle, cache, carré, chute, encre, épair, ferro, fibre, gâche, gerce, godet, lever, passe, pilot, plomb, thèse, vélin, verge ■ 6 billet, carton, format*, peille ■ 7 article, bristol, estompe, feuille, imprimé, origami, régloir, réglure, rognoir, stencil, taquage, tenture, torchon ■ 8 archives, boulette, cavalier, confetti, défilage, déglacer, fonceuse, gommette, lisseuse, marbreur, massicot, papelard, papetier, serpente, sesbanie, sous-main, trombone, vergeure ■ 9 coucheuse, défileuse, enveloppe, paperasse, papeterie, papillote, parchemin, raffineur, serpentin, sulfurisé, tortillon, tue-mouche ■ 10 affleurage, blanc-seing, cartonnier, tapisserie ■ 11 coupe-papier, dominoterie, papier émeri, pourrissage ■ 12 chiffonnière, contre-timbre, paperasserie, papier calque, papier filtre, serre-papiers ■ 13 presse-papiers.
PAPILIONACEE : 3 ers ■ 4 fève, pois, soja, soya, ulex ■ 5 ajonc, butea, dolic, fayot, genêt, gesse, lupin, orobe, tonka, vesce ■ 6 cytise lotier, trèfle ■ 7 bugrane, dolique, farouch, glycine, haricot, jarosse, landier, luzerne, mélilot, minette, sophora ■ 8 arachide, bauhinia, bauhinie, esparcet, farouche, fenugrec, féverole, jarousse, lentille, lupuline, réglisse, robinier, sainfoin, sesbania, sesbanie ■ 9 anthyllis, coronille, érythrine, téphrosie ■ 10 crête de coq, esparcette, indigotier, trigonnelle, vulnéraire ■ 11 arrête-bœuf, légumineuse, physostigma, pied-d'oiseau ■ 12 baguenaudier.
PAPILLE : 9 papilleux, papillome ■ 10 papillaire ■ 11 papillifère ■ 12 papilliforme.

PAPILLON: **4** mars ■ **5** cache, cocon, morio ■ **6** adonis, chylis, cossus, lycène, satyre, uranie, zygène ■ **7** aglossa, agrotis, alucite, argynne, danaïde, eudémis, machaon, phalère, sépiole, tinéidé, vanesse, vulcain, xanthie, zeuzère ■ **8** acidalie, agrotide, chenille, gâte-bois, géomètre, gonnelle, leucanie, lycénidé, noctuidé, saturnie, squamule ■ belle-dame, conchylis, noctuelle, sphingidé ■ **10** arpenteuse, carpocapse, chrysalide, géométridé, hétérocère*, nymphalidé, porte-queue, tortricidé, ypomoneute ■ **11** hypomoneute, lépidoptère, papilionacé, rhopalocère* ■ **12** papillonneur.

PAPILLONNER: **8** folâtrer* ■ **12** papillonnage, papillonnant ■ **14** papillonnement.

PAPILLOTE: **7** paillès.

PAPILLOTER: **8** vaciller ■ **11** papillotant.

PAPOTER: **8** bavarder*.

PAPOU: **5** papou.

PAPULE: **8** papuleux.

PAPYRUS: **11** papyrologie, papyrologue.

PAQUE 5 azyme ■ **6** pessah.

PAQUEBOT: **5** liner ■ **6** bateau*, navire* ■ **13** pont-promenade ■ **15** transatlantique.

PAQUES: **8** alléluia ■ **9** quasimodo.

PAQUET: **5** balle, boule, colis, maque, moche, paxon ■ **6** bagage*, ballot, liasse, pacson, paqson, pelote, sixain, sizain, tampon, torque ■ **7** bouchon ■ **8** ballotin, baluchon, écheveau, manipule, paqueter ■ **9** balluchon, bloc-notes, emballage*, pacotille, paquetage, paqueteur ■ **10** dépaqueter, empaqueter, quenouille.

PARABELLUM: **8** pistolet.

PARABOLE: **5** fable*, ladre ■ **6** courbe ■ **11** parabolique, paraboloïde ■ **15** paraboliquement.

PARABOLIQUE: **9** bowstring.

PARACHEVER: **5** finir* ■ **8** parfaire* ■ **13** parachèvement.

PARACHRONISME: **12** anachronisme.

PARACHUTAGE: **7** dropage ■ **8** largueur ■ **9** container.

PARACHUTE: **9** parapente ■ **10** parachuter ■ **12** parachutisme, parachutiste.

PARACHUTER: **6** droper ■ **7** dropper.

PARACHUTISTE: **4** para ■ **5** stick.

PARADE: **3** tac ■ **5** revue, tenue ■ **6** montre, octave ■ **7** étalage, riposte, seconde, septime ■ **8** crédence, palefroi, parement ■ **9** carrousel ■ **10** bucentaure ■ **11** ostentation.

PARADER: **6** trôner ■ **7** montrer ■ **8** paradeur ■ **9** cabotiner.

PARADIGME: **6** modèle* ■ **14** paradigmatique.

PARADIS: **4** ciel*, éden* ■ **5** houri ■ **7** royaume ■ **12** paradisiaque.

PARADISIER: **7** sifilet ■ **9** séleucide.

PARADISIAQUE: **7** édénien.

PARADOXE: **9** paradoxal ■ **10** contresens ■ **14** paradoxalement ■ **15** invraisemblable.

PARAFE: **7** parafer, paraphe ■ **8** parapher ■ **9** signature*.

PARAFFINE: **7** stencil ■ **9** ozocérite, ozokérite ■ **10** paraffiner ■ **11** paraffinage ■ **13** déparaffinage.

PARAFISCALITE: **10** parafiscal.

PARAGE: **4** pays ■ **9** approches, naissance.

PARAGRAPHE: **6** verset ■ **10** intertitre.

PARAGUAY: **10** paraguayen.

PARAITRE: **5** durer, faire ■ **6** aspect, éclore, mincir, naître*, surgir ■

7 briller, montrer, poindre, publier, sembler ■ 8 minauder, répandre, vieillir ■ 9 maquiller, présenter, témoigner ■ 10 apparaître*, dissimuler, reparaître ■ 11 disparaître ■ 13 transparaître.

PARALITTERATURE : 14 paralittéraire.

PARALLAXE : 13 parallactique.

PARALLELE : 4 onde, zone ■ 5 strie, terre, tronc, virée ■ 8 tropique, trusquin ■ 9 isoclinal ■ 10 contre-voie, horizontal, trusquiner ■ 11 comparaison*, contre-allée, troussequin ■ 12 almicantarat, parallélisme ■ 13 parallèlement, rapprochement.

PARALLELEPIPEDE : 10 rhomboèdre.

PARALLELISME : 9 strabisme ■ 12 paralléliste.

PARALLELOGRAMME : 5 carré ■ 9 rectangle ■ 15 parallélipipède.

PARALOGISME : 8 sophisme ■ 11 paralogique.

PARALYSE : 6 sidéré ■ 7 infirme*, perclus* ■ 8 engourdi, immobile, impotent ■ 9 paralyser, parétique ■ 10 insensible ■ 11 paralytique, vagolytique ■ 12 hémiplégique, paraplégique.

PARALYSER : 5 aider ■ 7 arrêter ■ 9 annihiler ■ 10 curarisant, paralysant ■ 11 immobiliser*.

PARALYSIE : 4 rage ■ 6 atonie ■ 7 parésie ■ 8 asthénie, atrophie, béribéri, paralysé ■ 10 anesthésie, catalepsie, dysarthrie, hémiplégie, monoplégie, paraplégie, sidération, strychnine ■ 11 contraction, paralytique, prostration, tétraplégie ■ 12 poliomyélite ■ 13 controlatéral, insensibilité ■ 15 engourdissement.

PARALYTIQUE : 7 perclus* ■ 8 impotent, paralysé*.

PARAMETRE : 10 paramétrer ■ 12 paramétrique.

PARANGON : 7 exemple*.

PARANGONNER : 12 parangonnage.

PARAPET : 5 berme ■ 6 merlon ■ 7 clôture* ■ 8 barbette ■ 10 balustrade, écrêtement, garde-corps.

PARAPHE : 4 visa ■ 6 parafe ■ 9 signature.

PARAPHRASE : 6 targum ■ 10 traduction ■ 11 paraphraser ■ 14 paraphrastique.

PARAPHRENIE : 10 paraphrène ■ 13 paraphrénique.

PARAPLEGIE : 9 paralysie* ■ 12 paraplégique.

PARAPLUIE : 5 en-cas, pépin ■ 6 pébroc ■ 7 parasol, riflard ■ 8 marquise, ombrelle, pébroque, tom-pouce.

PARAPSYCHOLOGIE : 15 parapsychologue.

PARASITAIRE : 5 axène ■ 7 zoonose ■ 8 axénique, kala-azar ■ 9 verminose ■ 10 dysenterie ■ 11 ascaridiase ■ 12 piroplasmose.

PARASITE : 3 gui, pou ■ 4 hôte, puce ■ 5 amibe, argas, douve, ixode, ténia, tique, urédo, varon ■ 6 acarus, bopyre, calige, chique, clepte, cynips, empuse, larsen, ligule, mousse, myxine, œstre, oïdium, oxyure, tænia, varroa, varron ■ 7 ascaris, bonamia, cestode, cœnure, convive, cuscute, distome, friture, gnathon, mildiou, punaise ■ 8 ascardie, botrytis, coccidie, dystonie, épiphyte, louvette, mendiant, nuisible, phytopte, pleurage, puccinie, sarcopte, strongle, trichine ■ 9 bilharzie, cirripède, diaphonie, doryphore, euphraise, helminthe, lèche-plat, mélampyre, mélophage, monotrope, orobanche, pesticide, profiteur, rafflésia, rafflésie, rhinanthe, sacculine, strongyle, trématode, urédinale ■ 10 armillaire, champignon, dragonneau, entozoaire, leishmania, leishmanie, linguatule, mallophage, moisissure, parasitose, phylloxéra, plasmopara, plasmodium, rhizoctone, toxoplasme ■ 11 ankylostome, écornifleur, hippobosque, infestation, parasitaire, parasitique, parasitisme, phytophtora, sporotriche, sporozoaire, trichomonas, trypanosome ■ 12 démangeaison, ectoparasite, endoparasite, hématozoaire, parasiticide, trichogramme, ustilaginale ■ **13** cryptogamique, parasitologie, péronosporale, pique-assiette, trichocéphale, trichophyton ■ **14** bothriocéphale, péronosporacée.

PARASITOSE : **6** myiase ■ **8** oxyurose ■ **9** lambliase ■ **12** onchocercose.

PARASOL : **5** en-cas ■ **8** ombrelle.

PARASYMPATHIQUE : **13** acétylcholine.

PARATYPHOÏDE : **3** t.a.b. ■ **12** paratyphique ■ **13** parathyphique ■ **15** chloramphénicol.

PARATHYROÏDE : **13** parathyroïdal.

PARAVENT : **5** écran.

PARC : **4** acul ■ **5** pièce ■ **6** jardin* ■ **7** clayère, marenne ■ **8** parqueur, pâturage, tortille ■ **9** amareyeur, déparquer, gloriette, huîtrière.

PARCELLE : **3** mie ■ **5** grain ■ **6** copeau, miette, partie* ■ **7** morceau*, parchet ■ **8** fragment*, limaille ■ **9** étincelle, flammèche, paillette, postillon ■ **10** battitures ■ **11** parcellaire ■ **13** parcellariser.

PARCE QUE : **7** because.

PARCHEMIN : **5** cosse, garde, queue, vélin ■ **6** écroue ■ **7** canepin, diplôme, francin ■ **9** baudruche, manuscrit ■ **10** parcheminé, phylactère ■ **11** palimpseste, parcheminer ■ **12** parchemineux, parcheminier.

PARCIMONIE : **7** avarice* ■ **8** économie, ladrerie* ■ **10** marchander ■ **12** parcimonieux.

PARCIMONIEUX : **5** avare*, ladre ■ **6** chiche, ric-rac ■ **7** économe, ric-à-rac.

PARCOURIR : **4** lire, tour, voir ■ **6** battre, courir, monter ■ **7** balayer, couvrir, visiter ■ **8** arpenter, franchir, odomètre ■ **9** descendre, sillonner ■ **11** carrossable.

PARCOURS : **4** tour, walé ■ **5** awalé, étape, nagée, ronde, route, tracé, volée ■ **6** apogée, bunker, chemin, course, engane, marche, traite, trajet, trotte ■ **7** aphélie, fairway, sillage ■ **8** cinglage, slalomer, spéciale ■ **9** périhélie, sans-faute ■ **10** itinéraire*, révolution.

PAR-DERRIERE : **4** pouf ■ **5** queue.

PAR-DESSOUS : **5** patin ■ **8** soutenir ■ **10** sous-œuvre.

PARDESSUS : **5** outre ■ **6** ulster ■ **7** manteau*, surtout ■ **8** autocoat, jaquette, journade ■ **9** embarquer ■ **10** vertugadin ■ **11** cantonnière, soubreveste ■ **12** cache-couture ■ **14** cache-poussière.

PARDIEU : **5** pardi.

PARDON : **4** fête ■ **5** grâce, oubli ■ **6** excuse, faveur, rachat ■ **8** amnistie, clémence, impunité ■ **9** abolition, expiation, pardonner, rémission*, tolérance ■ **10** absolution, confession, indulgence, pèlerinage, rédemption, réparation ■ **11** déprécation, miséricorde ■ **12** acquittement ■ **13** impardonable ■ **14** réconciliation, réhabilitation.

PARDONNER : **6** délier, expier, passer ■ **7** excuser*, grâcier, oublier, réparer, tolérer ■ **8** absoudre, épargner, remettre ■ **9** acquitter, amnistier, décharger, favoriser ■ **10** affranchir, innocenter* ■ **11** pardonnable, réconcilier, réhabiliter.

PARE : **6** pareur.

PARE-BRISE : **9** lave-glace ■ **11** essuie-glace.

PARE-CHOCS : **7** spoiler.

PAREIL : **3** tac, tel ■ **4** égal*, même* ■ **5** autre, rendu ■ **6** kif kif ■ **8** conforme, revaloir, revanche ■ **9** nonpareil, semblable*, similaire ■ **10** réciproque ■ **11** dépareiller ■ **12** rappareiller.

PAREILLE : **9** revancher ■ **11** réciproquer.

PAREILLEMENT : **5** aussi ■ **7** avenant ■ **8** mêmement.

PAREMENT : **5** layer ■ **6** orfroi, parure, rebras, revers ■ **7** douelle ■ **8** ébrasure, parpaing ■ **9** bow-window ■ **10** parementer ■ **11** embrasement ■ **14** contre-parement.

PARENCHYME : 8 lacuneux ■ 9 pneumonie ■ 11 carnisation ■ 12 palissadique ■ 13 carnification ■ 14 parenchymateux.

PARENT : 4 mère, père ■ 5 affin, aïeul, neveu, nièce, oncle, piété, siens, sœur, tante ■ 6 cognat, cousin, proche ■ 7 famille, filleul, parenté ■ 8 lignager ■ 9 parentèle, postérité ■ 10 apparenter, collatéral, consanguin ■ 12 monoparental.

PARENTE : 4 côté, unir, lien ■ 5 agnat, allié, cadet, degré ■ 7 liaison ■ 8 agnation ■ 9 analogie, cousinage, parentèle ■ 10 fraternité ■ 11 cladistique, descendance* ■ 13 consanguinité, patrilinéaire ■ 15 classification.

PARENTHESE : 5 entre, tiret ■ 7 crochet ■ 10 digression.

PARER : 5 orner* ■ 6 éviter, paroir ■ 7 attifer, diaprer ■ 8 adoniser, arranger, auréoler, poupiner, préparer ■ 9 afistoler, bichonner, enjoliver, enluminer, imparable, pomponner ■ 11 endimancher.

PARESIE : 9 paralysie*.

PARESSE : 5 péché ■ 6 flemme ■ 7 apathie, inertie, lâcheté, tiédeur, torpeur ■ 8 inaction, langueur, lourdeur, mollesse, oisiveté, paresser ■ 9 indolence, pesanteur ■ 10 cagnardise, immobilisé, négligence, nonchaloir ■ 11 fainéantise, inexécution, nonchanlance* ■ 12 inexactitude ■ 13 désœuvrement ■ 15 engourdissement.

PARESSER : 5 muser ■ 6 flâner ■ 7 niaiser ■ 8 lambiner, musarder, relâcher ■ 9 cagnarder, lanterner ■ 10 fainéanter, flemmarder, vagabonder ■ 11 baguenauder.

PARESSEUX : 2 aï ■ 3 mou ■ 4 unau ■ 5 câlin, lourd, oisif* ■ 6 cancre, inerte, lambin, lézard, oiscux, pesant ■ 7 bradype, cagnard, clampin, cossard, endormi, flémard, inactif, inexact, mazette, rossard ■ 8 casanier, engourdi, fainéant*, flemmard, glandeur, gouapeur, immobile, indolent* ■ 9 dépendeur, désœuvre, négligent, tire-au-cul ■ 10 feignasson, nonchalant, tardigrade ■ 11 languissant, tire-au-flanc ■ 14 paresseusement.

PARFAIRE : 5 finir*, limer, polir ■ 6 lécher, perler, revoir ■ 7 châtier, ciseler ■ 8 fignoler ■ 9 compléter* ■ 10 parachever.

PARFAIT : 3 fin, mûr ■ 4 bien, fini, rare ■ 5 divin, idéal, passé, perle, richi, saint ■ 6 absolu, achevé, choisi, exquis, infini, modèle, réussi, révolu, unique ■ 7 complet, délicat, éminent, suprême, terminé ■ 8 accompli, adorable, consommé, parfaire, précieux ■ 9 admirable, délicieux, excellent, parachevé, sans-faute, souverain, supérieur ■ 10 hermétique, impeccable, ontogenèse, perfection, prodigieux ■ 11 chef-d'œuvre, merveilleux, remarquable ■ 12 imperfection, parfaitement, quintessence.

PARFAITEMENT : 10 absolument ■ 13 admirablement ■ 14 supérieurement.

PARFILER : 9 parfilage.

PARFOIS : 11 quelquefois.

PARFUM : 4 anis, iris, musc, nard, rose, thym ■ 5 ambre, arôme, fumet, huile, odeur*, sauge, tabac ■ 6 amande, cachou, encens, jasmin, menthe, myrrhe, néroli, origan ■ 7 aromate, benjoin, bouquet, camphre, civette, extrait, ladanum, lavande, lécythe, mélisse, œillet, onguent, romarin, senteur, vanille, vétiver ■ 8 fragance, labdanum, opopanax, violette ■ 9 bergamote, cardamone, castoréum, cinnamome, framboise, parfumeur, patchouli ■ 10 aromatique, enfleurage, frangipane, héliotrope, ilang-ilang, marjolaine, naphtalène, parfumerie ■ 11 ambrosiaque, brûle-parfum ■ 12 vaporisateur.

PARFUME : 7 fragant ■ 11 tutti frutti.

PARFUMER : 6 ambrer, odorer ■ 8 embaumer ■ 10 aromatiser, framboiser.

PARFUMERIE: 8 ambréine.
PARI: 3 p.m.u. ■ 4 défi, gage, mise ■ 5 enjeu ■ 6 couplé ■ 7 betting, fortifs, gageure ■ 10 discrétion.
PARIA: 9 misérable* ■ 11 intouchable.
PARIDE: 7 mésange ■ 8 nonnette.
PARIER: 5 gager, jouer, miser ■ 7 risquer* ■ 8 hasarder.
PARIETAIRE: 12 casse-pierres ■ 13 perce-muraille.
PARIETAL: 9 lambdoïde ■ 13 passifloracée.
PARIEUR: 9 sportsman.
PARISIEN: 5 avare ■ 7 gavroche ■ 12 parisianisme.
PARITAIRE: 11 paritarisme.
PARITE: 4 même ■ 7 égalité* ■ 10 communauté ■ 11 comparaison.
PARKING: 7 parcage ■ 8 autoport ■ 10 parcotrain.
PARKINSON: 5 l-dopa ■ 12 parkinsonien.
PARLANDO: 3 air.
PARLE: 7 taiseux ■ 11 créolophone ■ 12 dialectisant, hispanophone ■ 13 dialectophone.
PARLEMENT: 4 olim ■ 5 union ■ 6 envoyé ■ 7 sautier ■ 8 pétition ■ 9 présidial ■ 12 grand-chambre, nosseigneurs ■ 13 parlementaire ■ 15 parlementarisme.
PARLEMENTAIRE: 10 orléanisme.
PARLEMENTER: 8 débattre, négocier*.
PARLER: 4 dire*, geai, muet ■ 5 crier, gêner, inouï, jaser, peser, sabir, sujet, tarir, thème ■ 6 causer*, dauber, hurler, jacter, langue*, opiner, patois, tonner, trahir ■ 7 ânonner, babiller, cockney, deviser, faconde, gueuler, langage*, moufter, parleur, phraser, rigoler ■ 8 adresser, babiller, bavarder*, conférer, déclamer, dégoiser, démanger, déparler, dialecte, divaguer, écorcher, égotisme, éloquent, épancher, exprimer, grailler, jacasser, locuteur, moufeter, nasiller, patoiser, phraseur, reparler, susurrer, volubile ■ 9 auditoire, chevroter, consulter, converser*, dialoguer, discourir*, élocution, époumoner, gasconner, jargonner, laconisme, loquacité, marmotter, perroquet, taciturne, tchatcher, vociférer ■ 10 bafouiller, bien-disant, confabuler, déblatérer, dogmatiser, entretenir, gazouiller, monologuer, soliloquer ■ 11 apostropher, baragouiner, bredouiller, extravaguer, interpeller, monologuer, périphraser, ventriloque ■ 12 baragouinage, conférencier, impertinence, inconséquent, marmottement, primesautier ■ 13 charlatanerie ■ 14 circonlocution ■ 15 fransquillonner.
PARLOIR: 6 exèdre.
PARLOTE: 12 conversation*.
PARMESAN: 5 grana.
PARMI: 3 sur ■ 5 entre, trier.
PARNASSE: 10 parnassien.
PARODIE: 8 parodier ■ 9 imitation*, parodique, parodiste.
PARODIER: 6 imiter*.
PARODONTE: 10 parodontal ■ 12 parondologie.
PAROI: 3 mur* ■ 4 aile, à-pic ■ 5 cadre, dalot, dosse, plomb, ptôse, tuyau, voûte ■ 6 éponte ■ 7 valvule ■ 8 carpelle ■ 10 mycoplasme, transsuder ■ 12 contre-marche ■ 13 ergastoplasme.
PAROISSE: 4 cure ■ 5 prône ■ 6 église* ■ 7 clocher ■ 8 vicariat ■ 10 desservant, paroissial, paroissien.
PAROISSIAL: 6 pléban ■ 7 plébain.
PAROLE: 3 mot* ■ 4 dire, muet, sage, sort ■ 5 babil, bagou, bluff, chant, kyrie, motet, poème, verbe ■ 6 aparté, bêtise, eurêka, injure, menace, ordure, prière, propos* ■ 7 ambages, aphasie, aphémie,

impiété, langage, verbeux ■ 8 agacerie, boniment, dialogue, drôlerie, insanité, parlando, promesse, rosserie, verbiage ■ 9 acting-out, blasphème, brutalité, civilités, élocution, exorcisme, gaminerie, impudence, invective, jobardise, logorrhée, oralement, palilalie, patenôtre, sourd-muet, téléphone ■ 10 apophtegme, apostrophe, bégaiement, brusquerie, compliment, dysarthrie, expression, impudicité, malentendu, prosopopée, volubilité, vulgarisme ■ 11 bredouillis, conjuration, diffamation, grivoiserie, grossièreté, incantation, loufoquerie, phonothèque, porte-parole ■ 12 démutisation, électrophone, enfantillage, fanfaronnade, impertinence, intarissable, opéra-comique, sténographie ■ 13 polissonnerie, vociférations ■ 15 vidéoconférence, visioconférence.

PAROLIER : 6 auteur ■ 11 librettiste.

PARONYME : 11 paronymique.

PARONYMIE : 11 paronymique.

PAROTIDE : 9 oreillons : 10 parotidien, parotidite.

PAROXYSME : 5 swing ■ 7 extrême* ■ 8 survolté ■ 12 exacerbation, paroxysmique.

PAROXYSTIQUE : 6 raptus.

PARPAILLOT : 5 impie ■ 10 protestant ■ 11 irréligieux.

PARQUER : 8 enfermer*.

PARQUET : 5 foyer, sapin, tapis ■ 7 chevron ■ 8 moquette, mosaïque, plancher*, tribunal ■ 9 carrelage, frotteuse, languette, parqueter ■ 10 parquetage, parqueteur ■ 11 encaustique, parqueterie.

PARRAIN : 5 colée ■ 7 compère ■ 9 parrainer ■ 10 parrainage.

PARSEME : 9 cratérisé.

PARSEMER : 5 semer* ■ 7 étoiler, plumeté, tisonné, vergeté ■ 8 émailler ■ 9 pailleter, recouvrir ■ 10 consteller, saupoudrer.

PART : 3 lot ■ 4 code ■ 5 lopin, quota, secte ■ 6 apport, partie*, quirat ■ 7 morceau*, partage*, portion* ■ 8 champart, complice, division, fouaille, fragment, partager, réserver ■ 9 dividende, émolument, hors-texte, isolement, quote-part, ristourne ■ 10 abstention, contingent, contribuer, distinguer, intervenir, participer, séparément ■ 11 belligérant, interpréter, manifestant, particulier, ségrégation ■ 12 communicatif, contribution ■ 13 accroissement, distributaire, non-combattant, septembriseur ■ 14 intérieurement.

PARTAGE : 3 lot ■ 4 part* ■ 5 butin, divis, virée ■ 7 embrasé, indivis, trifide, vergeté ■ 8 diamètre, loculeux ■ 9 bipartite, copartage, également, insécable, loculaire, partageux, partiaire, partition ■ 10 dichotomie, graduation ■ 11 coprésident, exclusivité, liquidation, mi-partition, partageable, répartition*, time-sharing, ventilation ■ 12 copartageant, démembrement, distribution, morcellement ■ 13 coresponsable, fragmentation, impartageable, triangulation ■ 14 fractionnement* ■ 15 donation-partage.

PARTAGER : 5 lotir ■ 7 débiter, dépecer, diviser*, graduer, liciter, séparer* ■ 8 découper*, départer, impartir, liquider, morceler, ramifier, répartir*, ventiler ■ 9 dédoubler, démembrer, détailler, dispenser, écarteler, partageur, partiteur, segmenter, souteneur ■ 10 copartage, départager, distribuer, fragmenter, repartager ■ 11 communiquer, fractionner*.

PARTANT : 5 ainsi.

PARTENAIRE : 5 allié, passe, robre ■ 7 cavalier ■ 9 compagnon, triolisme.

PARTENARIAT : 11 partenarial.

PART EN PART : 11 transpercer.

PARTERRE : 9 corbeille ■ 10 boulingrin, plate-bande.
PARTHENOGENESE : 10 spanandrie.
PARTHENOGENETIQUE : 5 agame.
PARTI : 2 p.c. ■ 4 camp, clan, côté, gens, whig ■ 5 cause, derby, ligue, rouge, secte*, tente, virer ■ 6 profit ■ 7 coterie, faction, opinion, préjugé, torysme ■ 8 adhérent, agrarien, bannière, carlisme, converti, coryphée, déclarer, girondin, militant, néophyte, partisan, péquiste, perplexe, phalange, recruter, utiliser ■ 9 activiste, apostasie, bipartite, défection, déserteur, désertion, dissoudre, échiquier, exploiter ■ 10 adversaire, apostasier, barguigner, communiste, déterminer, monocolore, opposition, perplexité, résolution, tripartite ■ 11 affiliation, apparatchick, association*, bolchevique, bolchevisme, bolcheviste, jacobinisme ■ 12 antiunitaire, monopartisme ■ 13 multipartisme ■ 14 bipolarisation.
PARTIAL : 5 zoïle ■ 7 injuste* ■ 8 objectif ■ 9 équitable ■ 10 partialité ■ 12 partialement ■ 14 impartialement.
PARTIALITE : 7 préjugé* ■ 11 favoristisme.
PARTICIPANT : 8 relayeur.
PARTICIPATION : 4 aide* ■ 8 concours ■ 9 collusion ■ 10 assistance, complicité ■ 11 affiliation, association, coopération ■ 12 conspiration, contribution, participatif ■ 13 collaboration, intéressement ■ 15 coparticipation.
PARTICIPE : 5 supin ■ 6 mutiné ■ 11 concouriste, participial.
PARTICIPER : 5 aider, mêler, tenir ■ 6 courir ■ 7 ingérer, joindre, tremper ■ 8 assister, associer, compatir, coopérer, immiscer, partager ■ 9 compagnon, concourir, conspirer, favoriser, piqueteur ■ 10 collaborer, contribuer, intéresser, intervenir ■ 11 congratuler, constituant, pique-niquer, sympathiser ■ 12 coéchangiste, compromettre ■ 13 participation, stakhanoviste ■ 15 bulletin-réponse.
PARTICULARISER : 8 préciser ■ 12 singulariser.
PARTICULARISME : 14 particulariste.
PARTICULARITE : 6 rareté ■ 8 arabisme, modalité ■ 9 autonomie, propriété ■ 10 bizarrerie, idiopathie, phonétisme ■ 11 singularité ■ 12 circonstance ■ 13 idiosyncrasie, individualité ■ 14 particulariser ■ 15 caractérisation.
PARTICULE : 2 da, de, oc ■ 3 non, oui ■ 4 vice ■ 5 atome, deuto, fumée, gluon, méson ■ 6 affixe, baryon, partie, photon, virion ■ 7 hypéron, matière, micelle, neutron, nucléon, préfixe, tachyon ■ 8 bévatron, brownien, molécule, neutrino ■ 9 multiplet, radiation, saltation ■ 10 anaphorèse, antiproton, corpuscule, microbille, synchroton ■ 11 antineutron, augmentatif, phagocytose, subatomique ■ 13 antiparticule, cryoturbation, géliturbation, homocinétique, micronisation, monocinétique, scintillateur.
PARTICULIER : 4 foxé, rare ■ 5 argot, civil, juron, leçon, local, modal, ordre, privé ■ 6 prénom, propre*, unique* ■ 7 bizarre*, spécial, virtuel ■ 8 attribut, consacré, innominé, insolite, personne, précieux ■ 9 aoûtement, attirance, différent, personnel, singulier*, tête-à-tête ■ 10 attributif, individuel, point de vue, spécifique, téléalarme ■ 11 hétéroclite, inaccoutumé, prérogative, spécialiste ■ 13 particularité, transitionnel ■ 14 extraordinaire, particularisme, provincialisme ■ 15 caractéristique.
PARTICULIEREMENT : 9 notamment ■ 14 principalement.
PARTIE : 2 os ■ 3 arc, bec, col, cou, cul, dos, fût, jeu, lie, lot, mât, mie, nef, nez, pan, par, pat, pic, ria, ris, sas, son, sud, vue ■ 4 aine, anse, aube, aval, base, bout, bran, bras, bren, brin, cale, ciel, clan, côte,

fond, froc, gant, joue, jupe, lard, lieu, lobe, main, mâle, moie, moye, noix, none, once, pale, part*, pavé, pied, plan, rôle, sein, sève, sial, soie, sole, tige, toit, trio, tube, voix, zone ■ **5** abats, adent, adnée, adret, aître, armes, avant, bande, barne, basse, bêche, belle, bouge, bribe, bride, brion, bulbe, buste, canon, carat, carpe, carré, châle, chant, clair, cœur, côlon, corne, corps, coude, coupe, crase, creux, cruor, culot, curée, délié, dépôt, doigt, éclat, école, écume, enfer, enjeu, érine, étain, êtres, faîte, ferme, fesse, filet, flanc, fleur, forme, foyer, frein, frise, front, garde, genou, gigot, giron, golfe, gorge, grade, grain, hampe, hayon, herbe, herse, heure, iléon, iléum, jable, jambe, jante, jouer, kreml, leçon, lever, lèvre, ligne, limbe, lippe, logis, lyric, masse, matin, mèche, mêler, moyeu, neume, nœud, noyau, nuque, océan, ogive, ongle, oraux, ordre, ouest, panne, panse, paroi, parti, passe, patte, pelle, phase, pièce*, pilon, pomme, pouce, préau, proue, pubis, pulpe, quart, queue, râble, rampe, rejet, reste, rotor, sabot, scène, scion, selle, serre, siège, socle, somme, sonde, soute, stade, suage, tacet, tâche, talon, tarse, tempe, terme, terre, tiers, tison, torse, total, train, trait, trick, tripe, tronc, tutti, unité, valve, vente, verbe, veste, vibor, volée, vomer, voûte, vulve ■ **6** aubier, bas-mât, battée, cantre, décade, décile, dogger, incuit, lanice, lexème, manche, rondel, single, soirée, statif, tarmac, tierce, vibord ■ **7** abatant, anthère, bouvril, branche, cabaler, centile, cochlée, élément, fairway, falsafa, flasque, kremlin, lambeau, matines, morceau*, nucleus, paumure, portion*, pronaos, secteur, tronçon ■ **8** accroche, acropole, bajocien, barillet, beuverie, boisseau, brassard, capuchon, ceinture, cendrier, centiare, centième, chapelle, coenzyme, complies, corselet, coulisse, couronne, courtine, cuissard, cuisseau, démarque, derrière, diaphyse, division, dossière, ébarbure, écologie, écoumène, encolure, épistyle, équipier, estuaire, fantasme, faubourg, feuillet, flanchet, fourneau, fraction, fragment*, frontail, gaillard, gantelet, gorgerin, héligare, jeunesse, manipule, mantisse, millième, morphème, muraille, nocturne, occident, œillère, ornement, panneton, parabase, parcelle*, parterre, partitif, piédroit, pilastre, plaideur, pleurant, poitrail, poitrine, pommette, poulaine, prologue, proximal, quartier, radicule, retourne, revanche, romsteck, sablerie, saillant, simplexe, sinciput, solleret, soufflet, soulerie, statique, sternite, stigmate, surlonge, surplomb, tailloir, terrasse, thalamus, tonnerre, tribunal, vicariat, zoolithe ■ **9** affouager, antiquité, appendice, après-midi, avant-bras, avant-main, avant-toit, baignoire, basse-cour, bas-ventre, biochimie, biométrie, braguette, caldarium, carlingue, chanfrein, corbeille, cou-de-pied, croupière, cucurbite, cuilleron, cytologie, décigrade, décolleté, devanture, dominante, dynamique, ébréchure, écaillure, empaumure, endocarpe, engrêlure, entre-deux, enveloppe, épaulière, épigastre, étiologie, évidement, exécutant, fascicule, générique, gériatrie, habitacle, hypoderme, intérieur, livraison, mandibule, manubrium, métacarpe, métaphyse, métatarse, mingrélie, minuterie, mouillère, moustache, mouvement, muserolle, mycologie, nickelure, œkoumène, œsophage, orchestre, organique, paléogène, paritaire, particule, partition, passavant, pentamère, pied-droit, pomologie, porte-lame, porte-mors, promenoir, réactance, sous-barbe, sous-gorge, stipulant, synclinal, terrasson, théodicée, thermique, tisanerie, tortillon, trompette, ventaille, virologie ■ **10** accrescent, acoustique, angiologie, anticlinal, appartenir, appui-nuque, après-dîner, architrave, avant-corps, avant-scène, avant-train, barométrie, canardière, centigrade, centilitre, centimètre, chènevotte, chevillier, cochléaire, coéquiper, colitigant, concertant, consensuel, cytoplasme, décigramme, dégagement, dépendance, diagnostic, digression, dioptrique, eaux-vannes, échancrure, embouchure, endodontie, engagement, entournure, entrailles, entre-jambe, exposition, grappillon, hémistiche, hypocondre, hypogastre, hypothénar, induration, jambonneau, logistique, magnétisme, mammalogie, mariologie, millimètre, offertoire, optométrie, oropharynx, ostéologie, parmenture, pédodontie, péroraison, phoniatrie, pique-nique, plate-forme, porte-à-faux, prédictive, profession, proscénium, recourbure, récréation, repoussoir, retroussis, sanctuaire, scellement, sémiologie, septimanie, sertissure, sociétaire, sous-emploi, substratum, synecdoque, tectonique, thermolyse, tripartite, tubérosité, unilatéral ■ **11** arrière-main, arrière-pays, astrométrie, avant-bassin, bipartition, buffleterie, capillarité, cardiologie, catoptrique, centigramme, chevauchant, chrisologie, cinématique, coefficient, diencéphale, embryologie, enfoncement, entablement, entomologie, erpétologie, frigidarium, genouillère, gnoséologie, halotechnie, hématologie, hydrosphère, ichtyologie, immunologie, jejuno-iléon, laboratoire, lithosphère, milligramme, millionième, opisthodome, pancosmisme, photométrie, planimétrie, pneumologie, prophylaxie, rez-de-jardin, séméiologie, sous-normale, succenturie, tératologie, terminaison, toxicologie, tribométrie, troussequin ■ **12** accastillage, aérobiologie, alcalimétrie, allergologie, antiphonaire, apologétique, arborescence, archidiaconé, arrière-corps, arrière-gorge, arrière-train, battellement, bourdonnière, brise-copeaux, calorimétrie, cancérologie, carcinologie, chronométrie, cinquantième, commencement, contrepointe, couronnement, cryophysique, décrochement, dermatologie, diacoustique, géotechnique, mésoéconomie, métencéphale, méthodologie, milliardième, organisateur, ornithologie, parondologie, patrouilleur, phtisiologie, plurilatéral, portionnaire, présentation, presse-étoffe, prosthétique, rhino-pharynx, rhumatologie, soubassement, sous-tangente, stéréométrie, stratosphère, substruction, substructure, thermochimie, thermogenèse, water-ballast ■ **13** bactérologie, cocontractant, congréganiste, ecclésiologie, embranchement, hydrogéologie, implantologie, partiellement, périnatalogie, quadripartite, sous-continent, stratigraphie, thérapeutique, traumatologie ■ **14** arrière-cerveau, chrématistique, endocrinologie, paléobotanique, spolanchnologie, stoéchiométrie ■ **15** caractéristique, démaigrissement, électrostatique, thermodynamique.

PARTIEL : 5 diète, manie ■ **7** acompte, à-valoir ■ **9** démixtion.

PARTIELLE : 10 leucotomie.

PARTIELLEMENT : 10 semi-ouvert.

PARTI PRIS : 7 préjugé* ■ **8** exclusif ■ **11** objectivité, tendancieux ■ **12** objectivisme.

PARTIR : 3 dès ■ **4** fuir* ■ **5** aller, barrer, congé, filer, large, lever, nager, porte, rater, tirer, venir, voile ■ **6** calter, carrer, exiler, ficher, lâcher, sortir* ■ **7** cavaler, débiner, déloger, détaler, écouler, émigrer, envoler, évacuer, quitter*, retirer*, séparer, trisser, trotter ■ **8** absenter, débouler, décamper, décarrer, décoller, démarrer, déplacer, déserter, éloigner, esquiver, partance ■ **9** carapater, déguerpir, délaisser, déménager, désormais, disperser, embarquer, expatrier, retourner ■ **10** abandonner, décaniller, dorénavant ■ **11** a posteriori, appareiller, disparaître*.

PARTISAN : 3 ami ■ **4** féal, lige ■ **5** allié, arien, séide, tenir ■ **6** adepte, chiite, fidèle*, guelfe, membre, recrue, suppôt, tenant ■ **7** acolyte, affilié, associé, calotin, fellaga, fixiste, gibelin, groupie, hussite, libéral, moniste, raciste, sexiste, sicaire, soutien, sudiste, théiste, vériste ■ 8 adhérent, agrarien, animiste, arminien, atomiste, baptiste, carliste, césarien, clérical, disciple, dualiste, égotiste, étatiste, fasciste, fellagha, fidéiste, gallican, hégélien, huguenot, innéiste, mahdiste, marxiste, militant, miquelet, néophyte, nordiste, péquiste, scotiste, sectaire, séquelle, sioniste, tsariste, unitaire, vichyste, zélateur ■ 9 cartésien, castriste, classique, clientèle, communard, défenseur, dirigiste, donatiste, dynamiste, eugéniste, féministe, figuriste, généticiste, gnostique, gomariste, hitlérien, idéaliste, légaliste, moliniste, monadiste, naturiste, nihiliste, optimiste, orangiste, pacifiste, paulinien, péroniste, prosélyte, royaliste, sceptique, sectateur, supporter, unioniste, vitaliste, wagnérien, zwinglien ■ 10 anarchiste, anglophile, antisémite, belliciste, calviniste, communiste, criticiste, darwiniste, dogmatique, dogmatiste, dreyfusard, égalitaire, flamingant, franquiste, gestaliste, hébertiste, homéopathe, irrégulier, libertaire, moderniste, montaniste, non-violent, panthéiste, protestant, réformiste, ritualiste, scientiste, sinn-feiner, socialiste, spinoziste, trotskyste, turcophile, vichyssois, wahhabiste, wallingant, wicléfiste ■ 11 absolutiste, aristocrate, autonomiste, bolchevique, bolcheviste, boulangiste, centraliste, condottière, déféraliste, fouriériste, immoraliste, indigéniste, légitimiste, militariste, molinosiste, monarchiste, monétariste, monophysite, monothéiste, moscoutaire, mutuelliste, neutraliste, œcuméniste, organiciste, panslaviste, platonicien, relativiste, républicain, sensualiste, syncrétiste, technocrate, zoroastrien ■ 12 abondanciste, bimétalliste, consumériste, culturaliste, déterministe, épiscopalien, esclavagiste, espérantiste, historiciste, impérialiste, irrédentiste, modérantiste, nationaliste, phénoméniste, probabiliste, progressiste, rationaliste, spontanéiste, sympathisant, syndicaliste, vers-libriste ■ 13 collectiviste, essentialiste, mercantiliste, pangermaniste, phalanstérien, propagandiste, psychologiste, pythagoricien, spiritualiste, transformiste, universaliste ■ 14 aristotélicien, eurocommuniste, évolutionniste, individualiste, isolationniste, monométalliste, néo-platonicien, néo-positiviste, occidentaliste, réductionniste, ultra-royaliste ■ 15 coreligionnaire, existentialiste, fonctionnaliste, libre-échangiste, protectionniste, ségrégationiste, traditionaliste.

PARTITION : 7 chaussé, émanché, partage, tableur ■ 13 transcription.

PARTOUT : 8 ubiquité ■ 10 urbi et orbi ■ 13 universaliser.

PARTURITION : 5 terme ■ 7 mise bas ■ 9 gestation, grossesse ■ 10 délivrance ■ 11 enfantement, parturiente ■ 12 accouchement*.

PARURE : 5 atour, bijou, joyau, nippe ■ 7 diadème ■ 8 affutiau, ornement*, parement, peignier, toilette ■ 10 ajustement ■ 11 coquetterie.

PARVENIR : 5 faire, moyen, venir ■ 6 sauter, tomber ■ 7 arriver*, combine, réussir* ■ 8 moyenner, succéder, viatique ■ 9 atteindre* ■ 10 déchiffrer, marche-pied ■ 11 transmettre.

PARVENU : 5 riche ■ 6 policé.

PAS : 3 col, mie ■ 4 jeté, trot, volé ■ 5 coulé, coupé, début, jalon, mille, point, porté, seuil, tombé ■ 6 allure*, chaîné, porter, stawug ■ 7 balance, détroit ■ 8 assemblé, enjamber ■ 9 battement, contre-pas, podomètre, tussilage ■ 12 chassé-croisé.

PASQUILLE : 9 raillerie*.

PASQUIN : 6 sature ■ 7 bouffon* ■ 9 raillerie* ■ 10 pasquinade.

PASSABLE : 5 assez ■ 7 buvable, potable ■ 8 médiocre ■ 12 passablement.

PASSACAILLE : 8 chaconne.

PASSADE : 7 caprice*.

PASSAGE : 3 col, gué, pas, ras, rue, raz ■ 4 bond, lieu, obel, pont, saut ■ 5 allée, berme, boyau, canal, cluse, coulé, forte, gorge, issue, obèle, pâque, passe, péage, porte, seuil, texte, trace, trait, tutti, vulve ■ 6 aigage, alinéa, brèche, chemin, chenal, défilé, entrée, filtre, goulet, insert, passée, percée, ruelle, sortie, tirage, trappe, trouée, tunnel ■ 7 chicane, couloir, détroit, enclave, endroit, extrait, frayage, galerie, guichet, pertuis, poterne, reprise, ressaut, sentier, soupape ■ 8 barrière, cheminée, citation, consonne, corridor, coursive, débouché, estacade, exutoire, jaumière, passoire, pénombre, traboule, traverse, tubulure ■ 9 barbotage, chattière, chronaxie, déballage, embrasure, harponner, migration, ouverture, passavant, pont-canal, portillon, servitude, vomitoire ■ 10 absorption, coupe-gorge, dégagement, embouchure, filtration, fortissimo, interstice, intervalle, involution, modulation, passerelle, phylactère, pianissimo, régulateur, séparation, souterrain, transition ■ 11 caillebotis, culmination, électrolyse, fausse-route, transfusion ■ 12 assimilation, bleuissement, infiltration, liquéfaction, saut-de-mouton ■ 13 actualisation, communication, contre-attaque, électro-aimant, extrapolation, fossilisation, garde-barrière ■ 14 franchissement, solidification ■ 15 sédentarisation.

PASSAGER: 5 accès, court*, frêle, lueur, obèle, ondée, oubli ■ 6 fugace ■ 7 bouffée, fugitif, passade, passant, stand-by, ulmiste ■ 8 éphémère, hystérie, paquebot, précaire ■ 9 amourette, fantaisie, momentané ■ 10 accidentel, amouracher, cosmonaute, pied-à-terre, provisoire, temporaire ■ 11 bactériémie, intérimaire, narcolepsie, transitoire ■ 13 passagèrement.

PASSANT: 8 passager ■ 9 promeneur ■ 12 autostoppeur.

PASSANTE: 9 marcheuse.

PASSAVANT: 13 laissez-passer.

PASSE: 4 échu, fané* ■ 5 canal, issue, jadis, ordre, supin, temps ■ 6 écoulé, sésame, veille ■ 7 antique, attardé, has been, passage ■ 8 accompli, anamnèse, ecmnésie, histoire, prétérit ■ 9 antérieur, dévolutif, flash-back, imparfait, passéisme, téléphoné ■ 10 ancienneté, magnétisme, rétrocatif, surcomposé ■ 11 archéologie, télégénique ■ 12 débouquement, embouquement, rétrospectif, traditionnel, transpolaire ■ 13 rétrospection.

PASSE-CRASSANE: 8 crassane.

PASSE-DROIT: 9 privilège*.

PASSEMENT: 4 chou ■ 5 crêpe, filet, galon*, ganse, gland, lacet, motif, natte, nœud, picot, ruban* ■ 6 cordon, effilé, feston, frange, houppe, laisse, orfroi, tresse ■ 7 bordure, capiton, crépine, giselle, guipoir, guipure, lézarde, macaron, macramé, nervure, résille, rosette, torsade ■ 8 applique, bouillon, chenille, dentelle, dragonne, embrasse, freluche, giroline, pampille, soutache ■ 9 bouffette, chaînette, chamarrer, clinquant, cordonnet, frangette, garniture, houppette, paillette, passepoil ■ 10 cannetille, chamarrure, cordelière, lambrequin ■ 11 aiguillette, brandebourg, passementer ■ 12 passementier ■ 13 passementerie.

PASSEMENTERIE: 6 floche ■ 7 guipoir ■ 9 cartisane.

PASSE-PASSE: 9 jonglerie.

PASSEPOIL: 10 passepoilé.

PASSEPORT: 12 laissez-aller ■ 13 laissez-passer.

PASSER: 5 bruir, faner, fixer, furet, guéer, loger, passe, péage, raser, revue, tamis, temps, trame, virus ■ 6 couler, couper, enfuir, filtre, gravir, migrer, monter, mourir, percer, primer, sasser, sauter, sortir ■ 7 assurer, bougier, brocher, brosser, changer, coucher, cribler, croiser, doubler, écouler, enfiler, envoler, épuiser, estiver, évoluer, examen, excéder, fileter, filtrer, flétrir, frotter, glisser, gominer, gratter, moduler, passant, ratiner, tamiser, testeur, tourner ■ 8 blanchir, bocarder, circuler, culminer, dégriser, dépasser, déserter, diaphase, égrainer, enjamber, franchir, grillage, hiberner, hiverner, passager, pénétrer, précéder, priorité, projeter, promener, repasser, sublimer, traduire, turbiner, vieillir ■ 9 calandrer, corrompre, coupeller, cylindrer, escalader, événement, gazéifier, infiltrer, œil-de-pie, passation, passavant, peaufiner, permettre, plausible, postposer, surpasser, transfuge, transiter, traverser*, trépasser, triballer ■ 10 contourner, cylindrage, dérailleur, embauchage, extrapoler, filtration, fluidifier, médiatiser, mutualiser, passe-droit, passe-lacet, passe-passe, pourlécher, solidifier, transférer, transfuser, transsuder, vagabonder, vitriolage ■ 11 commutateur, diathermane, disparaître, outrepasser, transborder, transmettre, transmigrer, transpercer, transporter ■ 12 achromatique, impraticable, laissez-aller, passe-partout ■ 13 indispensable, laissez-passer, semi-perméable ■ 14 court-circuiter.

PASSERAGE : 7 cresson.

PASSEREAU : 3 pie ■ 4 lyre, pipi ■ 5 agace, calao, huppe, linot, pipit, rémiz, serin, shama, tarin, tyran, veuve ■ 6 aronde, bec-fin, canari, cincle, draine, drenne, jaseur, loriot, malure, margot, mauvis, ménure, paridé*, pinson, pitpit, quelea ■ 7 bengali, corvidé*, cotinga, friquet, gros-bec, guêpier, jacasse, moineau, motteux, rollier, sifilet, tangara, traquet, turdidé*, verdier ■ 8 alouette, becfigue, cul-blanc, farlouse, fauvette, fournier, grenadin, martinet, plocéidé, pouillot, quiscale, roitelet, rupicole, sittelle, sturnidé, sylviidé, tisserin ■ 9 accenteur, bec-croisé, étourneau, hirondeau, mauviette, monticole, passerine, phragmite, salangane, sansonnet, souïmanga, trogonidé, troupiale ■ 10 coq-de-roche, effarvate, grimpereau, hirondelle, hochequeue, lavandière, lévirostre, paradisier, pie-grièche, trochilidé*, troglodyte ■ 11 dentirostre, engoulevent, fourmillier, fringillidé*, gobemouches, rousserolle, ténuirostre ■ 12 chardonneret, passériforme, passerinette ■ 13 bergeronnette, martin-pêcheur ■ 14 martin-chasseur.

PASSERELLE : 4 pont* ■ 7 kiosque ■ 8 rambarde ■ 9 baignoire.

PASSERIFORME : 9 passereau*.

PASSE-TEMPS : 3 jeu ■ 5 hobby ■ 10 récréation.

PASSEUR : 8 bateleur, batelier.

PASSIBLE : 8 pendable.

PASSIF : 4 doit ■ 5 actif, bilan, verbe ■ 6 inerte ■ 8 déponent, passiver ■ 9 passivité ■ 11 passivement.

PASSIFLORE : 10 grenadille.

PASSION : 4 élan*, joie, rage, rêve, vice ■ 5 accès, amour*, désir*, envie, excès, folie*, froid, glace, haine, manie* ■ 6 âpreté, ardeur*, béguin, colère, délire, fièvre, flamme, fureur*, luxure, nature ■ 7 appétit, avarice, bandeau, chaleur, crainte, égoïsme, émotion, ivresse, maladie, naturel, tension, volupté ■ 8 ambition, beylisme, cupidité, débauche, frénésie, instinct, jalousie, penchant, violence*, vivacité ■ 9 affection, agitation, brutalité, caractère, catharsis, enflammer, éréthisme, espérance, explosion, fanatisme, idolâtrie, lascivité, monomanie, paroxysme, transport, tristesse, véhémence ■ 10 admiration, amouracher, convoitise, ébullition, ensorceler, exaltation, irritation, partialité, passionnel, sensualité, tempérance ■ 11 affectivité, aveuglement, bibliomanie, dépravation, détachement, embrasement, emportement, inclination, palpitation, tempérament ■ 12 appassionato, déchaînement, enthousiasme*, entraînement, fermentation, intempérance, passionnaire ■ 13 concupiscence, effervescence, passionnément, surexcitation ■ 14 bouillonnement ■ 15 cristallisation.

PASSIONNANT : 9 attachant ■ 11 intéressant*.
PASSIONNE : 3 fou, vif ■ 4 âpre, fana, féru, ivre ■ 5 accro, amant, chaud, épris, mordu, sacré ■ 6 ardent*, brutal, exalté ■ 7 aveugle, égoïste, forcené, furieux, partial, sensuel, violent* ■ 8 amoureux, excessif, exclusif, mélomane, raffoler, véhément ■ 9 fanatique ■ 10 audiophile, chaleureux, dilettante, frénétique, langoureux, romantique ■ 11 inflammable, intempérant ■ 12 enthousiaste*.
PASSIONNER : 6 animer, remuer ■ 7 engouer, exciter ■ 8 captiver, embraser, émouvoir, éveiller ■ 9 enfiévrer, enflammer, fanatiser ■ 10 électriser ■ 13 enthousiasmer, impressionner.
PASSIVATION : 8 passiver.
PASSIVITE : 3 yin.
PASSOIRE : 5 tamis ■ 6 filtre ■ 7 chinois ■ 8 passe-thé.
PASTEL : 5 guède ■ 6 isatis ■ 7 cocagne ■ 8 coraigne ■ 9 pastelier, pasteller, pompadour ■ 11 pastelliste.
PASTEQUE : 5 melon ■ 6 courge ■ 10 coloquinte.
PASTEUR : 6 berger*, prêtre ■ 8 capselle, ministre, pastoral, pastorat, révérend ■ 11 consistoire ■ 12 missionnaire.
PASTEURELLA : 13 pasteurellose.
PASTEURELLOSE : 11 pasteurella.
PASTEURISER : 10 pastoriser ■ 14 pasteurisation.
PASTICHER : 6 imiter* ■ 10 pasticheur.
PASTILLE : 7 implant ■ 8 comprimé ■ 10 pastilleur.
PASTIS : 9 mauresque.
PASTORAL : 4 ranz ■ 6 idylle ■ 7 églogue ■ 8 bergerie ■ 9 bucolique, champêtre ■ 10 villanelle ■ 13 pastoralement.
PASTORALE : 4 bref.
PASTOUREAU : 6 berger*.
PAS TRES BIEN : 10 couci-couça, couci-couci.
PATACHE : 7 voiture* ■ 8 patachon.
PATAPOUF : 4 gros*.
PATAQUES : 10 galimatias.
PATAUD : 5 lourd ■ 9 maladroit*.
PATAUGER : 8 barboter ■ 9 pataugeur ■ 10 pataugeage, patouiller ■ 11 pataugement, patrouiller.
PATE : 4 nafé, pile ■ 5 bugne, minot, pâtée, pâton, pétri, purée ■ 6 beigne, croûte, engobe, foufou, jujube, rollot, surimi, tarama ■ 7 abaisse, beignet, brasque, lasagne, loukoum, nouille, onguent, pirojki, raviole, videlle, vitelot ■ 8 chocolat, clafouti, eugénate, macaroni, moussoir, traboule ■ 9 barbotine, béatilles, clafoutis, coupe-pâte, croquette, croustade, koulibiac, marmelade, patouille, plastisol, sassenage, spaghetti, trabouler, vol-au-vent ■ 10 cannelloni, cataplasme, feuilleter, pastellage, pâtisserie*, pétrisseur, vermicelle ■ 11 cailloutage, feuilletage, tagliatelle, trituration ■ 12 soumaintrain ■ 13 saint-nectaire ■ 14 saint-florentin, saint-marcellin.
PATEE : 5 pâton.
PATELIN : 4 faux, pays, trou ■ 9 doucereux*, pateliner ■ 9 pateliner ■ 10 patelinage, patelineur ■ 11 compatriote, patelinerie.
PATELLE : 8 bernique 12 patelliforme.
PATENE : 4 paix.
PATENOTRE : 6 prière*.
PATENT : 7 évident*.
PATENTE : 6 brevet ■ 8 patenter ■ 10 patentable.
PATERE : 13 porte-chapeaux.
PATERNE : doucereux*.

PATERNEL : 3 bon ■ 10 consanguin ■ 13 patrilinéaire.
PATERNITE : 11 copaternité.
PATEUX : 4 brai ■ 5 épais, magma, pâtée, verre ■ 8 paraison.
PATHETIQUE : 8 émouvant* ■ 10 pathétisme ■ 14 pathétiquement.
PATHOGENE : 7 viroïde ■ 9 gonocoque ■ 10 mycoplasme ■ 11 colibacille, pasteurella ■ 12 inactivation ■ 13 toxi-infection.
PATHOLOGIE : 4 sang ■ 10 andrologie, mastologie ■ 11 gynécologie, hépatologie ■ 12 pathologique, pathologiste ■ 13 ophtalmologie.
PATHOLOGIQUE : 3 pus ■ 5 ictus ■ 6 urémie ■ 7 acidose, tétanie ■ 8 akinésie, caféisme, sclérose ■ 9 acalculie, asymbolie, dysphonie, néoplasie, néoplasme, occlusion, ostéolyse, tétanisme ■ 10 borderline, crétinisme, insolation, ostéopathe, pathomimie, sinistrose ■ 11 bradycardie, hallucinose, hypercapnie, hypersomnie, infestation, leucoplasie, prépsychose ■ 12 acrocéphalie, mégaloblaste, pseudotumeur, thrombopénie ■ 13 approbativité, destructivité, hyperazotémie, hypercalcémie, hyperkaliémie, théâtralisme ■ 14 décompensation, pyrétothérapie ■ 15 barotraumatisme, collectionnisme, exhibitionnisme, paranéoplasique, perfectionnisme.
PATHOS : 7 emphase* ■ 10 galimatias.
PATIBULAIRE : 5 gibet ■ 10 inquiétant.
PATIENCE : 5 calme, délai, rumex ■ 6 flegme, puzzlc ■ 7 patient ■ 8 quiétude ■ 9 constance, endurance*, passivité, patienter, stoïcisme, supporter, tolérance ■ 10 impatience, indulgence, mansuétude, modération, patiemment ■ 11 impatienter, longanimité, résignation ■ 12 persévérance ■ 13 impassibilité.
PATIENT : 3 bon ■ 4 doux, roué ■ 5 mulet ■ 6 docile, passif ■ 7 stoïque ■ 8 constant, endurant, tolérant ■ 9 impatient, indulgent ■ 10 débonnaire, impassible ■ 11 flegmatique, malendurant, persévérant.
PATIENTER : 7 tolérer ■ 8 attendre*, contenir, différer, résigner, souffrir ■ 9 permettre, supporter ■ 10 temporiser.
PATIN : 3 ski ■ 4 fort ■ 7 patiner, skating ■ 8 patinage, patineur, traîneau ■ 9 patinoire.
PATINAGE : 4 axel ■ 7 imposée, skating.
PATINE : 7 patiner.
PATINER : 8 patinage.
PATINETTE : 11 trottinette.
PATIR : 5 subir ■ 8 souffrir*.
PATIS : 4 parc ■ 7 prairie ■ 8 pâturage*.
PATISSERIE : 4 baba, chou, paté* ■ 5 crème, dorer, lunch, raton, tarte ■ 6 couque, éclair, friand, gâteau, gaufre, oublie, touron, tourte ■ 7 abaisse, biscuit, bretzel, brioche, croquet, échaudé, kouglof, macaron, plaisir, savarin, terrine, timbale ■ 8 biscotte, chausson, godiveau, meringue, nonnette, pâtisser, quenelle, talmouse ■ 9 adragante, barquette, charlotte, feuilleté, gimblette, kugelkopf, pâtissier, petit-four, vol-au-vent ■ 10 colifichet, paris-brest, pâtissoire ■ 11 chanoinesse, croquignole feuilletage, profiterole, saint-honoré ■ 12 feuillantine ■ 13 croquembouche ■ 15 étouffe-chrétien.
PATISSIER : 5 gâche ■ 6 mitron ■ 7 videlle ■ 9 coupe-pâte, patronnet ■ 10 pâtisserie*.
PATISSON : 14 bonnet-de-prêtre.
PATOIS : 8 dialecte*, patoiser ■ 9 patoisant.
PATOUILLER : 6 manier ■ 8 patauger.
PATRAQUE : 6 malade.
PATRE : 4 péon ■ 6 berger* ■ 8 armailli.

PATRIARCAL : 15 patriarcalement.
PATRIARCHE : 4 chef* ■ 5 tribu ■ 9 vieillard ■ 10 patriarcal, patriarcat ■ 11 métropolite.
PATRICE : 9 patricial, patriciat.
PATRICIEN : 5 noble*, plèbe, sacré ■ 9 patriciat ■ 11 aristocrate.
PATRIE : 4 pays* ■ 5 banni ■ 6 nation* ■ 7 civisme ■ 8 apatride, expatrié, patriote ■ 9 dépatrier, expatrier, heimatlos, rapatrier ■ 11 patriotisme ■ 12 rapatriement.
PATRILINEAIRE : 9 patriclan.
PATRIMOINE : 4 bien*, part ■ 8 écomusée, mobilier ■ 9 propriété* ■ 10 succession ■ 11 patrimonial.
PATRIOTE : 7 chauvin, civisme ■ 9 cocardier ■ 10 patriotard ■ 11 patriotique, patriotisme ■ 12 antipatriote, nationaliste ■ 15 antipatriotique, patriotiquement.
PATRON : 4 boss, chef* ■ 5 saint, singe ■ 6 maître*, modèle, tôlier ■ 7 taulier ■ 8 patronal, patronat ■ 9 patronner, gabarrier, tenancier ■ 12 paternalisme.
PATRONAGE : 5 glèbe ■ 7 vocable ■ 8 auspices.
PATRONALE : 7 frairie.
PATROUILLE : 11 patrouiller ■ 12 patrouillage, patrouilleur.
PATTE : 4 pied* ■ 5 apode, canon, ergot, jambe*, pattu, pince, quasi, sabot, tarse ■ 6 éperon, jambon, jarret, lycope, souris ■ 7 alérion, cuissot, isopode, oreille, paturon, trumeau ■ 8 aggravée, cuisseau, éclanche, hexapode, oreillon, vervelle ■ 9 épaulette, oreillons, ravisseur, tétrapode ■ 11 quadrupédie.
PATURAGE : 3 pré ■ 4 alpe, auge, noue, parc ■ 5 erbue, mayen, pâtis, remue, terre ■ 6 alpage, estive, herbue, pacage, pâture* ■ 7 estiver, herbage, prairie ■ 8 embouche, estivage, pasquier ■ 11 surpâturage.
PATURE : 5 appât, pâtis ■ 7 engrais, pâturer ■ 8 affenage, pâturage* ■ 9 pâturable.
PATURER : 6 paître* ■ 7 pacager, viander ■ 8 pâturage.
PATURON : 4 abot ■ 6 jointé ■ 9 bas-jointé ■ 10 long-jointé ■ 11 court-jointé ■ 12 enchevêtrure.
PAUME : 5 éteuf ■ 6 hockey, thénar ■ 7 cricket, paumier, triquet ■ 8 base-ball, gantelet, palmaire, raquette ■ 9 empaumure ■ 10 hypothénar, lawn-tennis, supinateur.
PAUMEE : 5 colée.
PAUMELLE : 8 paumoyer.
PAUMURE : 7 paumier.
PAUPERISATION : 10 paupériser.
PAUPERISME : 6 manque* ■ 8 pauvreté*.
PAUPIERE : 3 cil ■ 4 clin, khôl ■ 5 kohol, tarse ■ 6 koheul, ptôsis ■ 7 chalaze, cocotte, orgelet ■ 8 eye-liner ■ 9 chalazion, clin d'œil, dessiller, ectropion, entropion, nictilant, palpébral ■ 10 blépharite, papilotter ■ 11 conjonctive, éraillement, papillotage ■ 12 clignotement.
PAUSE : 5 arrêt*, coupe, halte, point, repos* ■ 6 pauser, soupir ■ 7 attente, silence, station ■ 10 pause-café, stagnation ■ 12 interruption*, point-virgule.
PAUVRE : 4 hère ■ 5 gueux*, ladre, panné, ruiné ■ 6 chétif, piteux ■ 7 pauvret, stérile ■ 8 croquant, dépourvu, hyposodé, indigent, mendiant*, miséreux, pauvreté ■ 9 appauvrir, besogneux, famélique, loqueteux, marmiteux, misérable*, pitoyable, pouilleux, va-nu-pieds ■ 10 bidonville, calamiteux, déguenillé, dépenaillé, désargenté, malheu-

reux*, pauvrement, prolétaire ■ 11 meurt-de-faim, nécessiteux, ventre-creux ■ 13 hypocalorique.

PAUVRETE : 4 gêne, vœu ■ 5 dèche, faste, panne, purée, ruine, tasse ■ 6 besoin*, débine, famine, misère*, mouise, panade, pétrin ■ 7 disette, pénurie ■ 8 détresse, embarras, richesse ■ 9 dénuement, gueuserie, indigence, mendicité, mistoufle, nécessité, stérilité ■ 10 épuisement, médiocrité, mouscaille, paupérisme, pouillerie ■ 11 délabrement ■ 12 insuffisance ■ 13 impécuniosité ■ 15 appauvrissement.

PAVANE : 9 gaillarde.

PAVANER : 5 poser ■ 7 parader.

PAVE : 3 hie ■ 4 dame ■ 5 dalle, paver ■ 6 pierre ■ 7 carreau, macadam ■ 8 carrelet, épinçage, mosaïque, pavement ■ 9 déversoir, repiquage.

PAVEMENT : 8 tesselle ■ 11 pavimenteux.

PAVER : 6 daller, pavage, paveur ■ 7 repaver ■ 8 carreler, pavement, repavage ■ 9 briqueter ■ 10 décarreler, demoiselle, repavement, rudération.

PAVILLON : 5 berne, chapé, corne, digon, folie, hélix, tente, villa ■ 6 ajoupa, conque, donjon, flamme, gopura, guidon, maison*, marque, muette, pavois ■ 7 drapeau, guérite, kiosque, oreille, rotonde ■ 8 bannière, chapelle, cornette, guindant, pavoiser, sourdine, tonnelle, tourelle ■ 9 belvédère, gloriette ■ 10 lambrequin ■ 11 échauguette, maisonnette ■ 13 pavillonnerie.

PAVOIS : 6 dalcau ■ 7 fargues.

PAVOISER : 6 pavois ■ 11 pavoisement.

PAVOT : 5 huile, opium ■ ■ 7 calmant, capsule, papaver, ponceau ■ 8 laudanum, morphine ■ 9 œillette, somnifère ■ 10 coquelicot.

PAYE : 5 loyer, péage, solde, terme ■ 6 impayé ■ 8 paiement ■ 9 cachetier ■ 10 monnayable ■ 11 rétribution ■ 13 rémunératoire.

PAYER : 4 écot, paie, paye ■ 5 dédit, jeton, saler, solde, vente ■ 6 fendre, gagner, payeur, raquer, régler, solder, verser ■ 7 acheter, amortir, avancer, bégaler, casquer, compter, cotiser, cracher, honorer, régaler, repayer ■ 8 défrayer, dégorger, dépenser*, dépocher, desserre, douiller, échauder, écorcher, estamper, étriller, financer, griveler, paiement, payement, prépayer, répondre, solvable, soudoyer, suborner, subvenir, surpayer, surtaxer ■ 9 acquitter, appointer, consigner, contenter, débourser, décaisser, escompter, gratifier, rançonner, rémunérer, rétribuer, souscrire ■ 10 affranchir, contribuer, entretenir, insolvable, mercenaire, rembourser, stipendier, tributaire ■ 11 acceptation, ordonnancer, récompenser ■ 12 contribuable ■ 13 désintéresser ■ 14 ordonnancement.

PAYS : 3 ici ■ 4 chez, ciel, lieu, mère, paix, zone ■ 5 cœur, diète, natif, parmi, piste, terre ■ 6 climat, nation, parage, patrie, région ■ 7 contrée, grenier, paradis, patelin, take-off, terroir ■ 8 déraciné, dépayser, étranger, exotique, folklore, immigrer, indigène, invasion, littoral, panorama, romanité ■ 9 électorat, intérieur, migration, nostalgie ■ 10 atmosphère, autochtone, chrétienté, concitoyen, insularité, population, quart monde, tiers monde ■ 11 arrière-pays, compatriote, fédéraliser, indésirable, panarabisme, vice-royauté ■ 12 bannissement, chorographie, colonisation, vernaculaire ■ 13 cobelligérant, nonalignement, pérégrination ■ 14 sous-médicalisé, surendettement ■ 15 désatellisation, non-belligérance, rechristianiser.

PAYSAGE : 3 vue ■ 4 site ■ 5 décor, genre, morte ■ 7 brousse ■ 8 paysager ■ 10 paysagiste, perspectif ■ 11 anthropique, enfoncement.

PAYSAN : 4 serf ■ 5 cotte, plouk, rural ■ 6 manant, moujik, pecnot, pécore, rustre, vilain ■ **7** bouseux, fermier*, rustaud, terrien, zeugite ■ **8** croquant, péquenot, roturier, rustique, touloupe ■ **9** jacquerie, paysannat ■ **10** campagnard, cul-terreux, kichenotte, palsambleu, pastoureau, pedzouille, villageois ■ **11** agriculteur, cambrousard, cambrousien, paysannerie, pétrousquin, quichenotte ■ **12** cambroussard.

PAYS CHAUDS: **8** paillote, scorpion ■ **9** stégomyie ■ **10** dragonnier, maringouin ■ **11** sidéroxylon ■ **14** pamplemoussier.

PAYS TEMPERES: **5** aneth.

PAYS TROPICAUX: **11** broméliacée.

PEAN: **5** chant, hymne, pæan.

PEAU: **3** mue ■ **4** acné, cuir, daim, dine, gale, hâle, lard, muer, pelé, poil, pore, raie, rasé, robe, suer, taie, veau, zona ■ **5** blanc, chair, cosse, croco, derme*, envie, fanon, gilet, grain, haire, kajac, kayac, ladre, lèpre, loupe, malle, mégie, mégir, mégis, ortie, outre, panne, parer, peler, psora, psore, raphé, satin, scalp, séton, signe, spore, suède, sueur, tache, tanné, taupe, suçon, tigre, vache, vélin, velot, zeste ■ **6** basané, carate, croûte, cutané, écorce, eczéma, exuvie, fongus, fraise, livedo, macule, nævus, oursin, papule, pelage, pelure, vibice ■ **7** agnelin, anthrax, canepin, chamois, couenne, croupon, ecthyma, escarre, eschare, estompe, mycosis, papille, peeling, pustule, sabrage, surpeau, tunique ■ **8** achromie, actinite, armeline, chéloïde, chevreau, chloasma, crevasse, ébourrer, écharner, écorcher, épicarpe, épiderme*, équarrir, érythème, fourreur, fourrure, galuchat, ichtyose, impétigo, jaunisse, kératose, léopardé, maroquin, médisser, mélanine, mélanome, membrane, miliaire, moricaud, panoufle, peaucier, pétéchie, risorius, sabreuse, strigile, tégument, triballe ■ **9** baudruche, cancroïde, carbatine, chabraque, chagriner, chevrotin, dépiauter, dépouille, dermatite, dermatose, ecchymose, écharnoir, écorchure, ectoderme, enveloppe, érésipèle, érysipèle, érythrose, frayement, hypoderme, mégissier, mélanocyte, molluscum, papillome, parchemin, peaufiner, peau-rouge, peaussier, pellicule, pemphigus, percutané, phtiriase, sauvagine, scabieuse, triballer ■ **10** anguillade, barbillons, chamoisage, dépouiller, dyschromie, écharneuse, ectoblaste, épithélium, intertrigo, mégisserie, peausserie, pelleterie, phtiriasis, scarlatine, sous-cutané, urtication, vergetures, xérodermie ■ **11** chamoiserie, maroquinier, pachydermie, palissonner, rubéfaction ■ **12** blastomycose, brunissement, démangeaison, dermatologie, dermographie, échauboulure, mélanodermie, palissonneur ■ **13** dermatoglyphe, éléphantiasis, histoplasmose ■ **14** dermatomyosite, dermographisme.

PEAUSSERIE: **5** lainé.

PECAÏRE: **7** pechère.

PECCADILLE: **5** faute*, péché* ■ **8** scélérat.

PECHBLENDE: **8** actinium.

PECHE: **3** ire ■ **4** vice* ■ **5** aiche, bette, chute, déchu, drège, duvet, envie, esche, faute*, gaule, kajac, kayac, ligne, louve, palot, puche, rogue, scion, tache ■ **6** cassis, chalut, chasse, colère, coulpe, dreige, fouine, lancer, luxure, pointu, vermée, wading ■ **7** alberge, ansière, avarice, havenet, lamparo, offense, orgueil, paresse, tartane, trimmer ■ **8** araignée, cuillère, haveneau, madrague, morutier, pêcherie, persicot, scandale, schooner, surpêche, thonaire, turlutte ■ **9** arénicole, arondelle, baleinier, caudrette, chalutage, chalutier, expiation, islandais, nectarine, pharillon, sardinier, trinquart, tue-diable ■ **10** baleinière, corailleur, crevettier, forfaiture, garde-pêche, harponneur, impénitent, manquement, mirlicoton, peccadille, sanguinole, sardinière ■ **11** fornication, gourmandise, halieutique, harengaison, impéni-

tence, langoustier, maqueraison ■ 12 terre-neuvien ■ 13 madelonnettes.
PECHER: 7 clocher, draguer, trouver ■ 8 offenser, peccable ■ 9 chiffonne, forniquer ■ 10 brugnonier, dandinette, impeccable.
PECORE: 3 sot ■ 6 animal, pecque ■ 8 pimbêche* ■ 10 péronnelle.
PECTORAL: 4 nafé ■ 9 tussilage.
PECULAT: 10 concussion.
PECULE: 8 économie.
PECUNE: 6 argent ■ 9 pécunieux ■ 13 impécuniosité.
PECUNIAIRE: 14 pécuniairement.
PEDAGOGIE: 6 maître, pédant ■ 9 pédagogue ■ 11 instruction*, pédagogique ■ 15 pédagogiquement, psychopédagogie.
PEDALAGE: 13 rétropédalage.
PEDALE: 4 lice ■ 5 lisse, rouet ■ 7 tirasse ■ 8 calepied, pédalier ■ 10 champignon.
PEDALER: 8 pédalage.
PEDANT: 2 us ■ 5 bonze, docte ■ 6 savant ■ 7 bas-bleu, cuistre, docteur, grimaud, pontife ■ 8 magister, vaniteux ■ 9 pédagogue ■ 10 pédanterie, pédantisme, savantasse ■ 11 pédantesque.
PEDERASTIE: 9 pédéraste ■ 12 pédérastique.
PEDESTRE: 4 trek ■ 5 à pied ■ 8 marathon, trekking.
PEDIATRIE: 12 pédiatrique.
PEDICULE: 4 tige.
PEDICURE: 9 pédicurie.
PEDIMENT: 10 pédiplaine.
PEDOLOGIE: 9 pédologue ■ 10 paidologie.
PEDONCULE: 4 cyme ■ 5 queue ■ 7 bractée ■ 8 capitule ■ 9 macropode, ombilical, pédicelle ■ 10 réceptacle ■ 12 pédonculaire.
PEDOPHILIE: 9 pédophile.
PEDOPSYCHIATRIE: 14 pédopsychiatre.
PEGMATITE: 8 émeraude.
PEGRE: 6 milieu ■ 8 populace*.
PEIGNE: 3 ros ■ 5 carde, drège, grège, séran, stoff ■ 6 pecten, râteau ■ 8 affinoir, démêloir, flanelle, peignage, peignier, regayoir, retirons, sourdine ■ 9 ébauchoir, peignures ■ 10 décrassoir, semi-peigné ■ 11 cache-peigne.
PEIGNER: 6 carder ■ 7 coiffer*, démêler, houpper ■ 9 peigneuse, peignures, testonner ■ 11 babichonner.
PEIGNOIR: 9 saut-de-lit ■ 12 sortie-de-bain.
PEINDRE: 5 faire, poser ■ 6 conter, draper, étaler, glacer ■ 7 brosser, caréner, croquer, décrire*, empâter, modeler ■ 8 armorier, barioler, dessiner*, gouacher, graniter, peinture, raconter, reverdir ■ 9 blasonner, dépeindre, enjoliver, enluminer, historier, maroufler, pignocher, portraire, repeindre, ripoliner ■ 10 grisailler, miniaturer, pourtraire, strapasser ■ 11 badigeonner, barbouiller, gribouiller, représenter* ■ 12 peinturlurer, portraiturer ■ 13 portraicture.
PEINE: 3 dam, mal* ■ 4 mort, rude ■ 5 croix, délit, ennui, gémir, grâce, orage, pénal, peser, plaie, poids, punir, subir ■ 6 amende, chaîne, charge, corvée, maxima, misère*, regret, tracas ■ 7 chagrin*, douleur*, fardeau, fatigue, malheur*, pénible, remords ■ 8 amertume, chercher, clopiner, déplaire, échafaud, embarras, facilité, infliger, non-cumul, pénalité, punition*, sanction*, soulager, supplice, suspense, tintouin, tourment* ■ 9 cassation, châtiment, détention, difficile, effleurer, indignité, indolence, laborieux, pantelant, pénitence, réclusion, regretter, surcharge, tristesse* ■ 10 affliction, correction,

crève-cœur, désobliger, désolation, difficulté, exposition, facilement, guillotine, inquiétude, jour-amende, mercenaire, répugnance, souffrance* ■ **11** baraguigneur, commutation, consolation, dégradation, déportation, embarrasser, incommodité, péniblement, tribulation ■ **12** bannissement, condamnation ■ **13** adoucissement, clopin-clopant, difficilement ■ **14** emprisonnement, laborieusement, transportation.

PEINER: **4** suer ■ **5** sévir ■ **6** ahaner, fâcher, lutter, remuer ■ **8** affliger, débattre, déplaire, escrimer, évertuer, fatiguer*, infliger, souffrir* ■ **9** actionner, attrister*, chagriner*, inquiéter, tracasser* ■ **10** tourmenter, travailler* ■ **11** décarcasser, embarrasser.

PEINT: **8** monotype.

PEINTRE: **5** école, rapin ■ **7** imagier ■ **8** chevalet, fauvisme, grugeoir, primitif, ruiniste, tachiste, veinette ■ **9** animalier, apprêteur, appuimain, coloriste, figuratif, luministe, mannequin, muraliste, pistoleur ■ **10** appuie-main, fresquiste, rentoileur ■ **11** macchiaioli ■ **12** aquarelliste, badigconneur, barbouilleur, miniaturiste, queue-de-morue ■ **13** divisionnisme ■ **14** impressionniste.

PEINTURE: **3** vue ■ **4** ocre ■ **5** buste, cadre, camée, genre, icône, image*, laque, morte, pietà, tache, tanka, toile, vague ■ **6** croûte ■ **7** bombage, camaïeu, cimaise, cymaise, fresque, gouache, paysage, plafond, pochade, ripolin, tableau* ■ **8** cameline, makimono, orpiment, pictural, pistolet, portrait*, sous-bois, tachisme ■ **9** allégorie, aquarelle, faïençage, filmogène, grisaille, lithopone, miniature, muralisme, œillette, réchampis, sgraffite ■ **10** barbouille, caricature, gomme-gutte, guillochis, matiérisme, morbidesse, sous-couche, subjectile, tableautin ■ **11** barbouillis, clair-obscur, description, encaustique, gribouillis, passivation, pittoresque, trompe-l'œil, white-spirit ■ **12** barbouillage, gribouillage, pinacothèque, polyuréthane ■ **13** polyuréthanne ■ **14** précisionnisme.

PEINTURLURER: **7** peindre.

PEJORATIF: **2** me ■ **3** mes ■ **5** panse, sbire ■ **10** mélioratif ■ **11** défavorable, dépréciatif ■ **14** péjorativement.

PELAGE: **4** peau*, poil*, robe ■ **5** hyène, peler, sable ■ **6** livrée.

PELAGIQUE: **7** pélagos.

PELARGONIUM: **8** géranium.

PELASGIEN: **9** cyclopéen ■ **10** pélasgique.

PELE: **6** chauve* ■ **8** pêle-mêle.

PELECANIFORME: **11** stéganopode.

PELECYPODE: **7** bivalve ■ **14** lamellibranche*.

PELE-MELE: **4** vrac ■ **7** mélange* ■ **8** désordre*.

PELER: **4** muer ■ **5** rober ■ **6** pelade, racler ■ **7** dérober, écorcer ■ **8** dégarnir, écailler, écorcher, éplucher, excorier, exfolier ■ **9** desquamer ■ **10** dépouiller ■ **11** décortiquer.

PELERIN: **4** hadj ■ **6** lanier, requin ■ **7** bourdon.

PELERINAGE: **4** hadj ■ **6** défilé, hadjdj, liesse, pardon, voyage ■ **7** hadjdji ■ **10** hosannière ■ **15** assomptionniste.

PELERINE: **6** berthe, camail, collet ■ **7** mozette.

PELETON: **10** fourrageur.

PELICAN: **3** fou.

PELISSE: **7** manteau* ■ **8** fourrure*, touloupe.

PELLE: **5** bêche, bogue, écope, palon, râble, sasse ■ **6** drague, raille ■ **7** palette, spatule ■ **8** baqueter, houlette, pelletée, pelleter ■ **9** épuisette, pelleteur ■ **10** pelle-bêche, ramassette, ramassoire ■ **12** pelleversoir.

PELLETER: **6** peller, pellet ■ **9** pelletage.

PELLETERIE : **8** armeline.
PELLETISATION : **9** bouletage.
PELLICULAGE : **10** pelliculer.
PELLICULE : **4** film, peau* ■ **5** bande, feuil, lurex, pépie, piste ■ **7** écalure ■ **8** cuticule, épicarpe, épiderme ■ **9** baudruche, microfilm ■ **10** cellophane, diapositif ■ **11** diapositive, pelliculeux ■ **12** pelliculaire.
PELLUCIDE : **4** œuf.
PELOTE : **5** balle, boule, rebot ■ **7** peloton ■ **8** chistera, pelotari, peloteur, trinquet ■ **10** pelotonner.
PELOTER : **7** dévider, flatter ■ **8** caresser*, pelotage ■ **9** effleurer.
PELOTONNER : **7** blottir, dévider ■ **8** ramasser ■ **13** pelotonnement ■ **14** recroqueviller.
PELOUSE : **5** herbe* ■ **8** ray-grass ■ **10** lawn-tennis, vertugadin.
PELTE : **8** peltaste.
PELUCHE : **5** pilou ■ **7** plucher ■ **8** plucheux ■ **9** pelucheux, teddy-bear.
PENAILLE : **8** guenille*.
PENAILLON : **8** guenille* ■ **9** religieux.
PENAL : **5** titre ■ **9** pénaliste ■ **10** pénalement ■ **11** dépénaliser, destitution.
PENALISATION : **8** pénalité.
PENALISER : **10** pénalisant.
PENALITE : **5** pénal ■ **7** buteur, surtaxe ■ **8** punition, sanction ■ **9** astreinte ■ **10** relégation ■ **12** pénalisation.
PENATES : **5** lares ■ **6** maison.
PENAUD : **7** contrit, honteux*, pantois ■ **10** déconcerté, embarrassé.
PENCE : **5** penny ■ **8** shilling.
PENCHANT : **4** goût* ■ **5** aimer, amour*, bonté, désir*, génie, pente, talus ■ **6** couché, faible, malice ■ **7** attrait, caprice*, passion ■ **8** aptitude, incliner, tendance*, vocation ■ **9** attirance, déclivité, faiblesse, lasciveté, lubricité, sentiment, sympathie ■ **10** causticité, idiopathie, méchanceté, obligeance, propension ■ **11** balancement, combativité, disposition*, inclinaison, inclination, sociabilité, tempérament ■ **12** prédilection ■ **13** concupiscence, mercantilisme ■ **14** prédisposition.
PENCHER : **7** coucher ■ **8** décliner, incliner* ■ **9** trébucher ■ **10** trébuchant ■ **11** déversement.
PENDAISON : **4** hart ■ **5** gibet, pendu ■ **7** potence ■ **8** pendable.
PENDANT : **2** de ■ **4** pour ■ **5** balan, gland, habit, lâche ■ **6** durant, fanons ■ **7** ballant ■ **9** oreillard ■ **10** symétrique ■ **12** intercurrent.
PENDARD : **6** coquin*.
PENDERIE : **8** dressing ■ **12** dressing-room.
PENDRE : **4** hart, tuer ■ **5** balan, fanon ■ **6** baller ■ **7** ballant, retenir ■ **8** apprendre, balancer, dépendre, reprendre, repentir, retomber, soutenir ■ **9** accrocher*, bouffette, étrangler, pendentif, pendiller, suspendre* ■ **10** pendeloque, supplicier ■ **11** pendouiller.
PENDULAIRE : **8** penduler.
PENDULE : **6** coucou, réveil ■ **7** horloge ■ **8** barillet, sourcier ■ **9** balancier, pendillon, trotteuse ■ **10** pendulaire, pendulette, régulateur ■ **12** compensateur ■ **13** réveille-matin.
PENE : **5** gâche ■ **7** encoche ■ **8** gâchette, mortaise ■ **9** bec-de-cane, moraillon ■ **10** cramponnet.
PENETRANT : **3** vif ■ **5** délié, obtus ■ **6** subtil ■ **7** incisif, mordant, perçant ■ **9** perméable ■ **10** divinateur ■ **11** clairvoyant.
PENETRATION : **5** macle ■ **6** osmose, percée ■ **7** finesse, mélange, mixtion ■ **8** infusion, sagacité ■ **9** infection, infiltrat, pesanteur ■ **10** absorption, adsorption, imbibation, macération, profondeur, satu-

ration, suggestion ■ 11 humectation, insinuation, inspiration, perforation ■ 12 assimilation, clairvoyance*, embouquement, envenimation, imprégnation, infiltration, pénétromètre, perspicacité.

PENETRE: 4 imbu ■ 5 plein, sujet ■ 9 pénétrant.

PENETRER: 4 lire ■ 5 loger, mêler ■ 6 entrer*, larder, percer, piquer, sonder, tâcher ■ 7 accéder, confire, devenir, filtrer, glisser, imbiber, infuser, jaillir, macérer, plonger, saturer, transir ■ 8 absorber, combiner, enfoncer, enjuiver, faufiler, humecter, insinuer, inspirer, perforer, suggérer ■ 9 assimiler, découvrir, embarquer, embrocher, implanter, imprégner, incruster, infiltrer, mordiller, morfondre, perméable, traverser ■ 10 assimiler, comprendre, engouffrer, identifier, incorporer, introduire, pénétrable ■ 11 pénétration, transcutané, transpercer ■ 12 impénétrable ■ 13 interpénétrer, pénétrabilité, transparaître.

PENIBLE 3 dur* ■ 4 amer, ardu, exil, fort, gêné, rude, vide ■ 5 honte, lourd, suave, sueur, tuant, verte ■ 6 effort, triste ■ 7 fâcheux, fatigué ■ 8 aggraver, galérien, poignant ■ 9 cauchemar, difficile*, emmerdeur, laborieux ■ 10 déplaisant ■ 11 désagréable, photophobie.

PENICHE: 5 barge ■ 7 chaland ■ 8 molusson ■ 10 automoteur, batellerie.

PENICILLINE: 11 ampicilline, pénicillium ■ 13 pénicillinase.

PENIS: 6 pénien.

PENITENCE: 4 gage ■ 6 carême, ermite, pardon ■ 7 kippour ■ 8 pénitent, punition*, repentir ■ 9 châtiment*, expiation, rémission ■ 10 absolution, confession, contrition, conversion, discipline, yom kippour ■ 11 pénitentiel ■ 12 flagellation, pénitentiaux, regénération.

PENITENCIER: 5 bagne, salut ■ 6 prison ■ 12 pénitencerie ■ 13 pénitentiaire.

PENITENTIAIRE: 9 auburnien ■ 11 semi-liberté.

PENNE: 7 pennage ■ 8 halbrené ■ 9 paripenné, pennifère.

PENNY: 5 pence.

PENOMBRE: 5 ombre*.

PENSANT: 3 moi ■ 5 objet ■ 13 subjectivisme.

PENSEE: 3 âme, ana, dao, dit, tao ■ 4 idée*, maya, même, peur, sein ■ 5 adage, autre, chute, dogme, grâce, noème, noèse, notes, style, thèse, trait, union ■ 6 axiome, devise, dicton, entité, esprit*, litote, maxime*, morose, notion, oracle, penser, raison* ■ 7 concept, formule, légende, logique, mémoire, noumène, opinion*, parémie ■ 8 cérébral, dadaïsme, discours, écriture, exprimer, gnomique, illusion, impropre, instinct, jugement, madrigal, moralité, paradoxe, précepte, principe, proverbe, remarque, sentence, suggérer ■ 9 antithèse, aphorisme, caractère, cauchemar, concevoir, épigraphe, expliquer, expressif, gradation, hyperbole, mentalité, réflexion, repousser, réticence, sensation, sentiment, subtilité, tolérance, zélotisme ■ 10 apophtegme, apostrophe, cogitation, conception, concession, conscience, conversion, correction, écologisme, épiphonème, expression, généralité, hypotypose, invocation, méditation, périphrase, prosopopée, rencontrer, solipsisme, subjection, suggestion, survivance, suspension, télépathie, vulgarisme ■ 11 délectation, énumération, exclamation, imagination, imprécation, inscription, insinuation, monétarisme, obsécration, philosophie, prétérition, sophistique, trivialités ■ 12 intelligence, interruption, périssologie, observations, significatif ■ 13 arrière-pensée, communication, interrogation, onirothérapie, préopératoire ■ 14 circonlocution, considérations ■ 15 phallocentrisme, psychogénétique.

PENSER: 4 dire ■ 5 juger, rêver ■ 6 aviser, croire*, opiner, songer* ■ 7 cogiter, figurer, méditer, ruminer, soucier ■ 8 absorber, imaginer, rappeler, rêvasser, souvenir, spéculer, subsumer ■ 9 abstraire, concevoir, connaître, délibérer, percevoir, raisonner*, réfléchir*, remarquer ■ 10 comprendre, considérer, impensable, préméditer, recueillir, subtiliser ■ 11 conjecturer, extravaguer, représenter.

PENSEUR : 5 libre ■ 6 rêveur ■ 8 libertin.

PENSIF : 6 rêveur ■ 7 songeur ■ 8 soucieux ■ 11 pensivement.

PENSION : 5 hôtel, rente ■ 6 couvent, revenu ■ 8 internat, retraite ■ 9 pensionné, trousseau ■ 10 pensionnat, pensionner ■ 11 demi-pension, institution ■ 12 pensionnaire.

PENSIONNAIRE : 7 interne ■ 12 quinze-vingts.

PENSUM : 8 punition*.

PENTAMETRE : 8 distique.

PENTANOÏQUE : 9 valérique.

PENTATEUQUE : 5 bible.

PENTATHLON : 10 quinquerce.

PENTE : 4 côte, noue ■ 5 égout, penta, pentu, rampe, redan, talus ■ 6 abrupt, calade, glacis ■ 7 chalade, déclive, escarpe, raideur, rampant, roideur, versant, verseau ■ 8 corniche, descente, dressant, glissoir, penchant, plateure ■ 9 déclivité, nivelette, raidillon, schlitter ■ 10 descendeur ■ 11 déclination, déclinement, descenderie, escarpement.

PENTECOTE : 8 fête-dieu, shabouot, tarasque.

PENTECOTISME : 12 pentecôtiste.

PENTECOTISTE : 12 pentecôtisme.

PENTHIOBARBITAL : 10 thiopental.

PENTOSE : 10 nucléoside.

PENTURE : 4 gond ■ 8 paumelle.

PENULTIEME : 12 avant-dernier ■ 14 antépénultième.

PENURIE : 5 crise, faute ■ 6 défaut, manque*, rareté ■ 7 disette ■ 8 embarras, pauvreté* ■ 9 suremploi.

PEPIER : 9 pépiement.

PEPIN : 8 érucique.

PEPINIERE : 12 pépiniériste, sylviculteur ■ 13 arboriculteur.

PEPSINE : 7 achylie, peptone ■ 8 albumose, peptique.

PEPTIDE : 12 angiotensine.

PEPTONE : 8 érepsine.

PERÇANT : 3 vif* ■ 4 aigu*, lynx ■ 6 criard ■ 8 éclatant, strident ■ 9 pénétrant, térébrant.

PERCE : 4 trou* ■ 5 écrou, flûte, macle, moque, nable, patte, troué ■ 8 fenestré, foraminé ■ 9 avant-clou, imperforé, térébrant ■ 10 baquetures ■ 12 chante-pleure.

PERCEMENT : 5 jumbo ■ 8 enfilage ■ 9 avant-trou.

PERCE-MURAILLE : 10 pariétaire.

PERCE-NEIGE : 7 nivéole.

PERCE-OREILLE : 9 forficule.

PERCE-PIERRE : 7 crithme ■ 11 passe-pierre ■ 12 criste-marine.

PERCEPTIBLE : 7 audible, visible ■ 8 sensible* ■ 9 inaudible ■ 13 insaisissable ■ 14 perceptibilité ■ 15 perceptiblement.

PERCEPTION : 4 fisc, œil ■ 5 ferme, levée, régie ■ 6 vision ■ 7 agnosie, percept ■ 8 antalgie, cacosmie, dysosmie, synopsie ■ 9 fiscalité, génétisme, gustation, olfaction, perceptif, recouvrer, sensation*, sentiment ■ 10 acoustique, audibilité, paramnésie, percentage ■ 11 cinesthésie, syncrétisme ■ 12 chromatopsie, connaissance, recouvrement, stéréognosie, tachistoscope ■ 13 hallucination ■ 14 cénesthopathie, dyschromatopie ■ 15 perceptionnisme.

PERCER : 5 alène, clore, forer, mèche, perce ■ 6 aléser, crever, daguer, darder, larder, ouvrir, piquer, sonder, trouer ■ 7 creuser, cribler, driller, empaler, enfiler, entamer, étamper, fileter, mandrin, plonger, réussir, saigner, vriller ■ 8 chignole, défoncer, ébiseler, encorner, enferrer, équarrir, éventrer, explorer, fouiller, pénétrer, perceuse, perforer, repercer, saborder, tarauder, térébrer, trépaner ■ 9 découvrir, embrocher, percement, tamponner, traverser* ■ 10 enfourcher, transpirer, transsuder ■ 11 chanfrenier, ponctionner, transpercer, vilebrequin ■ 12 chanfreindre ■ 14 antibrouillard.

PERCEVOIR: 4 ouïr, voir* ■ 6 saisir ■ 7 fructus, toucher ■ 8 entendre*, recevoir ■ 9 discerner, perceptif, remarquer ■ 10 distinguer*, moins-perçu, percevable ■ 11 allocataire, sensibilité ■ 12 distinguable, nue-propriété, radiesthésie.

PERCHE: 3 âge, bar, mât* ■ 4 croc, pieu, rame ■ 5 barre, bâton*, espar, gaffe, gaule, grand ■ 6 anabas, arpent, boulin, tuteur, vergée, vergue ■ 7 antenne, bouille, échasse, juchoir, ridelle, rouable, tendoir ■ 8 baliveau, étendoir, faîtière, grémille, mâtereau, papegeai, perchoir ■ 9 balancier, écoperche ■ 10 étamperche ■ 11 percomorphe.

PERCHER: 5 poser ■ 6 jucher ■ 7 coucher, reposer ■ 8 brancher, perchage, percheur.

PERCHISTE: 8 perchman.

PERCHLORIQUE: 11 perchlorate.

PERCIDE: 3 bar ■ 4 loup ■ 6 perche, sandre ■ 8 grémille ■ 9 anarhique.

PERCLUS: 4 noué ■ 5 cassé ■ 6 faible ■ 7 podagre ■ 8 engourdi, goutteux, paralysé* ■ 9 cacochyme ■ 10 grabataire, rachitique ■ 11 languissant, paralytique, rhumatisant.

PERCOMORPHE: 10 perciforme.

PERÇU: 8 démotivé ■ 14 extrasensoriel.

PERCUSSION: 4 choc* ■ 5 bongo, fusil, heurt, tabla ■ 6 maraca ■ 7 célesta, gamelan, marteau ■ 8 batterie, gâchette ■ 9 phonolite ■ 10 brise-béton, phonolithe.

PERCUTER: 7 heurter* ■ 9 percuteur.

PERD: 6 musard ■ 8 dédaléen ■ 11 caducifolié.

PERDANT: 5 loser.

PERDITION: 5 abîme, perte* ■ 8 débauche*, naufrage.

PERDRE: 4 muer ■ 5 gâter, pâtir, peler, ravir, reste ■ 6 adirer, égarer, flâner, fondre, paumer, ruiner, tomber, vaguer, vaincu ■ 7 affoler, aliéner, changer, déchoir, démâter, démunir, éventer, faiblir, laisser, niaiser, oublier, perdant, reculer, séduire, tombeur ■ 8 alanguir, basculer, déboiser, déflorer, dégrader, démonter, déplumer, déraidir, dérougir, dérouter, dévaluer, dissiper, étouffer, étourdir, évanouir, lambiner, musarder, perdable, ramollir, regagner, relâcher, renoncer, reperdre, rouiller, troubler, vieillir ■ 9 conserver, décalvant, décolorer, défaillir, défleurir, dégénérer, dégourdir, démériter, déprécier, dépuceler, dessaisir, déteindre, étrangler, lanterner, obscurcir, scléroser, succomber, suffoquer, terrasser, trébucher ■ 10 abandonner, décourager, dérogeance, désespérer, imperdable, ressaigner, supplanter ■ 11 baguenauder, décalcifier, décomplexer, démoraliser, déraisonner, désespérant, déshabituer, désintégrer, désorienter, dévaloriser, déviriliser, disparaître, impatienter, inamissible rétrograder ■ 12 déconcentrer, déconsidérer, désenchanter, déstabiliser, dévirginiser, disqualifier ■ 13 décontenancer, déminéraliser, déséquilibrer, embarbouiller ■ 14 décrédibiliser, dénationaliser, désensibiliser, désillusionner, désynchroniser ■ 15 dépersonnaliser.

PERDRIX: 5 lacet, tapir ■ 6 caille ■ 7 cacaber, tinamou ■ 8 gélinote,

glaréole, perdreau ■ 9 francolin, pouillard ■ 10 bartavelle ■ 11 chanterelle ■ 12 appareillade, appareillage.
PERDU: 5 adiré, égaré, fichu, gâché ■ 7 dévoisé ■ 8 condamné ■ 9 désadapté ■ 10 dévitaminé.
PERE: 3 dab ■ 4 dabe, papa, vioc ■ 5 daron, frère, oncle, sœur, tante ■ 6 auteur, parent ■ 7 parâtre ■ 8 beau-père, bisaïeul, géniteur, paternel ■ 9 grand-mère, grand-père, parricide, paternité, trisaïeul ■ 10 patrimoine, patrologie ■ 12 beaux-parents ■ 13 consanguinité, pater familias ■ 14 paternellement.
PEREGRINATION: 6 voyage*.
PEREMPTION: 11 péremptoire ■ 12 prescription.
PEREMPTOIRE: 7 décisif ■ 8 estoppel ■ 10 dogmatique, dogmatiser ■ 15 péremptoirement.
PERENNE: 7 durable, éternel*.
PEREQUATION: 11 répartition.
PERFECTIF: 8 accompli.
PERFECTION: 4 fini ■ 5 idéal ■ 6 beauté ■ 8 maturité ■ 9 couronner, idéaliser ■ 10 achèvement, divinement, entéléchie, excellence ■ 11 bodhisattva, perfectible ■ 13 perfectionner ■ 14 perfectibilité ■ 15 perfectionnisme.
PERFECTIONNEMENT: 5 sport.
PERFECTIONNER: 8 corriger, élaborer ■ 9 améliorer*, retoucher ■ 10 parachever ■ 11 perfectible ■ 13 imperfectible ■ 14 perfectibilité.
PERFIDIE: 5 félin, rosse ■ 7 déloyal, serpent, traître, vipérin ■ 8 scélérat ■ 9 ténébreux ■ 13 machiavélique.
PERFIDE: 4 ruse* ■ 8 noirceur, rosserie ■ 9 déloyauté, traîtrise ■ 11 perfidement ■ 12 scélératesse.
PERFORATION: 12 mécanographe.
PERFORE: 10 hygiaphone.
PERFORER: 6 percer* ■ 9 perforage, perforant ■ 10 perforeuse, poinçonner ■ 11 perforateur, perforation ■ 12 perforatrice.
PERFORMANCE: 6 record ■ 7 exploit ■ 8 stud-book.
PERFUSION: 8 perfuser ■ 13 goutte-à-goutte.
PERGELISOL: 10 permafrost.
PERIANTHE: 7 induvie ■ 12 périanthaire, préfloraison ■ 13 préfleuraison.
PERIANTHERE: 6 tépale.
PERIBOLE: 7 temenos.
PERICARDE: 11 péricardite ■ 14 hydropéricarde.
PERICARPE: 3 son ■ 4 coco ■ 5 akène, fruit, valve.
PERICLITER: 8 décliner, enfoncer.
PERIDOT: 7 olivine ■ 11 chrysolithe.
PERIL: 4 sauf ■ 5 crise, piège, récif ■ 6 alarme, danger*, écueil, risque* ■ 7 embûche ■ 8 atteinte ■ 9 intrépide, périlleux, sauvetage, traîtrise ■ 10 coupe-gorge, péricliter ■ 11 intrépidité ■ 12 compromettre ■ 14 périlleusement.
PERILLEUX: 5 salto ■ 7 délicat ■ 9 acrobatie, dangereux, difficile*.
PERIME: 5 caduc ■ 6 démodé* ■ 7 suranné ■ 12 anachronique.
PERIMETRE: 4 tour ■ 8 quadrant ■ 10 périphérie ■ 12 isopérimètre.
PERINATALOGIE: 13 périnatalogie.
PERINEE: 8 périnéal.
PERIODE: 3 ère* ■ 4 coda ■ 5 année, chute, congé, cycle, étape, phase*, point, quart, revif, saros, shift, stade, temps*, trias ■ 6 décade, éocène, époque, saison ■ 7 miocène, néogène, nuaison, œstrus, permien, puberté, session, système ■ 8 chelléen, décennie, dévonien,

diapause, discours, exercice, histoire, holocène, isophase, pliocène, silurien ■ 9 acheuléen, fréquence, hivernage, lactation, oligocène, synchrone ■ 10 alternance, dépression, durabilité, interphase, jurassique, kondratiev, moustérien, ordovicien, post-partum, sauvagerie ■ 11 aurignacien, avant-guerre, carbonifère, intersaison, législature, magdalénien, moustiérien, néolithique, pléistocène, raspoutitsa ■ 12 mésolithique, monocyclique, préglaciaire, prémenstruel ■ 13 carboniférien, postclassique, préromantisme, présénescence ■ 14 chalcolithique, interglaciaire.

PERIODICITE : 10 annualiser ■ 11 monocristal.

PERIODIQUE : 5 revue ■ 7 journal* ■ 8 évection, magazine, soutrage ■ 9 menstrues, vibration ■ 11 fréquentiel, périodicité ■ 12 menstruation, transhumance ■ 14 périodiquement.

PERIOSTE : 9 péricrâne ■ 10 périostite.

PERIPATE : 11 onychophore.

PERIPATETISME : 13 péripatétique ■ 14 péripatéticien.

PERIPETIE : 7 épisode ■ 8 aventure* ■ 9 événement* ■ 15 course-poursuite.

PERIPHERIE : 4 tour ■ 5 jante, train ■ 8 banlieue ■ 12 périphérique.

PERIPHERIQUE : 5 périf ■ 6 périph ■ 12 trophoblaste ■ 15 thermorécepteur.

PERIPHRASE : 6 détour ■ 10 antonomase, euphémisme ■ 11 périphraser ■ 14 circonlocution, périphrastique.

PERIPLE : 4 tour ■ 6 voyage* ■ 7 circuit.

PERIR : 4 tuer ■ 5 geler, noyer ■ 6 couler, mourir*, tomber ■ 7 altérer, décimer, dépérir, faucher, immoler ■ 8 anéantir, consumer, détruire, écrouler, étouffer ■ 9 annihiler, crucifier, foudroyer, massacrer, sacrifier ■ 10 exterminer, péricliter ■ 12 impérissable.

PERISSABLE : 5 frêle ■ 6 chétif, débile, épuisé, faible, risqué ■ 7 délicat*, fragile.

PERISSODACTYLE : 5 tapir ■ 6 équidé* ■ 10 rhinocéros.

PERISTALTIQUE : 13 péristaltisme.

PERISTYLE : 8 portique.

PERITOINE : 6 ascite ■ 7 ratelle ■ 8 épiploon ■ 10 péritonéal, péritonite ■ 12 cœlioscopie, pérityphlite ■ 15 pneumopéritoine.

PERLE : 7 perlier, semence ■ 8 dormeuse, emperler, olivette, parangon, perlière, perlouse, perlouze ■ 9 pintadine ■ 10 lunéviller, méléagrine.

PERLER : 8 parfaire*.

PERLINGUALE : 9 linguette.

PERMAFROST : 10 pergélisol.

PERMANENCE : 5 poste ■ 8 éternité ■ 9 constance, monotonie, psalmodie, veilleuse ■ 10 continuité, instabilité, permafrost, uniformité ■ 11 immuabilité ■ 12 continuation, permanencier.

PERMANENT : 4 fixe ■ 6 stable ■ 7 continu*, durable, éternel ■ 8 constant*, immuable, monotone, œrstite, uniforme ■ 9 cicatrice, endémique, perpétuel, substance ■ 10 permanence, satyriasis, temporaire ■ 11 inaltérable ■ 12 indéfrisable.

PERMANENTE : 9 ornièrage ■ 13 rétrocontrôle.

PERMANGANIQUE : 12 permanganate.

PERMEABILITE : 12 permsélectif.

PERMEABLE : 9 barbotine ■ 10 pénétrable ■ 12 roche-magasin.

PERMET : 12 localisateur.

PERMETTANT : 10 fractionné.

PERMETTRE : 4 oser ■ 6 passer ■ 7 endurer, laisser, tolérer ■ 8 admettre*, concéder, enhardir, prohiber, rappeler, souffrir ■ 9 approuver,

autoriser, comporter, consentir*, dispenser, habiliter, souscrire, supporter ■ **10** acquiescer ■ **12** condescendre.
PERMIEN : 9 actinodon ■ **13** branchiosaure.
PERMIS : 5 exéat, juste, légal, libre, passe ■ **6** licite ■ **8** autorisé, légitime, loisible, navicert ■ **9** passavant ■ **10** admissible, importable, permission* ■ **11** passe-debout ■ **13** laissez-passer.
PERMISSION : 5 congé, exéat, licet ■ **6** brevet, permis ■ **7** diplôme, licence, patente, pouvoir* ■ **9** admission, exequatur, passavant, privilège ■ **10** blanc-seing, concession, imprimatur ■ **11** approbation, sauf-conduit ■ **12** autorisation, consentement ■ **13** acquiescement ■ **15** permissionnaire.
PERMUTATION : 6 change.
PERMUTER : 7 changer* ■ **9** permutant, permuteur ■ **10** permutable, transposée ■ **13** permutabilité.
PERNELLE : 10 pétronille.
PERNICIEUX : 5 malin*, nocif, peste ■ **6** méfait, poison ■ **8** nuisible* ■ **9** malignité ■ **10** diabolique, malfaisant ■ **11** bienfaisant ■ **12** perniciosité ■ **15** pernicieusement.
PERONE : 5 jambe, tibia ■ **8** cheville, malléole, péronier ■ **9** astragale ■ **14** périnéographie.
PERONISME : 9 péroniste.
PERONNELLE : 6 pécore.
PERONOSPORACEE : 10 plasmopara ■ **11** phytophtora, plasmospora ■ **13** péronosporale.
PERONOSPORALEE : 14 péronosporacée.
PERORAISON : 10 conclusion.
PERORER : 6 parler ■ **8** péroreur ■ **9** discourir.
PEROU : 4 inti.
PEROXYDE : 9 peroxyder, suroxyder ■ **11** panclastite.
PERPENDICULAIRE : 3 jas ■ **4** pied ■ **5** droit, lisse, sinus ■ **6** aplomb ■ **7** normale, podaire ■ **8** apothème, capitale, vertical* ■ **10** équilatère, horizontal, médiatrice, pantomètre ■ **11** travers-banc ■ **12** orthographie.
PERPENDICULAIREMENT : 4 à-pic ■ **8** pivotant ■ **13** verticalement ■ **15** orthogonalement.
PERPETRER : 9 commettre* ■ **12** perpétration.
PERPETUEL : 7 éternel*, toccata ■ **9** continuel* ■ **10** perenniser, perpétuité, relégation ■ **11** immortalité.
PERPETUER : 5 durer ■ **8** perdurer ■ **10** reproduire ■ **12** perpétuation.
PERPETUITE : 8 perpette.
PERPIGNAN : 12 perpignanais.
PERPLEXE : 5 agité ■ **7** indécis*, suspens ■ **9** incertain* ■ **10** embarrassé* ■ **11** soupçonneux.
PERPLEXITE : 7 soupçon ■ **8** embarras*, scrupule ■ **9** agitation ■ **10** indécision* ■ **11** incertitude.
PERQUISITION : 9 recherche ■ **11** inquisition ■ **15** perquisitionner.
PERROQUET : 3 ara, foc ■ **4** cire, jaco, lori ■ **5** jacot, jaser ■ **6** conure, jaquot ■ **7** euphème, jacquot, papegai ■ **8** cacatoès, cacatois, kakatoès, papegeai, papegaut, perruche, rosalbin ■ **9** paléornis ■ **10** mélopsitte, ostéophyte, psittacose, psittacule.
PERRUQUE : 7 cheveux ■ **8** coiffeur, postiche ■ **10** perruquier.
PERSAN : 3 kan ■ **4** chah, dari, khan, mage, péri, shah ■ **5** bazar, divan, farsi, islam, lilas, mitre, parse, parsi, schah, spahi, tiare ■ **6** tadjïk ■ **7** satrape ■ **8** persique ■ **10** cunéiforme ■ **11** psammétique.
PERSECUTER : 6 brûler ■ **7** obséder ■ **8** torturer ■ **9** crucifier ■ **10** martyriser, poursuivre, tourmenter* ■ **11** persécuteur.

PERSECUTION : **6** délire ■ **7** torture ■ **8** supplice ■ **9** traditeur ■ **10** lapidation ■ **11** décollation, dragonnades.
PERSEE : **9** perséides.
PERSEL : **10** persulfate.
PERSEVERANCE : **4** têtu ■ **5** sport, suite ■ **8** patience* ■ **9** constance ■ **11** opiniâtreté.
PERSEVERANT : **8** constant.
PERSEVERER : **8** insister* ■ **9** continuer* ■ **11** persévérant ■ **12** persévérance.
PERSIENNE : **5** volet ■ **8** jalousie ■ **9** battement, loqueteau.
PERSIFLER : **6** moquer* ■ **7** railler* ■ **10** persiflage.
PERSIL : **5** apiol ■ **6** éthuse ■ **8** persicot ■ **10** persillade, persillère.
PERSISTANCE : **8** néoténie, vitalité ■ **9** rémanence ■ **12** infantilisme, stroboscopie ■ **13** réverbération.
PERSISTANT : **4** fixe ■ **5** gravé ■ **6** entêté ■ **7** continu*, imprimé ■ **8** immuable, incrusté, inculqué, invétéré, maintenu ■ **9** permanent*, résistant ■ **10** impénitent, indélébile, invariable ■ **11** ineffaçable, irrévocable ■ **12** inébranlable, irrémissible, sempervirent.
PERSISTER : **5** durer* ■ **8** demeurer, flancher ■ **9** continuer*, subsister ■ **10** persévérer.
PERSONEE : **14** scrofulariacée*.
PERSONNAGE : **3** fat, nom ■ **4** gogo, rôle, type, zani ■ **5** arroi, clown, folie, grand, héros, huile, jouer, ponte, scène, sotie, zanni ■ **6** dandin, légume, mignon, numéro ■ **7** bouffon, capitan, escobar, guignol, notable, proxène, sommité ■ **8** chérubin, comparse, demi-dieu, figurant, jocrisse, lustucru, matamore, passe-bas, personne, pimbêche, pleurant, quelqu'un ■ **9** anti-héros, balzacien, célébrité, confident, sacripant, tout-paris, trickster ■ **10** biographie, coqueluche, dignitaire, notabilité ■ **11** panchen-lama, sérénissime ■ **12** don quichotte, personnalité ■ **14** autobiographie.
PERSONNALITE : **3** égo, moi, v.i.p. ■ **4** self ■ **5** gotha, grand, huile ■ **6** jet-set, légume ■ **7** has been, notable, sommité ■ **8** égotisme, quelqu'un ■ **10** borderline, notabilité, personnage* ■ **11** prépsychose ■ **12** grosse légume, honoris causa, victimologie ■ **13** maître-penseur, personnaliste ■ **15** dépersonnaliser, intuitu, personae.
PERSONNE : **2** as, on ■ **3** ami, mec, moi, nul, qui ■ **4** coco, être, gens, géré, hère, hôte, même, oint, type ■ **5** black, droit, extra, foule, huile, liste, minus, monde, parti, pièce, secte, seing, sondé, sujet, ultra, zèbre, zigue ■ **6** autrui, bipède, bougre, mortel, oiseau, pareur, péteur, pileur, quidam, raider, saleur, soigné, tageur, zigoto ■ **7** canneur, cannier, couseur, fouleur, garanti, inconnu, malteur, migrant, mocheté, moineau, nullard, pierrot, plumeur, ponceur, prôneur, remueur, routard, surfeur, thésard ■ **8** agioteur, alter ego, bégayeur, boniface, buandier, buvetier, chançard, chiadeur, citateur, come-back, consorts, contumax, cotuteur, créature, décideur, décodeur, délégant, diviseur, doucheur, écoutant, essuyeur, fournier, happy few, indexeur, individu*, j'ordonne, loucheur, manouche, mêle-tout, péroreur, prochain, riquiqui, saigneur, tresseur, troqueur ■ **9** analyseur, annoncier, benjoïste, broussard, buffetier, cachetier, cassandre, coéditeur, commensal, contumace, coqueleux, demandeur, desperado, emmerdeur, éveilleur, insulteur, laudateur, malvoyant, mortuaire, navetteur, permutant, personnel protuteur, quiconque, ramendeur, remettant, sportsman, taraudeur, truquiste, tuyauteur, vérifieur, voyagiste ■ **10** anecdotier, assistants, béni-oui-oui, cacographe, comourants, embrasseur, évaluateur, hermétiste, ostéopathe, paroissien, personnage ■

11 allocutaire, bidouilleur, billettiste, cocréancier, cofondateur, concouriste, dédicataire, dégoûtation, demi-portion, disc-jockey, impersonnel, particulier, récidiviste, self-made-man, superviseur ■ **12** abandonnique, anthroponyme, attributaire, croisiériste, permanencier, personnifier, prescripteur, psychiatrisé, unipersonnel, vinificateur ■ **13** deus ex machina, personnaliser, personnalisme ■ **14** intersubjectif, monopolisateur, sous-prolétaire, tripatouilleur ■ **15** phytothérapeute.

PERSONNEL: **2** en, il, je, la, le, me, se, te, tu ■ **3** eux, ils, les, lui, moi, toi, soi ■ **4** elle, leur, nous, taxe, vous ■ **5** liste, ordre ■ **6** propre* ■ **7** égoïste, service ■ **8** draisine, droppage, égotiste, navigant, original ■ **10** plein-temps ■ **11** arraisonner, compression, particulier* ■ **12** égocentrique, idiosyncrasie, personnalité ■ **14** administration, particularisme ■ **15** caractéristique, personnellement.

PERSONNIFICATION: **4** mort ■ **6** destin ■ **12** personnifier.

PERSPECTIVE: **3** vue* ■ **5** fuite ■ **7** horizon, optique ■ **8** débouché ■ **9** raccourci ■ **10** perspectif ■ **11** arrière-plan ■ **13** bloc-diagramme.

PERSPICACE: **3** fin ■ **6** sagace, subtil ■ **11** clairvoyant, intelligent.

PERSPICACITE: **3** vue ■ **5** flair ■ **8** sagacité ■ **10** perspicace ■ **12** clairvoyance*.

PERSUADER: **5** rétif ■ **6** capter, gagner, graver, parler, saisir, tenter ■ **7** assurer, attirer, charmer, décider, éblouir, engager, enjôler, enrôler, exciter, flatter, fléchir, frapper, imposer, pousser, prouver, séduire, toucher, tromper ■ **8** affirmer, aveugler, captiver, désarmer, discours, émouvoir, empaumer, fasciner, imprimer, inspirer, pénétrer, suggérer ■ **9** démontrer, éloquence, embaucher, enchanter, entraîner, inculquer, persuasif, retourner ■ **10** accréditer, catéchiser, convaincre, déterminer, électriser, ensorceler, influencer, persuasion, surprendre ■ **11** circonvenir, endoctriner, persuasible ■ **12** entreprendre ■ **13** impressionner.

PERSUASION: **6** charme ■ **9** ascendant, captation, éloquence, influence, séduction ■ **10** conviction ■ **11** pithiatisme ■ **14** persuasivement.

PERTE: **3** dam, mal, mue ■ **4** coma, tare ■ **5** abîme, décès, décri, deuil, échec, fiche, froid, ozène, ruine, sèche ■ **6** amimie, avarie, manque*, misère ■ **7** amnésie, analgie, anosmie, aphasie, aphémie, coulage, débâcle, défaite, dommage, scotome, surdité, syncope ■ **8** adipisie, amission, anorexie, défaveur, délétion, disgrâce, emporter, éviction, faillite, insuccès, mévendre, naufrage, omission, pauvreté, sinistre ■ **9** achalasie, analgésie, apoplexie, déchéance, détriment, discrédit, faiblesse, préjudice, privation*, servitude ■ **10** aliénation, cataplexie, dépucelage, déshonneur, diminution, forclusion, indemniser, lipothymie, négligence, survivance, thermolyse ■ **11** aquaplanage, aquaplaning, banqueroute, déconfiture, défaillance, déperdition, désillusion, héméralopie, hémianopsie, hydrocution ■ **12** décoloration, désaffection ■ **13** avachissement, découragement, déculturation, déréalisation, désadaptation, détérioration, syringomyélie ■ **14** dépigmentation, dépressuration, endurcissement, étourdissement, évanouissement ■ **15** antidéperditeur, déconsidération, dévitrification, obscurcissement.

PERTINENT: **9** approprié ■ **10** pertinence.

PERTUIS: **7** détroit.

PERTURBATION: **4** émoi ■ **5** orage ■ **6** lésion, stress ■ **7** apraxie, trouble* ■ **8** parasite ■ **11** dérangement*, traumatisme ■ **12** antiparasite.

PERTURBER: **8** déranger*, paisible, troubler* ■ **9** parasiter ■ **10** émotionner.

PERUVIEN: **4** coca, lama ■ **9** quinquina.

PERVENCHE : 9 vincamine ■ 11 vinblastine, vincristine.
PERVERS : 4 noir ■ 7 méchant*, sadique, vicieux* ■ 8 lovelace ■ 10 perversité ■ 12 perversement.
PERVERSION : 7 avarice ■ 10 corruption*, masochisme ■ 11 travestisme.
PERVERTIR : 5 gâter* ■ 8 dépraver*, dévoyer ■ 9 corrompre* ■ 13 pervertisseur ■ 15 pervertissement.
PERVIBRATEUR : 10 pervibrage ■ 12 pervibration.
PERVIBRATION : 9 pervibrer.
PESAGE : 6 tarage ■ 11 pont-bascule.
PESANT : 4 lest ■ 5 ébène, épais, étain, grave, léger, lourd*, poids ■ 6 massif, tarant ■ 7 stupide ■ 9 pesanteur, pondéreux ■ 10 appesantir, légèrement, lourdement.
PESANTEUR : 4 lest ■ 5 poids* ■ 7 densité, fardeau, gravité, haltère, saccule ■ 8 lourdeur*, utricule ■ 9 équilibre, exosphère ■ 10 apesanteur, gravifique, gravimètre, métrologie ■ 11 géotropisme, gravimétrie, gravitation.
PESE-ALCOOL : 10 pèse-esprit.
PESER : 5 pesée, peson, tarer ■ 6 coûter ■ 7 appuyer, charger, presser ■ 8 balancer, délibérer, incomber, soupeser ■ 9 réfléchir, trébucher ■ 10 considérer, équilibrer, pondérable, surcharger ■ 11 contrepeser ■ 14 contrebalancer.
PESETA : 4 réal ■ 5 réale ■ 8 piécette.
PESSIMISME : 10 sinistrose.
PESSIMISTE : 8 maussade ■ 9 alarmiste, optimiste, paniquard ■ 10 défaitiste ■ 12 mélancolique.
PESTE : 7 pesteux ■ 8 empester ■ 9 pestiféré, pestilent ■ 12 pestilentiel ■ 13 streptomycine.
PESTER : 5 rager, râler ■ 6 rogner ■ 7 enrager ■ 10 invectiver.
PESTILENCE : 9 infection.
PET : 5 péter ■ 8 pétarade.
PETALE : 4 aile ■ 5 fleur, limbe ■ 7 apétale, corolle, feuille, labelle ■ 8 dipétale, étendard ■ 9 pétaloïde ■ 10 effeuiller, gamopétale ■ 11 dialypétale, pentapétale.
PETARADE : 9 pétarader ■ 10 détonation, pétaradant.
PETARD : 5 potin ■ 6 marron, tapage ■ 8 scandale.
PETECHIE : 9 pétéchial.
PETER : 6 casser, péteur, rompre ■ 7 éclater* ■ 8 pétiller.
PETILLANT : 7 spitant.
PETILLER : 5 péter ■ 8 chatoyer, crépiter ■ 9 étinceler, pétillant ■ 11 pétillement.
PETIOLE : 5 gaine, penne, queue ■ 8 conjugué ■ 9 décurrent.
PETIT : 3 bun, fin*, nid, peu* ■ 4 bref, faon, fils, gruo, lime, menu*, nain, once, ténu ■ 5 atome, baril, batte, bazar, bécot, benne, bidet, bijou, bille, bouge, bribe, brick, brise, butte, calle, canif, canot, court, dalot, délié, empan, envie, ergot, évent, évier, exigu, fable, fagne, fente, fiche, fifre, filet, fiole, flein, fluet, flûte, folie, fouée, foyer, frêle, furet, fusée, galet, gamin, liard, gnome, godet, goret, grêle, grené, groom, gruau, gruon, halte, hoche, hutte, image, judas, lagon, lampe, larme, lérot, lever, ligot, lopin, marte, miche, mince*, moïse, motte, mulot, muret, nabot, nasse, niche, ninas, obole, oison, orgue, ourse, ovule, panca, panka, patar, patte, pelte, perle, peton, picot, pièce, pince, pinot, plomb, poche, point, pouce, prise, punka, quart, radis, raton, rôlet, ronce, ruban, salse, salut, selle, serin, socle, sprat, strie, suage, tanne, targe, tarin, tasse, texte, tiret, tract, trait,

verge, verre, virus, xérus ■ **6** abrégé, bambin, bellot, chétif, concis, enfant, étroit*, fretin, humble, infime, mignon, mineur, minime, patard, petiot, réduit, roquet ■ **7** babiole, étriqué, girafon, limette, minicar, minimal, moindre, morceau, moutard, pygméen, rétréci, trognon ■ **8** archerot, blanchon, bonichon, bûchette, chamelon, chevreau, cochelet, condensé, épicycle, fragment, girafeau, hobereau, lionceau, médiocre, menu-vair, minorité, mirmidon, myrmidon, présérie, rabougri, ratatiné, resserré, riquiqui, spacieux, succinct, tantinet, vivipare ■ **9** amenuiser, amoindrir, autruchon, baleineau, ballonnet, barachois, barquette, bécasseau, biellette, boqueteau, bottillon, bouclette, bourricot, boursicot, brocheton, broquette, caissette, carpillon, chaînette, chatonner, chevrette, cigogneau, clocheton, clochette, cochonnet, columelle, corbillat, corbillon, cordonnet, croisette, couchette, coussinet, denticule, diablotin, échelette, échevette, faucillon, fléchette, fleurette, fougerole, gaufrette, gringalet, héronneau, homoncule, homuncule, hottereau, houpette, languette, landaulet, lanternon, marmouset, mauviette, menuaille, mignonnet, miniature, minuscule, moinillon, monticule, moucheron, négrillon, onguicule, particule, pédicelle, petit-four, piédouche, pierrette, portillon, poutrelle, quartette, raccourci, rapetissé, renardeau, ruisselet, saumoneau, sœurette, souriceau, statuette, torchette, tyranneau ■ **10** affichette, animalcule, arbrisseau, avionnette, brimborion, cailleteau, corpuscule, crapoussin, granulaire, impalpable, méticuleux, microcosme, rapetisser ■ **11** chevrillard, couleuvreau, gentillâtre, lilliputien, pince-maille, progéniture ■ **12** croquignolet, différentiel, microcéphale, micrographie ■ **13** imperceptible, infinitésimal, insaisissable, microscopique ■ **15** microdissection, micro-intervalle.

PETITE : **6** céteau, chouia ■ **8** fermette, lichette, loupiote, meulette ■ **9** œuvrette, tacheture ■ **10** cantatille.

PETITESSE : **5** micro ■ **8** exiguïté ■ **10** étroitesse, petitement ■ **11** mesquinerie.

PETITION : **7** requête* ■ **11** pétitionner ■ **13** pétitionnaire ■ **14** pétitionnement.

PETIT-LAIT : **5** kéfir, puron ■ **6** képhir ■ **8** délaiter ■ **10** délaiteuse, lactosérum.

PETREL : **8** cul-blanc.

PETRIFIE : **5** ébahi ■ **7** zoolite ■ **8** zoolithe ■ **10** ostéolithe ■ **13** pétrification.

PETRIFIER : **6** ébahir* ■ **10** lapidifier, pétrifiant.

PETRIER : **4** pâte ■ **7** malaxer ■ **11** pétrissable.

PETRIN : **3** mée ■ **4** maie, mait.

PETRIR : **5** huche ■ **6** masser ■ **7** malaxer, marcher, presser* ■ **9** manipuler ■ **10** pétrissage, pétrisseur ■ **12** pétrissement.

PETROCHIMIE : **13** pétrochimiste.

PETROGRAPHIE : **11** pétrographe.

PETROLE : **3** g.p.l., tep ■ **4** brai, fuel ■ **5** bidon, fioul, lampe ■ **6** barrel, naphte ■ **7** heptane, psilopa ■ **8** gazoline, kérosène, kérosine, pipeline, vaseline ■ **9** ozocérite, ozokérite, pétroleur, pétrolier ■ **11** pétrochimie ■ **12** dégazolinage, fracturation, roche-magasin ■ **13** berginisation, déparaffinage, parapétrolier.

PETROLIER : **4** dope, tank ■ **5** riser ■ **6** coking ■ **8** pompiste ■ **13** hydrocraquage ■ **15** hydrotraitement.

PETULANT : **3** fol, fou, vif* ■ **9** turbulent.

PEU : **4** rien ■ **5** guère, petit*, zeste ■ **6** chouia, rioter ■ **7** taiseux ■ **8** médiocre*, mirmidon, myrmidon, passager, succinct, tantinet ■

9 aphorisme, bagatelle, broutille ■ 10 brièvement, brimborion, entrouvrir, gagne-petit, maigrement, pauciflore ■ 11 antiquaille, compendieux, moyennement ■ 12 travailloter, vulgairement ■ 13 passagèrement.

PEU A PEU: 5 miner ■ 8 découler ■ 9 poco a poco ■ 14 insensiblement ■ 15 progressivement.

PEUPLADE: 5 horde, tribu ■ 6 peuple*.

PEUPLE: 3 rom ■ 4 mari, mère, race ■ 5 allié, caste, exode, horde, idole, magie, masse, païen, petit, plèbe, tribu ■ 6 nation*, populo, public, targui ■ 7 touareg ■ 8 anarchie, épidémie, peuplade, plébéien, poissard, populace*, populeux ■ 9 démagogue, démocrate, habitants, populaire, surpeuplé ■ 10 chrétienté, démocratie, ethnologie, ostracisme, plébiscite, popularité, population, sous-peuplé ■ 11 barbaresque, caporaliser, catholicité, démographie, impopulaire ■ 12 ethnographie, orientalisme, panislamisme ■ 14 transmigration.

PEUPLEMENT: 4 frai ■ 8 rôneraie ■ 12 encépagement ■ 13 surpeuplement ■ 14 sous-peuplement.

PEUPLER: 7 habiter* ■ 8 aleviner ■ 9 coloniser, repeupler ■ 10 peuplement ■ 12 empoissonner.

PEUPLIER: 5 liard ■ 7 grisard, tremble ■ 8 populéum ■ 9 balsamier, salicacée ■ 10 peupleraie, salicoside.

PEUR: 4 émoi, suée, toux, trac ■ 5 caner, fuite, poule ■ 6 alarme, effroi, phobie ■ 7 anxiété, crainte*, émotion, épeurer, frayeur, frousse, horreur, lâcheté*, panique, pétoche, terreur, trouble, venette ■ 8 angoisse*, impavide, redouter, scrupule, trembler, trouille ■ 9 chocottes, confusion, couardise, dégonfler, épouvante, ombrageux, tremblote ■ 10 affolement, terrorisme ■ 12 appréhension, fanfaronnade, poltronnerie.

PEUREUX: 5 capon, lâche* ■ 6 affolé, apeuré, couard, effaré, fuyard, timide, timoré, transi ■ 7 inquiet, pleutre, poltron ■ 8 craintif, dégonflé, fanfaron, vaillant ■ 9 alarmiste, ombrageux, trembleur ■ 10 pessimiste, trouillard ■ 11 pusillanime ■ 12 peureusement ■ 13 superstitieux.

PEUT-ETRE: 8 possible ■ 10 impossible ■ 12 possiblement.

PHAETON: 10 américaine ■ 13 paille-en-queue.

PHAGOCYTE: 11 phagocytose ■ 12 phagocytaire.

PHAGOCYTOSE: 8 opsonine ■ 9 microglie ■ 10 microphage, phagocyter.

PHALANGE: 5 forme ■ 6 troupe ■ 9 coalition ■ 10 phalangien, phalangine ■ 11 phalangette, phalangiste.

PHALENE: 8 géomètre ■ 10 arpenteuse.

PHALLIQUE: 5 linga ■ 6 lingam.

PHALLOCENTRISME: 15 phallocentrique.

PHALLOCRATE: 5 macho.

PHALLOCRATIE: 14 phallocratique.

PHALLOÏDE: 8 phalline.

PHALLUS: 9 phallique ■ 13 ithyphallique ■ 15 phallocentrisme.

PHANERE: 9 mélanisme.

PHANEROGAME: 6 plante* ■ 11 angiosperme*, gymnosperme*, spermaphyte ■ 13 spermatophyte.

PHANTASME: 6 vision ■ 7 fantôme*.

PHARAMINEUX: 8 étonnant.

PHARAON: 8 pectorat ■ 10 pharaonien ■ 11 pharaonique.

PHARE: 3 feu ■ 5 lampe ■ 7 lamparo ■ 8 baliseur, lanterne ■ 9 gyrophare ■ 11 bateau-phare.

PHARISAÏSME : 8 fausseté.
PHARISIEN : 8 saducéen ■ 9 hypocrite, sadducéen ■ 11 pharisaïque, pharisaïsme.
PHARMACEUTIQUE : 5 opiat ■ 9 thériaque.
PHARMACIE : 4 talc ■ 5 baume, codex ■ 6 potard, spatule ■ 7 cajeput, uva-ursi ■ 8 comprimé, officine, opopanax, opoponax, vaseline ■ 9 admixtion, adragante, castoréum, collodion, drugstore, galénique, myrobalan, myrobolan, officinal ■ 10 cajeputier, herboriste, médicament*, pharmacien ■ 11 apothicaire, pharmacopée ■ 13 parapharmacie ■ 14 pharmaceutique, pharmacochimie.
PHARMACIEN : 12 ordonnancier.
PHARMACOPEE : 9 yohimbehe.
PHARYNX : 6 angine, gosier ■ 8 pharyngé ■ 9 œsophage ■ 10 oropharynx, pharyngien, pharyngite ■ 12 arrière-gorge, rhino-pharynx ■ 15 rhino-pharyngite.
PHASE : 5 crise, degré*, étape, stade ■ 6 palier ■ 7 diphasé, échelon, période*, take-off ■ 8 anaphase, finition, prophase, quartier ■ 9 déphasage, métaphase, monophasé, polyphasé, télophase ■ 10 dégagement, dichotomie, phasemètre ■ 12 exploitation ■ 13 incorporation, précombustion.
PHASIANIDE : 3 coq ■ 4 paon ■ 5 argus, dinde, poule, tétra ■ 6 caille, dindon, faisan, poulet ■ 7 leghorn, perdrix, pintade, poussin ■ 8 paonneau, perdreau, poularde ■ 9 pintadeau, pouillard ■ 10 bartavelle, dindonneau, faisandeau, galliforme.
PHEBUS : 6 soleil ■ 10 galimatias.
PHENIX : 5 aigle.
PHENATE : 9 phénolate.
PHENOL : 6 crésol, thymol ■ 7 dioxine, naphtol, phénate ■ 8 bakélite, diphénol, phénique, picrique ■ 9 résorcine ■ 10 phénolique, pyrogallol, résorcinol ■ 11 phénoplaste ■ 13 phénothiazine ■ 14 paramidophénol.
PHENOMENAL : 8 étonnant.
PHENOMENE : 3 top ■ 4 rage ■ 5 cycle, étant, phase ■ 6 aurore, influx, mirage, osmose, séisme ■ 7 capture, météore, monstre, pattern, prodige, rochage ■ 8 artefact, épigénie, épitaxie, relation, symptôme* ■ 9 apparence, arc-en-ciel, battement, biorythme, diagenèse, diagramme, étincelle, fakirisme, graphique, phonation, plutonien, surfusion, synchrome, xérocopie ■ 10 combustion, désorption, diachronie, dispersion, expérience, fascination, hypnotisme, interactif, limnologie, maturation, paranormal, paupérisme, phénoménal, plutonique, raz de marée, synchronie ■ 11 affectivité, anorganique, antécédence, apériodique, biophysique, caléfaction, diffraction, espace-temps, fibrinolyse, fréquentiel, gravitation, neurochimie, prédictible, sociométrie ■ 12 chronographe, complication, cryophysique, électronique, épiphénomène, gérontologie, interférence, météorologie, phénoménisme, physiorption, polychroïsme, psychométrie ■ 13 agglutination, astrobiologie, cicatrisation, diamagnétisme, illusionnisme, lignification, massification, métapsychique, orthostatique, parasexualité, pétrification, précipitation, surcreusement ■ 14 homéomorphisme, neurobiochimie, phénoménologie, prédictibilité, réductionnisme ■ 15 cristallisation, hypercorrection, planétarisation, restructuration, supraconduction, thermodynamique.
PHENOMENOLOGIE : 8 thétique.
PHENOTHIAZINE : 12 prométhazine ■ 15 chloropromazine.
PHENOTYPE : 12 phénotypique.

PHENYLE: 5 salol ■ 6 spinal ■ 10 phénylique.
PHEOPHYCEE: 6 fucale.
PHILANTHROPIE: 5 bonté* ■ 7 charité*, mécénat ■ 15 philanthropique.
PHILHELLENE: 14 philhellénique, philhellénisme.
PHILIPPINES: 6 baguio ■ 7 cebuano.
PHILIPPIQUE: 6 satire.
PHILOLOGIE: 9 romancier ■ 10 philologue ■ 11 littérature, papyrologie ■ 12 linguistique*, philologique.
PHILOSOPHE: 4 pope, sage ■ 6 éléate ■ 8 sophiste ■ 9 éléatique, empiriste, éristique, humaniste ■ 10 spinosiste, spinoziste ■ 11 scolastique ■ 13 gymnosophiste, maître-penseur, présocratique, problématique ■ 14 phénoménologue.
PHILOSOPHER: 9 raisonner*.
PHILOSOPHIE: 4 idée, lois, sens, yoga ■ 5 dogme, école, gnose, modal, mythe, objet, philo, sujet ■ 7 cynisme, falsafa, laxisme, monisme, noumène ■ 8 atomisme, beylisme, doctrine, dualisme, innéisme, kantisme, marxisme, réalisme, scotisme, sectaire, thomisme, surhomme ■ 9 antimonie, dynamisme, empirisme, fatalisme, finalisme, humanisme, idéalisme, logicisme, monadisme, newtonien, nihilisme, quiétisme, stoïcisme, thesaurus ■ 10 amoralisme, bergsonien, causalisme, criticisme, cyrénaïque, dogmatisme, entéléchie, ésotérisme, formalisme, maïeutique, mysticisme, platonisme, pluralisme, solipsisme, spinozisme ■ 11 anabaptisme, bergsonisme, fouriérisme, gnoséologie, gnosticisme, néo-kantisme, néo-thomisme, neutralisme, nominalisme, philosopher, platonicien, positivisme, pyrrhonisme, relativisme, scolasticat, scolastique, sensualisme, syncrétisme ■ 12 matérialisme, métaphysique*, phénoménisme, probabilisme, rationalisme ■ 13 aristotélisme, cartésianisme, confucianisme, essentialisme, néoplatonisme, péripatétisme, personnalisme, philosophique, psychologisme, spiritualisme, subjectivisme ■ 14 anthroposophie, immatérialisme, indéterminisme, intuitionnisme, irrationalisme, isolationnisme, néo-positivisme, voltairianisme ■ 15 épiphénoménisme, existentialisme, prédéterminisme, substantialisme, traditionalisme.
PHILOSOPHIQUE: 13 aristotélisme.
PHIMOSIS: 12 paraphimosis.
PHLEBITE: 13 anticoagulant.
PHLEBOLOGIE: 11 phlébologue.
PHLEGMON: 3 pus ■ 5 abcès* ■ 6 tumeur* ■ 7 flegmon, panaris ■ 11 phlegmoneux.
PHLYCTENE: 6 cloque ■ 8 sérosité.
PHOBIE: 4 peur* ■ 7 crainte* ■ 8 phobique.
PHOCOMELIE: 9 phocomèle.
PHONATION: 10 dysarthrie.
PHONEME: 5 click, voisé ■ 7 mérisme ■ 8 aperture, phonique, syncoper ■ 9 voisement ■ 10 phonologie ■ 11 orthophonie ■ 12 assimilation, phonématique ■ 13 consonnantique ■ 14 coarticulation.
PHONETIQUE: 10 haplologie, phonétisme ■ 11 phonéticien ■ 14 phonétiquement.
PHONOGENIQUE: 10 phonogénie.
PHONOGRAPHE: 5 phono, prise ■ 10 discophile ■ 11 discothèque ■ 12 phonogénique ■ 14 phonographique.
PHONOLITE: 12 phonolitique ■ 13 phonolithique.
PHONOLOGIE: 10 phonologue ■ 12 phonématique.
PHOQUE: 5 huile, kajac, kayac, moine ■ 6 otarie ■ 8 blanchon.

PHOSPHATE : 5 guano ■ 7 apatite, uranite ■ 8 autunite, lazulite, monazite ■ 9 turquoise ■ 10 phosphater ■ 11 phosphatage, phosphorite ■ 12 déphosphater, phosphaturie ■ 14 superphosphate ■ 15 phosphocalcique, phosphorisation.
PHOSPHORE : 9 lécithine, nucléique, phosphite, phosphure ■ 10 rachitisme ■ 11 parathyrine, phosphoreux, phosphoryle ■ 12 parathormone, déphosphorer, phosphorique, phosphorisme ■ 14 phosphorescent ■ 15 déphosphoration, hypophosphoreux, phosphorescence.
PHOSPHORIQUE : 11 phosphatase.
PHOTO : 7 détouré ■ 10 ektachrome.
PHOTOCOMPOSITION : 8 cadratin, titreuse ■ 13 photocomposer ■ 14 photocomposeur.
PHOTOCONDUCTEUR : 14 photorésistant.
PHOTOCONDUCTIVITE : 7 vidicon.
PHOTOCOPIE : 10 diapositif ■ 11 diapositive.
PHOTOCOPIEUR : 7 copieur.
PHOTOELECTRIQUE : 13 photoémetteur.
PHOTOGRAPHIE : 3 net, vue ■ 4 cyan, film*, halo, pose ■ 5 album, cache, écran, flood, photo, virer, voile ■ 7 achrome, aplanat, sténopé, triplet ■ 8 lumitype, pêle-mêle, portrait ■ 9 anaglyphe, collodion, cover-girl, iconogène, microfilm, photostat, phototype, portfolio, posemètre, trichrome ■ 10 autochrome, diaphragme, ferrotypie, microfiche, photocopie, photomaton, roman-photo, trichromie ■ 11 dégradateur, kinétoscope, photographe, photothèque, strioscopie ■ 12 agrandisseur, héliogravure, hydroquinone, illustration, photogravure, photomontage, platinotypie, pyrogallique, radiographie, renforçateur, téléobjectif ■ 13 châssis-presse, daguerréotype, diamidophénol, photographier, photostoppeur, pictorialisme, rectilinéaire, spectrogramme ■ 14 cinéthéodolite, daguerréotypie, paramidophénol, photographique, photomécanique ■ 15 cinématographie, gélatinobromure, photogrammétrie.
PHOTOGRAPHIER : 11 fluographie, représenter, safari-photo ■ 13 radiographier.
PHOTOGRAPHIQUE : 5 kodak ■ 7 négatif ■ 8 lumitype ■ 10 autochrome ■ 14 photoreportage.
PHOTOGRAVURE : 5 trame ■ 9 chromiste ■ 12 photograveur ■ 13 similigravure.
PHOTOMONTAGE : 13 portrait-robot.
PHOTON : 10 photonique.
PHOTOPERIODISME : 15 photopériodique.
PHOTOPILE : 14 photovoltaïque.
PHOTOSENSIBILISATION : 9 psoralène.
PHOTOSENSIBLE : 13 scintigraphie.
PHOTOSPHERE : 12 chromosphère.
PHOTOSYNTHESE : 12 chloroplaste.
PHOTOTROPISME : 13 phototactisme.
PHOTOTYPIE : 5 voile ■ 10 collotypie ■ 12 réticulation.
PHRAGISTIQUE : 14 sigillographie.
PHRASE : 5 bribe, canon, coupe, motif, neume, point, rébus, style, usage ■ 6 incise, mantra ■ 7 exemple, phraser ■ 8 allusion, asyndète, parataxe, syntagme ■ 9 antéposer, archaïsme, babillard, équivoque, janotisme, juxtaposé, latinisme, leitmotiv ■ 10 aposiopèse, expression, intonation, palindrome, parenthèse, phrastique ■ 11 anacyclique, anaphorique, asémantique, contre-chant, contre-sujet, nominaliser, ritournelle ■ 12 aggramatisme, amphibologie, phraséologie ■ 13 ac-

ceptabilité, interrogative, verbigération ■ **14** grammaticalité, grandiloquence, holophrastique ■ **15** polysynthétique.
PHRASEOLOGIE: 14 phraséologique.
PHRYGANE: 12 traîne-bûches.
PHTALIQUE: 13 téréphtalique.
PHTIOTIDE: 5 lamia.
PHTIRIUS: 7 morpion.
PHTISIE: 8 thionine ■ **9** phtisique ■ **11** pneumologue, tuberculose* ■ **12** phtisiologie.
PHTISIQUE: 11 poitrinaire, tuberculeux.
PHYCOMYCETE: 11 siphomycète*.
PHYLACTERE: 8 tefillin ■ **9** tephillin.
PHYLLOGENESE: 13 phyllogénique ■ **14** phyllogénétique.
PHYLLOXERA: 5 vigne ■ **10** phylloxère ■ **12** phylloxérien ■ **13** phylloxérique.
PHYLUM: 10 phylétique.
PHYSALIS: 8 coqueret ■ **9** alkékenge ■ **11** amour-en-cage.
PHYSICO-CHIMIQUE: 12 détoxication.
PHYSIOLOGIE: 10 hypnologie, mastologie ■ **11** gynécologie, hépatologie, néphrologie ■ **12** biomécanique ■ **13** physiologique, physiologiste ■ **15** phytopathologie.
PHYSIOLOGIQUE: 3 rut ■ **6** in vivo ■ **9** biorythme, chronaxie ■ **10** alcoolisme ■ **11** impuissance, tempérament ■ **13** préadaptation, présénescence ■ **15** glycorégulation.
PHYSIONOMIE: 3 air ■ **6** faciès, figure*, visage* ■ **8** physique ■ **10** expression ■ **11** sociogramme ■ **12** ressemblance ■ **13** physionomique, physionomiste ■ **14** physiognomonie.
PHYSIQUE: 4 coma, judo, sexe, tare ■ **5** appas, baise, écran, force, foyer, joule, ladre, larme, point, sport, trace, usant ■ **6** osmose ■ **7** capteur, chaleur, douleur, formule, mésaise, optique, quanton, vigueur ■ **8** ambiance, décideur, dispersé, guérison, isotrope, jiu-jitsu, soigneur, supplice, tourment ■ **9** aériforme, constante, éducation, extérieur, leptosome, nymphette, pédologie, pesanteur, physicien, phytotron, sonomètre, thermique ■ **10** abattement, acoustique, activation, aérométrie, anisotrope, barométrie, cryoscopie, dioptrique, élasticité, hébertisme, limnologie, magnétisme, perce-carte, superforme, tonométrie ■ **11** biophysique, capillarité, électricité, home-trainer, photométrie, température, texturation ■ **12** calorimétrie, chronométrie, conformation, contre-emploi, cryophysique, diacoustique, électron-volt, météorologie, physicalisme, physiquement ■ **13** astrophysique, microphysique, néphélémétrie, physico-chimie, psychasthénie ■ **14** dégénérescence ■ **15** électrostatique, physico-chimique, thermodynamique.
PHYTOTHERAPIE: 15 phytothérapeute.
PIAFFER: 8 piaffant, piaffeur, piétiner ■ **9** trépigner ■ **10** piaffement.
PIAILLER: 5 jaser ■ **7** jaboter ■ **9** piaillard, piailleur ■ **11** jacassement, piaillement.
PIANISTE: 8 piano-bar.
PIANO: 5 forte, taper ■ **7** célesta, crapaud, pianino, toccata ■ **8** clavecin, épinette, pianista, pianiste, pianoter, virginal ■ **9** demi-queue, étouffoir, lentement, pianotage ■ **10** clavicorde, piane-piane, pianissimo ■ **11** pianistique, rinforzando ■ **12** harmonicorde.
PIAULER: 5 crier ■ **10** piaulement.
PIBALE: 7 civelle.
PIC: 3 têt ■ **4** mont* ■ **5** saper ■ **7** engrois, escarpé ■ **8** aiguille ■ **9** rivelaine ■ **10** épeichette.

PICARDIE : 6 rollot.
PICCOLO : 7 octavin.
PICIDE : 6 torcou.
PICHENETTE : 11 chiquenaude.
PICKPOCKET : 6 voleur*.
PICOTEMENT : 9 mordicant ■ 10 chatouille ■ 12 démangeaison ■ 13 fourmillement ■ 14 chatouillement.
PICOTER : 6 piquer* ■ 8 picotage, taquiner.
PICPOUILLE : 10 piquepoult.
PICRIQUE : 8 mélinite.
PICTOGRAMME : 12 pictographie.
PICTURAL : 11 caravagisme, synthétisme.
PIDGIN : 5 sabir ■ 12 créolisation.
PIE : 4 piat ■ 5 agace, jaser ■ 6 agasse, margot ■ 7 jacasse ■ 8 jacasser ■ 9 babillard.
PIECE : 2 té, vé ■ 3 axe, clé, écu, pal, pan, sep ■ 4 clef, drap, enté, épar, lice, lien, loge, ondé, palé, pêne, péri, pile, plat, semé, sole, tôle, visa ■ 5 about, alèse, ancre, armon, balai, bande, barde, baron, bâtir, bigue, boîte, bride, canon, capot, châle, chant, chien, coupe, coyau, écoté, écrou, entée, épart, étage, fichu, fusée, fusil, gâche, habit, limon, lisse, liure, panne, patte, pivot, sabot, salle, salon, saucé, serre, seuil, siège, tacon, tapis, taule, téton, thune, titre, trame, unité, vivre, voile, volée ■ 6 berthe, bureau, cagibi, carrée, crèche, faucon, partie*, piaule, rebras, studio, tapure, tépale ■ 7 allonge, bordure, cabinet, chacone, chambre*, clenche, étambot, hâtelle, mandrin, maxille, monnaie, morceau*, raccord, tergite, vreneli ■ 8 abattant, appareil, assiette, avaloire, baladeur, bombarde, cambrure, caronade, cavalier, célebret, chambrée, chanlate, chanteau, chaumard, colletin, cornière, cylindre, déchirer, dressing, éjecteur, engobage, étambrai, frotteur, gâchette, guêpière, himation, hypogyne, languier, longeron, longrine, mâchoire, marsouin, médaille, monobloc, nourrice, operculе, parcelle*, piécette, pierrier, plastron, rational, rondelle, semelage, senestré, singpiel, soufflet, tassette, traverse, varangue, voilette ■ 9 balancier, boute-hors, brochette, cache-sexe, cadrature, cambriole, canfouine, cardinale, cartisane, chabraque, chanfrein, chanlatte, charnière, coussinet, crénelage, cubitière, découpage, demi-pièce, diffuseur, dilacérer, émerillon, épontille, espingole, fracasser, glissière, hâtelette, languette, mandibule, matriçage, mouvement, ostensoir, percuteur, plaquette, porte-épée, rayonneur, resarcelé, serpentin, sous-faîte, sous-garde, spicilège, vestibule, veuglaire ■ 10 barcarolle, capilotage, chambrière, collecteur, contrefort, dent-de-loup, emplanture, extracteur, fauconneau, fourchette, fourragère, intermezzo, labyrinthe, living-room, masselotte, monosépale, monstrance, porte-outil, reculement, scapulaire, scellement, serpenteau, serpentine, sertissure, tépidarium, tétralogie ■ 11 antichambre, braconnière, cache-entrée, contrefiche, couleuvrine, couvre-nuque, crémaillère, empiècement, hors-d'œuvre, mentonnière, pied-de-biche ■ 12 divertimento, dressing-room, harnachement, opéra-comique, procès-verbal, protège-tibia, soutien-gorge ■ 13 croquembouche, porte-aiguille, porte-brancard, superfinition, synchroniseur ■ 14 acquit-à-caution, arrière-cuisine ■ 15 arrière-boutique, porte-baïonnette.
PIECE (DE BOIS) : 3 gui, hie, mât, tin ■ 4 épar, étai, joug, pieu*, rame, tape ■ 5 about, adent, bâcle, barre, bitte, enter, épart, ergot, espar, ferme, hayon, herpe, limon, moise, patin, pilot, pomme, seuil, tenon, timon ■ 6 accore, billot, boulin, coitte, flèche, lierne, marche, modèle,

mouton, savate, taquet, tirant, tronce, vergue ■ 7 attelle, blindée, blochet, chevron, corbeau, couette, écharpe, étançon, limande, linteau, montant, tréteau, tronche ■ 8 anguille, bât-flanc, béquille, billette, chanteau, chevêtre, coulisse, équerrer, jambette, membrure, palanque ■ 9 bobinette, carlingue, chandelle, charpente, écoperche, lambourde, palonnier, toletière, traversin, ventrière ■ 10 balançoire, contrevent, entretoise, étrésillon, traversine ■ 11 chantignole, débillarder, embrèvement ■ 12 pied-de-chèvre ■ 13 contre-boutant ■ 14 contre-parement, dégauchisseuse ■ 15 démaigrissement.

PIECE (DE FER) : 5 bâcle, barre, ergot, noyau ■ 6 anille ■ 7 équerre ■ 8 dosseret, envoiler ■ 10 cramponnet.

PIECE (DE JEU) : 3 fou, roi ■ 4 dame, tour ■ 5 jeton, reine.

PIECE DE THEATRE : 4 film, rôle ■ 5 drame, farce, jouer, lever, revue, trame, valet ■ 6 ambigu ■ 7 à-propos, comédie, saynette, théâtre ■ 8 dialogue, scénario, synopsis ■ 9 découpage, imbroglio, pastorale ■ 11 dramaturgie.

PIECE DE VERS : 5 envoi, poème* ■ 6 centon, élégie ■ 7 à-propos, huitain, triolet ■ 8 madrigal ■ 9 épigramme, macaronée, palinodie.

PIECE D'OR : 5 louis ■ 6 jaunet ■ 8 napoléon ■ 9 demi-louis.

PIECE FLORALE : 6 sépale ■ 10 verticille ■ 13 préfleuraison.

PIECE HONORABLE : 3 pal ■ 4 chef, orle ■ 5 bande, barre, chape, cousu, croix, fasce, giron, grain, rivet, tenon ■ 6 blason*, canton, pairle ■ 7 bordure, chausse, chevron, escarre, gousset, sautoir ■ 8 billette, bretesse, brochant, écartelé, embrasse, équipolé, esquarre, trécheur, vêtement ■ 9 champagne, équipollé, resarcelé, trescheur ■ 11 escarboucle ■ 13 franc-quartier.

PIECE METALLIQUE : 4 coin, gond, pieu, plot ■ 5 bague, bitte, bonde, gâche, limon, palet ■ 6 butoir, cadène, essieu, étrier, guidon ■ 7 bossoir, crampon, écharpe, filière, système ■ 8 cavalier ■ 9 battement, chandelle, contrefer, glissière, mentonnet, moraillon ■ 10 crapaudine ■ 13 entrebâilleur ■ 15 contre-coussinet.

PIED : 3 bas, bot, cep, pas ■ 4 kick, ruer, sole ■ 5 adnée, apode, atémi, bague, botte, buter, corne, crawl, doigt, ergot, fanon, forme, iambe, jambe*, palme, patte*, peton, pince, pouce, rouge, sabot, stade, suage, table, talle, talon, valet, varus, vigne, volve ■ 6 arpion, orteil, panard, piétin, souage ■ 7 abattis, dactyle, fumeron, jogging, paturon, pédibus, pédieux, podagre, podaire, ripaton, routard, sénaire, soleret, spondée ■ 8 achopper, anapeste, cale-pied, durillon, flancher, fourchet, pédestre, pédicure, pédiluve, retourné, solleret, tripodie ■ 9 ambulacre, avant-pays, baisement, chaussure, choriambe, cou-de-pied, décurrent, enclouure, équinisme, macropode, métatarse, palonnier, piétaille, piètement, plantaire, podologie, rempiéter, talonnade, tribraque ■ 10 chèvre-pied, cloche-pied, demi-pointe, embasement, emplanture, hausse-pied, heptamètre, hypermètre, infanterie, paillasson, pentamètre, quadrupède, repose-pied, septénaire, spondaïque, trochaïque ■ 11 chausse-pied, chèvre-pieds, essuie-pieds, pied-de-biche, plantigrade, repose-pieds, trousse-pied ■ 12 catalectique, chauffe-pieds, chaufferette, demi-position, mobilisation, pédestrement.

PIED-A-TERRE : 7 cabanon ■ 11 appartement.

PIED-D'ALOUETTE : 10 delphinium ■ 11 dauphinelle.

PIED-DE-BICHE : 12 presse-étoffe.

PIED-DE-LION : 9 édelweiss.

PIED-DE-LOUP : 8 lycopode.

PIED-DE-MOUTON : 5 hydne.

PIED-DE-VEAU : 4 arum.

PIED-DROIT : 4 rein ■ 7 imposte ■ 8 piédroit, retombée ■ 9 feuillure ■ 10 étrésillon.
PIEDESTAL : 2 de ■ 4 tore ■ 5 socle ■ 8 acrotère, corniche ■ 9 piédouche, scabellon, stylobate.
PIEDOUCHE : 5 buste ■ 9 piédestal.
PIED-PLAT : 5 lâche ■ 7 servile.
PIEGE : 3 glu ■ 4 cage, lacs, mine, rets, ruse ■ 5 appât, engin, filet*, fosse, godan, lacet, nasse, pipée, senne ■ 6 collet, feinte, panier, pipeau, réseau, trappe ■ 7 attrape, bascule, embûche, guêpier, piégeur, ratière, tirasse, tramail, trémail ■ 8 appelant, attraper, madrague, moquette, piégeage, taupière, tendelle, tenderie ■ 9 assommoir, embuscade, guet-apens, insidieux, trébuchet ■ 10 fourmillon, guillotine, hausse-pied, sarracénie, souricière, traquenard ■ 11 chanterelle, machination, reginglette ■ 12 chausse-trape ■ 14 attrape-mouches, emberlificoter ■ 15 quatre-de-chiffre.
PIEGER : 5 piper ■ 6 tendre ■ 7 enlacer, oiseler, trapper ■ 8 attraper, colleter, tonneler ■ 9 braconner ■ 10 panneauter.
PIE-MERE : 10 arachnoïde.
PIERRAILLE : 3 reg.
PIERRE : 3 bec, roc ■ 4 auge, grès, jade, laie, laye, lest, maye, mica, moie, moye, pavé, pile, rose, scie, têtu ■ 5 bille, borne, butée, cairn, camée, chaux, coupe, dalle, évier, foret, forge, fusil, galet, gélif, gemme, glace, gypse, harpe, jetée, joint, lause, lauze, limon, maçon, masse, palet, perle, perre, pétré, ponce, queue, redan, roche*, seuil, silex, spalt, staff, stèle, tombe, tuile, veine, verre, voûte ■ 6 aétite, bétyle, brique, calcul, dolmen, marbre, menhir, rocher*, scorie ■ 7 brioche, caillou*, camaïeu, carrier, doubleau, givrure, gravier*, isodome, moellon, montoir, smiller, sommier ■ 8 adulaire, boutisse, cabochon, délarder, écornure, épierrer, gélivure, intaille, lapicide, margelle, massette, montjoie, parement, piédroit, pierreux, pierrier, remplage, ricochet, rocaille, saxatile, tablette, tesselle, vousseau, voussoir ■ 9 aérolithe, aggloméré, blocaille, cliquette, demi-deuil, empierrer, gravillon, lambourde, levallois, malachite, mégalithe, monolithe, morganite, obélisque, périgueux, pétrifier, pied-droit, pierrette, podolithe, renformir, rustiquer ■ 10 aventurine, boucharder, cailloutis, épierreuse, koudourrou, lapidation, lapidifier, lithologie, lithophage, orthostate, panneresse, pierraille, pierreries, saxiphrage ■ 11 appareiller, ferrocérium, lapis-lazuli ■ 12 appareilleur, empierrement, passe-partout ■ 13 chasse-pierres, paléolithique ■ 15 démaigrissement.
PIERRE CALCAIRE : 3 tuf ■ 5 gypse, liais ■ 6 brèche, marbre ■ 7 albâtre, castine, colithe, péperin, vergelé ■ 8 cliquart ■ 9 banc-franc, lambourde, travertin ■ 10 fluatation.
PIERRE FINE : 5 serte ■ 7 citrine ■ 8 adulaire, corindon ■ 9 amazonite, dessertir, glyptique, héliodore, jardineux ■ 10 chrysobéryl, feuilletis ■ 11 chrysocolle.
PIERRE PRECIEUSE : 4 jade, jais, onyx ■ 5 agate, béryl, émeri, gemme, jaspe, jayet, lapis, opale, perle, prime, rubis, stras ■ 6 grenat, jargon, saphir, topaze ■ 7 diamant, péridot ■ 8 corindon, émeraude, hépatite, lazulite, sanguine, sardoine ■ 9 adamantin, améthyste, cornaline, hyacinthe, joaillier, lapidaire, malachite, smaragdin, turquoise ■ 10 marcassite, obsidienne, œil-de-chat, pendeloque, tourmaline ■ 11 aigue-marine, chrysolithe, escarboucle, lapis-lazuli ■ 13 œil-de-serpent.
PIERRERIE : 8 rational.
PIERRE SILICEUSE : 4 grès, lave, mica, talc ■ 5 silex ■ 6 granit,

quartz ■ 7 basalte, schiste ■ 8 meulière, porphyre ■ 9 caillasse, feldspath.

PIERREUX: 5 pétré, spath ■ 6 hamada ■ 12 incrustation ■ 13 pétrification.

PIERROT: 5 gille ■ 7 moineau* ■ 9 pierrette.

PIETE: 5 croix, pieux ■ 8 chapelet, dévotion*, religion*, sainteté ■ 11 édification, sacramental ■ 12 indulgencier.

PIETINEMENT: 9 podolithe.

PIETINER: 7 piaffer ■ 9 piétinant, trépigner ■ 11 piétinement.

PIETON: 8 trottoir.

PIETONNIER: 6 piazza.

PIETRE: 8 médiocre* ■ 9 misérable* ■ 10 piètrement.

PIEU: 3 épi, pal* ■ 4 duit, rame ■ 5 bâton*, épieu, palée, palis, pilot, vouge ■ 6 balise, fraise, perche*, pilori, piquet*, poteau, tuteur ■ 7 bouchot, échalas, lançage, pilotin ■ 8 avant-duc, carasson, duc-d'albe, estacade, paisseau ■ 10 clayonnage, palplanche.

PIEUSE: 14 archiconfrérie.

PIEUX: 3 pie ■ 5 dévôt ■ 6 ascète ■ 7 croyant ■ 8 dévotion* ■ 9 religieux* ■ 10 complainte, pieusement ■ 14 archiconfrérie.

PIEUVRE: 6 poulpe.

PIEZE: 2 pz ■ 10 hectopièze.

PIGE: 5 piger ■ 7 pigiste.

PIGEON: 4 cire, paon ■ 5 biset, bizet, carme, frisé, ganga, goura, pattu ■ 6 maille, maurin, ramier, romain, tourte ■ 7 boulant, capucin, colombe, mondain, nonnain, palombe ■ 8 colombin, voyageur ■ 9 culbuteur, roucouler ■ 10 pigeonneau, pigeonnier, roucoulade, tourtereau ■ 11 tourterelle ■ 12 colombophile, dépigeonnage, roucoulement ■ 13 colombophilie.

PIGEONNIER: 4 fuie ■ 9 colombier.

PIGMENT: 4 uvée ■ 7 fuscine, lutéine ■ 8 carotène, hématine, mélanine, mélanome, mélanose, vitiligo ■ 9 pigmenter, urobiline ■ 10 bilirubine, coloration, cytochrome, dyschromie, lipochrome, microbille ■ 11 hémocyanine, hémoglobine, pigmentaire ■ 12 chlorophylle, pigmentation, xanthophylle ■ 14 dépigmentation, phycoérythrine.

PIGMENTATION: 9 mélanisme.

PIGMENTE: 7 achrome.

PIGNOCHER: 6 manger ■ 7 peindre.

PIGNON: 5 donax ■ 6 donace, tympan ■ 7 braquet ■ 8 lanterne ■ 9 satellite ■ 10 dérailleur ■ 11 œil-de-bœuf ■ 13 amortissement, synchroniseur.

PIGNOUF: 5 avare ■ 8 grossier*.

PILASTRE: 5 strie ■ 7 colonne*, rudenté, saillie ■ 8 dosseret ■ 9 cannelure.

PILE: 3 tas ■ 4 amas*, pôle ■ 6 chaîne ■ 7 taquage ■ 8 avant-bec, batterie, réacteur ■ 9 photopile, voltaïque ■ 10 arrière-bec, briseglace, galvaniser ■ 12 voltaïsation ■ 13 impolarisable ■ 14 photovoltaïque.

PILER: 5 pilon ■ 6 broyer*, moudre, pileur ■ 8 atténuer ■ 10 pulvériser.

PILEUX: 4 poil* ■ 8 pilosité.

PILIER: 4 ante, pile ■ 5 jambe ■ 7 colonne*, soutien*, support* ■ 8 aiguille, balustre, dépilage, piédroit, pilastre ■ 9 fasciculé, pied-droit ■ 10 contrefort ■ 11 contre-buter ■ 12 contre-bouter.

PILLAGE: 3 sac ■ 6 rapine*, ravage, razzia ■ 7 saccage ■ 8 invasion ■ 9 maraudage, rapinerie ■ 10 brigandage ■ 11 déprédation, destruction, dévastation, saccagement.

PILLARD: 6 bandit* ■ 7 pandour, routier.
PILLER: 5 voler* ■ 6 abîmer, imiter, ruiner ■ 7 envahir, picorer, ravager, razzier, plagier ■ 8 détruire, dévaster, marauder, saccager ■ 9 fourrager ■ 10 dépouiller, endommager ■ 11 bouleverser.
PILOCARPE: 9 jaborandi.
PILON: 4 pile ■ 5 piler ■ 6 bocard ■ 8 pilonner.
PILONNAGE: 10 compactage.
PILONNER: 9 pilonnage ■ 10 compactage.
PILOT: 7 pilotis ■ 12 enracinement.
PILOTAGE: 10 gyropilote.
PILOTE: 6 locman, nocher ■ 7 cockpit, ulmiste ■ 8 aéroclub, chasseur, copilote, lamaneur, patachon, timonier, verrière ■ 10 conducteur*, cosmonaute, nautonnier.
PILOTER: 6 guider ■ 7 diriger* ■ 8 conduire*, pilotage ■ 10 téléguider.
PILOTIS: 5 pilot, taret ■ 10 traversine ■ 11 appontement.
PILULE: 3 bol ■ 7 globule, granule ■ 8 pilulier ■ 9 pilulaire ■ 11 micropilule.
PIMBECHE: 6 chipie ■ 8 mijaurée ■ 11 chichiteuse.
PIMENT: 4 cari, cary ■ 5 carry, curry ■ 7 harissa, paprika, poivron ■ 8 pili-pili, pimenter.
PIMPRENELLE: 11 sanguisorbe.
PIN: 4 arol, cône, dune, pive, poix ■ 5 arole, gomme, pigne, sapin* ■ 6 arolle, épicéa, mélèze, pignon, pinère ■ 7 galipot, gemmage, pignade, pinière ■ 8 pinastre, pineraie, pitchpin ■ 9 monotrope.
PINACEE: 9 abiétinée ■ 11 cupressacée.
PINACLE: 6 sommet*, vanter.
PINACOTHEQUE: 5 musée*.
PINAILLE: 10 pinailleur.
PINCE: 4 clip ■ 5 clamp, harpe ■ 6 davier ■ 7 affecté, bigoudi, épiloir, frisoir ■ 8 barrette, grugeoir, pince-nez, pincette, tenaille, trétoire ■ 9 brucelles, casse-noix, porte-jupe, tricoises ■ 11 coupe-ongles ■ 12 bec-de-corbeau, pédicellaire ■ 13 porte-aiguille ■ 14 casse-noisettes.
PINCEAU: 4 ente ■ 5 blush, hampe ■ 6 brosse, putois ■ 7 repique ■ 8 blaireau ■ 9 appui-main, pénicille ■ 12 queue-de-morue.
PINCEE: 5 prise ■ 8 pimbêche.
PINCEMENT: 7 pinçage.
PINCER: 4 rote ■ 6 mordre, pinçon, piquer, saisir*, serrer* ■ 7 pinçure, prendre, presser ■ 8 arracher, attraper, pinceter ■ 9 pincement, tenailler.
PINDARIQUE: 7 ampoulé.
PINEAU: 5 pinot, vigne.
PINGOUIN: 7 mergule ■ 9 guillemot.
PING-PONG: 8 raquette.
PINGRE: 3 rat ■ 5 avare* ■ 6 chiche*.
PINNIPEDE: 5 moine, morse ■ 6 otarie, phoque.
PINSON: 8 grenadin.
PINTADE: 9 criailler, pintadeau.
PINTE: 3 pot ■ 6 pinter, quarte ■ 8 quartaut.
PIOCHE: 4 houe ■ 5 bigot.
PIOCHER: 5 saper ■ 7 étudier ■ 8 piochage, piocheur ■ 10 piochement ■ 11 cultivateur.
PION: 4 dame, loto, walé ■ 5 awalé, damer, pièce.
PIONNIER: 8 squatter ■ 10 défricheur.
PIPE: 5 culot, houka, piper, talon, terre ■ 6 chilom, shilom ■ 7 calumet,

chibouk, kalioun, pipette ■ 8 fourneau, narguilé ■ 9 bouffarde, chibouque, chiffarde, culottage, débourrer, narghileh ■ 11 brûle-gueule.
PIPEAU : 5 flûte*.
PIPEE : 6 frouer.
PIPE-LINE : 7 oléoduc ■ 8 conduite ■ 9 royalties.
PIPERACEE : 4 kava, kawa ■ 5 bétel ■ 8 poivrier.
PIPERONAL : 12 héliotropine.
PIPETTE : 13 compte-gouttes.
PIPIT : 4 pipi ■ 8 farlouse.
PIQUANT : 3 vif* ■ 4 âcre, aigu*, amer, fade, houx, joli, plat, salé ■ 5 acide, aigre, bogue, pique, radis ■ 6 pointu*, relevé ■ 7 acidulé, mordant*, nasarde ■ 8 anecdote, frisquet, pimenter, plaisant, poignant ■ 9 épigramme, mordacité, saupiquet ■ 11 assaisonner ■ 12 croustilleux.
PIQUE : 3 fou* ■ 4 joug ■ 5 haste, ponce, trait ■ 6 abatée, pointe* ■ 8 spadille, toileuse ■ 9 aiguillon*, demi-pique, esponton ■ 11 ribaudequin ■ 13 pique-assiette ■ 15 mésintelligence.
PIQUE-NIQUE : 11 pique-niquer.
PIQUEPOUL : 5 vigne.
PIQUER : 6 coudre, larder, mordre*, percer, pincer ■ 7 élancer, insecte, picoter, piqueur, poindre, tatouer ■ 8 affecter, aiguille, démanger, enclouer, froisser, offenser, repiquer, titiller ■ 9 brocarder, crocheter, éperonner ■ 10 encourager, fourgonner, fourmiller, pointiller ■ 11 chatouiller, ponctionner ■ 12 aiguillonner ■ 13 contre-pointer.
PIQUET : 3 pal*, pic ■ 4 pieu*, rame, tune ■ 5 jalon, palot, pique, repic ■ 6 perche*, tuteur ■ 7 brandon, échalas ■ 8 carasson, paisseau, piqueter, quatorze ■ 9 piquetage.
PIQUETAGE : 9 piqueteur.
PIQUETTE : 3 vin ■ 5 boîte, cidre ■ 7 buvande, buvante.
PIQUEUR : 7 piqueux.
PIQUEUSE : 9 hématobie.
PIQURE : 4 vive ■ 5 galle, point, venin ■ 7 capiton ■ 8 dépiquer, scorpion, urticant ■ 9 arbovirus, surpiqûre, urticaire ■ 10 picotement.
PIRATE : 6 bandit*, escroc, forban, traite, voleur* ■ 7 brigand*, écumeur, négrier, pirater ■ 8 corsaire ■ 9 boucanier, intrigant, piraterie ■ 10 flibustier ■ 13 contrebandier.
PIRATER : 6 imiter ■ 8 piratage.
PIRE : 3 pis ■ 7 moindre, plus mal ■ 8 pis-aller ■ 9 inférieur.
PIROGUE : 5 canoé ■ 9 catamaran, piroguier.
PIROLACEE : monotrope.
PIROUETTE : 8 cabriole* ■ 10 pirouetter ■ 13 pirouettement.
PIS : 4 pire, sein* ■ 6 tétine, trayon ■ 7 mamelle* ■ 8 pis-aller.
PISCICULTURE : 9 piscicole ■ 12 pisciculteur.
PISCIFORME : 9 ichtyoïde.
PISCINE : 4 bain* ■ 9 caldarium, naumachie ■ 10 probatique.
PISCIVORE : 5 harle ■ 7 goéland ■ 8 pingouin ■ 9 balbuzard.
PISE : 5 banco.
PISSE-FROID : 13 pisse-vinaigre.
PISSENLIT : 10 dent-de-lion.
PISSER : 6 uriner* ■ 7 pisseur, urinoir ■ 8 pissoter ■ 9 pissement ■ 10 pissotière.
PISTACHIER : 8 pistache ■ 9 lentisque ■ 10 staphylier, térébinthe.
PISTE : 4 trac ■ 5 arène, corde, trace* ■ 6 chemin*, pister, suivre ■ 7 cendrée, pisteur ■ 8 dépister, obstacle, toboggan ■ 9 appontage, autodrome, bobsleigh, cynodrome, hors-piste ■ 10 hors-pistes.

PISTIL: **4** dard ■ **5** fleur, fruit ■ **6** ovaire ■ **7** gynécée ■ **8** carpelle, stigmate, unisexué ■ **9** unisexuel ■ **10** protogynie ■ **12** protérogynie.
PISTOLET: **3** feu ■ **4** colt, noir ■ **5** fonte, fusil*, luger ■ **6** pétard, rigolo ■ **7** pommeau ■ **8** browning, révolver ■ **9** pistoleur ■ **10** aérographe, parabellum ■ **12** mitraillette.
PISTON: **5** bugle, pompe ■ **8** cylindre ■ **9** pistonner ■ **11** vilebrequin ■ **14** maître-cylindre, recommandation.
PITANCE: **4** rata ■ **5** repas* ■ **7** aliment*.
PITEUX: **9** pitoyable*.
PITHECANTHROPE: **11** atlanthrope, sinanthrope.
PITIE: **5** bonté, merci, sourd ■ **7** charité*, pécaïre, plainte ■ **8** apitoyer, clémence, émouvoir ■ **9** jérémiade, pitoyable, sans-cœur ■ **10** compassion, insensible, mansuétude ■ **11** impitoyable, lamentation, miséricorde, piteusement, sensibilité ■ **13** commisération ■ **15** impitoyablement.
PITON: **4** clou, neck ■ **6** sommet ■ **8** pionnier ■ **13** marteau-piolet.
PITONNER: **9** pitonnage.
PITOYABLE: **5** moche ■ **6** piteux ■ **7** minable ■ **9** misérable* ■ **10** déplorable, lamentable, malheureux* ■ **11** regrettable ■ **13** pitoyablement.
PITRE: **5** clown* ■ **7** bouffon*, charlot ■ **8** pitrerie.
PITTORESQUE: **4** site ■ **7** couleur ■ **11** touristique ■ **15** pittoresquement.
PITUITE: **6** flegme ■ **10** pituitique.
PIVERT: **7** pic-vert.
PIVOT: **3** axe* ■ **4** base ■ **5** grain, rubis, selle, toton ■ **6** loquet ■ **8** boussole ■ **9** aiguillot, idée-force, quintaine, tourbillon ■ **10** crapaudine, tourniquet ■ **14** industrialisme.
PIVOTEMENT: **10** tête-à-queue.
PIVOTER: **7** tourner* ■ **9** turbulent ■ **11** panoramique.
PLACAGE: **8** plaqueur ■ **10** revêtement.
PLACARD: **7** affiche*, armoire* ■ **13** porte-affiches.
PLACE: **3** sur ■ **4** gîte, lice, lieu*, parc, pisé, rang, vide ■ **5** agora, caler, forum, fosse, gorge, grève, halle, herse, inter, luxer, otage, panne, passe, pièce*, point, poste, rampe, ronde, selle, siège, stèle ■ **6** chasse, emploi*, médial, parvis, square ■ **7** endroit* ■ **8** branchage, déplacer, déranger, fauteuil, permuter, pessaire, postiche, première, présider, puissant, rajuster, rechange, replacer, substrat, triplace ■ **9** carrefour, carrousel, demi-place, esplanade, monoplace, placement, postulant, promenade, réajuster, rembarrer, remboîter, remplacer, rond-point, situation*, subjacent, surcostal, triplette ■ **10** désemparer, locomobile, occupation, point de vue, réductible, sous-jacent, substituer, substratum, supplanter ■ **11** agoraphobie, disposition, emplacement, protectorat, représenter, réservation, solliciteur ■ **12** installation, interdigital, pole position, postposition ■ **13** accessoiriste, interoculaire, superposition ■ **14** intervertébral, sous-scapulaire ■ **15** interchangeable.
PLACE-FORTE: **8** burgrave ■ **9** barbacane ■ **10** caponnière.
PLACEMENT: **5** rente ■ **7** holding ■ **8** ajustage, fixation ■ **10** commission ■ **11** orientation ■ **12** constitution, installation ■ **13** établissement ■ **14** investissement.
PLACENTA: **4** faix ■ **5** axile ■ **6** prolan ■ **7** chalaze, délivre ■ **8** funicule, pariétal ■ **9** cotylédon, ombilical ■ **11** arrière-faix, placentaire ■ **12** aplacentaire, placentation, trophoblaste.
PLACENTAIRE: **9** euthérien.

PLACER : 5 armer, caser, fixer, loger, poser ■ 6 camper, coller, jucher, mettre*, nicher, poster, ranger, serrer, servir, situer ■ 7 ajuster, aposter, asseoir, classer, établir, exposer, fourrer, planter, pointer, remiser ■ 8 arranger, confiner, disposer*, embarrer, entourer, investir, jalonner, orienter, préposer, reléguer ■ 9 antéposer, appliquer, colloquer, enchâsser, implanter, installer, localiser, placement, postposer, rehausser ■ 10 ballastage, bécheveter, embroncher, encabanage, interposer ■ 11 positionner ■ 12 représentant ■ 14 approvisionner.
PLACIDE : 5 calme* ■ 7 pondéré ■ 9 pacifique, placidité ■ 11 placidement.
PLACIER : 12 représentant.
PLAFOND : 5 crépi, panca, panka, punka ■ 6 lattis, rosace ■ 7 caisson, hourdis, lambris, palatin, soffite ■ 8 billette, corniche, gobetage, plancher*, tire-fond ■ 9 échaudage, entresolé, entrevous, hypostyle, plafonner ■ 10 cul-de-lampe, plafonnage, plafonneur, plafonnier, revêtement, suspension.
PLAGE : 4 bord, tong, vive ■ 5 grève, lagon ■ 6 estran, laisse, rivage*.
PLAGIAIRE : 10 démarqueur.
PLAGIAT : 5 copie* ■ 6 larcin ■ 7 emprunt.
PLAGIER : 5 voler ■ 6 copier*, imiter, piller, puiser ■ 7 butiner, prendre ■ 8 marauder ■ 9 pasticher, plagiaire ■ 10 approprier.
PLAGIOCLASE : 10 oligoclase.
PLAIDER : 4 rôle ■ 5 avoué ■ 8 défendre, plaideur, postuler ■ 9 opposable, plaidable, suspicion ■ 10 colitigant, hors-de-cause, plaidoirie ■ 12 déclinatoire ■ 14 irrecevabilité.
PLAIDEUR : 7 débouté.
PLAIDOIRIE : 8 apologie.
PLAIDOYER : 5 plaid ■ 7 pro domo ■ 8 apologie ■ 10 logographe.
PLAIE : 4 bleu, bobo ■ 5 drain, sanie, séton, sonde ■ 6 fongus, lésion*, tumeur, ulcère ■ 7 balafre, brûlure, coupure, escarre, gerçure, morsure ■ 8 blessure*, crevasse, écarteur, entaille, estocade, gangrène, stigmate, taillade ■ 9 avivement, cicatrice, contusion, déchirure, déméchage, ecchymose, écorchure, pansement ■ 10 cicatriser, dénudation, estafilade, hémorragie ■ 11 boutonnière, égratignure, éventration, traumatisme ■ 12 meurtrissure ■ 13 cicatrisation, traumatologie.
PLAIGNANT : 10 accusateur.
PLAIN : 4 égal ■ 5 étage.
PLAIN-CHANT : 5 neume ■ 7 déchant ■ 9 grégorien ■ 10 intonation ■ 12 antiphonaire.
PLAINDRE : 5 bêler, crier, gémir ■ 6 pester ■ 7 accuser, exhaler, geindre, grogner, gronder, piauler, pleurer ■ 8 apitoyer, dénoncer, déplorer, insurger, lamenter, maugréer, murmurer, réclamer*, remonter, renauder ■ 9 clabauder, criailler, grommeler, rechigner, regretter, reprocher, rouspéter ■ 10 déblatérer, grognonner ■ 11 pleurnicher, réprimander.
PLAINE : 4 puna, râle ■ 5 delta, pampa ■ 6 llanos, steppe ■ 7 prairie ■ 8 piedmont.
PLAIN-PIED : 11 rez-de-jardin.
PLAINTE : 3 aïe, cri ■ 4 ahan ■ 5 girie, grief, hélas, pleur ■ 7 murmure ■ 8 bêlement, miserere, pétition, plaindre, plaintif, reproche ■ 9 doléances, éjulation, grognerie, hurlement, jérémiade ■ 10 accusation, complainte, geignement, quérimonie, réprimande ■ 11 ciraillerie, gémissement, lamentation, réclamation, remontrance ■ 12 dénonciation, protestation ■ 13 récrimination.

PLAINTIF : 6 dolent ■ 8 pleurant ■ 9 grincheux, plaignant ■ 12 pleure-misère ■ 13 plaintivement.
PLAIRE : 5 ravir, taper ■ 6 agacer, agréer, amuser, botter, goûter, piquer ■ 7 attirer, charmer*, coiffer, engager, enivrer, flatter, influer, régaler, revenir, séduire*, sourire ■ 8 allécher, arranger, attacher, captiver*, chausser, convenir, délecter, déplaire, fasciner, ragoûter ■ 9 affrioler, complaire, conquérir, contenter, courtiser, enchanter, entraîner, flagorner ■ 10 affriander, ensorceler, intéresser, prévenance, satisfaire ■ 11 complaisant, coquetterie ■ 12 complaisance ■ 13 enthousiasmer.
PLAISANCE : 5 yacht ■ 11 plaisancier ■ 13 vide-bouteille.
PLAISANT : 3 bon ■ 4 beau ■ 5 conte, drôle, tapis ■ 6 rigolo ■ 7 aimable, amusant*, bouffon, comique, fagotin, fumiste ■ 8 agréable*, bêtisier, charmant*, turlupin ■ 9 attrayant* ■ 10 gouailleur, jarnicoton, plaisantin ■ 11 historiette, plaisamment.
PLAISANTE : 9 trickster.
PLAISANTER : 4 rire ■ 7 badiner, railler*, zwanzer ■ 9 gouailler ■ 12 sérieusement.
PLAISANTERIE : 3 gag ■ 4 flan, witz ■ 5 farce*, lazzi, pleur ■ 6 astuce, blague, esprit, satire*, zwanze ■ 7 attrape, boutade, canular, facétie ■ 8 badinage, galéjade, quolibet ■ 9 badinerie, gaudriole, joyeuseté, raillerie* ■ 10 scatologie ■ 11 gauloiserie, turlupinade ■ 12 bouffonnerie, couillonnade ■ 13 calembredaine, couillonnerie.
PLAISANTIN : 5 rieur ■ 7 bouffon*, farceur ■ 13 mystificateur.
PLAISIR : 4 beau, chic, dive, fête*, joie ■ 5 pompe, régal, riole, train ■ 6 amitié, charme, déduit, délice, extase, gaieté*, luxure*, riolle ■ 7 bonheur, douceur, entrain, frigide, licence*, mondain, sadisme, service, suavité, volupté ■ 8 agrément, allécher, beuverie, bienvenu, chasteté, débauche, jouissif, onanisme, savourer, surprise ■ 9 amusement*, bienvenir, complaire, épicurien, frigidité, hédonisme, lascivité, mondanité, obligeant, triompher ■ 10 admiration, bambochard, bambocheur, dilettante, guindaille, jouissance, masochisme, obligeance, passe-temps, pique-nique, récréation, sensualité, volontiers ■ 11 coprophilie, délassement, délectation, distraction, gentillesse, libertinage, sensualisme ■ 12 anaphrodisie, dévergondage, égrillardise, satisfaction ■ 13 concupiscence ■ 14 divertissement.
PLAN : 3 p.o.s., tir, uni* ■ 4 aile, égal, foil, levé, plat*, slip, topo, tore ■ 5 arête, cadre, épure, flash, frise, lever, lisse, ovale, rampe, table, trame, tronc ■ 6 abrégé, biseau, dessin, insert, méplat, minute, projet*, schéma, tréflé, utopie ■ 7 aileron, bénioff, canevas*, complot, croquis, dessein, ébauche, égalité, système, théorie, trièdre, triplan ■ 8 come-back, demi-lune, demi-plan, équinoxe, esquisse, méridien, planéité, polyèdre, polygone, quadrant ■ 9 avant-plan, géométral, longitude, manigance, mouillage, périmètre, planifier, plan-masse, sinusoïde ■ 10 bissecteur, charpenter, clinomètre, coplanaire, écliptique, enveloppée, goniomètre, gouvernail, intertitre, osculation, pédiplaine, planchette, planimètre, prospectus, story-board, terre-plein, transition ■ 11 aplanétique, arrangement, combinaison, engineering, graphomètre, machination, perspective, plan-concave, plan-convexe, polarimètre, recoupement, spéculation, tachéomètre, tomographie, topographie, trépigneuse ■ 12 déclinatoire, développable, polarimétrie, tachéométrie ■ 13 axonométrique, gauchissement, préméditation, tranformante.
PLANCHE : 3 ais, dur, fun ■ 5 alèse, alèze, atlas, cible, dosse, douve, galée, goret, selle, skate, tuile ■ 6 alaise, cliché, couche, dessin*,

esseau, sapine, vaigre, volige ■ 7 aisseau, barbeau, douveau, éclisse, essente, limande, madrier, merrain, montant, plinthe, retable, tableau, théâtre, voilure ■ 8 aissante, cartelle, dérayure, eau-forte, feuillet, funboard, monotype, tablette*, tavillon ■ 9 aquaplane, doublette, échandole, gobillard, hors-texte, jeannette ■ 10 palplanche, passe-balle, planchéier, planchette, planchiste, skateboard, tabellaire ■ 11 planchéiage.

PLANCHER: 4 étai, gîte, gril, pont ■ 5 étage, judas ■ 6 radeau, solive, travée ■ 7 couchis, estrade, hourdis, linçoir, linsoir, parquet, périnée, plafond*, travure ■ 8 antébois, antibois, chevêtre, costière, faux-pont ■ 9 charpente, entrevous, lambourde, palafitte, platelage, trapillon ■ 10 claire-voie, planchéier, plate-forme, trappillon ■ 11 caillebottis ■ 12 enchevêtrure, porte-fenêtre ■ 13 enseuillement.

PLANCHETTE: 6 plioir ■ 7 aisseau, bardeau, panneau, taloche ■ 8 patience, pistolet ■ 9 claquette ■ 12 escarpolette.

PLANCHISTE: 14 véliplanchiste.

PLANCTON: 12 aérobiologie ■ 12 planctonique, plantophage ■ 13 planctonivore.

PLANE: 7 lambert ■ 8 platière ■ 9 écharnoir ■ 10 quadrangle.

PLANEITE: 10 surfaceuse.

PLANER: 5 voler ■ 7 planant ■ 8 alumelle, patagium.

PLANETE: 4 lune, orbe ■ 5 biome, monde, phase, terre ■ 7 aphélie ■ 9 aérolithe, ascendant, astéroïde, synodique ■ 10 digression, planétaire, planétoïde ■ 11 aréographie, terminateur ■ 12 planétologie, protoplanète ■ 13 interplanétaire ■ 14 extraterrestre, planétairement.

PLANEUR: 10 deltaplane.

PLANIFICATION: 8 planisme ■ 13 planificateur.

PLANIFIER: 11 planifiable.

PLANIMETRIE: 13 planimétrique.

PLANISME: 8 planiste.

PLANISPHERE: 10 mappemonde.

PLANQUE: 7 planqué.

PLANT: 5 semis ■ 6 cépage ■ 7 ormille ■ 8 arrachis, dépiquer ■ 9 charmille, pépinière, sauvageon ■ 13 éclaircissage.

PLANTAGINACEE: 8 plantain.

PLANTAIN: 6 alisma, alisme ■ 7 flûteau.

PLANTATION: 6 aunaie, ormoie ■ 7 myrtaie ■ 8 complant, houssaie, planteur ■ 9 boisement, cacaoyère, fougeraie, planteuse, poivrière ■ 10 arboretum, bananeraie, cacaotière, complanter, orangeraie, safranière.

PLANTE: 3 suc ■ 4 moha, moly, nafé, nipa, peau, pied, pive, poil, puya, rame, sart, tige, tupa, ulex, vime ■ 5 acore, agame, alcée, arbre*, bâche, berce, berle, caduc, calla, cerne, cirre, ciste, cobéa, cobée, drave, élève, fleur*, flore, fruit*, gazon, germe, gombo, herbe, ixtle, lande, naias, ormin, orobe, ouche, panic, phlox, plant, ramer, roure, sison, talle, tiaré, tuyau, typha, veuve ■ 6 blenet, brande, coleus, cubèbe, élodée, élymus, éthuse, gramen, grémil, kamala, labiée, légume*, naïade, nivéal, oponce, picris, presle, ranale, reboul, riccie, sagine, salade, salvia, samole, stolon, ulluco, vrillé, zamier ■ 7 acanthe, æthuse, amensal, arabète, arbuste*, avorton, baselle, cannaie, cascara, céréale*, chloris, colombo, dolique, dracena, emmotté, gerbera, gommose, hélodée, jussiée, lémanée, maceron, mélique, morrène, nivéole, potager*, psilote, ptéride, rocelle, surelle, textile* thapsia, trochet, ulluque, végétal*, velvote, ximenia ■ 8 abri-vent, aéricile, ansérine, aquatile, caladium, calament, calathéa, cameline, cannacée*, carthame, chlorose, crételle, cycadale, diagnose, dracena, épiphule, figerie, fourrage*, gantelée, gentiane, jussieua, lauréole, malherbe, malpighie, maurelle, méliacée, melonnée, ményanthe, monandre, monœcie, monoïque, monstera, peucédan, plantule, polygame, pourpier, psyllium, rallonge, rempoter, rossolis, sagartie, urticale, vaccaire, variétal, zérumbet, zuchette ■ **9** améthyste, anthurium, anthyllis, astragale, balsamine, bissexuel, botanique, buissière, calcicole, calcifuge, capronier, corylacée*, cotylédon, dentelaire, farigoule, filicinée, fléchière, forestier*, fougerole, frugifère*, fusariose, gazonnant, génétiste, halophile, halophyte, hédéracée, hépatique, herniaire, hydrastis, illicinée, impatiens, jaborandi, médicinal*, mellifère, monotrope, mycorhize, népenthès, nicotiane, officinal, ombellale, paronyque, passiflore, personale, phytotron, picridium, pilocarpe, pissenlit, plantaire, polyandre, posidonie, pyrophyte, rafflesia, rafflésie, remontant, ruban d'eau, salicaire, seringuer, siliqueux, tephrosia, téphrosie, triandrie, tubercule, xérophile, xérophyte, zucchette ■ **10** améliorant, anémophile, anthyllide, aphélandra, arbrisseau*, aromatique*, asclépiade, bombacacée*, canneberge, charophyte, cormophyle, cotylédoné, crapaudine, dent-de-lion, grenadille, gymnocarpe, herboriser, hygrophile, liliiforme, magnoliale, marchantia, nitrophile, noctiflore, nummulaire, oléagineux*, ornemental*, pauciflore, phalangère, protocoque, rhizocarpé, sarracenia, scléranthe, silicicole, sparganier, spéculaire, strelitzia, styracacée*, tinctorial*, vaillantie, xéranthème ■ **11** alcoolature, amensalisme, anémophilie, angiosperme*, aquiculture, célastracée, cryptophyte, galactogène, gymnosperme*, hélianthème, hydrocotyle, marcescence, myriophylle, naturaliste, patte-de-loup, phanérograme, pied-d'oiseau, sanguisorbe, scitaminale, serpentaire, spermaphyle, spermaphyte, stolonifère, supérovarié, tormentille, utriculaire, verbascacée* ■ **12** aquifoliacée*, gibbérellie, helianthémun, polémoniacée, pomme de terre, protéagineux, sabot-de-vénus, semper virens, spadiciflore, trachéophyle, tradescantia ■ **13** attrape-mouche, grenouillette, hermaphrodite, métachlamydée, œilletonnage, passifloracée, phytothérapie ■ **14** sous-arbrisseau ■ **15** mésembryanthème, photopériodisme, phytogéographie.

PLANTER: 6 élever, ficher ■ **7** arborer ■ **8** jalonner, pitonner, plantage, plantoir ■ **9** déplanter, piquetage, replanter ■ **10** abandonner, complanter, plantation ■ **12** transplanter.

PLANTIGRADE: 4 ours ■ **8** blaireau.

PLANTOIR: 9 taravelle.

PLANTULE: 7 albumen, tigelle ■ **8** radicule ■ **9** cotylédon.

PLANTUREUX: 4 gras* ■ **7** fertile ■ **8** abondant*, beaucoup ■ **15** plantureusement.

PLAQUE: 4 halo, lame, pose, sole ■ **5** dalle, écran, glome, sabot, somme, stèle, table, taque, typon ■ **6** couche, croûte, disque, ex-voto, voyant ■ **7** crachat, éclisse, écusson, feuille, flasque, implant, mycosis, palâtre, palette, panneau, pinnule, plaquis, platine ■ **8** applique, armature, crêpière, écriteau, fourrure, garde-feu, médaille, palastre, pancarte, plaqueur, pommelle, tuilette ■ **9** girouette, hausse-col, parebrise, parfondre, solfatare, syphilide, xylophone ■ **10** autochrome, crapaudine, scarlatine, subduction ■ **11** contrecœur ■ **12** incrustation ■ **13** minéralogique, transformante.

PLAQUEMINIER: 4 kaki ■ **10** plaquemine.

PLAQUER: 5 dorer ■ **6** coller ■ **7** couvrir, enrober, laisser*, plaquer, revêtir ■ **8** argenter ■ **9** appliquer, incruster, marqueter, rapporter ■ **10** abandonner*.

PLAQUETTE : 3 h.l.a. ■ 8 globulin ■ 11 cytaphérèse, thrombocyte ■ 12 thrombopénie ■ 13 mégacaryocyte, thrombokinase ■ 15 thromboplastine.
PLASMA : 5 sérum ■ 7 alexine, tokamak ■ 8 albumine, créatine, hydrémie ■ 9 clearance, lipidémie, plasmique ■ 10 plasmifier, transsudat ■ 11 fibrinogène, plasmatique ■ 13 plasmaphérèse ■ 15 afibrinogénémie.
PLASMATIQUE : 14 gammaglobuline.
PLASMOCYTE : 6 kahler ■ 13 plasmocytaire.
PLASTE : 7 leucite.
PLASTIC : 8 plastique ■ 10 plastiquer ■ 11 plastiqueur.
PLASTICITE : 8 crevasse.
PLASTIFIER : 14 plastification.
PLASTIQUE : 3 p.v.c. ■ 4 lego, tong ■ 5 forme, nylon, staff ■ 6 beauté*, radome, téflon ■ 7 blister, frisbee, rhodoïd ■ 9 celluloïd, galalithe, sculpture ■ 10 cubitainer, plasticien, plasturgie ■ 11 gutta-percha, plastifiant, plastiquage, polypropène, sac-poubelle ■ 12 polyéthylène, polyuréthane ■ 13 hyperréalisme, photopolymère, plasticulture, polypropylène, polyuréthanne ■ 15 thermoplastique, viscoplasticité.
PLASTIQUER : 10 plasticage ■ 11 plastiquage.
PLASTRON : 10 chemisette ■ 11 plastronner.
PLASTRONNER : 5 poser ■ 6 mariol ■ 8 vaniteux ■ 12 plastronneur.
PLAT : 3 bas, fat, ras, uni* ■ 4 égal, fade, lame, mets, plan*, plie, poli, rasé, sole, tian ■ 5 accon, à-plat, aspic, bande, barge, bêche, béret, brème, cabas, camus, carré, doris, enfeu, épaté, frise, gueux, jeton, kacha, lâche, lorry, marli, palet, papet, patte, pelle, picot, plage, plain, poêle, potée, suage, talpa, tarte, ténia ■ 6 aminci, aplani, bonace, camard, crotte, écrasé, flette, haggis, humble, nivelé, pauvre, pointu, raboté, ragoût, ravier, relevé, scampi, souple, tagine, taline ■ 7 buisson, déprimé, gnocchi, némerte, niçoise, plateau, rampant, servile*, tripous, tripoux ■ 8 chop suey, croquant, légumier, mirepoix, mouclade, moussaka, nageoire, omoplate, ramequin, soufflet, sous-plat ■ 9 compotier, demi-ronde, desservir, entremets, esplanade, étouffade, platement, platitude, porte-plat, pouilleux, prosaïque, vaisselle, va-nu-pieds, veinette ■ 10 couvre-plats, crépinette, estouffade, monte-plats, plate-forme ■ 11 assortiment, chiche-kebab, réchauffoir ■ 12 chauffe-plats, escargotière, patelliforme.
PLATANE : 8 sycomore ■ 9 platanaie ■ 10 plataniste.
PLATE : 5 lause, lauze.
PLATEAU : 3 air, set ■ 4 mésa ■ 5 cadre fjeld, skeet, table ■ 6 bassin, tampon, vireur ■ 7 braquet, platine, théâtre ■ 8 icefield, icefjeld, tailloir ■ 9 banc-titre, éventaire, sous-nappe, tournette, tranchoir ■ 10 garde-nappe ■ 12 tourne-disque ■ 14 ramasse-miettes.
PLATE-BANDE : 4 loge ■ 8 parterre ■ 10 contreclef.
PLATE-FORME : 3 ras ■ 4 hune, quai, truc ■ 6 balcon, palier, podium ■ 7 guideau, tablier ■ 8 barbette, échafaud, terrasse ■ 9 dispersal, plongeoir, terrasson, terrigène ■ 10 praticable ■ 11 appontement, porte-hauban ■ 14 épicontinental, infrastructure ■ 15 semi-submersible.
PLATHELMINTHE : 7 cestode*, platode ■ 9 trématode* ■ 10 platinoïde ■ 11 turbellarié*.
PLATINE : 2 pt ■ 5 fusil, métal, mètre ■ 8 platiner ■ 9 platinage, ruthénium ■ 10 kilogramme, platinoïde ■ 11 platinifère ■ 13 thermocautère.
PLATITUDE : 4 plat ■ 8 bassesse*, humilité ■ 9 servilité, souplesse.
PLATODE : 13 plathelminthe*.
PLATONICIEN : 4 lois ■ 5 école ■ 10 platonique ■ 11 académicien ■ 12 réminiscence ■ 14 néo-platonicien.

PLATONIQUE : 14 platoniquement.
PLATRAS : 6 ruines.
PLATRE : 4 mère ■ 5 chape, chaux, crépi, cuire, gypse, solin, staff ■ 6 incuit ■ 7 gravats, gravois, lambris, minerve, taloche ■ 8 coquille, hourdage, plâtreux, plâtrier ■ 9 déplâtrer, plâtrerie, plâtrière, replâtrer ■ 10 lambrisser, replâtrage ■ 11 entrevoûter.
PLATRER : 8 déguiser, plâtrage ■ 9 maquiller.
PLATRIER : 10 plafonneur.
PLATYRRHINIEN : 5 atèle ■ 8 ouistiti.
PLAUSIBLE : 4 vrai ■ 8 probable ■ 9 apparence ■ 12 plausibilité ■ 13 plausiblement, vraisemblable.
PLEBE : 6 peuple ■ 8 plébéien, populace*.
PLEBISCITE : 4 vote* ■ 11 plébisciter ■ 13 plébiscitaire.
PLEIN : 4 fort, gras*, haut, imbu, seul ■ 5 animé, bondé, délié, dense, douve, forme, noria, saoul ■ 6 bourré, comble, étoffé, massif, nourri, rempli* ■ 7 compact, complet*, épanoui ■ 8 mazouter, rassasié ■ 9 caverneux, plénitude, rembouger.
PLEIN AIR : 6 torrée ■ 7 drive-in ■ 8 ciné-parc, gymkhana, héliaste, kermesse, sérénade ■ 9 cassation ■ 10 pique-nique.
PLEISTOCENE : 4 ours ■ 8 dinornis ■ 9 glyptodon, mégacéros ■ 11 mégathérium ■ 14 archanthropien, villafranchien.
PLENIER : 6 entier ■ 10 indulgence.
PLENITUDE : 9 abondance*.
PLEONASME : 7 datisme ■ 10 battologie, tautologie ■ 12 périssologie, pléonastique.
PLETHORE : 5 excès* ■ 9 abondance*.
PLEUR : 2 hi ■ 5 larme.
PLEURAL : 12 pneumothorax.
PLEURANT : 9 deuillant.
PLEURER : 7 chialer, chigner, miauler ■ 8 déplorer, larmoyer, pleurard, pleureur ■ 9 pleuresse, sangloter ■ 11 lacrymogène, pleurnicher ■ 12 pleurnicheur ■ 13 pleurnicherie.
PLEURESIE : 8 pleurite ■ 11 pleurétique, pleurodynie.
PLEURNICHER : 7 piorner ■ 8 larmoyer ■ 12 pleurnichard, pleurnicheur ■ 13 pleurnicherie ■ 14 pleurnichement.
PLEURONECTIDE : 4 flet, plat, plie, sole ■ 6 barbue, flétan, turbot ■ 7 limande ■ 8 carrelet, turbotin ■ 11 pleuronecte.
PLEUTRE : 5 lâche* ■ 7 poltron*.
PLEUVOIR : 7 arroser, bruiner, flotter, inonder, roiller, tremper ■ 8 pluviner ■ 9 pleuviner, pleuvoter ■ 10 pleuvasser, repleuvoir ■ 12 brouillasser.
PLEVRE : 6 poumon ■ 7 pleural ■ 9 pleurésie ■ 11 hydrothorax, pleurotomie ■ 15 pleuropneumonie.
PLI : 4 aine, raie, ride, tric ■ 5 corne, creux, drapé, étiré, fanon, goder, godet, pince, râpes, repli, ruché, trick, tuyau ■ 6 déjeté, fraise, friser, fronce, godage, godron, lettre, relevé, rempli, revers, sillon ■ 7 ancrure, crochon, falbala, froncis, gerçure, grimace, nervure, plisser, saignée ■ 8 bouillon, jointure, parement, plissure, troussis ■ 9 défroncer, déplisser, synclinal ■ 10 anticlinal, déplissage, intertrigo, monoclinal, plissement, tectonique ■ 11 bouillonner, timbre-poste ■ 12 articulation.
PLIANT : 7 berthon, lit-cage, transat ■ 8 diptyque, soufflet ■ 15 transatlantique.
PLIANTE : 9 pied-de-roi.
PLIE : 5 alèse ■ 8 carrelet, équitant.

PLIER: 5 céder*, raide, roide ■ 6 corner, couder, pliage, ployer ■ 7 courber*, fléchir*, replier, souple ■ 8 flexible, pliement ■ 9 inflexion, malléable, succomber ■ 10 inflexible ■ 11 discipliner, trousse-pied.

PLINTHE: 9 stylobate.

PLIOCENE: 8 éléphant, épyornis ■ 11 hippopotame, machaerodus ■ 14 villafranchien.

PLIQUE: 8 trichoma, trichome.

PLISSAGE: 5 pince, ruche, toque ■ 6 fraise, fronce, godage, godron ■ 7 falbala.

PLISSE: 12 nid-d'abeilles.

PLISSEMENT: 5 cluse ■ 6 sillon* ■ 8 huronien ■ 9 hercynien, jurassien, tertiaire ■ 10 calédonien ■ 11 contraction ■ 12 réticulation.

PLISSER: 5 goder, rider ■ 6 crêper, ferler, friper, friser, gercer, ployer, rucher ■ 7 boucler, carguer, doubler, fléchir, froncer, gaufrer, onduler, relever ■ 8 froisser, grimacer, plissage, plisseur, remplier, trousser, tuyauter ■ 9 frisotter, godronner, infléchir, moutonner, plisseuse, rebrasser, replisser, sillonner ■ 10 bouchonner, chiffonner, plissement, renfrogner, retrousser ■ 11 calamistrer.

PLIURE: 7 plaçure.

PLOMB: 2 pb ■ 3 uve ■ 4 noue ■ 5 bulle, étain, flint, forge, métal, potin, sceau, tutie, tuyau, verre, veste ■ 6 céruse, dragée, galène, minium ■ 7 cendrée, menuise, plombée ■ 8 cérusité, enfaîter, épervier, litharge, massicot, mordache, plombate, plombier, saturnin ■ 9 alquifoux, anglésite, déplomber, plomberie ■ 10 chevrotine, cuproplomb, flint-glass, plombifère, saturnisme, vanadinite ■ 11 menuisaille, sulfatation ■ 12 pattinsonage.

PLOMBAGINACEE: 7 lavande, statice ■ 10 dentelaire, immortelle ■ 11 hélichrysum.

PLOMBAGINE: 5 plomb ■ 8 graphite.

PLOMBEE: 11 palangrotte.

PLOMBER: 8 plombage, plomboir.

PLONGE: 5 perdu ■ 6 ludion ■ 8 plongeur.

PLONGEE: 9 aquanaute ■ 10 cabanement, schnorchel.

PLONGEON: 5 huard, huart.

PLONGER: 6 abîmer, couler, ludion ■ 7 baigner, frapper, infuser, plongée, sombrer ■ 8 absorber, immerger, plongeon, plongeur ■ 9 immersion, recouvrir, replonger, submerger ■ 10 contrister, endeuiller, enténébrer, plongement ■ 12 water-ballast.

PLONGEUR: 5 perle ■ 8 cormoran, fuligule, pingouin ■ 9 océanaute ■ 12 scaphandrier ■ 15 homme-grenouille.

PLOT: 10 crapaudine.

PLOUTOCRATE: 5 riche* ■ 12 argyrocratie, ploutocratie ■ 14 ploutocratique.

PLOYER: 5 plier, plomb ■ 7 courber*, fléchir* ■ 8 ployable ■ 9 ploiement, recourber.

PLUIE: 3 eau ■ 5 bâche, capot, grain, grêle, mitre, ondée, orage, purin ■ 6 averse, bruine, déluge, drache, flotte, nielle, saucée, trombe ■ 7 crachin, lavasse, pluvial, poudrin ■ 8 abat-vent, giboulée, marquise, pleuvoir, pluvieux ■ 9 abondance*, hivernage, parapluie ■ 10 brouillard, inondation, sécheresse ■ 11 nivopluvial, pluviomètre ■ 12 brouillasser, pluviométrie.

PLUMAGE: 3 mue ■ 4 muer, paon ■ 5 agami, grèbe, grive, linot, plume, serin, veuve ■ 6 livrée ■ 7 collier, pennage.

PLUMASSIER: 11 plumasserie.

PLUME : 5 balai, duvet, huppe, pattu, penne, penon, queue, style, trait, tuyau ■ 6 auteur, camail, plumée, plumet, rémige ■ 7 barbule, bouquet, couette, couteau, panache, plumage, plumeau, plumeux, plumier, plumule ■ 8 aigrette, déplumer, dermeste, écriture, emplumer, houssoir, marabout, tectrice, vibrisse ■ 9 empennage, petit-gris, polémique, toupillon ■ 10 penniforme, plumassier ■ 11 essuie-plume, uropygienne ■ 12 vaccinostyle.

PLUMEAU : 5 balai ■ 10 tête-de-loup.

PLUMER : 7 plumeur ■ 9 plumaison ■ 10 déposséder.

PLUMET : 6 casoar ■ 7 panache ■ 8 aigrette.

PLUMETE : 7 plumeté.

PLUMITIF : 6 auteur ■ 11 bureaucrate.

PLUPART : 5 monde ■ 8 beaucoup.

PLURALIE : 10 polyarchie.

PLURALISME : 10 pluraliste.

PLURALITE : 5 foule, masse, unité ■ 6 nombre ■ 7 pluriel ■ 8 kyrielle, majorité ■ 9 multitude ■ 10 polythéisme ■ 12 multiplicité.

PLURICELLULAIRE : 10 métazoaire.

PLURIEL : 4 soli ■ 9 pluralité.

PLUS : 3 pis, piu ■ 4 mais, trop ■ 5 excès, maint, mieux*, trick ■ 7 surplus ■ 8 exaction, rallonge ■ 9 davantage, plus-value, renchérir, surpasser ■ 10 hypermètre, supplément, surestarie ■ 14 surabondamment.

PLUSIEURS : 5 force, maint, mêlée, moult, opter, parti, plier, reste, tmèse, total, trier, union volée ■ 6 divers, pas mal ■ 7 d'aucuns ■ 8 beaucoup*, certains, cumulard, itératif, libouret, polybase, polygame, polylobé, quelques ■ 9 consensus, copartage, fréquence, hécatombe, macédoine, multiplex, multitude, pérennant, polyacide, polyakène, polyandre, polygynie, polygonal, polyphasé, tautomère, ubiquiste ■ 10 multiforme, plurivoque, polyandrie, polyglotte, polyphonie, polyptique, polyvalent ■ 11 multibroche, pluricausal, plutonigène, polysyllabe, versicolore ■ 12 plurilatéral ■ 13 polycentrique, polycentrisme, polynucléaire ■ 14 polysyllabique ■ 15 multicellulaire, pluricellulaire.

PLUTON : 9 plutonien.

PLUTONIUM : 2 py ■ 9 plutogène ■ 11 plutonigène.

PLUTOT : 10 préférence.

PLUVIER : 8 guignard ■ 9 œdicnème ■ 11 charadriidé.

PLUVIEUX : 5 caban ■ 8 isohyète ■ 10 pluviosité.

PNEU : 8 tubeless.

PNEUMATIQUE : 4 pneu ■ 5 chape, pompe, train ■ 7 confort, défense, dépêche, tringle ■ 8 chausser, déjanter, rechaper ■ 9 adhériser, enveloppe, pare-chocs ■ 11 démonte-pneu ■ 12 antidérapant.

PNEUMOCONIOSE : 9 asbestose.

PNEUMOCOQUE : 13 streptomycine.

PNEUMOLOGIE : 11 pneumologue.

PNEUMONIE : 11 pneumocoque, pneumonique.

PNEUMOPATHIE : 13 pneumocystose.

PNEUMOTHORAX : 9 collapsus.

PO : 5 padan ■ 9 fontanili.

POCHADE : 7 tableau ■ 8 peinture.

POCHARD : 7 ivrogne*.

POCHE : 3 sac* ■ 4 musc ■ 5 bâche, canif, fonte, jabot, panse ■ 6 bonnet, bourse, gésier, pochon, truble, vessie ■ 7 abajoue, estomac, gousset, trouble ■ 8 dépocher, empocher, feuillet, laguiole, pochetée,

pocheter, pochette, psautier, utricule ■ **9** anévrysme, caillette, rempocher, troubleau ■ **10** calculette ■ **11** pochothèque.
POCHER: 8 pocheuse.
POCHETEE: 5 niais ■ **6** pochée.
POCHETTE: 9 press-book.
POCHOIR: 7 chablon ■ **11** pochoiriste.
PODOLOGIE: 9 podologue.
PODZOL: 10 podzolique ■ **13** podzolisation.
POELE: 4 dais, four ■ **5** crêpe, frire, niche ■ **6** poêlée ■ **7** poêlier ■ **8** crêpière, fourneau, omelette ■ **10** cuisinière, hypocauste, salamandre ■ **11** réchauffoir.
POELON: 5 casse ■ **8** caquelon.
POEME: 3 lai, ode ■ **4** nome, vers* ■ **5** chant, divan, envoi, épode, fable, faune, geste, haïku, hymne, iambe, nœud, opéra ■ **6** blason, centon, élégie, épître, épopée, haïkaï, idylle, poésie*, qasida, rondel, satire, sonnet, tenson ■ **7** à-propos, ballade, cantate, canzone, chanson, églogue, neuvain, odyssée, pantoum, priapée, romance, rondeau, sextine, triolet, virelai ■ **8** bergerie, cantique, épilogue, kyrielle, madrigal, odelette, quatrain, rapsodie, tragédie ■ **9** bucolique, cantilène, épigramme, impromptu, liminaire, pastorale, romancero, satyrique, sirventès, terza rima ■ **10** acrostiche, anthologie, complainte, dithyrambe, épithalame, pentamètre, vaudeville, villanelle ■ **11** pastourelle, tautogramme.
POESIE: 4 muse ■ **5** iambe, poème* ■ **7** lyrique, mélique ■ **8** parnasse, poétique, poétiser ■ **9** bucolique, florilège, lettrisme, minnesang, prosaïsme, rotruenge ■ **10** ossianique, ossianisme, rotrouenge ■ **11** antistrophe, lamartinien, macaronique ■ **12** antipoétique, prétrarquisme ■ **13** anacréontisme, belles-lettres.
POETE: 4 aède, muse ■ **5** amant, barde ■ **6** cigale, favori, rimeur ■ **7** chantre, pléiade, rapsode, zutiste ■ **8** poétique, trouvère ■ **9** ménestrel, métromane, poétereau ■ **10** rimailleur, troubadour* ■ **13** versificateur.
POETIQUE: 3 raï ■ **4** luth, lyre ■ **5** acier, borée, deuil, fleur, hymen, mètre, perle, plage, poète, tombe, trame, vague, veine ■ **6** haïkaï ■ **7** lyrique ■ **8** poétiser ■ **10** dépoétiser, serventois ■ **11** calligramme ■ **12** poétiquement.
POETISER: 11 poétisation.
POGROM: 6 émeute*.
POIDS: 2 as ■ **4** frai, marc, once, tare ■ **5** arobe, carat, grain, livre, mètre, miche, obole, pesée, peser, peson, sicle, tarer, titre, tonne ■ **6** arrobe, bordée, étalon, talent ■ **7** drachme, fardeau*, mi-lourd, mimoyen, statère ■ **8** atrophie, pondéral, scrupule, soupeser ■ **9** archétype, basculeur, confirmer, dysmature, impondéré, pesanteur*, quarteron, surcharge, tolérance ■ **10** allégement, barymétrie, décagramme, pèse-lettre ■ **11** contrepoids, déplacement, hectogramme ■ **13** haltérophilie, stalagmomètre ■ **14** pouliethérapie, stalagmométrie.
POIGNANT: 7 piquant.
POIGNARD: 4 dirk, épée* ■ **5** criss, dague, gaine, kriss, surin ■ **6** navaja, stylet ■ **7** couteau*, kandjar, kanglar, sicaire, yatagan ■ **8** coutille, dégainer, kandjlar ■ **10** baïonnette, poignarder, puntillero ■ **11** miséricorde.
POIGNE: 7 énergie*.
POIGNEE: 4 anse, main, soie ■ **5** garde, glane, happe, nille, plane ■ **6** crosse, manche, pigeon ■ **7** ansette, bouchon, manette, oreille, pommeau, portant ■ **8** béquille ■ **9** assurance, bec-de-cane, filigrane, mancheron, shake-hand ■ **11** pied-de-biche.

POIGNET : 5 carpe ■ 6 poigne ■ 8 chistera, dragonne ■ 9 avant-bras, manchette ■ 14 montre-bracelet.

POIL : 3 cil, épi, mue, ras ■ 4 crin, foin, muer, pelé, pelu, robe, soie, velu, zain ■ 5 barbe, bulbe, duvet, fouet, frisé, haire, jarre, ladre, laine, nævi, ortie, panne, peler, poilu, raser, rouan, tache, tondu, tonte ■ 6 bourre, brosse, cheveu, peigne, pelage, toison ■ 7 hispide, pigment, pilaire, piquant, sourcil, tisonné, villeux ■ 8 alopécie, dépilage, fourrure, pelucher, pilifère, pilivore, rhizoïde, sensile, sétifère, surtonte, vibrisse ■ 9 bringeure, cachemire, grisonner, mantelure, moustache, paraphyse, pilosisme, pubescent, secrétage, toupillon ■ 10 égagropile, hirsutisme, pilosébacé ■ 11 ægagropile, dépilatoire ■ 12 trichophyton ■ 13 horripilateur, horripilation.

POILKILOTHERME : 12 hétérotherme.

POILU : 4 velu ■ 5 barbu, cilié ■ 7 chevelu, villeux ■ 8 pilifère ■ 9 moustachu, pubescent.

POINÇON : 4 coin ■ 5 alène, style, titre ■ 6 marque ■ 7 faîteau, trocart ■ 8 épissoir, pointeau ■ 9 épissoire, insculper, sous-faîte ■ 10 chasse-clou ■ 11 contre-fiche, trois-quarts.

POINÇONNER : 11 poinçonnage, poinçonneur ■ 12 poinçonneuse ■ 13 poinçonnement.

POINDRE : 5 point ■ 6 piquer, surgir* ■ 8 froisser, paraître* ■ 9 commencer ■ 10 apparaître*.

POING : 5 boxer ■ 8 gourmade.

POINT : 3 ars, but, clé, ère, est, pas, sud, vue ■ 4 amer, apex, à pic, chef, clef, coma, dame, dôme, flou, hile, midi, nord, onde, pied, pôle, pour, tant, vair, zéro ■ 5 aller, appui, arrêt, bride, butte, cible, cluse, comme, diane, dogme, flanc, foyer, grené, ippon, islam, jaspé, joint, lisse, morse, nadir, néant, nœud, orgue, ouest, perlé, piqué, repic, rôder, ronde, route, score, talon, terre, texte, trace, tréma ■ 6 azonal, donnée, mouche, orient, quinze, sommet, stigma, trente ■ 7 aphélie, bipoint, brasure, matière, ombilic, radiant ■ 8 aisselle, apoastre, avantage, démarque, drop-goal, estocade, greneler, isosiste, lisérage, marqueur, objectif, occident, orbicole, ordonnée, ponctuel, quarante, question, solstice, surfiler, tangence, terminus ■ 9 aposélène, blockhaus, charnière, conjugués, engrelure, entablure, épicentre, finaliser, horoptère, important, isoséiste, isotherme, jardineux, moucheter, nord-ouest, patte d'oie, périastre, périhélie, perpétuel, pointillé, quarrable, tellement ■ 10 accommoder, aucunement, cocyclique, colinéaire, commissure, concourant, dénouement, éminement, incorporel, métacentre, osculateur, périsélène, pointiller, tiers-point ■ 11 biflecnodal, coordonnées, enfourchure, orthocentre, pleurodynie, potronminet, rabattement, radiosource, stignomètre ■ 12 affleurement, arrière-point, intersection, nid-d'abeilles, potron-jaquet ■ 13 autocinétique, circumduction, desmodromique ■ 14 atterrissement.

POINTAGE : 6 hausse ■ 8 pointeur ■ 9 dépointer ■ 12 télépointage.

POINTE : 3 bac, cap, fer, gai, raz ■ 4 cime, clos, dard, dent, four, pieu* ■ 5 bande, barbe, barre, binet, carde, corne, chape, entée, épine, faîte, fiche, fichu, gaffe, germe, herse, ortie, picot, pilot, pince, pique*, piton, river, rivet, ronce, trait ■ 6 courbe, mucron, rostre, sommet* ■ 7 acuminé, bigorne, curseur, cuspide, échoppe, piquant, sommité ■ 8 ardillon, aspérité, bastillé, calquoir, empeigne, épointer, hérisser, pointeau ■ 9 aiguillon, avant-trou, batavique, biacuminé, bicuspide, obélisque, rapointir, rapointis, repointir ■ 10 aciculaire, rappointer, rappointis, rétroflexe, tricuspide ■ 11 acrocéphale, bec-de-corbin, démoucheter ■ 12 chausse-trape ■ 13 poltron-jaquet.

POINTER : 5 viser ■ 7 diriger ■ 8 pointeur.
POINTILLER : 11 pointillage.
POINTILLEUX : 8 chicaner, exigeant.
POINTU : 4 aigu*, pieu, sape ■ 5 acéré, épine, ergot, lance, mitre, palis, patte, picot ■ 7 acuminé, piquant* ■ 8 poignard ■ 9 appointer ■ 10 appointage, lévirostre ■ 11 ténuirostre.
POINTUE : 7 défense.
POIRE : 5 cidre, coing, énéma, glane, guyot, halbi, liard ■ 6 beurre ■ 7 bonasse, doyenné, épargne, poirier ■ 8 catillac, crassane, duchesse, hâtiveau, marquise, mignonne ■ 9 bergamote, catillard, madeleine, piriforme, rousselet ■ 10 blanquette, carpocapse, muscadelle, pendeloque, toute-bonne ■ 11 bon-chrétien, louise-bonne ■ 12 cuisse-madame, saint-germain ■ 13 passe-crassane.
POIREAU : 7 porracé, porreau ■ 8 poiroter.
POIREE : 5 bette ■ 6 blette.
POIRIER : 4 dard ■ 5 poire, tigre ■ 6 aigrin ■ 9 brindille.
POIS : 4 soja, soya ■ 5 purée ■ 6 chiche ■ 8 hâtiveau, légumine, pisolite ■ 9 mange-tout, petit-pois, pisolithe.
POISON : 4 upas ■ 5 ciguë, opium, pavot, venin, virus ■ 6 curare, toxine ■ 7 arsenic, cocaïne, codéine, mercure, toxique, vitriol ■ 8 laudanum, litharge, morphine, vénéneux* ■ 9 téphrosie, thériaque ■ 10 curarisant, digitaline, narcotisme, strychnine, stupéfiant, vert-de-gris ■ 11 empoisonner, toxicologie ■ 12 acqua-toffana, antivénéneux, contre-poison, intoxication* ■ 13 mithridatiser ■ 14 alexipharmaque.
POISSE : 7 déveine ■ 9 scoumoune.
POISSEUX : 6 gluant* ■ 7 poisser ■ 8 visqueux.
POISSON : 3 nid, sar, vif, zée ■ 4 épée, frai, gade, gril, lump, mafé, nase, œuf, parc, pâté, rets, tian, vase ■ 5 arête, aspic, blaff, cotte, danio, darne, devon, digon, elbot, fanon, farce, filet, foëne, globe, gobie, guano, guppy, héron, laite, larve, liter, marée, mulle, nasse, palot, pêche, picot, poche, queue, rogue, sushi, truie, umbre, venet, vomer, xipho, yassa ■ 6 alevin, anabas, bettas, chabot, cheval, exocet, fouëne, lingue, marlin, minque, myxine, pégase, perlon, piraya, rémora, serran, surimi, tarpon, truble, vairon, vivier, volant, zancle ■ 7 angelet, aurélie, baliste, blennie, clarias, colombo, espadon, fileter, girelle, gonelle, gourami, gymnote, marteau, ombrine, picarel, piranha, rasbora, rochier, sparidé, trouble, truelle ■ 8 anableps, bachotte, banneton, barbecue, bondelle, chétodon, étripage, gambusie, gonnelle, laitance, matelote, meurette, murénidé, pantodon, papillon, pochouse, quenelle, rousseau, scalaire, sciénidé, scorpène, sélacien*, siluridé, sphyrène, waterzoi ■ 9 barracuda, boucanage, bourriche, boutargue, dipneuste*, écailleur, escabèche, harengère, holostéen*, ichtyoïde, koulibiac, macropode, pauchouse, perroquet, pharillon piscivore, poutargue, serranidé, télescope, tranchoir, troubleau, vol-au-vent ■ 10 combattant, cyclostome*, physostome, pisciforme, placoderme, téléostéen*, xiphophore ■ 11 blanchaille, chænichtys, coelacanthe, hémigrammus, holocéphale*, ichtyocolle, ichtyologie, ichtyophage, menuisaille, poisson-chat, poissonneux, poissonnier, poisson-scie, porte-glaive, saint-pierre, syngnathidé ■ 12 chondrostéen*, empoissonner, ichtyophagie, pisciculture, poissonnerie, poissonnière ■ 13 anacanthinien, chondrichtyen, poissonnaille, rempoissonner.
POISSONNAILLE : 6 fretin.
POITRAIL : 5 barde ■ 7 bricole ■ 8 encolure.
POITRINE : 4 côte, sein* ■ 5 angor, appas, bosse, buste, cœur*, giron, gorge, hampe, jabot, point, torse ■ 6 coffre, thorax ■ 7 sternum ■

8 barbette, cuirasse, flanchet, inspirer, plastron, poitrail, rational, xiphoïde ■ 9 appendice, avant-main, clavicule ■ 10 débrailler, diaphragme, thoracique ■ 11 poitrinaire ■ 12 soutien-gorge, thoracentèse.

POIVRE : 4 noix ■ 5 banka, bétel, épice, pilaf, pilau, pilaw ■ 8 pipérine, poivrade, poivrier ■ 9 condiment, gattilier, poivrière ■ 11 mignonnette ■ 12 quatre-épices.

POIVRIER : 6 cubèbe ■ 7 pipérin.

POIVRON : 8 basquais.

POIX : 5 sapin ■ 6 calfat, couret, spalme ■ 7 galgale, galipot, goudron ■ 9 empoisser ■ 10 saragousti.

POKER : 4 full ■ 5 carré, flush ■ 7 décaver ■ 10 strip-poker.

POLAIRE : 4 nord*, zone ■ 5 ourse ■ 6 eskimo ■ 8 arctique, banquise, esquimau ■ 9 périscien ■ 11 antarctique.

POLARISATION : 8 lévogyre, polarisé, polaroïd ■ 9 polariser ■ 11 dépolariser ■ 12 dépolarisant, polarimétrie ■ 14 dépolarisation.

POLARISER : 10 polariseur ■ 13 impolarisable.

POLDER : 13 poldérisation.

POLE : 5 terre ■ 7 polaire ■ 8 entrefer, polarisé, polarité ■ 9 bipolaire, électrode ■ 10 unipolaire ■ 11 blastoderme ■ 12 multipolaire, transpolaire ■ 13 circumpolaire, quadripolaire.

POLEMIQUE : 6 factum ■ 7 attaque ■ 8 irénique, pamphlet ■ 9 polémiste ■ 10 discussion, polémique, serventois ■ 11 manœuvrier.

POLEMOLOGIE : 11 polémologue.

POLEMONIACEE : 5 cobéa, cobée ■ 6 cobaea.

POLI : 3 mat, net, uni* ■ 4 brut ■ 5 bruni, civil, galet, glace, lisse*, noyer ■ 6 galant* ■ 7 affable*, agatisé, aimable*, honnête, policer ■ 8 civilisé, courtois, gracieux, poliment ■ 9 civiliser, craqueler ■ 10 anodisation, brunissure, obséquieux, polissable ■ 11 complaisant.

POLICE : 3 ban ■ 4 clou, flic, guet, téal ■ 5 agent, calot, cogne, dépôt, ordre, poste, salle, sbire ■ 6 exempt, milice, rousse, schupo, sûreté ■ 7 coroner, gestapo, îlotier ■ 8 alguazil, antigang, argousin, civilisé, policier ■ 9 constable, policeman, vingt-deux ■ 10 indicateur, souricière ■ 11 policologie ■ 12 garde-rivière.

POLICHINELLE : 6 pantin* ■ 7 bouffon*.

POLICIER : 4 flic ■ 5 agent, cogne, condé, ripou, sbire ■ 6 bourre, limier, poulet ■ 7 roussin ■ 8 gendarme, thriller ■ 9 bourrique, détective ■ 10 roman-photo.

POLIR : 4 ripe, unir*, user ■ 5 cirer, émeri, limer, potée, roder ■ 6 aléser, brunir, doucir, frayer, glacer, gréser, lisser, meuler, planer, poncer, ribler, vernir ■ 7 adoucir, aplanir, buffler, dresser, égriser, fourbir, frotter, lustrer, moleter, raboter, ragréer, repolir, satiner ■ 8 aiguiser, astiquer, colcoter, corroyer, débrutir, égaliser, parfaire, rabattre, surfacer, varloper, velouter ■ 9 calendrer, civiliser, dégrossir, lapidaire, périgueux, polisseur, polissoir, polissure ■ 10 brunissage, dérouiller, polisseuse ■ 11 adoucissage, fourbisseur.

POLISSAGE : 5 usure ■ 6 buffle. rodage ■ 7 sassage ■ 8 égrisage, frottage ■ 9 aiguisage ■ 11 fourbissage.

POLISSON : 7 galopin, obscène ■ 8 espiègle* ■ 11 polissonner ■ 13 polissonnerie.

POLITESSE : 4 poli, tact ■ 5 prier, valet ■ 6 agréer, pardon, revoir ■ 7 aménité, décence, respect*, souhait ■ 8 civilité, ostrogot, sans-gêne, urbanité, vousoyer, vouvoyer ■ 9 amabilité*, baise-main, brutalité, cérémonie, civilités, honnêteté, ostrogoth, salamalec, voussoyer ■ 10 affabilité, bienséance, civilement, compliment, courtoisie*, galante-

rie ■ **11** distinction, gentillesse, génuflexion, gracieuseté, impolitesse, savoir-vivre ■ **12** complaisance*, empressement.
POLITICO-RELIGIEUX: 10 wahhabisme.
POLITIQUE: 5 diète, front, libre, pitié, plaid, rasta, rouge, tract, ultra ■ **7** hétérie, laxisme, nazisme, new-look, torysme ■ **8** anarchie, campagne, carlisme, centurie, doctrine, dualisme, dyarchie, épistate, étatisme, fascisme, girondin, glasnost, hétairie, pamphlet, phalange, slavisme, tsarisme ■ **9** centriste, césarisme, coalition, démagogie, dirigisme, gauchisme, gaullisme, imperium, kémalisme, léninisme, machiavel, mandature, népotisme, péronisme, politiser, rastafari, recentrer, souverain, unionisme ■ **10** apolitique, apolitisme, attentisme, attentiste, autocratie, blanquisme, communisme, despotisme, eurodroite, gauchisant, hitlérisme, joséphisme, ku-klux-klan, monocratie, pluralisme, politicard, politicien, polyarchie, réformisme, réformiste, serventois, socialisme, unitarisme ■ **11** absolutisme, anabaptiste, bicamérisme, bolchevisme, boulangisme, bullionisme, capitalisme, caporalisme, dépolitiser, fédéralisme, impolitique, indigénisme, jacobinisme, libéralisme, mondialisme, neutralisme, panarabisme, panslavisme, péréquation, perestroïka, radicalisme, revanchisme, totalitaire ■ **12** annexionisme, bonapartisme, carbonarisme, colonialisme, géopolitique, gouvernement, impérialisme, irrédentisme, modérantisme, monopartisme, multilatéral, panislamisme, syndicalisme, technocratie, travaillisme ■ **13** bicaméralisme, kremlinologie, machiavélisme, monocamérisme, multipartisme, pangermanisme, panhellénisme, pluripartisme, politicologie, politiquement ■ **14** expansionnisme, isolationnisme, panafricanisme, particularisme ■ **15** antiministériel, indifférentisme, monocaméralisme, panaméricanisme, politicaillerie, ségrégationisme.
POLITISER: 12 politisation.
POLITOLOGIE: 13 politicologue.
POLKA: 7 two-step ■ **8** schottish ■ **10** schottisch ■ **11** varsovienne.
POLLEN: 5 fleur ■ **6** thèque ■ **7** anthère, tétrade ■ **8** pollinie ■ **9** allogamie, pollinose ■ **10** pollinique ■ **12** entomophilie ■ **13** pollinisation.
POLLINISATION: 9 allogamie ■ **10** anémophile ■ **11** anémophilie.
POLLUER: 5 salir* ■ **8** souiller* ■ **9** pollution.
POLLUTION: 13 antipollution.
POLO: 10 sweat-shirt.
POLONAIS: 7 polaque, voïvode ■ **8** schapska, voïévode, voïvodie ■ **9** polonaise, voïévodie ■ **11** cracovienne.
POLTRON: 5 brave, capon, gille, lâche* ■ **6** couard, péteux ■ **7** foireux, peureux*, taffeur ■ **8** craintif*, vaillant ■ **9** froussard ■ **10** trouillard ■ **13** poule mouillée.
POLTRONNERIE: 7 lâcheté* ■ **9** couardise, lâchement ■ **13** pusillanimité.
POLYACIDE: 9 polyester.
POLYACRILIQUE: 6 dralon.
POLYALCOOL: 6 polyol ■ **8** sorbitol.
POLYAMIDE: 6 rilsan ■ **12** caprolactame.
POLYCHETE: 6 néréis ■ **7** néréide, serpule ■ **8** spirorbe ■ **9** arénicole, térébelle ■ **11** spirographe.
POLYCHLORURE: 3 p.v.c. ■ **6** rhovyl.
POLYCHROME: 7 tanagra ■ **12** internégatif.
POLYCONDENSATION: 9 polyamide ■ **12** caprolactame ■ **13** polycondensat.
POLYCOPIE: 4 poly ■ **10** polycopier.

POLYCYCLIQUE: 6 pyrène.
POLYDACTILE: 11 polydactyle.
POLYEDRE: 4 face ■ 9 icosaèdre ■ 10 dodécaèdre ■ 11 polyédrique.
POLYESTER: 5 lurex ■ 6 dacron.
POLYGALACEE: 8 polygala.
POLYGAME: 8 coépouse ■ 9 polygamie.
POLYGENISME: 11 polygénique.
POLYGONACEE: 5 rumex ■ 7 oseille, renouée ■ 8 bistorte, patience, rhubarbe, sarrasin ■ 10 persicaire.
POLYGONALE: 8 orbitèle.
POLYGONE: 5 tulle ■ 8 apothème, décagone, hexagone, octogone ■ 9 ennéagone, heptagone, pentagone, polygonal ■ 10 dodécagone ■ 11 hendécagone ■ 12 quadrilatère, transversale ■ 13 pentadécagone, pentédécagone ■ 14 polygonisation.
POLYHOLOSIDE: 9 polyoside.
POLYLOBE: 11 granulocyte.
POLYMERE: 8 fibrillé, isoprène ■ 9 acrylique, réticuler ■ 10 polyvinyle ■ 12 polyaddition, polychlorure ■ 13 polybutadiène.
POLYMERISATION: 4 buna ■ 5 aldol ■ 8 polymère ■ 9 polyamide ■ 10 élastomère ■ 11 métaldéhyde, polymériser ■ 12 polyéthylène ■ 13 macromolécule, polyvynilique ■ 15 glycogénogenèse.
POLYMERISE: 13 polymérisable.
POLYNESIEN: 4 kava, kawa.
POLYNESIENNE: 7 tamouré ■ 8 tahitien.
POLYNEVRITE: 9 korsakoff.
POLYNOME: 10 polynomial.
POLYNUCLEAIRE: 11 éosinophile, neutropénie.
POLYPE: 3 sac ■ 4 bras ■ 5 corne ■ 6 bourse ■ 7 alvéole ■ 8 cnidaire*, polypeux, polypier, tubipore ■ 9 acétabule, gonophore, gonozoïde, tentacule, ■ 10 cœlentéré.
POLYPEPTIDE: 8 albumose ■ 9 protamine ■ 14 polypeptidique ■ 15 releasing factor.
POLYPHAGIE: 4 faim.
POLYPHONIE: 8 madrigal ■ 12 polyphonique, polyphoniste.
POLYPLOÏDE: 11 polyploïdie.
POLYPODIACEE: 7 adiante ■ 8 adiantum ■ 9 asplénium ■ 10 capillaire ■ 13 cheveu-de-Vénus.
POLYPORE: 9 fistuline ■ 10 amadouvier ■ 11 foie-de-bœuf ■ 13 langue-de-bœuf.
POLYSEMIE: 11 polysémique.
POLYTECHNICIEN: 4 pipo.
POLYTECHNIQUE: 4 pipo ■ 5 carva ■ 14 polytechnicien.
POLYTHEISME: 5 païen ■ 9 paganisme, théogonie ■ 11 polythéiste.
POLYTONALITE: 9 polytonal.
POLYVALENT: 9 néomycine ■ 11 polyvalence.
POMMADE: 3 uve ■ 4 gale ■ 6 gomina ■ 8 lanoline, pommader, populéum ■ 9 cold-cream.
POMMADER: 7 gominer.
POMME: 3 api ■ 4 dard, pive ■ 5 anona, anone, cidre, halbi, pigne, sucre, surin ■ 6 aigrin, canada, doucin, tomate ■ 7 boskoop, capendu, malique, paradis, pommier, rambour ■ 8 calville, clochard, mélonide, pommette, rambures, reinette, starking, thyroïde ■ 9 anthonome, brindille, pommeraie, pomologie, vide-pomme ■ 10 carpocapse, court-pendu, fenouillet, mancenille ■ 11 granny-smith ■ 12 fenouillette.
POMMEAU: 5 arçon ■ 7 kandjar, kanglar ■ 8 kandjlar.

POMME DE TERRE : 4 porc, rata ■ 5 chips, frite, pomme ■ 6 aligot, bintje ■ 7 pluches, roseval ■ 8 amylique, dartrose, friselée, frisolée ■ 9 vitelotte ■ 11 topinambour.
POMMELER : 9 marqueter.
POMMETTE : 6 zygoma.
POMMIER : 7 douçain.
POMOLOGIE : 9 pomologue ■ 11 pomologique, pomologiste.
POMPAGE : 7 pompeur.
POMPE : 4 luxe* ■ 5 boyau, canon, faste, lance, vérin ■ 7 apparat*, pompeux ■ 8 calandre, cylindre, pompiste, seringue, vide-cave ■ 9 autopompe, cérémonie*, moto-pompe ■ 10 archipompe, centrifuge, solenniser, turbopompe ■ 12 pompeusement ■ 14 triomphalement.
POMPER : 5 boire ■ 6 puiser ■ 8 absorber.
POMPEUX : 7 ampoulé* ■ 8 solennel* ■ 9 cavalcade, somptueux ■ 10 emphatique* ■ 12 déclamatoire ■ 13 grandiloquent.
POMPIER : 6 pin pon ■ 13 sapeur-pompier.
POMPON : 9 pomponner.
POMPONNER : 5 parer*.
PONANT : 9 ponantais.
PONÇAGE : 7 ponceur.
PONCE : 7 ponceux.
PONCEAU : 4 pont ■ 5 pavot, rouge*.
PONCER : 5 polir* ■ 6 gréser ■ 7 frotter* ■ 10 bourriquet.
PONCIF : 6 cliché, poncis ■ 9 ordinaire ■ 10 lieu commun.
PONCTION : 7 trocart ■ 11 adénogramme, liposuccion, paracentèse, ponctionner ■ 12 thoracentèse.
PONCTUALITE : 9 assiduité ■ 10 exactitude*, régularité ■ 12 inexactitude ■ 14 ponctuellement.
PONCTUATION : 5 comma, point, texte ■ 7 virgule ■ 8 ponctuer ■ 10 deux points ■ 11 exclamation ■ 12 point-virgule ■ 13 interrogation.
PONCTUEL : 5 exact*, recta ■ 6 assidu ■ 8 régulier ■ 11 ponctualité.
PONCTUER : 11 ponctuation.
PONDERATION : 7 retenue* ■ 8 pondérer ■ 9 équilibre ■ 10 exaltation, modération*.
PONDERER : 10 équilibrer ■ 11 pondérateur.
PONDEREUX : 6 pesant*.
PONDEUSE : 7 leghorn.
PONDRE : 5 ponte ■ 8 crételer ■ 9 pondaison.
PONEY : 6 mérens ■ 7 ponette, pottock.
PONT : 3 arc ■ 4 roof, rouf ■ 5 arche, bouge, butée, canot, culée, jetée, livet, péage, plage, séton, voûte, wharf ■ 6 fauber, ponter, ponton, tillac, viaduc ■ 7 aqueduc, ponceau, trigone ■ 8 batayole, étambrai, faux-pont, gaillard, garde-fou, pont-rail, portière, sambuque, spardeck ■ 9 barbacane, écoutille, entrepont, épontille, passavant, pont-canal, pont-levis, pont-route, sarrasine, trompette ■ 10 arrière-bec, brise-glace, passerelle, pontonnier ■ 12 enracinement ■ 13 pont-promenade ■ 14 superstructure.
PONTAGE : 6 ponter.
PONTE : 4 frai ■ 7 pondoir ■ 9 pondaison.
PONTIFE : 4 pape* ■ 5 légat ■ 6 pédant, prélat, prêtre ■ 10 pontifical, pontificat.
PONTIFICAL : 5 index, mitre ■ 9 monsignor, tunicelle ■ 10 monsignore, saint-siège.
PONTIFIER : 8 doctoral ■ 9 discourir.
PONTON : 7 chameau ■ 10 ponton-grue ■ 12 bateau-lavoir.

POP MUSIC : 4 beat.
POPOTE : 7 cuisine ■ 8 popotier ■ 9 cuisinier ■ 10 réfectoire.
POPULACE : 5 masse, pègre, plèbe ■ 6 commun, peuple*, populo, roture, tourbe ■ 7 vermine ■ 8 canaille, racaille, vulgaire ■ 9 populaire ■ 10 basse pègre ■ 11 prolétariat.
POPULAIRE : 4 jass, jota, lied, mime, yass ■ 5 besef, bezef, biler, blair, bouif, carte, coule, dèche, disco, fichu, flapi, foire, frigo, frime, fripe, fumer, garce, gaupe, gigue, girie, gober, gomme, grole, haute, janot, lapin, laver, lèche, malin, matin, mèche, mégot, melon, mince, moche, moule, mufle, nager, ouste, panné, patar, piger, poire, pomme, poser, radin, radis, ragot, raide, râler, rogne, ronde, roter, rupin, sacré, saoul, sapin, scier, semer, sénat, serin, singe, solea, soupe, suçon, tabac, tante, tapée, veine, voile, youdi, zèbre, zigue ■ 6 jataka, jojuri, peuplé, pogrom, reggae, zydeco ■ 7 cockney, country, milonga, pogrome, rondeau ■ 8 flamenco, folklore, guilleri, kermesse, mamselle, mamzelle, pop music, populace, populeux, proverbe, sédition, singpiel, tyrannie, vulgaire ■ 9 cassation, goualante, guimbarde, harmonica, mélodrame, populiste ■ 10 aragonaise, complainte, popularité, villanelle ■ 11 cracovienne, populariser ■ 13 manifestation, populairement ■ 14 rhythm and blues.
POPULARISER : 8 propager ■ 10 légendaire ■ 14 popularisation.
POPULARITE : 5 renom* ■ 10 réputation*.
POPULATION : 5 écume ■ 6 peuple*, ruchée ■ 7 colonie ■ 8 faubourg, habitant* ■ 10 bidonville, paupérisme, quart-monde ■ 11 démographie, recensement ■ 13 ethnobiologie, paupérisation, surpopulation ■ 15 populationniste, rechristianiser, ville-champignon.
PORC : 4 lard, saie, salé, saye, soie, soue ■ 5 coche, coppa, goret, groin, ladre, suidé, ténia, truie ■ 6 cochon*, porcin, rouget, verrat ■ 7 grogner, porcher, ratelle, rillons ■ 8 boutefas, glandage, hâtereau, ladrerie, laiteron, languier, piétrain, porcelet, porc-épic, pourceau, saigneur, saindoux, sanglier ■ 9 andouille, côtelette, porcherie, rillettes ■ 10 babiroussa, brucellose, mortadelle, porchaison ■ 11 potamochère.
PORCELAINE : 4 saxe ■ 5 cuite, fêler, magot, tasse ■ 6 kaolin, parian ■ 7 biscuit, caraque, faïence*, harasse, hyalite, potiche ■ 9 barbotine, biscuiter ■ 10 craquelage ■ 11 cailloutage ■ 12 décalcomanie, porcelainier.
PORCHE : 4 porte* ■ 8 portique.
PORCHERIE : 6 boiton, étable ■ 7 porcher.
PORCIN : 4 porc ■ 6 culard ■ 12 artiodactyle.
PORE : 4 suer ■ 5 sueur, tanne ■ 6 oscule ■ 10 lenticelle.
POREUX : 3 tuf ■ 8 porosité ■ 9 spongieux ■ 11 gargoulette ■ 12 papier-filtre.
PORNOGRAPHIE : 7 obscène* ■ 11 pornographe ■ 14 pornographique.
PORNOGRAPHIQUE : 5 porno.
PORPHYRINE : 9 porphyrie.
PORT : 3 col ■ 4 abri, môle, rade ■ 5 darse, franc, havre, hogue, jetée, moule ■ 6 allure, bassin, laptot ■ 7 attache, posture* ■ 8 carénage, démarrer, maintien* ■ 9 atterrage, avant-port, garde-port, portuaire ■ 10 brise-lames ■ 11 arrière-port, avant-bassin, gardiennage.
PORTAGE : 9 transport.
PORTAIL : 3 nef ■ 4 rose ■ 5 galbe, porte* ■ 6 pylône ■ 9 bouteroue ■ 10 tête-de-clou.
PORTANCE : 2 cz ■ 7 polaire ■ 10 déportance ■ 14 semi-balistique.
PORTATIF : 5 canoé, falot, fusil, hutte, kodak ■ 7 walkman ■ 8 chi-

gnole, escabeau, fourneau, seringue ■ **9** arquebuse, escopette, parapluie ■ **11** mange-disque, pelle-pioche.

PORTE: **4** baie, épar, gond, huis, orbe, pêne, vêtu ■ **5** bâcle, borne, caddy, épart, fléau, gâche, issue, jouée, judas, œuvé, seuil, vanne, veine, volet ■ **6** battée, clédar, enclin, lourde, trappe, vacive ■ **7** cochère, guichet, lourder, portail, poterne, vantail ■ **8** chatière, grillage, marquise, paniculé, piédroit, portière, portique, propylée ■ **9** baccifère, barbacane, bec-de-cane, bobinette, bourrelet, congédier, embrasure, huisserie, pied-droit, portelone, portillon, sarrasine ■ **10** chambranle, paillasson ■ **11** contre-porte, corallifère ■ **13** entrebâilleur ■ **15** arrière-voussure.

PORTE A FAUX: **10** cantilever ■ **14** encorbellement.

PORTE-AVIONS: **8** apponter, embarque ■ **9** appontage.

PORTE-BAGAGES: **11** porte-paquet.

PORTE-BONHEUR: **7** fétiche ■ **8** mascotte.

PORTE-CROISEE: **12** porte-fenêtre.

PORTE-DRAPEAU: **8** enseigne ■ **10** porte-aigle ■ **13** porte-enseigne.

PORTEE: **5** champ, degré, rayon ■ **6** archée, niveau, sphère ■ **7** agnelée, clavier, élément, hauteur ■ **8** atteinte, barrière, capacité, diapason, distance ■ **9** cochonnée, humaniser, porte-voix, proximité ■ **10** compétence, spécialité, vulgariser, réformette ■ **12** démocratiser, inconscience.

PORTEFAIX: **7** bricole, crochet, porteur* ■ **8** phrygane ■ **10** crocheteur.

PORTEFEUILLE: **5** patte ■ **6** bourse, buvard, carton ■ **7** trousse ■ **8** classeur, maroquin ■ **9** serviette ■ **11** porte-cartes ■ **12** porte-billets, porte-musique.

PORTE-GLAIVE: **5** xipho ■ **10** xiphophore.

PORTE-GREFFE: **7** douçain.

PORTE-MINE: **9** stylo-mine.

PORTE-PLUME: **5** plume ■ **11** stylographe.

PORTER: **4** étui ■ **5** aller, aviso, essai, ferme, lourd, motif, poste, somme, stèle, valet ■ **6** barder, élever, rendre, tendre ■ **7** arborer, asséner, blesser, décider, enlever, envoyer, imputer, mouvoir, portant, porteur, pousser, toucher ■ **8** allonger, apporter, aquifère, charrier, coltiner, contenir, courrier, diffamer, emporter, estoquer, expédier, exporter, jalouser, lanifère, lanigère, messager, palanche, pilifère, pocheter, portable, portatif, projeter, rayonner, regarder, reporter, révolter, secourir, sétifère, soulever, soutenir*, suborner, traduire, voiturer ■ **9** affruiter, brouetter, camionner, charroyer, choéphore, chylifère, colporter, coltiner, crucifère, descendre, élévation, émissaire, florifère, gemnifère, lactifère, maintenir, maximiser, persuader, portefaix, portement, porte-voix, proligère, supporter*, transport, trimbaler, unguifère, véhiculer ■ **10** amentifère, calorifère, cautionner, déshonorer, encourager, fructifier, gestatoire, immettable, porte-croix, porte-plume, transférer, trimballer, triporteur, vexillaire ■ **11** corallifère, enregistrer, maximaliser, nectarifère, ombellifère, papillifère, porte-crosse, redescendre, scandaliser, staminifère, transborder, transporter* ■ **12** apocrisiaire, lampadéphore, porte-bonheur, porte-carnier, porte-drapeau, portemanteau, porte-monnaie ■ **13** porte-bannière, porte-étendard.

PORTEUR: **4** foil, fort ■ **5** nervi ■ **6** coolie, docker, sherpa ■ **7** facteur ■ **8** jumbo-jet ■ **9** coltineur, débardeur, filanzane, portefaix ■ **10** crocheteur, déchargeur, stigmatisé ■ **11** gonfalonier, gonfanonier ■ **15** commissionnaire.

PORTE-VOIX : 8 gueulard ■ 9 mégaphone.
PORTIER : 4 loge ■ 6 suisse ■ 7 cerbère, gardien, geôlier, pipelet ■ 8 huissier, porterie, tourière ■ 9 casernier, concierge ■ 10 guichetier, porte-clefs.
PORTION : 3 arc, fût, lot, mer, ■ 4 môle, part*, zone ■ 5 antre, champ, corps, grêle, iléon, iléum, musée, nappe, pièce, rampe, sinus, virée ■ 6 craton, estran, partie*, ration, trompe, volume ■ 7 apanage, grumeau, morceau*, partage, pitance, planche, réserve, secteur, segment, voûtain ■ 8 aiguille, auricule, batterie, demi-plan, duodénum, fragment*, molécule, polygone, quadrant, quartier ■ 9 dividende, menchevik, pendentif, presqu'île ■ 10 cantonnier.
PORTIQUE : 5 porte, torii ■ 6 porche, torana ■ 7 narthex, pœcile ■ 9 péristyle ■ 13 transstockeur.
PORTO : 7 vintage.
PORTO RICO : 11 portoricain.
PORTRAIT : 4 tête ■ 5 album, buste, camée, genre, image*, momie ■ 6 crayon, figure, statue ■ 7 effigie, gravure, tableau* ■ 8 figurine, peinture* ■ 9 médaillon, miniature ■ 10 caricature, demi-figure, silhouette ■ 11 description, signalement ■ 12 autoportrait, photographie, portraicture, portraitiste, portraiturer ■ 13 trombinoscope ■ 14 représentation.
PORTRAITURER : 7 peindre*.
PORTUGAIS : 3 dom ■ 4 reis ■ 7 séfardi ■ 8 ibérique ■ 9 séfaraddi.
PORTUGAISE : 9 lusophone.
PORTUGAL : 8 ibérique.
PORTUNIDE : 7 portune.
POSE : 4 sage* ■ 5 calme*, froid, grave ■ 6 rassis ■ 7 câblier ■ 8 attitude, coiffage, réfléchi*, vaniteux ■ 9 cover-girl, posemètre ■ 10 antenniste, exposition, instantané, métallerie, surexposer ■ 11 affectation, application.
POSER : 5 enter, miner, socle, table ■ 6 baiser, camper, claver, crâner, enlier, ficher, mettre, porter, poseur, situer ■ 7 amerrir, apposer, asseoir, coffrer, couvrir, déliter, déposer, exposer, imposer, pavaner, planter, pouffer, reposer, vitrier ■ 8 afficher, apponter, postuler, remettre, supposer, surfiler, surjeter, surpayer ■ 9 agrafeuse, appliquer, couronner, implanter, miroitier, recouvrir, rengorger, supposer, surélever, surmouler, survendre, tapissier ■ 10 gabionnage, interroger, juxtaposer, surajouter, surcharger, surhausser, superposer ■ 11 plastronner, questionner, surenchérir ■ 12 impatroniser, tranchefiler.
POSITIF : 3 oui ■ 4 réel*, vrai* ■ 5 degré, exact*, franc, hardi, noyau, typon ■ 6 absolu, décidé, exprès, formel, ozalid, précis, strict ■ 7 certain*, concret, évident ■ 8 efficace, mantisse ■ 9 explicite, plus-value ■ 10 affirmatif, contretype, dogmatique, positivité ■ 11 catégorique, péremptoire ■ 12 interpositif, irrémissible ■ 14 inconditionnel, matériellement.
POSITION : 2 ob, oc, of, op, os ■ 3 cas, clé, sub ■ 4 clef, état, grip, mise ■ 5 degré, garde, loran, point, prime, terre ■ 6 abattu ■ 7 ectropie, guêpier, posture*, septime ■ 8 amarrage, assiette, attitude*, inverser, orienter, renverse, tangente ■ 9 axiomètre, commander, condition, embossage, mobilisme, palanquer, parallaxe, perdition, situation* ■ 10 astronomie, coordonnée, demi-pointe, garde-à-vous, radiophare, relèvement, supination ■ 11 apériodique, astrométrie, cinesthésie, coordonnées, détachement, disposition*, emboîtement, emplacement, espace-temps, information, malposition, marginalité, orientation ■ 12 demi-position, dextrocardie, matérialisme, pole posi-

tion, positionneur, quadrilatère, rétroversion ■ 13 retranchement ■ 15 accroupissement, radiogoniomètre.

POSITIONNEMENT : 9 avant-trou.

POSITIONNER : 13 repositionner.

POSITIVISME : 11 positiviste ■ 14 néo-positiviste.

POSSEDE : 7 furieux ■ 9 bibasique ■ 10 démoniaque, énergumène, quirataire ■ 11 démonomanie, sans-papiers ■ 14 superplastique.

POSSEDER : 5 avoir, infus, jouir, riche, tenir* ■ 6 garder, savoir ■ 7 compter, détenir, hériter, obtenir, occuper, retenir ■ 8 acquérir, disposer, investir, partager, regorger ■ 9 connaître, installer, possédant ■ 10 appartenir, bénéficier, coposséder, ensaisiner, possession, reposséder ■ 11 possessoire.

POSSESSEUR : 5 baron ■ 8 seigneur ■ 9 titulaire ■ 10 feudataire, nouvelleté ■ 11 actionnaire, capitaliste ■ 12 propriétaire ■ 14 copropriétaire.

POSSESSIF : 2 ma, ta, sa ■ 3 mes, mon, nos, ses, tes, ton, vos ■ 4 leur, mien, sien, tien ■ 5 nôtre, vôtre ■ 12 possessivité.

POSSESSION : 2 de ■ 4 fief, joie ■ 5 actif, chose, désir, écrou, garde, prise ■ 7 génitif, saisine ■ 8 ex-libris, monopole, renoncer ■ 9 détention, par-devers, possessif, propriété, recouvrer, récupérer, ségrairie ■ 10 antichrèse, convoitise, déposséder, jouissance*, occupation, possesseur ■ 11 exclusivité, investiture, possessoire ■ 12 appartenance, collectivité, copossession, installation, réintégrande ■ 13 dénucléariser, ensaisinement, possessionnel.

POSSESSOIRE : 10 complainte.

POSSIBILITE : 5 modal ■ 6 sursis ■ 7 créatif ■ 8 croyance, débouché, embauche, facilité, peut-être ■ 9 liquidité, potentiel ■ 10 visibilité ■ 11 contingence, éventualité, exobiologie ■ 12 faillibilité, imputabilité ■ 13 accessibilité, compréhension ■ 14 falsifiabilité.

POSSIBLE : 5 libre ■ 6 facile ■ 7 douteux ■ 8 éventuel, faisable, loisible, moyenner, probable* ■ 9 espérance, hasardeux, incertain, potentiel ■ 10 admissible, compétitif, contingent, exécutable, facultatif, importable, praticable, réalisable, totalisant ■ 11 optimaliser, possibilité ■ 12 intelligible ■ 14 compréhensible.

POSTAL : 3 c.c.p. ■ 13 compte chèques.

POSTALE : 8 carte-vue.

POSTCOMMUNISME : 14 postcommuniste.

POSTE : 2 p.c. ■ 5 garde, group ■ 6 chaîne, emploi*, postal ■ 7 central, facteur, mirador, postage, postier, préside, sans-fil, station, walkman ■ 8 embusqué, émetteur, mutation, nid-de-pie, paquebot, pompiste, sélectif ■ 9 permutant, postillon ■ 10 aéropostal, essencerie, marchepied, multiposte, pacaudière, repourvoir, wagon-poste ■ 12 nomenklatura, voiture-poste ■ 13 syntonisation ■ 14 radiorécepteur, station-service.

POSTER : 5 affût ■ 6 camper ■ 7 aposter.

POSTERIEUR : 3 cul ■ 5 après, large, nuque, talon, train ■ 6 avenir, choane ■ 7 grasset, suivant ■ 8 caducité, derrière*, postdate, tribunal ■ 9 antérieur, codicille, occipital, postdater, ultérieur ■ 11 a posteriori, arrière-main, conjonctive, opisthodome, troussequin ■ 12 arrière-train, postériorité ■ 13 demi-pirouette, post-classique, post-hypophyse ■ 14 arrière-cerveau ■ 15 postérieurement.

POSTERITE : 4 fils, race ■ 5 tribu ■ 6 avenir ■ 7 enfants ■ 8 monument ■ 10 descendant, génération ■ 11 descendance*, progéniture ■ 13 consanguinité.

POSTHUME : 9 testament.

POSTICHE : 4 faux* ■ 7 factice ■ 8 moumoute, perruque ■ 12 réchauffante.

POSTILLON : 12 postillonner.
POST-MARCHE : 10 back-office.
POSTMODERNISME : 11 post-moderne.
POSTULANT : 8 candidat, outsider ■ 9 impétrant ■ 10 prétendant ■ 11 poursuivant.
POSTULAT : 8 postuler ■ 11 supposition ■ 12 non-euclidien.
POSTULER : 10 solliciter* ■ 11 postulation.
POSTURE : 4 pose ■ 5 asana ■ 7 station ■ 8 attitude*, position ■ 9 situation* ■ 10 contenance.
POT : 5 moque, poche, potée, tabac ■ 6 couvet, potier ■ 7 germoir, ollaire, poterie*, potiche ■ 8 bakchich, cache-pot, coquemar, potiquet, rempoter ■ 9 pot-pourri, récipient.
POTABLE : 7 buvable ■ 8 passable ■ 13 verdunisation.
POTAGE : 5 oille, pilaf, soupe ■ 6 bisque, brouet, coulis, louche, panade, pistou ■ 7 bortsch, garbure, polenta, tapioca ■ 8 borchtch, bouillie*, bouillon*, chaudeau, chaudrée, consommé, couscous, gaspacho, julienne, pot-au-feu, soupière ■ 10 jardinière, vermicelle ■ 13 bouillabaisse.
POTAGER : 3 ail ■ 4 chou, fève, pois ■ 5 mache, navet, radis ■ 6 cardon, céleri, courge, endive, laitue, oignon, panais, persil, poirée, tomate ■ 7 asperge, carotte, épinard, haricot, oseille, poireau, porreau, potiron ■ 8 échalote, estragon, salsifis ■ 9 artichaut, aubergine, betterave, chou-fleur, concombre, pissenlit.
POTAGERE : 5 gombo.
POTASSE : 4 mica ■ 5 salin, savon, soude, verre ■ 7 védasse ■ 8 perlasse ■ 9 potassium.
POTASSIUM : 5 dakin, émail, javel, nitre ■ 6 cæsum, illite, kalium ■ 7 cæsium, leucite, potasse ■ 8 cheddite, rubidium, salpêtre ■ 9 kalicytie, microline, sylvinite ■ 10 bichromate, potassique ■ 11 aldostérone ■ 12 hypokaliémie ■ 13 hyperkaliémie.
POT-DE-VIN : 9 matabiche.
POTEAU : 5 pièce, sabot ■ 6 pilori ■ 7 ruinure ■ 9 entrevous, jalonmire, panonceau, tournisse ■ 10 palplanche.
POTEE : 5 oille.
POTELE : 4 dodu, gras*, gros* ■ 12 grassouillet.
POTENCE : 5 corde, croix, gibet ■ 6 girafe ■ 7 bossoir ■ 9 estrapade ■ 11 patibulaire ■ 12 portemanteau.
POTENTAT : 4 chef*, tsar ■ 8 monarque.
POTENTIEL : 4 volt ■ 7 tension, voltage ■ 8 kilovolt, prospect ■ 9 millivolt, voltmètre ■ 10 ampère-tour, isodynamie, technopole ■ 11 évolutivité ■ 12 court-circuit, électromètre, polarisation ■ 13 équipotentiel, potentiomètre ■ 14 millivoltmètre ■ 15 potentiellement.
POTENTILLE : 8 ansérine ■ 11 tormentille ■ 13 quintefeuille.
POTERIE : 4 grès, mère ■ 5 étain ■ 7 faïence ■ 8 couverte, darbouka, derbouka, figuline, ostracon ■ 9 alquifoux, barbotine, céramique, vernisser ■ 10 porcelaine.
POTERNE : 5 porte*.
POTINER : 6 médire*.
POTION : 5 julep, looch ■ 7 cordial ■ 10 médicament*.
POU : 4 toto ■ 5 lente, ricin, tique ■ 6 calige, typhus ■ 7 morpion, vermine ■ 8 phtirius ■ 9 épouiller, phtiriase, pouilleux ■ 10 borréliose, phtiriasis ■ 11 pédiculaire.
POUACRE : 5 avare ■ 9 malpropre.
POUCE : 4 pied ■ 5 empan, index, ligne, toton ■ 7 poucier ■ 8 pédimane ■ 9 poucettes ■ 11 chiquenaude ■ 12 saucissonner.

POUDRE: 3 kif ■ 4 came, iris, kiff, malt, mine, râpé, talc ■ 5 bombe, cacao, émeri, fleur, fuser, fusil, indol, nitre, ponce, potée, sable, salep, verre ■ 6 cendre, farine, sciure ■ 7 égrisée égruger, friable, lapping, lupulin, purette ■ 8 bassinet, frittage, limaille, lycopode, poudreux, poudrier, poussier, pulvérin, pyrèthre, racahout ■ 9 balistite, chapelure, égrugeoir, gargousse, poudrerie, poudrette, poudreuse, poudrière, poudroyer, poussière, saucisson ■ 10 électuaire, parquerine, pulvériser, sandaraque, triturable ■ 11 fulmicoton, pulvérulent, sainte-barbe, trituration ■ 12 perlimpinpin, poudroiement, pulvérisable.
POUDRER: 5 râper ■ 6 broyer, moudre, sabler ■ 7 léviger ■ 8 poudrage, triturer ■ 9 dépoudrer, enfariner ■ 10 épousseter, pulvériser, saupoudrer.
POUDRIERE: 5 poire.
POUFFER: 4 rire*.
POUILLE: 6 injure*.
POUILLEUX: 4 sale ■ 9 misérable*, vermineux.
POULAIN: 5 crack ■ 6 cheval*, suitée ■ 8 antenais ■ 10 poulinière.
POULBOT: 4 môme.
POULE: 3 mue ■ 4 œuf ■ 5 agami, dinde ■ 6 caquet, houdan, marans, poulet ■ 7 cocotte, leghorn ■ 8 caqueter, crételer, glousser, poularde, poulette ■ 9 claqueter, gallinacé, gélinotte ■ 10 poulailler ■ 11 gloussement ■ 12 archéoptéryx.
POULET: 5 yassa ■ 7 poussin ■ 8 épinette, waterzoi.
POULETTE: 8 poussine.
POULICHE: 6 cheval*, jument.
POULIE: 3 réa ■ 4 brin ■ 5 agrès, bigue, chape, corde*, gorge, gréer, palan, rouet ■ 6 moufle ■ 7 galoche, gerseau ■ 8 gréement ■ 9 écoperche.
POULPE: 6 kraken ■ 7 pieuvre.
POULS: 6 rythme ■ 7 cadence, dicrote, systole ■ 8 acinésie, diastole ■ 9 alternant, battement, eurythmie, formicant, pulsation ■ 13 sphygmographe.
POUMON: 3 mou ■ 4 sang, toux, voix ■ 5 abats ■ 7 bronche, pulmoné ■ 8 fressure, poitrine, silicose ■ 9 collapsus, infiltrat, médiastin ■ 10 dipneumone, parenchyme, pulmonaire, spiromètre ■ 11 bronchioles, inspiration, pneumologie ■ 12 pneumectomie, pneumopathie ■ 13 trachée-artère ■ 14 pneumonectomie ■ 15 pleuropneumonie.
POUPE: 7 arrière, tableau.
POUPEE: 5 pépée ■ 8 baigneur ■ 10 matriochka.
POUPON: 4 bébé ■ 7 enfance*, poupard.
POUR: 2 ac, ad, af, an, ap, ar, as, at ■ 3 g.s.p. ■ 6 afin de, quant à.
POURBOIRE: 5 pièce ■ 8 bakchich ■ 10 dringuelle, récompense ■ 13 gratification.
POURCEAU: 4 porc* ■ 6 verrat ■ 7 porcher ■ 10 grognement.
POURCENTAGE: 4 taux* ■ 5 degré, quota ■ 6 guelte, teneur ■ 9 surremise ■ 11 probabilité ■ 13 granulométrie.
POURCHASSER: 7 chasser* ■ 8 talonner ■ 10 poursuivre* ■ 12 pourchasseur.
POURFENDRE: 11 pourfendeur.
POURPARLERS: 11 négociation ■ 12 conversation ■ 13 interlocuteur.
POURPOINT: 11 justaucorps.
POURPRE: 3 tyr ■ 5 murex, pavée, rouge* ■ 7 rougeur, violine ■ 8 arseille, pourprin, purpurin ■ 9 laticlave, phtaléine ■ 10 empourprer, rhodopsine ■ 12 angusticlave.

POURQUOI : 5 ainsi, aussi, cause* ■ 7 comment.
POURRI : 7 putride ■ 8 corrompu, malandre, nidoreux.
POURRIR : 5 gâter* ■ 6 moisir, pourri, vicier* ■ 7 altérer, avarier*, croupir ■ 9 corrompre*, faisander, putréfier* ■ 10 décomposer ■ 11 pourrissant ■ 12 pourrissable.
POURRISSAGE : 11 pourrissoir.
POURRITURE : 5 carie, loque ■ 7 monilia ■ 8 gangrène.
POURSUITE : 5 après ■ 6 charge ■ 8 désister, vendetta, vindicte ■ 9 découpler, idéalisme, obsession ■ 10 contrainte ■ 11 harcèlement, persécution, poursuiteur, poursuivant ■ 12 continuation, proscription ■ 14 cinéthéodolite ■ 15 course-poursuite.
POURSUIVRE : 4 agir, huer ■ 5 voler ■ 6 courir, courre, fondre, forcer, hanter, larder, serrer, suivre ■ 7 acculer, accuser, bourrer, charger, chasser*, courser, ennuyer, lapider, obséder, presser, traquer ■ 8 acharner, affecter, assiéger, attaquer, chercher*, étraquer, fatiguer, harasser, harceler*, intenter, mugueter, postuler, relancer, talonner ■ 9 assaillir, bousculer, continuer*, démotiver, levrauder, proscrire, rattraper, rejoindre ■ 10 importuner, persécuter, précipiter, préoccuper, rechercher*, tourmenter* ■ 11 pourchasser, poursuiveur ■ 12 entreprendre.
POURTANT : 9 cependant, néanmoins.
POURTOUR : 4 bord*, tour* ■ 7 circuit ■ 8 éversion, péribole, platbord ■ 9 périmètre, triforium ■ 13 circonférence.
POURVOI : 5 appel.
POURVOIR : 5 armer, doter, douer, munir*, orner ■ 6 garnir, monter, nantir ■ 7 assurer, équiper, établir, fournir*, recours, veiller ■ 8 apanager, encadrer, habiller, investir, procurer*, subvenir, suffixer ■ 9 affruiter, motoriser, subsister ■ 10 entretenir, pourvoyeur ■ 12 amunitionner, préjudiciaux.
POURVU : 2 si ■ 4 arme ■ 5 garni, monté, onglé, riche ■ 6 unciné ■ 7 alifère, assisté ■ 9 hameçonné, ombiliqué ■ 10 caulescent, cotylédoné ■ 11 vascularisé ■ 13 commendataire.
POUSSANT : 7 déramer.
POUSSE : 4 brin ■ 5 brout, recrû, rejet, scion, talle ■ 6 canier ■ 7 bouture, brocoli ■ 8 roselier ■ 9 ultravide ■ 10 arénophile, outrancier.
POUSSEE : 3 jet ■ 4 choc ■ 5 butée, culée, pesée, tollé, vague ■ 7 épaulée ■ 8 bourrade, pression ■ 9 baroscope, battement, charriage, endosmose, enfonçage, pulsation ■ 10 bousculade, percussion, propulsion, ramponneau ■ 14 post-combustion.
POUSSE-POUSSE : 11 cyclo-pousse.
POUSSER : 4 huer ■ 5 jeter, lever, mener, mugir, peser, rugir, vagir, vente ■ 6 battre, bouter, clapir, cogner, forcer, hurler, lancer, naître, outrer, sortir ■ 7 acculer, appuyer, baréter, chasser, choquer, croître*, crosser, décider, exciter*, exhaler, fourrer, hercher, inciter, induire, mouvoir, piauler, poindre, poussif, presser*, reculer, rejeter, secouer, toucher, végéter ■ 8 bouturer, conduire, coudoyer, cultiver, déborder, disposer, enfoncer, exclamer, expulser, fomenter, herscher, imprimer, impulser, injecter, malmener, paumelle, piailler, refouler, sabouler, soulever, soupirer, stimuler* ■ 9 actionner, bousculer, conseiller, caqueter, instiguer, luxuriant, malvenant, poussette, propulser, rencogner, repousser, sangloter, seringuer, suroxyder ■ 10 apparaître, drageonner, encourager*, houspiller ■ 11 bourgeonner ■ 13 accroissement.
POUSSETTE : 11 pousse-canne.

POUSSIERE : **4** boue, stuc ■ **5** sable ■ **6** cendre, miette, plâtre, pollen, poudre, pousse, sciure, vannée ■ **7** charbon, grabeau, raclure, vannure ■ **8** effriter, poudreux, poussier, trichoma, trichome ■ **9** aéroscope, aggloméré, brésiller, byssinose, géomancie, poudroyer, ratissure ■ **10** anthracose, épousseter, vermoulure ■ **11** effondrille, effritement, nosoconiose, poussiéreux, pulvérulent ■ **12** dépoussiérer, empoussiérer ■ **13** dépoussiérage, efflorescence.
POUSSIF : **12** poussivement.
POUSSIN : **3** mue ■ **5** coque, gelée ■ **11** poussinière.
POUSSOIR : **6** bouton.
POUTRE : **3** bau, ope ■ **6** barrot, tangon ■ **7** soffite ■ **8** poitrail, portique, poutrage ■ **9** bowstring, poutrelle ■ **10** poutraison ■ **11** arbalétrier, chevalement.
POUVOIR : **4** bras ■ **5** choix, force*, libre, moyen, ordre, règne, sénat, trône, tyran, vexer ■ **6** action, acuité, crédit, empire, étaler, faveur, griffe, mandat, savoir*, sphère ■ **7** ad nutum, émissif, faculté*, hétérie, mission, papauté, régence, royauté ■ **8** abdiquer, amnistie, autorité*, beylicat, capacité, consulat, déléguer, diaconat, enchanté, exarchat, exécutif, factieux, imperium, investir, isotonie, latitude, maîtrise, mandater, monopole, révoquer, sujétion, talisman, temporel, tyrannie ■ **9** autoriser, coercitif, dictateur, dictature, dynamisme, évocateur, gouvernés, hégémonie, homoncule, homuncule, inflation, influence, ministère, monarchie, opération, parlement, passation, permettre, persuasif, privilège, propriété*, puissance*, puissants, souverain, spirituel ■ **10** autocratie, calciférol, coercition, compétence, délégation, démocratie, dénotation, despotisme, domination, exécutoire, hiérarchie, impuissant, monocratie, permission*, polyarchie, préfecture, seigneurie, suprématie, tyranniser ■ **11** absolutisme, disposition, dissolution, impuissance, juridiction, législateur, médiocratie, omnipotence, patriarcat, possibilité, prééminence, procuration, protectorat, revaloriser, supériorité ■ **12** aristocratie, bureaucratie, commandement, idéalisation, inactivation, insurrection, ploutocratie, souveraineté, thaumaturgie, tout-puissant ■ **13** épiscopalisme, prépondérance, profitabilité, supranational ■ **14** administration, pronunciamento, toute-puissance ■ **15** déconcentration, technostructure.
POUX : **10** pédiculose.
PRAGMATISME : **11** pragmatiste.
PRAIRIE : **3** pré* ■ **4** noue ■ **5** biome, carvi, lande, napée, pampa, pipit, ranch, somme ■ **6** alpage, engane, pacage, savane ■ **7** herbage, pelouse, schorre ■ **8** embouche, maigrage, padouant, pâturage, prairial, prégazon, sargasse, sécheron ■ **11** ophioglosse.
PRALINE : **8** praliner ■ **9** pralinage.
PRASEODYME : **6** didyme.
PRATICABLE : **5** jetée ■ **6** facile ■ **7** commode ■ **8** possible ■ **13** praticabilité.
PRATICIEN : **7** médecin* ■ **8** stratège ■ **11** généraliste, sophrologue ■ **15** contactologiste.
PRATIQUANT : **5** kippa.
PRATIQUE : **4** aisé*, rôle, sort, yoga ■ **5** magie, menée, sauna, sport, sunna, usage* ■ **6** facile*, métier, sounna, tantra ■ **7** exogame, golfeur, joggeur, routine, surfeur, zapping ■ **8** acheteur, exercice, habitude*, karatéka, sodomite ■ **9** désuétude, éducation, endogamie, maniement, péronisme, pratiquer, technique, triolisme ■ **10** bioénergie, échangisme, expérience, illetrisme, malcommode, observance, planchiste, pratiquant, végétalien ■ **11** agissements, bisexualité, dentis-

terie, ostéopathie, végétaliste, vishnouisme ■ 12 inséminateur, motoneigisme, pratiquement, suprématie ■ 13 pictorialisme ■ 14 fonctionnalité ■ 15 conchyliculteur, fonctionnaliser.

PRATIQUER: 5 faire, miner, piper, rouir, skier, tâter ■ 6 cloner, drayer, jouter, livrer, surfer, vaquer, zapper ■ 7 adonner, ajourer, castrer, catcher, dérayer, essayer, exercer, occuper ■ 8 acquérir, endormir, envoûter, éprouver, exécuter, fenêtrer, habituer, judaïser, observer, perforer, perfuser, pitonner, procéder, talonner, tenonner ■ 9 boycotter, césariser, charcuter, connaître, déboucher, enfleurer, entraîner, flibuster, marcotter, mortaiser, professer, randonner, retraiter, sodomiser ■ 10 apparenter, circoncire, discounter, extrapoler, fréquenter, praticable ■ 11 surproduire ■ 12 autocensurer, autofinancer, expérimenter, œilletonner, reprogrammer, suralimenter, tuberculiner, vasectomiser ■ 14 tuberculiniser.

PRE: 4 nard ■ 5 brome, faner ■ 6 tondre ■ 7 prairie* ■ 8 agrostis, pâturage ■ 9 agrostide, cardamine, colchique, euphraise, mouillère, mousseron, primevère, renoncule, véronique ■ 10 aigremoine, lycoperdon, pâquerette, perce-neige, tricholome ■ 11 pédiculaire, pimprenelle, tormentille.

PREALABLE: 5 avant ■ 8 précaire ■ 9 prétraité ■ 12 éliminatoire, présélection, quasi-contrat ■ 13 préalablement ■ 14 préfabrication, présupposition.

PREALABLEMENT: 10 présupposé.

PREAMBULE: 7 préface* ■ 9 liminaire ■ 12 commencement, préliminaire*.

PREAVIS: 9 préaviser ■ 10 délai-congé.

PREBENDE: 6 revenu ■ 10 prébendier ■ 11 chanoinesse.

PRECAIRE: 7 fragile* ■ 8 passager* ■ 9 précarité ■ 10 précariser ■ 12 précairement.

PRECAMBRIEN: 8 primaire ■ 9 algonkien ■ 10 algonquien ■ 12 antécambrien ■ 13 protérozoïque.

PRECARISER: 13 précarisation.

PRECAUTION: 4 soin* ■ 6 mesure, sûreté ■ 7 défense ■ 8 défiance, garantie, méfiance, prudence* ■ 9 attention ■ 10 imprudence, ménagement, prévention, prévoyance ■ 11 prophylaxie ■ 12 préservation ■ 13 précautionner ■ 14 précautionneux.

PRECAUTIONNER: 8 prémunir, protéger.

PRECEDE: 8 préroman ■ 10 prégénital ■ 11 préœdipien ■ 12 préélectoral ■ 13 préopératoire.

PRECEDEMMENT: 5 avant ■ 10 sous-dénommé ■ 14 antérieurement.

PRECEDENT: 5 antan, avant ■ 8 antenais, réversal ■ 9 antérieur ■ 10 annulement, antécédent.

PRECEDER: 2 ci ■ 8 devancer*, préluder, prénatal, primitif, prodrome, prologue ■ 9 alcyonien, anticiper, ouverture, préambule ■ 10 antécédent, avant-garde, demi-finale, prénuptial ■ 11 appogiature, avant-guerre ■ 12 antédiluvien, avant-coureur, prédécesseur, préliminaire, prémonitoire ■ 13 préhistorique, quinquagésime ■ 14 antépénultième.

PRECELLENCE: 13 préexcellence.

PRECEPTE: 5 norme, souna, sunna ■ 6 maxime*, sounna ■ 8 normatif, sentence ■ 11 application ■ 12 commandement*, enseignement.

PRECEPTEUR: 6 maître* ■ 11 préceptoral, préceptorat.

PRECHAUFFAGE: 11 préchauffer.

PRECHE: 5 avent ■ 6 sermon* ■ 8 discours ■ 11 prédication ■ 14 évangélisateur.

PRECHER: 6 minbar, vanter* ■ 8 annoncer, diaconat, exhorter ■

9 convertir, sermonner ■ 11 évangéliser, prédicateur, recommander ■ 12 missionnaire.
PRECHI-PRECHA: 8 radotage ■ 9 rabâchage.
PRECIEUX: 3 fin, sal ■ 4 cher, porc, snob ■ 5 écrin, gemme, glace, joyau, métal, opale, primo, riche, rubis, stras, utile ■ 6 saphir, trésor ■ 7 affecté, délicat*, mondain, raffiné ■ 9 important ■ 10 pierreries, pimpesouée ■ 11 inestimable, marivaudage.
PRECIOSITE: 10 gongorisme ■ 11 affectation*, singularité.
PRECIPICE: 5 abîme* ■ 7 gouffre*.
PRECIPITATION: 4 hâte* ■ 7 vitesse* ■ 8 rapidité* ■ 9 précipité ■ 10 hâtivement ■ 11 palpitation ■ 14 précipitamment.
PRECIPITER: 3 lie ■ 5 tempo ■ 6 courir*, foncer, tomber ■ 7 avancer, élancer, galoper, presser ■ 8 brusquer, floculer ■ 9 accélérer* ■ 10 engouffrer.
PRECIS: 3 net ■ 4 pile ■ 5 exact*, point, temps ■ 6 abrégé, concis, exprès, formel, pétant ■ 8 combiner, datation, imprécis ■ 9 déterminé, équivoque, rigoureux* ■ 10 injonction ■ 11 catégorique, indéterminé ■ 12 approximatif, déterminatif, mathématique.
PRECISEMENT: 9 justement ■ 10 exactement, proprement ■ 12 expressément, positivement.
PRECISER: 5 fixer ■ 8 dessiner ■ 9 particule, spécifier ■ 10 déterminer ■ 14 particulariser.
PRECISION: 7 pesette, shaving ■ 8 ajustoir, justesse ■ 9 pointeuse, trébuchet ■ 10 assignable, déterminer, exactitude*, garde-temps, micromètre ■ 11 chronomètre, comparateur, imprécision ■ 12 chronographe, inexactitude ■ 15 interférométrie.
PRECOCE: 5 hâtif ■ 9 précocité, sénilisme ■ 11 précocement ■ 13 vernalisation ■ 14 sérodiagnostic.
PRECOLOMBIEN: 5 nazca ■ 13 préhispanique.
PRECONÇU: 5 parti.
PRECONISER: 6 vanter* ■ 7 prêcher ■ 11 préconisation, recommander.
PRECONSCIENT: 12 préconscient.
PRECORDIALE: 13 précordialgie.
PRECURSEUR: 8 hydraule ■ 11 nicotinique.
PREDECESSEUR: 5 aïeux ■ 7 ancêtre ■ 9 devancier ■ 10 précurseur.
PREDESTINER: 3 élu ■ 5 vouer ■ 14 prédestination.
PREDICANT: 6 prêtre ■ 7 orateur ■ 11 prédicateur.
PREDICAT: 8 adjectif ■ 10 prédicatif.
PREDICATION: 6 chaire, oracle, sermon* ■ 7 mission ■ 9 prédicant, prophétie ■ 11 prédicateur.
PREDICATIVE: 14 antéprédicatif.
PREDICTIBLE: 14 prédictibilité.
PREDICTION: 9 horoscope, prophétie ■ 12 vaticination.
PREDILECTION: 4 goût ■ 6 faveur ■ 10 préférence*.
PREDIQUAT: 9 prédiquer.
PREDIRE: 4 dire ■ 5 devin ■ 7 augurer, deviner ■ 8 annoncer*, prophète ■ 9 vaticiner ■ 10 aéromancie, astrologie, prédiction, pythonisse ■ 11 cartomancie, prophétiser ■ 12 pronostiquer.
PREDISPOSE: 6 enclin* ■ 8 penchant* ■ 13 prédisposition.
PREDISPOSITION: 13 préadaptation.
PREDIT: 9 cassandre.
PREDOMINANCE: 14 industrialisme.
PREDOMINANT: 9 manualité ■ 12 prédominance.
PREDOMINER: 9 prévaloir.

PREEMINENCE: 8 détrôner ■ 11 supériorité*.
PREEXCELLENCE: 11 supériorité*.
PREEXISTER: 11 hétérogénie.
PREFACE: 4 avis ■ 5 canon ■ 6 notice, proème ■ 8 discours, postface, prodrome, prologue ■ 9 préambule, préfacier ■ 11 avant-propos ■ 12 introduction, préliminaire*, prolégomènes ■ 13 avertissement.
PREFECTURE: 4 cité ■ 14 sous-préfecture.
PREFERE: 3 élu ■ 5 copain ■ 6 favori ■ 8 benjamin, chouchou, meilleur ■ 10 préférable.
PREFERENCE: 4 goût ■ 6 option, plutôt ■ 8 avantage, élection, penchant*, suffrage ■ 9 acception ■ 10 dextralité, partialité, prévention ■ 11 favoritisme, inclination ■ 12 indifférence, prédilection, préférentiel ■ 13 prépondérance ■ 14 intuitionnisme, préférablement.
PREFERER: 5 aimer, élire*, gâter, opter ■ 6 choyer ■ 7 adopter, choisir*, pencher ■ 8 affilier, protéger ■ 9 avantager, couronner, embrasser, favoriser*, prévaloir ■ 10 distinguer, préférable, préférence.
PREFET: 4 réal ■ 6 maître ■ 10 préfecture ■ 11 préfectoral, surveillant.
PREFIGURER: 13 préfiguration.
PREFIXE: 2 ab, ac, ad, af, an, ap, ar, as, at, bi, co, de, di, ec, ef, es, ex, il, im, in, ir, me, ob, oc, of, op, os, re ■ 3 abs, ant, axa, bis, cis, col, com, con, des, dis, dys, géo, iso, meg, mes, néo, oct, pan, par, pré, pro, ras, sub, sus, tri ■ 4 ante, anti, atto, déca, déci, giga, hcct, hydr, hypo, kilo, macr, méga, méso, méta, micr, mono, moto, mult, myri, nano, octa, octi, octo, pant, para, pent, péri, peta, pico, poly, semi, sous, sulf, téra ■ 5 archi, centi, extra, femto, ferro, hecto, hydro, hyper, inter, intra, intro, macro, micro, milli, multi, myria, myrio, nécro, ortho, paléo, panto, penta, pente, ptéro, quadr, rétro, sulfo, super, tétra, trans ■ 6 hérédo, sesqui, simili ■ 8 préfixal, préverbe, privatif ■ 9 décimilli, hectokilo ■ 11 préfixation ■ 15 parasynthétique.
PREFOLIATION: 9 vernation.
PREHENSILE: 5 singe.
PREHENSION: 7 prendre ■ 9 tentacule ■ 10 préhenseur, pseudopode ■ 12 tentaculaire.
PREHISTOIRE: 7 azilien ■ 9 palafitte ■ 10 campignien, troglodyte ■ 11 abbevillien, aurignacien ■ 12 hallstattien, mégalithique, préhistorien ■ 13 paléolithique, préhistorique.
PREHISTORIQUE: 8 céraunie ■ 13 abri-sous-roche, microlithique.
PREHOMINIDE: 11 sinanthrope.
PREJUDICE: 3 dam ■ 4 tort ■ 5 gêner, nuire*, péril, perte ■ 6 lésion, risque ■ 7 dommage* ■ 8 atteinte ■ 9 baraterie, détriment, indemnité ■ 10 sinistrose ■ 11 désavantage, préjudiciel ■ 12 attentatoire ■ 13 préjudiciable.
PREJUGE: 7 opinion, routine ■ 8 habitude, perruque ■ 9 parti pris, tradition ■ 10 entêtement, partialité, prévention ■ 11 infatuation, présomption ■ 12 encroûtement ■ 13 préoccupation.
PREJUGER: 5 venir ■ 7 entêter.
PRELART: 5 bâche.
PRELASSER: 8 goberger.
PRELAT: 5 mitre ■ 6 primat ■ 7 exarque, pontife ■ 8 cardinal ■ 9 monsignor, prélature, tunicelle, vice-légat ■ 10 caudataire, coadjuteur, monsignore ■ 12 congrégation.
PRELEVEMENT: 7 biopsie ■ 8 ponction ■ 9 cueillage ■ 11 distraction ■ 13 amortissement.
PRELEVER: 4 ôter* ■ 5 lever ■ 6 zester ■ 7 prendre*, retenir ■

8 carotter ■ 9 carottier, imputable ■ 10 carotteuse, décimateur ■ 11 prélèvement.

PRELIMINAIRE: 5 lemme ■ 6 exorde, proème ■ 7 préface*, prélude ■ 8 prodrome, prologue ■ 9 préambule, prélavage ■ 12 commencement, préchauffage, présélection, prolégomènes ■ 14 initialisation.

PRELUDE: 4 coma ■ 9 préambule ■ 12 commencement, préliminaire.

PREMATURE: 5 hâtif ■ 8 alopécie, anticipé ■ 11 prématurité.

PREMEDITATION: 9 guet-apens ■ 10 assassinat.

PREMEDITER: 8 préparer, projeter ■ 13 préméditation.

PREMICE: 12 commencement*.

PREMIER: 2 as, un ■ 3 têt ■ 4 aîné, éden, neuf, tête, vert ■ 5 alpha, bizut, clair, credo, début, duvet, essai, frais, germe, grand, guide, jalon, larve, maire, matte, nouer, panse, pépin, prime, primo, recto, sénat, trias ■ 6 danien, entame, entier, intact, prince ■ 7 cacique, étrenne, initial, nouveau, primidi ■ 8 agneline, brahmane, calendes, cambrien, créateur, dimanche, duodénum, enrayure, étrenner, hiverner, nauplius, original, pilastre, podestat, postulat, prémices, présider, primaire, primauté, primitif, princeps, prologue, prophase, rudiment, séraphin, surchoix ■ 9 acheuléen, agresseur, allemande, antérieur, avant-cour, avant-goût, avant-plan, brassière, colostrum, landamman, linéament, œsophage, paléogène, premier-né, primipare, printemps, promoteur, prothorax, quasimodo, vénérable, vestibule ■ 10 antécédent, archevêque, commerçant, démasclage, engagement, prima donna, primordial, rhétorique, sonnailler, sous-couche ■ 11 bourgmestre, pentateuque, pléistocène, précambrien, sénatorerie, vendémiaire ■ 12 archéoptéryx, baccalauréat, commencement, contre-amiral, pole position, premièrement, quadragésime, sous-diaconat ■ 13 accommodation, daguerréotype, paléochrétien, paléolithique, petit déjeuner ■ 14 primo-infection.

PREMISSE: 7 mineure ■ 9 enthymème.

PREMONITION: 13 pressentiment.

PREMONITOIRE: 9 cholérine.

PREMUNIR: 5 armer ■ 8 protéger* ■ 13 précautionner.

PREND: 6 lippée ■ 10 photomaton.

PRENDRE: 4 lacs, lire, ôter* ■ 5 boire, dîner, écope, filer, gluau, gober, jalon, jurer, lasso, lever, loger, louer, nasse, notes, périr, picot, piège, piger, piper, prise, ravir, ridée, rosir, tenir, venir, verre, viser, voler* ■ 6 avaler, capter, chiper, choper, frimer, gagner, glacer, glaner, gruger, happer, manier, paumer, pêcher, piller, pincer, plumer, puiser, rafler, saisir*, serrer ■ 7 acenser, adopter, agrafer, arrêter, arroger, assumer, charger, choisir, dérober, emmener, emparer, engager, enlever*, envahir, envoyer, épouser, évincer, obtenir, occuper, picorer, plagier, plucher, poisser, retenir, trouver, usurper* ■ 8 absorber, affermer, affouage, affréter, agripper, arracher*, arrenter, attaquer, atterrir, attraper, aveindre, bedonner, capturer, chauffer, chavirer, compiler, congeler, cueillir, déborder, déclarer, déjeûner, délecter, démarrer, dessiner, emporter*, endosser, enferrer, éprendre, goberger, habituer, incarner, ironiser, louvoyer, marauder, pantière, prélever, prenable, protéger, rabioter, ramasser, recevoir, recruter, résoudre, respirer, souffler, soutirer, succéder, surlouer ■ 9 accaparer, accrocher, appliquer, assimiler, atteindre, attribuer, banqueter, bifurquer, cantonner, compulser, conquérir, consommer, conspirer, consulter, détourner, distraire, embrasser, emmailler, empoigner, emprunter, enraciner, escamoter, escroquer, étreindre, extorquer, grapiller, harponner, madériser, patienter, pontifier, prélasser, prétexter, promettre, reprendre, rougeoyer, souscrire, triompher ■ **10** accoutumer, approprier*, barguigner, confisquer, contracter, dépouiller, déterminer, engraisser, ensoutaner, exproprier, grappiller, imprenable, intervenir, manœuvrer, mésangette, panneauter, précaution, préhension, raccrocher, ratiboiser, recueillir, retrancher, soustraire, surprendre ■ **11** administrer, appréhender, embarrasser, graillonner, interpréter, plastronner, ponctionner, sous-traiter, stéréotyper, susceptible, tergiverser ■ **12** collationner, entreprendre, inexpugnable, saucissonner ■ **13** conscientiser, embourgeoiser, petit déjeuner, précautionner ■ **14** responsabilité.

PRENEUR : **8** bailleur ■ **10** emphytéote.

PRENOM : **3** nom ■ **9** prénommer ■ **10** antécédent.

PREOCCUPATION : **4** soin* ■ **5** ennui*, souci* ■ **6** tracas* ■ **7** pré jugé ■ **10** inquiétude*.

PREOCCUPE : **5** libre ■ **6** polard ■ **7** songeur ■ **11** préoccupant.

PREOCCUPER : **9** inquiéter* ■ **10** tourmenter* ■ **11** embarrasser*.

PREPARATIF : **7** apprêt ■ **8** appareil, armement ■ **9** branle-bas.

PREPARATION : **3** jus, vin ■ **4** pain, tian ■ **5** lissé, mégie, opiat, stage ■ **6** calcul, hachis, projet, saponé ■ **7** calabre, fixatif, grisons, saumure, timbale ■ **8** alginate, antihalo, artifice, brandade, émulsion, marinage, mirepoix, pastille, pemmican, planning, salpicon, tablette, waterzoi ■ **9** benzidine, boyaudier, coriandre, encollage, escabèche, ex abrupto, galénique, médaillon, pharmacie, thériaque ■ **10** chamoisage, corroierie, cosmétique, galimafrée, hypokhâgne, sandaraque ■ **11** chiffonnade, combinaison, dépilatoire, élaboration, mort-aux-rats, passivation, programmeur, pyrotechnie ■ **12** entraînement, maroquinerie, organisation ■ **13** impréparation ■ **14** phytopharmacie ■ **15** champagnisation, magnésiothermie.

PREPARATOIRE : **5** cagne, étude, prépa, taupe ■ **8** corniche ■ **10** ourdissage ■ **11** avant-projet, ramassement ■ **13** propédeutique.

PREPARE : **6** saleur ■ **7** cuisiné, thésard ■ **8** préroman ■ **13** préromantique.

PREPARER : **3** cru ■ **5** avent, cuire, doser, mégir, mûrir, parer, semer ■ **6** couver, forger, former*, monter, ourdir, ouvrir, tanner ■ **7** amorcer, brasser, dresser, éduquer, engager, entamer, étudier, méditer, ménager, mijoter, ruminer ■ **8** aménager, apprêter*, arranger*, bachoter, calculer, chauffer, chercher, combiner, cuisiner, déblayer, disposer, ébaucher, élaborer, émulseur, fomenter, formater, habiller, imaginer, inventer, machiner, mégisser, mitonner, négocier, pionnier, praliner, projeter, spéculer, verjuter ■ **9** acheminer, chagriner, chamoiser, commencer, comploter, concerter, cuirasser, défricher, entraîner, goupiller, manipuler, organiser*, peaussier, pelletier ■ **10** charcutier, clayonnage, déclencher, échafauder, feuilleter, oculariste, plumassier, précurseur, préméditer, préparatif, prosecteur, sardinerie, sorbetière, tamponnoir, travailler ■ **11** apothicaire, appareiller, chamoiserie, débrouiller, prédestiner, préparateur, préparation ■ **12** champagniser, parcheminier, préconcevoir, préliminaire, préparatoire, présélecteur ■ **13** anthraquinone ■ **14** manutentionner.

PREPONDERANCE : **11** supériorité*.

PREPONDERANT : **9** vagotonie.

PREPOSE : **5** agent, voyer ■ **7** employé, tourier ■ **8** panetier, pompiste ■ **9** buraliste ■ **10** garde-frein ■ **11** entreposeur ■ **13** garde-barrière ■ **14** bibliothécaire.

PREPOSER : **9** commettre.

PREPOSITION : 1 à ■ 2 ab, ac, ad, af, an, ap, ar, as, at, de, en, ès, vu ■ 3 abs, des, les, lez, par, rez, sur, sus, via ■ 4 avec, chez, dans, deçà, delà, fors, hors, hypo, pour, près, sans, sauf, sous, vers ■ 5 après, avant, entre, inter, intra, moins, outre, parmi, passe, plein, selon, trans, voici, voilà ■ 6 contre, depuis, devant, devers, durant, envers, hormis, jouxte, jusque, malgré, versus ■ 7 because, excepté, par-delà, pendant, rection, revoici, revoilà, suivant ■ 8 autour de, derrière ■ 9 par-devers, particule ■ 10 concernant, encontre de, nonobstant, prépositif ■ 14 prépositionnel ■ 15 prépositivement.
PREPOTENCE : 8 autorité* ■ 11 supériorité*.
PREPUCE : 8 posthide, posthite ■ 12 circoncision, infibulation, paraphimosis.
PREREGLER : 10 préréglage.
PRERETRAITE : 11 préretraité.
PREROGATIVE : 8 éméritat ■ 9 privilège* ■ 12 nomenklatura ■ 13 inamovibilité.
PRES : 3 les, lez ■ 5 lofer, palet, porte, voici ■ 6 jouxte, proche*, voisin ■ 7 contigu, mitoyen, rasibus, tangent ■ 8 adjacent, moribond, talonner ■ 9 approcher, citérieur, proximité, suburbain ■ 12 touche-touche.
PRESAGE : 4 heur ■ 5 signe* ■ 6 augure, menace ■ 7 annonce, auspice ■ 8 auspices, prodrome, sinistre, symptôme ■ 9 horoscope ■ 12 porte-malheur, superstition ■ 14 brûle-pourpoint.
PRESAGER : 7 augurer* ■ 8 annoncer, préluder.
PRESBYTERIEN : 8 covenant, puritain.
PRESBYTIE : 8 presbyte.
PRESCIENCE : 9 prescient, prévision.
PRESCRIPTION : 4 rite ■ 6 kasher ■ 8 observer ■ 9 règlement*, usucapion ■ 10 expiration, forclusion, ordonnance*, péremption ■ 12 commandement, inobservance, prescripteur.
PRESCRIRE : 8 ordonner* ■ 13 prescriptible ■ 15 imprescriptible.
PRESEANCE : 3 pas.
PRESELECTION : 9 prérégler ■ 15 présélectionner.
PRESENCE : 3 vue ■ 4 sulf ■ 5 alibi, ferro, fumet, sulfo ■ 6 dasein, méreau ■ 8 cholurie, glycémie ■ 9 assiduité, cétonémie, par-devers, plombémie, supporter ■ 10 acétonémie, acétonurie, anthracose, bacillurie, confronter, glycosurie, oligopsone ■ 11 aérogastrie, albuminerie, infestation, protéinurie ■ 12 éosinophilie, immanentisme, omniprésence, phosphaturie ■ 14 hémoglobinurie.
PRESENILE : 9 alzheimer.
PRESENT : 3 don, ici ■ 4 ores, vide ■ 5 envoi, oyant, temps, voici ■ 6 actuel, badaud, cadeau*, denier, invité, public ■ 7 curieux, étrenne, gâterie, visible ■ 8 assister, bakchich, bienfait, offrande, sportule, ubiquité ■ 9 actualité, assistant, comparant, corbeille, défection, pourboire ■ 10 aujourd'hui, dorénavant, générosité, maintenant ■ 11 observateur, omniprésent ■ 13 gratification.
PRESENTATION : 5 offre ■ 8 débouché, maquette ■ 9 cartouche ■ 10 chandeleur, exhibition ■ 11 exclusivité ■ 12 muséographie ■ 14 représentation ■ 15 conditionnement.
PRESENTE : 4 typé ■ 6 cloqué, taluté ■ 7 distyle, losangé, mutique, pulsant ■ 8 arborisé, détaillé, homonisé ■ 9 jardineux, réclamant, résilient ■ 11 glischroïde, hémiédrique, polydactyle, transsexuel ■ 12 confusionnel ■ 13 ithyphallique.
PRESENTEMENT : 4 ores ■ 12 actuellement.
PRESENTER : 5 venir ■ 6 buller, carter, donner, offrir*, passer, porter,

tendre, varier ■ 7 exhiber, exposer, flairer, montrer*, revenir, sourire ■ 8 accourir, préciser, profiler, rappeler, réaliser ■ 9 comparoir, traverser ■ 10 apparaître, argumenter, diaboliser, globaliser, reproduire ■ 11 assignation, comparaître, présentable, représenter ■ 12 présentateur, présentation ■ 13 pétitionnaire.

PRESERVATION : 4 abri* ■ 5 garde ■ 10 prévention, protection*.

PRESERVATIF : 6 condom ■ 11 dompte-venin.

PRESERVER : 5 étain, gâter, globe ■ 6 obvier, sauver ■ 7 abriter, couvrir, écarter, enrayer ■ 8 défendre, épargner, garantir, prévenir, protéger* ■ 9 détourner ■ 10 enchausser, naphtalène, naphtaline, parafoudre ■ 11 antirouille, couvre-nuque, neutraliser, préservatif ■ 12 moustiquaire, paratonnerre, préservateur, préservation.

PRESIDENCE : 9 président, septennat ■ 10 praesidium ■ 11 coprésident ■ 12 coprésidence, présidentiel.

PRESIDENT : 4 raïa ■ 7 speaker ■ 9 vénérable ■ 10 présidence, république ■ 12 présidentiel ■ 13 vice-président ■ 14 présidentiable.

PRESIDER : 5 clore ■ 7 diriger* ■ 10 officiante ■ 11 hebdomadier.

PRESIDIAL : 12 présidialité.

PRESOMPTIF : 5 royal ■ 8 héritier, probable*.

PRESOMPTION : 6 charge ■ 7 orgueil*, superbe ■ 8 témérité ■ 9 hypothèse, prévision ■ 10 conjecture, suffisance ■ 12 présomptueux.

PRESOMPTUEUX : 3 fat ■ 5 hardi* ■ 8 vaniteux* ■ 9 suffisant, téméraire ■ 10 avantageux, conquérant ■ 11 orgueilleux*.

PRESQUE : 5 comme, quasi, rival ■ 8 à peu près ■ 9 quasiment ■ 11 clopinettes.

PRESSAGE : 8 vinylite ■ 11 pick-up baler.

PRESSANT : 6 pressé, urgent ■ 7 instant ■ 9 impérieux ■ 11 accelerando.

PRESSE : 4 desk ■ 5 caque, foule*, happe ■ 6 guinde, tympan, urgent ■ 7 platine, rouleau ■ 8 calandre, cylindre, laminoir, pressant, pressier, rotative ■ 9 extrusion, free-lance, mass media ■ 10 retiration ■ 12 marteau-pilon.

PRESSENTIMENT : 9 intuition* ■ 11 prémonition.

PRESSENTIR : 6 douter ■ 7 deviner*, flairer ■ 9 subodorer ■ 10 soupçonner.

PRESSE-PAPIERS : 10 millefiori.

PRESSER : 5 hâter*, peser, piler, tâter, venir ■ 6 bande, broyer, fouler, masser, pétrir, pincer, saisir, serrer*, tasser, tordre ■ 7 activer, aplatir, appuyer, écacher, écraser, étrécir, exciter, influer, malaxer, moucher, pousser*, prendre, sangler ■ 8 chauffer, emballer, encaquer, entasser, étouffer, froisser, imprimer, opprimer, piétiner, pilonner, plan-plan, posément, pressage, pression, rétrécir, talonner ■ 9 accélérer*, bousculer, calandrer, comprimer*, condenser, épeindre, étrangler, étreindre, garrotter, oppresser, pressurer, resserrer ■ 10 agglomérer, compresser, concentrer, contracter, empaqueter ■ 11 contraindre.

PRESSION : 2 pz ■ 3 bar ■ 4 torr ■ 5 barye, battu, pièze, pompe, serre ■ 6 pulser, safran ■ 7 doldrum, galeter, isobare, tension* ■ 8 caldeira, détendre, glaucome, gradient, injecter, manostat, millibar, presseur, rénitent, variable, ventouse ■ 9 autocopie, collapsus, détendeur, enthalpie, injection, manomètre, oncotique, onkotique, osmomètre ■ 10 aéropathie, atmosphère, baromètrie, contrainte, dysbarisme, hectopièze, isallobare, manométrie, pressostat, pulsomètre, tonométrie ■ 11 anticyclone, autocuiseur, baresthésie, crève-vessie, hectopascal, surpression, tonographie ■ 12 crève-tonneau, énantiotrope, filtre-presse, hypertonique, oscillomètre, sous-pression ■ 13 décompresseur, décompression, hydrocraquage, hydrostatique, manodétenteur, ultra-pression ■ 14 bouton-pression, incompressible ■ 15 barotraumatisme, lettre-transfert.

PRESSOIR: 3 mée ■ 4 maie, mait, maye, ripe ■ 5 meule ■ 6 bellon ■ 8 cannelle, cannette, taranche ■ 9 maillotin ■ 12 quintessence.

PRESSURATION: 13 dépressuriser ■ 14 dépressuration.

PRESSURE: 10 labferment.

PRESSURER: 7 presser* ■ 10 pressurage.

PRESSURISER: 14 pressurisation.

PRESTANCE: 4 mine ■ 6 allure* ■ 8 maintien* ■ 9 décoratif, influence.

PRESTATION: 9 sans-faute ■ 10 allocution ■ 11 prestataire ■ 14 assermentation.

PRESTESSE: 6 preste ■ 7 agilité, vitesse* ■ 8 vélocité, vivacité* ■ 11 promptitude.

PRESTIDIGITATEUR: 9 physicien ■ 10 escamoteur ■ 13 illusionniste.

PRESTIGE: 6 charme, empire ■ 7 auréole, pouvoir ■ 8 illusion ■ 9 influence ■ 10 star-system, valorisant ■ 11 déboulonner, prestigieux.

PRESTOLET: 6 prêtre.

PRESUMER: 6 croire* ■ 7 augurer ■ 8 accroire, supposer* ■ 10 présumable, soupçonner ■ 11 conjecturer.

PRESUPPOSE: 8 réquisit.

PRESUPPOSER: 8 présumer*, supposer* ■ 14 présupposition.

PRESURE: 8 présurer ■ 10 emprésurer.

PRET: 4 paré ■ 5 dette, rendu, usure ■ 6 avance, taillé ■ 7 créance, emprunt, partant, subside, warrant ■ 8 commodat, location ■ 9 découvert, placement ■ 10 anatocisme, engagement, obligation, subvention ■ 11 bretailleur, prêt-à-coudre ■ 12 anticipation, nantissement, participatif ■ 13 discothécaire ■ 14 intermédiation.

PRET-A-PORTER: 12 mécanicienne.

PRETENDANT: 9 postulant.

PRETENDRE: 6 tendre ■ 7 aspirer, flatter, lorgner, vouloir* ■ 8 affirmer* ■ 9 prétexter ■ 11 ambitionner ■ 12 portionnaire.

PRETENDU: 4 faux* ■ 5 magie ■ 6 fiancé ■ 9 soi-disant ■ 12 prétendument.

PRETENTIEUX: 6 faraud, pecque, poseur ■ 7 affecté, crâneur, cuistre, falbala, gommeux, morveux ■ 8 rombière, vaniteux* ■ 9 paltoquet, trissotin ■ 11 orgueilleux*, petit-maître.

PRETENTION: 7 orgueil* ■ 8 ambition, crânerie, humilité ■ 9 déchanter, présomption, prétentieux.

PRETER: 4 ouïr, prêt ■ 5 aider, louer ■ 7 avancer, confier, dégager, écouter, imputer ■ 8 composer, créditer, entendre, prête-nom, soutenir ■ 9 attribuer, ausculter, consentir, emprunter ■ 10 auxiliaire, prestation ■ 11 assermenter, mont-de-piété.

PRETERITION: 6 manque* ■ 8 omission*.

PRETEUR: 4 juif ■ 7 usurier*, vampire, vautour ■ 8 prétoire ■ 9 créancier, prétorial, prétorien ■ 10 propréteur ■ 12 fesse-mathieu ■ 13 commanditaire.

PRETEXTE: 4 ruse ■ 5 cause*, motif*, voile ■ 6 excuse, masque ■ 7 défaite, matière ■ 8 argument, mensonge* ■ 10 allégation, couverture, faux-fuyant, subterfuge ■ 12 échappatoire, faux-semblant ■ 13 justification*.

PRETEXTER: 6 arguer ■ 7 couvrir, exciper, excuser, opposer ■ 8 alléguer, objecter ■ 9 justifier*, prétendre.

PRETRE: 4 abbé, curé, iman, lama, mage, paix, père, pope ■ 5 amict, bonze, civil, clerc, éphod, exeat, fanon, hazan, magie, messe, mufti, sacre ■ **6** augure, berger, chaman, clergé, curète, diacre, druide épulon, eubage, évêque, fécial, fétial, infule, jureur, mollah, muphti, prélat, rabbin, salien ■ **7** capelan, corbeau, cureton, flamine, hidalgo, messire, muezzin, pasteur, pontife, vestale, vicaire ■ **8** aumônier, brahmane, chanoine, chasuble, derviche, desserte, luperque, manipule, ministre, prêtrise, pullaire, ratichon, révérend, talapoin ■ **9** bacchante, célébrant, chapelain, corybante, curaillon, manuterge, officiant, prédicant, prestolet, rational, religieux*, sacerdoce, semainier, septemvir, sulpicien ■ **10** archevêque, confesseur, desservant, hiératique, insermenté, mystagogue, sacerdotal, sous-diacre, victimaire ■ **11** archidiacre, archiprêtre, hiérophante, pénitencier, presbytéral ■ **12** missionnaire ■ **13** hiérogrammate, prêtre-ouvrier, sacrificateur ■ **14** écclésiastique*.

PREUVE: **3** foi ■ **4** aveu, gage, reçu ■ **5** alibi, copie, payer ■ **6** charge, indice, marque, raison, témoin ■ **8** argument, document, enseigne, suiviste ■ **9** quittance ■ **10** adminicule, certificat, corollaire, corroborer, imputation, misonéiste, pertinence, réfutation, témoignage ■ **11** affirmation, attestation, aventuriste, déclaration, immobiliste, information, présomption, supplétoire, testimonial ■ **12** confirmation, constatation, contestation, gratuitement, parcimonieux, raisonnement, sociologiste ■ **13** argumentation, démonstration, justification, triomphaliste ■ **14** interlocutoire, particulariste.

PREUX: **5** brave* ■ **9** chevalier.

PREVALOIR: **6** régner ■ **7** flatter ■ **8** emporter ■ **10** prédominer.

PREVARICATION: **8** trahison ■ **13** prévaricateur.

PREVENANCE: **9** amabilité*, attention, prévenant ■ **11** délicatesse.

PREVENIR: **6** éviter ■ **7** alerter, avertir* ■ **8** devancer, prolepse, remédier ■ **9** préventif ■ **12** complaisance*, empressement.

PREVENTIF: **5** éveil ■ **10** contre-mine ■ **12** sérothérapie ■ **14** préventivement.

PREVENTION: **7** passion, préjugé* ■ **10** alcoologie, antipoison ■ **13** préventologie.

PREVENTIVE: **10** prédictive.

PREVENTORIUM: **10** sanatorium.

PREVENU: **7** inculpé.

PREVERBE: **7** augment.

PREVIENT: **12** antilithique ■ **14** antirachitique.

PREVISIBLE: **9** téléphoné ■ **13** prévisibilité.

PREVISION: **6** budget, ex ante ■ **7** attente ■ **8** planning ■ **9** pronostic ■ **10** prescience ■ **11** imprévision, prospective ■ **12** météorologie ■ **13** imprédictible, pressentiment ■ **14** prévisionniste.

PREVOIR: **6** savoir, sentir ■ **7** deviner*, flairer ■ **8** calculer, préjuger, présager, prudence ■ **9** anticiper, entrevoir, intuition, prévision ■ **10** divinateur, divination, palettiser, précurseur, pressentir*, prévisible, prévoyance ■ **11** calculateur, prophétique ■ **12** impondérable, imprévisible, pronostiquer ■ **14** compromissoire.

PREVOT: **5** baile.

PREVOTE: **6** prévôt ■ **8** prévotal.

PREVOYANCE: **8** prudence* ■ **9** prévoyant ■ **10** précaution* ■ **11** imprévoyant ■ **12** imprévoyance.

PRIER: **6** adorer ■ **7** adjurer, appeler, engager, exaucer, inviter, obséder ■ **8** conjurer, demander*, harceler, humilier, implorer, insister, invoquer, prie-dieu, réclamer, recourir, supplier ■ **9** convoquer ■ **10** importuner, intercéder, intervenir, solliciter.

PRIERE: **3** ave ■ **5** agnus, appel, canon, credo, pater, salat, salve, taled ■ 6 laudes, lavabo, libera, orémus ■ 7 absoute, angélus, demande*, ferveur, hosanna, introït, kaddish, mémento, oraison, recours, requête, requiem, rosaire, sanctus, service, tridium ■ 8 agnus dei, ave maria, chapelet, dévotion, litanies, liturgies, oratoire, pétition ■ 9 adoration, confiteor, élévation, obsession, patenôtre, rogations, supplique ■ 10 adjuration, bénédicité, insistance, invitation, invocation, offertoire, paroissien, salutation ■ 11 conjuration, convocation, dépréciation, de profundis, humiliation, jaculatoire, objurgation, obsécration, quatre-temps ■ 12 intercession, supplication ■ 13 processionnal, sacramentaire, sollicitation.

PRIEURE: 5 oblat, prieur ■ 6 église ■ 7 cloître, priorat.

PRIMAIRE: 7 premier ■ 8 cambrien, dévonien, huronien, primaire, silurien, spirifer ■ 9 hercynien, primarité, ptérygote ■ 10 calédonien, ordovicien, ptérygotus ■ 11 carbonifère ■ 13 lépidodendron.

PRIMAT: 8 primatie ■ 9 primatial.

PRIMATE: 6 cébidé, simien* ■ 7 tarsien* ■ 8 hominidé, hominien, lémurien* ■ 11 préhominidé, préhominien ■ 12 oréopithèque, primatologie.

PRIMAUTE: 11 supériorité*.

PRIME: 6 report ■ 8 ducroire, escompte, surprime ■ 9 assurance ■ 10 récompense ■ 13 gratification*.

PRIMER: 9 surpasser*.

PRIMEROSE: 8 trémière.

PRIMESAUTIER: 3 vif* ■ 8 spontané.

PRIMEUR: 11 primeuriste.

PRIMEVERE: 6 coucou ■ 12 oreille-d'ours.

PRIMITIF: 5 chaos, tribu ■ 6 a tempo, monère, perlon, simple ■ 7 premier ■ 8 animisme, mélodium, original, originel ■ 9 boomerang, boumerang, principal ■ 10 hacquebut, stomocordé ■ 11 monogénisme, polygénisme ■ 12 primitivisme.

PRIMITIVEMENT: 14 originairement.

PRIMORDIAL: 7 premier ■ 9 essentiel*, principal* ■ 11 subsidiaire.

PRIMULACEE: 6 coucou, mouron, samoie, samole ■ 8 cyclamen ■ 9 lysimaque, primevère ■ 10 soldanelle.

PRINCE: 3 kan ■ 4 khan, page ■ 5 otage, rajah, règne, royal, tyran, vizir ■ 6 daïmio, radjah ■ 8 archiduc, audience, aumônier, grand-duc, hospodar, monarque, palefroi, princier ■ 9 électorat, landgrave, maharajah, principat, rhingrave ■ 10 maharadjah, prétendant, stathouter ■ 11 monseigneur, principauté ■ 13 échansonnerie, princièrement ■ 14 porphyrogénète.

PRINCIPAL: 3 âme ■ 4 clef, clou, gros, nerf ■ 5 biais, corps, foyer, héros, kondo, ordre, pivot, règle, siège, talle ■ 6 numéro ■ 7 capital, central, décisif, premier ■ 8 cardinal, chef-lieu, dominant, grand-rue, orbiteur, stratège ■ 9 apériteur, appendice, citadelle, décapiter, essentiel*, fondement, hôtel-dieu, idée-force, important*, métropole ■ 10 accessoire, actualités, architrave, primordial ■ 11 fondamental, maître-autel, préjudiciel, principalat, subsidiaire ■ 12 grand-chambre, préliminaire, quintessence.

PRINCIPALEMENT: 7 surtout ■ 10 spécialité ■ 14 singulièrement.

PRINCIPE: 3 âme, clé, dao, loi, tao ■ 4 base, clef, idée, même, roue, watt ■ 5 adage, apiol, arôme, cause, credo, germe, irone, lemme, norme, pacte, règle*, tanin, unité, virus ■ 6 archée, axiome, esprit, oléine, pneuma, racine, raison, source, vérité ■ 7 critère, égalité, élément, embryon, matière, origine, semence, système*, théorie ■ 8 dualisme, en-dehors, loi-cadre, molécule, moralité, phalline, postulat, puritain, rudiment ■ 9 antinomie, calorique, causalité, déduction, étiologie, filiation, fondement, impératif, induction, santaline, séniorité, substance, vanilline, vitalisme ■ 10 absinthine, digitaline, frontalité, indigotine, institutes, postulatum, quercitrin, stretching ■ 11 légitimisme, mutuellisme, présomption, quercitrine ■ 12 déterminisme, métaphysique, raisonnement ■ 13 contradiction, gibbérellique, individuation ■ 14 nitrocellulose, thermopropulsé.

PRINTANISATION : 12 jarovisation ■ 13 vernalisation.

PRINTEMPS : 5 brout, flore, fœhn, lilas, pâque, rhume ■ 6 vernal ■ 9 primevère, renouveau ■ 10 demi-saison, pâquerette, printanier ■ 11 raspoutitsa.

PRIORITE : 3 pré ■ 5 avant ■ 6 primat ■ 7 aînesse ■ 9 coupe-file, préséance ■ 11 antériorité, prioritaire ■ 15 prioritairement.

PRIS : 7 louable.

PRISCILLIEN : 14 priscillanisme.

PRISE : 3 gel ■ 4 grip, plot ■ 5 catch, levée, scène, shunt, unité ■ 6 ciseau, vêture ■ 7 capture, dispute, enclise, gypsage, plongée, ralenti, rondade, ruinure, saisine ■ 8 alginate ■ 9 appontage, vignetage ■ 11 conjoncteur, mondialisme, ramassement ■ 12 telluromètre.

PRISE DE VUE : 5 vidéo ■ 8 sunlight ■ 11 contre-champ ■ 13 contre-plongée.

PRISER : 5 tabac ■ 7 estimer*, pétuner, priseur.

PRISME : 4 coin ■ 5 nicol, orgue, tuyau ■ 7 couteau ■ 8 parpaing, véhicule ■ 10 cale-étalon ■ 11 prismatique ■ 15 orthorhombique.

PRISON : 4 bloc, tôle ■ 5 bagne, boîte, dépôt, écrou, geôle, préau, taule ■ 6 ballon, cachot*, in-pace, violon ■ 7 cellule, geôlier, latomie, pistole ■ 8 enfermer, latonies ■ 9 embarquer, ergastule ■ 10 incarcérer, porte-clefs, prévention, prisonnier, vade-in-pace ■ 11 conciergier, embastiller, emprisonner*, pénitencier ■ 12 conciergerie ■ 14 embastillement, emprisonnement*, septembrisades.

PRISONNIER : 4 lien ■ 5 écrou, oflag, otage ■ 6 captif, chétif, détenu ■ 7 déporté, esclave, interné, relégué ■ 8 condamné, épingler, galérien, menottes ■ 9 captivité.

PRIVATION : 2 ab, de, im, in, ir, me ■ 3 abs, mes ■ 4 faim, sans, vide ■ 5 jeûne, perte* ■ 6 anoxie, besoin*, défaut*, famine, manque, rareté, veille ■ 7 disette, pénurie, sevrage ■ 8 consigne, détresse, insomnie, pauvreté*, privatif ■ 9 captivité, dénuement, détriment, inanition, indigence, indignité, paralysie, réclusion, sacrifice, stupidité ■ 10 anesthésie, privatiser ■ 11 frustration ■ 12 interdiction, privatisable ■ 13 non-jouissance.

PRIVAUTE : 11 familiarité.

PRIVE : 5 seing ■ 6 intime, tintin ■ 8 aseptisé ■ 9 intérieur, sous-seing ■ 10 décortiqué, privatiste, semi-public ■ 11 particulier*, résidentiel ■ 13 surprise-party ■ 14 médecin-conseil, surprise-partie ■ 15 décollectiviser.

PRIVER : 4 ôter*, tuer ■ 5 pâtir, ravir, tarir, voler ■ 6 couper, dénuer, exiler, jeûner, serrer, sevrer ■ 7 affamer, châtier, châtrer, démunir, édenter, énerver, enlever*, épuiser, évincer, exclure, frauder, limoger, mutiler, refuser, spolier ■ 8 abstenir, assécher, aveugler, dégarnir, dénantir, détrôner, éborgner, forclore, frustrer, interner, tronquer ■ 9 chaponner, décapiter, dépatrier, dépeupler, dessaisir, destituer, dévaliser, émasculer, estropier, exhéréder, expatrier, interdire, supprimer ■ 10 abstinence, courtauder, déposséder*, dépouiller, dépourvoir, désemparer, déshériter, détrousser, essoriller, exproprier ■ 11 apprivoiser, découronner, déshydrater, excommunier, immobiliser ■ 12 désassimiler ■ 13 dénaturaliser.

PRIVILEGE: 5 caste, lagan ■ 6 faveur*, indult ■ 7 clergie, gruerie, licence ■ 8 avantage*, dispense, exclusif, immunité, monoplan, monopole, préciput ■ 9 exemption ■ 10 concession, passe-droit, permission, privilégié, survivance ■ 11 attribution, esthétisant, favoritisme, prérogative ■ 12 autorisation ■ 14 chirographaire.
PRIVILEGIE: 9 patriarcat ■ 12 aristocratie, nomenklature.
PRIVILEGIEE: 8 hapy few ■ 9 verticité.
PRIVILEGIER: 8 exempter ■ 9 dispenser, esthétiser, favoriser* ■ 10 matiérisme ■ 14 aristocratisme.
PRIX: 2 or ■ 3 caf ■ 4 cher, coût*, frêt, lods, mois, port, taux, taxe, tenu ■ 5 achat, bazar, coter coupe, cours, crise, devis, faire, gâter, loyer, moins, nolis, offre, prime, somme, tarif, taxer, terme, train, trust, value, vénal, vente ■ 6 cherté, rançon, touage, valeur* ■ 7 bradeur, combien, enchère, lauréat ■ 8 fourguer, location, médaille, pot-de-vin, précieux, promesse, sacrifié, soudoyer, surfaire ■ 9 apprécier, bagatelle, chèrement, couronner, déflation, demi-place, églantine, étiquette, misérable, mouvement, survendre, taximètre ■ 10 mercuriale, récompense*, soumission, surenchère, surhausser ■ 11 compétiteur, liquidation, main-d'œuvre ■ 12 rémunération ■ 14 enchérissement ■ 15 renchérissement.
PROBABILITE: 8 croyance, présumer ■ 9 apparence, biométrie, certitude, fiabilité, hypothèse, pronostic ■ 10 conjecture, prédiction ■ 11 éventualité, expectative, présomption, statistique, supposition ■ 12 probabilisme, stochastique ■ 13 vraisemblance.
PROBABLE: 7 putatif ■ 8 captieux, éventuel, possible*, présumer, spécieux ■ 9 plausible, rationnel ■ 10 acceptable, admissible, improbable, présumable, soutenable ■ 11 raisonnable ■ 13 vraisemblable.
PROBANT: 6 preuve* ■ 7 décisif ■ 8 éloquent ■ 9 concluant ■ 10 probatoire ■ 11 convaincant.
PROBATION: 14 probationnaire.
PROBITE: 5 probe ■ 7 loyauté ■ 8 droiture ■ 9 honnêteté, improbité, intégrité ■ 10 conscience ■ 12 malhonnêteté.
PROBLEMATIQUE: 7 douteux*.
PROBLEME: 5 algol, colle, thème ■ 6 énigme ■ 10 bioéthique, quaternion ■ 13 problématique.
PROBOSCIDIEN: 8 éléphant, mammouth ■ 10 mastodonte ■ 11 dinothérium.
PROCEDE: 3 oxo ■ 4 moxa, taxe ■ 5 batik, dolby, effet, fondu, loran, moyen*, patte, pompe, ruolz ■ 6 consol, filage, offset ■ 7 chiasme, ciné-tir, greneur, méthode*, ramasse, recette, stretch, trucage ■ 8 cinérama, conduite, écobuage, effusion, enchaîne, graineur, gratteur, gunitage, inductif, pratique, prolepse, truquage ■ 9 antithèse, autocopie, banc-titre, dichromie, errements, estampage, glissando, hypallage, hyperbole, industrie, métaphore, métonymie, parabiose, soufflage, sulfateur, technique, télétexte, trichrome, variation, xérocopie ■ 10 aluminiage, analytique, antonomase, cylindrage, dérivation, diachromie, diazocopie, flottation, fluatation, marcottage, phototypie, plasturgie, préformage, prosopopée, ranimation, sidérurgie, synecdoque, télémesure, trichromie ■ 11 agissements, alcoométrie, autochromie, autoguidage, chiromancie, cinémascope, comparaison, engineering, faux-bourdon, fluographie, fraudatoire, isométrique, lithophanie, panoramique, passivation, photocopier, pondération, préfixation, recoupement, sérigraphie, stéréotaxie, stylistique, suffixation, technicolor, tomographie, transfixion, turboforage, typographie, upérisation ■ 12 alcalimétrie, chromisation, colorisation, comportement, décalco-

manie, électrocopie, fluotournage, héliogravure, insémination, magnétoscope, mésothérapie, microédition, photogravure, pointillisme, scanographie, stéréoscopie, tachéométrie, vidéographie, vinification, zincographie ■ 13 appertisation, berginisation, javellisation, minérallurgie, néphélémétrie, phosphatation, radiobalisage, sélectionneur, similigravure, simultanéisme, thermogravure ■ 14 daguerréotypie, électrodialyse, électroformage, galvanoplastie, photomécanique, photosculpture, saccharimétrie, sweating-system, tyndallisation, viscoréduction ■ 15 cinématogtaphie, cristallomancie, échantillonneur, magnésiothermie, recalcification.

PROCEDER: 4 agir* ■ 5 coder ■ 6 émaner ■ 7 relever ■ 8 anodiser, appairer, balancer, découler, équerrer, tâtonner ■ 9 accomplir*, affabuler, mobiliser, modéliser, réaligner ■ 10 exécutoire, filialiser, incorporer, pelliculer, privatiser, redéployer, sectoriser ■ 11 aiguilleter, auditionner, dégazoliner, démobiliser, investiguer, préchauffer, radioguider, reconvertir, réimplanter ■ 12 régionaliser ■ 13 désinfectiser ■ 14 dématérialiser.

PROCEDURE: 4 dire ■ 5 avoué, lynch ■ 6 référé ■ 7 chicane, urgence ■ 8 faillite, ostensif ■ 9 médiation, pétalisme, poursuite, vénérable ■ 10 péremption, procédural ■ 11 impeachment, introductif, procédurier ■ 12 inquisitoire ■ 13 refinancement ■ 15 juge-commissaire.

PROCELLARIIFORME: 8 albatros.

PROCES: 4 fond ■ 5 cause, débat, frais ■ 6 dépens ■ 7 affaire*, chicane, ergatif ■ 8 plaideur ■ 9 dilatoire, processif ■ 10 rapporteur ■ 11 intervenant ■ 12 articulation.

PROCESSEUR: 15 microprocesseur.

PROCESSION: 4 dais ■ 5 ciste, frise, queue ■ 6 défile* ■ 8 reposoir ■ 9 deuillant, rogations ■ 10 avancement ■ 13 processionnal, processionnel ■ 15 processionnaire.

PROCESSUS: 6 timing ■ 8 néologie ■ 9 auto-immun, créoliser, involutif ■ 10 anabolisme, avancement, haplologie, idéomoteur ■ 11 illuviation, pétrogenèse ■ 12 créolisation, débilisation, homonisation, libanisation, préconscient, stochastique ■ 13 alculturation, balkanisation, cancérogenèse, malabsorption ■ 14 déconstruction, idéologisation, intermédiation, psychoaffectif ■ 15 infléchissement, métapsychologie.

PROCES-VERBAL: ■ 4 dire ■ 5 recès, recez ■ 7 constat ■ 8 actuaire, relation ■ 9 protocole ■ 10 verbaliser ■ 12 instrumenter ■ 13 contravention, verbalisateur ■ 14 interrogatoire.

PROCHAIN: 4 près ■ 6 autrui, proche* ■ 8 imminent ■ 12 avant-coureur.

PROCHE: 3 sur ■ 4 près* ■ 5 voici ■ 6 auprès, jouxte, parent, proche, voisin ■ 7 contigu ■ 8 adjacent, attenant, imminent, joignant, paronyme, prochain, proximal ■ 9 avoisiner ■ 10 avoisinant, limitrophe ■ 11 subsaharien, terre-à-terre ■ 12 circonvoisin ■ 13 subéquatorial.

PROCHE-ORIENT: 14 proche-oriental.

PROCHRONISME: 12 anachronisme.

PROCLAME: 10 ex cathedra.

PROCLAMER: 3 ban ■ 5 crier ■ 8 annoncer, propager ■ 9 confesser, divulguer, prononcer ■ 12 proclamateur, proclamation.

PROCONSUL: 5 légat ■ 11 proconsulat ■ 13 proconsulaire.

PROCORDE: 8 tunicier* ■ 9 prochordé ■ 10 protocordé ■ 11 microcosme.

PROCREATION: 3 i.a.d. ■ 12 procréatique ■ 14 malthusianisme.

PROCREER: 9 engendrer ■ 11 procréateur, procréation.

PROCTOLOGIE: 11 proctologue.

PROCURATEUR: **10** procuratie.
PROCURATION: **7** ad litem, pouvoir ■ **9** procureur ■ **10** mandataire.
PROCURE: **8** jouissif.
PROCURER: **5** avoir, caser, faire, munir* ■ **6** donner, nantir, placer, sauver, valoir ■ **7** assurer, établir, fournir*, racoler ■ **8** acquérir, chercher, fricoter, pourvoir*, suggérer ■ **9** gratifier, jouisseur ■ **10** achalander, écornifler, profitable, resquiller ■ **11** impartition ■ **14** approvisionner.
PROCUREUR: **5** rôlet ■ **7** procure ■ **9** substitut ■ **12** procuratrice.
PRODIGALITE: **10** libéralité* ■ **11** munificence.
PRODIGE: **4** coup ■ **7** miracle ■ **8** prestige ■ **9** merveille, phénomène* ■ **10** perfection, prodigieux.
PRODIGIEUX: **3** fou ■ **7** foutral, furieux, magique, monstre, parfait, sublime*, superbe ■ **8** colossal, étonnant*, fabuleux, féerique ■ **9** admirable, fascinant, grandiose, mirifique, pyramidal, surhumain ■ **10** effroyable, miraculeux, mirobolant, monstrueux, phénoménal, surnaturel ■ **11** hallucinant, merveilleux, pharamineux, prestigieux ■ **13** spectaculaire■ **14** extraordinaire*.
PRODIGUE: **5** avare ■ **8** généreux* ■ **9** bénisseur ■ **11** prodigalité.
PRODIGUER: **7** montrer ■ **8** dépenser ■ **10** économiser.
PRODROME: **7** préface ■ **8** symptôme ■ **11** prodromique ■ **12** préliminaire.
PRODUCTEUR: **4** pool ■ **5** lampe, trust ■ **8** hyménium, producer, salinier ■ **9** céréalier ■ **11** betteravier.
PRODUCTIF: **5** foyer ■ **9** fructueux, prolifère ■ **10** exploitant, prolifique ■ **11** improductif.
PRODUCTION: **3** cru ■ **5** force, fruit, oasis, soyer ■ **6** œuvre, output, valeur ■ **7** gommose, intrant, ouvrage, produit*, tallage, travail ■ **8** capitaux, centrale, économie, émission*, encodage, grainage, kolkhoze, sudation, technème, vinicole ■ **9** accoucher, chauffage, cryogénie, égalisateur, induction, lancement, maraîcher, mulassier, ovulation, phonation, pot-pourri, rendement, sexonomie, thermique ■ **10** chauffe-eau, complétion, contingent, fourragère, ionisation, mutagenèse, parachimie, photogénie, répresseur, sidérurgie, suréquiper ■ **11** agriculture, chauffe-bain, composition, développeur, distillerie, enfantement, exhibition, fissuration, impartition, ionoplastie, littérature, phalanstère, photogenèse, reproductif, suppuration, surcapacité, tubériforme ■ **12** antiparasite, auto-immunité, coproduction, fracturation ■ **13** alcoolisation, collectiviser, cryotechnique, ostréiculture, réfrigération, sériciculture, socialisation, stakhanovisme, surgénération, trufficulture ■ **14** aluminothermie, autoconduction, calorification, chrématistique, malthusianisme, paralittérature, sous-production ■ **15** hydroélectrique, investissements, surrégénération.
PRODUCTIVISME: **13** productiviste.
PRODUCTIVITE: **13** productivisme.
PRODUIRE: **4** agir ■ **5** citer, créer*, faire, jeter, racer, rider ■ **6** amener, causer*, donner, écrire, fonder, former, grener, lancer, naître, opérer, ouvrer, pondre, porter, rendre ■ **7** abonder, beugler, bruiter, débiter, dégager, émettre, exhiber, exsuder, fleurir, générer, pousser, ulcérer, vrombir ■ **8** clapoter, composer, déphaser, écorcher, enfanter, enjamber, exécuter, façonner, lézarder, nécroser, procréer, retentir, révulser, rouiller, rubéfier, susciter, vigneter ■ **9** affruiter, dodeliner, échauffer, effectuer, élucubrer, engendrer, entraîner*, fabriquer, fendiller, inactiver, pétarader, provoquer*, rapporter, repousser ■ **10** coproduire, dégravoyer, désagréger, diffracter, efficience, électriser, fis-

sionner, fructifier, gazouiller, interférer, intervenir, métastaser, multiplier, production, reproduire, travailler ■ 11 administrer, carburateur, faire-valoir, illusionner, occasionner*, polymériser, productible, zymotechnie ■ 12 biréfringent, désassimiler, équiprobable, productivité, reproduction, tuberculiner ■ 13 congestionner, hypertrophier, illusionnisme, impressionner, suggestionner, tintinnabuler, transpositeur ■ 14 électroformage.

PRODUIT : 3 vol ■ 4 fumé, urée ■ 5 carré, crème, cuvée, effet, essai, fleur, fonte, fruit, fusel, génol, lysat, métis, offre, ovule, pièze, savon, tanin, usure, verre, vigne ■ 6 annonce, broyat, cément, dopant, larget, légume, made in ■ 7 additif, alliage, apifuge, biocide, clinker, éluvion, exsudat, mascara, miellat, opérant, primeur, pulsant, rapport, recette, récolte, service, suitine, travail ■ 8 alluvial, antimite, bronzant, cérifère, cryogène, décapant, défanant, démêlant, effilure, évacuant, fibrillé, fumigène, illuvium, ionisant, moussant, oléfiant, prémices, pyroxyle, raffinat, raticide, résultat*, semi-coke, show-room, térylène, vinaigre, virulent ■ 9 acaricide, antirides, cartouche, décoction, distillat, événement, fécondité, flatulent, floculant, gummifère, nettoyant, packaging, pesticide, phytocide, productif, récrément, richesses, stéréoduc, stérilité, succédané, texturant, xyloïdine ■ 10 artificiel, boudineuse, conception, cosmétique, créatinine, défatigant, dégrippant, dentifrice, dépolluant, désherbant, détarteur, dispersant, dissipatif, énergisant, géotextile, immunogène, modulateur, multigrade, nucléotide, oléorésine, production*, semi-ouvert, surmontoir, vanity-case, véhiculeur ■ 11 alcoolature, analgésique, après-soleil, biliverdine, brillanteur, caléfaction, coagulation, combustible, constrictif, contrefaçon, disulfirame, effilochure, émulsifiant, encaustique, fermentatif, interracial, lyophilisat, marchandise, multiplieur, polyculture, sous-produit ■ 12 antidétonant, antistatique, assainisseur, autobronzant, conservateur, contraceptif, démaquillant, émulsionnant, esthésiogène, import-export, incapacitant, organochloré, surproductif, viennoiserie ■ 13 dépoussiérant, factorisation, granulométrie, parapharmacie ■ 14 vitrocéramique ■ 15 cauchemardesque, contre-productif.

PROEMINENCE : 5 creux ■ 6 arcade, bouton, casque ■ 9 mamelonné ■ 10 proéminent ■ 12 pied-de-mouton.

PROFANATION : 9 pollution, sacrilège, violation* ■ 12 manécanterie.

PROFANE : 9 non-initié.

PROFANER : 5 gâter, salir ■ 6 ternir, vicier, violer* ■ 7 polluer ■ 8 déflorer, souiller* ■ 9 pervertir ■ 10 contaminer, déshonorer, détériorer ■ 11 profanateur, profanation.

PROFERE : 11 imprécateur.

PROFERER : 4 dire ■ 5 jeter, rugir, vomir ■ 7 éructer, exhaler ■ 9 prononcer*, vociférer ■ 10 blasphémer, débagouler.

PROFESSER : 9 apprendre, pratiquer.

PROFESSEUR : 4 p.e.g.c., robe, toge ■ 5 palme ■ 6 écuyer, maître*, régent ■ 7 lecteur ■ 8 éméritat, gymnaste ■ 9 pet-de-loup ■ 10 enseignant, sorbonnard ■ 11 préparateur, professoral, professorat ■ 13 universitaire.

PROFESSION : 3 art, vie ■ 4 état, froc, race, robe ■ 5 argot, garde, paria, parti ■ 6 emploi*, métier*, office, partie ■ 7 barreau, couture, dactylo, finance, qualité ■ 8 annuaire, carrière, coiffure, confrère, fonction, ganterie, lutherie, médecine ■ 9 armurerie, ballerine, emballeur, industrie, librairie, pharmacie, sage-femme, situation* ■ 10 colportage, décoration, dentisterie, fumisterie, hôtellerie, occupation, pâtisserie ■ 11 corporation, dessinateur, habillement, journalisme, littérature, sorcellerie, spécialiste, tonnellerie ■ 12 enseignement, transporteur ■ 13 blanchisserie, esthéticienne, professionnel ■ 15 expert-comptable, interprofession.

PROFESSIONNEL: 2 l.p., o.p. ■ 3 l.e.p. ■ 4 loft, open ■ 7 mastère, routeur ■ 8 doubleur, épaviste, silicose ■ 9 afficheur, assujetti, freelance, graphiste ■ 10 benzénisme, benzolisme, offsetiste ■ 11 spécialiste.

PROFIL: 4 côté ■ 5 cavet, galbe ■ 6 dessin, sacome ■ 7 section ■ 8 paléosol, profiler ■ 9 contourné, diamanter, extrusion ■ 10 silhouette ■ 11 chantourner, quart-de-rond ■ 12 orthographie ■ 13 aérodynamique, supercritique.

PROFILER: 6 galber.

PROFIT: 4 boni, gain*, pour, vide ■ 5 butin, fruit, lucre, parti, rente, usure, vache ■ 6 casuel, compte, gratte ■ 7 aubaine, capture, intérêt, produit, utilité ■ 8 avantage*, bénéfice*, conquête, exploité, profiter ■ 9 arbitrage, dilapider, entendeur, exploiter, grignoter, profitant, profiteur, souteneur ■ 10 bénéficier, colicitant, exploiteur, monnayable ■ 11 grappillage, monopoliser, narcodollar, superprofit ■ 12 bonification, résignataire ■ 13 collectivisme, profitabilité ■ 15 autofinancement.

PROFITABLE: 5 utile* ■ 6 fécond ■ 7 fertile ■ 8 précieux ■ 9 fructueux, salutaire ■ 10 avantageux ■ 13 profitabilité ■ 14 profitablement.

PROFITER: 5 guise ■ 9 exploiter, rabougrir ■ 10 bénéficier.

PROFOND: 3 bas ■ 4 coma ■ 5 abîme, canon, creux, derme, épais, étang, fiord, fjord, flanc, fosse, plomb, puits ■ 6 obscur ■ 7 abstrus, abyssal, enfoncé, mal-être ■ 8 abstrait, biloquer, incisure, instruit, ténèbres, thébaïde ■ 9 brisement, défonçage, hypoderme, précipice, révérence ■ 10 basse-fosse, contrition, entrailles, saut-de-loup, vénération ■ 11 approfondir, défoncement, prostration ■ 12 arrière-fond, intérioriser, stupéfaction ■ 13 anfractuosité.

PROFONDEMENT: 8 vivement ■ 10 intimement ■ 12 foncièrement.

PROFONDEUR: 4 aven, nova ■ 5 abîme, basse, creux, hadal, ligne, puits, sonde, tâter ■ 6 abysse, recoin ■ 7 gouffre, sondeur ■ 8 isobathe ■ 10 bathymètre, excavation, hypocentre, souterrain ■ 11 bathymétrie, bathysphère, échosondage, enfoncement ■ 12 profondément, renfoncement ■ 14 bathypélagique.

PROFUSION: 4 luxe*, rare ■ 8 pulluler ■ 9 abondance*, prodiguer ■ 10 libéralité ■ 11 débordement, modern-style, prodigalité, profusément.

PROGENITURE: 4 fils ■ 9 postérité.

PROGESTATIF: 11 micropilule.

PROGESTERONE: 6 lutéal ■ 7 lutéine ■ 10 lutéinique.

PROGNATHE: 12 prognathisme.

PROGRAMMATION: 4 lisp ■ 5 algol, basic ■ 6 pascal, prolog ■ 7 fortran ■ 10 assembleur ■ 11 identifieur ■ 14 identificateur.

PROGRAMME: 4 plan ■ 5 orsec ■ 7 dessein ■ 8 émission, planning ■ 9 progiciel ■ 10 assembleur, calendrier, paramétrer, programmer, prospectus, traducteur ■ 11 attrape-tout, compilateur, maccartisme, programmeur, superviseur, vidéogramme ■ 12 déprogrammer, maccarthysme, ordinogramme, préprogrammé, vidéographie ■ 13 planification, programmateur, programmation ■ 14 programmatique, téléchargement ■ 15 multitraitement.

PROGRAMMER: 12 programmable.

PROGRES: 3 pas ■ 5 essor, mieux ■ 6 marche ■ 7 courant, réforme ■ 8 piétiner, réprimer, réussite ■ 9 ascension, éducation, recyclage ■

10 avancement, progresser, rétrograde, stagnation ■ **11** immobilisme, propagation ■ **12** amélioration, civilisation, progressiste, résurrection ■ **13** développement*, obscurantisme.

PROGRESSER: **6** élever, gagner, monter ■ **7** amender, avancer, éduquer, réussir, stagner ■ **8** cheminer, dépasser, parvenir, réformer ■ **9** améliorer, atteindre, civiliser, rattraper, surpasser ■ **10** développer ■ **13** perfectionner.

PROGRESSIF: **4** lent, sape ■ **5** fondu ■ **9** crescendo ■ **10** croissance ■ **11** consomption ■ **13** progressivité ■ **15** progressivement.

PROGRESSION: **4** bond ■ **8** stakning, tropisme ■ **9** gradation ■ **10** avancement, logarithme, progressif ■ **11** cheminement ■ **12** infiltration ■ **13** sédimentation.

PROGRESSIVE: **14** latéralisation.

PROGRESSIVEMENT: **4** user ■ **7** peu à peu ■ **9** attremper, décroître, lentement, poco a poco ■ **11** petit à petit ■ **13** graduellement.

PROHIBER: **7** arrêter, exclure, inhiber ■ **8** défendre, empêcher, prévenir ■ **9** boycotter, condamner, interdire*, proscrire*, supprimer, suspendre ■ **11** excommunier ■ **12** expurgatoire.

PROHIBITION: **12** interdiction*, libre-échange.

PROIE: **5** aigle, airer, butin, hibou, huard, patte, serre ■ **6** autour ■ **7** orfraie, turbide, victime ■ **8** mystique ■ **9** affaitage, balbuzard, obsession, tiercelet ■ **11** affaitement, fauconnerie, maxillipède ■ **13** déchaperonner ■ **15** électrolocation.

PROJECTEUR: **4** spot ■ **7** gamelle ■ **8** sunlight ■ **9** autofocus ■ **10** passerelle.

PROJECTILE: **3** tir ■ **4** obus ■ **5** balle, bombe, engin, fusée, ogive, plomb ■ **6** boulet, dragée, flèche, lingot, pierre, rocket ■ **7** grenade, pruneau ■ **8** décharge, munition, parabole, ricochet, roquette, torpille ■ **9** atteindre, cartouche, catapulte, empennage, refouloir, sarbacane ■ **10** balistique, dérivation, fourchette, meurtrière, sifflement ■ **11** trajectoire ■ **12** antiatomique, bombardement ■ **14** semi-balistique.

PROJECTION: **3** u.t.m. ■ **5** épure ■ **8** gunitage, projeter ■ **9** anaglyphe, composant, diaporama, vignetage ■ **10** crachement ■ **11** cinémascope, épidiascope, kinétoscope, planimétrie ■ **13** axonométrique, pyroclastique, stéréographie.

PROJET: **3** but*, fin, vue ■ **4** idée, plan*, rêve, topo ■ **5** désir, devis, menée, trame, visée ■ **6** pensée, propos, utopie ■ **7** chimère, complot, croquis, dessein*, ébauche*, théorie, volonté ■ **8** décision*, esquisse, illusion, pratique, projeter, tendance ■ **9** collectif, intention*, programme, télénomie ■ **10** amendement, aspiration, commission, conception, prétention, téléonomie ■ **11** avant-projet, combinaison, machination, spéculation ■ **12** contre-projet.

PROJETER: **5** bâtir, jeter*, mûrir, rêver, viser ■ **6** biller, penser, songer, tramer ■ **7** arrêter, aspirer, cracher, décider*, désirer, méditer ■ **8** arranger, combiner, exécuter, infatuer, machiner, pissette, profiler, proposer, résoudre ■ **9** bombarder, compléter, concerter, concevoir, éidétique, envisager, nébuliser ■ **10** aérographe, déterminer, manigancer, préméditer, projecteur, projection, pulvériser ■ **11** scialytique ■ **12** entreprendre ■ **14** cinématographe ■ **15** rétroprojecteur.

PROLACTINE: **13** bromocriptine.

PROLAPSUS: **9** colpocèle ■ **14** périnéorraphie.

PROLEGOMENES: **7** préface*.

PROLETAIRE: **8** populace ■ **10** communisme ■ **11** prolétariat, prolétarien, travailleur ■ **12** prolétariser.

PROLETARIAT : 14 sous-prolétaire.
PROLIFERATION : 6 kahler ■ 8 adénoïde ■ 9 prolifère ■ 10 ostéophyte ■ 13 lymphosarcome ■ 15 paranéoplastique.
PROLIFERER : 11 multiplier*.
PROLIFIQUE : 5 lapin ■ 9 prolifère.
PROLIXE : 6 diffus ■ 8 éloquent, succinct ■ 9 prolixité ■ 11 prolixement.
PROLOGUE : 7 préface* ■ 12 préliminaire.
PROLONGATION : 5 dédain ■ 12 continuation*.
PROLONGE : 9 tousserie ■ 10 outrepassé.
PROLONGEMENT : 4 cône ■ 5 axone, queue, style, voûte, wharf ■ 6 procès, racine, retard, survie ■ 8 bâtonnet, dendrite, pourtour ■ 9 appendice, avant-cale, connectif, cornillon ■ 10 unipolaire ■ 12 continuation*.
PROLONGER : 5 durer, tenir ■ 7 pousser ■ 8 allonger, proroger ■ 9 continuer*, dilatoire, processif ■ 10 surexposer ■ 12 prolongation.
PROMENADE : 4 mail, parc, tour ■ 5 corso, cours, virée ■ 6 avenue, balade, course, voyage ■ 7 tournée ■ 9 cavalcade, excursion, promenoir, randonnée ■ 10 chevauchée, vadrouille ■ 13 pont-promenade, préambulation.
PROMENER : 7 balader, marcher, traîner ■ 8 baladeur, lanlaire ■ 9 déambuler, promenade, promeneur, promenoir ■ 11 buissonnier.
PROMENEUR : 7 glâneur, passant ■ 8 baladeur ■ 10 noctambule ■ 13 homme-sandwich.
PROMESSE : 3 ban ■ 4 vœu* ■ 5 offre, otage, singe ■ 6 parole ■ 7 gageure, honneur, serment* ■ 8 fidélité, réservat ■ 9 assurance ■ 10 engagement*, prometteur, promission, surenchère ■ 11 acceptation, expectative, fiançailles ■ 12 protestation ■ 12 ratification, surérogation.
PROMETHEE : 10 prométhéen.
PROMETTRE : 5 jurer*, vouer ■ 7 assurer, engager, espérer, fiancer, obliger ■ 8 affirmer ■ 9 acquitter, certifier, protester ■ 10 prometteur ■ 11 surenchérir.
PROMIS : 6 fiancé.
PROMISCUITE : 7 mélange ■ 9 promiscue.
PROMONTOIRE : 3 cap.
PROMOTEUR : 5 cause ■ 6 moteur ■ 10 promouvoir ■ 11 instigateur.
PROMOTION : 5 promo ■ 8 triomphe.
PROMOUVOIR : 7 haptène.
PROMPT : 3 vif* ■ 4 houp, lent ■ 5 actif, débit, leste ■ 6 habile, preste, souple, urgent ■ 7 brusque, soudain* ■ 8 diligent, fougueux, immédiat*, pétulant, répartie ■ 9 expéditif, impétueux, irascible ■ 11 promptement.
PROMPTEMENT : 3 tôt ■ 5 sitôt ■ 8 dare-dare, expédier ■ 9 fracasser, rondement.
PROMPTEUR : 13 téléprompteur, télésouffleur.
PROMPTITUDE : 4 hâte* ■ 6 fougue ■ 7 entrain, lenteur, urgence, vitesse* ■ 8 activité, célérité, rapidité, vélocité*, vivacité ■ 9 diligence, prestesse ■ 10 brusquerie ■ 12 accélération, empressement ■ 13 précipitation.
PROMULGATION : 8 shabouot.
PRONATION : 9 pronateur ■ 10 supination.
PRONE : 7 prôneur.
PRONER : 6 vanter* ■ 7 prêcher, prôneur.

PRONOM[1] **:** **1** y ■ **2** ça, ce, ci, en, il, je, la, le, me, on, qu', se, te, tu, un ■ **3** ces, cet, eux, ils, les, lez, lui, moi, nul, par, que, qui, soi, tel, toi, une ■ **4** ceci, cela, ceux, dont, elle, leur, mien, nous, quoi, rien, sien, tels, tien, tout, vous ■ **5** aucun, autre, celle, celui, elles, iceux, leurs, miens, nôtre, nulle, siens, telle, tiens, vôtre ■ **6** auquel, autrui, celles, ceux-ci, chacun, duquel, icelle, icelui, lequel, mienne, nôtres, sienne, telles, vôtres ■ **7** celle-ci, celui-ci, icelles, miennes, relatif, siennes, tiennes ■ **8** auxquels, celles-ci, certains, desquels, indéfini, laquelle, lesquels, personne, quelqu'un ■ **9** personnel, plusieurs, possessif, quelqu'une, quiconque ■ **10** auxquelles, desquelles, lesquelles, pronominal ■ **11** n'importe qui, quelques-uns ■ **12** démonstratif, interrogatif, n'importe quoi, quelques-unes.
PRONOMINAL : **5** verbe ■ **15** pronominalement.
PRONOM INDEFINI : **12** quelque chose.
PRONONCER : **4** dire*, lier ■ **5** juger, jurer ■ **6** bléser, dicter, écrier, nommer, parler, rendre ■ **7** ânonner, aspirer, bégayer, débiter, décider, énoncer, réciter, scander, zézayer ■ **8** censurer, conclure, déclamer, murmurer, nasiller, proférer* ■ **9** accentuer, articuler, balbutier, chevroter, chuchoter, condamner, escamoter, grasseyer, mâchonner, nasaliser, vergobret ■ **10** bafouiller, baraguiner, labialiser, psalmodier ■ **11** bredouiller, graillonner, prononçable ■ **12** redhibitoire ■ **13** imprononçable, prononciation.
PRONONCIATION : **6** accent ■ **7** blésité ■ **8** dystomie, fricatif ■ **9** lallation, logopédie, synalèphe ■ **10** bégaiement, rhotacisme ■ **11** lambdacisme, orthophonie ■ **12** accentuation, grasseyement.
PRONOSTIQUER : **7** prédire* ■ **8** présager ■ **9** pronostic ■ **12** conjoncturer.
PROPAGANDE : **5** tract ■ **8** agit-prop, bourrage, campagne ■ **9** publicité* ■ **13** propagandisme, propagandiste.
PROPAGATION : **8** coupe-feu ■ **9** diffusion*, expansion ■ **10** avancement ■ **11** rayonnement ■ **12** infiltration ■ **14** conductibilité ■ **15** planétarisation.
PROPAGER : **5** haras, semer, voler ■ **6** courir ■ **8** circuler, diffuser, irradier, répandre* ■ **9** apostolat, colporter, divulguer, épicentre, pénétrant ■ **10** professeur, vulgariser ■ **11** accréditer, ondulatoire, populariser, propagateur, tambouriner ■ **14** retentissement.
PROPANE : **9** propanier.
PROPENSION : **8** penchant*, tendance*, vocation ■ **10** dipsomanie ■ **12** fatigabilité.
PROPERGOL : **5** ergol ■ **7** diergol ■ **8** monergol.
PROPHETE : **4** émir ■ **5** bible, devin*, mulud, souna, sunna ■ **6** eubage, hadith ■ **7** starets ■ **8** stariets ■ **10** pythonisse ■ **11** prophétique, prophétisme ■ **15** prophétiquement.
PROPHETIE : **9** prévision ■ **10** prédiction ■ **11** prémonition, prophétique.
PROPHETISER : **7** prédire* ■ **8** annoncer, présager ■ **9** vaticiner.
PROPHYLAXIE : **8** protéger ■ **14** gammaglobuline, prophylactique.
PROPICE : **3** ami ■ **5** bénin ■ **9** commodité, favorable* ■ **13** propitiatoire.
PROPITIATOIRE : **12** propitiation.
PROPORTION : **3** sur ■ **4** aloi, dose, taux ■ **5** deuto, moyen, pièce, vaste ■ **6** dosage ■ **7** modulor, rapport ■ **8** métayage, répondre ■

1. Exceptionnellement, pour les pronoms, les féminins et les pluriels ont été indiqués systématiquement.

9 dimension, docimasie, eurythmie ■ 10 alcoomètre, difformité, modénature, régularité ■ 11 composition, pourcentage* ■ 12 correspondre, proportionné ■ 13 disproportion, proportionnel, proportionner ■ 14 stœchiométrie ■ 15 disproportionné, équimoléculaire.

PROPORTIONNE : 5 moulé, roulé ■ 8 régulier ■ 10 convenable, harmonieux ■ 15 proportionnable.

PROPORTIONNEL : 10 coéquation, nuptialité, régalement.

PROPORTIONNER : 5 doser ■ 7 mesurer.

PROPOS : 3 but*, duo ■ 4 bave ■ 5 devis ■ 6 satire ■ 7 baratin, boutoir, canular, matière ■ 8 bienvenu, boniment, convenir, coq-à-l'âne, discours, faribole, immiscer, mensonge, occasion, opportun, radotage ■ 9 baliverne, commérage, expédient, fleurette, gaudriole, gravelure, rabâchage, roucouler ■ 10 balourdise, concernant, initiative, persiflage, résolution, utilitaire, vantardise ■ 11 altercation, bafouillage, cochonnerie, gaillardise, qu'en-dira-t-on, rabâchement, ritournelle ■ 13 calembredaine, malencontreux, polissonnerie.

PROPOSER : 4 dire ■ 6 offrir ■ 7 exposer ■ 8 formuler, libeller, négocier, produire ■ 9 présenter*, soumettre, voyagiste ■ 10 proposable ■ 14 soumissionner.

PROPOSITION : 5 devis, lemme, offre, sujet, terme, thèse, toast, toper ■ 6 axiome, maxime, motion, projet ■ 7 apodose, étalage ■ 8 négative, prédicat, prémisse, principe ■ 9 aléthique, ambiguïté, assertion, implicite, juxtaposé, nominatif, objection, ouverture, ultimatum ■ 10 complément, exhibition, initiative, réciproque, syllogisme ■ 11 affirmative, implication, négociation, parlementer, soumission ■ 12 construction, présentation, raisonnement, universalité ■ 13 pollicitation ■ 14 antéprédicatif, propositionnel.

PROPOSITIONNEL : 8 foncteur.

PROPOSITIONNELLE : 11 satisfiable.

PROPRE : 3 bon, net* ■ 4 fief, rire, sain, tare ■ 5 génie, style, terre ■ 6 idoine, sinité, taille ■ 7 luisant, propret ■ 8 attribut, blanchir, bractéal, distinct*, galfâtre, nettoyer, pastoral, recopier ■ 9 caractère, défricher, dépuratif, essentiel, fourrager, malpropre, oculogyre, palladien, personnel, propriété, putassier, stimugène ■ 10 appartenir, approprier, définition, générateur, idiopathie, individuel, proprement, québécisme, spécifique ■ 11 intrinsèque, narcissisme, particulier, sacrificiel ■ 12 autocritique, désinfecteur, gonochorique, parasismique, xérophytique ■ 13 appropriation, idiosyncrasie ■ 15 caractéristique.

PROPRETE : 8 toilette ■ 9 tripotage ■ 10 proprement ■ 11 malpropreté.

PROPRIETAIRE : 4 serf, usus ■ 5 épave, ferme ■ 6 abusus, féodal, maître, squire, yéoman ■ 7 proprio, royalty, vautour ■ 8 planteur, seigneur, squatter, vervelle ■ 9 alleutier, châtelain, congéable, fabricant, partiaire, probloque ■ 10 possesseur, réversible ■ 11 obligatoire ■ 12 actionnariat, syndicataire ■ 13 manufacturier ■ 14 nu-propriétaire ■ 15 gentleman-farmer, prolétarisation.

PROPRIETE : 4 bien* ■ 5 alleu, chose, effet endos, loyer, terre, titre, vente, vertu ■ 6 jacent, quirat ■ 7 domaine, faculté, fazenda, naturel, pouvoir*, qualité*, rection ■ 8 basicité, cohésion, demeurer, fixateur, fonction, isotrope, lyophile, maintien, physique, tonicité ■ 9 actinisme, aériforme, aérologie, analycité, attractif, chiralité, direction, ductilité, évocateur, irisation, isolateur, magistère, occlusion, projectif, réducteur, rémanence, résonance, stabilité, tolérance, viscosité ■ 10 activation, adhésivité, aérométrie, allotropie, anisotrope, appartenir, audibilité, balsamique, carminatif, conformité, déflagrant, dénotation, détergence, dichroïsme, dissolutif, dissolvant, élasticité, exproprier, globalisme, incrustant, jouissance, magnétique, mouillance, multigrade, occupation, optométrie, possession*, salifiable, tautomérie ■ 11 alcalescent, analyticité, autoréglage, biotropisme, colinéarité, combustible, convergence, copropriété, décarburant, dégradation, déprédation, dessiccatif, dimorphisme, directivité, endossement, homéomorphe, homochromie, latifundium, lotissement, métathéorie, outrabilité, plastifiant, pneumatique, récursivité, réfringence, soporifique, soudabilité, texturation, variabilité ■ 12 absorptivité, achromatisme, anélasticité, appartenance, arithmétique, catégoricité, déliquescent, dermographie, dilatabilité, extensionnel, flottabilité, fluorescence, géotechnique, irritabilité, nue-propriété, perméabilité, polarisation, raccordement, reviviscence ■ 13 associativité, déliquescence, extensibilité, imprimabilité, magnétochimie, médicamenteux, mouillabilité, polymorphisme, radio-activité, réflexibilité ■ 14 autopropulsion, combustibilité, conductibilité, convertibilité, démontrabilité, magnéto-optique, quantificateur, réfrangibilité, superplastique ■ 15 compressibilité, électroaffinité, ferromagnétisme, impénétrabilité, infroissabilité, phosphorescence, photoconduction, photo-élasticité, radiogoniométrie, superplasticité, transmutabilité.

PROPRIOCEPTION : 14 propriocepteur.

PROPULSER : 8 chenille ■ 13 hydroglisseur ■ 14 thermopropulsé.

PROPULSEUR : 8 hypergol, réacteur ■ 11 moteur-fusée ■ 13 statoréacteur.

PROPULSION : 5 fusée ■ 6 hélice ■ 7 godille, poussée ■ 9 gargousse, propulsif ■ 10 propulseur ■ 14 autopropulsion, semi-balistique.

PROPYLENE : 7 propène ■ 11 polypropène ■ 13 acrylonitrile, polypropylène.

PRORATA : 9 quote-part.

PROROGATION : 5 délai* ■ 14 renouvellement.

PROROGER : 8 allonger ■ 9 proconsul ■ 10 prorogatif ■ 11 prorogation.

PROSAÏQUE : 8 vulgaire ■ 13 prosaïquement.

PROSCRIPTION : 8 proscrit ■ 9 proscrire ■ 12 proscripteur.

PROSCRIRE : 6 abolir, bannir*, blâmer*, exiler ■ 7 chasser*, rejeter, traquer ■ 8 défendre*, détruire, expulser, prohiber*, proscrit ■ 9 condamner*, repousser, réprouver ■ 11 excommunier.

PROSE : 5 pièce, poème, roman ■ 6 auteur, poésie, stabat ■ 8 cantique, séquence ■ 9 prosaïque, prosateur ■ 10 logographe, paragraphe ■ 11 stabat mater.

PROSECTEUR : 11 prosectorat.

PROSELYTE : 8 partisan* ■ 12 prosélytisme.

PROSOBRANCHE : 5 murex ■ 6 vignot ■ 7 patelle, vigneau ■ 9 bigorneau, littorine.

PROSODIE : 5 mètre ■ 6 gradus ■ 10 prosodique.

PROSOPOPEE : 8 discours.

PROSPECTE : 9 futurible.

PROSPECTER : 8 sismique ■ 11 prospecteur, prospection.

PROSPECTIVE : 14 prospectiviste.

PROSPECTUS : 5 tract ■ 8 brochure, dépliant ■ 9 programme.

PROSPERE : 9 calcicole, calcifuge, favorable ■ 10 silicicole.

PROSPERER : 5 aller ■ 7 fleurir, marcher, réussir*.

PROSPERITE : 4 jour ■ 5 ruine ■ 6 succès* ■ 7 bonheur* ■ 8 richesse* ■ 13 intéressement.

PROSTATE : 9 vasotomie ■ 10 prostatite, vasectomie ■ 11 prostatique ■ 14 prostatectomie.

PROSTERNATION : 10 prostration ■ 13 prosternement.

PROSTERNER : 6 saluer* ■ 11 agenouiller ■ 13 prosternation, prosternement.
PROSTITUEE : 4 grue, pute ■ 5 catin, fille, garce, morue, poule ■ 6 maquer, putain ■ 7 cocotte, hétaïre, pétasse, radeuse, ribaude, roulure, traînée ■ 8 call-girl, micheton ■ 9 racoleuse, putassier, tapineuse ■ 10 courtisane, pouffiasse ■ 11 belle-de-nuit, gourgandine, trimardeuse ■ 12 raccrocheuse.
PROSTITUER : 12 prostitution.
PROSTITUTION : 6 clandé ■ 8 débauche* ■ 9 maquereau, souteneur, tolérance ■ 10 impudicité, maquerelle ■ 11 vagabondage ■ 12 dévergondage, pornographie.
PROSTRATION : 8 effondré, typhoïde ■ 10 abattement*, dépression ■ 13 prosternation.
PROTAGONISTE : 6 acteur, meneur, moteur ■ 9 animateur ■ 11 instigateur ■ 12 boute-en-train.
PROTECTEUR : 2 dé ■ 5 garde ■ 6 duègne, mécène, patron, tuteur ■ 7 gardien, parasol, phanère, sauveur ■ 8 bouclier, chaperon, paternel ■ 9 défenseur*, tutélaire ■ 10 providence.
PROTECTION : 3 rue ■ 4 abri*, ados, aile, mari ■ 5 appui, asile, bénir, capot, digue, écran, égide, galon, garde, grâce, levée, pépin, voile ■ 6 armure, blindé, faveur, masque, piston, refuge ■ 7 armeuse, asepsie, auspice, défense*, fargues, mécénat, parapet, paréage, pariage, remblai, tutelle ■ 8 amulette, antimite, auspices, carapace, convoyer, coquille, coudière, cuirasse, doigtier, endigage, estacade, garantie, garde-fou, jaquette, paravent, risberme, saucisse, talisman, tranchée ■ 9 brise-vent, garde-boue, hausse-col, mélanocyte, pardessus, patronage, salopette ■ 10 aluminiage, brise-lames, couverture, écologisme, garde-corps, invocation, providence, sauvegarde ■ 11 couvre-livre, endiguement, prophylaxie, recommander ■ 12 protège-dents, protège-tibia ■ 13 bondérisation, parkérisation, phosphatation, plasticulture ■ 14 accompagnement ■ 15 démagnétisation.
PROTEGE : 9 sous-garde ■ 13 anticorrosion, antiradiation.
PROTEGER : 4 stot ■ 5 accot, aider, armer ■ 6 barder, épiner, garder, sauver ■ 7 abriter, appuyer, couvrir, excuser, pallier ■ 8 assister, breveter, créature, défendre*, entourer, escorter, flanquer, garantir, inabrité, prémunir, secourir, soutenir ■ 9 cuirasser, favoriser, gabionner, immuniser, patronner, pistonner, préserver* ■ 10 intercéder, intéresser, protecteur, protection ■ 11 calorifuger, recommander, sauvegarder, surprotéger ■ 13 précautionner, protège-cahier ■ 15 protectionnisme, radioprotection.
PROTEINE : 5 amine, zéine ■ 6 scatol, sérine ■ 7 alanine, alexine, caséine, globine, histone, leucine, myosine, scatole ■ 8 aleurone, gélatine, hordéine, protéide ■ 9 globuline, oncotique, onkotique, protéique, spiruline ■ 10 glycocolle, interféron, isoleucine, lymphokine ■ 11 albuminoïde, ferrédoxine, protéinique, protéinurie ■ 12 holoprotéine, lipoprotéine, protéagineux ■ 13 glycoprotéine, phénylalanine, protéolytique, ribonucléique ■ 14 hétéroprotéine, scléroprotéine ■ 15 métalloprotéine.
PROTEIQUE : 10 allostérie.
PROTESTANT : 5 bible ■ 6 morave, quaker ■ 7 réformé, revival ■ 8 anglican, darbysme, huguenot, piétiste, puritain ■ 9 clergyman, hérétique, luthérien, prédicant ■ 10 calviniste, diaconesse, méthodiste, parpaillot, ritualiste ■ 11 conformiste, évangélique ■ 12 pentecôtiste, presbytérien ■ 13 congréganiste, religionnaire ■ 14 non-conformiste, protestantisme ■ 15 fondamentalisme.

PROTESTATION : 3 cri ■ 8 chambard, promesse, schproum ■ 9 gueulante, objection ■ 13 démonstration, protestataire.
PROTESTER : 4 ruer ■ 5 crier, râler ■ 7 moufter, récrier ■ 8 affirmer, grogneur, moufeter, murmurer, objecter*, réclamer*, résister ■ 9 gendarmer, ressauter, rouspéter ■ 10 récriminer*, rouspéteur ■ 11 protestable, rouscailler.
PROTET : 9 protester.
PROTEUR : 13 télégraphiste.
PROTHALLE : 8 rhizoïde ■ 10 macrospore, microspore.
PROTHESE : 7 implant ■ 10 oculariste ■ 11 biomatériau, prothétique.
PROTHETIQUE : 8 hématine.
PROTIDE : 6 gluten ■ 7 caséine, fibrine, peptone ■ 8 légumine, protéase, protéine, tyrosine, trypsine ■ 9 collagène ■ 10 protidique ■ 11 fibrinogène, hémocyanine, polypeptide ■ 14 nucléoprotéine.
PROTIDIQUE : 7 peptone.
PROTISTE : 6 stigma ■ 9 grégarine ■ 10 péridinien ■ 11 zooflagellé ■ 13 phytoflagellé ■ 15 coccolithophore.
PROTOCOLE : 9 étiquette* ■ 10 cérémonial, convention ■ 12 protocolaire.
PROTOCORDE : 8 tunicier*.
PROTOHISTOIRE : 14 protohistorien ■ 15 protohistorique.
PROTON : 5 atome, méson, noyau ■ 6 baryon ■ 7 hypéron ■ 8 deutéron ■ 10 protonique.
PROTOPLANETE : 10 planétoïde.
PROTOPLASME : 10 pseudopode ■ 14 protoplasmique.
PROTOTYPE : 5 mètre ■ 6 modèle* ■ 10 kilogramme.
PROTOXYDE : 8 litharge, massicot.
PROTOZOAIRE : 5 cilié ■ 7 amibien ■ 8 flagellé*, kala-azar ■ 9 infusoire*, nummulite, rhizopode* ■ 10 leishmania, leishmanie, leptospire, noctiluque ■ 11 sporozoaire* ■ 12 hématozoaire*.
PROTUBERANCE : 4 côte ■ 5 bosse ■ 7 saillie* ■ 9 maniement ■ 10 tubérosité ■ 11 protubérant ■ 12 mésencéphale ■ 14 protubérentiel.
PROU : 8 beaucoup*.
PROUE : 3 nez ■ 5 poupe.
PROUESSE : 7 exploit*.
PROUVER : 4 voir ■ 6 arguer, avérer ■ 7 appuyer, déduire, établir, inférer, montrer, probant, réfuter, révéler ■ 8 attester, garantir ■ 9 certifier, concluant, confirmer, constater, démontrer*, justifier, persuader, prouvable, raisonner, témoigner* ■ 10 argumenter, convaincre, manifester, probatoire ■ 11 improuvable ■ 12 justificatif.
PROVENANCE : 5 cause, germe ■ 6 racine, source* ■ 7 origine*, produit ■ 9 influence ■ 10 dérivation, étymologie ■ 11 descendance ■ 12 bric et de broc, ramification.
PROVENÇAL : 4 fada, moco ■ 5 arène ■ 6 pistou ■ 7 occitan ■ 8 brandale, tapenade ■ 9 farandole ■ 10 roumanille, serventois, troubadour ■ 12 magnanarelle, passerinette ■ 13 bouillabaisse.
PROVENCE : 5 borie ■ 8 taillote.
PROVENDE : 9 provision.
PROVENIR : 4 issu ■ 5 tenir, tirer, venir ■ 6 émaner, naître, partir, sortir ■ 7 dériver ■ 8 découler, procéder ■ 9 descendre.
PROVERBE : 5 adage ■ 6 dicton, maxime*, pensée ■ 10 proverbial ■ 12 parémiologie ■ 15 proverbialement.
PROVIDENCE : 4 ciel, dieu* ■ 8 vocation ■ 10 prévoyance, protecteur* ■ 12 bienfaisance, providentiel.
PROVIENT : 7 vinique.

PROVIN : 9 provigner.
PROVINCE : 4 land ■ 5 comté, duché, légat ■ 6 canton ■ 10 préfecture, propréteur, provincial ■ 11 département, principauté, statthalter ■ 12 provincialat, régionaliste, suburbicaire ■ 13 proconsulaire ■ 14 arrondissement, provincialisme ■ 15 circonscription.
PROVISEUR : 5 lycée ■ 10 provisorat.
PROVISION : 4 amas ■ 5 soute ■ 7 acompte, aiguade, aliment, réserve ■ 8 provende, viatique ■ 9 abondance ■ 10 fourniture, victuaille ■ 12 provisionnel ■ 14 approvisionner.
PROVISOIRE : 5 blanc, loger, titre ■ 8 éphémère, faufiler, passager*, précaire ■ 9 ambulance, batardeau, campement, faufilure, palliatif, séquestre ■ 10 auxiliaire, demi-mesure ■ 11 échafaudage ■ 14 préinscription.
PROVISOIREMENT : 5 bâtir ■ 9 attendant, épinglage.
PROVOCATION : 4 défi, punk ■ 6 cartel ■ 7 attaque ■ 8 agacerie, embauche ■ 9 agression, tentation ■ 10 embauchage, excitation, suggestion ■ 11 infériorité, inspiration, instigation.
PROVOQUE : 7 cariant, givrant, lytique ■ 8 anémiant, pyrogène, salivant ■ 9 cariogène, mordicant ■ 10 ataraxique, castrateur ■ 11 jubilatoire, réflexogène ■ 12 convulsivant, hypertenseur, thrombotique, traumatisant.
PROVOQUER : 6 agacer, braver*, causer*, défier, naître, tenter ■ 7 affoler, allumer, amorcer, convier, exciter, frotter, inviter, ioniser ■ 8 apporter, attaquer, émouvoir, évaporer, éveiller, fomenter, indigner, inspirer, mutagène, produire*, stresser, suggérer, susciter ■ 9 allergène, asticoter, catalyser, défiolier, défléchir, érotogène, exulcérer, insuffler, tétaniser, vulnérant ■ 10 casus belli, déterminer, halluciner, solliciter ■ 11 cancérigène, cancérogène, incendiaire, occasionner*, provocateur ■ 12 évaporatoire ■ 13 scissionniste.
PROXENETE : 3 mac ■ 5 jules ■ 9 souteneur ■ 13 entremetteuse.
PROXIMITE : 4 pour, près* ■ 5 degré ■ 8 approche ■ 9 avoisiner, boomerang, boumerang, voisinage.
PRUDE : 6 chaste ■ 7 pudique ■ 8 bégueule, pruderie, pudibond, puritain.
PRUDENCE : 5 serré ■ 7 cautèle, minutie, prudent, réserve, sagesse * ■ 8 défiance ■ 9 attention, imprudent, prévision, réflexion, vigilance ■ 10 imprudence, précaution*, prévoyance, prudemment ■ 13 avertissement ■ 14 circonspection*.
PRUDENT : 4 ours, posé, sage* ■ 5 avisé, calme ■ 6 mesuré, timide, timoré ■ 7 défiant, discret, réservé ■ 8 attentif, hésitant, réfléchi*, vigilant ■ 9 cauteleux, minutieux, prévoyant ■ 10 méticuleux ■ 11 circonspect, raisonnable ■ 12 précautionné ■ 14 précautionneux.
PRUD'HOMALE : 9 prud'homie.
PRUD'HOMME : 9 prud'homal, prud'homie ■ 12 prudhommerie.
PRUNE : 4 ente ■ 5 damas, moyeu ■ 7 précoce, pruneau ■ 8 décaisne, prunelée, prunelle, quetsche ■ 9 cerisette, madeleine, mirabelle, perdrigon ■ 11 reine-claude.
PRUNELLE : 7 pupille.
PRUNELLIDE : 9 accenteur.
PRUNELLIER : 6 prunus ■ 8 prunelle ■ 9 rhynchite.
PRUNIER : 5 prune ■ 6 prunus ■ 7 ximénia, ximénie ■ 9 prunelaie ■ 10 dominotier, marmottier, prunellier ■ 13 laurier-cerise.
PRURIT : 15 antiprurigineux.
PRUSSIQUE : 9 prussiate ■ 12 cyanhydrique.
PRYTANE : 7 brution ■ 8 prytanée.

PSALLIOTE: 11 rosé-des-prés.
PSALMODIER: 7 chanter*, réciter.
PSAUME: 5 motet ■ 6 verset ■ 8 antienne, cantique, médiante, miserere, psautier ■ 9 doxologie, psalmiste, psalmodie, versicule ■ 10 psalmodier.
PSEUDONYME: 6 surnom ■ 10 cryptonyme, hétéronyme.
PSEUDOPODE: 5 amibe ■ 9 rhizopode.
PSILOCYTE: 11 psilocybine.
PSITTACIDE: 3 ara ■ 4 lori ■ 5 jacot ■ 7 papegai ■ 8 cacatoès, cacatois, kakatoès, papegeai, perruche ■ 9 perroquet.
PSYCHANALYSE: 13 psychanalyser, psychanalyste ■ 14 freudo-marxisme ■ 15 psychanalytique.
PSYCHANALYSTE: 6 balint.
PSYCHANALYTIQUE: 7 analysé.
PSYCHE: 5 glace* ■ 6 miroir*.
PSYCHIATRE: 14 pédopsychiatre.
PSYCHIATRIE: 13 psychiatriser ■ 14 autocastration ■ 15 antipsychiatrie, pédopsychiatrie.
PSYCHIATRIQUE: 3 c.h.s. ■ 12 psychiatrisé ■ 13 psychiatriser ■ 14 petites-maisons.
PSYCHIQUE: 6 stress, trauma ■ 7 analité, topique ■ 8 hypnoïde, nicotine ■ 9 conscient, psychisme ■ 10 crétinisme, psychogène, quérulence ■ 11 psychotrope, sociogenèse ■ 12 apragmatisme, dédoublement, panpsychisme, préconscient, psychogenèse, psychométrie, somatisation ■ 13 mentalisation, psychasthénie, psychotonique, schizophrénie.
PSYCHISME: 11 bisexualité ■ 14 psychobiologie.
PSYCHOLINGUISTIQUE: 15 psycholinguiste.
PSYCHOLOGIE: 5 amour ■ 8 feed-back ■ 9 génétisme, nativisme, pédologie, prégnance ■ 10 mentalisme, paidologie ■ 11 agressivité, gynécologie, psychologue ■ 12 béhaviorisme, criminologie, égocentrisme, hospitalisme, psychanalyse, psychosocial ■ 13 allocentrisme, béhaviourisme, métaphysique, psychologique, psychologisme ■ 14 opérationnisme ■ 15 cristallisation, épiphénoménisme, psychopédagogie.
PSYCHOLOGIQUE: 7 confort ■ 8 analyser ■ 10 binet-simon ■ 11 attitudinal.
PSYCHOMETRE: 12 psychométrie.
PSYCHOMETRIE: 14 psychométrique ■ 15 psychométricien.
PSYCHOMOTEUR: 8 baby-test ■ 12 immaturation.
PSYCHOPATHOLOGIE: 9 anxiogène.
PSYCHOPHYSIOLOGIE: 14 psychophysique.
PSYCHORIGIDITE: 12 psychorigide.
PSYCHOSE: 8 paranoïa ■ 9 obsession* ■ 11 paraphrénie, psychotique ■ 12 psychogenèse ■ 14 prépsychotique, psychothérapie.
PSYCHOSOCIOLOGIE: 14 action research ■ 15 recherche-action.
PSYCHOTHERAPIE: 8 thérapie ■ 13 onirothérapie.
PSYCHOTHERAPIQUE: 9 sociatrie.
PSYPATHOLOGIQUE: 12 débilisation.
PTERIDOPHYTE: 10 cryptogame*, vasculaire.
PTEROPODE: 5 clios, hyale ■ 8 cléodore ■ 9 carolinie.
PTEROSAURIEN: 10 ptéranodon.
PTOSE: 11 néphropexie.
P.T.T.: 7 télétex.
PUANT: 8 puanteur ■ 9 infection ■ 10 malodorant ■ 11 empoisonner

PUBERE : 6 réglée.
PUBERTE : 4 muer ■ 6 éphèbe, pubère ■ 8 impubère, nubilité ■ 9 formation ■ 11 adolescence, hébéphrénie.
PUBESCENT : 5 poilu ■ 10 pubescence.
PUBIS : 5 pénil, pénis ■ 7 morpion ■ 8 ovulaire, phtirius ■ 10 sous-pubien.
PUBLIC : 3 kan ■ 4 café, live, pavé, waqf ■ 5 agora, barre, bazar, cours, criée, édile, fléau, foire, forum, halle, hôtel, impôt, leçon, ligue, place, poste, privé, régie, route, salle, sbire, seing, siège, sourd, vogue ■ 6 avanie, banvin, héraut, maxima ■ 7 notoire ■ 8 braderie, calamité, diptyque, domanial, ébruiter, éclatant, héligare, huis clos, liturgie, palestre, pandèmes, registre ■ 9 apostasie, auditoire, compérage, divulguer, manifeste, orchestre, publicité, rogations, solennité ■ 10 accusation, concussion, exotérique, guichetier, parapublic, pissotière, restaurant, semi-public, strip-tease ■ 11 législateur, mont-de-piété, obsécration, particulier, publication, représenter, vespasienne ■ 12 fidélisation, privatisable, publiquement, référendaire ■ 14 médecin-conseil.
PUBLICATION : 3 ban ■ 4 issn ■ 5 livre*, revue ■ 6 digest, tirage ■ 7 édition, gazette, journal, ouvrage, recueil, tabloïd ■ 8 bulletin, censurer, grébiche, opuscule, parution ■ 9 lancement ■ 10 apparition ■ 12 proclamation, rédactionnel.
PUBLICISTE : 11 journaliste.
PUBLICITAIRE : 7 aguiche, gimmick ■ 11 sponsoriser.
PUBLICITE : 3 pub ■ 4 boom ■ 5 tract ■ 6 retape, tam-tam, teaser, visuel ■ 7 affiche, battage, réclame ■ 8 pénombre ■ 9 annoncier ■ 10 propagande, surmonter ■ 12 publicitaire ■ 13 démonstrateur, médiaplanning ■ 15 contre-publicité.
PUBLIE : 4 isbn.
PUBLIER : 4 voir ■ 5 crier, faire, gémir, tirer ■ 6 aviser, donner, éditer, lancer ■ 7 avertir, édicter, exposer, montrer, révéler* ■ 8 annoncer, célébrer, déclarer, décréter, dénoncer, dévoiler, ébruiter, paraître, propager, répandre ■ 9 colporter, découvrir, divulguer, proclamer, publiable ■ 10 imprimer, préconiser, promulguer, transpirer, vulgariser ■ 11 impubliable, publication, tambouriner.
PUBLIPHONE : 9 télécarte.
PUBLIOPOSTAGE : 7 mailing.
PUBLIQUE : 3 o.p.a., o.p.e. ■ 7 radeuse ■ 8 imperium ■ 10 publiphone ■ 13 radiotrottoir.
PUCE : 6 chique ■ 7 daphnie, talitre.
PUCEAU : 6 vierge*.
PUCELAGE : 9 dépuceler ■ 10 dépucelage.
PUCERON : 6 kermès ■ 7 chermès ■ 8 aleurode ■ 9 rhynchote ■ 10 coccinelle, cochenille, phylloxéra.
PUDDING : 9 diplomate ■ 11 plum-pudding.
PUDDLAGE : 8 puddleur.
PUDEUR : 5 honte, vertu ■ 6 pureté* ■ 7 décence*, honneur, réserve, retenue* ■ 8 chasteté*, impudeur, modestie*, pruderie, pudicité, timidité, vergogne ■ 9 confusion, indécence, innocence, obscénité, virginité ■ 10 grossièreté, immodestie, licencieux ■ 12 pudibonderie.
PUDIBOND : 5 prude ■ 8 bégueule ■ 12 pudibonderie.
PUDIQUE : 4 sage ■ 5 prude ■ 6 chaste*, décent ■ 8 pudicité ■ 9 impudique ■ 10 déshonnête ■ 11 pudiquement.
PUER : 6 cogner ■ 7 cocoter ■ 8 cocotter, empester, fouetter, infecter ■ 9 chlinguer, empuanter, suffoquer ■ 10 gazouiller ■ 11 empoisonner, trouilloter.

PUERICULTURE : 13 puéricultrice.
PUERIL : 4 vain* ■ 8 enfantin ■ 9 puérilité ■ 11 puérilement ■ 12 enfantillage.
PUERPERAL : 9 vitulaire.
PUGILAT : 5 ceste, lutte* ■ 6 combat* ■ 8 pancrace ■ 9 pugiliste ■ 12 pugilistique.
PUGNACE : 8 combatif.
PUINE : 5 cadet ■ 6 junior.
PUIS : 5 après ■ 7 ensuite ■ 13 subséquemment.
PUISER : 4 seau, urne ■ 5 tirer ■ 6 pêcher, pomper ■ 7 pucheux, puisage ■ 8 baqueter, cuillère, puisette ■ 9 puisement.
PUISOIR : 7 pucheux.
PUISQUE : 8 parce que ■ 13 étant donné que.
PUISSANCE : 3 éon, loi, var ■ 4 mana, test, watt ■ 5 aleph, effet, force*, magie, pâlir, phone, trône ■ 6 crédit, empire, étoile, faveur, quasar ■ 7 faculté*, pouvoir* ■ 8 activité, autorité, complexe, dioptrie, exposant, grandeur, imperium, kilowatt, maîtrise, monopole, poncelet, sanction, violence ■ 9 concision, émanciper, hectowatt, influence, intensité, kilotonne, mégatonne, potentiel, privilège, soumettre, véhémence, virulence, wattmètre ■ 10 contrainte, efficacité, hiérarchie, horse-power, lévitation, superbombe, voltampère ■ 11 condominium, fécondateur, héliographe, impuissance, radiobalise ■ 12 cheval-vapeur, potentialité ■ 13 actualisation, amplificateur, concentration, prépondérance, télédynamique ■ 14 thalassocratie, toute-puissance.
PUISSANT : 4 fort*, lion ■ 5 frêle, tigre, titan ■ 6 maître ■ 7 intense, manitou, violent* ■ 8 efficace, héroïque, potentat, véhément, virulent ■ 9 tunnelier ■ 10 magnétique ■ 11 ploutocrate, puissamment.
PUITS : 4 bure, igue, mine ■ 5 picot, raval, rouet, sonde ■ 7 chadouf, derrick, puisard, recette ■ 8 artésien, coffrage, cuvelage, margelle, sondeuse ■ 9 puisatier, royalties ■ 10 complétion, étalingure, palplanche ■ 11 chevalement.
PULL-OVER : 8 chandail, sous-pull ■ 10 sweat-shirt.
PULLULER : 7 abonder* ■ 9 foisonner ■ 10 fourmiller ■ 11 pullulation, pullulement.
PULMONAIRE : 5 rhume ■ 9 alvéolite, pneumonie ■ 10 anthracose ■ 12 aérothérapie, inspiratoire ■ 14 pneumallergène.
PULMONE : 5 loche ■ 6 limace, limnée ■ 7 limaçon ■ 8 escargot ■ 9 colimaçon ■ 10 testarelle.
PULPAIRE : 10 endodontie.
PULPE : 5 casse, chair, luffa, tamar ■ 7 pulpeux, pulpite, tamarin ■ 8 dépulper, pulpaire, tire-nerf ■ 11 dévitaliser.
PULQUE : 5 agave.
PULSATION : 5 tâter ■ 6 pulser ■ 7 pulsant ■ 9 battement* ■ 10 inductance.
PULSION : 8 thanatos ■ 10 pulsionnel ■ 11 nécrophilie.
PULVERISATION : 7 venturi ■ 8 pistolet ■ 9 atomiseur ■ 10 préchambre ■ 12 vaporisation ■ 13 pulvérisateur.
PULVERISER : 5 fixer, râper ■ 6 broyer*, moudre ■ 8 détruire* ■ 9 vaporiser ■ 10 écroûteuse ■ 12 vaporisateur ■ 13 pulvérisation.
PULVERULENT : 6 cément, ciment, fécule ■ 8 poussier ■ 10 souffleuse ■ 12 pulvérulence ■ 13 granulométrie.
PUMA : 4 eyra ■ 7 couguar ■ 8 cougouar.
PUNAISE : 4 nèpe ■ 5 actée, vélie ■ 8 gendarme, punaiser ■ 9 cimicaire, pentatome, rhynchote ■ 10 pyrocorise.

PUNCH : 8 daïquiri.
PUNIR : 5 mater, payer, saler, sévir, vivre ■ 6 battre*, coller, expier, fesser, gifler, venger ■ 7 châtier, dompter, énerver, flétrir, frapper, mutiler, punitif, réduire ■ 8 bâtonner, censurer, corriger*, coupable, dégrader, fouetter, punition, réprimer, torturer ■ 9 cravacher, enchaîner, flageller, morigéner, pardonner, punisseur ■ 10 admonester, essoriller, punissable, souffleter ■ 11 récompenser, stigmatiser.
PUNITION : 5 blâme, colle, fouet, peine* ■ 6 amende, arrêté, fessée, pensum, piquet, talion ■ 7 censure, morfler, retenue ■ 8 impunité, pénalité, sanction*, schlague, soufflet, supplice ■ 9 bâtonnade, châtiment, pénitence*, vengeance ■ 10 admonition, coercition, correction, discipline, impunément, punissable, répression, suspension ■ 11 dégradation ■ 12 autopunition, flagellation, pénalisation.
PUNITIVE : 9 ratonnade.
PUNKA : 5 panca, panka.
PUPAZZO : 6 pantin*.
PUPE : 8 pupipare.
PUPILLE : 4 œil* ■ 6 myosis ■ 8 atropine, mydriase, orphelin, prunelle ■ 10 pupillaire.
PUPITRE : 5 aigle ■ 6 bureau, lutrin ■ 7 scriban ■ 9 scribanne.
PUR : 3 fin, lis, net ■ 4 mère, naïf ■ 5 blanc, clair, degré, droit, épuré, franc, mi-pur, muret, niais, saint, voile ■ 6 chaste*, ingénu, intact, pureté, serein, simple, vierge* ■ 7 austère, candide, limpide, pudique, purisme, puriste, raffiné, sincère ■ 8 immaculé, innocent*, purifier, raffiner, spéculer, vertueux, virginal ■ 9 dilection, essentiel ■ 10 cristallin, uniquement ■ 11 transparent.
PUREE : 6 aligot, misère* ■ 8 bouillie, pauvreté* ■ 9 anchoïade, anchoyade ■ 11 presse-purée.
PURETE : 5 idéal, vertu ■ 6 pudeur* ■ 7 candeur, naïveté, purisme ■ 8 chasteté*, droiture, justesse, modestie, sainteté, sérénité ■ 9 angélisme, austérité, blancheur, diamantin, franchise, ingénuité, innocence*, intégrité, niaiserie, sincérité, virginité ■ 10 élaïomètre, simplicité ■ 11 intégralité, saint-office ■ 15 néo-pytagorisme.
PURGATIF : 4 séné ■ 5 aloès, casse, gutte, jalap, purge, ricin ■ 7 calomel, cascara, laxatif*, turbith ■ 8 alaterne, algaroth, foirolle, gratiole ■ 9 drastique, purgation ■ 10 bancoulier, coloquinte, gomme-gutte, médicinier.
PURGATIVE : 7 turbith.
PURGE : 7 laxatif* ■ 8 lavement, limonade, médecine, purgatif* ■ 9 purgation ■ 12 suppositoire.
PURGER : 5 curer, purge ■ 7 dégager, évacuer, purgeur ■ 8 débonder, déterger, expulser, purifier*, relâcher ■ 9 décharger, désopiler, purgation, reniflard ■ 11 débarrasser, désobstruer.
PURIFICATION : 7 baptême ■ 8 ablution, aération, affinage, lavement ■ 9 catharsis, épuration, purgation ■ 10 lustration ■ 13 rectification ■ 14 assainissement.
PURIFIER : 5 laver* ■ 6 épurer, purger* ■ 7 dépurer ■ 8 assainir, baptiser, déféquer, déterger ■ 9 clarifier, épuration, purifiant, raffinage, rectifier ■ 11 dégorgement ■ 12 purificateur, purification ■ 13 purificatoire.
PURIN : 5 purot ■ 6 fumier.
PURINE : 7 adénine, purique.
PURIQUE : 8 xanthine.
PURITAIN : 5 prude* ■ 10 wahhabisme ■ 11 puritanisme.
PURPURA : 9 hémogénie.

PURPURIN: 5 rouge* ■ 8 pourprin ■ 9 purpurine.
PUR-SANG: 8 stud-book, yearling ■ 10 anglo-arabe.
PURULENT: 3 pus ■ 5 ichor, sanie ■ 9 purulence ■ 10 pyodermite.
PUS: 5 abcès, drain, sanie ■ 6 humeur*, pyurie ■ 7 empyème, vomique ■ 8 purulent, pyorrhée, suppurer ■ 9 purulence ■ 10 bourbillon, écoulement ■ 11 perfrigens, pyocyanique, suppuration.
PUSILLANIME: 5 brave, lâche* ■ 7 poltron* ■ 8 craintif* ■ 9 énergique, frilosité ■ 15 pusillanimement.
PUSTULE: 4 bube ■ 5 abcès*, lèpre, psora, psore ■ 6 bouton ■ 8 impétigo ■ 9 pustuleux.
PUTAIN: 4 pute.
PUTOIS: 5 furet, vison ■ 8 kolinski.
PUTREFACTION: 6 miasme, scatol ■ 7 nécrose, pourrir, scatole ■ 8 échauffé, fétidité, puanteur ■ 9 infection, putridité ■ 10 antisepsie, corruption, exhalaison, méphitisme, moisissure, pestilence, pourriture ■ 11 antiputride, putrescence ■ 12 antiseptique ■ 14 putrescibilité.
PUTREFIER: 4 puer ■ 5 gâter ■ 6 moisir ■ 7 pourrir*, putride ■ 8 empester, infecter ■ 10 décomposer ■ 11 putréfiable ■ 12 putréfaction ■ 13 imputrescible.
PUTRIDE: 9 putridité ■ 10 pestilence.
PUTT: 6 putter.
PYGMEE: 4 nain ■ 5 petit ■ 7 pygméen.
PYRALE: 10 carpocapse.
PYRAMIDAL: 5 thuya ■ 6 gopura, vimana ■ 8 étonnant ■ 9 clocheton.
PYRAMIDE: 5 cairn, tronc ■ 7 camelle, mastaba ■ 8 aiguille, apothème, cheminée, valençay ■ 9 pyramidal.
PYRAMIDIQUE: 7 uracile ■ 10 pyrimidine.
PYRENOMYCETE: 7 monilie.
PYRITE: 8 thallium ■ 12 chalcopyrite.
PYROGALLOL: 12 pyrogallique ■ 13 diamidophénol, diaminophénol.
PYROGRAVURE: 10 pyrographe ■ 11 pyrograveur.
PYROPHOSPHORIQUE: 13 pyrophosphate.
PYROTECHNIE: 5 boîte ■ 13 pyrotechnique ■ 14 pyrotechnicien.
PYROXENE: 8 aegyrine, éclogite.
PYRROLE: 10 pophyrine, pyrrolique.
PYTHAGORICIEN: 12 pythagorique.
PYTHAGORIQUE: 5 table ■ 12 pythagorisme ■ 13 pythagoricien ■ 15 néo-pythagorisme.
PYTHIE: 5 devin* ■ 7 pythien.
PYTHON: 3 boa ■ 6 molure ■ 9 pythonidé.
PYTHONISSE: 5 devin*.

QATAR : 5 riyal ■ 6 qatari.
QUADRANGULAIRE : 5 carré* ■ 8 trinquet ■ 9 obélisque ■ 10 brigantine, pyramidion.
QUADRANT : 5 grade.
QUADRILATERE : 5 carré* ■ 7 losange, trapèze ■ 15 parallélogramme.
QUADRILLAGE : 5 trame ■ 6 grille ■ 9 carroyage.
QUADRILLE : 5 baste, poule ■ 7 lancier ■ 8 moulinet ■ 11 contredanse.
QUADRUMANE : 5 indri.
QUADRUPEDE : 3 âne, rat ■ 4 axis, bouc, cerf, chat, daim, lama, lion, loir, lynx, once, ours, porc, puma, trot, veau, yack, zébu ■ 5 amble, bison, bœuf, chien, furet, hyène, lapin, mulet, mulot, patte, queue, râble, renne, singe, tapir, tatou, tigre, vache, zèbre ■ 6 alpaga, bélier, buffle, castor, chacal, cheval, cobaye, fennec, fouine, girafe, jaguar, jument, lémure, lièvre, martre, mouton, pécari, putois, renard, souris ■ 7 aurochs, belette, caribou, chameau, chamois, civette, gazelle, glouton, guépard, hémione, hermine, léopard, mouflon, orignal, taureau ■ 8 antilope, blaireau, crocotte, écureuil, éléphant, hérisson, lampasse, marmotte, panthère, porc-épic, sanglier ■ 9 chevreuil, chimpanzé, petit-gris ■ 10 chinchilla, dromadaire, fourmillier, musaraigne, rhinocéros ■ 11 hippopotame, orang-outang.
QUAI : 5 wharf ■ 6 musoir, tosser ■ 8 débarder, garde-fou ■ 9 débardage ■ 11 débarcadère.
QUALIFICATIF : 5 notre, votre ■ 8 adjectif* ■ 11 appellation.
QUALIFICATION : 3 dan, nom ■ 4 pour ■ 5 sieur, titre ■ 8 mistress ■ 9 c'est-à-dire ■ 10 ésotérique, qualifiant ■ 11 déqualifier, sérénissime.
QUALIFIE : 9 compétent, finaliste ■ 11 qualifiable ■ 13 inqualifiable.
QUALIFIER : 6 nommer ■ 7 appeler*, traiter ■ 8 adjectif, désigner*, épithète.
QUALITATIF : 11 information.
QUALITE : 3 âme, don, nom ■ 4 aloi, égal, goût, igné, mode, plus, tant, tare ■ 5 bonté, comme, durée, éclat, force, génie, juger, moins, poids, sonde, sport, tabac, titre, unité, vertu* ■ 6 acabit, bibine, espèce, esprit, mérite, pureté, talent, valeur*, vérité ■ 7 brévité, calibre, douceur, égalité, eutocie, faculté, feeling, finesse, mémoire, netteté, torsion, unicité, velouté, vitesse ■ 8 abstrait, agrément, aquosité, attribut, avantage, barbaque, blondeur, camelote, capacité, décision, droiture, drôlerie, extra-fin, facilité, fidélité, fluidité, habileté, héroïsme, infinité, jugement, justesse, légèreté, légitime, lucidité, lui-

sance, méjanage, modalité, modifier, noblesse, pèse-lait, polarité, prêtrise, propreté, qualifié, rousseur, sainteté, sapidité, solidité, sonorité, surchoix, tendreté, tonalité, validité, vinosité ■ **9** actualité, annualité, baronnage, blancheur, caractère, cohérence, commodité, compacité, concision, condition, doyenneté, exquisité, faiblesse, fertilité, fraîcheur, frugalité, hardiesse, héroïcité, homologie, homonymie, hybridité, imminence, indigénat, innocuité, intégrité, limpidité, maternité, mordacité, nouveauté, pacotille, paternité, précocité, propriété, qualifier, rectitude, rusticité, salubrité, sincérité, souplesse, spumosité, sublimité, sveltesse, vaillance ■ **10** acoustique, antonomase, appartenir, canonicité, chevalerie, correction, damoiselle, définition, dérogeance, durabilité, efficacité, électivité, érectilité, étanchéité, extraénité, fusibilité, généralité, hermétisme, hybridisme, infinitude, initiative, légitimité, lisibilité, luminosité, médiocrité, mutabilité, onctuosité, orthodoxie, parrainage, perfection, pertinence, phonogénie, plasticité, résistance, simplicité, solubilité, substratum, succulence, thermalité, venimosité, vicinalité, virtualité, visibilité, volatilité ■ **11** amateurisme, astringence, bourgeoisie, candidature, cessibilité, citoyenneté, délicatesse, diaphanéité, disposition, effectivité, équivalence, évanescence, exigibilité, extériorité, flexibilité, herméticité, homogénéité, immortalité, impropriété, ingéniosité, inventivité, lactescence, maniabilité, masculinité, matérialité, objectivité, opportunité, persistance, ponctualité, possibilité, promptitude, réceptivité, récognition, sélectivité, sociétariat, spécificité, spongiosité, stigmatisme, suzeraineté, tempérament ■ **12** aliénabilité, amissibilité, belligérance, coercibilité, constitution, divisibilité, équidistance, excusabilité, extraversion, galactomètre, habitabilité, honorabilité, immutabilité, incorporéité, intelligence, isochronisme, magnificence, malléabilité, opposabilité, organisation, persévérance, plausibilité, qualificatif, raphaélesque, recevabilité, rétractilité, saturabilité, septennalité, serviabilité, spiritualité, transparence, universalité ■ **13** admissibilité, applicabilité, commercialité, compagnonnage, compatibilité, dissolubilité, haute-fidélité, immatérialité, incessibilité, inoculabilité, instantanéité, invincibilité, inviolabilité, négociabilité, pénétrabilité, phonocontrôle, qualification, rééligibilité, rétroactivité, réversibilité, transcendance, translucidité, vraisemblance ■ **14** appréciabilité, dissociabilité, fonctionnariat, gentilhommerie, imperméabilité, inaltérabilité, indivisibilité, inéluctabilité, perceptibilité, perfectibilité, républicanisme, respectabilité ■ **15** impondérabilité, incommutabilité, indéfectibilité, indissolubilité, inextensibilité, infroissibilité, intellectualité, intelligibilité, invulnérabilité, irréductibilité, manœuvrabilité.

QUAND : 5 comme ■ **7** lorsque.

QUANT A : 4 pour ■ **6** photon ■ **9** quantique ■ **10** quantifier.

QUANTIFICATEUR : 8 quanteur.

QUANTIFIE : 12 inchiffrable.

QUANTIQUE : 7 quanton ■ **15** chromodynamique.

QUANTITE : 2 q.s., si, th ■ **3** dru, mer, peu, q.s.p., tas, vol ■ **4** amas, dose, égal, flot, flux, fois, once, plus, rumb, tant, tare ■ **5** airée, armée, assez, bribe, chiée, débit, doser, duite, excès, filet, force, forêt, foule, fusée, gâche, grêle, joule, larme, masse, mille, moins, offre, pièce, pluie, poche, ponte, potée, pouce, prise, reste, rhumb, somme, stock, tapée, terme, tétée, trace, trait, unité, volée ■ **6** bordée, bribes, charge, chouia, déluge, flopée, foison, gorgée, goutte, mesure*, nombre*, pagaye, plumée, pointe, ration, volume* ■ **7** bouchée, brochée, calorie, combien, coulomb, craquée, éclusée, étendue, faraday, fournée, jonchée, moisson, poignée, portion, quantum, quelque, quotité, soupçon, thermie, titrage, traînée, trinôme ■ **8** abondant, azotémie, azoturie, calcémie, capacité, constant, équation, excédent, fourchée, hydrémie, lichette, millasse, modicité, oligurie, pelletée, présérie, richesse, rincette, septuple, tantinet, tripotée, truellée ■ **9** abondance*, aéroscope, assiettée, coupe-faim, cuillerée, davantage, décrément, dimension, incrément, intensité, menuaille, milliasse, multitude*, oxymétrie, page-écran, paramètre, potomètre, suffisant, trente-six, variation ■ **10** acétomètre, contenance, contingent, différence, glucomètre, ingurgiter, isoïonique, pluviosité, prédominer, quantifier, quenouille, suffisance ■ **11** ampère-heure, atome-gramme, débordement, démographie, éclairement, équipollent, exponentiel, grisoumètre, kilocalorie, pluviomètre, pourcentage, quantitatif ■ **12** calorimétrie, paperasserie, pluviométrie, sesquialtère, sous-multiple, termochimie ■ **13** extrapolation, proportionnel, surbaissement ■ **14** arithmographie, productibilité, quantification, quantitativement, saccharimétrie ■ **15** décalcification, suralimentation.

QUARANTAINE : **7** lazaret ■ **9** boycotter.

QUARANTE : **11** quarantaine, quarantième ■ **12** quadragésime ■ **13** quadragénaire, quarantenaire.

QUARANTENIER : **5** ganse.

QUARK : **5** gluon.

QUART : **4** bock ■ **5** cavet, garde, liard, pinte, verge ■ **7** gobelet ■ **8** quadrant ■ **9** demi-quart, quarteron ■ **10** tribordais ■ **11** quart-de-rond ■ **13** franc-quartier.

QUARTAGE : **7** quarter.

QUART-DE-ROND : **8** coquille ■ **12** quarderonner.

QUARTAUT : **7** tonneau.

QUARTE : **5** dièse, ligne ■ **10** flanconade.

QUARTERON : **5** métis*.

QUARTIER : **2** q.g. ■ **3** q.h.s., q.s.r. ■ **4** camp ■ **5** lycée ■ **6** casbah, ghetto, mellah ■ **7** épaulée ■ **8** juiverie ■ **9** cantonner ■ **10** quartenier ■ **12** centre-ville ■ **13** halte-garderie ■ **14** quartier-maître.

QUARTILE : **13** interquartile.

QUARTION : **7** voûtain.

QUARTZ : **4** grès ■ **5** agate, silex ■ **6** morion ■ **7** citrine ■ **8** fluorite ■ **9** améthyste, cornéenne, quartzeux, rubicelle, sursaturé ■ **10** œil-de-chat ■ **11** œil-de-tigre, quartzifère.

QUASI : **5** tende ■ **7** presque ■ **9** quasiment ■ **12** pratiquement.

QUASSIA : **8** quassine.

QUATERNAIRE : **4** riss, würm ■ **5** varve ■ **7** würmien ■ **8** diluvium, holocène, mammouth ■ **9** glyptodon, mégacéros ■ **10** cénozoïque, mastodonte ■ **11** glyptodonte, mégathérium, néolithique, pléistocène, préhominidé, préhominien ■ **13** néotectonique, postglaciaire ■ **14** anthropozoïque, interglaciaire.

QUATORZE : **11** quatorzième ■ **15** quatorzièmement.

QUATRE : **4** nord ■ **5** quadr, quart ■ **7** tétrade, tétrode ■ **8** quaterne, quatrain, vêtement ■ **9** douze-huit, olympiade, quadrette, quadruple, quatrième, tétraèdre, tétramère, tétrapode ■ **10** quadrifide, quadripale, quadrirème, quadrumane, quadrupède, quadrupler, quadruplés, quartanier, quatre-huit, tétracorde, tétralogie, tétramètre, tétrastyle ■ **11** quadriennal, quadrifolié, quadrupédie, quaternaire, tétraplégie ■ **12** quadrijumeau, quadrilatère, quadrimoteur, quatre-quatre, tétradactyle, tétrasyllabe, tétratomique ■ **13** quadrilatéral, quadripartite, quadripolaire, quadrisyllabe ■ **14** quadrangulaire, quadriréacteur ■

15 tétrasyllabique.
QUATRE FEUILLES: 10 quadrilobe.
QUATRE-VINGTS: 7 octante ■ 8 huitante ■ 11 octogénaire ■ 15 quatre-vingtième.
QUATRIEME: 4 none ■ 5 quart ■ 6 quarto, quater ■ 8 mercredi, quartidi, quartier, retercer, trochure ■ 9 annulaire, caillette, quartager ■ 11 retroussage ■ 12 métencéphale ■ 13 biquadratique, itérativement, quatrièmement, sous-dominante.
QUATUOR: 9 quartette.
QUEBECOIS: 8 péquiste.
QUEL: 5 mince ■ 12 combientième.
QUELCONQUE: 3 gus ■ 5 gemme, gusse, mêlée, moche, monde, natte, objet, opiat, otage, règne, table, tissu, train, trève, venue ■ 7 typesse ■ 8 localité, médiocre ■ 9 périmètre ■ 10 personnage.
QUELQUE: 2 si, un ■ 4 tout ■ 7 certain.
QUELQUE CHOSE: 4 rien ■ 5 bribe, germe, image, lopin, sorte.
QUELQUEFOIS: 7 parfois.
QUELQU'UN: 2 un ■ 3 tel ■ 5 éloge, envoi, guide, haine, meute, ouste, prise, punir, salve, santé ■ 8 coopérer, personne* ■ 9 acoquiner ■ 11 philippique ■ 12 avant-coureur.
QUEMANDER: 8 demander* ■ 10 quémandeur, solliciter*.
QUENELLE: 8 godiveau.
QUENOTTE: 4 dent.
QUENOUILLE: 5 rouet, typha ■ 6 fuseau ■ 11 quenouillée.
QUERCITRON: 11 quercitrine.
QUERCY: 10 quercinois, quercynois, rocamadour.
QUERELLE: 4 défi, rixe ■ 5 noise, prise, privé, scène ■ 6 démêlé, hargne, injure ■ 7 attaque, bagarre, bravade, chicane*, dispute*, grabuge ■ 8 algarade, bataille, bisbille, boutefeu, brouille, calomnie, critique, fâcherie, pamphlet ■ 9 chamaille, charivari, désordres, esclandre, incartade, polémique ■ 10 accrochage, taquinerie ■ 11 altercation, provocation ■ 12 chamaillerie.
QUERELLER: 6 agacer, braver, dauber ■ 7 crosser, narguer ■ 8 attaquer, bagarrer, bringuer, brusquer, chicaner*, disputer*, humilier, injurier, insulter, molester, tempêter ■ 9 asticoter, calomnier, critiquer, provoquer ■ 10 chamailler, déblatérer, querelleur, récriminer, tourmenter ■ 11 apostropher, réprimander ■ 12 disputailler.
QUERELLEUR: 5 hutin ■ 8 hargneux, pétulant ■ 9 harengère ■ 10 batailleur.
QUERIR: 8 chercher*.
QUERULENT: 10 quérulence.
QUESTEUR: 5 sénat ■ 8 questure.
QUESTION: 4 item ■ 5 colle, point, thèse, turbe ■ 6 énigme ■ 7 charade, demande*, travaux ■ 8 autotest, consulte, discuter, pourquoi, problème, solution, supplice ■ 9 check-list, curiosité, délibérer, devinette, symposion, symposium ■ 10 incollable ■ 11 controverse, folkloriste, questionner, subsidiaire ■ 12 dissertation, questionneur, reconsidérer ■ 13 interrogation*, questionnaire ■ 14 interpellation, interrogatoire.
QUESTIONNAIRE: 3 q.c.m.
QUESTIONNER: 5 poser ■ 7 adjurer ■ 8 demander*, enquérir, enquêter, soulever ■ 9 soumettre ■ 10 importuner, interroger* ■ 11 interpeller.
QUETE: 5 butin, furet ■ 6 chasse ■ 8 collecte ■ 9 recherche*.
QUETER: 8 chercher*, requêter ■ 10 solliciter*.

QUEUE : 4 crin, file*, maki, yack ■ 5 balai, caudé, fouet, magot, massé, morné, penne, piano, piton, poêle, râble, sajou ■ 6 anoure, caudal, coccyx, traîne ■ 7 arrière, cordier, diffamé, écaille, procédé, tronçon ■ 8 amarante, couaille, croupion, cuisseau, équeuter, macroure, pédicule, rectrice ■ 9 aiguillon, anglaiser, émouchoir, pédoncule ■ 10 courtauder ■ 12 queue-d'aronde, trousse-queue.
QUIDAM : 8 individu*, personne*.
QUIESCENCE : 9 quiescent.
QUIETISME : 9 quiétiste ■ 11 molinosisme.
QUIETUDE : 5 calme*, repos* ■ 7 douceur ■ 8 ataraxie ■ 12 tranquillité.
QUIGNON : 7 morceau*.
QUILLE : 3 tin ■ 4 sole ■ 5 brion, nable, quête, talon ■ 6 étrave ■ 7 râblure ■ 8 bulb-keel, chantier, quilleur, quillier, varangue ■ 9 épontille.
QUINAUD : 9 embarrassé.
QUINCAILLERIE : 9 charnière ■ 11 boulonnerie ■ 12 quincaillier.
QUININE : 9 quinquina.
QUINOLEINE : 11 chloroquine.
QUINQUET : 5 godet.
QUINQUINA : 7 quinine ■ 10 cinchonine.
QUINTE : 5 dièse ■ 8 quinteux ■ 9 fantaisie.
QUINTESSENCE : 3 suc* ■ 6 moelle ■ 7 pressis ■ 9 substance* ■ 13 quintessencié.
QUINTETTE : 7 quintet.
QUINTILLION : 10 sextillion.
QUINAZ : 9 quinziste.
QUINTEUX : 8 pantalon ■ 9 acariâtre.
QUINZE : 4 ides ■ 9 quinzaine, quinzième ■ 13 pentadécagone, pentédécagone, quinzièmement.
QUIPROQUO : 6 erreur* ■ 7 méprise.
QUIRAT : 10 quirataire.
QUITTANCE : 4 reçu* ■ 6 acquit ■ 7 patente ■ 9 récépissé ■ 10 quittancer.
QUITTE : 6 exempt ■ 8 acquitté, décharge, expatrié ■ 9 apurement, quittance.
QUITTER : 4 laps, ôter ■ 5 adieu, exéat, semer, vider ■ 6 camper, évacué, exiler, lâcher, partir*, perdre, sortir* ■ 7 changer, défaire, émigrer, évacuer, fausser, immigré, laisser*, planter, réfugier, retirer, séparer ■ 8 décoller, défroqué, démarrer, dénicher, déraciner, déserter, essaimer, rabattre, renoncer ■ 9 débarquer, déguerpir, délaisser, déménager, expatrier, requitter ■ 10 abandonner*, dépouiller, désemparer ■ 11 débarrasser, semi-liberté ■ 15 désatellisation.
QUOIQUE : 5 quand ■ 7 bien que ■ 9 encore que.
QUOLIBET : 12 plaisanterie*.
QUOTE-PART : 4 écot ■ 7 prorata, quotité ■ 8 tantième ■ 10 cotisation ■ 12 contribution.
QUOTIDIEN : 8 lectorat ■ 10 fait divers, journalier ■ 13 quotidienneté.
QUOTIENT : 2 q.i. ■ 5 masse ■ 7 densité ■ 8 capacité, pression, radiance, toxicité ■ 9 luminance ■ 10 élasticité ■ 11 goal-average ■ 12 anharmonique ■ 13 homographique ■ 14 auto-inductance.
QUOTITE : 4 cens ■ 9 quote-part.

RABACHAGE : 8 radotage ■ 10 répétition ■ 12 prêchi-prêcha.
RABACHER : 7 radoter, répéter, seriner ■ 9 rabâchage ■ 11 rabâchement.
RABAIS : 5 solde ■ 6 remise ■ 10 diminution ■ 12 bonification.
RABAISSEMENT : 6 baisse.
RABAISSER : 7 baisser, écraser, ravaler ■ 8 abaisser, diminuer, humilier, rabattre ■ 9 déprécier ■ 10 animaliser, détracteur ■ 12 rabaissement.
RABAT : 3 pli ■ 5 volet ■ 8 plissure ■ 9 rabat-joie, rabatteur.
RABATTAGE : 5 rabat.
RABATTEMENT : 10 relèvement.
RABATTRE : 5 rabat, river ■ 7 abatant, capoter, déduire, smasher ■ 8 abaisser, relâcher ■ 9 déchanter, rabaisser, rabattage, rabattoir ■ 10 rabattable ■ 11 rabattement.
RABBIN : 5 rabbi ■ 6 prêtre* ■ 8 rabbinat ■ 10 rabbinique, rabbinisme, rabbiniste ■ 11 consistoire.
RABBINIQUE : 7 midrash.
RABELAISIEN : 8 gaillard.
RABIOT : 3 rab ■ 4 rabe ■ 10 supplément.
RABLE : 3 dos ■ 4 rein ■ 5 râblé, trapu.
RABOT : 5 sabot ■ 6 bouvet, gorget ■ 7 doucine, riflard, varlope ■ 9 guillaume, guimbarde, mouchette ■ 10 étau-limeur, feuilleret.
RABOTER : 5 polir ■ 6 revoir ■ 8 corroyer, rabotage, raboteur ■ 10 rabotement.
RABOTEUX : 4 rude* ■ 5 cahot ■ 6 inégal ■ 7 rugueux* ■ 8 aspérité ■ 14 dégauchisseuse.
RABOUGRI : 4 menu ■ 6 faible ■ 8 difforme, ratatiné ■ 10 rachitique ■ 15 rabougrissement.
RABROUER : 9 rabroueur, repousser*.
RACAILLE : 8 populace*.
RACCOMMODAGE : 5 pièce ■ 9 ravaudage ■ 10 réparation* ■ 11 rafistolage.
RACCOMMODEMENT : 14 réconciliation.
RACCOMMODER : 5 tacon ■ 7 réparer*, stopper ■ 8 arranger*, rapiécer, ravauder, repriser, resarcir ■ 9 rentraire ■ 10 rabibocher, rafistoler, rapetasser, rapièceter, recarreler ■ 11 réconcilier* ■ 12 raccommodeur ■ 13 raccommodable ■ 15 irraccommodable.
RACCOMMODEUR : 8 savetier ■ 12 remplisseuse.

RACCORD: **5** durit ■ **8** bretelle ■ **11** déconnecter ■ **12** raccordement.
RACCORDEMENT: **10** emplanture.
RACCORDER: **6** écimer, ruiler ■ **7** joindre* ■ **8** racheter.
RACCOURCI: **6** abrégé*.
RACCOURCIR: **6** couper* ■ **8** diminuer*, étriquer, troussis ■ **9** prolonger, ratatiner ■ **13** contractilité.
RACCOURCISSEMENT: **8** embuvage ■ **10** retirement, rétraction ■ **11** contraction.
RACCROC: **11** raccrocheur.
RACCROCHER: **11** raccrochage, raccrocheur.
RACCROCHEUSE: **10** prostituée.
RACE: **4** brut, gens, gent, noir, sang, type ■ **5** black, copte, estoc, haras, issue, jaune, métis, nègre, racer, totem ■ **6** bâtard, lignée, maison, marans, souche ■ **7** famille, lignage ■ **8** abâtardi, allogène, engeance, herdbook, hereford, négroïde, pédigrée ■ **9** abondance, congénère, naissance ■ **10** charentais ■ **11** groenendael, hybridation, interracial, mélanoderme, multiracial, polygénisme, xanthoderme ■ **12** montbéliarde, patronymique ■ **13** aberdeen-angus, consanguinité, pangermanisme.
RACHAT: **5** merci, salut ■ **6** rançon, réméré ■ **7** effacer ■ **9** réemption ■ **10** pignoratif, rédemption, socialiser ■ **11** redhibition, réhabiliter.
RACHETER: **5** serfs ■ **7** rédimer ■ **10** affranchir, rachetable, rédempteur ■ **12** irrachetable.
RACHIDIEN: **5** olive ■ **6** rachis ■ **8** bulbaire ■ **11** spina-bifida.
RACHIS: **7** colonne ■ **9** rachidien ■ **10** rachialgie.
RACHITIQUE: **4** noué ■ **8** rabougri ■ **10** rachitisme ■ **13** héliothérapie ■ **14** antirachitique.
RACHITISME: **14** antirachitique.
RACIAL: **8** génocide ■ **11** stéatopygie.
RACINE: **4** base*, iris, kava, kawa ■ **5** accru, arbre, émule, estoc, ipéca, irone, jalap, navet, panax, pivot, salep, spica, taupe, tronc ■ **6** patate, souche ■ **7** alizari, boscoyo, carotte, colombo, éliacin, ginseng, origine, raciner, radical, rhizome ■ **8** cossette, pivotant, racinage, radicant, radicule ■ **9** enraciner, mycorhize, petit-jean, quillette, radicelle, reprendre, rhizotome, valérique ■ **10** chicanneau, ipeca-cuana, radication, radiculite, ressourcer, rhizoctone, rhizophage ■ **11** cristophine, radicotomie, radiculaire, rhizoctonie ■ **12** coupe-racines, radiculalgie ■ **13** pneumatophore.
RACISTE: **4** skin ■ **8** skinhead.
RACKET: **9** rachetter.
RACLAGE: **8** grattage ■ **10** crissement.
RACLEE: **5** volée ■ **7** ramonée ■ **8** tabassée.
RACLER: **5** limer, parer, racle, rader, râper, riper ■ **7** crisser, érafler, gratter, raclure, ramoner, ruginer ■ **8** corroyer, écharner, écorcher, érailler, étriller, raclette.
RACLOIR: **8** strigile.
RACOLAGE: **6** retape.
RACOLER: **6** retape ■ **7** aborder, engager, radeuse ■ **8** racolage, racoleur ■ **10** prostituée.
RACONTAR: **5** conte ■ **7** ouï-dire.
RACONTE: **10** anecdotier.
RACONTER: **4** dire ■ **5** leçon ■ **6** conter, narrer ■ **7** débiter, décrire*, énoncer, exposer, peindre, réciter, relater, version ■ **8** éveiller, rappeler, retracer ■ **9** baratiner, dépeindre, détailler, enchaîner, expliquer, présenter, raconteur, rapporter ■ **10** anecdotier, barattiner, raconta-

ble ■ 11 inénarrable, transmettre ■ 12 inracontable.
RACOON : 5 raton.
RACORNIR : 6 sécher ■ 7 griller ■ 14 racornissement.
RADAR : 6 radome ■ 9 antiradar, téléradar ■ 12 transhorizon ■ 14 radioaltimètre ■ 15 radarastronomie.
RADE : 4 aune, lido, port* ■ 5 aulne, rader ■ 7 lazaret.
RADEAU : 3 ras ■ 4 raft ■ 5 train ■ 7 jangada, rafting.
RADIAL : 9 cadranure.
RADIANT : 7 radieux.
RADIATEUR : 7 ailette ■ 8 calandre ■ 14 cache-radiateur.
RADIATION : 5 rayon* ■ 6 lucide ■ 7 atomisé, radiant ■ 8 radiatif ■ 9 actinisme, athermane, dosimètre ■ 10 infrarouge, radiologie ■ 11 actinomètre, rayonnement, ultraviolet ■ 12 actinométrie, calorescence, radiesthésie ■ 13 antiradiation ■ 14 phycoérythrine ■ 15 monochromatique.
RADICAL : 5 acyle, amide, amine, amyle, aryle, suite, thème ■ 6 alkyle, allyle, butyle, éthyle, radsoc, vinyle ■ 7 acétyle, alcoyle, azotyle, benzyle, méthyle, phényle, uranyle ■ 8 ammonium, benzoyle, déverbal, stéaryle ■ 9 aminogène, apophénie, carbonylé, désinence, hydroxyle, méthylène, monocamine, nitrosyle ■ 10 absolument, déverbatif ■ 11 alcocylation, irrationnel, phosphoryle, radicalaire, radicalisme, sulfhydryle, transférase ■ 12 barbiturique, prosthétique, radicalement ■ 13 butyrophénone ■ 14 benzodiazépine, électronégatif, électropositif ■ 15 phosphorylation, révolutionnaire.
RADICANT : 5 vigne.
RADICELLE : 6 racine* ■ 8 nodosité.
RADICULAIRE : 10 endodontie.
RADIER : 7 effacer ■ 10 traversine.
RADIESTHESIE : 14 radiesthésiste.
RADIEUX : 6 joyeux* ■ 7 radiant ■ 9 rayonnant.
RADIN : 5 avare* ■ 6 chiche.
RADIO : 5 lampe, prise ■ 7 sans-fil ■ 8 émission ■ 9 mass media, trigrille ■ 11 disc-jockey, radioréveil ■ 12 radiojournal, radiotechnie ■ 13 radiocassette, radiodiffuser, radiotélévisé ■ 14 radiodétection, radioreportage.
RADIO-ACTIF : 5 radon ■ 6 curium ■ 7 tritium ■ 8 actinium, francium, polonium ■ 9 neptunium ■ 11 radiocobalt, radiolésion ■ 12 protactinium, radio-élément, radio-isotope, scintigramme ■ 13 curiethérapie, radio-activité, scintigraphie.
RADIOACTIVITE : 13 antiradiation.
RADIO-ASTRONOMIE : 11 radiosource ■ 14 radioastronome, radiotélescope.
RADIOBALISAGE : 12 radiobaliser.
RADIO-CASSETTE : 8 walkman.
RADIO-COMMUNICATION : 15 radiomessagerie.
RADIODIAGNOSTIC : 7 scanner ■ 12 scanographie.
RADIODIFFUSION : 5 radio.
RADIO-ELECTRIQUE : 8 hertzien ■ 10 ultra-court ■ 12 transhorizon ■ 14 radiotechnique ■ 15 transmodulation.
RADIO-ELEMENT : 15 radioactivation.
RADIOGONIOMETRE : 11 radiocompas.
RADIOGRAMME : 15 radiotélégramme.
RADIOGRAPHIE : 5 radio ■ 10 urographie ■ 11 négatoscope, radiographe, tomographie ■ 12 angiographie, cystographie, discographie, myélographie, pelvigraphie ■ 13 arthrographie, lymphographie, neu-

trographie, phlébographie ■ 14 artériographie, hystérographie, méniscographie ■ 15 coronarographie, neutronographie.

RADIOGUIDAGE : 11 radioguider.

RADIOLOGIE : 10 radiologue ■ 12 radiologique, radiologiste ■ 15 neuroradiologie.

RADIONAVIGATION : 5 decca, loran.

RADIOPHARE : 15 radio-alignement.

RADIOPHONIE : 10 auditorium, brouilleur, radiophare ■ 13 radiophonique.

RADIOREPORTAGE : 13 radioreporter.

RADIOSCOPIE : 6 scopie.

RADIOSOURCE : 6 quasar.

RADIOTELEGRAPHIE : 5 radio.

RADIOTELEPHONIE : 5 radio.

RADIS : 3 sou ■ 9 ravenelle.

RADIUM : 2 ra ■ 5 niton, radon ■ 8 polonium, radifère ■ 9 émanation ■ 10 pechblende ■ 13 curiethérapie ■ 14 radiumthérapie.

RADIUS : 5 genou ■ 6 radial.

RADON : 2 rn ■ 5 niton ■ 6 thoron.

RADOTAGE : 9 rabâchage ■ 10 répétition ■ 12 prêchi-prêcha.

RADOTER : 7 répéter ■ 8 radoteur ■ 11 déraisonner.

RADOUB : 3 tin ■ 6 ponton.

RADOUCIR : 14 radoucissement.

RAFALE : 5 risée ■ 6 fougue ■ 10 bourrasque*, mitrailler.

RAFFERMIR : 7 ranimer ■ 8 affermir ■ 15 raffermissement.

RAFFINAGE : 4 pile ■ 8 craqueur ■ 9 épuration, raffineur, vergeoise ■ 11 métallurgie ■ 14 viscoréduction.

RAFFINE : 3 fin* ■ 4 brut, snob ■ 5 sucre ■ 7 affecté, délicat*, maniéré, mondain ■ 8 courtois, raffinat ■ 10 raffinerie ■ 11 abstracteur, esthétisant, marivaudage ■ 13 quintessencié.

RAFFINEMENT : 4 mode ■ 7 finesse* ■ 8 mondanité, snobisme ■ 9 mysticité, recherche* ■ 10 courtoisie, préciocité ■ 11 affectation, délicatesse*, marivaudage.

RAFFINER : 12 blanchissage ■ 14 quintessencier.

RAFFINERIE : 9 raffineur.

RAFFOLER : 5 aimer ■ 6 goûter*.

RAFFUT : 6 tapage*.

RAFIAU : 11 embarcation*.

RAFISTOLER : 7 réparer*.

RAFLE : 4 râpe.

RAFLER : 5 rafle ■ 7 enlever* ■ 9 accaparer ■ 10 approprier, ratiboiser.

RAFRAICHIR : 5 aérer ■ 7 frapper, ranimer, raviver ■ 9 alcarazas, refroidir ■ 11 gargoulette ■ 14 rafraîchisseur, rafraîchissoir.

RAFRAÎCHISSANT : 5 ronce ■ 7 oxycrat ■ 8 corossol, réglisse.

RAGAILLARDIR : 8 remonter*.

RAGE : 6 colère*, fureur* ■ 7 rabique ■ 9 agripaume, déchaîner, passerage ■ 11 antirabique, hydrophobie, rageusement.

RAGER : 5 fumer ■ 6 écumer, rogner ■ 7 bisquer, endêver, enrager, rageant ■ 8 maronner.

RAGEUR : 8 coléreux*.

RAGONDIN : 9 myocastor, myopotame.

RAGOT : 5 conte, trapu ■ 7 ragoter ■ 9 médisance*.

RAGOUT : 4 mafé, mets, rata ■ 5 civet, yassa ■ 6 salmis ■ 7 colombo, navarin ■ 8 fricoter, goulache, goulasch, hochepot, salpicon ■ 9 cassoulet, pot-pourri ■ 10 blanquette, capilotade, carbonnade ■ 11 ragou-

gnasse, ratatouille, salmigondis.
RAGOÛTANT : 8 ragoûter ■ 11 appétissant*.
RAHAT-LOKOUM : 6 lokoum.
RAID : 9 incursion*.
RAIDE : 3 dur* ■ 4 fixe, fort, soie ■ 5 ferme, roide, tendu ■ 6 empesé, guindé, rigide ■ 7 austère, engoncé, escarpé, hérissé ■ 8 engourdi, immobile, sétifère ■ 9 impliable, résistant ■ 10 consistant, inflexible ■ 11 escarpement, mannequiner, orgueilleux.
RAIDEUR : 5 force, rogue ■ 6 fixité ■ 7 fermeté, orgasme, roideur, tension ■ 8 déraidir, érection, rigidité ■ 9 éréthisme ■ 10 crispation, hiératique, résistance* ■ 11 consistance, contraction, engoncement ■ 12 décontracter ■ 13 arthrogrypose, horripilation ■ 15 engourdissement*.
RAIDILLON : 6 montée*.
RAIDIR : 5 rider, tirer ■ 6 amurer, bander, border, roidir, tendre ■ 7 crisper, empeser, souquer ■ 8 abraquer, étarquer, hérisser ■ 9 ankyloser, embraquer ■ 10 contracter* ■ 12 raidissement.
RAIE : 4 onde, onyx, rayé ■ 5 bande, canal, ligne*, rayer, rayon, tiret, trace, trait, veine, zèbre ■ 6 liseré, liteau, rature, rayure, sillon ■ 7 hachure, madrure, nervure, zébrure ■ 8 galuchat, sélacien, torpille, vergeure ■ 9 pontuseau ■ 10 mille-raies, pastenague, vergetures.
RAIL : 4 pose, voie ■ 5 patin ■ 8 aiguille, monorail, tire-fond ■ 9 coussinet, crocodile, dérailler ■ 10 aiguillage, contre-rail, ferroutage ■ 11 à contrecœur, crémaillère.
RAILLER : 4 huer, rire ■ 5 saler, vexer ■ 6 chiner, dauber, draper ficher, foutre, gaudir, larder, moquer*, mordre, piquer ■ 7 acheter, bafouer, blaguer, cherrer, fronder, gausser, ricaner ■ 8 aiguiser, charrier, éreinter, ironiser, malmener ■ 9 accoutrer, blasonner, brocarder, critiquer, gouailler, mécaniser, persifler, rabaisser, raillerie, satiriser ■ 10 accommoder, chansonner, houspiller, plaisanter, tourmenter, tympaniser ■ 11 caricaturer, discréditer, goguenarder, ridiculiser ■ 13 railleusement.
RAILLERIE : 5 risée ■ 6 esprit, humour, ironie*, lardon, pointe, satire ■ 7 brocard, nasarde ■ 8 critique, dérision, galéjade, gouaille, moquerie*, railleur, riposter, sarcasme ■ 9 brocarder, épigramme, gausserie, malignité ■ 10 caricature, pasquinade, persiflage, ricanement ■ 11 éreintement, gouaillerie, insinuation ■ 12 goguenardise, plaisanterie* ■ 13 goguenarderie.
RAILLEUR : 7 chineur ■ 8 gavroche, grinçant ■ 9 goguenard ■ 10 gouailleur, sardonique ■ 11 sarcastique ■ 13 pince-sans-rire.
RAINETTE : 5 raine.
RAINURE : 4 cran, noix ■ 5 creux*, gorge, jable ■ 6 rayure ■ 7 encoche, râblure ■ 8 coulisse, dosseret, entaille*, rainurer ■ 9 cannelure, dentelure, feuillure, glissière, languette ■ 10 bouveteuse ■ 11 microsillon.
RAIRE : 4 réer.
RAIS : 5 moyeu ■ 8 enrayage.
RAISIN : 4 cuve, râpe, uval ■ 5 pinot, rafle, vigne* ■ 6 malaga, muscat, pineau, verjus ■ 7 raisiné ■ 8 cramique, grenache, mistelle, morillon, olivette, vendange, véraison ■ 9 busserole, chasselas, égrappoir, farlouche, ferlouche, madeleine, parisette, pressurer, vendanger ■ 11 vendangerot.
RAISON : 3 car, fol, fou ■ 4 indu, pour, sens, tête, tort ■ 5 banco, brute, cause*, firme, juste, motif*, perdu, sujet, titre ■ 6 esprit*, mobile, moyens, pensée* ■ 7 cerveau, démence, grisant, logique*, naturel, sagesse* ■ 8 affolant, aveugler, cuvaison, déraison, fidéisme, fortiori,

jugement, maturité, parce que, pourquoi, prétexte*, radotage, répondre ■ 9 causalité, démentiel, démotiver, raisonner, rationnel, rectitude, zététique ■ 10 aliénation, conscience, doublement, réfutation, réparation ■ 11 aveuglement, déraisonner, dialectique, entendement, explication, extravaguer, intraitable, irrationnel, philosophie, pleurnicher, raisonnable ■ 12 discernement, intelligence, raisonnement, rationalisme, satisfaction ■ 13 antirationnel, compréhension, considération, contradiction, déraisonnable, irraisonnable, obscurantisme ■ 14 transcendantal ■ 15 raisonnablement.

RAISONNABLE: 4 bien, sage* ■ 5 sensé, fondé ■ 6 modéré* ■ 7 prudent ■ 8 probable.

RAISONNEMENT: 4 donc, sens ■ 5 a pari, avent ■ 6 cercle, raison ■ 7 absurde, logique ■ 8 apapogie, argument*, conclure, obtusion, patauger, pétition, raisonné, sophisme ■ 9 apriorité, discursif, idée-force, impressif, induction, mentalité, rationnel, sélection, simplisme, subtilité, topologie ■ 10 a contrario, algorithme, analogisme, apagogique, apriorisme, convaincre, randomiser, transition ■ 11 dialectique, échafaudage, effectivité, ontologisme, paralogisme ■ 12 bradypsychie, mathématique ■ 13 démonstration, ratiocination ■ 14 déraisonnement, intuitionnisme.

RAISONNER: 6 penser* ■ 7 inférer, prouver, réfuter ■ 8 conclure, discuter, logicien, objecter, répondre, spéculer ■ 9 démontrer, épiloguer, rétorquer ■ 10 argumenter, conséquent, irraisonné, politiquer, raisonneur, ratiociner ■ 11 dialectique, philosopher, psittacisme ■ 12 raisonnement.

RAJAH: 4 rani ■ 6 radjah.

RAJEUNIR: 7 ranimer* ■ 8 jouvence, reverdir ■ 10 moderniser ■ 11 appalachien ■ 14 rajeunissement.

RAJUSTER: 7 réparer ■ 8 corriger* ■ 11 péréquation, rajustement ■ 12 réajustement.

RALE: 9 marouette ■ 10 stertoreux.

RALENTIR: 5 frein ■ 7 alentir, freiner, modérer* ■ 8 retarder* ■ 9 décélérer, inhibitif, parachute ■ 10 étrangloir, inhibiteur ■ 12 casse-vitesse, ralentisseur.

RALENTISSEMENT: 5 stase ■ 6 retard* ■ 10 dépression ■ 11 acrocyanose, arthritisme, relâchement, retardation ■ 12 bradykinésie ■ 13 alentissement ■ 14 malthusianisme.

RALER: 4 faon, râle ■ 5 tigre ■ 6 pester* ■ 8 protester, râlement.

RALINGUE: 9 ralinguer ■ 10 empointure.

RALLER: 5 raire.

RALLIDE: 4 râle ■ 5 agami ■ 9 poule d'eau, trompette ■ 10 ralliforme.

RALLIER: 7 adhérer, adopter ■ 8 réformer ■ 9 approuver, assembler, rejoindre ■ 10 ralliement.

RALLIFORME: 5 agami, cagou.

RALLONGE: 12 augmentation, prolongateur.

RALLONGER: 8 rallonge ■ 9 augmenter* ■ 12 rallongement.

RALLYE: 8 spéciale.

RAMADAN: 5 jeûne ■ 9 aïd-el-fitr ■ 11 aïd-el-séghir.

RAMAS: 4 amas* ■ 10 groupement.

RAMASSAGE: 8 glandage ■ 10 cueillette ■ 11 pick-up baler.

RAMASSE: 12 voiture-balai.

RAMASSER: 5 levée, tapir ■ 6 glaner ■ 7 amasser, charger, rallier, râteler, relever ■ 8 récolter* ■ 9 assembler, ramassage, ramasseur, râtelures, sarmenter ■ 10 pelotonner, ramassette.

RAMASSIS: 3 tas* ■ 4 amas*.

RAMBARDE : 5 lisse ■ 8 batayole ■ 10 balustrade*, garde-corps.
RAME : 4 pale ■ 5 fuste, nagée, ramée, ramer, seuil, tolet ■ 6 aviron, pagaie ■ 7 branche, godille, ramette ■ 10 quadrirème.
RAMEAU : 4 dard, écot, mère ■ 5 arçon, écoté, monte, osier ■ 6 pampre, provin ■ 7 branche*, chimère, greffon, rinceau, trochée ■ 8 accolage, fanaison, fastigié, ramilles ■ 9 brindille, lambourde, vigneture ■ 10 ramescence ■ 11 brittonique.
RAMEE : 7 branche*.
RAMENDER : 9 ramendeur.
RAMENER : 6 amener ■ 7 défiger, ranimer, réduire, retirer, unifier ■ 8 arrondir, rappeler, rétablir* ■ 9 convertir, rapatrier, ressaisir ■ 10 décongeler ■ 11 ressusciter ■ 12 conditionner, psychanalyse ■ 13 désurchauffer, psychologisme ■ 14 rédintégration ■ 15 rechristianiser.
RAMEQUIN : 8 coquille.
RAMER : 5 nager, scier ■ 7 canoter, déramer, gabarer ■ 8 godiller.
RAMEUR : 5 skiff ■ 8 canotier, chiourme, espalier ■ 9 godilleur.
RAMI : 7 gin-rami ■ 8 gin-rummy.
RAMIER : 6 pigeon* ■ 7 ramerot ■ 8 colombin, ramereau.
RAMIFICATION : 3 cor ■ 5 filet, stipe ■ 7 branche, étendre ■ 10 andouiller ■ 11 bronchioles, subdivision ■ 13 embranchement.
RAMILLE : 7 branche*.
RAMOLLIR : 7 amollir* ■ 9 diffluent ■ 12 mâche-bouchon, préchauffage ■ 13 mâche-bouchons ■ 14 ramollissement.
RAMOLLISSEMENT : 5 carie ■ 12 ostéomalacie.
RAMONER : 8 hérisson, ramonage, ramoneur.
RAMPANT : 3 bas, boa, ver ■ 4 lion ■ 6 stolon ■ 7 servile.
RAMPE : 6 montée ■ 7 rampant ■ 8 pilastre ■ 10 arc-rampant.
RAMPER : 9 rampement, reptation.
RAMPONNEAU : 4 coup.
RAMS : 9 romestecq.
RAMURE* : 7 branche, merrain.
RANALE : 12 polycarpique.
RANCE : 4 gâté ■ 5 ranci ■ 12 rancissement.
RANCH : 6 rancho.
RANCHO : 5 ranch.
RANCIR : 5 gâter* ■ 10 rancissure ■ 11 rancescible ■ 12 rancissement.
RANCŒUR : 7 rancune*.
RANÇON : 5 lagan ■ 9 kidnapper.
RANÇONNER : 7 saigner ■ 10 rançonneur ■ 12 rançonnement.
RANCUNE : 4 dent ■ 5 haine ■ 8 rancœur ■ 9 rancunier, vengeance ■ 12 ressentiment*.
RANDOMISER : 13 randomisation.
RANDONNEE : 2 g.r. ■ 4 trek ■ 6 course ■ 7 circuit ■ 8 pataugas, trekking ■ 9 promenade*, randonner.
RANDONNEUR : 9 topo-guide.
RANG : 4 égal, file, lady, lieu, tête, tour ■ 5 avant, caste, degré*, grade*, guide, herse, huppé, ligne*, ordre, palée, place, queue ■ 6 assise, classe, enième, rangée* ■ 7 échelon, ordinal ■ 8 chapelet, chérubin, enfilade, primauté ■ 9 catégorie, condition, diviniser, élévation, périptère, présenter, sacrifier, tertiaire ■ 10 chevalerie, hiérarchie, notabilité, quadrirème, succession ■ 11 infériorité, prééminence ■ 12 battellement, combientième.
RANGEE : 4 file, haie, orne, rang*, tire ■ 5 égout, glane, ligne*, palée, quine, rampe, virée ■ 6 andain, assise, saulée, travée ■ 7 clavier ■

8 batterie, espalier, ouillère, oullière ■ **9** colonnade, ouillière ■ **10** balustrade, claire-voie ■ **14** contre-espalier.
RANGEMENT : **3** tri ■ **4** rack ■ **8** position ■ **9** placement ■ **10** alignement ■ **13** superposition.
RANGER : **5** garer, poser, trier ■ **6** mettre, placer, régler, sérier, serrer ■ **7** aligner, classer, remiser ■ **8** alterner, arranger*, enfermer, ordonner, succéder ■ **9** soumettre ■ **10** assujettir, bêcheveter, classifier, superposer.
RANIDE : **10** grenouille.
RANIMATION : **11** réanimation.
RANIMER : **4** sels ■ **6** guérir ■ **7** attiser, exciter, ramener, raviver, recréer, refaire, relever ■ **8** consoler, rajeunir, rallumer, rassurer, réanimer, rebondir, renaître, rétablir* ■ **9** dégourdir, fortifier, raffermir, ranimable, ravigoter, régénérer, rehausser, restaurer, retremper, réveiller ■ **10** électriser, encourager, réchauffer, renouveler, revivifier ■ **11** ressusciter ■ **12** ragaillardir.
RAPACE : **5** avare*, proie, strix ■ **6** autour, diurne ■ **7** effraie, gypaète, harfang, hulotte ■ **8** chevêche, circaète, corsaire, émouchet, épervier, nocturne, strigidé* ■ **9** chat-huant, falconidé*, ululation, ululement ■ **10** secrétaire ■ **11** jean-le-blanc, serpentaire ■ **12** falconiforme.
RAPACITE : **7** avarice* ■ **8** cupidité ■ **10** convoitise.
RAPATRIEMENT : **9** exfiltrer.
RAPATRIER : **11** rapatriable ■ **12** rapatriement.
RAPE : **3** usé* ■ **4** lime ■ **5** rafle, râper ■ **9** chapelure.
RAPETASSER : **11** raccommoder*, rapetassage.
RAPETISSER : **8** diminuer* ■ **9** ratatiner ■ **10** raccourcir ■ **13** rapetissement.
RAPHAELIQUE : **12** raphaélesque.
RAPHIA : **6** rabane.
RAPIAT : **6** chiche.
RAPIDE : **3** vif* ■ **4** clin, coup, vite ■ **5** aviso, essai, galop, gazer, hâter, raide, subit*, train, trait ■ **6** burger, cursif, preste, prompt, stawug, véloce, vivace ■ **7** bâclage, brusque, escarpé, imprévu, soudain*, trémolo ■ **8** accéléré, frégater, galopant, gyrostat, microbus, rapidité, trudgeon ■ **9** collapsus, contre-pas, destroyer, fulgurant, impétueux, jet-stream, jeune-turc, paso doble, raidillon, tire-d'aile, trempette, tricotets, vibration ■ **10** crayonnage, détonation, hurluberlu, messagerie, torpilleur ■ **11** dénutrition, pullulation, pullulement, trémulation ■ **12** tachipsychie ■ **15** course-poursuite.
RAPIDEMENT : **3** tôt ■ **4** fuir ■ **5** filer, voler ■ **6** calter, chaîné ■ **7** bientôt, caleter ■ **8** arpenter, bachoter, dévidoir, snack-bar, surgeler ■ **9** déguerpir ■ **10** couramment, descendeur, hâtivement, prestement, restoroute, torchonner, trémousser, virevolter ■ **12** sténographie.
RAPIDITE : **7** boutade, saccade, saillie, vitesse* ■ **8** célérité, vélocité*, vivacité*, volubile ■ **9** croisière, glissando, incartade ■ **10** brusquerie, rapidement, volubilité ■ **11** promptitude*, tachyphémie ■ **13** précipitation.
RAPIECER : **11** raccommoder*, rapiècement.
RAPIECETER : **11** raccommoder*.
RAPIERE : **4** épée*.
RAPIN : **7** peintre.
RAPINE : **3** vol* ■ **5** butin ■ **7** capture, pillage*, rapiner ■ **9** rapinerie ■ **10** brigandage*, flibustier ■ **11** déprédation.
RAPPARIER : **12** rappariement.

RAPPEL : **6** retour ■ **7** mémoire ■ **9** évocation ■ **12** remémoration.
RAPPELER : **6** pendre ■ **7** évoquer, exhumer, recoler ■ **8** anamnèse, hourvari, raconter, retracer, souvenir* ■ **9** rafraîchir, remembrer, remémorer, reprocher ■ **10** commémorer, rafraîchir, rappelable, renouveler, souvenance ■ **11** ramentevoir ■ **12** anniversaire.
RAPPELLE : **8** rubénien ■ **10** mongoloïde ■ **13** anacréontique.
RAPPORT : **2** pi ■ **4** cote, dans, mach, pour ■ **5** droit, équin, fécal, fruit, juger, modal, natal, objet, puiné, ratio, rénal, royal, sinus, sœur, soyer, sujet, terme, terre, titre, tonal, trait, union, vocal, votif ■ **6** aspect, indice, insula, revenu ■ **7** braquet, calibre, connexe, contact, densité, échelle, inersif, intérêt, liaison*, mention, moisson, parenté, produit, rasance, relatif* ■ **8** aboucher, affinité, analogie, atavique, atomique, bulletin, césarien, chevalin, cosmique, cyclonal, cystique, dentaire, écologie, équestre, érotique, foliaire, gustatif, hippique, hordéacé, hormonal, huîtrier, inversif, latitude, linéaire, marbrier, marchand, maritime, médiéval, méridien, métrique, moralité, natalité, objectal, objectif, orgiaque, périnéal, relation*, saphique, saturnin, scénique, sex-ratio, sioniste, standard, statique, temporal, trachéal, unitaire, uvulaire, vaccinal, vénérien, vespéral, vicarial, vinicole, viticole, zénithal ■ **9** abdominal, aéronaval, altruiste, ascitique, axillaire, bactérien, botanique, bucolique, calculeux, capitolin, carentiel, cartésien, causalité, cavitaire, cédulaire, choréique, cimbrique, clearance, commettre, communion, concerner, concorder, connexion, connexité, contacter, culinaire, cycloïdal, décoratif, deltaïque, disparate, dividende, druidique, entérique, expertise, gallinacé, gastrique, glottique, graphique, hépatique, herniaire, hexagonal, insulaire, jardinier, jubilaire, lagunaire, laryngien, lésionnel, lobulaire, matriciel, matutinal, menstruel, microbien, mimétique, moïsiaque, monétaire, mulassier, municipal, nestorien, newtonien, nodulaire, nucléaire, ombilical, orbitaire, organique, osmotique, pastorien, patricial, pélagique, pélasgien, pétrolier, prétorial, productif, protéique, rachidien, rapporter, rendement, reptilien, rhodanien, rubéoleux, salivaire, saturnien, savonner, sciatique, sensoriel, sépulcral, séismique, somnolent, statuaire, stellaire, subjectif, sylvicole, terrestre, thermique, triasique, triomphal, tumulaire, variqueux, vectoriel, vertébral, vocalique, zostérien, zymotique ■ **10** alchimique, antécédent, aplastique, artistique, avocassier, brightique, cellulaire, chaldaïque, communauté, consonance, convenance, crématoire, cyclonique, dépendance, descendant, diabétique, didactique, diplomatie, dissonance, eczémateux, électrique, endoréique, enharmonie, épithélial, fluviatile, galvanique, gémellaire, génésiaque, germinatif, guichetier, helvétique, heptagonal, héraldique, hygiénique, indivision, intervalle, japhétique, législatif, liturgique, magmatique, mastoïdien, maxillaire, migratoire, mithriaque, mnémonique, monastique, morbilleux, mutualiste, nébulosité, névritique, névrosique, œdémateux, opératoire, ostréicole, parafiscal, parotidien, pasteurien, pécuniaire, pélasgique, pellagreux, pendulaire, pentagonal, pertinence, phalangien, pharaonien, phylétique, pignoratif, pituitique, platonique, pollinique, précordial, prévalence, proportion, relativité, rubéolique, sculptural, septembral, séricicole, similitude, socialiste, sociologue, socratique, solénoïdal, solsticial, somptuaire, soviétique, sphénoïdal, stipulaire, syllabique, talmudique, tangentiel, thématique, théurgique, thoracique, thyroïdien, tissulaire, traitement, tympanique, valvulaire, variolique, volcanique, xiphoïdien ■ **11** absolutiste, accointance, agronomique, allongement, arthritique, articulaire, atrabilaire, auriculaire, avunculaire, brahmanique, bregmatique, cadavérique, ca-

talytique, charbonnier, chlorotique, coexistence, coïncidence, comparaison*, compte rendu, conciliaire, continental, corrélation, description, dictatorial, dolomitique, dyspareunie, dyspepsique, dyspeptique, endothélial, entéro-rénal, enzymatique, fonctionnel, hexaédrique, houblonnier, hydraulique, idéologique, isostatique, instinctuel, lunisolaire, lymphatique, malléolaire, matrimonial, messianique, moléculaire, monogamique, napoléonien, névralgique, nucléonique, obédientiel, œnologique, œsophagien, onomastique, ontologique, ostéalgique, panathénien, paronymique, pédagogique, péremptoire, pharaonique, pigmentaire, pithiatique, pittoresque, plasmatique, platonicien, pneumatique, préfectoral, préposition, probabilité, prolétarien, ptolémaïque, quantitatif, radiculaire, scolastique, sensualiste, soustractif, spasmodique, subrogation, substantiel, successoral, symbiotique, théogonique, typhoïdique, zoroastrien ■ **12** acido-basique, aéronautique, aérostatique, anharmonique, autocratique, bimétalliste, cabalistique, circulatoire, coïncidation, concomitance, convivialité, correspondre, élisabéthain, épicycloïdal, espérantiste, étymologique, géocentrique, glycogénique, gyroscopique, hallstattien, hippiatrique, hydrothermal, hypophysaire, kilométrique, loxodromique, mandibulaire, mésentérique, métrologique, odontalgique, œsophagique, oniromancien, orthopédique, pathogénique, péninsulaire, phagocytaire, photogénique, pointilliste, polyphonique, porcelainier, préciputaire, prémenstruel, productivité, pyrométrique, qualificatif, rationaliste, ressemblance, rétrospectif, sarracénique, sémaphorique, septicémique, simultanéité, sociologique, splanchnique, talismanique, synchronisme, tautologique, tégumentaire, téléphonique, théocratique, thermidorien, vestibulaire, volumétrique ■ **13** accommodateur, apocalyptique, archéologique, atmosphérique, autographique, bathymétrique, chronologique, circonstancié, communication, confessionnel, confraternité, correctionnel, délibératoire, départemental, disciplinaire, embryologique, entomologique, erpétologique, ethnobiologie, eucharistique, exophtalmique, fréquentation, gastronomique, grandissement, grossissement, hématologique, hippophagique, homéopathique, hygrométique, logarithmique, manufacturier, méditerranéen, métallurgique, métamorphique, mortinatalité, obscurantiste, phalanstérien, phrénologique, physiologique, physionomique, plébiscitaire, préhistorique, processionnel, professionnel, psychologique, saint-simonien, séméiologique, sous-traitance, spiritualiste, stéréotomique, tauromachique, télégraphique, tératologique, toxicologique, transformiste, ventriculaire, vestimentaire, xylographique ■ **14** amphictyonique, blennorragique, cartographique, chlorophyllien, correspondance, cosmographique, dynamométrique, ethnographique, génito-urinaire, héliocentrique, identification, lithographique, mélodramatique, mnémotechnique, parenchymateux, péripatéticien, pharmaceutique, photographique, phraséologique, prophylactique, sacrificatoire, spatio-temporel, sténographique, stéréométrique, supraterrestre, thermométrique ■ **15** bactériologique, bibliographique, contemporanéité, cryptographique, diaphragmatique, électrochimique, fluvio-glaciaire, hydrothérapique, interindividuel, jurisprudentiel, lexicographique, ophtalmologique, oxyacétilénique, paléontologique, pharmacologique, sélénographique, sous-préfectoral, spectroscopique, stéréographique, stratigraphique, trigonométrique.

RAPPORTE: **5** idéal ■ **7** jetisse, toilier ■ **8** extrusif, gaullien, iconique, inertiel, jectisse, thétique ■ **9** chartiste, ingresque, involutif ■ **10** cationique, deltoïdien, giottesque, lombo-sacré ■ **11** expiratoire, plasmatique ■ **12** chaplinesque, conjonctival, préconscient, pugilistique ■

13 bucco-dentaire, définitionnel, moyen-oriental ■ 14 phraséologique, proche-oriental, psychométrique.

RAPPORTER: 5 citer ■ 6 donner, porter, rendre ■ 7 annuler, référer, répéter ■ 8 apporter, comparer, convenir, produire, profiter, raconter* ■ 9 consigner, enchaîner, exploiter, non-valeur, soumettre ■ 10 fréquenter, gagne-petit, moissonner, moucharder, rapporteur ■ 11 rapportable ■ 13 profitabilité.

RAPPORTEUR: 6 cafard, espion* ■ 7 cafteur ■ 8 cafetière, casserole, mouchard ■ 11 subrogateur.

RAPPROCHE: 6 voisin ■ 9 congestif, rabattant ■ 11 close-combat.

RAPPROCHEMENT: 7 rapport, réunion*, serrage ■ 8 alliance ■ 9 adduction ■ 11 association, comparaison* ■ 12 rapatronnage.

RAPPROCHER: 5 lofer, plier, tâter ■ 6 fermer, pincer, réunir*, serrer ■ 7 attiser, joindre*, rallier ■ 8 associer, comparer ■ 9 connivent ■ 10 centripète, paronomase, romanisant, ténorisant ■ 11 diamantaire, socialisant ■ 13 perfectionner, rapprochement.

RHAPSODE: 5 poète ■ 9 rhapsodie.

RAPT: 10 enlèvement*.

RAPURE: 4 pané.

RAQUETTE: 5 batte, paume ■ 7 battoir, palette, timbale, triquet ■ 14 presse-raquette.

RARE: 4 néon ■ 5 astre, épars, inouï, mythe, xénon ■ 6 anomal, didyme, épique, rareté, unique ■ 7 anormal, bizarre, curieux, inusité, krypton, signalé ■ 8 dispersé, europium, fréquent, insolite, lanthane, original, précieux, raréfier, rarement, rubidium, samarium ■ 9 clairsemé, phénomène, rarissime, recherche ■ 10 gadolinium, inhabituel, lanthanide ■ 11 inaccoutumé, introuvable, remarquable ■ 12 exceptionnel* ■ 14 extraordinaire*.

RAREFACTION: 11 ostéoporose.

RAREFIE: 9 rarescent.

RAREFIER: 7 réduire ■ 9 rarescent ■ 10 raréfiable ■ 11 raréfaction.

RAREMENT: 9 trente-six.

RARETE: 15 spanioménorrhée.

RAS: 4 égal ■ 5 gazon, rader, raser ■ 7 rasibus.

RASAGE: 10 after-shave.

RASANT: 5 drive ■ 9 bassinant ■ 11 diffraction.

RASCASSE: 7 sébaste ■ 8 scorpène ■ 10 uranoscope.

RASE: 5 barbu.

RASER: 6 couper*, friser, frôler, tondre ■ 7 ennuyer* ■ 8 tonsurer ■ 9 barbifier ■ 10 démanteler.

RASEUR: 4 lame.

RASSASIER: 5 gaver ■ 6 gorger ■ 7 nourrir, remplir, saouler, satiété, saturer ■ 8 abreuver, assouvir, repaître ■ 9 contenter ■ 10 désaltérer, insatiable, satisfaire*, sursaturer ■ 12 ressasiement ■ 13 insatiabilité.

RASSEMBLEMENT: 4 base ■ 5 musée, poche ■ 7 meeting, réunion*, rookery ■ 8 rookerie, roquerie ■ 10 groupement, ralliement ■ 12 attroupement ■ 13 concentration, manifestation.

RASSEMBLER: 6 réunir* ■ 7 drainer, grouper*, joindre*, rallier ■ 8 codifier, rabattre, ramasser, recruter ■ 9 assembler*, attrouper, condenser ■ 10 agglomérer, concentrer, éparpiller, recueillir ■ 13 rassemblement.

RASSERENER: 6 calmer* ■ 7 apaiser*.

RASSIR: 12 rassissement.

RASSIS: 3 dur* ■ 4 posé.

RASSORTIR: 10 réassortir ■ 12 rassortiment ■ 13 réassortiment.

RASSURER : 7 apaiser* ■ 8 consoler ■ 9 rassurant ■ 13 tranquilliser.
RASTA : 10 dreadlocks.
RASTAQUOUERE : 5 rasta ■ 9 intrigant.
RAT : 5 hibou, mulot, raton, xérus ■ 6 chiche, ratier ■ 7 ondatra, potorou, ratière ■ 8 gerboise, ragondin, raticide, surmulot ■ 9 campagnol, dératiser, mangouste ■ 10 musaraigne ■ 11 bull-terrier, mort-aux-rats ■ 12 dératisation.
RATAFIA : 8 rossolis.
RATAGE : 5 loupé.
RATATINE : 8 rabougri.
RATATOUILLE : 4 rata.
RATE : 5 loser ■ 6 manque ■ 8 fressure, splénite ■ 9 splénique ■ 12 splénectomie ■ 13 splénomégalie.
RATEAU : 7 fauchet, fauchon, râtelée, rouable ■ 8 râtisser ■ 9 râtelures.
RATELER : 8 râtelage, râteleur.
RATELIER : 4 dent ■ 7 vautoir ■ 8 doublier.
RATELLE : 8 râteleur.
RATER : 6 louper ■ 7 échouer*, manquer*.
RATIBOISER : 4 tuer ■ 10 approprier.
RATIER : 5 piège.
RATIFICATION : 8 sanction ■ 9 agréation ■ 11 approbation* ■ 12 consécration.
RATIFIER : 9 approuver*, confirmer, consacrer, entériner ■ 10 référendum ■ 11 plébisciter, sanctionner.
RATINER : 9 ratineuse.
RATIOCINER : 9 raisonner* ■ 10 argumenter*.
RATION : 4 part* ■ 7 portion* ■ 8 boujaron ■ 9 rationner ■ 11 rationnaire.
RATIONALISER : 8 codifier ■ 12 rationalisme, rationaliste ■ 15 rationalisation.
RATIONNEL : 8 dyadique ■ 9 cartésien, ergonomie, urbanisme ■ 10 thérapeute ■ 11 philosophie, rationalité ■ 13 taylorisation ■ 15 rationnellement.
RATIONNER : 12 rationnement.
RATISSER : 5 riper ■ 6 racler ■ 7 gratter ■ 9 râtissage.
RATITE : 4 émeu, kiwi ■ 6 casoar, nandou ■ 7 aptéryx ■ 8 autruche.
RATON : 6 racoon.
RATTACHE : 8 davidien ■ 9 ingresque.
RATTACHER : 7 indexer, joindre* ■ 8 brancher, inféoder ■ 9 rapporter, rejoindre.
RATTRAPER : 7 courser ■ 9 recouvrer, rejoindre* ■ 10 raccrocher ■ 11 rattrapable.
RATURER : 5 rayer ■ 6 barrer, biffer, rature ■ 7 effacer ■ 8 corriger*, raturage.
RAUCHAGE : 7 raucher.
RAUCITE : 10 enrouement.
RAUQUE : 6 enroué ■ 7 éraillé ■ 8 guttural, mêlé-cass ■ 11 graillement.
RAUQUER : 5 tigre.
RAUWOLFIA : 9 raubasine.
RAVAGE : 5 ruine* ■ 8 ravageur ■ 10 vampirisme.
RAVAGER : 5 sévir ■ 6 piller*, ruiner ■ 7 désoler ■ 8 détruire, dévaster, infester, saccager ■ 9 fourrager.
RAVALER : 6 abolir, avilir ■ 8 abaisser, ravaleur ■ 9 rabaisser ■ 10 ravalement.
RAVAUDER : 7 réparer* ■ 8 repriser ■ 10 ravaudeuse ■ 11 raccommoder*.

RAVE: 5 radis ■ 7 ravière.
RAVI: 7 content* ■ 8 enchanté ■ 9 triompher.
RAVIGOTER: 7 ranimer* ■ 8 remonter ■ 10 ravigotant.
RAVIN: 6 cavité, chemin, ravine, vallée* ■ 8 barranco ■ 9 précipice ■ 10 ravinement.
RAVINE: 5 ravin ■ 6 cavité ■ 9 cours d'eau.
RAVIR: 4 ôter* ■ 5 proie ■ 6 plaire* ■ 7 charmer*, enlever*, prendre*, séduire* ■ 8 arracher*, emballer ■ 9 enchanter, ravisseur ■ 10 approprier.
RAVISER: 7 changer.
RAVISSANT: 4 beau* ■ 8 charmant*.
RAVISSEMENT: 4 joie* ■ 6 extase ■ 7 bonheur* ■ 9 transport ■ 10 enlèvement.
RAVITAILLEMENT: 5 stand ■ 6 escale ■ 8 baliseur ■ 10 logistique ■ 12 ravitailleur ■ 13 avitaillement.
RAVITAILLER: 7 nourrir ■ 14 approvisionner*, ravitaillement, station-service.
RAVIVER: 7 ranimer* ■ 8 ravivage ■ 10 rafraîchir.
RAY: 6 brûlis.
RAYABLE: 5 plomb.
RAYE: 5 fusil, règle, tigre, zèbre ■ 6 burelé ■ 8 écossais.
RAYER: 6 barrer, biffer, radier, régler, tracer ■ 7 annuler*, bretter, effacer, raturer ■ 8 rayement ■ 9 bretteler ■ 10 quadriller.
RAYON: 1 x ■ 2 uv ■ 3 jet, rai ■ 4 cire, rais, tain ■ 5 alpha, cadre, écran, favus, foyer, lueur, méson, radié, ruche, sinus, terre ■ 6 gaufre, radial ■ 7 actinie, lumière ■ 8 actinite, radiaire, rayonner ■ 9 actinique, hélicoïde, radiation* ■ 10 étincelant, insolation, radiologie ■ 11 anticathode, irradiation, luminescent, pochothèque, radiolésion, radioscopie ■ 12 bétathérapie, polarisation, radiodermite, radiographie, radionécrose, scintigramme ■ 13 radiothérapie ■ 14 actinothérapie ■ 15 radiodiagnostic, röntgenthérapie.
RAYONNEMENT: 7 chaleur*, lumière*, radieux, sievert ■ 8 radiance, roentgen ■ 9 lucimètre, pénétrant, radiolyse ■ 10 photologie ■ 11 photosphère ■ 12 antiatomique, fluorescence, solarigraphe ■ 13 curiethérapie, photobiologie, radio-activité ■ 15 radioprotection.
RAYONNER: 5 jeter ■ 6 darder, lancer ■ 7 briller* ■ 8 irradier ■ 9 rayonnant ■ 11 rayonnement.
RAYURE: 4 raie* ■ 5 bande, rayer ■ 7 zébrure.
RAZ DE MAREE: 7 tempête, tsunami.
RAZZIA: 7 attaque, pillage* ■ 9 incursion.
REABONNER: 12 réabonnement.
REACTEUR: 7 breeder ■ 9 bouilleur ■ 10 biréacteur, divergence ■ 13 surgénérateur ■ 15 surrégénérateur.
REACTIF: 3 var ■ 8 varheure.
REACTION: 3 jet, oxo ■ 4 pile ■ 5 effet*, fluor, fusée ■ 6 enzyme, in vivo ■ 7 anergie, réflexe ■ 8 addition, alcalose, allergie, catergol, chimisme, diastase, kérosène, kérosine, réacteur, stripage ■ 9 biochimie, catalyser, dyscrasie, effecteur, fataliste, ménotaxie, phénotype, propergol, réductase, urticaire, vaccinide ■ 10 divergence, inhibiteur, métabolite, péroxydase, phototaxie, plasmolyse, réactogène ■ 11 catabolisme, conséquence, inémotivité, métabolisme, moteur-fusée, réactionnel, sulfonation, tempérament ■ 12 anallergique, auto-amorçage, béhaviorisme, ciclosporine, comportement, dermographie, inflammation, irréversible, polyaddition, pyrogénation, substitution, urtification ■ 13 aérotechnique, béhaviourisme, cosmobiologie, dermatopti-

que, idiosyncrasie, immunodéprimé, phototactisme, pulsoréacteur, réactionnaire, statoréacteur, turboréacteur ■ 14 dermographisme, éthérification ■ 15 contre-transfert, décarboxylation, désassimilation, électrotropisme, phosphorylation, photopériodisme, psychotechnique, thermonucléaire.

REACTIONNAIRE : 8 réaction.

REACTIVER : 12 réactivation.

REACTIVITE : 13 biomagnétisme.

REACTUALISER : 15 réactualisation.

READAPTER : 12 réadaptation ■ 13 occupationnel.

REAGIR : 8 résister ■ 9 gendarmer, irritable ■ 10 interactif, réactivité, résistance ■ 11 sensibilité ■ 12 irritabilité.

REAGIT : 14 immunotolérant.

REAL : 7 mil-reis.

REALIGNEMENT : 9 réaligner.

REALISABLE : 8 faisable ■ 11 faisabilité.

REALISATEUR : 8 vidéaste.

REALISATION : 5 effet, voisé ■ 8 création* ■ 9 attendant ■ 10 gémination, graduation, production ■ 11 engineering, syndication ■ 12 avant-contrat ■ 13 astronautique ■ 14 coarticulation ■ 15 accomplissement.

REALISE : 12 irréalisable.

REALISER : 5 créer, faire* ■ 6 vendre ■ 7 crypter, remplir, virtuel ■ 8 duplexer, extruder, hybrider, liquider ■ 9 accomplir*, féminiser ■ 10 comprendre, hydrolyser, improbable, réalisable, sintériser ■ 11 éventualité, réalisateur, réalisation ■ 12 désatelliser, irréalisable, matérialiser, personnifier, sensitomètre, vinificateur ■ 13 collisionneur.

REALITE : 4 faux, vrai* ■ 6 vérité* ■ 7 monisme, non-être, vérisme ■ 8 attester, réalisme ■ 9 apparence, démasquer, existence* ■ 10 entéléchie, fabulation, irréaliste, symbolique ■ 11 consistance, désincarner, matérialité, trompe-l'œil ■ 12 matérialisme, objectivisme, panpsychisme, phénoménisme ■ 13 actualisation, subjectivisme ■ 15 substantialisme.

REAMENAGER : 13 réaménagement.

REANIMATION : 10 réanimable ■ 11 réanimateur.

REAPPARAIT : 9 résurgent.

REAPPARAITRE : 7 revenir* ■ 8 alterner, renaître ■ 9 réactiver, récidiver, repousser ■ 11 ressusciter.

REAPPARITION : 6 retour ■ 7 rechute ■ 8 atavisme, émersion, récidive ■ 10 abréaction, émergement, répétition, résurgence ■ 11 vicissitude ■ 12 résurrection, reviviscence.

REARMER : 10 réarmement.

REARRANGEMENT : 9 isomérase.

REASSURANCE : 9 réassurer.

REASSURER : 10 réassureur.

REBARBATIF : 7 brusque*, revêche* ■ 9 acariâtre.

REBATIR : 7 réparer* ■ 9 réédifier ■ 12 reconstruire.

REBATTEMENT : 4 palé ■ 5 barre, fasce ■ 6 coticé ■ 7 burelle, jumelle, losange ■ 8 vergette ■ 9 chevronné, échiqueté ■ 11 contre-fasce.

REBATTU : 3 usé* ■ 6 commun ■ 7 trivial ■ 10 vieillerie.

REBELLE : 5 mutin ■ 8 embauche, indocile* ■ 9 rébellion ■ 15 révolutionnaire.

REBELLER : 7 mutiner ■ 8 insurger, révolter, soulever ■ 11 bouleverser.

REBELLION : 5 grève ■ 6 émeute, fronde, guerre ■ 7 révolte* ■ 8 sédition* ■ 9 jacquerie, mutinerie ■ 10 révolution ■ 11 chouannerie, soulèvement ■ 12 insurrection ■ 14 bouleversement.
REBEQUER : 8 résister*.
REBIFFER : 8 résister* ■ 11 recommencer.
REBOISEMENT : 13 reforestation.
REBOISER : 11 reboisement.
REBOND : 4 lift ■ 6 amorti ■ 9 demi-volée.
REBONDI : 4 dodu, gras*, rond ■ 5 bedon, creux.
REBONDIR : 9 rejaillir ■ 14 rebondissement.
REBONDISSEMENT : 11 conséquence ■ 15 rejaillissement.
REBORD : 4 bord*, orle ■ 5 bande, garde, jatte ■ 6 ourlet ■ 7 bordure*, ganache ■ 8 margelle.
REBOUCHER : 10 rebouchage.
REBOURS : 8 renversé ■ 9 contre-fil ■ 10 contre-pied, contre-poil, contresens ■ 13 rebrousse-poil.
REBOUTEUR : 8 rebouteux ■ 10 guérisseur.
REBROUSSER : 13 rebroussement.
REBUFFADE : 5 refus*.
REBUT : 3 lie ■ 4 vrac ■ 5 écume, refus ■ 6 déchet*, résidu* ■ 7 rancart, strasse ■ 8 dépotoir, racaille ■ 9 effiloche, grenaille ■ 10 maculature.
REBUTANT : 8 nauséeux ■ 10 nauséabond.
REBUTER : 5 rebut ■ 6 solder ■ 7 ennuyer, rejeter ■ 8 dégoûter*, déplaire*, effrayer ■ 9 dédaigner, repousser ■ 10 décourager ■ 11 débarrasser.
RECALCITRANT : 8 indocile*.
RECALE : 6 refusé.
RECALER : 5 buser ■ 7 moffler ■ 8 recalage.
RECAPITULER : 7 résumer* ■ 9 bordereau ■ 13 récapitulatif.
RECARRELER : 11 recarrelage.
RECELER : 5 recel ■ 6 cacher* ■ 8 contenir, receleur ■ 10 recèlement.
RECELEUR : 7 fourgat, fourgue.
RECEMMENT : 4 hier ■ 7 naguère ■ 9 depuis peu ■ 11 fraîchement ■ 12 nouvellement.
RECENSER : 7 compter ■ 9 dénombrer, recenseur ■ 11 recensement.
RECENT : 4 hier, neuf ■ 5 chaud, frais ■ 6 actuel, novice* ■ 7 dernier*, moderne, nouveau*, présent, récence ■ 8 holocène, néophyte, original, saignant ■ 9 actualité ■ 12 contemporain.
RECENTRER : 10 recentrage.
RECEPER : 8 recepage.
RECEPISSE : 4 reçu ■ 13 connaissement.
RECEPTACLE : 4 urne ■ 8 churinga ■ 9 réservoir.
RECEPTEUR : 2 c.b. ■ 5 corti, radio ■ 7 saccule ■ 8 écouteur, sélectif, tonalité ■ 9 audimètre ■ 10 auto-alarme, multinorme, téléviseur ■ 11 réceptivité ■ 12 bétabloquant, transpondeur ■ 13 multistandard ■ 14 organolesptique, propriocepteur, radiorécepteur, radiotélescope ■ 15 extérorécepteur, mécanorécepteur, superhétérodyne.
RECEPTION : 3 thé ■ 5 diffa, doyen, style ■ 6 soirée ■ 7 accueil ■ 8 accolade, audition, cohéreur ■ 9 communion, garde-port ■ 10 hétérodyne ■ 11 garden-party ■ 12 antiparasite, congédiement, omnidirectif, radioamateur, réceptionner ■ 14 préfinancement, réceptionnaire.
RECEPTIONNER : 8 recevoir*.
RECEPTRICE : 14 photorécepteur.
RECESSIVE : 9 mélanisme.

RECETTE : 6 revenu ■ 7 produit ■ 8 receveur ■ 9 box-office, buraliste, rendement ■ 11 pharmacopée.
RECEVOIR : 4 ouïr, voir ■ 5 salon, subir, sucer ■ 6 agréer, capter, écoper, gagner, palper, quêter, sentir ■ 7 adopter, coopter, essuyer, hériter, initier, obtenir*, prendre, refuser, toucher, traiter ■ 8 accepter, admettre, attraper, empaumer, empocher, éprouver, festoyer, héberger, réceptif, receveur, repêcher, souffrir ■ 9 communier, consulter, éconduire, embarquer, embourser, emprunter, encaisser, percevoir, récepteur, réception, recevable, recouvrer, reprendre, supporter, triompher ■ 10 accueillir, collecteur, condenseur, recueillir* ■ 11 hospitalité, réceptivité ■ 12 consultation, inadmissible, réceptionner, recevabilité ■ 13 récipiendaire ■ 14 suggestibilité, irrecevabilité.
RECHAMPIR : 13 rechampissage.
RECHANGE : 5 drome.
RECHAPER : 9 rechapage.
RECHAPPER : 8 échapper.
RECHARGER : 8 chargeur ■ 12 rechargeable, rechargement.
RECHAUD : 5 lampe ■ 9 pharillon ■ 10 camping-gaz, cassolette ■ 12 chauffe-plats.
RECHAUFFER : 6 revenu ■ 7 ranimer, recuire ■ 8 rebrûler ■ 11 réchauffage ■ 13 réchauffement.
RECHAUSSER : 13 rechaussement.
RECHE : 4 rude* ■ 7 rugueux.
RECHERCHE : 3 u.e.r., u.f.r. ■ 4 tiré ■ 5 couru, essai, piste, primé, revue ■ 6 apprêt, examen, fla-fla ■ 7 affecté, enquête*, manière, négligé, station ■ 8 adoniser, cavaleur, cultisme, onanisme, phraseur, sobriété, stylisme, truffier ■ 9 afféterie, chemineau, chercheur, dépistage, docimasie, épicurien, excursion, idéalisme, japoniste, tourmenté, truculent ■ 10 démarchage, hygrophile, laborantin, pathogénie, phylogénie, technopole ■ 11 affectation, donjuanisme, cavernicole, compétition, hémoculture, inquisition, laborantine, laboratoire, musicologie, observation, phylogenèse, prétentieux, prospection, rabdomancie, raffinement*, singularité, sophistiqué, spéculation, tâtonnement ■ 12 autoérotisme, comparatisme, disquisition, élucubration, étymologiste, perquisition, rhabdomancie, scipophilie, statisticien ■ 13 hydrogéologie, investigation, technoscience ■ 14 action research, astronauticien, documentaliste ■ 15 perfectionnisme, recherche-action.
RECHERCHER : 6 courir, quêter ■ 7 briguer, draguer, mendier ■ 8 chercher*, enquérir, enquêter, éplucher, fouiller, maniérer ■ 9 compulser, courtiser, recherche ■ 10 documenter, poursuivre*, prospecter ■ 11 ambitionner, investiguer ■ 15 perquisitionner.
RECHIGNER : 6 bouder, bourru ■ 8 murmurer, renâcler, renifler ■ 12 rechignement.
RECHUTE : 8 récidive, retomber.
RECIDIVE : 11 récidivisme, récidiviste.
RECIDIVER : 7 rechute, refaire, répéter ■ 8 récidive, réitérer ■ 10 récidivant, récidivité ■ 11 récidiviste.
RECIF : 6 écueil ■ 7 récifal ■ 15 désappointement.
RECIPIENT : 3 pot, têt ■ 4 auge, bain, bock, cuve, roui, seau, urne, test, vase* ■ 5 baste, bidon, boîte, canne, chope, godet, jauge, lampe, marli, moque, panse, verre ■ 6 ballon, bassin, berthe, gourde, moufle, ravier, saloir, seille, tagine, taline, touque ■ 7 baraque, braséro, burette, creuset, cuvette, encrier, gobelet, lampion, marmite, piscine, terrine, théière, thermos, tinette, tonneau ■ 8 bénitier, beurrier, cen-

drier, conserve, crachoir, estagnon, fait-tout, fontaine, fromager, jerrican, jerrycan, lave-tête, œufrier, potiquet, poubelle, puisette, ramequin, saladier, saunière, soupière, vaisseau, verseuse ■ 9 autoclave, bain-marie, calebasse, caserette, chaudière, culbuteur, échaudoir, étouffoir, faisselle, mouilloir, pincelier, réservoir, tisanière, vaisselle ■ 10 bouilloire, bouillotte, condenseur, cubitainer, lessiveuse, macérateur, paludarium, porte-savon, sorbetière, turbotière ■ 11 antiadhésif, confiturier ■ 12 chocolatière, vaporisateur ■ 13 cristallisoir ■ 14 rafraîchisseur, rafraîchissoir.

RECIPROCITE: 2 ré ■ 7 échange ■ 8 entraide ■ 9 réciproque ■ 10 alternance ■ 11 balancement, corrélation, interaction ■ 12 intersection, reconvention ■ 14 correspondance ■ 15 interdépendance.

RECIPROQUE: 5 entre ■ 6 mutuel, osmose ■ 7 alterné ■ 8 échanger ■ 9 bilatéral, démixtion, respectif, solidaire, vice versa ■ 10 corrélatif ■ 11 intercourse, réciprocité ■ 12 mutuellement ■ 14 réciproquement ■ 15 synallagmatique.

RECIPROQUER: 6 réagir ■ 8 échanger, renvoyer, revaloir, succéder ■ 9 rétorquer, retourner ■ 10 rétrocéder.

RECIT: 4 saga ■ 5 conte*, fable, mythe, roman ■ 6 détail, épopée, jataka ■ 7 légende, rapport, version ■ 8 anecdote, apologue, broderie, histoire*, racontar, raconter, relation ■ 9 chronique, narration, rapporter ■ 10 exposition ■ 11 chantefable, étiologique, historiette, paillardise.

RECITAL: 7 concert.

RECITATIF: 3 air ■ 5 opéra, récit ■ 7 mélopée.

RECITER: 4 dire ■ 7 ânonner, débiter ■ 8 déclamer, récitant ■ 9 prononcer, récitatif ■ 10 psalmodier, récitation ■ 11 monologuer.

RECLAMATION: 5 appel, grève, tollé ■ 7 demande, plainte*, requête ■ 9 réclamant ■ 10 instance ■ 12 contestation, intercession, protestation ■ 13 récrimination*, revendication.

RECLAME: 9 partageux, publicité*.

RECLAMER: 5 crier ■ 6 exiger* ■ 7 appeler, récrier, répéter, vouloir ■ 8 demander*, implorer, insister, plaindre*, requérir ■ 9 contester, protester* ■ 10 intercéder, récriminer*, redemander, solliciter ■ 11 réclamation, revendiquer.

RECLASSEMENT: 9 patronage.

RECLASSER: 12 reclassement.

RECLURE: 8 enfermer.

RECLUSION: 14 emprisonnement*, réclusionnaire.

RECOIN: 4 coin ■ 5 repli.

REÇOIT: 8 enseigné ■ 11 codonataire.

RECOLER: 8 vérifier ■ 10 récolement.

RECOLLER: 9 recollage ■ 10 agglutiner ■ 11 recollement.

RECOLTE: 4 dîme ■ 5 palus, vinée ■ 6 annonce, saison ■ 7 glandée, moisson, rentrée, verdage ■ 8 alfatier, fenaison, métayage, récolter, vendange ■ 9 olivaison, olivettes, partiaire, rendement ■ 10 corn-picker, cueillette ■ 11 vendangerot ■ 13 saisie-brandon.

RECOLTER: 8 cueillir, ramasser ■ 9 récolteur, vendanger ■ 10 moissonner, recueillir* ■ 11 corn-sheller.

RECOMMANDABLE: 8 salopard ■ 9 estimable.

RECOMMANDATION: 5 appui ■ 6 piston ■ 7 conseil* ■ 8 auspices ■ 9 apostille ■ 10 recommandé, références ■ 11 exhortation ■ 13 avertissement.

RECOMMANDER: 5 aider, prier ■ 7 appuyer, avertir, engager, exciter, prêcher ■ 8 exhorter, prémunir, prévenir, protéger, soutenir ■

9 commander, favoriser, patronner, pistonner ■ 10 apostiller, conseiller*, intéresser, préconiser ■ 13 précautionner ■ 14 recommandation.

RECOMMENCER: 5 biner ■ 6 bisser, copier, imiter ■ 7 doubler, refaire*, répéter*, revenir, tripler, trisser ■ 8 réitérer, remarier, remettre, rentamer, retomber, revenez-y ■ 9 récidiver, redevenir, redoubler, reprendre ■ 10 multiplier, renouveler, reproduire ■ 14 recommencement.

RECOMPENSE: 3 don ■ 4 prix* ■ 5 césar, coupe, oscar, prime, saint ■ 6 mérite, tribut ■ 7 diplôme, honneur, mention, rostral, salaire ■ 8 accessit, couronne, délation, médaille, palmarès, sanction ■ 9 indemnité, méritoire ■ 10 décoration ■ 11 récompenser, rétribution ■ 12 compensation, rémunération ■ 13 gratification.

RECOMPENSER: 5 payer ■ 7 lauréat, mériter, rosière ■ 8 décerner ■ 9 compenser, couronner, gratifier, rémunérer, rétribuer ■ 10 dédommager, distribuer, indemniser ■ 11 reconnaître.

RECOMPLETER: 11 maintenance.

RECOMPOSER: 12 recomposable, reconstituer ■ 13 recomposition.

RECONCILIATION: 6 pardon ■ 9 méditation ■ 13 rapprochement ■ 14 raccommodement.

RECONCILIER: 6 réunir ■ 7 apaiser ■ 8 accorder, défâcher, remettre ■ 9 désaigrir, pardonner, rapatrier, replâtrer ■ 10 accommoder, rabibocher, rappointer, rapprocher ■ 11 fraterniser, raccommoder ■ 12 désenvenimer, rapapilloter ■ 13 réconciliable ■ 14 réconciliateur ■ 15 irréconciliable.

RECONDUIRE: 6 bouler ■ 10 reconduite, réintégrer ■ 12 raccompagner.

RECONDUIT: 13 reconductible.

RECONFORTANT: 7 cordial ■ 10 fortifiant.

RECONFORTER: 8 consoler*, remonter ■ 9 réconfort ■ 12 réconfortant.

RECONNAISSANCE: 3 tag ■ 4 aveu, reçu ■ 5 merci, payer* ■ 6 gnosie, obligé ■ 8 croiseur, scout-car ■ 9 confondre, gratitude ■ 10 contrition, obligation, récompense ■ 11 ingratitude, récognition ■ 12 consentement, remerciement, résipiscence ■ 13 reconnaissant.

RECONNAITRE: 5 passe, payer, punir, tâter ■ 6 amusie, avouer, dénier, parler, sonder, trahir ■ 7 accuser, déviner, refuser ■ 8 accepter, accorder, admettre, concéder, convenir, déclarer, déguster, dénoncer, orienter, ratifier, remettre, répondre, revaloir ■ 9 biseauter, confesser, consentir, contester, décharger, démasquer, désavouer, discerner, disculper, légitimer, professer, remercier, remémorer, retrouver ■ 10 accréditer, acquiescer, convaincre, distinguer, ensaisiner, homologuer, identifier ■ 11 déboutonner, méconnaître, récompenser, signalement ■ 14 idéologisation, méconnaissable, reconnaissable, reconnaissance.

RECONNU: 5 avéré ■ 10 récognitif ■ 13 représentatif.

RECONQUERIR: 10 reconquête.

RECONSIDERER: 6 revoir ■ 9 réétudier.

RECONSOLIDER: 15 reconsolidation.

RECONSTITUANT: 5 morue ■ 10 fortifiant.

RECONSTITUER: 7 amortir ■ 8 rechaper ■ 9 remailler ■ 10 remmailler ■ 14 reconstitution.

RECONSTITUTION: 8 bruitage ■ 9 néoblaste ■ 10 ravalement ■ 12 régénération, remnographie ■ 14 périnéographie.

RECONSTRUCTION: 10 anastylose.

RECONSTRUIRE: 9 réfection ■ 14 reconstruction ■ 15 hypercorrection.

RECONVENTION : 15 reconventionnel.
RECONVERSION : 11 reconvertir.
RECOPIER : 12 papier-calque ■ 15 expéditionnaire.
RECOQUILLER : 14 recoquillement.
RECORD : 9 recordman ■ 11 performance.
RECORDER : 7 répéter ■ 9 recordage.
RECOUPE : 5 griot.
RECOUPEMENT : 8 recouper.
RECOUPER : 9 recoupage.
RECOURBE : 4 houe ■ 5 râble, serpe ■ 6 courbe, crochu ■ 9 cimeterre ■ 10 crampillon, recourbure ■ 11 bec-de-corbin.
RECOURBER : 12 recourbement.
RECOURIR : 11 paritarisme.
RECOURS : 4 user, voie ■ 5 appel ■ 7 pourvoi ■ 8 forclore, recourir ■ 9 ressource ■ 10 opposition, récursoire.
RECOUVERT : 7 bimétal ■ 9 téflonisé.
RECOUVREMENT : 6 klippe, rachat, zétète ■ 7 recette, rentrée ■ 10 percepteur, perception ■ 11 affacturage ■ 12 enchevaucher ■ 13 enchevauchure.
RECOUVRER : 6 ravoir ■ 7 dégager, toucher ■ 8 regagner, repêcher, rétablir ■ 9 percevoir, rattraper, récupérer, rempocher, réoccuper, reprendre, ressaisir, retrouver* ■ 11 reconquérir, recouvrable, réhabiliter ■ 12 recouvrement ■ 13 irrécouvrable.
RECOUVRIR : 5 dorer ■ 6 étamer, tuiler ■ 7 cadmier, chromer, couvrir*, enfouir, engober, enrober, guniter, joncher, plaquer, rétamer, revêtir,* zinguer ■ 8 capsuler, déguiser, enterrer, moquette, nickeler, parsemer, platiner ■ 9 couvre-lit, encroûter endossure, ensoufrer, imbriquer, moquetter, replâtrer, surglacer ■ 10 chevaucher, envelopper*, galvaniser, goudronner, recouvrage, terreauter ■ 11 cache-entrée.
RECREATION : 3 jeu ■ 4 fête ■ 5 préau ■ 6 déduit, partie ■ 7 plaisir ■ 8 partouse ■ 9 amusement* ■ 10 passe-temps ■ 11 distraction ■ 12 réjouissance ■ 14 divertissement*.
RECREER : 5 jouer ■ 6 amuser* ■ 8 divertir ■ 9 récréatif ■ 12 divertissant.
RECREPIR : 12 récrépissage.
RECRIER : 9 protester*.
RECRIMINATION : 4 haro, huée ■ 5 tollé ■ 8 reproche ■ 9 doléances, grognerie ■ 11 criaillerie, réclamation* ■ 14 récriminatoire.
RECRIMINER : 4 huer ■ 5 crier ■ 7 accuser, rejeter ■ 8 injurier, réclamer*, répondre, riposter ■ 9 clabauder, criailler, protester*, redarguer, rétorquer ■ 10 déblatérer, reconvenir ■ 13 récriminateur, récrimination.
RECRIRE : 6 copier.
RECROQUEVILLER : 9 rabougrir, resserrer ■ 10 contracter.
RECRU : 3 las*.
RECRUDESCENCE : 6 regain ■ 9 augmenter ■ 12 exacerbation.
RECRUE : 5 école ■ 6 membre, soldat ■ 8 conscrit, partisan, recruter ■ 10 bleusaille.
RECRUTEMENT : 4 sort ■ 8 landwehr, racollage ■ 9 landsturm, recruteur ■ 10 agrégation, cooptation ■ 12 conscription.
RECRUTER : 7 engager*, racoler ■ 9 rabatteur, recruteur ■ 11 recrutement.
RECTANGLE : 5 barge, chape, fiche, hamac, jeton ■ 8 billette, cylindre, parpaing ■ 9 écoutille ■ 10 archipompe, fourchette ■ 11 histogramme ■ 13 rectangulaire.

RECTANGULAIRE: 6 blindé ■ 7 mégaron ■ 8 étampure.
RECTEUR: 7 intrant ■ 8 rectoral, rectorat ■ 11 vice-recteur.
RECTIFICATION: 5 enfin ■ 9 c'est-à-dire ■ 10 correction*.
RECTIFIER: 6 revoir ■ 8 corriger* ■ 9 diamanter, redresser* ■ 11 rectifiable, rectifieuse ■ 12 contrepasser, rectificatif.
RECTITE: 8 proctile.
RECTITUDE: 4 faux ■ 8 droiture* ■ 9 redresser.
RECTO: 4 page, rôle ■ 5 verso ■ 13 opisthographe.
RECTUM: 4 anus* ■ 6 rectal ■ 7 rectile ■ 10 rectoscope ■ 11 proctologie, recto-colite ■ 12 suppositoire.
REÇU: 5 primé ■ 6 acquit ■ 7 baptisé, recette, tonsuré ■ 8 décharge ■ 9 bienvenir, quittance, récépissé, recevable ■ 10 facturette ■ 14 reconnaissance.
RECUEIL: 3 ana ■ 4 code, veda ■ 5 album, atlas, bible, codex, divan, livre*, musée, pénal, revue, souna, sunna, titre, varia ■ 6 centon, corpus, isopet, manuel, silves, sounna, talmud, ysopet ■ 7 digeste, fablier, mélange, solfège ■ 8 analecte, armorial, bêtisier, colliger, magazine, psautier ■ 9 almageste, catalogue, chartrier, chronique, coutumier, florilège, pandectes, rhapsodie, romancero, sottisier, spicilège ■ 10 anthologie, cartulaire, collection, formulaire, institutes, légendaire, répertoire ■ 11 chansonnier, pharmacopée, sermonnaire ■ 12 capitulaires, dictionnaire, encyclopédie ■ 13 chrestomathie, questionnaire.
RECUEILLE: 10 anecdotier.
RECUEILLEMENT: 9 recueilli ■ 11 componction.
RECUEILLIR: 5 lever, subir, tirer ■ 6 glaner, pêcher, penser, quêter ■ 7 amasser, hériter, picorer, prendre, replier, retirer, trouver ■ 8 cueillir, éprouver, marauder, ramasser, recevoir*, récolter, retraite, succéder ■ 9 aéroscope, assembler, percevoir, récupérer, supporter ■ 10 grappiller, herboriser, moissonner ■ 11 anecdotiser ■ 12 récollection ■ 13 recueillement ■ 14 représentation.
RECUIT: 9 casilleux.
RECUL: 5 drift, repli, rétro ■ 7 reculée ■ 8 reculade, retraite ■ 9 récession ■ 10 distancier, régression ■ 11 perspective ■ 13 distanciation ■ 14 rétrogradation.
RECULE: 4 haut ■ 5 temps ■ 7 éloigné* ■ 11 enfoncement.
RECULER: 5 caler, caner, céder*, culer, plier, recul, rétif ■ 6 battre, lâcher, perdre, rompre ■ 7 piaffer ■ 8 flancher, reculade, reculons, refouler, renoncer*, retarder ■ 9 repousser ■ 10 abandonner*.
RECUPERATION: 8 épaviste ■ 12 dégazolinage.
RECUPERER: 9 rapercher, recouvrer*, reprendre, retrouver* ■ 11 récupérable ■ 12 cannibaliser, récupérateur, récupération, retraitement ■ 13 irrécupérable.
RECURER: 8 nettoyer*, récurage, récureur.
RECURRENT: 10 récurrence.
RECURSIF: 11 récursivité.
RECUSER: 9 récusable, repousser ■ 10 récusation ■ 11 irrécusable ■ 12 irréfragable.
RECYCLAGE: 8 recycler.
RECYCLER: 10 recyclable.
REDACTEUR: 8 actuaire, échotier ■ 9 rédaction ■ 11 journaliste.
REDACTION: 4 desk ■ 5 blanc, écrit, selon, texte ■ 6 rédigé, résumé ■ 7 article ■ 8 décemvir, original, scénario ■ 9 narration ■ 10 conception, expression ■ 11 avant-projet, composition, élaboration ■ 12 dissertation*, rédactionnel ■ 13 amplification.

REDAN: **6** redent ■ **7** redenté ■ **8** demi-lune.
REDDITION: **12** capitulation.
REDEMANDER: **8** réclamer.
REDEMARRER: **11** redémarrage.
REDEMPTION: **5** merci ■ **6** rachat* ■ **13** universalisme ■ **14** réhabilitation.
REDENT: **5** redan.
REDEPLOIEMENT: **10** redéployer.
REDEVABLE: **5** reste, tenir ■ **6** obligé.
REDEVANCE: **4** cens, dîme, fief, lods ■ **5** alleu, serfs ■ **6** annate, auteur, charge, fouage ■ **7** fermage, fortage, royalty ■ **8** afféager, foretage, tènement ■ **9** arrérager, royalties ■ **10** tréfoncier.
REDEVENIR: **8** rajeunir, reverdir ■ **9** refleurir, rembrunir, reprendre, ressaisir ■ **11** rengraisser.
REDIFFUSER: **11** rediffusion.
REDIGER: **6** écrire* ■ **7** dresser, répéter ■ **8** composer, élaborer, formuler, libeller, réécrire ■ **9** concevoir, grossoyer, rédacteur, rédaction ■ **10** construire, secrétaire ■ **12** instrumenter.
REDIMER: **10** affranchir.
REDINGOTE: **6** lévite ■ **7** carrick ■ **10** soutanelle.
REDIRE: **5** rimer ■ **6** redite ■ **7** bégayer, radoter, répéter, seriner ■ **8** rabâcher, rappeler, réitérer ■ **9** critiquer, épiloguer, rapporter ■ **10** récriminer ■ **11** récapituler.
REDISTRIBUER: **10** transferts ■ **14** redistribution.
REDITE: **10** répétition.
REDONDANCE: **4** abus ■ **13** superfétation.
REDONNER: **5** payer ■ **6** donner, rendre* ■ **7** ranimer, recéder, réparer ■ **8** raffûter, remettre, revaloir ■ **9** compenser, restaurer, restituer, retremper, revigorer ■ **10** réintégrer, rembourser, rétrocéder ■ **11** réconforter, réhabiliter ■ **12** ragaillardir ■ **13** remilitariser.
REDOUBLANT: **8** doublant.
REDOUBLE: **8** doubleur.
REDOUBLEMENT: **10** exaltation ■ **12** exacerbation, reduplicatif.
REDOUBLER: **9** augmenter*.
REDOUTABLE: **4** ours, rude ■ **8** terrible* ■ **14** redoutablement.
REDOUTE: **3** bal.
REDOUTER: **8** craindre* ■ **11** appréhender.
REDRESSER: **5** lever, valve ■ **7** cambrer, quiller, relever* ■ **8** aplomber, corriger*, dévoiler, kénotron, réformer, resingle ■ **9** corrigeur, défausser, dégauchir, rectifier, ressource, thyratron ■ **12** redressement.
REDRESSEUR: **6** tungar ■ **8** ignitron ■ **9** phanatron, thyrister ■ **13** horripilateur ■ **15** donquichottisme.
REDUCTION: **3** net ■ **5** dolby ■ **6** remise ■ **7** pairage ■ **8** quartage ■ **9** déflation, déplétion, raccourci, réfaction, ristourne ■ **10** compactage, conversion, dégagement, diminution*, imputation, modération, quadrature, regrattier, résolution ■ **11** commutation, compression, contraction, désarmement, granulation, habituation ■ **12** désoxydation ■ **13** calciothermie, hydroxylamine, micronisation, réductibilité ■ **14** axiomatisation, caramélisation, oxydoréduction ■ **15** magnésiothermie, miniaturisation.
REDUCTIONNISME: **14** réductionniste.
REDUIRE: **5** émier, filer, râper ■ **6** broyer, coller, grener, gruger, moudre, tasser ■ **7** abréger*, changer, débiter, défiler, égruger, féculer, gracier, léviger, museler, obliger, quarter, ramener, tribart ■

8 abaisser, asservir, atomiser, désarmer, diminuer*, effriter, émietter, rabattre, raréfier, résoudre, triturer ■ **9** amoindrir, annihiler, comprimer, condamner, condenser, confondre, convertir, désoxyder, dissoudre, effriter, incinérer, lubrifier, minimiser, rattraper, réduction, renfermer, résoudre, scorifier, soumettre, subjuguer, surmonter ■ **10** bâillonner, cataplasme, charbonner, concentrer, contracter, fragmenter, grenailler, pulvériser, réductible, vassaliser ■ **11** axiomatiser, contraindre, désétatiser, hypostasier, minimaliser, monopoliser, restreindre*, transformer ■ **12** antifriction, antiulcéreux, caillebotter, démultiplier, homogénéiser, irréductible, systématiser ■ **13** antinataliste, décompresseur, sacrification ■ **14** incompressible, réductionnisme ■ **15** prolétarisation.

REDUIT: **5** abois, à quia, ilote, niche, soute ■ **6** bunker, cagibi, corral, serdah ■ **7** galetas, redoute ■ **8** dégriffé, maquette, soupente ■ **9** coercible, défileuse, demi-solde, demi-tarif, malléable, modélisme, végétatif ■ **10** concertino ■ **11** pulvérulent, schématique ■ **13** microcassette, profilographe ■ **15** compressibilité.

REECRITURE: **12** novélisation.

REEDIFIER: **13** réédification.

REEDUQUER: **11** rééducation.

REEL: **4** fait, vain, vrai* ■ **5** chose, cours, temps ■ **6** déréel, fictif, solide ■ **7** certain*, concret, évident, positif*, réalité, sérieux, surréel ■ **8** dadaïsme, effectif, fabuleux, réaliser, référent, tangible ■ **9** irréalité, véritable ■ **10** hypothèque, irréalisme, irréaliste, panlogisme, télépathie ■ **11** reconnaître, surréalisme.

REELIGIBLE: **13** rééligibilité.

REELLEMENT: **4** réel ■ **13** effectivement, véritablement ■ **14** matériellement.

REEMPTION: **6** rachat.

REENSEMENCER: **15** réensemencement.

REEQUILIBRER: **13** rééquilibrage.

REER: **5** raire.

REESCOMPTE: **8** bancable ■ **9** banquable.

REESSAYER: **9** ressayage ■ **10** réessayage.

REEXAMINER: **6** revoir ■ **11** disjonction.

REEXPEDIER: **9** retourner.

REEXPORTER: **13** réexportation.

REFAIRE: **7** répéter*, stopper ■ **8** rebattre, rebiffer, refondre, réitérer, remettre, repiquer, repriser, rétablir, retondre ■ **9** rapointir, rapparier, récidiver, réfection, rempiéter, restaurer ■ **10** rappointer, renouveler ■ **11** recommencer*, rejointoyer ■ **12** rhinoplastie.

REFAIT: **6** marron.

REFECTION: **13** digitoplastie.

REFECTOIRE: **4** cène, mess ■ **6** popote ■ **7** cambuse, cantine ■ **8** cantoche ■ **9** lave-mains.

REFENDU: **8** chanlate ■ **9** chanlatte ■ **10** bourdillon.

REFERENCE: **6** atypie, renvoi* ■ **11** coordonnées.

REFERENDUM: **4** vote* ■ **10** plébiscite.

REFERMER: **5** volet.

REFERER: **7** imputer.

REFLECHI: **3** mûr ■ **4** posé, sage* ■ **6** mesuré, rassis ■ **7** pondéré, prudent* ■ **8** délibéré ■ **9** prémédité ■ **10** antireflet, irréfléchi, réflexible ■ **11** raffinement ■ **12** intentionnel ■ **13** réflexibilité.

REFLECHIR: **4** tain ■ **5** luire, peser, rêver ■ **6** aviser, penser*, réagir ■ **7** cogiter, méditer, rentrer, replier, revenir, ruminer ■ **8** calculer, chatoyer, combiner, examiner, machiner, miroiter, observer, pénétrer, rebondir, refléter, renvoyer, repenser, ricocher, spéculer, supputer ■ 9 abstraire, commenter, délibérer, envisager, gamberger, héliostat, raisonner, rejaillir, remarquer, ressasser, retourner ■ 10 concentrer, considérer, papilloter, phosphorer, préméditer, recueillir, réflecteur, répercuter, réverbérer ■ 11 approfondir, inconsidérer ■ 13 réfléchissant.

REFLECHISSANT : 11 délinéateur.

REFLECTEUR : 8 abat-jour ■ 9 cataphote, réverbère.

REFLET : 5 moire, opale ■ 6 satiné ■ 7 briller, moirage ■ 9 chatoyant, étinceler, flamboyer, irisation ■ 10 œil-de-chat ■ 11 chatoiement, opalescence ■ 12 rougeoiement ■ 13 gorge-de-pigeon.

REFLEXE : 9 aréflexie, autotomie, réflectif ■ 11 agrippement, habituation, réflexogène ■ 12 psychomoteur, réflexologie ■ 14 grasping-reflex.

REFLEXION : 4 trac ■ 5 foyer, radar ■ 6 aparté, reflet ■ 7 étourdi ■ 8 dissiper, gamberge, instinct, mûrement, réaction, réfléchi, ricochet ■ 9 attention, commenter, élucubrer, moraliser, sciemment ■ 10 cogitation, indélibéré, méditation* ■ 11 aveuglement, catoptrique, inconsidéré, irréflexion, lapalissade ■ 12 délibération ■ 13 inconséquence, réverbération ■ 14 rebondissement ■ 15 rejaillissement.

REFLUER : 7 retirer, revenir ■ 8 regorger.

REFLUX : 3 èbe ■ 4 duit, ebbe, flot ■ 5 marée ■ 6 baisse, jusant ■ 7 retrait.

REFONTE : 9 vergeoise.

REFORMATION : 12 regénération.

REFORME : 8 croisade, ministre ■ 10 changement*, protestant, réformable, réformette, réformiste ■ 11 réformateur, réformation ■ 13 sacramentaire.

REFORMEE : 13 réligionnaire.

REFORMER : 7 changer* ■ 8 corriger* ■ 9 redresser ■ 12 irréformable.

REFORMISTE : 9 chartisme.

REFOUILLER : 13 refouillement.

REFOULEMENT : 7 censure ■ 10 abréaction ■ 11 frustration.

REFOULER : 5 pompe ■ 6 bannir ■ 7 chasser*, pousser, rentrer ■ 8 chassoir ■ 9 refouloir, repousser* ■ 10 concentrer, dudgeonner, pulsomètre ■ 11 refoulement.

REFRACTAIRE : 3 têt ■ 4 test ■ 7 casette, cazette ■ 8 indocile*, réceptif ■ 9 immuniser ■ 10 insermenté ■ 12 superalliage ■ 13 obscurantisme.

REFRACTER : 10 réfracteur, réfringent ■ 11 réfringence.

REFRACTION : 5 foyer ■ 7 parélie ■ 8 parhélie ■ 10 dioptrique, optométrie ■ 11 réfrangible ■ 12 biréfringent, diacoustique ■ 13 réfractomètre.

REFRACTOMETRE : 9 optomètre.

REFRAIN : 8 flonflon, lanlaire ■ 10 répétition, turlurette ■ 11 ritournelle.

REFRANGIBLE : 10 infrarouge ■ 13 irréfrangible ■ 14 réfrangibilité.

REFRENE : 7 contenu.

REFRENER : 7 enrayer ■ 8 réprimer* ■ 11 refrènement.

REFRIGERANT : 5 froid ■ 8 ammoniac, cryogène ■ 12 organochloré.

REFRIGERATEUR : 7 freezer ■ 8 glaciaire ■ 10 frigidaire.

REFRIGERATION : 5 froid ■ 9 réfrigéré ■ 10 réfrigérer.

REFRIGERER : 11 frigorifier ■ 13 réfrigérateur.

REFRINGENT : 5 flint ■ 10 flint-glass.

REFROIDIR : 5 froid ■ 6 tiédir ■ 8 attiédir ■ 10 rafraîchir, réfrigérer ■ 15 refroidissement.
REFROIDISSEMENT : 6 tapure ■ 8 pyralène ■ 9 étenderie ■ 12 autotrempant.
REFUGE : 4 abri* ■ 5 asile, fuite ■ 7 recours ■ 8 retraite* ■ 9 ressource ■ 10 accueillir ■ 11 baraquement.
REFUGIE : 10 boat people.
REFUGIER : 7 enfouir.
REFUS : 3 non ■ 4 défi, déni, veto ■ 5 grève, nenni, rebut ■ 6 défaut ■ 7 négatif ■ 8 contumax, lanturlu, négation, négative ■ 9 contumace, rebuffade ■ 10 résistance ■ 11 négativisme, neutralisme ■ 12 consentement ■ 13 inacceptation, non-alignement.
REFUSE : 10 areligieux.
REFUSER : 5 refus, ruser ■ 6 coller, dénier, priver, renier ■ 7 étendre, recaler, récuser, retaper ■ 8 accepter, décliner, rebeller, rebiffer, regimber, renâcler, résister ■ 9 contester, désavouer, éconduire, objecteur, refusable, remercier, repousser ■ 11 blackbouler.
REFUTATION : 7 réponse ■ 11 confutation.
REFUTE : 14 falsifiabilité.
REFUTER : 4 nier ■ 7 vaincre ■ 8 attaquer, irréfuté, renvoyer, répondre ■ 9 confondre, réfutable, répliquer, repousser, rétorquer ■ 10 contredire*, invincible, pulvériser, réfutation ■ 11 irréfutable.
REGAGNER : 9 rattraper, recouvrer*, reprendre.
REGAIN : 13 recrudescence.
REGAL : 6 festin* ■ 7 plaisir ■ 9 bienvenue.
REGALER : 6 amuser ■ 7 traiter ■ 8 délecter*, malmener, régalade, régalage, régalant ■ 10 régalement.
REGARD : 3 vue ■ 4 œil ■ 5 atone, phase, torve ■ 6 flamme ■ 7 vis-à-vis ■ 8 agacerie, ci-contre, inaperçu, œillade ■ 9 coup d'œil, spectacle ■ 10 exposition ■ 11 comparaison.
REGARDER : 4 voir* ■ 5 avoir, épier, fixer, mater, mirer, piger, tenir, viser ■ 6 avaler, chiche, toiser ■ 7 admirer, briller, guetter, guigner, lorgner, loucher, shoping, toucher, zieuter, zyeuter ■ 8 bornoyer, examiner*, fasciner, observer*, pénétrer, reluquer, repaître, ribouler, shopping ■ 9 concerner, dédaigner, dévisager, envisager, espionner, étinceler, flamboyer, inspecter, regardant, regardeur, remarquer, retourner, visionner ■ 10 considérer, contempler, surveiller ■ 13 rétrospection, entreregarder.
REGARNIR : 9 remeubler ■ 11 recouponner.
REGATE : 7 caneton ■ 8 régatier ■ 12 lofing-match.
REGENCE : 6 bailie.
REGENERATION : 11 renaissance.
REGENERER : 7 ranimer* ■ 8 corriger ■ 12 régénérateur.
REGENT : 4 bail, roué ■ 5 baile, bayle ■ 8 régendat ■ 10 protecteur.
REGENTER : 7 diriger* ■ 9 commander*.
REGIE : 5 tabac ■ 9 monarchie.
REGIMBER : 4 ruer ■ 8 indocile*, rebiffer, résister ■ 9 regimbeur ■ 11 regimbement.
REGIME : 5 datte, diète, dotal, régir, reich, siège ■ 7 urgence ■ 8 autarcie, dyarchie, fascisme, tsarisme ■ 9 cyclamate, loyalisme, politique, turbulent ■ 10 communauté, orléanisme, soviétiser, terrorisme ■ 11 apériodique, autoréglage, capitalisme, caporaliser, caporalisme, domanialité, emballement, nivo-pluvial, semi-liberté, totalitaire, transhumant ■ 12 gouvernement*, présidentiel ■ 13 hypocalorique, nivoglaciaire, synchronisateur, totalitarisme ■ 15 parlementarisme.

REGIMENT : 5 armée*, corps, dépôt, ligne, major, nouba ■ 6 troupe* ■ 7 bandera, meistre ■ 8 escadron ■ 9 multitude ■ 10 cantinière, horse-guard ■ 11 demi-brigade, sous-secteur ■ 12 enrégimenter, régimentaire.

REGINA : 5 salve.

REGION : 4 lieu*, pays* ■ 5 faune, flore, karst, pampa, payse, plage, terre ■ 6 désert, lombes, polder ■ 7 contrée ■ 8 beylicat, régional, scaldien ■ 9 avant-pays, exoréisme, semi-aride ■ 10 basilicate, chalandise, commissure, endoréisme, ethnarchie, forteresse, frontalier, hypocentre, provincial ■ 11 compatriote, thermalisme ■ 12 hypothalamus, infundibulum, mésencéphale, quadrilatère, régionalisme ■ 13 bloc-diagramme, cartographier, céphalothorax, interrégional, poldérisation, sous-glaciaire, subdésertique ■ 14 arrière-cerveau, sous-équipement, sous-médicalisé ■ 15 désertification, régionalisation.

REGIONALISATION : 12 régionaliser.

REGIR : 5 gérer ■ 7 diriger* ■ 9 gouverner*, intendant, régisseur ■ 11 administrer.

REGISTRATION : 9 registrer.

REGISTRE : 4 olim, rôle ■ 5 album, livre*, talon ■ 6 livret, médium ■ 7 censier, étendue, journal, matrice, sommier ■ 8 diptyque, folioter, minutier, papillon, plumitif, stud-book ■ 9 matricule, obituaire, tessiture ■ 10 échéancier, grand-livre, répertoire ■ 11 enregistrer ■ 12 contrepartie, immatriculer, ordonnancier.

REGLAGE : 7 cadrage ■ 9 check-list ■ 10 fourchette, frigoriste ■ 11 dispatching ■ 13 syntonisation.

RÈGLE : 2 té ■ 3 loi* ■ 4 code, fixe, indu, mire, rite, sage, taux ■ 5 canon, cerce, droit, écart, faute, forme, hardi, jauge, leçon, légal, ligne, norme, ordre, point, rader, rangé, repas, saros, trois, unité, usage*, verge ■ 6 maxime, mesure, omerta, perche, précis, réglée, régime ■ 7 alidade, coutume*, équerre, exemple, ordonné, statuts, système*, théorie ■ 8 bâtonnet, canonial, carrelet, dérégler, dispense, exogamie, gouverne, guide-âne, insolite, non-droit, normatif, précepte, principe*, réglable, réglette, régulier, séculier ■ 9 canonique, formalité, menstrues, pied-de-roi, protocole, règlement, typomètre ■ 10 catholique, cérémonial, composteur, désordonné, guilboquet, harmoniste, lignomètre, méthodique, observance, régularité, régulateur, spanandrie ■ 11 concordance, emménagogue, hétéroclite, législateur, odontomètre ■ 12 congrégation, dysménorrhée, systématique, utilitarisme ■ 13 conventualité, normalisation ■ 14 acquit-à-caution, contrapuntique, réglementation ■ 15 architectonique.

RÈGLEMENT : 3 ban, loi ■ 4 code ■ 5 canon, règle* ■ 6 arrêté, charte, statut ■ 9 arbitrage ■ 10 discipline, garde-pêche, ordonnance* ■ 11 liquidation, réglementer ■ 12 constitution, contrevenant, prescription ■ 13 réglementaire ■ 14 réglementation.

REGLEMENTAIRE : 10 garde-à-vous.

REGLEMENTATION : 13 déréglementer ■ 15 réglementarisme.

REGLER : 5 caler, mener, payer*, taxer, vider ■ 6 ranger, solder ■ 7 arrêter, mesurer, modeler, réglage, régloir, statuer, wehnelt ■ 8 aménager, cadencer, combiner, décréter, expédier, formuler, liquider, ordonner, résoudre ■ 9 compasser, compenser, contrôler, manœuvre, organiser*, prescrire ■ 10 accommoder, coordonner, régulation, ritualiser ■ 11 discipliner ■ 13 goutte-à-goutte.

REGLETTE : 8 racloire.

REGLISSE : 4 coco.

REGNE : 6 animal*, végétal*.

REGNER : 10 introniser, présomptif.
REGONFLER : 12 regonflement.
REGORGER : 5 vomir ■ 7 abonder* ■ 11 regorgement.
REGRATTER : 10 regrattage.
REGRESSIF : 14 régressivement.
REGRESSION : 5 recul* ■ 10 involution ■ 13 transgression.
REGRET : 2 hé ■ 5 mener ■ 7 chagrin, remords ■ 8 repentir* ■ 9 attrition, déplaisir, expiation, nostalgie, pénitence ■ 10 contrition, marchander, réparation, repentance, replâtrage ■ 11 componction ■ 12 condoléances ■ 14 raccommodement.
REGRETTABLE : 9 pitoyable ■ 10 déplorable* ■ 11 désagréable.
REGRETTER : 7 excuser, geindre, pleurer ■ 8 déplorer, plaindre, repentir ■ 9 replâtrer, reprocher ■ 11 raccommoder.
REGROUPE : 13 concentrateur.
REGROUPEMENT : 11 syndication.
REGROUPER : 6 fondre ■ 12 regroupement.
REGULAGE : 7 réguler.
REGULARISER : 6 aléser ■ 9 rectifier ■ 11 échappement ■ 12 anticalcique ■ 14 régularisation.
REGULARITE : 5 train ■ 6 enduro ■ 8 arbitrer, compassé ■ 10 exactitude* ■ 11 commissaire, ponctualité ■ 12 irrégularité ■ 14 autorégulation.
REGULATION : 9 dysthymie ■ 10 régulateur, varistance ■ 11 monétarisme ■ 14 autorégulateur, servomécanisme.
REGULE : 8 régulage.
REGULER : 7 assisté.
REGULIER : 3 jeu ■ 4 bien, égal* ■ 5 exact, giron, légal, ondée, ordre, réglé, réglo, santé, tapis ■ 6 normal, rituel ■ 7 cadencé, continu, ordonné, parfait ■ 8 compassé, constant*, homogène ■ 9 barnabite, clepsydre ■ 10 alternatif, méthodique, périodique, symétrique ■ 11 eurythmique, normativité, régulariser ■ 12 proportionné ■ 13 homocinétique, régulièrement.
REGURGITATION : 9 mérycisme.
REHABILITER : 5 laver ■ 7 couvrir ■ 8 blanchir, racheter, rétablir ■ 9 décharger, disculper, justifier, redresser ■ 10 réintégrer ■ 13 réhabilitable ■ 14 réhabilitation.
REHAUSSE : 9 aquarellé.
REHAUSSER : 6 rehaut, vanter ■ 7 hausser ■ 8 gouacher ■ 10 rehaussage ■ 12 rehaussement.
REIFICATION : 7 réifier.
REIMPLANTATION : 11 réimplanter.
REIMPORTER : 13 réimportation.
REIMPRESSION : 7 reprint.
REIN : 3 dos ■ 5 râble, rénal, sable, urine ■ 6 calice, lombes, rénine, rognon ■ 7 néphron, pyélite, uretère ■ 8 éreinter, goussaut, gravelle, néphrite, néphrose, surrénal ■ 9 réniforme ■ 10 mésoblaste, parenchyme ■ 11 aldostérone, cardio-rénal, contrefilet, entérorénal, néphrétique, néphrologie, néphropexie ■ 12 néphrectomie, néphropathie ■ 13 aminophylline, pyélonéphrite ■ 14 hématonéphrite, salidiurétique ■ 15 pneumogastrique.
REINE : 7 candace.
REINE-DES-PRES : 6 spirée ■ 7 ulmaire.
REINE-MARGUERITE : 5 aster.
REINETTE : 5 pomme ■ 6 canada ■ 8 clochard, rainette.
REINSCRIRE : 8 reporter.

REINSTALLER: 14 réinstallation.
REINTEGRER: 8 rétablir ■ 12 réintégrable, resocialiser ■ 13 réintégration.
REINTRODUIRE: 9 recyclage.
REITERATION: 2 ré ■ 4 fois ■ 10 répétition*.
REITERER: 7 refaire*, répéter* ■ 10 réitérable, réitératif ■ 11 réitération.
REJAILLISSEMENT: 4 bond ■ 12 éclaboussure.
REJAILLIR: 7 jaillir ■ 8 retomber ■ 15 rejaillissement.
REJET: 5 cépée ■ 7 débouté, mal-aimé, rejeter, rejeton ■ 8 éjection ■ 10 évacuation ■ 11 enjambement, enterrement ■ 12 cyclosporine.
REJETER: 5 épave, fumer, jeter, pâlir, rejet, vomir ■ 6 épurer, rendre ■ 7 chasser*, cracher, débouté, écarter*, éjecter, éructer, pousser, rebuter, récuser ■ 8 débouter, décliner, éloigner, répudier ■ 9 proscrire, recracher, rejetable, repousser*, réprouver ■ 10 expectorer ■ 11 excommunier.
REJETON: 3 jet ■ 4 fils ■ 5 accru, bille, cépée, rejet, scion, talle ■ 6 cosson, peuple, pousse, provin, stolon ■ 7 bouture, coulant, drageon, produit, revenue, surgeon, trochée ■ 9 mailleton, œilleton.
REJOINDRE: 6 réunir* ■ 7 joindre*, rallier ■ 8 recoller, regagner ■ 9 atteindre, contacter, rattraper, reprendre.
REJOUI: 3 gai ■ 6 joyeux*.
REJOUIR: 5 jouir ■ 6 amuser* ■ 7 ébaudir ■ 10 réjouissant.
REJOUISSANCE: 4 fête*, noce ■ 5 nouba, régal, salve ■ 6 liesse ■ 8 artifice ■ 9 festivité ■ 10 récréation.
REJOUISSANT: 9 jouissant.
RELACHE: 5 répit, repos*, trêve ■ 6 escale, mitigé ■ 7 commode ■ 9 hivernage ■ 10 négligence* ■ 11 relâchement ■ 12 dévergondage.
RELACHEMENT: 5 écart, ptôse ■ 7 relâche ■ 10 relaxation, vasomoteur ■ 11 éraillement ■ 13 décontraction.
RELACHER: 6 lâcher ■ 7 élargir, laisser, libérer*, mitiger, relaxer ■ 8 détendre, érailler, ramollir, respirer ■ 9 desserrer, distendre, émollient.
RELAIS: 5 poste ■ 8 attitrer, relayeur, ronfleur, thalamus ■ 10 gyropilote ■ 11 conjoncteur, mondovision.
RELANCER: 7 relance ■ 8 renvoyer.
RELAPS: 4 laps ■ 7 apostat.
RELARGIR: 14 rélargissement.
RELATIF: 3 que, qui ■ 4 beat, dont, duel, mari, quoi ■ 5 asine, bahaï, basal, béhaï, degré, glial, iléal, inuit, nucal, osque, padan, poids, saïte, sioux, vagal ■ 6 fenian, hiatal, lutéal, neural, otique, sacral, scythe, septal, sériel, tombal, vernal, zonier ■ 7 acadien, affixal, basiste, booléen, boolien, cambial, çivaïste, conatif, galleux, génique, glaciel, groupal, hétérie, hittite, holiste, humique, kalmouk, kassite, lupique, maïoral, mayoral, môlaire, musculo, négrier, néonazi, panaire, rapport*, récifal, rurbain, sablier, scrotal, sexiste, sinusal, sudoral, tophacé, tumotal, urineux, vinaire, wurmien ■ 8 acnéique, adamique, anodique, armorial, bancaire, beylical, biblique, biliaire, binomial, brachial, calcique, canonial, cantonal, capétien, chromeux, çivaïste, clanique, comicial, comitial, corporel, cortical, culturel, cyclique, cycliste, déliaque, dermique, dyadique, entriste, essénien, étatique, étatiste, ethnique, explosif, faurique, filmique, freudien, grandeur, hordéacé, hunnique, ibérique, inguinal, jazzique, logiciel, lunetier, mémorial, méniscal, mnésique, morisque, morutier, nabatéen, néo-natal, neuroral, nigérien, noétique, nouménal, œdipien, onirique, pal-

maire, papuleux, paysager, peptique, planiste, prandial, préalpin, préfixal, relative, rizicole, sahélien, salicole, salicylé, scabinal, scotiste, shogunal, sialique, sinusien, sivaïste, sommital, suffixal, sumérien, syncopal, tachiste, thymique, toroïdal, tourbier, tropical, turkmène, urémique, variétal, vénérien, vichyste, zodiacal, zoophile ■ **9** anionique, apraxique, aréolaire, argotique, artisanal, aseptique, baleinier, balnéaire, balzacien, bicaméral, bicipital, boyaudier, cadastral, calorique, caritatif, castriste, cathédral, cavitaire, cégésimal, censorial, céréalier, cinétique, condylien, contracte, convivial, cornélien, cotonnier, décadaire, doloriste, dynamique, échevinal, échiquéen, estuarien, eugénique, eutocique, faunesque, fibrineux, fluidique, formental, galénique, garonnais, génératif, génésique, gymnasial, hématique, hitlérien, horticole, ictérique, incasique, infantile, intonatif, islamiste, karstique, keynésien, léniniste, lessiviel, libériste, libidinal, lipidique, liquidien, maghrébin, mammalien, mandingue, maraîcher, mécanique, méiosique, mélanique, mendélien, micotique, mulassier, mycosique, naturiste, nilotique, notionnel, novatoire, nuragique, olympique, palpébral, paulinien, péroniste, pétéchial, pétéchiel, phallique, phonateur, phrénique, plutonien, portuaire, polytonal, protéique, prud'homal, quantique, quiconque, sassanide, savonnier, spirituel, stéroïque, stuporeux, tabagique, tantrique, tarifaire, tensoriel, trophique, victorien, volumique, zwinglien ■ **10** acoustique, aéropostal, allergique, amidonnier, anarchiste, ancillaire, anévrysmal, apollinien, azotémique, balistique, biologique, bouddhique, boulimique, brassicole, bronchique, calendaire, cannabique, capillaire, carpatique, cérémoniel, cholérique, climatique, cœlomique, communiste, confédéral, consortial, contextuel, conventuel, corporatif, coxalgique, criticiste, cycladique, cyphotique, dramatique, dysgénique, dyslexique, dyspnéique, dystonique, écologique, économique, édilitaire, équatorial, équinoxial, érémitique, euphorique, eustatique, exogamique, faubourien, franquiste, frœbélien, gangétique, géodésique, géologique, glucidique, gnomonique, gravidique, handisport, hassidique, holistique, hypnotique, hypotensif, hystérique, iléo-cæcal, ischémique, isométrique, johannique, judiciaire, jupitérien, lipoïdique, locomoteur, lutéinique, mamillaire, mandarinal, massaliote, matriarcal, mentonnier, migraineux, monumental, morainique, nécrotique, néologique, nigritique, nucellaire, orgasmique, orgastique, orogénique, ovulatoire, panthéiste, photonique, phrastique, piaculaire, pilo-sébacé, podzolique, polynomial, pontifical, prépositif, prométhéen, pulsionnel, rabbinique, relativité, riemannien, scapulaire, scientiste, sécrétoire, séquentiel, shintoïste, sigillaire, spinoziste, stéroïdien, structural, subsonique, symboliste, synaptique, synergique, systémique, systolique, thalamique, tinctorial, tréfoncier, vacuolaire, vampirique, végétalien, wahhabiste ■ **11** acrobatique, aérologique, aérospatial, appalachien, athétosique, autocéphale, betteravier, biochimique, bolchevique, bolcheviste, britannique, brittonique, cachectique, capitaliste, caractériel, cardinalice, carolingien, catabolique, cénobitique, chromatique, cirrhotique, copernicien, cylindrique, décisionnel, dégénératif, délégatoire, démagogique, désinentiel, dévotionnel, diarrhéique, diastasique, dionysiaque, diphtérique, directorial, divinatoire, éclamptique, endocrinien, énergétique, ensembliste, épistolaire, ergonomique, estimatoire, estudiantin, éthologique, évangélique, existentiel, fédéraliste, fibrillaire, flagellaire, folklorique, frictionnel, frumentaire, fumigatoire, funiculaire, furonculeux, géochimique, gestaltiste, hanséatique, hégémonique, hémogénique, homonymique, hospitalier, identitaire, idiomatique, idolâtrique, infrasonore, intertribal, jazzistique, lépromateux, lithiasique, médico-légal, membranaire, mérovingien, militariste, moliérisque, monétariste, monoculaire, monophysite, monothéiste, mycologique, néphrotique, neutraliste, neutronique, obstétrical, oculomoteur, organiciste, orthoptique, panoramique, panslaviste, paranoïaque, paronymique, partenarial, pleurétique, polygénique, polysémique, pomologique, possessoire, prostatique, protéinique, prothétique, proudhonien, psychotique, quadratique, radicalaire, réactionnel, relativiser, révisionnel, rhéologique, rosicrucien, schizothyme, scoliotique, scriptuaire, sécuritaire, segmentaire, sérologique, silicotique, sophronique, surcomprimé, symphonique, taxinomique, tennistique, topologique, toponymique, touristique, transitaire, typologique, ultrasonore, vagotonique, végétaliste, vétérinaire, vitaminique, zingibéracé, zoopathique ■ **12** agricultural, allopathique, allotropique, antiacridien, anticyclonal, aphoristique, apoplectique, astrologique, asymptotique, barométrique, cannibalique, cataleptique, cellulitique, combinatoire, consumériste, coquelucheux, cortisonique, cosmogonique, cosmologique, culturaliste, déterministe, diachronique, dicaryotique, dimensionnel, diplomatique, domiciliaire, dysentérique, dysgénésique, éducationnel, éjaculatoire, encéphalique, encoprétique, endoscopique, érotologique, eurasiatique, fidéjussoire, folliculaire, généthliaque, gestionnaire, hédonistique, helminthique, hémiplégique, hémoptysique, hémorragique, heptaédrique, histaminique, histologique, historiciste, histrionique, hydrologique, icolologique, incantatoire, inspiratoire, intersidéral, intertextuel, isodynamique, ligamentaire, linguistique, lithologique, macrocytaire, méningitique, ménopausique, métastatique, météoritique, modérantiste, motonautique, nécrologique, neurologique, numismatique, opérationnel, ophiolitique, orographique, ostéologique, panaméricain, pancréatique, panislamique, paramétrique, parascolaire, paratyphique, pédonculaire, philatélique, planctonique, publicitaire, radiologique, rédactionnel, régionaliste, relativement, restitutoire, sacro-iliaque, sanskritique, scatologique, sidérurgique, sphinctérien, spontanéiste, squelettique, supersonique, syphilitique, tentaculaire, testiculaire, tétraédrique, théostatique, ultrasonique, urbanistique, vitivinicole, wisigothique, zootechnique ■ **13** aérothermique, afro-asiatique, aponévrotique, avant-gardiste, biauriculaire, bioclimatique, caoutchoutier, carbochimique, cataclysmique, cataplectique, catéchistique, cholinergique, collectiviste, concordataire, consonantique, constantinien, corpusculaire, démographique, densimétrique, déontologique, divisionniste, ectoblastique, embryogénique, endoblastique, eudiométrique, fœto-maternel, funambulesque, géomagnétique, glaciologique, graphologique, gynécologique, hébéphrénique, hectométrique, histiocytaire, homéostatique, homographique, hypsométrique, immunologique, interethnique, introductoire, kabbalistique, labyrinthique, lexicologique, lymphocytaire, mégalocytaire, mercantiliste, microcosmique, microphonique, millimétrique, morphologique, myxœdémateux, neurochimique, océanologique, ontogénétique, orthophonique, pangermaniste, parlementaire, personnaliste, pétrochimique, phyllogénique, poliorcétique, productiviste, pythagoricien, radiophonique, sensorimoteur, socioculturel, sociométrique, sophrologique, strioscopique, subdésertique, syntagmatique, thérapeutique, tiers-mondiste, troglodytique, typographique ■ **14** anaphylactique, anticyclonique, appendiculaire, binauriculaire, bioénergétique, bureaucratique, calorimétrique, cancérologique, catastrophiste, chronométrique, comportemental, déflationniste, diencéphalique, diffusionniste, dodécaphonique, dopaminergique, érythrocytaire, eurocommuniste, hagiographique, hypothalamique, institutionnel, interactionnel, interférentiel, interstellaire, juridictionnel, leucopoïétique, lithosphérique, macrographique, mégalomaniaque, méthodologique, micrographique, monométalliste, néo-positiviste, néo-platonicien, ornithologique, pétrographique, phallocratique, philhellénique, phonographique, phylogénétique, physosanitaire, pluviométrique, postcommuniste, prépositionnel, prospectiviste, protubérentiel, radiotechnique, réductionniste, rhumatologique, scénographique, schizothymique, spasmophilique, stéréoscopique, stroboscopique, technocratique, terminologique, thermochimique, toxicamiaque, toxi-infectieux, transférentiel, transfusionnel, trifonctionnel, tuberculinique, vasculo-nerveux, volcanologique, vulcanologique ■ **15** électrostatique, épidémiologique, existentialiste, extrême-oriental, fonctionnaliste, franc-maçonnique, hématopoïétique, immunodépressif, interplanétaire, interspécifique, louis-philippard, louis-quatorzien, macroéconomique, mécanographique, microéconomique, musicographique, océanographique, oligopolistique, phallocentrique, photo-électrique, poliomyélitique, protectionniste, radio-électrique, révolutionnaire, schizophrénique, socio-dramatique, spectrométrique, splénomégalique, sprectococcique, stratosphérique, traumatologique, triboélectrique, trophoblastique.

RELATION: 3 ami ■ **4** avec, dual, pour ■ **5** cadet, entre, fléau, liste, récit*, titre, vivre ■ **6** exposé, factum, modulo ■ **7** contact, égalité, rapport* ■ **8** commerce, tolérant ■ **9** condition, connaître, copinerie, fusionnel, invariant, motricité ■ **10** boycottage, corrélatif, fréquenter, historique, mutualisme, témoignage ■ **11** communiquer, comparaison, compte rendu, corrélation, implication, sociogramme ■ **12** appartenance, connaissance, correspondre, court-circuit, discriminant, équipollence, lingua franca, procès-verbal, psychomoteur, quelque chose ■ **13** connaissance, correspondant, fréquentation, géotectonique, homographique, interbancaire, relationniste, subordination, transculturel ■ **14** fréquentations, interconnecter, interconnexion, interpersonnel ■ **15** intertextualité.

RELATIVISER: 14 relativisation.

RELATIVITE: 11 espace-temps.

RELAXANT: 7 jacuzzi.

RELAXATION: 11 sophrologie ■ **13** myorelaxation.

RELAXE: 8 relaxant.

RELAXER: 7 reposer ■ **8** relâcher* ■ **10** relaxation.

RELAYER: 9 remplacer*.

RELEGATION: 7 relégué.

RELEGUER: 6 bannir ■ **8** confiner, déporter ■ **10** relégation.

RELENT: 5 odeur*.

RELEVE: 3 r.i.b. ■ **4** haut ■ **5** élevé ■ **6** compte ■ **7** rexiste ■ **9** estrafort, retroussé ■ **10** ségrégatif ■ **11** gériatrique ■ **13** misérabiliste ■ **14** programmatique, sadomasochiste, situationniste.

RELEVEMENT: 6 devers ■ **9** arpenteur ■ **10** amendement.

RELEVER: 5 lever ■ **6** relève ■ **7** draguer ■ **8** apprêter, corriger, dépendre, ramasser, relevage, releveur, rétablir, soulever, trousser ■ **9** redresser*, rehausser, relevable, remplacer, souligner ■ **10** agrémenter, relèvement, retrousser ■ **11** médicaliser, revaloriser ■ **12** chronométrer, convalescent ■ **13** qualificateur.

RELIE: 9 filoguidé, radio-taxi.

RELIEF: 4 mont, œil ■ **5** bosse*, camée, cluse, creux, flore, karst, liure, reste ■ **6** modèle, souage, volcan ■ **7** braille, foulage, saillie* ■

8 bosseler, brillant, enlevure, estamper, grénetis, modelage, onglette ■ **9** avant-mont, bosselage, cartisane, empreinte, entre-nerf, estampage, grisaille, jurassien, laccolite, passepoil ■ **10** demi-relief, interfluve, laccolithe, pénéplaine, ronde-bosse ■ **11** appalachien, hypsométrie, pittoresque, polygénique, proéminence, stéréophonie, stéréoscope, topographie, typographie ■ **12** anaglyptique, stéréoscopie, stéréovision ■ **13** thermogravure ■ **14** géomorphologie.

RELIER : **5** plier ■ **6** coudre, jasper ■ **7** chaîner, couvrir, joindre*, marbrer, relieur ■ **8** encoller, endosser ■ **9** enchaîner, ombilical, raccorder, réticuler, sous-faîte ■ **10** coordonner, disjonctif, entretoise, traversine ■ **11** interfolier ■ **12** collationner.

RELIEUR : **6** galope ■ **8** galuchat, gantelet, roulette.

RELIGIEUSE : **5** escot, mulud, tanka ■ **6** raskol ■ **7** achoura ■ **8** madhisme, saktisme ■ **9** mandéisme ■ **10** non-croyant ■ **11** lectisterne, vishnouisme ■ **12** calvairienne, libre-penseur.

RELIGIEUX : **3** dom ■ **4** ange, auto, imam, iman, laïc, lama, père, thug, vœu ■ **5** carme, clerc, coule, frère, hymne, image, merci, moine, nonne, oblat, paria, pieux, règle, sacré, sixte, sœur, soufi, velet ■ **6** dervis, ermite, gospel, isolat, laïque, minime, monial, prêtre*, profès, quaker, santon, zaouïra, zawiya ■ **7** adamien, adamite, béguine, capucin, cellule, convers, croyant, frocard, jacobin, jésuite, karaïte, madrass, mariste, medersa, miracle, qaraïte, réformé, servant, servite ■ **8** bahaïsme, béhaïsme, cantique, cénobite, chanoine, çivaïsme, confrère, défroqué, derviche, fronteau, génocide, marabout, moinerie, nonnette, oratorio, récollet, révérend, salésien, sectaire, sivaïsme, ursuline ■ **9** ascétisme, barnabite, carmélite, chapitral, chartreux, compagnie, confrérie, cordelier, feuillant, johannite, officiant, penaillon, procureur, sacrement, spiritain, tavaïolle, trappiste ■ **10** anachorète, catholicos, chartreuse, coadjuteur, communauté, couventine, définiteur, dominicain, exotérique, ismaélisme, jésuitisme, lucernaire, procession, réformiste, sacristain, scapulaire, talonnière, trinitaire, visitation ■ **11** capitulaire, discrétoire, duodécimain, franciscain, hebdomadier, hiéronymite, obédiencier, religiosité, sacrificiel, scolasticat, scolastique, syncrétisme, visitandine, visitatrice ■ **12** pentecôtiste ■ **13** autoritarisme, congréganiste, madelonnettes, rédemptoriste ■ **14** negro spiritual ■ **15** assomptionniste.

RELIGION : **3** foi, loi ■ **4** juif, laps, rite ■ **5** bible, canon, culte, dogme, férié, impie, islam, karma, libre, ligue, magie, mixte, motet, piété, sacré, saint, secte, tabou, voile ■ **6** déisme, shinto ■ **7** apostat, chiisme, impiété, laxisme, magisme, papisme, profane, schisme, taoïsme, théisme, védisme ■ **8** acolytat, adamisme, anglican, animisme, athéisme, baptisme, chrétien, converti, dévotion*, doctrine*, dualisme, fidéisme, huguenot, illuminé, jaïnisme, judaïsme, lamaïsme, mosaïsme, musulman, pamphlet, panthéon, parsisme, piétisme, sabéisme, sikhisme, solennel, thomisme ■ **9** adoration, apostasie, arianisme, ascétisme, blasphème, caodaïsme, convertir, djaïnisme, donatisme, druidisme, idolâtrie, indouisme, islamisme, israélite, mazdéisme, paganisme, pratiquer, quiétisme, religieux, spirituel, zoolâtrie ■ **10** adventiste, antoinisme, apostasier, areligieux, bouddhisme, calvinisme, catéchiser, catéchisme, cathédrale, chamanisme, confession, fétichisme, hindouisme, intégrisme, irréligion, jansénisme, jésuitisme, méthodisme, montanisme, mormonisme, mystagogue, mysticisme, mythologie, obligation, ordination, panthéisme, paulinisme, pratiquant, propagande, quakérisme, rabbinisme, réformisme, révélation, shintoïsme, unitarisme ■ **11** anabaptisme, brahmanisme, conformisme, évangélique, gnosticisme, illuminisme, irréligieux, kharidjisme, mahométisme, molinosisme, monothéisme, naturalisme, néothomisme, polythéisme, préadamisme, syncrétisme ■ **12** anglicanisme, antichrétien, apologétique, augustinisme, catholicisme, gallicanisme, luthéranisme, millénarisme, monophysisme, panislamisme, pélagianisme, socinianisme, zoroastrisme ■ **13** antireligieux, christianisme, luthérianisme, nestorianisme, réligionnaire, universalisme ■ **14** controversiste, prédestination, protestantisme, religieusement ■ **15** coréligionnaire, indifférentisme, néo-catholicisme.

RELIQUAIRE: **6** châsse, fierté ■ **7** relique.

RELIQUAT: **5** reste*, solde ■ **7** ouraque ■ **8** redevoir ■ **11** dysembryome.

RELIQUE: **5** reste*, stupa ■ **7** cendres ■ **9** ossements, véronique ■ **10** reliquaire.

RELIURE: **5** alude, alute, garde, livre ■ **6** bradel ■ **7** grébige ■ **8** grébiche, maroquin ■ **9** emboîtage, endossure, press-book ■ **10** cathédrale, janséniste ■ **11** biblorhapte, demi-reliure.

RELOGER: **10** relogement.

RELUIRE: **7** briller* ■ **8** astiquer ■ **9** reluisant.

RELUIRE: **8** blinquer.

RELUIT: **7** luisant.

RELUQUER: **5** mater ■ **8** regarder*.

REMACHER: **7** ruminer.

REMAILLER: **10** remaillage ■ **11** remmaillage.

REMANIEMENT: **9** après-coup, colluvion ■ **11** histogenèse.

REMANIER: **6** revoir ■ **7** changer* ■ **8** arranger*, corriger* ■ **10** remaniable ■ **11** remaniement ■ **13** tripatouiller.

REMARQUABLE: **5** extra ■ **6** fameux ■ **7** émérite, éminent, insigne, notable, premier, signalé ■ **8** marquant ■ **9** distingué, singulier* ■ **10** formidable ■ **14** extraordinaire* ■ **15** remarquablement.

REMARQUE: **2** nb ■ **4** dire, nota, note* ■ **6** notice, pensée, scolie ■ **7** exégèse, scholie ■ **8** échapper, sensible ■ **9** apostille, manchette ■ **10** annotation ■ **11** commentaire, observation*, remarquable.

REMARQUER: **4** voir ■ **5** noter ■ **6** épater ■ **7** annoter, briller, trouver ■ **8** afficher, marquant, observer*, paraître, remarque ■ **9** commenter, connaître, percevoir ■ **10** apercevoir, apostiller, distinguer* ■ **12** singulariser.

REMASTIQUER: **11** remasticage.

REMBALLER: **10** remballage.

REMBARQUER: **13** rembarquement.

REMBARRER: **7** remiser ■ **9** repousser*.

REMBLAI: **5** talus ■ **7** scraper ■ **8** chaussée ■ **9** remblayer.

REMBLAYER: **10** angledozer, remblayage ■ **11** remblayeuse.

REMBOITER: **8** remettre ■ **10** remboîtage ■ **12** remboîtement.

REMBOURRER: **6** garnir ■ **9** banquette ■ **10** capitonner, matelasser ■ **11** matelassure, rembourrage, rembourrure.

REMBOURSEMENT: **15** rééchelonnement.

REMBOURSER: **4** pair ■ **5** payer ■ **7** amortir ■ **12** remboursable ■ **13** remboursement.

REMEDE: **5** miton, purge ■ **6** drogue, nervin, potion ■ **7** cautère, panacée ■ **8** antidote, béchique, remédier ■ **9** jaborandi, médicinal, népenthès, opiniâtre, vermicide, vermifuge ■ **10** carminatif, électuaire, médicament*, remédiable, suppuratif ■ **11** antirabique, apothicaire, cicatrisant, préservatif ■ **12** contrepoison ■ **14** alexipharmaque ■ **15** antispasmodique.

REMEDIER: 5 parer ■ 6 guérir ■ 7 pallier, réparer ■ 8 suppléer ■ 12 achromatiser, irrémédiable.
REMEMBRANCE: 7 mémoire*.
REMEMBRER: 12 remembrement.
REMEMORER: 8 rappeler*, souvenir*.
REMENER: 6 amener.
REMERCIEMENT: 5 grâce, merci ■ 6 action ■ 14 reconnaissance*.
REMERCIER: 5 bénir, merci ■ 9 congédier ■ 12 remerciement.
REMERE: 6 rachat.
REMET: 9 remettant.
REMETTRE: 5 payer ■ 6 délier, expier, guérir, livrer*, rendre* ■ 7 adouber, confier, gracier, oublier, ramener, refaire, rejeter, relever, réparer, reposer, rétamer ■ 8 absoudre, afflouer, arranger, délivrer, dépanner, détordre, différer*, épargner, extrader, rajuster, ramender, recorder, redonner, remonter, rengager, renvoyer, repasser, replacer, reporter, rétablir, retarder ■ 9 acquitter, amnistier, atermoyer, décharger, pardonner, postposer, raffermir, ravigoter, réajuster, recentrer, recharger, redoubler, remballer, rembarrer, remboîter, remémorer, rempocher, rendosser, renflouer, rengainer, resserrer, restaurer, restituer ■ 10 affranchir, déséchouer, désenrayer, rafraîchir, réarranger, rechausser, reculotter, rembarquer, rémissible, rencaisser, renchaîner, renouveler, ressemeler, temporiser ■ 11 débrouiller, dépositaire, raccommoder, réconcilier, reconnaître, réhabiliter ■ 12 réactualiser, redistribuer, réfectionner.
REMINISCENCE: 7 mémoire ■ 8 souvenir*.
REMISE: 4 abri, tare ■ 5 délai, dépôt, grâce, pause, recul, répit, temps, trêve ■ 6 corner, garage, hangar, renvoi, trullo ■ 7 reprise ■ 8 rauchage, recharge ■ 9 tradition, transfert ■ 10 commission, diminution, ravalement ■ 11 ajournement, restitution ■ 12 prolongement ■ 15 commissionnaire.
REMISER: 6 serrer ■ 7 reculer ■ 8 ajourner, allonger, différer, éloigner, remettre, remisage, renvoyer, reporter, réserver, retarder ■ 9 atermoyer, prolonger, repousser ■ 10 transférer.
REMISSION: 5 oubli ■ 6 pardon* ■ 8 amnistie ■ 9 expiation ■ 10 absolution, indulgence, rédemption, réparation ■ 11 miséricorde ■ 12 acquittement, interruption, propitiation ■ 14 réhabilitation.
REMMENER: 6 amener.
REMNOGRAPHIE: 11 remnographe.
REMONTANT: 10 fortifiant.
REMONTEE: 9 upwelling.
REMONTER: 5 dater ■ 7 ranimer, remonte ■ 8 affermir, consoler*, rassurer, remontée ■ 9 conforter, rapporter, ravigoter, remonteur, remontoir, retremper, revigorer ■ 10 encourager, immémorial, monte-pente, rafraîchir, rasséréner, requinquer ■ 11 réconcilier, réconforter ■ 12 ragaillardir ■ 13 contre-courant.
REMONTRANCE: 5 blâme* ■ 6 sermon ■ 8 prêcheur, reproche* ■ 9 sermonner ■ 10 admonester, réprimande*, sermonneur ■ 11 objurgation ■ 12 supplication ■ 13 avertissement ■ 14 représentation.
REMORA: 12 complication.
REMORDS: 6 regret*, ulcéré ■ 8 bourrelé, repentir*.
REMORQUE: 5 touée ■ 8 caravane, roulotte.
REMORQUER: 5 tirer*, touer ■ 7 traîner* ■ 8 tracteur ■ 10 remorquage, remorqueur.
REMORQUEUR: 6 toueur.
REMOUDRE: 9 remoulage.

REMOUILLER: 11 remouillage.
REMOULAGE: 9 remmouler.
REMPAILLER: 11 rempaillage, rempailleur.
REMPAILLEUR: 7 canneur, cannier.
REMPART: 8 avant-mur, biscaïen, bouclier, enceinte, muraille ■ 9 boulevard, haquebute ■ 10 écrêtement, hacquebute ■ 11 escarpement ■ 12 amphithéâtre ■ 13 fortification*.
REMPLAÇANT: 4 aide ■ 6 second ■ 7 adjoint, vicaire ■ 8 comparse, doublure ■ 9 substitut, suppléant, vice-légat ■ 10 auxiliaire, lieutenant ■ 11 intérimaire, succenturie ■ 13 inconvertible ■ 14 sous-secrétaire.
REMPLACEMENT: 6 ersatz, relève ■ 7 intérim ■ 8 épigénie, mutation ■ 9 repiquage, roulement ■ 10 troncature ■ 11 commutation, repiquement, subrogation ■ 12 substitution* ■ 14 exsanguination.
REMPLACER: 7 bloquer, changer, déloger, doubler, hériter, regréer, relayer, relever, retuber ■ 8 alterner, dégommer, déplacer, détrôner, laïciser, permuter, recruter, remonter, seconder, subroger, succéder, suppléer, supposer ■ 9 compenser, renformir, repousser ■ 10 paramétrer, substituer, supplanter ■ 11 nucléariser, remplaçable, rentraiture, représenter ■ 12 remplacement ■ 13 irremplaçable.
REMPLI: 4 gros, imbu, mine ■ 5 bondé, dense, enflé, farci, gorgé, pétri, plein* ■ 6 bourré, comblé, gonflé, massif, replet ■ 7 compact, complet*, positif ■ 8 coulisse, remplier ■ 9 réplétion, satisfait ■ 10 renflement.
REMPLIR: 5 caser, plein, tenir ■ 6 bonder, emplir, farcir, garnir, gorger, serrer, solder, tasser, verser ■ 7 boucher, bourrer*, charger, combler, empâter, fourrer, occuper, ouiller, plomber, truffer ■ 8 calfater, effrayer, embaumer, entasser, parfaire, parfumer, réplétif, suppléer ■ 9 accomplir, cheviller, compléter, empailler, enflammer, jointoyer, mastiquer, rengrener ■ 10 liaisonner ■ 11 coulabilité, empoisonner, ensoleiller, fonctionner, remplissage ■ 12 remplisseuse ■ 13 enthousiasmer.
REMPLISSAGE: 6 bourré* ■ 7 hourdis, ruinure ■ 8 délayage, hourdage, soliveau ■ 10 ballastage, parenchyme.
REMPLOI: 8 réemploi ■ 12 remplacement.
REMPORTER: 6 gagner* ■ 7 obtenir*, vaincre ■ 9 triompher ■ 10 moissonner.
REMPOTER: 9 rempotage.
REMUER: 6 agiter*, bouger* ■ 7 branler, éventer, gigoter, jétisse, mouvoir*, piocher, remuant ■ 8 broncher, émouvoir, jectisse, pelleter, piétiner, remuable, serfouir, touiller ■ 9 ballotter, clignoter, confusion, effondrer, frétiller, grouiller, remuement, ringarder ■ 10 fourgonner, gesticuler, sourciller.
REMUGLE: 5 odeur*.
REMUNERATION: 3 job ■ 4 agio, frêt, gain ■ 7 salaire* ■ 8 courtage, lucratif, salariat ■ 9 indemnité ■ 10 récompense, traitement ■ 11 rétribution* ■ 13 gratification.
REMUNERE: 10 monnayable.
REMUNERER: 5 payer* ■ 10 non-salarié.
RENACLER: 7 aspirer ■ 9 rechigner.
RENAISSANCE: 8 gothique ■ 9 majolique ■ 11 plateresque ■ 12 palingénésie, regénération, résurrection.
RENAITRE: 7 ramener, revivre ■ 8 redonner, rétablir ■ 11 renaissance.
RENAL: 7 anurèse.
RENARD: 3 fox ■ 6 fennec, goupil, isatis ■ 8 amarante, renarder ■ 9 renardeau ■ 10 renardière ■ 12 chausse-trape, glapissement.

RENARDER : 5 ruser.
RENAUDER : 8 murmurer.
RENCAISSER : 11 rencaissage ■ 13 rencaissement.
RENCHERI : 4 fier.
RENCHERIR : 7 renvier.
RENCONTRE : 4 choc, duel, sort ■ 5 heurt ■ 6 combat, hiatus, sommet, visite ■ 7 congrès, contact, palabre, réunion* ■ 8 au-devant, audience, colloque, dialogue, entrevue*, jonction, palmarès, relation ■ 9 admission, assemblée, confluent, entretien, incidence, interview, réception, tête-à-tête ■ 10 accrochage, conférence, discussion, occurrence, rendez-vous ■ 11 abouchement, coïncidence, conjonction, convocation, explication, négociation, orthocentre, télescopage ■ 12 conciliabule, échauffourée ■ 13 communication, confrontation.
RENCONTRER : 4 voir ■ 6 hanter, réunir, tomber ■ 7 aborder, croiser, trouver, visiter ■ 8 accoster, admettre, chambrer, conférer, orbicole, palabrer, recevoir ■ 9 affronter, convoquer, tamponner, traverser ■ 10 fréquenter, raccrocher, surprendre ■ 11 parlementer.
RENDEMENT : 7 rapport, récolte ■ 8 intensif ■ 9 abondance, fécondité, fertilité ■ 10 efficience, production, taylorisme ■ 13 normalisation.
RENDEZ-VOUS : 5 lapin ■ 6 muette, visite ■ 7 rancard, rencard ■ 11 assignation, décommander.
RENDRE : 4 suer ■ 5 amuïr, cuire, fixer, jeter, juter, matir, mûrir, payer, polir, rendu, salir, vider, vomir ■ 6 acérer, donner, moiter, mourir, prêter ■ 7 délurer, émécher, inalper, mitiger, niveler, ranimer, ravilir, recéder, réparer, valider ■ 8 aciduler, affermir, agrandir, aiguiser, amaigrir, arrondir, assainir, attiédir, blanchir, bonifier, cocufier, corriger, décrêper, dégorger, délivrer, ébruiter, éclairer, égaliser, élaborer, émousser, empaumer, endurcir, enhardir, enlaidir, enrichir, épaissir, équarrir, érailler, étancher, étriquer, exempter, fasciser, féconder, humecter, humilier, marxiser, mouiller, nettoyer, ovaliser, passiver, pimenter, produire, purifier, rabonnir, racornir, radoucir, raffiner, rajeunir, ralentir, ramollir, raréfier, rassurer, réaliser, redonner*, relâcher, rélargir, remettre*, renvoyer, retentir, rétrécir, revaloir, saccader, suppurer ■ 9 accourcir, accroître, acquitter, adhériser, affaiblir, améliorer, amenuiser, amoindrir, appauvrir, appointer, aseptiser, assimiler, assombrir, assouplir, assourdir, attendrir, attrister, augmenter, banaliser, canaliser, capituler, civiliser, clarifier, compenser, compléter, concréter, condenser, confirmer, consacrer, contenter, défigurer, défricher, dégourdir, dégrossir, démaigrir, déniaiser, dessécher, divulguer, éclaircir, efféminer, émanciper, encrasser, endiabler, endolorir, enfieller, engourdir, enjoliver, entériner, exacerber, exaspérer, faciliter, fanatiser, fidéliser, glorifier, habiliter, ignifuger, illustrer, immuniser, inquiéter, intriquer, justicier, légaliser, liquéfier, lubrifier, mécaniser, moraliser, mortifier, moutonner, obscurcir, opacifier, raffermir, rallonger, rectifier, reddition, redresser, refroidir, rembrunir, remercier, renchérir, rendurcir, renforcer, reprendre, resserrer, restituer, revancher, sonoriser ■ 10 actualiser, affranchir, alambiquer, animaliser, apercevoir, appesantir, approprier, compliquer, consolider, décerveler, enclencher, enrouiller, euphoriser, expliciter, fertiliser, fiabiliser, fragiliser, fructifier, germaniser, humidifier, hydrofuger, identifier, indisposer, intervenir, multiplier, nécessiter, objectiver, perenniser, précariser, promulguer, raccourcir, rafraîchir, rapetisser, rasséréner, réintégrer, rembourser, renouveler, rétrocéder, rigidifier, sanctifier, simplifier, stériliser, visualiser, volcaniser ■ 11 alcaliniser, apprivoiser, approfondir, automatiser, bolcheviser, boursoufler,

complaisant, concrétiser, conglutiner, décompléter, désenlaidir, désépaissir, embrouiller, généraliser, immobiliser, insonoriser, intensifier, libéraliser, mécontenter, neutraliser, optimaliser, parcheminer, populariser, réciproquer, régulariser, réhabiliter, relativiser, restituable, restitution, séculariser, sédentarité, solubiliser, titulariser, uniformiser, volatiliser ■ 12 achromatiser, authentifier, authentiquer, circulariser, complexifier, crédibiliser, débâillonner, démantibuler, désenvenimer, enorgueillir, familiariser, flexibiliser, homogénéiser, immortaliser, matérialiser, nationaliser, officialiser, rationaliser, sensibiliser, sociabiliser, synchroniser ■ 13 déshumidifier, insolubiliser, universaliser ■ 14 commercialiser, contre-indiquer, dématérialiser, insensibiliser, respectabilité, tranquilliser, vulnérabiliser ■ 15 fonctionnaliser, imperméabiliser.

RENDEZ-VOUS : 9 rancarder, rencarder.

RENDU : 3 las*.

RENDURCIR : 15 rendurcissement.

RENE : 5 bride, licol, licou ■ 7 enrêner, harnais ■ 8 chevêtre.

RENEGAT : 4 laps ■ 7 apostat*, déloyal, traître.

RENETTE : 8 renetter.

RENFAITER : 10 renfaîtage.

RENFERME : 5 ozoné ■ 8 salifère, zincique ■ 13 martensitique.

RENFERMER : 6 serrer ■ 7 inclure ■ 8 aurifère, contenir*, enfermer*, entourer, inclusif, vénéneux ■ 9 embrasser, impliquer, médulleux, zincifère ■ 10 comprendre ■ 11 argentifère, fossilifère, métallifère, miasmatique, tricalcique ■ 12 circonscrire, renfermement.

RENFLE : 5 bouge, bulbe, galbé, pansu ■ 7 urcéole ■ 10 renflement.

RENFLEMENT : 4 bulb ■ 5 bulge, galbe, glome, jabot, pomme ■ 6 épaule ■ 8 bossette, ganglion, nodosité ■ 10 renflouage ■ 12 renflouement.

RENFLOUER : 8 afflouer.

RENFORCEE : 3 q.s.r.

RENFORCEMENT : 4 mais ■ 6 virole ■ 7 nervure ■ 10 brunissure ■ 12 certainement, renforçateur ■ 15 contreventement, intensification.

RENFORCER : 2 là ■ 5 forte, jambe ■ 6 garnir ■ 8 adjuvant, affermir, bretèche, bretesse, empatter ■ 9 accentuer, augmenter*, fortifier, haubanage, particule, sforzando ■ 10 adoubement, contrefort, fortissimo, renforçage ■ 11 augmentatif, rinforzando ■ 12 contreventer ■ 13 potentialiser, tonicardiaque ■ 14 accompagnement.

RENFORT : 5 ogive, volée ■ 6 griffe, porque ■ 7 secours* ■ 8 étambrai.

RENFROGNE : 6 morose ■ 8 maussade* ■ 10 renfrogner ■ 13 renfrognement.

RENGAGER : 8 rempiler ■ 11 rengagement.

RENGAINE : 4 scie ■ 10 répétition.

RENGORGER : 5 poser ■ 12 rengorgement.

RENGRENER : 12 rengrènement.

RENIER : 7 abjurer, changer, renégat ■ 8 déserter, renoncer, répudier ■ 9 désavouer, reniement, rétracter ■ 10 abandonner*, apostasier.

RENIFLEMENT : 4 snif ■ 5 sniff.

RENIFLER : 5 boire ■ 7 aspirer ■ 8 renâcler ■ 9 rechigner ■ 11 reniflement.

RENITENT : 9 rénitence.

RENNE : 7 caribou.

RENNES : 7 rennais.

RENOM : 6 réputé ■ 7 renommé ■ 8 illustre, renommée* ■ 9 célébrité ■ 10 réputation*.

RENOMMEE: 3 nom ■ 4 voix ■ 5 bruit, vogue ■ 6 cancan, crédit, estime, faveur, gloire* ■ 7 opinion ■ 10 popularité, réputation*.
RENOMMER: 7 réélire.
RENONCEMENT: 5 pouce ■ 7 abandon*, cession ■ 9 démission, sacrement, sacrifice ■ 10 abnégation, abstention, concession, négligence ■ 11 résignation ■ 12 délaissement, renonciation ■ 13 accroissement.
RENONCER: 5 céder* ■ 6 renier ■ 7 abjurer, déposer, quitter, rebuter, reculer*, revenir ■ 8 abdiquer, abstenir, démettre, départer, départir, désister, divorcer, négliger, réformer, renâcler, répudier, résigner ■ 9 délaisser, pardonner ■ 10 abandonner*, apostasier ■ 11 déballonner, débarrasser, renoncement ■ 12 démissionner, renonciation.
RENONCIATION: 7 abandon* ■ 10 abdication ■ 11 enterrement, renoncement ■ 12 renonciateur ■ 13 renonciataire.
RENONCULACEE: 5 actée, napel ■ 6 aconit, adonis ■ 7 ancolie, anémone, ficaire, nigelle, pivoine ■ 8 ellébore, populage ■ 9 bouton-d'or, cimicaire, clématite, hellébore, hépatique, hydrastis, plantaire, renoncule ■ 10 delphinium ■ 11 dauphinelle ■ 12 staphisaigre ■ 13 cheveu-de-Vénus, grenouillette.
RENONCULE: 5 douve ■ 8 bassinet ■ 9 bouton-d'or ■ 13 bouton-d'argent, grenouillette.
RENOUEE: 7 vrillée ■ 10 persicaire.
RENOUER: 10 renouement.
RENOUVEAU: 5 éveil, revif ■ 9 printemps.
RENOUVELE: 13 reconductible.
RENOUVELER: 5 nover ■ 7 refaire, rénover, répéter*, revivre, rouvrir ■ 8 réitérer, ventiler ■ 9 redoubler, regénérer ■ 10 reconduire ■ 11 ressusciter ■ 12 renouvelable ■ 14 renouvellement.
RENOUVELLE: 12 sempervirent.
RENOUVELLEMENT: 6 regain ■ 8 néoménie ■ 9 renouveau ■ 10 rénovation ■ 11 feuillaison, renaissance ■ 12 reconduction, regénération.
RENOVATION: 7 rénover ■ 14 renouvellement.
RENSEIGNE: 9 documenté.
RENSEIGNEMENT: 4 fait ■ 5 fiche, guide, tuyau ■ 6 indice ■ 7 dépêche, enquête, message, rencard ■ 8 document, écriteau, guetteur, nouvelle*, reporter ■ 9 consulter, événement, référence ■ 10 communiqué, indicateur, indication*, renseigner, témoignage ■ 11 attestation, cartogramme, informateur, information* ■ 12 connaissance ■ 13 communication, documentation ■ 14 reconnaissance.
RENSEIGNER: 6 aviser ■ 7 avertir, briefer, édifier, initier ■ 8 éclairer, enquérir, indiquer*, informer*, tuyauter ■ 9 apprendre, certifier, consulter, instruire, rancarder, rencarder ■ 10 documenter, interroger, patrouille ■ 11 questionner ■ 12 arrière-garde.
RENTABILISER: 14 rentabilisable.
RENTABILITE: 11 engineering.
RENTABLE: 11 rentabilité.
RENTE: 5 ferme, loyer, mense ■ 6 renter, revenu* ■ 7 accense, annuité, fermage, pension, rentier, tontine ■ 8 arrenter, bénéfice, commende, dotation, errenter, semestre, temporel ■ 9 consolidé, redevance ■ 11 débirentier ■ 12 crédirentier.
RENTOILER: 10 rentoilage.
RENTRAYEUR: 8 stoppeur.
RENTREE: 5 gatte, patte ■ 6 retour ■ 9 frégatage ■ 12 rembuchement.
RENTRER: 6 entrer* ■ 7 retirer, revenir ■ 8 rappeler, rentrage ■ 9 couvre-feu, recouvrer, récupérer ■ 10 réintégrer, rétractile ■ 12 contre-marque.

RENVERSANT : 8 étonnant.
RENVERSANTE : 5 verte.
RENVERSEMENT : 5 chute ■ 7 culbute ■ 8 éversion ■ 9 apoplexie, ectropion, entropion ■ 10 anastrophe ■ 11 éraillement ■ 12 contre-vapeur, interversion.
RENVERSER : 5 jeter*, ligue, vider ■ 6 épater, verser ■ 7 abattre*, capoter, échouer, faucher, pousser ■ 8 alterner, anatrope, basculer, chavirer, colleter, culbuter, inverser, invertir, répandre, saccager ■ 9 hyperbate, pervertir, remplacer, retourner, subvertir, terrasser ■ 10 chambarder, chambouler, subversion, supplanter, surprendre* ■ 11 bouleverser, intervertir, renversable ■ 12 renversement, rétroversion.
RENVIDER : 9 renvidage, renvideur.
RENVOI : 3 ite, rot ■ 4 note ■ 5 congé, drive, paume, rejet ■ 6 marque, remise, retour ■ 7 rapport ■ 8 lettrine ■ 9 exclusion, référence ■ 10 astérisque, éructation, libération ■ 11 ajournement, résonnement ■ 12 acquittement, rapatriement ■ 14 démobilisation.
RENVOIE : 11 anaphorique.
RENVOYER : 4 écho ■ 6 couper, rendre*, saquer ■ 7 chasser*, exclure, libérer, lourder, rejeter, répéter, sacquer, sine die ■ 8 ajourner, expulser, refléter, répudier, résonner, retarder, retentir ■ 9 congédier, débaucher, rapatrier, réfléchir, remercier, repousser*, retourner, retraiter ■ 10 répercuter, réverbérer, temporiser.
REORGANISATION : 13 redéploiement.
REORIENTER : 13 réorientation.
REPAIRE : 3 nid ■ 4 fort, gîte ■ 5 antre, litée ■ 7 tanière ■ 8 repairer, retraite*.
REPAITRE : 5 repue ■ 6 amuser, paître ■ 10 carnassier.
REPANDRE : 5 fluer, paver, semer* ■ 6 émaner, emplir, sentir, sortir, surgir, verser* ■ 7 arroser, couvrir, émerger, envahir, étendre, exhaler, exsuder, fleurer, inonder, jaillir, joncher, pleurer, poindre, publier, saillir, soufrer, sourdre ■ 8 agrainer, asperger, déborder, déverser, diffuser*, éclairer, épancher, exploser, libation, parsemer, pénétrer, pleuvoir, propager*, pulluler, regorger ■ 9 chauleuse, dispenser, disperser, distiller, goupillon, instiller, prodiguer, renverser, trompeter ■ 10 disséminer, distribuer, éparpiller, épidémique, extravaser, phosphater, propagande, saupoudrer, transfuser, vulgariser ■ 11 odoriférant, sanguinaire, tambouriner ■ 13 universaliser.
REPANDU : 5 connu, épars, infus ■ 6 commun, diffus.
REPARAITRE : 7 revenir ■ 10 reparution.
REPARATION : 5 pièce ■ 6 radoub, raison ■ 7 câblier, reprise ■ 8 stoppage ■ 9 expiation, quérulent ■ 10 anaplastie, après-vente, replâtrage ■ 11 rentraiture ■ 12 raccommodage, redressement, restauration, satisfaction ■ 13 dédommagement ■ 14 microtechnique, pretium doloris, tympanoplastie.
REPARER : 6 expier, revoir ■ 7 amender, caréner, charron, effacer, excuser, rebâtir, refaire, rétamer, retaper, réviser, rustine, stopper ■ 8 appiécer, armurier, arranger*, atténuer, corriger, peignier, radouber, rajeunir, rajuster, rapiécer, ravauder, recoudre, recrépir, refondre, reformer, remanier, remédier, remonter, repriser, rétablir ■ 9 améliorer, bricoleur, brouettier, compenser, motociste, raccorder, recoiffer, rectifier, redresser, renfaîter, rentoileur, rentraire, rentrayer, réparable, repeindre, replâtrer, restaurer, restituer, rhabiller, tonnelier, vélociste ■ 10 cordonnier, entretenir, moderniser, rabibocher, raccoutrer, rafistoler, rafraîchir, rapetasser, remaçonner, rem-

mailler, renouveler, réparateur, réparation, ressemeler ■ 11 irréparable, matelassier, raccommoder, réorganiser ■ 12 rappareiller ■ 13 autoréparable, enchevalement, perfectionner, satisfactoire.

REPARTIE : 3 gag ■ 7 réponse, riposte ■ 8 réplique.

REPARTIR : 5 céder ■ 6 étaler, nantir, passer, router, servir ■ 7 adjuger, allotir, allouer, assisté, fournir ■ 8 assigner, concéder, conférer, déléguer, départir, destiner, disposer, égaliser, impartir, investir, partager*, pourvoir, relancer, répondre, résigner, ventiler ■ 9 ballaster, cantonner, dégrouper, dispenser, disperser, distribué, gratifier, palonnier, retourner ■ 10 distribuer, échelonner, rétrocéder ■ 11 transmettre.

REPARTITION : 4 taxe ■ 7 central, cession, horaire, partage* ■ 8 dessoler ■ 9 collation, dividende, quote-part, sexonomie ■ 10 chorologie, coéquation, concession, délégation, régalement ■ 11 aménagement, assignation, attribution, péréquation, répartement, répartiteur ■ 12 compensation, distribution, polygonation, rétrocession ■ 13 appartement, biogéographie, équipartition, zoogéographie ■ 15 contingentement.

REPAS : 3 thé ■ 4 cène, écot, gala, menu, mess, mets ■ 5 agape, banco, bribe, carré, diffa, dîner, en-cas, extra, lunch, nappe, orgie, régal, repue, reste, salle, soupe, table ■ 6 agapes, ambigu, brunch, festin*, fricot, goûter, lippée, mâchon, popote, ribote, souper ■ 7 banquet, dînette, frairie ■ 8 bombance, déjeuner, digestif, gogaille, pandèmes, prandial, ripaille, zakouski ■ 9 anagnoste, collation, gaudeamus, gueuleton, ordinaire, réfection, réveillon ■ 10 bénédicité, écornifler, médianoche, pique-nique, réfectoire ■ 11 bouffetance, casse-croûte, hors-d'œuvre, panier-repas ■ 12 postprandial, saucissonner ■ 13 petit déjeuner, pique-assiette ■ 15 wagon-restaurant.

REPASSAGE : 8 pressing ■ 12 pattemouille.

REPASSER : 6 glacer ■ 7 affiler, empeser, plisser, revenir ■ 9 calendrer, godronner, jeannette, mouilloir, repassage ■ 10 repasseuse, rétrocéder ■ 12 contre-passer.

REPECHER : 6 sauver ■ 9 repêchage.

REPENTANCE : 8 repentir*.

REPENTANT : 5 fâché, marri ■ 10 impénitent.

REPENTIR : 5 pouce ■ 6 regret* ■ 7 remords ■ 8 mea culpa ■ 9 attrition, pénitence, regretter, repentant ■ 10 contrition, repentance ■ 11 componction ■ 12 résipiscence.

REPERCUSSION : 9 incidence ■ 10 contre-coup ■ 14 retentissement.

REPERCUTER : 8 renvoyer, retentir ■ 12 répercussion.

REPERAGE : 11 référentiel, stéréotaxie ■ 12 écholocation ■ 15 radionavigation.

REPERE : 4 amer ■ 5 décan ■ 6 grillé, marque* ■ 8 cardinal, négocier ■ 9 repérable ■ 11 jalonnement.

REPERER : 4 voir ■ 5 radar ■ 8 repérage.

REPERTOIRE : 5 table ■ 6 barème, bottin ■ 9 catalogue*, thesaurus ■ 11 répertorier.

REPETER : 4 écho ■ 5 biner, on-dit, scier ■ 6 bisser, copier, corner, imiter, redire ■ 7 obséder, radoter, refaire*, revenir, seriner, trisser ■ 8 insister, itératif, rabâcher, rappeler, rebattre, recorder, récursif, réitérer, rélargir, rengaine, renvoyer, repasser, répondre ■ 9 écholalie, itération, rapporter, rechanter, redoubler, ressasser ■ 10 alternatif, persévérer, renouveler, répétiteur, reproduire ■ 11 récapituler, recommencer*.

REPETITEUR : 11 surveillant ■ 12 répétitorat.

REPETITIF: 12 répétitivité.
REPETITION: 2 bi ■ 3 bis, sur ■ 4 écho, file, fois, idem, scie ■ 5 lebel, série, suite, tissu ■ 6 chaîne, redite, retour, tirade ■ 7 doublon, refrain, reprise, traînée, trémolo, vibrato ■ 8 anaphore, antienne, chapelet, enfilade, kyrielle, ostinato, radotage, rengaine, séquelle, trantran ■ 9 assonance, imitation, itération, leitmotiv, pléonasme ■ 10 battologie, procession, ribambelle, stéréotype, train-train ■ 11 énumération, rebattement, ritournelle ■ 12 allitération, enchaînement, périssologie, persévération, redoublement ■ 13 reduplication ■ 14 récapitulation.
REPEUPLEMENT: 7 réserve.
REPEUPLER: 8 nourrain ■ 12 repeuplement, repopulation ■ 13 rempoissonner.
REPIQUER: 5 plant ■ 9 repiquage ■ 11 repiquement.
REPIT: 5 cesse, délai*, repos* ■ 12 interruption*.
REPLACER: 8 rasseoir, remettre*, rétablir* ■ 11 replacement.
REPLANTER: 8 dépiquer ■ 10 replantage ■ 12 replantation.
REPLAT: 8 terrasse ■ 10 épaulement.
REPLET: 4 gras* ■ 5 plein*.
REPLI: 4 faux, ride ■ 5 hélix, nœud, recul ■ 6 ourlet, recoin, rentré, revers, smegma ■ 7 autisme, bavette, déroute, gerçure, prépuce ■ 8 épiploon ■ 10 barbillons, épicanthus, froncement ■ 14 racornissement.
REPLIABLE: 11 pousse-canne.
REPLIEMENT: 5 repli ■ 11 reploiement.
REPLIER: 5 rider ■ 6 border, friser, gercer ■ 7 carguer, froncer, plisser ■ 8 racornir, ramasser, remplier, reployer, trousser ■ 9 décapoter, ratatiner, repliable ■ 10 recueillir, repliement ■ 14 recroqueviller.
REPLIQUE: 8 répartie ■ 9 répliquer.
REPLIQUER: 8 répartir, répondre* ■ 9 raisonner ■ 10 raisonneur, victorieux ■ 11 péremptoire.
REPLOIEMENT: 12 invagination.
REPOLIR: 11 repolissage.
REPONDANT: 6 garant ■ 8 garantie* ■ 11 argumentant.
REPONDRE: 4 dire ■ 5 à quia, river ■ 7 récrire, réfuter, remplir ■ 8 affirmer, décevoir, garantir, interdit, objecter, répartir, riposter* ■ 9 concorder, dupliquer, homéostat, raisonner, redarguer, rembarrer, répliquer, répondant, répondeur, rétorquer ■ 10 contredire, faux-fuyant, incollable, récriminer, satisfaire ■ 11 interpeller, justiciable ■ 12 correspondre*.
REPONS: 6 libera ■ 7 réclame ■ 8 cantique.
REPONSE: 3 oui ■ 6 oracle ■ 7 rescrit, riposte*, verdict ■ 8 lanturlu, réplique, répondre, solution, vocodeur ■ 11 contraction ■ 12 apocrisiaire.
REPORT: 4 dans ■ 8 reporter ■ 9 reporteur.
REPORTAGE: 9 stock-shot ■ 13 téléreportage ■ 14 photoreportage, radioreportage.
REPORTER: 6 porter ■ 8 imprimer, proroger, reverser ■ 9 décalquer, reportage ■ 12 décalcomanie, extérioriser, téléreporter.
REPOS: 3 kan ■ 4 kief, obit, paix, port ■ 5 arrêt*, cesse, congé, coupe, dépôt, étape, éveil, férié, halte, oasis, pause*, point, répit, sabat, trêve ■ 6 campos, césure, relais, sabbat, sieste, soupir ■ 7 détente, relâche, sommeil* ■ 8 accalmie, dimanche, quiétude, vacances ■ 9 équilibre, gloriette, surmenage ■ 10 consonance, dissonance, inactivité, méridienne, passe-temps, récréation, sommeiller ■ 11 délassement, respiration ■ 12 tranquillité*.

REPOSANT : 5 relax ■ 6 relaxe ■ 8 relaxant.

REPOSER : 5 enter, gésir, siège, socle ■ 6 amuser, cesser*, dormir* ■ 7 arrêter, asseoir, récréer ■ 8 délasser, détendre, incomber, paresser, reposoir, respirer, souffler ■ 9 consister, déhancher, reprendre, restaurer ■ 10 acquiescer.

REPOUSSAGE : 8 estamper ■ 9 estampage.

REPOUSSANT : 4 laid* ■ 6 hideux ■ 9 exécrable ■ 10 effroyable, rébarbatif.

REPOUSSER : 5 paria, ruser ■ 6 bannir, évaser, ouvrir ■ 7 chasser*, dilater, ébraser, écarter*, élargir, évincer, exclure, moucher, pousser, rebuter, récuser, refuser, rejeter*, remiser, revenir ■ 8 décliner, éliminer, rabrouer, rebuffer, recingle, refouler, renaître, répudier, resingle ■ 9 dédaigner, proscrire, rechasser, rembarrer, remoucher ■ 10 disjoindre, ostraciser, répercuter, supplanter ■ 11 blackbouler, écarquiller ■ 12 repoussemernt.

REPREHENSIBLE : 8 blâmable, coupable ■ 9 commettre ■ 11 provocation.

REPRENDRE : 5 tempo, trait ■ 7 refaire, renouer, rentrer, retirer, revenir ■ 8 fustiger, rabrouer, regagner, remonter, renaître, rentamer, repenser, retouper, souffler ■ 9 déstocker, enchaîner, pardonner, rattraper, récupérer, rembarrer, remporter, repreneur, ressaisir, retrouver ■ 10 réhabituer ■ 11 raccoutumer, réouverture, réprimander ■ 12 reconsidérer ■ 15 irrépréhensible.

REPRESAILLE : 9 vengeance.

REPRESENTANT : 5 agent, légat ■ 6 envoyé ■ 7 épigone, placier ■ 8 voyageur ■ 11 ambassadeur*, subrécargue ■ 13 intermédiaire ■ 14 représentation.

REPRESENTATION : 4 idée, logo, plan, tête, rêve ■ 5 buste, carte, coupe, icône, idole, image*, lever, scène*, trace ■ 6 dessin, ectype, figure*, graphe, modèle, schème, statue, uræus ■ 7 comédie, effigie, emblème, fétiche, géorama, lambert, symbole, tableau*, topique ■ 8 calvaire, draperie, écriture, festival, figurine, logotype, maintien, portrait, première, reproche ■ 9 allégorie, beaux-arts, bestiaire, élévation, empreinte, figuratif, graphique, miniature, phantasme, simulacre, spectacle*, statuette ■ 10 projection ■ 11 axonométrie, idéographie, imagination*, perspective, sociogramme, topographie ■ 12 chronogramme, ordinogramme, orthographie, stéréochimie ■ 13 blocdiagramme, représentatif, stéréographie, symbolisation ■ 14 idéologisation ■ 15 auto-sacramental, monocaméralisme.

REPRESENTE : 6 adossé ■ 7 dessiné ■ 10 multicarte ■ 11 minimaliste.

REPRESENTER : 5 faire, jouer, mimer ■ 6 croire ■ 7 décrire*, figurer, inférer, peindre*, réputer ■ 8 désigner, dessiner*, imaginer*, inventer, postuler, présumer, profiler, rappeler, regarder ■ 9 attribuer, concevoir, dépeindre, juratoire, remonter ■ 10 mentaliser, préfigurer, reproduire, symboliser ■ 11 schématiser ■ 12 représentant ■ 13 photographier, représentatif.

REPRESSIF : 6 goulag.

REPRESSION : 5 crime ■ 8 sanction ■ 10 coercition.

REPRIMANDE : 4 suif ■ 5 blâme*, danse, leçon, savon ■ 6 cigare, douche, menace, morale, rappel, sermon ■ 7 censure, chicane, désaveu, semonce ■ 8 monition, reproche* ■ 9 attrapade, attrapage, gronderie ■ 10 objuration ■ 11 observation, remontrance, réprimander, réprobation ■ 12 condamnation, répréhension ■ 13 admonestation, avertissement, réprimandable ■ 14 désapprobation, représentation.

REPRIMANDER : 6 blâmer, sabrer, saucer, tancer ■ 7 avertir, bourrer, gourmer, gronder, menacer, moucher, prêcher, ramoner, secouer ■ 8 arranger, attraper, censurer, chicaner, corriger, disputer, emballer, fulminer, fustiger, infliger, malmener, rabrouer, rappeler, régenter, relancer, remettre, sabouler, savonner, semoncer, tempêter ■ 9 accoutrer, chapitrer, condamner, critiquer, désavouer, engueuler, improuver, moraliser, morigéner, mortifier, pardonner, quereller, raisonner, rembarrer, remontrer, reprendre, reprocher*, réprouver, sermonner, vitupérer ■ 10 accommoder, admonester, brutaliser, chamailler, gourmander, houspiller, maltraiter ■ 11 apostropher, répréhender, représenter ■ 12 désapprouver, enguirlander ■ 13 mercurialiser.

REPRIMER: 6 brider ■ 7 enrayer, retenir* ■ 8 contenir, étouffer, indompté, refréner ■ 9 combattre, commander, interdire, maîtriser*, répressif ■ 10 répression ■ 11 raccommoder ■ 13 irréprochable.

REPRISE: 4 gong, œuf ■ 5 round, volée ■ 7 videlle ■ 8 repriser ■ 9 entre-deux, leitmotiv ■ 10 rattrapage, reconquête, repriseuse ■ 12 rempiétement ■ 14 rebondissement.

REPRISER: 8 ravauder ■ 9 reprisage ■ 11 raccommoder.

REPROBATION: 3 hou ■ 5 blâme* ■ 8 anathème, damnable ■ 10 ostracisme ■ 11 réprobateur ■ 13 animadversion.

REPROCHE: 5 blâme*, grief, savon ■ 7 plainte, remords, semonce ■ 8 critique, sévérité ■ 9 gronderie ■ 10 accusation*, houspiller, imputation, mercuriale, réprimande* ■ 11 objurgation, observation, remontrance ■ 12 réquisitoire ■ 13 admonestation, irréprochable, récrimination ■ 14 représentation.

REPROCHER: 5 taxer ■ 6 blâmer*, tancer ■ 7 accuser, gronder, prêcher ■ 8 chicaner, régenter, relancer, semoncer ■ 9 chapitrer, morigéner, raisonner, remontrer, reprendre, sermonner ■ 10 admonester, gourmander, récriminer ■ 11 réprimander*.

REPRODUCTEUR: 4 mâle ■ 5 fleur, spore ■ 6 raceur ■ 7 génital, stencil ■ 8 apothèce, laitance ■ 9 apothécie, archégone, gonophore, gonozoïde ■ 10 rhizocarpe ■ 14 fructification, génito-urinaire, hermaphrodisme, spermatogenèse.

REPRODUCTION: 4 écho ■ 5 copie*, image, motif, sosie ■ 6 agamie, calque, double, étalon, reflet, tirage ■ 7 conidie, épreuve, plagiat, semence, stencil ■ 8 apomixie, bourgeon, panmixie ■ 9 autocopie, constance, copyright, duplicata, écloserie, fac-similé, fécondité, généticiste, imitation, mimétisme, oviparité, photostat, polycopie, simulacre ■ 10 ampliation, androgénie, caricature, conformité, croisement, cryptogame, démarquage, diazocopie, exemplaire, génération, périodique, photocopie, poulinière, répétition, viviparité ■ 11 autographie, contrefaçon, ovovivipare, phonographe, propagation, schizogamie, sporulation, vidéogramme ■ 12 appareillade, électrocopie, électrophone, lithographie, phonogénique, photographie, reproducteur, stéréophonie ■ 13 ovoviviparité, reproductible, similigravure, vraisemblance ■ 14 audiofréquence, parthénogenèse, photomécanique, représentation ■ 15 cinématographie.

REPRODUCTRICE: 7 agamète.

REPRODUIRE: 5 ronéo, tirer, truca ■ 6 copier*, imiter*, rendre, singer ■ 7 calquer, doubler, feindre, lecteur, plagier, répéter, revenir, siffler, simuler ■ 8 attraper, autogame, bouturer, refléter, ronéoter, traduire ■ 9 carroyage, démarquer, diagraphe, emprunter, pasticher, téléphone ■ 10 multiplier, polycopier, ronéotyper, transcrire ■ 11 caricaturer, contrefaire, duplicateur, microfilmer, pantographe, photocopier ■ 12 autographier, reproducteur ■ 13 reprographier.

REPRODUISANT: 10 mercuriale.

REPROGRAPHIE : 9 xérocopie ■ 13 reprographier.
REPROUVER : 5 vénal ■ 6 blâmer*, damner, outlaw ■ 7 déchoir, maudire ■ 9 condamner*, hors-la-loi, pardonner ■ 11 réprobation ■ 12 désapprouver* ■ 14 prédisposition.
REPTILE : 7 fossile*, saurien*, tarente ■ 8 diapside, hatteria, ophidien*, scincidé ■ 9 chélonien*, lacertien, reptilien, scincoïde, sphénodon, synapside, terrarium ■ 10 amphysbène, stégosaure ■ 11 brontosaure, crocodilien*, dinosaurien*, erpétologie, ichtyosaure, lacertilien*, plésiosaure, théromorphe, tricératops ■ 12 atlantosaure, herpétologie, hydrosaurien, ptérodactyle, ptérosaurien*, saurophidien, tyrannosaure ■ 13 erpétologiste ■ 14 herpétologiste.
REPU : 4 soûl ■ 5 saoul ■ 9 rassasier*.
REPUBLICAIN : 4 bleu ■ 5 duodi, sénat, tridi ■ 6 nivôse, nonidi, octidi ■ 7 floréal, primidi, septidi, sextidi, ventôse ■ 8 brumaire, frimaire, germinal, messidor, pluviôse, prairial, quartidi, quintidi ■ 9 fructidor, niveleurs, thermidor ■ 11 vendémiaire ■ 12 progressiste ■ 13 sans-culottide ■ 14 républicaniser, républicanisme.
REPUBLIQUE : 5 sénat ■ 11 républicain ■ 15 antirépublicain.
REPUDIER : 6 renier ■ 8 divorcer ■ 9 repousser* ■ 11 répudiation.
REPUGNANCE : 5 haine ■ 6 dégoût*, nausée ■ 7 horreur* ■ 8 aversion* ■ 9 répugnant, répulsion ■ 10 antipathie ■ 11 contrecœur, incrédulité.
REPUGNANT : 8 nauséeux, rebutant ■ 9 dégoûtant, écœurant, exécrable, malpropre, paresseux ■ 10 méphitique, nauséabond.
REPUGNER : 4 haïr ■ 7 hésiter, rebuter, rejeter ■ 8 dégoûter*, déplaire*, écœurer, maugréer, renâcler, renifler ■ 9 rechigner, regretter, repousser.
REPULSION : 5 haine ■ 7 horreur* ■ 10 répugnance* ■ 11 électricité ■ 13 horripilation.
REPUTATION : 3 nom ■ 5 décri, renom*, tache, vogue ■ 6 crédit, gloire*, marque ■ 7 honneur, mémoire ■ 8 calomnie, dénigrer, diffamer, renommée* ■ 9 calomnier, célébrité, esquinter, notoriété, publicité ■ 10 engouement, importance, popularité ■ 11 flétrissure ■ 12 compromettre, honorabilité ■ 13 considération.
REPUTE : 4 famé ■ 5 connu*, vanté ■ 6 fameux ■ 7 célèbre*, éminent, insigne, malfamé, renommé, signalé ■ 8 esculape, marquant ■ 9 accrédité, considéré, honorable, important, populaire ■ 12 considérable.
REQUERIR : 8 réclamer* ■ 9 requérant ■ 10 inscrivant ■ 11 réquisition.
REQUETE : 6 placet, prière* ■ 8 impétrer, pétition ■ 9 supplique ■ 12 supplication.
REQUIN : 5 chien, lamie, taupe ■ 6 griset, perlon, pilote, squale* ■ 7 brochet, marteau, pèlerin ■ 8 émissole, sélacien, squatine ■ 9 aiguillat, laimargue, roussette ■ 13 requin-marteau.
REQUINQUER : 8 remonter*.
REQUISITION : 7 angarie, demande ■ 10 conclusion, socialiser ■ 14 réquisitionner.
REQUISITOIRE : 8 reproche ■ 10 accusation* ■ 13 réquisitorial.
RESCAPE : 4 sauf.
RESCINDER : 7 annuler ■ 11 rescindable.
RESCISION : 10 amputation, rescindant, rescisoire.
RESCOUSSE : 5 appui ■ 7 secours*.
RESCRIT : 4 bref ■ 5 iradé.
RESEAU : 4 r.n.i.s. ■ 5 filet, lacis, trame, tulle ■ 7 serveur ■ 8 régional, remplage, réticule ■ 9 encercler, faïençage, réticuler, réticulum ■ 10 électrifié, entretoile, nanoréseau, quadripole ■ 11 réticulaire, sous-

station ■ 12 canalisation ■ 13 ergastoplasme, triangulation.
RESECTION: 8 reséquer ■ 9 vasotomie ■ 10 amputation*, vasectomie ■ 12 laminectomie.
RESEDACEE: 5 gaude ■ 6 réséda.
RESERVATION: 7 stand-by.
RESERVE: 4 lais, maie, sauf ■ 5 en-cas, froid, grave, oflag, piste, privé, stand, stock ■ 6 décent, simple, trésor, volant ■ 7 abajoue, discret, distant, ensiler, modeste, pudique ■ 8 aleurone, baliveau, bégueule, cyclable, économie, landwehr, prudence, réservat, vitellus ■ 9 bacchante, cartouche, exception, glycogène, immodeste, indiscret, promœrium, provision*, quant-à-moi, quant-à-soi, réservoir ■ 10 discrétion*, ésotérique, modération, parenchyme, périsperme, prédestiné, réserviste ■ 11 circonspect, résidentiel, restriction ■ 12 empaillement, présomptueux ■ 13 arrière-pensée ■ 14 circonspection.
RESERVER: 6 garder ■ 7 laisser, ménager, retenir ■ 8 destiner, préparer ■ 9 conserver, rétention ■ 11 monopoliser, prédestiner.
RESERVOIR: 3 bac ■ 4 cuve, dôme, dock, pale, silo, tank ■ 5 bâche, puits ■ 6 bassin ■ 7 ballast, cellier, château, citerne, encrier, girotte, grenier, magasin, puisard, réserve, vasière ■ 8 aquarium, canadair, éjecteur, entrepôt, nourrice, sablière ■ 9 adducteur, gazomètre, lave-mains, reverdoir, trop-plein ■ 10 exhausteur, réceptacle ■ 11 château d'eau, pneu-citerne, stylographe ■ 12 water-ballast.
RESIDENCE: 4 aire, cour, cure ■ 5 siège ■ 6 maison*, mitage, palais, séjour ■ 7 demeure*, prévôté ■ 8 ambulant, consulat, déplacer, domicile, néolocal ■ 9 virilocal ■ 10 archevêché, habitation*, matrilocal, nonciature, patrilocal ■ 11 non-résident ■ 14 multipropriété.
RESIDER: 6 siéger ■ 7 habiter* ■ 8 résident ■ 9 consister.
RESIDU: 3 lie ■ 4 boue, brai, marc, porc, vase ■ 5 arcot, culot, dépôt, écume, magma, rache, rebut*, reste* ■ 6 boulée, cendre, crasse, déchet*, drêche, fécule, friton, gratin, nougat, ordure, rabiot, saleté, schlot, scorie, tartre ■ 7 charrée, cretons, mélasse, rillons, rognure, rouille, vinasse ■ 8 arcanson, calamine, détritus, fleurage, limaille, mâchefer, poussier, sédiment, tourteau, trouille ■ 9 colophane, excrément ■ 10 masselotte ■ 11 effondrille, escarbille, résiduaire ■ 11 sous-produit ■ 13 crude ammoniac.
RESIGNATION: 5 islam ■ 7 victime ■ 8 patience ■ 9 passivité, soumission* ■ 14 souffre-douleur.
RESIGNER: 5 céder, subir ■ 6 avaler ■ 7 endurer, immoler ■ 8 abdiquer, accepter*, consoler, plaindre, renoncer ■ 9 contenter, sacrifier, soumettre*, supporter ■ 10 abandonner, accommoder ■ 12 résignataire.
RESILIABLE: 9 congéable.
RESILIATION: 5 congé, renon ■ 10 annulation*.
RESILIER: 7 annuler* ■ 10 résiliaire.
RESILLE: 5 filet ■ 8 réticule.
RESINE: 3 ase, pin ■ 4 poix ■ 5 aloès, ambre, baume, copal, élémi, gaïac, gemme, gomme, gutte, jalap, laque, ligot, molle, sapin, thuya ■ 6 chibou, dammar, encens, jacket, mastic, myrrhe, oribus, résiné, storax, styrax, succin ■ 7 ambrine, benjoin, copayer, gaïacol, galipot, gemmage, retsina ■ 8 arcanson, asphalte, bakélite, captieux, conifère, hachisch, haschich, myroxyle, pitchpin, propolis, résineux, résinier ■ 9 abiétinée, acchroïde, chandelle, colophane, haschisch, plastisol, plexiglas, vinylique ■ 10 courbarine, résinifère, sandaraque, sang-dragon ■ 11 aminoplaste, assa-fœtida, phénoplaste ■ 12 sang-de-dragon, térébenthine ■ 13 polyvinylique.

RESINEUSE : 10 gomme-laque.
RESINEUX : 7 copaïer, copayer, pinacée ■ 11 cupressacée.
RESIPISCENCE : 7 remords ■ 8 repentir.
RESISTANCE : 2 ré ■ 3 ohm ■ 4 fond, volt ■ 5 ancre, appui, durée, force*, kyste, pouce, tapis ■ 6 dureté, mégohm ■ 7 aramide, défense, fermeté*, microhm, rigueur ■ 8 doubleau, friction, hérisson, immunité, ohmmètre, rénitent, rhéostat, rigidité, solidité, ténacité, traction ■ 9 arc-bouter, bolomètre, constance, endurance, hémogénie, impédance, manganine, profilage, rébellion, résilient, résistant, stabilité ■ 10 anodisation, difficulté, entêtement, opposition*, perditance, réluctance, résilience, varistance ■ 11 abrasimètre, conducteur, empêchement, mégohmmètre, obstination, résistivité, supercriment ■ 12 complication, pénétromètre, telluromètre, thermistance ■ 13 aérodynamique, électrodermal, impassibilité, potentiomètre, vulcanisation ■ 14 affermissement, endurcissement ■ 15 supraconduction.
RESISTANT : 3 dur ■ 4 fort* ■ 5 bâton, canne, ferme, frêle, frêne, pyrex, renne, tison, vigne ■ 6 solide*, stable, tenace ■ 7 durable, éprouvé, stoïque ■ 8 altuglas, constant, endurant, endurcir, florence, immuable, inusable ■ 9 cartilage, duralumin, extrafort, opiniâtre, supérieur ■ 10 créosotage, inflexible, inoxydable, invincible ■ 11 brossolette, consistance, inaltérable, réfractaire ■ 12 impérissable, inébranlable, inexpugnable, récalcitrant, trompe-la-mort ■ 14 indestructible, scléroprotéine.
RESISTE : 9 antiacide, pyrophyte ■ 15 thermorésistant.
RESISTER : 5 durer, fixer, prier, tenir ■ 6 bouder, braver, cabrer, étaler, lutter, raidir, réagir ■ 7 hésiter, heurter, opposer*, récuser, refuser, sceller ■ 8 affermir, chicaner, cimenter, défendre, désobéir, maugréer, objecter, rabrouer, rebéquer, rebiffer, réclamer, regimber, renâcler, répondre, répugner, riposter, soutenir ■ 9 batailler, combattre, contester, dédaigner, éconduire, protester, rechigner, rembarrer, repousser, succomber, supporter ■ 10 climatiser, consolider, enfreindre, résistible ■ 11 récalcitrer, soutènement ■ 12 antisismique, irrésistible, parasismique.
RESISTIVITE : 8 ohmmètre ■ 12 conductivité.
RESOCIALISER : 15 resocialisation.
RESOLU : 4 prêt ■ 5 brave*, hardi*, lapin ■ 6 décidé, gonflé, résous ■ 7 peureux ■ 8 constant ■ 9 déterminé ■ 10 analytique, embarrassé.
RESOLUTIF : 9 diachylon.
RESOLUTION : 4 vœu ■ 5 levée, parti, poule ■ 6 projet*, propos ■ 7 complot, dessein, énergie, fermeté, volonté ■ 8 décision*, flancher ■ 9 dissuader, promettre ■ 10 délai-congé, déterminer, résolument ■ 11 inconstance ■ 12 délibération, entreprendre ■ 13 détermination ■ 15 indétermination.
RESOLVABLE : 7 soluble.
RESONANCE : 3 i.r.m., r.m.n., son ■ 4 koto ■ 8 syntonie ■ 10 résonateur ■ 11 dénasaliser.
RESONATEUR : 4 vina.
RESONNER : 6 sonore, sonner*, tinter ■ 8 marteler, retentir ■ 12 castagnettes.
RESORBER : 7 éponger ■ 10 résorption.
RESORCINE : 11 fluorescéine.
RESORPTION : 11 thrombolyse.
RESOUDRE : 5 finir, juger ■ 6 régler ■ 7 annuler, décider, deviner, réduire ■ 8 exécuter, liquider, problème, trancher ■ 9 condenser,

dissoudre, expédient, insoluble, résoluble ■ 10 quaternion, résolution ■ 11 liquidation, résolutoire, solutionner.

RESPECT : 4 cant, cour ■ 5 égard, petit, piété, prier ■ 6 estime* ■ 7 auguste, crainte, dignité, hommage, honneur, impiété, majesté ■ 8 imposant, incliner, insolent, noblesse, prestige ■ 9 déférence, insolence, irrespect, politesse*, respecter, révérence ■ 10 admiration, pieusement, vénération ■ 11 inclination, irrévérence, respectable, respectueux ■ 12 honorabilité, obséquiosité, porte-respect ■ 13 considération, irrespectueux ■ 14 irrévérencieux.

RESPECTABILITE : 6 bohême.

RESPECTABLE : 5 sacré ■ 7 matrone ■ 10 patriarche ■ 14 respectabilité.

RESPECTER : 5 tenir ■ 6 saluer ■ 7 estimer*, honorer, imposer, révérer, vénérer ■ 8 craindre ■ 9 légalisme ■ 10 considérer, enfreindre, non-respect.

RESPECTIF : 14 respectivement.

RESPECTUEUX : 8 arrogant, déférent.

RESPIRABLE : 12 irrespirable.

RESPIRATION : 4 râle ■ 5 apnée, point ■ 6 soupir ■ 7 aérobic, bouffée, haleine, souffle ■ 8 adénoïde, asphyxie, courbatu, stigmate ■ 9 branchies, carbogène ■ 10 anhélation, aspiration, intubation, lenticelle, sidération, spiromètre, striduleux ■ 11 étouffement, respirateur ■ 12 respiratoire ■ 13 aminophylline, essoufflement, pneumatophore, pneumographe ■ 15 oxygénothérapie.

RESPIRATOIRE : 8 polypnée ■ 9 chlamydia, endoderme ■ 10 cytochrome.

RESPIRER : 4 sels ■ 5 râler ■ 7 anhéler, aspirer, bâiller, ébrouer, exhaler, expirer, haleter, ronfler, siffler ■ 8 étouffer, palpiter, panteler, renifler, souffler, soupirer ■ 9 étrangler, oppresser, orthopnée, sangloter, suffoquer ■ 10 respirable ■ 12 respiratoire.

RESPLENDIR : 7 briller*, fleurir ■ 8 chatoyer, signaler ■ 9 flamboyer, ressortir, triompher ■ 10 solenniser ■ 14 resplendissant.

RESPLENDISSANT : 7 pompeux ■ 8 glorieux, solennel ■ 9 grandiose, somptueux, splendide, triomphal ■ 10 florissant, magnifique ■ 11 prestigieux.

RESPLENDISSEMENT : 4 luxe ■ 5 éclat*, pompe, renom ■ 6 beauté, gloire, succès ■ 8 prestige, richesse, triomphe ■ 9 solennité, splendeur ■ 11 supériorité ■ 12 magnificence ■ 15 transfiguration.

RESPONSABILITE : 7 endosse ■ 8 endosser, garantie ■ 10 bioéthique ■ 13 coresponsable.

RESPONSABLE : 6 auteur ■ 8 majorité, minorité, répondre ■ 9 comptable ■ 11 maître-chien ■ 13 irresponsable ■ 15 parlementarisme.

RESQUILLER : 7 glisser ■ 11 resquilleur.

RESSAILLEMENT : 10 soubresaut.

RESSAISIR : 9 rattraper, retrouver ■ 10 raccrocher ■ 15 ressaisissement.

RESSASSER : 7 répéter* ■ 10 ressasseur.

RESSAUT : 5 redan ■ 6 redent ■ 7 larmier, saillie ■ 9 ressauter.

RESSEMBLANCE : 3 air ■ 5 autre, genre, image, sorte, sosie, suite ■ 7 parenté ■ 8 analogie*, atavisme, comparer, hérédité, portrait, rappeler ■ 9 mimétisme, paronymie ■ 10 conformité, photo-robot, ressembler, similarité, similitude ■ 12 dissemblance, héritabilité ■ 13 dissimilitude ■ 14 correspondance.

RESSEMBLANT : 6 craché ■ 7 parlant ■ 9 semblable*.

RESSEMBLE : 7 plumeux ■ 8 fongoïde ■ 9 ulcéroïde ■ 11 percomorphe.

RESSEMBLER : 5 tenir ■ 8 rappeler ■ 9 avoisiner ■ 12 correspondre.

RESSEMELER : 11 ressemelage.
RESSENTIMENT : 5 dépit, haine* ■ 7 rancune ■ 8 inimitié, rancœur ■ 9 animosité, hostilité ■ 12 malveillance ■ 13 animadversion.
RESSENTIR : 5 avoir ■ 6 sentir ■ 7 feeling ■ 8 affecter, éprouver*, souffrir ■ 9 connaître, inéprouvé ■ 11 scandaliser.
RESSERRE : 3 fin ■ 4 aigu, cave, menu, silo ■ 5 canal, fenil, juste, mince*, serré, seuil, soute, stock ■ 6 aminci, caveau, effilé, étréci, étroit*, grange ■ 7 cambuse, cellier, collant, entravé, estomac, étriqué, grenier, mesquin, réserve, rétréci ■ 8 amenuisé, crédence, débouché, encaissé, étranglé, linéaire, spacieux ■ 9 réservoir, restreint ■ 10 astringent, capillaire, réceptacle ■ 12 constricteur, embouquement, resserrement.
RESSERREMENT : 6 trisme ■ 7 raideur ■ 8 étreinte, rigidité ■ 9 sphincter ■ 10 rétraction ■ 11 coarctation, contraction* ■ 12 constriction, étranglement ■ 14 rétrécissement.
RESSERRER : 6 brider, raidir, serrer*, tasser ■ 7 amincir, étrécir, froncer, retirer ■ 8 diminuer, enfermer, étouffer, ramasser, rebattre, rétrécir ■ 9 constiper, étrangler, étreindre, ratatiner ■ 10 contracter, raccourcir ■ 11 restreindre, restringent ■ 12 constringent ■ 14 recroqueviller.
RESSORT : 4 clip, noix ■ 5 armer, crime, force, fusil, gibus, pompe, store ■ 6 secret, sixtus, spiral ■ 7 torsion ■ 8 ball-trap, barillet ■ 9 brucelles, cassation, remontage, va-et-vient ■ 11 juridiction ■ 15 oléopneumatique.
RESSORTIR : 5 matin ■ 6 valoir ■ 7 saillir* ■ 8 dépendre, dessiner, détacher, encadrer, éprouver, résulter, trancher ■ 9 accentuer, critiquer, rechampir ■ 13 ressortissant.
RESSOURCE : 5 appui, moyen*, panne, reste, voies ■ 6 moyens, pécune, refuge ■ 7 capital, recours ■ 8 facultés, indigent, maigreur, miséreux, puissant ■ 9 abondance, expédient, misérable ■ 10 autocentre ■ 11 thermalisme ■ 13 autosuffisant ■ 15 gestalt-thérapie.
RESSOURCER : 13 ressourcement.
RESSOUVENANCE : 7 mémoire.
RESSOUVENIR : 8 remettre.
RESSUAGE : 7 ressuer.
RESSUSCITER : 7 revivre.
RESTANT : 5 reste*, poste.
RESTAURANT : 5 carte ■ 6 buffet, mâchon, popote ■ 7 auberge, buvette, cabaret, caviste, gargote, serveur, taverne ■ 8 bouillon, crémerie, griveler, snack-bar, trattoria ■ 9 brasserie, grill-room, sommelier ■ 10 guinguette, hôtellerie, réfectoire, restoroute, sommelière ■ 12 consommateur, libre-service, restaurateur.
RESTAURATEUR : 8 traiteur.
RESTAURATION : 5 repas* ■ 6 burger ■ 8 fast-food ■ 10 anaplastie ■ 12 ostéoplastie, uranoplastie ■ 14 stomatoplastie.
RESTAURER : 4 mort ■ 6 manger* ■ 7 nourrir*, réparer ■ 8 rétablir*.
RESTE : 3 lie ■ 4 boni, fond, marc ■ 5 bribe, débet, marge, panne, rebut, solde, tache, trace ■ 6 chicot, coupon, débris, résidu*, ruines, soulte, toutim ■ 7 fossile, moignon, recoupe, reliefs, relique, restant, rogaton, surplus, toutime, vestige ■ 8 arlequin, et cetera, excédent, fragment, reliquat, résiduel, rogatons, substrat, traînard ■ 9 baissière, cicatrice, demeurant, et caetera ■ 10 différence, grapiller ■ 11 dépassement.
RESTER : 5 durer*, tenir ■ 6 buller, capéer ■ 7 capeyer, habiter ■ 8 attendre, casanier, demeurer*, endormir, immortel, rémanent ■ 9 éterniser, maintenir, subsister* ■ 10 sédentaire, traînasser.

RESTITUER : 5 gorge ■ 6 rendre* ■ 8 redonner*, remettre*, rétablir* ■ 9 adipolyse ■ 10 dégurgiter ■ 11 restitution ■ 12 restitutoire ■ 14 dénationaliser.
RESTITUTION : 5 dotal ■ 12 magnétophone, restitutoire.
RESTREINDRE : 6 borner ■ 7 adoucir, changer, limiter*, réduire* ■ 8 abstenir, corriger, diminuer*, excepter, modifier, réserver ■ 9 renfermer ■ 10 prohibitif, restrictif, somptuaire ■ 11 restriction.
RESTRICTION : 4 mais ■ 7 escobar, réserve ■ 9 concessif ■ 10 absolument, limitation ■ 12 escobarderie ■ 14 malthusianisme.
RESTRUCTURATION : 11 perestroïka ■ 12 restructurer.
RESTRUCTURER : 14 redimensionner.
RESULTAT : 3 fin, vie ■ 4 shot, vain ■ 5 bilan, chyle, créma, effet*, ester, force, fruit, issue, point, reste, semer, suite ■ 6 chance, cut-put, méfait, record, sommer ■ 7 filière, formule, mélange, produit, traceur ■ 8 alcoolat, apiquage, création, cuivrage, décision, dédorage, éjection, ensemble, infusion, moyenner, primitif, quotient, réussite, solution, tremplin, virevole ■ 9 bosselure, éducation, efficient, enfonceur, mécanisme, opération, répulsion, tentative ■ 10 ballottage, commutatif, conclusion, contribuer, convergent, dénouement, instrument, piochement, résultante ■ 11 conséquence*, infructueux, myélogramme, performance, terminaison ■ 13 aboutissement, polycondensat, problématique.
RESULTE : 8 concerné, néoformé ■ 10 synergique.
RESULTER : 4 issu ■ 5 tenir, venir ■ 6 naître, suivre ■ 8 apparoir, découler, dépendre, ensuivre, provenir ■ 9 ressortir ■ 10 consécutif, résultante.
RESUME : 6 abrégé*, aperçu, digest, exposé, manuel, notice, précis, relevé ■ 7 analyse, épitome, symbole ■ 8 abstract, condensé, plumitif, sommaire ■ 9 épigraphe, sous-titre ■ 10 compendium, microcosme ■ 11 aide-mémoire.
RESUMER : 7 abréger*, exposer, réduire* ■ 8 analyser, ramasser ■ 9 condenser, resserrer ■ 10 rassembler ■ 11 récapituler.
RESURCHAUFFER : 12 resurchauffe ■ 14 resurchauffeur.
RESURGENCE : 3 mer ■ 7 revival ■ 10 vauclusien.
RESURRECTION : 11 renaissance.
RETABLIR : 6 guérir* ■ 7 décoder, grossir, pontage, ramener*, ranimer*, refaire, relever, réparer ■ 8 accorder, colmater, pacifier, remettre, renaître, replacer ■ 9 fortifier, raffermir, reclasser, régénérer, reprendre, restaurer, restituer ■ 10 déchiffrer, rechausser, réintégrer, requinquer ■ 11 réhabiliter ■ 12 rééquilibrer, réfectionner, regaillardir ■ 14 rétablissement.
RETABLISSEMENT : 5 salut ■ 8 guérison*, médecine ■ 10 relèvement, rénovation ■ 12 pacification, recouvrement restauration ■ 13 convalescence ■ 15 raffermissement.
RETAILLER : 10 retaillure.
RETAMER : 8 rétamage.
RETAPER : 7 réparer*.
RETARD : 3 gap ■ 5 arrêt, délai*, péril ■ 6 remise ■ 7 arrière, retardé ■ 8 attarder ■ 9 arrérager, dypsphasie, moratoire ■ 10 hémophilie, hystérésis, puérilisme ■ 11 ajournement, retardement* ■ 12 décélération, retardataire ■ 13 temporisation.
RETARDEMENT : 5 délai*, recul ■ 6 renvoi, retard*, sursis ■ 7 attente, lenteur ■ 8 longueur ■ 10 suspension ■ 11 prorogation, quarantaine ■ 12 atermoiement ■ 13 temporisation.
RETARDER : 6 amuser, tarder ■ 7 arrêter, arriéré, reculer, remiser, retenir, traîner ■ 8 ajourner, arriérer, attendre, demeurer, différer,

proroger, remettre, renvoyer, surseoir ■ 9 atermoyer, dilatoire, lanterner, patienter, rabougrir, suspendre ■ 10 temporiser.

RETEINDRE: 5 biser.

RETENDRE: 9 retendoir.

RETENIR: 3 glu ■ 5 bride, digue, fanon, filet, fixer, frein, louer, prime, tenir, venet ■ 6 garder* ■ 7 aguiche, arrêter, assurer, détenir, engager, freiner, modérer, opposer ■ 8 captiver, contenir, embrasse, empêcher, refréner, réprimer*, réserver ■ 9 accrocher, enchaîner, maintenir*, rengainer, rétenteur, rétention, souscrire ■ 10 décompter, hypnotiser, raccrocher, ritardando ■ 11 contraindre, crémaillère ■ 14 rétentionnaire.

RETENTION: 9 rétenteur ■ 11 aldostérone.

RETENTIR: 5 mugir ■ 7 frapper, remplir ■ 8 résonner ■ 12 retentissant.

RETENTISSANT: 6 sonore* ■ 7 stentor.

RETENTISSEMENT: 3 son ■ 5 bruit ■ 11 résonnement.

RETENUE: 5 évadé ■ 6 mesure, pudeur* ■ 7 décence, dignité, réserve, sagesse ■ 8 émancipé, impudeur, modestie*, punition, sobriété, vergogne ■ 9 débraillé, précompte, sans-façon, trembleur ■ 10 contrainte, discrétion, immodestie, modération*, tempérance ■ 11 pondération ■ 12 présomptueux ■ 14 circonspection.

RETERCER: 9 reterçage.

RETIAIRE: 9 mirmillon ■ 10 gladiateur.

RETICENCE: 3 hum ■ 7 escobar ■ 8 réticent ■ 13 arrière-pensée ■ 14 circonspection.

RETICULE: 3 sac ■ 7 résille.

RETICULO-ENDOTHELIALE: 9 microglie.

RETIF: 4 têtu ■ 5 rêche ■ 7 vicieux ■ 8 indocile*, rétiveté, rétivité ■ 12 récalcitrant.

RETINE: 4 œil* ■ 5 fovéa ■ 6 macula ■ 7 fuscine ■ 8 choroïde, rétinien, rétinite ■ 9 horoptère ■ 11 disparation ■ 13 hypermétropie.

RETINIEN: 10 rhodopsine.

RETIRE: 4 coin ■ 5 isolé* ■ 7 tanière ■ 8 solitude ■ 9 solitaire ■ 10 anachorète ■ 11 buissonnier.

RETIRER: 4 ôter* ■ 5 curer, lever, palot, reste, sonde, tirer, vider ■ 6 fouger, partir* ■ 7 dégager, déluter, déminer, désiler, enlever*, étriper, quitter, retrait, sarcler, toucher ■ 8 arracher*, confiner, débâcher, décamper, démouler, déterrer, dévisser, enterrer, esquiver, extirper, extraire*, réfugier, renoncer, repêcher, résilier, retraite ■ 9 accaparer, congédier, débrocher, décharger, défourner, défricher, déméchage, déplanter, déraciner, déverguer, ensevelir, retirable, supprimer*, suspendre ■ 10 abandonner, décapsuler, dégorgeoir, désenvaser, disgracier, recueillir, rétractile, retrancher*, soustraire*, tire-braise ■ 11 arrache-clou, charlemagne, démonte-pneu, dépolitiser, ponctionner, tire-bouchon ■ 12 désacraliser, déscolariser, désenverguer ■ 13 décapuchonner.

RETISSER: 9 retissage.

RETOMBER: 8 rechuter, retombée ■ 9 réception, rejaillir, replonger, retombant.

RETORDRE: 5 câble ■ 9 retordage, retordoir, retorsoir ■ 11 retordement.

RETORQUER: 8 répondre* ■ 9 rétorsion ■ 11 rétorquable.

RETORS: 3 fin ■ 4 file, rusé* ■ 5 malin, tortu ■ 7 ficelle, routier ■ 8 roublard.

RETOUCHE: 7 pompier.

RETOUCHER: 5 limer ■ 6 revoir ■ 8 corriger*, retouche ■ 10 retoucheur.
RETOUCHEUR: 9 chromiste.
RETOUR: 2 ré ■ 4 rime ■ 6 ressac ■ 7 rechute, recours, rentrée ■ 8 come-back, tortueux ■ 9 renouveau, réversion, virevolte ■ 10 contre-choc, régression, répétition ■ 11 renaissance ■ 12 palingénésie, réapparition, résurrection ■ 13 désexcitation, régurgitation ■ 14 renouvellement, rétablissement.
RETOURNEMENT: 12 renversement.
RETOURNER: 5 atout, faner ■ 6 bêcher ■ 7 refluer, replier, revenir, revoler, ruminer, tourner* ■ 8 émouvoir, invertir, labourer, regagner, renvoyer, répartir, révulser ■ 9 renverser*, retrouver, volte-face ■ 10 défonceuse, rebrousser, réexpédier, reparaître, retournage, réversible ■ 11 rétrograder ■ 12 réapparaître, retournement.
RETRACER: 6 conter ■ 7 décrire* ■ 8 rappeler.
RETRACTATION: 5 dédit ■ 7 désaveu ■ 8 négation ■ 9 palinodie ■ 10 réparation.
RETRACTER: 4 nier ■ 6 dédire ■ 7 retirer, revenir ■ 9 reprendre ■ 10 rétractile ■ 11 rétractable ■ 12 rétractation ■ 14 recroqueviller.
RETRACTILE: 4 iris ■ 12 rétractilité.
RETRACTION: 7 désaveu ■ 9 palinodie, rétractif.
RETRAIT: 4 port ■ 6 alinéa ■ 7 retrayé ■ 9 retrayant, ziggourat ■ 11 disjonction, enfoncement ■ 12 arrière-corps, décrochement.
RETRAITE: 3 juc, nid ■ 4 abri*, fort, gîte ■ 5 antre, asile, bauge, levée, logis, niche, recul, repli, sacre ■ 6 liteau, maison, réduit, refuge, remise, revenu, séjour ■ 7 clapier, demeure, mouroir, réforme, repaire, tanière, terrier ■ 8 cachette, ermitage, logement, louvière, solitude, thébaïde ■ 9 retraiter ■ 10 libération, réceptacle, renardière, retraitant, taupinière ■ 11 rabouillère, recoupement ■ 12 licenciement, taissonnière ■ 13 inamovibilité.
RETRAITEMENT: 9 retraite.
RETRAITER: 8 réformer ■ 9 licencier.
RETRANCHEMENT: 4 abri* ■ 5 front ligne, talus ■ 6 zig-zag ■ 7 apocope, coupure, parapet plongée, réformc ■ 8 rctiradc, tranchée ■ 9 banquette, déduction, résection ■ 10 amputation, défilement, épaulement, mutilation, retrancher, revêtement, terre-plein ■ 11 abréviation, cheminement, distraction ■ 13 fortification ■ 15 circonvallation, contrevallation.
RETRANCHER: 4 ôter* ■ 5 reste ■ 6 couper, épucer, épurer, étêter, rogner ■ 7 amputer, déduire, ébarber, écorner, écrémer, égrener, élaguer, émonder, entamer, exclure, mutiler, retenir, retirer*, séparer, tailler ■ 8 ablation, déboiser, désosser, diminuer, distraire, ébrécher, écourter, épierrer, épointer, excepter, expurger, prélever, rabattre, remparer, réséquer, retaillé, retraire, syncoper, tronquer ■ 9 camoufler, décompter, défalquer, ébrancher, échancrer, épouiller, escompter, supprimer*, terrasser ■ 10 écheniller, effeuiller, raccourcir, soustraire* ■ 11 excommunier ■ 12 ébourgeonner.
RETRANSCRIPTION: 10 autodictée.
RETRANSMETTRE: 10 réémetteur.
RETRECI: 5 borné ■ 6 étroit* ■ 7 urcéolé ■ 8 étranglé.
RETRECIR: 7 étrécir, laminer ■ 9 resserrer*, rétracter ■ 10 encasteler ■ 14 rétrécissement ■ 15 irrétrécissable.
RETRECISSEMENT: 3 col ■ 6 myosis ■ 7 sténose ■ 11 coarctation, contracture ■ 12 étranglement.
RETREINDRE: 8 rétreint.

RETRIBUER : 5 payer ■ 9 employeur, rémunérer.
RETRIBUTION : 4 gain, paie, paye, pige ■ 5 gages, jeton, solde ■ 6 cachet, revenu ■ 7 salaire* ■ 9 vacations ■ 10 commission, émoluments, honoraires, récompense, traitement ■ 12 rémunération* ■ 13 appointements, gratification.
RETROACTIF : 8 feed-back ■ 11 rétroaction ■ 13 rétroactivité ■ 15 rétroactivement.
RETROCEDER : 6 donner ■ 7 refiler ■ 8 redonner, repasser ■ 12 rétrocession.
RETROGRADER : 7 reculer* ■ 14 rétrogradation.
RETROUSSER : 7 relever ■ 8 rebiquer ■ 10 retroussis ■ 11 recoquiller ■ 13 retroussement.
RETROUVER : 6 revoir ■ 8 regagner ■ 9 recouvrer*, récupérer, rejoindre, reprendre, ressaisir ■ 10 ressourcer ■ 11 reconnaître.
RETS : 5 filet*, piège*.
REUNI : 10 coalescent.
REUNION : 3 col, com, con, tas, thé, vol ■ 4 full, loge, rame, ring, stud, trio ■ 5 agora, amour, armée, bande, carré, curie, écrin, litée, masse, mêlée, meute, noyau, paire, prise, ramas, raout, secte, toron, vente ■ 6 brelan, cercle, claque, comice, comité, fredon, fusion, groupe*, marché, nombre, paquet, rastel, salade, séance, soirée, troupe ■ 7 agrégat, brasure, cénacle, collège, colonie, comices, concert, concile, congrès, conseil, ennéade, enquête, escadre, hallier, meeting, mélange*, paillet, pléiade, recueil, schelem, société, système, syzygie, veillée, zooglée ■ 8 amalgame, aréopage, armature, briefing, carillon, cocktail, entrevue*, épissure, équipolé, faisceau, jamborée, ligature, ramassis, syndicat, troupeau ■ 9 affluence, assemblée*, bariolure, cavalcade, compagnie, emboîtage, équipollé, flottille, multitude, patte-d'oie, polyakène, séminaire, symposion, symposium, synalèphe ■ 10 accolement, agrégation, anastomose, assemblage*, cholédoque, collection, communauté, concrétion, conférence, dissonance, groupement*, jam-session, ralliement, rendez-vous, synœcisme ■ 11 chevalement, conjonction, consistoire, convocation, demi-brigade, réunionnais, réunionniste ■ 12 conciliabule, congrégation, convivialité ■ 13 avant-première, embranchement, ostéosynthèse, panhellénisme, rassemblement, surprise-party ■ 14 centralisation, sous-commission, surprise-partie.
REUNIR : 5 lacer, mêler ■ 6 brider, câbler, coudre, masse, moiser, ponter ■ 7 accoler, agréger, amasser, grouper*, joindre*, prendre, rallier ■ 8 associer, assortir, coaliser, colliger, conférer, englober, mélanger*, ramasser, recoudre, trombone ■ 9 agrégatif, assembler*, avivement, collecter, convoquer, fusionner, rapparier, rejoindre, remembrer, serre-fils, totaliser ■ 10 agglomérer, agglutiner, concentrer, confédérer, embrancher, embrigader, éparpiller, étalinguer, globaliser, rassembler*, réunissage ■ 11 centraliser, conglomérer, déboulonner, synthétiser ■ 12 consumérisme ■ 13 collectionner, endivisionner.
REUSSI : 4 fadé.
REUSSIR : 5 fruit, menée, rater, venir ■ 6 merder, percer ■ 7 aboutir, arriver*, avorter, briller, fleurir, marquer ■ 8 batterie, ingénier, parvenir, tactique ■ 9 arrivisme, expédient, prospérer, réchapper ■ 10 manœuvrer, trémousser ■ 11 machination, savoir-faire, transformer ■ 12 maquignonner.
REUSSITE : 5 échec, thème ■ 6 succès* ■ 8 combiner, crapette, patience ■ 11 non-réussite, self-made-man ■ 13 triomphalisme.
REVACCINER : 13 revaccination.

REVALOIR: 6 rendre ■ 10 prédominer.
REVALORISER: 7 majorer ■ 14 revalorisation.
REVANCHE: 7 rampeau ■ 9 toutefois ■ 10 revanchard ■ 11 revanchisme.
REVASCULARISATION: 14 revasculariser.
REVASSER: 6 penser ■ 10 rêvasserie.
REVASSERIE: 4 rêve ■ 5 songe ■ 9 rêvasseur.
REVE: 5 rêver, songe ■ 6 utopie ■ 7 rêverie ■ 8 fantasme, illusion*, onirique, onirisme, rêvasser ■ 9 cauchemar, hypnobate, hyponoïde ■ 10 onirodynie, onirologie, rêvasserie, solipsisme ■ 11 autoanalyse, imagination*, onirocritie, prémonition ■ 13 somnambulisme.
REVECHE: 4 âcre, rude* ■ 5 aigre ■ 8 hargneux*, hérisson ■ 9 acariâtre.
REVEIL: 7 revival ■ 11 radioréveil ■ 13 hypnopompique.
REVEILLER: 6 réveil ■ 7 ranimer*, tonique ■ 8 éveiller ■ 10 dérouiller, revivifier ■ 13 réveille-matin.
REVEILLON: 12 réveillonner.
REVELATEUR: 5 génol ■ 9 iconogène ■ 10 développer, pyrogallol ■ 12 hydroquinone, pyrogallique ■ 13 diamidophénol, diaminophénol ■ 14 paramidophénol.
REVELATION: 4 aveu ■ 9 médisance ■ 11 divulgation ■ 12 indiscrétion.
REVELE: 8 angoissé.
REVELER: 4 dire ■ 5 celer, lever ■ 6 avérer, médire, redire, trahir ■ 7 accuser, déceler, deviner, écarter, marquer, montrer*, prouver, publier* ■ 8 annoncer, dénoncer, dévoiler, irrévélé, propager, signaler ■ 9 découvrir, divulguer*, instruire, monitoire, proclamer, témoigner ■ 10 apparaître, pressentir, renseigner, révélation ■ 13 symptomatique ■ 15 non-dénonciation.
REVENANT: 7 fantôme*.
REVENDEUR: 6 dealer.
REVENDICATION: 11 compétiteur, réclamation* ■ 12 revendicatif ■ 15 indépententisme.
REVENDIQUE: 6 jacent.
REVENDIQUER: 8 réclamer* ■ 9 attribuer ■ 13 revendication.
REVENDRE: 9 revendeur ■ 10 brocanteur ■ 14 carambouillage, carambouilleur.
REVENIR: 6 plaire, revoir ■ 7 ramener, refluer, rentrer, revivre ■ 8 incomber, rappeler, redonner, renaître, repasser, repiquer, reporter, revenez-y ■ 9 boomerang, boumerang, désavouer, récession, récidiver, retourner, rétracter ■ 10 désinviter, rappliquer, régurgiter, ressourcer, réversible ■ 11 réconcilier, ressusciter, rétrograder.
REVENU: 3 net, r.m.i. ■ 4 gain* ■ 5 doter, livre, mense, rente* ■ 7 pension, rapport ■ 8 dotation, prébende, retraite, sinécure, temporel, usufruit ■ 9 arrérages, income-tax, trésorier ■ 10 transferts ■ 11 faire-valoir, rétribution.
REVER: 6 brûler, penser, rêveur, songer.
REVERBERATION: 9 réflexion ■ 10 réverbérer ■ 11 ambiophonie.
REVERBERER: 11 réverbérant.
REVERDIR: 14 reverdissement.
REVERENCE: 5 salut ■ 7 respect ■ 9 courbette, salamalec ■ 12 révérencieux ■ 13 prosternation.
REVERER: 7 honorer*, vénérer ■ 10 sanctifier.
REVERIE: 4 rêve* ■ 6 pensée ■ 8 illusion, songerie, utopisme ■ 10 rêvasserie.
REVERS: 3 dos ■ 5 atout, échec*, orage, verso ■ 6 envers, rebras ■

7 défaite* ■ 8 aventure, mornifle, parement, réussite ■ 9 infortune ■ 10 parmenture ■ 11 arrière-main, passing-shot.

REVERSEMENT : 15 surcompensation.

REVERSIBLE : 12 dissociation, irréversible ■ 13 réversibilité ■ 14 estérification, éthérification.

REVET : 9 zoomorphe ■ 12 zoomorphique.

REVETEMENT : 4 grip ■ 5 béton, chape, dalle, perré, quick, table, talus, verre ■ 6 bitume, ciment, enduit*, enrobé, jacket, pavage, pierre ■ 7 bordage, brasque, caillou, cutback, dallage, goudron, lambris, macadam, placage, stucage ■ 8 asphalte, azulejos, blindage, boiserie, cadmiage, coiffage, cuirasse, cuvelage, doublage, gunitage, linoléum, ornement, pavement, peinture, pilosité, plâtrage, rhodiage ■ 9 chemisage, entoilage, enveloppe, garniture, gazonnage, gravillon soufflage ■ 10 couverture, décolleuse, rocaillage, tapisserie ■ 11 antiadhésif, brillanteur, gazonnement, lambrissage ■ 12 antidérapant, cuirassement, encaissement ■ 14 cache-radiateur.

REVETIR : 5 orner, tuber, vêtir* ■ 6 garnir ■ 7 coiffer, couvrir*, décorer, guêtrer, housser, patiner, plaquer ■ 8 avaliser, déguiser, emboutir, endosser, entoiler, gazonner, juponner, tapisser ■ 9 cuirasser, diviniser, enjoliver, maroufler, recouvrir*, rentoiler, reprendre ■ 10 envelopper*, lambrisser, parementer, planchéier ■ 11 endimancher.

REVEUR : 5 poète ■ 6 pensif ■ 7 penseur, songeur ■ 9 idéologue, méditatif ■ 10 romanesque.

REVIGORER : 8 remonter* ■ 10 ravigotant.

REVIREMENT : 10 changement*.

REVISER : 6 revoir* ■ 7 réparer ■ 8 corriger, repasser, réviseur, révision ■ 9 révisable ■ 10 superviser.

REVISION : 8 réviseur ■ 9 nomothète ■ 10 dreyfusard ■ 11 révisionnel ■ 13 révisionniste.

REVITALISER : 14 revitalisation.

REVIVIFIER : 7 ranimer ■ 14 revivification.

REVIVISCENCE : 11 reviviscent.

REVIVRE : 6 primal ■ 8 renaître ■ 10 réincarner ■ 11 ressusciter.

REVOCABLE : 8 précaire ■ 12 révocabilité.

REVOCATION : 7 retrait ■ 8 disgrâce ■ 9 déchéance ■ 10 suspension ■ 11 dégradation, destitution.

REVOIR : 5 adieu, salut ■ 6 relire ■ 7 raboter, reviser ■ 8 corriger, parfaire, potasser, remanier, revoyure ■ 9 eidétisme, rectifier, retoucher ■ 12 reconsidérer.

REVOLTANT : 6 criant ■ 9 dégoûtant*.

REVOLTE : 5 mutin, outré ■ 6 émeute, guerre ■ 7 indigné ■ 8 révolter, sédition* ■ 9 coup d'Etat, jacquerie, mutinerie, rébellion*, révoltant ■ 10 dissidence, révolution ■ 11 indignation, soulèvement ■ 12 insurrection ■ 15 révolutionnaire.

REVOLTER : 5 crier ■ 6 cabrer ■ 7 choquer*, mutiner ■ 8 indigner, insurger, rebeller, soulever.

REVOLU : 5 passé, sonné ■ 8 accompli.

REVOLUTION : 4 dîme ■ 5 année, force, phase ■ 7 révolte* ■ 8 clubiste, méridien ■ 9 glorieuse ■ 10 carmagnole, changement ■ 11 tricoteuse ■ 12 hyperboloïde ■ 13 préindustriel, révolutionner ■ 15 révolutionnaire.

REVOLUTIONNAIRE : 7 insurgé, rebelle, révolté ■ 8 factieux, trublion ■ 9 agitateur, cordelier, gauchiste ■ 10 extrémiste, terroriste.

REVOLUTIONNER : 8 émouvoir.

REVOLVER : 3 rif ■ 4 colt ■ 5 riffe ■ 6 riffle, rigolo ■ 8 barillet, pistolet*.

REVOQUE : 15 indéboulonnable.
REVOQUER : 6 abolir*, casser ■ 7 chasser, relever, retirer ■ 8 dégommer, dégrader, démettre, déplacer, détrôner, renvoyer ■ 9 destituer*, interdire, remercier, remplacer, révocable, suspendre ■ 10 déposséder, disgracier, révocation ■ 11 irrévocable, révocatoire.
REVUE : 5 place ■ 6 défilé, organe, parade ■ 7 magasin ■ 8 abstract, lectorat, magazine, revuiste, rubrique ■ 10 inspection, périodique ■ 11 passe-volant.
REVULSION : 8 révulser, ventouse ■ 9 sinapisme.
REXISME : 7 rexiste.
REZ-DE-CHAUSSEE : 8 entresol, parterre.
REZ DE TERRE : 9 blanc-étoc ■ 10 blanc-estoc.
RHABDOMANCIE : 13 rhabdomancien.
RHABILLAGE : 10 rhabilleur.
RHABILLER : 7 réparer ■ 10 rhabillage, rhabilleur ■ 12 rhabillement.
RHAMNACEE : 7 cascara, nerprun, paliure, zizyphe ■ 8 alaterne, jujubier ■ 9 bourdaine.
RHAPSODE : 8 rapsodie ■ 11 rhapsodiste.
RHEOLOGIE : 9 rhéologue ■ 11 rhéologique.
RHEOSTAT : 12 rhéostatique.
RHETEUR : 7 orateur*.
RHETIQUE : 5 ladin ■ 7 rétique.
RHETORIQUE : 5 crase, trope ■ 6 ironie, litote, rondel, zeugma ■ 7 apocope, diérèse, ellipse, emphase*, syncope ■ 8 allusion, aphérèse, paragoge, prothèse, sarcasme, syllepse, syncrèse ■ 9 allégorie, antithèse, éloquence*, épenthème, gradation, hendiadis, hendiadys, hypallage, hyperbate, hyperbole, imitation, inversion, métaphore, métathèse, métonymie, pléonasme, prosthèse, réticence ■ 10 antiphrase, antonomase, apostrophe, attraction, catachrèse, concession, conversion, correction, épiphonène, euphémisme, hendiadyin, hypotypose, invocation, métalepsie, opposition, paronomase, périphrase, prosopopée, répétition, subjection, suspension, synecdoque ■ 11 conjonction, disjonction, énumération, exclamation, exténuation, imprécation, obsécration, prétérition, rhétoricien ■ 12 allitération, interruption ■ 13 communication, interrogation.
RHINGRAVE : 11 rhingraviat.
RHINITE : 5 ozène.
RHINOCEROS : 12 barrissement.
RHIZOCARPEE : 13 hydrofilicale.
RHIZOMATEUX : 4 iris.
RHIZOME : 4 iris ■ 5 prêle ■ 6 racine ■ 8 colocase ■ 9 arrow-root.
RHIZOPHORE : 8 manglier.
RHIZOPODE : 5 amibe ■ 10 radiolaire ■ 12 foraminifère.
RHODES : 7 rhodien.
RHODIUM : 6 thodié ■ 8 rhodiage.
RHODODENDRON : 6 rosage.
RHOMBE : 9 rhomboïde.
RHOMBENCEPHALE : 14 arrière-cerveau.
RHOMBOEDRE : 11 trapézoèdre ■ 13 rhomboédrique.
RHONE : 9 rhônalpin ■ 12 côtes-du-rhône.
RHOPALOCERE : 5 argus, thaïs ■ 6 aurore, miroir, thècle ■ 7 apollon, piéride ■ 8 échancré, néméobie ■ 9 échiquier.
RHUBARBE : 10 catholicon.
RHUM : 4 baba ■ 5 tafia ■ 6 rhumer ■ 8 daiquiri, rhumerie.
RHUMATISME : 5 bétol ■ 6 goutte ■ 10 coxarthrie, rhumatoïde, salicy-

late ■ **11** coxarthrose, rhumatisant, rhumatismal ■ **12** polyarthrite, rhumatologie, rhumatologue ■ **15** spondylarthrite.
RHUMATOLOGIE : 14 rhumatologique.
RHUMATOLOGIQUE : 5 paget.
RHUME : 5 mauve ■ **6** coryza, grippe ■ **8** catarrhe, enrhumer ■ **9** bronchite, influenza, laryngite, trachéitc ■ **10** cacochymie, coqueluche, pharyngite ■ **14** enchifrènement ■ **15** refroidissement.
RHYNCHOCEPHALE : 8 hattéria.
RHYNCHOCEPHALIEN : 8 hattérie.
RHYNCHOTE : 4 nèpe ■ **6** cigale ■ **7** chermès, naucore, puceron ■ **8** aphidien, hémiptère, rynchote ■ **9** notonecte ■ **10** cochenille, hydromètre, phylloxéra ■ **12** hémiptéroïde.
RHYOLITE 7 perlite.
RIANT : 7 aimable.
RIBAMBELLE : 5 série*, tapée.
RIBAUDE : 10 prostituée.
RIBESIACEE : 6 cassis ■ **10** groseillier ■ **14** grossulariacée.
RIBLER : 7 riblage.
RIBONUCLEIQUE : 7 viroïde.
RIBOSE : 12 désoxyribose.
RIBOSOME : 8 ribozyme ■ **13** ergastoplasme.
RICANER : 4 rire* ■ **8** ricanant, ricaneur ■ **10** ricanement.
RICHE : 4 aisé ■ **5** cossu, huppé, ladre, nabab, nanti, rente, rupin ■ **6** crésus, étoffé, fécond, friqué, milord ■ **7** argenté, fertile, fortuné, heureux, opulent, parvenu, richard ■ **8** abondant*, enrichir, saducéen, solvable ■ **9** argenteux, galetteux, pécunieux, possédant, richement, somptueux ■ **10** richissime, triérarque ■ **11** capitaliste, ploutocrate ■ **12** milliardaire, millionnaire.
RICHESSE : 2 or ■ **3** écu ■ **4** luxe* ■ **5** biens, butin ■ **6** argent, moyens ■ **7** aisance, avarice, fortune, pactole ■ **8** opulence ■ **9** abondance*, puissants ■ **10** œnométrie, prospérité, ressources ■ **11** alcoométrie, butyromètre ■ **12** physiocratie ■ **14** chrématistique.
RICIN : 12 palma christi.
RICKETTSIE : 6 typhus ■ **12** rickettsiose, terrafungine.
RICOCHET : 4 saut ■ **7** bricole ■ **8** ricocher.
RICTUS : 3 ris ■ **7** grimace*.
RIDE : 3 pli* ■ **5** creux, grime, ridée, rider ■ **6** buriné, ridule, sillon* ■ **8** déridage, ratatiné ■ **9** antirides, patte-d'oie ■ **10** crispation, ripplemark.
RIDEAU : 5 banne, galon, pente, store, vélum ■ **7** custode, tablier, tenture*, vitrage ■ **8** courtine, ébrasure, embrasse, portière ■ **9** baldaquin, brise-bise ■ **10** bonne-grâce, lambrequin ■ **11** cantonnière ■ **12** moustiquaire.
RIDELLE : 9 haussière, trésaille.
RIDER : 7 froncer, plisser* ■ **8** ridement ■ **9** ratatiner ■ **10** froncement.
RIDICULE : 3 sot*, tic ■ **5** avare, crevé, fichu, grime, manie, zoïle ■ **6** cloche, gandin ■ **7** absurde*, capitan, cocasse, cocodès, comique*, cuistre, géronte, guignol, risible, sapajou ■ **8** affubler, galantin, mijaurée, rombière, saugrenu, simagrée ■ **9** accoutré, burlesque, cagoterie, grotesque*, impayable, janotisme, persifler, pet-de-loup, roquentin ■ **10** billevesée, caricature, cuistrerie ■ **11** arlequinade, enharnacher, infatuation, ridiculiser ■ **12** accoutrement, pantalonnade, ridiculement.
RIDICULISER : 6 berner, moquer* ■ **7** bafouer.

RIEN : 3 nib ■ 4 iota, jeun, vide, zéro ■ 5 avide, bibus, néant, oisif, prune, repue, temps ■ 6 misère, musard, que dal ■ 7 absurde, babiole, minutie, niaiser, vétille ■ 8 croquant, ex nihilo, fainéant, fichaise, fifrelin, foutaise, galfâtre, gnognote, nigauder, que dalle, tripette ■ 9 annihiler, bagatelle*, broutille, désœuvré, niaiserie, non-valeur, sans-souci, seulement ■ 10 bredouille, fainéanter, galvaudeux, gougnafier ■ 11 clopinettes, impitoyable, indifférent, nonchalance ■ 12 discutailler, insignifiant, nec plus ultra.

RIFLE : 5 fusil*.

RIGIDE : 5 bandé, raide*, roide, tuyau ■ 7 austère*, bétonné ■ 10 rigidement, rigidifier, semi-rigide, vanity-case ■ 12 flexibiliser, monolithisme.

RIGIDITE : 8 sévérité ■ 11 autoportant, autoporteur, contracture, puritanisme.

RIGOLE : 4 noue ■ 5 fossé ■ 6 cassis, séguia, sillon ■ 7 saignée ■ 8 caniveau, goulette, goulotte, rigolade, ruisseau.

RIGOUREUX : 3 dur* ■ 4 âpre, rude* ■ 5 cruel, exact*, fatal, libre, serré ■ 6 étroit, précis, ric-rac, rigide, sévère*, strict ■ 7 austère, mitiger, pénible, relâché, ric-à-rac, taureau ■ 9 déchirant, draconien, inclément, rigoriste ■ 10 implacable, inexorable, inflexible, intolérant ■ 11 autoritaire ■ 12 approximatif ■ 14 nécessairement, rigoureusement.

RIGUEUR : 3 pur ■ 4 dure ■ 6 âpreté ■ 7 cruauté, fermeté ■ 8 sévérité* ■ 9 rigorisme ■ 10 élasticité, inclémence ■ 12 scientifique ■ 13 pseudoscience.

RIMAILLEUR : 5 poète* ■ 6 rimeur ■ 9 métromane.

RIME : 5 poème*, prose ■ 8 monorime ■ 9 assonance, corbillon, dominante ■ 10 bouts-rimés, consonance.

RIMER : 9 rimailler, versifier ■ 10 rimailleur.

RINÇAGE : 7 rinceur.

RINCEAU : 5 culot.

RINCER : 5 laver ■ 7 tremper ■ 8 rinceuse ■ 10 gargariser ■ 11 rince-bouche, rince-doigts ■ 15 rince-bouteilles.

RING : 6 corner.

RINGARD : 5 poker ■ 9 ringarder ■ 11 ringardage, tire-braise.

RIO DE JANEIRO : 7 carioca.

RIPAILLE : 5 bâfre, bombe, curée ■ 6 festin* ■ 8 bamboche, bombance ■ 9 ripailler ■ 10 ripailleur.

RIPE : 5 riper.

RIPOLIN : 9 ripoliner.

RIPOPEE : 7 mélange.

RIPOSTE : 7 défense, réponse, seconde ■ 8 répartie, réplique ■ 9 objection ■ 10 réfutation ■ 13 contradiction.

RIPOSTER : 7 réfuter ■ 8 défendre, objecter, répartir, répondre* ■ 9 dupliquer, redarguer, rembarrer, répliquer, rétorquer ■ 10 contredire ■ 12 contrebattre.

RIRE : 2 ha, hi ■ 3 ris ■ 5 badin, gaîté, pâmer, rieur, risée ■ 6 amuser, brimer, égayer, gaieté, marrer, moquer*, poiler, rictus, rioter, tordre ■ 7 badiner, dilater, éclater, narguer, pouffer, railler*, ricaner, rigoler, riocher, risette, risible, sourire ■ 8 bidonner, boyauter, défrayer, divertir, glousser, gondoler, hilarant, hilarité, plaisant, rigolade, rigolard, risorius ■ 9 batifoler, désopiler, esclaffer, gouailler, grotesque, joyeuseté, persifler ■ 10 drôlatique, pisse-froid, plaisanter, ricanement ■ 11 caricaturer, goguenarder, ridiculiser, rigolbocher ■ 12 bouffonnerie ■ 13 pince-sans-rire ■ 14 tire-bouchonner.

RIS: 4 rire ■ 5 risée ■ 6 rictus ■ 7 risette, sourire.
RISEE: 3 ris ■ 5 fable ■ 8 ridicule ■ 9 raillerie ■ 10 bourrasque.
RISIBLE: 7 comique* ■ 8 ridicule* ■ 11 risiblement.
RISQUE: 4 aléa, salé ■ 5 essai, léger, péril* ■ 6 danger*, hasard, risqué ■ 7 épreuve, hasardé ■ 8 surprime, témérité ■ 9 audacieux, hasardeux, imprudent, téméraire, tentative ■ 10 aventureux, coassurance, entreprise, expédition, expérience, imprudent, risque-tout ■ 13 préventologie.
RISQUER: 5 tâter ■ 6 goûter, tenter* ■ 8 chercher, efforcer, encourir, hasarder ■ 9 aventurer.
RISTOURNE: 6 remise ■ 10 diminution*, ristourner.
RITE: 7 cawcher ■ 8 asiarque, habitude*, liturgie, maronite ■ 9 ambrosien, sacrement ■ 10 latinisant, ritualiser.
RITOURNELLE: 10 répétition.
RITUALISME: 9 puseyisme ■ 10 ritualiste.
RITUEL: 5 mudra. taled ■ 6 taleth, talith ■ 7 talleth, tallith ■ 8 churinga, liturgie ■ 10 pontifical ■ 11 pénitentiel ■ 12 circoncision, rituellement ■ 13 sacramentaire.
RIVAGE: 4 anse, baie, bord*, cale, côte, dune, flux, quai, rive ■ 5 berge, canal, grève, marée, palot, plage ■ 6 crique, lagune ■ 7 falaise, flustre ■ 8 littoral ■ 11 appontement.
RIVAL: 5 émule ■ 6 brigue, ennemi ■ 7 jouteur, lutteur ■ 8 candidat, zélotype ■ 10 adversaire, concurrent*, contendant, prétendant ■ 11 antagoniste, compétiteur.
RIVALISER: 6 défier, égaler, jouter, lutter ■ 8 disputer ■ 9 concourir ■ 12 concurrencer.
RIVALITE: 5 débat, envie, haine, joute, lutte, match ■ 6 combat ■ 7 conflit, dispute, tournoi ■ 8 concours, inimitié, jalousie ■ 9 collision, émulation, rencontre ■ 10 surenchère ■ 11 antagonisme, compétition, concurrence.
RIVE: 4 bord*, pont ■ 6 rivage* ■ 8 riverain.
RIVER: 5 mater, rivet.
RIVET: 4 clou ■ 7 riveter ■ 8 ferrement, rivetage, riveteuse, vervelle ■ 9 dériveter ■ 10 bouterolle ■ 12 cisaillement.
RIVIERE: 3 eau, gué ■ 4 biez, onde, port, saut ■ 5 canal, cours, ondée, vanne ■ 6 alevin, wading ■ 8 affluent, débâcler ■ 9 batillage, cours d'eau, franc-bord ■ 10 vauclusien ■ 11 antécédence, potamologie, riveraineté ■ 12 empoissonner, encaissement, garde-rivière, navigabilité.
RIXE: 5 mêlée ■ 6 combat* ■ 7 bagarre, pugilat ■ 8 querelle* , riflette ■ 9 margaille.
RIZ: 3 nem ■ 4 arac, arak, rack, raki, saké, saki ■ 5 arack, paddy, pilaf, pilau, pilaw, rizon, rizot, sushi ■ 7 rizerie, rizière ■ 8 couscous ■ 11 riziculteur, riziculture.
RIZICULTURE: 8 rizicole.
RIZIERE: 6 quelea.
ROBE: 3 bai ■ 4 mini, poil, sari, toge, zain ■ 5 escot, gigot, rabat, rober, robin, rouan, zèbre ■ 6 bringé, caftan, traîne ■ 7 cafetan, robeuse, soutane ■ 8 fourreau, peignoir, troussis, vêtement* ■ 9 laticlave ■ 10 vertugadin ■ 11 décolletage ■ 12 prétintaille.
ROBINET: 5 prise ■ 6 by-pass, canule ■ 8 boisseau, brise-jet, cannelle, cannette ■ 10 col-de-cygne, robinetier ■ 12 chantepleure, robinetterie.
ROBINETTERIE: 8 mitigeur.
ROBORATIF: 10 fortifiant.
ROBOT: 8 automate ■ 9 robotique.

ROBOTISER : **12** robotisation.
ROBUSTE : **3** fer ■ **4** fort* ■ **5** frêle, mulet, râblé ■ **7** athlète, hercule ■ **8** chaloupe, shirting ■ **9** charpenté ■ **11** robustement.
ROC : **4** minc ■ **5** rochc* ■ **6** rochcr* ■ **9** déroctagc ■ **10** rocaillage, rocailleur.
ROCADE : **4** ring.
ROCAILLE : **10** dentelaire, rocailleux, staphylier.
ROCAMBOLESQUE : **15** invraisemblable.
ROCHE : **3** roc, tuf ■ **4** grès, igné, pâte ■ **5** agate, gaize, gypse, jaspe, marne, sable, silex, strie ■ **6** aplite, argile, diapir, faciès, gabbro, gneiss, granit, klippe, pierre*, rocher*, tourbe ■ **7** albâtre, ardoise, basalte, bauxite, boghead, carotte, diorite, dolomie, effusif, granite, houille, lignite, minerai, nucleus, perlite, rocheux, schiste, syénite, tectite, tripoli, zéolite ■ **8** anatexie, andésite, calcaire, dendrite, dérocher, diaclase, éclogite, ectinite, enlevure, filonien, labrador, meulière, mylonite, phyllade, porphyre, régolite, rétinite, rhyolite, sapropel, stéatite, téphrite, trachyte, zéolithe ■ **9** amphibole, carbonaté, clastique, cornéenne, diagenèse, diatomite, feldspath, microlite, migmatite, ophiolite, phonolite, plutonien, rhyolithe, sapropèle, sursauté ■ **10** coquillier, détritique, kimberliten, lumachelle, microgrenu, obsidienne, péridotite, pétrologie, phonolithe, plutonique, polisseuse, ruiniforme, serpentine, sous-saturé ■ **11** amphibolite, amygdaloïde, conglomérat, cryoclastie, dérochement, enrochement, lamprophyre, lithogenèse, micaschiste, pétrogenèse, radiolarite, schistosite ■ **12** affleurement, gélifraction, géotechnique, microlitique, pétrographie, pisolithique, roche-magasin, ultrabasique ■ **13** métamorphisme, microlithique, pyroclastique, thermoclastie ■ **14** géochronologie, holocristallin, hypocristallin, stratification.
ROCHE-MAGASIN : **14** roche-réservoir.
ROCHER : **3** pic, roc ■ **4** dent, écho, étoc ■ **5** barre, grave, hypne, pedum, récif, roche* ■ **6** écueil, éperon ■ **7** brisant, cétérac, falaise, pétreux, rocheux, varappe ■ **8** aspérité, dérocher, gendarme, polypode, rocaille, rupestre, saxatile, saxicole ■ **9** térébelle, théridion ■ **10** dompte-venin, rochassier ■ **12** criste-marine.
ROCHET : **8** roquetin.
ROCHEUSE : **8** madicole.
ROCHEUX : **5** basse, fjeld, pétré ■ **8** pédiment.
ROCK : **4** beat, funk ■ **5** drums ■ **6** rocker ■ **7** drummer, rockeur ■ **10** charleston
ROCOCO : **6** désuet*.
ROCOU : **7** rocouer ■ **8** rocouyer.
RODAGE : **7** lapping ■ **13** apprentissage.
RODAILLER : **5** errer*.
RODER : **5** errer ■ **7** tourner ■ **10** vagabonder ■ **11** tournailler.
RODEZ : **9** ruthénois.
RODEUR : **9** tire-laine ■ **10** malfaiteur.
RODOMONTADE : **8** bravache ■ **12** fanfaronnade.
ROGNE : **3** ire.
ROGNER : **7** rognoir, rognure ■ **8** chapeler, diminuer, éjointer, grugeoir, murmurer ■ **9** rogne-pied ■ **10** massicoter, rafraîchir, retrancher.
ROGNON : **4** rein ■ **5** abats ■ **8** cuisseau ■ **10** rognonnade.
ROGNURE : **6** parure ■ **8** cisaille ■ **10** bactrioles.
ROGOMME : **8** mêlé-cass ■ **10** mêlé-cassis.
ROGUE : **5** appât ■ **8** hargneux*, insolent ■ **9** acariâtre.

ROI: 4 pair, sire ■ 5 royal, sacre ■ 6 prince ■ 7 antiroi, pharaon, royaume, royauté ■ 8 épiphane, favorite, monarque*, régicide ■ 9 maharajah, orangiste, royaliste ■ 10 maharadjah ■ 12 portemanteau.
ROIDE: 5 raide* ■ 7 escarpé.
ROLE: 3 clé ■ 4 état, vamp ■ 5 frime, hocco, liste, panne, rôler, rôlet, valet ■ 6 rôlage ■ 7 couvade, crispin, dugazon ■ 8 basicité, comparse, fonction*, incarner, travesti, vocation ■ 9 amphotère, complétif ■ 10 personnage, prépositif ■ 11 interpréter ■ 12 contre-emploi, protagoniste ■ 14 idéologisation.
ROM: 6 romani.
ROMAIN: 3 duc ■ 4 bige, ides, joug, mime, once, toge ■ 5 congé, curie, faune, férié, latin, légat, levée, myrte, pedum, pilum, plèbe, sénat ■ 6 atrium, épulon, fécial, fétial, ichtus, nénies, scutum ■ 7 duumvir, préteur ■ 8 aruspice, calendes, césarien, décemvir, décurion, électeur, féralies, hastaire, indigète, questeur, questure ■ 9 bestiaire, centenier, naumachie, patricien, romaniser, septemvir, vomitoire ■ 10 dalmatique, ethnarchie, sénatorien, tétrarchie ■ 11 gallo-romain, gréco-romain ■ 12 nomenclateur ■ 13 proconsulaire.
ROMAINE: 7 sucrine ■ 8 hélépole, romanité ■ 9 romanisme, vestalies.
ROMAN: 4 brut, rêve ■ 5 conte*, ladin ■ 6 action ■ 7 catalan, dalmate, italien, roumain ■ 8 anecdote, espagnol, francien, histoire, intrigue, nouvelle, préroman, prologue, romancer, romanche, scénario, thriller ■ 9 balzacien, ciné-roman, portugais, provençal, romancero, romancier, romaniste ■ 10 feuilleton, picaresque, rhéto-roman, romanesque ■ 11 description, gallo-roman, paysannerie, roman-fleuve ■ 12 affabulation, novélisation ■ 13 livre-cassette ■ 14 feuilletoniste ■ 15 feuilletonesque, roman-feuilleton.
ROMANCE: 4 lied ■ 5 chant* ■ 7 mélodie ■ 9 romancero.
ROMANCIER: 9 populisme, populiste.
ROMANE: 5 sarde.
ROMANESQUE: 6 tendre ■ 9 antiroman, bovarysme ■ 10 roman-photo ■ 11 sentimental ■ 14 science-fiction.
ROMANICHEL: 6 romani ■ 8 bohémien*.
ROMAN-PHOTO: 10 photo-roman.
ROMANTIQUE: 14 postromantique.
ROMANTISME: 4 lied ■ 10 romantique ■ 13 préromantique.
ROME: 6 aureus ■ 8 pomerium.
ROMPRE: 5 céder*, fêler, péter, volis ■ 6 casser*, couper, crever, fendre, forcer ■ 7 annuler*, claquer, craquer, désaxer, échiner, éclater, écorner, édenter, épauler, rupture ■ 8 débander, dénoncer, divorcer, éreinter, halbrené ■ 9 brésiller, décrocher, dissoudre, effondrer ■ 10 fragmenter, sectionner ■ 11 interrompre* ■ 14 sécessionnaire.
ROMPU: 3 las* ■ 4 roué ■ 5 moulu.
RONCE: 4 mûre ■ 5 mûron ■ 7 roncier ■ 8 roncière ■ 9 ronceraie ■ 11 framboisier ■ 12 broussailles.
RONCHONNER: 7 ronchon ■ 8 murmurer* ■ 9 bougonner, rognonner ■ 11 ronchonneur ■ 13 ronchonnement.
ROND: 4 cône, four, gond, lune, orbe, tour ■ 5 balle, banjo, bâton, batte, béret, bombe, bonde, cerne, congé, coupe, enflé, franc, jalet, jeton, melon, miche, motte, palet, perle, plein, point, ronde, roulé, tulle, volte ■ 6 cercle*, godron, gonflé, orbite, renflé, sphère*, trullo ■ 7 bâtarde, concave, conique, convexe, éclisse, macabre, rebondi, rondeur, rondier ■ 8 arrondir, cylindre, maquette, rondache, rondelet, tourteau ■ 9 annulaire, bedonnant, bourrelet, hémicycle, riboulant, rotondité, sphérique ■ 10 carmagnole, circulaire, rond-de-

cuir ■ 11 cylindrique, orbiculaire, œil-de-bœuf ■ 12 gargouillade, rondouillard ■ 13 circonférence* ■ 14 saint-marcellin.
RONDE : 6 atriau.
RONDEAU : 6 rondel.
RONDELET : 4 gras*, gros* ■ 6 enrobé.
RONDELLE : 5 bonde, fiche, pomme, rouet ■ 6 mouche ■ 7 procédé, rouelle, rustine, tranche ■ 8 confetti.
RONDEUR : 9 convexité, rotondité.
RONDIER : 7 borasse.
RONDIN : 11 caillebotis.
RONDOUILLARD : 4 gras*.
ROND-POINT : 6 étoile, musoir ■ 9 carrefour*.
RONEO : 8 ronéoter ■ 10 ronéotyper.
RONFLANT : 6 sonore ■ 7 ampoulé* ■ 10 emphatique*, ronflement.
RONFLEMENT : 5 broum ■ 8 ronfleur ■ 10 ébrouement, stertoreux.
RONFLER : 8 ronfleur ■ 10 bourdonner*.
RONGER : 6 carier, éroder, manger, mordre, piquer ■ 7 dévorer, rongeur ■ 8 attaquer, consumer, corroder, mouliner ■ 9 grignoter, rongement, vermouler ■ 10 lithophage ■ 12 onychophagie, phagédénique.
RONGEUR : 3 rat ■ 4 loir, paca ■ 5 lérot, milan, mulot, xérus ■ 6 agouti, cabiai, castor, cobaye, muridé, souris, spalax ■ 7 hamster, lemming, ondatra ■ 8 gerbille, gerboise, léporidé*, marmotte, porc-épic, ragondin, sciuridé*, surmulot, viscache ■ 9 anomalure, campagnol ■ 10 chinchilla, lagomorphe, polatouche ■ 13 chloropicrine.
RONIER : 8 borassus, rôneraie.
RONRON : 9 ronronner ■ 12 ronronnement.
RONRONNER : 12 ronronnement.
ROQUET : 5 chien.
ROQUETTE : 6 rocket ■ 8 sisymbre ■ 13 lance-roquettes.
RORQUAL : 11 balénoptère.
ROSACE : 4 lobe, rose.
ROSACEE : 5 ronce ■ 6 kerria, kerrie, pêcher, putier, putiet, rosier, spirée ■ 7 alisier, alizier, althæa, benoîte, cormier, mahaleb, néflier, poirier, pommier, prunier, sorbier, ulmaire ■ 8 amandier, aubépine, cerisier, ellébore, fraisier, guignier, guimauve, icaquier, merisier, trémière ■ 9 azérolier, cratægus, églantier, griottier, passerose, primerose ■ 10 abricotier, aigremoine, alchemille, brugnonier, cognassier, marmottier, potentille, prunellier ■ 11 cotonéaster, filipendule, framboisier, mirabellier, pimprenelle, sanguisorbe, tormentille ■ 13 buisson-ardent, laurier-cerise, quintefeuille.
ROSAGE : 12 rhododendron.
ROSAIRE : 8 chapelet.
ROSBIF : 9 roast-beef.
ROSE : 5 béril, béryl, lilas, nævi, radis, rosat, roser, rosir ■ 6 nizeré, pompon, rosacé, roseur ■ 7 althæa, diamant, rosâtre, roséole, rosette, saumoné ■ 8 rhodinol, roseraie, trémière ■ 9 morganite ■ 12 protubérance.
ROSEAU : 4 glui ■ 5 acore, canne, typha ■ 6 bambou, calame, canier, férule, rotang ■ 7 canisse, cannaie, papyrus ■ 8 cannisse, gynérium, mirliton, roselier ■ 9 chalumeau, phragmite, roselière.
ROSE-CROIX : 11 rosicrucien.
ROSE DE NOËL : 8 ellébore ■ 9 hellébore.
ROSEE : 5 gelée*, perle, pleur, roser ■ 7 aiguail, rosoyer ■ 8 herberie, rorifère ■ 9 givration ■ 10 irroration ■ 11 gouttelette.
ROSE TREMIERE : 8 guimauve ■ 9 passerose, primerose.

ROSIER : 4 rose ■ 6 vierge* ■ 8 roseraie ■ 9 aiguillon ■ 10 rosiériste.
ROSIR : 5 roser.
ROSOLIS : 7 drosera, drosère.
ROSSE : 3 bât ■ 6 cheval ■ 7 méchant ■ 10 rossinante.
ROSSEE : 5 volée ■ 6 raclée.
ROSSER : 6 battre* ■ 7 vaincre*.
ROSSERIE : 6 malice ■ 10 méchanceté*.
ROSSIGNOL : 9 philomèle ■ 10 rouge-queue ■ 11 rossignoler.
ROSTRE : 9 bélemnite.
ROT : 4 rôti ■ 5 roter ■ 6 renvoi.
ROTANG : 5 rotin ■ 10 sang-dragon ■ 12 sang-de-dragon.
ROTATIF : 9 asperseur, gyrophare.
ROTATION : 4 gond, jour, spin, tour ■ 5 crawl, effet, marée, toton ■ 6 bielle, toupie ■ 7 rotatif, tricôme ■ 8 cylindre, éolipile, éolipyle, giration, gyrostat, nutation, patinage, rotateur ■ 9 antilacet, charnière, entablure, fenestron, manivelle, oculogyre, réducteur, rotatoire, tourillon, variateur ■ 10 crapaudine, précession, révolution, tachymètre ■ 11 polarimètre, rabattement, vilebrequin ■ 12 encliquetage, polarimétrie ■ 13 circumduction, vrombissement.
ROTATIVE : 10 centrifuge.
ROTI : 3 rôt ■ 4 havi ■ 5 rôtir ■ 6 rosbif, salmis.
ROTIR : 5 barde, cuire*, rôtie, toast ■ 6 brûler ■ 7 brochée, griller*, hâtelet, méchoui, roustir ■ 8 ramequin, rissoler ■ 9 brasiller, brochette, hâtelette, rôtissage, rôtisseur, torréfier ■ 10 rissolette, rôtisserie, rôtissoire.
ROTONDITE : 7 rondeur.
ROTOR : 7 ailette ■ 8 girodyne ■ 9 fenestron ■ 11 hélicoptère.
ROTULE : 4 noix ■ 8 rotulien.
ROTURE : 8 populace ■ 9 tenancier.
ROTURIER : 6 manant, paysan ■ 9 franc-fief.
ROUANNE : 10 rouannette.
ROUBAIX : 10 roubaisien.
ROUBLARD : 4 rusé* ■ 5 malin* ■ 6 mariol ■ 7 mariole ■ 11 roublardise.
ROUCOULER : 7 chanter.
ROUE : 3 rai, réa ■ 4 aube, bief, buse, came, dent, esse, noix, pale, paon, rais, rusé* ■ 5 calas, drôle, fusée, galet, godet, ixion, jante, malin*, moyeu, noria, rouer, sabot, wiski ■ 6 essieu, habile*, pignon, poulie, rotacé, tympan ■ 7 bandage, flasque, molette, rouerie, turbine, voilure ■ 8 alluchon, barbotin, ceinture, chenille, coursier, dérapage, embatage, enrayage, enrayure, moulinet, reillère, roublard, roulette ■ 9 bouteroue, engrenage, engrenure, garde-boue, mentonnet ■ 10 bicyclette, carrossage ■ 11 endentement, mentonnière ■ 12 arrière-train, quatre-quatre.
ROUELLE : 7 tranche*.
ROUENNERIE : 9 rouennier.
ROUER : 6 battre*, dauber.
ROUERGAT : 7 tripous, tripoux.
ROUERIE : 4 ruse*.
ROUF : 6 surbau.
ROUGE : 3 api, feu, sil ■ 4 néon, ocre, rose, roux, sang ■ 5 acide, alise, aorte, brôme, chica, crête, fauve, jaspe, laque, mâcon, pavot, pilaf, pilau, pilaw, rocou, rosat, rubis, sauge, syrah, tache, vélie ■ 6 carmin, cerise, corail, éosine, grenat, kermès, malbec, minium, rouget, sandix, sandyx, santal, vineux ■ 7 cinabre, garance, honteux, magenta, mar-

gaux, martini, mordoré, nacarat, ponceau, pourpre, réalgar, rougeur, rouquin, vermeil ■ 8 bordeaux, campêche, carotène, colcotar, colombin, corallin, cramoisi, dérougir, écarlate, fuchsine, hématite, hémolyse, incarnat, mignonne, némalion, orseille, phrygien, raisinet, rougeaud, rubicond, rubiette, rutilant, sanguine, spinelle, starking, vultueux, zinzolin ■ 9 alizarine, bigarreau, brésillet, bringeure, carambole, cornaline, couperose, énanthème, miniature, orcanette, phénicine, phtaléine, rhodamine, rougeâtre, rubellité, rubescent, rubicelle, safranine, salvagnin, vermillon, vitelotte ■ 10 alabandine, andrinople, cochenille, empourprer, érubescent, incarnadin, pink-coloui, rosaniline, rougissant, sarancolin, sérancolin ■ 11 érythrosine, escarboucle ■ 12 cuisse-madame, rougeoiement, rougissement, sang-de-dragon, valpolicella ■ 13 mégacaryocyte.

ROUGEATRE : 4 foie ■ 5 alios, lilas, melon, rouan, urubu ■ 6 aréole, brique ■ 8 latérite, pétéchie ■ 9 caroncule, rougeoyer ■ 10 pouzzolane.

ROUGEOIE : 10 rougeoyant.

ROUGEOLE : 7 rubéole ■ 10 morbilleux, rougeoleux.

ROUGET-BARBET : 8 surmulet.

ROUGEUR : 6 livedo ■ 7 pourpre ■ 8 dérougir, érythème ■ 9 érythrose ■ 11 épisclérite, érubescence, rubéfaction, trombidiose ■ 12 dermographie ■ 13 érythrodermie.

ROUGIR : 6 piquer ■ 7 changer ■ 12 éreutophobie ■ 13 érythrophobie.

ROUILLE : 6 écidie ■ 8 limonite, puccinie, rouiller ■ 9 ankyloser, érugineux, rouillure, urédinale ■ 10 dérouiller, enrouiller, rubigineux, urédospore ■ 11 antirouille ■ 12 bondérisation, téleutospore.

ROUISSAGE : 5 rouir ■ 9 rouissoir.

ROULADE : 6 fredon.

ROULANT : 9 rouleauté ■ 13 transstockeur.

ROULEAU : 5 balle ■ 6 cigare ■ 7 abaisse, manchon, rondeau, roulage ■ 8 calandre, colombin, croskill, cylindre, émotteur, plombeur, touaille ■ 9 boucharde, crosskill, cylindrer, roulotter, saucisson ■ 10 tourniquer ■ 11 brise-mottes, compresseur, tranche-file.

ROULEMENT : 2 ra ■ 3 ban ■ 5 galet ■ 7 tournus ■ 8 rataplan ■ 10 rantanplan.

ROULER : 4 putt ■ 5 avoir, cahot, lover, tapis ■ 6 bouler, tomber ■ 7 fraiser, glisser, hercher, peloter, putting, rouloir, spirale, tourner, tromper*, vaincre, vautrer ■ 8 arranger, balancer, débouler, démarrer, dérouler, enrouler, herscher, involuté, repentir, révoluté, ribouler, rollmops ■ 9 cigarette, convoluté, plafonner ■ 10 roulé-boulé ■ 11 bourlinguer, dégringoler, pneu-citerne ■ 14 tire-bouchonner.

ROULETTE : 5 galet, patin, ponte, skate ■ 7 molette, skating ■ 9 balancine ■ 10 skateboard.

ROULIS : 5 houle ■ 10 antiroulis.

ROULOTTE : 10 mobile home.

ROUSPETER : 9 protester*.

ROUSSATRE : 13 ventre-de-biche.

ROUSSEROLLE : 9 effarvate ■ 10 effarvatte.

ROUSSETTE : 6 squale ■ 8 sélacien*.

ROUSSEUR : 3 son ■ 7 lentigo ■ 8 éphélide ■ 12 antéphélique.

ROUSSILLON : 7 banyuls ■ 14 roussillonnais.

ROUSSIN : 6 cheval.

ROUSSIR : 4 roux ■ 6 brûler* ■ 11 roussissure ■ 13 roussissement.

ROUTAGE : 7 routeur.

ROUTE : 4 bord, côte, orme, voie ■ 5 borne, bouée, lacet, lever, menée, nœud, phare, point, rampe, voyer ■ 6 chemin*, devers ■ 7 estrade, routier, trimard ■ 8 chaussée*, dérouter, hérisson ■ 9 autoroute, militaire, patte-d'oie, viabilité ■ 10 cantonnier, caponnière, ferroutage, itinéraire, locomobile, nid-de-poule, restoroute ■ 11 délinéateur, macadamiser, orthodromie, tout-terrain ■ 12 casse-vitesse, empierrement, encaissement ■ 13 orthodromique, radiobalisage, signalisation.

ROUTER : 7 routage.

ROUTIER : 5 motel ■ 6 bandit ■ 7 autobus ■ 9 cataphote, pont-route ■ 10 porte-autos.

ROUTINE : 7 ornière ■ 8 habitude*, trantran ■ 9 routinier ■ 10 train-train ■ 12 bureaucratie.

ROUVRE : 8 rouvraie.

ROUVRIR : 11 réouverture ■ 12 entrebâiller.

ROUX : 5 fauve, rouge, tabac, urubu ■ 7 baillet, rouquin, roussir ■ 8 rousseau, rousseur ■ 9 cassonade, roussâtre ■ 13 poil-de-carotte.

ROYAL : 4 réal ■ 8 courtine, sénéchal ■ 10 gouvernance, pragmatique.

ROYALISTE : 5 ultra ■ 10 orléaniste ■ 11 chouannerie, légitimiste, monarchiste.

ROYAUME : 10 heptarchie.

ROYAUTE : 7 sceptre ■ 9 royaliste ■ 10 légitimité ■ 11 supériorité*.

RU : 8 ruisseau* ■ 9 cours d'eau.

RUANDA : 8 ruandais.

RUBAN : 4 lacs, rail, scie, soie ■ 5 bande, coque, galon*, ganse, lacet, nœud*, padou, palme, pélin ■ 6 bolduc, comète, cordon*, faveur, laisse, liseré, padoue, sangle, scotch, signet, tirant, tresse, velcro ■ 7 adhésif, bavolet, bordure, chevron, fleuret, rosette, rubaner, vitelot ■ 8 brassard, dragonne, embrasse, rubanier, trou-trou ■ 9 bouffette, bourdalou, cordonnet, épaulette, extra-fort, passement*, pompadour, rubanerie, serre-tête ■ 10 bandelette, enrubanner, jarretelle, jarretière, sparganier ■ 11 chevillière, nonpareille ■ 12 cache-couture.

RUBEFACTION : 5 rouge* ■ 8 rubéfier ■ 9 rubéfiant.

RUBENS : 8 rubénien.

RUBEOLE : 9 rubéoleux ■ 10 rubéolique.

RUBIANCÉE : 5 ipéca ■ 7 caféier, gaillet, garance ■ 8 gardénia, grateron ■ 9 gratteron, quinquina ■ 10 caille-lait, ipécacuana, vaillantie.

RUBICOND : 5 rouge*.

RUBIETTE : 10 rouge-gorge.

RUBIS : 6 balais ■ 8 spinelle ■ 9 rubicelle.

RUBRIQUE : 8 localier ■ 9 rubriquer ■ 13 fait-diversier.

RUCHE : 4 miel ■ 5 cadre, rayon, reine, usine ■ 6 cloche, hausse, ruchée, rucher ■ 7 alvéole, cellule, chapeau ■ 8 gallerie, propolis ■ 9 frivolité.

RUCHER : 8 essaimer.

RUDE : 3 cru, dur, sec ■ 4 amer, âpre, ardu, brut, crin, fort*, turc, vert ■ 5 aigre, hyène, lourd, rêche, suave ■ 6 abrupt, bourru, brutal, fruste, râpeux, rauque ■ 7 austère, brusque*, revêche, rudesse, rugueux, sauvage ■ 8 cavalier, cinglant, farouche, grossier*, raboteux, rudement, rustique, tignasse ■ 9 difficile*, laborieux, rigoureux* ■ 10 rébarbatif ■ 11 malgracieux.

RUDENTURE : 7 rudenté ■ 8 rudenter.

RUDESSE : 6 âpreté, dureté* ■ 7 crudité, raucité ■ 8 aspérité, bourrade ■ 9 brutalité ■ 10 brusquerie* ■ 11 grossièreté*, soldatesque.

RUDIMENT : 8 principe* ■ 9 linéament.

RUDIMENTAIRE : 4 brut ■ 5 adobe, piste ■ 6 simple ■ 7 embryon, moignon, premier ■ 8 sommaire ■ 11 élémentaire ■ 12 embryonnaire.

RUDOYER : 7 bourrer ■ 8 brusquer, malmener, rabrouer ■ 9 rembarrer ■ 10 brutaliser, rudoiement.
RUE : 4 gone, pavé, voie* ■ 5 gamin, paver, ville, voyou ■ 6 avenue, chemin*, ruelle ■ 7 galerie, impasse, passage, poulbot, venelle ■ 8 chaussée*, cul-de-sac, grand-rue, tournant, traboule ■ 9 agitation, boulevard.
RUÉE : 5 curée.
RUER : 4 ruée ■ 5 ruade, rueur ■ 6 courir ■ 7 élancer ■ 8 regimber ■ 11 récalcitrer.
RUGBY : 4 maul, pack ■ 5 en-but, essai, mêlée ■ 6 droper ■ 7 botteur, dropper, en-avant, placage, plaquer ■ 8 drop-goal, raffûter, rugbyman, talonner ■ 9 quinziste, talonnage, talonneur, test-match, treiziste ■ 11 transformer, trois-quarts ■ 14 transformation.
RUGINE : 6 xystre ■ 7 ruginer.
RUGIR : 4 lion ■ 5 crier ■ 9 rugissant.
RUGOSITÉ : 7 rugueux ■ 9 villosité.
RUGUEUX : 4 âpre, rude* ■ 5 rêche ■ 6 inégal ■ 8 raboteux.
RUINE : 4 mort ■ 5 abîme, chute, fatal, fichu, perdu, périr, perte, reste, saper ■ 6 débris, fauché, misère*, ravage, restes ■ 7 culbute, débâcle, éboulis, gravats, gravois, néfaste, pillage, plâtras, ruineux ■ 8 croûlant, désastre, éversion, faillite*, incendie, naufrage, pauvreté, ruiniste, sinistre, vestiges ■ 9 décadence, déchéance, décombres, misérable*, perdition, précipice ■ 10 cataclysme, désolation, éboulement, naufrageur, péricliter, pernicieux, ruiniforme ■ 11 banqueroute, catastrophe, déconfiture, délabrement, destruction*, dévastation, écroulement ■ 12 affaissement, dégringolade, effondrement, renversement ■ 14 anéantissement.
RUINER : 4 tuer ■ 5 nuire, raser ■ 6 couler, perdre, piller ■ 7 abattre, coûteux, démolir, désoler, épuiser, ravager, ruineux ■ 8 anéantir*, culbuter, dégrader, délabrer, détruire*, dévaster, écrouler, effriter, enfoncer, nettoyer, saborder ■ 9 affaisser, disloquer, effondrer, renverser ■ 10 démanteler ■ 12 ruineusement.
RUISSEAU : 2 ru ■ 6 cassis, rigole ■ 7 rivelet ■ 8 caniveau, ravageur ■ 9 cours d'eau, rivulaire, ruisseler, ruisselet ■ 10 accotement ■ 11 myriophylle ■ 13 gazouillement.
RUISSELER : 6 couler* ■ 10 ruisselant.
RUMBA : 9 cha-cha-cha.
RUMEUR : 5 bruit*, éclat, on-dit, ragot ■ 6 tapage ■ 8 nouvelle* ■ 13 bourdonnement, radiotrottoir.
RUMINANT : 4 suif ■ 5 corne, mufle, okapi, ovidé, panse, rumen ■ 6 bovidé*, caprin, girafe ■ 7 bézoard, capriné, cervidé* ■ 9 caillette, cavicorne, hypoderme ■ 10 chevrotain, rumination ■ 11 ægagropile ■ 13 anoplothérium.
RUMINATION : 9 mérycisme.
RUMINER : 6 ronger ■ 8 remâcher, ruminant ■ 9 réfléchir.
RUNES : 4 ogam ■ 5 ogham ■ 7 runique.
RUPIN : 6 aristo.
RUPTURE : 3 paf ■ 5 clash, crise ■ 6 fracas, trouée ■ 7 abattée, cassure*, débâcle, divorce, fissure, rupteur ■ 8 escapade, fracture ■ 9 déchirure, impaction ■ 10 séparation* ■ 12 dénonciation, phléborragie ■ 15 mésintelligence.
RURAL : 3 mir ■ 5 ferme, manse, mazot, terre, villa ■ 6 paysan* ■ 8 métairie, métayage ■ 9 champêtre* ■ 10 campagnard.
RURBANISATION : 7 rurbain.
RUSE : 3 art, dol, fin ■ 4 futé, ours, rets, roué, tour ■ 5 biais, filou,

lapin, madré, malin*, merle, piège ■ 6 astuce, calcul, change, détour, fouine, habile*, malice, manège, matois, renard, retors ■ 7 adresse, embûche, ficelle, finesse, gabegie, normand, piperie, raccroc, rouerie ■ 8 aigrefin, artifice, chafouin, fouinard, habileté*, narquois, perfidie, renarder, roublard, sournois, soutirer, tactique ■ 9 accrocher, carottier, cauteleux, collusion, expédient, finasseur, finassier, fourberie, invention, stratégie, subtilité ■ 10 diplomate, finasserie, matoiserie, stratagème, subterfuge, truffaldin ■ 11 artificieux, machination, roublardise ■ 12 chausse-trape, échappatoire, faux-semblant, grippeminaud ■ 13 attrape-nigaud, dissimulation, machiavélisme.

RUSER: 6 capter ■ 7 feindre, frauder, tricher, tromper ■ 8 carotter, filouter, machiner ■ 9 escamoter, escroquer ■ 10 dissimuler, subtiliser, surprendre.

RUSSE: 4 czar, tsar, tzar ■ 5 blini, douma, gopak, icône, knout ■ 6 boyard, byline, datcha, raskol ■ 7 bortsch, pirojki ■ 8 acméisme, borchtch, grand-duc, touloupe, tsarisme ■ 9 autocrate, balalaïka, koulibiac, menchevik, moscovite, petit-gris, russifier ■ 10 russophone ■ 11 bolchevique, bolcheviste, panslavisme, saint-synode ■ 12 vieux-croyant ■ 14 occidentaliste.

RUSSIE: 6 téléga ■ 7 télègue ■ 10 slavophile.

RUSSIFIER: 13 russification.

RUSTAUD: 5 lourd ■ 8 grossier* ■ 11 rustauderie.

RUSTIQUE: 5 banjo, bizet ■ 6 paysan*, simple ■ 7 agreste ■ 9 champêtre*, chaumière, rusticité, tarantass.

RUSTRE: 6 paysan* ■ 8 grossier*, maroufle, péquenot.

RUT: 7 œstrus.

RUTACÉE: 3 rue ■ 6 citrus ■ 7 oranger ■ 9 angusture, cédratier, limettier ■ 10 bigaradier, citronnier, fraxinelle ■ 11 aurantiacée, bergamotier, mandarinier ■ 14 pamplemoussier.

RUTILER: 7 briller* ■ 8 chatoyer ■ 9 flamboyer, rutilance ■ 10 rutilement.

RYNCHOPHORE: 5 apion.

RYNCHOTE: 12 hémiptéroïde.

RYTHME: 4 vers ■ 5 blues, danse*, mètre ■ 6 décidu, mesure ■ 7 cadence, mélopée, rythmer ■ 8 anacruse, harmonie, polypnée, taconéos ■ 9 anacrouse, circadien, eurythmie, mouvement*, rythmique ■ 10 adrénaline, arythmique, dactylique, trochaïque ■ 11 bradycardie, eurythmique ■ 12 embryocardie, sempervirent ■ 14 chronobiologie.

RYTHMER: 7 ho hisse.

RYTHMIQUE: 8 ostinato ■ 10 rythmicité.

SABAT : **9** parascève.
SABBAT : **6** chahut ■ **7** shabbat ■ **9** parascève ■ **10** sabbatique.
SABEEN : **8** sabéisme.
SABEISME : **6** sabéen.
SABIR : **6** jargon* ■ **7** langage ■ **12** lingua franca.
SABLE : **3** jar ■ **4** doum, dune, jard, lest, lise, merl, oyat, silt, vive ■ **5** arène, barre, batée, béton, émail, falun, grève, maërl, œsar, palot, plage, puche, verre ■ **6** javeau, sablon, tangue, tufeau ■ **7** arénacé, aréneux, couchis, garenne, gravier, sableux, sablier, sassage, schlich, tuffeau ■ **8** ensabler, sablerie, sablière ■ **9** amphioxus, arénicole, arénuleux, corrasion, dessabler, hippophaé, sablonner, spatangue, turquette, vérétille ■ **10** lamprillon, orpailleur, ripplemark, sablonneux, turritelle, uranoscope ■ **11** arénisation, cailloutage, ensablement, sablonnière, spirographe ■ **14** atterrissement.
SABLER : **5** boire ■ **8** sableuse.
SABLEUX : **10** arénophile.
SABLIERE : **9** tournisse.
SABLON : **9** sablonner.
SABLONNEUX : **6** vasard.
SABORD : **8** mantelet.
SABORDER : **6** couler ■ **9** sabordage ■ **11** sabordement.
SABOT : **4** sole ■ **5** glome, seime ■ **6** onglon, socque, toupie ■ **7** cliques, galoche, kroumir, rénette, saboter ■ **8** couronne, flic-flac, fourbure, kératine, muraille, panoufle, rainette, renetter, sabotage, sabotier, solipède ■ **9** chaussure, saboterie, sabotière ■ **11** onguligrade.
SABOTER : **6** gâcher* ■ **10** détériorer.
SABOULER : **7** secouer ■ **11** réprimander.
SABRAGE : **8** sabreuse.
SABRE : **4** épée* ■ **5** batte, latte, tsuba ■ **6** bancal, glaive, mensur ■ **7** bélière, briquet, escrime, espadon, pommeau, sabreur, yatagan ■ **8** baudrier, claymore, dragonne, machette ■ **9** cimeterre ■ **10** braquemart, coupe-choux, coupe-coupe, estramaçon, ferrailler ■ **12** contrepointe, sabre-briquet ■ **15** sabre-baïonnette.
SABRER : **7** effacer.
SAC : **4** loto, taie, tare ■ **5** cabas, duvet, fleur, group, outre, poche* ■ **6** bagage, besace, bissac, blague, bourse*, sachée, sachet, semoir ■ **7** carnier, chausse, couffin, coussin, musette, pillage, saccule, sacoche, scrotum, urcéole ■ **8** cartable, ensacher, ferrière, havresac, réticule,

ridicule, saccager, sacherie, sporange, vésicule ■ 9 follicule, gargousse, gibecière, monte-sacs, paillasse, panetière, porte-bébé ■ 10 fourre-tout, nécessaire ■ 11 carnassière, chancelière, sac-poubelle ■ 12 cartouchière ■ 13 lacryocystite.

SACCADE: 4 jerk ■ 6 abrupt ■ 7 brusque* ■ 8 broutage, trépider ■ 9 capricant, convulsif, trépidant ■ 10 broutement, entrecoupé ■ 12 brimbalement, intermittent.

SACCAGER: 6 piller* ■ 7 ravager*, saccage ■ 8 détruire* ■ 9 renverser, saccageur ■ 11 saccagement.

SACCHARASE: 7 sucrase.

SACCHARINE: 10 sacchariné.

SACCHAROSE: 5 sucre* ■ 7 inverti ■ 9 inversion, invertase, invertine ■ 12 disaccharide.

SACCHARATE: 7 sucrate.

SACERDOCE: 5 brame, étole, ordre ■ 8 brahmane, piétisme, prêtrise, vocation ■ 9 apostolat ■ 10 sacerdotal.

SACERDOTAL: 6 orfroi.

SACHET: 3 sac* ■ 5 ponce ■ 6 relais ■ 9 infusette.

SACOCHE: 3 sac* ■ 9 gibecière ■ 10 sabretache.

SACRALISER: 13 sacralisation.

SACRE: 4 ibis, pâli, véda ■ 5 divin, islam, saint, tabou ■ 6 sacral, sacret ■ 8 cardinal, sanscrit, sanskrit ■ 10 intangible, inviolable, sacraliser ■ 11 hagiographe ■ 12 désacraliser.

SACREE: 6 mantra ■ 7 temenos ■ 8 pomerium.

SACREMENT: 5 ordre ■ 7 baptême, mariage ■ 8 fête-dieu, viatique ■ 9 communion, pénitence ■ 11 eucharistie, sacramentel ■ 12 confirmation ■ 14 extrême-onction.

SACRER: 5 bénir, jurer ■ 6 oindre ■ 9 consacrer ■ 10 consacrant.

SACRIFICATEUR: 8 aruspice ■ 9 haruspice.

SACRIFICE: 4 agni, sâti, thug ■ 5 autel, mânes, messe, ovate, payer ■ 6 hostie, lustre, suttée, suttie ■ 7 abandon, saignée, victime ■ 8 criobole, hécatombe, hippobole, offrande, sacrifier, taurobole ■ 10 abnégation, dévouement, holocauste, immolation, lustration, probatique, victimaire ■ 11 renoncement, sacrificiel ■ 13 sacrificateur ■ 14 sacrificatoire.

SACRIFIER: 6 donner, vendre ■ 7 dévouer, immoler, laisser ■ 8 renoncer* ■ 9 sacrifice.

SACRILEGE: 11 profanation.

SACRIPANT: 6 bandit* ■ 7 vaurien*.

SACRISTIE: 9 lave-mains ■ 10 sacristain.

SACRO-FESSIER: 11 stéatopygie.

SACRUM: 5 sacré ■ 6 coccyx ■ 10 lombo-sacré ■ 12 sacro-iliaque.

SADIQUE: 6 brutal ■ 7 sadisme, vicieux ■ 9 luxurieux ■ 11 sadiquement.

SADISME: 10 algolagnie.

SADOMASOCHISME: 14 sadomasochiste.

SAFRAN: 5 garus ■ 6 crocus ■ 8 parmesan, safraner ■ 9 colchique, safranier ■ 10 safranière.

SAGACITE: 4 tact ■ 7 sagesse* ■ 9 subtilité ■ 10 divination ■ 12 clairvoyance*, perspicacité.

SAGAIE: 5 lance* ■ 6 flèche, zagaie.

SAGE: 5 calme*, mûrir, règle, sensé ■ 6 assagi, chaste*, docile, modéré*, retenu, sagace ■ 7 austère, prudent* ■ 8 ataraxie, réfléchi*, sagement, vertueux* ■ 9 prévoyant ■ 10 philosophe, tranquille ■ 11 raisonnable ■ 14 sainte-nitouche.

SAGE-FEMME : 7 matrone ■ 9 ventrière ■ 10 accoucheur ■ 11 accoucheuse.
SAGESSE : 4 sens ■ 5 vertu* ■ 6 raison* ■ 7 retenue ■ 8 docilité, prudence*, sagacité, sapience ■ 9 austérité, réflexion ■ 10 continence, modération*, prévoyance, providence, tempérance ■ 11 philosophie ■ 12 discernement, intelligence* ■ 13 assagissement.
SAGETTE : 6 flèche.
SAGITTAIRE : 7 sagette ■ 8 scorpion.
SAGOU : 5 zamia, zamie ■ 6 zamier ■ 8 sagouier ■ 9 sagoutier.
SAGOUIN : 9 malpropre.
SAHARA : 5 acheb ■ 6 targui ■ 7 foggara, touareg ■ 11 subsaharien.
SAHARIEN : 5 datte ■ 9 algazelle ■ 13 transsaharien.
SAHEL : 5 fonio ■ 8 sahélien.
SAÏ : 7 capucin.
SAIE : 4 saye ■ 5 sagum ■ 8 journade, saietter.
SAIGNE : 8 saigneux.
SAIGNEE : 5 prise ■ 8 résinier ■ 11 phlébotomie.
SAIGNEMENT : 9 épistaxis ■ 10 otorrhagie ■ 12 anovulatoire.
SAIGNER : 5 tirer ■ 8 saigneur, saignoir ■ 10 ressaigner ■ 11 ensanglanté.
SAILLANT : 3 nez ■ 4 ante, côte, dent, lobe ■ 5 adent, arête, calus, carne, creux, ogive, redan, talon, trait ■ 7 convexe, ombilic ■ 8 anguleux, pommette, rentrant ■ 9 cou-de-pied, denticule, mentonnet ■ 10 proémiment ■ 11 mentonnière.
SAILLANTE : 5 raphé.
SAILLIE : 4 busc, came, côte, dent, hune, môle, neck ■ 5 angle, bosse*, crête, égout, ergot, filet, grenu, ilion, lazzi, nævi, nœud, picot, pomme, prise, raphé, talon, tenon, téton ■ 6 boudin, cordon, liston, méplat, mollet, rebord, relief, sacome, thénar, tragus ■ 7 arêtier, balèvre, bossage, condyle, imposte, moulure, nervure, oreille, orillon, ressaut, rondeur, sourcil ■ 8 apophyse, arrêtoir, bossette, cheminée, cheville, déborder, dosseret, doubleau, éminence, forjeter, grosseur, olécrâne, saillant, surplomb, thyroïde ■ 9 avant-toit, bas-relief, bourrelet, bow-window, calcanéum, enclenche, odontoïde, villosité ■ 10 avant-corps, bout-dehors, contrefort, demi-relief, embasement, hypothénar, mot d'esprit, oreillette, projecture ■ 11 arc-doubleau, empattement, encadrement, exophtalmie, hors-d'œuvre ■ 12 protubérance.
SAILLIR : 6 percer ■ 7 avancer, jaillir, poindre ■ 8 déborder, dépasser, forjeter ■ 9 accoupler, proéminer, ressauter, ressortir*.
SAIN : 4 sauf ■ 5 santé ■ 6 valide ■ 7 rescapé, salubre ■ 8 assainir ■ 9 sainement, salutaire.
SAINBOIS : 5 garou ■ 6 daphné.
SAINDOUX : 4 porc ■ 5 frire ■ 6 axonge ■ 7 graisse.
SAINFOIN : 8 esparcet ■ 10 esparcette.
SAINT : 5 dulie, icône, image, nimbe, sacré ■ 6 caitya, martyr, patron ■ 7 starets ■ 8 sainteté, stariets ■ 9 canoniser, patronage ■ 10 iconologie, sacro-saint, saintement, sanctifier ■ 11 bienheureux, iconoclaste, martyrologe ■ 12 hagiographie ■ 13 commémoraison.
SAINT-CLOUD : 8 cloutard.
SAINTE : 6 djihad.
SAINT EMPIRE : 7 antiroi.
SAINT-ESPRIT : 8 épiclèse ■ 9 pentecôte, spiration, spiritain.
SAINT-ETIENNE : 10 stéphanois.
SAINTE-VIERGE : 5 reine, salve ■ 9 notre-dame ■ 10 assomption, hyperdulie, salutation, visitation.
SAINTONGE : 11 quichenotte ■ 12 saintongeais.

SAINT-OUEN : 8 audonien.
SAINT-PIERRE : 5 dorée.
SAINT-SACREMENT : 4 dais ■ 5 salut.
SAINT-SIEGE : 11 apostolique, camerlingue ■ 12 pénitencerie.
SAINT-SULPICE : 9 sulpicien.
SAIS : 5 saïte.
SAISI : 6 apeuré, transi ■ 7 surpris* ■ 9 tremblant ■ 11 saisissable.
SAISIE : 5 prise ■ 7 gagerie ■ 8 mainmise ■ 9 exécution, main-levée ■ 10 discussion, saisissant ■ 11 saisie-arrêt ■ 12 commandement, confiscation ■ 13 expropriation, saisie-brandon ■ 15 saisie-exécution.
SAISIR : 5 piger, ravir, tenir* ■ 6 ébahir, épater, happer, manier, pincer*, sauter, serrer ■ 7 acheter, admirer, arrêter, crocher, éblouir, emparer, étonner*, imposer, prendre*, trouver ■ 8 agripper, attraper, colleter, discuter, exécuter, fasciner, pénétrer, réaliser, sibyllin ■ 9 accrocher, apprendre, brucelles, embrasser, empoigner, étreindre, harponner, intriguer, percevoir, ressaisir ■ 10 bizarroïde, comprendre*, confisquer, contempler, manœuvrer, préhensible, préhension, raccrocher, synoptique ■ 11 agrippement, appréhender, émerveiller, perceptible, ramassement ■ 12 moucheronner ■ 13 insaisissable.
SAISISSANT : 7 magique, prenant ■ 8 fabuleux ■ 9 mirifique ■ 10 incroyable, mirobolant, mystérieux, prodigieux*, surprenant* ■ 11 merveilleux* ■ 12 inconcevable, inimaginable ■ 14 extraordinaire*.
SAISISSEMENT : 6 extase ■ 7 émotion*, frayeur*, frisson, miracle, mystère, prodige ■ 9 épatement, merveille ■ 10 admiration ■ 11 fascination, ravissement ■ 12 ébahissement ■ 13 contemplation, éblouissement ■ 14 émerveillement.
SAISON : 3 âge, été ■ 5 hiver, temps ■ 6 époque* ■ 7 automne, pariade ■ 8 équinoxe, solstice ■ 9 montaison, olivaison, printemps, renouveau, trimestre ■ 10 porchaison, saisonnier ■ 11 cueillaison, intersaison, maqueraison, morte-saison, quatre-temps.
SAISONNIER : 6 décidu.
SALACE : 8 salacité ■ 9 luxurieux.
SALADE : 5 mâche ■ 6 céleri, chicon, endive, laitue ■ 7 cresson, mesclun, romaine, scarole, trévise ■ 8 chicorée, pourpier, raiponce, roquette, saladier ■ 9 betterave, bourcette, concombre, macédoine, pissenlit ■ 14 barbe-de-capucin.
SALAIRE : 4 fixe, gage, gain*, mois, paie, paye, s.m.i.c. ■ 5 gages, parti, solde ■ 7 guerdon, journée ■ 8 courtage, salarial, salarier ■ 9 indemnité, pourboire ■ 10 commission, émoluments, honoraires, nonsalarié, prolétaire, récompense, sursalaire, traitement ■ 11 rétribution* ■ 12 augmentation, rémunération* ■ 13 appointements, gratification.
SALAISON : 6 saleur ■ 13 salaisonnerie.
SALAMALEC : 5 salut*.
SALAMANDRE : 10 amblystome.
SALANT : 3 vie ■ 5 barge, étier, mulon, salin ■ 8 varaigne.
SALARIE : 7 employé* ■ 8 salariat ■ 9 embaucher ■ 10 hors statut ■ 11 travailleur*.
SALAUD : 5 salop ■ 8 salopiau, salopiot ■ 9 malpropre, salopiaud.
SALE : 3 ord, pec, sor ■ 4 gras, noir, porc, saur ■ 5 bauge, blanc, caque, égout, gaupe, hyène, liter, morue, océan, plomb, salir, salse, soret, suant, taché, voyou ■ 6 baveux, boueux, cireux, cochon, crotté, infâme, kipper, salaud, salope, sauret ■ 7 craspec, fangeux, guenipe, immonde, merdeux, morveux, négligé, obscène*, pisseux, pouacre, sagouin, sordide, terreux ■ 8 crasseux, dessaler, pourceau, purulent,

roupieux, saladero, salement, saligaud, souillon ■ 9 beigeasse, beigeâtre, chassieux, dégoûtant, graisseux, halophile, halophyte, malpropre*, maritorne, pouilleux, répugnant ■ 10 méprisable ■ 11 crapaudière.

SALEP: 8 racabout.

SALER: 7 resaler ■ 8 salaison.

SALETE: 4 bave, boue, suie, vase ■ 5 fange, fèces, tache* ■ 6 bourbe, crasse, crotte, fumier, gâchis, lavure, ordure*, résidu ■ 7 graisse, négligé, rinçure, rouille, vilenie ■ 8 cambouis, impureté*, propreté ■ 9 poussière, salissure, saloperie, sordidité, souillure ■ 10 immondices, maculature ■ 11 cochonnerie, malpropreté, margouillis, noircissure ■ 12 barbouillage, patrouillage ■ 13 antisalissure.

SALICACEE: 5 osier, saule ■ 6 ypréau ■ 7 grisard, tremble ■ 8 marsault, pleureur.

SALICINE: 10 salicoside ■ 11 salicylique.

SALICORNE: 6 engane ■ 7 salicor.

SALICOSIDE: 8 salicine.

SALICULTURE: 8 salicole.

SALICYLATE: 5 bétol, salol ■ 6 spinal ■ 10 cholagogue ■ 11 wintergreen.

SALICYLIQUE: 8 aspirine, salicylé ■ 10 salicylate.

SALIEN: 7 salique.

SALIERE: 7 saleron.

SALIGAUD: 9 malpropre*.

SALINE: 5 barne ■ 6 tartre ■ 7 rouable.

SALINITE: 9 dessalure, euryhalin ■ 10 sténohalin.

SALIR: 5 gâter ■ 6 abîmer, gâcher, tacher* ■ 7 crotter, croupir, maculer, noircir, poisser, polluer, resalir ■ 8 culotter, graisser, infecter, profaner, souiller* ■ 9 bousiller, cochonner, encrasser, salissant ■ 10 charbonner, contaminer ■ 11 barbouiller, éclabousser, margouiller, souillonner ■ 12 insalissable.

SALIVAIRE: 8 parotide ■ 13 grenouillette.

SALIVATION: 8 salivant.

SALIVE: 4 bave ■ 5 écume ■ 6 flegme, mousse ■ 7 amylase, asialie, saburre ■ 8 ptyaline ■ 9 postillon, récrément, salivaire ■ 10 salivation, sialagogue, sialorrhée ■ 12 insalivation, masticatoire.

SALLE: 4 aula, dojo, hall, iwan, loge, mess ■ 5 carré, divan, étage, étude, pièce ■ 6 cinéma, classe, exèdre, indoor, squash ■ 7 apadâna, cénacle, chambre*, dortoir, mégaron, parloir ■ 8 prétoire, trinquet ■ 9 auditoire, chartrier, chauffoir, échaudoir, étouffoir, grill-room, hypostyle, promenoir, vestiaire ■ 10 acoustique, auditorium, hypocauste, strapontin ■ 11 multisalles, pouponnière ■ 12 amphithéâtre, arrière-salle ■ 13 phonocontrôle.

SALLE A MANGER: 8 archelle, crédence, servante ■ 10 triclinium.

SALMIGONDIS: 7 mélange*.

SALMONELLE: 13 parathyphique.

SALMONELLOSE: 10 salmonelle.

SALMONIDE: 5 ombre, tacon, tocan ■ 6 bécard, saumon, truite ■ 7 éperlan ■ 8 corégone* ■ 9 saumoneau.

SALON: 5 foyer, pièce ■ 6 studio ■ 7 boudoir, tea-room ■ 8 scottish ■ 9 salonnard, salonnier ■ 10 wagon-salon ■ 12 champouineur, voiture-salon.

SALOP: 6 salope ■ 8 salopiat ■ 9 malpropre* ■ 11 salopiaud.

SALPETRE: 5 nitre ■ 6 natron, salite ■ 7 nitrate ■ 8 eau-forte ■ 9 salpêtrer ■ 10 salpêtrage, salpêtreux ■ 11 salpêtrière ■ 14 salpêtrisation.

SALSEPAREILLE : 6 smilax.
SALSIFIS : 10 scorsonère.
SALSOLACEE : 13 chénopodiacée*.
SALTIMBANQUE : 6 forain, nomade ■ 7 baladin, farceur ■ 8 bateleur* ■ 9 banquiste, charlatan, opérateur, paradiste.
SALUBRE : 4 sain* ■ 9 salubrité ■ 10 hygiénique ■ 14 salubrement.
SALUER : 5 hello, salut ■ 6 adorer ■ 8 acclamer, échanger, resaluer ■ 9 présenter ■ 10 ovationner, prosterner, salutation.
SALUT : 3 ave ■ 5 grâce, issue ■ 6 espoir, refuge, remède ■ 7 recours, secours* ■ 9 courbette, expédient, officière, ressource, révérence, salamalec, salutiste ■ 10 salutation, sanctifier ■ 11 prédestiner ■ 12 échappatoire.
SALUTAIRE : 4 sain ■ 5 utile* ■ 10 profitable ■ 11 bienfaisant ■ 13 salutairement.
SALUTATION : 3 ave ■ 5 salut, santé ■ 7 bonjour, bonsoir ■ 8 ave maria.
SALVADOR : 5 colon ■ 11 salvadorien.
SAMBA : 9 bossa-nova.
SAMOA : 6 samoan.
SAMOURAI : 5 rônin ■ 7 bushido.
SAMOYEDE : 14 ouralo-altaïque.
SANATORIUM : 4 cure, sana ■ 7 hôpital ■ 8 solarium ■ 12 préventorium.
SANCTIFIE : 5 bénit.
SANCTIFIER : 5 fêter ■ 6 sacrer ■ 9 béatifier, canoniser, consacrer ■ 11 sanctifiant ■ 14 sanctificateur, sanctification.
SANCTION : 5 arrêt, blâme, peine* ■ 6 amende, dépens, pensum, piquet ■ 7 censure, pénalty, retenue ■ 8 anathème, consigne, pénalité, punition* ■ 10 suspension ■ 11 approbation, dégradation, sanctionner ■ 12 comminatoire, confirmation, confiscation, entérinement, interdiction, pénalisation, ratification ■ 14 distancement, reconnaissance ■ 15 excommunication.
SANCTIONNER : 6 signer ■ 7 adopter ■ 8 censurer, dégrader, ratifier ■ 9 approuver*, confirmer, consacrer, entériner, morigéner, pénaliser, suspendre ■ 10 admonester, homologuer ■ 11 reconnaître, stigmatiser.
SANCTUAIRE : 5 kondo ■ 6 temple*, vimana ■ 7 nymphée, sikhara, temenos ■ 12 sanctuariser.
SANDALE : 6 samara ■ 9 chaussure*, déchaussé, spartiate.
SANDARQUE : 5 thuya.
SANDINISME : 10 sandiniste.
SANDWICH : 5 lunch ■ 6 burger ■ 12 croque-madame ■ 14 croque-monsieur.
SANG : 3 pou ■ 4 race, taon ■ 5 aorte, cœur, cruel, cruol, curée, goule, ichor, ixode, messe, pâque, porte, rouge, sérum, stase, tâter, veine ■ 6 urémie ■ 7 acidose, globine, mélæna, saignée, sanguin, toxémie ■ 8 alcalose, azotémie, calcémie, dégorger, dynastie, exsangue, globulin, glycémie, hématine, hématose, hydrémie, ischémie, saignant, saigneux, sanglant, sang-mêlé, thrombus, uricémie, vaisseau ■ 9 cétonémie, clearance, dépuratif, ecchymose, endocrine, glomérule, hématique, hématurie, hypoxémie, leucocyte, naissance, plombémie, thrombine ■ 10 acétonémie, congestion, hématémèse, hémopathie, hémophilie, hémoptysie, hémorragie, mésoblaste, ressaigner, saignement, septicémie ■ 11 acidocétose, bactériémie, érythrocyte, hémarthrose, hématologie, hémoculture, hémocyanine, hémodialyse, hypercapnie, lymphopénie, sanguinaire, sarrancolin, thrombocyte, transfu-

sion, trypanosome ■ 12 circulatoire, ensanglanter, hypocalcémie, hypoglycémie, hypokaliémie, lymphocytose, phléborragie, prothrombine ■ 13 hémodynamique, hypercalcémie, hyperkaliémie, mononucléaire ■ 14 exsanguination, trypanosomiase, vaso-dilatation ■ 15 autotransfusion, érythroblastose.
SANG-FROID: 4 tête ■ 8 patience ■ 9 assurance ■ 10 exaltation.
SANGLANT: 8 tragique ■ 11 ensanglanté.
SANGLE: 5 bande ■ 7 culière, sanglon ■ 8 courroie* ■ 9 ventrière ■ 10 dessangler ■ 12 porte-étriers.
SANGLIER: 4 huée, hure, laie, mire, soie ■ 5 bauge, dague, épieu, groin, harde, ragot ■ 6 dentée ■ 7 boutoir, souille ■ 8 fouaille, laissées, nasiller, vautrait ■ 9 décousure, marcassin, solitaire, vermiller ■ 10 phacochère, porchaison, quartanier.
SANGLOT: 6 soupir ■ 7 pleurer ■ 9 sangloter.
SANGLOTER: 12 sanglotement.
SANG-MELE: 5 métis* ■ 6 bâtard.
SANGSUE: 8 ventouse.
SANGUIN: 6 cétose, règles ■ 8 natrémie ■ 10 histiocyte ■ 12 acido-basique ■ 14 fibrinolytique, hémocompatible ■ 15 cholestérolémie.
SANGUINAIRE: 4 ogre ■ 5 cruel*, tigre ■ 6 atroce, féroce ■ 7 barbare, boucher, monstre, vampire ■ 8 bourreau ■ 9 cannibale, meurtrier ■ 13 anthropophage, exterminateur.
SANGUINOLENT: 11 ensanglanté.
SANGUISORBE: 11 pimprenelle.
SANHEDRIN: 5 sénat.
SANIE: 3 pus ■ 5 ichor ■ 7 sanieux.
SANITAIRE: 6 aérium ■ 11 arraisonner.
SANS: 8 huis clos, merdique ■ 10 acalorique.
SANS CESSE: 8 toujours ■ 9 ressasser ■ 11 ritournelle ■ 12 incessamment.
SANSCRIT: 4 pâli ■ 7 prakrit ■ 10 dévanâgari ■ 11 hindoustani.
SANS-GENE: 6 audace ■ 9 immixtion, ingérence, intrusion ■ 11 dérangement, effronterie* ■ 12 désinvolture.
SANSKRIT: 5 hindi ■ 11 hindoustani ■ 12 sanskritique, sanskritisme, sanskritiste.
SANSONNET: 9 étourneau.
SANS QUOI: 5 sinon ■ 9 autrement.
SANTAL: 9 santaline.
SANTALACEE: 6 sandal, santal ■ 9 santaline.
SANTE: 4 choc, sain, soin, tuer ■ 5 toast, usant ■ 7 caducée, nocuité, salubre ■ 8 assimilé, délétère, gaillard, médecine, pécloter, rétablir, secousse ■ 9 conserver, insalubre, mieux-être, salutaire, sanitaire ■ 10 florissant, mal en point ■ 11 disposition ■ 13 valétudinaire ■ 14 hypocondriaque, rétablissement.
SANVE: 9 essanvage.
SAOULER: 9 pocharder.
SAPE: 5 saper ■ 6 blinde ■ 8 tranchée.
SAPER: 5 miner ■ 8 détruire*, sapement ■ 9 subversif.
SAPEUR: 7 pompier.
SAPEQUE: 4 tael.
SAPHIR: 5 safre.
SAPIDE: 4 goût ■ 6 saveur ■ 8 sapidité.
SAPIENCE: 4 sens ■ 7 sagesse*.
SAPIENTIAUX: 4 sage.
SAPIN: 3 pin* ■ 4 cône, isba, poix ■ 5 épart, espar ■ 6 épicéa, pruche ■ 7 chermès ■ 9 sapinière ■ 12 térébenthine.

SAPINDACEE : **6** letchi, litchi, lychee ■ **9** savonnier.
SAPONAIRE : **8** saponine ■ **9** savonnier.
SAPONIFIER : **5** savon ■ **8** glycérol ■ **12** saponifiable ■ **14** saponification.
SAPOTACEE : **6** balata ■ **8** arganier, sapotier ■ **11** gutta-percha, sapotillier, sidéroxylon.
SAPOTIER : **6** sapote ■ **9** sapotille ■ **11** sapotillier.
SAPROPHYTE : **9** mucoracée ■ **13** saprophytisme.
SARCASME : **6** ironie* ■ **8** moquerie* ■ **9** raillerie* ■ **10** sardonique ■ **11** sarcastique.
SARCLAGE : **8** sarcleur.
SARCLER : **7** enlever, étréper ■ **8** extirper, nettoyer, sarclage, sarcloir ■ **11** échardonner.
SARCLOIR : **9** sarclette.
SARCOME : **6** tumeur* ■ **11** sarcomateux ■ **13** lymphosarcome.
SARCOPHAGE : **5** tombe ■ **8** cercueil.
SARCOPTE : **4** gale ■ **5** acare ■ **6** acarus ■ **8** sarcoïde.
SARDAIGNE : **5** sarde.
SARDINE : **5** alose, boîte, rogue ■ **7** allache ■ **8** pilchard ■ **9** sardinier ■ **10** sardinelle, sardinerie, sardinière.
SARDOINE : **9** cornaline.
SARDONIQUE : **9** raillerie, sardonien ■ **11** sarcastique ■ **14** sardoniquement.
SARIGUE : **7** opossum.
SARMENT : **5** liane ■ **7** branche* ■ **8** accolage, moissine, poivrier, sautelle ■ **9** sarmenter ■ **10** sarmenteux ■ **11** assarmenter ■ **12** démaillonner.
SARRASIN : **5** blini, kacka, kache ■ **12** sarracénique.
SARRETTE : **9** serratule.
SARTHE : **8** sarthois.
SAS : **5** tamis ■ **6** écluse, sasser ■ **8** vannelle, vantelle.
SASSAFRAS : **9** pipéronal ■ **12** héliotropine.
SASSER : **7** tamiser* ■ **9** sassement.
SATANIQUE : **10** diabolique, luciférien.
SATELLISER : **12** satellisable.
SATELLITE : **5** terre ■ **8** spoutnik ■ **10** cosmodrome ■ **11** conurbation ■ **12** géosynchrome ■ **13** antisatellite, satellisation, télédétection ■ **14** héliosynchrome ■ **15** géostationnaire.
SATIETE : **8** rengaine.
SATIN : **4** loup ■ **7** satiner ■ **8** satinage, satineur ■ **9** satinette ■ **11** mignonnette.
SATIRE : **5** épode, iambe, sotie ■ **6** esprit, factum, qasida ■ **7** libelle ■ **8** diatribe, moquerie*, pamphlet ■ **9** épigramme, raillerie, satirique, satiriser, satiriste ■ ■ **10** pasquinade, vaudeville ■ **11** catilinaire, philippique ■ **12** plaisanterie*.
SATIRIQUE : **5** malin ■ **7** mordant, pasquin, piquant ■ **9** charivari, humoriste, vaudevire ■ **10** serventois ■ **11** chansonnier, décochement ■ **12** emporte-pièce ■ **13** satiriquement ■ **15** aristophanesque.
SATIRISER : **7** railler*.
SATISFACTION : **4** chic, joie* ■ **5** régal ■ **6** raison ■ **7** bonheur, égoïsme, satiété ■ **8** bien-être, chouette, euphorie ■ **9** satiation ■ **10** réparation, satisfecit, saturation, suffisance ■ **11** donjuanisme, frustration, infatuation, nécrophilie, résignation ■ **12** auto-érotisme, complaisance, contentement ■ **14** insatisfaction, mécontentement.
SATISFAIRE : **6** botter, goûter, passer, plaire, servir ■ **7** apaiser, coiffer, combler, exaucer, régaler, réjouir, suffire ■ **8** arranger, assouvir,

chausser, convenir, extasier, prévenir, ragoûter, répondre, résigner, savourer, soulager ■ **9** acquitter, complaire, contenter, rassasier* ■ **10** désaltérer ■ **12** satisfaisant.

SATISFAISANT : **4** bien ■ **7** honnête, mal-logé ■ **8** moyenner.

SATISFAIT : **3** fat ■ **4** repu ■ **5** jouir ■ **7** content*, heureux ■ **8** agréable ■ **9** mécontent, prélasser ■ **11** insatisfait ■ **12** extensionnel, intensionnel ■ **14** insatisfaisant.

SATISFIABLE : **14** satisfiabilité.

SATRAPE : **8** satrapie ■ **10** satrapique.

SATURATION : **11** carburateur.

SATURE : **7** heptane ■ **12** désurchauffe ■ **13** désurchauffer.

SATURER : **6** alcane, emplir ■ **8** insaturé ■ **9** rassasier*, saturable ■ **10** saturation ■ **11** insaturable ■ **12** saturabilité.

SATURNISME : **5** plomb.

SATYRE : **7** obscène ■ **9** satyrique ■ **11** chèvre-pieds.

SAUCE : **3** jus ■ **4** roux ■ **6** coulis, dodine ■ **7** aillade, ailloli, harissa, lavasse, saucier ■ **8** béchamel, cuisiner, gribiche, marinade, meurette, mirepoix, poivrade, poulette, ravigote, saucière ■ **9** demi-glace, fricassée, oignonade, pimentade, rémoulade, saupiquet ■ **10** mayonnaise ■ **11** vinaigrette ■ **13** court-bouillon.

SAUCER : **7** tremper.

SAUCISSE : **6** hot-dog ■ **7** chorizo ■ **8** cervelas, wienerli ■ **9** boutargue, chipolata, poutargue, saucisson ■ **10** boudinière, crépinette.

SAUCISSON : **6** salami ■ **8** boutefas ■ **10** mortadelle.

SAUCISSONNER : **13** saucissonnage.

SAUF : **4** sain ■ **6** hormis, intact ■ **7** excepté, indemne, rescapé ■ **8** échapper ■ **11** sauf-conduit ■ **13** laissez-passer.

SAUGE : **6** orvale, salvia ■ **10** toute-bonne.

SAUGET : **5** saugé.

SAUGRENU : **7** absurde*, bizarre*.

SAULE : **5** osier ■ **6** saulée ■ **7** saulaie ■ **8** marsault, pleureur, salicine, saussaie ■ **9** feuillard, salicacée, salicaire ■ **10** salicoside.

SAUMATRE : **4** grau ■ **11** désagréable*.

SAUMON : **4** féra, hure ■ **5** omble, ombre, smolt, tacon ■ **6** bécard, truite ■ **7** beccard, éperlan ■ **9** montaison, saumoneau ■ **10** saumonelle ■ **14** salmoniculture.

SAUMURE : **5** muire ■ **6** sauris ■ **8** marinade, salinage, saumurer ■ **9** saumurage.

SAUPOUDRER : **6** givrer ■ **7** fariner ■ **11** saupoudrage, saupoudroir ■ **12** saupoudreuse.

SAUR : **5** soret ■ **6** sauret, saurin ■ **10** saurissage ■ **11** saurisserie.

SAURIEN : **5** gecko, orvet, varan ■ **6** dragon, iguane, lézard, moloch, zonure ■ **8** caméléon, scincidé* ■ **9** héloderme, lacertien ■ **10** amphisbène ■ **11** lacertilien ■ **12** amblyrhynque ■ **13** chlamydosaure.

SAURISSAGE : **7** saurage ■ **10** saurisseur.

SAUROPHIDIEN : **8** squamate.

SAUT : **4** axel, bond, houp ■ **5** cahot, carpé, chute, danse, salto ■ **6** sautée ■ **7** culbute, gambade, rouleau, sursaut ■ **8** cabriole, croupade, plongeon, ricochet, sissonc, tressaut ■ **9** entrechat, réception, sautiller ■ **10** soubresaut, trampoline ■ **11** fosbury flop ■ **12** aile-de-pigeon, frétillement, gargouillade, sautillement ■ **13** trémoussement.

SAUTE : **4** volé.

SAUTER : **3** hop ■ **4** mine ■ **5** berne, cuire* ■ **6** bondir, danser ■ **7** cahoter, exulter, jaillir, plonger ■ **8** culbuter, enjamber, exploser, franchir, gambader, rebondir, ricocher ■ **9** assaillir, dynamiter, frétil-

ler, ressauter, sursauter ■ 10 décerveler, saltatoire, trémousser, tressauter ■ 11 tressaillir ■ 12 parachutisme ■ 13 saute-ruisseau.
SAUTERIE : 3 bal.
SAUTEUR : 7 talitre ■ 9 perchiste ■ 10 grenouille.
SAUTILLANT : 9 capricant.
SAUTILLEMENT : 4 saut*.
SAUTILLER : 8 fringuer ■ 9 caracoler ■ 10 sautillant ■ 12 sautillement.
SAUTOIR : 8 baudrier ■ 9 pendentif.
SAUVAGE : 4 gaur ■ 5 bison, brute, cruel*, dingo, fauve, gayal, lande, lapin, mûron, pilet, ronce, totem ■ 6 brutal*, féroce, margay, onagre, tarpan ■ 7 aurochs, barbare*, bestial, cacaoui, colvert, douçain, halbran, inculte*, méfiant, mustang, sadique ■ 8 barnache, bernache, bernacle, farouche*, inhabité, morillon, oléastre, physalis, primitif, prunelle, sanglier, sarcelle, spontané ■ 9 bouquetin, chantoung, lambruche, sauvageon, sauvagine, solitaire, turquerie ■ 10 babiroussa, effarouché, lambrusque, prunelier, sauvagerie, sauvagesse ■ 11 apprivoiser, cardonnette, potamochère, sauvagement ■ 12 chardonnette ■ 14 barbe de capucin.
SAUVAGERIE : 13 cannibalesque.
SAUVEGARDE : 7 défense* ■ 8 auspices, garantie ■ 9 palladium ■ 10 protection*.
SAUVER : 4 fuir*, sauf ■ 5 salut, tirer ■ 6 éluder, enfuir*, évader, éviter, guérir ■ 7 dérober, excuser, frauder, libérer*, rédimer, relever, sauveur, trotter ■ 8 échapper*, esquiver, exempter, protéger, quartier, racheter, sauvette ■ 9 conserver, dispenser, préserver, salvateur ■ 10 affranchir, soustraire ■ 11 sauvegarder ■ 12 sauve-qui-peut.
SAUVETAGE : 9 sauveteur ■ 10 secourisme.
SAVANE : 4 veld ■ 6 brûlis, campos, jungle.
SAVANT : 4 alem, calé, mage, sage ■ 5 bible, clerc, docte, musée, palme, puits ■ 6 érudit, lettré, pédant ■ 7 docteur, effendi ■ 8 académie, aréopage, atomiste, institut, instruit ■ 9 compagnie, compétent, linguiste, physicien, savamment ■ 10 généticien, helléniste, indianiste, médiéviste, mythologue, omniscient, savantasse, sociologue ■ 11 académicien, phonéticien, uranographe ■ 13 récipiendaire.
SAVATE : 8 chausson.
SAVETER : 6 gâcher.
SAVETIER : 5 bouif ■ 9 carreleur ■ 10 cordonnier.
SAVEUR : 4 amer, doux, fade, goût*, plat ■ 5 acide, rance, saucé, sucré ■ 6 pointe, sapide ■ 7 acidité, piquant ■ 8 acétique, amertume, insipide, sapidité ■ 9 empyreume, gustation, platitude, savoureux.
SAVOIE : 8 beaufort.
SAVOIR : 4 lire, voir ■ 5 fonds, nager, sabir ■ 6 acquis, lettre, mander ■ 7 culture, ignorer, lumière, pouvoir*, science* ■ 8 annoncer, demander, doctrine, épistémé, informer, notifier ■ 9 apprendre, cognition, connaître*, érudition, faiblesse, ignorance, sentiment ■ 10 conception, polyglotte, profondeur, savantasse ■ 11 carillonner, imagination, insciemment, instruction*, omniscience ■ 12 connaissance* ■ 13 embarbouiller, pseudoscience.
SAVOIR-FAIRE : 4 chic, truc ■ 6 doigté ■ 7 adresse*, know-how.
SAVOIR-VIVRE : 4 tact ■ 7 honnête ■ 8 incongru ■ 9 éducation, politesse*, protocole ■ 10 bienséance, convenance, correction.
SAVOISIEN : 8 savoyard.
SAVON : 4 coco ■ 6 saponé ■ 8 arachide, cameline, saponacé, saponine, savonner ■ 9 acchroïde, savonnage, savonneux, savonnier ■ 10 opodeldoch, porte-savon, saponifier, savonnerie, savonnette, sham-

pooing ■ **14** saponification.
SAVONNER: **5** batte ■ **8** blaireau, essanger ■ **11** réprimander.
SAVONNEUSE: **8** savonnée.
SAVOURER: **5** tâter ■ **6** goûter* ■ **8** dégoûter, déguster*, délecter*.
SAVOUREUX: **8** agréable ■ **9** délicieux, succulent ■ **14** savoureusement.
SAVOYARD: **2** oc ■ **9** savoisien.
SAXHORN: **4** tuba.
SAXICOLE: **8** saxatile.
SAXIFRAGACEE: **7** seringa ■ **8** seringat ■ **9** hortensia, saxifrage ■ **10** saxifragée ■ **11** perce-pierre.
SAXOPHONE: **4** saxo ■ **12** saxophoniste.
SAYNETTE: **5** pièce ■ **6** sketch ■ **7** bluette, comédie ■ **9** intermède.
SCABIEUSE: **5** veuve.
SCABREUX: **5** corsé ■ **9** difficile ■ **10** licencieux* ■ **11** caleçonnade.
SCALAIRE: **13** magnétomoteur.
SCALPE: **5** scalp.
SCANDALE: **5** éclat, honte, outré, vitre ■ **6** pétard, tapage, vilain ■ **9** esclandre ■ **10** scandaleux ■ **15** scandaleusement.
SCANDALISER: **6** outrer ■ **7** choquer* ■ **8** offenser*.
SCANDER: **8** scansion.
SCANDINAVE: **3** öre ■ **4** élan ■ **5** eider, renne ■ **7** akvavit, aquavit, suédois ■ **8** valkyrie, walkyrie.
SCANNER: **8** scanneur ■ **11** scanographe.
SCAPHANDRE: **8** plongeur ■ **12** scaphandrier ■ **15** homme-grenouille.
SCAPHOPODE: **7** dentale.
SCAPULAIRE: **9** clavicule.
SCARABEIDE: **7** anomale, cétoine ■ **8** hanneton, scarabée ■ **10** coléoptère ■ **12** lamellicorne.
SCARIFICATION: **8** entaille.
SCARLATINE: **15** scarlatiniforme.
SCAROLE: **8** escarole.
SCATOLOGIE: **12** scatologique.
SCEAU: **4** scel, visa ■ **5** bulle, plomb, queue ■ **6** cachet, cancel, marque, timbre ■ **7** poinçon, sigille ■ **9** empreinte, signature ■ **10** contre-sel, estampille, sigillaire ■ **11** contre-sceau ■ **12** chancellerie ■ **14** sigillographie.
SCELERAT: **6** bandit ■ **7** déloyal* ■ **9** meurtrier.
SCELLEMENT: **7** tasseau.
SCELLER: **5** fixer* ■ **8** cacheter, cimenter*, scellage ■ **9** consigner, desceller.
SCENARIO: **5** pièce, trame ■ **8** synopsis ■ **9** découpage ■ **10** scénariste ■ **12** novélisation.
SCENE: **4** exit, fond, live, plan ■ **5** fondu, herse, rampe ■ **6** parade, sketch ■ **7** becquet, disputé*, mansion, plateau, théâtre ■ **8** calvaire, costière, coulisse, récitant, scénique, séquence ■ **9** monologue, orchestre, spectacle, tournette, trapillon ■ **10** avant-scène, extérieurs, proscenium, scénologie, sociodrame, trappillon ■ **11** hyposcénium, psychodrame ■ **12** scéniquement, scénographie ■ **14** pictographique.
SCENOGRAPHIE: **11** scénographe ■ **14** scénographique.
SCEPTICISME: **5** doute* ■ **9** sceptique ■ **10** aporétique, pyrrhonien ■ **11** incrédulité ■ **13** sceptiquement.
SCEPTIQUE: **9** zététique.
SCEPTRE: **5** bâton* ■ **7** marotte, trident.
SCHAH: **4** chah, shah.
SCHAKO: **5** shako.

SCHEIDAGE : **8** scheider.
SCHEMA : **6** dessin*, schème ■ **7** canevas*, formule ■ **9** diagramme, graphique ■ **10** descriptif ■ **11** schématique, schématiser ■ **12** organigramme ■ **13** asomatognosie ■ **15** schématiquement.
SCHEMATIQUE : **11** cartogramme.
SCHILLING : **8** groschen ■ **9** schelling.
SCHISME : **7** apostat ■ **10** dissidence*.
SCHISTE : **4** talc ■ **8** ilménite ■ **9** paraffine, schisteux ■ **10** schistoïde ■ **11** calcschiste.
SCHIZOPHRENE : **7** athymie ■ **11** athymhormie.
SCHIZOPHRENIE : **7** athymie ■ **8** schizose ■ **9** paranoïde, schizoïde ■ **11** hébéphrénie ■ **12** schizophrène ■ **14** héboïdophrénie ■ **15** schizophrénique.
SCHIZOTHYMIE : **11** schizothyme ■ **14** schizothymique.
SCHLITTE : **10** schlittage, schlitteur.
SCIAGE : **4** plot ■ **5** dosse.
SCIE : **5** scier, trait, vivre ■ **6** égoïne ■ **7** égohine, grecque, scieuse, sciotte, serrate ■ **8** dosseret ■ **9** godendart ■ **10** déligneuse, répétition ■ **12** passe-partout.
SCIENCE : **3** abc ■ **5** droit, étude, force, lycée, magie, musée, puits, règle, somme ■ **6** cabale, chimie, morale, savoir* ■ **7** algèbre, branche, clergie, culture, logique, théorie ■ **8** biologie, capacité, doctrine, géodésie, géologie, gymnique, harmonie, médecine, métrique, mystique, opuscule, physique, principe, rudiment ■ **9** aérologie, agrologie, agronomie, avionique, axiologie, botanique, détonique, docimasie, érudition, éthologie, étiologie, eugénisme, génétique, géométrie, grammaire, idéologie, logopédie, mécanique, œnologie, orthoépie, pédologie, ontologie, pharmacie, recherche, robotique, sexologie, sexonomie, sinologie, taxinomie, taxonomie, technique, théologie, topologie ■ **10** aéraulique, aérométrie, astronomie, audiologie, balistique, compétence, conférence, cosmogonie, cosmologie, diététique, diplomatie, épigraphie, esthétique, ethnologie, étymologie, généalogie, gemmologie, géographie, hippologie, hydrologie, hypnotisme, iconologie, indianisme, limitrophe, lithologie, métrologie, muséologie, mythologie, neurologie, onirologie, pathologie, philologie, phonologie, professeur, scientisme, sismologie, sociologie, tribologie ■ **11** archéologie, biosciences, chronologie, démographie, démonologie, dentisterie, déontologie, éthographie, exobiologie, gynécologie, halieutique, hématologie, heuristique, hydrométrie, hygrométrie, hygroscopie, hypsométrie, instruction, laboratoire, législateur, lexicologie, minéralogie, musicologie, nomographie, nucléonique, omniscience, pétrochimie, physiologie, pneumatique, polémologie, potamologie, prospective, psychologie, séismologie, spéculation, spéléologie, stéréotomie, stylistique, syntactique, technologie, topographie, tribométrie ■ **12** aéronautique, américanisme, arithmétique, arithmologie, assyriologie, climatologie, colorisation, comptabilité, connaissance*, cosmétologie, criminologie, cybernétique, diplomatique, éclairagiste, électronique, encyclopédie, ethnographie, graphométrie, hagiographie, hippotechnie, hydrographie, linguistique, mathématique, mésoéconomie, micrographie, miscellanées, muséographie, nomenclature, numismatique, paléographie, pataphysique, pétrographie, phonématique, planétologie, réflexologie, sanskritisme, scientifique, vulcanologie ■ **13** aérodynamique, archivistique, astronautique, bibliographie, colombophilie, démonographie, épistémologie, gastrotechnie, jurisconsulte, lexicographie, macroéconomie, microbiologie, microéconomie, océanographie,

ophtalmologie, paléontologie, physicochimie, planification, pneumatologie, polytechnique, syllogistique ■ 14 caractérologie, conchyliologie, évolutionnisme, géomorphologie, néo-positivisme ■ 15 anesthésiologie, paléogéographie, paléomagnétisme, phytogéographie, tectonophysique.

SCIENCE-FICTION : 10 space opera.

SCIENTIFIQUE : 9 cryologie ■ 10 érotologie ■ 11 enzymologie, faunistique, océanologie ■ 12 culturologie, indianologie, ophiographie, orthogénisme, primatologie, scientificité ■ 13 delphinologie ■ 14 biospéléologie, chronobiologie ■ 15 fondamentaliste.

SCIER : 6 araser, couper*, scieur ■ 7 scierie ■ 8 grecquer, refendre ■ 10 zigouiller.

SCINDIDE : 4 seps ■ 7 scinque.

SCINDER : 6 couper* ■ 7 séparer* ■ 10 scindement, sectionner*.

SCINTILLATION : 13 scintillateur.

SCINTILLER : 7 briller* ■ 8 miroiter ■ 9 brasiller, clignoter, éclaircir, étinceler*, paillette ■ 10 papilloter ■ 11 scintillant ■ 13 scintillement.

SCISSION : 8 nucléase ■ 9 desmolase ■ 10 dissidence ■ 12 interruption.

SCISSIPARITE : 10 scissipare.

SCISSURE : 7 rolando.

SCITAMINACEE : 5 canna ■ 7 curcuma ■ 8 balisier, bananier ■ 9 cardamone.

SCIURE : 4 bran ■ 5 futée.

SCIURIDE : 8 écureuil.

SCLEREUX : 11 sclérogène.

SCLEROPROTEINE : 8 kératine.

SCLEROSE : 10 sclérosant.

SCLEROTIQUE : 7 scléral ■ 8 choroïde ■ 11 épisclérite.

SCOLAIRE : 5 thème ■ 9 narration, qat'zarts, scolarité ■ 10 autodictée, conférence ■ 12 périscolaire ■ 13 extrascolaire.

SCOLARISER : 12 scolarisable.

SCORARITE : 7 écolage ■ 8 minerval ■ 10 décrocheur.

SCOLASTIQUE : 5 école ■ 9 universel.

SCOLIE : 4 note ■ 10 scholiaste.

SCOLIOSE : 11 scoliotique.

SCOMBRIDE : 4 thon ■ 6 bonite, germon ■ 7 thonine ■ 8 pélamide, pélamyde ■ 9 maquereau.

SCOOTER : 5 vespa ■ 8 rickshaw ■ 11 scootériste.

SCORBUT : 11 scorbutique ■ 15 antiscorbutique.

SCORIE : 4 suin ■ 5 écume, suint ■ 6 crasse, déchet*, résidu* ■ 7 laitier ■ 8 crassier, mâchefer, scoriacé ■ 9 scorifier ■ 13 scorification.

SCORPENE : 5 truie.

SCORSONERE : 8 salsifis.

SCOTCH : 8 scotcher.

SCOTOMISER : 13 scotimisation.

SCOTISME : 8 scotiste.

SCOUTISME : 5 guide, scout ■ 7 routier ■ 8 jamboree ■ 9 cheftaine, louveteau.

SCRABBLE : 9 scrabbler ■ 10 scrabbleur.

SCRIBE : 8 actuaire, écrivain ■ 11 bureaucrate ■ 13 hiérogrammate.

SCRIBOUILLARD : 11 bureaucrate.

SCRIPTE : 10 script-girl.

SCROFULARIACEE : 7 linaire, muflier ■ 8 digitale, gratiole, personée ■ 9 euphraise, limoselle, maurandie, mélampyre, paulownia, rhinanthe, véronique ■ 10 crête-de-coq, cymbalaire ■ 11 calcéolaire, pédiculaire,

scrofulaire ■ 12 gueule-de-loup, herbe-aux-poux ■ 13 bouillon-blanc.
SCROFULE : 6 strume ■ 10 scrofuleux ■ 11 scrofulaire.
SCROTUM : 7 scrotal ■ 9 hydrocèle ■ 10 varicocèle.
SCRUPULE : 10 exactitude, indécision, inquiétude, scrupuleux ■ 11 délicatesse*.
SCRUPULEUX : 5 exact, large, probe ■ 7 combiné, délicat*, inquiet ■ 9 affranchi, margoulin, minutieux*, vétilleux ■ 10 affairiste, formaliste, méticuleux* ■ 11 pointilleux ■ 13 consciencieux ■ 14 religieusement ■ 15 scrupuleusement.
SCRUTATEUR : 7 curieux ■ 11 inquisiteur.
SCRUTER : 7 visiter ■ 8 chercher, examiner*, explorer, regarder ■ 10 scrutateur.
SCRUTIN : 4 vote* ■ 8 suffrage ■ 10 ballotage, scrutateur.
SCULPTER : 7 ciseler ■ 9 plastique, sculpture.
SCULPTEUR : 5 selle ■ 6 boësse, imager ■ 7 bustier, gradine, imagier, riflard ■ 8 hoguette, imagiste, modeleur, primitif, rondelle ■ 9 animalier, ébauchoir, mannequin, sculpture, statuaire ■ 10 raidecœur.
SCULPTURE : 3 rai ■ 4 dard ■ 5 ajour, bosse, buste, camée, chape, image ■ 6 relief, statue* ■ 7 bossage, feuille ■ 8 enlevure, maquette, mascaron, monument ■ 9 allégorie, bas-relief, grisaille, plastique ■ 10 cordelière, frontalité, guillochis, haut-relief, morbidesse, raidecœur, ronde-bosse, sculptural ■ 12 glyptothèque, rondouillard ■ 14 photosculpture.
SCYPHOZOAIRE : 6 méduse ■ 7 aurélie ■ 8 acalèphe ■ 9 auréliacé ■ 10 rhizostome.
SCYTHES : 6 scythe.
SEANCE : 5 colle, lynch ■ 7 concert, réunion, session ■ 8 audience, audition, exercice ■ 9 spectacle.
SEANT : 5 assis, seoir ■ 6 décent ■ 8 derrière.
SEAU : 6 camion, seille ■ 8 palanche.
SEBACE : 13 vernix, caseosa.
SEBUM : 9 séborrhée.
SEC : 3 dry, dur*, sel, tac ■ 4 clic, föhn, vert ■ 5 akène, aride*, autan, brûlé, fœhn, gercé, momie, navet, pincé, raide, rôtir, sable, vigne ■ 6 maigre ■ 7 achaine, brusque, chergui, racorni, siccité, stérile* ■ 8 aigrelet, assécher, caryopse, croquant, extra-dry, muscadet, racornir ■ 9 bâtardeau, craquelin, dessécher, xérophyte ■ 10 clappement, craquement, métallique, sécheresse ■ 11 crépitation, crépitement.
SECANTE : 8 tangente.
SECESSION : 7 sudiste ■ 8 nordiste ■ 10 dissidence ■ 14 sécessionnaire.
SECHAGE : 4 crib ■ 7 sécheur ■ 8 essorage, sécherie, sécheuse.
SECHE : 10 xérodermie.
SECHEE : 7 grisons.
SECHER : 3 sor ■ 4 saur, tapé ■ 5 étuve, fumer, havir, morue, soret, tarir ■ 6 étuver, sauret ■ 7 drainer, essorer, étendre, tendoir ■ 8 assécher, calandre, mouiller, racornir, ressuyer ■ 9 cerisette, chapelure, dessécher ■ 10 sèche-linge, stock-fisch, touraillon ■ 11 déshydrater, touraillage.
SECHERESSE : 4 bush ■ 7 aridité ■ 8 miellure ■ 9 xérophyte ■ 12 sclérophylle.
SECHOIR : 6 hâloir.
SECOND : 3 bis ■ 4 aide ■ 5 allié, autre, cadet, guide, lundi ■ 8 beau-père, chérubin, deuxième, parousie, recouper, revanche, sous-chef ■ 9 contremur, quadrique, rapprêter, résolvant ■ 10 conséquent, contre-ail, interjeter, lieutenant, secondaire, surarbitre ■ 11 après-demain,

contre-essai, diencéphale, panchen-lama, secondement ■ 12 arrière-fleur, contremarque ■ 13 contre-épreuve, itérativement, sous-directeur ■ 14 sous-gouverneur ■ 15 refleurissement.

SECONDAIRE: 5 à-côté, bayou, cycle, lycée, prise, trias ■ 7 rudiste ■ 8 ammonite, marginal, minerval, terminal, senestré ■ 9 allergie, belemnite, belle-mère, bractéole, dinosaure, évitement, radicelle, sous-fifre ■ 10 accessoire, contrefort, intertitre, jurassique, mésozoïque, pentacrine, ptéranodon, subalterne, tortillard ■ 11 branchement, concomitant, dinosaurien, excitatrice, plésiosaure, polyvalente, sous-produit, sous-station, subsidaire, térébratule ■ 12 ptérodactyle, ptérosaurien, rhynchonelle ■ 13 marginalement ■ 14 secondairement.

SECONDE: 5 joule ■ 9 trotteuse ■ 11 appogiature ■ 12 microseconde ■ 13 sous-ministre.

SECONDER: 5 aider* ■ 6 servir ■ 8 assister, secourir ■ 9 favoriser ■ 10 collaborer, contribuer.

SECOUER: 6 agiter*, berner, gauler, hocher, locher, rouler, vanner, vibrer ■ 7 branler, cahoter, choquer, ébrouer, onduler, tanguer ■ 8 balancer, balloter, ébranler, hoqueter, sabouler, saccader ■ 9 ballotter, tirailler ■ 10 succussion ■ 11 réprimander, tressaillir.

SECOURIR: 5 aider* ■ 6 sauver, servir ■ 7 obliger ■ 8 assister, associer, consoler, coopérer, délivrer, protéger, seconder, soulager, soutenir, subvenir ■ 9 concourir, faciliter, favoriser, renflouer, secoureur ■ 10 collaborer, contribuer, participer, secourable.

SECOURISTE: 10 samaritain.

SECOURS: 4 aide* ■ 5 appui, grâce, moyen, orsec, poste ■ 6 aumône, faveur, refuge ■ 7 charité, recours, service, soutien, subside ■ 8 bienfait, entraide, indigent ■ 9 délaisser, médiation, réconfort, secoureur ■ 10 assistance, délivrance, obligeance, protection, secourisme, secouriste, subvention ■ 11 association, auxiliateur, consolation, coopération, soulagement ■ 12 bienfaisance, contribution, délaissement ■ 13 collaboration.

SECOUSSE: 4 choc*, coup ■ 5 cahot ■ 6 branle, roulis, séisme ■ 7 frisson, saccade, tangage ■ 8 éruption, tressaut ■ 9 agitation, bernement, collision, commotion, épicentre, hochement, rescousse, vibration ■ 10 ondulation ■ 11 ballotement, ébranlement, sismographe, tremblement, trépidation ■ 12 séismographe ■ 14 tressaillement.

SECRET: 5 argot, caché, mafia, mèche, monté, sceau ■ 6 arcane, énigme, intime, omerta ■ 7 anonyme, charade, dérobée, discret, finesse, in-petto, mystère, occulte, réservé ■ 8 cachette, coulisse, détourné, dévoiler, écouteur, huis-clos, intimité, machiner, retentum, sournois, surprise, tréfonds ■ 9 collusion, concentré, confesser, confident, cryptique, dissimulé, exfiltrer, indiscret, manigance, taciturne, ténébreux, top-secret ■ 10 cachottier, camouflage, confidence, discrétion, ésotérique, mystérieux, sanctuaire, silencieux ■ 11 arrière-fond, cachotterie, fidéicommis, machination, secrètement, sous-entendu, tendancieux ■ 12 chuchotement, conciliabule, conspiration, contre-lettre, indiscrétion ■ 13 arrière-pensée, cryptographie.

SECRETAGE: 8 secréter.

SECRETAIRE: 5 plume ■ 7 armoire, notaire, sautier, scriban ■ 9 scribanne ■ 10 script-girl ■ 11 secrétariat ■ 13 secrétairerie ■ 14 sous-secrétaire.

SECRETARIAT: 4 desk.

SECRETE: 7 camorra ■ 11 nectarifère.

SECRETEMENT: 5 épier ■ 8 en secret ■ 9 comploter ■ 10 en catimini, en sous-main, en tapinois, manigancer, sourdement ■ 11 à la sourdine,

furtivement.
SECRETER : 5 filer ■ 7 saliver ■ 9 sécréteur.
SECRETION : 3 eau ■ 4 foie, rein ■ 5 lacté, larme, mucus, sébum, sérum, sueur, urine, venin ■ 6 copahu, glaire, jetage ■ 7 acholie, anurèse, civette, diurèse ■ 8 exocrine, oligurie, sécréter ■ 9 castoréum, dysidrose, endocrine, histamine, lactation, recrément ■ 10 biligenèse, émonctoire, salivation, sécrétoire ■ 11 galactogène ■ 12 angiotensine, cholérétique, galactagogue, masticatoire ■ 13 hyposécrétion ■ 14 antidiurétique, hypersécrétion.
SECTAIRE : 7 caraïte ■ 9 fanatique*, trembleur ■ 10 luciférien, sectarisme.
SECTATEUR : 8 arminien, lamaïste, partisan ■ 9 luthérien, nestorien ■ 15 coréligionnaire.
SECTE : 5 école, parse, parsi, parti* ■ 6 morave, quaker ■ 7 mandéen ■ 8 bogomile, çaktisme, civaïsme, coryphée, darbysme, mandaïte, mendaïte, puritain, saducéen, sectaire, zélateur ■ 9 johannite, mennonite, paulicien, pharisien, sadducéen, sectateur, ubiquiste ■ 10 adventiste, flagellant, méthodiste, sabbathien, thérapeute, trinitaire ■ 11 anabaptiste, hérésiarque, iconoclaste.
SECTEUR : 3 b.t.p. ■ 4 zone* ■ 10 parachimie, parapublic ■ 11 non-marchand, sous-secteur.
SECTION : 4 part* ■ 5 appui, tronc ■ 6 bureau ■ 8 division*, escouade, rauchage, vaisseau ■ 9 parallèle, ténotomie, vagotomie ■ 10 énervation, méridienne, neurotomie, névrotomie, paragraphe, sectionner ■ 11 embryotomie*, radiocotomie ■ 12 artériotomie.
SECTIONNER : 6 couper* ■ 7 diviser*, scinder, séparer ■ 8 trancher ■ 9 segmenter ■ 10 fragmenter ■ 11 fractionner ■ 12 circoncision ■ 13 sectionnement.
SECTORISATION : 10 sectoriser ■ 12 désectoriser.
SECULAIRE : 6 ancien*.
SECULIER : 4 abbé ■ 5 monde ■ 7 profane ■ 10 sécularité ■ 11 séculariser ■ 14 sécularisation.
SECURISER : 12 sécurisation.
SECURITE : 3 c.r.s., q.h.s., q.s.r. ■ 6 sûreté* ■ 7 antivol, securit, triplex ■ 9 confiance, plexiglas ■ 10 avant-garde, cache-prise, insécurité ■ 11 gendarmerie, sectionneur, sécuritaire ■ 12 tranquillité ■ 13 conventionner.
SEDATIF : 7 calmant* ■ 11 amidopyrine, diascordium ■ 12 barbiturique ■ 13 butyrophénone, neuroleptique, phénobarbital.
SEDENTAIRE : 4 fixe ■ 8 casanier ■ 11 sédentarité ■ 14 sédentairement ■ 15 sédentarisation.
SEDIMENT : 3 lie ■ 6 tartre ■ 9 féculence ■ 12 sédimentaire ■ 13 sédimentation ■ 14 sédimentologie.
SEDIMENTAIRE : 4 grès ■ 5 gaize, gypse, sable ■ 7 dolomie ■ 8 calcaire, diaclase, meulière ■ 10 concordant, détritique ■ 11 lithogenèse, radiolarite.
SEDIMENTATION : 10 sédimenter.
SEDITIEUX : 8 factieux ■ 14 séditieusement.
SEDITION : 5 grève ■ 6 émeute ■ 7 complot, révolte* ■ 8 boutefeu, désordre ■ 9 agitation, jacquerie, mutinerie, séditieux ■ 10 résistance, révolution ■ 11 chouannerie, conjuration, embrasement, indignation, soulèvement ■ 12 fermentation, indiscipline, insoumission, insurrection ■ 13 effervescence, manifestation, rassemblement ■ 14 bouleversement, mécontentement ■ 15 insubordination.
SEDUCTEUR : 6 galant, larron ■ 7 don juan, tombeur ■ 8 charmeur,

flatteur, lovelace ■ 9 attrayant, engageant, séduisant, suborneur, tentateur* ■ 10 casse-cœur, enchanteur, flagorneur ■ 11 ensorceleur.

SEDUCTION: 4 rapt ■ 5 flirt, magie ■ 6 charme* ■ 8 blandice, prestige ■ 9 blandices, flatterie, tentation ■ 10 enivrement, galanterie ■ 11 coquetterie, envoûtement, fascination, flagornerie ■ 12 enchantement, enthousiasme*, entraînement ■ 14 ensorcellement.

SEDUIRE: 6 abuser, agacer, capter, gagner, perdre, plaire*, tenter, vamper ■ 7 acheter, appâter, attirer, charmer*, éblouir*, engager, engluer, enivrer, enjôler, flatter, flirter, gringue, influer ■ 8 allécher, amadouer, attraper, boniment, captiver, fasciner, miroiter, suborner, suggérer ■ 9 affrioler, conquérir, corrompre*, débaucher, embaucher, embobiner, enchanter, flagorner, persuader, pervertir ■ 10 affriander, ensorceler ■ 11 circonvenir, démoraliser, endoctriner, entortiller ■ 12 théâtralisme ■ 13 enthousiasmer.

SEDUISANT: 4 beau* ■ 8 attirant, charmant* ■ 9 alléchant, attrayant, séducteur ■ 10 affriolant.

SEDUM: 5 orpin.

SEGMENT: 5 corde ■ 7 médiane, vecteur ■ 8 diagonal, diamètre, fragment*, polygone ■ 9 bipartite, diagonale, segmental, segmenter ■ 10 médiatrice, mixtiligne ■ 11 segmentaire ■ 12 segmentation.

SEGMENTER: 7 scinder ■ 10 sectionner*.

SEGREGATION: 6 agisme ■ 7 ségrégé ■ 8 ségrégué ■ 9 apartheid ■ 10 ségrégatif ■ 13 déségrégation ■ 15 ségrégationisme.

SEICHE 5 sépia ■ 7 calamar, sépiole.

SEÏDE: 9 fanatique*.

SEIGLE: 3 rye ■ 4 glui ■ 5 arête, ergot ■ 6 méteil, ségala ■ 8 champart, ergotine ■ 9 ergotisme, histamine, triticale ■ 10 lysergique ■ 11 ergotamine.

SEIGNEUR: 4 chef, dîme, fief, oint, page, serf, sidi, sire ■ 5 colon, félon, lagan, séñor, sieur, vigne ■ 6 barine, bureau, captal, messer ■ 7 censier, marquis, paladin, shagoun, taikoun, thermes, vicomte ■ 8 banneret, burgrave, cuissage, staroste, suzerain ■ 9 baise-main, dominical, panonceau ■ 10 forfaiture, seigneurie ■ 11 aristocrate, seigneurial ■ 12 seigneuriage ■ 13 arrière-vassal ■ 14 franc-bourgeois.

SEIGNEURIE: 5 duché ■ 8 baronnie ■ 11 châtellenie.

SEIN: 3 pis ■ 4 lolo, néné ■ 5 appas, flanc, giron, gorge, ilien, nénet, tétin, téton ■ 6 nichon, robert ■ 7 bercail, mamelle*, mamelon, tétasse, topless ■ 8 bossoirs, gisement, poitrine*, rotoplot, tire-lait ■ 9 avantages, intérieur*, sénologie, téterelle ■ 10 avant-cœur ■ 11 embryotomie ■ 11 klinefelter, mammectomie, mastectomie.

SEING: 4 reçu ■ 9 signature, sous-seing.

SEISME: 5 foyer, sisme ■ 7 richter ■ 8 isosiste ■ 9 isoséiste ■ 10 cataclysme ■ 11 microséisme, tremblement ■ 12 antisismique, parasismique.

SEIZE: 4 once ■ 8 seizième ■ 12 seizièmement.

SEJOUR: 4 ciel, exil, lieu ■ 5 foyer, monde, ombre, shéol, stage, ville ■ 6 élysée ■ 7 demeure*, paradis, parcage, station ■ 9 alitement, résidence* ■ 10 habitation*, héliomarin, living-room, magasinage, nosocomial ■ 11 stabulation ■ 12 bannissement, hospitalisme, villégiature ■ 15 hospitalisation.

SEJOURNER: 5 cuver ■ 7 habiter*, résider, stagner ■ 8 chambrer ■ 11 sauf-conduit.

SEL: 4 doux ■ 5 acide, fuser, gemme, mulon, plomb, rader, saler, salin, sauce, soude, urate ■ 6 borate, désodé, iodate, iodure, oléate, persel, salage, salant, saline, salure ■ 7 acétate, azoture, bromate, camelle, citrate, cyanure, ferrate, gabelle, javelle, kaïnite, lactate, muriate, nitrate, oxalate, picrate, rouable, salègre, salière, saumure, saunage, sulfate, sulfure, uranate, zincate ■ **8** alginate, arsénite, azotique, benzoate, butyrate, chlorate, chlorite, chromate, epsomite, fluorure, formiate, grugeoir, hyposodé, marinade, poivrade, salicole, salifère, salifier, salignon, salinage, salinier, salinite, saunière, sélénate, sélénite, silicate, stanneux, tartrate, thionate ■ **9** aluminate, arséniate, bisulfure, carbamate, carbonate, condiment, fulminate, glutamate, halologie, iconogène, manganate, manganite, perborate, phosphate, phosphite, prussiate, saunaison, séléniate, stannique, tellurate, tellurure, tungstate ■ **10** bichromate, cacodylate, ferrotypie, fulminique, salicylate, salifiable, saupoudrer ■ **11** antimoniate, bicarbonate, croque-au-sel, halographie, halotechnie, hyposulfite, perchlorate, saliculture, valérianate ■ **12** chlorhydrate, hypochlorite, insalifiable, permanganate, salification ■ **13** calcification, hypophosphite, pyrophosphate ■ **15** gélatino-bromure.

SELACIEN: **4** ange, raie*, scie ■ **6** requin*, squale ■ **8** émissole, torpille ■ **9** roussette ■ **11** poisson-scie.

SELECTION: **5** choix* ■ **7** casting, testage ■ **8** élection, panmixie, sélecter, sélectif ■ **9** sélecteur ■ **11** sélectivité ■ **12** sélectionner ■ **13** néo-darwinisme, sélectionneur, sélectivement ■ **14** documentaliste.

SELECTIONNER: **5** écran, trier* ■ **7** choisir*, nominer.

SELENIEUX: **8** sélénite.

SELENIQUE: **8** sélénate ■ **9** séléniate.

SELENIUM: **2** se ■ **8** sélénite ■ **9** séléniate, sélénieux, sélénique, séléniure.

SELENOGRAPHIE: **15** sélénographique.

SELF: **12** pupinisation.

SELF-INDUCTION: **4** self ■ **8** inductif ■ **14** self-inductance.

SELF SERVICE: **4** self.

SELLE: **3** bât ■ **5** arçon, baron, bidet, bride, fonte, tenue ■ **6** bridon, sangle ■ **7** pommeau, sanglon, sellier, surfaix ■ **8** diarrhée, épreinte, quartier, sellerie, sellette ■ **9** desseller, ensellure, excrément* ■ **10** coprologie, martingale ■ **11** troussequin ■ **12** constipation ■ **13** porte-étendard ■ **14** porte-étrivière.

SELLETTE: **6** jockey.

SELLER: **5** bâter ■ **7** sangler ■ **9** desseller.

SELLIER: **5** alêne ■ **8** paumelle, sellerie.

SELON: **6** d'après, jouxte ■ **7** suivant ■ **12** conformément.

SEMAILLES: **13** ensemencement.

SEMAINE: **5** férié, jeudi, lundi, mardi, saint ■ **6** samedi ■ **7** week-end ■ **8** dimanche, huitaine, mercredi, mi-carême, vendredi ■ **9** quinzaine, semainier ■ **10** officiante ■ **11** hebdomadier ■ **12** hebdomadaire ■ **14** bi-hebdomadaire.

SEMANTIQUE: **5** lexie ■ **10** sémantisme ■ **11** sémanticien ■ **12** sémasiologie ■ **13** autoréférence, onomasiologie ■ **14** sémantiquement.

SEMAPHORE: **12** sémaphorique.

SEMBLABLE: **3** tel ■ **4** égal*, même*, pair, tige, type ■ **5** afin, autre, racer ■ **6** kif-kif, pareil, propre ■ **7** adéquat ■ **8** analogue, conforme, homogène, monotone, uniforme ■ **9** assimiler, différent, homologue, identique, parallèle, similaire ■ **10** approchant, équivalent, isoédrique, similitude, uniformité ■ **11** anamorphose, ressemblant ■ **12** assimilation, dissemblable, parallélisme ■ **13** semblablement.

SEMBLANT: **6** aspect, simili ■ **7** feindre ■ **9** simulacre.

SEMBLER: **3** air ■ **8** paraître* ■ **10** apparaître.

SEME: 7 sémène ■ 7 sémique.
SEMEIOLOGIE: 5 sémie ■ 13 séméiologique ■ 15 symptomatique.
SEMELLE: 4 fart ■ 5 patin, talon ■ 6 samara ■ 7 crampon ■ 8 cambrure, première, raquette ■ 9 compensée ■ 10 molleterie, ressemeler ■ 12 pied-de-chèvre.
SEMENCE: 4 loge ■ 5 fruit, germe, grain*, pépin, semis ■ 6 collet, graine*, sperme ■ 7 embryon, plumule, séminal, tigelle ■ 8 plantule, radicule ■ 9 broquette ■ 10 ensemencer ■ 12 décuscuteuse.
SEMEN-CONTRA: 9 santonine.
SEMER: 5 semis ■ 7 diaprer, diviser, épandre, planter ■ 8 emblaver, parsemer*, propager, répandre*, ressemer, semaille, sursemer ■ 10 disséminer, engazonner, ensemencer.
SEMESTRE: 10 semestriel.
SEMI-CONDUCTEUR: 9 thyristor.
SEMILLANT: 5 agile.
SEMINAIRE: 11 séminariste.
SEMIOLOGIE: 10 sémiologue ■ 12 sémiologique.
SEMIOTIQUE: 11 sémioticien ■ 12 sémiologique, signalétique.
SEMI-PUBLIC: 10 parastatal.
SEMIS: 7 semence ■ 8 démarier, pré-gazon ■ 13 éclaircissage, ensemencement.
SEMITE: 5 arabe ■ 7 araméen ■ 8 akkadien ■ 9 amharique, israélite, phénicien, sémitique, sémitisme.
SEMITIQUE: 10 sémitisant.
SEMNOPITHEQUE: 6 colobe.
SEMOIR: 8 hérisson ■ 9 rayonneur.
SEMONCE: 8 abattage, reproche* ■ 10 réprimande*.
SEMONCER: 11 réprimander*.
SEMOULE: 4 gari ■ 5 kacha, kache ■ 9 semoulier ■ 10 semoulerie.
SENAT: 4 veto ■ 5 boulê, curie, légat ■ 8 sénateur ■ 9 laticlave ■ 10 sénatorial, sénatorien ■ 11 sénatorerie ■ 12 référendaire ■ 15 sénatus-consulte.
SENECHAL: 4 mage, maje.
SENESTRE: 5 bande, barre, flanc ■ 6 gauche ■ 9 contourné.
SENILE: 14 presbyophrénie.
SENILITE: 3 âge ■ 6 sénile ■ 10 gérontisme, vieillesse*.
SENNE: 7 senneur.
SENOLOGIE: 9 sénologue.
SENS: 3 vue ■ 4 doux, goût, ouïe, tact, tête, voie ■ 5 biais, chant, juste, large, objet, obvié, repos, sensé, sourd, trope, vanne ■ 6 cousin, esprit, gnosie, odorat, palais, raison, semène ■ 7 charnel, jugeote, sagesse, sensuel, volupté ■ 8 coulisse, hyponyme, illusion, impulser, jugement, littéral, modifier, radotage, sapience, sensible, syllepse, synonyme, univoque ■ 9 acception, ballotter, bousculer, contre-fil, délicieux, dextrorse, équivoque, inflexion, inverseur, lato sensu, particule, phénomène, pléonasme, polysémie, propriété, ravissant, sensation*, sensoriel, tête-bêche ■ 10 alternatif, conception, contre-jour, contrepoil, contresens, dextrorsum, équivalent, hyperonyme, impression, jouissance, palindrome, redresseur, sensualité, vibrionner ■ 11 allégoriser, asémantique, connotation, contre-fugue, déraisonner, extravaguer, monosémique, philosophie, sensualisme ■ 12 discernement, embourgeoisé, encliquetage, longitudinal, raisonnement ■ 13 contre-courant, équilibration, extra-sensible, imperceptible, rebroussement, signification, suprasensible ■ 14 extrasensoriel.
SENSATION: 4 aura, tact ■ 5 froid, odeur, pâmer, sonie ■ 6 phanie ■

7 agnosie, aigreur, chaleur, fatigue, flaveur, gimmick ■ **8** esthésie, euphorie, excitant, sensitif ■ **9** acouphène, agacement, futurisme, phosphène ■ **10** chatouille, impression, insensible, oppression, perception*, picotement, télépathie ■ **11** cénesthésie, kinesthésie, paresthésie, photophobie, prémonition, sensualisme, sophrologie, spatialiser, synesthésie, température ■ **12** cœnesthésie, sensationnel, tiraillement ■ **13** fourmillement, hallucination, proprioceptif, réverbération, spectaculaire ■ **14** chatouillement ■ **15** sensorimétrique.

SENSATIONNEL: 5 sensa ■ **6** sensas ■ **7** sensass ■ **8** étonnant* ■ **10** formidable.

SENSE: 4 sage*, sain ■ **5** idiot ■ **9** sensément ■ **11** intelligent.

SENSIBILISATEUR: 13 sensibilisant.

SENSIBILISER: 15 sensibilisateur.

SENSIBILITE: 3 iso ■ **4** coma, émoi, nerf, zona ■ **5** aride, bonté, chair, fibre, froid ■ **6** transe ■ **7** analgie, feeling, syncope ■ **8** esthésie, hystérie, informel ■ **9** analgésie, émotivité, éthériser, sentiment ■ **10** anesthésie, catalepsie, entrailles, narcotique ■ **11** anaphylaxie, anesthésier, audiogramme, baresthésie, sensiblerie ■ **12** anesthésique, esthésiogène, extéroceptif, flegmatisant, hyperacousie, hypoesthésie, intéroceptif, stéréognosie ■ **13** antibiogramme, biomagnétisme, dermatoptique, hyperesthésie, hypersensitif, insensibilité, sensibilisant, syringomyélite ■ **14** désensibiliser, endurcissement, proprioception, thermotactisme ■ **15** extérorécepteur, extéroceptivité, intéroceptivité, radiorésistance, sentimentalité.

SENSIBLE: 3 vif ■ **4** halo ■ **5** image ■ **6** émotif, humain, stigma, tendre ■ **7** cabrage, visible ■ **8** douillet, palpable, tangible ■ **9** sans-cœur ■ **10** compassion, impalpable ■ **11** sentimental, susceptible ■ **12** chatouilleux, chémocepteur, impondérable, matérialiser, sensibiliser, sensiblement ■ **13** hypersensible, photosensible, suprasensible, ultrasensible ■ **14** chémorécepteur, panchromatique ■ **15** impressionnable.

SENSIBLERIE: 11 sensibilité.

SENSITIF: 4 nerf ■ **8** thalamus ■ **12** fémoro-cutané.

SENSITIVE: 6 mimosa.

SENSORIEL: 8 limbique ■ **9** récepteur, sensation ■ **11** télesthésie ■ **13** sensorimoteur ■ **14** extrasensoriel ■ **15** mécanorécepteur.

SENSUALITE: 6 luxure ■ **7** passion, plaisir, volupté* ■ **8** débauche ■ **9** animalité ■ **10** bestialité.

SENSUEL: 9 luxurieux, sex-appeal ■ **10** voluptueux.

SENTE: 6 chemin*

SENTENCE: 3 mot ■ **6** diction, maxime*, parole, pensée, slogan ■ **8** gnomique, interdit, jugement ■ **9** arbitrage ■ **11** sapientiaux, sentencieux.

SENTENCIEUX: 10 emphatique* ■ **13** prudhommesque.

SENTEUR: 5 odeur*.

SENTIER: 2 g.r. ■ **4** laie ■ **5** layer, layon, sente ■ **6** chemin*, coulée ■ **9** glissoire, grimpette.

SENTIMENT: 3 foi ■ **4** avis, émoi, fiel, goût, mine, muet, œil, peur, rire, self, sens, tact, vide, voix ■ **5** affre, amour*, blâme, bonté, cœur, envie, froid, haine, honte, larme, piété, pitié, sacré ■ **6** amitié, ardeur, colère, dédain, mépris, sûreté ■ **7** aménité, charité, égoïsme, émotion*, hommage, honneur, loyauté, mal-être, opinion*, probité, respect, trouble ■ **8** affectif, chasteté, civilité, complexe, concorde, cupidité, démesuré, détresse, dévotion, égotisme, excitant, fidélité, homogène, humanité, inimitié, jalousie, jugement, largesse, religion, scrupule, véracité ■ 9 affection, altruisme, animosité, communier, confiance, constance, déplaisir, dissimulé, émulation, éveilleur, expansion, expressif, exubérant, honnêteté, hostilité, mouvement, palinodie, pantomime, paroxysme, politesse, retourner, tendresse, transport ■ 10 abnégation, abréaction, admiration, affabilité, compassion, conscience, dévouement, dissension, espressivo, esthétique, exactitude, exécration, expression, générosité, hypocrisie, moralement, obligeance, perception, prosopopée, satisfaire, sécheresse, solidarité, tartuferie ■ 11 affectivité, amour-propre, attachement, dégoûtation, délicatesse, détachement, édification, haut-le-cœur, indignation, magnanimité, militarisme, miséricorde, religiosité, sensibilité, sentimental ■ 12 autopunition, bienfaisance, complaisance, dissentiment, enthousiasme, incomplétude, superstition ■ 13 bienveillance, commisération, démonstration, déréalisation, inaffectivité, philanthropie, pressentiment ■ 14 mélodramatique, philhellénisme, républicanisme ■ 15 contre-transfert, sentimentalisme.

SENTIMENTAL : 5 scène ■ 6 tendre ■ 9 cantilène ■ 14 sentimentalité.

SENTINE : 7 cloaque.

SENTINELLE : 5 vigie ■ 7 guérite, vedette ■ 8 consigne ■ 12 factionnaire.

SENTIR : 4 puer ■ 5 humer, pifer, sévir ■ 6 musser, piffer ■ 7 blairer, flairer, fleurer, trouver ■ 8 éprouver*, granciner, rayonner, répondre, sensitif ■ 9 chlinguer, intactile, ressentir, subodorer ■ 10 schlinguer ■ 11 chatouiller, coprophilie ■ 12 pestilentiel.

SEOIR : ■ 5 aller ■ 6 coller, ganter ■ 8 arranger, convenir ■ 9 avantager ■ 10 accommoder.

SEPALE : ■ 5 fleur, limbe ■ 6 casque ■ 9 sépaloïde ■ 10 gamosépale ■ 11 dialysépale.

SEPARANT : ■ 13 interquartile.

SEPARATION : ■ 2 ab, de, di ■ 3 abs, dis ■ 4 raie, stop ■ 5 borne, coupe, fente, fossé, joint, ligne, tmèse ■ 6 césure, triage ■ 7 abandon*, cassure*, clôture, crémage, diérèse, élution, isotron, rupture*, schisme, sécante, section, ventage ■ 8 division, effusion, fracture, incision, jointure, plancher, scission, secoueur, synérèse ■ 9 déchirure, décousure, inégalité, languette, liquation, mésopause, sécession, séparatif, sérialité ■ 10 découplage, dégagement, déhiscence, délaminage, différence, dissidence, écartement, fractionné, interfluvé, interstice, intervalle, relégation, spéciation, tropopause ■ 11 abstraction, démarcation, disjonction, dislocation, dissolution, distinction, exfoliation, pelliculage, ségrégation, stéréotomie, terminateur ■ 12 coupellation, écartèlement, interruption ■ 13 déclenchement, décomposition, déglutination, désagrégation, sectionnement, séquestration ■ 14 centrifugation, débrouillement, démultiplexage, discrimination, électrodialyse, électrophorèse, fractionnement ■ 15 chromatographie.

SEPARE : ■ 3 pur ■ 4 seul ■ 5 barré, isolé ■ 6 absolu, dégagé, unique ■ 7 indivis ■ 8 abstrait, disjoint ■ 9 cloisonné, dissident ■ 10 désincarné, discontinu, interphase ■ 11 dialypétale, dialysépale, indépendant, inséparable, particulier ■ 12 intersession, pattinsonage, schismatique.

SEPARER : ■ 5 drège, fêler, garer, scier, trier ■ 6 casser, cliver, couper, épurer, exiler, fendre, isoler*, lâcher, monder, ouvrir, partir, sevrer, zester ■ 7 classer, craquer, cribler, débiter, démêler, déramer, désunir, diviser*, écarter, écrémer, émonder, essorer, espacer, inciser, laisser, quitter, sarcler, scinder, tamiser ■ 8 analyser, bât-flanc, cloîtrer, colature, débander, débraser, déchirer, décoller, découdre, détacher*, dévisser, diverger, divorcer, écailler, éloigner, éplucher, épulpeur, exfolier, fourcher, morceler, partager*, refendre, reléguer, répudier, trancher ■ 9 abstraire, bifurquer, découpler, décroiser, dédoubler, démembrer, démoduler, dessiller, dessouder, détailler, discerner, disloquer, disperser, dissocier*, dissoudre, distraire, écarteler, échanvrer, fracturer, expatrier, ouvraison, séparable ■ 10 classifier, cloisonner, débrancher, déclencher, décomposer, disjoindre, distinguer, distribuer, extracteur, fragmenter, sectionner, ségrégatif, séparateur, séparation, séquestrer, subdiviser ■ 11 débrouiller, déconnecter, dégasoliner, désassocier, désapparier, désassortir, discriminer, fractionner, interrompre, séparatisme ■ 12 désaccoupler, désassembler ■ 13 décentraliser, désincorporer, hydroclasseur, intervallaire, plasmaphérèse, ségrégabilité.

SEPIA: 9 aquatinte.

SEPT: 5 gamme, sages ■ 6 lindor ■ 7 septain, septule, septuor ■ 8 septième, septuler ■ 9 heptaèdre, heptagone, septennal, septupler ■ 10 heptacorde, heptamètre, heptarchie, heptathlon, septénaire ■ 12 heptasyllabe.

SEPTANTE: 11 septantaine.

SEPTEMBRE: 10 septembral ■ 13 septembriseur ■ 14 septembrisades.

SEPTENNAL: 12 septennalité.

SEPTENTRION: 4 nord* ■ 7 anordir.

SEPTICEMIE: 14 septicopyoémie.

SEPTICISME: 12 septicémique.

SEPTIEME: 4 none, sept ■ 5 nones ■ 7 septidi, septimo ■ 8 germinal ■ 10 sabbatique ■ 12 climatérique, septièmement.

SEPTIQUE: 9 aseptique, septicité.

SEPTULE: 8 septuler.

SEPTUM: 6 septal.

SEPULCRE: 5 tombe* ■ 9 sépulcral.

SEPULTURE: 5 fosse, tombe* ■ 6 caveau, crypte, voirie ■ 7 syringe, tombeau, tumulus ■ 8 charnier, mausolée, monument, sépulcre ■ 9 cénotaphe, cimetière, nécropole ■ 10 concession ■ 11 enterrement.

SEQUENCE: 5 truca ■ 6 insert, monême ■ 9 flash-back, ophiolite ■ 10 séquentiel ■ 13 sous-programme.

SEQUESTRE: 5 dépôt ■ 10 séquestrer.

SEQUESTRER: 8 enfermer* ■ 13 séquestration.

SEQUOIA: 12 wellingtonia.

SERAIL: 5 harem ■ 7 eunuque.

SERANCER: 5 séran ■ 9 sérançage.

SERAPHIN: 4 ange ■ 10 séraphique.

SERAPIS: 8 sérapéon, sérapeum, sérapion ■ 9 sérapéion.

SEREIN: 5 calme*, clair ■ 8 sérénité ■ 10 rasséréner ■ 11 sereinement.

SERENADE: 5 chant* ■ 6 tapage ■ 7 concert*.

SERENITE: 5 calme*, nuage ■ 7 épanoui ■ 10 aquanimité ■ 11 pondération ■ 12 tranquillité*.

SEREUSE: 7 hygroma ■ 9 péricarde, péritoine.

SEREUX: 8 babeure ■ 11 hydarthrose.

SERF: 5 franc, glèbe, ilote ■ 6 paysan ■ 7 esclave*, servage ■ 9 chassement, servitude ■ 10 formariage ■ 11 manumission.

SERFOUETTE: 8 serfouir ■ 12 serfouissage.

SERFOUIR: 9 serfouage.

SERICICULTURE: 4 soie ■ 7 strasse.

SERIE: 3 jeu ■ 4 suée ■ 5 cycle, gamme, lacet, quine, suite*, train ■

6 phylum, quarte, quinte, sériel, tiercé ■ 8 beaucoup*, billette, chapelet, huitaine, instance, kyrielle, séquelle, séquence, trentain ■ 9 check-list, évolution, hexacorde, multitude*, ontogénie, opération ■ 10 confection, matriochka, ontogenèse, ribambelle, sister-ship, succession* ■ 11 carambolage, convergence, échafaudage, embryogénie, orthogenèse ■ 12 embryogenèse, fibrillation, interclasser ■ 15 échantillonnage.

SERIELLE : 10 sérialisme.

SERIER : 6 ranger ■ 9 sériation.

SERIEUX : 4 posé, vrai* ■ 5 frime, froid, grave* ■ 6 solide ■ 7 gravité ■ 8 fantoche, faribole ■ 9 baliverne, important*.

SERIN : 6 canari ■ 9 serinette.

SERINER : 7 ennuyer, répéter*.

SERINGUE : 5 canon ■ 6 piston ■ 7 clysoir ■ 9 injecteur, seringuer ■ 10 irrigateur.

SERMENT : 4 juré, vœu* ■ 5 jurer, leude, lever ■ 7 parjure ■ 8 jurement, promesse* ■ 9 affidavit, juratoire ■ 10 assermenté ■ 11 assermenter, supplétoire ■ 14 assermentation.

SERMON : 5 avent, point, texte ■ 6 prêche ■ 7 homélie, station ■ 8 discours* ■ 11 exhortation, prédication, sermonnaire.

SERMONNER : 11 réprimander*.

SERODIAGNOSTIC : 11 séronégatif.

SEROLOGIE : 11 sérologique, sérologiste.

SEROPOSITIF : 12 séroposivité.

SEROSITE : 6 séreux ■ 8 vésicule ■ 9 phlyctène ■ 10 hydropisie ■ 14 hydropéricarde.

SERPE : 5 gouet ■ 8 élagueur, fauchard, faucille*, serpette ■ 9 fauchette ■ 10 ébranchoir.

SERPENT : 3 boa ■ 4 dard, érix, naja ■ 5 cobra, devin, échis, élaps, hydre, lamie, nœud, orvet, queue ■ 6 chaîne, corail, dragon, exuvie, guivre, molure, python, uræus ■ 7 cécilie, élaphis, eunecte, nasique, pélamis, plature, vouivre ■ 8 anaconda, corallin, lunettes, ophidien, pélamide, pélamyde, platonie, serpente, sonnette, vipéridé* ■ 9 colubridé, coronelle, couleuvre, serpenter ■ 10 acrochordo, amphiptère, amphisbène, anguiforme, fer-de-lance, ophiologie, serpenteau ■ 12 hypétodryas, ophiographie, serpentement ■ 11 acrochordus, ophiolâtrie ■ 14 trigonocéphale.

SERPENTAIRE : 10 secrétaire.

SERPENTINE : 7 olivine, ollaire.

SERPILLIERE : 7 panosse.

SERPOLET : 4 thym ■ 9 farigoule.

SERRAGE : 3 jeu ■ 6 claver ■ 10 garde-frein.

SERRATULE : 8 sarrette, serrette.

SERRE : 3 dru ■ 4 gêne ■ 5 clair, cycas, épais, lâche, liure, nœud, ongle, panné, vanda ■ 6 ajusté, chiche, étroit*, serrer ■ 7 adiante, boudiné, compact ■ 8 forcerie, whipcord ■ 9 clairsemé, desserrer, éclaircir, épaisseur, orangerie, palmarium, ristrette, ristretto.■ 10 tillandsia ■ 12 tradescantia.

SERRE-LIVRES : 11 appui-livres ■ 12 appuie-livres.

SERRER : 4 coin, lier ■ 5 bahut, écrin, écrou, fenil, huche, lacer, lacet, pince, prise ■ 6 bander, brider, cacher, ferler, garder, mordre, pincer*, ranger, ronger, saisir, tordre, visser ■ 7 amasser, bloquer, boucler, carguer, coffrer, coincer, enlacer, prendre, presser*, remiser, rentrer, sangler, souquer, traquer ■ 8 boudiner, corseter, emballer, enfermer, enserrer, entasser, froisser, mordache, ramasser, réserver ■

9 constiper, embrasser, empoigner, encaisser, encoffrer, engranger, épreindre, esquicher, étrangler, étreindre, garrotter, ligaturer, rencogner, renfermer, resserrer *, serrement, serre-tête ■ 10 astreindre, cartonnier, compresser, empaqueter, serre-joint ■ 11 emmagasiner, serre-freins ■ 12 serre-papiers.

SERRURE: 4 clef, pêne ■ 5 gâche, pompe, rouet ■ 6 bénard, loquet, verrou ■ 7 bénarde, cadenas, crochet, écusson, encoche, fermoir, palâtre, platine ■ 8 barillet, gâchette, palastre, panneton, targette ■ 9 bec-de-cane, crocheter, fermeture, houssette, loqueteau ■ 10 bouterolle, cramponnet, crocheteur, effraction, verterelle ■ 11 cache-entrée.

SERRURERIE: 9 serrurier ■ 10 scellement ■ 11 ferronnerie.

SERRURIER: 4 râpe ■ 5 forge ■ 6 étampe ■ 8 ferrière ■ 9 rossignol ■ 10 serrurerie.

SERT: 9 dérivatif, imprimant, ostéogène ■ 10 saltatoire ■ 11 illustratif ■ 13 communicateur.

SERTIR: 8 emboîter ■ 9 chatonner, enchâsser ■ 10 sertissage, sertisseur, sertissure.

SERUM: 4 roux, sang ■ 5 cruol, cruor ■ 7 sérique ■ 8 sérosité ■ 9 sérologie ■ 11 agglutinine, inoculation ■ 12 sérothérapie ■ 15 sérovaccination.

SERVAGE: 9 servitude*.

SERVANT: 3 lai ■ 8 tankiste.

SERVANTE: 4 maid ■ 5 bonne, fille, gouge, nurse ■ 6 duègne ■ 7 boniche, lingère ■ 8 serveuse, souillon ■ 9 camérière, caméristе, soubrette ■ 10 ancillaire, cendrillon, chambrière, cuisinière, domestique*.

SERVEUR: 6 barman, garçon ■ 7 barmaid ■ 9 maritorne.

SERVEUSE: 7 barmaid ■ 10 sommelière.

SERVIABLE: 11 complaisant* ■ 12 serviabilité ■ 13 serviablement.

SERVICE: 3 ace ■ 4 obit, r.n.i.s., s.a.m.u. ■ 5 cadet, cadre, carte, congé, extra, garde, grâce, hôtel, impôt, ligne, major, marin, monté, oblat, poste, quart, salle, solde, spahi, stylé, télex, train, usage, utile, valet ■ 6 amitié, faveur, office, relève ■ 7 cabaret, chiffre, dessert, mouroir, offreur, plaisir, préposé, prester, télétex, travail, utilité, voucher ■ 8 activité, attacher, batelage, bienfait*, chaloupe, desserte, liturgie, marmiton, milicien, traction ■ 9 bénévolat, bon office, chiffreur, desservir, hiérodule, luminaire, mobiliser, mortuaire, objecteur, odalisque, personnel, reportage, serviable, serviteur, sommelier, tête-à-tête ■ 10 antrustion, après-vente, audiencier, baleinière, chambellan, demoiselle, dévouement, domestique, intendance, malle-poste, mercenaire, messagerie, obligeance, permanence, prestation, téléalarme ■ 11 gardiennage, télématique, vaguemestre, volontariat ■ 12 complaisance, comptabilité, distribution, inauguration, libre-service, organigramme, prémilitaire, rémunération, standardiste, téléphoniste, voiture-poste ■ 13 collectiviser, surintendance, transmission ■ 14 administration, concélébration, initialisation, péritéléphonie ■ 15 fonctionnariser, radio-messagerie, wagon-restaurant.

SERVIETTE: 5 linge ■ 6 essuie ■ 7 torchon ■ 8 napperon ■ 14 porte-documents ■ 15 porte-serviettes.

SERVILE: 3 lai ■ 4 plat ■ 5 copie, valet ■ 6 abject, soumis, souple ■ 7 laquais, rampant ■ 8 lèche-cul, pied-plat ■ 10 académisme, obséquieux ■ 11 complaisant, servilement.

SERVILITE: 9 vassalité, vasselage ■ 10 obéissance.

SERVIR: 4 user* ■ 5 aider*, mener, moyen, parer, punir, ruser, usage, usuel ■ 6 manier, renter ■ 7 essayer, motiver, piloter ■ 8 apprêter, assister, attester, disposer, éclairer, inspirer, paumoyer, pourvoir, profiter, recourir, seconder, utiliser* ■ 9 cornaquer, exploiter, favoriser, klaxonner, parrainer, raisonner, resservir, témoigner ■ 10 corroborer, dévouement, intercéder, intervenir, téléphoner ■ 11 entremettre.

SERVITE : 14 blancs-manteaux.

SERVITEUR : 3 boy, lad ■ 4 page ■ 5 cavas, groom, valet* ■ 6 bedeau, cocher, diacre, écuyer, larbin, suisse ■ 7 acolyte, esclave, laquais, licteur, piqueur, portier ■ 8 brosseur, camérier, chasseur, frotteur, huissier, marmiton ■ 9 chauffeur, concierge, cuisinier, majordome, officieux, sommelier ■ 10 chambellan, domestique* ■ 11 palefrenier.

SERVITUDE : 4 joug ■ 5 alleu ■ 7 liberté, servage ■ 9 esclavage, servilité, vassalité, vasselage ■ 10 dépendance*, franc-alleu ■ 13 subordination ■ 14 asservissement.

SESQUINOXYDE : 8 hématite.

SESSION : 4 jury ■ 6 séance* ■ 12 intersession.

SET : 3 jeu.

SETIER : 4 mine.

SETON : 8 exutoire.

SEUIL : 3 pas ■ 5 porte ■ 7 liminal ■ 9 liminaire ■ 19 subliminal ■ 13 esthésiomètre.

SEUL : 2 un ■ 4 mono, solo ■ 5 isolé*, masse, prime, skiff ■ 6 aparté, ermite, seulet, simple, unique* ■ 7 esseulé, sauvage, unanime ■ 8 bungalow, délaissé, échelier, farouche, individu, monobloc, monogame, monorail, solitude ■ 9 contracté, monarchie, monoacide, monogamie, monolithe, monologue, monomètre, monopsone, monoptère, seulement, singleton, solitaire, unicolore ■ 10 monochrome, monologuer, monomoteur, monoplégie, monosépale, unifilaire, unilatéral ■ 11 monoculaire, monographie, monoïdéisme, monosémique, particulier ■ 12 hypostatique, monolithique, unipersonnel ■ 14 holophrasique, monocotylédone, monosyllabique.

SEVE : 3 suc* ■ 4 vert ■ 7 miellat ■ 8 faisceau, vaisseau ■ 9 dessévage.

SEVERE : 3 dur* ■ 4 rude ■ 5 grave*, vache ■ 6 acerbe, strict ■ 7 austère*, cerbère, relâchée, vachard ■ 8 aigrelet, cinglant, relâcher ■ 9 châtiment, rigoriste, rigoureux* ■ 10 aristarque, castrateur, inexorable ■ 11 démolissage, sourcilleux.

SEVERITE : 4 dure ■ 7 rigueur* rudesse ■ 8 acerbité, rigidité ■ 9 austérité ■ 10 sévèrement ■ 11 relâchement.

SEVICE : 8 violence*.

SEVILLE : 8 sévillan.

SEVIR : 5 punir* ■ 6 régner ■ 9 endémique.

SEVRER : 6 priver* ■ 7 sevrage.

SEXE : 4 mâle, zizi ■ 5 amant, genre, homme, mixte, sexué ■ 6 gonade, libido, sexage, sexuel ■ 7 asexuel, dicline, étamine, femelle ■ 8 saphisme, sex-ratio, vénérien, virilité ■ 9 androgène, androgyne, fellation, frigidité, sexologie, sexonomie, sexualité, virilisme ■ 10 croisement, érotomanie, homosexuel, masochisme ■ 11 dimorphisme, nymphomanie, travestisme ■ 12 anaphrodisie, monocyclique ■ 14 intersexualité ■ 15 hétérogamétique.

SEXISME : 7 sexiste.

SEXTE : 4 none.

SEXTUPLE : 9 sextupler.

SEXUALITE : 9 sexologie ■ 10 sexualiser ■ 13 parasexualité ■ 15 hétérosexualité.

SEXUEE : 8 apomixie.

SEXUEL: **8** autosome ■ **12** désexualiser ■ **15** anaphrodisiaque.
SEXUELLE: **9** triolisme, zoophilie ■ **10** pédophilie, satyriasis ■ **11** nécrophilie ■ **12** autoérotisme ■ **13** spermatogonie.
SEXUELLEMENT: **3** m.s.t. ■ **12** nicolas-favre.
SEYANT: **8** habiller ■ **10** avantageux.
SEYCHELLES: **11** seychellois.
SHAH: **4** chah ■ **5** schah.
SHAKO: **6** casoar ■ **8** mirliton ■ **9** bourdalou, jugulaire ■ **15** sous-mentonnière.
SHAMPOOING: **11** shampouiner ■ **12** shampouineur.
SHENODON: **8** hattéria.
SHERKO: **6** plumet.
SHILLING: **5** pence, penny.
SHINTO: **4** sumo ■ **10** shintoïste.
SHINTOÏSTE: **5** torii.
SHOGOUN: **6** bakufu ■ **8** shogunal.
SHOGOUNAL: **8** samouraï.
SHOOTER: **4** shot.
SHOPPING: **10** magasinage.
SHORT: **8** flottant ■ **10** boxer-short, cuissettes.
SHUNT: **7** shunter ■ **8** shuntage.
SIAL: **4** sima ■ **8** sialique.
SIAM: **7** siamois
SIBERIEN: **4** élan ■ **5** renne ■ **6** ostyak ■ **8** mammouth, ostiaque, sibérien, zibeline ■ **9** petit-gris ■ **10** chamanisme ■ **13** transsibérien.
SIBILATION: **10** sifflement.
SIBYLLE: **5** devin* ■ **8** sibyllin.
SIBYLLIN: **5** caché ■ **6** obscur*.
SICAIRE: **9** meurtrier*.
SICCATIF: **12** cyclopentane.
SICILE: **7** marsala.
SIDA: **3** v.i.h. ■ **6** kaposi ■ **9** sidatique, sidologue ■ **10** rétrovirus ■ **13** pneumocystose.
SIDATIQUE: **6** sidéen.
SIDERER: **5** ébahir* ■ **9** foudroyer ■ **10** dépression, sidération.
SIDERURGIE: **6** cowper, larget ■ **12** sidérurgique.
SIECLE: **5** temps ■ **8** séculier ■ **9** séculaire ■ **10** millénaire ■ **11** séculariser ■ **12** bimillénaire ■ **13** séculairement.
SIED: **8** coiffant.
SIEGE: **4** banc*, base, bras, cour, pouf, sofa, sein ■ **5** batte, bidet, canne, cœur, divan, foyer, lever, séant, selle, trône ■ **6** canapé, centre, chaire, chaise, curule, pliant, stalle, tan-sad ■ **7** bergère, cacolet, cannage, canneur, cannier, capiton, dossier, trépied ■ **8** assiéger, balustre, bancelle, boudeuse, capitale, cathèdre, couseuse, domicile, escabeau, fauteuil*, fibrille, hélépole, marquise, ottomane, prie-dieu, primatie, sellette, tabouret ■ **9** assesseur, balancine, banquette, escabelle, filanzane, métastase, palanquin, patronage, porte-bébé, télésiège ■ **10** appui-nuque, balancelle, balançoire, bloc-sièges, bout-de-pied, capitonner, chauffeuse, obsidional, saint-siège, strapontin ■ **11** ambulatoire, miséricorde, officialité, tarabiscoté ■ **12** chloroplaste, escarpolette, rocking-chair ■ **13** apparentement ■ **15** dépressionnaire, transatlantique.
SIEGER: **5** tenir ■ **7** résider.
SIEN: **9** assimiler, plagiaire.
SIESTE: **7** sommeil* ■ **10** méridienne.

SIFFLANT : **8** sibilant ■ **9** chuintant ■ **10** sifflement, striduleux ■ **12** assibilation.
SIFFLEMENT : **3** pst ■ **5** psitt ■ **6** larsen ■ **9** acouphène ■ **10** sibilation.
SIFFLER : **4** huer* ■ **5** cygne, merle ■ **8** siffleur ■ **9** siffloter.
SIFFLET : **6** appeau, huchet, pipeau, sirène ■ **9** serinette.
SIFFLOTER : **12** sifflotement.
SIGISBEE : **8** cavalier.
SIGLE : **2** b.a., b.d., c.a., c.b., c.d., g.i., g.r., l.p., o.p., o.s., pc, p.v., q.g., q.i., q.s., si, u.v., z.i. ■ **3** abs, amp, a.t.p., b.e.p., b.t.p., b.t.s., caf, c.a.o., c.a.p., c.a.t., c.c.p., cdv, c.e.s., c.f.a., c.f.c., c.h.s., c.h.u., c.r.s., d.c.a., d.e.a., d.o.c., e.a.o., f.i.v., g.i.c., g.i.e., g.i.g., gmt, g.p.l., hiv, hla, h.l.m., i.a.d., i.m.c., i.r.m., i.s.f., i.u.t, i.v.g., lav, l.e.p., m.j.c., mos, m.s.t., n.b.c., o.n.g., o.p.a., o.p.e., p.a.o., p.m.u., p.o.s., pvc, q.c.m., q.h.s., q.s.p., q.s.r., rem, r.i.b., r.m.i., r.m.n., t.a.b., t.g.v., t.i.g., t.t.c., t.u.c., t.v.a., u.e.r., u.f.r., u.l.m., utm, v.i.h., v.i.p., v.r.p., v.s.n., z.a.c., z.a.d., z.i.f. ■ **4** adac, adav, afat, d.e.u.g., icbm, irbm, isbn, issn, lisp, logo, mirv, m.k.s.a., mrbm, m.s.b.s., p.e.g.c., r.n.i.s., s.a.m.u., sida, slbm, s.m.i.c., s.s.b.s., stol, t.v.h.d. ■ **5** awacs, c.a.p.e.s., c.a.p.e.t., cd-rom, cedex, cégep, d.e.u.s.t., m.a.t.i.f., orsec, sicav, t.a.b.d.t. ■ **6** fivete ■ **8** acronyme, logotype ■ **9** trigramme.
SIGNAL : **3** bip, feu, mât, sos, top ■ **4** gong, mire ■ **5** appel, fusée, signe*, vidéo ■ **6** bip-bip ■ **7** chamade, drapeau, vumètre ■ **8** balisage, cryptage, retraite, signaler ■ **9** claquette, couvre-feu, sémaphore ■ **10** annulement, auto-alarme, monophonie, préannonce ■ **11** avertisseur, chrominance, télégraphie ■ **12** multiplexage, signalétique, transmetteur ■ **13** avertissement*, signalisation* ■ **14** démultiplexage, vidéofréquence ■ **15** bioluminescence, échantillonneur, transmodulation.
SIGNALE : **7** insigne ■ **11** remarquable*.
SIGNALEMENT : **8** signaler ■ **12** signalétique.
SIGNALER : **5** citer, index ■ **7** accuser, avertir, marquer, montrer* ■ **8** dénoncer, désigner*, indiquer* ■ **9** signifier ■ **10** distinguer, tympaniser ■ **11** recommander ■ **12** signalétique.
SIGNALISATION : **5** block, borne, bouée ■ **6** signal*, sirène ■ **8** balisage ■ **9** cab-signal, cataphote, crocodile, sémaphore, signaleur, timonerie ■ **10** signaliser, télégraphe ■ **11** block-system, bloc-système, désignation ■ **12** signalétique ■ **13** radiobalisage, signification.
SIGNATURE : **4** faux, visa ■ **5** endos, sceau, seing ■ **6** griffe, parafe ■ **7** paraphe ■ **8** avaliser, parafeur ■ **9** parapheur ■ **10** blanc-seing, émargement, estampille, monogramme ■ **11** contreseing ■ **12** légalisation, post-scriptum, souscription.
SIGNE : **2** do, la, mi, pi, ré, si, ut ■ **3** clé, sol ■ **4** kana, lion, note, obel, plus, zéro ■ **5** bémol, comma, crêpe, deuil, dièse, galon, geste, heure, kanji, neume, nique, noter, obèle, pause, point, seing, tiret, toper, toton ■ **6** accent, augure, indice, marque, menace, preuve, signal*, verset ■ **7** annonce, auspice, balance, cédille, insigne, liaison, présage*, radical, silence, symbole, verseau, virgule ■ **8** accident, accolade, deleatur, exposant, iconique, notation, poissons, scorpion, symptôme ■ **9** armoiries, caractère, pronostic ■ **10** altération, apostrophe, astérisque, demi-soupir, deux-points, idéogramme, monogramme, parenthèse, sagittaire, sémiologie, syllabisme, tabulateur ■ **11** circonflexe, descripteur, diacritique, esperluette, exclamation, idéographie, phonogramme, séméiologie ■ **12** diagnostique, monétisation, point-virgule, porte-respect, prémonitoire, sémasiologie, sténographie, tha-

natologie ■ 13 avertissement*, interrogation ■ 14 arithmographie.
SIGNER: 7 émarger, parafer ■ 8 avaliser, cosigner, endosser, garantir, parapher ■ 9 approuver, capituler, légaliser, souscrire, témoigner ■ 10 signataire ■ 12 contresigner, cosignataire ■ 13 pétitionnaire.
SIGNIFICATION: 4 sens* ■ 5 terme ■ 6 esprit, lexème ■ 9 acception, extension, métaphore ■ 10 catégorème, comparatif, gestualité, intimation, sémantique, superlatif ■ 11 interpréter ■ 12 iconographie.
SIGNIFIER: 4 dire ■ 5 rimer ■ 6 donner, sommer ■ 7 définir, dénoter, intimer, marquer ■ 8 déclarer, désigner, entendre, exprimer, huissier, notifier, traduire ■ 9 expliquer, exploiter, témoigner ■ 10 comprendre ■ 11 débrouiller, interpréter, paraphraser, représenter ■ 12 insignifiant, significatif ■ 13 signification.
SIKH: 8 gurdwara.
SILENCE: 4 chut, paix ■ 5 calme, motus, pause, tacet ■ 6 omerta, secret ■ 7 museler, mutisme ■ 8 black-out ■ 9 confondre, demi-pause, obreption, réticence ■ 10 aposiopèse, bâillonner, demi-soupir, silencieux.
SILENCIEUX: 3 coi ■ 4 muet ■ 9 taciturne ■ 15 silencieusement.
SILESIE: 8 silésien.
SILEX: 5 chien, fusil ■ 7 caillou*, éolithe ■ 8 siliceux ■ 9 solutreen ■ 10 microlithe ■ 11 coup-de-poing.
SILHOUETTE: 5 ombre ■ 11 silhouetter.
SILICATE: 4 jade, talc ■ 5 béryl, écume, lapis ■ 6 albite, cérite, grenat, zircon ■ 7 épidote, leucite, péridot, thorite, zéolite ■ 8 actinote, aegyrine, calamine, disthène, émeraude, lazulite, pyroxène, saponite, siliceux, zéolithe ■ 9 amphibole, kaolonite, silicique, trémolite ■ 10 cordiériste, garniérite, serpentine, sidérolite, yttrialite ■ 11 chrysocolle, lapis-lazuli, sidérolithe ■ 12 borosilicate, ultrabasique ■ 13 feldspathoïde, hydrosilicate ■ 15 montmorillonite.
SILICE: 10 sous-saturé ■ 12 cristobalite.
SILICIUM: 2 si ■ 4 mica ■ 5 agate, alpax, émail, falun, gaize, jaspe, opale, silex, verre ■ 6 quartz, silane, silice, silique, spicule, tripoli ■ 8 siliceux, silicose, silicule ■ 9 diatomite, duralumin, silicique, siliciure, siliqueux, zirconium ■ 10 almasilium, calcédoine, silicicole ■ 11 carborundum, désiliciage ■ 13 feldspathoïde ■ 15 aluminosilicate.
SILICOSE: 8 silicosé ■ 11 silicotique.
SILLAGE: 5 trace* ■ 7 houache ■ 8 houaiche ■ 11 strioscopie.
SILLON: 4 raie, ride ■ 5 creux, enrue, rayon, serge, strie, trace ■ 6 buriné ■ 7 aglyphe, enrayer, sillage, striure ■ 8 dérayure, enrayure, labourer ■ 9 sillonner, sulcature, tectogène ■ 10 sulciforme.
SILLONNER: 9 canaliser, parcourir*.
SILO: 7 désiler, ensiler ■ 9 ensileuse.
SILURE: 11 poisson-chat.
SILURIDE: 7 clarias.
SILURIEN: 8 nautilus, scorpion ■ 9 tribolite ■ 10 calédonien, ordovicien ■ 11 cyathocrine.
SIMAGREE: 7 grimace* ■ 10 minauderie.
SIMARUBACEE: 7 ailante ■ 8 simaruba.
SIMIEN: 5 singe*.
SIMILAIRE: 4 même* ■ 7 connexe ■ 8 analogue, homogène ■ 9 semblable* ■ 10 similarité.
SIMILIGRAVURE: 9 similiste.
SIMILISAGE: 8 similisé ■ 9 similiser.
SIMILITUDE: 4 même ■ 7 connexe, parenté ■ 8 analogie* ■ 9 calembour, concorder ■ 10 homophonie ■ 11 comparaison ■ 13 dissimilitude.

SIMONIE : 10 simoniaque.
SIMPLE : 2 un ■ 3 fou, sot ■ 4 iode, naïf*, seul, zinc ■ 5 argon, azote, brome, façon, franc, germe, grâce, métal, niais, ortie, passé ■ 6 facile*, frugal, ingénu, pauvre, sphère ■ 7 affable, agreste, apprêté, austère, bonasse, candide, commode, grifton, modeste*, naturel, négligé, sincère, stéride ■ 8 bonhomme, boniface, causerie, familier, grossier, innocent, multiple, nicodème, primitif, rustique, sommaire, vulgaire ■ 9 simpliste ■ 10 réductible, simplement, simplicité, simplifier ■ 11 élémentaire ■ 12 présomptueux, rudimentaire.
SIMPLEMENT : 7 nuement, uniment ■ 8 bêtement ■ 10 uniquement ■ 13 naturellement.
SIMPLET : 5 niais* ■ 7 candide ■ 9 simplesse.
SIMPLICITE : 5 faste ■ 7 aisance, candeur*, naïveté*, naturel ■ 8 bonhomie, modestie*, nitouche ■ 9 franchise, ingénuité, innocence, niaiserie, rusticité, sincérité ■ 10 affabilité ■ 11 affectation, familiarité ■ 14 sainte-nitouche.
SIMPLIFIEE : 3 u.l.m.
SIMPLIFIER : 7 réduire ■ 8 styliser ■ 9 démotique ■ 10 normaliser ■ 11 schématiser ■ 12 irréductible, simplifiable, standardiser ■ 14 simplificateur, simplification.
SIMULACRE : 5 messe ■ 7 fantôme*.
SIMULATEUR : 9 grimacier, hypocrite ■ 11 tire-au-flanc.
SIMULATION : 4 faux ■ 6 feinte* ■ 10 pathomimie ■ 13 dissimulation.
SIMULER : 5 jouer ■ 7 feindre, feinter, peindre ■ 8 affecter ■ 10 simulateur, simulation ■ 11 contrefaire.
SIMULTANE : 5 barré ■ 10 bande-vidéo.
SIMULTANEE : 7 cluster ■ 11 codominance ■ 15 multitraitement.
SIMULTANEITE : 4 avec ■ 5 unité ■ 7 combiné ■ 8 couplage ■ 9 simultané ■ 11 coexistence, coïncidence ■ 12 concomitance.
SINAPISE : 8 rigollot.
SINAPISME : 7 sénevol.
SINCERE : 4 rond, vrai ■ 5 franc*, loyal* ■ 7 sérieux ■ 9 insincère, sincérité ■ 11 sincèrement.
SINCERITE : 3 foi ■ 6 vérité ■ 8 épancher, fausseté, perfidie, véracité ■ 9 franchise* ■ 10 contrition ■ 11 insincérité.
SINCIPUT : 10 sinciputal.
SINECURE : 6 emploi* ■ 7 fromage ■ 8 fonction*.
SINGAPOUR : 12 singapourien.
SINGE : 3 saï ■ 5 drill, jocko, magot, patas, sajou ■ 6 colobe, guenon, papion, rhésus, simien, vervet ■ 7 alouate, capucin, entelle, fagotin, hurleur, nasique, pongidé, sagouin, saïmiri, sapajou, singeur, tamarin ■ 8 hapalidé, mandrill, singerie ■ 9 halophyte, hamadryas, simiesque ■ 10 arboricole*, lagotriche ■ 11 anthropoïde, brachiation, cynocéphale, lagothriche ■ 12 catarrhinien*, platyrhinien ■ 13 cercopithèque, platyrrhinien*, semnopithèque ■ 14 pithécanthrope.
SINGER : 5 mimer ■ 6 imiter*.
SINGERIE : 7 grimace* ■ 8 simagrée.
SINGULARISER : 10 distinguer* ■ 14 particulariser.
SINGULARITE : 6 rareté ■ 9 exception, nouveauté ■ 10 bizarrerie, trouvaille ■ 11 affectation ■ 13 particularité.
SINGULIER : 4 rare, seul ■ 5 drôle, inouï ■ 6 unique, numéro ■ 7 bizarre, curieux, épatant, étrange*, inconnu, inusité, nouveau ■ 8 étonnant, insolite, original ■ 9 collectif, différent, paradoxal ■ 10 phénoménal, stupéfiant, surprenant ■ 11 extravagant, particulier*, remarquable*, singularité ■ 12 étourdissant.

SINISTRE : 5 perte ■ 6 risque, triste* ■ 7 funèbre, malheur, mauvais ■ 8 incendie ■ 10 inquiétant ■ 12 sinistrement.
SINN-FEIN : 10 sinn-feiner.
SINOLOGIE : 9 sinologue.
SINOLOGUE : 8 sinisant.
SINON : 9 autrement.
SINTERISER : 13 sintérisation.
SINUEUX : 4 onde ■ 5 sinué, tordu ■ 8 ondulant, tortillé, tortueux ■ 10 méandrique ■ 11 serpigineux.
SINUOSITE : 3 pli ■ 4 onde ■ 5 ondée, repli ■ 6 détour, sinuer ■ 7 méandre ■ 10 ondulation.
SINUS : 7 cosinus, sinusal ■ 8 sinusien, sinusite ■ 9 cosécante, sinusoïde.
SINUSOÏDAL : 7 biphasé.
SINUSOÏDE : 10 sinusoïdal.
SIOUX : 5 sioux.
SIPAHI : 5 spahi.
SIPHOMYCETE : 10 zygomycète* ■ 11 phycomycète ■ 13 péronosporale ■ 14 péronosporacée*.
SIPHON : 8 siphoïde ■ 9 siphonner ■ 13 vide-bouteille.
SIPHONOPHORE : 8 physalie.
SIRE : 3 roi* ■ 8 seigneur*.
SIRENE : 6 pin pon.
SIRENIEN : 6 dugong ■ 7 rhytine ■ 8 lamantin.
SIROCO : 4 vent.
SIROCCO : 7 chergui.
SIROP : 4 café ■ 5 limon ■ 6 orgeat ■ 7 diacode ■ 8 acétomel, cocktail, sirupeux ■ 9 pèse-sirop, siroperie.
SIRUPEUX : 4 miel ■ 7 mélasse ■ 8 glycérol ■ 9 glycérine.
SISAL : 5 agave ■ 7 mayotte.
SISMIQUE : 11 sismométrie.
SISMOGRAPHE : 11 sismogramme.
SISMOLOGIE : 10 hydrophone ■ 12 sismologique.
SISYMBRE : 5 vélar ■ 9 rouquette.
SITAR : 6 sarode ■ 9 sitariste.
SITE : 3 vue ■ 4 lieu* ■ 9 sitologue ■ 10 technopôle ■ 15 sitogoniomètre.
SITUATION : 2 en, la ■ 3 gag, sur ■ 4 dans, état, gêne, port, sort, sous ■ 5 abcès, abois, avant, crise, degré, filon, fruit, nasse, ordre, passe, plumé, point, reste, stage, sujet ■ 6 destin, emploi*, gâchis, niveau ■ 7 fortune, new-look, planque, posture, sommité, terrain ■ 8 assiette, bien-être, consoler, destinée, détresse, échouage, embarras, fluidité, internat, non-droit, position* ■ 9 ambiguïté, condition, diglossie, féminisme, liquidité, sérialité, suremploi ■ 10 alignement, cafouillis, divergence, exposition, mal en point, médiocrité, neutralité, occupation, opposition, profession* ■ 11 arrangement, compte rendu, conjoncture, déconfiture, emplacement, heimatlosat, plein emploi, protectorat ■ 12 circonstance, indépendance, quelque chose ■ 13 interposition, juxtaposition, litispendance ■ 14 bipolarisation, postcommunisme ■ 15 curriculum vitae.
SITUATIONNISME : 14 situationniste.
SITUE : 4 bégu ■ 7 préoral ■ 8 cisalpin, grignard ■ 9 péridural ■ 10 périurbain, sous-cutané ■ 11 sous-orbital ■ 14 intervocalique ■ 15 intergalactique, intermusculaire.
SITUER : 3 sis ■ 6 placer*.
SIVAISME : 7 çivaïte ■ 8 çivaïste, sivaïste.
SIX : 5 sixte ■ 7 sénaire, sextine, sextuor ■ 8 hexaèdre, hexagone,

hexapode, semestre, sextolet, sextuple ■ 9 hexamètre, hexastyle, sextupler, sextuplés ■ 10 sexpartite ■ 11 tétradyname ■ 12 hexachlorure, hexafluorure.

SIXIEME : 3 six ■ 4 juin, tric ■ 5 sexte, sexto, trick ■ 7 sextant, sextide, sextidi, ventôse ■ 8 vendredi ■ 11 sixièmement.

SKETCH : 7 saynète.

SKI : 4 fart, stem ■ 5 skier, stemm ■ 6 stawug, zicral ■ 7 fondeur, monoski, ski-bob, spatule ■ 8 barefoot, biathlon, stakning, télémark ■ 9 hors-piste, motoneige ■ 10 antiglisse, hors-pistes, monte-pente ■ 11 christiania.

SKI BOB : 7 véloski.

SKIER : 7 skiable.

SKIEUR : 7 fondeur.

SKUNGS : 9 mouffette.

SLALOM : 8 slalomer ■ 9 slalomeur.

SLAVE : 4 kvas, kwas ■ 5 russe ■ 6 boiard, boyard ■ 7 bulgare, tchèque ■ 8 panslave, slaviser, slovaque ■ 9 askhénaze, slavisant, ukrainien ■ 10 biélorusse, cyrillique, slavophile ■ 11 panslavisme, serbo-croate, slavistique ■ 12 glagolitique.

SLAVON : 8 esclavon.

SLEEPING-CAR : 8 wagon-lit.

SLIP : 6 calcif ■ 7 calecif ■ 9 cache-sexe ■ 10 boxer-short.

SLOGAN : 10 expression.

SLOOP : 7 saurien.

SMALT : 8 mosaïque.

SMASH : 7 smasher.

SMECTIQUE : 9 bentonique.

SMILLE : 7 smiller ■ 8 smillage.

SNOB : 8 vaniteux ■ 9 snobinard.

SOBRE : 5 mulet, renne ■ 9 abstinent, sobrement, tempérant.

SOBRIETE : 5 avent, sobre ■ 7 retenue ■ 9 frugalité ■ 10 modération, tempérance ■ 12 intempérance.

SOBRIQUET : 6 surnom ■ 7 m'as-tu-vu ■ 10 riz-pain-sel.

SOC : 3 âge, cep ■ 5 bisoc ■ 7 rasette.

SOCIABILITE : 15 microsociologie.

SOCIABLE : 4 ours ■ 5 liant, singe ■ 7 affable, aimable ■ 8 farouche ■ 8 humaniser ■ 10 insociable ■ 11 accommodant, apprivoiser ■ 12 sociabiliser, sociablement.

SOCIAL : 5 firme, paria, pègre, titre ■ 6 isolat ■ 7 asocial ■ 8 clanisme, empathie, position ■ 9 condition, eugénisme, socialité, sociatrie ■ 10 antisocial, filmologie, gérontisme, socialisme, subsistant ■ 11 capitalisme, délinquance, organicisme, ouvriérisme, partenariat, sociogenèse, sociométrie ■ 12 antisociable, corporatisme, esclavagisme, médico-social, paternalisme, psychosocial, resocialiser, syndicalisme ■ 13 alculturation, collectivisme, matrilinéaire, socio-culturel ■ 14 abolitionnisme, industrialisme ■ 15 autosubsistance.

SOCIALISME : 6 contra ■ 8 kolkhoze, marxisme, socinien ■ 10 blanquisme, paupérisme ■ 11 autogestion, bolchevisme, libéralisme, ouvriérisme, socialisant, spartakisme ■ 12 coopératisme, paternalisme, travaillisme ■ 13 collectivisme.

SOCIALISTE : 6 radsoc.

SOCIETAIRE : 6 membre ■ 11 sociétariat ■ 12 unipersonnel.

SOCIETE : 4 chez, club, gage, pool, rang ■ 5 droit, élite, firme, furet, hanse, masse, mêlée, monde*, paria, parmi, prime, sicav, trust, usage ■ 6 cartel, corner, église, gratin, social, vaisya ■ 7 couvade, fanfare, hétérie, holding, mondain, opéable, orphéon, science, wargame ■ **8** académie, armement, autour de, civilité, confrère, hétairie, institut, marraine, mutuelle, peuplade, racaille, recruter, sociable, syndicat, vindicte ■ **9** coalition, compagnie*, consortium, éducation, hors-la-loi, patronage ■ **10** bienséance, commandite, commandité, communauté*, douairière, ethnologie, fédération, privatisée, sauvagerie, secouriste, sociétaire ■ **11** actionnaire, association*, bourgeoisie, corporation, développeur, marianistes, sociabilité, socialement ■ **12** carbonarisme, civilisation, connaissance, culturologie, misanthropie, sociablement ■ **13** coparticipant, participation, sociobiologie ■ **14** archiconfrérie ■ **15** franc-maçonnerie, sociodramatique.

SOCIOLOGIE: **10** sociologue ■ **12** criminologie, sociologique, sociologisme, sociologiste.

SOCIOMETRIE: **13** sociométrique.

SOCIOPOLITIQUE: **5** thète.

SOCLE: **4** môle ■ **5** buste ■ **6** statif ■ **7** plinthe ■ **9** piédestal.

SOCRATIQUE: **10** maïeutique.

SOCQUE: **5** sabot.

SOCQUETTE: **7** sous-bas.

SODA: **9** long-drink.

SODIQUE: **7** viscose.

SODIUM: **2** na ■ **3** sel ■ **5** borax, dakin, émail, javel, soude ■ **6** désodé, halite, natron, natrum ■ **7** caliche, sodique ■ **8** aegyrine, cheddite, cryolite, lazulite, natrémie, oxylithe, salpêtre ■ **9** cryolithe, iconogène, néphéline ■ **11** aldostérone, bicarbonate, lapis-lazuli ■ **14** salidiurétique.

SODOMIE: **8** sodomite ■ **9** sodomiser.

SŒUR: **4** laie ■ **5** neveu, nièce, tante ■ **7** fratrie, sororal, sororat ■ **9** beau-frère, demi-sœur, sœurette ■ **10** grand-tante.

SOFA: **5** divan, siège* ■ **6** canapé.

SOFFITE: **7** plafond*.

SOFTWARE: **8** hardware.

SOI: **2** se ■ **3** lui ■ **5** en-soi, sézig ■ ■ **7** infatué, sérigue ■ **8** égotisme, inclusif, jalousie, maîtrise, modestie, posséder, toupiner ■ **9** accaparer, appliquer, assimiler, ontologie, trimbaler, vade-mecum ■ **10** suffisance ■ **11** infatuation, self-control ■ **12** introversion ■ **14** individualisme, individualiste.

SOIE: **3** vif ■ **4** aspc, gaze, lamé, porc, saie, saye, tors ■ **5** asple, batik, bysse, canut, châle, crêpe, damas, fichu, galon, ganse, grège, lacet, ligne, moire, natte, nylon, ouate, padou, panne, pékin, point, pongé, ruban, samit, satin, soyer, surah, tulle, voile ■ **6** armure, blonde, byssus, crépon, faille, lampas, lassis, liesse, padoue, sétacé, soyeux, tussor ■ **7** alépine, brocart, droguet, étamine, foulard, fleuret, peluche, schappe, soierie, strasse, velours ■ **8** chenille, dentelle, écheveau, fibroïne, florence, freluche, lisérage, lustrine, mantille, mouliner, organsin, orseille, picrique, popeline, séricine, sétifère, shantung, taffetas ■ **9** aiguillée, bourrette, chantoung, cordonnet, effiloche, grenadine, gros-pain, moulinage, pou-de-soie, satinette, shantoung, veloutine ■ **10** brocatelle, séricigène ■ **11** sérigraphie ■ **13** assouplissage, sériculture.

SOIF: **5** désir*, envie*, pépie ■ **6** besoin* ■ **8** adipisie, assoiffé ■ **9** anadipsie, assoiffer ■ **10** altération, désaltérer, dipsomanie ■ **14** rafraîchissant.

SOIGNER: **5** gâter, tenir ■ **6** choyer, élever, guérir*, panser* ■ **7** étudier, ménager, soucier, traiter ■ **8** cultiver, dorloter, mignoter, mitonner ■ 9 conserver, inquiéter, manucurer, prodiguer ■ 10 entretenir, magnétiser, travailler ■ 11 chouchouter ■ 13 précautionner.

SOIGNEUX : 8 brise-fer ■ 9 négligent ■ 13 soigneusement.

SOI-MEME : 4 auto ■ 8 enferrer, spontané, suicider, vanterie ■ 9 régressif, toupiller ■ 10 autoscopie, holocauste, soliloquer ■ 11 autodéfense, autotélique, complaisant, intrinsèque, présomption ■ 12 autodérision, extérioriser, présomptueux, récollection ■ 13 autocinétique, outrecuidance ■ 14 autoaccusation ■ 15 autodestruction.

SOIN : 4 cure*, mère, zèle* ■ 5 étude, santé, souci*, tenue, valet, volet ■ 6 poussé, soigné ■ 7 bobonne, hôpital, incurie, minutie*, nursage, nursing, soigner ■ 8 déguster, dentiste, fignoler, finition, grossier, guidance, manucure, négliger, présider, soignant, soigneur, soigneux, soucieux, stylisme, toilette ■ 9 attention, cold-cream, conserver, diligence, exécuteur, pansement, pédicurie, pomponner, poursuite, toiletter, vigilance, visagiste ■ 10 contempler, exactitude, inappliqué, jardinière, négligence, prévoyance, rechercher, sacristain, secourisme, torchonner, traitement ■ 11 application, cavalcadeur, dispensaire, gouvernante, sollicitude ■ 12 aide-soignant, basse-courier, cosmétologie, empressement ■ 13 consciencieux, esthéticienne, investigateur, précieusement, prémédication, soigneusement, thérapeutique ■ 14 phytosanitaire.

SOIR : 5 agape, dîner, rosée, salut, soupe, vêpre ■ 6 soirée, vêprée ■ 7 bonsoir, veillée, vesprée ■ 8 sauterie, vespéral ■ 9 après-midi ■ 10 après-dîner, lucernaire ■ 11 après-souper.

SOIREE : 4 boum.

SOIXANTE : 3 pic ■ 11 sexagénaire, sexagésimal, soixante-dix, soixantième.

SOIXANTE-DIX : 13 septuagénaire.

SOIXANTIEME : 6 tierce ■ 8 soixante.

SOL : 3 p.o.s. ■ 4 houe, mine, noue, pieu ■ 5 arbre, épigé, fonds, glèbe, groie, herse, nappe, patin, paver, puits, sonde, tapis, terre*, tombé, xyste ■ 6 endogé, podzol ■ 7 crasher, lançage, regatiu, terrain* ■ 8 cultural, dénitrer, latérite, lave-pont, lithosol, paléosol, pavement, permagol, plancher, rendzine ■ 9 adhériser, fondrière, halophyte, pédologie, réception, sulforage, terrefort ■ 10 anguillule, excavation, fouilleuse, pédogenèse, phréatique, stalagmite, tellurisme, tréfoncier ■ 11 agriculture, anthropique, azotobacter, colibacille, dénitrifier, ensellement, monoculture, polyculture, solifuxion, subsidience ■ 12 demiposition, déphospahter, géotechnique, porte-fenêtre, solifluction ■ 13 géliturbation, podzolisation, rez-de-chaussée.

SOLAIRE : 4 mois, raie ■ 5 cycle, marée, style ■ 6 gnomon ■ 8 actinite, évection, solarium ■ 9 lucimètre ■ 11 actinomètre ■ 12 chromosphère, solarigraphe, solarisation.

SOLANACEE : 5 tabac ■ 6 datura, piment, tomate ■ 7 morelle, pétunia ■ 8 coqueret, physalis ■ 9 alkékenge, aubergine, belladone, jusquiame, nicotiane, stramoine ■ 10 douce-amère, mandragore ■ 11 amour-en-cage ■ 12 pomme de terre.

SOLARIUM : 10 sanatorium.

SOLDAT : 2 g.i. ■ 3 v.s.n. ■ 4 bleu, gens, joue, port, prêt, rang, zaïm ■ 5 alpin, barda, bidon, cadet, civil, fritz, fusil, garde, guide, homme, levée, masse, mêlée, monté, oblat, poilu, poste, salle, sammy, solde, spahi, tissu, tommy, tondu, turco ■ 6 archer, cipaye, dragon, drille, joyeux, mobile, moblot, recrue, reître, sapeur, tampon, traban, vélite, zouave ■ 7 blédard, brisque, carabin, clairon, cosaque, grifton, hoplite, housard, hussard, lancier, lignard, mameluk, pandour, papalin, piquier, planton, rostral, routier, soldate, soudard, triaire, vétéran ■ 8 appointé, aviateur, briscard, cavalier, conscrit, embusqué, eustache, fédéraux, fridolin, fusilier, gendarme, griveton, grognard, guerrier*, hastaire, houssard, invalide, mamelouk, mameluck, marsouin, miquelet, palicare, palikare, peltaste, pionnier, pioupiou, strélitz, streltsi, timariot, troubade, troufion, troupier ■ 9 artilleur, brisquard, cent-garde, éclaireur, estradiot, fantassin, flanqueur, garde-voie, grenadier, militaire*, pallicare, pallikare, piétaille, prétorien, soudrille, trainglot, trouffion, vivandier, voltigeur ■ 10 artificier, bombardier, carabinier, cent-suisse, combattant, coutillier cuirassier, fourniment, highlander, janissaire, lansquenet, mercenaire, ordonnance, pontonnier, pyrocorise, sentinelle, tirailleur, tourlourou ■ 11 arbalétrier, baraquement, chevau-léger, condottière, franc-tireur, garde-suisse, légionnaire, mitrailleur, passe-volant, soldatesque ■ 12 bachi-bouzouk, factionnaire, hallebardier, mousquetaire, patrouilleur, pertuisanier, ravitailleur ■ 14 garde-française.

SOLDE : 4 paie, paye, prêt ■ 6 rester* ■ 7 salaire* ■ 8 braderie, résultat, solderie ■ 9 règlement ■ 10 différence, stipendier ■ 11 déficitaire, rétribution.

SOLDER : 5 payer ■ 9 démarquer.

SOLE : 6 céteau ■ 8 dessoler.

SOLECISME : 10 barbarisme.

SOLEIL : 4 hâle, halo, jour, nuit, orbe, ubac ■ 5 année, gelée, hâler, matin, ouest, perle, point, rayon, tache ■ 6 facule ■ 7 cagnard, ensuqué, parasol, parélie, solaire ■ 8 demi-jour, équinoxe, héliaque, occident, solstice ■ 9 astéroïde, cigalière, hélianthe, tournesol ■ 10 crépuscule, écliptique, ensolleillé, héliotrope, pare-soleil, subsolaire ■ 11 bourguignon, brise-soleil, ensoleiller, héliographe, lunisolaire, photosphère ■ 12 héliographe ■ 14 héliocentrique, héliocentrisme.

SOLENNEL : 5 grave* ■ 7 pompeux* ■ 8 doctoral, éclatant, fastueux, imposant ■ 10 carillonné, emphatique*, grand-messe, magnifique, majestueux*, urbi et orbi ■ 11 cérémonieux ■ 14 solennellement.

SOLENNISER : 5 fêter*.

SOLENNITE : 4 fête* ■ 5 éclat, faste, pompe ■ 6 parade ■ 7 apparat*, emphase, majesté ■ 9 cérémonie* ■ 12 magnificence.

SOLENOÏDE : 10 solénoïdal ■ 14 autoconduction.

SOLIDAIRE : 4 fixe ■ 5 libre ■ 6 adossé ■ 9 clavetage, crabotage ■ 10 enclencher ■ 13 désolidariser, tiers-mondiste.

SOLIDARITE : 3 i.s.f. ■ 9 mutualité ■ 10 fraternité ■ 11 camaraderie ■ 13 solidairement ■ 14 individualisme, panafricanisme.

SOLIDE : 3 dur*, sûr* ■ 4 cône, cube, face, fixe*, fort*, jais, ossu, tore ■ 5 campé, coque, cruor, dense, dépôt, encre, épais, fèces, ferme*, frêle, jayet, kraft, masse, métal, ovule, pivot, sable, tenir, terre, toise, verre ■ 6 prisme, sphère, stable*, tenace ■ 7 durable, éprouvé, vitreux ■ 8 carapace, congeler, cylindre, décaèdre, gyrostat, hexaèdre, instable, inusable, octaèdre, polyèdre, pyramide, solidité ■ 9 concréter, dissoudre, épaisseur, extra-fort, heptaèdre, magnésium, occlusion, paraffiné, pentaèdre, polygonal, renforcer, résistant*, sphéroïde, stéréoduc, tétraèdre, vigoureux* ■ 10 consistant, consolider, périphérie, saccharure, sintériser, solidement, solidifier, suspension ■ 11 inaltérable, lithosphère, stéréotomie, sublimation, substantiel, translation, trapézoèdre, usinabilité ■ 12 inébranlable, macrographie, stéréométrie ■ 13 consolidation, mouillabilité ■ 14 indestructible, solidification ■ 15 parallélipède, trinitrotoluène, viscoélasticité, viscoplasticité.

SOLIDEMENT : **9** charpenté.
SOLIDIFICATION : **5** prise ■ **9** retassure, soufflure ■ **10** magmatisme ■ **11** congélation.
SOLIDIFIER : **4** lave, pâte ■ **6** durcir, glacer ■ **8** congeler ■ **10** eutectique ■ **12** cumulo-volcan.
SOLIDITE : **5** corps, durée, force* ■ **7** fermeté* ■ **8** ébranler, ténacité ■ **9** faiblesse, stabilité ■ **10** résistance* ■ **11** consistance, empattement, instabilité ■ **12** inconsistant.
SOLIER : **8** mansarde.
SOLIPEDE : **3** âne ■ **5** glome, zèbre ■ **6** cheval*, équidé* ■ **7** grasset.
SOLILOQUE : **9** monologue.
SOLISTE : **4** seul* ■ **10** concertino.
SOLITAIRE : **4** lion, ours, seul* ■ **5** ténia ■ **6** écarté, ermite, eumène ■ **8** inhabité ■ **10** anachorète, séquestrer ■ **13** solitairement.
SOLITUDE : **4** coin ■ **6** désert ■ **8** thébaïde ■ **9** isolement ■ **11** déréliction.
SOLIVE : **5** solin ■ **6** sapine ■ **7** ruinure ■ **8** chevêtre, soliveau ■ **9** entrevous, lambourde.
SOLLICITATION : **8** instance*.
SOLLICITER : **5** appel ■ **6** quêter, tenter ■ **7** mendier ■ **8** demander*, postuler, réclamer* ■ **9** quémander, tirailler ■ **10** encourager, mendigoter ■ **11** solliciteur ■ **13** sollicitation.
SOLLICITUDE : **4** soin* ■ **5** souci* ■ **7** intérêt ■ **9** attention.
SOLO : **7** soliste.
SOL-SOL : **4** icbm, irbm.
SOLSTICE : **9** alcyonien ■ **10** solsticial.
SOLUBILISER : **14** solubilisation.
SOLUBILITE : **9** démixtion ■ **14** rétrogradation.
SOLUBLE : **3** sel ■ **6** enzyme ■ **7** peptone ■ **9** zymotique ■ **10** solubilité ■ **11** liposoluble, solubiliser ■ **12** hydrosoluble.
SOLUTION : **3** sel, sol ■ **4** gram, gras ■ **5** dakin, javel, titre, vider ■ **6** empois, saponé, soluté, tampon, titrer ■ **7** lessive, liquide, oléolat ■ **8** dilution, fracture, hydrosol, irrésolu, résoudre, résultat* ■ **9** austénite, collodion, hypotonie, intégrale, normalité, simplisme ■ **10** algorithme, ammoniaque, cryométrie, cryoscopie, dénouement, hypertonie, provisoire, sursaturer, trinitrine ■ **11** dissolution, éventration, floculation, hypotonique, liquidation, solutionner, titrimétrie ■ **12** hydroponique, hypertonique pataphysique, sous-refroidi ■ **13** mercurescéine, problématique.
SOLVABILITE : **6** crédit ■ **7** surface ■ **8** ducroire, solvable ■ **13** certificateur.
SOLVANT : **7** heptane, soluble, solvate, toluène ■ **9** tétraline ■ **11** solvatation, white-spirit.
SOMA : **8** somation ■ **11** somatotrope.
SOMALIE : **6** somali ■ **8** somalien ■ **11** couchitique.
SOMATIQUE : **12** somatisation.
SOMATISATION : **9** somatiser.
SOMATOTROPE : **14** somatotrophine.
SOMBRE : **4** noir* ■ **5** clair, foncé, idiot, merle, morne ■ **6** obscur*, triste* ■ **7** chagrin, funèbre ■ **8** nébuleux ■ **9** assombrir, dantesque, demi-deuil, nébuleuse, rembrunir, ténébreux ■ **10** inquiétant.
SOMBRER : **6** abîmer, couler ■ **8** chavirer.
SOMMAIRE : **4** jugé, note ■ **5** court, juger, lynch, piste ■ **6** abrégé*, résumé, simple ■ **7** mémoire ■ **8** argument, esquisse ■ **10** mémorandum ■ **11** casse-croûte, description ■ **12** commandement ■ **14** récapitulation.

SOMMATION: 5 ordre* ■ 6 avenir ■ 8 citation ■ 10 intimation ■ 12 commandement* ■ 14 interpellation.
SOMME: 3 rue ■ 4 mise, pari, prêt, reçu ■ 5 avoir, baste, bâter, débit, enjeu, fonds, liard, licol, licou, liste, obole, passe, pièce, poche, prime, reste, solde, terme, total*, train ■ 6 abrégé, charge, pécule, report, soulte ■ 7 annuité, emprunt, forfait, jackpot, montant, pension, quotité, sommeil* ■ 8 cagnotte, consigne, paiement, payement, porte-bât, pot-de-vin, sommable ■ 9 boursicot, demeurant, indemnité, pourboire, provision, roupillon, trop-perçu ■ 10 boursicaut, mensulaité, pas-de-porte, résultante, subvention ■ 12 additionneur, souscription ■ 13 cautionnement, consignataire, gratification ■ 14 dessous-de-table.
SOMMEIL: 4 coma, gaba, rêve ■ 5 carus, plomb, repos*, somme, songe, sopor ■ 6 sieste, tsé-tsé, veille ■ 7 hypnose ■ 8 endormir, éveiller, glossine, insomnie ■ 9 dormition, endormant, léthargie, réveiller, roupillon, somnifère ■ 10 catalepsie, hypnologie, hypnotique, hypnotisme, méridienne, narcotisme, somnambule, somnolence ■ 11 amphétamine, demi-sommeil, ensommeillé, hibernation, hypersomnie, somniloquie ■ 13 somnambulisme ■ 14 assoupissement, endormissement ■ 15 engourdissement.
SOMMEILLER: 6 dormir* ■ 7 reposer ■ 9 engourdir, roupiller.
SOMMELIER: 11 sommellerie.
SOMMER: 7 inviter ■ 8 requérir ■ 11 contraindre, interpeller.
SOMMET: 3 pic ■ 4 apex, cime, crêt, dent, époi, tête ■ 5 crête, faîte, giron, hourd, mitre, neige, piton, pomme, table, vigie ■ 6 apical, apogée, comble, croupe, culmen, pointe*, sommer, vertex ■ 7 mamelon, paumure, pinacle, sommité ■ 8 aiguille, apothème, sinciput, sommital ■ 9 évasement, girouette, lanternon, top-niveau ■ 10 lanterneau, tournevent ■ 11 bissectrice ■ 13 pentadécagone, pentédécagone.
SOMMITE: 4 tête ■ 6 sommet ■ 12 personnalité.
SOMNIFERE: 5 opium ■ 7 diacode ■ 9 œillette ■ 10 narcotique* ■ 11 lactucarium.
SOMNITAL: 7 canopée.
SOMNOLENCE: 7 torpeur ■ 9 somnolent ■ 12 hypgnagogique ■ 14 assoupissement.
SOMNOLER: 6 dormir*.
SOMPTUEUX: 5 hôtel, pompe ■ 7 luxueux ■ 8 mausolée, princicr ■ 9 splendide ■ 11 somptuosité ■ 14 somptueusement.
SOMPTUOSITE: 4 luxe* ■ 12 magnificence.
SON: 3 bel, cri, mot, off, ton ■ 4 areu, bran, bren, écho, mach, mime, note, ouïe, rime, voix ■ 5 anche, basse, bruit*, buvée, chant, couac, crase, danse, degré, éclat, fifre, flûte, forte, gamme, gémir, grave, jouer, piste, râler, riche, rimer, sonie, tenue, tuyau, volée ■ 6 accord, soupir, timbre ■ 7 lecteur, mélodie, sonique, trémolo, unisson, voyelle ■ 8 argentin, diapason, émission, euphonie, harmonie, nasalité, phonique, pleurage, râlement, résonner, retentir, sonnerie, strident, synopsie, tonalité, vocodeur ■ 9 assonance, cornement, furfuracé, guimbarde, homophone, intensité, mégaphone, nasaliser, phonateur, phonation, rémoulage, résonance, résonnant, sforzando, smorzando, sonomètre, tessiture, tintement ■ 10 acoustique, aspiration, audibilité, beuglement, cacophonie, consonance, diphtongue, dissonance, harmonieux, homophonie, onomatopée, phonétique, subsonique, téléphonie ■ 11 amortisseur, audiodisque, audiovisuel, graillement, phonogramme, phonographe, phonométrie, résonnement, réverbérant, somniloquie ■ 12 articulateur, articulation, assibilation,

diacoustique, électrophone, hyperacousie, hypersonique, magnétophone, répercussion, stéréophonie, supersonique, transsonique ■ 13 articulatoire, bioacoustique, phonocontrôle, réfléchissant, réverbération, tintinnabuler, transpositeur ■ 14 audiofréquence, retentissement.

SONAGRAMME: 10 sonagraphe.

SONATE: 5 final ■ 7 partita ■ 8 concerto, sonatine ■ 9 symphonie ■ 10 exposition.

SONDAGE: 5 sondé ■ 6 casing, examen, gallup, rotary, tubage ■ 7 enquêté, tricôme ■ 8 orbiteur ■ 9 carottage, carottier ■ 11 aérosondage, angiomatose.

SONDE: 5 lance, puits ■ 6 bougie ■ 8 sondeuse ■ 12 cathétérisme.

SONDER: 5 plomb, pouls, tâter, tuber ■ 7 scruter, visiter ■ 8 chercher, examiner, explorer, pénétrer ■ 10 insondable, pressentir ■ 12 hystéromètre.

SONGE: 4 rêve* ■ 6 vision ■ 7 rêverie ■ 8 illusion ■ 11 oniromancie.

SONGER: 5 rêver ■ 6 aviser, penser* ■ 9 réfléchir* ■ 10 songe-creux ■ 11 visionnaire.

SONIE: 4 sone.

SONNAILLE: 7 campane.

SONNANT: 6 pétant.

SONNE: 6 révolu, tapant ■ 7 sonnant.

SONNER: 5 taper ■ 6 copter, corner, tinter, vibrer ■ 7 appeler, ronfler ■ 8 déchirer, grailler, résonner, retentir ■ 9 décompter, morigéner ■ 10 bourdonner, claironner, sonnailler, trompeteur ■ 11 carillonner ■ 13 tintinnabuler.

SONNERIE: 3 ban ■ 4 glas ■ 5 appel, diane, quête ■ 6 cloche*, rappel, réveil ■ 7 angélus, hallali ■ 8 carillon, débucher, générale, poussoir ■ 9 tintement ■ 10 boute-selle ■ 13 rassemblement.

SONNETTE: 4 ding ■ 5 dring ■ 6 cloche*, drelin ■ 7 bélière ■ 9 clochette ■ 11 pied-de-biche.

SONORE: 3 top ■ 4 fort, toux ■ 5 forte, phone, piste, sourd, tuyau, voisé ■ 6 archet, étoffé ■ 7 ampoulé, moviola, phonème, tonnant, vibrant ■ 8 insonore, ronflant, sonorité ■ 9 assourdir, crocodile, mélodieux, phonolite, résonnant, sonoriser ■ 10 cristallin, phonolithe, tonitruant ■ 11 ambiophonie, phonothèque ■ 12 retentissant.

SONORITE: 7 ampleur, dévoisé ■ 8 paronyme ■ 9 lettrisme, stridence, voisement ■ 10 insonorité ■ 12 allitération, sonorisation.

SOPHISME: 9 subtilité ■ 11 paralogisme, sophistique.

SOPHISTIQUER: 9 falsifier ■ 14 sophistication.

SOPHROLOGIE: 11 sophrologue, sophronique ■ 13 sophrologique.

SOPOREUX: 10 narcotique*.

SOPORIFERE: 10 narcotique*.

SOPORIFIQUE: 8 dormitif, morphine, narcéine ■ 10 narcotique*.

SOPRANO: 4 voix ■ 10 sopraniste ■ 12 mezzo-soprano.

SOR: 4 saur ■ 5 soret.

SORBET: 10 napolitain, sorbetière.

SORBIER: 5 sorbe ■ 7 alizier, cormier ■ 8 sorbitol.

SORBONIQUE: 10 sorbonnard.

SORCELLERIE: 9 jettatura.

SORCIER: 5 griot, magie ■ 6 mégère ■ 8 grimoire, magicien* ■ 9 féticheur, homoncule, jettatore, loup-garou, sortilège ■ 10 mandragore ■ 11 sorcellerie, quimboiseur.

SORCIERE: 4 péri.

SORDIDE: 3 bas ■ 4 sale* ■ 5 avare, ladre ■ 6 abject, chiche, grigou ■

7 ignoble ■ 8 ladrerie ■ 9 grippe-sou, malpropre, pingrerie, sordidité, turquerie ■ 11 sordidement.

SORGHO: 8 kaoliang, tchapalo.

SORNETTE: 6 bêtise* ■ 7 chanson, fadaise, fortune ■ 8 faribole ■ 9 baliverne ■ 10 balançoire, billevesée ■ 11 coquecigrue, malédiction ■ 13 calembredaine.

SORT: 3 lot ■ 4 état, urne ■ 5 fatal, magie ■ 6 chance, charme, destin*, hasard* ■ 7 loterie ■ 8 condamné, critique, débouler, destinée ■ 9 jettatore, jettatura ■ 10 marabouter, sweepstake ■ 11 quimboiseur ■ 12 eschatologie.

SORTABLE: 6 décent.

SORTE: 5 genre ■ 6 classe, espèce* ■ 7 manière ■ 9 catégorie.

SORTI: 6 désaxé.

SORTIE: 2 ec, ef, es, ex ■ 4 exit ■ 5 écart, éveil, exeat, exode, fruit, fuite, issue*, pâque, porte, virée ■ 6 départ, hernie, touche, voyage ■ 7 effluve, évasion ■ 8 algarade, débouché, éruption ■ 9 dentition, excursion, expulsion, incartade, passeport, promenade ■ 10 émergement, émigration, évacuation, hémorragie, imprimante ■ 11 débordement, publication ■ 12 éviscération ■ 13 jaillissement, transpiration.

SORTILEGE: 6 charme ■ 8 maléfice ■ 9 évocation ■ 10 ensorceler ■ 11 envoûtement.

SORTIR: 3 zou ■ 4 fuir ■ 5 lever, luxer, noyer, tirer*, venir, vider ■ 6 dévier, éclore, émaner, enfuir, évader, germer, naître, partir*, surgir ■ 7 avancer, déloger, écouler, émerger, émigrer, évacuer, exhaler, exsuder, jaillir, poindre, pousser, quitter*, saillir, sourdre, suinter ■ 8 arracher, déboîter, déborder, débucher, déjanter, déjucher, dénicher, dépiquer, dépocher, dérégler, détonner, échapper, éliminer, exorbité, exploser, expulser, extraire, regorger ■ 9 affleurer, civiliser, consigner, débarquer, déboucher, débouquer, débusquer, déclasser, dédouaner, déguerpir, déménager, déparquer, dérailler, expatrier, forlancer, ressortir, réveiller ■ 10 désenfumer, extravaser, repoussoir ■ 11 déboutonner ■ 12 défiscaliser, désarticuler, désembourber ■ 13 démédicaliser ■ 14 chasse-goupille.

SOT: 3 âne, con, fat, oie ■ 4 bâté, bêta, bête, buse, fada, gogo, grue, naïf* ■ 5 benêt, bobet, borné, brute, butor, dinde, idiot, moule, navet, niais* ■ 6 abruti, badaud, ballot, baudet, bedde, bouché, croûte, cruche, dadais, gourde, hébété, inepte, jobard, pécore, pecque, savate, simple, tourte ■ 7 absurde*, balourd, baluche, bécasse, béjaune, bélître, bonasse, crédule, cruchon, étourdi, gourdée, insensé, risible, stupide* ■ 8 autruche, baluchon, bêtifier, couillon, fourneau, grossier, ignorant*, imbécile*, niaiseux, pochetée, ridicule*, saugrenu, schnoque ■ 9 andouille, bécassine, bourrique, cornichon, paltoquet, panouille, pantoufle, sottement, trou-du-cul ■ 10 citrouille, gourdiflot, gribouille, péronnelle ■ 12 niquedouille ■ 13 inintelligent.

SOTTISE: 6 bêtise*, injure ■ 7 brioche, ineptie ■ 8 bêtisier ■ 9 ignorance*, niaiserie, sottisier ■ 10 crétinerie, crétinisme ■ 11 imbécillité ■ 12 couillonnade

SOU: 5 liard, radis.

SOUAHELI: 7 swahéli.

SOUBASSEMENT: 4 base* ■ 5 socle ■ 6 podium ■ 7 tambour ■ 8 étambrai ■ 9 deuillant, fondement ■ 10 stéréobate ■ 12 substruction, substructure.

SOUBRESAUT: 4 saut* ■ 12 soubresauter ■ 14 tressaillement.

SOUBRETTE: 7 dugazon, lisette ■ 8 servante.

SOUCHE: 4 gens, race*, tige ■ 5 agnat, estoc, rejet, talon, tribu,

tronc ■ 6 racine* ■ 7 branche*, famille, stupide ■ 12 souchetage.
SOUCHETTE: 8 collybie.
SOUCI: 4 aria, cure, émoi, soin* ■ 5 ennui*, luron ■ 6 tracas ■ 7 crainte* ■ 8 embarras, supplice, tintouin, tourment* ■ 9 légalisme, obsession ■ 10 embêtement, inquiétude*, insoucieux ■ 11 contrariété, désagrément, emmerdement, maniaquerie, nonchalance, sollicitude, tracasserie ■ 13 préoccupation ■ 14 empoisonnement.
SOUCIER: 9 inquiéter ■ 11 embarrasser.
SOUCIEUX: 7 anxieux, inquiet* ■ 9 assombrir ■ 10 insouciant ■ 11 indifférent ■ 13 soucieusement.
SOUCOUPE: 8 déjeûner ■ 9 sous-tasse.
SOUDAGE: 6 trépan ■ 8 thermite ■ 9 corroyage.
SOUDAIN: 4 crac ■ 5 éclat, subit* ■ 6 prompt ■ 7 brusque*, imprévu* ■ 8 giboulée ■ 9 agression, apoplexie, explosion, irruption ■ 10 amouracher, foudroyant, instantané, soudaineté, subitement ■ 11 catastrophe ■ 13 contre-attaque.
SOUDAINEMENT: 9 tout à trac.
SOUDANAIS: 9 soudanien.
SOUDARD: 6 drille, reître, soldat*.
SOUDE: 4 kali, sodé ■ 5 akène, lapis, savon, verre ■ 6 tincal, varech ■ 7 charrée, soudier ■ 9 salicorne ■ 10 coalescent, gymnocarpe.
SOUDER: 5 lampe ■ 6 acérer, braser, rocher ■ 7 amorcer, joindre*, réparer ■ 8 adhérent, corroyer, soudable ■ 9 ressouder ■ 10 gamopétale, gamosépale, monadelphe, syndactyle ■ 14 aluminothermie ■ 15 polysynthétique.
SOUDOYER: 8 corrompu ■ 9 corrompre*.
SOUDURE: 6 suture ■ 7 brasure, soudage ■ 8 autogène, ignitron ■ 9 adhérence, dessouder, synostose ■ 10 fourchette ■ 11 coalescence.
SOUE: 6 étable.
SOUFFLE: 4 vent ■ 5 atman ■ 7 bouffée, haleine ■ 8 consonne ■ 9 insuffler ■ 10 exhalaison, essouffler, pet-de-nonne, tourbillon ■ 11 inspiration, respiration*.
SOUFFLER: 4 fêle ■ 5 verre ■ 6 pulser ■ 7 ébrouer, exhaler, expirer, glisser, gonfler, siffler ■ 8 inspirer*, respirer, soufflet ■ 9 insuffler, soufflage, souffleur ■ 10 approprier, fumigateur ■ 11 boursoufler, soufflement.
SOUFFLERIE: 7 venteau ■ 8 venteaux ■ 10 soufflante.
SOUFFLET: 5 gifle* ■ 8 giroflée, talmouse, torgnole ■ 9 torgniole ■ 10 soufflerie, souffleter.
SOUFFRANCE: 3 mal* ■ 4 rude ■ 5 crise, cruel, enfer, ennui, peine*, pitié ■ 6 fièvre, misère, primal, regret, spasme, tracas ■ 7 chagrin*, douleur*, malaise, martyre, morsure, passion, remords, torture ■ 8 calcaire, embarras, migraine, secousse, supplice, tintouin, tourment* ■ 9 endurance, expiation, névralgie, pincement ■ 10 algolagnie, crispation, difficulté, euthanasie, inquiétude, répugnance ■ 11 déchirement, étouffement, incommodité ■ 12 compatissant, radiculalgie ■ 13 craniosténose.
SOUFFRANT: 6 malade* ■ 11 souffreteux.
SOUFFRE: 6 désaxée ■ 7 dénutri, frustré, mal-aimé ■ 8 obnubilé ■ 10 insomnieux ■ 11 insomniaque ■ 12 sous-alimenté.
SOUFFRETEUX: 7 maladif.
SOUFFRIR: 5 crier, gémir, pâtir, subir* ■ 6 ahaner, mourir, peiner*, porter ■ 7 digérer, endurer, ennuyer, essuyer, languir, tolérer ■ 8 accepter, admettre, éprouver, recevoir ■ 9 chagriner, comporter, crucifier, inquiéter, permettre*, ressentir, supporter*, tenailler, tracasser ■

10 martyriser, supplicier, tourmenter ■ 11 intolérable ■ 14 souffre-douleur.

SOUFRE : 4 gale, sulf ■ 5 canon, mèche, sulfo ■ 7 histone, soufrer ■ 8 kératine, sélénium, soufrage, soufroir, sulfurer ■ 9 bisulfure, calcarone, ensoufrer, mercaptan, solfatare, soufrière, sulfacide, sulfureux, thionique ■ 10 désulfurer, oxysulfure, sulfurique ■ 11 ferrédoxine ■ 12 sulfhydrique ■ 13 hyposulfureux, phénothiazine, sulfinisation, vulcanisation.

SOUFRER : 8 soufreur, soufroir ■ 9 soufreuse.

SOUHAIT : 2 qu ■ 3 que ■ 4 gogo, vœu* ■ 5 à gogo, désir ■ 7 optatif ■ 9 pourvu que ■ 11 imprécation, réciproquer.

SOUHAITER : 6 donner ■ 7 désirer*, vouloir ■ 8 demander ■ 9 convoiter*.

SOUILLER : 5 baver, salir*, tarer ■ 6 tacher, ternir ■ 7 croupir, poisser, polluer ■ 8 entacher, graisser, profaner* ■ 9 souillure ■ 10 contaminer ■ 12 ensanglanter.

SOUILLON : 8 servante ■ 9 malpropre*.

SOUILLURE : 5 tache* ■ 6 saleté* ■ 8 immaculé, impureté* ■ 9 pollution, salissure.

SOUK : 6 marché.

SOUL : 4 ivre* ■ 5 saoul ■ 8 rassasié.

SOULAGEMENT : 3 ouf ■ 10 délivrance ■ 11 consolation ■ 13 adoucissement.

SOULAGER : 6 calmer* ■ 7 adoucir*, alléger, apaiser* ■ 8 consoler, délivrer ■ 9 décharger ■ 11 débarrasser.

SOULANE : 5 adret.

SOULARD : 6 soûlot.

SOULEVEMENT : 5 bulle ■ 6 émeute, levage, putsch ■ 7 révolte* ■ 9 agitation ■ 10 révolution ■ 11 épirogenèse ■ 12 épirogénique, insurrection ■ 13 épeirogénique.

SOULEVER : 4 came, grue ■ 5 lever, porté, vérin ■ 6 agiter, bouger, louver, porter ■ 7 ameuter, enlever, saisine ■ 8 abattant, écœurer, embarrer, insurger, révolter ■ 9 déchaîner, déterrage, élévateur, ventrière ■ 10 lévitation, surrection, travailler, treuillage ■ 11 scandaliser ■ 12 transpalette.

SOULIER : 5 forme, lacet, talon ■ 6 savate, tatane, tirant ■ 7 godasse, ribouis ■ 8 chausson, empeigne, escarpin, godillot, quartier, savetier, tricouni ■ 9 chaussure*, croquenot, richelieu ■ 10 ressemeler, tire-bouton.

SOULIGNER : 5 noter ■ 7 relever*, scander ■ 9 accentuer, antithèse ■ 10 soulignage ■ 12 soulignement.

SOUMETTRE : 4 défi ■ 5 céder, dîmer, fixer, gazer, obéir*, plier, rouir, subir, sujet, virer ■ 6 grever, lâcher, livrer, mollir, nitrer, offrir, opérer, régler, suivre, tester, usiner, varier ■ 7 auditer, courber, décatir, dompter*, écouter, endurer, engager, exposer, faiblir, filtrer, fléchir, fritter, fumiger, macérer, méditer, puddler, réduire ■ 8 abaisser, apprêter, calciner, départir, formoler, formuler, humilier, incliner, libeller, marmiter, négocier, opprimer, patenter, proposer, résigner*, secréter, torturer, upériser ■ 9 compacter, compromis, conformer, conquérir*, consentir, déchanter, enchaîner, fluidiser, lotionner, mordancer, pervibrer, racketter, résistant, similiser, subjuguer, succomber, supporter, surtondre, turbinage, vaporiser, vitrioler ■ 10 acquiescer, assujettir*, astreindre, débouillir, éthérifier, fiscaliser, handicaper, normaliser, obtempérer, réfrigérer, soviétiser, stériliser, tyranniser ■ 11 carburation, centrifuger, discipliner, frigorifier, hypothéquer, inter-

loquer, interviewer, lyophiliser, proposition, réglementer, rétrograder, subordonner, suggestible ■ 12 chloroformer, conditionner, hiérarchiser, surcomprimer ■ 13 psychanalyser, psychiatriser.
SOUMIS: 4 fumé, têtu ■ 6 docile, humble, souple ■ 7 rampant, résigné, ségrégé, servile ■ 8 astreint, déférent, frottant, insoumis, maniable, ségrégué ■ 9 gouvernés, malléable, obéissant ■ 12 psychiatrisé.
SOUMISSION: 5 devis, offre, ordre ■ 8 docilité, humilité, sujétion ■ 9 esclavage, servilité, soumettre, souplesse ■ 10 conformité, discipline, obéissance, résistance ■ 11 abaissement, négociation, proposition, résignation ■ 12 consentement, insoumission, supplication ■ 13 acquiescement, soumissionner ■ 15 soumissionnaire.
SOUNNA: 5 souna, sunna.
SOUPAPE: 4 laie ■ 5 valve ■ 6 clapet ■ 7 venteau ■ 8 papillon, venteaux ■ 13 décompresseur.
SOUPÇON: 5 doute* ■ 8 défiance*, méfiance, monition ■ 9 suspicion.
SOUPÇONNER: 6 douter ■ 9 suspecter ■ 10 pressentir* ■ 11 insoupçonné, soupçonneux ■ 12 soupçonnable ■ 14 insoupçonnable.
SOUPÇONNEUX: 7 défiant*, méfiant ■ 9 ombrageux.
SOUPE: 5 gombo ■ 6 panade, potage* ■ 7 garbure, lavasse, soupier ■ 8 bouillon, gratinée, soupière ■ 10 minestrone.
SOUPER: 5 repas ■ 7 soupeur ■ 11 après-souper.
SOUPIR: 7 sanglot ■ 8 soupirer.
SOUPIRANT: 5 amant.
SOUPIRER: 8 respirer ■ 9 convoiter*.
SOUPLE: 5 agile, félin, laine, liant, raide, riant, roide ■ 6 docile, soumis ■ 7 ductile, lacerie, morbide, patelin, servile ■ 8 flexible, lasserie, maniable*, membrane ■ 9 assouplir, élastique, malléable, obéissant, pou-de-soie, souplesse ■ 10 chamoisage, conciliant, mousseline, pout-de-soie, souplement ■ 11 complaisant, poult-de-soie ■ 12 récalcitrant.
SOUPLESSE: 5 clown, liant ■ 7 agilité, raideur, roideur ■ 8 sclérose ■ 9 sveltesse ■ 10 élasticité ■ 14 kinésithérapie, psychorigidité.
SOUQUENILLE: 8 vêtement.
SOUQUER: 4 ruer.
SOURCE: 4 mère ■ 5 coupe, débit, filet, filon, germe, laser, poule, puits, tronc, veine, virus ■ 6 geyser, souche ■ 7 origine*, pactole ■ 8 doctrine, effluent, fontaine, principe, remonter, ruisseau, sourcier ■ 9 adducteur, empirisme, fontanili ■ 10 photomètre, phréasique, projecteur, provenance, ressourcer, résurgence ■ 11 polariscope, rabdomancie ■ 12 colonialisme, iconographie, physiocratie, rhabdomancie.
SOURCIER: 12 baguettisant.
SOURCIL: 4 khôl ■ 5 front, kohol ■ 6 koheul ■ 8 glabelle ■ 10 froncement, sourcilier, sourciller.
SOURD: 3 han ■ 4 pouf ■ 5 caché, menée, roche ■ 8 murmurer ■ 9 assourdir, caverneux, sépulcral ■ 10 grondement, sourdement, sourdinage, sourdingue ■ 11 mugissement ■ 12 dactylologie ■ 13 bourdonnement.
SOURDEMENT: 8 maronner, sourdine ■ 11 secrètement.
SOURD-MUET: 11 surdimutité ■ 12 dactylologie.
SOURDRE: 6 couler*, sortir* ■ 7 filtrer*, jaillir*, suinter ■ 10 sourciller ■ 11 bouillonner.
SOURIRE: 3 ris ■ 4 rire* ■ 6 plaire* ■ 7 risette ■ 8 souriant.
SOURIS: 5 hibou ■ 7 cliquer ■ 8 chicoter ■ 9 souriceau, souricier ■ 10 souricière, souriquois, trotte-menu.
SOURNOIS: 4 faux, rusé ■ 5 malin ■ 6 fourbe* ■ 7 méfiant ■ 8 chafouin, tapinois ■ 9 dissimulé, doucereux ■ 10 sycophante ■ 12 archipatelin ■ 13 sournoisement.

SOUS : 7 immergé ■ 9 sous-marin ■ 10 sous-cutané, sous-pubien, sublingual, subsolaire ■ 11 sous-clavier ■ 12 subaquatique ■ 13 sous-orbitaire ■ 14 sous-maxillaire, sous-scapulaire ■ 15 sous-épidermique.
SOUS-BAS : 10 protège-bas.
SOUS-CLASSE[1] : 5 salpe ■ 9 carinates, copépodes, holostéen, ostracode, ptérygote, volvocale ■ 10 cirripèdes, placoderme ■ 11 aptérygotes, gamopétales, théromorphe, zoanthaires ■ 12 dialypétales, madréporaire, stégocéphale, xanthopycée ■ 13 branchiopodes, malacostracées, métachlamydée, prosobranches ■ 14 archichlamydée ■ 15 opisthobranches.
SOUSCRIPTEUR : 5 appel.
SOUSCRIRE : 6 signer ■ 7 abonner, cotiser ■ 9 approuver, consentir ■ 12 souscripteur.
SOUS-CUTANE : 4 lard ■ 8 furoncle, xanthome ■ 9 cellulite, emphysème ■ 12 hypodermique.
SOUS-DEVELOPPE : 9 take-off.
SOUS-DIACONAT : 5 ordre, sacre ■ 10 sous-diacre.
SOUS-EMBRANCHEMENT[1] : 9 cnidaires, cténaires ■ 11 chélicérate, cténophores ■ 12 angiospermes, gymnospermes.
SOUS-ENSEMBLE : 10 sous-espace.
SOUS-ENTENDRE : 6 tacite ■ 11 sous-entendu, sous-entente.
SOUS-ENTENDU : 9 enthymème.
SOUS-ESTIMER : 14 sous-estimation.
SOUS-EVALUER : 14 sous-évaluation.
SOUS-FAMILLE[1] : 5 ovins ■ 6 caprin ■ 7 capriné ■ 12 liguliflores, tubuliflores.
SOUS-FIFRE : 9 inférieur.
SOUS-HOMME : 12 sous-humanité.
SOUS-LOCATION : 10 bloc-sièges.
SOUS-MAIN : 6 buvard ■ 11 fomentation, secrètement.
SOUS-MARIN : 4 raid ■ 5 asdic, câble, capot, guyot, seuil, sonar ■ 7 abyssal, ballast, kiosque ■ 8 chaussée, torpille ■ 9 baignoire, gyroscope, océanaute ■ 10 schnorchel ■ 11 câblogramme, submersible ■ 12 sous-marinier, water-ballast ■ 13 anti-sous-marin.
SOUS-ŒUVRE : 9 fondement ■ 12 rempiètement.
SOUS-OFFICIER : 4 prêt, rang ■ 7 sous-off ■ 8 adjudant, fourrier, marinier ■ 9 mestrance ■ 10 maistrance, sous-maître ■ 11 sergent-chef, vaguemestre ■ 12 adjudant-chef, tambour-major.
SOUS-ORDRE[2] : 4 vice ■ 6 apodes ■ 7 tarsien ■ 9 aculéates, décapodes, hominiens, inférieur, lémuriens, mysticète, octopodes, paresseux ■ 10 brachycère, brachyoure, cavicornes, nématocère ■ 11 brachyoures ■ 12 dentirostres, ténuirostres, superfamille ■ 13 artiodactyles, proboscidiens ■ 15 périssodactyles.
SOUS-PREFET : 14 sous-préfecture ■ 15 sous-préfectoral.
SOUS-PRODUIT : 7 dioxine.
SOUS-PROGRAMME : 7 routine.
SOUS-SOL : 4 cave ■ 5 cueva ■ 8 cliquart, géophone ■ 9 fouillage ■ 10 pergélisol, permafrost.

---

1. Les sous-classes, sous-embranchements, sous-familles des règnes végétaux et animaux s'utilisent le plus souvent au pluriel. C'est la raison qui nous fait opter ici pour le pluriel dans le classement par nombre de lettres.

2. Les sous-ordres du règne animal s'utilisent le plus souvent au pluriel. C'est la raison qui nous fait opter ici pour le pluriel dans le classement par nombre de lettres.

SOUS-SOLAGE : **11** sous-soleuse.
SOUS-TACHE : **9** soutacher.
SOUS-TITRER : **11** sous-titrage.
SOUSTRACTION : **5** moins, règle, reste ■ **9** déduction ■ **11** soustractif ■ **12** détournement ■ **14** exsanguination.
SOUSTRAIRE : **4** ôter* ■ **5** voler ■ **6** cacher, capter, chiper, éluder, gruger, plumer, voiler ■ **7** couvrir, déduire*, défiler, dégager, dérober*, enlever*, masquer, retirer*, tromper ■ **8** arracher, déguiser, échapper, soutirer ■ **9** décompter, détourner, distraire, escamoter, escroquer, immuniser, obscurcir, réchapper ■ **10** dépouiller, retrancher*, surprendre ■ **11** cytaphérèse ■ **12** soustraction ■ **14** décriminaliser.
SOUS-TRAITANT : **8** packager ■ **9** packageur.
SOUS-VERRE : **8** pêle-mêle.
SOUS-VETEMENT : **4** body ■ **5** gilet ■ **6** corset, parure ■ **7** caleçon, culotte ■ **8** pantalon ■ **9** interlock ■ **11** cache-corset, combinaison.
SOUTACHE : **9** soutacher.
SOUTANE : **7** simarre ■ **10** ensoutaner, soutanelle.
SOUTENANCE : **11** argumentant.
SOUTENEMENT : **4** dame ■ **7** boisage ■ **10** épaulement.
SOUTENEUR : **3** mec ■ **5** jules, marle ■ **6** marlou ■ **7** barbeau, dos-vert, poisson ■ **8** alphonse, estafier ■ **9** barbillon, maquereau, marloupin ■ **10** chandelier, marloupiat ■ **11** marloupatte.
SOUTENIR : **5** aider*, nager, ramer, subir, thèse ■ **6** acorer, écrire, élever, étayer, porter* ■ **7** accorer, adosser, appuyer, asseoir, assurer, épauler ■ **8** affirmer*, contenir, défendre, défrayer, empatter, flanquer, protéger, résister, soulever ■ **9** arc-bouter, lombostat, maintenir, prétendre, renforcer, rentoiler, supporter*, sustenter, terrasser ■ **10** assujettir, consolider, échalasser, étançonner, soutenable, soutenance ■ **11** accompagner ■ **12** controverser, insoutenable.
SOUTENU : **9** sostenuto.
SOUTERRAIN : **4** cave*, igue, mine, silo ■ **5** bulbe, câble, caïeu, cayeu, cloup, drain, égout, gaine, jumbo, nappe, spéos, taupe ■ **6** caveau, crypte, grotte, in-pace, tunnel ■ **7** caverne, foggara, galerie, hypogée, syringe ■ **8** fougasse, sclérote, sépulcre ■ **9** nécropole, oubliette, résurgent ■ **10** catacombes, contre-mine, hypocauste ■ **13** troglodytique ■ **15** champignonnière, cul-de-basse-fosse, souterrainement.
SOUTIEN : **3** tin ■ **4** base*, étai, glie, pied, pile, rame ■ **5** appui*, bâton, butée, culée, palée, pivot, selle ■ **6** pilier*, poteau, poutre, refuge, solive, taquet, tuteur, vergue ■ **7** colonne, console, échalas, éclisse, étançon, pilotis, potence, support*, tasseau, tréteau ■ **8** armature*, baudrier, béquille, carcasse, chevalet, jambette, modillon, ossature, suspente ■ **9** appui-main, appui-tête, balancier, cariatide, charpente*, chevrette, défenseur, étaiement, étayement, galhauban, piédestal, porte-mors, souteneur, trésaille ■ **10** accotement, arc-boutant, arc-rampant, clayonnage, contrefort, épaulement, étrésillon, porte-outil, porte-trait, suspensoir ■ **11** bandoulière, buffleterie, chevalement, hyposcénium, soutènement ■ **12** pied-de-chèvre, sclérenchyme, soutien-gorge ■ **13** consolidation, étançonnement, porte-brancard ■ **14** accompagnement, encorbellement ■ **15** porte-mousqueton.
SOUTIEN-GORGE : **9** balconnet ■ **10** pigeonnant.
SOUTIENT : **14** antipsychiatre.
SOUTIRER : **5** élier, tirer ■ **7** obtenir ■ **8** carotter, estamper ■ **9** soutirage.
SOUVENIR : **4** idée ■ **6** cadeau, koubba ■ **7** mémento, mémoire*, trophée ■ **8** complexe, immortel, rappeler*, retracer ■ **9** évocation,

rafraîchir ■ 10 commémorer, paramnésie, rafraîchir, souvenance ■ 11 remembrance ■ 12 anniversaire, commémoratif, remémoration, réminiscence, ressentiment ■ 13 commémoration, souvenir-écran ■ 14 reconnaissance.

SOUVENT: 8 fréquent, pleurard ■ 9 crachoter, craqueter, fouailler, tessiture, toussoter ■ 11 biberonner, fréquenter, sonnailler ■ 11 fréquemment ■ 12 souventefois ■ 13 ordinairement.

SOUVERAIN: 3 bey, duc, roi ■ 4 chah, chef*, cour, dieu, émir, imam, iman, pile, shah, sire ■ 5 garde, légat, liste, négus, règne, saint, schah, sujet, tiare, trône, tyran ■ 6 absolu, mandat, négous, prince ■ 7 dauphin, despote, padicha, suprême* ■ 8 dynastie, empereur, grand-duc, monarque, padichah, padishah, palefroi, pavillon, potentat, puissant ■ 9 landgrave ■ 10 allégeance, arrière-ban, omniprésent ■ 11 conjuration, lèse-majesté, prorogation ■ 12 couronnement, tout-puissant ■ 14 souverainement.

SOUVERAINETE: 7 sceptre ■ 8 couronne, régalien, tyrannie ■ 9 dictature, hégémonie, puissance, souverain ■ 10 autocratie, démocratie, domination, oppression, prépotence, suprématie ■ 11 absolutisme, condominium, omnipotence, prééminence, supériorité* ■ 14 toute-puissance.

SOVIET: 10 soviétique, soviétiser ■ 13 soviétisation.

SOVIETIQUE: 8 komsomol, refuznik ■ 11 kalachnikov ■ 12 soviétologue ■ 13 kremlinologie.

SOYEUX: 4 foin ■ 5 bysse, cocon, coton ■ 8 agneline.

SPACIEUX: 5 ample*, grand*.

SPADASSIN: 5 bravi, bravo ■ 8 bretteur, estafier ■ 9 meurtrier*.

SPAHI: 7 chéchia.

SPARGOUTTE: 8 spergule.

SPALAX: 8 rat-taupe.

SPARIDE: 3 sar ■ 5 pagel, pagre ■ 6 dorade ■ 7 daurade ■ 8 rousseau.

SPART: 4 alfa ■ 6 sparte ■ 9 spartéine, sparterie.

SPARTERIE: 4 coir.

SPARTIATE: 8 scouffin ■ 11 lacédémonien.

SPASME: 7 mélisse, tétanie ■ 8 atropine ■ 9 tétanisme, vaginisme ■ 10 convulsion* ■ 11 spasmodique ■ 13 acétylcholine ■ 15 antispasmodique.

SPASMOPHILIE: 11 spasmophile ■ 14 spasmophilique.

SPATH: 5 fluor, nicol ■ 9 spathique.

SPATIAL: 10 cosmonaute, spatialité ■ 15 rétropropulsion.

SPATIALE: 8 orbitale, orbiteur ■ 15 télémaintenance.

SPATIALISER: 14 spatialisation.

SPATULE: 5 gâche ■ 7 spatulé, truelle ■ 8 acromion.

SPECIAL: 5 cours, étude, label, légat, train ■ 8 exclusif, taillage ■ 9 notamment, patentage ■ 10 spécialité ■ 11 particulier*, spécialiser ■ 12 spécialement ■ 13 spécification.

SPECIALISATION: 13 taylorisation ■ 14 latéralisation.

SPECIALISE: 2 o.s. ■ 8 solderie.

SPECIALISER: 8 confiner ■ 14 spécialisation.

SPECIALISTE: 5 miler ■ 6 expert, gréeur ■ 7 jaugeur, monteur, pompeur ■ 8 bibliste, chromeur, coffreur, ergonome, géomètre, largueur, layetier, mesureur, notateur, pédiatre, pédicure, stratège, tourneur ■ 9 aciériste, aliéniste, argotiste, astronome, canoniste, canonnier, chaîniste, civiliste, compagnon, culottier, éthologue, étiopathe, financier, franciste, géographe, métricien, missilier, œnologue, paqueteur, pédologue, pénaliste, podologue, puisatier, radariste, rhéologue, sénologue, sexologue, sidologue, similiste, sitologue, slalomeur, tacticien, varappeur, vélociste, virologue, visagiste ■ **10** alcoologue, andrologue, antenniste, biologiste, bourrelier, chaînetier, crevettier, économiste, érotologue, ethnologue, ferronnier, fontainier, helléniste, héraldiste, kabbaliste, navigateur, neurologue, organicien, phonologue, privatiste, psychiatre, repriseuse, sémiologue, sémitisant, sismologue, technicien, thermicien, torpilleur ■ **11** acuponcteur, acupuncteur, balisticien, cardiologue, cartographe, cytologiste, diététicien, ergonomiste, ethnographe, généraliste, géochimiste, glaciologue, gynécologue, hellénisant, hématologue, mercaticien, numérologue, océanologue, ornémaniste, orthoptiste, papyrologue, pétrographe, phébologue, polémologue, poursuiteur, proctologue, programmeur, réanimateur, scénographe, sémanticien, sémioticien, sérologiste, spéléologue, stenciliste, taxinomique, technologue, télémétreur, travailleur, virologiste ■ **12** automaticien, chauffagiste, climatologue, comparatiste, cosmétologue, cosmologiste, diabétologue, éclairagiste, feuillagiste, gemmologiste, géophysicien, hydraulicien, hydrologiste, ingéniériste, installateur, neurologiste, obstétricien, océanographe, optométriste, papillonneur, phtisiologue, préhistorien, rhumatologue. sanskritiste, soviétologue, stylisticien, syntacticien, terminologue, triathlonien, volcanologue ■ **13** anthropologue, astrométriste, cybernéticien, électronicien, épistémologue, gynécologiste, hématologiste, immunologiste, infographiste, minéralogiste, ophtalmologue, orthodontiste, pétrochimiste, politicologue, professionnel, psychanalyste, puéricultrice, relationniste, spéléologiste, systématicien, technologiste ■ **14** allergologiste, astrophysicien, conjoncturiste, dermatologiste, endocrinologue, nonspécialiste, prévisionniste, protohistorien, pyrotechnicien, radioastronome, télémécanicien ■ **15** anthropologiste, contorsionniste, épidémiologiste, épistémologiste, microbiologiste, neuropsychiatre, ophtalmologiste, parapsychologue, psycholinguiste, psychométricien, traumatologiste.

SPECIALITE: **2** as ■ **5** bugne ■ **6** partie ■ **7** pirojki ■ **8** goulasch ■ **9** sénologie ■ **10** cyclo-cross ■ **11** phlébologie, spécialiste ■ **12** néonatalogie.

SPECIEUX: **8** apparent, captieux ■ **10** spéciosité ■ **13** spécieusement.

SPECIFICATION: **10** multigrade.

SPECIFIER: **8** préciser ■ **10** désignatif, normaliser.

SPECIFIQUE: **5** lèpre, petit, poids ■ **7** pattern ■ **9** ad valorem, tularémie ■ **11** littéralité, résistivité, spécificité ■ **14** spécifiquement ■ **15** caractéristique.

SPECIMEN: **6** modèle* ■ **11** échantillon.

SPECTACLE: **3** vue ■ **4** loge, show ■ **5** danse, joute, match, revue, scène* ■ **6** défilé, numéro, séance ■ **7** bunraku, cabaret, cortège, matinée, show-biz ■ **8** entracte ■ **9** box-office, cavalcade, curiosité, music-hall, naumachie, promenoir ■ **10** exhibition, one-man-show, star-system ■ **11** caleçonnade ■ **12** show-business ■ **13** spectaculaire ■ **14** représentation*, téléspectateur.

SPECTATEUR: **5** hourd, stand ■ **6** témoin ■ **8** ouvreuse, parterre ■ **11** arrière-plan.

SPECTRE: **4** raie ■ **5** larve ■ **7** fantôme* ■ **8** spectral ■ **10** apparition ■ **11** millimicron ■ **12** spectroscope ■ **13** spectrogramme, spectrographe, spectroscopie ■ **14** spectrographie ■ **15** spectroscopique.

SPECTROMETRIE: **15** spectrométrique.

SPECTROSCOPIE: **15** spectrochimique.

SPECULATEUR : 5 trust ■ 8 baissier, haussier ■ 9 financier ■ 10 affairiste.
SPECULATIF : 8 mahayana.
SPECULATION : 7 théorie ■ 8 agiotage ■ 9 coalition, théorique ■ 10 spéculatif, téléologie ■ 11 spéculateur ■ 12 boursicotage ■ 15 spéculativement.
SPECULER : 7 méditer ■ 9 trafiquer.
SPECULUM : 11 rhinoscopie.
SPEECH : 5 toast ■ 8 discours*.
SPELEOLOGIE : 7 caverne ■ 10 photophore ■ 11 spéléologue ■ 12 autobloqueur ■ 13 spéléologiste.
SPERGULE : 9 spargoute ■ 10 espargoute.
SPERMAPHYTE : 11 phanérogame*.
SPERMATIQUE : 10 varicocèle ■ 11 funiculaire.
SPERMATOZOÏDE : 9 épididyme, flagellum ■ 10 spermatide ■ 11 azoospermie ■ 13 spermatophore.
SPERME : 7 semence ■ 10 séminifère ■ 11 azoospermie, spermatique ■ 12 spermogramme.
SPHAIGNE : 9 tourbière.
SPHENOÏDE : 8 turcique ■ 10 ptérygoïde, sphénoïdal.
SPHERE : 4 apex, dôme, orbe, pôle, tête, zone ■ 5 balle, bille, boule*, globe*, grain, perle, poids, terre ■ 6 ballon, milieu, voyant, zénith ■ 7 globule, lambert, marteau, oolithe ■ 8 blastula, blastule, équateur, méridien, nucléole, sphérule, zodiaque ■ 9 sphérique, sphéroïde ■ 10 atmosphère, loxodromie, navisphère, sphéricité, sphéroïdal ■ 11 bathysphère, lithosphère, planisphère, sphéromètre ■ 12 sphéroïdique, stratosphère.
SPHERULE : 5 noyau.
SPHINCTER : 4 anus ■ 12 sphinctérien.
SPHINX : 7 échidna, sphinge.
SPHYGMOGRAPHIE : 13 sphygmogramme.
SPICILEGE : 10 anthologie.
SPIDER : 8 roadster.
SPIN : 6 baryon.
SPINELLE : 9 rubicelle.
SPINOZISME : 10 spinosisme, spinoziste.
SPIRALE : 4 lové, tors ■ 5 filet, lover, spire ■ 6 boucle, boudin, courbe*, frison, spiral, volute ■ 8 tarauder, volubile ■ 9 bouclette, colimaçon, columelle, spiroïdal ■ 10 cannetille, leptospire, ondulation ■ 11 tirebouchon ■ 15 taille-racines.
SPIREE : 7 ulmaire ■ 11 filipendule ■ 12 reine-des-prés.
SPIRILLE : 10 spirillose.
SPIRITISME : 7 spirite ■ 10 typtologie ■ 11 télékinésie ■ 15 matérialisation.
SPIRITUALITE : 10 hésychasme.
SPIRITUEL : 3 âme, bon, fin ■ 4 ange, salé ■ 5 ligne, moral ■ 6 pneuma, satori ■ 7 amusant, délicat, piquant ■ 8 charisme, gavroche, joliment ■ 9 ascétisme, ingénieux ■ 13 spiritualiser, spiritualisme.
SPIRITUEUX : 4 arac, arak, rack, raki ■ 5 arack ■ 6 alcool* ■ 8 vespétro ■ 10 tempérance.
SPIROCHETE : 4 pian ■ 6 sodoku ■ 9 tréponème ■ 12 spirochétose ■ 15 fuso-spirillaire.
SPLEEN : 7 chagrin* ■ 9 nostalgie, tristesse* ■ 10 abattement.
SPLENDEUR : 4 luxe* ■ 5 éclat ■ 7 lumière ■ 8 brillant ■ 12 magnificence.
SPLENDIDE : 4 beau* ■ 7 superbe ■ 9 admirable*, somptueux ■ 13 splendidement.
SPLENOMEGALIE : 15 splénomégalique.

SPOLIER: 3 ôter ■ 5 voler* ■ **10** déposséder*, spoliateur, spoliation.
SPONDEE: **10** asclépiade, spondaïque.
SPONGIAIRE: 6 éponge*.
SPONGIEUSE: **8** moussage.
SPONGIEUX: 7 flasque ■ **9** porophore ■ **10** parenchyme ■ **11** spongiosité, tissu-éponge.
SPONSOR: **9** sponsorat ■ **10** sponsoring.
SPONTANE: **4** inné ■ **5** libre, magie, mûrir ■ **7** naturel, violent ■ **8** impulsif ■ **11** spontanéité, synesthésie ■ **12** auto-allumage, auto-amorçage, primesautier, spontanément.
SPONTANEE: **14** autocorrection.
SPONTANEISME: **12** spontanéiste.
SPORADIQUE: **11** sporadicité ■ **14** sporadiquement.
SPORANGE: **4** sore, urne ■ **7** indusie ■ **9** sporogène ■ **11** zoosporange ■ **13** macrosporange, microsporange.
SPORE: **5** asque ■ **6** thèque ■ **7** conidie ■ **8** hyménium, prothalle, sporange, sporuler, zoospore ■ **9** apothécie, ascospore, paraphyse, protonéma, spermatie ■ **10** macrospore, microspore, sporophyte, urédospore ■ **11** sporulation ■ **12** téleutospore.
SPOROTRICHE: **13** sporotrichose.
SPOROZOAIRE: **8** coccidie ■ **9** grégarine, paludisme ■ **10** plasmodium.
SPORT: **3** fun, ski ■ **4** boxe, golf, luge, turf ■ **5** catch, coupe, passe, poids, rugby, score, short, skeet, skiff, stade, trial, voile, volée ■ **6** basket, glisse, minime, rowing, savate, squash, tennis ■ **7** bicross, camping, cricket, escrime, marteau, monoski, sportif ■ **8** barefoot, base-ball, boulisme, cellular, coudière, cyclisme, flottant, football, funboard, handball, handicap, hippisme, moniteur, natation, nautisme, patinage, yachting ■ **9** alpinisme, aquaplane, canoéisme, challenge, critérium, entraîner, naturisme, parapente, sauvetage, sportsman, taekwondo, water-polo ■ **10** athlétisme, basket-ball, cuissettes, cyclo-cross, demi-finale, équitation, handisport, sportivité, sportswear, trampoline, volley-ball ■ **11** championnat, compétition, sélectionné, sportswoman ■ **12** entraînement, motonautisme ■ **13** automobilisme, confédération, altérophilie, international, médico-sportif.
SPORTIF: **7** has been, sponsor ■ **8** dragster ■ **9** kayakiste ■ **11** antisportif.
SPORTIVE: **4** raft ■ **7** rafting ■ **9** classique.
SPRAT: **9** haranguet, harenguet.
SPRINKLER: **9** asperseur.
SPUMEUX: **9** spumosité.
SPUTATION: **7** cracher*.
SQUALE: **5** lamie ■ **6** requin*, touille ■ **8** galuchat ■ **9** roussette.
SQUAME: **5** psora, psore ■ **7** écaille* ■ **9** desquamer, psoriasis.
SQUARE: **6** jardin*.
SQUATTER: **5** squat.
SQUEEZER: **7** squeeze.
SQUELETTE: **4** côte, mort ■ **5** carpe, tarse ■ **7** canevas, spicule ■ **8** carcasse*, ceinture, polypier ■ **9** cartilage, charpente*, cornillon, métacarpe, métatarse, zoothèque ■ **10** kieselguhr, mésoblaste ■ **11** microtubule ■ **12** spina-ventosa, squelettique.
SQUELETTIQUE: **12** exosquelette.
SQUIRRE: **9** squirreur.
STABILISATEUR: **5** balai ■ **9** balancier ■ **11** équilibreur.
STABILISATION: **8** gyrostat ■ **15** semi-submersible.
STABILISER: **5** fixer* ■ **9** maintenir ■ **10** équilibrer ■ **11** homéostasie ■ **13** stabilisateur, stabilisation.

STABILITE : 6 aplomb, fixité ■ 7 fermeté* ■ 8 assiette, solidité ■ 9 empennage, gyroscope ■ 11 autoportant, autoporteur, instabilité, stabilisant ■ 12 acido-basique, déstabiliser ■ 14 affermissement.
STABLE : 4 fixe* ■ 5 assis, ferme*, leste ■ 6 solide* ■ 7 affermi, durable ■ 8 assiette, habituel, immobile, instable, précaire ■ 9 consolidé, stabilité ■ 10 consistant, inamovible ■ 11 apériodique ■ 12 énantiotrope.
STADE : 5 degré*, germe, imago, larve, mûrir, phase ■ 7 société ■ 10 transition ■ 11 cysticerque, sadique-anal.
STAFF : 4 stuc ■ 7 staffer ■ 8 staffeur.
STAGE : 6 séjour ■ 7 juvénat ■ 9 stagiaire.
STAGNANT : 5 mort ■ 6 croupi ■ 10 stagnation.
STAGNATION : 5 stase ■ 7 marasme.
STAGNER : 9 séjourner.
STALACTITE : 5 baume.
STALINE : 15 déstalinisation.
STALINIEN : 10 stalinisme.
STALLE : 3 box.
STANCE : 5 épode, poème* ■ 6 laisse, sixain, sizain, tercet ■ 7 couplet, huitain, strophe.
STANDARD : 5 inter ■ 12 standardiste ■ 13 normalisation ■ 15 standardisation.
STAPHYLOCOQUE : 7 sycosis ■ 8 furoncle, impétigo ■ 14 staphylococcie.
STAR : 6 acteur ■ 8 stariser ■ 9 starifier.
STARIE : 7 estarie.
STARISER : 11 starisation.
STAROSTIE : 8 staroste.
STARTER : 5 choke.
STATHOUDER : 12 stathoudérat.
STASE : 5 arrêt ■ 10 stagnation.
STATION : 5 arrêt*, aviso, halte, panne, pause, train ■ 6 ponton ■ 8 dystasie, estivant, lave-auto ■ 9 prochaine ■ 10 isallobare, radiophare, stationner ■ 11 sous-station ■ 13 orthostatique.
STATIONNEMENT : 5 place ■ 6 tarmac ■ 7 bivouac ■ 9 campement, mouillage, parcmètre ■ 10 parcomètre ■ 11 caillebotis ■ 13 dénucléariser.
STATIONNER : 7 arrêter* ■ 12 stationnaire ■ 13 stationnement.
STATIQUE : 8 mutateur, onduleur, statisme ■ 12 antistatique, statiquement.
STATISTIQUE : 6 survie ■ 8 quartile, variance ■ 10 covariante ■ 11 cartogramme, ventilation ■ 12 chronogramme, criminologie, dénombrement ■ 14 catégorisation, géostatistique ■ 15 désaisonnaliser, statistiquement.
STATOCYTE : 8 otocyste.
STATUE : 4 coré, dais ■ 5 galbe, idole, niche, orant, oscar, terme ■ 6 couros, kouros, marbre, priant ■ 7 atlante, colosse ■ 8 figurine, modeleur ■ 9 cariatide, caryatide, palladium, sculpteur, sculpture*, statuaire, statuette, statufier ■ 11 alabastrite ■ 12 androcéphale ■ 13 statue-colonne ■ 14 photosculpture.
STATUER : 5 juger* ■ 9 prononcer.
STATURE : 5 géant ■ 6 taille* ■ 7 colosse ■ 8 pycnique.
STATUT : 5 règle* ■ 9 admission, règlement* ■ 10 hors statut, statutaire ■ 14 idéologisation, neutralisation, statutairement ■ 15 extrastatutaire.

STEAK : 9 cannibale.
STEAMBOAT : 6 bateau*.
STEAMER : 6 bateau*, navire*.
STEARINE : 10 stéarinier ■ 11 stéarinerie.
STEATOPYGIE : 10 stéatopyge.
STEEPLE-CHASE : 5 brook, douve ■ 7 rivière ■ 9 bull-finch.
STELLERIDE : 8 astéride*.
STELLIONAT : 14 stellionataire.
STENCIL : 11 stenciliste.
STENOGRAPHIE : 5 sigle ■ 9 sténotype ■ 10 sténotypie ■ 11 sténogramme, sténographe ■ 12 sténotypiste ■ 13 sténographier ■ 14 sténographique.
STENOSE : 11 angiomatose.
STEPPE : 4 veld ■ 5 pampa ■ 7 brousse ■ 8 autruche ■ 9 steppique, syrrhapte.
STERCORAIRE : 4 skua.
STERCULIACEE : 4 cola, kola ■ 8 cacaoyer, kolatier ■ 9 cacaotier.
STERE : 2 st ■ 5 corde.
STEREOCHIMIE : 14 stéréochimique.
STEREOGRAPHIE : 15 stéréographique.
STEREOMETRIE : 14 stéréométrique.
STEREOPHONIE : 14 stéréophonique.
STEREOPHOTOGRAPHIE : 15 photogrammétrie.
STEREOSCOPE : 9 anaglyphe ■ 14 stéréoscopique.
STEREOSCOPIE : 14 stéréoscopique.
STEREOTAXIE : 13 stéréotaxique.
STEREOTOMIE : 13 stéréotomique.
STEREOTYPE : 4 figé ■ 11 stéréotyper, stéréotypie.
STERILE : 4 vain* ■ 5 aride, axène ■ 6 gâtine, ingrat, pauvre, tiglon ■ 7 inculte* ■ 8 axénique, infécond ■ 9 bréhaigne, infertile, paraphyse, pouilleux ■ 10 stériliser ■ 11 infructueux, stérilement ■ 12 découverture.
STERILISATION : 5 étuve ■ 9 autoclave ■ 10 stériliser ■ 11 ozonisation, upérisation ■ 13 appertisation, javellisation ■ 14 assainissement, tyndallisation.
STERILISE : 8 aseptisé.
STERILISER : 9 aseptiser ■ 10 javelliser ■ 11 stérilisant ■ 13 stérilisateur, stérilisation.
STERILITE : 7 aridité ■ 9 clomifène ■ 11 azoospermie, impuissance*, infécondité, infertilité.
STERIQUE : 13 stéréo-isomère ■ 14 stéréo-isomérie.
STERLING : 5 livre.
STERNE : 10 hirondelle.
STERNUM : 3 ris ■ 5 bossu ■ 7 bréchet, sternal ■ 8 xiphoïde ■ 9 carinates, clavicule, épigastre, manubrium ■ 13 chondrocostal.
STERNUTATOIRE : 7 bétoine.
STEROÏDE : 9 stéroïque ■ 10 stéroïdien.
STEROL : 10 ergostérol, sitostérol ■ 11 cholestérol ■ 12 cholestérine, cyclopentane.
STETHOSCOPE : 12 auscultation.
STHENE : 5 pièze.
STICK : 8 baguette.
STIGMATE : 5 fleur, style, trace* ■ 6 marque* ■ 9 cicatrice ■ 10 stigmatisé ■ 11 stigmatiser ■ 13 pollinisation.
STIGMATISER : 9 condamner, pardonner ■ 14 stigmatisation.

STIGMATISME: 11 stigmatique.
STIMULANT: 4 coca, maté ■ 5 fouet ■ 7 camphre, livèche, pouliot, romarin, vomique ■ 8 apéritif, calamant, décapant, excitant* ■ 9 carbogène, effecteur, histamine, stimuline ■ 10 dynamogène, énergisant ■ 11 amphétamine, analeptique, stimulation ■ 12 excitabilité ■ 13 cardiotonique, dynamogénique, psychotonique.
STIMULATION: 9 émulation, réconfort ■ 10 synectique ■ 12 chémocepteur, fracturation ■ 14 chémorécepteur ■ 15 mécanorécepteur, sympatholygique.
STIMULE: 6 dopant ■ 11 thyréotrope.
STIMULER: 3 hop, olé ■ 5 chulo, doper, faire ■ 6 animer, piquer, remuer ■ 7 exciter*, pousser*, ranimer, relever, toucher ■ 8 aiguiser, émouvoir, enhardir, exhorter, fouetter, harceler, rassurer, remonter, talonner ■ 9 échauffer, éperonner, fortifier, raffermir, retremper, réveiller, stimugène ■ 10 encourager* ■ 11 émoustiller, réconforter, stimulation ■ 12 aiguillonner, ragaillardir ■ 13 aminophylline.
STIMULUS: 6 cinèse ■ 9 évocateur, ménotaxie ■ 10 centration ■ 13 esthésiomètre ■ 14 infraliminaire.
STIPE: 4 tige* ■ 7 stipité.
STIPENDIER: 9 corrompre.
STIPULER: 7 énoncer* ■ 10 stipulaire ■ 11 contractuel.
STOCK: 4 parc ■ 7 réserve, stocker ■ 8 stockage ■ 9 provision*, stockiste ■ 10 magasinier ■ 11 bullionisme.
STOCKAGE: 4 crib.
STOÏCIEN: 7 austère, stoïque ■ 9 stoïcisme.
STOÏQUE: 3 dur* ■ 5 ferme*, homme ■ 7 austère ■ 8 stoïcien ■ 11 stoïquement.
STOLON: 11 stolonifère.
STOMACAL: 3 rot.
STOMACHIQUE: 5 aloès ■ 8 vespétro ■ 10 strychnine.
STOMATOLOGIE: 14 stomatologiste.
STOMOCORDE: 12 balanoglosse ■ 13 entéropneuste.
STOPPER: 7 arrêter*, réparer* ■ 8 stoppage, stoppeur ■ 11 raccommoder.
STORE: 6 rideau* ■ 8 storiste.
STRABISME: 9 strabique.
STRAMOINE: 6 datura.
STRANGULER: 9 étrangler*, garrotter ■ 13 strangulation.
STRASBOURG: 14 strasbourgeois.
STRATAGEME: 4 ruse*.
STRATE: 10 stratifier ■ 14 stratification.
STRATEGIE: 3 clé ■ 4 clef ■ 7 wargame ■ 8 stratège, tactique ■ 11 stratégique, stratégiste ■ 12 géostratégie, opérationnel, quadrilatère ■ 13 eurostratégie, marchandisage ■ 15 stratégiquement.
STRATEGIQUE: 4 icbm, m.s.b.s., slbm, s.s.b.s.
STRATIFERE: 3 lit.
STRATIFIE: 7 formica, lamifié ■ 8 cinérite.
STRATIFICATION: 5 lœss.
STRATO-CUMULUS: 13 cumulo-stratus.
STRATOSPHERE: 10 mésosphère, tropopause ■ 11 stratopause ■ 15 stratosphérique.
STRATIGRAPHIE: 15 stratigraphique.
STRATUS: 5 nuage.
STREPSIPTERE: 7 stylops.
STREPTOCOQUE: 8 impétigo ■ 9 érésipèle, érysipèle ■ 13 streptococcie ■ 15 streptococcique.

STRESS : 8 stresser.
STRICT : 5 exact* ■ 6 étroit*, sévère* ■ 7 mitiger ■ 8 littéral ■ 11 étroitement, strictement ■ 12 approximatif, stricto sensu.
STRIDENT : 4 aigu* ■ 6 criard ■ 9 stridence ■ 10 striduleux.
STRIDULATION : 9 striduler.
STRIE : 4 ride ■ 7 striure ■ 8 fibrille ■ 9 cannelure.
STRIER : 5 rayer ■ 7 bretter ■ 9 bretteler, retailler, striation ■ 10 craqueler.
STRIGIDE : 3 duc ■ 5 hibou, strix ■ 8 chouette ■ 9 ululation, ululement.
STRIOSCOPIE : 13 strioscopique.
STRIPPING : 8 stripper.
STRIP-TEASE : 13 strip-teaseuse.
STRIP-TEASEUSE : 12 effeuilleuse.
STRIURE : 5 strie*.
STROBILE : 3 pin.
STROBOSCOPE : 12 stroboscopie.
STROBOSCOPIE : 14 stroboscopique.
STROMBE : 5 lambi.
STRONTIUM : 2 sr ■ 10 strontiane.
STROPHANTE : 8 ouabaïne ■ 11 strophantus ■ 12 strophantine.
STROPHE : 3 ode ■ 5 chant, épode, hymne, poème* ■ 6 dizain, onzain, stance ■ 7 couplet, neuvain, septain, sextine ■ 8 alcaïque, clausule, quatrain ■ 11 antistrophe.
STRUCTURE : 5 forme* ■ 6 surbau ■ 7 pattern ■ 8 anatomie, artefact, guidance, limbique, rudiment, technème ■ 9 charpente*, charpenté, coacervat, genouillé, mécanisme, nihilisme, structuré ■ 10 borderline, contexture, glanduleux, monoclinal, structural, structurer ■ 11 composition, géophysique, glandulaire, hématologie, microtubule, militariser, morphologie, stéréotaxie ■ 12 architecture, macrographie, télencéphale ■ 13 métamorphisme, myélencéphale, paramilitaire, planification, structuration ■ 14 extrapyramidal, métallographie, microstructure, psychocritique, rhombencéphale, thoracoplastie ■ 15 restructuration, révolutionnaire, tectonophysique.
STRUCTURER : 12 structurable.
STRYAX : 10 aliboufier.
STRYCHNOS : 4 upas ■ 6 curare ■ 7 vomique ■ 10 strychnine.
STUC : 5 staff ■ 6 plâtre ■ 7 stucage, stuquer ■ 9 stucateur.
STUDIEUX : 6 polard ■ 8 appliqué.
STUDIO : 4 flat, loft ■ 5 décor, vidéo ■ 10 extérieurs ■ 11 appartement.
STUPA : 6 torana, vedika.
STUPEFACTION : 7 stupeur ■ 9 épatement ■ 10 étonnement* ■ 12 ahurissement, saisissement ■ 13 consternation ■ 14 étourdissement.
STUPEFAIT : 4 baba ■ 5 ahuri, ébahi ■ 6 effaré, sidéré ■ 7 éberlué, pantois, surpris ■ 10 stupéfiant.
STUPEFIANT : 6 drogue ■ 7 héroïne, surdose ■ 8 effarant, étonnant* ■ 9 intoxiqué, marihuana, marijuana ■ 10 ahurissant, formidable, surprenant* ■ 11 narcodollar ■ 12 narco-analyse ■ 14 abasourdissant.
STUPEFIER : 6 ahurir, ébahir* ■ 7 effarer, étonner*, méduser, sidérer ■ 8 atterrer ■ 9 confondre, pétrifier, soufflant ■ 10 abasourdir, consterner, surprendre*.
STUPEUR : 7 sidérer, typhose ■ 9 stuporeux ■ 10 stupéfaire.
STUPIDE : 3 con, sot ■ 4 bête, nase, naze ■ 5 borné, brute, idiot, niais* ■ 6 abruti, animal, baudet, bouché, cloche, crétin, cruche, dindon, hébété, huître, inepte, pécore, souche ■ 7 absurde*, balourd, conasse, corniot, ganache, hébéter ■ 8 abstrait, connasse, imbécile ■

9 bestiasse, bourrique, chabraque ■ 10 décerveler, schabraque ■ 11 stupidement.
STUPIDITE : 6 bêtise* ■ 7 idiotie ■ 10 crétinerie.
STUPRE : 8 débauche*.
STYLE : 3 rap, ton ■ 4 cool, funk, grec, look, rôle, scat ■ 5 arabe, disco, dixie, fleur, forme, funky, genre, grave, plume, poème, roman, swing, trait ■ 6 empire, époque, rococo, romain ■ 7 baroque, chiasme, country, manière, ragtime, régence, regency, revival, rouleau, scherzo ■ 8 assyrien, badinage, byzantin, cultisme, écriture, égyptien, étrusque, gothique, high-tech, pompéien, prolepse, rocaille, stylisme ■ 9 dixieland, dravidien, élocution, intimisme, marinisme, mélodique, narcotique, pasticher, pompadour ■ 10 directoire, flamboyant, marivauder, middle jazz, rhétorique, romantique, synecdoque ■ 11 chippendale, conceptisme, néo-gothique, obsécration, plateresque, renaissance, stylistique, terre-à-terre ■ 12 boogie-woogie, restauration, stylisticien ■ 13 palladianisme.
STYLET : 8 poignard*, styloïde.
STYLISER : 11 stylisation.
STYLO : 3 bic.
STYLOBATE : 10 stéréobate.
STYLOGRAPHE : 5 stylo ■ 8 capuchon ■ 14 stylographique.
STYRACACEE : 6 styrax ■ 7 benjoin ■ 10 aliboufier ■ 11 liquidambar.
STYRENE : 11 polystyrène.
SUAIRE : 7 linceul.
SUAVE : 4 doux* ■ 7 suavité ■ 8 agréable, fragance ■ 9 suavement.
SUAVITE : 8 melliflu ■ 9 melliflue.
SUBALTERNE : 3 bas ■ 7 utilité ■ 8 lampiste ■ 9 inférieur*, sans-grade, sous-ordre.
SUBATOMIQUE : 7 hypéron.
SUBCONSCIENCE : 12 subconscient.
SUBDELEGUER : 13 subdélégation.
SUBDIVISION : 4 race ■ 5 daïra, étage, génie, genre, scène, titre, tribu ■ 6 canton, lobule, rameau ■ 7 comitat, échelon, sandjak, section, tableau, variété, vernier ■ 8 chapitre, division*, landwehr, odonates, phratrie ■ 9 dicastère, landsturm, sous-genre, sous-ordre* ■ 10 définition, sous-classe, sous-comité, sous-groupe, sous-préfet ■ 11 aérostation ■ 12 dichotomique, ramification ■ 13 embranchement*, protérozoïque ■ 14 sous-préfecture.
SUBI : 6 greffé ■ 7 humilié ■ 8 fermenté, impaludé ■ 9 réfrigéré.
SUBIR : 5 mazer, pâtir, punir, tirer, virer ■ 6 opérer, passer, réagir ■ 7 appuyer, bizuter, essuyer, imposer ■ 8 atomiser, échauder, éprouver*, examiner, molester, mouliner, passible, passiver, recevoir, retomber, souffrir*, trinquer ■ 9 soumettre, supporter* ■ 10 accidenter, bondériser, cancériser, désexciter, vulcaniser ■ 11 palataliser ■ 12 désavantager, représailles, tropicaliser.
SUBIT : 4 suée ■ 5 à-coup, grief, hâtif, ictus, ondée, risée ■ 6 subito ■ 7 brusque*, flasher, imprévu, inopiné, soudain*, sursaut ■ 8 colonisé, fringale, immédiat* ■ 9 précipité, simultané, tout à coup, volte-face ■ 10 improviste, instantané, saisissant, soubresaut, subitement, surprenant ■ 12 saisissement, soudainement.
SUBITEMENT : 13 créationnisme.
SUBJECTIF : 12 subjectivité ■ 13 subjectivisme ■ 14 subjectivement.
SUBJECTIVITE : 9 impressif.
SUBJONCTIF : 10 subjonctif.
SUBJUGUE : 11 fascinateur.

SUBJUGUER: 7 réduire, séduire* ■ **8** envoûter, opprimer ■ **9** conquérir ■ **10** tyranniser.
SUBLIMATION: 12 vaporisation.
SUBLIME: 4 beau, haut ■ **5** divin, élevé, grand*, noble* ■ **6** épique, relevé ■ **7** céleste, pompeux, superbe ■ **8** biblique, sublimer ■ **9** admirable*, cornélien, dantesque, homérique, sublimité, surhumain ■ **10** magnifique, pindarique ■ **11** sublimation, sublimement ■ **12** transcendant.
SUBLIMITE: 5 pompe ■ **6** beauté ■ **7** hauteur ■ **8** grandeur*, noblesse ■ **9** élévation ■ **12** enthousiasme, magnificence.
SUBMERGER: 7 inonder ■ **9** engloutir* ■ **10** submersion ■ **11** submersible ■ **13** transgression.
SUBMERSIBLE: 9 aquanaute.
SUBODORER: 6 sentir ■ **10** pressentir*.
SUBORBITALE: 10 fusée-sonde.
SUBORDINATION: 4 joug ■ **5** modal, ordre ■ **8** sujétion* ■ **9** autonomie, complétif, esclavage, inférieur, servitude, vassalité, vasselage ■ **10** dépendance*, hiérarchie, subalterne ■ **13** juxtaposition.
SUBORDONNE: 9 sans-grade.
SUBORDONNEE: 8 relative.
SUBORDONNER: 8 attacher ■ **9** soumettre ■ **10** enclencher, joséphisme.
SUBORNER: 6 capter, gagner ■ **7** acheter, séduire* ■ **8** graisser ■ **9** corrompre*, embaucher, suborneur ■ **11** circonvenir.
SUBORNEUR: 9 séducteur*.
SUBREPTICE: 9 obreptice ■ **10** subreption ■ **14** subrepticement.
SUBROGER: 7 subrogé ■ **9** remplacer* ■ **10** subrogatif ■ **11** subrogateur ■ **12** subrogatoire.
SUBSEQUENT: 4 puis ■ **7** suivant ■ **13** subséquemment.
SUBSIDE: 5 impôt ■ **7** secours* ■ **10** allocation, subvention.
SUBSIDIAIRE: 15 subsidiairement.
SUBSISTANCE: 3 vie ■ **5** vivre ■ **7** aliment, denrées, pitance ■ **9** consommer, entretien, gagne-pain, prédation ■ **10** nourricier.
SUBSISTER: 4 être ■ **5** durer* ■ **6** rester* ■ **7** exister ■ **8** demeurer*, épargner, récessif, rémanent, surnager, survivre ■ **9** persister.
SUBSTANCE: 3 b.a.l., gel, qat, sel, suc ■ **4** ases, azur, base, bois, cire, coca, jais, khat, khôl, lard, miel, musc, pâte, poix, râpé, soie, urée ■ **5** ambre, amine, chair, corne, corps, élémi, émail, épice, étain, étuve, fibre, fleur, gomme, huile, humus, jayet, kohol, liant, modal, nacre, nouet, salep, sirop, sucre, tanin ■ **6** alcali, algine, amadou, amidon, cachou, cément, charge, corozo, cutine, enzyme, éponge, fécule, getter, gluten, hémine, humeur, ionone, ivoire, kinase, koheul, levain, lipide, monade, plâtre, poison, poudre, pralin, prolan, pyrrol, remède, résine, solide, stérol, tampon, tannin ■ **7** adhésif, agrégat, alexine, aniline, aromate, asbeste, caséine, camphre, cérumen, chitine, contage, contenu, cristal, élément, extrait, fibrine, gaïacol, glucide, goudron, graisse, haptène, hormone, indican, lignine, luétine, mannite, matière*, osséine, pectine, peptone, pigment, placébo, pyrrole, quinine, réactif, sénevol, solvant, trigone, turbith ■ **8** albumine, aleurone, antigène, attribut, cervelle, chocolat, coagulum, colloïde, colorant, conserve, contenir, créatine, déblayage, diastase, dynamite, excitant, fibroïne, héparine, irritant, kératine, laitance, lanoline, légumine, lévogyre, lyophile, mannitol, mucilage, pectique, propolis, protides, roselier, roténone, silicone, subérine, tréphone, vinosité, virocide, virucide, vitamine, vitellus ■ **9** absorbant, adragante, alcaloïde,

allergène, ambroisie, anabolite, androgène, anticorps, antiviral, antivirus, butyrique, cellulose, chélateur, coumarine, dominante, estrogène, excipient, féculence, fongicide, gélifiant, histamine, hydrofuge, larvicide, lipotrope, margarine, méthadone, paraffine, phéromone, psoralène, radiolyse, santonine, sécrétion, smectique, tautomère, urochrome ■ 10 acidifiant, activateur, amendement, aminoacide, antienzyme, antitoxine, caoutchouc, chromatine, clarifiant, cosmétique, détonateur, dichroïsme, édulcorant, gomme-laque, hémolysine, inhibiteur, lubrifiant, luciférine, médicament, métabolite, œstrogène, phérormone, quinoléine, réactogène, saccharine, sérotonine, spermicide, tautomérie, tocophérol, virilisant, virulicide ■ 11 agglutinine, albuminoïde, amphétamine, antirouille, aromatisant, bactéricide, biomatériau, biosynthèse, brillantine, cytolytique, dégraissant, encéphaline, enképhaline, érythrosine, fibrinogène, galactogène, gomme-résine, gutta-percha, pénicilline, plastifiant, polypeptide, provitamine, psychotrope, résistivité, stabilisant, substantiel, tensioactif, transcutané ■ 12 alcalescence, anesthésique, bétabloquant, cytostatique, désinfectant, diélectrique, énantiotrope, fermentation, flegmatisant, galactagogue, gibbérelline, hétérotrophe, mytilotoxine, oligo-élément, prothrombine, quintessence, trypsinogène ■ 13 acétylcholine, agglutinogène, antimitotique, aphrodisiaque, catécholamine, désincrustant, diamagnétique, hallucinogène, mithridatisme, neuroleptique, psychotonique, sensibilisant, syringomyélite, tonicardiaque ■ 14 consubstantiel, fibrinolytique, hypoallergique, indole-acétique, lyophilisation, molécule-gramme, nucléoprotéine, organoleptique, paramagnétique, psycholeptique, substantialité ■ 15 antiscorbutique, ferromagnétique, neurodépresseur, photoconducteur, photoconduction, photo-élasticité, substantialisme, sympatholytique, thermarésistant.

SUBSTANTIEL : 3 suc ■ 9 important* ■ 10 accidentel ■ 11 nourrissant.

SUBSTANTIF : 3 nom ■ 15 substantivement.

SUBSTANTIVER : 15 substantivation.

SUBSTITUE : 7 command ■ 12 substituable.

SUBSTITUER : 6 blesser ■ 8 commuter ■ 9 remplacer*, succédané ■ 12 substitution.

SUBSTITUT : 8 synderme.

SUBSTITUTION : 4 pour ■ 8 carburol, novation ■ 9 transfert ■ 10 chloration, fabulation, jour-amende, paraphasie ■ 11 commutation, subrogation, sulfonation ■ 12 expromission, remplacement* ■ 13 jargonaphasie.

SUBTERFUGE : 4 ruse*, truc ■ 5 fuite ■ 8 finasser ■ 9 finasseur, finassier, tortiller ■ 12 pantalonnade.

SUBTIL : 3 fin ■ 5 délié, éther ■ 7 délicat, pilpoul, raffiné ■ 9 alambiqué, minutieux, pénétrant ■ 10 escamotage ■ 11 pointilleux ■ 13 ratiocination ■ 14 alexandrinisme.

SUBTILISER : 5 voler* ■ 7 dérober* ■ 9 escamoter ■ 10 soustraire* ■ 13 subtilisation ■ 14 quintessencier.

SUBTILITE : 4 tour ■ 7 argutie, chicane*. finesse*, minutie ■ 8 artifice ■ 9 équivoque ■ 10 stratagème ■ 11 casuistique, délicatesse, pénétration, raffinement.

SUBURBAINE : 11 cité-dortoir.

SUBVENIR : 7 fournir ■ 15 autosubsistance.

SUBVENTION : 5 impôt ■ 7 subside ■ 13 subventionnel, subventionner.

SUBVENTIONNER : 9 subsidier.

SUBVERSIF : 14 subversivement.

SUBVERTIR : 9 renverser.

SUC : 3 eau, jus, rob ■ 4 assa, hile, marc, moût, opol, sève ■ 5 aloès, chyle, chyme, gelée, hévéa, larme, latex, manne, opium, pavot, pleur, vésou ■ 6 coulis, humeur, jujube, mastic, verjus ■ 7 amylase, maltase, miellat, opostol, pepsine, saburre ■ 8 chicotin, créatine, exprimer, limonade, thridace, trypsine ■ 9 caillette, défructum, excrétion, gastrique, succulent ■ 10 caille-lait, lactescent ■ 11 opothérapie ■ 12 entérokinase, quintessence ■ 15 intussusception.
SUCRASE : 9 invertine.
SUCCEDANE : 6 ersatz ■ 7 produit ■ 8 aspartam, bakélite ■ 9 aspartame, méthadone.
SUCCEDANT : 7 embrasé.
SUCCEDE : 14 postindustriel, postromantique.
SUCCEDER : 5 venir ■ 6 suivre* ■ 8 alterner ■ 9 remplacer*, successif ■ 10 coadjuteur, comourants ■ 11 successible ■ 14 successibilité.
SUCCES : 3 hit ■ 4 diva, gain ■ 5 terne, toast, venir ■ 6 profit, record, triplé ■ 8 auspices, avantage, bénéfice, disputer, insuccès, réussite, triomphe, victoire ■ 9 box-office, féliciter, prospérer ■ 10 admissible, best-seller, défaitiste, moissonner, prospérité ■ 11 combinaison ■ 12 résurrection.
SUCCESSIF : 4 tour ■ 5 phase, volée ■ 8 rotation ■ 14 successivement.
SUCCESSIVE : 11 polygénique.
SUCCESSION : 5 cours, masse, série*, suite*, train, trait, vague ■ 6 hoirie, rafale ■ 7 aubaine, de cujus, dizaine, échelle, tournus ■ 8 curateur, euphonie, hérédité, héritage*, héritier, rotation ■ 9 alternance, émolument, immixtion, sommation ■ 10 assolement, coadjuteur, consonance, déshériter, dévolution, patrimoine ■ 11 alternative, déroulement, héréditaire, successoral ■ 12 représentant ■ 13 pirouettement ■ 14 représentation, successibilité.
SUCCESSIVEMENT : 3 fur ■ 15 alternativement.
SUCCESSORAL : 7 retrayé ■ 9 retrayant.
SUCCIN : 10 succinique.
SUCCINCT : 4 bref ■ 5 court* ■ 6 concis, notice ■ 8 anecdote, sommaire.
SUCCOMBER : 5 céder*, choir, périr, plier ■ 6 mourir*, tomber ■ 7 fléchir ■ 8 accabler, résister.
SUCCULENT : 8 agréable ■ 9 délicieux, savoureux ■ 10 succulence.
SUCCURSALE : 6 agence, annexe ■ 7 filiale ■ 10 dépendance ■ 12 souscomptoir.
SUCCURSALISME : 13 succursaliste.
SUCER : 4 taon ■ 5 goule, ixode, suçon, téter, tirer ■ 6 lécher ■ 7 aspirer*, succion, suçoter ■ 8 extraire, sucement.
SUCEUR : 12 thynasoptère.
SUCRASE : 9 invertine ■ 10 saccharase.
SUCRE : 3 api, rue ■ 4 doux*, grog, miel ■ 5 agave, candi, cassé, crème, glace, gelée, lissé, manne, melon, neige, punch, sirop ■ 6 allégé, canard, casson, hexose, miellé, nectar, pralin, sucrer ■ 7 caramel, dulcite, grenage, lactose, maltose, mélasse, miellat, sucrant, sucrier ■ 8 aspartam, chocolat, fructose, grainage, meringue, persicot, pèsemoût, sucrerie, sucrette ■ 9 aspartame, berlingot, cassonade, édulcorer, entremets, essoreuse, galactose, moscouade, roulaison, saccharin, tréhalose, vergeoise ■ 10 glucomètre, pastellage, saccharate, saccharine, saccharole, saccharure ■ 11 candisation, chaptaliser, marshmallow, saccharoïde ■ 12 saccharifère, saccharifier ■ 13 saccharimètre ■ 14 caramélisation, monosaccharide, saccharimétrie.
SUCRER : 7 adoucir.

SUCRERIE: 5 sirop ■ 8 épulpeur ■ 9 confiseur, friandise ■ 10 confiserie, strontiane ■ 11 gourmandise ■ 12 bouillissage.
SUD: 4 midi*, pôle ■ 7 austral ■ 9 terrefort ■ 10 méridional.
SUDATION: 5 sueur ■ 11 sudorifique.
SUD-EST: 4 suet.
SUDORIFIQUE: 7 tilleul ■ 9 bourrache, jaborandi.
SUDORIPARE: 13 hidrosadénite.
SUD-OUEST: 8 libeccio.
SUEDOIS: 3 öre.
SUEE: 4 peur*.
SUER: 5 sueur ■ 6 moitir ■ 7 exsuder, ressuer, suinter ■ 8 fatiguer* ■ 9 sudatoire ■ 10 transpirer, transsuder.
SUEUR: 3 eau ■ 4 pore, suée ■ 5 écume ■ 6 suette ■ 7 moiteur, sudoral ■ 8 sudation ■ 9 dysidrose, halitueux, sudatoire ■ 10 bouchonner, hydrorrhée, intertrigo, sudorifère, sudoripare, suintement ■ 13 transpiration ■ 14 sudorification.
SUFFIRE: 6 borner ■ 7 combler, saturer ■ 8 autarcie, subvenir ■ 9 compléter, contenter, rassasier* ■ 10 satisfaire*.
SUFFISANCE: 7 fatuité, orgueil* ■ 8 hâblerie, modestie ■ 11 présomption ■ 12 insuffisance.
SUFFISANT: 3 fait ■ 5 assez ■ 6 congru ■ 7 honnête ■ 8 abondant, médiocre, passable, rentable, vaniteux* ■ 9 honorable, non-viable ■ 10 convenable ■ 11 insuffisant, raisonnable, supportable ■ 12 suffisamment.
SUFFISANTE: 2 q.s. ■ 3 q.s.p.
SUFFIT: 5 basta, baste.
SUFFIXE: 3 ise ■ 5 algie ■ 8 hydrique, suffixal, suffixer ■ 11 suffixation ■ 15 parasynthétique.
SUFFOCANT: 5 brome ■ 7 ypérite ■ 9 acroléine, étouffant.
SUFFOCATION: 10 oppression.
SUFFOQUER: 8 étouffer.
SUFFRAGE: 4 voix, vote* ■ 5 choix*, élire ■ 8 élection ■ 11 approbation, délibératif.
SUGGERER: 6 dicter ■ 8 inspirer*, souffler ■ 9 persuader*, suggestif ■ 10 conseiller*, suggestion.
SUGGESTIF: 10 strip-tease ■ 11 inspirateur ■ 12 suggestivité.
SUGGESTION: 11 inspiration, instigation, pithiatisme, suggestible ■ 13 suggestionner ■ 14 suggestibilité.
SUICIDE: 7 seppuku.
SUICIDER: 4 tuer ■ 8 hara-kiri.
SUIDE: 4 porc ■ 5 goret, ragot, truie ■ 6 cochon, pécari, porcin, verrat ■ 8 porcelet, sanglier ■ 10 babiroussa, phacochère.
SUIE: 6 bistre, cadmie ■ 7 bidanet ■ 10 fuligineux.
SUIF: 5 savon ■ 6 sébacé ■ 7 fondoir, suiffer ■ 8 flambeau, suiffeux ■ 9 chandelle.
SUINT: 8 lanoline ■ 10 dessuinter.
SUINTER: 4 suer ■ 5 suint ■ 6 couler* ■ 7 exsuder, pleurer ■ 8 suintant ■ 10 transpirer, transsuder.
SUINTEMENT: 7 exsudat ■ 8 miellure ■ 10 exsudation.
SUISSE: 5 rösti, sbrinz ■ 6 roesti ■ 7 helvète ■ 8 appointé, huitante ■ 9 appenzell ■ 10 alémanique, helvétisme ■ 13 landsgemeinde.
SUIT: 9 postnatal ■ 10 post-partum ■ 12 postprandial.
SUITE: 3 air, fil ■ 4 file, haie, père ■ 5 après, avent, bride, chant, danse, effet*, filon, ligne, liste, ordre, queue, série*, tissu, train ■ 6 ballet, chaîne, épopée, rangée, tirade, tourne ■ 7 colonne, cortège,

couture, escorte, filière, froncis, litanie, mélodie, partita, théorie, tractus, traînée ■ 8 arcature, chapelet, coq-à-l'âne, derrière, dynastie, enfilade, équipage, escalier, harmonie, kyrielle, pétarade, reliquat, résultat*, séquelle, séquence ■ 9 allemande, cassation, enchaîner, filiation, illogique, postérité, remorquer ■ 10 algorithme, alignement, anphigouri, continuité, généalogie, incohérent, lexicalisé, pagination, procession, ribambelle, séquentiel, story-board, successeur, succession* ■ 11 bafouillage, consécution, conséquence*, progression ■ 12 chassé-croisé, continuation, divertimento, enchaînement*, inconsistant, nomenclature ■ 13 inconséquence ■ 14 post-opératoire.

SUIVANT : 5 selon, suite ■ 9 prochaine, ultérieur ■ 10 postérieur*, subséquent.

SUIVANTE : 9 soubrette.

SUIVISME : 8 suiviste.

SUIVRE : 5 ester, filer, mener, suivi ■ 6 courir, pister, serrer ■ 7 presser, suiveur ■ 8 convoyer, cortéger, ensuivre, escorter, étraquer, prochain, relancer, résulter, succéder, survivre, talonner ■ 9 compléter, continuer, descendre, emprunter, lendemain, levrauder, parcourir, processus, rembûcher, remplacer ■ 10 après-dîner, consécutif, enfreindre, itinéraire, poursuivre*, subséquent ■ 11 accompagner, après-guerre, chaperonner ■ 12 irréversible.

SUJET : 3 moi ■ 4 être, fond, lieu, pose, raïa, raya ■ 5 cause, drôle, étude, fable, fugue, image, motif, objet, rayia, scène, tapis, texte, thème, titre, verbe ■ 6 actant, bandit, cobaye, enclin ■ 7 analysé, matière, pilpoul, syntone ■ 8 angoissé, chapitre, craintif, locuteur, médaille, occasion, variable ■ 9 corvéable, décimable, exhaustif, fantasque, garnement, nominatif, quérulent, rancunier, subjectif, taillable ■ 10 catarrheux, concernant, digression, inconstant, médiation, patentable, polygraphe, prédicable, scrupuleux, tempétueux, vassaliser ■ 11 autoanalyse, bronchiteux, désagrément, épileptique, hagiographe, porte-greffe, suggestible ■ 12 mainmortable, photomontage, porte-greffes, surexcitable ■ 13 prescriptible ■ 14 corruptibilité, fermentescible, intersubjectif ■ 14 perspectivisme.

SUJETION : 4 joug ■ 6 carcan, chaîne ■ 7 attache ■ 9 condition, esclavage*, obédience, vassalité, vasselage ■ 10 dépendance*, soumission ■ 12 indépendance, libre-penseur ■ 13 subordination* ■ 15 antiautoritaire.

SULFACIDE : 9 thioacide.

SULFAMIDE : 11 tolbutamide.

SULFATAGE : 9 sulfateur.

SULFATE : 4 alun ■ 5 gypse ■ 7 vitriol ■ 8 barytine, sélénite, sulfater ■ 9 anhydrite, couperose, kiesérite, lithopone ■ 10 gypsomètre, persulfate, séléniteux ■ 11 sulfatation, vincristine.

SULFATER : 10 sulfateuse.

SULFURE : 4 zinc ■ 5 plomb ■ 6 blende, galène, pyrite ■ 7 cinabre, ichtyol, réalgar, stibine ■ 8 argyrose, orpiment ■ 9 alquifoux, argentite, bisulfite, bisulfure, sulfitage, sulforage, sulfureux, vermillon ■ 10 alabandine, bismuthine, chalcosine ■ 11 molybdénite, polysulfure ■ 13 thiocarbonate ■ 14 sulfocarbonate.

SULFURER : 10 pyrrhotite ■ 11 sulfuration.

SULFURIQUE : 5 oléum, plomb ■ 7 vitriol ■ 12 sulfovinique ■ 14 pyrosulfurique.

SULKY : 6 driver.

SULTAN : 5 iradé ■ 6 sérail, soudon ■ 7 maghzen, makhzen, padicha ■ 8 hautesse, padichah, seigneur, sultanat ■ 9 odalisque, padischah.

SUMAC : 9 corroyère.
SUMER : 8 sumérien.
SUMMUM : 6 apogée.
SUNNA : 8 sunnisme.
SUNNISME : 9 acharisme.
SUNNITE : 9 chafiisme, hanafisme, maléfisme, malikisme ■ 10 hanbalisme.
SUPERBE : 4 fier ■ 7 orgueil* ■ 8 vaniteux ■ 9 admirable* ■ 11 orgueilleux*.
SUPERCHERIE : 9 tromperie*.
SUPERE : 11 supérovarié.
SUPERFETATION : 4 abus.
SUPERFICIE : 3 mer ■ 4 aire ■ 5 mètre ■ 6 aréage, façade ■ 7 endroit, étendue*, hectare, surface* ■ 8 arpenter ■ 9 arpentage, dimension ■ 10 surfacique ■ 11 superficiel.
SUPERFICIEL : 4 sial ■ 5 aphte, léger, nappe ■ 7 frivole ■ 8 teinture ■ 9 écorchure, éraillure ■ 10 absorption, replâtrage ■ 11 motoculteur, nitruration ■ 13 scarification.
SUPERFICIELLE : 9 basilique, veinosité.
SUPERFLU : 4 trop ■ 7 inutile ■ 8 attirail, redonder ■ 9 redondant ■ 11 surabondant ■ 12 superfluités.
SUPERFLUIDITE : 11 superfluide.
SUPERFLUITE : 10 redondance.
SUPERPOSITION : 10 trichromie.
SUPERIEUR : 3 bey ■ 4 abbé, chef*, haut, plus, tête ■ 5 aigle, buste, divin, doyen, extra, front, gigot, hampe, labre, major, ordre, penne, prône, super, thane, torse, veste, vomer, voûte, vulve ■ 6 choisi, exquis, fameux, phénix, prieur ■ 7 éminent, fargues, général, lunette, parfait, rhétien ■ 8 archange, au-dessus, dépasser, étendard, extra-fin, meilleur, plancher, sinciput, surhomme, surplomb, tailloir, turonien ■ 9 algonkien, avant-bras, baignoire, coup-de-pied, couronner, délicieux, élévation, épigastre, excellent, galhauban, généralat, higoumène, hypotaupe, impériale, magistral, manubrium, obédience, passavant, perroquet, procureur, ravissant, remontrer, séminaire, surhausse ■ 10 algonquien, commandant, empointure, hypertendu, provincial, satisfecit, subordonné, surchauffe, survitesse, université ■ 11 blastoderme, déplafonner, discrétoire, entablement, supériorité ■ 12 couronnement, hypersonique, hypertension, hypertonique, rhinopharynx, supersonique, transcendant ■ 13 archimandrite, leptolithique, superfinition, sus-maxillaire ■ 14 supérieurement, superstructure ■ 15 maître-assistant.
SUPERIORITE : 4 juré ■ 6 talent ■ 7 pouvoir, qualité, royauté ■ 8 avantage*, maîtrise, primauté ■ 9 hégémonie, magistral, préséance ■ 10 domination, excellence, perfection, prépotence, suprématie, surcomposé ■ 11 distinction, précellence, prééminence ■ 12 hors-concours, souveraineté* ■ 13 préexcellence, prépondérance ■ 14 condescendance.
SUPERPLASTICITE : 14 superplastique.
SUPERLATIF : 4 fort, très ■ 5 degré ■ 6 satané.
SUPERPOSER : 5 liter ■ 6 étager ■ 12 superposable.
SUPERPOSITION : 11 coïncidence, imbrication ■ 12 interférence, polytonalité ■ 14 superstructure.
SUPERSTITIEUX : 10 féticiste, intersigne.
SUPERSTITION : 5 magie ■ 7 vampire ■ 8 amulette, croyance* ■ 9 bigoterie, cagoterie, crédulité, fanatisme ■ 10 fétichisme ■ 11 illuminisme ■ 13 superstitieux.

SUPERSTRUCTURE: 4 roof ■ 7 château, dunette, kiosque ■ 8 gaillard ■ 10 passerelle.
SUPERVISER: 11 superviseur, supervision.
SUPINATION: 7 spetime.
SUPPLANTER: 9 remplacer*, repousser.
SUPPLEANCE: 10 vicariance.
SUPPLEANT: 4 vice ■ 9 substitut, vicariant ■ 10 suppléance.
SUPPLEER: 8 remédier ■ 9 compléter, remplacer*, renforcer, suppléant ■ 10 suppléance ■ 11 subsidiaire, supplétoire.
SUPPLEMENT: 6 rabiot ■ 7 renfort ■ 8 surcroît* ■ 9 appendice, surfilage ■ 10 complément, sursalaire ■ 14 supplémentaire.
SUPPLEMENTAIRE: 5 extra ■ 7 surcoût ■ 8 nourrice, surprime ■ 9 adventice, embolisme, supplétif, tierceron ■ 10 bout-dehors, survitrage ■ 11 contre-appel, passe-volant ■ 12 embolismique.
SUPPLETIF: 4 goum ■ 5 harki.
SUPPLIANT: 6 infule.
SUPPLICATION: 6 prière*.
SUPPLICE: 3 feu, gril, pal ■ 4 gêne, roue ■ 5 corde, croix, enfer, fouet, garot, gibet, knout, peine, rouer, souci ■ 6 cangue ■ 7 géhenne, martyre, potence, torture* ■ 8 atrocité, autodafé, calvaire, question, tourment* ■ 9 bâtonnade, châtiment, estrapade, pendaison ■ 10 empalement, énervation, guillotine, lapidation, supplicier ■ 12 condamnation, écartèlement.
SUPPLICIER: 4 tuer ■ 5 rouer ■ 6 brûler, pendre ■ 7 empaler, lapider ■ 8 bâtonner, écorcher, fouetter, torturer ■ 9 crucifier, écarteler, étrangler ■ 10 martyriser, tourmenter* ■ 11 guillotiner.
SUPPLIER: 5 prier* ■ 7 adjurer.
SUPPLIQUE: 6 prière* ■ 7 demande, requête* ■ 8 impétrer, pétition.
SUPPORT: 3 mât, van ■ 4 base*, bâti, bras, grue, tige ■ 5 affût, appui*, butée, cible, gaine, queue, rayon, rubis, table ■ 6 adossé, banque, baudet, billot, bipied, chaise, chenet, cintre, établi, faucre, lexème, patère, pilier*, pylône ■ 7 atlante, berceau, console, jambage, montoir, palâtre, séchoir, soutien*, stipité, tableau, tasseau, télamon, tréteau ■ 8 armature*, baliveau, chevalet, dressoir, ostracon, palastre, prie-dieu, régulage, servante, tablette ■ 9 apprêtoir, appui-bras, appui-main, boustring, cariatide, chargeoir, disquette, épontille, isolateur, lambourde, névrilème, piédestal, piédouche, stylobate ■ 10 appuie-bras, appuie-main, champignon, chandelier, embasement, garde-nappe, iconostase, interactif, lampadaire, marchepied, microforme, orthostate, passerelle, subjectile ■ 11 appui-livres, échafaudage, enrochement, miséricorde, vidéogramme, zoophorique ■ 12 accroche-plat, agenouilloir ■ 13 autoélévateur, dessous-de-plat, imprimabilité, médiaplanning, porte-étendard ■ 14 encorbellement.
SUPPORTABLE: 8 passable ■ 9 tolérable ■ 10 soutenable ■ 11 intolérable ■ 13 insupportable.
SUPPORTE: 9 suryhalin ■ 10 eurytherme.
SUPPORTER: 5 pifer, subir* ■ 6 avaler, piffer, porter*, prêter ■ 7 appuyer, digérer, endurer, essuyer, excuser, tolérer ■ 8 accabler, accepter*, admettre, détester, éprouver, fatiguer, résister, souffrir*, soutenir* ■ 9 encaisser, permettre, ressentir ■ 10 impatience, répercuter ■ 14 responsabilité.
SUPPOSE: 2 si ■ 4 faux, soit ■ 5 censé, point ■ 7 emprunt ■ 8 emprunté ■ 9 apocryphe, incognito ■ 10 présupposé, pseudonyme.
SUPPOSER: 5 poser ■ 6 croire*, mettre ■ 7 augurer, espérer, inférer, réputer ■ 8 admettre, imaginer*, inventer, présumer, probable, suppu-

ter ■ 9 attribuer ■ 10 supposable ■ 11 conjecturer, présupposer, représenter.
SUPPOSITION : 4 soit ■ 7 opinion ■ 8 croyance ■ 9 censément, hypothèse*, prévision, pronostic ■ 10 conjecture ■ 11 attribution, imagination, présomption ■ 14 présupposition.
SUPPOT : 8 partisan*.
SUPPRESSION : 2 ec, ef, es, ex ■ 5 crase, diète ■ 6 anurie, zeugma ■ 7 anurèse, coupure, élision, ellipse ■ 8 ablation*, aphérèse, asyndète, dadaïsme, deleatur, déridage, guérison, ischémie ■ 9 abolition, anhépatie, pincement, résection, réticence ■ 10 annulation*, détaxation, extinction, lipogramme, subversion, troncation ■ 11 contraction, désarmement, dissolution, élimination*, prétérition ■ 12 achromatisme, dérégulation, proscription ■ 13 amortissement, éclaircissage, retranchement ■ 15 décontamination, démagnétisation, désintoxication, désorganisation.
SUPPRIME : 10 antitussif ■ 15 sympatholytique.
SUPPRIMER : 4 ôter*, tuer ■ 5 limer, raser, rayer, taire ■ 6 abolir, amorti, briser, casser, couper, élider, épiler, guérir, radier ■ 7 abroger, amortir, annuler*, aplanir, démolir, détaxer, effacer*, épincer, grésoir, libérer, raboter, retirer*, sarcler ■ 8 corriger, débrayer, délester, désarmer, détruire*, dissiper, éliminer*, éteindre, étouffer, exempter, exonérer, extirper, prohiber, réformer, remettre, résilier ■ 9 caviarder, décharger, dissoudre, escamoter, étrangler ■ 10 débosseler, débrancher, désactiver, désindexer, retrancher* ■ 11 déplafonner, désaimanter, désétatiser, suppression ■ 12 déconcentrer, déprogrammer, désaccoupler, désorganiser ■ 13 déréglementer ■ 14 antidéflagrant ■ 15 déstalinisation.
SUPPURATION : 5 séton ■ 10 suppuratif ■ 13 aboutissement.
SUPPURER : 7 pyogène ■ 9 suppurant.
SUPPUTER : 7 estimer* ■ 9 réfléchir ■ 11 computation, supputation.
SUPRACONDUCTION : 15 supraconducteur.
SUPREMATIE : 9 hégémonie ■ 11 supériorité*.
SUPREME : 3 tao ■ 4 dieu, juge ■ 5 idéal ■ 6 sommet*, synode ■ 7 aulique, dernier*, majesté, suffête ■ 8 amirauté, félicité ■ 9 avènement, cassation, dictateur, souverain* ■ 10 chancelier, connétable, suréminent ■ 11 saint-synode, suprêmement ■ 12 souveraineté ■ 13 généralissime.
SUR : 3 sus ■ 5 acide*, aigre*, couru, pardi, super, sûrir ■ 6 assuré, fidèle, solide* ■ 7 certain*, éprouvé ■ 9 appliquer, confirmer, convaincu, incertain ■ 15 immanquablement.
SURABONDANCE : 4 abus ■ 5 excès*, orgie ■ 8 pléthore ■ 9 abondance ■ 10 exubérance.
SURABONDER : 8 redonder ■ 11 surabondant.
SURALIMENTATION : 12 suralimenter.
SURALIMENTE : 5 turbo.
SURANNE : 5 dater ■ 6 désuet*, périmé ■ 7 vieilli ■ 9 archaïsme ■ 10 vieillerie ■ 14 vieillissement.
SURATE : 5 surah.
SURBAISSER : 7 baisser ■ 9 surbaisse ■ 13 surbaissement.
SURCHARGE : 5 clean ■ 9 adiposité ■ 10 surcharger ■ 11 liposuccion ■ 14 hémochromatose.
SURCHARGER : 6 farcir ■ 7 abrutir, bourrer*, raturer ■ 8 accabler ■ 9 encombrer.
SURCHAUFFER : 10 surchauffe ■ 12 surchauffeur ■ 13 resurchauffer.
SURCOMPRESSION : 11 surcomprimé ■ 12 surcomprimer.

SURCONTRER : **9** surcontre.
SURCOUPER : **8** surcoupe.
SURCROIT : **6** pensum ■ **7** renfort, surpus ■ **8** rajouter, superflu ■ **9** appendice, supplétif, surcharge, surélever ■ **10** accessoire, supplément, surajouter, surimposer ■ **13** surimposition.
SURDENT : **4** dent.
SURDETERMINATION : **13** surdéterminer ■ **14** surdéterminant.
SURDITE : **12** otospongiose, tympanoplastie.
SUREAU : **5** yèble ■ **6** hièble ■ **7** pétoire.
SURELEVATION : **8** mascaret.
SURELEVER : **8** abaisser ■ **12** surélévation.
SUREMENT : **10** assurément.
SURENCHERE : **7** enchère ■ **11** surenchérir ■ **15** surenchérisseur.
SURENDETTE : **14** surendettement.
SUREQUIPER : **13** suréquipement.
SURESTIMATION : **13** surélévation.
SURESTIMER : **10** surévaluer ■ **13** surestimation.
SURETE : **4** môle ■ **5** asile, pompe, siège ■ **6** verrou ■ **7** caution ■ **8** garantie, réfugier, sécurité, sûrement ■ **9** assurance*, certitude*, sauvetage ■ **10** avant-poste, coffre-fort, flanc-garde, grand-garde, protection ■ **12** arrière-garde.
SUREVALUER : **10** surestimer.
SUREXCITATION : **4** brio, rêve, zèle ■ **6** ardeur, délire, flamme, fougue ■ **7** chaleur, émotion, entrain, ivresse, passion ■ **8** frénésie, illusion ■ **9** sublimité ■ **10** admiration, énervement, engouement, enivrement, exaltation, exubérance ■ **11** cyclothymie, emballement ■ **12** échauffement, enthousiasme*.
SUREXCITE : **6** ardent, exalté, excité ■ **7** furieux, sublime ■ **8** enflammé, fougueux ■ **9** fanatique, passionné ■ **10** chaleureux, frénétique.
SUREXCITER : **5** rêver ■ **7** admirer, délirer, emballer, énerver, engouer ■ **9** enfiévrer ■ **11** surexcitable, surexcitant.
SUREXPLOITER : **15** surexploitation.
SURF : **6** surfer ■ **7** surfeur.
SURFACE : **2** nu ■ **3** are ■ **4** aire, barn, cône, face, havi, lieu, orbe, plan, ride, zone ■ **5** algue, bande, champ, écran, en-but, frise, front, galet, grain, grené, lacté, lamer, minot, nappe, paroi, pièze, place, râper, siège, strie, talus, terre, toise, toron ■ **6** aréage, cadran, cercle, espace, frayée, géoïde, möbius, plaine, safran ■ **7** buffler, charrue, condyle, dioptre, dos d'âne, étendue*, facette, lattage, luisant, panache, plafond, section, terrain, tranche, voilure ■ **8** apophyse, bouclier, carrière, couronne, écoinçon, épiderme, extrados, frottoir, grammage, incident, intrados, luxmètre, ménisque, méridien, parement, pénombre, planéité, platrière, rhodiage, ricochet, rugosité, scissure, surnager, tapisser ■ **9** affleurer, apothécie, bosselure, chanfrein, dégauchir, dimension, écaillure, échiquier, empennage, expansion, hélicoïde, glissance, mésopause, mycoderme, œkoumène, orniérage, parallèle, paramètre, peaufiner, pericrâne, péristome, quadrique, tubercule, villosité ■ **10** champlever, chorologie, contenance, couverture, éllipsoïde, espacement, flottaison, gouvernail, méridienne, osculation, périphérie, planimètre, superficie, surfaceuse, terre-plein, tribologie, tropopause ■ **11** emplacement, paraboloïde, photosphère, planimétrie, terreautage ■ **12** compartiment, concentrique, développable, hyperboloïde, pied-de-mouton, polygonation ■ **13** stéréographie, télédétection ■ **14** multitubulaire.

SURFACER : 9 surfaçage.
SURFIL : 6 surjet ■ 8 surfiler ■ 9 surfilage.
SURFIN : 8 superfin.
SURFUSION : 8 surfondu.
SURGELATION : 11 surgélateur.
SURGENERATION : 13 surgénérateur ■ 15 surrégénérateur.
SURGIR : 4 nova ■ 5 venir ■ 6 sortir* ■ 7 émerger ■ 8 paraître*, resurgir ■ 9 ressurgir ■ 10 surrection ■ 12 surgissement.
SURHAUSSER : 13 surhaussement.
SURIMPOSITION : 8 épigénie.
SURIMPRESSION : 5 truca.
SURINTENDANT : 9 argentier ■ 13 surintendance ■ 14 superintendant.
SURJALE : 8 surjaler.
SURJECTIF : 8 bijectif.
SURJET : 6 surfil ■ 8 surjeter.
SURJETER : 9 roulotter.
SUR-LE-CHAMP : 6 illico ■ 9 impromptu ■ 10 improviste ■ 11 extemporané ■ 13 immédiatement.
SURLONGE : 8 flanchet.
SURMENER : 8 fatiguer*.
SURMONTER : 5 mater ■ 6 sommer ■ 7 dompter*, réduire, vaincre* ■ 8 franchir ■ 9 maîtriser*, triompher ■ 11 surmontable ■ 13 insurmontable.
SURMOULAGE : 4 mère.
SURNAGER : 9 subsister.
SURNATUREL : 5 gnome ■ 7 voyance ■ 8 katchina, talisman ■ 9 fakirisme, homoncule, homuncule, maléfique ■ 10 miraculeux, mysticisme, surnaturel ■ 11 merveilleux.
SURNOM : 3 dit ■ 8 chtonien, épiphane ■ 9 sobriquet, surnommer ■ 10 pseudonyme ■ 14 porphyrogénète.
SURNOMBRE : 8 trisomie.
SURNOMME : 5 ledit ■ 6 ladite.
SURNOMMER : 7 appeler*.
SURNUMERAIRE : 7 surdent, wormien ■ 9 incasique ■ 12 polydactylie.
SURPASSER : 6 passer, primer, trimer ■ 7 abattre, brosser, chasser, crosser, dégoter, dominer, effacer, évincer ■ 8 abaisser, asservir, déborder, dépasser*, devancer, éclipser, emporter, enfoncer, éreinter, étriller ■ 9 confondre, distancer, émulation, paralyser, prévaloir, rivaliser, soumettre, subjuguer, supérieur, terrasser ■ 10 supplanter ■ 11 désarçonner ■ 12 surpassement ■ 13 décontenancer, insurpassable.
SURPIQURE : 9 surpiquer.
SURPLIS : 6 rochet.
SURPLOMB : 5 oriel ■ 13 abri-sous-roche.
SURPLOMBER : 8 dépasser* ■ 9 couronner ■ 11 surplombant ■ 13 surplombement.
SURPLUS : 5 excès* ■ 9 surcharge ■ 15 surcompensation.
SURPRENANT : 5 inouï ■ 7 bizarre, curieux, étrange, imprévu, inopiné, magique ■ 8 aventure, étonnant*, inespéré, insolite ■ 9 inattendu, mirifique, phénomètre, singulier ■ 10 saisissant*, stupéfiant* ■ 12 déconcertant, étourdissant, inconcevable.
SURPREND : 10 bizarroïde.
SURPRENDRE : 4 voir ■ 5 judas, piger ■ 6 épater ■ 7 anuiter, éblouir*, étonner*, prendre, tromper, trouver ■ 8 dépayser, écouteur ■ 9 stupéfier* ■ 10 estomaquer ■ 11 interloquer ■ 12 époustoufler.
SURPRIS : 5 ébahi, saisi ■ 6 étonné, frappé ■ 8 renversé, stupéfié ■

9 stupéfait* ■ 10 déconcerté*.

SURPRISE: 2 eh, et, ha, hé, oh ■ 3 bon, gag ■ 4 ciel, dame, donc, hein, mais ■ 5 bigre, jeter, mince, ouais, tiens, veine ■ 6 crénom, sciant, tiquer ■ 7 comment, sursaut ■ 9 embuscade ■ 10 admiration, camouflage, étonnement*, soubresaut, sourciller, surprenant, tressauter ■ 11 exclamation, haut-le-corps, miséricorde ■ 14 tressaillement.

SURPRISE-PARTIE: 4 boum ■ 7 surboum ■ 8 surpatte.

SURPRODUCTION: 11 surproduire.

SURPROTEGER: 13 surprotection.

SURREALISME: 11 surréaliste.

SURRENAL: 6 cortex.

SURSAUTER: 13 sursaturation.

SURSAUT: 4 saut* ■ 9 sursauter.

SURSAUTER: 10 tressauter ■ 11 tressaillir*.

SURSEOIR: 8 attendre, retarder* ■ 10 temporiser.

SURSIS: 5 délai* ■ 9 surséance ■ 10 sursitaire.

SURTAXE: 8 surtaxer.

SURTENSION: 10 survoltage.

SURTONTE: 9 surtondre.

SURTOUT: 5 caban ■ 14 principalement.

SURVEILLANCE: 4 aile, doge, guet ■ 5 awacs, carte, garde*, gardé, régie, vigie ■ 7 faction, mirador, tutelle ■ 8 baliseur, contrôle, croiseur, filature, filtrage, tangente ■ 9 croisière, garde-côte, vigilance ■ 10 inspection, monitoring ■ 11 gardiennage ■ 12 observatoire ■ 13 sous-maîtresse.

SURVEILLANT: 4 pion ■ 5 argus, garde* ■ 6 maître, préfet ■ 7 censeur, cuistre, geôlier, piqueur, préposé ■ 8 argousin, guetteur, mouchard ■ 9 garde-voie ■ 10 conducteur, inspecteur, répétiteur ■ 11 observateur, sophroniste, stationnaire, surintendant ■ 12 garde-magasin ■ 13 garde-chiourme.

SURVEILLER: 5 épier, filer, mater ■ 6 garder, suivre ■ 7 marquer, messier, pisteur, veiller* ■ 8 escorter, observer* ■ 9 contrôler, espionner, inspecter ■ 11 cavalcadour, chaperonner, mâchicoulis, surveillant ■ 12 surveillance.

SURVENANCE: 6 ex post ■ 7 arrivée.

SURVENIR: 5 venir ■ 6 surgir ■ 7 advenir, arriver*.

SURVETEMENT: 7 jogging.

SURVIRER: 9 survirage.

SURVIVRE: 8 enterrer ■ 9 survivant ■ 10 survivance.

SUS: 5 outre ■ 12 surnuméraire.

SUSCEPTIBILITE: 8 paranoïa.

SUSCEPTIBLE: 7 ablatif, cotable, mutable ■ 8 canonisé, coléreux, évolutif, peccable, quantité, réceptif, sensible, souffrir ■ 9 amendable, attirable, banquable, dilatable, graciable, irritable, limitable, malléable, ombrageux, vibratile, vulnérant ■ 10 compétitif, cultivable, diffusable, évaporable, permutable, polissable, vulnérable ■ 11 falsifiable, ministrable, pointilleux ■ 12 chatouilleux, scolarisable ■ 13 photoémetteur, reproductible, volatilisable ■ 14 présidentiable, toxicomanogène ■ 15 imprescriptible.

SUSCITATION: 5 éveil.

SUSCITE: 9 paniquant.

SUSCITER: 6 bondir, causer*, élever ■ 8 apporter, fomenter, produire*, soulever ■ 9 provoquer*, réveiller ■ 11 occasionner*.

SUSCRIPTION: 2 ev ■ 5 poste ■ 7 adresse.

SUSDIT: 4 dito.

SUSPECT: 6 louche, véreux ■ 7 caution, douteux ■ 9 apocryphe, équivoque, guilledou, interlope, suspecter, suspicion.
SUSPECTER: 11 incriminer, soupçonner.
SUSPENDRE: 6 cesser, chômer, pendre* ■ 7 arrêter, enrayer, étendre, inhiber, retenir ■ 8 apprendre, attacher, proroger, soutenir, surseoir ■ 9 accrocher*, éthériser, moratoire, pendiller, suspensif ■ 10 suspension ■ 11 anesthésier, interrompre* ■ 15 porte-serviettes.
SUSPENDU: 5 cadre, hamac, harpe, litre, nuage, panca, panka, poids, punka, siège ■ 7 cessant, soffite, suspens ■ 8 flottant, soupente, touaille, valleuse ■ 9 pendentif, pendiller ■ 10 balançoire, catalepsie, suspenseur.
SUSPENS: 5 délai, pause ■ 6 sursis ■ 7 attente* ■ 9 suspensif ■ 10 provisoire, temporaire ■ 11 quarantaine.
SUSPENSE: 8 thriller.
SUSPENSION: 4 cran, croc ■ 5 crise, grève, pause, repos, trève ■ 6 cardan ■ 7 bélière, chômage, clôture, crochet, intérim, relâche ■ 8 étendage, penderie, retraite, vacances ■ 9 aéroscope, cessation, fermeture, moratoire ■ 10 cantilever, crémaillon, inactivité, lipovaccin, stagnation ■ 11 banqueroute, crémaillère, prorogation, scepticisme ■ 12 anhydrobiose, fluidisation, interruption* ■ 15 discontinuation, oléopneumatique.
SUSPICION: 7 soupçon ■ 8 défiance*, méfiance ■ 10 suspicieux.
SUSTENTER: 7 nourrir* ■ 12 sustentation.
SUSTENTATION: 4 aile ■ 8 girodyne.
SUSURRER: 8 murmurer* ■ 9 susurrant.
SUTURE: 7 sutural ■ 9 avivement, lambdoïde ■ 13 oraniosténose.
SUZERAIN: 3 ban ■ 6 vassal ■ 8 gonfalon, gonfanon, seigneur* ■ 11 suzeraineté.
SVELTE: 5 délié, mince* ■ 9 sveltesse.
SWING: 11 rock and roll.
SYBARITE: 11 sybaritique.
SYCOMORE: 6 érable.
SYCOPHANTE: 6 espion* ■ 8 sournois ■ 10 accusateur.
SYLLABE: 4 pied, vers ■ 5 mètre ■ 6 mantra ■ 7 brévité ■ 8 aphérèse, saphique ■ 9 contracté, épenthèse, métathèse, paroxyton, synalèphe ■ 10 alexandrin, dissyllabe, syllabique, syllabisme, trisyllabe, troncation ■ 11 décasyllabe, monosyllabe, octosyllabe, polysyllabe, syllabation, triphtongue ■ 12 heptasyllabe, tétrasyllabe ■ 13 contrepèterie, dissyllabique, dodécasyllabe, isosyllabique, quadrisyllabe, réduplication ■ 14 antépénultième, décasyllabique, hendécasyllabe, monosyllabique, octosyllabique, polysyllabique ■ 15 tétrasyllabique.
SYLLABIQUE: 8 linéaire.
SYLLEPSE: 11 sylleptique.
SYLLOGISME: 2 or ■ 5 terme ■ 7 barbara, mineure ■ 8 prémisse ■ 9 enthymème ■ 10 baralipton ■ 11 scolastique ■ 13 syllogistique.
SYLPHE: 5 génie.
SYLVE: 4 bois* ■ 5 forêt*.
SYLVICULTEUR: 12 pépiniériste, sylviculture.
SYLVICULTURE: 9 sylvicole.
SYMBOLE: 2 fg, hz, lm, oz, ph, po, sr, wh ■ 3 dag, dal, dam, kgf, kgp, mev, roc, tep ■ 4 œil ■ 5 crédo, image, lares, linga, signe, taiji, t'aiki ■ 6 figure, lingam ■ 7 emblème ■ 8 attribut, fraction, svastika ■ 9 asymbolie, croissant, épaulette ■ 10 sémiotique, symbolique, symboliser, symbolisme ■ 11 identifieur ■ 13 symbolisation ■ 14 identificateur, pictographique, quantificateur, représentation, symboliquement.

SYMBOLE CHIMIQUE: **1** a, b, c, e, f, h, i, k, n, o, p, s, u, v, w, y ■ **2** ac, ag, al, am, ar, as, at, au, az, ba, be, bi, bk, br, ca, cb, cd, ce, cf, cl, cm, co, cr, cs, cu, dy, er, es, eu, fe, fl, fm, fr, ga, gd, ge, gl, ha, he, hf, hg, ho, in, ir, kr, la, li, lr, lu, md, mg, mn, mo, mv, na, nb, nd, ne, ni, no, np, os, pa, pb, pd, pm, po, pr, pt, pu, ra, rb, re, rh, rn, ru, sb, sc, se, si, sm, sn, sr, ta, tb, tc, te, th, ti, tl, tm, tx, xe, yb, zn, zr.
SYMBOLIQUE: **4** lisp.
SYMETRIE: **8** sagittal ■ **9** asymétrie ■ **10** frontalité, symétrique ■ **11** asymétrique, dissymétrie, triclinique ■ **12** correspondre ■ **13** dissymétrique.
SYMETRIQUE: **4** oval ■ **5** spica ■ **8** régulier* ■ **9** genouillé ■ **10** gémination, irrégulier, symétrique ■ **13** axisymétrique.
SYMPATHIE: **6** estime ■ **7** entente, intérêt ■ **8** affinité ■ **10** communion, xénophilie ■ **11** anglophilie, attachement, sympathique, sympathiser ■ **12** condoléances, sympathisant ■ **13** félicitations, germanophilie.
SYMPATHIQUE: **4** chic ■ **8** chouette, migraine ■ **11** intéressant ■ **12** adrénergique, bétabloquant ■ **13** catécholamine ■ **14** sympathectomie ■ **15** sympathiquement, sympatholytique.
SYMPATHOLOGIQUE: **8** yohimbine.
SYMPHONIE: **5** final ■ **8** concerto ■ **11** symphonique, symphoniste ■ **15** symphoniquement.
SYMPTOMATIQUE: **15** caractéristique.
SYMPTOME: **5** signe* ■ **8** prodrome, syndrome ■ **9** cavitaire, épigenèse, phénomène*, rémission ■ **10** diagnostic, indication*, pathologie, pathomimie, sémiologie ■ **11** présomption, séméiologie ■ **12** coïncidation, épiphénomène ■ **13** manifestation, symptomatique ■ **15** pathognomonique, symptomatologie.
SYNAGOGUE: **5** taled ■ **6** taleth.
SYNALLAGMATIQUE: **5** vente ■ **10** réciproque.
SYNAMISME: **3** pep.
SYNAPSE: **10** synaptique ■ **14** neuromédiateur.
SYNCHRONE: **10** asynchrone ■ **12** synchroniser, synchronisme ■ **14** synchroniseuse ■ **15** synchronisation.
SYNCHRONISE: **9** diaporama.
SYNCHRONISME: **13** asynchronisme ■ **14** désynchroniser.
SYNCLINAL: **3** val ■ **10** anticlinal.
SYNCOPE: **4** jazz ■ **7** ragtime, syncopé ■ **8** pâmoison, syncopal, syncoper ■ **9** aconitine ■ **14** évanouissement.
SYNCRETIQUE: **8** bahaïsme, béhaïsme.
SYNCRETISME: **9** caodaïsme ■ **10** syncrétiste.
SYNDIC: **5** baile ■ **7** trustee.
SYNDICAT: **4** pool ■ **5** trust, union ■ **6** corner ■ **7** société ■ **8** mutuelle, scission, syndical, syndiqué ■ **9** syndiquer ■ **10** fédération, trade-union ■ **11** apparatchik, corporation ■ **12** antisyndical, antiunitaire, syndicalisme, syndicataire ■ **13** compagnonnage, confédération, intersyndical ■ **14** désyndicaliser, intersyndicale.
SYNDROME: **8** athétose, symptôme* ■ **11** entérorénal, klinefelter ■ **12** épicondylite ■ **13** arthrogrypose ■ **14** adiposo-génital.
SYNERGIE: **10** synergique.
SYNESTHESIE: **8** synopsie.
SYNODE: **7** concile*, synodal ■ **9** synodique.
SYNONYME: **7** adéquat ■ **10** équivalent ■ **11** synonymique.
SYNOPSIS: **5** pièce, trame ■ **10** traitement.
SYNOVIALE: **2** si ■ **7** synovie ■ **8** synovite ■ **12** synoviotose.
SYNTAXE: **7** licence ■ **9** grammaire*, solécisme ■ **10** syntaxique ■

11 concordance, syntactique ■ 12 construction, syntacticien.
SYNTHESE : 3 oxo ■ 5 codon ■ 8 vocodeur ■ 9 coumarine, dichromie ■ 10 autochrome, furosémide 11 disulfirame, métabolisme, synthétique, synthétiser ■ 12 organochloré ■ 13 photosynthèse, ribonucléique, triamcinolone ■ 14 chimiosynthèse.
SYNTHETIQUE : 4 buna, skaï ■ 5 nylon, orlon, quick ■ 6 banlon, dacron, dralon, rhovyl, rilsan, tergal ■ 7 adhésif, aramide, goretex ■ 8 altuglas, bakélite, néoprène, synderme, terlenka, térylène ■ 9 acrylique, butadiène, consolidé, plexiglas, vinylique ■ 11 allopurinal, aminoplaste, chlorofibre, polyoléfine ■ 13 polybutadiène ■ 15 synthétiquement.
SYNTHETISE : 10 totalisant ■ 13 synthétisable.
SYNTHETISEUR : 6 synthé.
SYNTHETISME : 12 cloisonnisme.
SYNTONE : 8 syntonie.
SYPHILIS : 6 vérole ■ 7 chancre, luétine, roséole ■ 9 syphilide, tréponème ■ 12 syphilitique.
SYPHILITIQUE : 6 vérolé.
SYRIE : 6 soudon.
SYRIEN : 6 sémite ■ 8 maronite.
SYSIMBRE : 5 vélar.
SYSTEMATIQUE : 5 taxon, taxum ■ 9 déontique ■ 13 systématicien.
SYSTEME : 2 si ■ 3 abs, cgs, mts, pal, utm ■ 4 code, judo, kilo, m.k.s.a., myri, rift ■ 5 awacs, barye, decca, delco, gauss, mètre, micro, monde, morse, myria, myrio, règle*, secam, trias ■ 6 afocal, goulag, graphe, social*, utopie, velcro ■ 7 biphasé, frayage, leasing, méthode*, modulor, senseur, serveur, téléfax, télétel, théorie*, torseur ■ 8 anarchie, autonome, cambrien, clanisme, darbysme, dispersé, doctrine*, engramme, freinage, jiu-jitsu, limbique, médecine, métairie, oculaire, poétique, principe*, religion*, véhicule ■ 9 atonalité, autofocus, avunculat, biénergie, cab-signal, canonique, cégésimal, enrouleur, fiscalité, monogamie, mutualité, newtonien, politique*, sectateur, trop-plein ■ 10 autocratie, calendrier, condenseur, diatonisme, économique*, franquisme, invariance, ismaélisme, martingale, masselotte, monocratie, polyarchie, quadruplex, symbolisme, systémique, wagnérisme ■ 11 adiabatisme, anastigmate, antiblocage, aplanétique, aplanétisme, capitalisme, combinaison, hexadécimal, homéopathie, monoculture, partenariat, phalanstère, philosophie*, polyculture, polysynodie, rééducation, référentiel, sous-système, tout-à-l'égout, végétarisme ■ 12 actionnariat, bimétallisme, comparatisme, compensation, conscription, contre-vapeur, cosmographie, enseignement, inquisitoire, labanotation, méritocratie, monopartisme, systématique, systématiser, technocratie, télécommande, télé-écriture ■ 13 astrobiologie, autoritarisme, bertillonnage, bicarburation, consonantisme, matrilinéaire, multipartisme, œilletonnage, périglaciaire, personnalisme, pluripartisme, subjectivisme, taylorisation ■ 14 industrialisme, monométallisme, monoprocesseur, self-government ■ 15 déconcentration, indifférentisme, phallocentrisme, protectionnisme, radiotéléphonie, systématisation.
SYSTEME NERVEUX : 6 neural ■ 10 nervosisme, neurologie, neurotrope ■ 11 biofeedback, neurochimie, neuropathie, paresthésie, sympathique ■ 12 barbiturique ■ 13 architectonie, neurobiologie, neuroleptique, neurosciences ■ 14 neurobiochimie, neurochirurgie, neurovégétatif ■ 15 neurodépresseur, neuroradiologie, parasympathique.
SYSTEME OPTIQUE : 12 bronchoscope ■ 14 catadioptrique.
SYSTOLE : 8 diastole ■ 10 systolique ■ 11 périsystole.

TABAC : **5** débit, fumer, pétun ■ **6** chique, perlot, rôlage ■ **7** caporal, capsage, carasse, médicée, pétuner, priseur, tabagie ■ **8** fourneau, maryland, nicotine, pontiane, virginie ■ **9** aiguillon, antitabac, broquelin, buraliste, cigarette, nicotiane, nicotisme, tabatière ■ **10** scaferlati ■ **11** nicotinisme ■ **13** dénicotiniser.

TABAGIE : **7** cabaret.

TABAGISME : **9** nicotisme, tabagique ■ **11** nicotinisme.

TABATIERE : **5** boîte ■ **7** lucarne ■ **10** queue-de-rat.

TABELLION : **7** notaire.

TABERNACLE : **4** naos, néos ■ **6** parvis ■ **7** conopée, soukhot ■ **8** pavillon.

TABES : **6** ataxie ■ **8** langueur* ■ **9** tabétique.

TABLE : **3** jan, mée ■ **4** étal, luxe, plat ■ **5** autel, chère, évier, gigot, index, nappe, tapis, tombe, verre ■ **6** abaque, barème, buffet, bureau, établi, sommet ■ **7** billard, console, hachoir, plateau, pupitre, surtout, traceur, tréteau, vitrine ■ **8** attabler, chanteau, comptoir, crédence, cuillère, desserte, dressoir, guéridon, servante, tablette ■ **9** chasselas, coiffeuse, commensal, grosserie, serviette, sous-nappe, tabulaire, vaisselle ■ **10** fourchette, pâtissoire, planchette, répertoire ■ **11** alphonsines, rince-doigts ■ **12** porte-couteau, travailleuse ■ **13** dessous-de-table, propitiatoire.

TABLEAU : **3** mai, vue ■ **4** cote, embu, fond, noir, plan ■ **5** amour, bilan, cadre, craie, écran, flore, genre, grisé, image*, index, liste, navet, repos, table, tarif, tissu, toile ■ **6** croûte, damier, ex-voto, marine ■ **7** affiche, diorama, gouache, horaire, matrice, panneau, paysage, pochade, repeint, tabelle ■ **8** diptyque, ébrasure, ecce homo, écriteau, enseigne, esquisse, lointain, pancarte, panorama, peinture*, portrait*, prédelle, verrière ■ **9** allégorie, cartouche, tablature, triptyque, turquerie ■ **10** bambochade, calendrier, polyptyque, repoussoir, tabellaire, tableautin ■ **11** conjugaison, crucifixion, statistique ■ **12** crucifiement, généalogique, résurrection ■ **14** représentation*.

TABLER : **7** espérer.

TABLETIER : **11** tabletterie.

TABLETTE : **4** méta ■ **5** dalle, rayon, selle, style, volet ■ **6** abaque ■ **7** étagère, tasseau, tessière, tirette ■ **8** diptyque.

TABLETTERIE : **5** nacre ■ **8** calambac, calambar, merisier ■ **9** calambour ■ **11** marqueterie.

TABLIER : **7** bavette ■ **9** salopette ■ **11** serpillière.

TABOU : 5 sacré ■ 7 tabouer ■ 9 tabouiser.
TABOURET : 4 pouf ■ 5 siège.
TABULAIRE : 4 gour.
TACHE : 3 net ■ 4 bleu, pâté, pige, raie, sale*, spot, taie ■ 5 cerne, dédié, envie, glace, hyène, jaspe, ladre, lèpre, lérot, signe ■ 6 albugo, bavure, lunule, macule, maille, nævus, ocelle, œuvre, office, saleté*, vibice ■ 7 aiglure, balzane, granule, jaspure, lentigo, leucome, madrure, roséole, rougeur, travail, vergeté, vibices ■ 8 chloasma, détacher, éphélide, essanger, immaculé, maculage, maillure, noirceur, pétéchie, saigneux, sanglant, tatouage, tavelure ■ 9 bigarrure, détachage, ecchymose, exécutant, graisseux, jardineux, marqueter, panachure, rechampir, souillure, syphilide, tacheture, varicelle, vergeture ■ 10 maculation maculature, moucheture ■ 11 anthracnose, noircissure, télétravail, xanthélasma ■ 12 antéphélique, éclaboussure, meurtrissure.
TACHER : 4 voir ■ 5 salir* ■ 6 piquer ■ 7 briguer, crotter, essayer*, maculer, saigner ■ 8 évertuer, graisser, ingénier, rouiller, souiller, tacheter ■ 10 marchander, rechercher ■ 11 barbouiller, éclabousser.
TACHERON : 11 travailleur.
TACHETE : 7 grivelé ■ 8 léopardé, moucheté.
TACHETER : 7 taveler ■ 8 piqueter ■ 9 marqueter.
TACHYCARDIE : 13 tachyarythmie.
TACITE : 10 tacitement ■ 11 sous-entendu.
TACITURNE : 5 hibou ■ 6 sombre ■ 7 taiseux ■ 9 concentré ■ 10 silencieux ■ 11 taciturnité.
TACLE : 6 tacler.
TACT : 7 contact, tactile, toucher ■ 9 tentacule ■ 10 diplomatie ■ 11 délicatesse*, savoir-vivre ■ 12 attouchement.
TACTILE : 8 vibrisse ■ 9 barbillon.
TACTIQUE : 5 thème ■ 7 wargame ■ 8 briefing ■ 9 compagnie, manœuvre, stratégie, tacticien ■ 11 obstruction ■ 14 préstratégique.
TACTISME : 14 chimiotactisme.
TADJIKISTAN : 6 tadjik.
TAFIA : 4 rhum.
TAFFETAS : 5 pongé ■ 6 mouche ■ 9 pou-de-soie ■ 10 pout-de-soie ■ 11 poult-de-soie.
TAG : 6 tageur.
TAGALOG : 8 pilipine.
TAHITI : 8 tahitien.
TAHITIENNE : 5 monoï.
TAIE : 4 peau ■ 6 maille.
TAILLADE : 7 morsure ■ 8 entaille*, éraflure, griffade ■ 9 découpure, écorchure, éraillure ■ 11 égratignure ■ 12 déchiqueture.
TAILLADER : 6 couper* mordre, racler ■ 7 érafler, gratter, griffer ■ 8 écorcher, érailler, étriller, labourer, ratisser ■ 9 dévisager, tenailler ■ 10 égratigner.
TAILLANDIER : 12 taillanderie.
TAILLANT : 5 gouge ■ 9 découpoir, tranchant*.
TAILLE : 3 élu ■ 4 menu, nain, rang ■ 5 burin, carré, coupe, géant, grand, jayet, mince, nabot, plume, tapis, toise, vinée ■ 6 ajusté, patron, poncis, sampot ■ 7 châssis, piquage, stature ■ 8 ceinture, courtaud, découplé, épinçage, grandeur, jaquette, levretté, mirmidon, monoxyle, myrmidon, négrille, sécateur, tailleur, tectrice ■ 9 ceinturer, demi-tasse, dentelure, dépendeur, freluquet, grignotis, lapidaire, marmouset, normalisé, solutréen, taillable, tailleuse, tranchant ■ 10 crapoussin, martingale, silhouette, sous-cavage ■ 11 entretaille,

lilliputien, prêt-à-porter, rapprochage, stéréotomie ■ 12 contre-taille, héliogravure ■ 15 microdissection.

TAILLER : 6 bûcher, couper*, écimer, égayer, étêter, évider, hacher, pincer, tondre ■ 7 abattre, châtrer, élaguer, émonder, fuseler, recéper, smiller, vaincre ■ 8 aissette, créneler, découper, dégarnir, denteler, ébiseler, écharper, épamprer, équarrir, facetter, retondre, sculpter, topiaire ■ 9 biseauter, bretteler, décharger, échancrer, éclaircir, festonner, lardonner, rabattoir, retailler, rustiquer, salgotter, taillerie ■ 10 brillanter, champlever, charpenter, ébranchoir ■ 11 appareiller, chanfreiner, débillarder, étronçonner ■ 12 taille-crayon ■ 13 marteau-piolet.

TAILLEUR : 4 flou, laie, ripe ■ 6 buisse, jupier ■ 7 barreau, bouisse, pompier, sciotte ■ 8 essayeur, marquoir, rustique ■ 12 passe-carreau.

TAILLIS : 4 tiré ■ 5 cepée, recrû ■ 6 breuil ■ 7 buisson*, raclage ■ 9 belladone.

TAIRE : 4 chut ■ 5 celer, mimer, tacet ■ 6 cacher, garder, sauter, voiler ■ 7 arrêter, omettre, retenir ■ 8 déguiser, déparler, étouffer ■ 9 rengainer ■ 10 dissimuler ■ 11 contraindre.

TAISEUX : 9 taciturne.

TAIT : 6 non-dit.

TAIWAN : 9 taiwanais.

TALC : 7 talquer ■ 8 stéatite, talqueux.

TALENT : 3 art* ■ 4 diva, luth, mime, raté ■ 5 force, génie*, grand ■ 6 génial ■ 7 mauvais, sommité ■ 8 bravoure, capacité, dénigrer, sourcier, virtuose ■ 9 éloquence, incapable, insinuant, notoriété, persuasif ■ 10 cantatrice, talentueux, théâtreuse, virtuosité ■ 12 écrivailleur ■ 15 talentueusement.

TALER : 8 meurtrir.

TALISMAN : 7 bézoard ■ 8 amulette* ■ 10 phylactère ■ 12 talismanique.

TALLE : 7 tallage.

TALMUD : 7 yeshiva.

TALMUDIQUE : 10 talmudiste ■ 14 traditionnaire.

TALOCHE : 4 coup ■ 5 gifle* ■ 8 talocher ■ 9 talmousse.

TALON : 3 rai ■ 4 mule ■ 5 glome ■ 7 talaire ■ 8 quartier, surlonge, taconeos, talonner ■ 9 accroupir, calcanéum ■ 10 contrefort, encasteler, talonnette, talonnière.

TALONFORME : 9 talonnade.

TALONNER : 9 talonnage, talonneur ■ 10 poursuivre*, tourmenter*.

TALUS : 4 ados, côté ■ 5 berge, butte ■ 6 glacis, rideau ■ 7 escarpe, falaise, parapet, plongée, remblai, taluter ■ 8 penchant, platière ■ 9 banquette, bull-finch, clayonner ■ 10 boulingrin, revêtement ■ 11 escarpement ■ 12 contrescarpe.

TAMANOIR : 8 tamandua.

TAMARIN : 8 hapalidé.

TAMARINIER : 7 tamarin.

TAMARIS : 7 tamarin.

TAMBOUR : 2 ra ■ 3 ban, fla, tom ■ 5 bongo, dembe, tapin ■ 6 caisse, tam-tam, tarole, tom-tom ■ 7 timbale ■ 8 barillet, batterie, darbouka, derbouka, générale, rataplan, tympanon ■ 9 roulement, tambourin ■ 10 rantanplan ■ 11 colin-tampon, tambouriner ■ 12 tambour-major.

TAMBOURIN : 7 tambour ■ 12 tambourineur ■ 13 tambourinaire.

TAMBOURINER : 6 battre* ■ 7 frapper* ■ 8 répandre ■ 12 tambourinage ■ 14 tambourinement.

TAMIS : 3 sas ■ 6 filtre ■ 7 bluteau, blutoir ■ 9 tamiserie.

TAMISAGE : 11 plansichter.

TAMISER: 5 trier ■ 6 bluter, passer, sasser, vanner ■ 7 cribler, filtrer, heurter ■ 8 tamisage.
TAMPICO: 5 agave.
TAMPON: 4 gong ■ 5 balle, lance ■ 7 tapette ■ 9 tamponner ■ 10 tamponnoir, vadrouille ■ 12 tamponnement.
TAMPONNER: 4 choc ■ 7 heurter* ■ 12 tamponnement.
TAM-TAM: 6 tapage* ■ 7 tambour*.
TAN: 5 jusée, tanin, tanné ■ 6 pelard, regros, tannée ■ 8 auvergne, tanniser.
TANCER: 8 rabrouer ■ 11 réprimander*.
TANDEM: 9 monotrace ■ 10 bicyclette.
TANDIS QUE: 9 au lieu que ■ 10 pendant que.
TANGAGE: 5 houle.
TANGENT: 9 exinscrit ■ 10 tangentiel.
TANGENTE: 10 cotangente.
TANGIBLE: 4 réel*, vrai* ■ 7 positif* ■ 11 tangibilité ■ 12 tangiblement.
TANGO: 7 milonga ■ 9 bandonéon.
TANGUE: 6 radula ■ 9 tanguière.
TANGUER: 8 balancer*.
TANIERE: 4 gîte* ■ 5 antre* ■ 8 retraite ■ 10 renardière.
TANIN: 8 tannique, tanniser.
TANNAGE: 3 tan ■ 4 cuir ■ 5 tanné ■ 8 tannerie ■ 9 affaitage ■ 10 chamoiseur, corroierie, hongroyeur ■ 11 affaitement.
TANNE: 5 croco.
TANNER: 6 battre ■ 7 chromer, ennuyer.
TANNISER: 8 tanisage ■ 9 tannisage.
TANT: 8 tantième.
TANTE: 4 tata ■ 7 tantine ■ 11 avunculaire.
TANTIEME: 6 énième.
TANTRISME: 6 tantra ■ 7 mandala ■ 9 tantrique.
TANZANIE: 9 tanzanien.
TAO: 3 yin ■ 4 yang.
TAPAGE: 5 bruit*, potin, train ■ 6 aubade, barouf, boucan, bousin, chahut, fracas, pétard, raffut, ramdam, rumeur, sabbat, tam-tam ■ 7 tapager, tumulte*, vacarme ■ 8 bahutage, baroufle, brouhaha, carillon, hourvari, scandale, sérénade, sourdine, tapageur ■ 9 chabanais, charivari, esclandre, margaille ■ 10 bastringue, cacophonie, tintamarre.
TAPAGEUR: 4 yé-yé ■ 5 démon ■ 7 casseur ■ 9 sacripant ■ 13 tapageusement.
TAPE: 3 fou ■ 4 coup*, flac ■ 5 gifle*, taper ■ 7 calotte ■ 8 bourrade ■ 9 multitude.
TAPECUL: 5 cotre, ketch.
TAPEE: 5 poire ■ 9 multitude*.
TAPER: 5 tiper, toper ■ 6 battre*, tipper, tosser ■ 7 frapper*, tapette ■ 8 tapement ■ 9 emprunter.
TAPIN: 7 tapiner.
TAPINOIS: 11 secrètement.
TAPIOCA: 6 manioc.
TAPIR: 7 bottir* ■ 12 paléothérium.
TAPIS: 4 coco ■ 5 bande, foyer, kilim, natte ■ 6 feutre ■ 7 passage, tenture ■ 8 carpette, descente, linoléum, moquette, thibaude ■ 9 tapissier ■ 10 carpettier, paillasson, savonnerie, tapisserie, tapissière ■ 11 tapis-brosse ■ 12 shampouineur ■ 13 aspiro-batteur, shampouineuse.

TAPISSER: 6 garnir, tendre.
TAPISSERIE: 4 reps, tors ■ 5 point, tapis ■ 7 canevas ■ 8 draperie, tapisser ■ 9 rentrayer ■ 11 mille-fleurs, rentraiture ■ 12 entrefenêtre.
TAPISSIER: 7 semence ■ 9 broquette ■ 10 tapisserie.
TAPON: 8 taponner ■ 9 taponnage.
TAPOTER: 7 frapper* ■ 10 tapotement.
TAQUIN: 5 lutin ■ 9 malicieux* ■ 10 taquinerie.
TAQUINER: 6 agacer*, braver, tanner ■ 7 canuler, lutiner, picoter ■ 8 chicaner ■ 9 asticoter, mécaniser, mystifier, persifler, provoquer ■ 10 houspiller, tarabuster, tourmenter*, turlupiner ■ 11 impatienter.
TAQUINERIE: 9 raillerie*.
TARABISCOTE: 7 affecté.
TARABUSTER: 8 malmener ■ 10 tourmenter*.
TARARE: 8 tararage.
TARAUD: 8 quillier.
TARAUDAGE: 9 taraudeur.
TARAUDER: 6 battre, percer ■ 9 taraudage ■ 10 taraudeuse, tourmenter.
TARD: 5 avant ■ 8 retarder ■ 13 parachronisme ■ 14 ultérieurement.
TARDER: 8 retarder ■ 9 atermoyer ■ 10 pétouiller.
TARDIF: 4 lent, long ■ 5 hâtif ■ 6 brunch ■ 9 tardivité ■ 11 tardivement.
TARE: 4 vice* ■ 6 défaut*.
TARENTULE: 6 lycose.
TARER: 5 gâter* ■ 7 avarier.
TARGUER: 7 flatter ■ 8 fanfaron*.
TARIERE: 5 sonde ■ 8 quillier ■ 9 oviscapte ■ 13 queue-de-cochon.
TARIF: 4 prix* ■ 6 barème ■ 7 courant ■ 9 demi-tarif, tarifaire ■ 12 différentiel, tarification.
TARIR: 7 épuiser* ■ 10 tarissable ■ 12 intarissable.
TARN: 7 tarnais.
TARO: 6 foutou.
TAROT: 6 oudler.
TARSE: 7 cuboïde, tarsien ■ 9 astragale, calcanéum, pentamère, scaphoïde, sésamoïde ■ 10 cunéiforme ■ 11 tarsectomie.
TARSIEN: 7 tarsier.
TARTARE: 9 cannibale.
TARTE: 4 flan ■ 5 gifle, pizza ■ 9 tourtière ■ 10 tartelette ■ 12 pissaladière.
TARTELETTE: 7 dariole ■ 8 amandine, talmouse.
TARTINE: 5 rôtie, toast ■ 6 tirade ■ 7 beurrée, tranche ■ 8 biscotte.
TARTRE: 8 tartatre, tartreux ■ 9 détartrer, entartrer, tartrique ■ 10 détartrage, détartrant, détartreur, entartrage.
TARTUFE: 4 faux* ■ 5 bigot ■ 9 hypocrite* ■ 10 tartuferie.
TAS: 4 amas* ■ 5 meule, mulon, tapon ■ 7 javelle ■ 8 entasser ■ 9 amonceler ■ 10 collection ■ 11 entassement.
TASSE: 3 bol ■ 5 coupe, godet, hanap, moque, quart ■ 6 cyathe, patère ■ 7 gobelet, tâte-vin ■ 8 déjeuner, soucoupe ■ 9 demi-tasse ■ 10 trembleuse ■ 13 recroquevillé.
TASSEAU: 6 liteau.
TASSEMENT: 4 faix ■ 12 affaissement*.
TASSER: 5 damer ■ 7 presser*, tassage ■ 8 entasser, pilonner, plombeur ■ 9 affaisser*, enterrage ■ 10 compactage ■ 14 recroqueviller.
TATER: 6 palper, sonder ■ 7 essayer, hésiter, retâter, toucher* ■ 8 savourer, tâtonner.

TATILLON : 9 minutieux* ■ 13 consciencieux.
TATONNE : 9 tâtonnant.
TATONNEMENT : 12 balbutiement.
TATONNER : 7 essayer*, hésiter*, toucher ■ 10 aveuglette ■ 11 tâtonnement.
TATOU : 9 priodonte.
TATOUER : 8 tatouage, tatoueur.
TAUDIS : 4 trou ■ 5 bouge ■ 11 appartement.
TAULE : 4 tôle.
TAUPE : 5 lamie ■ 7 taupier ■ 8 taupière, taupinée ■ 10 taupinière ■ 11 courtilière.
TAUPIN : 8 forgeron ■ 9 élatéridé.
TAUPINIERE : 5 butte ■ 8 taupinée.
TAURE : 5 vache*.
TAUREAU : 5 bœuf, toril, vache ■ 6 manade, taurin, torero ■ 7 corrida, tauridé ■ 8 toréador ■ 9 ganaderia, taurillon ■ 10 banderille, beuglement, bucentaure, puntillero ■ 11 bistournage, tauromachie.
TAUTOLOGIE : 9 pléonasme ■ 12 tautologique.
TAUTOMERE : 10 tautomérie.
TAUTOMERIE : 11 desmotropie.
TAUX : 4 pair, taxe ■ 5 cours, loyer, usure ■ 6 cétose, change ■ 7 surtaux ■ 8 cholémie, natrémie, pourcent, surtaxer, taxation ■ 9 calciurie, cétonurie, gold-point, hypoxémie, kalicytie, lipidémie ■ 10 conversion, éthylotest ■ 11 dévaluation, éthylomètre, parathyrine, pourcentage, surnatalité ■ 12 parathormone, réalignement, surmortalité, urobilinurie ■ 13 progressivité ■ 15 cholestérolémie.
TAVELER : 9 marqueter.
TAVERNE : 4 café* ■ 7 auberge, cabaret* ■ 9 tavernier ■ 10 restaurant.
TAXACEE : 2 if.
TAXE : 3 t.t.c., t.v.a. ■ 4 taux ■ 5 droit, impôt* ■ 6 excise ■ 7 maltôte, surtaxe, taxatif ■ 8 taxateur, taxation ■ 9 franc-fief ■ 10 capitation, régalement ■ 11 dégrèvement ■ 13 parafiscalité.
TAXER : 7 taxable ■ 8 taxation ■ 9 reprocher.
TAXI : 9 maraudeur, radio-taxi ■ 11 taxi-brousse.
TAXIDERMIE : 12 taxidermiste.
TAXINOMIE : 11 taxinomique, raxinomiste.
TAYLORISATION : 10 tayloriser.
TCHAD : 8 tchadien.
TCHADIEN : 7 haoussa.
TCHECOSLOVAQUE : 7 tchèque.
TECHNETIUM : 8 masurium.
TECHNICIEN : 7 metteur ■ 8 cinéaste, géomètre ■ 9 ingénieur, pétrolier, séminaire ■ 10 brain-trust, frigoriste ■ 11 réalisateur, spécialiste* ■ 12 technocratie ■ 13 sous-ingénieur ■ 15 technostructure.
TECHNIQUE : 3 art ■ 6 primal ■ 7 défoncé, domisme, méthode* ■ 8 archerie, armement, épistate, poussage, technème ■ 9 créatique, cryologie, détonique, domotique, enclosure, encloture, graphique, levallois, mass media, packaging, robotique, techniser, urbanisme, visagisme ■ 10 autoscopie, conférence, couponnage, défilement, ergométrie, gnomonique, imposition, irrigation, monophonie, plasturgie, technicité ■ 11 angiomatose, antipodisme, audiovisuel, bureautique, cytaphérèse, dévaluation, économétrie, électrochoc, fosbury flop, horographie, kammerspiel, œnotechnie, pétrochimie, porte-à-porte, productique, prospective, sismométrie, synthétisme, techniciser ■ 12 aéronautique, aiguilletage, bio-industrie, biotechnique, informatique, mu-

séographie, nomenclature, radiotechnie, stratovision ■ **13** brainstorming, cryotechnique, électrochimie, embryonscopie, haute-fidélité, marchandisage, minérallurgie, normalisation, œnotechnique, photogéologie, précontrainte, sociothérapie, techniquement, technoscience, télédétection ■ **14** biotechnologie, microtechnique, radiotechnique ■ **15** radarastronomie, spectrochimique, standardisation.

TECHNOCRATIE : 11 technocrate ■ **14** technocratiser.

TECHNOCRATIQUE : 8 énarchie ■ **14** technocratisme.

TECHNOLOGIE : 3 i.u.t. ■ **8** high-tech ■ **9** fluidique ■ **10** technopôle, tribologie ■ **11** technologue ■ **12** obsolescence ■ **13** technologique, technologiste ■ **14** technocratique.

TECT : 6 étable.

TECTONIQUE : 13 néotectonique.

TEFLON : 7 goretex ■ **9** téflonisé.

TEGUMENT : 4 peau*, test ■ **6** arille ■ **8** carapace, cuticule, pilosité, sensille ■ **9** micropyle ■ **12** articulation, tégumentaire.

TEIGNE : 4 mite ■ **5** favus, gerce, rogne ■ **8** gallerie, teigneux ■ **12** trichophyton.

TEILLER : 8 teillage, teilleur.

TEINDRE : 5 ocrer, roser, rosif ■ **6** chiner ■ **7** colorer, imbiber, raciner, rocouer, teinter, tremper ■ **8** garancer, violeter ■ **9** brésiller, imprégner, reteindre ■ **10** teinturier, tinctorial ■ **11** dégraisseur.

TEINT : 3 mat ■ **4** fard, hâle, rose ■ **5** blême, hâler, terne ■ **6** basané, bistre, bronzé, coloré, cuivré, matité ■ **7** blafard, couleur, rougeur, vermeil ■ **8** brouillé, carnation, fraîcheur, lividité.

TEINTE : 3 ton ■ **5** aplat, grisé, pixel, rompu, roser, virer ■ **7** couleur* ■ **8** céruléen, mordorer, opaliser, platiner ■ **9** rougeoyer ■ **10** brunissure, demi-teinte, impression, mezzo-tinto, opalescent ■ **11** opalisation ■ **13** similigravure ■ **14** isochromatique.

TEINTER : 7 bistrer, bleuter ■ **8** teintant.

TEINTURE : 4 bleu ■ **5** acide, aloès, batik, gaude, henné, jalap, sapan, teint ■ **6** brésil, kamala, sandix, sandyx, sappan ■ **8** campêche, dextrine, enlevage, orseille, picrique, rocouyer, sarrette ■ **9** aluminage, brésillet, cratægus, débouilli, garançage, orcanette ■ **10** brunissure, dischromie, quercitron, rosaniline, teinturier, tinctorial ■ **11** parégorique, teinturerie ■ **14** débouillissage.

TEINTURERIE : 8 maurelle.

TEL : 6 pareil ■ **9** identique, semblable*.

TELEBENNE : 10 télécabine.

TELECOMMANDE : 6 drone.

TELECOMMUNICATION : 5 laser ■ **7** minitel ■ **9** télétexte ■ **12** vidéographie ■ **14** télémécanicien.

TELECONFERENCE : 15 vidéoconférence, visioconférence.

TELECOPIE : 3 fax ■ **5** faxer ■ **7** téléfax.

TELEDETECTION : 7 scanner.

TELEGRAMME : 4 stop ■ **5** câble ■ **7** dépêche ■ **10** autogramme ■ **11** câblogramme.

TELEGRAPHIE : 3 tsf ■ **5** morse ■ **7** sans-fil, simplex ■ **8** cohéreur, télétype ■ **9** multiplex ■ **10** quadruplex, télégramme ■ **11** héliographe, télégraphie ■ **12** manipulateur, télégraphier ■ **13** télégraphique, télégraphiste, téléimprimeur, téléscripteur.

TELEGUIDAGE : 10 téléguider.

TELEMATIQUE : 11 télématiser.

TELEMATISER : 14 télématisation.

TELEMETRE : 11 télémétreur.

TELEOLOGIE : 12 téléologique.
TELEOSTEEN : 4 chat, muge, vive ■ 5 apode*, cabot, crète, labre, mérou, mulet, omble, scare, tourd, volant ■ 6 barbet, galidé*, marlin, perlon, orphie, rouget, sciène, silure, trigle, vairon ■ 7 barbier, brochet, grondin, mendole, percidé*, sébaste, sparidé*, vieille ■ 8 aiguille, clupéidé*, épinoche, rascasse, scorpène, surmulet, tétrodon ■ 9 bécassine, chevalier, cyprinidé*, loricaire, salmonidé*, scombridé* ■ 10 engraulidé*, physostome, uranoscope ■ 11 épinochette ■ 13 pleuronectidé*.
TELEPATHIE : 9 télépathe ■ 11 extralucide, télesthésie ■ 12 télépathique.
TELEPHERIQUE : 9 télébenne, télésiège ■ 10 télécabine ■ 11 téléférique, téléphérage.
TELEPHONE : 5 inter, poste ■ 8 régional, répéteur, sonnerie ■ 9 bigophone, composeur, taxiphone, télévente ■ 10 interphone, téléphoner, vidéophone, visiophone ■ 11 conjoncteur, interurbain ■ 12 téléphonique, téléphoniste ■ 13 communication.
TELEPHONIE : 4 jack ■ 5 câble ■ 7 friture, sans-fil ■ 11 radiophonie ■ 14 radiodiffusion ■ 15 radiotéléphonie.
TELEPHONIQUE : 6 bottin ■ 7 sans-fil ■ 10 publiphone ■ 14 péritéléphonie ■ 15 autocommutateur, radiotéléphonie.
TELESCOPE : 7 lunette ■ 9 astéroïde, chercheur ■ 10 aberration ■ 12 télépointage.
TELESCOPER : 7 heurter* ■ 9 tamponner.
TELESPECTATEUR : 7 zapping ■ 12 téléacheteur.
TELEVENTE : 9 téléachat.
TELEVISE : 9 soap opera ■ 13 téléreportage.
TELEVISEUR : 14 péritélévision.
TELEVISION : 2 t.v. ■ 3 p.a.f., p.a.l. ■ 4 télé, t.v.h.d. ■ 5 secam ■ 6 caméra, sitcom ■ 7 pairage, vidicon ■ 8 émission, talk-show, téléécran, téléfilm, ■ 9 linéature, mass media, téléradar, téléviser ■ 10 définition, multinorme, téléviseur, vidéophone, viséophone ■ 11 chrominance, mondovision, télégénique ■ 12 magnétoscope, stratovision, télédiffuser, téléreporter ■ 13 multistandard, radiotélévisé, télédiffusion ■ 14 radioreportage, téléspectateur, vidéofréquence.
TELEX : 7 télexer.
TELLEMENT : 2 si ■ 4 tant.
TELLURE : 9 tellureux, tellurien, tellurure ■ 10 tellurique ■ 14 tellurhydrique.
TELLURIQUE : 9 tellurate.
TEMERAIRE : 5 brave*, hardi* ■ 9 audacieux, intrépide ■ 12 entreprenant,
TEMERITE : 9 hardiesse, téméraire ■ 10 imprudence ■ 13 témérairement.
TEMOIGNAGE : 4 gage ■ 5 signe ■ 6 indice, marque, preuve*, témoin ■ 7 hommage, mention, parjurer ■ 9 décharger ■ 10 certificat, déposition, photo-robot, recueillir, satisfecit, tendresses ■ 11 affirmation, attestation ■ 12 condoléances, confirmation, constatation ■ 13 démonstration, félicitations.
TEMOIGNE : 10 inaffectif.
TEMOIGNER : 5 jurer, lever ■ 6 avérer ■ 7 appuyer, déposer, établir, montrer, révéler, siffler ■ 8 affirmer, attester, déplorer, plaindre, renâcler ■ 9 certifier, confirmer*, constater, démontrer, rechigner ■ 10 manifester, témoignage.
TEMOIN : 4 voir ■ 5 jurer ■ 6 de visu, recors ■ 8 citation, déposant ■

9 assistant, témoigner ■ 10 déposition, spectateur ■ 11 assignation, testimonial.

TEMPE : 7 larmier ■ 12 rouflaquette ■ 13 accroche-cœur.

TEMPERAMENT : 5 santé ■ 6 nature*, trempe ■ 8 diathèse ■ 9 caractère ■ 10 complexion ■ 11 disposition, lymphatisme ■ 12 constitution, contre-emploi, organisation, schizothymie ■ 13 idiosyncrasie ■ 14 prédisposition.

TEMPERANCE : 7 retenue ■ 8 chasteté, sobriété* ■ 9 tempérant.

TEMPERATURE : 3 été ■ 4 zéro ■ 5 froid, gelée, lampe, point, rouge, serre, sueur, temps, verre ■ 6 climat, fièvre*, incuit, siroco ■ 7 chaleur, eutexie ■ 8 calciner, canicule, cryostat, latitude, maturité, mitigeur ■ 9 amplitude, aoûtement, climatisé, couvaison, cryogénie, cryologie, échauffer, inclément, isotherme, pyromètre, refroidir ■ 10 aurytherme, cryométrie, inclémence, isochimène, myrométrie, surchauffe, tépidarium, thermostat ■ 11 homéotherme, homothermie, microclimat, réfrigérant, sténotherme, surchauffer, thermocline, thermomètre, thermoscope ■ 12 cryobiologie, ébulliomètre, ébullioscope, énantiotrope, hyperthermie, inflammation, superalliage, thermistance, thermographe, thermométrie ■ 13 antithermique, ébulliométrie, ébullioscopie, incandescence, pœcilotherme, poïkilotherme, réfrigération, syringomyélie, thermoclastie ■ 14 aluminiothermie, géothermomètre, pyrétothérapie, thermostatique, thermotactisme ■ 15 cryotempérature, pyroélectricité, refroidissement, thermorécepteur.

TEMPERE : 4 doux ■ 6 mitigé.

TEMPERER : 6 calmer* ■ 7 adoucir, amortir, modérer ■ 8 corriger ■ 9 dulcifier.

TEMPETE : 4 rage, vent ■ 5 dégât, grain, orage ■ 6 fureur, rafale, siroco, trombe, typhon ■ 7 cyclone, driveur, mistral, ouragan, tornade ■ 8 blizzard, dériveur ■ 9 déchaîner, hurlement, tourmente ■ 10 bourrasque, raz-de-marée, tempétueux, tourbillon.

TEMPETER : 10 invectiver.

TEMPLE : 4 dôme, naos ■ 5 cella, saint, torii ■ 6 église*, pagode, tholos ■ 7 mosquée, pronaos ■ 8 capitole, chapelle, panthéon, péribole, propylée, sérapéon, sérapéum, templier ■ 9 basilique, cariatide, caryatide, hiérodule, péristyle, sérapéion, synagogue, ziggourat ■ 10 labyrinthe, sanctuaire ■ 11 dodécastyle, opisthodome ■ 12 inauguration, présentation ■ 13 hiérogrammate.

TEMPO : 4 slow ■ 7 allégro, andante, slow-fox ■ 10 sicilienne.

TEMPORAIRE : 5 légat, remue ■ 6 ladang ■ 8 passager* ■ 9 essartage, supplétif ■ 11 essartement ■ 12 cantonnement, dissociation.

TEMPORAL : 8 mastoïde ■ 11 zygomatique.

TEMPOREL : 8 séculier ■ 9 terrestre ■ 10 cartulaire.

TEMPORISER : 5 temps ■ 8 retarder* ■ 12 opportunisme ■ 13 temporisateur, temporisation.

TEMPS : 2 an, de, en, où ■ 3 âge, ans, dès, ère, gel, mue, rut, vie ■ 4 beat, chez, date, frai, hier, jour, laps, lieu, loin, mois, nuit, pose, sous, tard ■ 5 alors, année, avant, avent, caban, comme, débit, délai, deuil, durée*, fleur, futur, gamin, jeune, marge, matin, mètre, mythe, natal, passé, ponte, salve, somme, stage, tâche, tango, tente, tenue, terme, tonte, tréou, utile, voici ■ 6 climat, époque*, loisir, moment*, musard, séance ■ 7 aoriste, demi-vie, horaire, intérim, journée, matinée, niaiser, parfait, période*, présent, semaine, veillée ■ 8 accalmie, campagne, carnaval, carrière, décalage, éternité, fauchage, lunaison, minorité, musarder, noviciat, prétérit, priorité, rectorat, rigaudon, temporel, vacances, vacation, vendange ■ 9 antérieur, antiquité, atemporel, brumasser, chronaxie, commodité, continuum, couvaison, deux-seize, dilatoire, douze-huit, éclaircie, floraison, gestation, hivernage, imparfait, intermède, lanterner, longtemps, mortalité, posemètre, probation, simultané, synodique, tondaison, trois-deux, trois-huit ■ **10** ancienneté, après-dîner, aujourd'hui, calendrier, coéligible, deux-quatre, entre-temps, expiration, exposition, fauchaison, fleuraison, génération, horométrie, incubation, instantané, intempérie, intemporel, intervalle, microgrenu, quatre-huit, relativité, temporaire ■ **11** antériorité, après-guerre, après-souper, baguenauder, chronologie, computation, fiançailles, périsystole, pupillarité, tautochrone, temporalité, température, time-sharing ■ **12** chronogramme, chronométrer, conditionnel, fur et à mesure, intersession, magistrature, météorologie, microseconde, prolongation, quatre-quatre ■ **13** chronométreur, passagèrement, saint-glinglin ■ **14** historiographe, lyophilisation, plus-que-parfait, science-fiction, spatio-temporel, temporairement.

TENACE: 3 glu, lut ■ **4** têtu* ■ **5** étain, hêtre, laine ■ **6** entêté*, gluant ■ **7** coriace ■ **8** rancœur, ténacité ■ **9** intrépide, résistant ■ **10** accrocheur.

TENACITE: 8 mordicus, obstiner ■ **10** entêtement*, tenacement ■ **11** obstination*, opiniâtreté.

TENAILLE: 4 anel ■ **5** happe, pince* ■ **9** morailles, tenailler, tricoises.

TENAILLER: 9 tracasser* ■ **10** préoccuper, tourmenter* ■ **12** tenaillement.

TENANCIER: 6 patron, yeoman ■ **7** fermier ■ **8** tènement ■ **9** buraliste ■ **10** ensaisiner.

TENANCIERE: 10 maquerelle.

TEND: 10 staraxique ■ **11** syncrétiste.

TENDANCE: 5 op art ■ **7** land art, laxisme, naturel ■ **8** affinité, fauvisme, machiste, penchant*, réalisme, tachisme, vocation ■ **9** alarmisme, direction, dolorisme, droitisme, expansion, féminisme, luminisme, naturisme, optimisme, ruralisme ■ **10** affairisme, appétition, bellicisme, brutalisme, cyclothyme, intégrisme, matiérisme, modernisme, propension, récidivité, ritualisme, romanisant, tendanciel, verbalisme ■ **11** affectivité, agressivité, appréhensif, aventurisme, captativité, conformisme, disposition, engineering, favoritisme, homéostasie, œcuménisme, paritarisme, récidivisme, séparatisme ■ **12** consumérisme, familialisme, historicisme, sociologisme, théâtralisme ■ **13** approbativité, conservatisme, destructivité, dissimilation, expansibilité, hygroscopique, persévération, productivisme, propagandisme, ségrégabilité, spiritualisme, tiers-mondisme ■ **14** aristocratisme, byzantinologie, encyclopédisme, ethnocentrisme, expansionnisme, individualisme, non-conformisme, opérationnisme, particularisme, précisionnisme, réductionnisme, sociocentrisme ■ **15** exhibitionnisme, fondamentalisme, réglementarisme.

TENDELET 5 tente.

TENDON: 4 féru, nerf ■ **6** muscle, tirant ■ **7** achille ■ **8** ligament, pubalgie ■ **9** tendineux, tendinite, ténotomie ■ **10** énervation ■ **11** digastrique ■ **14** proprioception.

TENDRE: 4 cher, moie, moye ■ **5** armer, buter, câlin, chéri, craie, rider, rosée, tirer, viser ■ **6** aimant, bander, border, raidir ■ **7** aboutir, amoroso, crisper, délicat, dilater, essayer, étendre*, gonfler, larguer, oiseler, tendeur ■ **8** bien-aimé, chercher, étarquer, graphite, graviter, hérisser, madrigal, nocturne, oaristys, retendre, sensible, tendreté ■ **9** attendrir, barbotine, caressant, concourir, conspirer, converger, dilection, lambourde, mortifier, présenter*, prétendre, remontage, roucouler ■ 10 affectueux, concerter, contracter, feuilletis, panneauter, précipiter, raidisseur, romanesque, roucoulade, tendrement ■ 11 convergence, sentimental, tourtereaux ■ 12 roucoulement.

TENDRESSE: 6 amitié, tendre ■ 9 affection, sentiment ■ 10 tendrement ■ 11 sensibilité ■ 15 attendrissement, refroidissement.

TENDRON: 5 fille.

TENDU: 3 sec ■ 5 lâche, plein, raide, roide ■ 7 détendu, hérissé ■ 8 desséché, explosif.

TENDUE: 10 trampoline.

TENEBRES: 5 ombre*, voile ■ 9 obscurité*, ténébreux ■ 10 enténébrer.

TENEBREUX: 6 obscur*, sombre* ■ 12 mélancolique* ■ 14 ténébreusement.

TENEUR: 5 texte ■ 8 salinite ■ 9 hydratant, oléomètre ■ 10 décarburer, gypsomètre, saturateur ■ 11 composition ■ 12 explosimètre.

TENIA: 6 cénure, scolex ■ 7 cœnure ■ 8 hydatide, ténifuge ■ 10 cucurbitin, proglottis ■ 11 cucurbitain, cysticerque, échinocoque ■ 12 endoparasite ■ 14 bothriocéphale.

TENIFUGE: 6 kamala.

TENIR: 5 avoir, bayer, gêner, mener, parer, prise, tenue, venir ■ 6 coller, croire, garder*, porter, saisir*, serrer ■ 7 adhérer, capeyer, détenir, dominer, écarter, estimer, joindre, prendre, retenir ■ 8 attacher, chambrer, découler, dépendre, fidélité, maintien, négliger, palabrer, posséder*, résister, résulter, soutenir ■ 9 accrocher, balancier, enraciner, entretien, intenable, maintenir*, maîtriser, roucouler, suspecter ■ 10 calfeutrer, cramponner, entretenir, magasinier, participer, terroriser ■ 11 représenter ■ 12 chauffe-plats.

TENNIS: 3 ace, jeu, let, lob, out, set ■ 4 lift ■ 5 court, drive, slice, smash ■ 6 single, trente ■ 7 central ■ 8 avantage, ping-pong, quarante, raquette, tie-break, volleyer ■ 9 badminton ■ 10 lawn-tennis ■ 11 passing-shot, tennistique.

TENON: 7 ailette ■ 8 enlaçure, mortaise, tenonner ■ 9 enlassure, languette ■ 10 épaulement, tenonneuse ■ 12 queue d'aronde.

TENOR: 4 voix ■ 8 ténorino ■ 9 ténoriser ■ 10 ténorisant.

TENSEUR: 6 hauban ■ 9 tensoriel.

TENSION: 3 ton ■ 4 volt ■ 5 crise ■ 7 orgasme, ténesme ■ 8 dévolter, kilovolt, pression, survolté ■ 9 attention, bitension, dévolteur, éréthisme, hypotendu, survolter ■ 10 crispation, distension, hypertendu, surtension, survoltage, survolteur ■ 11 contraction, disjoncteur, hypotenseur, hypotension, psophomètre, relâchement, sous-tension, sous-voltage, tensioactif ■ 12 anticalcique, constriction, raidissement ■ 13 concentration, horripilation ■ 14 stalagmomètre.

TENSIOACTIF: 10 dispersant.

TENTACULE: 5 acéré ■ 12 tentaculaire.

TENTATION: 5 désir*.

TENTATIVE: 4 coup ■ 5 essai* ■ 6 avance ■ 7 ébauche, impasse ■ 8 attenter, démarche, esquisse ■ 10 entreprise ■ 11 tâtonnement.

TENTE: 4 abri*, dais, taud ■ 5 cagna, douar, hutte, taude, tissu, vélum ■ 6 camper, gourbi, iourte, wigwam, yourte ■ 7 baraque ■ 8 guitoune, marabout, pavillon, prétoire, tendelet, vélarium ■ 9 chapiteau, tente-abri ■ 10 tabernacle.

TENTER: 4 oser ■ 7 attirer, essayer*, exciter, risquer*, séduire* ■ 8 allécher, ébaucher, éprouver, hasarder, retenter, suggérer, tâtonner ■ 9 tentateur ■ 12 entreprendre.

TENTURE: 4 dais ■ 5 deuil, poêle, tapis, tente, vélum ■ 6 rideau* ■

7 drapeau, parasol ■ 8 feutrine, fleurage, ombrelle, pavillon ■ 9 baldaquin, ciel-de-lit, passement, tapissier ■ 10 lambrequin, tapisserie.
TENU : 4 menu ■ 5 mince*, petit* ■ 6 obligé ■ 7 délicat, ténuité ■ 8 allodial ■ 9 assujetti, entretenu ■ 10 impalpable.
TENUE : 7 posture, soubise ■ 8 maintien*, uniforme, vêtement ■ 11 registraire, survêtement ■ 12 laisser-aller.
TEOBROMINE : 8 xanthine.
TEORBE : 7 théorbe.
TEPIDITE : 14 attiédissement.
TERATOLOGIE : 10 fascination ■ 13 tératologique.
TERCET : 9 terza rima.
TEREBENTHINE : 4 cire ■ 5 sapin ■ 6 mélèze, pinène ■ 7 galipot, terpène, terpine ■ 8 arcanson ■ 9 colophane, térébique ■ 10 térébinthe ■ 12 térébenthène.
TEREBINTHACEE : 12 anacardiacée*.
TERGIVERSER : 7 biaiser ■ 14 tergiversation.
TERME : 3 fin*, mot ■ 4 bout*, coco, pôle, stop ■ 5 adieu, borne, congé, finir, loyer, minou, moyen, obvie, prime, sujet, texte, thèse ■ 6 climax, limite*, poulot, saison ■ 7 confins, noumène ■ 8 couveuse, démotivé, échéance, épilogue, hyponyme, néologie, polynôme, solution, stellage, terminus ■ 9 ambiguïté, prématuré ■ 10 antécédent, catégorème, conséquent, dénotation, dénouement, emphytéose, expiration, hyperonyme, logarithme, néologiste, numérateur, substantif ■ 11 anaphorique, technologie, termaillage ■ 12 atermoiement, dénominateur, nomenclature, quasi-monnaie, terminologie.
TERMINAISON : 2 us ■ 3 cas, fin ■ 7 cadence, suffixe ■ 8 résultat ■ 9 désinence.
TERMINAL : 5 basic, final ■ 7 minitel, néogène ■ 13 superfinition ■ 15 radiomessagerie.
TERMINANT : 6 guivré.
TERMINE : 7 acuminé.
TERMINER : 5 cesser*, clore, finir*, mener, rimer, vider ■ 7 aboutir, achever ■ 8 arranger, conclure, médiocre ■ 9 finissure ■ 10 parachever ■ 12 interminable ■ 15 jusqu'au-boutisme.
TERMINOLOGIE : 6 monème ■ 12 terminologue ■ 14 terminologique.
TERMITE : 8 pangolin ■ 10 termitière.
TERNE : 3 mat, usé ■ 4 embu, pâle* ■ 5 blême, falot, morne ■ 6 délavé, effacé, livide, sombre ■ 7 blafard, terreux, vitreux ■ 8 incolore.
TERNIR : 5 faner, frais, gâter, matir, rider, salir ■ 6 tacher ■ 7 altérer, dépolir, étioler, flétrir ■ 8 éteindre ■ 9 délustrer, dessécher ■ 10 défraîchir, ternissure ■ 12 ternissement.
TERPENE : 8 limonène ■ 10 terpénique.
TERPINE : 8 terpinol ■ 9 terpinéol.
TERPENIQUE : 6 pinème.
TERRAIN : 3 sol* ■ 4 clos, coin, golf, jeep, laie, lais, lias, lice, turf, vain ■ 5 claim, court, fanum, forêt, grave, grève, lever, links, lopin, manse, navet, ouche, palus, piste, plant, redan, rough, semis, seuil, talus, terre*, trial ■ 6 calade, graves, ségala, usages ■ 7 bas-fond, boulaie, bruyère, charrié, culture, enclave, maremme, pelouse, pinière, prairie, ravière ■ 8 bajocien, batterie, cambrien, cédrière, défriche, diluvium, droppage, éminence, enclaver, enherber, épiscope, gazonnée, géomètre, marécage, parcelle, pineraie, position, practice, rocaille, roseraie, substrat ■ 9 aérodrome, charriage, cigalière, élévation, esplanade, fondrière, fraisière, franc-bord, genêtière, jalon-mire, motocross, neptunien, prunelaie, remblayer, ronceraie, truffière, vélo-

cross ■ **10** allochtone, atocatière, concession, cotonnerie, défilement, encaissant, fraiseraie, genévrière, oignonière, substratum ■ **11** lotissement, nivellement, tachéomètre, tout-terrain ■ **12** cantonnement, polygonation ■ **13** artichautière.

TERRASSE: **4** vire ■ **5** digue, jetée ■ **6** replat, terte ■ **8** garde-fou, trottoir ■ **9** barbacane, belvédère ■ **10** plate-forme*, terre-plein.

TERRASSEMENT: **4** sape ■ **5** talus ■ **6** ripper, rooter ■ **7** parados, remblai ■ **8** dragline, pionnier ■ **9** bulldozer, décapeuse, niveleuse ■ **10** angledozer, épaulement, terrassier.

TERRASSER: **7** abattre*, démolir ■ **9** renverser*.

TERRASSIER: **9** puisatier.

TERRE: **3** île, sil, sol*, têt, tuf, val ■ **4** boue, clos, elfe, exil, fief, jour, nifé, ocre, pisé, pôle, rame, sole, test, vase ■ **5** année, bêche, boule, champ, comté, damer, drain, duché, erbue, étang, fêler, fonds, fossé, gazon, glèbe, globe, gnome, golfe, humus, hypne, jalon, lampe, lande, larve, lever, limon, marée, mitre, monde, moque, motte, mound, mulot, ombre, ouche, palis, palud, palus, passe, perré, pivot, plage, prise, raser, régur, rejet, roche, rosée, route, semer, taupe, temps, tuile, vagon, vasée, verse, vigie, vigne, volée, wagon ■ **6** blende, didyme, gâchis, gâtine, glaise, guéret, herbue, ici-bas, jardin, kaolin, palude, sienne, terrir, tourbe, vidame ■ **7** agraire, alumine, charnel, closeau, emblave, exonder, jachère, jetisse, planète, poterie, terrain*, terreau, terrien, terroir, tomette, tuffeau, tumulus, univers, vidamie, village ■ **8** ameublir, antipode, atterrir, baronnie, caquelon, cultiver, déterrer, écoumène, enterrer, europium, figuline, géodésie, géophage, gisement, hiverner, inféoder, irriguer, jectisse, labourer, limonage, pâturage, pélogène, plancher, plombeur, prémices, seigneur, sismique, taupinée, tènement, terraque, terrasse, tropique ■ **9** agrologie, atterrage, bien-fonds, cavaillon, céramique, chassement, composter, continent, débarquer, déraciner, effondrer, emblavure, enterrage, fouisseur, géomancie, knock-down, laboureur, locataire, magnésite, marquisat, œkoumène, péninsule, plutonien, poussière, presqu'île, ressuyage, tellurien, terrasser, terrestre, terricole ■ **10** atmosphère, barysphère, bousillage, fourragère, géographie, géothermie, inhumation, lanthanide, phosphater, plate-bande, plutonique, promission, pyrosphère, rase-mottes, rechausser, serfouette, strontiane, sublunaire, taupinière, tchernozem, tellurique, termitière, terre-plein, territoire, wateringue ■ **11** agriculteur, amodiataire, duché-pairie, enterrement, géotropisme, méditerrané, périœciens, principauté, terre-à-terre, tchernoziom, troposphère ■ **12** géocentrique, géothermique, serfouissage, terrassement, vermillonner ■ **13** aéroterrestre ■ **14** atterrissement, extraterrestre ■ **15** circumterrestre, gentleman-farmer.

TERREAU: **10** terreauter ■ **11** terreautage ■ **15** champignonnière.

TERRE-NEUVAS: **10** terre-neuve ■ **12** terre-neuvien.

TERRE-NEUVE: **7** cacaoui.

TERRESTRE: **4** nord, sial, sima ■ **5** éther, ixode, mille, océan, roche, terre ■ **6** wombat ■ **7** gravité ■ **8** quadrant ■ **10** orogénique, subsidence ■ **11** épirogenèse ■ **12** épirogénique, géosynclinal ■ **13** géomagnétique ■ **15** paléomagnétisme.

TERREUR: **4** peur* ■ **6** effroi ■ **7** crainte*, frayeur ■ **8** terrible ■ **9** épouvante*, terrifier ■ **10** terroriser ■ **11** épouvantail.

TERREUX: **4** pâle ■ **8** engobage, sanguine.

TERRIBLE: **5** drame ■ **8** tragique ■ **10** effroyable*, formidable, redoutable ■ **12** épouvantable, terriblement.

TERRIEN : 6 féodal, paysan.
TERRIER : 3 fox ■ 4 gîte* ■ 5 antre*, lapin, sphex ■ 6 teckel ■ 8 airedale, débouler ■ 9 débusquer, déterrage ■ 10 fox-terrier ■ 11 rabouillère, skye-terrier ■ 12 irish-terrier ■ 15 airedale-terrier.
TERRIFIER : 7 alarmer ■ 10 épouvanter.
TERRIBLEMENT : 14 redoutablement.
TERRINE : 4 pâté ■ 5 jatte ■ 8 terrinée.
TERRITOIRE : 4 pays*, raid ■ 5 banat, comté, temps ■ 6 évêché ■ 7 califat, colonie, diocèse, enclave ■ 8 despotat, enclaver, khalifat, paroisse, province, voïvodat, voïvodie, yeomanry ■ 9 aménageur, chefferie, palatinat, voïévodat, voïévodie ■ 10 bantoustan, dépendance, échevinage, encomienda, gouverneur, intendance, no mans'land, patriarcat, seigneurie ■ 11 département, juridiction, territorial ■ 12 colonisation, souveraineté ■ 14 infrastructure, territorialité.
TERROIR : 3 cru ■ 4 pays* ■ 5 terre*.
TERRORISER : 7 alarmer ■ 11 terrorisant.
TERRORISME : 9 cagoulard ■ 10 terroriste ■ 14 antiterroriste.
TERRORISTE : 14 euroterrorisme.
TERTIAIRE : 5 falun ■ 6 éocéne, éogène ■ 7 éolithe, miocène, néogène ■ 8 dinornis ■ 9 caillassc, créodonte, glyptodon, hipparion, néozoïque, nummulite, oligocène, paléogène ■ 10 cénozoïque, mastodonte ■ 11 glyptodonte ■ 12 nummulitique, oréopithèque, paléothérium ■ 13 anoplothérium ■ 14 baluchithérium, sidérolithique, tertiarisation ■ 15 tertiairisation.
TERTRE : 5 butte, mound ■ 7 vigneau ■ 11 burial-mound.
TESSELLE : 7 abacule.
TESSON : 3 têt ■ 4 test ■ 6 brique ■ 7 morceau* ■ 8 fragment*, ostracon.
TEST : 4 cuti ■ 7 épreuve, testacé, testeur ■ 8 baby-test, testable ■ 10 binet-simon ■ 11 testabilité ■ 12 cutiréaction.
TESTAMENT : 4 hoir, legs ■ 5 bible, datif, sacre ■ 8 avantage, intestat ■ 9 codicille, disposant, exécuteur, figurisme, olographe, testateur ■ 10 apocalypse, holographe ■ 11 fidéicommis, sapientiaux ■ 13 testamentaire.
TESTER : 7 testeur ■ 10 ab intestat.
TESTICULAIRE : 11 klinefelter.
TESTICULE : 7 couille, orchite, scrotum ■ 8 séminome ■ 9 albuginée, animelles, épididyme ■ 11 bistournage ■ 12 testiculaire, testostérone.
TETANISER : 12 tétanisation.
TETANOS : 9 nicolaier, tétanique, tétaniser ■ 12 opisthotonos ■ 13 antitétanique.
TETE : 3 cap, cou, épi, ras ■ 4 chef*, ciel, époi, étoc, face, fêlé, froc, hure, joue, joug, laie ■ 5 ahuri, avers, boule, carré, corne, crâne*, crête, dague, dogue, évent, fémur, front, hache, huppe, hydre, masse, mener, menon, momie, nimbe, ogive, penne, poêle, queue, sénat, talpa, tempe, tiare, titre, torse, tronc, voile ■ 6 chevet, citron, figure, masque, rhyton, sommet, sphinx, tronce ■ 7 abattis, cabêche, caboche, cerveau*, marotte, nénette, occiput, tronche ■ 8 acéphale, aigrette, calotter, capiteux, céphalée, chérubin, chrémeau, ciboulot, coiffure, couronne, débouché, encolure, ethmoïde, friction, mantille, massacre, migraine, nutation, oreiller, sinciput ■ 9 acéphalie, appuitête, bicéphale, cafetière, chanfrein, couronner, décapiter, gailletin, manchette, médaillon, rencontre, sphénoïde, tortillon ■ 10 appuietête, bourrichon, capitation, céphalique, coloquinte, couvre-chef, martingale, tricéphale ■ 11 avant-propos, céphalalgie, décollation,

guillotiner ■ **12** dodelinement, macrocéphale, microcéphale, premier-paris, prolégomènes.

TETE-BECHE : 10 bécheveter.

TETER : 5 sucer, tétée.

TETIERE : 8 frontail ■ **9** sous-gorge ■ **10** empointure.

TETINE : 3 pis ■ **4** sein* ■ **7** mamelle*, sucette.

TETON : 4 sein* ■ **5** tétin.

TETRAEDRE : 12 tétraédrique.

TETRAPLEGIE : 12 quadriplégie ■ **13** tétraplégique.

TETRAPLOÏDE : 12 tétraploïdie.

TETRARQUE : 10 tétrarchat, tétrarchie.

TETRODON : 12 poisson-globe.

TETROPHTALME : 8 anableps.

TETU : 3 fer ■ **6** entêté*, entier, tenace ■ **7** acharné, obstiné* ■ **9** cabochard, opiniâtre* ■ **11** persévérant ■ **12** récalcitrant.

TEXTE : 4 note ■ **5** coder, copie, glose, leçon, libre, ordre, ronéo, thème, tiret, trope ■ **6** alinéa, livret, statut, tantra, teneur ■ **7** massore, scholie, synopse, télétex, textuel ■ **8** accroche, bravoure, contexte, massorah, original, variante ■ **9** collation, découpage, décrypter, habillage, manuscrit, polycopie, prompteur, rédaction, référence, tapuscrit, télétexte ■ **10** amendement, autodictée, intertitre, paraphrase, récitation, sous-dénommé, surligneur, typographe ■ **11** allégoriste, calligramme, chiffrement, commentaire, compositeur, disjonction, sténogramme ■ **12** commentateur, rédactionnel ■ **13** dactylogramme, juxtalinéaire, livre-cassette, rétroprojecteur, téléimprimeur, textuellement ■ **15** intertextualité.

TEXTILE : 3 lin ■ **4** jute, pite ■ **5** aloès, corde, coton, lurex, nylon, orlon, ramie, sisal, tissu* ■ **6** dacron, raphia, rhodia, rilsan ■ **7** chanvre, goretex ■ **8** chlorage, étaleuse, fibranne, fibrillé, filature, hibiscus, peignage, phormium, vrillage ■ **9** acrylique ■ **10** géotextile, sansevière ■ **11** texturation.

TEXTUELLEMENT : 3 sic.

TEXTURATION : 8 texturer.

TEXTURE : 8 moussage ■ **9** gneisseux, tessiture, texturant ■ **10** contexture, gneissique.

THAÏ : 3 lao ■ **7** siamois ■ **8** annamite ■ **11** thaïlandais.

THAÏLANDE : 4 baht.

THALAMUS : 10 thalamique ■ **11** diencéphale.

THALLE : 5 oïdie.

THALLIUM : 2 tl.

THALLOPHYTE : 5 algue* ■ **6** lichen* ■ **8** bactérie* ■ **10** champignon*.

THAUMATURGE : 7 starets ■ **8** magicien, stariets ■ **12** thaumaturgie.

THE : 4 coca, maté ■ **5** punch ■ **6** théier, théine ■ **7** caféine, tea-room, théière, théisme ■ **8** passe-thé, souchong ■ **9** véronique ■ **10** five o'clock ■ **11** théobromine ■ **12** théophylline.

THEATRAL : 12 scénographie.

THEATRALE : 11 kammerspiel.

THEATRALISME : 12 histrionisme.

THEATRALITE : 12 théâtraliser.

THEATRE : 4 fond, gril, lice, plan, truc, tutu ■ **5** décor, drame, farce, frise, herse, jouer, lazzi, lever, opéra, panne, rampe, scène, tissu, valet ■ **6** cintre ■ **7** comédie, guignol, paradis, plateau, utilité ■ **8** bayadère, boui-boui, bruitage, choreute, comparse, coryphée, coulisse, ouvreuse, parterre, planches, récitant, scénique, singpiel, théâtral, tréteaux, vélarium ■ **9** athakali, baignoire, cantonnade, imbroglio, music-hall, orchestre, souffleur, théâtreux ■ **10** didascalie, dramatique, machiniste, poulailler, proscenium, scénologie ■ **11** théâtralité ■ **12** boulevardier ■ **13** théâtralement.

THEBAÏDE : **8** retraite.

THEIERE : **4** cosy.

THEINE : **8** déthéiné, xanthine.

THEISME : **6** déisme.

THEMATIQUE : **11** athématique.

THEME : **6** jingle, visuel ■ **7** matière, partita ■ **9** leitmotiv ■ **10** thématique, traduction ■ **11** calligramme, contrechant.

THEOBROMINE : **4** kola ■ **5** cacao.

THEOCRATE : **5** islam ■ **12** théocratique.

THEOLOGIE : **5** gnose, tache ■ **7** laxisme ■ **8** religion* ■ **9** ubiquiste ■ **10** consulteur, mariologie, théologien ■ **11** casuistique, chrisologie, scolasticat, théologique ■ **12** apologétique ■ **13** ecclésiologie, qualificateur ■ **15** théologiquement.

THEOLOGIEN : **11** scolastique ■ **13** hodjatoleslam.

THEOLOGIQUE : **9** malékisme, malikisme, palamisme ■ **11** mutazilisme.

THEOPHYLINE : **13** aminophylline.

THEOREME : **11** proposition ■ **13** théorématique.

THEORICIEN : **9** tacticien.

THEORIE : **4** idée* ■ **5** règle* ■ **6** défilé, graphe, maxime, utopie ■ **7** fixisme, formule, méthode*, système* ■ **8** principe*, spéculer, théorème ■ **9** abondance, dolorisme, dynamisme, épigenèse, eugénisme, génétisme, isostasie, keynésien, lettrisme, mécanique, mécanisme, mobilisme, monadisme, nativisme, pavlovien, théorique ■ **10** anarchisme, barométrie, causalisme, conception*, cosmogonie, eustatisme, euthanasie, métacentre, pénéplaine, plutonisme, procession, relativité, riemannien, sémiotique, solipsisme, spéculatif, stalinisme, surtravail, théoricien, volcanisme ■ **11** atomistique, augustinien, démolisseur, gestaltisme, imagination, immoralisme, lamarckisme, monadologie, relativisme, spéculation, statistique ■ **12** aérostatique, annexionisme, catégoricité, coopératisme, égo-altruisme, esclavagisme, géocentrisme, marginalisme, métaphysique, parallélisme, phénoménisme, physicalisme, réminescence, suprématisme, volontarisme ■ **13** annexionnisme, créationnisme, électrofaible, épiscopalisme, keynésianisme, mutationnisme, néo-darwinisme, palladianisme, pharmacologie, théoriquement, transformisme ■ **14** démontrablité, diffusionnisme, perspectivisme, prédestination, structuralisme ■ **15** chromodynamique, épiphénoménisme, non-directivisme, occasionnalisme.

THEORIQUE : **7** topique ■ **14** freudo-marxisme ■ **15** métapsychologie.

THEORISER : **12** théorisation.

THEOSOPHIE : **12** théosophique.

THEOSOPHIQUE : **10** antoinisme.

THERAPEUTIE : **10** adrénaline.

THERAPEUTIQUE : **4** moxa ■ **5** diète ■ **6** primal ■ **7** shiatsu ■ **8** affusion, barbital, morphine, thérapie ■ **9** faradique ■ **10** anastomose, cacodylate, diathermie, élongation, médication, radiologie, thérapeute, traitement ■ **11** homéopathie, isothérapie, opothérapie, osthéopathie, thrombolyse, zoothérapie ■ **12** hypodermique, mésothérapie ■ **13** aromathérapie, gemmothérapie, ophtalmologie ■ **14** gammaglobuline, pyrétothérapie, radiumthérapie ■ **15** climatothérapie, électroponcture, électropuncture.

THERAPIE : **11** biofeedback ■ **15** gestalt-thérapie.

THERME : **4** bain* ■ **7** thermal ■ **11** frigidarium.

THERMES: 9 caldarium ■ 11 frigidarium.
THERMIDOR: 12 thermidorien.
THERMIE: 7 chaleur* ■ 12 microthermie, millithermie.
THERMIQUE: 9 convexion ■ 10 thermicien ■ 14 graphitisation.
THERMOCHIMIE: 14 thermochimique.
THERMOCHIMIQUE: 13 phosphatation.
THERMODYNAMIQUE: 8 entropie ■ 9 enthalpie ■ 12 isentropique ■ 13 aérothermique.
THERMO-ELECTRIQUE: 12 thermocouple.
THERMOMETRE: 5 degré ■ 8 zérotage ■ 9 baromètre ■ 10 fahrenheit ■ 11 thermoscope ■ 14 thermométrique.
THERMOPLASTIQUE: 11 polystyrène.
THERMOPROPULSION: 15 thermopropulser, thermopropulsif.
THERMOREGULATION: 10 thermolyse ■ 12 thermogenèse.
THERMOSPHERE: 10 mésosphère.
THESAURISER: 5 avare ■ 7 amasser, ménager ■ 12 thésauriseur ■ 14 thésaurisation.
THESE: 7 opinion*, système*, thésard ■ 8 argument, thétique ■ 10 soutenance ■ 11 argumentant.
THESSALIEN: 10 pélasgique.
THEURGIE: 10 théurgique.
THIOL: 9 mercaptan.
THIONIQUE: 8 thionate.
THIOSULFATE: 11 hyposulfite.
THIOSULFURIQUE: 13 hyposulfureux.
THON: 6 bonite, germon ■ 7 thonier, thonine ■ 8 madrague, pélamide, pélamyde, thonaire ■ 9 thonnaire.
THORAX: 3 écu ■ 5 chyle, cœur ■ 6 pièvre ■ 7 écusson ■ 8 aisselle, corselet, poitrine* ■ 9 pectoraux, prothorax ■ 10 mésothorax, métathorax, précordial, thoracique ■ 11 pleurodynie ■ 12 thoracotomie ■ 14 thoracoplastie.
THORIUM: 2 th ■ 6 thoron ■ 7 thorine, thorite ■ 8 monazite ■ 9 émanation ■ 10 thorianite, yttrialite.
THRACE: 6 thrace.
THROMBOSE: 8 thrombus ■ 12 thrombotique.
THURIFERAIRE: 7 flatter.
THUYA: 10 sandaraque.
THYLENE: 9 oléifiant.
THYM: 8 serpolet ■ 9 farigoule.
THYMUS: 3 ris ■ 6 fagoue ■ 8 thymique.
THYPHON: 6 baguio.
THYROÏDE: 5 pomme ■ 6 goitre ■ 9 myxœdème, thryroxine ■ 10 thyroïdien, thyroïdite ■ 11 calcitonine, thyréotrope ■ 14 hyperthyroïdie, thyroïdectomie ■ 15 thyréostimuline.
THYROXINE: 13 phénylalanine.
THYSANOURE: 7 lépisme ■ 10 aptérygote.
TIARE: 5 monoï ■ 8 couronne, trirègne.
TIBETAIN: 4 lama ■ 5 rubis ■ 6 birman ■ 8 lamaïsme ■ 9 lamasserie ■ 11 panchen-lama.
TIBETO-BIRMAN: 12 sino-tibétain.
TIBIA: 5 jambe* ■ 6 tibial ■ 8 cheville, malléole ■ 9 astragale ■ 12 protège-tibia.
TIC: 5 manie* ■ 7 grimace*, tiqueur ■ 10 convulsion* ■ 11 stéréotypie.
TICHODROME: 9 échelette.
TICKET: 6 billet* ■ 7 tessère ■ 10 garde-place ■ 12 contre-marque.

TIC-TAC : 9 tictaquer.
TIEDE : 7 tiédeur ■ 8 attiédir, tiédasse ■ 9 tièdement ■ 10 tépidarium ■ 14 attiédissement.
TIEDIR : 8 refroidir ■ 12 tiédissement.
TIENT : 9 kiosquier, parodique ■ 10 kiosquiste ■ 10 luciférien ■ 12 logomachique.
TIERCE : 5 flanc ■ 8 équipolé ■ 9 équipollé.
TIERCELET : 6 sacret.
TIERCER : 6 tercer, terser ■ 10 tiercement.
TIERCERON : 5 métis*.
TIERS : 4 chef ■ 5 tronc ■ 9 champagne, rudenture, tertiaire ■ 10 délégation, tiers-ordre, tiers-point ■ 11 accréditeur ■ 14 domiciliataire.
TIERS-MONDISTE : 13 tiers-mondisme.
TIGE : 3 axe*, cep, vis ■ 4 bois, bras, brin, clou, dent, gril, jonc, mire ■ 5 agave, arbre, barre, broie, cépée, fléau, hampe, herbe, liane, nœud, nopal, plant, queue, secco, sonde, stipe, style, talle, tille, tronc*, tuyau, verge ■ 6 acaule, acaune, bougie, boulon, broche, chaume, épiner, éteule, paille, souche, stolon ■ 7 branche*, canisse, cladode, épingle, merrain, palpeur, pétiole, poinçon, quillon, rhizome, sarment, tigelle, tigette ■ 8 aiguille, cannisse, cathéter, cuticule, écanguer, entroque, pédicule, perfolié, raquette, rondelle, unicaule, volubile ■ 9 cannelure, casse-tête, chalumeau, décurrent, engaînant, foliation, pédoncule, pendillon, péricycle, protonéma, pubescent, tisonnier, triboulet ■ 10 caulescent, cormophyte, dichotomie, frutescent, multicaule, pubescence, rhizocarpé ■ 12 espagnolette.
TIGRE : 5 cruel, râler, royal ■ 6 couffa, feuler, kouffa, tiglon, tigron ■ 7 miauler, rauquer ■ 10 miaulement, rauquement.
TILBURY : 3 cab ■ 7 tapecul, voiture*.
TILIACEE : 7 tilleul ■ 9 corchorus.
TILLEUL : 5 tille ■ 6 teille.
TIMBALE : 7 gobelet, tambour ■ 9 timbalier.
TIMBRE : 3 son* ■ 4 faux, gong ■ 5 album, libre, nasal, verbe, voile ■ 6 marque ■ 7 timbre ■ 8 timbrage ■ 9 clochette, dysphonie, orchestre ■ 10 jacquemart, philatélie, salicional ■ 11 claironnant, odontomètre ■ 12 glockenspiel, philatéliste, timbre-amende.
TIMIDE : 5 vague ■ 6 humble* ■ 8 craintif*, farouche, timidité ■ 9 immodeste, trembleur ■ 11 pusillanime.
TIMIDITE : 6 pudeur ■ 8 embarras ■ 9 dégourdir ■ 10 timidement ■ 11 décomplexer, infériorité.
TIMON : 3 âge ■ 5 armon, volée ■ 6 flèche ■ 9 attelloir ■ 10 attelloire, avant-train, gouvernail.
TIMONERIE : 4 loch ■ 5 barre, rhumb, vigie ■ 6 pilote ■ 7 cockpit, verrine ■ 8 boussole, timonier ■ 9 habitacle ■ 10 gouvernail, loxodromie ■ 11 orientation ■ 12 hydrographie, météorologie.
TIMORE : 7 peureux*, poltron* ■ 8 craintif.
TINCTORIAL : 5 gaude, henné, noyer, rocou, sumac* ■ 6 cachou, mûrier, pastel, reboul, safran ■ 7 garance, nerprun ■ 8 campêche, carthame, orseille, rocouyer ■ 9 orcanette, tournesol ■ 10 indigotier, quercitron.
TINE : 7 tinette, tonneau.
TINTAMARRE : 5 bruit* ■ 6 tapage*.
TINTEMENT : 4 ding, glas.
TINTER : 6 sonner* ■ 9 clocheter ■ 13 tintinnabuler.
TINTOUIN : 5 souci*.
TIQUE : 5 ixode ■ 9 arbovirus ■ 10 borréliose ■ 12 piroplasmose.

TIQUER: 11 tressaillir*.
TIQUETE: 9 tiqueture.
TIR: 3 feu ■ 4 site ■ 5 bande, cible, jeter, kyudo, shoot, stand, tendu, volée ■ 7 ciné-tir ■ 8 archerie, ball-trap, barbette, enfilade ■ 9 embrasure ■ 10 engagement, fourchette ■ 11 collimateur, flanquement ■ 12 contrebattre ■ 14 contrebatterie.
TIRADE: 6 laisse ■ 7 couplet, tartine ■ 8 discours* ■ 10 capucinade.
TIRAGE: 5 tirer, train ■ 6 galope ■ 7 décitex, édition*, loterie ■ 8 bavocher, retirage ■ 10 imprimerie, stéréotype.
TIRAILLER: 5 tirer ■ 8 sabouler ■ 9 écarteler ■ 10 tiraillerie ■ 12 tiraillement.
TIRAILLEUR: 5 nouba, turco ■ 7 chéchia.
TIRANT: 5 ancre ■ 8 calaison.
TIRE-BOUCHON: 5 frise, mèche ■ 14 tirebouchonner.
TIRE-FOND: 4 rail ■ 7 trémail, trénail.
TIRE-LAINE: 10 malfaiteur.
TIRE-LIGNE: 8 pistolet.
TIRELIRE: 5 tronc ■ 8 cagnotte ■ 9 crousille.
TIRER: 4 ôter* ■ 5 haler, jouer, jouir, skeet, sucer, touer, trait, vider, viser, vivre ■ 6 amener, arguer, barrer, droper, étirer, naître, pêcher, puiser, raidir, régler, sauver, sortir*, tendre, tracer*, tracté, traire, venger ■ 7 attirer, augurer, déduire, détirer, dropper, enlever, exhumer, inférer, prendre, ramener, reculer, retirer, saigner, tracter, traîner* ■ 8 canarder, caracole, conclure, décharge, dégaîner, dépanner, dépêtrer, déterrer, échapper, équarrir, éveiller, exprimer, extraire*, imprimer, procéder, profiter, recevoir, remonter, soutirer, tire-lait, tracteur, traction ■ 9 accepteur, chéquable, débourser, décaisser, décourber, désabuser, descendre, détromper, écarteler, éfaufiler, embraquer, emprunter, expédient, exploiter, extorquer, glorifier, pressurer, remorquer, rétracter, réveiller, souligner, tirailler, triompher ■ 10 argumenter, artificier, bénéficier, bretailler, contracter, désenivrer, mitrailler, revivifier, subterfuge ■ 11 débarrasser, débrouiller, numérologie ■ 12 dépatouiller, désembourber, enorgueillir ■ 13 déverrouiller.
TIRET: 5 moins ■ 11 trait d'union.
TIREUR: 5 fusil ■ 10 épinglette.
TIROIR: 7 châssis ■ 12 compartiment*, tiroir-caisse.
TISANE: 5 gruau, mauve ■ 7 macérer ■ 8 infusion* ■ 9 décoction, infusette, tisanerie, tisanière.
TISON: 6 braise.
TISSAGE: 3 ros ■ 4 came, filé, lève, lice ■ 5 duite, lisse, trame ■ 6 nouage ■ 7 lirette, navette, texture ■ 8 embuvage, nouement ■ 10 ourdissage ■ 12 échardonnage.
TISONNIER: 7 ringard.
TISSER: 7 tisseur ■ 8 retisser, tulliste ■ 9 galonnier, tisserand, veloutier ■ 11 entretisser.
TISSEUR: 10 carpettier.
TISSU: 3 lin, ras, uni, wax ■ 4 bort, drap, gaze, glie, java, lamé, lard, mite ■ 5 batik, bride, burat, cadis, crêpe, denim, derme, fibre, filet, liber, natte, nodal, panne, pilou, piqué, pulpe, ruban, samit, satin, serge, suber, toile, tulle ■ 6 albène, coutil, étoffe*, jersey, lymphe, moelle, pékiné, picoté, rabane, rentré, réseau, stroma, tergal, tresse, tricot, tussor, xylème ■ 7 albumen, amylose, biopsie, bougran, calicot, chevron, étamine, exsudat, façonné, fil-à-fil, greffon, infarci, lacerie, liberty, myosite, nansouk, nanzouk, peluche, percale, plucher, spa-

cèle, stretch, textile*, velours ■ 8 atrophie, bombasin, cashmere, cellular, courroie, dentelle, droit-fil, écossais, flanelle, foulerie, gangrène, homespun, indienne, lamineux, longotte, mélanose, membrane, phlegmon, popeline, sclérose, stéatose, thibaude, toilerie, tricoter, voilette, whipcord ■ 9 adipolyse, anaérobie, anaplasie, cachemire, cartilage, cartisane, caséation, cellulite, collagène, diffluent, dysplasie, effranger, élastique, emphysème, épinceter, gros-pain, histolyse, lambswool, lymphoïde, matelassé, méristème, néoplasie, névroglie, passement, péricarpe, rentraver, rhytidome, sparadrap, tisserand, veloutine ■ 10 adipopexie, anthracose, asparagine, bouillonné, bourbillon, contexture, couverture, effilocher, endodontie, endosperme, épithélium, étincelage, histologie, hypoplasie, induration, jarretière, laticifère, mésenchyme, métaplasie, milleraies, mousseline, ostéophyte, parenchyme, périsperme, plasmocyte, rouennerie, seersucker, sénescence, tissulaire, tissu-pagne, totipotent ■ 11 carnisation, collenchyme, contrecollé, dénutrition, dysembryome, endothélium, enkystement, épithélioma, éraillement, fibroblaste, histogenèse, hyperplasie, mercerisage, napolitaine, phelloderme, pied-de-poule, sanforissage ■ 12 hépatisation, hypertrophie, néoformation, sclérenchyme ■ 13 carnification, éléphantiasis ■ 14 prince-de-galles ■ 15 débarbouillette, infroissabilité, paléochistologie, radiorésistance.

TISSULAIRE: 12 radionécrose.

TISSURE: 4 fond ■ 8 croisure ■ 10 contexture.

TITANE: 2 ti ■ 6 rutile ■ 8 ilménite, œrstite ■ 9 zirconium.

TITANESQUE: 8 colossal* ■ 11 gigantesque*.

TITANIQUE: 8 colossal*.

TITILLER: 11 chatouiller, titillation.

TITRAGE: 3 tex.

TITRE: 3 aga, ban, bey, bon, dom, don, duc, loi, nom*, sir ■ 4 aloi, chah, czar, dame, doña, duce, émir, hadj, imam, iman, kami, lord, rang, reis, shah, sire, tsar, tzar ■ 5 baron, bégum, césar, comte, endos, gnide, grâce, grade, grand, guide, nabab, négus, nizam, noble, rabbi, royal, sahib, thane, totem ■ 6 action, brevet, calife, charge, charte, coupon, échars, efendi, hadjdj, madame, mandat, messer, mollah, pandit, valeur ■ 7 altesse, candace, créance, dignité, diplôme, effendi, esquire, hadjdji, honneur, khédive, majesté, marquis, messire, qualité, shagoun, taïkoun, touchau, titrage, vicomte ■ 8 archiduc, archives, baronnet, basileus, caudillo, diadoque, document, éminence, épistate, fonction, grand-duc, grandeur, hautesse, hospodar, intitulé, margrave, monsieur, noblesse, novation, padichah, prébende, révérend, rubrique, sainteté, seigneur, surtitre, titreuse, toucheau ■ 9 autocrate, ayatollah, bordereau, caractère, cartouche, échevette, impétrant, intituler, kronprinz, landamman, landgrave, maharajah, manchette, nominatif, padischah, parchemin, septemvir, sous-titre, titulaire ■ 10 autocrator, cartulaire, challenger, excellence, in partibus, inspecteur, intertitre, maharadjah, obligation, patriarche, répertoire, seigneurie, sous-titrer ■ 11 archiprêtre, championnat, convertible, distinction, duché-pairie, endossement, frontispice, monseigneur, recouponner, titrimétrie ■ 12 conservateur, facture-congé, mademoiselle, nosseigneurs ■ 13 archimandrite, éminentissime, hodjatoleslam, illustrissime, qualification ■ 14 révérendissime ■ 15 haut-commissaire.

TITUBER: 8 vaciller* ■ 9 chanceler ■ 10 titubation.

TITULAIRE: 5 palme, titre ■ 6 gradué ■ 8 capétien, certifié, pairesse ■ 9 créancier ■ 10 perenniser, prébendier, survivance ■ 11 intérimaire, obédiencier, titulariser ■ 14 titularisation.

TJÄLE : 10 permafrost.
TNT : 15 trinitrotoluène.
TOAST : 5 rôtie ■ 7 tartine ■ 8 discours, toasteur ■ 9 cannibale.
TOBOGGAN : 8 skeleton.
TOCADE : 5 manie* ■ 7 caprice* ■ 9 fantaisie.
TOGE : 6 trabée.
TOHU-BOHU : 5 bruit* ■ 9 confusion*.
TOI : 5 tézif ■ 7 tézigue.
TOILE : 3 bob, lin ■ 4 étui, jute, lacs, pale, plan, taud ■ 5 agave, bâche, bande, banne, boyau, cadre, capot, écran, frise, garde, hamac, lever, linge*, linon, malle, mèche, perse, taude, tente, voile ■ 6 coutil, guimpe, masque, peltre, rideau, zéphyr ■ 7 batiste, bougran, calicot, canevas, linceul, prélart, tableau*, toilier ■ 8 arantèle, bleu-jean, cretonne, entoiler, fronteau, herberie, hoqueton, indienne, linoléum, orbitèle, plastron, toilerie, toileuse, treillis, vélarium, vergeure ■ 9 arachnéen, arantelle, entoilage, manchette, maroufler, moleskine, paillasse, percaline, rentoiler, wassingue ■ 10 embourrure, escafignon, espadrille, rentoileur, saharienne, trampoline ■ 11 désentoiler, parementure, serpillière ■ 13 dessous-de-bras.
TOILETTE : 4 broc, mise ■ 5 habit, linge, salle, savon, tenue, valet, vécès ■ 6 atours, lavabo, parure, waters ■ 7 complet, costume, cuvette ■ 8 habiller, lavatory, mercerie, peignier, vêtement* ■ 9 coiffeuse, douchière, sanisette, serviette, toiletter ■ 10 ajustement, savonnette, vanity-case ■ 11 fanfreluche, habillement.
TOISER : 8 regarder* ■ 9 toisement.
TOISON : 4 lama, poil* ■ 5 laine ■ 7 cheveux*, lainage, riflard, suitine.
TOIT : 4 abri*, glui ■ 5 crête, égout, penty, plomb, tuile ■ 6 auvent, tortue ■ 7 aisseau, faîteau, hard-top, lucarne, lunette, toiture ■ 8 appentis, chanlate, chaperon, cornière, tavillon ■ 9 avant-toit, chanlatte, décapoter, enfaîteau, gouttière, imbriquer ■ 10 compluvium, couverture, foudroyage, plate-forme ■ 11 pantographe ■ 12 battellement.
TOITURE : 4 shed, toit*, zinc ■ 5 coyau, vélum ■ 6 blinde ■ 7 blochet, châssis, pergola ■ 8 antéfixe, couvreur, terrasse ■ 12 carton-feutre.
TOKYO : 8 tokyoïte.
TOLE : 4 tape ■ 5 borde, étain, mitre, taule, volet ■ 7 creusot, semelle, tôlerie ■ 8 palastre, planeuse ■ 12 chaudronnier.
TOLERANCE : 6 claque ■ 7 lupanar ■ 10 indulgence* ■ 11 intolérance ■ 12 complaisance, convivialité ■ 13 sous-maîtresse ■ 14 condescendance.
TOLERANT : 6 facile ■ 7 commode ■ 9 indulgent* ■ 10 intolérant ■ 11 accommodant, complaisant.
TOLERER : 5 gâter ■ 7 endurer, excuser ■ 8 accepter*, admettre*. souffrir* ■ 9 permettre*, supporter*, tolérable ■ 12 condescendre.
TOLET : 6 erseau ■ 9 toletière.
TOLIER : 7 taulier ■ 8 cisoires.
TOLITE : 15 trinitrotoluène.
TOLLE : 3 cri.
TOLUENE : 6 crésol, tolite, toluol ■ 9 toluidine ■ 10 benzylique, saccharine ■ 15 trinitrotoluène.
TOMATE : 5 pizza, sauce ■ 7 ketchup, niçoise ■ 8 basquais, moussaka.
TOMBE : 3 pot ■ 4 flac, floc ■ 5 cippe ■ 6 caveau, décidu, stoupa, tholos, tombal ■ 7 hypogée, mastaba, tombeau ■ 8 badaboum, cercueil, démêlure, épitaphe, fossoyer, mausolée, pleurant, sépulcre, tombelle ■ 9 cénotaphe, démêlures, deuillant, sépulture*, tumulaire ■ 10 outre-tombe, sarcophage.

TOMBEAU : 6 zaouïa, zawiya.
TOMBEE : 6 tomber ■ 10 crépuscule, lucernaire, pluviosité.
TOMBER : 4 choir*, tuer ■ 5 périr, semer ■ 6 abîmer, casser, chuter, donner, épiler, étaler, locher, neiger, plouf, rouler, ruiner, verser ■ 7 abattre, affaler, aplatir, chopper, crouler, déchoir, dévaler, dinguer, ébouler, étendre, glisser, sombrer, tituber ■ 8 abaisser, attaquer, basculer, broncher, cascader, culbuter, débouler, dérocher, dévisser, diminuer*, écailler, échapper, écrouler*, effriter, égrainer, flanquer, garde-fou, graviter, immerger, patatras, pleuvoir, répandre, retomber, vaciller ■ 9 affaisser, brésiller, chanceler, crachiner, défleurir, dégoutter, dépoudrer, descendre, effleurir, effondrer, fébrifuge, grésiller, renverser, séducteur, terrasser, trébucher ■ 10 acquiescer, engouffrer, précipiter, sauvegarde, valdinguer ■ 11 croc-en-jambe, dégringoler, désarçonner, discréditer ■ 14 emberlificoter.
TOMBEREAU : 5 banne ■ 6 dumper ■ 8 béquille, brouette.
TOME : 5 livre*, tomer ■ 8 tomaison.
TOMOGRAPHIE : 13 stratigraphie ■ 15 échotomographie.
TOM-POUCE : 4 nain ■ 9 parapluie.
TON : 3 son* ■ 4 embu, mode ■ 5 corsé, gamme, genre, grave, rompu, verbe ■ 6 parole ■ 7 couleur*, tonique ■ 8 détonner, diapason, entonner, ironiser, monotone, sonorité, tonalité ■ 9 acrimonie, emboucher, inflexion, intimiste, tonétique ■ 10 consonance, diatonique, dogmatiser, intonation, modulation, pédanterie, pédantisme ■ 11 dogmatiseur ■ 12 pentatonique, transposable.
TONALITE : 3 son* ■ 5 tonal ■ 7 bitonal, couleur* ■ 13 transposition.
TOND : 8 lainerie.
TONDRE : 5 raser, tonte ■ 6 couper* ■ 7 ébarber, tailler*, tondeur ■ 8 retondre, tonsurer ■ 9 tondaison ■ 10 déposséder, dépouiller.
TONICITE : 5 tonus ■ 9 hypotonie ■ 10 hypertonie ■ 12 vasopressine.
TONIQUE : 5 dièse, sauge, tanin ■ 6 nervin ■ 7 caféine, ginseng, quassia ■ 8 hypocras, quassier ■ 9 spartéine, stimulant, tonifiant ■ 10 fortifiant*, strychnine.
TONITRUANT : 6 sonore.
TONITRUER : 5 crier*.
TONKA : 9 coumarine.
TONKIN : 9 tonkinois.
TONNAGE : 5 aviso, brick.
TONNANT : 6 sonore.
TONNE : 3 tep ■ 7 tonneau ■ 9 kilotonne.
TONNEAU : 3 fût, tin ■ 4 muid, râpe, tine ■ 5 baril, benne, bonde, bouge, caque, douve, gonne, jable, louve, mèche, pièce, quart, tonne, velte ■ 6 baquet, bétuse, bondon, foudre, haquet, mesure, seille ■ 7 boucaut, cerceau, cercles, douelle, guillon, merrain, poulain, tinette ■ 8 bachotte, baricaut, barrique, cannelle, cannette, chantier, débonder, décuvage, demi-muid, douvelle, futaille, jabloire, malestan, quartaut, rondelle, tonnelet ■ 9 entonnage, feuillard, rembouger, tirebonde, tonnelage, tonnelier, traversin ■ 10 baquetures, feuillette, fonçailles ■ 11 entonnaison, entonnement, tonnellerie ■ 12 chante-pleure.
TONNELIER : 5 plane ■ 7 hutinet, jabloir ■ 8 aissette, jabloire, tirefond ■ 9 erminette ■ 10 herminette ■ 11 tonnellerie.
TONNELLE : 5 vigne ■ 7 berceau, bosquet, pergola ■ 9 maurandie ■ 11 aristoloche.
TONNER : 5 crier* ■ 6 rouler, tomber ■ 7 détoner, éclater, gronder ■ 8 fulminer ■ 9 foudroyer, tonitruer ■ 10 invectiver.
TONNERRE : 5 éclat, orage ■ 6 foudre ■ 8 décharge ■ 9 roulement ■

10 grondement, tonitruant ■ **11** fulguration, fulmination ■ **12** foudroiement.
TONOMETRIE: 12 tonométrique.
TONSURE: 5 clerc ■ **7** tonsuré ■ **8** couronne, tonsurer.
TONTE: 4 poil ■ **7** scoured ■ **8** agneline ■ **9** tondaille, tondaison.
TONTINE: 8 tontiner ■ **9** mutualité.
TONUS: 8 myatonie, tonicité ■ **9** vagotonie ■ **10** cataplexie ■ **11** vagotonique.
TOPER: 9 consentir.
TOPHUS: 7 tophacé.
TOPIQUE: 8 coricide, épithème.
TOPO: 8 discours*.
TOPOGRAPHIE: 4 topo ■ **8** réglette ■ **10** goniomètre, théodolite, topographe ■ **12** hydrographie ■ **13** topographique ■ **15** photogrammétrie.
TOPOGRAPHIQUE: 9 topo-guide.
TOPONYME: 11 toponymique.
TOQUADE: 5 manie* ■ **7** caprice* ■ **9** fantaisie.
TOQUE: 3 fou* ■ **5** béret ■ **6** bonnet*, toquet ■ **8** coiffure*.
TOQUER: 7 frapper, heurter ■ **10** amouracher.
TORAH: 7 qaraïte ■ **8** shabouot.
TORCHE: 5 glane ■ **7** brandon ■ **8** flambeau ■ **9** luminaire ■ **10** chandelier.
TORCHE-NEZ: 8 serre-nez.
TORCHER: 6 gâcher ■ **8** nettoyer*.
TORCHERE: 10 chandelier*.
TORCHIS: 6 paille* ■ **8** palançon.
TORCHON: 5 linge*, luffa ■ **6** essuie ■ **7** lavette ■ **9** torchette ■ **10** torchonner ■ **11** essuie-verre ■ **12** essuie-verres ■ **13** essuie-meubles.
TORCHONNER: 6 gâcher* ■ **8** nettoyer*.
TORD: 7 tordeur.
TORDANT: 7 comique*.
TORD-NEZ: 8 serre-nez.
TORDRE: 6 corder, rouler ■ **7** croiser, torquer, tourner, vriller ■ **8** boudiner, boyauter, cordeler, damasser, détordre, gondoler, mouliner, retordre ■ **9** désopiler, distordre, organiser, retourner, tortiller ■ **10** contourner, organsiner, toronneuse ■ **11** entortiller.
TORDU: 4 hart, tors ■ **5** câble, corde, ronce, tortu ■ **6** bancal, tortis, tortué, vrillé ■ **7** cagneux, sinueux ■ **8** difforme, tortillé, tortueux ■ **10** entortillé ■ **13** recroquevillé.
TORE: 5 toron ■ **7** torique ■ **8** globique, toroïdal.
TORERO: 10 banderille, puntillero ■ **12** banderillero.
TORNADE: 10 bourrasque*.
TORON: 8 aussière, épissoir, surliure ■ **9** épissoire ■ **10** commettage, toronneuse.
TORPEUR: 7 torpide ■ **8** langueur* ■ **9** léthargie, réveiller ■ **10** abattement* ■ **14** assoupissement ■ **15** engourdissement*.
TORPILLE: 9 gyroscope, torpiller ■ **10** torpillage, torpilleur ■ **11** torpillerie ■ **14** lance-torpilles.
TORREFIER: 4 maté ■ **6** brûler* ■ **7** brûloir, griller ■ **8** brûlerie ■ **12** torréfacteur, torréfaction.
TORRENT: 4 gave ■ **6** gardon, ravine ■ **8** lavanche ■ **9** cours d'eau, théophile ■ **10** torrentiel ■ **11** torrentueux.
TORRIDE: 5 chaud*, froid, rouge.

TORS: 5 tordu ■ 6 détore ■ 9 cordonnet.
TORSADE: 7 rudenté ■ 8 torsader ■ 9 rudenture ■ 10 cordelière.
TORSE: 5 tronc.
TORSION: 4 tors ■ 7 tordeur ■ 8 surfiler, volvulus, vrillage ■ 9 boudinage, surfilage ■ 10 contorsion, distorsion ■ 11 bistournage ■ 12 tortillement.
TORT: 5 léser, nuire ■ 6 brèche ■ 8 nuisible ■ 9 détriment, préjudice* ■ 11 hypostasier ■ 15 donquichottisme.
TORTILLER: 6 friser, tordre* ■ 7 hésiter, tourner* ■ 9 cordonner, tortillon ■ 10 cannetille, tortillage ■ 11 détortiller ■ 12 tortillement.
TORTILLONNER: 7 tourner*.
TORTIONNAIRE: 8 bourreau* ■ 13 questionnaire.
TORTU: 5 tordu ■ 9 bancroche.
TORTUE: 4 luth ■ 5 caret, émyde ■ 6 couane ■ 7 caouane, chélone, cistude, écaille, trionyx ■ 8 cahouane, chélonée, dossière, matamata ■ 9 chélonien ■ 10 serpentine ■ 11 éléphantine, hydroméduse ■ 12 mauritanique.
TORTUEUX: 7 sinueux* ■ 9 serpenter ■ 10 tortuosité ■ 13 tortueusement.
TORTUEUSE: 8 tortille ■ 10 tortillère.
TORTURE: 3 cep ■ 4 gêne ■ 5 cippe, lapsi ■ 6 sévice ■ 7 géhenne, martyre, travail ■ 8 bourrelé, chevalet, osselets, question, supplice*, torturer, tourment* ■ 9 brodequin, torturant ■ 12 bourrèlement, tortionnaire.
TORTURER: 5 gêner ■ 6 serrer ■ 9 bourreler, tenailler ■ 10 martyriser, préoccuper, supplicier*, tourmenter*.
TOT: 4 vite ■ 8 dare-dare, vitement ■ 9 seulement ■ 10 rapidement ■ 11 promptement ■ 12 incessamment.
TOTAL: 5 masse, pièze, poule, somme*, tarer, taxer, titre ■ 6 absolu*, entier*, global ■ 7 chiffre, complet, montant*, radical ■ 8 addition, ensemble, incendie, intégral, totalité ■ 9 apoplexie, rendement, totaliser ■ 10 totalement, totaliseur ■ 12 totalisateur, totalisation.
TOTALE: 10 vampiriser.
TOTALITAIRE: 6 absolu* ■ 11 intégrateur ■ 13 totalitarisme.
TOTALITE: 4 tout* ■ 9 entièreté, plénitude ■ 11 plein-emploi ■ 12 extensionnel, universalité ■ 13 compréhension.
TOTEM: 9 totémique, totémisme.
TOTIPOTENT: 11 totipotence.
TOTON: 6 toupie.
TOUAREG: 6 targui.
TOUCHANT: 8 émouvant* ■ 13 attendrissant.
TOUCHE: 5 guide.
TOUCHER: 4 sens, tact ■ 5 peser, tâter, tenir ■ 6 doigté, friper, friser, frôler, gagner, lécher, manier, masser, oindre, palper, pétrir, saisir, sentir, sucrer ■ 7 aborder, aboutir, adhérer, amollir, appuyer, arriver*, choquer, coincer, décider, dompter, échouer, émarger, fléchir, frapper, frotter, heurter, imposer, malaxer, patiner, retirer, séduire, tactile, tangent, ulcérer ■ 8 adjacent, affecter*, apitoyer, attenant, caresser, compatir, confiner, coudoyer, désarmer, émouvoir*, empocher, froisser, pénétrer, prélever, recevoir, sensible, tangible, tâtonner, trinquer, tripoter, troubler ■ 9 affleurer, atteindre*, attendrir, concerner, contacter, effleurer*, embourser, encaisser, humaniser, inractile, manipuler, percevoir, persuader, recouvrer, retoucher, velouteux ■ 10 caramboler, chiffonner, contiguïté, convaincre, dramatiser, électriser, insensible, intéresser, porrection, rase-mottes ■ 11 apprivoi-

ser, bouleverser, chatouiller, coprophilie, intouchable, rescription, touche-à-tout ■ 12 attouchement ■ 13 impressionner.
TOUER: 5 touée.
TOUFFE: 3 épi ■ 4 cyme ■ 5 cépée, fanon, huppe, nebka ■ 6 flocon, grappe, houppe, mouche, toupet ■ 7 bouquet, buisson, corymbe, favoris, roncier, sertule, trochée, trochet ■ 8 aigrette, barbiche, capitule, panicule, roncière ■ 9 bouffette, houppette, impériale, ouvraison, toupillon ■ 10 verticille ■ 13 chasse-mouches, œilletonnage.
TOUFFU: 3 dru ■ 5 épais*, garni, serré* ■ 6 fourni, fourré, obscur, pressé ■ 7 dégarni, feuillé, hirsute ■ 13 broussailleux.
TOUILLE: 5 lamie ■ 9 roussette.
TOUILLER: 6 agiter ■ 9 touillage.
TOUJOURS: 7 éternel ■ 8 éternité ■ 9 perennité, sans cesse ■ 10 assidûment, perpétuité ■ 11 constamment, sans relâche ■ 14 invariablement ■ 15 continuellement, perpétuellement.
TOULON: 10 toulonnais.
TOULOUSE: 10 toulousain.
TOUPET: 6 touffe* ■ 8 témérité ■ 9 hardiesse.
TOUPIE: 5 sabot, toton ■ 7 turbine ■ 8 toupiner ■ 9 toupiller ■ 11 toupilleuse, trochophore ■ 12 trochosphère.
TOUPILLER: 10 toupilleur ■ 11 toupilleuse.
TOUPILLON: 6 touffe.
TOUR: 3 toc ■ 4 dôme, guet, rôle, truc ■ 5 guète, hourd, liure, madré, passe, patin, phare, pièce, queue, ronde, spire, türbe, usage, virée ■ 6 crasse, donjon, flèche, guette, malice, poupée, pylône, touret, turbeh, vimana, voyage ■ 7 attrape, beffroi, circuit, clocher, créneau, minaret, périple, sikhara, tourier ■ 8 demi-tour, hélépole, lanterne, pourtour, scrubber, tortueux, tourelle, tournage, tourneur, tournure ■ 9 archaïsme, belvédère, campanile, croisière, estrapade, jonglerie, latinisme, périmètre, pirouette, pousse-toc, promenade*, tournelle, tromperie, turriculé, virevolte, ziggourat ■ 10 campanille, chariotage, contourner, crapaudine, expression, passe-passe, périphérie, stratagème ■ 11 compte-tours, multibroche, sorcellerie ■ 12 équilibriste ■ 13 circonférence, demi-pirouette, polissonnerie ■ 14 entourloupette.
TOURAILLE: 10 touraillon.
TOURAINE: 8 bourgueil ■ 11 sainte-maure.
TOUR A TOUR: 10 alternatif ■ 15 alternativement.
TOURBE: 5 foule, motte, terre* ■ 6 bousin ■ 7 tourber ■ 8 sphaigne, tourbeux, tourbier ■ 9 briquette, populace, tourbière.
TOURBIERE: 9 sphagnale ■ 10 canneberge.
TOURBILLON: 5 grain ■ 6 remous, trombe, vortex ■ 10 bourrasque*, turbulence ■ 15 tourbillonnaire.
TOURBILLONNER: 7 tourner*.
TOURELLE: 7 coupole.
TOURILLON: 5 tolet, volée ■ 15 contre-coussinet.
TOURISME: 6 mérens, voyage ■ 7 périple ■ 8 touriste ■ 9 croisière, house-boat ■ 11 touristique ■ 13 automobilisme, cyclotourisme.
TOURMALINE: 9 rubellite.
TOURMENT: 4 émoi, gêne ■ 5 ennui, peine*, souci* ■ 6 affres, tracas ■ 7 chagrin*, déboire, émotion, fardeau, fatigue, malaise, martyre, remords, rêverie, torture*, trouble ■ 8 agacerie, angoisse, embarras, supplice* ■ 9 agitation, obsession, tristesse ■ 10 bousculade, inquiétude*, souffrance* ■ 11 accablement, contrariété, distraction, persécution, sollicitude ■ 12 trépignement ■ 13 préoccupation.
TOURMENTE: 5 agité* ■ 6 endêvé, jaloux, triste ■ 7 inquiet*, tem-

pête* ■ **8** soucieux ■ **9** famélique, impatient, ombrageux, travaillé ■ **10** bourrasque*.
TOURMENTER: **5** biler, gêner, rêver, vexer ■ **6** agacer, braver, damner, moquer, ronger, tanner ■ **7** alarmer, canuler, dépiter, dévorer, endêver, ennuyer*, enrager, exciter, irriter, lutiner, obséder, soucier ■ **8** accabler, assiéger, chicaner, consumer, émouvoir, fatiguer*, harasser, harceler*, infester, molester, talonner, taquiner*, tarauder, torturer, troubler ■ **9** assaillir, asticoter, bourreler, bousculer, chagriner, inquiéter*, mécaniser, mortifier, mystifier, oppresser, persifler, provoquer, tenailler, tirailler, tracasser*, trépigner ■ **10** chiffonner, contrarier, désespérer, houspiller, importuner*, martyriser, persécuter, poursuivre*, préoccuper, supplicier*, tarabuster, travailler, turlupiner ■ **11** impatienter.
TOURMENTEUR: **8** bourreau* ■ **12** tortionnaire.
TOURNAGE: **7** filmage ■ **14** tourillonneuse.
TOURNAILLER: **5** errer ■ **7** tourner* ■ **10** tourniquer.
TOURNANT: **4** tour ■ **5** noyau, pivot, rotor, toton ■ **6** virage ■ **7** abattée, rotatif ■ **8** revolver, vire-vire ■ **9** riboulant, rotatoire, tournette, virevaude ■ **10** pas-de-géant ■ **13** contrarotatif.
TOURNE: **4** taré ■ **5** aigre.
TOURNEE: **4** tour* ■ **5** virée, volée ■ **6** visite, voyage* ■ **9** promenade*.
TOURNER: **5** faner, girer, lover, mirer, rôder, virer, viser ■ **6** éviter, friser, nordir, rouler, tordre, valser, visser, volter ■ **7** abcéder, ajuster, altérer, anordir, braquer, changer*, dévider, dévirer, exposer, fléchir, pencher, pivoter, pointer, railler, revirer, rotatif, ruminer, vautrer, briller ■ **8** bornoyer, circuler, emballer, lévogyre, modifier, orienter, rabattre, ribouler, toupiner ■ **9** détourner, persifler, présenter, renverser, retourner*, tortiller, toupiller, tournoyer ■ **10** bistourner, contourner, dextrorsum, extraverti, feuilleter, héliotrope, introverti, pirouetter, tourniller, trochanter, virevolter, virevouter ■ **11** ridiculiser, tournailler, tournevirer, virevousser ■ **12** tortillonner, tournebouler, tournebroche ■ **13** tourbillonner, tournefeuille.
TOURNESOL: **5** acide ■ **8** maurelle ■ **9** hélianthe.
TOURNEUR: **7** mandrin.
TOURNILLER: **7** tourner*.
TOURNIQUET: **8** aspérité, moulinet ■ **10** bourriquet.
TOURNIS: **6** cénure ■ **7** cœnure, vertigc.
TOURNOI: **4** lice ■ **5** joute ■ **6** chaple, combat, parade ■ **9** carrousel ■ **10** chamaillis.
TOURNOIEMENT: **7** gouffre, vertige ■ **10** tourbillon.
TOURNOYER: **5** errer ■ **7** biaiser, tourner* ■ **10** tournoyant ■ **12** tournoiement ■ **13** tourbillonner.
TOURNURE: **4** chic, face, pouf, tour ■ **5** forme*, mûrir, riche, style ■ **6** allure*, touche ■ **7** manière ■ **8** arabisme, dessiner, maintien* ■ **10** belgicisme, expression, rhétorique ■ **12** désinvolture.
TOURTE: **8** salpicon ■ **9** tourtière.
TOURTEAU: **4** pain ■ **5** maton ■ **7** dormeur, poupart.
TOURTEREAU: **5** amant.
TOURTERELLE: **5** gémir ■ **6** pigeon* ■ **7** tourtre ■ **9** roucouler ■ **10** roucoulade, tourtereau ■ **12** roucoulement.
TOUSSAILLER: **7** tousser.
TOUSSER: **8** tousseur ■ **9** toussoter ■ **11** graillonner, toussailler.
TOUSSOTER: **7** tousser ■ **12** toussotement.
TOUT: **3** t.t.c. ■ **4** bloc, dose, part ■ **5** blasé, chose, lever, masse,

monde, pièce, plein, raide, reste, roide, tiers, total*, union ■ 6 absolu*, chaque, entier*, infini, intact, va-tout ■ 7 complet*, unanime ■ 8 addition, antitout, englober, ensemble, exclusif, factotum, fureteur, illimité, intégral, monopole, omnivore, partitif, quantité ■ 9 aliquante, brise-tout, compléter, distraire, entourage, quiconque, universel ■ 10 agrégation, aucunement, comprendre, globaliser, omniscient, synecdoque ■ 11 millionième, touche-à-tout ■ 13 embranchement, saint-frusquin ■ 15 essentiellement.

TOUT A COUP : 4 saut ■ 5 subit* ■ 6 subito ■ 10 improviste, inopinément, subitement ■ 11 brusquement.

TOUT A FAIT : 4 tout ■ 6 craché ■ 10 absolument, pleinement, totalement ■ 11 entièrement ■ 13 excessivement, littéralement ■ 14 diamétralement.

TOUTEFOIS : 8 pourtant ■ 9 cependant, néanmoins, seulement.

TOUTE-PUISSANCE : 8 autorité ■ 11 omnipotence.

TOUX : 5 rhume ■ 6 quinte ■ 7 diacode, tousser ■ 8 béchique ■ 9 tousserie ■ 10 antitussif, coqueluche, pholcodine.

TOXICITE : 5 crack ■ 8 atoxique.

TOXICOLOGIE : 11 toxicologue ■ 13 toxicologique.

TOXICOMANE : 4 trip ■ 5 accro ■ 6 drogué.

TOXICOMANIAQUE : 10 alcoomanie ■ 12 alcoolomanie.

TOXICOMANIE : 9 opiomanie ■ 12 héroïnomanie ■ 13 pharmacomanie ■ 14 toxicomaniaque, toxicomanogène.

TOXINE : 6 poison*, vaccin ■ 7 toxémie ■ 9 anatoxine, botulisme, exotoxine ■ 10 antitoxine, endotoxine ■ 11 typhotoxine ■ 13 toxi-infection.

TOXI-INFECTION : 14 toxi-infectieux.

TOXIQUE : 5 gazer, opium, venin ■ 6 curare, éthuse, poison ■ 7 æthusa, æthuse, arsenic, cocaïne, codéine, mercure, vitriol, vomique ■ 8 antidote, furfural, furfurol, laudanum, litharge, morphine, ouabaïne, phalline, ptomaïne, thébaïne, toxicité ■ 9 aconitine, intoxiqué, muscarine, vératrine ■ 10 colchicine, neurotrope, strophante, strychnine, vert-de-gris ■ 11 antitoxique, dauphinelle, dompte-venin, toxicologie, toxicomanie ■ 12 cantharidine, détoxication, mytilotoxine, strophanthus ■ 13 mithridatisme.

TOXOPLASME : 12 toxoplasmose.

TOXOPLASMOSE : 10 toxoplasme.

TRABOULE : 9 trabouler.

TRAC : 4 peur* ■ 7 crainte*.

TRAÇAGE : 2 vé.

TRACAS : 4 aria ■ 5 ennui* ■ 5 souci* ■ 8 agacerie, tourment* ■ 9 obsession ■ 10 bousculade, inquiétude* ■ 11 contrariété, dérangement ■ 13 préoccupation.

TRACASSER : 5 gêner ■ 6 agacer ■ 7 dépiter, ennuyer, excéder, exciter, irriter, obséder ■ 8 harasser, harceler ■ 9 assaillir, bousculer, inquiéter, tirailler ■ 10 contrarier, importuner, poursuivre, préoccuper*, tarabuster, tourmenter*, tracassier, turlupiner ■ 11 tracasserie.

TRACASSERIE : 5 souci* ■ 7 chicane ■ 10 tracassier ■ 14 souffre-douleur.

TRACE : 3 pas ■ 4 plan, raie, voie ■ 5 encre, filet, ombre, piste*, plomb, rayon, reste, signe, tiret, trait ■ 6 bavure, brisée, dessin, détour, foulée, indice, marque*, passée, rayure, réseau, sillon, tageur, visuel ■ 7 hachure, houzure, ornière, passage, régalis, sillage, souille, traînée, vestige ■ 8 accolade, dépister, dérouter, effaçure, engramme, esquisse, stigmate ■ 9 carroyage, cicatrice, empreinte, froissure, graphique, jalon-mire, linéament, piquetage, sulcature, vermicule ■ 10 astroblème, pantomètre ■ 11 antécédante, déchaussure, sismogramme, vermiculure ■ 12 cardiogramme.

TRACER: 5 layer, mener, rayer, tirer* ■ 6 barrer, bomber, frayer, graver, piquer, racher, régler ■ 7 ajuster, calquer, cingler, décrire, dérayer, enrayer, fileter, rénette ■ 8 abaisser, arpenter, bornoyer, délinéer, dessiner*, inscrirc, projeter, rainette, retracer, simbleau, traceret, tringler, trusquin ■ 9 compasser, crayonner, rapporter, sillonner, souligner, tracement ■ 10 construire, pointiller, quadriller, trusquiner ■ 11 troussequin ■ 12 appareilleur, circonscrire.

TRACHEE: 4 toux ■ 8 trachéal, trachéen ■ 9 trachéite ■ 10 intubation ■ 11 fausse-route ■ 12 trachéotomie.

TRACT: 8 pamphlet* ■ 10 prospectus.

TRACTABLE: 10 mobile home.

TRACTATIONS: 11 agissements.

TRACTER: 8 tracteur ■ 9 tractable.

TRACTEUR: 7 motrice ■ 8 chaintre ■ 12 locotracteur, mototracteur ■ 13 microtracteur.

TRACTION: 4 lacs, tram ■ 5 bosse, husky, tirer ■ 6 toueur ■ 7 tractif ■ 8 remorque, trudgeon ■ 10 autotracté, locomotive ■ 11 cyclorameur, locomotrice.

TRADE-UNION: 8 syndicat.

TRADITION: 5 mythe, sages ■ 7 légende ■ 8 folklore, habitude* ■ 9 classique ■ 10 légendaire, rabbinisme ■ 11 bien-pensant, classicisme, conformisme ■ 12 nationalisme, traditionnel ■ 13 aggiornamento ■ 14 traditionnaire ■ 15 traditionalisme.

TRADITIONNEL: 5 papet ■ 7 bunraku, netsuke, origami.

TRADITIONNELLE: 4 faré, tipi.

TRADUCTEUR: 7 drogman ■ 10 interprète, truchement ■ 11 translateur.

TRADUCTION: 5 bible, texte, thème ■ 7 version ■ 9 sous-titre ■ 10 contresens, paraphrase, truchement ■ 11 explication, transcodage, translation ■ 12 somatisation ■ 13 juxtalinéaire ■ 14 interprétation.

TRADUIRE: 6 porter, rendre ■ 7 déférer ■ 8 exprimer* ■ 9 expliquer, travestir ■ 10 comprendre, déchiffrer, retraduire, traduction, transcrire ■ 11 interpréter*, traduisible ■ 13 intraduisible.

TRAFIC: 4 port ■ 5 encan ■ 7 simonie ■ 8 aéroport, agiotage, commerce ■ 9 fricotage ■ 10 billonnage, trafiquant, trafiqueur.

TRAFICANT: 11 narcodollar.

TRAFIQUER: 7 agioter ■ 8 fricoter, marchand, spéculer, tripoter ■ 9 interlope ■ 10 corruption.

TRAGEDIE: 5 drame, épode, récit ■ 8 tragique, trilogie ■ confident ■ 12 tragi-comédie.

TRAGIQUE: 8 émouvant, sinistre, terrible ■ 9 tragédien ■ 10 complainte, dramatique*, effroyable ■ 12 stichomythie, tragi-comique, tragiquement.

TRAHIR: 5 jaser, ruser ■ 6 couper, livrer, renier*, vendre ■ 7 montrer*, tromper* ■ 8 déserter, forfaire, trahison ■ 9 divulguer, espionner, traîtrise ■ 10 abandonner.

TRAHISON: 4 ruse ■ 7 abandon, embûche, félonie ■ 8 perfidie ■ 9 défection, déloyauté, désertion, prodition, traîtrise ■ 10 assassiner, concussion, forfaiture ■ 13 prévarication.

TRAILLE: 3 bac.

TRAIN: 3 t.g.v. ■ 4 bige, erre, état, gare, voie ■ 5 arroi, ferry, galop, passe, poupe, tabor, timon, vigie, wagon* ■ 6 allure*, bagage, convoi, radeau, rapide ■ 7 tumulte ■ 8 couplage, standing ■ 9 chef-garde, débarquer, ferry-boat, monotrace, trainglot ■ 10 train-ferry ■ 11 dispatching, serre-freins, télescopage ■ 12 arrière-train, rastaquouère ■ 13 autocouchette ■ 14 autocouchettes ■ 15 autos-couchettes.

TRAINARD : 4 lent*.

TRAINASSER : 4 lent ■ 7 traîner* ■ 9 traînerie ■ 11 traînailler.

TRAINE : 5 queue, train ■ 10 caudataire.

TRAINEAU : 4 luge ■ 5 husky ■ 6 briska, troïka ■ 7 ramasse ■ 8 schlitte, toboggan, traînage ■ 9 bobsleigh, cométique.

TRAINE-BUCHES : 8 phrygane.

TRAINE : 4 voie ■ 5 queue, trace* ■ 8 vermille ■ 9 chevelure.

TRAINER : 5 errer, haler, tirer* ■ 6 flâner, ramper, tramer ■ 7 drosser, emmener, faucher, languir, marcher ■ 8 charrier, emporter, lambiner, traînage, traînant, traîneur, trousser ■ 9 entraîner, éterniser, guide-rope, lanterner, remorquer, traînerie, trimbaler ■ 10 pétouiller, traînasser, traînement.

TRAINGLOT : 6 soldat ■ 8 tringlot.

TRAIT : 3 air ■ 4 dard, mine, mors, raie*, tour, type ■ 5 bacul, barre, bâton, épure, filet, fusée, guide, hampe, ligne, mythe, patte, plein, rayon, signe, tiret, timon, train, typer ■ 6 flèche*, glyphe, marque, pointe, rature, surdos ■ 7 bricole, collier, culeron, culière, frontal, hâchure, jambage, liaison, mérisme, nasarde, parapet, saillie, têtière, virgule ■ 8 avaloire, bossette, brancard, concetti, courroie, dossière, œillère, poitrail, sellette ■ 9 attelloire, caractère, chanfrein, coussinet, croupière, dominante, épigramme, gourmette, grignotis, linéament, muserolle, palonnier, pointillé, souligner, sous-barbe, sous-gorge ■ 10 mangonneau, porte-trait, reculement, sémantique, soulignage ■ 11 décochement, délinéament, guillochure, physionomie ■ 13 aérodynamique, sous-ventrière ■ 14 physiognomonie, sychorigidité.

TRAITE : 4 lois, paix ■ 5 allié, cours, essai, étude*, ordre, otage, pacte, sujet, table, union ■ 6 impayé, trajet ■ 7 mémoire, négrier, trayeur ■ 8 chapitre, commerce, physique ■ 9 bestiaire, concordat, éthologie, exhausif, géométrie, spicilège, théologie ■ 10 convention*, infraction, ostéopathe, sous-traité ■ 11 dramaturgie, éthographie, toxicologie ■ 12 dissertation, encyclopédie, ornithologie, parémiologie ■ 13 antisalissure, casus fœderis ■ 14 controversiste.

TRAITEMENT : 4 cure, gain, soin ■ 5 erbue, fonte, modem, solde ■ 6 avanie, avarie, élixir, pascal ■ 7 collyre, salaire*, sévices, stretch, télétex ■ 8 alfatier, béchique, emplâtre, épithème, semestre, thérapie ■ 9 biguanide, chélateur, électrode, fluidique, iatrogène, nitration, prétraité, réformeur, sténosage ■ 10 allopathie, anaplastie, antalgique, antipoison, balnéation, diathermie, électuaire, indication, matiérisme, médication, mégisserie, pervibrage, privatique, salicylate, trinitrine ■ 11 acuponcture, acupuncture, antirabique, autoplastie, biothérapie, chaulmoogra, chiropraxie, désiliciage, électrochoc, halopéridol, homéopathie, liposuccion, opothérapie, psychiatrie, rétribution, sanforissage, thalidomide ■ 12 aérothérapie, augmentation, bétathérapie, chiropractie, cryothérapie, curarisation, dessablement, ergothérapie, informatique, intervention, maltraitance, manipulation, pattinsonage, pervibration, pneumothorax, psychanalyse, psychiatrisé, puvathérapie, retraitement, sérothérapie, voltaïsation ■ 13 antitétanique, appointements, assouplissage, bondérisation, cardiotonique, cobalthérapie, crénothérapie, curiethérapie, héliothérapie, hydrothérapie, photothérapie, phytothérapie, radiothérapie, synoviorthèse, thérapeutique, vernalisation ■ 14 actinothérapie, balnéothérapie, cancérologique, chimiothérapie, défibrillation, digitopuncture, graphitisation, mécanothérapie, physiothérapie, psychothérapie, pyrétothérapie, radiumthérapie, thermothérapie ■ 15 antibiothérapie, arsonvalisation, cobaltothérapie, corticothérapie, désintoxication, électroponcture, électropuncture, électrothérapie, hormonothérapie, oxygénothérapie, psychochirurgie, röntgenthérapie, vaccinothérapie.

TRAITER : 5 gâter, jouer, mener, vexer ■ 6 choyer, manier ■ 7 appeler, cajoler, crosser, ménager, morguer, révérer, rudoyer, soigner* ■ 8 brusquer, caresser, composer, consulte, débattre, épargner, malmener, mignoter, négocier, nitrurer, profaner, rabrouer, recevoir ■ 9 coalescer, dédaigner, dorlotter, favoriser, mignarder, pateliner, respecter, traitable ■ 10 amordancer, brutaliser, définiteur, maltraiter, tractation, tyranniser, vilipender ■ 11 philosopher.

TRAITEUR : 7 cuisiné ■ 12 restaurateur.

TRAITRE : 7 déloyal, perfide, renégat ■ 14 traîtreusement.

TRAITRISE : 7 félonie ■ 8 trahison*.

TRAJECTOIRE : 5 gerbe, point, rayon ■ 6 impact, montée, orbite ■ 9 empennage ■ 15 trajectographie.

TRAJET : 5 aller, fusée ■ 6 chemin*, traite, trotte ■ 8 parcours* ■ 9 traversée.

TRAME : 4 lice ■ 5 basin, corde, duite, lisse, piège, satin, typon ■ 7 copsage ■ 8 droit-fil, intrigue, roquetin, scénario, stoppage, synopsis ■ 10 fabulation ■ 11 rentraiture ■ 12 affabulation.

TRAMER : 6 ourdir ■ 7 tramage ■ 8 machiner*, officine.

TRAMP : 8 tramping.

TRAMONTANE : 4 vent.

TRAMWAY : 4 rail, tram ■ 7 vicinal ■ 8 traminot ■ 9 impériale ■ 10 plate-forme.

TRANCHANT : 3 dos, fil, net ■ 4 laye ■ 5 acéré, bêche, foret, hache, plane, vouge ■ 6 acérer, affilé, biseau, mousse, rasoir, taillé ■ 7 aiguisé, cassant, coupant, décisif, rénette ■ 8 aiguiser, ancipité, émousser, poignard, rainette, rustique, taillant ■ 10 estafilade, pertuisance ■ 11 bec-de-corbin, péremptoire ■ 12 bec-de-corbeau, contrepointe.

TRANCHE : 4 part ■ 5 bande, barde, darne, jaspe, lèche, rôtie, tende ■ 6 émincé ■ 7 beurrée, bifteck, morceau, rouelle, taillon, tartine, tronçon ■ 8 abricoté, biscotte, division, escalope, quartier, riblette, rondelle, sandwich ■ 9 paupiette, tranchage, trancheur, trempette ■ 10 fricandeau, napolitain, persillade, résolution ■ 11 aiguillette.

TRANCHEE : 4 abri, sape ■ 5 boyau, dosse, jauge, perré, sappe ■ 6 cavité, rigole ■ 7 colique, perchée ■ 8 approche, coffrage ■ 9 fondation, parallèle ■ 10 étrésillon ■ 11 cheminement, crapouillot ■ 13 fortification.

TRANCHEFILE : 6 comète ■ 12 tranchefiler.

TRANCHER : 5 juger ■ 6 couper*, sabrer ■ 7 décider, tailler* ■ 9 décapiter, tranchage, tranchoir ■ 10 contraster, sectionner* ■ 11 guillotiner.

TRANQUILLISANT : 11 thalidomide ■ 14 benzodiazépine.

TRANQUILLE : 3 coi ■ 4 port, sage ■ 5 calme*, quiet ■ 6 pépère ■ 7 peinard ■ 8 paisible* ■ 9 pacifique ■ 10 philosophe ■ 13 tranquilliser ■ 14 tranquillement.

TRANQUILLEMENT : 12 peinardement.

TRANQUILLITE : 4 paix* ■ 5 calme*, ordre, repos* ■ 8 patience, quiétude, rassurer, sécurité, sérénité ■ 9 placidité, quiétisme, sang-froid ■ 11 pondération.

TRANSACTION : 5 crise ■ 6 accord*, broker, marché, négoce, octroi ■ 7 affaire, cession ■ 8 reculade ■ 9 accession, arbitrage, compromis, monétique ■ 10 concession, convention, permission ■ 11 acceptation, circulation, composition, négociation, termaillage ■ 12 homologation, modus vivendi ■ 13 accommodement ■ 14 transactionnel.

TRANSATLANTIQUE: 5 câble ■ 6 bateau ■ 7 transat.

TRANSBORDEMENT: 7 aconage ■ 8 acconage.

TRANSBORDER: 12 transbordeur ■ 14 transbordement.

TRANSCENDANT: 5 élevé ■ 7 sublime* ■ 11 élémentaire ■ 13 transcendance.

TRANSCENDER: 5 sacré.

TRANSCODAGE: 10 transcoder.

TRANSCRIPTION: 5 copie* ■ 6 codeur, double, ichtus, minute ■ 8 original ■ 9 collation, duplicata, polycopie ■ 10 ampliation, autographe, expédition, transcrire ■ 11 compulsoire, polygraphie ■ 15 retranscription, translitération.

TRANSCRIRE: 6 copier* ■ 7 encoder, minuter ■ 8 expédier ■ 11 enregistrer, perforateur ■ 12 collationner, retranscrire, sténographie ■ 13 mécanographie, transcripteur.

TRANSCUTANE: 13 transdermique.

TRANSE: 6 chaman ■ 8 angoisse*.

TRANSEPT: 10 croisillon.

TRANSFERER: 5 céder, virer ■ 6 porter, vendre ■ 9 transfert ■ 10 translatif ■ 12 déconcentrer, nationaliser, transférable, transplanter ■ 13 transfèrement ■ 14 inaliénabilité ■ 15 décollectiviser.

TRANSFERT: 5 endos, vente ■ 6 fivete ■ 7 cession, simplex ■ 8 virement ■ 9 transport ■ 10 aliénation, délégation ■ 11 affacturage, reversement, transférase, translation ■ 12 confiscation, démembrement, transaminase ■ 14 téléchargement, transférentiel ■ 15 nationalisation, régionalisation.

TRANSFORMATEUR: 7 transfo ■ 10 secondaire.

TRANSFORMATION: 3 lie ■ 6 avatar, codage, coking, filage ■ 7 fibrose, refonte, réforme ■ 8 cryptage, cubature, géologie, hématose, puddlage ■ 9 caséation, diagenèse, digestion, évolution, inversion, isométrie, mégissier, nutrition, ontogénie, réduction, réfection ■ 10 allotropie, athermique, bioénergie, changement*, conversion, glaciation, homothésie, innovation, invariance, métaplasie, ontogenèse, perversion, rénovation, revirement, révolution, rhabillage, variations ■ 11 adiabatique, arénisation, candisation, cokéfaction, contrefaçon, cyanuration, cyclisation, décomposeur, déformation, demi-produit, évaporation, leucoplasie, métabolisme, nitratation, nitrosation, ozonisation, permutation, réalisation, réification, remaniement, sublimation ■ 12 amélioration, ammonisation, calorescence, colonisation, exothermique, gastrulation, gélification, humification, isentropique, métamorphose, métempsycose, reconversion, redressement, regénération, transduction, tubérisation, vaporisation, vinification ■ 13 berginisation, biconversion, carbonatation, carbonisation, chosification, convertissage, efflorescence, endothermique, factorisation, gastrotechnie, isomérisation, kaolinisation, nitrification, pétrification, podzolisation, poldérisation ■ 14 ammonification, dégénérescence, désintégration, kératinisation, réorganisation, salpêtrisation, saponification ■ 15 agro-alimentaire, alcoolification, antidéplacement, désertification, révolutionnaire, transfiguration, travestissement.

TRANSFORME: 11 lycanthrope ■ 12 transducteur.

TRANSFORMER: 4 muer ■ 5 mêler, mûrir, virer ■ 6 tanner ■ 7 changer*, feutrer, innover, réduire, refaire, rénover, retaper ■ 8 aménager, calciner, cokéfier, congeler, déformer, dérouler, évaporer, gélifier, momifier, ozoniser, panifier, radouber, refondre, réformer, remanier, salifier, stariser ■ 9 acidifier, assimiler, chlorurer, coloriser, convertir, défigurer, dégénérer, dénaturer, fabriquer, graphiter, mobiliser, monétiser, nitrifier, peroxyder, pervertir, redresser, régénérer, replâtrer, restaurer, rhabiller, starifier, suroxyder, transmuer, travestir, vitrifier ■ 10 acidifiant, adjectiver, carbonater, carboniser, développer, estérifier, marmoriser, méthaniser, plasmifier, précipiter, réaménager, renouveler, saponifier, vedettiser ■ 11 capitaliser, caraméliser, contrefaire, désertifier, métaboliser, minéraliser, nominaliser, raccommoder, réorganiser ■ 12 brouillasser, commutatrice, criminaliser, masculiniser, saccharifier, transfigurer ■ 13 convertisseur, métamorphoser, transformable, transformisme ■ 14 adjectiviviser, occidentaliser, transformateur, transformation.

TRANSFUGE : 9 déserteur.

TRANSFUSION : 10 transfuser ■ 13 polytransfusé ■ 14 transfusionnel.

TRANSGRESSER : 5 violer* ■ 8 désobéir ■ 10 enfreindre ■ 12 transgressif ■ 10 transgresseur, transgression.

TRANSGRESSION : 5 péché.

TRANSI : 4 figé, gelé ■ 5 froid, glacé ■ 8 engourdi, morfondu ■ 10 grelottant ■ 11 frissonnant.

TRANSIGER : 5 céder ■ 6 prêter ■ 7 accéder, traiter ■ 8 accepter, accorder, arbitrer, composer, concéder, octroyer, pactiser, relâcher, renoncer ■ 9 permettre ■ 10 accommoder, rétrocéder ■ 12 compromettre.

TRANSIR : 9 morfondre.

TRANSISTOR : 3 mos ■ 9 germanium ■ 13 transistorisé ■ 14 transistoriser ■ 15 phototransistor.

TRANSIT : 9 achalasie, transiter ■ 11 passe-debout, transitaire, transporter.

TRANSITIF : 12 transitivité ■ 14 transitivement.

TRANSITION : 2 or ■ 4 mais, parc, pont ■ 7 passage ■ 13 simultanéisme, transitionnel ■ 14 chalcolithique.

TRANSITOIRE : 5 stage ■ 8 passager* ■ 10 suspenseur.

TRANSLATEUR : 10 traducteur.

TRANSLATION : 8 girodyne ■ 9 transfert, transport ■ 10 raz de marée, traduction ■ 13 transfèrement.

TRANSLUCIDE : 4 mica ■ 8 altuglas, diaphane, scarieux, vaseline ■ 9 pellucide ■ 10 cathédrale, porcelaine ■ 11 transparent* ■ 12 papier-calque ■ 13 translucidité.

TRANSMETTRE : 4 came ■ 5 céder, endos, gâter, louer, train ■ 6 câbler, écrire, léguer, passer* ■ 7 aliéner, émettre, étendre, laisser, publier, télexer ■ 8 débrayer, décision, déléguer, infecter, inoculer, négocier, notifier, véhicule ■ 9 téléviser, variateur, véhiculer ■ 10 ayant cause, conducteur, contagieux, contaminer, délégation, radiosonde, téléphoner, télévision, transférer ■ 11 communiquer, héréditaire, télédynamie ■ 12 contagionner, démultiplier, enseignement, manipulateur, télégraphier, transmission ■ 13 retransmettre, télautographe, transmissible ■ 14 conductibilité ■ 15 intransmissible.

TRANSMIGRATION : 12 métempsycose.

TRANSMISSIBLE : 3 m.s.t.

TRANSMISSION : 4 code ■ 5 audio, éther ■ 6 drosse, pédale ■ 7 cession, simplex, vibrage ■ 8 courroie, donation, émission, flexible, hérédité, paulette, télétype, vidéotex ■ 9 adénosine, contagion, duplexage, égaliseur, multiplex, palonnier, passation, résonance, tradition ■ 10 brouillage, conduction, mendélisme, monophonie, quadruplex, sous-traité, succession, télépathie, téléphonie, télévision ■ 11 duplication, mondovision, négociation, propagation, télégraphie ■ 12 bélinographe, multiplexage, pupinisation, téléécriture ■ 13 contamination, homocinétique ■ 14 audiofréquence, neuromédiateur, radiodiffusion ■ 15 radiomessagerie, radiotélévision, vidéoconférence, visioconférence.

TRANSMUER: 11 transformer*, transmuable ■ 12 transmutable ■ 15 transmutabilité.

TRANSMUTATION: 8 alchimie ■ 9 cyclotron ■ 11 nucléonique ■ 12 métamorphose.

TRANSPARENCE: 5 épair ■ 6 clarté ■ 8 glasnost, hyaloïde, troubler ■ 9 vitrifier ■ 10 cristallin ■ 11 épidiascope, lithophanie, négatoscope ■ 12 xérophtalmie ■ 15 dévitrification.

TRANSPARENT: 3 eau, net ■ 4 gaze ■ 5 candi, clair*, crown, émail, rubis, tulle, verre, vitre ■ 6 opaque, scotch ■ 7 limpide, troublé ■ 8 diaphane, diaphase, polaroïd, voilette ■ 9 pellicule, pellucide, phlyctène ■ 10 cristallin, cystoplasme, hygiaphone, mousseline, ■ 11 aigue-marine, translucide ■ 12 transparence ■ 15 photo-élasticité.

TRANSPERCER: 6 percer* ■ 9 embrocher, traverser* ■ 13 transverbérer.

TRANSPIRATION: 5 étuve ■ 8 anidrose ■ 9 anhidrose ■ 10 diaphorése ■ 11 antisudoral ■ 12 perspiration, transpirable ■ 13 diaphorétique.

TRANSPIRER: 4 suer* ■ 6 percer ■ 7 ressuer ■ 11 transpirant.

TRANSPLANTATION: 9 repiquage ■ 11 repiquement ■ 12 ciclosporine.

TRANSPLANTER: 8 repiquer ■ 10 transplant ■ 13 égravillonner ■ 14 transplantable ■ 15 transplantation.

TRANSPORT: 3 car, van ■ 4 broc, fret, rage, tram, truc, voie, vrac ■ 5 balai, banne, baste, bouge, cadre, canne, cargo, flûte, ligne, poste, route, train ■ 6 délire, extase, report, sortie ■ 7 aconage, amphore, autobus, bardage, blondin, cession, charroi, couffin, factage, ivresse, omnibus, portage, roulage, sea-line, service, tonneau, vertige ■ 8 acconage, autorail, bachotte, barrique, butanier, comporte, courrier, desserte, draisine, flottage, flotteur, messager, paquebot, pipe-line, traînage, véhicule ■ 9 ambulance, cargaison, céréalier, container, débardage, éfourceau, ferry-boat, métaphore, motoriser, pétrolier, pinardier, propanier, rail-route, transfert, voiturage ■ 10 asphaltier, automoteur, avion-cargo, batellerie, brouettage, camionnage, chargement, corbillard, cubitainer, enivrement, expédition, ferroutage, locomobile, logistique, messagerie, polytherme, provenance, tapissière, trolleybus ■ 11 affrètement, charbonnier, chemin de fer, déplacement, exportation, héliportage, hémoglobine, importation, manutention, naturaliser, ravissement, téléférique, téléphérage, translation, triqueballe, wagon-foudre ■ 12 différentiel, enthousiasme*, porte-bagages, téléphérique, transporteur, water-ballast, wagon-citerne ■ 13 autocouchette, camion-citerne, connaissement, moyen-courrier, navire-citerne, pollinisation ■ 14 autocouchettes, transconteneur ■ 15 autoscouchettes.

TRANSPORTATION: 5 bagne.

TRANSPORTER: 4 seau, tine ■ 5 aller, banne, benne, hotte, mener, poêle, ravir, venir, virer ■ 6 griser, hotter, monter, passer, porter*, remuer ■ 7 charger, enlever, traîner ■ 8 charrier, débarder, dépayser, déporter, expédier, exporter, gerbière, importer, remonter, rempoter, repasser, reporter, reverser, voiturer ■ 9 brouetter, camionner, canaliser, charroyer, colporter, comporter, déménager, déplanter, élévateur, embarquer, rentoiler, réservoir, transiter, trimbaler, véhiculer ■ 10 aéroporter, charriable, héliporter, réexporter, train-ferry, transférer, transfuser, transposer, transvaser ■ 11 brancardier, transborder ■ 12 polarisation, terrassement, transbahuter, transplanter ■ 13 enthousiasmer, transportable ■ 14 aérotransporté ■ 15 intransportable.

TRANSPORTEUR : 9 convoyeur, monocâble ■ 13 transtraîneur ■ 15 commissionnaire.

TRANSPOSER : 8 chiffrer, déplacer, traduire ■ 13 transposition.

TRANSPOSITION : 6 calque ■ 9 anagramme ■ 10 traduction ■ 11 permutation ■ 15 translitération.

TRANSSEXUALISME : 11 transsexuel.

TRANSSUBSTANCIER : 11 transformer.

TRANSSUDER : 7 suinter ■ 13 transsudation.

TRANSURANIEN : 9 neptunium ■ 10 lawrencium ■ 11 mendélévium.

TRANSVASEMENT : 8 décuvage ■ 10 décuvaison.

TRANSVASER : 6 verser ■ 8 décanter, frelater, soutirer ■ 9 entonnoir, siphonner ■ 13 transvasement.

TRANSVERSAL : 3 bau ■ 5 bande, cluse, épart, trame, zonal ■ 7 oblique*, section ■ 8 doubleau, transept ■ 10 diaphragme.

TRANSYLVANIE : 11 transylvain ■ 13 transylvanien.

TRANTRAN : 7 routine*.

TRAPEZE : 7 aurique, voltige ■ 10 trapéziste, trapézoïde ■ 11 chantignole, trapézoèdre, trapézoïdal.

TRAPEZOIDALE : 7 aurique.

TRAPPE : 5 piège* ■ 9 oubliette, trappiste ■ 10 trappillon.

TRAPU : 4 nain, ours ■ 5 nabot, râblé, râblu, ragot ■ 7 ramassé ■ 8 courtaud ■ 10 bréviligne.

TRAQUENARD : 5 piège*.

TRAQUER : 8 talonner, traqueur ■ 10 poursuivre*.

TRAQUET : 7 motteux ■ 8 cul-blanc.

TRAUMA : 8 blessure*.

TRAUMATIQUE : 14 polytraumatisé.

TRAUMATISME : 6 trauma ■ 8 blessure*, exostose ■ 9 emphysème ■ 10 énervation ■ 11 traumatique.

TRAUMATOLOGIE : 15 traumatologique, traumatologiste.

TRAVAIL : 3 c.a.t., erg, mal, t.i.g. ■ 4 loup, mine, mita, note, pige, sape, test, watt ■ 5 butin, cotte, étude, façon, faena, férié, fonte, grève, jante, joule, nègre, offre, ouvré, outil, peine, posté, repos, robot, somme, sueur, tâche, tutie ■ 6 balint, boulot, chaîne, charge, corvée, devoir, emploi, galère, labeur, métier*, œuvre*, pensum, plissé, turbin ■ 7 affaire, atelier, besogne, bricole, collier, fatigue, journée, mission, ouvrage*, semaine, service ■ 8 ajustage, brochure, bulletin, business, débrayer, embauche, émoulage, exercice, fagotage, fonction, guide-âne, herchage, inaction, ivoirier, limonage, mareyage, niellure, opuscule, pavement, piochage, planning, repousse, teinture, treillis ■ 9 bosselage, bosselure, bricolage, casse-tête, chemineau, corrosion, corroyage, damassure, employeur, ergologie, ergonomie, finissage, forestage, free-lance, gagne-pain, herschage, kilo-joule, maçonnage, manœuvre, outillage, plâtrerie, recherche, salopette, suremploi, symposion, symposium, travaillé, tricotage, viabilité, wattheure ■ 10 chariotage, débauchage, ergographe, ergométrie, hongroyage, machinerie, menuiserie, multiposte, occupation*, orpaillage, plafonnage, prestation, profession*, recherches, recouvrage, récréation, rocaillage, spécialisé, surtravail, tayloriser, taylorisme ■ 11 agriculture, charpentage, combinaison, ébénisterie, élaboration, hongroierie, main-d'œuvre, métallurgie, morte-saison, plumasserie, putrescence, terreautage ■ 12 accouchement, charpenterie, élucubration, mémorisation, rémunération ■ 13 brain-storming, inapplication, kilogrammètre, mécanographie, taylorisation ■ 14 action research, appareillement, laborieusement, transportation ■ 15 recherche-action, standardisation.

TRAVAILLE : 7 bosseur, orfévré ■ 9 canissier ■ 10 cannissier.

TRAVAILLER : 4 agir, suer ■ 5 gâter, saper ■ 6 bosser, bûcher, chiner, marner, ouvrer, peiner*, trimer ■ 7 avancer, buriner, chiader, ciseler, étudier, fraiser, galérer, gratter, occuper, œuvrer, piocher, pousser, relayer ■ 8 besogner, bosseler, bricoler, cultiver, échopper, élaborer, employer, escrimer, façonner*, ouvrable, ouvrager, pâtisser, pilonner, préparer, produire, surmener, turbiner, varloper ■ 9 boulonner, élucubrer, fermenter, hongroyer, toupiller ■ 10 boucharder, collaborer, filigraner, pyrographe, tourmenter ■ 11 palissonner ■ 12 entreprendre, retravailler, travailloter.

TRAVAILLEUR : 4 aide ■ 5 nègre, prolo ■ 6 coolie ■ 7 arpette, artisan, bûcheur, employé, ouvrier*, salarié ■ 8 abatteur, apprenti, piocheur, tâcheron ■ 9 ardoisier, façonnier, finisseur, laborieux, manœuvre, ménestrel, opérateur, paresseux, pelletier, raffineur, serviteur ■ 10 calendreur, chambrelan, corailleur, domestique, gâte-métier, journalier, manouvrier, mercenaire, prolétaire, scientiste ■ 11 autogestion, coopérateur, diamantaire, préparateur ■ 13 collaborateur, métallurgiste, stakhanoviste.

TRAVAUX : 3 t.u.c.

TRAVEE : 8 pilastre.

TRAVERS : 3 par ■ 5 mirer, percé, torve, trans ■ 6 défaut* ■ 7 oblique ■ 8 guingois, ridicule, traviole ■ 9 percutané ■ 10 contresens ■ 11 transversal ■ 13 transparaître.

TRAVERSE : 3 jet ■ 4 rail ■ 5 patin, river, tende ■ 6 meneau ■ 7 galiote, sommier, trénail ■ 8 longrine, perfolié, tire-fond ■ 9 coussinet, petit-bois, travelage ■ 10 barlotière, croisillon, traversine ■ 11 empêchement, transmanche ■ 13 transcanadien.

TRAVERSEE : 6 percée, trajet, voyage* ■ 7 passage* ■ 9 endosmose ■ 12 perméabilité ■ 13 pénétrabilité ■ 14 franchissement.

TRAVERSER : 6 barrer, daguer, darder, larder, ouvrir, passer*, percer*, piquer ■ 7 brocher, croiser, empaler, enfiler, filtrer, glisser, saigner, transit ■ 8 barboter, défoncer, enferrer, éventrer, faufiler, franchir, pénétrer, perforer, repasser, trépaner ■ 9 embrocher, encroiser, infiltrer, perméable, trabouler, traversée ■ 10 entrelacer, transandin, transpirer, transsuder, traversier ■ 11 entrecouper, imperméable, ponctionner, retraverser, transitaire, transparent, transpercer, traversable ■ 12 impénétrable ■ 13 transafricain, transsaharien, transsibérien.

TRAVERSIN : 8 polochon.

TRAVESTI : 7 travelo.

TRAVESTIR : 7 masquer ■ 8 costumer, déformer, déguiser ■ 15 travestissement.

TRAVESTISME : 7 éonisme.

TRAVESTISSEMENT : 7 parodie ■ 8 travesti.

TREBUCHER : 5 buter ■ 6 tomber*.

TREBUCHET : 7 balance ■ 9 trébucher ■ 10 mésangette.

TREFILER : 9 tréfilage, tréfilier ■ 10 tréfilerie.

TREFLE : 5 baste ■ 6 lotier, tréflé ■ 7 farouch ■ 8 farouche, incarnat ■ 9 anthyllis, ményanthe, tréflière ■ 10 anthyllide, trigonelle.

TREILLAGE : 5 claie ■ 7 berceau, clôture* ■ 8 espalier, palisser ■ 10 treillager ■ 11 treillageur.

TREILLIS: 7 clôture* ■ 8 grillage ■ 9 treillage ■ 11 caillebotis, treillisser.
TREIZE: 4 ides ■ 9 treizième ■ 13 treizièmement.
TRELINGAGE: 5 gambe.
TREMATER: 9 trématage.
TREMATODE: 5 douve, rédie ■ 9 bilharzie ■ 10 miracidium.
TREMBLANT: 5 cassé, ferme ■ 8 craintif* ■ 10 chevrotant.
TREMBLEMENT: 6 fredon, séisme ■ 7 frisson, saccade, séismal, trémolo, vibrato ■ 8 sismique, trémuler, tressaut ■ 9 épicentre, séismique, tremblote, trémulant, vibration ■ 10 ondulation, séismicité, sismologie, tremblante ■ 11 séismologie, trémulation, trépidation ■ 12 chevrotement, frémissement ■ 13 scintillation, scintillement ■ 15 delirium tremens.
TREMBLER: 6 frémir, vibrer* ■ 7 branler, onduler secouer, tituber, triller ■ 8 ébranler, trémuler, trépider, vaciller ■ 9 chanceler, chevroter, flageoler, grelotter ■ 10 frissonner, papilloter, scintiller, trembloter ■ 11 tremblement, tressaillir.
TREMBLOTANT: 9 chevroter ■ 10 chevrotant.
TREMBLOTER: 6 danser ■ 8 trembler*, vaciller ■ 9 chevroter ■ 13 tremblotement.
TREMIE: 7 claquet ■ 8 engrener ■ 9 rengrener ■ 11 wagon-trémie.
TREMOUSSER: 9 frétiller ■ 13 trémoussement.
TREMPE: 4 lime ■ 5 acier, volée ■ 6 nature ■ 8 retrempe ■ 9 patentage ■ 12 autotrempant ■ 12 trempabilité.
TREMPER: 5 panée, raton ■ 6 gâcher, rincer, saucer ■ 7 arroser*, baigner, doucher, emboire, imbiber, imboire, inonder*, macérer, mariner, trempée ■ 8 trempeur ■ 9 affermir*, essanger, mouiller*, trembler ■ 9 détremper, retremper, trempette ■ 10 macération, mouillette ■ 12 ébouillanter.
TREMPLIN: 7 batoude ■ 9 plongeoir.
TREMULER: 8 trembler*.
TRENTE: 9 trentaine, trentième, tricennal ■ 11 trentenaire.
TREPAN: 7 tricône ■ 8 couronne, trépaner ■ 11 trépanation, turboforage.
TREPAS: 4 mort* ■ 5 décès, tombe ■ 8 trépassé.
TREPASSER: 5 périr* ■ 6 mourir* ■ 7 décéder.
TREPIDANT: 9 turbulcnt.
TREPIDATION: 6 clonus ■ 11 amortisseur, tremblement.
TREPIDER: 8 trembler*.
TREPIED: 5 selle, siège* ■ 9 chevrette ■ 10 trois-pieds.
TREPIGNER: 4 ruer ■ 8 piétiner ■ 12 trépignement.
TREPONEME: 8 syphilis ■ 13 trépabématose.
TRES: 4 bien, fort ■ 5 assai, moult ■ 8 joliment, tantinet ■ 9 bigrement, drôlement, rarissime, vachement ■ 10 foutrement.
TRESOR: 4 fisc ■ 5 fonds, magot ■ 6 bourse ■ 7 épargne, réserve ■ 8 finances ■ 10 trésorerie ■ 12 bonification.
TRESORIER: 9 chevalier ■ 10 concussion, trésorerie.
TRESSAILLEMENT: 7 sursaut ■ 11 chatouiller.
TRESSAILLIR: 6 bondir, tiquer, vibrer ■ 8 trembler* ■ 9 sursauter ■ 10 tressauter ■ 12 soubresauter.
TRESSAUTER: 11 tressaillir*.
TRESSE: 5 galon, natte*, raban ■ 6 cordon ■ 7 baderne, guipage, soubise, tresser ■ 8 soutache, tresseur ■ 9 bourdalou, cadenette, entrelacs ■ 10 cordelière.
TRESSER: 5 osier ■ 6 natter ■ 8 tressage.

TRETEAU : 6 baudet ■ 7 théâtre.
TREUIL : 5 giron, winch ■ 6 vindas ■ 7 pouliot, tambour ■ 8 cabestan ■ 9 manivelle, tourillon. treuiller ■ 10 bourriquet, tourniquet, treuillage.
TREUILLAGE : 14 hélitreuillage.
TREVE : 5 pouce, repos* ■ 8 outrance ■ 9 armistice, atenanche ■ 10 suspension ■ 12 interruption.
TREVIRE : 8 trévirer.
TRI : 5 trick.
TRIADE : 9 triadique.
TRIAGE : 3 tri ■ 6 trieur ■ 8 criblage, filtrage, peignage ■ 9 scheidage ■ 10 flottaison.
TRIALCOOL : 8 glycérol ■ 9 glycérine.
TRIALLE : 5 donax ■ 6 donace.
TRIANGLE : 4 base, cône ■ 5 chape, galbe, giron, pédal ■ 7 aurique, endenté, fanchon, scalène, trimère ■ 8 soufflet, vêtement ■ 9 acutangle, exinscrit, triquètre ■ 10 obtusangle ■ 11 autopolaire, orthocentre ■ 12 triangulaire ■ 13 triangulation.
TRIANGULAIRE : 2 if ■ 3 foc, spi ■ 5 delta, gable, harpe, patte, seine, senne ■ 6 tragus ■ 7 râblure ■ 8 écoinçon, embrasse ■ 9 spinnaker ■ 10 tiers-point ■ 12 barrage-poids.
TRIANGULATION : 10 trianguler.
TRIAS : 7 rhétien ■ 8 entroque ■ 9 triasique ■ 10 jurassique ■ 15 mastodontosaure.
TRIATHLON : 12 triathlonien.
TRIBAL : 9 triballer ■ 10 tribalisme.
TRIBALLE : 9 triballer.
TRIBOELECTRICITE : 15 triboélectrique.
TRIBORD : 10 tribordais.
TRIBU : 4 clan ■ 5 genre, horde, totem ■ 6 scheik, tribal ■ 7 famille, tribute ■ 8 peuplade ■ 11 intertribal.
TRIBULATION : 5 peine* ■ 7 malheur*.
TRIBUN : 4 veto ■ 7 orateur ■ 8 tribunal.
TRIBUNAL : 4 cour ■ 5 agréé, appel, avoué, barre, siège ■ 7 aulique, conseil, estrade, parquet ■ 8 aréopage, attraire, héliaste, prétoire, prévotal, prononcé, traduire ■ 9 bailliage, bâtonnier, cassation, centumvir, franc-jugé, plaidoyer, président, présidial, procédure, provision, prud'homme, sanhédrin ■ 10 absolution, accusateur, assermenté, audiencier, directoire ■ 11 ajournement, comparaître, inquisition, officiliaté, ultra-petita ■ 12 condamnation, déclinatoire, pénitencerie, sénéchaussée ■ 13 jurisprudence ■ 15 correctionnelle, juge-commissaire.
TRIBUNE : 4 jubé ■ 5 orgue, stand ■ 6 chaire ■ 7 estrade.
TRIBUT : 5 impôt* ■ 10 récompense, tributaire.
TRICALCIQUE : 14 superphosphate.
TRICEPS : 7 achille.
TRICHER : 7 tromper* ■ 8 filouter, tricheur ■ 9 biseauter.
TRICHERIE : 4 pont ■ 9 poussette, tromperie*.
TRICHEUR : 5 filou ■ 6 pipeur ■ 9 bonneteur.
TRICHINE : 8 trichiné ■ 10 trichinose.
TRICHINOSE : 10 trichineux.
TRICHOLOME : 9 mousseron.
TRICHOMA : 6 plique.
TRICHROMIE : 7 magenta.
TRICORNE : 7 lampion.
TRICOT : 8 chandail, pull-over ■ 9 bonnetier, tricotage.
TRICOTAGE : 8 vanisage.

TRICOTER : 7 trotter ■ 9 interlock, tricotage, tricoteur ■ 10 tricoteuse.
TRICTRAC : 3 jan ■ 4 dame ■ 5 besas, beset, caser, quine ■ 6 fichet ■ 7 jacquet.
TRICYCLE : 10 triporteur ■ 11 cyclorameur.
TRIDACNE : 8 bénitier.
TRIER : 5 lotir, volet ■ 6 épurer ■ 7 choisir*, classer, cribler, démêler, émonder, pacquer, sarcler, séparer, tamiser, trieuse ■ 8 éliminer, éplucher ■ 9 calibreur, discerner ■ 10 débrancher, distinguer, tout-venant ■ 11 plansichter ■ 12 décuscuteuse, sélectionner.
TRIERE : 10 triérarque.
TRIFOUILLER : 8 fouiller*.
TRIGLYCERIDE : 10 clofibrate.
TRIGLYPHE : 7 tringle.
TRIJUMEAU : 9 trifacial.
TRILLE : 7 triller ■ 11 tremblement.
TRILLION : 11 quatrillion.
TRILOGIE : 14 trifonctionnel.
TRIMARDEUR : 5 errer* ■ 8 vagabond* ■ 9 trimarder.
TRIMBALER : 6 porter* ■ 7 traîner* ■ 10 trimbalage ■ 12 trimbalement.
TRIMER : 7 galérer, marcher ■ 10 travailler*.
TRIMERE : 9 choliambe.
TRIMETRE : 9 choliambe.
TRINGLE : 5 barre, lisse, verge ■ 6 aléron, fanton, fenton ■ 7 aleiron ■ 8 ratelier ■ 9 timonerie ■ 15 porte-serviettes.
TRINGLETTE : 8 triballe.
TRINGLOT : 6 soldat.
TRINITE : 5 verbe ■ 10 trinitaire ■ 11 trinidadien ■ 12 socinianisme.
TRINITROLUENE : 15 subkilotonnique.
TRINQUER : 5 boire ■ 9 trinqueur ■ 10 tchin-tchin.
TRIODE : 5 lampe.
TRIOMPHALISME : 13 triomphaliste.
TRIOMPHATEUR : 8 quadrige ■ 10 victorieux.
TRIOMPHE : 5 coupe, palme, porte ■ 6 gloire*, record, succès* ■ 7 honneur, hosanna, ovation, trophée ■ 8 couronne, militant ■ 9 triomphal, triompher ■ 12 triomphateur ■ 14 triomphalement.
TRIOMPHER : 7 vaincre* ■ 9 surmonter* ■ 10 surclasser.
TRIPATOUILLER : 14 tripatouillage, tripatouilleur.
TRIPE : 7 tripier, tripous, tripoux ■ 8 intestin*, triperie ■ 9 andouille, tripaille.
TRIPHOSPHATE : 3 a.t.p.
TRIPLE : 6 triplé ■ 7 tripler ■ 10 triplement.
TRIPLET : 12 pythagorique.
TRIPLOBLASTIQUE : 9 cœlomate.
TRIPLOÏDE : 10 triploïdie.
TRIPOT : 7 cabaret.
TRIPOTEE : 5 volée ■ 6 raclée ■ 9 multitude.
TRIPOTER : 6 manier ■ 9 trafiquer, tripoteur ■ 10 tripotages ■ 11 agissements.
TRIQUE : 5 bâton ■ 7 triquer.
TRIQUEBALLE : 12 trinqueballe.
TRIQUER : 6 battre*.
TRISECTION : 10 trisecteur.
TRISTE : 3 ému ■ 7 amer, noir*, rude ■ 5 morne, navré ■ 6 dolent, morose, piteux, sombre*, transi ■ 7 anxieux, funèbre, inquiet, lugu-

bre, pénible ■ 8 ennuyeux, maussade*, plaintif, sinistre ■ 9 attrister, larmoyant, rembrunir ■ 10 chagrinant, roucoulade, tristement, tristounet ■ 12 mélancolique*, roucoulement ■ 14 hypocondriaque.

TRISTESSE: 4 mort ■ 5 brume, deuil, ennui, peine*, souci ■ 6 dégoût, regret ■ 7 anxiété, chagrin*, émotion, trouble ■ 8 amertume, embarras, langueur ■ 9 déplaisir, népenthès, nostalgie, tablature ■ 10 abattement, contrister, endeuiller, inquiétude, mélancolie ■ 11 contretemps, tribulation ■ 12 neurasthénie ■ 13 préoccupation.

TRITIUM: 6 triton.

TRITURER: 6 broyer* ■ 10 triturable ■ 11 triturateur.

TRIUMVIR: 10 triumviral, triumvirat.

TRIVIAL: 3 bas ■ 5 banal, merde ■ 7 rebattu ■ 8 grossier*, vulgaire* ■ 10 pasquinade, trivialité ■ 12 trivialement.

TROC: 6 change ■ 7 échange* ■ 8 troqueur.

TROCHANTER: 5 fémur, psoas.

TROCHEE: 9 choriambe, glyconien ■ 10 glyconique, trochaïque.

TROENE: 8 panicule.

TROGNE: 6 figure*, visage*.

TROIS: 3 ter, tri ■ 4 trin, trio ■ 5 règle, terne, triol ■ 7 trièdre, trigone, trilobé, trimère, triolet, tripale, trisser ■ 8 drop-goal, ternaire, terzetto, triacide, tricorne, tridenté, triennal, triester, trifolié, trilogie, trimaran, trimètre, trinervé, triplace, tripodie, trivalve ■ 9 acutangle, trialcool, tribraque, tricolore, triennium, trigramme, trigrille, trilingue, trilitère, trimestre, trimoteur, triolisme, triplette, triploïde, triptyque, triquètre, trois-deux, trois-huit, troisième, trois-mâts ■ 10 coquerelle, tribasique, tricéphale, tricuspide, tridactyle, trilatéral, trilittère, tripartite, triplement, trisannuel, trisection, trisyllabe ■ 11 hyperespace, triatomique, tricalcique, trimestriel, tripartisme, triphtongue, trismégiste ■ 12 triloculaire, tripartition, trirectangle ■ 13 tricontinental, trigémellaire ■ 15 tridimensionnel, triploblastique.

TROISIEME: 3 ter ■ 4 riss ■ 5 mardi, oculi, sexte, tarse, tiers, tridi, trois ■ 6 tertio, vaisya ■ 7 tiercer ■ 8 anaphase, dévonien, feuillet, frimaire, médiante, mi-carême, psautier, quarante ■ 9 exorciste, nictitant, stellaire, tertiaire ■ 10 métathorax, recoupette, triplicata ■ 11 saint-esprit ■ 12 septuagésime ■ 13 tricentenaire, troisièmement.

TROMBE: 10 bourrasque*.

TROMBIDION: 5 lepte ■ 6 aoûtat ■ 11 trombidiose.

TROMBONE: 11 tromboniste.

TROMBLON: 5 fusil* ■ 9 espingole.

TROMPE: 5 tapir ■ 6 cornet ■ 7 tubaire ■ 8 débucher ■ 9 trompette ■ 10 salpingite, trompillon.

TROMPER: 4 cocu ■ 5 duper*, errer, jouer, léser, piper, route, ruser ■ 6 abuser, amuser, bercer, berner, capter, corner, égarer, flouer, gourer, mentir, rouler, trahir ■ 7 aberrer, biaiser, blouser, bourrer, cajoler, cornard, enjôler, faillir, feindre, feinter, frauder, induire, leurrer, manquer, méjuger, prendre, refaire, séduire, simuler, tricher, truffer ■ 8 affecter, attraper, aveugler, balancer, carotter, cocufier, décevoir, empaumer, endormir, frustrer, jobarder, suborner, trompeur ■ 9 dindonner, embobiner, escroquer, faillible, falsifier, fourvoyer, imposteur, mécompter, méprendre, mystifier, pigeonner, tromperie ■ 10 cafouiller, embéguiner, resquiller, surprendre ■ 11 artificieux, circonvenir, couillonner, déraisonner, embabouiner, embobeliner, illusionner, infaillible, trompe-l'œil ■ 12 désappointer, faillibilité ■ 14 infaillibilité.

TROMPERIE: 3 dol ■ 4 ruse ■ 5 godan, pipée ■ 6 datura, fraude*, leurre, manège ■ 7 arnaque, attrape, dolosif, duperie, fardage, gabegie, piperie, trucage ■ **8** artifice, défiance, fausseté, mécompte, mensonge* ■ **9** baraterie, collusion, compérage, expédient, fourberie*, franchise, imposture, invention, tricherie ■ **10** passe-passe, stratagème ■ **11** escroquerie, supercherie ■ **12** couillonnade, manipulation ■ **13** falsification, mystification.

TROMPETER: 9 divulguer.

TROMPETTE: 5 agami, bugle, diane ■ **6** buccin, trompe ■ **7** clairon ■ **8** générale, sonnerie ■ **10** bouteselle, craterelle, trompeteur ■ **12** trompettiste.

TROMPETTER: 4 grue ■ **5** aigle, cygne.

TROMPEUR: 5 filou ■ **6** pipeur ■ **7** menteur ■ **8** apparent, brillant, captieux, décevant, fanfaron ■ **9** clinquant, illusoire, insidieux, mensonger ■ **10** fallacieux ■ **11** trompe-l'œil ■ **13** trompeusement.

TRONC: 3 ars, fût ■ **4** écot, pied, tige*, zona ■ **5** aorte, arbre, cépée, corps, estoc, grume, hypne, loupe, rejet, stipe ■ **6** aubier, rondin, souche, ventre ■ **7** abdomen, dentelé, duramen, mastaba, tronçon ■ **8** broussin, écuisser, plantard, poitrine, proximal, tirelire ■ **9** adragante ■ **11** étronçonner, ramassement, tronçonique ■ **12** rapatronnage ■ **13** embranchement ■ **14** arrière-cerveau.

TRONÇON: 5 bille ■ **7** tranche* ■ **10** tronçonner.

TRONÇONNER: 6 couper* ■ **7** tailler* ■ **9** godendart ■ **11** tronçonnage ■ **12** tronçonneuse.

TRONE: 4 dais ■ **5** ligue, stipe ■ **8** détrôner ■ **9** baldaquin, restaurer ■ **10** introniser, orléaniste.

TRONQUE: 5 cippe ■ **7** écourté.

TRONQUER: 6 couper* ■ **7** mutiler ■ **8** écourter, trancher.

TROP: 8 superflu, surfaire ■ **9** répondant, trop-perçu, trop-plein ■ **11** suralimenté.

TROPE: 6 ironie ■ **8** allusion, sarcasme ■ **9** allégorie, hypallage, métalepse, métaphore, métonymie ■ **10** antiphrase, autonomase, catachrèse, euphémisme, synecdoque.

TROPHEE: 5 butin, coupe, scalp ■ **7** laurier ■ **8** faisceau, panoplie ■ **9** dépouille.

TROPHIQUE: 13 trophonévrose.

TROPHOBLASTE: 15 trophoblastique.

TROPICAL: 3 tek ■ **4** pipa, teck ■ **5** acare, copal, gnète, singe, tapir, zamia ■ **6** dengue, gnétium, panace, zamier ■ **7** marenta, ximénia ■ **8** adiantum, arachide, bauhinie, cocotier, colocase, corossol, hibiscus, jacquier, poivrier, sesbania ■ **9** courbaril, hurricane, sapotacée, téphrosie ■ **10** médicinier, strophante, tamarinier, tillandsia ■ **11** tropicalisé ■ **15** tropicalisation.

TROPICALE: 5 gombo ■ **10** phalangère.

TROPICALISATION: 12 tropicaliser.

TROPIQUE: 4 zone ■ **5** alizé ■ **8** tropical ■ **11** subtropique ■ **13** intertropical.

TROPOSPHERE: 9 jet-stream ■ **10** tropopause ■ **12** stratosphère.

TROP-PLEIN: 9 émissaire ■ **11** déchargeoir.

TROQUE: 8 troquer.

TROQUER: 4 troc ■ **7** changer ■ **8** échanger*, troqueur ■ **10** copermuter.

TROT: 5 sulky ■ **7** stepper ■ **8** steppeur ■ **9** trottiner.

TROTTE: 6 trajet ■ **8** steppeur.

TROTTER: 5 aubin ■ **7** marcher, stepper ■ **8** trotteur, trotting.

TROTTIN: 9 midinette.

TROTTINER: 7 marcher ■ **12** trottinement.

TROTTINETTE : 9 patinette.
TROTTOIR : 4 quai ■ 5 dalle, tapin ■ 6 refuge ■ 8 asphalte, terrasse.
TROU : 3 ope, par ■ 4 chas, golf, mine, œil, silo, vide, yeux ■ 5 abîme, antre, bonde, capot, creux*, dalle, dalot, évier, fente, flûte, foret, fossé, futée, macle, moque, nable, pomme, percé, perle, puits, tarct ■ 6 blouse, boulin, brèche, bunker, cavité*, daleau, fondis, forure, grotte, larron, percée, piqûre, poquet, trouée ■ 7 bétoire, caverne, citerne, clapier, cratère, fleuret, gouffre, lumière, mandrin, œillet, orifice*, ornière, pertuis, puisard, tanière, terrier ■ 8 carrière, chatière, cheville, crevasse, décharge, enlaçure, étampure, fenêtrer, foraminé, fossette, fraisure, mortaise, œillard, ovalaire, parcours, perforer ■ 9 avant-trou, enfonçure, entonnoir, fondrière, grumelure, œil-de-pie, ouverture*, précipice, réservoir, souillard ■ 10 excavation, nid-de-poule ■ 11 cache-entrée, enfoncement ■ 12 perforatrice.
TROUBADOUR : 5 poète* ■ 7 félibre, occitan ■ 8 jongleur, trouvère, trouveur ■ 9 ménestrel, ménétrier ■ 10 ménestrier.
TROUBLANT : 8 affolant, frappant ■ 10 ahurissant, pétrifiant ■ 11 éblouissant ■ 12 étourdissant ■ 14 impressionnant.
TROUBLE : 3 ému, pur ■ 4 émoi, ivre ■ 5 ahuri, clair, égaré, grève, nuage, orage, repos, saisi, santé, tison, voile ■ 6 alarme, confus, délire, effaré, effroi, émeute, éperdu, fièvre, hagard, hébété, mirage, tracas ■ 7 agnosie, astasie, bagarre, cushing, démonté, dérangé, émotion*, étourdi, frayeur, ivresse, malaise, orageux, ouragan, passion, raynaud, remords, stupeur, surpris, turbide, vésanie ■ 8 agraphie, arythmie, asphyxie, déchirer, désordre*, diplopie, dyslalie, dyslexie, dyslogie, dysosmie, dystasie, dystomie, embarras*, exostose, factieux, hystérie, interdit, mentisme, migraine, nébuleux, obtusion, paisible, pellagre, renverse, secousse, sédition, séquelle, sérénité, surprise, symptôme, trublion ■ 9 abasourdi, agitateur, agitation*, alzheimer, apoplexie, commotion, confusion*, dyscrasie, dysidrose, dysmnésie, dysorexie, dysthymie, égarement, émotivité, épouvante, logorrhée, macropsie, palilalie, phoniatre, porphyrie, rabat-joie, séduction, stupéfait, tourmente, troublant, turbidité, turbulent, virilisme ■ 10 aberration, acétonémie, alcoolisme, bégaiement, bouleversé, brouillage, complainte, coprolalie, crétinisme, dépression, désorienté, dysacousie, dysbarisme, dyschromie, dysgraphie, dyskinésie, dystrophie, effarement, embarrassé*, enivrement, ensorceler, glycosurie, hébétement, impression, inquiétude, iridologie, mouvementé, nervosisme, paramnésie, paraphasie, phoniatrie, rachitisme, révolution ■ 11 ascaridiose, aveuglement, chatoiement, dérangement*, dyscalculie, dysfonction, fascination, fonctionnel, halopéridol, hébéphrénie, infestation, miroitement, névropathie, paresthésie, pithiatisme, pollakiurie, remue-ménage, sociogenèse, soulèvement, tachyphémie, traumatisme, trouble-fête ■ 12 ahurissement, apragmatisme, attroupement, brouillamini, décontenance, dédoublement, dysménorrhée, hétérophorie, hospitalisme, immaturation, insurrection, interruption, neurasthénie, perturbation, renversement, saisissement, schizophasie, stupéfaction ■ 13 asomatognosie, consternation, dysendocrinie, éblouissement, effervescence, frissonnement, hallucination, jargonaphasie, malabsorption, papillotement, schizophrénie, trophonévrose ■ 14 adiposo-génital, anéantissement, bouleversement, cardiothyréose, cénesthopathie, dyschromatopie, étourdissement, presbyophrénie, tressailllement ■ 15 désorganisation, hypervitaminose.
TROUBLER : 5 gâter ■ 6 agiter*, ahurir, égarer, épater, saisir ■ 7 affoler, bluffer, déjouer, éblouir, effarer, étonner, frapper, hébéter, sé-

duire, tremper ■ **8** anéantir, aveugler, chatoyer, démonter, déranger*, dérégler, dérouter, éberluer, ébranler, effrayer, émouvoir*, étourdir, fasciner, miroiter, pacifier ■ **9** atteindre, brouiller, confondre, détraquer, distraire, interdire, intimider, offusquer, perturber, pétrifier, renverser, stupéfier ■ **10** abasourdir, consterner, décomposer, désagencer, désajuster, ébouriffer, halluciner, importuner, papilloter, réverbérer, subversion ■ **11** déconcerter, désorienter, effaroucher, embarrasser*, émerveiller, interloquer, interrompre, rabouilleur, traumatiser, tressaillir ■ **12** désorganiser ■ **13** décontenancer, imperturbable, impressionner, révolutionner, tranquilliser.

TROUEE : 4 trou* ■ **6** percée.

TROUER : 5 miter ■ **6** percer* ■ **8** perforer ■ **12** emporte-pièces.

TROUILLE : 4 suée.

TROUPE : 3 ost, tas ■ **4** banc, file, gang, guet, raid ■ **5** armée*, bande, bivac, cadre, carré, corps, étape, flanc, front, garde, génie, harde, horde, ligne, masse, mêlée, meute, parti, prise, ramas, revue, ruche, spahi, tabor, tribu, volée ■ **6** clique, convoi, essaim, groupe, légion, milice, nichée, peuple, portée, relais ■ **7** brigade, cohorte, colonne, coterie, décurie, escadre, escorte, harpail, peloton, réserve, section ■ **8** archerie, bouillon, caravane, division, effectif, escadron, garnison, grégaire, harangue, manipule, motorisé, pantenne, pantière, peuplade, phalange, ramassis, régiment*, séquelle, syndicat, troubade, troupeau ■ **9** assemblée, bataillon, campement, cavalerie, centenier, compagnie, confrérie, harpaille, marmaille, mascarade, multitude, quadrille ■ **10** avant-poste, escadrille, flanc-garde, groupement, gueusaille, infanterie, ribambelle, valetaille ■ **11** association, détachement, fourmilière, manutention, soldatesque ■ **12** arrière-garde, attroupement, cantonnement, congrégation ■ **13** agglomération, manu militari, rassemblement.

TROUPEAU : 4 ranz ■ **5** faune, foule, menon, pâtre, tonte ■ **6** manade ■ **7** estiver, pasteur ■ **8** bestiaux, estivage, grégaire, inalpage ■ **11** dépaissance, transhumant ■ **12** transhumance.

TROUPIER : 6 soldat*.

TROUSSE : 5 botte ■ **9** enveloppe ■ **10** nécessaire ■ **14** porte-aiguilles.

TROUSSEAU : 7 layette.

TROUSSE-NEZ : 8 serre-nez.

TROUSSEQUIN : 5 arçon.

TROUSSER : 7 relever ■ **9** troussage.

TROUVAILLE : 4 idée ■ **10** découverte.

TROUVER : 4 être ■ **5** gésir, juger* ■ **6** aviser, goûter, pêcher, penser*, siéger ■ **7** admirer, dégoter, deviner*, éventer, exhumer, figurer, innover, planqué ■ **8** dégotter, dénicher, dépister, déplorer, déterrer, imaginer, ingénier, inventer*, pénétrer, présence, repérer, résoudre, trouveur ■ **9** complaire, découvrir*, dispenser, épiloguer, retrouver, trouvable ■ **10** accommoder, déchiffrer, identifier, improviser, raccrocher, récriminer, rencontrer, rendez-vous, surprendre ■ **11** disparaître, introuvable, représenter.

TROUVERE : 8 trouveur ■ **10** troubadour* ■ **11** minnesanger, minnesinger ■ **12** minnesaenger.

TRUAND : 7 malfrat ■ **8** mendiant ■ **10** truanderie.

TRUBLE : 9 troubleau.

TRUBLION : 15 révolutionnaire.

TRUC : 6 bidule ■ **7** gimmick ■ **8** truqueur ■ **9** trucmuche ■ **10** stratagème ■ **14** wagon-tombereau.

TRUCHEMENT : 10 traducteur ■ **13** intermédiaire.

TRUCIDER: 4 tuer*.
TRUCULENT: 8 farouche.
TRUELLE: 7 couteau ■ 8 truellée.
TRUFFE: 4 pâté ■ 6 terfès ■ 7 terfèze ■ 8 terfesse, truffier, tubéracé ■ 9 truffière ■ 11 tubériforme ■ 13 trufficulture.
TRUFFER: 6 emplir.
TRUIE: 4 porc ■ 5 coche ■ 9 cochonnée, cochonner.
TRUISME: 6 vérité.
TRUITE: 6 saumon ■ 7 touladi ■ 13 trutticulture ■ 14 salmoniculture.
TRUITER: 9 marqueter.
TRUQUAGE: 9 truquiste.
TRUQUER: 5 piper ■ 8 bidonner ■ 9 bidonnage, falsifier*.
TRUST: 7 société*, truster ■ 8 trusteur ■ 9 accaparer.
TRUSQUIN: 10 trusquiner ■ 11 troussequin.
TRYBLIDIDE: 9 néopilina.
TRYPANOSOMIASE: 9 hématobie.
TRYPANOSOME: 14 trypanosomiase.
TRYPSINE: 12 trypsinogène.
TSAR: 4 tzar ■ 5 ukase ■ 8 tsarisme ■ 10 tsarévitch, tzarévitch.
TSE-TSE: 8 glossine.
T.S.F.: 5 poste ■ 8 bigrille ■ 10 auto-alarme ■ 11 radiogramme, sans-filiste, sélectivité ■ 13 syntonisation ■ 15 superhétérodyne.
TSIGANE: 3 rom ■ 6 romani ■ 8 manouche.
TU: 4 vous.
TUBAGE: 6 casing.
TUBE: 3 âme ■ 4 cops, fêle, néon ■ 5 anode, cadre, canon, diode, drain, flûte, fusil, jabot, lampe, lance, paroi, rayon, ténia, tuber, tuyau*, verre ■ 6 embout, siphon, triode, tubule ■ 7 ajutage, ampoule, burette, cathode, conduit*, cuvette, fusette, pentode, pipette, queusot, retuber, tâte-vin, tétrode, trachée, venturi, vidicon ■ 8 bigrille, conduite, faisceau, ignitron, jaumière, klystron, penthode, tubicole, tubuleux, tubulure, vaisseau ■ 9 ambulacre, carottier, magnétron, manubrium, multitube, néphridie, œsophage, phanatron, tourillon, serpentin, tubulaire ■ 10 éprouvette, eudiomètre, fistulaire, iconoscope ■ 11 anticathode, capillarité, grille-écran, porte-crayon, vide-ordures ■ 12 bronchoscope ■ 13 pyélonéphrite, trachée-artère, transistorisé ■ 14 multitubulaire, œsophagoscope.
TUBERCULINATION: 12 tuberculiner.
TUBERCULE: 4 taro ■ 5 salep, tacca ■ 6 racine* ■ 7 ulluque ■ 8 féculent, sclérote, tubérisé ■ 9 planteuse ■ 10 arracheuse, décrotteur ■ 11 topinambour ■ 12 pomme de terre, tuberculiser, tubérisation ■ 15 tuberculisation.
TUBERCULEUX: 6 lupome, tubard.
TUBERCULINE: 14 tuberculinique, tuberculiniser ■ 15 tuberculination.
TUBERCULOSE: 3 b.c.g. ■ 5 lupus ■ 7 phtisie ■ 8 coxalgie, galopant, granulie, scrofule, silicose ■ 9 bacillose ■ 10 bacillaire, écrouelles, sanatorium ■ 11 tuberculeux ■ 12 phtisiologie, phtisiologue, pneumothorax, spina-ventosa ■ 13 streptomycine ■ 14 primo-infection, typhobacillose ■ 15 antituberculeux, percuti-réaction, tuberculination.
TUBERISATION: 9 rhizotone ■ 10 rhizoctone ■ 11 rhizoctonie.
TUBEROSITE: 5 bosse* ■ 6 fundus ■ 7 trochin ■ 9 trochiter ■ 10 trochanter.
TUBICOLE: 7 tubifex.
TUBULEUX: 4 tube ■ 11 tubuliflore.
TUBULIDENTE: 10 oryctérope.

TUBULURE : 6 tubule.
T.U.C. : 6 tucard ■ 7 tuciste.
TUE : 6 écrasé.
TUER : 3 tué ■ 5 buter, fatal, noyer, temps, tueur ■ 6 butter, crever, occire, pendre, percer, tuable ■ 7 abatage, abattre*, abréger, achever, décimer, défaire, dégeler, démolir, échiner, égorger, immoler, juguler, lapider, lyncher, saigner, suriner ■ 8 abattoir, ad patres, assommer, attenter, dépêcher, détruire, écorcher, équarrir, étouffer, éventrer, exécuter*, expédier, fusiller, homicide, meurtrir, saigner, suicider, trousser, trucider ■ 9 asphyxier, bousiller, chouriner, décapiter, descendre, entretuer, escoffier, estourbir, étrangler, foudroyer, germicide, massacrer, parricide, phytocide, rectifier, refroidir, sacrifier, supprimer ■ 10 abasourdir, assassiner, exterminer, mitrailler, poignarder, pourfendre, précipiter, ratiboiser, supplicier, zigouiller ■ 11 bactéricide, dégringoler, empoisonner, guillotiner, microbicide, pasteuriser ■ 12 électrocuter, parasiticide.
TUERIE : 7 carnage ■ 8 massacre ■ 10 égorgement.
TUEUR : 5 bravo, séide ■ 6 espada ■ 7 escarpe, sabreur, sicaire ■ 8 assassin*, bourreau, égorgeur, saigneur ■ 9 assommeur, meurtrier* ■ 10 étrangleur, massacreur ■ 11 coupe-jarret, équarisseur, pourfendeur ■ 12 empoisonneur.
TUF : 6 tufier ■ 7 péperin.
TUILE : 4 noue ■ 5 égout, ruche, solin, vason ■ 6 pureau, tuiler ■ 7 bardeau, tuilage, tuileau ■ 8 arêtière, enfaîter, faîtière, tavillon, tuilerie ■ 9 enfaîteau, imbriquer ■ 10 embroncher, mésaventure ■ 12 battellement ■ 13 enchevauchure.
TULLE : 5 ruché ■ 7 tullier ■ 8 dentelle, tullerie, tulliste, voilette.
TUMEFACTION : 6 hernie ■ 8 tuméfier ■ 10 tumescence.
TUMEFIE : 5 enflé ■ 6 gonflé*.
TUMESCENT : 10 tumescence.
TUMEUR : 3 fic ■ 5 abcès, bubon, dépôt, jarde, kyste, loupe, myome, nodus, poche, suros, tanne ■ 6 cancer, éponge, épulie, épulis, fungus, gliome, goitre, jardon, javart, lipome, nævus, œdème, polype, strema, ulcère*, verrue ■ 7 adénite, adénome, ampoule, angiome, anthrax, capelet, chalaze, enflure, éparvin, épervin, épulide, ésulide, fibrome, flegmon, invasif, léprome, myélome, orgelet, osselet, ostéome, pustule, sarcome, squirre, tumoral ■ 8 apostème, apostume, chéloïde, énostose, exostose, fécalome, furoncle, grosseur, lymphome, mélanome, mycétome, nodosité, sarcoïde, séminome, squirrhe, stéatome, vessigon, xanthome ■ 9 anévrisme, cancroïde, carcinome, chondrome, granulome, léiomyome, molluscum, néoplasie, neurinome, papillome, tubercule ■ 10 carcinoïde, fibromyome, induration, méningiome, staphylome, tubérosité, varicocèle ■ 11 enchondrome, épithélioma, épithéliome, évolutivité, granulation, turgescence ■ 12 détumescence, endométriose, excroissance, intumescence, ostéosarcome, pseudotumeur ■ 13 grenouillette ■ 14 adénocarcinome, chondrosarcome.
TUMORAL : 11 dysembryome.
TUMULAIRE : 9 columelle.
TUMULTE : 4 foin ■ 5 bruit*, cohue, foire, orage, train ■ 6 chahut, tapage* ■ 7 bagarre, ouragan ■ 8 baroufle, brouhaha, hourvari ■ 9 chabanais, charivari ■ 10 cacophonie, tumultueux ■ 12 attroupement ■ 15 tumultueusement.
TUMULTUEUX : 7 orageux ■ 9 turbulent.
TUMULUS : 5 cairn ■ 6 galgal.
TUNER : 11 syntoniseur.

TUNGSTENE : 5 flood ■ 7 wolfram ■ 8 platinée, stellite ■ 9 partinium, tungstate ■ 10 tungstique.
TUNICIER : 5 salpe ■ 7 ascidie ■ 8 procordé ■ 9 amphioxus ■ 10 protocordé ■ 14 appendiculaire.
TUNIQUE : 5 éphod ■ 6 bliaud, chiton, kimono ■ 7 tuniqué ■ 10 dalmatique ■ 12 angusticlave.
TUNISIE : 6 boukha.
TUNISIEN : 3 kef ■ 5 arabe ■ 6 mechta.
TUNISIENNE : 6 tagine, taline.
TUNNEL : 9 tunnelier ■ 10 souterrain.
TURBAN : 6 chèche ■ 10 enturbanné.
TURBELLARIE : 8 planaire.
TURBIDITE : 10 turbimètre.
TURBINE : 4 aube ■ 5 rotor ■ 6 pelton, stator ■ 7 ailette ■ 8 turbiner ■ 9 rotruenge, turbinage ■ 11 turboforage, turbomoteur ■ 13 turboréacteur ■ 15 turbopropulseur.
TURBINER : 9 turbinage.
TURBOCOMPRESSEUR : 5 turbo ■ 14 turbocompressé.
TURBOT : 8 turbotin ■ 10 turbotière.
TURBULENT : 3 dur ■ 4 jo-jo, sage ■ 5 calme ■ 7 dissipé ■ 8 brise-fer, pétulant ■ 9 trépidant ■ 10 tumultueux, turbulence.
TURC : 4 émir, para, raia, reis ■ 5 divan, pacha, pilaf, pilau, pilaw, rayia, spahi, tatar, uhlan ■ 6 efendi ■ 7 cafetan, ottoman, vilayet, yatagan ■ 8 moussaka, tarbouch ■ 9 croissant, padichah, rcharchaf, tarbouche, tcharcharf ■ 10 janissaire, turcophile ■ 12 bachi-bouzouk ■ 14 ouralo-altaïque.
TURDIDE : 5 cincle, grive, merle, shama ■ 6 tourde ■ 7 litorne, merleau, moqueur ■ 8 merlette, rubiette ■ 9 philomèle, rossignol ■ 10 rouge-gorge, rouge-queue ■ 11 vendangette.
TURGESCENCE : 10 gonflement, turgescent.
TURIN : 8 turinois.
TURLUPIN : 7 bouffon* ■ 10 turlupiner ■ 11 turlupinade.
TURLUTAINE : 5 manie.
TURPIN : 8 mélinite.
TURPITUDE : 5 honte*.
TURQUE : 5 azéri, uzbek ■ 6 kazakh, ouzbek ■ 7 kirghiz, osmanli ■ 10 turcophone ■ 14 azerbaïdjanais.
TURQUIE : 7 chibouk ■ 9 chibouque.
TUSSILAGE : 7 pas-d'âne.
TUSSOR : 6 tussah, tussau.
TUTELLE : 6 baillie ■ 8 auspices, cotuteur ■ 9 autonomie, émanciper, tutélaire ■ 10 dévolution, protecteur, protection* ■ 11 pupillarité.
TUTEUR : 4 bail, rame ■ 5 baile, bayle ■ 7 tutorat ■ 8 cotuteur, tuteurer ■ 9 protuteur, tuteurage.
TUTOYER : 8 tutoyeur ■ 10 tutoiement.
TUTTI : 10 concertino.
TUYAU : 4 buse, pipe, tube* ■ 5 canal, drain, durit, lance, orgue, plomb, plume, pomme, pompe, prise ■ 6 canule, godron, pédale ■ 7 ajutage, conduit*, poterie ■ 8 boisseau, brise-jet, capuchon, conduite, descente, papillon, tuyauter ■ 9 chalumeau, cornemuse, porte-vent, sarbacane, serpentin, tuyautage, tuyauteur ■ 10 collecteur, crapaudine, détartrage, dévoiement, fume-cigare, gargouille, tournevent, tuyauterie ■ 13 fume-cigarette.
TUYAUTER : 9 cisailler, tuyautage.
TUYERE : 13 pulsoréacteur, statoréacteur.

TWIST : 7 twister.
TYMPAN : 7 oreille*, platine ■ 8 blanchet, tympanal ■ 10 tympanique ■ 14 tympanoplastie.
TYMPANISER : 8 malmener ■ 9 divulguer.
TYMPANON : 10 psaltérion.
TYPE : 3 gus, ska, zig ■ 4 crac, idée, typé ■ 5 beauf, fonte, gille, gonze, gusse, luron, norme, série, suidé, zigue ■ 6 espèce, modèle*, police ■ 7 marconi ■ 8 fast-food, original, parangon, personne*, standard ■ 9 caractère, culbuteur, plastique ■ 10 chicanneau, proverbial ■ 11 monogénisme, polygénisme.
TYPHACEE : 8 massette ■ 10 sparganier ■ 12 roseau-massue.
TYPHOÏDE : 3 t.a.b. ■ 5 t.a.b.d.t. ■ 8 typhique ■ 11 typhoïdique, typhotoxine ■ 14 typhobacillose ■ 15 chloramphénicol.
TYPHON : 10 bourrasque*.
TYPHUS : 8 typhique ■ 12 rickettsiose, spirochétose.
TYPIQUE : 5 idéal ■ 11 typiquement ■ 15 caractéristique.
TYPOGRAPHE : 5 prote ■ 6 leveur ■ 8 imposeur, réviseur ■ 9 correcteur ■ 10 composteur ■ 11 compositeur, maquettiste.
TYPOGRAPHIE : 5 forme, lever ■ 6 cicéro, verset ■ 7 elzévir, fleuron ■ 8 deleatur, logotype ■ 9 surcharge ■ 10 astérisque, composeuse ■ 11 chromotypie, galvanotype ■ 12 photogravure ■ 13 typographique.
TYPOGRAPHIQUE : 4 pica ■ 11 esperluette.
TYPOLOGIE : 11 typoligique ■ 12 biotypologie.
TYRAN : 5 cruel ■ 7 despote, satrape ■ 9 autocrate, dictateur, draconien, polycrate, tyranneau ■ 10 despotique, usurpateur ■ 11 persécuteur, tyrannicide.
TYRANNIE : 5 sacre ■ 6 empire ■ 7 pouvoir ■ 9 dictature, influence ■ 10 autocratie, despotisme, oppression, tyrannique, usurpation ■ 11 absolutisme, intolérance, persécution ■ 12 proscription ■ 13 illibéralisme.
TYRANNIQUE : 14 tyranniquement.
TYRANNISER : 7 usurper ■ 8 asservir, opprimer* ■ 9 comprimer, proscrire ■ 10 persécuter*.
TYROLIEN : 8 romanche ■ 9 réto-roman ■ 10 rhéto-roman, tyrolienne.
TYROSINE : 7 histone ■ 10 tyrosinase.
TZIGANE : 7 zingaro ■ 8 bohémien* ■ 10 romanichel.

UBAC : **5** adret ■ **6** ombrée.
UKASE : **4** édit ■ **6** oukase ■ **12** commandement.
ULCERATION : **5** aphte ■ **6** ulcère* ■ **7** cautère ■ **8** exutoire ■ **9** syphilide, ulcératif ■ **12** exulcération.
ULCERE : **5** abcès, ladre, loupe, ozène, phyme, sanie ■ **6** cancer, tumeur* ■ **7** anthrax, chancre, charbon, panaris, pustule, squirre ■ **8** apostume, exutoire, fourchet, gangrène, malandre, ulcéreux ■ **9** ulcéroïde ■ **10** ulcération ■ **12** antiulcéreux, phagédénisme.
ULCERER : **7** blesser*.
ULCEREUX : **9** cancroïde.
U.L.M. : **7** ulmiste.
ULMACEE : **4** orme ■ **11** micocoulier.
ULTERIEUR : **7** suivant ■ **8** proroger ■ **9** antérieur, après-coup ■ **10** postérieur* ■ **11** ajournement.
ULTIMATUM : **12** commandement*.
ULTIME : **7** dernier*.
ULTRA : **9** activiste.
ULTRABASIQUE : **10** kimberlite, péridotite.
ULTRALEGER : **10** deltaplane.
ULTRAMONTAINE : **15** ultramontanisme.
ULTRASON : **11** ultrasonore ■ **12** ultrasonique.
ULTRAVIOLET : **2** u.v. ■ **14** actinothérapie.
ULTRA-VIRUS : **10** myxomatose.
ULULER : **5** crier ■ **5** hululer.
UN : **3** nul ■ **4** seul* ■ **5** aucun, reste, unité ■ **6** unique* ■ **7** certain, unanime ■ **8** monandre, yearling ■ **10** monovalent, unilatéral, uninominal, unipolaire ■ **12** uniloculaire.
UNANIMITE : **6** chorus ■ **10** unanimisme ■ **11** unanimement.
UNGUEAL : **8** pédicure.
UNI : **3** mat, ras ■ **4** égal*, lien, plan*, plat*, poli* ■ **5** agnat, allié, aplat, arasé, cadre, énodé, joint, lisse, marié, ouvré, paire, patin, pique, plain, polir*, satin, sedan, serge ■ **6** énervé, glabre, unitif ■ **7** égalité, mutique, unifier ■ **8** cohérent, conjoint, égaliser, uniforme ■ **9** confédéré, esplanade, inégalité ■ **10** enclitique ■ **11** inséparable ■ **13** subordination.
UNICELLULAIRE : **5** amibe, spore ■ **6** levure ■ **8** diatomée, protiste, rhizoïde ■ **9** volvocale ■ **10** procaryote, protocoque, protophyte ■ **11** protococcus, protozoaire ■ **12** chrysophycée, xanthophycée ■ **13** clamydomonas, protococcale ■ **14** chrysomonadale.
UNIFIER : **11** unificateur, unification ■ **13** normalisation.

UNIFORME : 4 égal*, plat* ■ 5 règle, tenue ■ 8 homogène, monotone, vêtement* ■ 9 ceinturon, cocardier, monocorde ■ 10 irrégulier, uniformité ■ 12 uniformément ■ 14 isochromatique.
UNIFORMEMENT : 13 régulièrement.
UNIFORMISER : 12 standardiser ■ 14 uniformisation.
UNIFORMITE : 7 égalité* ■ 9 monotonie ■ 10 consonance.
UNILATERAL : 12 confirmation ■ 15 unilatéralement.
UNILINEAIRE : 12 matrilignage.
UNIMENT : 3 net ■ 10 simplement.
UNION : 3 ars ■ 4 bloc, paix ■ 5 hymen, ligue, parti, trait ■ 6 accord*, isolat ■ 7 concert, entente, inceste, liaison*, mariage*, rapport, société, trinité ■ 8 adhésion, alliance, conjugal, ensemble, jonction, légitime, syndicat ■ 9 adhérence, coalition, cohérence, collusion, communion, connexion, unionisme ■ 10 apposition, complicité, fédération ■ 11 coalescence, combinaison, concubinage, fécondation, incarnation, œcuménisme, panarabisme ■ 12 intelligence, panislamisme ■ 13 confédération, conjugalement, rapprochement ■ 14 polymérisation, sécessionnaire ■ 15 autofécondation.
UNIPERSONNEL : 5 verbe.
UNIQUE : 2 un* ■ 4 rare, seul* ■ 5 isolé, paire ■ 6 phénix, simple ■ 7 bizarre, unicité ■ 8 efficace, exclusif, fréquent, tangence ■ 9 monophasé, monostyle, singulier ■ 10 individuel, multimètre, pluralisme ■ 11 monogénisme, particulier* ■ 12 interclasser, monopartisme.
UNIQUEMENT : 8 purement ■ 9 seulement ■ 10 simplement ■ 13 exclusivement.
UNIR : 2 qu ■ 3 que ■ 4 lier* ■ 5 matir, mêler*, polir*, raser ■ 6 allier, araser, liguer, lisser, planer, racler, relier, ribler, souder ■ 7 aplanir, aplatir, dresser, fédérer, joindre*, niveler, rallier ■ 8 associer*, clavette, coaliser, conjurer, égaliser, incarner, jonction, ratisser, syncoper ■ 9 accoupler, amalgamer, assembler*, confédérer, conjuguer, copulatif ■ 10 conjoindre, conjonctif, rapprocher ■ 11 enchevêtrer, solidariser.
UNISEXUE : 8 monoïque.
UNIT : 7 cohésif.
UNITARISME : 8 unitaire ■ 12 socinianisme.
UNITE *(voir monnaie) :* 2 as, cv, pz, rd, un, u.v. ■ 3 are, bar, bel bit, cgs, dao, erg, gal, lei, leu, lev, lew, lux, mts, ohm, rem, rhé, tex, ton, u.e.r., u.f.r., var, yen ■ 4 barn, baud, dyne, mark, m.k.s.a., octa, phot, pica, sone, tael, torr, volt, watt ■ 5 barye, belga, carat, canon, codon, cuber, curie, débit, debye, degré, demie, dinar, droit, farad, fermi, franc, gauss, grade, henry, hertz, joule, lexie, litre, livre, louis, lumen, mètre, mille, nœud, obole, ounce, peser, phone, pièce, pièze, point, poise, quart, sinus, sonie, stère, taxon, taxum, tesla, toman, tonne, train, weber, zloty ■ 6 ampère, bougie, brasse, cicéro, groupe, légion, mégohm, module, newton, nombre, parsec, pascal, phanie, radian, sthène, stokes ■ 7 blondel, candela, coulomb, décitex, drachme, maxwell, microhm, néphron, oersted, peloton, quintal, section, siemens, sievert, système, tonneau, unifier ■ 8 batterie, centurie, combinat, dioptrie, ensemble, escadron, frigorie, grammage, homogène, kilovolt, kilowatt, longueur, magnéton, métamètre, millibar, ohmmètre, parcelle, poncelet, quadrant, régiment, roentgen, ternaire, unitaire, varheure ■ 9 angstrœm, arianisme, bataillon, compagnie, échevette, hectowatt, hipparque, kilocycle, kilofranc, kilojoule, kilomètre, kilotonne, mégatonne, millivolt, stéradian, volumique, wattheure ■ 10 ampère-tour, atmosphère, horse-power, kilogramme, mi-

crofarad, voltampère ■ 11 hectopascal, kilocalorie, microampère, milliampère, millimicron, mondialisme ■ 12 anharmonique, antiunitaire, cheval-vapeur, électronvolt, enrégimenter, microseconde ■ 13 fractionnisme, kilogrammètre ■ 14 panafricanisme ■ 15 kilogramme-force, kilogramme-poids.

UNITE MONETAIRE : 3 kip, lek, won ■ 4 baht, birr, cédi, dông, inti, kyat, mark, rand, rial, riel, yuan ■ 5 colon, naira, riyal, sucre, zaïre ■ 6 balboa, gourde, markha, shekel ■ 7 afghani, cordoba, lempira, metical, ouguiya, quetzal, ringgit ■ 8 C.F.A. franc, cruzeiro ■ 9 boliviano.

UNIVALENT : 6 alkyle ■ 7 acétyle, benzyle ■ 8 benzoyle, stéaryle ■ 9 aminogène, carboxyde, nitrosyle ■ 10 monovalent.

UNIVERS : 4 dieu ■ 5 monde*, taiji, t'ai-ki ■ 6 cosmos, nature* ■ 7 big bang ■ 8 atomisme, cosmique, création ■ 9 continuum, finalisme, monadisme ■ 10 cosmogonie, cosmologie, macrocosme, microcosme ■ 11 métagalaxie, monadologie ■ 12 cosmographie, égocentrique ■ 13 universalisme.

UNIVERSALITE : 4 tous, tout ■ 8 ubiquité ■ 10 généralité, panthéisme ■ 11 omniscience ■ 12 encyclopédie ■ 14 cosmopolitisme.

UNIVERSEL : 5 adage ■ 6 commun ■ 7 général, mondial, volapük ■ 8 piétisme ■ 11 œcuménique, omniscience ■ 12 physiocratie ■ 13 universaliser, universalisme ■ 14 encyclopédique ■ 15 universellement.

UNIVERSELLE : 6 dharma.

UNIVERSITAIRE : 3 c.h.u., i.u.t. ■ 7 licence ■ 8 académie ■ 9 parchemin ■ 12 baccalauréat, honoris causa ■ 14 situationnisme.

UNIVERSITE : 3 fac ■ 4 aula ■ 5 école ■ 7 collège, faculté, madrasa, medersa, recteur ■ 8 académie, étudiant ■ 11 vice-recteur ■ 13 universitaire.

UNIVOQUE : 9 univocité.

UNTEL : 10 tartempion.

UPERISATION : 8 upériser.

URANIUM : 5 urane ■ 7 uraneux, uranite ■ 8 autunite ■ 10 pechblende, thorianite.

URBAIN : 3 p.m.u. ■ 4 cité ■ 6 insula ■ 7 autobus, citadin ■ 9 urbaniser ■ 10 technopole ■ 12 urbanisation ■ 14 ville-satellite.

URBAINE : 8 mégapole ■ 10 mégalopole ■ 11 mégalopolis.

URBANISME : 6 zoning ■ 12 urbanistique.

URBANITE : 8 civilité ■ 9 politesse* ■ 10 affabilité.

UREDINALE : 7 rouille ■ 8 puccinie, urédinée.

UREE : 6 uréide, urémie ■ 8 azotémie, thio-urée ■ 11 aminoplaste.

URETERE : 7 urétral ■ 8 cathéter, prostate, urétrite ■ 9 urétérite ■ 10 épispadias ■ 13 urétérostomie.

URGENCE : 4 s.a.m.u. ■ 8 écoutant.

URGENT : 6 pressé ■ 7 premier, urgence ■ 8 pressant.

URINAIRE : 7 anurèse, uva-ursi ■ 8 nycturie, urologie ■ 9 calciurie, clearance, hématurie, ondinisme ■ 10 exstrophie, urographie ■ 11 entéro-rénal ■ 12 antilithique ■ 14 génito-urinaire.

URINE : 3 eau ■ 4 pipi, rein, urée ■ 5 pisse, purin ■ 6 pissat, pyurie ■ 7 diurèse, dysurée, pisseux, uretère, urineux ■ 8 azoturie, cholurie, énurésie, oligurie, uromètre ■ 9 cétonurie, compisser, uréomètre, urinifère, urobiline, urokinase ■ 10 acétonurie, ammoniure, bacillurie, glycosurie, hippurique ■ 11 albuminurie, pollakiurie, protéinurie ■ 12 incontinence, phosphaturie, urobilinurie, vasopressine ■ 13 hydronéphrose ■ 14 antidiurétique, hémoglobinurie.

URINER : 6 pisser ■ 7 évacuer, miction, urinoir ■ 8 pissoter ■ 9 compis-

ser ■ 10 diurétique ■ 11 pissouiller.
URINOIR: 7 pissoir ■ 10 pissotière ■ 11 vespasienne.
URIQUE: 5 urate ■ 8 uricémie.
URNE: 4 vase* ■ 7 ascidie ■ 8 opercule, sporange ■ 9 péristome.
UROBILINE: 12 urobilinurie.
URODELE: 6 protée, triton ■ 7 axolotl ■ 10 amblystome, salamandre.
UROLAGNIE: 9 ondinisme.
UROPODE: 13 patte-nageoire.
URSIDE: 4 ours ■ 5 panda.
U.R.S.S.: 10 tchernozem ■ 11 tchernoziom ■ 14 antisoviétique.
URTICACEE: 5 ortie, ramie ■ 6 mûrier ■ 10 pariétaire ■ 11 casse-pierre ■ 13 perce-muraille.
URTICAIRE: 7 quincke.
URTICANT: 11 nématocyste.
URUGUAY: 9 uruguayen.
US: 8 habitude*.
USAGE: 2 us ■ 3 usé ■ 4 frai, indu, mode, muet, nase, naze, saie, saye, taux, user, waqf ■ 5 débit, forme, jouir, linge, niais, oisif, ordre, orgue, règle*, samit, tabou, thèse, turbe, usité, usure, vieil, vieux, vivre ■ 6 drogué, emploi*, maxime, mœurs, parère ■ 7 coutume, défonce, dépense, étrenne, formule, jetable, mésuser, naturel, ribouis, service, suranné ■ 8 affecter, autonyme, commodat, culotter, débauche, disposer, employer, estropié, étourdir, folklore, fongible, habitude*, insolite, non-usage, obsolète, pratique, profaner, urbanité ■ 9 civilités, classique, consommer, démutiser, ergotisme, estropier, fraîcheur, garde-robe, gibecière, mondanité, ordinaire, pratiquer, profitant, tradition, ustensile, vaisselle ■ 10 bienséance, cérémonial, jouissance, passe-droit, quincaille ■ 11 affectation, conformisme, savoir-vivre, usufruitier, utilisateur, vespasienne ■ 12 consommation, mégalithisme, parisianisme, prostitution, traditionnel ■ 13 bicarburation, fréquentation, pharmacomanie, vulgarisateur ■ 14 électroménager, extraordinaire, nu-propriétaire, surmédicaliser ■ 15 anticonformisme.
USAGER: 10 pancartage.
USANCE: 8 habitude*.
USE: 3 las, mûr ■ 4 fané, fini, gâté, limé, râpé, rodé ■ 5 abîmé, éculé, élimé, mangé, percé, ragué, rongé, terne, troué, usagé, usant, vieil, vieux ■ 6 achevé, avachi, fruste, pourri ■ 7 déchiré, déformé, délabré, éraillé, fatigué, fringue, rebattu, vétuste, vieilli ■ 8 attrition, vermoulu ■ 9 détérioré ■ 11 cache-misère, souquenille.
USER: 5 émeri, râper, roder, usité ■ 6 abîmer*, abuser, araser, élimer, mettre, meuler, raguer, ronger, servir* ■ 7 abraser, biaiser, épuiser, mesurer, tutoyer ■ 8 coqueter, disposer, employer*, épointer, érailler, finasser, inusable, utiliser* ■ 9 consommer, oblitérer, propriété, trafiquer ■ 10 équivoquer ■ 12 maquignonnage.
USINAGE: 8 taillage ■ 9 réalésage ■ 10 automation, étincelage, mortaisage ■ 12 fluo-tournage.
USINE: 5 boîte, forge ■ 7 atelier, rizerie, scierie, usinier ■ 8 centrale, dépotoir, fabrique*, fonderie, hercheur, maïserie, verrerie ■ 9 chaufferie, industrie*, plâtrerie, portillon ■ 10 aluminerie, bleueterie, préfabriqué, semoulerie ■ 11 manufacture ■ 12 bouteillerie, cartoucherie, manufacturer ■ 13 établissement.
USINER: 7 galeter ■ 9 charioter ■ 11 usinabilité.
USTENSILE: 4 gril, râpe ■ 5 cabas, casse, chope, écope, engin, outil*, poêle ■ 6 brosse ■ 7 bassine, brûloir, cuiller, huilier, plumeau, ré-

chaud, trépied ■ 8 amorçoir, arrosoir, couloire, cuillère, fourneau, gaufrier, lanterne, moussoir, œufrier, passoire, pincette, pocheuse, toasteur, turlutte ■ 9 calebasse, égouttoir, entonnoir, poivrière, tourtière ■ 10 argenterie, coquetière, dégorgeoir, dinanderie, fourchette, instrument, lèchefrite, quincaille, rôtissoire ■ 11 essuie-plume, masticateur, presse-purée ■ 12 poissonnière, porte-couteau, presse-viande ■ 15 porte-parapluies.

USTILAGINALE : 5 carie ■ 7 charbon.

USUEL : 4 reçu ■ 5 admis, banal ■ 6 commun ■ 7 courant, inusuel ■ 8 habituel* ■ 9 coutumier, ordinaire ■ 10 allopathie ■ 11 usuellement ■ 12 traditionnel.

USUFRUIT : 8 commende ■ 10 incorporel, jouissance ■ 11 usufruitier ■ 12 nue-propriété ■ 13 usufructuaire ■ 14 nu-propriétaire.

USURE : 5 usage ■ 7 érosion, intérêt, usurier ■ 8 usuraire ■ 9 corrosion, éraillure ■ 10 pourriture ■ 11 ovalisation ■ 12 usurairement ■ 13 avachissement.

USURIER : 4 juif ■ 5 arabe ■ 7 lombard, prêteur*, vautour ■ 8 tire-sous ■ 12 fesse-mathieu.

USURPATEUR : 5 titre, tyran.

USURPATION : 11 empiètement, usurpatoire.

USURPER : 5 voler* ■ 7 arroger, envahir, occuper, plagier, prendre* ■ 8 attenter, déborder, empiéter, enjamber ■ 9 anticiper, attribuer ■ 10 approprier, usurpateur, usurpation ■ 11 contrefaire ■ 12 entreprendre.

UTERIN : 7 lochies ■ 12 anovulatoire.

UTERINE : 12 amniocentèse.

UTERUS : 5 vagin ■ 6 utérin ■ 7 caduque, in utero, matrice, métrite, œstrus ■ 8 annexite, placenta ■ 9 cervicite, endomètre, gravidité, ocytocine ■ 10 césarienne, salpingite ■ 11 colposcopie, endométrite, extra-utérin, intra-utérin, métrorragie ■ 12 endométriose, hystéromètre, rétroversion ■ 14 hystérographie, stomatoplastie.

UTILE : 3 bon ■ 4 bien ■ 5 ordre, riche, usuel ■ 6 fécond ■ 7 commode, secours ■ 8 convenir, efficace*, précieux, profiter ■ 9 expédient, fructueux, important, provision, salutaire, utilement ■ 10 avantageux, convenable, nécessaire, profitable, utilitaire ■ 11 infructueux ■ 13 indispensable.

UTILISABLE : 9 convivial.

UTILISATEUR : 7 cibiste ■ 9 progiciel ■ 11 minitéliste.

UTILISATION : 4 abus ■ 7 dépense, serveur ■ 9 déstocker, nutrition, thermique ■ 10 défilement, durabilité, optronique, privatique, proxémique, treuillage ■ 11 océanologie ■ 12 banalisation, exploitation, multifenêtre, pictographie, solarisation ■ 13 cryotechnique, gammothérapie, mécanographie, onirothérapie, signalisation ■ 14 musicothérapie, post-combustion ■ 15 climatothérapie, électrification.

UTILISE : 7 bitonal ■ 8 argotier ■ 9 binominal ■ 10 multimédia.

UTILISER : 4 user*, usus ■ 5 veine ■ 6 émuler, servir* ■ 7 appuyer, défiler, obliger ■ 9 consommer, exploiter, inutilisé, palanquer ■ 10 adjectiver, bénéficier, médiatiser, réutiliser, utilisable ■ 11 multilingue, utilisation ■ 12 adjectiviser, inutilisable, registration, réutilisable, sous-utiliser ■ 14 inopposabilité.

UTILITE : 3 t.u.c. ■ 4 aide ■ 6 profit ■ 7 service ■ 8 avantage, bienfait, fonction ■ 9 commodité, dolorisme, inutilité, non-valeur, paperasse ■ 10 convenance, utilitaire ■ 11 heuristique ■ 14 désidérabilité.

UTOPIE : 4 rêve* ■ 5 roman ■ 7 chimère ■ 8 illusion, utopique, utopisme ■ 9 idéalisme ■ 10 imaginaire.

UTRICULE : 10 utriculeux ■ 11 utriculaire.

VACANCE : 11 juilletiste.
VACANCES : 5 congé ■ 7 vacuité ■ 9 vacancier, vacations ■ 11 camerlingue.
VACANT : 4 vide ■ 5 libre, vague ■ 8 inoccupé.
VACARME : 6 boucan, chahut, raffut, ramdam, tapage* ■ 8 chahuter, chambard, hourvari ■ 9 sarabande.
VACATIONS : 8 vacances ■ 11 rétribution.
VACCIN : 3 bcg, t.a.b. ■ 4 rage ■ 5 t.a.b.d.t. ■ 8 inoculer, vaccinal, vacciner ■ 9 jennérien, vaccinide ■ 10 antiamaril, autovaccin, lipovaccin, vaccinelle ■ 11 inoculation, vaccination, vaccinifère, vaccinogène ■ 12 entérovaccin ■ 13 variolisation ■ 15 sérovaccination, vaccinothérapie.
VACCINATION : 9 vaccinide.
VACCINE : 5 sérum ■ 6 cow-pox ■ 8 vaccinal ■ 10 vaccinoïde ■ 11 vaccinateur.
VACCINER : 8 inoculer ■ 10 revacciner, vaccinable ■ 11 vaccination ■ 12 vaccinostyle.
VACHE : 3 fic, pis ■ 4 ajut, ranz, veau ■ 5 ajust, bouse, taure, vêler ■ 6 étable ■ 7 génisse, rigotte, vaccine ■ 8 amouille, vacherie, vachette, vêtement ■ 9 vitulaire ■ 10 beuglement, mollèterie ■ 11 amouillante ■ 12 soumaintrain ■ 13 saint-nectaire ■ 14 saint-florentin, saint-marcellin.
VACILLER : 7 tanguer, tituber ■ 8 chavirer, trembler ■ 9 chanceler ■ 10 papilloter, titubation, trembloter ■ 11 vacillation, vacillement.
VACUITE : 8 vacances.
VACUOLE : 7 vacuome ■ 8 andésite ■ 10 pinocytose, vacuolaire ■ 11 cystoplasme.
VADROUILLE : 11 vadrouiller ■ 12 vadrouilleur.
VAGABOND : 5 clodo ■ 6 clocho, comète, errant, nomade*, rôdeur, truand ■ 8 bohémien, clochard, galapiat, mendiant*, polisson ■ 9 chemineau, itinérant, malandrin, misérable*, va-nu-pieds ■ 10 camp-volant, galvaudeux, romanichel, trimardeur.
VAGABONDER : 5 errer* ■ 9 galvauder, trimarder.
VAGAL : 9 vagotonie ■ 11 vagotonique.
VAGIN : 7 vaginal ■ 9 colpocèle, vaginisme ■ 11 culdoscopie.
VAGOTONIE : 11 vagotonique.
VAGUE : 4 flot, flou, lame, môle, onde ■ 5 ondée, on-dit, vagal ■ 6 confus, évasif, obscur*, postes, timide, usages, vacant ■ 7 général,

indécis*, nuageux ■ 8 déferler, imprécis*, indéfini, vaporeux ■ 9 embarquer, incertain, vagotomie, vaguement ■ 10 raz-de-marée, vaguelette ■ 11 indéterminé, vagolytique ■ 12 appréhension, cristalliser, mélancolique, réminiscence ■ 13 pressentiment.

VAGUEMENT : 13 lointainement.

VAGUER : 5 errer*, vague ■ 10 traînasser, vagabonder.

VAIGRE : 8 vaigrage.

VAILLANCE : 7 courage* ■ 8 bravoure* ■ 9 chèrement ■ 11 vaillamment, vaillantise.

VAILLANT : 5 brave*, preux ■ 9 valeureux.

VAIN : 4 paon ■ 5 enflé, fumée, songe ■ 6 futile, neutre, oiseux, propos ■ 7 frivole, inutile*, stérile* ■ 8 futilité*, vaniteux* ■ 9 important ■ 10 inefficace ■ 11 boursoufler, improductif, infructueux, surabondant ■ 13 calembredaine, mystification.

VAINCRE : 5 mater ■ 6 battre, brider, gagner*, primer, rosser, rouler ■ 7 abattre, brasser, brosser, chasser, crosser, défaire, dominer*, dompter*, dresser, échouer, écraser, évincer, reculer, tailler ■ 8 abaisser, accabler, anéantir, asservir, culbuter, désarmer, détruire, emporter, enfoncer, éreinter, étriller, régenter ■ 9 assouplir, confondre, conquérir, déconfire, disperser, maîtriser*, paralyser, repousser, soumettre, subjuguer, surmonter, surpasser, terrasser, triompher ■ 10 invincible, pulvériser, supplanter ■ 11 apprivoiser, désarçonner ■ 13 décontenancer.

VAINCU : 4 joug ■ 5 merci ■ 6 écrasé ■ 7 conquis, culbuté, enfoncé, gagnant ■ 8 invaincu ■ 10 victorieux.

VAINQUEUR : 4 prix ■ 7 gagnant ■ 8 champion ■ 10 victorieux.

VAIR : 4 tire ■ 5 vairé.

VAISSEAU : 3 nef ■ 4 rang ■ 5 aorte, armer, aviso, borda, canal, chyle, fanal, lacté, ligne, naval, poupe, sinus, taret, veine, voile ■ 6 artère, bateau*, birème, cordon, dromon, navire*, ponton, trière ■ 7 angéite, angiite, angiome, embolie, escorte, matelot, tonneau, trachée, trirème, valvule ■ 8 aumônier, bannière, bâtiment*, jaumière, thrombus ■ 9 capitaine, caravelle, coronaire, croisière, glomérule, récipient, serre-file, thrombose, trachéide, vasculeux ■ 10 hémorragie, vasculaire, vaso-moteur ■ 11 angiectasie, église-halle, orthodromie, vascularisé ■ 12 angiographie, galactophore, lymphangiome, vasopressine ■ 13 forcipressure, lymphographie ■ 14 télangiectasie, vasculo-nerveux, vaso-dilatateur, vaso-dilatation ■ 15 vascularisation.

VAISSELLE : 4 plat ■ 5 évier, plomb ■ 7 poterie, salière, service ■ 8 assiette, dressoir, plongeur, servante ■ 9 grosserie, tête-à-tête ■ 10 argenterie, vaisselier.

VAL : 6 vallée*.

VALABLE : 6 périmé, valide ■ 7 valider ■ 8 validité ■ 9 entériner, universel ■ 10 admissible ■ 11 valablement, validement.

VALACHIE : 7 valaque.

VALAIS : 4 dôle ■ 8 valaisan.

VALENCE : 7 faraday ■ 8 bivalent ■ 9 trivalent, univalent ■ 10 monovalent, polyvalent ■ 11 plurivalent, valentinois ■ 12 quadrivalent.

VALENCIENNES : 13 valenciennois.

VALERIANACEE : 4 nard ■ 5 mâche ■ 8 doucette ■ 9 valériane ■ 12 valérianelle ■ 13 herbe-aux-chats, nardostachyde.

VALERIANE : 9 valérique ■ 11 valérianate ■ 12 valérianique ■ 13 herbe-aux-chats.

VALET : 5 louée ■ 6 goujat, larbin, varlet ■ 7 laquais, pasquin, piqueur ■ 8 équipage, estafier ■ 9 serviteur* ■ 10 domestique*, valetaille.

VALETUDINAIRE : 7 maladif.
VALEUR : 2 u.v. ■ 3 nul, t.v.a., vil ■ 4 bien, cote, fétu, note, pair, pile, prix*, tare, vain, zéro ■ 5 banco, chêne, coter, cours, effet, lieue, livre, mince, navet, petit, point, poser, prime, rebut, rompu, tenue, titre, trust, value, zeste, zigue ■ 6 classe, insert, mérite*, niveau, patard, piètre, portée, puéril ■ 7 babiole, capital, chiffre, courage, demi-vie, maximum, modique, nullard, pendage, qualité*, quelque, reconnu, valable, wergeld ■ 8 affutiau, capacité, constant, dépriser, dévaluer, égotisme, encaisse, extrémal, faribole, fifrelin, foutaise, garantir, gnognote, hors-cote, indiciel, longueur, médiocre, merdique, modicité, mort-bois, pondérer, sapiteur, solution ■ 9 aberrance, ad valorem, amplitude, axiologie, constante, décrément, déprécier, incompris, intensité, maximiser, misérable, nominatif, paltoquet, paperasse, pitoyable, plus-value, remettant, valoriser, variation, visagisme ■ 10 brimborion, couverture, détracteur, équivalent, équivaloir, estimateur, évaluateur, évaluation, exploitant, fiduciaire, inexistant, lactomètre, malheureux, mésestimer, moins-value, péjoration, pluviosité, quelconque, surligneur, trésorerie, valorisant ■ 11 amour-propre, antiquaille, axiologique, coefficient, convertible, démonétiser, dévaloriser, devise-titre, diacritique, esthétisant, maximaliser, mensuration, publication, revaloriser, sous-estimer, sous-évaluer ■ 12 cominatoire, considérable, contre-valeur, équipollence, exploitation, insignifiant, marginalisme, sous-déclarer, telluromètre, valorisation ■ 13 décapitaliser, épistémologie, extrapolation, mésestimation, personnalisme, qualification, surpeuplement ■ 14 capitalisation, dévalorisation, euro-obligation, valeureusement ■ 15 insignification.
VALEUREUX : 5 brave* ■ 9 intrépide.
VALEURS : 10 plurivoque.
VALIDE : 4 fort, sain ■ 6 périmé ■ 7 ingambe, valable, valider ■ 8 validité ■ 10 validation ■ 10 invalidité.
VALIDER : 8 ratifier ■ 14 instrumentaire.
VALISE : 7 valoche ■ 8 mallette ■ 12 baise-en-ville, portemanteau.
VALLEE : 3 val ■ 4 aber, glen, oule, ubac ■ 5 adret, canon, cavée, cluse, combe, creux, fiord, fjord, gorge, palud, ravin ■ 6 cirque, éperon, palude, talweg, vallon ■ 7 bas-fond, ombilic, reculée, thalweg, versant ■ 8 débouché, descente, terrasse, valleuse ■ 10 épaulement, interfluve ■ 11 enfoncement.
VALLON : 8 vallonné ■ 12 vallonnement.
VALOIR : 6 coûter ■ 7 fermage, mousser ■ 9 entregent, exploiter, rehausser.
VALORISE : 10 valorisant.
VALORISER : 7 majorer ■ 12 valorisation ■ 14 ethnocentrisme.
VALSE : 4 java ■ 7 valseur.
VALVE : 5 valvé ■ 7 écaille, valvule ■ 8 trivalve, vannelle, vantelle ■ 9 charnière.
VALVULE : 8 sigmoïde ■ 10 valvulaire ■ 11 endocardite.
VAMP : 6 vamper.
VAMPIRE : 5 goule ■ 6 strige, stryge ■ 10 convoitise, vampirique, vampirisme.
VAMPIRISME : 10 vampirique.
VAN : 6 tarare ■ 7 ventage.
VANADIUM : 9 vanadique.
VANDALE : 7 barbare* ■ 10 vandalisme.
VANDALISME : 8 hooligan, houligan ■ 10 vandaliser.
VANESSE : 5 morio ■ 7 vulcain ■ 9 belle-dame.

VANILLE : 8 alkermès, vanillon ■ 9 vanillier, vanilline ■ 10 vanillerie, vanillière, vanillisme.
VANITE : 4 vide ■ 6 fierté ■ 7 enflure, étalage, orgueil*, inanité ■ 8 gloriole, humilité, modestie ■ 9 glorifier, triompher ■ 10 importance ■ 11 présomption ■ 12 enorgueillir ■ 13 vaniteusement.
VANITEUX : 3 fat ■ 4 ficr*, paon, snob, vain ■ 6 dindon, faraud, gobeur, pédant, poseur ■ 7 crâneur, m'as-tu-vu, superbe ■ 8 fanfaron*, glorieux ■ 9 important, suffisant ■ 10 avantageux ■ 11 orgueilleux*, prétentieux* ■ 12 outrecuidant, plastronneur, présomptueux, rengorgement.
VANNE : 3 las* ■ 4 gril, pâle ■ 6 by-pass ■ 7 vannage ■ 8 vannelle, vantelle ■ 9 déversoir ■ 12 électrovanne.
VANNER : 6 tarare.
VANNERIE : 7 lacerie, vannier ■ 8 lasserie ■ 9 bourdaine.
VANTAIL : 4 gond ■ 7 ouvrant ■ 8 vasistas ■ 9 brise-bise ■ 15 arrière-voussure.
VANTARD : 6 gascon ■ 7 hâbleur* ■ 8 blagueur, fanfaron*, rodomont, tartarin ■ 10 vantardise.
VANTARDISE : 6 blague, parade ■ 8 hâblerie, jactance, vanterie ■ 9 esbrouffe ■ 10 gasconnade ■ 11 rodomontade, tartarinade ■ 12 ostenstation.
VANTER : 5 louer*, parer ■ 6 épater, étaler, hâbler, mariol, prôner, valoir ■ 7 blaguer, bluffer, exalter, flatter, mousser, prêcher, targuer, vantard ■ 8 abaisser, célébrer, surfaire, vanterie ■ 9 féliciter, gasconner, glorifier, prévaloir, rehausser ■ 10 préconiser, vantardise.
VANTERIE : 8 hâblerie.
VA-NU-PIEDS : 8 indigent, vagabond* ■ 10 déguenillé.
VAPEUR : 3 gaz*, nue ■ 4 buée, iode, pâle, suée ■ 5 brome, bruir, étuve, évent, fumée, fumer, lampe, nuage, pompe, rosée, sauna, yacht ■ 6 bruine, serein ■ 7 embruns, steamer, volatil ■ 8 étouffée, évaporer, pressing, touffeur, vaporeux ■ 9 autoclave, azéotrope, chaudière, étouffade, insuffler, soufflard, vaporiser ■ 10 brise-glace, brouillard, condenseur, exhalaison, fumigation, locomobile, régulateur, saturateur, tonométrie, vaporisage ■ 11 évaporisation, marie-salope, réfrigérant, sublimation ■ 12 azéotropique, contre-vapeur, ébouillanter, surchauffeur, vapocraquage ■ 13 resurchauffer, transpiration.
VAPOCRAQUAGE : 12 vapocraqueur.
VAPOREUSE : 7 sfumato.
VAPOREUX : 4 flou ■ 5 léger, vague* ■ 6 aérien ■ 13 vaporeusement.
VAPORISATEUR : 8 fixateur.
VAPORISATION : 11 évaporation, sublimation ■ 12 distillation ■ 13 pulvérisation ■ 14 volatilisation.
VAPORISER : 11 rebouilleur, volatiliser ■ 12 vaporisation.
VAQUER : 5 faste ■ 7 occuper.
VAR : 6 varois.
VARANGUE : 7 véranda.
VARAPPE : 6 grimpe ■ 8 varapper ■ 9 varappeur.
VARECH : 4 iode ■ 5 algue, fucus ■ 6 goémon.
VAREUSE : 6 suroît ■ 7 tunique.
VARHEURE : 13 varheuremètre.
VARIABILITE : 9 inégalité ■ 11 incertitude ■ 14 coarticulation.
VARIABLE : 5 lieue, livre, palme, phase, quart, sicav, verbe ■ 7 booléen, boolien, relatif ■ 8 céphéide, ondoyant, rhéostat ■ 9 changeant*, décrément, désinence, incertain, incrément, inégalité ■ 10 bilinéaire ■ 11 descripteur, exponentiel, identifieur, terminaison ■ 12 différentiel,

diversiforme, variablement ■ 13 multilinéaire ■ 14 identificateur.

VARIANTE : 6 chibre.

VARIATION : 4 type ■ 5 écart, thème ■ 6 espèce ■ 7 partita, polaire, variété* ■ 8 gradient, pleurage, sensible, somation ■ 9 apophénie, biorythme, diagramme, graphique, mouvement, sinosoïde ■ 10 changement*, convection, différence, eudiomètre, hygroscope, hystérésis, photodiode ■ 11 démographie, fluctuation, lamarckisme, orthogenèse, oscillation, tonographie ■ ■ 12 oscillomètre, oscilloscope, thermographe ■ 13 électrodermal, oscillographe, phototactisme, thermoclastie, vasomotricité ■ 14 quantification ■ 15 barotraumatisme, compressibilité, pyro-électricité ■ 15 désaisonnaliser.

VARICE : 9 hamamélis, stripping, variqueux ■ 10 hémorroïde.

VARIE : 3 uni ■ 4 égal, rayé ■ 5 moire, phlox, tigré, varia, veiné, zébré ■ 6 diapré, divers*, inégal, matiné, tavelé ■ 7 bariolé, bigarré, grivelé, mélangé*, panaché, pommelé, tacheté, vergeté ■ 8 instruit, monotone, moucheté, uniforme ■ 9 changeant, chatoyant, subjectif ■ 10 commutatif, hétérogène, intonation, polygraphe ■ 11 hétéroclite.

VARIER : 6 moirer ■ 7 changer* ■ 8 accorder, alterner, bigarrer, chatoyer, osciller, panacher, variable ■ 11 diversifier, variabilité ■ 13 pœcilotherme, poïkilotherme.

VARIETE : 3 uni ■ 4 race ■ 5 agate, blues, dandy, gouet, guyot, napel, niébé, opale, ozone, riche, rubis, sauge, silex ■ 6 burlat, espèce*, morion, sucrin ■ 7 aridité, élinvar, ferrite, karakul, mélange*, rambour, valence ■ 8 calville, dialecte, diaprure, éventail, guignier, kaoliang, levrette, maltaise, marasque, marquise, melonnée, mont-dore, néphrite, silicule, stéatite, sycomore, valencia, vanillon, variétal ■ 9 aragonite, avelinier, bariolage, bergamote, bigarrure, capronier, chiralité, cornaline, demi-deuil, diversion, diversité, griottier, inégalité, lentillon, lymphoïde, maréchale, monotonie, pegmatite, protogine, saphirine, schnauzer, variation*, zirconite ■ 10 anthracite, brugwonier, calcédoine, carcinoïde, changement, chêne-liège, clémentine, différence, œil-de-chat, one-man-show, sanguinole, toute-bonne ■ 11 aigue-marine, alabastrite, bon-chrétien, chrysoprase, démonomanie, granny-smith, louise-bonne, montmorency, porphyroïde, quarantaine ■ 12 boogie-woogie, breitschwanz ■ 13 cœur-de-pigeon, quatre-saisons.

VARIOLE : 6 picote ■ 7 pustule ■ 8 alastrim, clavelée, éruption ■ 9 exanthème, varicelle, varioleux ■ 10 variolique, varioloïde ■ 13 varilisation ■ 14 antivariolique.

VARLOPE : 8 varloper.

VARSOVIE : 9 varsovien.

VASCULAIRE : 7 fougère ■ 8 filicale ■ 9 filicinée ■ 11 équisétinée, lycopodiale, lycopodinée ■ 12 trachéophyte ■ 13 lépidodendron.

VASE : 3 bol, pot ■ 4 anse, broc, grès, seau, supé, urne ■ 5 bidon, bocal, buire, carpe, fêler, fiole, galbe, godet, graal, hanap, jarre, jatte, lampe, limon, moque, motte, outre, panse, paroi, socle, tasse ■ 6 bourbe, calice, canari, canope, carafe, cérame, cloche, cornue, cruche, flacon, gourde, hydrie, marais, matras, patène, pichet, rhyton, slikke, tourbe, urinal, vasard, vaseux, vasque ■ 7 amphore, ampoule, burette, capsule, carafon, ciboire, cratère, cruchon, diplôme, lécythe, mortier, murrhin, navette, potiche, pucheux, schoore, tubifex, urcéole ■ 8 aiguière, alguière, colombin, drageoir, égueuler, goguenot, limivore, poto-poto, puisette, saladier, sapropel, saucière, torchère ■ 9 alcarazas, boucheton, bourdalou, bouteille, calebasse, cinéraire, corbeille, récipient*, sapropèle, vidrecome ■ 10 cassolette, dame-jeanne, désenvaser, éprouvette, moutardier, persillère, pique-fleur, transvaser ■ 11 alabastrite, brûle-parfum, égueulement, gargoulette, marie-salope, pique-fleurs ■ 12 effondrilles, porte-bouquet.

VASECTOMIE : 12 vasectomiser.

VASE DE NUIT : 6 thomas.

VASELINE : 9 vaseliner.

VASEUX : 6 vasard ■ 7 vasière ■ 8 bourbeux, limoneux, tourbeux.

VASISTAS : 7 lucarne ■ 9 loqueteau.

VASQUE : 5 coupe.

VASOCONSTRICTEUR : 9 éphédrine ■ 11 ergotamine ■ 12 angiotensine, naphtazoline.

VASODILATATEUR : 8 yohimbine ■ 9 raubasine, vincamine.

VASOMOTRICITE : 7 raynaud.

VASSAL : 3 ban, bey ■ 4 fief, pair ■ 8 gonfalon, gonfanon, hospodar ■ 9 baise-main, chasement, main-morte, vassalité, vasselage ■ 10 ethnarchie, feudataire, forfaiture ■ 13 arrière-vassal, médiatisation.

VASSALITE : 9 autonomie ■ 10 vassalique ■ 13 subordination.

VASTE : 5 ample*, front, grand*, nappe, océan, pampa, salle ■ 6 craton, énorme*, étendu, ouvala ■ 8 autoport, icefield, panorama, spacieux ■ 9 cyclopéen, immensité, vastement ■ 11 manufacture ■ 12 amphithéâtre ■ 13 extrapolation ■ 14 microstructure.

VATICINER : 5 devin* ■ 7 prédire ■ 12 vaticinateur.

VAUD : 5 papet ■ 9 salvagnin.

VAUDEVILLE : 7 comédie ■ 8 flonflon ■ 9 vaudevire ■ 13 vaudevilliste ■ 14 vaudevillesque.

VAUDOIS : 8 valdisme ■ 9 valdéisme.

VAUDOU : 5 zombi ■ 7 macumba.

VAURIEN : 5 gobet, nervi, voyou ■ 6 bandit*, coquin, dévoyé, escroc, frappe, gouape, gredin, picaro, poisse, voleur* ■ 7 crapule, galopin, gouspin, pendard, vermine ■ 8 canaille, chenapan, galapiat ■ 9 arsouille, garnement, sacripant ■ 10 fripouille, goussepain, malfaiteur, picaresque.

VAUTOUR : 5 urubu ■ 6 condor ■ 7 griffon ■ 11 pecnoptère.

VAUTRER : 6 abîmer ■ 7 coucher*.

VEAU : 3 ris, vau ■ 5 longe, mégis, quasi, taure, vélin, velot ■ 7 box-calf, rouelle ■ 8 broutard, broutart, cuisseau, escalope, osso buco, vitoulet ■ 9 amourette, côtelette ■ 10 fricandeau, rognonnade.

VECTEUR : 3 lié ■ 5 norme ■ 7 tenseur, torseur ■ 8 abscisse, glisseur, unitaire ■ 9 composant, vectoriel ■ 10 hodographe, résultante ■ 11 colinéarité ■ 12 anharmonique.

VECUE : 4 vécu.

VEDETTE : 4 star ■ 6 acteur ■ 7 fan-club, glamour ■ 8 chanteur ■ 9 superstar ■ 10 star-system, surmontoir, vedettiser ■ 12 factionnaire.

VEDETTISER : 13 vedettisation.

VEDISME : 7 védique ■ 11 brahmanisme.

VEGETAL : 4 cire, iule, méat, moût, sève, tige, vert ■ 5 algue, arbre*, bulbe, clone, fibre, fleur*, fruit*, géant, huile, humus, kapok, latex, liber, liège, plant, pulpe, savon, serre, sucre, taïga, tanin, terre ■ 6 lichen, plante*, xylène ■ 7 étamine, feuille, stipité, tampico ■ 8 épiphyte, farineux, filament, garrigue, individu, mangrove, pectique, puccinie, scarieux ■ 9 aoûtement, botanique, bouturage, bryophyte*, épiphytie, gallicole, glucoside, méristème, micropyle, parasiter, phytocide, propagule, rhéophile, vulnérant ■ 10 anthéridie, laticifère, phytophage, protophyte, saprophyte, sitostérol ■ 11 chasmogamie, collenchyme, gamétophyte, gomme-résine, inférovarié, phanérogame*, phelloderme, phythormone, thallophyte*, végétalisme ■ 12 anthérozoïde, arborescence, chlorophylle, phytohormone, ptéridophyte*, ramification, sclérenchyme ■ 13 biogéographie, microrganisme ■ 14 phytosanitaire ■ 15 phytosociologie.

VEGETALE: 4 bush ■ 5 acheb ■ 8 castinga, hordéine, matorral ■ 9 prolamine, synergide ■ 13 aromathérapie.

VEGETALINE: 4 coco.

VEGETALISME: 10 végétalien ■ 11 végétaliste.

VEGETARIEN: 7 rongeur ■ 8 pellagre ■ 9 frugivore, herbivore ■ 10 végétalien ■ 11 végétarisme.

VEGETATIF: 6 thalle ■ 8 mycélium.

VEGETATION: 4 parc ■ 5 flore, nebka, oasis, terre ■ 8 sous-bois, soutrage ■ 9 végétatif ■ 10 crête-de-coq ■ 14 adénoïdectomie.

VEGETER: 7 vivoter.

VEHEMENCE: 3 feu ■ 6 fougue* ■ 8 violence* ■ 9 animosité, éloquence ■ 10 énergumène ■ 13 véhémentement.

VEHICULE: 4 char, kart, rail, roue ■ 5 arrêt, balai, borne, cahot, coach, coche, crabe, mener, poids, tacot, train, wagon* ■ 6 bolide, tender ■ 7 autobus, bicycle, citerne, dameuse, fardier, fourgon, iceboat, motrice, navette, side-car, tracter, voiture* ■ 8 astronef, carénage, chasseur, chenille, dragster, ensabler, glisseur, matériel, microbus, motorisé, prolonge, remorque, scout-car, survirer, tracteur, traîneau, tricycle ■ 9 autoneige, culbuteur, gyrophare, half-track, monocoque, motoneige, motor-home, survireur, véhiculer, voiturier ■ 10 automobile*, bicyclette*, porte-autos, remorqueur, sous-vireur, suspension, tamponneur, tête-à-queue, trolleybus ■ 11 anticabreur, carrosserie, caterpillar, chenillette, combinateur, télescopage, tout-terrain, vinaigrette ■ 12 arrière-train, fourgon-pompe, motocyclette*, semi-chenille, porte-bagages ■ 13 aérodynamisme, désincarcérer ■ 15 télémaintenance.

VEHICULER: 11 transporter*.

VEILLE: 4 soir ■ 5 quart, vigil ■ 8 attentif ■ 9 babordais, parascève ■ 10 providence, somnolence, vernissage ■ 11 avant-veille, demi-sommeil.

VEILLER: 4 voir ■ 6 garder ■ 7 diriger, guetter ■ 8 éclairer ■ 9 contrôler, élucubrer, inspecter ■ 10 providence, surveiller* ■ 11 chaperonner, garde-chasse, gendarmerie, saint-office ■ 13 correspondant.

VEINE: 3 fil ■ 4 sang ■ 5 chyle, délit, filon, lacté, madré, porte, ronce ■ 6 airure, azygos, chance*, varice ■ 7 ronceux, saignée, saphène, veinard, veineux, veinule ■ 8 éveinage, lancette, pédicule, phlébite, thrombus, veinette ■ 9 basilique, jugulaire, veinosité ■ 10 hémorroïde, varicocèle ■ 12 intraveineux, périphlébite, phléborragie, phléobologie ■ 13 phlébographie, vasomotricité ■ 15 thrombophlébite.

VEINER: 8 barioler.

VELAGE: 7 vêleuse ■ 11 parturition.

VELAR: 8 sisymbre.

VELARIUM: 5 tente.

VELAY: 7 vellave.

VELEMENT: 11 parturition.

VELER: 11 amouillante.

VELIN: 5 velot.

VELIPLANCHISTE: 10 planchiste.

VELIQUE: 5 point.

VELLEITE: 7 volonté.

VELO : 7 bicross ■ 9 vélocross.
VELOCIPEDE : 4 vélo ■ 5 cycle, selle ■ 9 monocycle ■ 10 bicyclette*.
VELOCITE : 7 vitesse* ■ 8 rapidité ■ 11 promptitude*.
VELOMOTEUR : 5 meule.
VELOURS : 4 loup ■ 5 panne, patte, tripe ■ 6 floche, velvet ■ 7 mâchure, velouté ■ 8 velouter ■ 9 velouteux, veloutine ■ 10 milleraies.
VELOUTE : 6 lainer ■ 7 suprême ■ 8 moquette, onctueux, velouter ■ 11 veloutement.
VELU : 5 faune, poilu* ■ 6 pluché ■ 7 peluche ■ 9 villosité.
VENAL : 4 prix ■ 8 vénalité ■ 9 intéressé ■ 10 vénalement.
VEND : 7 toilier ■ 8 carterie, fouacier ■ 9 tuyauteur.
VENDANGE : 5 banne, baste, benne ■ 6 brante ■ 7 bouille ■ 8 comporte, vigneron ■ 9 vendanger ■ 10 grappiller, saisonnier, vendangeur ■ 11 retroussage, vendangeoir ■ 12 démaillonner.
VENDANGEOIR : 4 cave.
VENDETTA : 9 vengeance.
VENDEUR : 8 covendeur, marchand* ■ 9 charlatan, vivandier ■ 10 détaillant, étalagiste.
VENDRE : 5 céder, gâter, laver, saler, vente ■ 6 brader, placer, servir, solder ■ 7 aliéner, débiter, défaire, écouler, hallage, laniste, liciter, vendeur ■ 8 bazarder, discuter, mévendre, réaliser, revendre ■ 9 brocanter, détailler, placement, survendre ■ 10 discounter, invendable, marchander ■ 11 inaliénable ■ 12 aliénabilité ■ 13 commissionner.
VENELLE : 3 rue*.
VENENEUX : 4 pane, upas ■ 5 bolet, brome, ciguë, pavot ■ 6 aconit, datura, vireux ■ 7 morelle, vérâtre ■ 8 ammanite, cicutine, conicine, entolome, euphorbe, œnanthe, venimeux ■ 9 belladone, colchique, jusquiame, stramoine ■ 10 mandragore ■ 12 mancenillier.
VENERATION : 5 culte, sacré ■ 7 auguste, hommage, respect* ■ 9 révérence, vénérable ■ 10 fétichisme ■ 13 vénérablement.
VENERER : 7 déifier, honorer* ■ 9 respecter.
VENERIE : 5 bigle, hampe, menée, voler ■ 12 chasse-à-courre.
VENERIEN : 10 chancrelle, crête-de-coq.
VENERIENNE : 12 antivénérien.
VENETTE : 7 crainte.
VENEUR : 6 taïaut, tayaut.
VENGE : 7 vengeur.
VENGEANCE : 7 vengeur ■ 8 vendetta, vindicte ■ 11 représaille.
VENGER : 7 vengeur ■ 10 vindicatif ■ 12 ressentiment.
VENIEL : 5 péché ■ 12 véniellement.
VENIMEUSE : 10 latrodecte.
VENIMEUX : 4 bave, haïr, naja, vive ■ 5 aspic, cobra, orvet ■ 6 vipère ■ 7 céraste, crotale, serpent ■ 8 scorpion, vénéneux, vipéridé ■ 9 ammophile, tarentule ■ 10 malfaisant, pastenague, venimosité ■ 14 trigonocéphale.
VENIN : 6 poison* ■ 7 aglyphe ■ 8 anavenin, venimeux ■ 11 dompte-venin, inoculation ■ 12 anti-venimeux, désenvenimer, envenimation.
VENIR : 5 appel, buter, futur, tenir, venue ■ 6 amener, entrer, naître, partir, suivre, surgir ■ 7 aborder, abouler, accéder, advenir, arriver*, chasser, presser, radiner, revenir ■ 8 accourir, découler, devancer, immigrer, paraître, parvenir, provenir, résulter, secourir, succéder, suggérer, survenir ■ 9 approcher, atteindre, convoquer, débarquer, déboucher, présenter ■ 10 achalander, apparaître*, rappliquer, rapprocher, superposer, surprendre, survenance ■ 11 comparaître, immigration, tournailler.

VENT : 3 air*, cor, lof ■ 4 aire, bise, bora, cers, dune, hâle, nord, rumb, suet, tuba, zeph ■ 5 alisé, alizé, amure, anche, autan, bande, brise, flûte, fœhn, frais, grain, harpe, houle, lagon, lofer, marin, mitre, notus, orage, orgue, penon, perce, rhumb, risée, saute, tâter, tison, vague, vesse, voile, volis ■ 6 abrité, auster, débout, norois, noroît, rafale, simoun, typhon, zéphir, zéphyr ■ 7 africus, aquilon, chamsin, chergui, chinook, cyclone, doldrum, étésien, galerne, haleine, khamsin, mistral, mousson, nuaison, ouragan, pampéro, schofar, sirocco, souffle, tempête, tornade, venteux, zéphire ■ 8 abat-vent, barkhane, beaufort, blizzard, empanner, éolienne, favonius, libeccio, louvoyer, renverse, voltiger ■ 9 brise-vent, corrasion, déchaîner, déflation, encalminé, girouette, harmattan, hurlement, hurricane, jet-stream, magistral, porte-vent, ralinguer, tourmente ■ 10 aéromoteur, anémomètre, anémophile, bourrasque*, clarinette, sifflement, tourbillon, tournevent, tramontane ■ 11 anémophilie, chasse-neige, hyperboréen, microclimat ■ 13 géostrophique.

VENTE : 4 gros ■ 5 criée, débit, encan, motte, terme, trole ■ 6 regrat ■ 7 cession, mévente, revente, simonie ■ 8 boutique, braderie, commerce*, comptoir, débouché, solderie, survente ■ 9 exécution, télévente ■ 10 animalerie, colicitant, couponnage, dépôt-vente, discussion, écoulement, licitation, œnothèque ■ 11 contrebande, liquidation, lotissement, redhibition, tempérament ■ 12 adjudication, redhibitoire.

VENTILATEUR : 5 panca, panka, punka ■ 10 soufflante.

VENTILER : 11 ventilation.

VENTOUSE : 6 podion ■ 9 ambulacre.

VENTRALE : 8 sternite.

VENTRE : 3 sac ■ 4 bide, musc ■ 5 bedon, bidon, fanal, foire, hampe, panse, pansu, point, tempe ■ 6 buffet, gaster ■ 7 abdomen*, bedaine, seppuku, ventral ■ 8 bedonner, éventrer, hara-kiri ■ 9 bas-ventre, bedonnant, paillasse, ventrière ■ 10 hypocondre, hypogastre, météorisme ■ 11 ventriloque ■ 12 ballonnement, ventripotent ■ 13 météorisation, sous-ventrière.

VENTRICULE : 5 aorte, cœur ■ 8 épendyme ■ 12 métencéphale ■ 13 ventriculaire.

VENTRILOQUE : 12 ventriloquie.

VENTROUILLER : 7 coucher.

VENTRU : 4 gros* ■ 5 bedon ■ 10 dame-jeanne ■ 12 ventripotent.

VENUE : 6 entrée ■ 7 arrivée* ■ 8 approche, survenue ■ 9 accession, avènement, naissance, voyageage ■ 10 apparition, courreries, voyagement ■ 11 appréhender ■ 12 débarquement.

VENUS : 8 vénusien.

VENUSTE : 6 charme*.

VEPRES : 8 complies, vespéral ■ 10 magnificat.

VER : 5 cirre, palot ■ 7 distome, némerte, sabelle ■ 8 annélidé*, ver à soie* ■ 9 helminthe, ténébrion, térébelle, vermicide, vermicule, vermidien*, vermifuge, vermineux, verminose, vermivore ■ 10 vermiforme, vermisseau ■ 11 sémen-contra, vermiculure ■ 12 helminthiase, trichogramme, vermiculaire ■ 13 plathelminthe*, trichocéphale ■ 14 bothriocéphale, némathelminthe*.

VERACITE : 6 vérité* ■ 9 franchise ■ 10 véridicité.

VERANDA : 8 varangue ■ 9 bow-window.

VER A SOIE : 4 flat, soie ■ 5 cocon ■ 6 bombyx, magnan ■ 8 chenille, grainage ■ 9 flacherie, grasserie ■ 10 encabanage, magnanerie, muscardine, séricicole ■ 12 magnanarelle ■ 13 sériciculteur.

VERBACASCEE : 6 molène ■ 13 bouillon-blanc.

VERBAL : 9 idiolecte.
VERBALISER : 13 verbalisation.
VERBE : 4 mode ■ 5 futur, logos, passé, régir, sujet, supin, temps, venir ■ 7 rection ■ 8 défectif, déponent, déverbal, préverbe, régulier ■ 9 conjuguer, inchoatif, indicatif, infinitif, participe ■ 10 auxiliaire, déverbatif, irrégulier, subjonctif ■ 11 conjugaison, impersonnel, intransitif, performatif ■ 12 conditionnel, fréquentatif ■ 14 intransitivité, plus-que-parfait, semi-auxiliaire.
VERBENACEE : 7 lantana ■ 8 verveine ■ 9 gattilier, lantanier ■ 11 agnus castus.
VERBEUX : 6 diffus ■ 8 succinct ■ 9 verbosité ■ 10 paraphrase ■ 12 verbeusement ■ 13 amplification.
VERBIAGE : 6 bla-bla ■ 8 délayage ■ 9 bla-bla-bla, éloquence.
VERBOSITE : 9 éloquence.
VERDATRE : 4 jade ■ 5 melon, olive ■ 8 olivâtre, persillé ■ 11 chrysolithe.
VERDET : 10 vert-de-gris.
VERDEUR : 5 force*.
VERDICT : 4 juré ■ 8 jugement*.
VERDIR : 8 verdoyer ■ 12 verdissement.
VERDOYER : 6 verdir ■ 9 verdoyant ■ 11 verdoiement.
VERDUNISATION : 10 verduniser.
VERDURE : 2 nu ■ 4 pelé ■ 5 ramée ■ 7 treille ■ 8 reverdir, tonnelle ■ 9 gloriette, guirlande.
VEREUX : 5 probe ■ 10 déshonnête.
VERGE : 3 jas ■ 5 fléau, fouet*, gland, jalon, pénis ■ 6 broche, liteau ■ 7 batogue, prépuce, tringle ■ 8 baguette*, balanite, vergette, vitrière ■ 9 brochette, flageller, inférieur, pontuseau ■ 11 hypospadias ■ 12 paraphimosis.
VERGER : 7 verdier.
VERGETER : 6 battre* ■ 7 frapper* ■ 8 fouetter* ■ 9 brocheter, débrocher, embrocher.
VERGETTE : 9 vergetier.
VERGEURE : 5 vergé.
VERGLAS : 8 verglacé ■ 9 verglacer.
VERGOGNE : 6 pudeur*.
VERGUE : 3 gui, ris ■ 5 agrès, corne, digon, espar, voile ■ 7 antenne ■ 8 capelage, suspente, wishbone ■ 9 balancine, déverguer, enverguer, envergure ■ 10 bout-dehors ■ 11 orientation ■ 12 désenverguer.
VERIDIQUE : 4 vrai* ■ 10 véridicité ■ 11 authentique ■ 13 véridiquement.
VERIFICATION : 6 examen* ■ 7 gabarit ■ 8 contrôle, ostensif ■ 9 apurement, basculeur, calibrage, vérifieur ■ 10 cale-étalon, scrutateur ■ 11 recoupement, vérificatif ■ 12 redressement, vérificateur ■ 13 collationnure, rectification ■ 14 reconnaissance ■ 15 collationnement.
VERIFIER : 5 peser, tirer, viser ■ 6 apurer, avérer, relire, revoir ■ 7 assurer, plomber, prouver, récoler, réviser ■ 8 calibrer, éclairer, éprouver, examiner*, repasser ■ 9 certifier, check-list, confirmer, constater, contester, contrôler, démontrer, étalonner, inspecter, légaliser, rectifier, redresser ■ 10 passe-balle ■ 11 contre-appel ■ 12 collationner, crève-tonneau, expérimenter, explosimètre, invérifiable, réceptionner, vérificateur, vérification.
VERITABLE : 4 réel*, vrai* ■ 8 efficace, vraiment.
VERITE : 3 foi ■ 4 naïf, tort, vrai ■ 5 dogme, juste, lexis, ma foi ■ 6 absolu, axiome, oracle, preuve, sûreté ■ 7 mystère, opinion, réalité,

système, truisme ■ 8 apagogie, apologue, attester, croyance, doctrine, évidence, exagérer, fausseté, fidélité, lumineux, mensonge, mystique, parabole, spécieux, théorème, véracité, vérifier ■ 9 assurance, bien-fondé, certitude, constater, faussaire, impartial, inférence, nécessité, prophétie, véridique, véritable ■ 10 certificat, convaincre, exactitude, faussement, infidélité, maïeutique, véridicité ■ 11 affirmation, attestation, lapalissade ■ 12 assertorique, authenticité, confirmation, constatation, contre-vérité, perquisition ■ 13 démonstration, vraisemblable, vraisemblance.

VERJUS: 7 verjuté.

VERMEIL: 4 rose ■ 5 rouge*.

VERMICELLE: 9 spaghetti ■ 11 vermicelier ■ 13 vermicellerie.

VERMIDIEN: 8 rotifère ■ 10 bryozoaire ■ 11 brachiopode.

VERMIFORME: 9 géphyrien ■ 12 balanoglosse ■ 13 entéropneuste.

VERMIFUGE: 8 bauhinia, bauhinie, tanaisie ■ 9 chénopode, santoline ■ 12 pelletiérine.

VERMINE: 7 vaurien* ■ 8 populace ■ 9 vermineux.

VERMOULU: 9 vermouler.

VERMOUTH: 7 martini.

VERNAL: 5 point.

VERNALISATION: 12 jarovisation ■ 14 printanisation.

VERNE: 4 aune ■ 5 aulne ■ 6 vergne.

VERNIR: 5 cirer ■ 6 glacer, laquer ■ 7 enduire, frotter ■ 8 émailler, revernir ■ 9 alquifoux, vernisser ■ 10 gomme-laque, vernissage ■ 12 encaustiquer.

VERNIS: 4 cire, fixé ■ 5 copal, élémi, émail, gomme, laque, moque, nacre ■ 6 cirage, engobe ■ 7 ailante, mordant ■ 8 couverte, dévernir, litharge, vernissé ■ 9 acchroïde, écaillage ■ 10 courbarine, craquelure, gomme-gutte, gomme-laque, sandaraque, vernisseur ■ 11 encaustique ■ 12 polyuréthane, térébenthine ■ 13 polyuréthanne.

VEROLE: 5 grêlé ■ 6 vérolé ■ 7 variole.

VERRAT: 4 porc*.

VERRE: 4 azur, bock, demi, fêlé, lacé, suin ■ 5 bocal, bullé, chope, coupe, crown, dalle, drain, écran, fêler, fiole, flint, flûte, glace, glass, globe, jayet, loupe, perle, pyrex, rubis, smalt, soyer, suint, vitre ■ 6 buvant, calcin, hyalin, strass, tourie ■ 7 carreau, cristal, harassé, hyalite, opaline, ouvreau, queusot, scléral, securit, triplex, verrier, vitrain, vitreux ■ 8 colcotar, hyaloïdc, lentille, mazagran, ménisque, paraison, rebrûler, silionne, trinquer, verranne, verrerie ■ 9 agitateur, apprêteur, batavique, casilleux, cueillage, étenderie, plexiglas, vidrecome, vitrifier ■ 10 antireflet, chambourin, crown-glass, diapositif, flint-glass, lithophanie, millefiori, obsidienne, pousse-café, verroterie ■ 11 diapositive, essuie-verre, vitrifiable ■ 12 borosilicaté, essuie-glaces, essuie-verres, périscopique ■ 13 aluminisation ■ 15 cristallomancie, dévitrification.

VERRERIE: 9 attremper, soufflage.

VERRIER: 4 fêle ■ 5 casse ■ 9 périgueux ■ 10 pinaigrier.

VERRIERE: 8 vitrière.

VERROU: 6 bénard ■ 7 crémone ■ 11 verrouiller ■ 13 déverrouiller.

VERROUILLER: 6 fermer* ■ 8 enfermer ■ 12 verrouillage.

VERRUE: 3 fic ■ 10 chélidoine, verruqueux.

VERS: 2 ac, ad, an, ap, ar, as, at ■ 3 sur ■ 4 écho, lyre, mime, pied ■ 5 album, chute, coupe, envoi, fable, iambe, livre, mètre, pièce, poème*, poète, prose, rimer, rôlet, roman, viser ■ 6 césure ■ 7 dactyle, sénaire, triolet ■ 8 alcaïque, anapeste, clausule, distique, entonner, métrique, quatrain, saphique, trimètre, tripodie ■ 9 choriambe, glyconien, hexamètre, monomètre, prosaïsme, rimailler, versifier ■ 10 alexandrin, asclépiade, choliambre, glyconique, hémistiche, métromanie, palindrome, pentamètre, rimailleur, septénaire, spondaïque, tétramètre, versiculet ■ 11 anacyclique, anapestique, antistrophe, décasyllabe ■ 12 catalectique, stichomythie, vers-libriste ■ 13 improvisation, quadrisyllabe, versificateur, versification.

VERSAILLES: 11 versaillais.

VERSANT: 4 ubac ■ 5 adret, pente ■ 6 brisis, coteau ■ 8 rendzine ■ 9 parapente ■ 11 contre-pente.

VERSATILE: 5 pitre ■ 9 changeant* ■ 11 versatilité.

VERSEMENT: 9 royalties.

VERSE: 7 roiller.

VERSER: 5 payer*, verse ■ 6 mettre ■ 7 arroser, confier, dépoter, épandre, honorer, verseur ■ 8 culbuter, décanter, déverser, épancher, larmoyer, répandre*, reverser, soutirer, verseuse ■ 9 appointer, distiller, instiller, rembouger, renverser, versement ■ 10 inversable, transvaser, transvider.

VERSET: 6 gloria, surate ■ 7 graduel ■ 8 antienne.

VERSIFICATEUR: 5 poète*.

VERSIFICATION: 9 métricien.

VERSIFIER: 5 rimer.

VERSION: 5 bible ■ 6 remake ■ 10 traduction ■ 13 juxtalinéaire.

VERSO: 3 dos ■ 4 rôle ■ 6 revers ■ 10 retiration ■ 13 opisthographe.

VERSOIR: 3 soc.

VERT: 3 mai ■ 4 houx, jade, pers ■ 5 aigre, jaspe, jaune, merde, morve, myrte, ramée, rayon, sapin, savon, tapis, thuya, yeuse ■ 7 céladon, glauque, merdoie, sinople, verdage, verdure ■ 8 actinote, émeraude, navicule, reverdir, verdagon, verdâtre, verdoyer ■ 9 amphibole, malachite, pentatome, prothalle, smaragdin, spirogyre, vauchérie ■ 10 biliverdine, burgaudine, chrysoprase, hornblende, smaragdite, verdissage ■ 11 vert-de-grisé ■ 12 chlorophylle.

VERTEBRAL: 5 bossu ■ 6 rachis ■ 8 croupion, scoliose, vertèbre.

VERTEBRALE: 6 chorde.

VERTEBRE: 4 axis ■ 5 crâne, psoas ■ 6 myxine, oiseau* ■ 7 agnathe, amniote, neurula, poisson*, reptile* ■ 8 coccidie, croupion, épidural, lombaire, otocyste, spondyle ■ 9 batracien*, homodonte, mammifère*, odontoïde, prochordé, trématode, vertébral ■ 10 cyclostome* épiphysite, lombo-sacré, sauropsidé ■ 11 chiropraxie, trypanosome ■ 12 chiropractie, lombarthrose ■ 14 intervertébral.

VERTEMENT: 5 river ■ 8 savonner.

VERTICAL: 4 haut ■ 5 crawl, droit, lisse, nadir, nasal, patin, ronde, venet ■ 6 debout, vindas ■ 7 pointal ■ 8 dystasie, pantenne, piédroit, portance ■ 9 barbacane, cannelure, écoperche, épontille, pied-droit ■ 10 lampadaire, surplomber ■ 11 mâchicoulis, verticalité, vide-ordures ■ 12 chantepleure, contremarche ■ 13 transformante, transstockeur, verticalement ■ 15 perpendiculaire*.

VERTICALE: 4 à-pic ■ 8 piédroit ■ 9 pied-droit.

VERTICALEMENT: 4 à pic ■ 11 hyponeurien.

VERTIGE: 7 émotion, ivresse, mélisse, tournis, vertigo ■ 9 transport, vercoquin ■ 10 enivrement ■ 11 agoraphobie, vertigineux ■ 12 tournoiement ■ 13 éblouissement ■ 14 étourdissement.

VERTIGO: 9 ver-coquin.

VERTU: 3 foi, mal ■ 4 vice ■ 5 effet, force, infus, votif ■ 6 pudeur, valeur ■ 7 charité, civisme, décence, dignité, énergie, faculté, justice, qualité*, retenue, sagesse* ■ 8 chasteté, clémence, docilité, édifiant, efficace, héroïsme, modestie, moralité, patience, prudence, pruderie, sainteté, sévérité, vertueux ■ 9 austérité, espérance, honnêteté, intégrité ■ 10 conscience, dévouement, hypocrisie, jansénisme, modération, perfection, prolifique, tempérance ■ 11 affectation, édification ■ 12 pudibonderie ■ 13 propitiatoire.

VERTUEUX: 3 pur ■ 4 sage* ■ 5 digne, divin, juste, moral, prude, saint ■ 6 chaste*, décent, dévoué, modèle, sévère ■ 7 auguste, austère, honnête*, louable, parfait, pudique, rosière ■ 8 adorable, bégueule, édifiant, méritant, pudibond ■ 9 estimable, excellent, tempérant ■ 10 exemplaire ■ 13 consciencieux, irréprochable, vertueusement ■ 14 sainte-nitouche.

VERVE: 7 verveux ■ 9 éloquence*.

VERVEUX: 4 gord ■ 5 louve.

VESCE: 3 ers ■ 5 apion.

VESICAL: 11 pollakiurie.

VESICANT: 5 garou ■ 7 ypérite ■ 10 vésication.

VESICATOIRE: 8 exutoire ■ 10 cantharide.

VESICULE: 4 gale, œuf, zona ■ 5 psora, spore ■ 8 cystique, liposome, otocyste ■ 9 phlyctène ■ 10 vésiculeux ■ 11 vésicatoire ■ 12 cholécystite.

VESPASIENNE: 7 urinoir.

VESPIDE: 5 guêpe ■ 6 frelon ■ 9 ammophile ■ 11 hyménoptère*.

VESPREE: 4 soir.

VESSE: 6 vesser ■ 7 crainte.

VESSE-DE-LOUP: 10 lycoperdon.

VESSIE: 5 urine ■ 6 ballon ■ 7 cystite, uretère, vésical ■ 9 cystique, gravelle, vésicule ■ 10 cystotomie, vésiculeux ■ 11 cystectomie, cystoscopie, lithotritie ■ 12 cystographie.

VESTALE: 6 infule ■ 9 vestalies.

VESTE: 5 kabic, kabig, yélek ■ 6 anorak, boléro, dolman, fiasco, veston ■ 7 casaque, vareuse ■ 8 doudoune, hoqueton, insuccès ■ 10 canadienne, carmagnole, saharienne.

VESTIAIRE: 9 lave-mains.

VESTIBULE: 4 hall ■ 5 vélum ■ 6 entrée ■ 7 galerie, narthex, passage ■ 8 corridor, otoscope, propylée, utricule ■ 9 prodromos, prothyron ■ 11 antichambre ■ 12 fenestration, vestibulaire.

VESTIGE: 5 trace* ■ 6 ruines ■ 9 apparance.

VESTON: 5 gilet ■ 6 blazer ■ 9 pet-en-l'air.

VETEMENT: 3 bas, col, dos, obi, pan, pli, sac ■ 4 aube, bleu, bure, cape, ciré, flou, frac, froc, gant, haïk, jupe, kaki, kilt, luxe, maxi, mini, robe, saie, saye, toge, tour, vêtu ■ 5 bahut, bâtir, bazar, caban, calot, capot, châle, chape, cotte, crevé, deuil, drapé, fichu, galon, gilet, gonne, habit*, haire, heuse, jaque, jupon, juste, khaki, laine, lange, mante, miton, nippe, ouate, pagne, palla, panet, paréo, patte, pièce, plaid, poche, queue, sagum, sayon, stola, tabar, tacon, tenue, valet, veste, vêtir, yélek ■ 6 ajusté, basque, berthe, blouse, boléro, camail, capote, caraco, casque, collet, corset, costar, dolman, domino, effets, hardes, kimono, lévite, manche, nippes, orfroi, pelure, pénule, péplum, pyjama, raglan, rochet, sarrau, surcot, tartan, tricot, ulster, veston ■ 7 blouson, burnous, cafetan, caleçon, canezou, carrick, casaque, casimir, chemise, collant, complet, corsage, costume, culotte, fringue, haillon, lainage, liseuse, maillot, manteau, matinée, mosette, paletot, pallium, pelisse, rotonde, simarre, soutane, spencer, surplis, surtout, tablier, talaire, tunique, vareuse ■ 8 affaires, apiéceur, baluchon, basquine, camisole, capuchon, casaquin, cashmere, ceinture, chasuble, chlamyde, cotillon, défriffé, défroque, djellaba, doudoune, dressing, encolure, essayeur, fourreau, fourrure, fringues, friperie, frou-frou, frusques, grébiche, guenille, hoqueton, indusium, jaquette, mantelet, mantille, palatine, pantalon, pectoral, peignoir, pèlerine, prétexte, pull-over, rebroder, tailleur, toilette, touloupe, treillis, troussis, uniforme ■ **9** balluchon, bourgeron, braguette, brassière, cachemire, court-vêtu, décolleté, demi-deuil, gandourah, garde-robe, laticlave, limousine, normalisé, pardessus, pet-en-lair, pourpoint, redingote, salopette, surpiquer, tailleuse, tunicelle, vestiaire ■ **10** adoubement, antiglisse, barboteuse, carmagnole, chemisette, dalmatique, décolleter, déguenillé, déshabillé, deux-pièces, devantière, douillette, emmanchure, magfarlane, retoucheur, retroussis, roquelaure, scapulaire, soutanelle, sportswear, strip-poker, vieillerie, waterproof ■ **11** boutonnière, cache-corset, cache-misère, combinaison, déharnacher, déshabiller, emmitoufler, endimancher, habillement*, houppelande, justaucorps, prêt-à-coudre, prêt-à-porter, rabattement, soubreveste, souquenille, survêtement, travestisme ■ **12** accoutrement, angusticlave, dressing-room, raccommodage, sous-vêtement, soutiengorge ■ **13** transvestisme, vestimentaire ■ **14** haut-de-chausses.

VETERAN : 6 ancien*, soldat, yeoman ■ **9** vétérance.

VETILLE : 4 rien* ■ **8** chipoter, vétiller ■ **9** vétillard, vétilleur, vétilleux.

VETILLER : 8 chicaner* ■ **9** vétilleur.

VETILLEUX : 9 vétillard.

VETIR : 5 tenue ■ **6** nipper ■ **7** couvrir, fagoter, ficeler, revêtir ■ **8** affubler, costumer, fringuer, frusquer, habiller* ■ **9** accoutrer, harnacher ■ **10** enjuponner, requinquer ■ **12** caparaçonner.

VETO : 3 non ■ **11** liberum veto.

VETU : 2 nu ■ **7** couvert, habillé ■ **9** loqueteux ■ **10** dépenaillé.

VETURE : 4 mise.

VETUSTE : 6 ancien*.

VEULE : 3 mou ■ **4** lope ■ **7** lopette.

VEUVAGE : 7 viduité.

VEXATION : 8 vexateur ■ **9** camouflet, vexatoire.

VEXER : 6 outrer ■ **7** blesser*, ulcérer ■ **8** déplaire, froisser*, offenser*, vexation ■ **10** contratier, tourmenter ■ **11** susceptible ■ **14** susceptibilité.

VIA : 4 voie.

VIABLE : 6 vivant ■ **9** prématuré.

VIAGERE : 7 tontine.

VIANDE : 3 rôt, suc ■ **4** étal, gras, gril, mafé, pâté, pita, rôti ■ **5** aspic, carne, chair*, daube, farce, frigo, froid, fumet, gelée, haché, halal, lunch, oille, pâtée, pilaf, pilau, pilaw, saler ■ **6** broche, casher, cimier, émincé, fricot, ragine, taline ■ **7** allonge, bidoche, bouilli, brochée, cachère, cawcher, colombo, grisons, hansart, kascher, présalé, terrine ■ **8** barbaque, barbecue, daubière, escalope, greubons, grillade, hochepot, macreuse, marinade, marinage, moussaka, pemmican, pot-au-feu, quenelle, saladero, saucisse, souvlaki, tailloir, tandoori ■ **9** béatilles, boucanage, boucherie, carbonade, carpaccio, croquette, entrecôte, étouffade, fricassée, koulibiac, paupiette, rillettes, rôtisseur, tranchoir, vol-au-vent ■ **10** blanquette, charbonnée, chevillard, corned-beef, estouffade, fricadelle, hippophage, rôtissoire ■ **11** couteau-scie, hâche-viande, hippophagie, salmigondis ■ **12** cochonnaille.

VIATIQUE : 9 provision*.

VIBRANT : 12 pervibrateur.

VIBRAPHONE : 13 vibraphoniste.
VIBRATION : 3 son ■ 4 coup, gong, onde ■ 5 anche, tuyau ■ 7 doppler ■ 8 infra-son, ultra-son ■ 9 étouffoir, fréquence, languette, pulsation, tintement, voisement ■ 10 résonateur, silentbloc, vibratoire ■ 11 oscillation ■ 12 polarisation ■ 13 vrombissement ■ 15 monochromatique.
VIBRER : 6 frémir ■ 7 vibrage, vibrant, vibrato ■ 8 palpiter, trembler* ■ 9 vibrateur, vibratile ■ 11 tressaillir.
VIBRION : 7 virgule.
VICAIRE : 6 prêtre* ■ 8 vicarial, vicariat ■ 11 archidiacre.
VICE : 4 noce ■ 5 excès, lèpre, orgie, péché*, tache ■ 6 défaut* ■ 7 blésité, égoïsme, équipée, frasque, licence, travers, vicieux ■ 8 bamboche, débauche*, désordre, fredaine, impureté ■ 9 lasciveté, lubricité, perdition, rescision, saturnale, simplisme ■ 10 corruption, débaucheur, difformité, épispadias, hypocrisie, illégalité, immoralité, impudicité, inconduite, perversion, perversité ■ 11 déportement, dépravation*, dérèglement, dissipation, redhibition ■ 12 imperfection*, incontinence, intempérance, malformation ■ 13 contamination ■ 14 démoralisation.
VICE-ROI : 7 khédive, palatin ■ 11 vice-royauté.
VICHY : 8 vichyste.
VICIE : 3 pur ■ 4 sain, taré ■ 8 viciable ■ 9 viciateur.
VICIER : 5 gâter* ■ 6 perdre ■ 7 altérer, pourrir*, séduire ■ 8 dépraver*, entacher, suborner ■ 9 corrompre, débaucher, gangrener, pervertir, viciateur, viciation ■ 11 démoraliser, scandaliser.
VICIEUX : 4 gâté, roué ■ 5 impur, perdu ■ 6 noceur, pourri ■ 7 dépravé, déréglé, dissolu, entaché, immonde, immoral, mauvais, méchant, obscène*, pervers ■ 8 corrompu*, débauché, diallèle, érotique, perverti, pétition, vicelard ■ 9 crapuleux, janotisme, lallation, luxurieux*, misérable, satanique ■ 10 démoralisé, dévergondé, diabolique, licencieux*, rhotacisme ■ 11 cacographie, lambdacisme ■ 12 incorrigible, onychophagie, vicieusement.
VICISSITUDE : 6 retour ■ 10 changement.
VICINAL : 10 vicinalité.
VICOMTE : 5 baron, comte, titre ■ 8 vicomtal.
VICTIME : 4 serf, volé ■ 5 proie ■ 6 martyr ■ 8 asphyxié, oblation ■ 9 assujetti, hécatombe ■ 10 holocauste, probatique, victimaire ■ 11 martyrologe ■ 12 victimologie ■ 14 souffre-douleur.
VICTOIRE : 3 hip ■ 4 péan ■ 5 pæan, palme ■ 6 succès* ■ 8 disputer, triomphe* ■ 9 stratégie, vainqueur ■ 10 victorieux.
VICTORIEUX : 9 vainqueur ■ 15 victorieusement.
VIDAME : 6 vidamé ■ 7 vidamie.
VIDAGE : 8 étripage.
VIDANGE : 5 fosse, urine ■ 6 vidamé, vidoir ■ 7 conduit, poterie, tinette, vidamie ■ 8 dépotoir, vide-vite ■ 10 ballastage ■ 11 tout-à-l'égout ■ 12 déballastage.
VIDANGER : 5 vider* ■ 7 vidange.
VIDE : 3 âme ■ 4 auge, coin, lège, trou, veuf ■ 5 blanc, creux*, lampe, pompe, rebec, solin, sonde, sucer, vague, vider ■ 6 cavité, désert, vacant, vacuum ■ 7 vacuité, vacuole ■ 8 klystron ■ 9 cénotaphe, ouverture, ultravide, vidangeur ■ 10 aspiration, boursouflé, intermonde ■ 12 opus incertum.
VIDEO : 3 c.d.v. ■ 4 clip ■ 8 vidéaste ■ 9 caméscope.
VIDEOCASSETTE : 9 vidéoclub ■ 11 vidéothèque.
VIDEODISQUE : 12 vidéolecteur.

VIDEOGRAPHIE: **8** vidéotex.
VIDEOTEX: **7** télébel.
VIDER: **5** tarir ■ **6** écoper, pomper ■ **7** épuiser*, étriper, évacuer, videlle ■ **8** absorber, consumer, dégarnir, dépenser, expulser, nettoyer, survider, vidanger ■ **9** appauvrir, consommer, débourrer, dépeupler, désemplir, dessécher, pressurer ■ **10** transvider ■ **11** désobstruer.
VIDIMER: **8** comparer.
VIDIMUS: **7** vidimer.
VIDOIR: **11** vide-ordures.
VIDUITE: **7** veuvage.
VIE: **3** âge, âme, vif ■ **4** à vie, fête, mort, sang, tête, tuer ■ **5** animé, fange, garce, gaupe, génie, jours, monde, pâque, privé, saint, signe, songe, train, trame, vital, vivre ■ **6** destin, survie ■ **7** inanimé, mondain, traînée ■ **8** biologie, carrière, délétère, destinée, éternité, histoire, jeunesse, mollesse, patachon, personne, quartier, renaître, standard, standing, survivre, sybarite, vitalité, zoonomie ■ **9** abiotique, activisme, aérobiose, animation, ascétisme, bucolique, climatère, compagnon, dolce vita, épicurien, étrangler, existence*, longévité, nomadisme, ruralisme, salutaire, ustensile ■ **10** acagnarder, biographie, érémitisme, filmologie, inamovible, inquilisme, patrologie, ranimation, vieillesse ■ **11** adolescence, anaérobiose, biophysique, biosciences, confortable, évangéliste, immortalité, inorganique, organicisme, physiologie, ressusciter ■ **12** bourlingueur, climatérique, cohabitation, encroûtement, filmographie, palingénésie, résurrection ■ **13** anachorétisme, commensalisme, ecclésiologie, océanographie, paléoécologie, saprophytisme, semi-nomadisme ■ **14** autobiographie.
VIEIL: **3** ute ■ **7** chnoque, schnock ■ **8** schnoque ■ **11** chrysobéryl.
VIEILLARD: **3** âge ■ **4** home ■ **5** barbe, birbe, grime, vieux* ■ **6** barbon, chenu, grison, sénile, vioque ■ **7** baderne, géronte ■ **8** pantalon ■ **9** gériatrie, roquentin ■ **10** gérontisme, patriarche ■ **13** gérontocratie.
VIEILLERIE: **9** bric-à-brac.
VIEILLESSE: **3** âge, ans ■ **4** soir ■ **5** asile ■ **8** caducité, couchant, sénilité ■ **10** vieillerie ■ **11** décrépitude.
VIEILLI: **7** harnois.
VIEILLIR: **8** blanchir.
VIEILLISSEMENT: **9** involutif, sénilisme ■ **10** sénescence ■ **12** vieillissant ■ **13** gérontologie.
VIEILLOT: **3** âgé ■ **6** ancien*, désuet*.
VIELLE: **7** vieller ■ **8** vielleur.
VIENNE: **8** viennois.
VIERGE: **3** ave, pur* ■ **5** blanc, hymen, icône, intact, selva, selve, terre, vigne ■ **6** chaste, madone, marial, puceau, rosier ■ **7** colombe, pucelle ■ **8** ave maria, virginal ■ **9** virginité ■ **10** demi-vierge, magnificat, mariologie ■ **12** annonciation, présentation, purification.
VIET-NAM: **4** dông ■ **7** nuoc-mâm ■ **8** annamite ■ **10** vietnamien ■ **13** sud-vietnamien ■ **14** nord-vietnamien.
VIETNAMIEN: **3** têt.
VIEUX: **3** âgé ■ **4** vioc ■ **5** caduc, cassé, vieil ■ **6** ancien*, ponton, rococo ■ **7** vétéran, vétuste ■ **8** briscard, croûlant, frusques, lanlaire, vieillir, vieillot ■ **9** brisquard, pet-de-loup, réchauffé, solitaire, vieillard* ■ **10** hachischin, vieillerie ■ **12** antédiluvien ■ **13** gérontocratie.
VIF: **3** dru, sel, zou ■ **4** aigu*, âpre, joie, soif, vert ■ **5** actif, agile*, aigre, animé, chaud, galop, larme, léger, leste, magie, mutin, rubis, saute, trait, tride ■ **6** alerte, allant, dégagé, déluré, éperdu, ouvert,

prompt*, rapide*, souple, vivace, vivant ■ 7 allègre, brûlant, brusque, cruenté, cuisant, emporté, entrain, éveillé, mordant*, nerveux, perçant, piquant*, remuant, spitant, violent* ■ 8 atténuer, délecter, diminuer, émousser, espiègle*, fougueux, frappant, fringant, pétulant, poignant, repentir, rutilant, saillant, vicacité ■ 9 andantino, bouillant, diablotin, émerillon, frétiller, fulgurant, guilleret, impétieux, pénétrant, pétillant, sémillant, spirituel, tranchant, transport, turbulent, vigoureux* ■ 10 appétition, désinvolte, étincelant, frétillant. ■ 11 émerillonné.

VIGILANCE: 4 soin* ■ 5 garde ■ 8 endormir, obtusion, vigilant ■ 11 vigilamment.

VIGILANT: 11 vigilamment.

VIGNE: 3 cep ■ 4 clos ■ 5 arçon, cuvée, larme, pleur, tortu, vinée ■ 6 cépage, hautin, oïdium, provin, raisin* ■ 7 anomala, anomale, hautain, fossoir, mildiou ■ 8 cochylis, épamprer, mélanose, oullière, phytopte, retercer, sautelle, vigneron, vignoble, vinicole, viticole ■ 9 crossette, lambruche, muscadine, pourridie, quartager, soufreuse, sulfateur, vigneture ■ 10 lambrusque, plasmopara, pourriture, provignage ■ 11 anthracnose, assarmenter, retroussage, viniculture, viticulteur, viticulture ■ 12 déchausseuse, provignement ■ 13 ampélographie.

VIGNERON: 10 vendangeur ■ 11 viticulteur.

VIGNEROT: 9 aiguillon.

VIGNETAGE: 8 vigneter.

VIGNETTE: 5 talon ■ 8 ex-libris, historié, keepsake ■ 10 cul-de-lampe ■ 11 timbre-poste, vignettiste ■ 15 timbre-quittance.

VIGNOBLE: 3 cru*, vin* ■ 4 clos ■ 5 erbue, vigne ■ 6 herbue ■ 7 parchet ■ 12 encépagement.

VIGNOT: 9 littorine.

VIGOGNE: 9 carmeline, carméline.

VIGOUREUX: 3 dru, mol, mou, vif* ■ 4 fort*, vert ■ 5 atone, frêle, jeune, lâche, tabac ■ 6 membru, solide*, valide ■ 7 costaud, robuste, végétal ■ 8 gaillard.

VIGUEUR: 3 ton ■ 4 nerf, sève ■ 5 avent, force*, rosse, titre ■ 7 affadir, énergie*, verdeur ■ 8 goussaut, jeunesse, mollesse, tonifier, vivacité, vivifier ■ 9 hétérosis, revigorer, subsister, vigoureux ■ 10 renouveler, robustesse ■ 12 restauration ■ 14 vigoureusement.

VIL: 3 bas* ■ 4 pelé, taré ■ 5 avili, écume, lâche, limon, puant, rebut ■ 6 abject, coquin, faquin, fumier, galeux, goujat, humble, infâme, infime, piètre, roquet, triste, vilain ■ 7 bélître, dégradé, dernier, ignoble, infamie, rampant, ravilir, servile, sordide, trivial, vilenie ■ 8 bassesse, canaille, grossier*, pied-plat, racaille, rosserie, vilement ■ 9 bassement, crasseaux, excrément, paltoquet, pouilleux, saloperie ■ 10 caudataire, innommable, méprisable*, pleutrerie, populacier, vilipender.

VILAIN: 3 ord, toc ■ 4 beau, joli, laid* ■ 5 magot, moche, tarte ■ 6 chiche, hideux, manant, odieux, paysan, tocard ■ 7 affreux*, macaque, méchant, pouacre ■ 8 horrible ■ 11 vilainement.

VILEBREQUIN: 5 mèche.

VILENIE: 6 crasse, injure, saleté ■ 8 bassesse*, humilité, vacherie ■ 9 platitude, saloperie, servilité, souplesse ■ 10 méchanceté*.

VILIPENDER: 8 malmener.

VILLA: 6 chalet ■ 7 cottage ■ 8 bungalow, pavillon.

VILLAGE: 5 bourg, douar, ksour ■ 6 hameau ■ 7 bicoque, clocher, frairie, patelin, vicinal ■ 8 bourgade ■ 9 virilocal ■ 10 synœcisme, villageois ■ 13 rurbanisation.

VILLAGEOIS: **3** mir ■ **6** paysan* ■ **9** morguenne ■ **10** morguienne.
VILLE: **2** ev ■ **4** cité ■ **5** bourg, hanse, kreml ■ **7** îlotage, kremlin ■ **8** décapole, localité, oppidium, township ■ **10** concitoyen, labyrinthe, plan-relief ■ **11** bourgmestre, conurbation, embastiller, interurbain, périurbain ■ **12** centre-ville ■ **13** agglomération ■ **14** ville-satellite ■ **15** ville-champignon.
VILLEGIATURE: **6** séjour ■ **9** house-boat ■ **12** villégiateur.
VILLEUX: **5** poilu*.
VILLEURBANNE: **14** villeurbannais.
VIN: **3** kil, lie ■ **4** asti, coca, déci, dive, dôle, ivre, moût, piot, râpé ■ **5** anjou, boîte, canon, casse, chais, civet, débit, fagot, jerez, larme, mâcon, médoc, palme, palus, pinot, piqué, porto, rioja, rouge, saucé, tavel, tokai, tokaj, tokay, vigne, vinée, xérès ■ **6** alsace, aramon, arrosé, bichof, bishop, cahors, corton, enviné, gravas, madère, malaga, morgon, muscat, nectar, pinard, pineau, rancio, régnié, résiné, sherry, tourne, verrée, vineux, volnay ■ **7** aligoté, banyuls, bischof, bistrot, buvande, buvante, candida, cellier, chablis, chabrol, chabrot, chianti, clairet, coupage, crémant, falerne, ginguet, marsala, moselle, paillet, perlant, pèse-vin, piccolo, picpoul, picrate, pomerol, pommard, pouilly, retsina, romanée, rouquin, tâte-vin, vinaire, vinasse, vinique, vouvray ■ **8** alicante, bakchich, bordeaux, brouilly, brûlerie, décuvage, eau-de-vie, extra-dry, fillette, ginglard, goguette, gravelée, grenache, juliénas, jurançon, mercurey, meurette, mousseux, muscadet, picardan, picpoule, piquette, pochouse, sancerre, sémillon, sylvaner, verdagon, verdelet, vermouth, vinaigre, vinicole, vinifère, vinosité, viticole ■ **9** baissière, bardolino, bourgueil, bourgogne, brandevin, champagne, clairette, corbières, demi-pièce, gouleyant, grosplant, liquoreux, lamvoisie, meursault, minervois, muscadine, œnilisme, œnolique, œnologie, œnophile, pauchouse, pinardier, quinquina, sauternes, salvagnin, sauvignon ■ **10** acidimètre, baquetures, beaujolais, blanquette, bouteiller, boutillier, chambertin, cubitainer, décuvaison, frontignan, manzanilla, mastroquet, mère-goutte, montrachet, œnothèque, picpouille, piquepoult, pressurage, reginglard, saint-amour ■ **11** amontillado, dégustateur, eucharistie, moulin-à-vent, œnanthique, vin de paille, viniculture ■ **12** côtes-du-rhône, madérisation, valpolicella, vinification ■ **13** bourguignonne, court-bouillon, échansonnerie, saccharomyces ■ **14** lacryma-christi, passe-tout-grain ■ **15** champagnisation, gewurtztraminer.
VINAIGRE: **5** câpre, rosat ■ **6** acétol, oxymel ■ **7** acétate, acéteux, achards, oxycrat ■ **8** acétique, acétomel, hydromel, marinade, poivrade ■ **9** vinaigrer ■ **10** acétimètre, acétomètre, anguillule, éthanoïque, vinaigrier ■ **11** vinaigrerie.
VINAIGRETTE: **8** gribiche.
VINDICATIF: **15** vindicativement.
VINDICTE: **9** vengeance.
VINEUX: **8** vinosité.
VINGT: **9** icosaèdre, vicesimal, vingtaine, vingtième ■ **12** bimillénaire, quatre-vingts.
VINGT-CINQ: **9** quarteron.
VINGTIEME: **5** vingt ■ **8** shilling ■ **13** vingtièmement.
VINGT-NEUVIEME: **8** bissexte.
VINGT-QUATRE: **10** nycthémère.
VINICULTURE: **15** vitiviniculture.
VINIFICATION: **8** vinifier ■ **9** sulfitage ■ **12** vinificateur.
VINYLE: **3** pvc ■ **6** rhovyl ■ **8** vinylite ■ **12** polychlorure ■ **13** polyvinylique.

VIOL: 7 violeur ■ 9 violateur, violation, violement ■ 10 infraction, manquement.
VIOLACE: 5 lilas ■ 6 violet* ■ 7 magenta, vibices ■ 8 bordeaux.
VIOLACEE: 6 livedo, pensée, vibice ■ 8 violette, zinzolin.
VIOLATION: 4 faux, lèse, vice ■ 5 crime, défit ■ 6 accroc ■ 7 licence, parjure ■ 8 adultère, anomalie ■ 9 déviation ■ 10 aberration, infraction ■ 12 irrégularité.
VIOLE: 5 gambe, rebec ■ 8 violiste.
VIOLEMMENT: 5 éclat, smash, vomir ■ 8 emboutir, percuter, tabasser ■ 15 tempétueusement.
VIOLENCE: 3 feu ■ 4 gêne, rapt, viol ■ 5 délit, éclat, excès, force, orage, proie ■ 6 âpreté, colère, fougue, fureur* ■ 7 aigreur, attaque, passion*, pillage, rigueur, rudesse, tempête ■ 8 démesure, expulser, hooligan, houligan, redoublé, scandale, tyrannie ■ 9 animosité, brutalité, esclandre, extorquer, racketter, ravisseur, rébellion, sacripant, tamponner, véhémence, virulence ■ 10 apostrophe, brusquerie, coercition, contrainte, despotisme, oppression, racketteur, spoliation, terrorisme, valdinguer, violemment ■ 11 amortisseur, compression, déprédation, emportement, impétuosité, intolérance, ravissement ■ 12 déchaînement ■ 14 défenestration.
VIOLENT: 3 cru, ras, raz, vif* ■ 4 amer, âpre, bora, féru, fort, gros, mort, rage, rude, tuer ■ 5 autan, calme, dégât, dogue, éclat, fœhn, grand, levée, périr, scène ■ 6 ardent*, brutal, enragé, éperdu, prompt ■ 7 brusque, emporté, extrême*, furieux*, furioso, sauvage, tornade, torrent ■ 8 carabine, coléreux, déchaîné, diatribe, farouche, fougueux, hargneux, pamphlet, sanglant, spontané, terrible, véhément, virulent ■ 9 acariâtre, commotion, courroucé, déchirure, drastique, éréthisme, impatient, impétueux*, invective, irritable, tourmenté, transport, véhémence, vulcanien ■ 10 contorsion, foudroyant, frénétique, non-violent, révolution, tressaillir ■ 11 altercation, catilinaire, chasse-neige, objuration, palpitation, philippique, rugissement ■ 12 désenvenimer, saisissement ■ 14 bouleversement.
VIOLENTER: 5 ravir, sévir ■ 6 brider, forcer, violer* ■ 7 obliger ■ 8 arracher, molester, opprimer, outrager, tempêter ■ 9 comprimer, maîtriser ■ 10 brutaliser, maltraiter, tyranniser ■ 11 contraindre.
VIOLER: 6 abuser, forcer ■ 7 déroger, faillir, inviolé, manquer, tromper ■ 8 asservir, attaquer, attenter, désobéir, forfaire, parjurer, profaner* ■ 9 soumettre, violation, violenter ■ 10 enfreindre, inviolable ■ 11 contrevenir, prévariquer ■ 12 transgresser.
VIOLET: 4 iode ■ 5 jacée, mauve, radis, sauge ■ 6 pensée ■ 7 azurant, violacé, violine ■ 8 colombin, violacer, violâtre, violeter ■ 9 améthyste, aubergine ■ 11 ultraviolet.
VIOLETTE: 5 parme.
VIOLIER: 9 matthiole.
VIOLOGIQUE: 14 chronobiologie.
VIOLON: 5 boyau, rebec ■ 6 prison* ■ 7 cordier, violoné ■ 8 chevalet, crincrin, pochette, sourdine, violonner ■ 9 ménétrier ■ 10 violoniste ■ 11 chanterelle, contrebasse, stradivarius, trois-quarts.
VIOLONEUX: 9 ménétrier.
VIORNE: 5 obier ■ 7 pimbina ■ 10 laurier-tin.
VIPERE: 4 vive ■ 5 aspic, venin ■ 7 péliade, vipérin ■ 8 ammodyte, vipereau, vipériau, vipéridé, vipérine.
VIPERIDE: 6 vipère ■ 7 céraste, crotale ■ 8 ammodyte, mocassin ■ 14 trigonocéphale.

VIRAGE: 4 stem ■ 5 stemm, virer ■ 8 survirer, télémark ■ 10 diachromie, sous-vireur.
VIRAGO: 6 mégère* ■ 9 maritorne.
VIRALE: 6 virion.
VIREE: 4 tour ■ 10 vadrouille.
VIRER: 5 virée ■ 7 tourner* ■ 13 tourne-à-gauche.
VIREVOLTER: 7 tourner*.
VIRGINIE: 8 virginie.
VIRGINITE: 8 chasteté*, déflorer, pucelage ■ 9 dépuceler ■ 10 continence ■ 12 déverginiser.
VIRGULE: 8 virguler ■ 12 rouflaquette.
VIRIL: 3 vit ■ 4 mâle* ■ 5 homme ■ 8 jeunesse ■ 9 viriliser ■ 10 virilement ■ 11 adolescence.
VIRILITE: 9 émasculer ■ 11 déviriliser.
VIROLE: 7 viroler ■ 8 virolage, virolier.
VIROLOGIE: 9 virologue ■ 11 virologique, virologiste.
VIRTUEL: 9 puissance ■ 10 virtualité ■ 13 actualisation, virtuellement.
VIRTUELLEMENT: 15 potentiellement.
VIRTUOSE: 2 as ■ 5 aigle ■ 6 maître ■ 8 musicien ■ 10 virtuosité.
VIRTUOSITE: 8 bel canto ■ 9 acrobatie.
VIRULENCE: 8 envenimé ■ 13 auto-infection.
VIRULENT: 4 rage ■ 7 fougueux ■ 8 corrosif ■ 9 virulence ■ 12 désenvenimer.
VIRUS: 3 v.i.n. ■ 4 kuru ■ 5 viral ■ 6 poison, virose ■ 7 microbe*, variole ■ 8 allergie, friselée, frisolée, inoculer, mosaïque, trachome, virocide, virucide, virulent ■ 9 antiviral, arbovirus, grasserie, lentivirus, virologie ■ 10 infravirus, interféron, rétrovirus, rickettsie, ultravirus, virulicide ■ 11 biotropisme, entérovirus, inoculation ■ 12 poliomyélite, terrafungine ■ 13 bactériophage ■ 15 cytomégalovirus, ultrafiltration.
VIS: 5 écrou, filet, piton, vérin ■ 7 filière ■ 8 dévisser, tarauder, tire-fond, visserie ■ 9 avant-trou, tournevis ■ 11 tire-bouchon ■ 12 décolleteuse ■ 13 tourne-à-gauche.
VISA: 5 viser.
VISAGE: 3 air, bec, nez ■ 4 face, joue, lune, mine, ride, tape, tête, zona ■ 5 blair, chère, front, groin, lupus, poire, teint, trait, voile ■ 6 bobine, faciès, figure*, masque, menton, minois, museau, trogne ■ 7 balafre, binette ■ 8 cache-nez, coiffant, physique, rubicond, touffeur, trombine, voilette ■ 9 couperose, érythrose, frimousse, linéament, tcharchaf, visagisme, visagiste ■ 10 estafilade, renfrogner ■ 11 brumisateur, physionomie ■ 12 cosmétologie, transfigurer ■ 13 portrait-robot ■ 15 débarbouillette.
VIS-A-VIS: 4 face ■ 6 en face, opposé, regard ■ 8 ci-contre, opposite ■ 9 face à face, vison-visu.
VISCERE: 4 foie, rate, rein ■ 6 poumon ■ 7 matrice ■ 8 intestin, viscéral ■ 9 cœliaque, éviscérer ■ 12 éviscération, splanchnique ■ 13 décapsulation, histoplasmose ■ 14 splanchnologie.
VISCOELASTICITE: 14 viscoélastique.
VISCOPLASTICITE: 14 viscoplastique.
VISCOSE: 7 droguet.
VISCOSITE: 3 s.a.e. ■ 5 poise ■ 8 visqueux ■ 12 viscosimètre ■ 13 mucoviscidose, superfluidité ■ 14 viscoréduction.
VISEE: 3 but* ■ 8 réticule ■ 10 prétention, théodolite ■ 11 collimateur ■ 12 imperfection.
VISER: 4 visé ■ 5 mirer, tirer ■ 6 tendre ■ 7 ajuster ■ 8 bornoyer ■ 11 collimation.

VISEUR : 9 œilleton ■ 11 stignomètre.
VISIBLE : 3 off ■ 8 apparent*, sensible ■ 9 endoscope, extérieur, filigrane, manifeste* ■ 10 ectoplasme, ostensible, percevable, visibilité, visualiser ■ 11 acotylédone, apercevable, disparaître, perceptible, visiblement ■ 12 oscilloscope.
VISIERE : 3 vue ■ 4 képi ■ 5 morné ■ 6 mézail ■ 7 ventail ■ 8 abat-jour, cabasset, garde-vue ■ 9 casquette, ventaille.
VISION : 3 vue* ■ 4 idée ■ 6 mirage ■ 7 darshan, optique, scotome, zoopsie ■ 8 fantasme, glaucome, illusion ■ 9 amétropie, cauchemar, évocation, macropsie, orthoptie, phantasme ■ 10 apparition*, daltonisme, nyctalopie ■ 11 amblyoscope, héméralopie, orthoptique, visionnaire ■ 12 astigmatisme, hétérophorie, stéréovision ■ 13 embryonscopie, fantasmagorie, hallucination*, hypermétropie, ophtalmologie, théocentrisme.
VISIONNAIRE : 5 devin* ■ 8 illuminé ■ 10 songe-creux.
VISIONNER : 10 visionnage.
VISIONNEUSE : 7 moviola.
VISITATION : 11 visitandine.
VISITE : 4 voir ■ 5 ronde, salon ■ 7 fouille ■ 8 visiteur ■ 9 expertise, interview ■ 10 visitation ■ 11 stationnale ■ 12 contre-visite, domiciliaire.
VISITER : 4 voir ■ 6 hanter ■ 8 aboucher, examiner, explorer, fouiller*, recevoir, voisiner ■ 9 parcourir, revisiter ■ 10 solliciter.
VISON : 10 visionnière.
VISQUEUX : 4 lave ■ 5 magma, morve, mucus ■ 6 gluant*, résine ■ 7 chassie, miellée ■ 8 miellure, mucilage ■ 9 glutineux ■ 10 hygrophore, oléorésine ■ 11 conglutiner, dissolution, thixotropie ■ 15 viscoélasticité, viscoplasticité.
VISSER : 8 revisser, visseuse.
VISUALISATION : 6 visuel ■ 12 vidéographie.
VISUEL : 8 onirisme ■ 12 rédactionnel, visuellement.
VISUELLE : 9 micropsie ■ 12 chromatopsie.
VIT : 6 endogé ■ 8 aquacole, aquicole, tubicole ■ 9 cryptique, dulcicole ■ 12 agropastoral, dulçaquicole.
VITAL : 6 vivant ■ 9 vitalisme ■ 11 dévitaliser.
VITALISME : 9 vitaliste ■ 12 néo-vitalisme.
VITALITE : 3 pep ■ 9 dynamisme.
VITAMINE : 7 biotine ■ 8 adermine, aneurine, béribéri, carotène, esculine, thiamine ■ 10 ascorbique, calciférol, dévitaminé, ergostérol, pyridoxine, rachitisme ■ 11 avitaminose, provitamine, riboflavine, vitaminique ■ 12 lactoflavine ■ 14 hypovitaminose ■ 15 hypervitaminose.
VITAMINIQUE : 10 tocophérol.
VITE : 3 tôt ■ 5 gazer, poste, trait, voler ■ 6 presto, prompt ■ 7 saloper ■ 8 filocher, pulluler, tricoter ■ 9 escamoter, expéditif, trottiner ■ 10 allegretto ■ 11 prestissimo ■ 13 champignonner, six-quatre-deux.
VITELLUS : 4 œuf ■ 8 vitellin ■ 11 télolécithe.
VITESSE : 3 t.g.v. ■ 4 baud, erre, hâte*, loch, mach, vite ■ 5 badin, boîte, étale, gazer, nœud, temps, train, vroom, vroum ■ 6 allure ■ 7 express, lenteur, plafond, tachyon ■ 8 baladeur, catalyse, célérité, moulinet, rapidité*, sprinter, vélocité, vivacité* ■ 9 accélérer, autoroute, berzingue, diligence, métronome, mouvement, prestesse, variateur, virevolte ■ 10 anémomètre, subsonique, survitesse, tachymètre, véhiculeur ■ ■ 11 cinémomètre, emballement, promptitude, rétrograder ■ 12 accélération, cinémographe, démultiplier, hypersonique, présélecteur, supersonique, transsonique, vélocimétrie ■ 13 desmo-

dromique, homocinétique, monocinétique, précipitation, surmultipliée ■ **14** ralentissement ■ **15** turbosoufflante.
VITICOLE : 8 vinicole.
VITICULTEUR : 8 vigneron ■ **9** taravelle.
VITICULTURE : 15 vitivinicultture.
VITIVINICULTURE : 12 vitivinicole.
VITRAGE : 5 glace ■ **10** survitrage.
VITRAIL : 7 gemmail, résille ■ **8** plombure, verrière.
VITRE : 5 bâche, glace, oriel, serre, vigie ■ **7** carreau, vitrier ■ **8** verrière, vitrerie.
VITREUX : 5 émail ■ **6** vernis ■ **8** rétinite.
VITRIER : 5 fléau ■ **7** grésoir ■ **8** vitrerie.
VITRIFIER : 7 glaçure ■ **13** vitrification.
VITRINE : 7 étalage* ■ **12** lèche-vitrine ■ **13** lèche-vitrines.
VITRIOL : 9 vitrioler ■ **10** vitriolage, vitrioleur.
VITRIOLER : 10 vitriolage.
VITULER : 7 coucher.
VITUPERER : 6 blâmer, tonner ■ **10** déblatérer ■ **12** vitupérateur, vitupération.
VIVACE : 3 rue ■ **5** aneth, ormin, prêle ■ **6** laîche, vivant ■ **7** gerbera, sanicle ■ **8** agrostis, ellébore, gratiole, joubarbe, rhubarbe, sainfouin, sanicule ■ **9** agrostide, chiendent, hellébore, hydrastis.
VIVACITE : 4 brio, vlan, youp ■ **6** ardeur*, fougue ■ **7** agilité, animato, amorphe, chaleur, entrain, lenteur, mordant, stepper, vitesse* ■ **8** activité, alacrité, décocher, lourdeur, maestria, rapidité, steppeur, vivement ■ **9** animation, gendarmer, mouvement, pesamment, pétulance, prégnance, vif-argent ■ **10** exubérance, turbulence ■ **11** emportement, impétuosité, promptitude* ■ **13** précipitation.
VIVANT : 3 vif* ■ **4** hôte, mort ■ **5** larve, noyau, vital ■ **6** debout, monère, viable, vivace ■ **7** spitant ■ **8** académie, inquilin, vivipare ■ **9** biogenèse, halophile, halophyte, histolyse, organisme, protistes ■ **10** abiogenèse, latinisant, procaryote ■ **11** biotropisme, hétérogénie ■ **14** transgénétique.
VIVEMENT : 7 allegro, scherzo ■ **8** chauffer, embraser, pressant, riposter, trotteur ■ **9** appétitif, ardemment, assaillir, enluminer, fulgurant, rembarrer ■ **10** scherzando.
VIVERRIDE : 7 civette, genette ■ **9** mangouste.
VIVEUR : 6 noceur ■ **8** débauché* ■ **11** badouillard.
VIVE VOIX : 11 verbalement.
VIVIDITE : 6 vivide.
VIVIER : 10 anguillère, homarderie.
VIVIFIER : 9 vivifiant ■ **10** revivifier ■ **12** vivificateur, vivification.
VIVIPARE : 8 paludine ■ **10** pastenague.
VIVISECTION : 8 anatomie.
VIVOTER : 7 végéter.
VIVRE : 4 être* ■ **5** mener, train ■ **6** camper, denrée, rabiot ■ **7** croupir, exister*, galérer, gueuser, habiter*, syntone, végéter, vivable, vivoter ■ **8** amphibie, habitude, orbicole, respirer, sociable ■ **9** brigander, cambusier, disetteux, existence, invivable, marronner, non viable, paganiser, pérennant, subsister, traverser, viabilité, vivandier ■ **10** biotechnie, hygrophobe, insociable, matérielle, séquestrer ■ **11** concubinage, libertinage, ravitailler, sociabilité, subsistance, victuailles ■ **12** antisociable ■ **13** munitionnaire, noctambulisme ■ **14** cosmopolitisme.
VIZIR : 7 vizirat.

VOCABLE : 3 mot* ■ 5 photo.
VOCABULAIRE : 5 argot ■ 9 prégnance ■ 12 dictionnaire ■ 14 microglossaire.
VOCAL : 5 motet, rondo ■ 7 étendue ■ 8 registre ■ 9 lallation ■ 10 modulation.
VOCALE : 4 scat ■ 9 glissando.
VOCALISATION : 8 massorah.
VOCALISER : 7 chanter, roulade ■ 8 vocalise ■ 12 vocalisateur, vocalisation.
VOCATION : 8 penchant*.
VOCERO : 11 vocératrice.
VOCIFERER : 5 crier* ■ 9 tonitruer ■ 12 vociférateur.
VŒU : 4 vote ■ 5 désir, ordre, santé, sœur, votif, vouer ■ 6 prière, profès ■ 7 serment, souhait ■ 8 chasteté, promesse* ■ 9 christmas ■ 10 engagement, obligation, résolution ■ 11 malédiction, réciproquer.
VOGUE : 4 mode* ■ 5 cours ■ 6 faveur, succès ■ 8 come-back, snobisme ■ 9 célébrité ■ 10 coqueluche, engouement, popularité.
VOGUER : 8 naviguer.
VOIE : 3 rue*, via ■ 4 pavé, quai, rail, tram ■ 5 allée, canal, corde, datif, écart, garer, jalon, lacté, moyen, nœud, quête, route, selle, voyou ■ 6 artère, avenue, canton, chemin, débord, rocade ■ 7 bas-côté, impasse, sentier, sévices, tramway, trimard ■ 8 bretelle, chaussée*, élection, pionnier, urologie ■ 9 aéroporté, autoberge, boulevard, entrevoie, hématurie ■ 10 accotement, contre-rail, monophonie, opposition, sanctifier, terre-plein ■ 11 chemin de fer ■ 12 raccordement ■ 13 intermédiaire.
VOIE FERREE : 9 banquette, entre-rail, garde-voie ■ 10 cantonnier, locomotive ■ 12 saut-de-mouton ■ 13 signalisation ■ 14 infrastructure.
VOIE LACTEE : 10 galactique.
VOÏEVODE : 8 voïvodat ■ 9 voïévodat.
VOILE : 3 foc, fun, gui, ris, spi ■ 4 cape, étui, gaze, oral ■ 5 agrès, amure, barge, brick, burat, canot, crêpe, fanon, fuste, gréer, lacer, mante, phare, plein, poêle, point, riser, taled, tissu, tréou, velet, vélum, yacht ■ 6 ariser, chèche, fougue, guimpe, houard, houari, hunier, litham, litsam, masque, taleth, vergue ■ 7 aurique, bouline, conopée, couvert, driveur, faseyer, manteau, misaine, tape-cul, tchador, têtière, vélaire, vélique, voilier, voilure* ■ 8 antihalo, bonnette, cacatois, déferler, dériveur, dévoiler, empanner, funboard, gréement, guidant, perruche, ralingue, vaporeux, voilière, wishbone, yachting ■ 9 balestron, déverguer, envergure, faseiller, œil-de-pie, perroquet, spinnaker, tcharchaf, tcharchef ■ 10 bout-dehors, brigantine, empointure, grand-voile, tiers-point, tire-veille ■ 12 cirro-stratus, désenverguer, uranoplastie ■ 13 brick-goélette.
VOILER : 6 cacher* ■ 7 voilage ■ 8 estomper.
VOILIER : 4 finn ■ 5 senau ■ 6 abatée, génois, rating ■ 7 aulofée, catboat, roulier ■ 8 albatros, auloffée, gaillard, paumelle, schooner, trimaran ■ 9 boulinier, monocoque ■ 10 caphornier, multicoque, quatre-mâts.
VOILURE : 3 mât ■ 4 étai, hune ■ 5 agrès, câble, palan, penne, rotor, voile* ■ 6 drisse, grelin, hauban, hunier, mâture, poulie, vergue ■ 7 artimon, beaupré, clinfoc, misaine, mouffle, tapecul ■ 8 bonnette, cacatois, gréement, perruche ■ 9 perroquet ■ 10 brigantine, taillevent, tourmentin, trinquette.
VOIR : 2 vu ■ 3 vue ■ 4 goût ■ 5 épier, fixer, mirer, nuage, point, recul,

tâter ■ 6 aviser, planer, revoir ■ 7 lorgner, repérer, visiter ■ 8 diapason, observer, paraître, regarder*, reluquer, vérifier ■ 9 curiosité, découvrir*, dessiller, dévisager, discerner*, éclairage, entrevoir, justifier, optimisme, pardonner, percevoir, présenter, remarquer ■ 10 apercevoir, autoscopie, considérer. contempler, distinguer, exhibition, fréquenter, surprendre, visibilité ■ 11 extralucide ■ 12 moucharabieh ■ 13 éblouissement.

VOISIN : 4 près*, semi ■ 5 ouche ■ 6 proche* ■ 7 vicinal ■ 8 confiner, voisiner ■ 9 atterrage, avoisiner, proximité, voisinage ■ 13 circumpolaire.

VOISINAGE : 6 entour ■ 10 périurbain.

VOIT : 9 non-voyant.

VOITURE : 3 cab, car, duc, van ■ 4 bige, char, clou, jeep, oing, parc, taxi, tram, truc ■ 5 araba, armon, bâche, banne, break, buggy, capot, coach, coche, coupé, derby, drein, fusée, guide, jante, moyeu, place, poste, sabot, sapin, siège, sulky, tabor, tacot, timon, train, turbo, vagon, volée, wagon*, wiski ■ 6 binard, boguet, camion, chaise, coucou, diable, fiacre, haquet, landau, milord, téléga, tender, troïka ■ 7 bagnole, berline, caisson, calèche, chariot, châssis*, dog-cart, fardier, fourgon, litière, locatis, omnibus, patache, phaéton, tape-cul, télègue, tilbury, tonneau, torpédo, tramway ■ 8 autorail, basterne, brouette, capotage, carriole, carrosse, cartayer, chignole, débarras, enrayoir, équipage, portière, prolonge, quadrige, rickshaw, roulotte, stock-car, teuf-teuf, traîneau, trottade, véhicule*, victoria, voiturée, voiturer, voiturin, wagon-lit ■ 9 ambulance, appui-bras, baladeuse, berlingot, cabriolet, charrette, diligence, éfourceau, familiale, fourrière, guimbarde, landaulet, limonière, limousine, mail-coach, micheline, poussette, tarantass, taximètre, tombereau ■ 10 automobile*, avant-train, boulangère, carrossier, cellulaire, chargement, corbillard, dépanneuse, jardinière, malle-poste, marche-pied, pétrolette, strapontin, tapissière, vélocifère, voiture-bar, voiture-lit, voiturette, wagon-salon ■ 11 camionnette, chasse-marée, commerciale, hippomobile, sleeping-car, triqueballe ■ 12 fourgonnette, pousse-pousse, voiture-balai, voiture-poste, voiture-salon ■ 15 wagon-restaurant.

VOITURE-LIT : 8 sleeping ■ 11 sleeping-car.

VOITURER : 6 rendre ■ 11 transporter*.

VOITURETTE : 8 cyclecar ■ 11 auto-scooter ■ 12 microvoiture.

VOITURIER : 7 roulier ■ 8 voiturin ■ 11 chasse-marée.

VOIX : 3 cri, mue, off, ton ■ 4 alto, oral, pose ■ 5 basse, butor, canon, chant, couac, danse, mimer, ténor*, verbe, vocal, voter ■ 6 aphone, gosier, volume ■ 7 aphonie, baryton, fausset, langage, soprano, stentor ■ 8 abat-voix, cadencer, majorité, mêle-cass, oraliser, phonique, préluder, suffrage, ténorino, terzetto ■ 9 accentuer, bas-dessus, chuchoter, contralto, dysphonie, fredonner, hommasse, mezzo-voce, mimologie, monodique, phonation, phoniatre, porte-voix, tessiture ■ 10 chantonner, contre-alto, haut-dessus, intonation, mêle-cassis, modulation, phoniatrie, sopraniste, vocalement ■ 11 basse-contre, basse-taille, haute-contre, haute-taille, nasonnement ■ 12 chevrotement, marmottement, mezzo-soprano, phonogénique.

VOL : 4 aile, raid, tire, volé ■ 5 essor, recel, voile ■ 6 fauché, larcin, rapine* ■ 7 maraude, péculat, volerie ■ 8 entôlage, rectrice ■ 9 maraudage, tire-d'aile ■ 10 brigandage, chapardage, concussion, deltaplane, escamotage, marauderie, rase-mottes ■ 11 escroquerie ■ 12 malhonnêteté, malversation ■ 13 falsification, indélicatesse, ornithomancie.

VOLAGE : 5 léger* ■ 8 papillon ■ 9 changeant ■ 11 inconstant.
VOLAILLE : 4 œuf ■ 5 civet, farce, pâtée, pâton, pilon ■ 6 cageot, chapon, gaveur, tagine, taline, trémie ■ 7 gaveuse, plumeur, typhose ■ 8 grenadin ■ 9 basse-cour, chaponner, pullorose, troussage, volailler ■ 10 aviculteur, aviculture, ballottine, chaponnage, coquassier ■ 11 aiguillette, sot-l'y-laisse ■ 12 poulaillerie.
VOLANT : 5 copie ■ 8 sambuque ■ 9 badminton ■ 12 ptérodactyle.
VOLATIL : 5 éther, fleur ■ 6 néroli ■ 7 acétonie ■ 8 hydrolat ■ 9 acroléine ■ 10 ammoniaque, volatilité ■ 11 volatiliser ■ 12 dégazolinage.
VOLATILE : 6 oiseau*.
VOLATILISER : 12 vaporisation ■ 13 volatilisable ■ 14 volatilisation.
VOLATILITE : 7 sublimé.
VOL-AU-VENT : 7 bouchée.
VOL A VOILE : 8 vélivole ■ 9 libériste.
VOLCAN : 4 lave, lune ■ 5 guyot, salse ■ 6 cercle, péléen, scorie ■ 7 cratère, lapilli, zéolite ■ 8 adventif, éruption, zéolithe ■ 9 fumerolle, laccolite, phonolite, solfatare, soufrière, vulcanien ■ 10 cumulo-dôme, laccolithe, phonolithe, volcanique, volcaniser, volcanisme ■ 12 cumulo-volcan, volcanologie, vulcanologie.
VOLCANIQUE : 4 mésa ■ 7 effusif, péperin, perlite ■ 8 cinérite, téphrite ■ 9 microlite ■ 13 pyroclastique.
VOLCANOLOGIE : 14 volcanologique, vulcanologie.
VOLE : 8 voletant.
VOLEE : 3 vol ■ 4 coup, pile ■ 5 essor, pâtée ■ 6 brûlée, fessée, flopée, raclée, rincée, rossée, roulée, saucée, tannée, trempe ■ 7 dégelée, frottée, grattée, peignée, secouée, tournée ■ 8 drop-goal, tabassée, tripotée, volleyer ■ 9 fricassée, tatouille, trépignée ■ 10 bastonnade, correction, déculottée, dérouillée ■ 11 passing-shot, tourlousine.
VOLER : 5 pante, piper ■ 6 chiper, choper, flouer, gruger, piller, piquer, priver ■ 7 dérober*, empiler, enlever, faucher, frauder, prendre*, tricher, usurper*, volable, voleter ■ 8 barboter, calotter, chauffer, empoigne, filouter, frelater, grincher, marauder, rabioter, survoler, voltiger ■ 9 chaparder, détourner, dévaliser, escamoter, escroquer, exploiter, extorquer, falsifier, flibuster, plafonner ■ 10 approprier*, cambrioler, déposséder, dépouiller, détrousser, soustraire ■ 11 cleptomanie, kleptomanie, volatiliser ■ 13 aéromodélisme.
VOLET : 7 aileron, spoiler ■ 8 jalousie, mantelet ■ 9 persienne ■ 10 contrevent, déflecteur, polyptique, tourniquet.
VOLETER : 5 voler ■ 7 flotter.
VOLEUR : 5 argot, filou, pègre ■ 6 bandit*, escroc*, fripon, larron, pirate* ■ 7 coupeur, pilleur, vaurien* ■ 9 cartouche, malandrin, rossignol ■ 10 chapardeur, escogriffe, kleptomane, malfaiteur, pickpocket, sycophante ■ 11 détrousseur, vide-gousset.
VOLIGE : 7 voliger ■ 9 voligeage.
VOLONTAIRE : 3 i.v.g. ■ 4 dîme, fiat, mâle, tête ■ 5 hardi, viril, voulu ■ 6 engagé ■ 8 partisan, sabotage ■ 9 baraterie, intrépide, jeune-turc, privation, réticence, sacrement ■ 10 antrustion, boycottage, ébrouement, pathomimie ■ 11 assentiment, garibaldien, volontariat ■ 12 involontaire ■ 13 contraception, sursimulation ■ 14 volontairement.
VOLONTAIREMENT : 8 de bon gré ■ 10 de bon cœur, volontiers ■ 12 bénévolement, de bonne grâce.
VOLONTE : 3 gré ■ 4 mode, tête, vœu ■ 5 obéir, toton ■ 6 malgré, oracle ■ 7 aboulie, courage, dessein, énergie, fermeté*, vigueur, volitif, vouloir ■ 8 autorité, bravoure, concorde, décision, destinée, impul-

sif, machinal, mollesse, surhomme, velléité, votation ■ 9 ad libidum, commander, déférence, envergure, fioriture, hardiesse, intention, offensive, testament, ultimatum ■ 10 arbitraire, entêtement, lévitation, opposition, potestatif, prétention, résolution, suggestion, volontaire ■ 11 absolutisme, automatisme, intrépidité, obstination, opiniâtreté, résignation ■ 12 consentement, monothélisme, neurasthénie, volontarisme ■ 13 détermination*.

VOLONTIERS : 4 tope ■ 14 volontairement.

VOLT : 8 kilovolt.

VOLTAÏQUE : 4 pile.

VOLTAIRIEN : 14 voltairianisme.

VOLTAMETRE : 5 anode ■ 7 cathode ■ 9 électrode.

VOLTE : 8 caracole.

VOLTE-FACE : 10 changement*.

VOLTIGE : 6 brille ■ 7 icarien, tonneau ■ 9 voltigeur ■ 11 voltigement ■ 12 cheval-arçons.

VOLTIGER : 5 voler ■ 7 flotter ■ 11 papillonner.

VOLTMETRE : 10 multimètre.

VOLUBILE : 5 liane ■ 7 liseron, ulluque ■ 8 tchatche ■ 11 physostigma ■ 13 salsepareille.

VOLUBILIS : 6 ipomée ■ 7 liseron.

VOLUBILITE : 8 dégoiser, jacasser ■ 9 éloquence*.

VOLUME : 4 menu, stot, tome ■ 5 cuber, dense, grain, jauge, livre, loupe, mètre, roman, stère, thèse ■ 6 cubage ■ 7 ouvrage, retrait ■ 8 brochure, capacité, comprimé, dilution, gonflant, grosseur*, isochore, jaugeage, quartage ■ 9 atrophier, expansion, gonflette, isocarène, petitesse, volumique ■ 10 contracter, dilatation, eudiomètre, gazométrie, mastodonte, volumétrie, volumineux ■ 11 condensable, contraction, déplacement, hématocrite, roman-fleuve ■ 12 détumescence, dilatabilité, foisonnement, stéréognosie, vasopressine, volumétrique ■ 13 amplification, hépatomégalie, macrocéphalie, splénomégalie, stalagmomètre ■ 14 boursouflement, mini-ordinateur ■ 15 cardiomyopathie, compressibilité.

VOLUMINEUX : 4 gros*.

VOLUMIQUE : 8 molarité.

VOLUPTE : 6 luxure* ■ 7 licence*, plaisir* ■ 8 débauche* ■ 9 lascivité ■ 10 sensualité, voluptueux ■ 11 libertinage, raffinement, sybaritisme ■ 12 dévergondage, égrillardise ■ 13 concupiscence ■ 15 voluptueusement.

VOLUPTUEUX : 7 sensuel ■ 8 sybarite ■ 9 luxurieux*.

VOLUTE : 6 hélice ■ 7 aileron, tigette ■ 8 modillon.

VOMIQUE : 7 brucine.

VOMIR : 6 rendre ■ 7 évacuer, vomitif ■ 8 dégorger, émétique, ignivome, regorger, renarder ■ 9 dégueuler, vomissure ■ 10 débagouler, dégobiller, mal de cœur, régurgiter ■ 11 débecqueter, haut-le-cœur, vomissement.

VOMISSEMENT : 4 vomi ■ 7 pituite ■ 9 vomissure ■ 10 hématémèse ■ 11 dégobillage ■ 12 antiémétique.

VOMITIF : 5 ipéca ■ 8 émétique ■ 10 ipécacuana ■ 11 apomorphine.

VORACE : 4 ogre ■ 5 avide* ■ 6 morfal ■ 7 glouton ■ 8 albatros, sphyrène, voracité ■ 10 uranoscope, voracement.

VORACITE : 6 rapace.

VOTATION : 7 système.

VOTE : 4 urne, voix ■ 5 levée, voter ■ 7 scrutin ■ 8 abstenir, bulletin, panacher, suffrage ■ 10 abstention, plébiscite, référendum ■ 11 blackbouler ■ 13 contre-épreuve.

VOTER : **5** aller ■ **7** revoter ■ **8** ballotte, votation ■ **11** suffragette ■ **15** abstentionnisme.

VOUE : **5** oblat ■ **8** pénitent.

VOUER : **7** désirer, dévouer ■ **8** exprimer ■ **9** consacrer, convoiter, souhaiter ■ **11** prédestiner.

VOULOIR : **4** haïr ■ **6** exiger*, régler ■ **7** daigner, désirer, entêter, imposer, statuer, volonté ■ **8** entendre, insister, obstiner ■ **9** consentir, convoiter, prétendre*, revouloir, signifier, souhaiter ■ **10** déterminer, persévérer ■ **12** malveillance, théâtralisme.

VOUS : **5** vôtre ■ **8** vousoyer, vouvoyer ■ **9** voussoyer ■ **12** voussoiement.

VOUSSOIR : **7** claveau ■ **8** retombée ■ **10** contre-clef, trompillon.

VOUSSURE : **10** tête-de-clou.

VOUTAIN : **10** sexpartite.

VOUTE : **3** arc, vau ■ **4** ciel, dais, dôme, four, nova, rein ■ **5** arche, chape, culée, culot, fesse, nadir, niche, ogive ■ **6** arcade, carnau, palais, trompe ■ **7** berceau, blindes, carneau, claveau, coupole, lunette, panache, périple, tournée, voûtain ■ **8** doubleau, échappée, éventail, extrados, formeret, intrados, jarreter, jaumière, pariétal, piédroit, retombée, tonnelle, vousseau, voussoir ■ **9** cul-de-four, décintrer, embarrure, firmament, pendentif, pied-droit, surbaisse, tierceron ■ **10** contreclef, cul-de-lampe, navisphère, sexpartite, stalactite, surhausser ■ **11** arc-doubleau, planétarium ■ **13** surbaissement ■ **15** arrière-voussure.

VOYAGE : **4** grue ■ **5** coche, étape, halte, hôtel, plaid, poste, train, vagon, wagon ■ **6** qasida ■ **7** circuit, méharée, odyssée, périple, tournée, voucher ■ **8** caravane, hôtelier, marmotte, rotation, touriste, viatique, voyageur ■ **9** croisière, incursion, promenade, traversée, voyagiste ■ **10** astronaute, expédition, fourre-tout, navigation, pèlerinage, vanity-case ■ **11** déplacement, exploration ■ **12** globe-trotter, long-courrier, représentant ■ **13** pérégrination ■ **14** science-fiction ■ **15** traveller's check.

VOYAGER : **5** errer ■ **6** rouler ■ **8** circuler, naviguer, tourisme ■ **9** parcourir, traverser ■ **10** pérégriner ■ **11** bourlinguer, cosmopolite.

VOYAGEUR : **3** kan ■ **4** khan ■ **10** multicarte ■ **11** panier-repas.

VOYAGISTE : **13** tour-opérateur.

VOYANT : **5** devin* ■ **7** voyance ■ **9** nivelette ■ **10** tape-à-l'œil ■ **11** extralucide.

VOYELLE : **5** brève, crase, tréma ■ **7** brévité ■ **8** infléchi, synérèse ■ **9** apophonie, contracté, épenthèse, métathèse, vocalique ■ **10** diphtongue, rétroflexe ■ **11** circonflexe, semi-voyelle ■ **12** vocalisation ■ **14** intervocalique.

VOYOU : **6** gouape, loubar, loulou, marlou, truand ■ **7** loubard, vaurien* ■ **8** hooligan, houligan ■ **9** arsouille ■ **10** fripouille.

VRAC : **10** minéralier.

VRAI : **3** sûr ■ **4** fait, faux, nier, réel* ■ **5** avéré, clair, connu, exact*, franc, juste*, loyal, roman, temps ■ **6** formel, patent, prouvé, strict ■ **7** certain*, décisif, évident, logique, notoire, positif*, reconnu, sérieux, sincère, truisme, visible ■ **8** fabuleux, officiel, palpable, spécieux, véracité ■ **9** aléthique, certifier, critérium, manifeste, plausible, rationnel, véridique, véritable ■ **10** dogmatique, historique, incontesté, nécessaire, présupposé ■ **11** authentique, indubitable, infaillible, irrécusable, péremptoire, présomption, raisonnable, reconnaître, satisfiable.

VRAISEMBLABLE : **8** probable ■ **9** plausible ■ **12** probablement ■ **15** invraisemblable.

VRAISEMBLABLEMENT : 12 possiblement.
VRAISEMBLANCE : 5 roman ■ 9 apparence ■ 11 crédibilité, probabilité ■ 15 invraisemblance.
VRILLE : 6 cirre, mèche ■ 6 cirrhe ■ 7 tarière ■ 8 tarrière ■ 9 avant-clou, oviscapte ■ 10 percerette ■ 13 queue-de-cochon.
VRILLETTE : 6 anobie.
VU : 6 de visu.
VUE : 3 but*, set ■ 4 lynx, miro, œil*, sens, sort, site, yeux* ■ 5 écran, envie, nuage, objet, point, riant, scène, sport, trait, trust, visée ■ 6 aspect, myopie, vision*, visuel ■ 7 aveugle, optique*, paysage, ralenti ■ 8 aveugler, diplopie, garde-vue, panorama, regarder ■ 9 amblyopie, invisible, pifomètre, spectacle*, strabisme ■ 10 apparition, emmétropie, paroptique, point de vue ■ 11 éblouissant, hémianopsie, libéralisme, papillotage, perspective ■ 12 clairvoyance ■ 13 éblouissement, papillotement ■ 14 cartellisation.
VULCANISATION : 10 vulcaniser ■ 13 vulcanisateur.
VULCANOLOGIE : 12 vulcanologue ■ 14 vulcanologiste.
VULGAIRE : 3 bas ■ 4 brut, plat ■ 5 banal, battu, foule, gouet, loche, nitre, nopal, orque, vulgo ■ 6 commun* ■ 7 trivial ■ 8 grossier*, pinchart, populace, quolibet ■ 9 banaliser, philistin, populaire, prosaïque, vulgarité ■ 10 vulgarisme.
VULGAIREMENT : 10 couramment.
VULGARISATION : 14 philotechnique.
VULGARISER : 8 propager ■ 11 populariser ■ 13 vulgarisation.
VULGATE : 5 bible.
VULNEAIRE : 10 anthyllide.
VULNERABLE : 5 talon ■ 13 vulnérabilité ■ 14 vulnérabiliser.
VULNERAIRE : 5 orpin ■ 9 anthyllis ■ 10 anthyllide, crapaudine.
VULTUEUX : 5 rouge ■ 6 gonflé ■ 10 vultuosité.
VULVE : 5 hymen, vagin ■ 7 vulvite ■ 8 clitoris, vulvaire ■ 12 bartholinite.

WXYZ

WAGON : 4 rame, truc ■ 5 bogie, coupé, plomb, train, truck, vagon, vigie ■ 7 fourgon, plateau, voiture* ■ 8 prolonge, wagon-bar, wagon-lit, wagonnée ■ 9 impériale, wagonnier ■ 10 débrancher, dérailleur, locomotive, wagon-poste ■ 11 sleeping-car, wagon-foudre, wagon-trémie ■ 12 compartiment, wagon-citerne ■ 14 wagon-couchette, wagon-réservoir.
WAGONNET : 5 benne, lorry ■ 8 draisine, hercheur, herscher ■ 9 herscheur ■ 10 draisienne.
WAHHABISME : 10 wahhabiste.
WALHALLA : 4 ciel.
WALLIS : 9 wallisien.
WALLON : 10 wallingant, wallonisme.
WARRANTER : 7 warrant ■ 8 warranté ■ 10 warrantage.
WATER : 5 vécés.
WHISKY : 3 rye ■ 4 baby ■ 6 scotch ■ 7 whiskey.
WHIST : 5 trick ■ 6 chelem ■ 7 schelem.
WILAYA : 4 wali ■ 5 daïra.
WOMBATIDE : 6 wombat ■ 12 phascolomidé.
WOOFER : 6 boomer.

X : 5 rayon.
XENON : 2 xe.
XENOPHOBE : 4 skin ■ 8 skinhead.
XEROPHILE : 8 caatinga.
XEROPHYTE : 12 xérophytique.
XIPHOÏDE : 10 xiphoïdien.
XIPHOPHORE : 11 porte-glaive.
XYLENE : 5 xylol ■ 8 xylidine.
XYLOGRAPHIE : 13 xylographique.
XYLOPHONE : 7 marimba ■ 8 cymbalum.

YACHT : 5 winch ■ 6 bateau ■ 7 cruiser, vaurien ■ 8 bulb-keel, monotype ■ 10 fifty-fifty ■ 12 cabin-cruiser.
YACHTING : 7 marconi ■ 8 yachtman ■ 9 yachtclub, yachtsman ■ 15 course-croisière,
YAK : 4 yack.
YANG : 3 yin.

YASS : 6 chibre.
YATAGAN : 4 épée*.
YEMEN : 4 rial ■ 8 yéménite.
YEUX : 3 vue* ■ 4 œil* ■ 5 cerne, larme, momie, rhume, taupe ■ 6 billes ■ 7 châsses, chassie ■ 8 éborgner, exorbité, mirettes, oculiste, ribouler ■ 9 éborgnage, nystagmus, oculogyre, quinquets ■ 10 nyctalopie ■ 11 binoculaire, ophtalmique ■ 13 interoculaire.
YIDDISH : 13 judéo-allemand.
YIN : 4 yang.
YOGA : 4 yogi ■ 5 asana.
YOHIMBEHE : 9 yohimbine.
YONNE : 8 icaunais ■ 12 soumaintrain.
YOUDI : 6 youpin, youtre ■ 9 israélite.
YOUGOSLAVE : 5 dinar ■ 7 voïvode ■ 8 voïévode, voïvodie ■ 9 voïévodie
YTTERBIUM : 2 yb ■ 9 ytterbine.
YTTRIUM : 6 yttria ■ 8 yttrique ■ 9 yttrifère ■ 10 yttrialite.

ZAIRE : 5 zaïre ■ 7 zaïrois.
ZAMBIE : 7 zambien.
ZAPPING : 6 zapper.
ZAZOU : 7 élégant.
ZEBRE : 3 daw ■ 4 dauw ■ 5 okapi.
ZELATEUR : 6 zélote ■ 12 enthousiaste.
ZELE : 4 élan, soin* ■ 5 tiède, vouer ■ 6 ardeur, flamme ■ 7 chaleur, courage, énergie, entrain, ferveur ■ 8 activité, dévotion, relâcher, zélateur ■ 9 diligence, émulation, fanatique, fanatisme, stimulant, vigilance ■ 10 dévouement, exaltation ■ 11 amateurisme, chauvinisme, intrépidité, relâchement ■ 12 empressement, enthousiasme, prosélytisme.
ZELOTE : 9 zélotisme.
ZEN : 6 satori.
ZENITH : 5 nadir ■ 6 comble ■ 8 méridien, zénithal.
ZEPHIR : 9 zéphyrien.
ZERO : 3 nul ■ 5 gelée, néant ■ 7 nullité ■ 8 zérotage ■ 9 asymptote ■ 15 supraconduction.
ZESTE : 6 zester.
ZEZAIEMENT : 7 blésité ■ 10 zozotement.
ZEZAYER : 6 bléser ■ 7 zozoter ■ 10 zézaiement.
ZIBELINE : 5 marte, sable.
ZIGZAG : 5 boyau, criss, lacet ■ 7 chicane, émanché ■ 9 zigzaguer.
ZIMBABWE : 10 zimbabwéen.
ZINC : 2 zn ■ 5 falun, indol, métal, moire, plomb, tutie ■ 6 tuthie, zicral ■ 7 pacfung, similor, zincage, zincate, zingage ■ 8 argentan, packfung, zincifère, zincique ■ 9 lithopone ■ 10 chrysocale ■ 11 maillechort, smithsonite ■ 12 chrysocalque, zincographie ■ 14 shérardisation.
ZINGARO : 8 bohémien*.
ZINGIBERACEE : 5 amome ■ 7 curcuma ■ 9 cardamome, gingembre.
ZIP : 6 zipper.
ZIPPING : 8 pitonner.
ZIRCONIUM : 2 zr ■ 6 zircon ■ 7 zircone ■ 9 zirconite.
ZIZANIE : 6 ivraie ■ 15 mésintelligence*.
ZOANTHAIRE : 11 anthozoaire*

ZODIAQUE : **4** lion ■ **6** bélier, cancer, vierge ■ **7** balance, gémeaux, taureau, verseau ■ **8** poissons, scorpion, zodiacal ■ **10** capricorne, sagittaire.
ZONAGE : **5** zoner ■ **6** zoning.
ZONE : **2** z.i. ■ **3** z.a.c., z.a.d., z.i.f. ■ **4** halo, fief, sima ■ **5** bande, front ■ **6** zonier ■ **7** cambium, écotone, secteur ■ **8** cuticule, épiderme, isochémie, objectif, quartier, zodiaque ■ **9** avalanche, desmosome, mésocarpe, péricycle, urbaniste ■ **10** ectoplasme, intertidal, territoire ■ **11** sous-secteur ■ **12** épipélagique, sous-quartier, subconscient ■ **14** bathypélagique.
ZOOLOGIE : **3** zoo ■ **10** mammalogie, zoologique, zoologiste ■ **11** entomologie, ichtyologie ■ **12** ornithologie ■ **14** zoologiquement.
ZOOLOGIQUE : **3** zoo.
ZOOPATHIE : **8** zoophile ■ **11** zoopathique.
ZOOPHYTE : **11** phytozoaire.
ZOOSPORE : **11** zoosporange.
ZOOTECHNIE : **12** zootechnique ■ **13** zootechnicien.
ZOROASTRISME : **8** parsisme ■ **11** zoroastrien.
ZOUAVE : **7** chéchia.
ZURICH : **9** zurichois.
ZUTISTE : **7** zutique.
ZWINGLIANISME : **9** zwinglien.
ZYGOMYCETE : **9** mucoracée*.

Au catalogue Marabout

Loisirs - Jeux - Judo

ABC de la calligraphie (L')
A. Terrier.............................. 5325 34 FF
Bridge (Premiers pas au)
M. Duguet - M. Charlemagne.......... 5340 34 FF
50 tours de cartes
P. Romano.............................. 5327 32 FF
Commencer le Bridge
J. Delorme .... 5341 39 FF
Dico-Jeux
M. Weil .... 5338 39 FF
Dictionnaire des mots croisés - Tome 1
L. et M. Noël........................... 5306 46 FF
Dictionnaire des mots croisés - Tome 2
L. et M. Noël........................... 5307 46 FF
Dictionnaire des mots fléchés
A. Bidard de la Noé.................. HC 104 FF
Grand dictionnaire Marabout des mots croisés (Le)
L. et M. Noël........................... HC 99 FF
Grand guide Marabout du Scrabble (Le)
M. Charlemagne .... HC 99 FF
Grand livre de tous les jeux de cartes (Le)
F. Lohéac, P. Romano, J.-M. Maman... HC 105 FF
Guide des règles sportives
D. Lamboley .... 5328 34 FF
Guide du chercheur de trésors
M. Valentin............................. 5342 46 FF
Guide Marabout de la photographie (Le)
M. Biderbost .... 5310 39 FF

Guide Marabout des échecs (Le)
F. Van Seters ....5313 39 FF
Guide Marabout du scrabble (Le)
M. Charlemagne ....5312 46 FF
Jeux d'intérieur
M. Basset-Clidière ....5320 46 FF
Jeux de plein air
M. Basset-Clidière ....5321 46 FF
Jeux d'intérieur et de plein air
M. Basset-Clidière ....HC 69 FF
Jeux de voyage t.1
Groupe Diagram ....5323 34 FF
Jeux de voyage t. 2
Groupe Diagram ....5324 34 FF
Jeux du monde entier
M. Masson et P. Clermont..............HC 69 FF
Jeux pour jouer seul t.1
Groupe Diagram ....5343 34 FF
Jeux pour jouer seul t.2
Groupe Diagram ....5344 34 FF
Jouer en voyage
Groupe Diagram ....HC 65 FF
Judo par ceinture
L. Raisin
Pour réussir sa ceinture jaune ....HC 52 FF
Pour réussir sa ceinture orange......HC 52 FF
Pour réussir sa ceinture verte........HC 52 FF
Réussis tes ceinture blanche - jaune et jaune
L. Raisin ....HC 52 FF
Livre de bord des jeux familiaux (Le)
N. Masson...................................HC 135 FF
Livre de bord des tests (Le)
A. Bacus ....HC 125 FF

Mots croisés en 1000 astuces (Les)
R. Mayeur.................................5337 43 FF
Plus beaux tours de magie (Les)
P. Romano.................................5329 34 FF
Premiers pas aux échecs
F. Lohéac.................................5330 34 FF
Remue-méninges
L. Dubois.................................5336 39 FF
Réussites et patiences
P. Romano.................................5339 34 FF
Tous les jeux de cartes
F. Gerver.................................5311 46 FF

Vie Quotidienne

ABC de l'automobile (L')
C. Pessey .... 1547 34 FF
Art de vivre au fil des jours (L')
V. de Montesquiou .... 1554 46 FF
Comment dresser son arbre généalogique
M. Gasse .... 1538 39 FF
Comment se faire épouser ?
A. Girod de l'Ain .... 1550 39 FF
Correspondance (La)
G. d'Assailly .... 1501 32 FF
Courrier facile (Le)
C. Ovtcharenko .... 1505 50 FF
200 modèles de lettres
P. Maury .... 1510 39 FF
Disparus ? Comment les retrouver
P. Fagué .... 1555 37 FF
Femme un jour, femme toujours
N. de Rothschild .... 1553 43 FF
Généalogie facile (La)
J.-L. Beaucarnot.......................... 1512 39 FF
Guide de l'organisation de toutes les fêtes
C. Carnoy .... 1551 34 FF
Guide de l'organisation du mariage
N. Terrail................................ 1513 39 FF
Guide de votre courrier
C. Pinson................................. HC 99 FF
Guide du bénévolat et du volontariat
G. Garibal................................ 1556 43 FF
Guide du savoir-vivre
F. Le Bras .... HC 99 FF
Guide pratique des cartes de crédit
S. Gaigniot et B. Leprat.................. 1560 34 FF

Livre de bord de votre courrier (Le)
C. Pinson...............................HC 125FF
Livre de bord de toutes les fêtes
C. Pinson...............................HC 129 FF
Livre de bord du savoir-vivre (Le)
F. Le Bras...............................HC 125 FF
Meilleurs jobs pour se faire de l'argent de poche (Les)
S. Gerin...............................1558 37 FF
Officiel des prénoms d'Europe (L')
C. et P. Raguin...............................1502 46 FF
Organiser et réussir un mariage
C. Pinson...............................1542 34 FF
Politesse oblige
H. de Clermont-Tonnerre...............................1549 43 FF
Premiers pas en généalogie
J.- L. Beaucarnot...............................1546 34 FF
Savoir-vivre (Le)
G. d'Assailly - J. Baudry...............................1500 37 FF

Vie Professionnelle

Comment prendre la bonne décision
M. van Boxem .... 1948 39 FF
C.V. des gagnants (Le)
Fl. Le Bras .... 1939 34 FF
100 modèles de C.V.
Fl. Le Bras .... 1921 39 FF
50 modèles de lettres pour trouver un emploi
F. Le Bras .... 1911 37 FF
Comptabilité facile (La)
L. Batsch.............................. 1918 46 FF
En route pour l'emploi
Fl. Le Bras - G. Azzopardi............ HC 99 FF
En route pour l'emploi «spécial micro»
Chouka et J.-P. Mesters .... HC 99 FF
Entretien d'embauche (L')
Fl. Le Bras .... 1940 34 FF
Gagnez du temps, 1001 conseils
Dr A. Brand........................... 1944 37 FF
Guide de la communication
J.-C. Martin .... HC 99 FF
Lettre de motivation (La)
Fl. Le Bras .... 1938 34 FF
Nouveaux tests de recrutement (Les)
G. Azzopardi.......................... 1931 37 FF
Passeport pour le premier emploi
F. Le Bras .... 1949 34 FF
Pour maîtriser les tests de recrutement
A. Bacus .... 2106 37 FF
Profession : Secrétaire assistance
M. Nuq-Barakat....................... 1951 39 FF

Progressez dans l'entreprise et protégez votre emploi
J.-P. Juès .... 1946 39 FF
Réussir les tests d'entreprise
G. Azzopardi .... 2121 39 FF
Réussir les tests de sélection
G. Azzopardi .... 1941 34 FF
Réussir un entretien d'embauche
A. Bernardini .... 2112 39 FF
Service compris
Ph. Bloch - R. Hababou -
D. Xardel .... 2102 46 FF
Stages : premier pas vers l'emploi
F. Le Bras .... 1950 34 FF
Voix de la réussite (La)
C. Lecourt .... 1947 39 FF

LES AUTEURS

Léon NOËL, un passionné de la langue française, auteur de nombreuses grilles de mots croisés.

Marynel HENRARD, son épouse, expert comptable, prix supérieur de chant classique, également passionnée par la langue française.

IMPRIMÉ EN FRANCE PAR BRODARD ET TAUPIN
3005 - La Flèche (Sarthe), le 30-06-2000.

pour le compte des
Nouvelles Éditions Marabout
D.L. n° 4482 - juillet 2000
ISBN : 2-501-02007-3